Preciso de entender o significado das palavra

informação sobre as palavras de uso mais frequente, indicadas pelo símbolo da chave

variantes americanas

(USA) carrinho de mão wheelbarrow *Ver tb* CHOOUE

outras formas de escrever uma palavra

high-tech (*tb* **hi-tech**) /ˌhaɪ ˈtek/ *adj* (*coloq*) de alta tecnologia

pronúncia e acentuação tónica

diplomacy /dɪˈplouməsi/ *s* diplomacia **diplomat** /ˈdɪpləmæt/ *s* diplomata **diplomatic** /ˌdɪpləˈmætɪk/ *adj* (*lit e fig*) diplomático **diplomatically** /-kli/ *adv* diplomaticamente, com diplomacia

exemplos que ajudam a ilustrar o uso da palavra

mixed-up /ˌmɪkst ˈʌp/ *adj* (*coloq*) desequilibrado, confuso: ***a mixed-up kid*** um menino com problemas

notas de vocabulário para ensinar outras palavras relacionadas com a que está a ser consultada

esporte ▸ *sm* sport: *Você pratica algum ~?* Do you play any sports?

Em inglês, há três construções possíveis quando se fala de esportes. *Jogar futebol, golfe, basquete*, etc. diz-se **play + substantivo**, p. ex. **play soccer, golf, basketball**, etc. *Fazer aeróbica, ginástica, judô*, etc. diz-se **do + substantivo**, p. ex. **do aerobics, gymnastics, judo**, etc. *Fazer natação, caminhada, ciclismo*, etc. diz-se **go + -ing**, p. ex. **go swimming, hiking, cycling**, etc. Esta última construção se usa, principalmente, quando existe em inglês um verbo específico para tal esporte, como **swim**, **hike** ou **cycle**.

notas culturais que explicam alguns pormenores interessantes e práticos das culturas britânica e americana

Thanksgiving /ˌθæŋksˈɡɪvɪŋ/ *s* (dia de) ação de graças

Thanksgiving é celebrado nos Estados Unidos na quinta-feira da quarta semana de novembro. A comida tradicional consiste em peru assado (**turkey**) e torta de abóbora (**pumpkin pie**).

palavras que são utilizadas apenas em determinadas situações, por exemplo, numa conversa informal

netiquette /ˈnetɪket/ *s* [*não contável*] (*coloq*) regras de comportamento da Internet

Dicionário

Oxford Pocket Plus

para estudantes de Inglês

Português – Inglês
Inglês – Português

Great Clarendon Street, Oxford OX2 6DP

Oxford University Press is a department of the University of Oxford.
It furthers the University's objective of excellence in research, scholarship, and education by publishing worldwide in

Oxford New York

Auckland Cape Town Dar es Salaam Hong Kong Karachi
Kuala Lumpur Madrid Melbourne Mexico City Nairobi
New Delhi Shanghai Taipei Toronto

With offices in

Argentina Austria Brazil Chile Czech Republic France Greece
Guatemala Hungary Italy Japan Poland Portugal Singapore
South Korea Switzerland Thailand Turkey Ukraine Vietnam

First published 1998
Second edition 2010

2014
8 7 6 5 4 3 2

ISBN: 978 0 19 430124 4 (BOOK AND CD-ROM PACK)
containing
ISBN: 978 0 19 430122 0 (BOOK)
ISBN: 978 0 19 430123 7 (CD-ROM)

Printed in China

ACKNOWLEDGEMENTS

Second edition edited by: Mark Temple, assisted by Vanda Meneses Santos, Teresa Barbosa and Catarina Barceló Fouto

Illustrations: Martin Cox, Margaret Heath, Nigel Paige, Martin Shovel, Paul Thomas, Harry Venning, Michael Woods, Hardlines

Índice

Teste sobre o dicionário

Para demonstrarmos como o ***Dicionário Oxford Pocket*** pode ajudar na aprendizagem do inglês, propomos este pequeno teste, que pode ser respondido com a consulta ao dicionário.

PORTUGUÊS-INGLÊS

Em geral, uma palavra pode ter várias traduções. O *Oxford Pocket* ajuda-o a encontrar a palavra certa para o que precisa, tendo entre parênteses um outro significado, quando há mais de uma tradução possível.

1 Como diria em inglês: "Tenho de **arrumar** o meu quarto"?

2 Quero **navegar** na Internet e convido um amigo australiano para o fazer comigo: "Let's sail the Internet!". Mas ele não me entende. O que deveria eu ter dito?

Também fornecemos informações sobre o uso das palavras em inglês, principalmente quando este uso é diferente do português. Corrija as frases a seguir:

3 Angola is a country in development. (**desenvolvimento**)

4 She gave me a good advice. (**conselho**)

Para encontrar a tradução adequada, também é importante saber escolher a palavra apropriada, levando em consideração se o contexto é formal ou informal.
Como traduziria estas frases?

5 (*a um amigo*) Vou **cumprimentar** o Marco.

6 (*numa caixa multibanco*) **Insira** o seu cartão.

Para poder exprimir-se bem em inglês, é importante saber qual a preposição que acompanha um determinado verbo. Mostramos isto entre parênteses ao lado da tradução.
Complete estas frases:

7 A Vera é completamente **louca** pelo Pedro.
Vera is crazy _________ Pedro.

8 Todos nós nos **mascarámos** de pirata.
We all dressed up _________ pirates.

Também irá aprender a utilizar expressões coloquiais em inglês.

9 Procure uma forma coloquial de dizer **bom dia**.

10 Procure duas formas de dizer **não tem de quê**.

As ilustrações ajudam-no a entender as diferenças entre as expressões e palavras do inglês que são muito parecidas. Encontrará uma explicação ilustrada junto aos verbetes que geralmente apresentam esta dificuldade.

11 Em inglês há duas formas de dizer **sombra**. Quais são e qual a diferença entre elas?

12 Veja a ilustração em **computador** e verifique como se diz "teclado".

No meio do dicionário, encontrará também páginas de estudo, nas quais apresentamos informações adicionais sobre o inglês.

13 Como diria **pavement** em inglês americano? (ver página **O inglês nos Estados Unidos e na Grã-Bretanha**)

14 A palavra inglesa **lunch** não significa "lanche". O que significa? (ver página **Falsos amigos**)

15 Se alguém escreve 'c u l8r' numa mensagem de texto, o que significa isto? (ver página **Mensagens de texto**)

O *Oxford Pocket* ajuda-o a ampliar o seu vocabulário. Nele encontrará as palavras mais usadas pelos ingleses e americanos, incluindo as mais atuais.

1 Uma pessoa que tem uma aparência pouco elegante, até mesmo suja, e se veste de forma descuidada, pode ser descrita como: **broke**, **soppy**, ou **scruffy**?
2 Qual destas pessoas não gosta de gastar o seu dinheiro – **hunk**, **scrooge**, ou **show-off**?

Também poderá procurar expressões idiomáticas e *phrasal verbs*.

3 Se alguém lhe disser: "I **lost my temper** yesterday", sugere-lhe que vá até ao sector de "Achados e Perdidos"?
4 O que há em comum entre estas expressões: **give sb a buzz**, **off the hook**, **put sb through** e **hang up**?

Entender a cultura de cada país ajuda-nos a aprender um idioma. Com base nisso, este dicionário apresenta-lhe alguns elementos importantes da cultura americana e inglesa.

5 O que são os **bank holidays**? Em que dia calham?
6 O que quer dizer "the **Stars and Stripes**"?

E também lhe dizemos quando uma palavra é usada só na Grã-Bretanha ou nos Estados Unidos.

7 Se alguém está à procura do seu **datebook**, essa pessoa é inglesa ou americana?
8 Onde é que se chama a televisão "the **box**"?

O *Oxford Pocket* também o ajuda na gramática e a ortografia do idioma inglês. Pode usar o dicionário para confirmar como uma palavra se escreve, pois mostramos--lhe as formas irregulares do plural, do particípio passado, etc.

9 Qual é o plural de **cranberry**?
10 Qual é a forma com **ing** (gerúndio) do verbo **chat**?

Também encontrará informações que o ajudarão a entender os aspetos gramaticais das palavras. Verdadeiro ou falso?

11 **Yet** só se usa em frases afirmativas.
12 **Chewing gum** é um substantivo contável.

Além disso, mostramos-lhe a pronúncia das palavras inglesas, e muitos símbolos fonéticos aparecem no rodapé da página.

13 Preste atenção à pronúncia de **I'll**, **aisle** e **isle**. O que é que nota?
14 Que letras não são pronunciadas nas palavras **wrist** e **salmon**?
15 Imagine que quer passar este endereço de **email** a uma amiga inglesa: paulo.martins@indie.pt. Como é que o lê?

Respostas

PORTUGUÊS-INGLÊS **1.** I have to tidy (up) my room. **2.** Let's surf the Net! **3.** Angola is a developing country. **4.** She gave me (some/a piece of) good advice. **5.** I'm going to say hi to Marco. **6.** Insert your card. **7.** about **8.** as **9.** morning! **10.** you're welcome *ou* not at all **11.** Shadow e shade. Shadow refere-se a uma silhueta projetada no chão, etc. e shade refere-se a um local com ausência de sol. **12.** keyboard **13.** sidewalk **14.** almoço **15.** See you later

INGLÊS-PORTUGUÊS **1.** scruffy **2.** scrooge **3.** não **4.** Todas estão relacionadas com conversas ao telefone. **5.** Feriados. Caem sempre na segunda-feira. **6.** a bandeira dos Estados Unidos **7.** americana **8.** na Grã-Bretanha **9.** cranberries **10.** chatting **11.** *falso* **12.** *falso* **13.** A pronúncia de todas é a mesma. **14.** W e L **15.** Paulo Martins at indie dot p t

Pronúncia

Símbolos fonéticos

Consoantes

p	**pen** /pen/	s	**see** /siː/
b	**bad** /bæd/	z	**zoo** /zuː/
t	**tea** /tiː/	ʃ	**shoe** /ʃuː/
d	**did** /dɪd/	ʒ	**vision** /ˈvɪʒn/
k	**cat** /kæt/	h	**hat** /hæt/
g	**get** /get/	m	**man** /mæn/
tʃ	**chain** /tʃeɪn/	n	**now** /naʊ/
dʒ	**jam** /dʒæm/	ŋ	**sing** /sɪŋ/
f	**fall** /fɔːl/	l	**leg** /leg/
v	**van** /væn/	r	**red** /red/
θ	**thin** /θɪn/	j	**yes** /jes/
ð	**then** /ðen/	w	**wet** /wet/

Vogais e ditongos

iː	**see** /siː/	ɜː	**fur** /fɜː(r)/
i	**happy** /ˈhæpi/	ə	**about** /əˈbaʊt/
ɪ	**sit** /sɪt/	eɪ	**say** /seɪ/
e	**ten** /ten/	əʊ	**go** /gəʊ/
æ	**cat** /kæt/	aɪ	**five** /faɪv/
ɑː	**bath** /bɑːθ/	ɔɪ	**join** /dʒɔɪn/
ɒ	**long** /lɒŋ/	aʊ	**now** /naʊ/
ɔː	**saw** /sɔː/	ɪə	**near** /nɪə(r)/
ʊ	**put** /pʊt/	eə	**hair** /heə(r)/
u	**actual** /ˈæktʃuəl/	ʊə	**pure** /pjʊə(r)/
uː	**too** /tuː/		
ʌ	**cup** /kʌp/		

Palavras que podem ser pronunciadas de maneiras diferentes

Há palavras em inglês que podem ser pronunciadas de maneiras diferentes. Neste dicionário, mostramos as formas mais comuns, separadas por vírgula e ordenadas de acordo com a frequência de uso:

either /ˈaɪðə(r), ˈiːðə(r)/

Se a pronúncia da palavra variar muito no inglês americano, ela será indicada após a pronúncia britânica, precedida da abreviatura *USA*:

address /əˈdres; *USA* ˈædres/

Algumas palavras de uso frequente (**an, and, as, can, from, of,** etc.) podem ser pronunciadas de duas formas diferentes, uma átona e outra tónica. A forma átona aparece primeiro, por ser a mais comum. A forma tónica é utilizada quando a palavra aparece no final de uma frase, ou quando lhe queremos dar uma ênfase especial, por exemplo:

for /fə(r), fɔː(r)/:
I'm waiting for a bus. /fə(r)/
What are you waiting for? /fɔː(r)/
It's not from Chloe, it's for her. /fɔː(r)/

No inglês britânico, normalmente não se pronuncia o **r** final de uma palavra, a não ser quando a palavra seguinte começa com uma vogal. Por exemplo, o **r** de *car* não é pronunciado na frase *His car broke down*, mas sim em *His car is brand new*.

Acento tónico

O símbolo /ˈ/ aparece antes do acento tónico principal da palavra:

able /ˈeɪbl/
O acento tónico recai sobre a primeira sílaba da palavra.

ability /əˈbɪləti/
O acento tónico recai sobre a segunda sílaba da palavra.

As palavras longas podem ter mais de um acento tónico: o principal e um ou mais secundários. O acento tónico secundário é precedido pelo símbolo /ˌ/. A palavra secretarial /ˌsekrəˈteəriəl/, por exemplo, tem o seu acento tónico secundário na sílaba /ˌsek/ e o principal na sílaba /ˈteə/.

Ao juntarmos as palavras numa frase, o acento tónico principal da primeira palavra às vezes ocupa o lugar do acento tónico secundário, a fim de evitar que haja duas sílabas tónicas seguidas. Por exemplo, **ˌafterˈnoon** tem o seu acento tónico principal na terceira sílaba, mas na frase **ˌafternoon ˈtea**, a sílaba **noon** não é a tónica. Na palavra **ˌwell ˈknown**, o acento tónico principal é **known**, mas na frase **ˌwell-known ˈactor**, esta mesma sílaba já não é a tónica.

Palavras derivadas

Quando adicionamos sufixos para formar outras palavras, a pronúncia da palavra derivada corresponde à pronúncia da palavra original mais a pronúncia da terminação. Nestes casos, não é dada a transcrição fonética, visto que ela é óbvia:

consciously = **conscious + ly**
/ˈkɒnʃəsli/ = /ˈkɒnʃəs/ + /li/

No entanto, às vezes, o acento tónico da palavra altera-se ao adicionarmos uma nova terminação.

Nestes casos, indicamos a pronúncia da palavra derivada:

impossible /ɪmˈpɒsəbl/
impossibility /ɪmˌpɒsəˈbɪləti/

No caso das palavras derivadas terminadas em **-tion**, o acento tónico quase sempre recai sobre a penúltima sílaba. Portanto, não apresentamos a transcrição fonética de tais palavras:

alter /ˈɔːltə(r)/
alteration /ˌɔːltəˈreɪʃn/

Desinências

-able	/əbl/	**laughable**
-ably	/əbli/	**arguably**
-ally	/əli/	**casually**
-ance, -ence	/əns/	**annoyance, competence**
-ant, -ent	/ənt/	**disinfectant, divergent**
-bly	/bli/	**sensibly**
-cy	/si/	**truancy**
-en	/ən/	**woollen**
-er, -or	/ə(r)/	**attacker, narrator**
-ful	/fəl/	**disgraceful**
-fully	/fəli/	**painfully**
-hood	/hʊd/	**brotherhood**
-ing	/ɪŋ/	**thrilling**
-ish	/ɪʃ/	**feverish**
-ism	/ɪzəm/	**vandalism**
-ist	/ɪst/	**environmentalist**
-ive	/ɪv/	**creative**
-ize	/aɪz/	**computerize**
-izer	/aɪzə(r)/	**fertilizer**
-less	/ləs/	**fearless**
-ly	/li/	**boldly**
-ment	/mənt/	**astonishment**
-ness	/nəs/	**consciousness**
-ous	/əs/	**envious**
-ship	/ʃɪp/	**craftsmanship**
-some	/səm/	**quarrelsome**
-tion	/ʃn/	**liberation**
-y	/i/	**silky**

A a

a[1] *art def* the: *A casa é velha.* The house is old. ◇ *A Maria ainda não chegou.* Maria hasn't arrived yet. ➲ *Ver nota em* THE **LOC a de/que...** *Ver* O[1]

a[2] *pron* **1** (*ela*) her: *Surpreendeu-a.* It surprised her. ◇ *Vi-a sábado à tarde.* I saw her on Saturday afternoon. **2** (*coisa*) it: *Não a vejo.* I can't see it. **3** (*você*) you: *Eu avisei-a!* I told you so!

a[3] *prep*
- **direção** to: *Vou a Lisboa.* I am going to Lisbon. ◇ *Vais a casa este fim de semana?* Are you going home this weekend? ◇ *Dirigiu-se a mim.* She came up to me.
- **posição**: *à esquerda* on the left ◇ *ao meu lado* by my side ◇ *Estavam sentados à mesa.* They were sitting at the table.
- **frequência**: *uma vez ao ano* once a year ◇ *Tenho aula de condução às segundas e sextas.* I have my driving lesson on Monday and Friday.
- **distância**: *a dez quilómetros daqui* ten kilometres from here
- **modo**: *ir a pé* to go on foot ◇ *Fá-lo à tua maneira.* Do it your way. ◇ *vestir-se à hippy* to dress like a hippy
- **meio**: *escrever ao computador* to type ◇ *pescar à linha* to go angling
- **matéria**: *Trabalha a pilhas e eletricidade.* It runs on batteries or mains electricity. ◇ *um fogão a gás* a gas cooker
- **tempo 1** (*com horas, idade*) at: *às doze* at twelve o'clock ◇ *aos sessenta anos* at (the age of) sixty **2** (*com data, parte do dia*): *Estamos a dois de janeiro.* It's the second of January. ◇ *à tarde* in the afternoon ◇ *à noite* at night ◇ *amanhã à noite* tomorrow night ◇ *hoje/logo à noite* tonight **3** (*seguido de unidade de tempo*): *Partem daqui a uma hora/dois dias.* They're leaving in an hour/two days. ◇ *O aeroporto fica a vinte minutos daqui.* The airport is twenty minutes from here.
- **seguido de infinitivo 1** (*ordem*): *Fomos os primeiros a chegar.* We were the first to arrive. **2** (*continuidade*): *Continuou a estudar.* He went on studying. ◇ *Está a chover.* It's raining.
- **complemento indireto 1** to: *Dá-o ao teu irmão.* Give it to your brother. **2** (*para*) for: *Comprei uma bicicleta à minha filha.* I bought a bicycle for my daughter.
- **outras construções 1** (*distribuição, velocidade*) at: *Calham três a cada um.* It works out at three each. ◇ *Iam a 60 quilómetros por hora.* They were going at 60 kilometres an hour. **2** (*tarifa, preço*) a, per (*mais formal*): *cinco libras à hora* five pounds an hour ◇ *Estão a três euros o quilo.* They're three euros a kilo. **3** (*quantidade, medida*) by: *vender alguma coisa ao metro* to sell sth by the metre ◇ *vender alguma coisa à dúzia/às centenas* to sell sth by the dozen/hundred **4** (*Desp*): *Ganharam três a zero.* They won three nil. ◇ *Empataram a dois golos.* They drew two all. **5** (*em ordens*): *Toca a estudar!* Go and do some work! **LOC a ele, ela, etc.!** get him, her, etc.!

à *Ver* A[3]

aba *sf* (*chapéu*) brim: *um chapéu de ~ larga* a wide-brimmed hat

abacate *sm* avocado [*pl* avocados]

abade *sm* abbot **LOC** *Ver* COMER[2]

abadia *sf* abbey [*pl* abbeys]

abafado, -a *adj* (*tempo*): *Está muito ~ hoje.* It's sultry today. *Ver tb* ABAFAR

abafar *vt* **1** (*ruído*) to muffle **2** (*notícia, escândalo*) to suppress **3** (*fogo*) to smother

abaixo ▸ *adv* down: *rua/escadas ~* down the street/stairs ▸ **abaixo...!** *interj* down with...! **LOC abaixo de** below *sth*: *~ do limiar da pobreza* below the poverty line ◇ *temperaturas ~ de zero* temperatures below freezing **deitar abaixo 1** (*edifício*) to knock *sth* down **2** (*governo*) to bring *sth* down **deixar ir abaixo** (*motor*) to stall: *Deixei ir o carro ~.* I stalled the car. **ir/vir abaixo 1** (*edifício*) to collapse **2** (*governo*) to fall **mais abaixo 1** (*mais longe*) further down: *na mesma rua, mais ~* further down that street **2** (*em sentido vertical*) lower down: *Põe o quadro mais ~.* Put the picture lower down. *Ver tb* CIMA, ENCOSTA, RIO, RUA

abaixo-assinado *sm* petition

abajur *sm* lampshade

abalar ▸ *vt* **1** (*abanar*) to shake **2** (*impressionar*) to shock ▸ *vi* **1** (*ir-se embora*) to leave **2** (*fugir*) to flee

abalo *sm* (*choque*) shock **LOC abalo sísmico/de terra** earth tremor

abanar ▸ *vt* **1** to shake **2** (*rabo*) to wag **3** (*braços, bandeira*) to wave ▸ *vi* **1** to shake **2** (*cadeira, mesa*) to wobble **3** (*cortinas, bandeira*) to wave **4** (*estar solto*) to be loose: *Tenho um dente a ~.* I've got a loose tooth. ▸ **abanar-se** *vp* (*com leque*) to fan (yourself) **LOC abanar a cabeça** (*em sinal de negação*) to shake your head **abanar o capacete** to have a dance

abandonar *vt* **1** to abandon: *~ uma criança/um animal* to abandon a child/an animal ◇ *~ um projeto* to abandon a project **2** (*lugar*) to leave: *~ a sala* to leave the room **3** (*esquecer*) to desert: *Os meus amigos nunca me abandonariam.* My friends would never desert me. **4** (*Informát*) to quit **5** (*desistir*) to give *sth* up: *Não abandones os teus sonhos.* Don't give up your dreams. **6** (*Desp*) to withdraw from *sth*: *~ uma competição* to pull out of a competition

abarrotar *vt* to fill *sth* full (*of sth*): *Abarrotou a casa com livros.* He filled his house full of books. LOC **a abarrotar (de gente)** crowded

abastecer ▸ *vt* **1** to supply *sb* (*with sth*): *A quinta abastece toda a aldeia de ovos.* The farm supplies the whole village with eggs. **2** (*com gasolina, etc.*) to fill *sth* up (*with sth*) ▸ **abastecer-se** *vp* **abastecer-se de** to stock up on *sth*: *abastecer-se de farinha* to stock up on flour

abastecimento *sm* **1** (*ato*) supplying: *Quem se encarga do ~ das tropas?* Who is in charge of supplying the troops? **2** (*provisão*) supply: *controlar o ~ de água* to regulate the water supply

abater *vt* **1** (*gado*) to slaughter **2** (*animal de estimação*) to put *sth* to sleep

abatido, -a *adj* (*deprimido*) depressed *Ver tb* ABATER

abatimento *sm* reduction

abcesso *sm* abscess

abdicar *vi* (*rei, rainha*) to abdicate: *Eduardo VIII abdicou a/em favor do irmão.* Edward the Eighth abdicated in favour of his brother.

abdómen *sm* abdomen

abdominal ▸ *adj* abdominal ▸ **abdominais** *sm* **1** (*músculos*) stomach muscles, abdominal muscles (*mais formal*) **2** (*exercícios*) sit-ups: *fazer abdominais* to do sit-ups

abecedário *sm* alphabet

abeirar-se *vp* **abeirar-se (de)** to go/come near: *Não te abeires do precipício.* Don't go near the edge of the cliff.

abelha *sf* bee

abençoar *vt* to bless

aberta *sf* (*Meteorologia*) sunny spell

abertamente *adv* openly

aberto, -a *adj* **1** ~ **(a)** open (to *sb/sth*): *Deixa a porta aberta.* Leave the door open. ◇ *~ ao público* open to the public ◇ *O caso continua em ~.* The case is still open. **2** (*torneira*) running: *deixar uma torneira aberta* to leave a tap running **3** (*fecho*) undone: *Tens a braguilha aberta.* Your flies are undone. **4** (*céu*) clear **5** (*pessoa*) **(a)** (*liberal*) open-minded **(b)** (*franco*) frank LOC *Ver* BOCA, MENTALIDADE; *Ver tb* ABRIR

abertura *sf* **1** opening: *a cerimónia de ~* the opening ceremony **2** (*início*) beginning: *a ~ das aulas* the beginning of the academic year **3** (*fenda*) crack **4** (*Mús*) overture

abeto *sm* fir (tree)

abismo *sm* **1** (*Geog*) abyss **2** ~ **entre...** gulf between...: *Entre nós dois há um ~.* There is a gulf between us.

abóbada *sf* vault

abóbora *sf* pumpkin

abolição *sf* abolition

abolir *vt* to abolish

abono *sm* LOC **abono de família** child benefit

abordar *vt* **1** (*pessoa*) to approach **2** (*assunto, problema*) to broach **3** (*barco*) to board

aborrecer ▸ *vt* **1** (*maçar*) to bore: *Espero não estar a aborrecer-te.* I hope I'm not boring you. **2** (*cansar*): *Não me aborreças mais com as tuas queixas.* I'm sick of your moaning. **3** (*irritar*) to annoy: *Não aborreças as crianças.* Stop annoying the children. ▸ **aborrecer-se** *vp* **1** (*maçar-se*) to get bored **2** (*zangar-se*) to get annoyed: *Aborreceu-se com o que eu disse.* She got annoyed at what I said.

aborrecido, -a *adj* **1** (*maçador*) boring: *um discurso ~* a boring speech ◇ *Não sejas tão ~.* Don't be so boring. ➲ *Ver nota em* BORING **2** (*irritado*) annoyed (*with sb*) (*at/about sth*): *Está ~ comigo por causa do carro.* He's annoyed with me about the car. **3** (*que irrita*) annoying *Ver tb* ABORRECER

aborrecimento *sm* **1** (*tédio*) boredom **2** (*contrariedade*) annoyance LOC *Ver* MORRER, MORTO

abortar *vi* **1** (*espontaneamente*) to have a miscarriage **2** (*voluntariamente*) to have an abortion

aborto *sm* **1** (*espontâneo*) miscarriage: *ter um ~* to have a miscarriage **2** (*provocado*) abortion

abotoar *vt* to button *sth* (up): *Abotoei-lhe a camisa.* I buttoned (up) his shirt.

abraçar *vt* **1** (*pessoa*) to hug, to embrace (*mais formal*): *Abraçou os filhos.* She hugged her children. **2** (*causa*) to embrace: *Abraçou a causa dos direitos dos animais.* She embraced animal rights.

abraço *sm* hug, embrace (*mais formal*) LOC **um abraço/um grande abraço** love/lots of love: *Dá um ~ aos teus pais da minha parte.* Give my love to your parents.

abrandar ▸ *vt* **1** (*passo, velocidade*) to reduce **2** (*dor*) to ease ▸ *vi* **1** (*reduzir a velocidade*) to slow down **2** (*vento*) to drop **3** (*chuva, dor*) to ease off

abranger *vt* to include

abrasador, -ora *adj* (*calor, sol*) scorching

abre-latas *sm* tin-opener, can-opener (*USA*)

abreviação *sf* shortening

abreviar ▸ *vt* (*palavra*) to abbreviate ▸ *vi* (*poupar tempo*) to save time

abreviatura *sf* abbreviation (*for/of sth*)

abridor *sm* opener

abrigado, -a *adj* (*lugar*) sheltered *Ver tb* ABRIGAR

abrigar ▸ *vt* to shelter *sb* (*from sth*) ▸ **abrigar-se** *vp* **1** (*com roupa*) to wrap up: *Abriga-te bem.* Wrap up well. **2 abrigar-se (de)** to shelter (from *sth*): *abrigar-se de uma tempestade* to shelter from a storm ◇ *abrigar-se do frio* to shelter from the cold

abrigo *sm* (*refúgio*) shelter LOC **ao abrigo de** sheltered from *sth*: *ao ~ da chuva* sheltered from the rain

abril *sm* April (*abrev* Apr.) ➲ *Ver exemplos em* JANEIRO

abrir ▸ *vt* **1** to open: *Não abras a janela.* Don't open the window. ◇ *~ fogo* to open fire ◇ *~ o ferrolho* to unbolt the door **2** (*torneira, gás*) to turn *sth* on **3** (*buraco*) to make **4** (*cortinas*) to draw *sth* back ▸ *vi* (*abrir a porta*) to open up: *Abre!* Open up! ▸ **abrir-se** *vp* **1** to open: *De repente a porta abriu-se.* Suddenly the door opened. **2** (*terra*) to crack LOC **abrir bem os olhos** (*fig*) to be very careful **abrir caminho** to make way (*for sb/sth*): *Abram caminho para a ambulância!* Make way for the ambulance! ◇ *Abrimos caminho por entre a multidão às cotoveladas.* We elbowed our way through the crowd. **abrir mão de** to forgo **abrir o apetite** to give *sb* an appetite **abrir os braços** to stretch your arms out to the side **abrir uma exceção** to make an exception **não abrir o bico/a boca** not to say a word: *Não abriu a boca a tarde inteira.* He didn't say a word all afternoon. **num abrir e fechar de olhos** in the twinkling of an eye *Ver tb* BANCARROTA

abrupto, -a *adj* abrupt

absolutamente *adv* absolutely LOC **absolutamente nada**: *– Importas-te? – Absolutamente nada.* 'Do you mind?' 'Not at all.' ◇ *– Não trouxeste nenhuma bagagem? – Absolutamente nada.* 'Didn't you bring any luggage?' 'Nothing at all.'

absoluto, -a *adj* absolute: *conseguir a maioria absoluta* to obtain an absolute majority

absolver *vt* **1** (*Jur*) to acquit *sb* (*of sth*): *O juiz absolveu o arguido.* The defendant was acquitted. **2** (*Relig*) to absolve *sb* (*from sth*)

absorto, -a *adj* **1** (*pensativo*) lost in thought **2 ~ (em)** (*concentrado*) engrossed (in *sth*): *Estava completamente absorta na leitura do livro.* She was deeply engrossed in her book. *Ver tb* ABSORVER

absorvente *adj* **1** (*papel*) absorbent **2** (*livro, filme, etc.*) absorbing

absorver *vt* to absorb: *~ um líquido/odor* to absorb a liquid/smell

abstémio, -a *sm-sf* teetotaller

abstenção *sf* abstention (*from sth*)

abster-se *vp* ~ **(de)** to abstain (from *sth*): *~ de beber/de fumar* to abstain from drinking/smoking ◇ *O deputado absteve-se.* The MP abstained.

abstinência *sf* abstinence LOC *Ver* SÍNDROME

abstrato, -a *adj* abstract

absurdo, -a ▸ *adj* absurd ▸ *sm* nonsense [*não-contável*]

abundância *sf* abundance

abundante *adj* abundant

abundar *vi* to abound

abusar *vi* ~ **(de)** to abuse *sb/sth* [*vt*]: *Não abuses da sua confiança.* Don't abuse his trust. ◇ *Declarou que abusaram dela.* She claims to have been sexually abused.

abuso *sm* abuse LOC **abuso de confiança** breach of trust **ser um abuso**: *É um ~!* That's outrageous!

abutre *sm* vulture

a/c *abrev* care of (*abrev* c/o)

acabado, -a *adj* **1** (*terminado*) finished: *uma palavra acabada em "r"* a word ending in 'r' **2** (*envelhecido*) old-looking *Ver tb* ACABAR

acabar ▸ *vt, vi* ~ **(de)** (*terminar*) to finish (*sth/doing sth*): *Ainda não acabei o artigo.* I haven't finished the article yet. ◇ *Tenho de ~ de lavar o carro.* I must finish washing the car. ◇ *A sessão acaba às três.* The show finishes at three. ▸ *vi* **1** (*esgotar-se*) to run out (of *sth*): *Acabou o café.* We've run out of coffee. **2** ~ **(em/por)** to end up: *O copo vai ~ por partir-se.* The glass will end up broken. ◇ *~ na miséria/arruinado* to end up penniless ◇ *Acabei por ceder.* I ended up giving in. **3** ~ **de fazer alguma coisa** to have just done sth: *Acabo de vê-lo.* I've just seen him. **4** ~ **em** to end in *sth*: *Acaba em ponta.* It ends in a point. ◇ *Acaba em "s" ou "z"?* What does it end in? An 's' or a 'z'? **5** ~ **com (a)** (*pessoa*) to be the death of *sb*: *Vais ~ comigo.* You'll be the death of me. **(b)** (*pôr fim*) to put an end to *sth*: *~ com a injustiça* to put an end to injustice ▸ **acabar-se** *vp* to run out (of *sth*): *Acabou-se o café.* We've run out of coffee. LOC **acabar mal**: *Isto vai ~ mal.* No good can come of this. ◇ *Esse rapaz acabará mal.* That boy will come to no good. **acabou-se!** that's it! *Ver tb* PARECER

acácia *sf* acacia

academia *sf* academy [*pl* academies]: *~ militar/de polícia* military/police academy

académico, -a *adj* academic: *ano/currículo ~* academic year/record

açafrão *sm* saffron

açaime (*tb* açaimo) *sm* muzzle

acalmar ▸ *vt* **1** (*nervos*) to calm **2** (*dor*) to relieve **3** (*fome, sede*) to satisfy ▸ *vi* (*vento, dor*) to abate ▸ **acalmar-se** *vp* to calm down: *quando se acalmarem os ânimos* once everybody has calmed down

acampamento *sm* camp: *ir para um ~* to go to a camp

acampar *vi* to camp LOC **ir acampar** to go camping

acanhado, -a *adj* (*inibido*) shy

ação *sf* **1** action: *~ criminosa/legal* criminal/ legal action ◇ *entrar em ~* to go into action **2** (*obra*) deed: *uma boa/má ~* a good/bad deed **3** (*Fin*) share **4** (*Jur*) claim (*for sth*): *mover uma ~ por alguma coisa* to put in a claim for sth LOC **ação de formação** workshop **ação de graças** grace: *proferir a ~ de graças* to say grace **ação judicial** lawsuit *Ver tb* MOVER(-SE)

acariciar ▸ *vt* **1** (*pessoa*) to caress **2** (*animal*) to stroke, to pet (*USA*) ▸ **acariciar-se** *vp* (*casal*) to cuddle

acarretar *vt* (*problemas*) to cause

acasalar *vi* to mate

acaso *sm* (*casualidade*) chance LOC **ao acaso** at random: *Escolhe um número ao ~.* Choose a number at random. **por acaso 1** (*fortuitamente*) by chance: *Encontrei-os por ~.* I ran into them by chance. **2** (*em perguntas*): *Eu por ~ disse isso?* Did I say that? *Ver tb* PURO

acatar *vt* (*leis, ordens*) to obey

aceção *sf* sense

aceder *vi* **1** ~ **(a)** (*estar de acordo*) to agree (to *sth*/to do *sth*) **2** ~ **a** (*Informát*) to access *sth* [*vt*]

aceitar *vt* **1** to accept: *Por favor aceita esta pequena lembrança.* Please accept this small gift. ◇ *Vais ~ a oferta deles?* Are you going to accept their offer? **2** (*concordar*) to agree *to do sth*: *Aceitou ir-se embora.* He agreed to leave. LOC **aceita-se/aceitam-se...**: *Aceitam-se cartões de crédito.* We accept credit cards.

aceitável *adj* acceptable (*to sb*)

aceite (*tb* aceito, -a) *adj* LOC **ser aceite** (*por instituição*) to be admitted (*to sth*): *As mulheres serão ~s no exército.* Women will be admitted to the army. *Ver tb* ACEITAR

aceleração *sf* acceleration

acelerador *sm* accelerator, gas pedal (*USA*)

acelerar *vt, vi* to accelerate: *Acelera ou vais-te abaixo.* Accelerate or you'll stall. LOC **acelerar o passo** to quicken your pace

acenar *vi* (*saudar*) to wave (*to sb*) LOC **acenar (que não) com a cabeça** to shake your head **acenar (que sim) com a cabeça** to nod (your head)

acender ▸ *vt* **1** (*cigarro, vela*) to light: *Acendemos uma fogueira para nos aquecer.* We lit a bonfire to warm ourselves. **2** (*aparelho, luz*) to turn *sth* on: *Acende a luz.* Turn the light on. ▸ *vi* **1** (*fósforo, lenha*) to light: *Se estiver molhado não acende.* It won't light if it's wet. **2** (*luz, candeeiro*) to come on ▸ **acender-se** *vp* (*aparelho, luz*) to come on: *Acendeu-se uma luz vermelha.* A red light has come on.

aceno *sm* **1** (*com mão*) wave **2** (*com cabeça*) nod

acento *sm* accent: *com um ~ na última sílaba* with an accent on the last syllable LOC **acento agudo/grave/circunflexo** acute/grave/circumflex accent

acentuar ▸ *vt* **1** (*palavra*) to accent: *Acentua as seguintes palavras.* Put the accents on the following words. **2** (*enfatizar, agravar*) to accentuate ▸ **acentuar-se** *vp* **1** (*levar acento*) to have an accent: *Acentua-se na última sílaba.* It's got an accent on the last syllable. **2** (*aumentar*) to increase

acerca *adv* LOC **acerca de** about, concerning (*mais formal*)

acertado, -a *adj* **1** (*correto*) right: *a resposta acertada* the right answer **2** (*inteligente*) clever: *uma ideia acertada* a clever idea *Ver tb* ACERTAR

acertar ▸ *vt* (*relógio*) to set ▸ *vi* **1** ~ **(em)** (*ao disparar*) to hit *sth* [*vt*]: *~ no alvo* to hit the target **2** ~ **em** (*em teste, jogo*) to get *sth* right: *Só acertei em duas perguntas do teste.* I only got two questions right in the test. **3** ~ **com** (*encontrar*) to find *sth* [*vt*]: *~ com o buraco da fechadura* to find the keyhole **4** ~ **(em/com)** (*adivinhar*) to guess *sth* [*vt*]: *~ na resposta* to guess the answer LOC **acertar na muche** to hit the nail on the head **não acerto uma** I, you, etc. can't do anything right: *Hoje não acertas uma.* You can't do anything right today.

aceso, -a *adj* **1** (*com chama*) **(a)** [*com o verbo "estar"*] lit: *Vi que o fogo estava ~.* I noticed that the fire was lit. **(b)** [*depois de um substantivo*] lighted: *um cigarro ~* a lighted cigarette **2** (*aparelho, luz*) on: *Tinham a luz acesa.* The light was on. **3** (*discussão*) heated *Ver tb* ACENDER

acessível *adj* accessible (*to sb*)

acesso *sm* **1** ~ **(a)** access (to *sb*/*sth*): *~ à casa-forte* access to the strongroom ◇ *~ à Internet* Internet access ◇ *a porta de ~ à cozinha* the door into the kitchen **2** ~ **(a)** (*via de entrada*) approach (to *sth*): *São quatro os ~s ao palácio.* There are four approaches to the palace. **3** ~ **de** fit of *sth*: *Tem ~s de raiva.* He has fits of rage. LOC *Ver* EXAME, PROVA

acessório *sm* accessory [*pl* accessories]

acetona *sf* nail varnish remover

achado *sm* **1** (*pechincha*) bargain **2** (*descoberta*) find LOC **não se dar por achado** to turn a deaf ear (*to sth*) *Ver tb* OBJETO; *Ver tb* ACHAR

achar *vt* **1** (*encontrar*) to find: *Não acho o meu relógio.* I can't find my watch. **2** (*parecer*): *Acho-o triste.* He seems sad. ◇ *Achei o teu pai muito melhor.* Your father is looking a lot better. ◇ *Que tal achaste a noiva?* What did you think of the bride? **3** (*de si mesmo*) to think you are *sb/sth*: *Acha que é muito esperto.* He thinks he's very clever. ◇ *Quem é que eles acham que são?* Who do they think they are? LOC **achar graça (a)** to find *sb/sth* amusing: *Acho graça à forma como fala.* The way he talks amuses me. **achar-se o máximo** to think you are the best: *Ele acha-se o máximo.* He thinks he's the best. **acho que sim/não** I think so/I don't think so *Ver tb* DEFEITO

acidentado, -a *adj* **1** (*terreno*) rugged **2** (*cheio de peripécias*) eventful: *uma viagem acidentada* an eventful journey

acidental *adj* accidental: *morte* ~ accidental death

acidente *sm* **1** accident: ~ *de viação* traffic accident ◇ *sofrer um* ~ to have an accident **2** (*Geog*) (geographical) feature LOC **acidente aéreo/de automóvel** plane/car crash

acidez *sf* acidity

ácido, -a ▸ *adj* (*sabor*) sharp ▸ *sm* acid LOC *Ver* CHUVA

acima *adv* up: *costa/encosta* ~ up the hill ◇ *rua/escadas* ~ up the street/stairs LOC **acima de** above: *A água chegava-nos* ~ *dos joelhos.* The water came above our knees. ◇ *Está* ~ *dos outros.* He is above the rest. **acima de tudo** above all **acima mencionado** above-mentioned: *os* ~ *mencionados* the above-mentioned **mais acima 1** (*mais longe*) further up: *na mesma rua, mais* ~ further up that street **2** (*em sentido vertical*) higher up: *Põe o quadro mais* ~. Put the picture higher up. *Ver tb* ENCOSTA, RIO, RUA

acionar *vt* to set *sth* in motion

acionista *smf* shareholder

acne *sf* acne

aço *sm* steel: ~ *inoxidável* stainless steel

acocorar-se *vp* to squat (down)

acolher *vt* **1** (*convidado, ideia, notícia*) to welcome: *Acolheu-me com um sorriso.* He welcomed me with a smile. **2** (*refugiado, órfão*) to take *sb* in

acolhimento *sm* (*receção*) welcome

acomodar-se *vp* **1** (*instalar-se*) to settle down: *Acomodou-se no sofá.* He settled down on the sofa. **2** ~ **a** (*adaptar-se*) to adjust to *sth*

acompanhamento *sm* **1** (*de um prato*) side dish **2** (*Mús*) accompaniment LOC **sem acompanhamento** (*comida*) on its own

acompanhante *smf* **1** (*companhia*) companion **2** (*Mús*) accompanist

acompanhar *vt* **1** to go with *sb/sth*, to accompany (*mais formal*): *o CD que acompanha o livro* the CD which accompanies the book ◇ *Vou dar um passeio. Acompanhas-me?* I'm going for a walk. Are you coming (with me)? **2** (*para despedida*) to see *sb* off: *Acompanhámo-los à estação.* We went to see them off at the station. **2** (*Mús*) to accompany *sb* (*on sth*): *A irmã acompanhava-o ao piano.* His sister accompanied him on the piano.

aconchegado, -a *adj* (*lugar*) cosy *Ver tb* ACONCHEGAR

aconchegar ▸ *vt* **1** (*em cama*) to tuck *sb* in **2** (*abrigar*) to wrap *sb/sth* up (*in sth*): *Aconchegou o bebé na manta.* She wrapped the baby up in the blanket. ▸ **aconchegar-se** *vp* **1** (*acomodar-se*) to curl up: *Aconchegou-se no sofá.* He curled up on the sofa. **2 aconchegar-se (a)** (*encostar-se*) to huddle (together): *Aconchegaram-se uns aos outros para não sentirem frio.* They huddled together against the cold.

aconselhar *vt* to advise *sb* (*to do sth*): *Aconselho-te a aceitar esse emprego.* I advise you to accept that job. ◇ *– Compro-o? – Não to aconselho.* 'Shall I buy it?' 'I wouldn't advise you to.'

aconselhável *adj* advisable: *pouco* ~ inadvisable

acontecer *vi* to happen, to occur (*mais formal*): *O que aconteceu foi que...* What happened was that... ◇ *Não quero que volte a* ~. I don't want it to happen again. LOC **aconteça o que acontecer** come what may **acontece!** that's life! **acontece que...** it so happens that... **caso aconteça que/não vá acontecer que...** (just) in case...

acontecimento *sm* event: *Foi um grande* ~. It was quite an event.

acordado, -a *adj* (*desperto*) awake: *Estás* ~? Are you awake? LOC *Ver* SONHAR; *Ver tb* ACORDAR

acordar ▸ *vt* (*pessoa*) to wake *sb* up: *A que horas queres que te acorde?* What time do you want me to wake you up? ▸ *vi* **1** (*despertar*) to wake up **2** ~ **em** (*concordar*) to agree on *sth*: *Acordaram num cessar-fogo.* They agreed on a ceasefire.

acorde *sm* (*Mús*) chord

acordeão *sm* accordion

acordo *sm* agreement: *Temos de chegar a um ~ em relação à data da reunião.* We must reach an agreement on the date of the meeting. LOC **de acordo!** all right!, OK! **de acordo com** (*lei, norma*) in accordance with *sth* **estar de acordo (com)** (*concordar*) to agree (with *sb/sth*): *Estamos os dois de ~.* We're both in agreement. ◇ *Estou de ~ com os termos do contrato.* I agree with the terms of the contract. **pôr-se de acordo** to reach an agreement (*to do sth*)

acostumado, -a *adj* LOC **estar acostumado a** to be used to *sb/sth/doing sth*: *Está ~ a levantar-se cedo.* He's used to getting up early. *Ver tb* ACOSTUMAR-SE

acostumar-se *vp* ~ **(a)** to get used to *sb/sth/doing sth*: *~ ao calor* to get used to the heat ◇ *Vais ter de acostumar-te a madrugar.* You'll have to get used to getting up early.

acreditar *vi* ~ **(em)** to believe *sb/sth* [*vt*]: *Não acredito.* I don't believe it. ◇ *Não acredites nele.* Don't believe him. ◇ *~ em Deus* to believe in God

acrescentado, -a *adj* LOC *Ver* IMPOSTO; *Ver tb* ACRESCENTAR

acrescentar *vt* to add

acréscimo *sm* (*aumento*) increase

acrobacia *sf* acrobatics [*pl*]: *As suas ~s receberam grandes aplausos.* Her acrobatics were greeted with loud applause. ◇ *fazer ~s* to perform acrobatics

acrobata *smf* acrobat

açúcar *sm* sugar: *um torrão de ~* a lump of sugar LOC **açúcar refinado** white sugar

açucareiro, -a ▸ *adj* sugar [*s*]: *a indústria açucareira* the sugar industry ▸ *sm* sugar bowl LOC *Ver* BETERRABA

açucena *sf* lily [*pl* lilies]

acudir *vi* ~ **(a) 1** (*ir*) to go (to *sb/sth*): *~ a alguém* to go to sb's aid **2** (*vir*) to come (to *sb/sth*): *Acudiram-me à memória tantas recordações.* So many memories came flooding back to me.

acumular ▸ *vt* **1** to accumulate **2** (*fortuna*) to amass ▸ **acumular-se** *vp* to accumulate

acupunctura *sf* acupuncture

acusação *sf* accusation: *fazer uma ~ contra alguém* to make an accusation against sb

acusado, -a *sm-sf* accused: *os ~s* the accused

acusar *vt* **1** (*culpar*) to accuse *sb* (*of sth/doing sth*) **2** (*denunciar*) to tell on *sb* (*coloq*): *Bati-lhe e ele acusou-me à professora.* I thumped him and he told on me to the teacher. **3** (*Jur*) to charge *sb* (*with sth/doing sth*): *~ alguém de homicídio* to charge sb with murder

acústica *sf* acoustics [*pl*]: *A ~ desta sala não é muito boa.* The acoustics in this hall aren't very good.

adaptador *sm* adaptor

adaptar ▸ *vt* to adapt: *~ um romance ao teatro* to adapt a novel for the stage ▸ **adaptar-se** *vp* **adaptar-se (a) 1** (*habituar-se*) to adapt (to *sth*): *adaptar-se às mudanças* to adapt to change **2** (*adequar-se*) to fit in (with *sth*): *É o que melhor se adapta às nossas necessidades.* It's what suits our needs best.

adega *sf* **1** (*para guardar vinho*) wine cellar **2** (*local onde se faz vinho*) winery [*pl* wineries]

adentro *adv*: *Entrou sala ~ aos gritos.* She went screaming into the room. LOC *Ver* TERRA

adepto, -a *sm-sf* (*Desp*) supporter

adequado, -a *adj* appropriate, right (*mais coloq*): *Este não é o momento ~.* This isn't the appropriate time. ◇ *Não conseguem encontrar a pessoa adequada para o lugar.* They can't find the right person for the job. ◇ *um vestido ~ à ocasião* a suitable dress for the occasion

adereço *sm* (*Teat*) prop

aderente *smf* (*partidário*) supporter LOC *Ver* PELÍCULA

aderir *vi* ~ **(a) 1** (*colar*) to stick (to *sth*) **2** (*organização, partido, etc.*) to join *sth* [*vt*]: *Aderiu ao Partido Verde.* He joined the Green Party. **3** (*causa*) to support *sth* [*vt*]: *Aderiu à causa dos direitos dos animais.* He became a supporter of animal rights. **4** (*ideia*) to uphold *sth* [*vt*]

adesão *sf* **1** (*organização*) entry (*into sth*): *a ~ de Portugal à UE* Portugal's entry into the EU **2** (*apoio*) support

adesivo, -a ▸ *adj* adhesive ▸ *sm* plaster, Band-Aid® (*USA*)

adeus! *interj* **1** (*despedida*) goodbye, bye (*mais coloq*) **2** (*saudação de passagem*) hello ➲ *Ver nota em* OLÁ LOC **dizer adeus** (*acenar*) to wave goodbye (*to sb/sth*)

adiantado, -a ▸ *adj* **1** (*relógio*) fast: *Tens o relógio ~ cinco minutos.* Your watch is five minutes fast. **2** (*quase feito*): *Tenho a tese bastante adiantada.* I'm getting on very well with my thesis. **3** [*em comparações*] ahead: *Vamos muito ~s em relação à outra turma.* We're way ahead of the other class. **4** (*avançado*) advanced: *Esta criança está muito adiantada para a idade.* This child is very advanced for his age. ▸ *adv* in advance: *pagar ~* to pay in advance ◇ *chegar ~* to arrive early *Ver tb* ADIANTAR

adiantamento *sm* advance: *Pedi um ~.* I asked for an advance.

adiantar ▸ *vt* **1** (*trabalho*) to get ahead with *sth* **2** (*dinheiro*) to advance *sth (to sb)*: *Adiantou-me dois mil euros.* He advanced me two thousand euros. **3** (*relógio*) to put *sth* forward: *Não te esqueças de ~ o relógio uma hora.* Don't forget to put your watch forward an hour. **4** (*conseguir*) to achieve: *Não adiantamos nada discutindo.* We won't achieve anything by arguing. ▸ *vi* **1** (*relógio*) to gain: *Este relógio adianta.* This clock gains. **2** (*valer a pena*) to be worth it: *Não adianta gritar, é surdo.* There's no point in shouting, he's deaf. ▸ **adiantar-se** *vp* **adiantar-se (a)** to get ahead (of *sb/sth*): *Adiantou-se aos rivais.* He got ahead of his rivals.

adiante ▸ *adv* forward: *um passo ~* a step forward ▸ **adiante!** *interj* (*deixemos isso*) let's get on! **LOC** **e por aí adiante** and so on **ir adiante (com)** to go ahead (with *sth*) **mais adiante 1** (*espaço*) further on **2** (*tempo*) later *Ver tb* LEVAR

adiar *vt* **1** to put *sth* off, to postpone (*mais formal*) **2** (*pagamento*) to defer

adição *sf* addition

adicional *adj* additional, extra (*mais coloq*)

adicionar *vt* to add *sth* (*to sth*)

adivinha *sf* riddle

adivinhar *vt* to guess: *Adivinha o que tenho aqui.* Guess what I've got. **LOC** **adivinhar o futuro** to tell fortunes

adivinho, **-a** ▸ *sm-sf* psychic [*adj*]: *ser ~* to be psychic ▸ *sm* (*vidente*) fortune-teller

adjetivo *sm* adjective

administração *sf* **1** administration: *custos de ~* administration costs ◇ *a ~ de uma empresa* running a business **2** (*Pol*) government: *a ~ municipal/regional* local/regional government **LOC** **administração de empresas** business studies, business administration (*USA*) *Ver tb* CONSELHO, MINISTÉRIO, MINISTRO, SECRETÁRIO

administrador, **-ora** *sm-sf* administrator

administrar *vt* **1** (*dirigir*) to run, to manage (*mais formal*): *~ uma empresa* to run a business **2** (*aplicar*) to administer *sth* (*to sb*): *~ um medicamento/castigo* to administer medicine/punishment

administrativo, **-a** *adj* administrative

admiração *sf* **1** (*espanto*) amazement **2** (*respeito*) admiration

admirador, **-ora** *sm-sf* admirer

admirar ▸ *vt* **1** (*contemplar*) to admire: *~ a paisagem* to admire the scenery **2** (*espantar*) to amaze: *Estou admirado com a tua sabedoria.* Your knowledge amazes me. ▸ **admirar-se** *vp* **admirar-se (com)** to be surprised (at *sb/sth*)

admirável *adj* **1** (*digno de respeito*) admirable **2** (*espantoso*) amazing

admissão *sf* admission

admitir *vt* **1** (*culpa, erro*) to admit: *Admito que a culpa foi minha.* I admit (that) it was my fault. **2** (*deixar entrar*) to admit *sb/sth* (*to sth*): *Fui admitido na escola.* I've been admitted to the school. **3** (*permitir*) to allow: *Não admito faltas de respeito.* I won't allow any insolence.

adoçante *sm* sweetener

adoção *sf* adoption

adoçar *vt* to sweeten

adoecer *vi* ~ **(com)** to fall ill (with *sth*)

adolescência *sf* adolescence

adolescente *smf* teenager, adolescent (*mais formal*)

adorar *vt* **1** (*gostar de*) to love *sth/doing sth*: *Adoro batatas fritas.* I love chips. ◇ *Adoramos ir ao cinema.* We love going to the cinema **2** (*amar*) to adore **3** (*Relig*) to worship

adormecer ▸ *vi* **1** (*cair no sono*) to fall asleep: *Adormeci a ver televisão.* I fell asleep watching TV. **2** (*conseguir dormir*) to fall asleep, to get to sleep (*mais coloq*): *Não conseguia ~.* I couldn't get to sleep. **3** (*acordar tarde*) to oversleep: *Adormeci e cheguei tarde ao trabalho.* I overslept and was late for work. ▸ *vt* (*criança*) to get *sb* off to sleep

adormecido, **-a** *adj* sleeping, asleep: *uma criança adormecida* a sleeping child ◇ *estar ~* to be asleep ➲ *Ver nota em* ASLEEP **LOC** *Ver* BELO; *Ver tb* ADORMECER

adornar *vt* to decorate, to adorn (*mais formal*)

adorno *sm* **1** adornment **2** (*objeto*) ornament

adotar *vt* to adopt

adotivo, **-a** *adj* **1** adopted: *filho ~* adopted child **2** (*pais*) adoptive

adquirir *vt* **1** to acquire: *~ riqueza/fama* to acquire wealth/fame **2** (*comprar*) to buy **LOC** *Ver* IMPORTÂNCIA, SÍNDROME

adubar *vt* (*terra*) to fertilize

adubo *sm* fertilizer

adultério *sm* adultery

adúltero, **-a** ▸ *adj* adulterous ▸ *sm-sf* adulterer

adulto, **-a** *adj, sm-sf* adult **LOC** *Ver* IDADE, PESSOA

advérbio *sm* adverb

adversário, **-a** *sm-sf* adversary [*pl* adversaries]

advertência *sf* warning

advertir *vt* **1** (*avisar*) to warn *sb* (*about/of sth*): *Adverti-os do perigo.* I warned them about the danger. **2** (*dizer*) to tell: *Eu adverti-te!* I told you so! ◇ *Advirto-te de que para mim tanto faz.* Mind you, it's all the same to me.

advogado, **-a** *sm-sf* lawyer

> **Lawyer** é um termo genérico aplicado aos vários tipos de advogados existentes na Grã-Bretanha. **Solicitor** é o advogado que fornece assessoria legal e prepara os documentos que o seu cliente necessite, e em ações judiciais apenas pode atuar nos tribunais inferiores. **Barrister** é o advogado que tem a capacidade para atuar em todos os tribunais. O **solicitor** ajuda o **barrister** a preparar o caso mas normalmente é este último que em tribunal se dirige ao juiz.

LOC **advogado de defesa** defence counsel **advogado do diabo** devil's advocate

aéreo, **-a** *adj* **1** air: *tráfego ~* air traffic **2** (*vista, fotografia*) aerial **3** (*distraído*) absent-minded LOC *Ver* ACIDENTE, COMPANHIA, CORREIO, FORÇA, PONTE, VIA

aeróbica *sf* aerobics [*não-contável*] LOC *Ver* FATO

aerodinâmico, **-a** *adj* aerodynamic

aeródromo *sm* airfield

aeroporto *sm* airport: *Vamos buscá-los ao ~.* We're going to meet them at the airport.

aerossol *sm* aerosol

afastado, **-a** *adj* **1** (*parente*) distant **2** (*distante*) remote **3** (*retirado*) isolated LOC **afastado de...** (*longe de*) far from... *Ver tb* AFASTAR

afastar ▸ *vt* **1** (*mover*) to move *sth* (along/down/over/up): *Afasta um pouco a tua cadeira.* Move your chair over/back a bit. **2** (*retirar*) to move *sb/sth* away (*from sb/sth*): *~ a mesa da janela* to move the table away from the window **3** (*obstáculo*) to move *sth* (out of the way): *Afasta essa cadeira do caminho.* Move that chair out of the way. **4** (*distanciar*) to distance *sb/sth* (*from sb/sth*): *A desavença afastou-nos dos meus pais.* The disagreement distanced us from my parents. **5** (*separar*) to separate *sb/sth from sb/sth*: *Os pais afastaram-no dos seus amigos.* His parents separated him from his friends. ▸ **afastar-se** *vp* **1** (*desviar-se*) to move (over): *Afasta-te, que estorvas.* Move (over), you're in the way. **2 afastar-se (de)** (*distanciar-se*) to move away (from *sb/sth*): *afastar-se de um objetivo/da família* to move away from a goal/from your family ◇ *Não se afastem muito.* Don't go too far away. **3 afastar-se de** (*caminho*) to leave LOC **afastar-se do tema** to wander off the subject

afável *adj* friendly

afeição *sf* (*afeto*) affection

afeiçoar-se *vp* ~ **(a)** to become attached (to *sb/sth*): *Afeiçoámo-nos muito ao nosso cão.* We've become very attached to our dog.

aferição *sf* university entrance exams [*pl*]

aferrolhar *vt* to bolt

afetado, **-a** *adj* **1** (*pessoa, estilo*) affected: *Que miúda mais afetada!* What an affected little girl! **2** (*efeminado*) effeminate *Ver tb* AFETAR

afetar *vt* to affect: *A pancada afetou-lhe a audição.* The blow affected his hearing. ◇ *A morte dele afetou-me muito.* I was deeply affected by his death.

afetivo, **-a** *adj* (*carência, problema*) emotional

afeto *sm* affection

afetuoso, **-a** *adj* affectionate

afiado, **-a** *adj* sharp *Ver tb* AFIAR

afiar *vt* to sharpen

aficionado, **-a** *sm-sf* **1** (*tourada*) aficionado [*pl* aficionados] **2** (*outros desportos*) fan: *Sou um grande ~ do ciclismo.* I'm very keen on cycling.

afilhado, **-a** *sm-sf* (*de batismo*) **1** (*masc*) godson **2** (*fem*) god-daughter **3 afilhados** godchildren

afim *adj* (*produto*) similar

afinação *sf* (*instrumento, motor*) tuning

afinado, **-a** *adj* **1** (*motor*) tuned **2** (*instrumento, voz*) in tune *Ver tb* AFINAR

afinal *adv* after all LOC *Ver* CONTA

afinar *vt* to tune

afinidade *sf* affinity

afirmação *sf* statement

afirmar *vt* to state, to say (*mais coloq*): *Afirmou que não tinha nada a ver com o assunto.* He said he had nothing to do with it.

afirmativo, **-a** *adj* affirmative

afixar *vt* (*cartaz, aviso*) to put *sth* up: *É proibido ~ cartazes.* Stick no bills.

aflição *sf* (*ansiedade*) distress

afligir ▸ *vt* (*preocupar*) to worry ▸ **afligir-se** *vp* **afligir-se (com) 1** (*inquietar-se*) to worry (about *sb/sth*): *Não deves afligir-te sempre que eles chegam tarde.* You mustn't worry every time they're late. **2** (*atormentar-se*) to get upset (about *sth*)

afluente *sm* tributary [*pl* tributaries]

afogar(-se) *vt, vp* to drown LOC *Ver* MORRER

afónico, **-a** *adj* LOC **estar afónico** to have lost your voice **ficar afónico** to lose your voice

África *sf* Africa

africano, **-a** *adj, sm-sf* African

afrouxar *vt, vi* to slow (*sth*) down: *O negócio afrouxou ultimamente.* Business has slowed down lately.

afugentar *vt* to frighten *sb/sth* away

afundar ▸ *vt* to sink: *Uma bomba afundou o barco.* A bomb sank the boat. ▸ **afundar-se** *vp* **1** (*ir ao fundo*) to sink **2** (*negócio*) to go under

agarrado, **-a** ▸ *adj* stingy ▸ *sm-sf* junkie LOC **ficar agarrado** to get hooked *on sth* *Ver tb* AGARRAR

agarrar ▸ *vt* **1** (*apanhar*) to catch: *~ uma bola* to catch a ball ◇ *Agarraram-nos a roubar.* They were caught stealing. **2** (*segurar*) to hold: *Agarra isto e não deixes cair.* Hold this and don't drop it. **3** (*tomar gentilmente*) to take: *Agarrei-lhe o braço.* I took him by the arm. **4** (*pegar firmemente*) to grab: *Agarrou-me pelo braço.* He grabbed me by the arm. ▸ **agarrar-se** *vp* **agarrar-se (a)** **1** to hold on (to *sb/sth*): *Agarra-te a mim.* Hold on to me. ◇ *agarrar-se ao corrimão* to hold on to the railings **2** (*colar-se*) to stick to *sth*: *O arroz agarrou-se ao fundo da panela.* The rice stuck to the saucepan. LOC *Ver* TOURO

agasalhado, **-a** *adj* (*pessoa*): *bem ~* well wrapped up ◇ *Vais pouco ~.* You're not very warmly dressed. *Ver tb* AGASALHAR

agasalhar ▸ *vt* **1** (*peça de roupa*) to keep *sb* warm **2** (*proteger do frio*) to wrap *sb* up: *Agasalha bem a criança.* Wrap the child up well. ▸ *vi* to be warm: *Este casaco agasalha muito bem.* This cardigan is very warm. ▸ **agasalhar-se** *vp* to wrap up, to bundle up (*USA*): *Agasalha-te que está frio.* Wrap up well, it's cold outside.

agência *sf* agency [*pl* agencies] LOC **agência de viagens** travel agency [*pl* travel agencies] **agência funerária** undertaker's, funeral parlour (*USA*)

agenda *sf* diary [*pl* diaries], datebook (*USA*) LOC **agenda de telefone/endereços** address book **agenda eletrónica** PDA

agente *smf* **1** (*representante, Cinema, Teat*) agent **2** (*polícia*) policeman/woman [*pl* -men/-women]

ágil *adj* agile

agilidade *sf* agility

agilizar *vt* to speed *sth* up

agir *vi* to act

agitação *sf* agitation

agitado, **-a** *adj* **1** (*vida, dia*) hectic **2** (*mar*) rough **3** (*pessoa*) agitated, worked up (*coloq*) (*about sth*) *Ver tb* AGITAR

agitar *vt* **1** (*frasco*) to shake: *Agitar antes de usar.* Shake (well) before using. **2** (*lenço, braços*) to wave

agonia *sf* agony [*pl* agonies]

agonizar *vi* to be dying

agora *adv* now: *E ~, o que é que vou fazer?* What am I going to do now? ◇ *Só ~ é que cheguei.* I've only just arrived. ◇ *Agora que chegaste podemos começar.* Now that you've arrived we can start. LOC **agora mesmo** **1** (*neste momento*) right now: *Vem aqui ~ mesmo!* Come here right now. **2** (*de seguida*) right away: *Dou-to ~ mesmo.* I'll give it to you right away. **até agora** up until now **de agora em diante** from now on **por agora** for the time being: *Por ~ chega.* That's enough for the time being.

agosto *sm* August (*abrev* Aug.) ➲ *Ver exemplos em* JANEIRO

agradar *vi* ~ **a** to please *sb* [*vt*]: *É muito difícil agradar-lhes.* They're very difficult to please. ◇ *Ele tenta ~ a toda a gente.* He tries to please everyone.

agradável *adj* pleasant LOC **agradável à vista/ao ouvido** pleasing to the eye/ear

agradecer *vt* to thank *sb* (*for sth/doing sth*): *Agradeço imenso a vossa ajuda.* Thank you very much for your help. ◇ *Agradecia que estivesse aqui a horas.* I'd be grateful if you could be here on time.

agradecido, **-a** *adj* grateful: *Estou-lhe muito ~.* I am very grateful to you. LOC **muito agradecido!** many thanks! *Ver tb* AGRADECER

agradecimento *sm* thanks [*pl*]: *umas palavras de ~* a few words of thanks LOC **os meus agradecimentos!** many thanks!

agrafador *sm* stapler

agrafo *sm* staple

agrário, **-a** *adj* (*lei, reforma*) land [*s*]: *reforma agrária* land reform

agravamento *sm* worsening: *o ~ da crise/situação* the worsening of the crisis/situation

agravar ▸ *vt* to make *sth* worse ▸ **agravar-se** *vp* to get worse

agredir *vt* to attack

agressão *sf* aggression: *um ato de ~* an act of aggression

agressivo, **-a** *adj* aggressive

agrião *sm* watercress

agrícola *adj* agricultural LOC *Ver* FAINA, PRODUTO, TRABALHO

agricultor, **-ora** *sm-sf* farmer

agricultura *sf* agriculture, farming (*mais coloq*)

agridoce *adj* (*Cozinha*) sweet and sour

agrónomo, -a ▸ *adj* agricultural ▸ *sm-sf* agronomist LOC *Ver* ENGENHEIRO

agrupar ▸ *vt* to put *sb/sth* in a group ▸ **agrupar-se** *vp* **1** (*juntar-se*) to gather together **2** (*formar grupos*) to get into groups: *agrupar-se quatro a quatro* to get into groups of four

água *sf* water LOC **água doce/salgada** fresh/salt water: *peixes de ~ doce* freshwater fish ℹ Para outras expressões com **água**, ver as entradas para o substantivo, verbo, etc., p. ex. **deitar água na fervura** em FERVURA.

aguaceiro *sm* (heavy) shower

água-de-colónia *sf* eau de cologne

aguado, -a *adj* (*café, sopa*) watery

água-oxigenada *sf* hydrogen peroxide

aguardar *vt, vi* to wait (for *sb/sth*)

aguarela *sf* watercolour LOC *Ver* PINTAR

águas-furtadas *sf* (*sótão*) loft

aguçado, -a *adj* **1** (*ponta, lápis*) sharp **2** (*sentidos*) acute

agudo, -a ▸ *adj* **1** (*ângulo, dor*) acute: *uma dor aguda* an acute pain **2** (*som, voz*) high-pitched **3** (*palavra*): *É uma palavra aguda.* The accent is on the last syllable. ▸ *sm* (*Mús*) treble [*não-contável*]: *Não se ouvem bem os ~s.* You can't hear the treble very well. LOC *Ver* ACENTO

aguentar ▸ *vt* to put up with *sb/sth*: *Terás de ~ a dor.* You'll have to put up with the pain. ℹ Quando a frase é negativa usa-se muito o verbo **stand**: *Não aguento este calor.* I can't stand this heat. ▸ *vi* **1** (*durar*) to last: *A alcatifa ainda aguenta mais um ano.* The carpet will last another year. **2** (*esperar*) to hold on: *Aguenta um pouco que estamos quase lá.* Hold on, we're almost there. **3** (*resistir*) to hold: *Esta prateleira não vai ~.* This shelf won't hold. **4 ~ com** (*peso*) to take *sth* [*vt*]: *A ponte não aguentou com o peso do camião.* The bridge couldn't take the weight of the lorry. ▸ **aguentar-se** *vp* (*suportar*) to grin and bear it: *Eu também tenho fome mas tenho de aguentar-me.* I'm hungry as well, but I grin and bear it.

águia *sf* eagle

agulha *sf* **1** needle: *enfiar a (linha na) ~* to thread a needle ◇ *~s de pinheiro* pine needles **2** (*de gira-discos*) stylus [*pl* styluses/styli] LOC *Ver* PROCURAR

ah! ah! ah! *interj* ha! ha!

ai! *interj* **1** (*de dor*) ow! **2** (*de aflição*) oh (dear)!

aí *adv* there: *Aí o tens.* There it is. ◇ *Aí vão eles.* There they go. ◇ *Fica aí!* Stand there! LOC **aí dentro/fora** in/out there: *Aí fora está muito frio.* It's freezing out there. **aí em baixo/cima** down/up there: *Os meus livros estão aí em baixo?* Are my books down there? **aí mesmo** right there **por aí 1** (*naquela direção*) that way **2** (*em lugar indeterminado*): *Andei por aí.* I've been out. ◇ *dar uma volta por aí* to go out for a walk

ainda *adv* **1** [*em frases afirmativas e interrogativas*] still: *Ainda faltam duas horas.* There are still two hours to go. ◇ *Ainda aqui estás?* Are you still here? ◇ *Ainda moras em Londres?* Do you still live in London? **2** [*em frases negativas e interrogativas negativas*] yet: *Ainda não estão maduras.* They're not ripe yet. ◇ *—Ainda não te responderam? —Ainda não.* 'Haven't they written back yet?' 'No, not yet.' ➲ *Ver nota em* STILL **3** [*em frases comparativas*] even: *Gosto ~ mais desta.* I like this one even better. ◇ *Ela pinta ~ melhor.* She paints even better. LOC **ainda bem que...** it's just as well that...: *Ainda bem que já o fiz!* It's just as well I've already done it!

aipo *sm* celery

ajoelhar-se *vp* to kneel (down)

ajuda *sf* help [*não-contável*]: *Obrigado pela tua ~.* Thanks for your help. ◇ *Necessito de ~.* I need some help. LOC **dar uma ajuda** to give *sb* a hand

ajudante *adj, smf* assistant

ajudar *vt, vi* to help (*sb*) (*to do sth*): *Em que posso ~?* Can I help you?

ajuizado, -a *adj* sensible

ajustar *vt* **1** to adjust: *~ a televisão* to adjust the television **2** (*apertar*) to tighten: *~ um parafuso* to tighten a screw LOC **ajustar contas com alguém** to settle accounts with sb

ajuste *sm* LOC **ajuste de contas** settling of accounts

ala ▸ *sf* wing: *a ~ este do edifício* the east wing of the building ◇ *a ~ conservadora do partido* the conservative wing of the party ▸ **ala!** *interj* (*vai embora!*) off you go!

alameda *sf* avenue

álamo *sm* poplar

alargamento *sm* **1** (*local, negócio*) expansion: *o ~ do aeroporto* the expansion of the airport **2** (*prazo, acordo*) extension **3** (*da UE, NATO, etc.*) enlargement

alargar ▸ *vt* **1** to widen **2** (*prazo*) to extend **3** (*peça de roupa*) to let *sth* out **4** (*negócio*) to expand ▸ *vi* (*dar de si*) to stretch: *Estes sapatos alargaram.* These shoes have stretched. ▸ **alargar-se** *vp* (*ao falar, ao explicar*) to go on for too long: *Alargaste-te demasiado em detalhes.* You spent far too much time on details.

alarmante *adj* alarming

alarmar ▸ *vt* to alarm ▸ **alarmar-se** *vp* **alarmar-se (com)** to be alarmed (at *sth*)

alarme *sm* alarm: *dar o ~* to raise the alarm ◇ *Soou o ~.* The alarm went off. LOC **alarme de incêndio** fire alarm

alastrar *vt, vi* to spread

alavanca *sf* lever: *Em caso de emergência, puxar a ~.* In an emergency, pull the lever. LOC **alavanca das mudanças** gear lever, gear shift (*USA*)

álbum *sm* album

alça *sf* (*vestido*) shoulder strap

alcachofra *sf* artichoke

alcançar *vt* **1** to reach: *~ um acordo* to reach an agreement ◇ *Não o consigo ~.* I can't reach it. **2** (*conseguir*) to achieve: *~ os objetivos* to achieve your objectives **3** (*apanhar*) to catch *sb* up: *Não os consegui ~.* I couldn't catch them up. ◇ *Vai andando que eu depois alcanço-te.* You go on — I'll catch you up. **4** (*Desp, triunfo*) to score: *A equipa alcançou uma grande vitória.* The team scored a great victory.

alcance *sm* **1** reach: *fora do teu ~* out of your reach **2** (*arma, emissora, telescópio*) range: *mísseis de médio ~* medium-range missiles

alcaparra *sf* caper

alcatifa *sf* carpet

alcatifar *vt* to carpet

alcatrão *sm* tar

álcool *sm* alcohol LOC **sem álcool** non-alcoholic *Ver tb* CERVEJA

alcoólico, -a *adj, sm-sf* alcoholic LOC **não alcoólico** (*bebida*) non-alcoholic

alcoolismo *sm* alcoholism

alcunha *sf* nickname: *Puseram-me a ~ de "Magricelas".* They nicknamed me 'Skinny'.

aldeia *sf* small village: *uma pessoa da ~* a villager LOC **aldeia olímpica** Olympic village

aldraba *sf* **1** (*trinco*) latch **2** (*de bater*) knocker

aldrabão, -ona *adj, sm-sf* **1** (*mentiroso*) fibber [*s*]: *Que ~ que tu és!* You're such a fibber! **2** (*descuidado no trabalho*) slapdash [*adj*]: *Esse canalizador é um ~.* That plumber is really slapdash.

aldrabice *sf* **1** (*vigarice*) con: *Que ~!* What a con! **2** (*mentira*) cock and bull story: *A doença dele é ~.* His illness is a cock and bull story.

alecrim *sm* rosemary

alegar *vt* to allege: *Alegam que houve fraude.* They're alleging that there was (a case of) fraud.

alegórico, -a *adj* LOC *Ver* CARRO

alegrar ▸ *vt* **1** (*fazer feliz*) to make *sb* happy: *A carta alegrou-me imenso.* The letter made me very happy. ◇ *Alegra-me sabê-lo.* I'm pleased to hear it. **2** (*animar*) **(a)** (*pessoa*) to cheer *sb* up: *Tentámos ~ os idosos.* We tried to cheer the old people up. **(b)** (*festa*) to liven *sth* up: *Os mágicos alegraram a festa.* The magicians livened up the party. **3** (*casa, lugar*) to brighten *sth* up ▸ **alegrar-se** *vp* **1 alegrar-se (com/por)** to be pleased (about *sth/to do sth*): *Alegrou-se por me ver chegar.* He was pleased to see me. **2 alegrar-se por alguém** to be delighted for sb: *Alegro-me por vocês.* I'm delighted for you.

alegre *adj* **1** (*feliz*) happy **2** (*de bom humor*) cheerful: *É uma pessoa ~.* He's a cheerful person. **3** (*música, espetáculo*) lively **4** (*cor, sala*) bright

alegria *sf* joy: *gritar/saltar de ~* to shout/jump for joy LOC *Ver* VIBRAR

aleijar *vt* (*magoar*) to hurt

aleluia! *interj* alleluia! LOC *Ver* SÁBADO

além ▸ *adv* over there: *Fica ~.* It's over there. ▸ *sm* **o além** the afterlife LOC **além de 1** (*no espaço*) beyond **2** (*afora*) besides **além disso** besides **além do mais** (and) what's more: *Além do mais, não creio que venham.* What's more, I don't think they'll come. **mais além** (*mais longe*) further on: *seis quilómetros mais ~* six kilometres further on **para além de 1** (*número*) (well) over: *Eram para ~ de mil pessoas.* There were well over a thousand people. **2** (*distância*) beyond: *para ~ do rio* beyond the river **3** (*assim como*) as well as: *Para ~ de inteligente é muito trabalhador.* He's very hard-working, as well as (being) clever.

Alemanha *sf* Germany

alemão, -ã *adj, sm-sf, sm* German: *os alemães* the Germans ◇ *falar ~* to speak German LOC *Ver* PASTOR

alergia *sf* **~ (a)** allergy [*pl* allergies] (to *sth*): *ter ~ a alguma coisa* to be allergic to sth

alérgico, -a *adj* **~ (a)** allergic (to *sth*) LOC *Ver* RINITE

alerta ▸ *sm* alert: *em estado de ~* on alert ◇ *Deram o ~.* They gave the alert. ▸ *adj* alert (*to sth*)

alertar *vt* to alert *sb* (*to sth*): *Alertaram-nos para o perigo.* They alerted us to the risk.

aletria *sf* vermicelli [*não-contável, v sing*]

alfabético, -a *adj* alphabetical

alfabetização *sf* teaching of literacy: *uma campanha de ~* a campaign to promote adult literacy

alfabetizado, -a *adj* literate: *Há cursos para*

que os adultos se tornem ~s. There are adult literacy courses available.

alfabeto *sm* alphabet

alface *sf* lettuce LOC *Ver* SALADA

alfaiate *sm* tailor

alfândega *sf* customs [*pl*]: *Passámos pela ~.* We went through customs.

alfandegário, -a *adj* LOC *Ver* DIREITO

alfazema *sf* lavender

alfinete *sm* **1** pin **2** (*joia*) brooch, pin (*USA*) LOC **alfinete de ama/segurança** safety pin

alforreca *sf* jellyfish [*pl* jellyfish]

alga *sf* **1** (*de água doce*) weed [*não-contável*]: *O lago está cheio de ~s.* The pond is full of weed. **2** (*de água salgada*) seaweed [*não-contável*]

algarismo *sm* numeral

algazarra *sf* uproar

álgebra *sf* algebra

algemar *vt* to handcuff

algemas *sf* handcuffs

algibeira *sf* pocket LOC *Ver* LIVRO

algo ▸ *pron* something, anything ℹ A diferença entre **something** e **anything** é a mesma que entre **some** e **any**. ➲ *Ver tb nota em* SOME. ▸ *adv* rather: *~ ingénuo* rather naive ➲ *Ver nota em* FAIRLY

algodão *sm* **1** (*planta, fibra*) cotton **2** (*Med*) cotton wool, (absorbent) cotton (*USA*): *Tapei os ouvidos com ~.* I put cotton wool in my ears. LOC **algodão doce** candyfloss

alguém *pron* someone, anyone: *Achas que vem ~?* Do you think anyone will come? ℹ A diferença entre **someone** e **anyone** (ou **somebody** e **anybody**) é a mesma que entre **some** e **any**. ➲ *Ver tb nota em* SOME

De notar que **someone** e **anyone** são seguidos do verbo no singular, mas podem ser seguidos de um pronome no plural (p.ex. "their"): *Alguém se esqueceu do casaco.* Someone's left their coat behind.

algum, -a ▸ *adj* **1** some, any: *Comprei-te alguns livros para te entreteres.* I've bought you some books to pass the time. ◇ *Algum problema?* Are there any problems? ➲ *Ver nota em* SOME **2** (*com número*) several: *algumas centenas de pessoas* several hundred people **3** (*um por outro*) the occasional: *Poderão ocorrer alguns chuviscos.* There may be the occasional light shower. ▸ *pron*: *Alguns de vocês são muito preguiçosos.* Some of you are very lazy. ◇ *De certeza que foi ~ de vocês.* It must have been one of you. ◇ *Alguns protestaram.* Some (people) protested. LOC **alguma coisa** something, anything ℹ A diferença entre **something** e **anything** é a mesma que entre **some** e **any**. ➲ *Ver tb nota em* SOME **algumas vezes** sometimes **alguma vez** ever: *Já lá estiveste alguma vez?* Have you ever been there? **algum dia** some day **em alguma coisa** in any way: *Se puder ajudar em alguma coisa...* If I can help in any way... **em algum lugar/sítio/em alguma parte** somewhere, anywhere ℹ A diferença entre **somewhere** e **anywhere** é a mesma que entre **some** e **any**. ➲ *Ver tb nota em* SOME **mais alguma coisa?** (*loja*) anything else? **por alguma coisa será** there must be a reason

alheio, -a *adj* **1** (*de outro*) someone else's: *em casa alheia* in someone else's house **2** (*de outros*) other people's: *meter-se na vida alheia* to interfere in other people's lives **3** (*distraído*) oblivious: *~ a alguma coisa* oblivious to sth **4** (*retraído*) withdrawn

alho *sm* garlic: *cabeça/dente de ~* head/clove of garlic

alho-francês (*tb* alho-porro) *sm* leek

ali *adv* there: *Estão ~.* There they are! ◇ *a 30 quilómetros de ~* 30 kilometres from there ◇ *uma rapariga que passava por ~* a girl who was passing by LOC **ali dentro/fora** in/out there **ali em baixo/cima** down/up there **ali mesmo** right there **foi ali que...** that's where...: *Foi ~ que cai.* That's where I fell. **por ali** that way

aliado, -a ▸ *adj* allied ▸ *sm-sf* ally [*pl* allies] *Ver tb* ALIAR-SE

aliança *sf* **1** (*união*) alliance: *uma ~ entre cinco partidos* an alliance between five parties **2** (*anel*) wedding ring

aliar-se *vp* ~ **(a/com/contra)** to form an alliance (with/against *sb/sth*)

aliás *adv* (*de mais a mais*) besides

álibi *sm* alibi [*pl* alibis]: *ter um bom ~* to have a good alibi

alicate *sm* pliers [*pl*]: *Onde está o ~?* Where are the pliers? ◇ *Necessito de um ~.* I need a pair of pliers. ➲ *Ver nota em* PAIR

alicerces *sm* foundations

alienígena *adj, smf* alien

alimentação *sf* **1** (*ação*) feeding **2** (*comida*) food **3** (*dieta*) diet: *uma ~ equilibrada* a balanced diet **4** (*máquina*) supply

alimentar ▸ *vt* to feed *sb/sth* (*on/with sth*): *~ os cavalos com feno* to feed the horses (on) hay ▸ *vi* to be nourishing: *Alimenta muito.* It's very nourishing. ▸ **alimentar-se** *vp* **1** (*comer*) to eat: *Precisas de te ~ melhor.* You need to eat better. **2 alimentar-se de** to live on *sth* LOC *Ver* PRODUTO

alimentício, -a *adj* **1** (*próprio para comer*) food: *produtos ~s* foodstuffs **2** (*nutritivo*) nutritious: *o valor ~* the nutritive value LOC *Ver* GÉNERO

alimento *sm* (*comida*) food: *~s enlatados* tinned food(s)

alinhamento *sm* (*Desp*) line-up

alinhar *vt* **1** (*pôr em linha*) to line *sb/sth* up **2** (*Desp*) to field

alisar *vt* to smooth

alistar-se *vp* ~ **(em)** to enlist (in *sth*)

aliviar *vt* to relieve: *~ a dor* to relieve pain ◇ *A massagem aliviou-me um pouco.* The massage made me feel a bit better.

alívio *sm* relief: *Que ~!* What a relief! ◇ *Foi um ~ para todos.* It came as a relief to everybody.

alma *sf* **1** soul: *Não se via viva ~.* There wasn't a soul to be seen. **2** (*carácter, mente*) spirit: *uma nobre ~* a noble spirit LOC *Ver* CORPO

almirante *smf* admiral

almoçar *vi* to have lunch: *A que horas almoçamos?* What time are we going to have lunch? ◇ *Que há para ~?* What's for lunch? ◇ *Amanhã almoçamos fora.* We're going out for lunch tomorrow.

almoço *sm* lunch: *O que é o ~?* What's for lunch? ➲ *Ver nota em* DINNER

almofada *sf* **1** (*para dormir*) pillow **2** (*para poltrona, sofá*) cushion

almôndega *sf* meatball

alojamento *sm* accommodation

alojar ▸ *vt* **1** to accommodate: *O hotel tem capacidade para ~ 200 pessoas.* The hotel can accommodate 200 people. **2** (*sem cobrar*) to put *sb* up: *Depois do incêndio alojaram-nos numa escola.* After the fire, they put us up in a school. ▸ **alojar-se** *vp* to stay: *Alojámo-nos num hotel.* We stayed in a hotel.

alongamento *sm* (*Desp*) stretching

alpendre *sm* porch

alperce *sm* apricot

alpinismo *sm* mountaineering: *fazer ~* to go mountaineering

alpinista *smf* mountaineer

alta *sf* (*preço, valor*) rise LOC **dar alta a alguém** to discharge sb (from hospital) **ter alta** to be discharged (from hospital)

altar *sm* altar

alterado, -a *adj* (*ânimos*) worked up: *Os ânimos ficaram ~s durante a reunião.* People got very worked up during the meeting. *Ver tb* ALTERAR

alterar ▸ *vt* to alter ▸ **alterar-se** *vp* **1** (*mudar*) to change **2** (*irritar-se*) to get worked up

alternado, -a *adj* alternate: *em dias ~s* on alternate days *Ver tb* ALTERNAR

alternar *vt, vi* **1** to alternate **2** ~ **(com) (para)** to take it in turns (with *sb*) (*to do sth*)

alternativa *sf* ~ **(a)** alternative (to *sth*): *É a nossa única ~.* It is our only option.

alternativo, -a *adj* alternative

altifalante *sm* loudspeaker: *Anunciaram-no pelos ~s.* They announced it over the loudspeakers.

altitude *sf* height, altitude (*mais formal*): *a 3000 metros de ~* at an altitude of 3000 metres

altivo, -a *adj* haughty

alto, -a ▸ *adj* **1** tall, high

> **Tall** usa-se com pessoas, árvores e edifícios que são tanto altos como estreitos: *o edifício mais alto do mundo* the tallest building in the world ◇ *uma rapariga muito alta* a very tall girl. **High** utiliza-se muito com substantivos abstratos: *níveis de poluição altos* high levels of pollution ◇ *juros altos* high interest rates, e para nos referirmos à altitude em relação ao nível do mar: *La Paz é a capital mais alta do mundo.* La Paz is the highest capital in the world.
> Os antónimos de **tall** são **short** e **small**, e o antónimo de **high** é **low**. As duas palavras têm em comum o substantivo **height**, *altura*.

2 (*comando, funcionário*) high-ranking **3** (*classe social, região*) upper: *o ~ Douro* the upper Douro **4** (*som, voz*) loud: *Não ponhas a música tão alta.* Don't play the music so loud. ▸ *adv* **1** (*pôr, subir*) high: *Penduraste o quadro demasiado ~.* You've hung the picture too high (up). **2** (*falar, tocar*) loud: *Não fales tão ~.* Don't talk so loud. ◇ *Põe o som mais ~.* Turn the sound up. ▸ *sm* top ▸ **alto!** *interj* stop! LOC **do alto de** from the top of **por alto 1** (*aproximadamente*) roughly: *Assim por ~, deviam ser umas 500 pessoas.* I think there were roughly 500 people. **2** (*superficialmente*) superficially: *fazer alguma coisa por ~* to do sth superficially
🛈 Para outras expressões com **alto**, ver as entradas para o substantivo, verbo, etc., p.ex. **passar por alto** em PASSAR.

altura *sf* **1** height: *cair de uma ~ de três metros* to fall from a height of three metres **2** (*época*) time [*não-contável*]: *nesta ~/por estas ~s* at/around this time (of the year) LOC **a certa/dada altura** at a given moment **a esta altura (do campeonato)** at this stage **altura máxima** maximum headroom **de grande/pouca altura** high/low **estar à altura da situação** to be equal to the task **por altura de** around **ter dois, etc. metros**

de altura (*coisa*) to be two, etc. metres high *Ver tb* SALTO

alucinação *sf* hallucination

alucinante *adj* (*louco*) crazy: *um fim de semana* ~ a crazy weekend

alucinar *vi* to hallucinate

alugar *vt*

• **referindo-se à pessoa que toma de aluguer** to hire, to rent

> **Hire** emprega-se quando se aluga alguma coisa por pouco tempo tal como um carro ou um fato: *Alugou um fato para o casamento.* He hired a suit for the wedding. **Rent** implica períodos mais longos, por exemplo quando se aluga uma casa ou um quarto: *Em quanto é que me ficaria alugar um apartamento com dois quartos?* How much would it cost me to rent a two-bedroomed flat? Nos Estados Unidos usa-se apenas **rent**.

• **referindo-se à pessoa que dá de aluguer** to hire *sth* (out), to rent *sth* (out), to let *sth* (out)

> **Hire sth (out)** emprega-se quando nos referimos a um curto espaço de tempo: *Dedicam-se a alugar cavalos a turistas.* They make their living hiring (out) horses to tourists. **Rent sth (out)** emprega-se quando nos referimos a períodos mais longos e utiliza-se tanto para objetos como quartos ou casas: *Alugam quartos a estudantes.* They rent (out) rooms to students. ◇ *uma empresa que aluga eletrodomésticos* a company that rents out household appliances
> **Let sth (out)** apenas se utiliza com casas ou quartos: *Há um apartamento para alugar no nosso edifício.* There's a flat to let in our block.

LOC *Ver* CARRO

aluguer *sm* **1** (*ato de alugar*) hire: *uma empresa de* ~ *de automóveis* a car hire company **2** (*preço*) **(a)** hire charge **(b)** (*casa, quarto*) rent: *Já pagaste o* ~*?* Have you paid the rent?

alumínio *sm* aluminium, aluminum (*USA*) LOC *Ver* PAPEL

aluno, -a *sm-sf* student: *um dos meus* ~*s* one of my students

alusão *sf* allusion LOC **fazer alusão a** to allude to *sb/sth*

alvo *sm* target: *tiro ao* ~ target shooting

alvoroço *sm* **1** (*barulho*) racket: *Porquê tanto* ~*?* What's all the racket about? **2** (*distúrbio*) disturbance: *Tanto* ~ *levou a polícia a intervir.* The disturbance led the police to intervene.

ama *sf* nanny [*pl* nannies] LOC *Ver* ALFINETE

amabilidade *sf* kindness: *É a* ~ *em pessoa.* She's kindness personified. LOC **tenha a amabilidade (de...)** if you would be so kind (as to...)

amaciador *sm* **1** (*cabelo*) conditioner **2** (*roupa*) (fabric) softener

amaciar *vt* **1** (*pele*) to soften, to make *sth* soft (*mais coloq*): *Este creme amacia muito as mãos.* This cream makes your hands really soft. **2** (*cabelo*) to condition

amador, -ora *adj, sm-sf* amateur: *uma companhia de teatro* ~ an amateur theatre company

amadurecer *vi* **1** (*fruta*) to ripen **2** (*pessoa*) to mature

amainar *vi* (*vento*) to die down

amaldiçoar *vt* to curse

amamentar *vt* **1** (*pessoa*) to breastfeed **2** (*animal*) to suckle

amanhã ▸ *sm* future: *É preciso pensarmos no* ~. We need to think about the future. ▸ *adv* tomorrow: *Amanhã é sábado, não é verdade?* Tomorrow is Saturday, isn't it? ◇ *o jornal de* ~ tomorrow's paper LOC **amanhã de manhã/à noite** tomorrow morning/night **até amanhã!** see you tomorrow! **depois de amanhã** the day after tomorrow *Ver tb* DIA

amanhecer[1] ▸ *vi* to dawn: *Já amanhecia o dia.* Dawn was already breaking. ▸ *v imp*: *Amanheceu muito cedo.* Dawn broke very early. ◇ *Amanheceu a chover.* It was raining at dawn.

amanhecer[2] *sm* **1** (*madrugada*) dawn: *Levantámo-nos ao* ~. We got up at dawn. **2** (*nascer do sol*) sunrise: *contemplar o* ~ to watch the sunrise

amante ▸ *adj* loving: ~ *de música* music-loving ▸ *smf* lover: *um* ~ *de ópera* an opera lover

amar *vt* to love

amarelo, -a ▸ *adj* **1** (*cor*) yellow: *É* ~. It is yellow. ◇ *Eu ia de* ~. I was wearing yellow. ◇ *pintar alguma coisa de* ~ to paint sth yellow ◇ *o rapaz da camisa amarela* the boy in the yellow shirt **2** (*semáforo*) amber **3** (*açúcar*) brown ▸ *sm* yellow: *Não gosto de* ~. I don't like yellow. LOC *Ver* PÁGINA

amargo, -a *adj* bitter

amarra *sf* LOC *Ver* LARGAR

amarrotar *vt* **1** (*papel*) to crumple *sth* (up) **2** (*roupa*) to crease

amassar *vt* **1** (*Cozinha*) to knead **2** (*cimento*) to mix **3** (*carro*) to smash *sth* up **4** (*engelhar*) to crumple

amável *adj* ~ **(com)** kind (to *sb*): *Foi muito* ~ *da* *parte deles ajudar-me.* It was very kind of them to help me. ◇ *Obrigado, é muito ~.* Thank you, that's very kind of you.

âmbar *sm* amber

ambição *sf* ambition

ambicionar *vt* (*desejar*) to want: *O que eu mais ambiciono é...* What I want more than anything else is...

ambicioso, -a *adj* ambitious

ambientador *sm* air freshener

ambiental *adj* **1** background: *música ~* background music **2** (*relativo ao meio ambiente*) environmental

ambientalista *smf* environmentalist

ambiente *sm* **1** (*natureza, meio que nos rodeia*) environment: *É preciso proteger o ~.* We must protect the environment. **2** (*atmosfera*) atmosphere: *um ~ poluído* a polluted atmosphere ◇ *O local tem bom ~.* The place has a good atmosphere. ◇ *~ abafado/pesado* stuffy/uneasy atmosphere LOC **estar no seu ambiente** to be in your element **não estar no seu ambiente** to be like a fish out of water *Ver tb* MEIO, TEMPERATURA

ambíguo, -a *adj* ambiguous

âmbito *sm* (*campo de ação*) scope LOC **de âmbito nacional** nationwide

ambos, -as *pron* both (of us, you, them): *Dou-me bem com ~.* I get on well with both of them. ◇ *Ambos gostamos de viajar.* Both of us like travelling./We both like travelling.

ambulância *sf* ambulance

ambulante *adj* travelling: *um circo ~* a travelling circus LOC *Ver* VENDEDOR

ameaça *sf* threat: *estar sob ~* to be under threat

ameaçador, -ora *adj* threatening

ameaçar *vt* to threaten (*to do sth*): *Ameaçaram matá-lo.* They threatened to kill him. ◇ *Ameaçaram-nos com um processo judicial.* They threatened to take them to court. ◇ *Ameaçou-me com uma navalha.* He threatened me with a knife.

amêijoa *sf* clam

ameixa *sf* plum LOC **ameixa seca** prune

ameixieira (*tb* **ameixoeira**) *sf* plum tree

amém (*tb* **ámen**) *sm* amen

amêndoa *sf* almond LOC *Ver* PASTA[2]

amendoeira *sf* almond tree

amendoim *sm* peanut

ameno, -a *adj* **1** (*temperatura, clima*) mild: *uma temperatura amena* a mild temperature **2** (*agradável*) pleasant: *uma conversa muito amena* a very pleasant conversation

América *sf* America

> Em inglês as palavras **America** e **American** referem-se normalmente aos Estados Unidos.

americano, -a *adj, sm-sf* American LOC *Ver* EXAME

ametista *sf* amethyst

amianto *sm* asbestos

amido *sm* starch LOC **amido de milho** cornflour, cornstarch (*USA*)

amigável *adj* friendly

amígdala *sf* tonsil: *Fui operado às ~s.* I had my tonsils out.

amigo, -a ▸ *adj* **1** (*voz*) friendly **2** (*mão*) helping ▸ *sm-sf* friend: *a minha melhor amiga* my best friend ◇ *É um grande ~ meu.* He's a very close friend of mine. LOC **amigos, amigos, negócios à parte** don't mix friendship with business **amigo por correspondência** penfriend **ser muito amigo(s)** to be good friends (*with sb*): *Somos muito ~s.* We're good friends.

amizade *sf* **1** (*relação*) friendship: *acabar com uma ~* to end a friendship **2 amizades** friends: *Não faço parte do seu grupo de ~s.* I don't belong to his group of friends. LOC **fazer amizade** to make friends

amnésia *sf* amnesia

amnistia *sf* amnesty [*pl* amnesties]

amolecer *vt, vi* to soften: *O calor amolece a manteiga.* Heat softens butter.

amolgadela (*tb* **amolgadura**) *sf* dent

amolgar *vt* to dent: *Amolgaste-me o carro.* You've dented my car.

amoníaco *sm* ammonia

amontoar ▸ *vt* **1** (*empilhar*) to pile *sth* up **2** (*acumular*) to amass: *~ tralha* to amass junk ▸ **amontoar-se** *vp* **1** to pile up: *O meu trabalho foi-se amontoando.* My work was piling up. **2** (*apinhar*) to cram (*into sth*): *Amontoaram-se todos no carro.* They all crammed into the car.

amor *sm* love: *uma canção/história de ~* a love song/story ◇ *o ~ da minha vida* the love of my life ◇ *com ~* lovingly ◇ *carta de ~* love letter LOC **amor à primeira vista** love at first sight **fazer amor (com)** to make love (to/with *sb*) **por amor à camisola**: *Ele só trabalha por ~ à camisola.* He only works because he's devoted to the place. **por amor de Deus!** for God's sake!

amora *sf* **1** (*de silva*) blackberry [*pl* blackberries] **2** (*de amoreira*) mulberry [*pl* mulberries]

amordaçar *vt* to gag

amoroso, -a *adj* **1** (*relativo ao amor*) love: *vida amorosa* love life **2** (*pessoa, coisa*) lovely: *Que gémeos ~s!* What lovely twins!

amostra *sf* sample: *uma ~ de sangue* a blood sample

amparar ▸ *vt* to support *sb/sth* (*against sb/sth*) ▸ **amparar-se** *vp* **amparar-se em** (*apoiar-se*) to seek the support of *sb/sth*: *Amparou-se na família.* He sought the support of his family.

amparo *sm* support

ampere *sm* amp

ampliação *sf* enlargement

ampliar *vt* **1** (*Fot*) to enlarge **2** (*aumentar*) to extend: *~ o estabelecimento* to extend the premises

amplificador *sm* amplifier

amplificar *vt* **1** (*som*) to amplify **2** (*negócio, império*) to expand

amplo, -a *adj* **1** wide: *uma ampla variedade de produtos* a wide range of goods **2** (*lugar*) spacious: *um apartamento ~* a spacious flat

amputar *vt* to amputate

amuado, -a *adj* sulky *Ver tb* AMUAR

amuar *vi* to sulk

amuleto *sm* charm

analfabetismo *sm* illiteracy

analfabeto, -a *adj, sm-sf* illiterate [*adj*]: *ser um ~* to be illiterate

analgésico *sm* painkiller

analisar *vt* to analyse

análise *sf* analysis [*pl* analyses] LOC **análise ao sangue** blood test *Ver tb* ÚLTIMO

ananás *sm* pineapple

anão, -ã *adj, sm-sf* dwarf [*pl* dwarfs/dwarves]: *uma conífera anã* a dwarf conifer

anarquia *sf* anarchy

anarquismo *sm* anarchism

anarquista *adj, smf* anarchist

anatomia *sf* anatomy [*pl* anatomies]

anca *sf* hip

anchova *sf* anchovy [*pl* anchovies]

ancinho *sm* rake

âncora *sf* anchor: *largar a ~* to drop anchor LOC *Ver* LEVANTAR

andaime *sm* scaffolding [*não-contável*]: *Há ~s por todo o lado.* There's scaffolding everywhere.

andamento *sm* **1** (*progresso*) progress **2** (*rumo*) direction LOC **em andamento** (*em movimento*) in motion: *descer do comboio em ~* to get off the train while it's in motion **pôr alguma coisa em andamento** (*processo*) to set sth in motion

andar¹ ▸ *vi* **1** (*caminhar*) to walk: *Anda cá!* Come here! **2 ~ de** to ride *sth* [*vt*]: *~ de bicicleta* to ride a bike **3** (*veículo*) to go fast: *A moto dele anda muito.* His motorbike goes very fast. **4** (*funcionar*) to work: *Este relógio não anda.* This clock's not working. **5** (*estar*) to be: *Quem anda aí?* Who's there? ◇ *~ ocupado/deprimido* to be busy/depressed ◇ *De que é que andas à procura?* What are you looking for? **6 ~ por** to be about *sth*: *Deve ~ aí pelos 50 anos.* He must be about 50. ▸ *vt* to cover: *Andámos 150km.* We covered 150km. LOC **anda!** hurry up!
ℹ Para outras expressões com **andar**, ver as entradas para o substantivo, adjetivo, etc., p.ex. **andar à pancada** em PANCADA.

andar² *sm* (*modo de caminhar*) walk: *Reconheci-o pelo ~.* I recognized him by his walk.

andar³ *sm* (*edifício*) floor: *Vivo no terceiro ~.* I live on the third floor. ◇ *Vivo no ~ de baixo/cima.* I live on the ground/top floor. ➲ *Ver nota em* FLOOR LOC **de dois, etc. andares** (*edifício*) two-storey, etc.: *um prédio de cinco ~es* a five-storey block

andebol *sm* handball

andorinha *sf* swallow

anedota *sf* joke

anel *sm* **1** ring **2** (*cabelo*) curl

anemia *sf* anaemia

anémico, -a *adj* anaemic

anestesia *sf* anaesthetic: *Deram-me uma ~ geral/local.* They gave me a general/local anaesthetic.

anestesiar *vt* to anaesthetize

anestesista *smf* anaesthetist

anexo, -a ▸ *adj* (*folhas, documentos*) attached ▸ *sm* (*edifício*) annexe

anfetamina *sf* amphetamine

anfíbio, -a ▸ *adj* amphibious ▸ *sm* amphibian

anfiteatro *sm* **1** (*romano*) amphitheatre **2** (*sala de aula*) lecture theatre

anfitrião, -ã/-oa *sm-sf* **1** (*masc*) host **2** (*fem*) hostess

angariar *vt* (*fundos*) to raise

anginas *sf* tonsillitis [*não-contável, v sing*]

anglicano, -a *adj, sm-sf* Anglican

anglo-saxão, -ã *sm-sf* Anglo-Saxon

anglo-saxónico, -a *adj* Anglo-Saxon

Angola *sf* Angola

angolano, -a *adj, sm-sf* Angolan

ângulo *sm* angle: *~ reto/agudo/obtuso* right/

acute/obtuse angle ◇ *Eu vejo as coisas por outro ~.* I see things from a different angle.

angústia *sf* anguish: *Gritou de ~.* He cried out in anguish.

anilha *sf* **1** ring **2** (*Mec*) washer

animação *sf* **1** (*alegria*) liveliness **2** (*entusiasmo*) enthusiasm

animado, -a *adj* **1** lively: *uma festa/cidade animada* a lively party/city **2** (*entusiasmado*) enthusiastic LOC *Ver* DESENHO; *Ver tb* ANIMAR

animal *adj, sm* animal [*s*]: *o reino ~* the animal kingdom ◇ *~ selvagem* wild animal LOC **animal doméstico** pet

animar ▸ *vt* **1** (*pessoa*) to cheer *sb* up: *Animei a minha irmã.* I cheered my sister up. **2** (*conversa, jogo*) to liven *sth* up **3** (*apoiar*) to cheer *sb* on: *~ a equipa* to cheer the team on ▸ **animar-se** *vp* to cheer up: *Anima-te!* Cheer up! LOC **animar alguém a fazer alguma coisa** to encourage sb to do sth: *Eu animei-os a estudar mais.* I encouraged them to study more.

ânimo *sm* spirits [*pl*]: *Faltava-nos ~.* Our spirits were low. LOC **ânimo!** cheer up! **levar as coisas de ânimo leve** to take things lightly

aninhar-se *vp* to nestle

aniquilar *vt* to annihilate

anis *sm* **1** (*semente*) aniseed **2** (*licor*) anisette

aniversário *sm* **1** (*de pessoa*) birthday: *O meu ~ é segunda-feira.* It's my birthday on Monday. ◇ *Feliz ~!* Happy Birthday! ❶ Também se pode dizer 'Many happy returns!'. **2** (*de instituição, evento*) anniversary [*pl* anniversaries]: *o ~ do nosso casamento* our wedding anniversary

anjo *sm* angel LOC *Ver* SONHAR

ano *sm* year: *todo o ~* all year (round) ◇ *todos os ~s* every year ◇ *~ académico/escolar* academic/school year LOC **ano bissexto** leap year **ano sim ano não** every other year **de dois, etc. anos**: *uma mulher de trinta ~s* a woman of thirty/a thirty-year-old woman **fazer anos**: *Segunda-feira faço ~s.* It's my birthday on Monday. **os anos 70, 80, etc.** the 70s, 80s, etc. **ter dois, etc. anos** to be two, etc. (years old): *Tenho dez ~s.* I'm ten (years old). ◇ *Quantos ~s tens?* How old are you? ➲ *Ver nota em* OLD; *Ver tb* CURSO, NOITE, PASSAGEM, TRANSITAR

anoitecer¹ *v imp* to get dark: *No inverno anoitece mais cedo.* In winter it gets dark earlier.

anoitecer² *sm* dusk: *ao ~* at dusk LOC **antes/depois do anoitecer** before/after dark

ano-luz *sm* light year

anónimo, -a *adj* anonymous: *uma carta anónima* an anonymous letter LOC *Ver* SOCIEDADE

anoraque *sm* anorak

anorexia *sf* anorexia

anoréxico, -a (*tb* anorético, -a) *adj, sm-sf* anorexic

anormal ▸ *adj* **1** abnormal: *um comportamento ~* abnormal behaviour **2** (*abaixo do normal*) subnormal ▸ *smf* (*como insulto*) cretin

anotar *vt* to note *sth* down: *Anotei a direção.* I noted down the address.

ânsia *sf* **1** ~ **(de)** longing (for *sth*/*to do sth*): *a ~ de vencer* the will to win **2** ~ **(por)** desire (for *sth*): *~ por bons resultados* a desire for good results

ansiar *vi* ~ **por** to long for *sth*

ansiedade *sf* anxiety [*pl* anxieties]

ansioso, -a *adj* anxious

antártico, -a ▸ *adj* Antarctic ▸ **Antártico** *sm* (*oceano*) Antarctic Ocean LOC *Ver* CÍRCULO

antebraço *sm* forearm

antecedência *sf* LOC **com antecedência** in advance: *com dois anos de ~* two years in advance

antecedentes *sm* (*médicos, criminais*) record [*v sing*]

antecipar *vt* **1** (*prever*) to anticipate **2** (*evento, data*) to bring *sth* forward: *Queremos ~ o exame uma semana.* We want to bring the exam forward a week.

antemão *adv* LOC **de antemão** beforehand

antena *sf* **1** (*TV, Rádio*) aerial, antenna [*pl* antennas/antennae] (*USA*) **2** (*Zool*) antenna [*pl* antennae] LOC **antena parabólica** satellite dish

anteontem *adv* the day before yesterday LOC **anteontem à noite** the night before last

antepassado, -a *sm-sf* ancestor

anterior *adj* previous

antes *adv* before ➲ *Ver nota em* BEFORE LOC **antes de** before *sth*/*doing sth*: *~ de ir para a cama* before going to bed ◇ *~ do Natal* before Christmas **antes de mais nada** before anything else **antes de ontem** the day before yesterday *Ver tb* CONSUMIR, QUANTO

antibiótico *sm* antibiotic

anticoncecional (*tb* anticoncetivo, -a) *adj* contraceptive

anticongelante *sm* antifreeze

anticorpo *sm* antibody [*pl* antibodies]

antidoping *adj* LOC **controlo/teste antidoping** drug test: *O resultado do seu teste ~ foi positivo.* He tested positive.

antídoto *sm* ~ **(de/contra)** antidote (to *sth*)

antigamente *adv* in the olden days

antigo, -a *adj* **1** old: *carros ~s* old cars ◇ *o meu ~ chefe* my old boss **2** (*Hist*) ancient: *a Grécia antiga* ancient Greece

antiguidade *sf* **1** (*época*) ancient times **2** (*em trabalho*) seniority **3** (*objeto*) antique: *loja de ~s* antique shop

anti-higiénico, -a *adj* unhygienic

antílope *sm* antelope

antipatia *sf* LOC **ter antipatia por alguém** to dislike sb

antipático, -a *adj* unpleasant

antiquado, -a *adj* old-fashioned: *ideias antiquadas* old-fashioned ideas

antiquário *sm* (*loja*) antique shop

antirroubo *adj* anti-theft: *dispositivo ~* anti-theft device

antissético, -a *adj* antiseptic

antónimo, -a *adj, sm* opposite: *Qual é o ~ de alto?* What's the opposite of tall? ◇ *Alto e baixo são ~s.* Tall and short are opposites.

antropologia *sf* anthropology

antropólogo, -a *sm-sf* anthropologist

anual *adj* annual

anualmente *adv* annually

anulação *sf* **1** cancellation: *a ~ do torneio* the cancellation of the tournament **2** (*casamento*) annulment

anular[1] *vt* **1** to cancel: *Vamos ter de ~ o jantar/o exame.* We'll have to cancel the dinner/exam. **2** (*golo, ponto*) to disallow **3** (*votação*) to declare *sth* invalid **4** (*casamento*) to annul

anular[2] *sm* (*dedo*) ring finger

anunciar *vt* **1** (*informar*) to announce: *Anunciaram o resultado através dos altifalantes.* They announced the result over the loudspeakers. **2 ~ (em...)** (*fazer publicidade*) to advertise (in/on...): *~ na televisão* to advertise on TV

anúncio *sm* **1** (*imprensa, televisão*) advertisement, advert (*mais coloq*) **2** (*poster*) poster **3** (*declaração*) announcement LOC **anúncios de emprego** job vacancies *Ver tb* PROIBIDO

ânus *sm* anus [*pl* anuses]

anzol *sm* hook LOC *Ver* MORDER

ao *prep* + **infinitivo 1** when: *Desataram a rir ao ver-me.* They burst out laughing when they saw me. **2** (*simultaneidade*) as: *Vi-o ao sair.* I saw him as I was leaving. *Ver tb* A[3]

aos *Ver* A[3]

apagado, -a *adj* (*pessoa, cor*) dull LOC **estar apagado 1** (*luz, aparelho*) to be off **2** (*fogo*) to be out *Ver tb* APAGAR

apagador *sm* (*quadro*) board duster

apagar ▸ *vt* **1** (*com borracha*) to rub *sth* out, to erase (*USA*): *~ uma palavra* to rub out a word **2** (*quadro*) to clean **3** (*Informát*) to delete **4** (*fogo*) to put *sth* out **5** (*vela*) to blow *sth* out **6** (*cigarro*) to stub *sth* out **7** (*luz, aparelho*) to switch *sth* off ▸ **apagar-se** *vp* to go out: *Apagou-se-me a vela/o cigarro.* My candle/cigarette went out.

apaixonado, -a ▸ *adj* passionate: *um temperamento muito ~* a very passionate temperament ▸ *sm-sf* **~ de/por** lover of *sth*: *os ~s da ópera* opera lovers *Ver tb* APAIXONAR

apaixonar ▸ *vt* to win *sb's* heart ▸ **apaixonar-se** *vp* **apaixonar-se (por)** to fall in love (with *sb/sth*)

apalpar *vt* **1** to touch **2** (*indecentemente*) to paw **3** (*tecido*) to finger: *Para de ~ o tecido.* Stop fingering the material. **4** (*examinando, procurando*) to feel: *O médico apalpou-me a barriga.* The doctor felt my stomach. ◇ *Apalpou os bolsos.* He felt his pockets. LOC **apalpar o terreno** (*averiguar*) to see how the land lies

apanha-bolas *smf* **1** (*masc*) ballboy **2** (*fem*) ballgirl

apanhado, -a *adj* **1** (*doido*) crazy **2** (*cabelo*) up: *Ficas melhor com o cabelo ~.* You look better with your hair up. LOC **estar apanhado (por alguém/alguma coisa)** to be crazy (about sb/sth) **estar/ser apanhado do juízo** to be round the bend *Ver tb* APANHAR

apanhar ▸ *vt* **1** to catch: *~ uma bola* to catch a ball ◇ *~ um comboio* to catch a train ◇ *~ uma constipação* to catch a cold **2** (*objeto caído*) to pick *sth* up: *Apanha o lenço.* Pick up the handkerchief. **3** (*colher*) to pick: *~ flores/fruta* to pick flowers/fruit **4** (*viajar*) to take: *Prefiro ~ o autocarro.* I'd rather take the bus. **5** (*ir buscar*) to pick *sb/sth* up: *~ as crianças à saída da escola* to pick the children up from school **6** (*encontrar*) to get hold of *sb* **7** (*atropelar*) to run *sb* over: *Foi apanhado por um carro.* He was run over by a car. ▸ *vi* to get a smack: *Olha que apanhas.* You'll get a smack! ❶ Para expressões com **apanhar**, ver as entradas para o substantivo, adjetivo, etc., p. ex. **apanhar frio** em FRIO.

aparador *sm* sideboard

aparafusar *vt* to screw *sth* down/in/on: *~ a última peça* to screw on the last bit

apara-lápis *sm* pencil sharpener

aparar *vt* to trim

aparatoso, -a *adj* spectacular

aparecer *vi* **1** to appear: *Aparece muito na televisão.* He appears a lot on TV. **2** (*alguém/*

alguma coisa que se tinha perdido) to turn up: *Perdi os óculos mas entretanto apareceram.* I lost my glasses but they turned up later. **3** (*chegar*) to show up: *O Pedro apareceu por volta das dez.* Pedro showed up around ten.

aparecimento *sm* appearance

aparelhagem *sf* LOC **aparelhagem (de som)** sound system

aparelho *sm* **1** (*máquina*) machine: *Como funciona este ~?* How does this machine work? **2** (*doméstico*) appliance **3** (*rádio, televisão*) set **4** (*Anat*) system: *o ~ digestivo* the digestive system **5** (*para os dentes*) brace, braces [*pl*] (*USA*): *Vou ter de usar um ~.* I'm going to have to wear a brace. **6** (*Ginástica*) apparatus [*não-contável*] LOC **aparelho auditivo** hearing aid

aparência *sf* appearance LOC **as aparências enganam** appearances are deceptive **ter boa aparência** to look good *Ver tb* MANTER

aparentar *vt* (*idade*) to look: *Aparenta uns 50 anos.* He looks about 50.

aparente *adj* apparent: *sem nenhum motivo ~* for no apparent reason

aparição *sf* **1** (*Relig*) vision **2** (*fantasma*) apparition

apartado *sm* PO box

apartamento *sm* flat, apartment (*USA*) LOC *Ver* COLEGA

apavorado, **-a** *adj* terrified

apaziguamento *sm* (*conflito*) easing: *o ~ das tensões internacionais* the easing of international tension

apaziguar *vt* to appease

apear-se *vp* ~ **(de)** (*comboio, autocarro*) to get off (*sth*): *Apearam-se em Tavira.* They got off at Tavira.

apego *sm* ~ **(a/por)** affection for *sb/sth* LOC **ter muito apego por** to be very attached to *sb/sth*

apelar *vi* to appeal: *Apelaram para a nossa generosidade.* They appealed to our generosity. ◇ *Apelaram contra a sentença.* They appealed against the sentence.

apelidar *vt* ~ **alguém de** to nickname sb *sth*

apelido *sm* surname

apelo *sm* appeal: *fazer um ~ a alguém* to appeal to sb

apenas *adv* only: *Apenas trabalho aos sábados.* I only work on Saturdays. ◇ *É ~ uma criança.* He's only a child.

apêndice *sm* (*Anat, livro, documento*) appendix [*pl* appendices]

apendicite *sf* appendicitis [*não-contável*]

aperceber-se *vp* ~ **de** to realize *sth*: *Apercebeu-se de que se tinha enganado.* He realized that he'd been mistaken.

aperfeiçoar *vt* (*melhorar*) to improve: *Quero ~ o meu alemão.* I want to improve my German.

aperitivo *sm* **1** (*bebida*) aperitif **2** (*comida*) appetizer

apertado, **-a** *adj* **1** (*justo*) tight: *Essa saia está-te um pouco apertada.* That skirt's a bit too tight (for you). **2** (*gente*) squashed together **3** (*curva*) sharp *Ver tb* APERTAR

apertar ▸ *vt* **1** (*botão, interruptor*) to press **2** (*parafuso, tampa, nó*) to tighten: *~ as cordas de uma raqueta* to tighten the strings of a racket **3** (*abotoar, cordões, atacadores*) to do *sth* up (*for sb*): *Aperta o casaco.* Do your coat up. **4** (*fecho, cinto de segurança*) to fasten **5** (*mão*) to shake: *Apertaram a mão.* They shook hands. **6** (*gatilho*) to pull **7** (*roupa larga*) to take *sth* in ▸ *vi* **1** (*roupa*) to be too tight (*for sb*): *As calças apertam-me.* These trousers are too tight (for me). **2** (*sapatos*) to pinch **3** ~ **com** (*insistir*) to push *sb* [*vt*]: *Tens de ~ com ele para que estude.* You have to push him to make him study. **4** (*dar um aperto de mão*): *Aperta aqui!* Put it there! ▸ **apertar-se** *vp* **apertar-se (contra)** to squeeze up (against *sth*) LOC **apertar o cinto** (*fig*) to tighten your belt

aperto *sm* (*sarilho*) fix [*sing*] LOC **aperto de mão** handshake **meter alguém em apertos** to put sb in a tight spot **meter-se em apertos** to get into a fix **tirar alguém de um aperto/de apertos** to get sb out of a fix **ver-se em apertos** to be in a fix *Ver tb* GARGANTA

apesar *adv* LOC **apesar de... 1** [*com substantivo ou pronome*] in spite of...: *Fomos ~ da chuva.* We went in spite of the rain. **2** [*com infinitivo*] although...: *Apesar de implicar riscos...* Although it was risky... **apesar de que...** although...: *Apesar de que tivesse gostado...* Although he'd enjoyed it... **apesar de tudo** after all **apesar disso** nevertheless

apetecer *vi* **1** (*ter vontade*) to feel like *sth/doing sth* [*vt*]: *Apetece-me comer alguma coisa.* I feel like having something to eat. ◇ *Faço-o porque me apetece.* I'm doing it because I feel like it. ◇ *Faz o que te ~.* Do what you like. ◇ *Apetece-te um café?* Do you fancy a coffee? **2** (*estar disposto*) to be in the mood *to do sth*: *Não me apetece discutir.* I'm not in the mood to argue. LOC **como me apetecer** however I, you, etc. want: *Vou fazê-lo como me ~.* I'll do it however I want.

apetite *sm* appetite: *A caminhada vai abrir-te o ~.* The walk will give you an appetite. ◇ *ter* *bom* ~ to have a good appetite LOC **bom apetite!** enjoy your meal! *Ver tb* ABRIR

apetitoso, -a *adj* appetizing

apetrechos *sm* **1** gear [*não-contável, v sing*]: *~ de caça* hunting gear **2** (*de pesca*) tackle [*não-contável, v sing*]

ápice *sm* LOC **num ápice** in no time at all

apimentado, -a *adj* **1** (*comida*) spicy **2** (*comentário, etc.*) risqué

apinhado, -a *adj* crowded

apitar *vi* **1** (*polícia, árbitro*) to blow your whistle (*at sb/sth*): *O polícia fez-nos sinal apitando.* The policeman blew his whistle at us. **2** (*buzina*) to hoot (*at sb/sth*): *O condutor apitou-me.* The driver hooted at me. **3** (*chaleira, comboio*) to whistle

apito *sm* **1** (*comboio, árbitro, polícia*) whistle: *os ~s do comboio* the whistle of the train **2** (*buzina*) hoot

aplaudir *vt, vi* to applaud

aplauso *sm* applause [*não-contável*]: *grandes ~s* loud applause

aplicação *sf* **1** application **2** (*da lei*) enforcement

aplicado, -a *adj* **1** (*pessoa*) hard-working **2** (*ciência, etc.*) applied: *matemática aplicada* applied mathematics *Ver tb* APLICAR

aplicar ▸ *vt* **1** to apply *sth* (*to sth*): *~ uma regra* to apply a rule ◇ *Aplique a pomada sobre a zona afetada.* Apply the cream to the affected area. **2** (*pôr em prática*) to put *sth* into practice: *Vamos ~ o que aprendemos.* Let's put what we've learnt into practice. **3** (*lei*) to enforce ▸ **aplicar-se** *vp* **aplicar-se (a/em)** to apply yourself (to *sth*): *aplicar-se ao estudo* to apply yourself to your studies

aplique *sm* (*luz*) wall light

apoderar-se *vp* ~ **de** to take: *Apoderaram-se das joias.* They took the jewels.

apodrecer *vi* to rot

apoiado, -a *adj* ~ **em/sobre/contra 1** (*encostado*) resting on/against *sth*: *Tinha a cabeça apoiada nas costas da cadeira.* I was resting my head on the back of the chair. **2** (*inclinado*) leaning against *sth*: *~ contra a parede* leaning against the wall ➲ *Ver ilustração em* LEAN; *Ver tb* APOIAR

apoiante *smf* supporter

apoiar ▸ *vt* **1** (*encostar*) to rest *sth on/against sth*: *Apoia a cabeça no meu ombro.* Rest your head on my shoulder. **2** (*inclinar*) to lean *sth against sth*: *Não o apoies contra a parede.* Don't lean it against the wall. ➲ *Ver ilustração em* LEAN **3** (*defender*) to support: *~ uma greve/um companheiro* to support a strike/colleague **4** (*dar apoio*) to back *sb/sth* up: *Os meus pais apoiaram-me tantas vezes.* My parents have backed me up so often. ▸ **apoiar-se** *vp* to lean *on/against sth*: *apoiar-se a um pau/à parede* to lean on a stick/against the wall

apoio *sm* support: *~ moral* moral support

apólice *sf* (*seguros*) policy [*pl* policies]: *adquirir uma ~* to take out a policy

apologia *sf* ~ **de** defence of *sb/sth*

apontamento *sm* note: *tirar ~s* to take notes

apontar ▸ *vt* **1** (*indicar*) to point *sth* out: *~ alguma coisa num mapa* to point sth out on a map **2** (*anotar*) to note *sth* down: *Vou ~ a direção.* I'm going to note down the address. **3** (*razões*) to put *sth* forward ▸ *vt, vi* to aim (*sth*) (*at sb/sth*): *Apontei demasiado alto.* I aimed too high. ◇ *Apontou-me uma pistola.* He aimed his gun at me.

após *prep* **1** (*depois*) after: *dia ~ dia* day after day **2** (*atrás de*) behind: *A porta fechou-se ~ ela entrar.* The door closed behind her. **3** (*para além de*) beyond: *Após as montanhas fica o mar.* Beyond the mountains lies the sea. LOC **estar/ser após alguém/alguma coisa** to be after sb/sth

aposta *sf* bet: *fazer uma ~* to make a bet

apostar *vt, vi* ~ **(em)** to bet (on *sb/sth*): *~ num cavalo* to bet on a horse ◇ *Aposto o que quiseres em como não vêm.* I bet you anything you like they won't come.

apóstolo *sm* apostle

apóstrofo *sm* apostrophe

apreciação *sf* appreciation

apreciar *vt* **1** (*coisa*) to value: *Aprecio um trabalho benfeito.* I value a job well done. **2** (*pessoa*) to think highly of *sb*: *Apreciam-te muito.* They think very highly of you. **3** (*avaliar*) to assess **4** (*gostar*) to enjoy: *Aprecio um bom vinho.* I enjoy a good wine.

apreço *sm* regard (*for sb/sth*): *ter grande ~ por alguém* to hold sb in high regard

apreender *vt* **1** (*confiscar*) to seize: *A polícia apreendeu 10kg de cocaína.* The police seized 10kg of cocaine. **2** (*compreender*) to grasp: *~ o sentido de alguma coisa* to grasp the meaning of sth

apreensão *sf* **1** (*bens, contrabando*) seizure **2** (*conhecimentos*) grasp **3** (*preocupação*) apprehension

apreensivo, -a *adj* apprehensive

aprender *vt, vi* to learn: *~ francês/a conduzir* to learn French/to drive ◇ *Devias ~ a ouvir os outros.* You should learn to listen to other people. LOC *Ver* LIÇÃO

aprendiz, **-iza** *sm-sf* apprentice: *~ de cabeleireiro* apprentice hairdresser

aprendizagem *sf*: *a ~ de uma língua* learning a language

apresentação *sf* **1** presentation: *A ~ é muito importante.* Presentation is very important. ◇ *a ~ dos prémios* the presentation of the prizes **2 apresentações** introductions: *Ainda não fizeste as apresentações.* You haven't introduced us. LOC *Ver* CARTA

apresentador, **-ora** *sm-sf* presenter

apresentar ▸ *vt* **1** to present *sb* (*with sth*), to present *sth* (*to sb*): *Apresentou as provas ao juiz.* He presented the judge with the evidence. ◇ *~ um programa* to present a programme **2** (*pessoa*) to introduce *sb* (*to sb*): *Quando é que no-la apresentas?* When are you going to introduce her to us? ◇ *Apresento-vos o meu marido.* Let me introduce my husband to you.

> Há várias formas de apresentar as pessoas em inglês segundo o grau de formalidade da situação, por exemplo: 'Nick, meet Lucy.' (*coloq*); 'Helen, this is my daughter Jane.'; 'May I introduce you. Dr Mitchell, this is Mr Jones. Mr Jones, Dr Mitchell.' (*formal*). Quando se é apresentado a alguém, pode-se responder 'Hello' ou 'Nice to meet you' se a situação é informal, ou 'How do you do?' se é uma situação formal. A 'How do you do?' a outra pessoa responde 'How do you do?'

3 (*denúncia, reclamação, queixa*) to make: *~ uma denúncia* to make an official complaint **4** (*demissão*) to tender: *Apresentou a sua demissão.* She tendered her resignation. ▸ **apresentar-se** *vp* **1** (*a desconhecido*) to introduce yourself **2** (*comparecer*) to turn up: *Não se apresentou ao serviço.* She didn't turn up for work. LOC **apresentar-se a um exame** to take an exam

apressar ▸ *vt* to rush: *Não me apresses.* Don't rush me. ▸ **apressar-se** *vp* **1** to hurry up **2 apressar-se a** to hasten *to do sth*: *Apressei-me a agradecer-lhes.* I hastened to thank them.

apropriado, **-a** *adj* appropriate

aprovação *sf* **1** (*consentimento*) approval **2** (*em exame*) pass LOC **dar a sua aprovação** to give your consent (*to sth*)

aprovado, **-a** *adj* (*Educ*): *ficar/ser ~* to pass ➲ *Ver nota em* A, A; *Ver tb* APROVAR

aprovar ▸ *vt* **1** (*aceitar*) to approve of *sb/sth*: *Não aprovo o comportamento deles.* I don't approve of their behaviour. **2** (*candidato, lei*) to pass ▸ *vi* (*Educ*) to pass

aproveitamento *sm* **1** (*uso*) use **2** (*Educ*) marks [*pl*], grades [*pl*] (*USA*): *O aluno tem bom ~ a todas as disciplinas.* The student gets good marks in all subjects.

aproveitar ▸ *vt* **1** (*utilizar*) to use: *~ bem o tempo* to use your time well **2** (*recursos naturais*) to exploit: *~ a energia solar* to exploit solar energy **3** (*tirar proveito*) to take advantage of *sb/sth*: *Aproveitei a viagem para visitar o meu irmão.* I took advantage of the journey to visit my brother. ▸ **aproveitar-se** *vp* **aproveitar-se (de)** to take advantage (of *sb/sth*)

aproximação *sf* **1** (*chegada*) approach **2** (*proximidade*) nearness

aproximado, **-a** *adj* approximate LOC *Ver* CÁLCULO; *Ver tb* APROXIMAR

aproximar ▸ *vt* **1** (*coisas*) to bring *sth* closer **2** (*pessoas*) to bring *sb* together ▸ **aproximar-se** *vp* **1** to approach, to get closer (*mais coloq*): *Aproximam-se os exames.* The exams are getting closer. **2 aproximar-se de** (*abeirar-se*) to approach *sb/sth*

aptidão *sf* **1** aptitude (*for sth/doing sth*): *prova de ~* aptitude test **2** (*talento*) gift: *ter ~ para a música* to have a gift for music LOC *Ver* EXAME

apunhalar *vt* to stab

apurado, **-a** *adj* (*vista, ouvido*) keen LOC *Ver tb* APURAR

apuramento *sm* **1** (*averiguação*) investigation **2** (*descoberta*) ascertainment **3** (*aperfeiçoamento*) improvement **4** (*seleção*) selection **5** (*de votos*) counting

apurar *vt* **1** (*averiguar*) to investigate **2** (*descobrir*) to ascertain **3** (*melhorar*) to improve **4** (*escolher*) to select **5** (*votos*) to count

apuro *sm* **1** (*situação difícil*) fix [*sing*]: *Isso de certeza que nos tirava deste ~.* That would get us out of this fix. **2 apuros** trouble [*não-contável, v sing*]: *um alpinista em ~s* a climber in trouble LOC **estar em apuros** to be in a fix **meter-se em apuros** to get into trouble

aquando LOC **aquando de…** at the time of…: *Isso foi ~ da guerra.* That was during the war.

Aquário *sm* (*Astrol*) Aquarius ➲ *Ver exemplos em* AQUARIUS

aquário *sm* **1** (*pequeno*) goldfish bowl **2** (*grande*) aquarium [*pl* aquariums/aquaria]

aquático, **-a** *adj* **1** (*Biol*) aquatic **2** (*Desp*) water [*s*]: *desportos ~s* water sports LOC *Ver* ESQUI

aquecedor *sm* heater: *~ elétrico/a gás* electric/gas heater

aquecer ▸ *vt* **1** to heat *sth* up: *Vou ~ o teu jantar.* I'll heat up your dinner. **2** (*pessoa, músculo*) to warm *sb/sth* up ▸ *vi* **1** (*pôr-se muito quente*) to get very hot: *O motor aqueceu demasiado.* The engine overheated. **2** (*pessoa, Desp*) to warm up ▸ **aquecer-se** *vp* (*pessoa*) to warm up

aquecimento *sm* **1** (*sistema*) heating: *~ central* central heating **2** (*Desp*) warm-up: *exercícios de ~* warm-up exercises ◇ *Antes de começar vamos fazer o ~.* We're going to warm up first.

aqueduto *sm* aqueduct

aquele, -a ▸ *adj* that [*pl* those] ▸ *pron* **1** (*coisa*) that one [*pl* those (ones)]: *Este carro é meu e ~ do Pedro.* This car's mine and that one is Pedro's. ◇ *Prefiro ~s.* I prefer those (ones). **2** (*pessoa*): *Conheces ~s ali?* Do you know those people?

àquele, -a *Ver* A³

aqui *adv* **1** (*lugar*) here: *Já ~ estão.* They're here. ◇ *É ~ mesmo.* It's right here. **2** (*agora*) now: *de ~ em diante* from now on ◇ *Até ~ tudo bem.* Up till now everything's been fine. **3** (*apresentações*) this is: *Este ~ é o meu irmão e este ~ um amigo meu.* This is my brother, this is a friend. ➲ *Ver nota em* APRESENTAR LOC **aqui vou eu!** here I come! **(por) aqui perto** near here **por aqui (por favor)** this way (please)

aquilo *pron*: *Vês ~ ali?* Can you see that thing over there? ◇ *Nem imaginas o que ~ foi.* You can't imagine what it was like. LOC **aquilo que…** what…: *Lembra-te daquilo que a tua mãe dizia sempre.* Remember what your mother always used to say.

àquilo *Ver* A³

ar *sm* **1** air: *ar puro* fresh air **2 ares** (*arrogância*) airs: *dar-se ares de importante* to put on airs and graces LOC **ao ar livre** in the open air: *um concerto ao ar livre* an open-air concert **apanhar ar fresco** to get some fresh air **ar condicionado** air conditioning **estar no ar** (*a ser transmitido*) to be on the air **ir/voar pelos ares** to blow up **tomar ar** to get a breath of fresh air *Ver tb* BOMBA², CORRENTE, DEDO, MÃO, PERNA, PISTOLA, PURIFICADOR

árabe ▸ *sm* (*língua*) Arabic ▸ *smf* (*pessoa*) Arab ▸ *adj* **1** (*povo, cultura*) Arab **2** (*língua*) Arabic LOC *Ver* NUMERAÇÃO, NÚMERO

arado *sm* plough

arame *sm* wire LOC **arame farpado** barbed wire **fazer alguém ir aos arames** to drive sb up the wall *Ver tb* VARA

aranha *sf* spider LOC *Ver* TEIA

arar *vt* to plough

arbitragem *sf* **1** arbitration **2** (*Desp*) refereeing **3** (*Ténis, Basebol, Críquete*) umpiring

arbitrar *vt* **1** (*Futebol, Boxe*) to referee **2** (*Ténis, Basebol, Críquete*) to umpire **3** (*mediar*) to mediate

arbitrário, -a *adj* arbitrary

arbítrio *sm* LOC *Ver* LIVRE

árbitro, -a *sm-sf* **1** (*Futebol, Boxe*) referee **2** (*Ténis, Basebol, Críquete*) umpire **3** (*mediador*) arbitrator

arbusto *sm* bush

arca *sf* chest

arcar *vi* ~ **com 1** (*consequências*) to face *sth* [*vt*]: *Terão que ~ com as consequências.* You'll have to face the consequences. **2** (*custos*) to bear *sth* [*vt*]: *A escola vai ~ com tudos os custos da viagem.* The school will bear all the costs of the trip.

arcebispo *sm* archbishop

arco *sm* **1** (*Arquit*) arch **2** (*Mat*) arc: *um ~ de 36°* a 36° arc **3** (*Desp, Mús*) bow: *um ~ e flechas* a bow and arrows **4 arcos** arcade [*v sing*]: *os ~s da praça* the arcade round the square LOC *Ver* TIRO

arco-íris *sm* rainbow

ardente *adj* intense

arder *vi* **1** (*queimar-se*) to burn **2** (*pele, olhos, antissético*) to sting

ardor *sm* ardour LOC **ardor de estômago** heartburn

ardósia *sf* slate: *um telhado de ~* a slate roof

área *sf* area: *a ~ de um retângulo* the area of a rectangle ◇ *uma ~ de serviço* a service area LOC **grande área** (*Futebol*) penalty area

areia *sf* sand: *brincar na ~* to play in the sand LOC **areia movediça** quicksand *Ver tb* BANCO, CASTELO

arejar ▸ *vt* (*quarto, roupa*) to air ▸ *vi* to get some fresh air

arena *sf* ring: *O toureiro deu uma volta à ~.* The bullfighter paraded round the ring.

arenque *sm* herring LOC **arenque fumado** kipper

aresta *sf* LOC *Ver* LIMAR

arfar *vi* to puff and pant

argila *sf* clay

argola *sf* **1** ring: *as ~s olímpicas* the Olympic rings **2** (*brinco*) hoop (earring) LOC **argola de guardanapo** napkin ring *Ver tb* PÉ

arguido, -a *sm-sf* defendant

argumentar *vt, vi* to argue

argumento *sm* **1** (*razão*) argument: *os ~s a favor e contra* the arguments for and against **2** (*Cinema, Liter*) plot

árido, -a *adj* (*terreno, texto*) arid

Áries *sm* (*Astrol*) Aries ➲ *Ver exemplos em* AQUARIUS

aristocracia *sf* aristocracy [*pl* aristocracies] [*v sing ou pl*]

aristocrata *smf* aristocrat

aritmética *sf* arithmetic

arma *sf* weapon: *~s nucleares* nuclear weapons ❶ Em alguns contextos, diz-se **arms**: *traficante de ~s* arms dealer ◇ *a indústria de ~s* the arms industry. LOC **arma branca** knife [*pl* knives] **arma de fogo** firearm **arma do crime** murder weapon *Ver tb* CONTRABANDO, ESCUDO

armação *sf* frame

armada *sf* navy [*pl* navies] [*v sing ou pl*]: *três navios da ~* three navy ships

armadilha *sf* trap: *cair numa ~* to fall into a trap ◇ *armar uma ~ a alguém* to set a trap for sb

armado, -a *adj* armed LOC *Ver* ASSALTO; *Ver tb* ARMAR

armadura *sf* armour [*não-contável*]: *uma ~* a suit of armour

armamento *sm* arms [*pl*]: *o controlo do ~* arms control LOC *Ver* CORRIDA

armar ▸ *vt* **1** (*entregar armas*) to arm *sb (with sth)*: *Armaram os soldados com pistolas.* They armed the soldiers with guns. **2** (*móvel, modelo, etc.*) to assemble **3** (*barraca, estante*) to put *sth* up: *~ uma tenda* to put a tent up ▸ **armar-se** *vp* **armar-se em 1** (*fazer-se de*) to get: *Não te armes em esperto comigo!* Don't get cheeky with me! **2** (*agir como*) to act as *sth*: *Não te armes em meu pai.* Don't act as if you were my father. ◇ *armar-se em parvo* to act the fool LOC **armar confusão** to cause trouble **armar-se em palhaço** to clown around *Ver tb* BRONCA, ENGRAÇADO, ESCÂNDALO

armário *sm* **1** cupboard **2** (*para roupa*) wardrobe, closet (*USA*) LOC **armário de medicamentos** medicine cabinet

armazém *sm* **1** (*edifício*) warehouse **2** (*divisão*) storeroom **3** (*loja*) store LOC **grandes armazéns** department store [*v sing*]

armazenar *vt* to store

aro *sm* **1** (*argola*) ring **2** (*roda*) rim **3** (*porta, janela, óculos*) frame

aroma *sm* **1** aroma ➲ *Ver nota em* SMELL **2** (*iogurte, bebida*) flavour: *com ~ de ananás* pineapple-flavoured

aromático, -a *adj* aromatic

arpão *sm* harpoon

arqueologia *sf* archaeology

arqueológico, -a *adj* archaeological

arqueólogo, -a *sm-sf* archaeologist

arquipélago *sm* archipelago [*pl* archipelagos/archipelagoes]

arquiteto, -a *sm-sf* architect

arquitetónico, -a *adj* architectural

arquitetura *sf* architecture

arquivar *vt* **1** (*classificar*) to file **2** (*assunto*) to shelve

arquivo *sm* **1** (*Informát, polícia*) file **2** (*Hist*) archive(s) [*usa-se muito no plural*]: *um ~ histórico* historical archives

arraigado, -a *adj Ver* ARREIGADO

arrancar ▸ *vt* **1** (*remover*) to take *sth* off, to remove (*mais formal*): *Arranca o preço.* Take the price tag off. **2** (*extrair*) to take *sb/sth* out (*of sth*): *O dentista arrancou-lhe um dente.* The dentist took his tooth out. **3** (*prego, pelo*) to pull *sth* out: *~ um prego* to pull a nail out **4** (*planta*) to pull *sth* up: *~ as ervas* to pull the weeds up **5** (*página*) to tear *sth* out **6** (*informação, confissão*) to extract ▸ *vi* **1** (*motor*) to start **2** (*partir*) to set off ▸ **arrancar-se** *vp* (*soltar-se*) to come off: *Arrancou-se um dos teus botões.* One of your buttons has come off. LOC **arrancar alguma coisa das mãos de alguém** to snatch sth from sb

arranha-céus *sm* skyscraper

arranhão *sm* scratch

arranhar ▸ *vt* **1** to scratch: *Ouvi o cão a ~ a porta.* I heard the dog scratching at the door. ◇ *Arranhei os braços a apanhar amoras.* I scratched my arms picking blackberries. **2** (*língua*) to have a smattering of *sth*: *~ o italiano* to have a smattering of Italian ▸ *vi* to be rough: *Estas toalhas arranham.* These towels are rough.

arranjar ▸ *vt* **1** (*reparar*) to fix, to repair (*mais formal*): *Vêm ~ a máquina de lavar.* They're coming to fix the washing machine. ◇ *Andamos a ~ a casa de banho.* We're fixing the bathroom. **2** (*conseguir*) to get: *Não sei onde é que ela arranjou o dinheiro.* I don't know where she got the money from. ◇ *Arranjava-me uma cerveja?* Could you get me a beer, please? **3** (*resolver*) to sort *sth* out ▸ **arranjar-se** *vp* **1** (*preparar-se*) to get ready **2** (*dar em bem*) to work out: *No fim tudo se arranjou.* It all worked out in the end. **3** (*governar-se*) to manage, to get by (*mais coloq*): *A comida é pouca mas nós cá nos arranjamos.* There's not much food but we manage. LOC **arranjar as unhas 1** (*as próprias*) to do your nails **2** (*no salão*) to have your nails done **arranjar coragem** to pluck up courage **arranjar problemas** to get into trouble **arranjar uma forma/maneira** to find a way (*to do sth/of doing sth*): *Arranjámos uma* *forma de entrar na festa.* We found a way to get into the party.

arranjo *sm* (*reparação*) repair: *fazer uns ~s* to do some repairs

arranque *sm* **1** (*início*) start **2** (*motor*): *Tenho problemas com o ~.* I've got problems starting the car.

arrasar ▸ *vt* **1** to destroy: *A guerra arrasou a cidade.* The town was destroyed by the war. **2** (*vencer*) to thrash, to whip (*USA*): *Vamos arrasá-los.* We're going to thrash them. ▸ *vi* (*ganhar*) to win hands down: *A equipa local arrasou.* The local team won hands down.

arrastar ▸ *vt* **1** (*pelo chão*) to drag: *Não arrastes os pés.* Don't drag your feet. ➲ *Ver ilustração em* PUSH **2** (*vento, água*) to carry *sth* away: *O vento arrastou o telhado.* The wind carried the roof away. ▸ **arrastar-se** *vp* **1** (*gatinhar*) to crawl: *arrastar-se pelo chão* to crawl along the floor **2** (*processo, situação*) to drag out **3 arrastar-se (perante)** (*humilhar-se*) to grovel (to *sb*)

arrebentar *vi* ~ **com** (*danificar*) to wreck *sth* [*vt*]: *Vais acabar por ~ com a máquina de lavar!* You're going to wreck the washing machine!

arrebitado, -a *adj* **1** (*pessoa*) snub-nosed **2** (*nariz*) snub

arrecadar *vt* **1** (*arrumar*) to store *sth* away **2** (*impostos*) to collect **3** (*embolsar*) to pocket: *Arrecadaram um dinheirão.* They pocketed a fortune.

arredondar *vt* **1** to round *sth* off **2** (*preço, cifra*) to round *sth* up/down

arredores *sm* outskirts: *Vivem nos ~ de Roma.* They live on the outskirts of Rome.

arrefecer ▸ *vt* to cool *sth* (down) ▸ *vi* to get cold: *A tua sopa está a ~.* Your soup's getting cold. ▸ *v imp* to get cooler: *De noite arrefece um pouco.* It gets cooler at night.

arregaçar *vt* **1** (*mangas, calças*) to roll *sth* up: *Arregaçou as calças.* He rolled up his trousers. ◇ *de mangas/calças arregaçadas* with your sleeves/trousers rolled up **2** (*saia*) to lift

arreigado, -a *adj* deep-rooted: *um costume muito ~* a deep-rooted custom

arreios *sm* harness [*v sing*]

arreliar *vt* to tease

arrendar *vt* **1** (*ceder*) to rent *sth* out: *Arrendaram a sua casa de praia no verão passado.* They rented out their seaside home last summer. **2** (*tomar*) to rent: *Arrendei um apartamento em Coimbra.* I rented an apartment in Coimbra. ➲ *Ver nota em* ALUGAR

arrendatário, -a *sm-sf* (*casa*) tenant

arrepender-se *vp* ~ **(de) 1** (*lamentar*) to regret *sth/doing sth*: *Já me arrependi de lho ter emprestado.* I regret lending it to him. ◇ *Vais-te arrepender!* You'll regret it! **2** (*pecado*) to repent (*of sth*)

arrependido, -a *adj* LOC **estar arrependido (de)** to be sorry (for/about *sth*) *Ver tb* ARREPENDER-SE

arrependimento *sm* **1** (*pesar*) regret **2** (*Relig*) repentance

arrepiar-se *vp* **1** (*com frio*) to shiver **2** (*com medo*) to shudder LOC **de arrepiar os cabelos** hair-raising

arrepio *sm* **1** (*frio*) shiver **2** (*medo*) shudder

arriscado, -a *adj* **1** (*perigoso*) risky **2** (*audaz*) daring *Ver tb* ARRISCAR

arriscar ▸ *vt* **1** to risk: *~ a saúde/o dinheiro/a vida* to risk your health/money/life **2** (*apostar*) to gamble *sth* (away) ▸ **arriscar-se** *vp* to take a risk/risks: *Eu no teu lugar não me arriscava.* If I were you I wouldn't take that risk. LOC *Ver* PELE

arroba *sf* (*Informát*) at

O símbolo @ lê-se **at**: *tiago@netcabo.pt* lê-se "tiago at netcabo dot pt" /dɑt pi: ti:/.

arrogância *sf* arrogance

arrogante *adj* arrogant

arrombar *vt* **1** (*porta*) to force *sth* open **2** (*casa, cofre*) to break into *sth*

arrotar *vi* **1** to burp (*coloq*), to belch **2** ~ **a** (*alho, cebola, pimento*): *Não paro de ~ a pimentos.* The peppers are repeating (on me).

arroto *sm* burp (*coloq*), belch

arroz *sm* rice

arroz-doce *sm* rice pudding

arruinar ▸ *vt* to ruin: *A tempestade arruinou as colheitas.* The storm ruined the crops. ◇ *Esta mudança arruinou-me os planos.* This change ruined my plans. ▸ **arruinar-se** *vp* (*falir*) to go bankrupt

arrumação *sf* LOC *Ver* QUARTO

arrumado, -a *adj* **1** tidy, neat (*USA*) **2** (*assunto*) sorted (out) *Ver tb* ARRUMAR

arrumador, -ora *sm-sf* **1** (*masc*) usher **2** (*fem*) usherette

arrumar ▸ *vt* **1** (*ordenar*) to tidy *sth* (up), to clear *sth* up (*USA*): *~ a casa* to tidy the house ◇ *Podias ~ o teu quarto?* Could you tidy your bedroom up? **2** (*guardar*) to put *sth* away: *Arruma os livros que estão em cima da mesa.* Put away the books that are on the table. ▸ *vi* to tidy up, to clear up (*USA*): *Ajudas-me a ~?* Will you help me tidy up? LOC **arrumar as botas** (*reformar-se*) to retire

arsenal *sm* arsenal

arsénico *sm* arsenic

arte *sf* **1** art: *uma obra de ~* a work of art ◇ *~s marciais* martial arts **2** (*habilidade*) skill (*at sth/doing sth*): *É preciso ~ para fazer alguma coisa tão perfeita.* You need skill to make something so perfect. LOC **artes plásticas** fine arts **como que por artes mágicas** as if by magic

artefacto *sm* (*dispositivo*) device

artelho *sm* ankle: *Torci o ~.* I sprained my ankle.

artéria *sf* artery [*pl* arteries]

arterial *adj* LOC *Ver* TENSÃO

artesanal *adj* handmade

artesanato *sm* **1** (*habilidade*) craftsmanship **2** (*produtos*) handicrafts [*pl*]

artesão, -ã *sm-sf* **1** (*masc*) craftsman [*pl* -men] **2** (*fem*) craftswoman [*pl* -women]

ártico, -a ▸ *adj* Arctic ▸ **Ártico** *sm* (*oceano*) Arctic Ocean LOC *Ver* CÍRCULO

articulação *sf* **1** (*Anat, Mec*) joint **2** (*pronúncia*) articulation

artificial *adj* artificial LOC *Ver* RESPIRAÇÃO

artifício *sm* LOC *Ver* FOGO

artigo *sm* article: *publicar um ~* to publish an article ◇ *o ~ definido* the definite article

artista *smf* artist

artístico, -a *adj* artistic

artrite *sf* arthritis

árvore *sf* tree: *~ de fruto* fruit tree LOC **árvore genealógica** family tree

arvoredo *sm* grove

as *art def, pron Ver* OS

às *Ver* A³

ás *sm* ace: *o ás de copas* the ace of hearts ◇ *os ases do ciclismo* top cyclists ➲ *Ver nota em* BARALHO LOC **ser um ás** to be a genius (*at sth/doing sth*)

asa *sf* **1** wing: *as ~s de um avião* the wings of a plane **2** (*de utensílio*) handle LOC *Ver* BATER

asa-delta *sf* **1** (*aparelho*) hang-glider **2** (*desporto*) hang-gliding

ascendente *sm* (*Astrol*) ascendant

ascensão *sf* **1** (*partido, figura pública*) rise **2** (*empregado, equipa*) promotion

asfaltar *vt* to tarmac, to asphalt (*USA*)

asfalto *sm* Tarmac®, asphalt (*USA*)

asfixia *sf* suffocation, asphyxia (*mais formal*)

asfixiar *vt* **1** (*com fumo, gás*) to suffocate, to asphyxiate (*mais formal*) **2** (*com uma almofada*) to smother

Ásia *sf* Asia

asiático, -a *adj, sm-sf* Asian

asilo *sm* **1** (*lar*) home **2** (*Pol*) asylum: *procurar ~ político* to seek political asylum

asma *sf* asthma

asmático, -a *adj, sm-sf* asthmatic

asneira *sf* **1** (*tolice*): *Foi uma ~ o que fizeste.* That was a really stupid thing to do. ◇ *dizer ~s* to talk nonsense **2** (*obscenidade*): *dizer ~s* to be coarse LOC *Ver* CHORRILHO

asno, -a *sm-sf* ass

aspas *sf* inverted commas: *entre ~ s* in inverted commas ➲ *Ver pág. 315* LOC *Ver* IDEM

áspero, -a *adj* rough

aspeto *sm* **1** (*aparência*) look: *Não posso sair com este ~.* I can't go out looking like this. ◇ *A tua avó não está com bom ~.* Your granny doesn't look very well. **2** (*faceta*) aspect: *o ~ jurídico* the legal aspect

aspirador *sm* vacuum cleaner: *passar o ~* to vacuum

aspirar ▸ *vt* **1** (*com aspirador*) to vacuum **2** (*máquina*) to suck *sth* up **3** (*respirar*) to breathe *sth* in ▸ *vi* **1** (*com aspirador*) to vacuum **2** ~ **a** (*desejar*) to aspire to *sth*: *~ a um salário decente* to aspire to a decent salary

aspirina *sf* aspirin: *tomar uma ~* to take an aspirin

asqueroso, -a *adj* revolting

assado, -a *adj, sm* roast: *frango ~ (no forno)* roast chicken ◇ *bacalhau ~* baked cod LOC **assado na brasa** barbecued: *costeletas assadas na brasa* barbecued chops *Ver tb* COURATO; *Ver tb* ASSAR

assadura *sf* rash

assalariado, -a *sm-sf* wage earner

assaltante *smf* **1** (*agressor*) assailant **2** (*banco*) robber **3** (*casa*) burglar ➲ *Ver nota em* THIEF

assaltar *vt* **1** (*atacar*) to attack **2** (*banco, loja, pessoa*) to rob **3** (*casa*) to burgle, to burglarize (*USA*): *Assaltaram a nossa casa.* Our house has been burgled. **4** (*pessoa fora de casa*) to mug: *Assaltaram-me no metro.* I was mugged on the underground. ➲ *Ver nota em* ROB

assalto *sm* **1** ~ **(a)** (*agressão*) attack (on *sb*) **2** (*banco, loja, pessoa*) robbery [*pl* robberies]: *o ~ ao supermercado* the supermarket robbery ◇ *Fui vítima de um ~.* I've been robbed. **3** (*casa, escritório*) burglary [*pl* burglaries], break-in (*mais coloq*): *No domingo houve três ~s nesta rua.* There were three burglaries in this street on Sunday. **4** (*pessoa fora de casa*) mugging **5** (*roubo à mão armada*) hold-up: *Comete-*

ram um ~ numa joalharia. They held up a jeweller's shop. **6** (*Boxe*) round ➲ *Ver nota em* THEFT **LOC** **assalto à mão armada** armed robbery

assar ▸ *vt* **1** (*carne*) to roast **2** (*batata inteira, bacalhau*) to bake ▸ *vi* (*passar calor*) to roast: *Com este calor vamos ~ na praia.* We'll roast on the beach in this heat.

assassinar *vt* to murder

Também existe o verbo **assassinate** e os substantivos **assassination** (*assassínio*) e **assassin** (*assassino*), mas estes só se utilizam quando se trata de uma pessoa importante: *Quem é que assassinou o ministro?* Who assassinated the minister? ◇ *Houve uma tentativa de assassínio do Presidente.* There was an assassination attempt on the President. ◇ *um assassino contratado* a hired assassin.

assassínio (*tb* assassinato) *sm* murder: *cometer um ~* to commit (a) murder ➲ *Ver nota em* ASSASSINAR

assassino, -a ▸ *sm-sf* murderer ➲ *Ver nota em* ASSASSINAR ▸ *adj* (*olhar*) murderous

assediar *vt* (*importunar*) to harass

assédio *sm* (*perseguição*) harassment: *~ sexual* sexual harassment

assegurar ▸ *vt* **1** (*garantir*) to ensure: *~ que tudo funciona* to ensure that everything works **2** (*afirmar*) to assure: *Assegurou-nos de que não os viu.* She assured us she didn't see them. ▸ **assegurar-se** *vp* (*certificar-se*) to make sure (*of sth/that...*): *Assegura-te de que vêm.* Make sure they come. ◇ *Assegura-te de que está tudo em ordem.* Make sure everything's OK.

asseio *sm* **1** (*limpeza*) cleanliness **2** (*alinho*) neatness

assembleia *sf* **1** (*reunião*) meeting **2** (*parlamento*) assembly [*pl* assemblies] **LOC** **Assembleia da República** National Assembly

assemelhar-se *vp* ~ **a** to look like *sb/sth*

assentar *vi* **1** (*pó, sedimento*) to settle (*on sth*) **2** (*adaptar-se*) to settle down **3** (*roupa*) to fit **LOC** *Ver* LUVA

assento *sm* seat **LOC** **ir/viajar no assento traseiro** (*em moto*) to ride pillion

assessor, -ora *sm-sf* adviser

assim *adv, adj* **1** (*deste modo, como este*) like this: *Segura-o ~.* Hold it like this. **2** (*desse modo, como esse*) like that: *Quero um carro ~.* I want a car like that. ◇ *Dá gosto trabalhar com pessoas ~.* It's nice working with people like that. ◇ *Eu sou ~.* That's the way I am. **3** (*portanto*) so, therefore (*mais formal*) **LOC** **assim como** as well as **assim de grande, gordo, etc.** this big, fat, etc. **assim é que se fala/faz!** well said/done! **assim que** as soon as: *~ que chegues* as soon as you arrive ◇ *Assim que me viram desataram a correr.* As soon as they saw me, they started running. **assim, sim!** that's better! **como assim?** I'm sorry? **e assim por diante/sucessivamente** and so on (and so forth)

assim-assim *adv* so-so

assimilar *vt* to assimilate

assinalar *vt* **1** (*marcar*) to mark: *Assinala os erros a vermelho.* Mark the mistakes in red. **2** (*mostrar*) to point *sth* out: *~ alguma coisa num mapa* to point sth out on a map **LOC** **assinalar um penálti/uma falta** to award a penalty/free kick

assinante *smf* subscriber

assinar ▸ *vt, vi* to sign: *Assine na linha pontilhada.* Sign on the dotted line. ▸ *vt* (*revista*) to subscribe to *sth*

assinatura *sf* **1** (*nome*) signature: *Recolheram cem ~s.* They've collected a hundred signatures. **2** (*ato*) signing: *Realiza-se hoje a ~ do contrato.* The signing of the contract takes place today. **3** (*publicação*) subscription **4** (*Teat, teatro*) season ticket

assistência *sf* **1** (*público*) audience [*v sing ou pl*] **2** (*a doentes*) care: *~ médica* medical/health care ◇ *~ hospitalar* hospital treatment **3** (*ajuda*) help, assistance (*mais formal*): *pedir ~ a alguém* to ask sb for help. ◇ *prestar ~ a alguém* to give sb assistance ◇ *A ~ não tardará a chegar.* Help will soon be here. **4** (*presença*) attendance **LOC** **assistência social** social services [*pl*] **assistência técnica** technical support

assistente *smf* **1** (*ajudante*) assistant **2** (*Educ, aluno*) unregistered student **LOC** **assistente de bordo** flight attendant **assistente social** social worker

assistido, -a *adj* **LOC** *Ver* DIREÇÃO; *Ver tb* ASSISTIR

assistir ▸ *vi* ~ **(a)** **1** (*estar presente em*) to attend *sth* [*vt*]: *~ a uma aula/reunião* to attend a lesson/meeting **2** (*ver*) to watch *sth* [*vt*]: *~ a um programa de televisão* to watch a TV programme **3** (*testemunhar*) to witness *sth* [*vt*]: *~ a um acidente* to witness an accident ▸ *vt* **1** (*ajudar*) to assist **2** (*médico*) to treat: *Que médico é que te assistiu?* Which doctor treated you?

assoar(-se) *vt, vp* **LOC** **assoar o nariz/assoar-se** to blow your nose

assobiar *vt, vi* **1** to whistle: *~ uma melodia* to whistle a tune **2** (*apupar*) to boo

assobio *sm* **1** whistle: *O árbitro assoprou no ~.* The referee blew the whistle. ◇ *os ~s do* *vento* the whistling of the wind **2** (*protesto*) hiss

associação *sf* **1** association: *~ de residentes* residents' association **2** (*profissional*) collective

associar ▸ *vt* to associate *sb/sth* (*with sb/sth*): *~ o calor a férias* to associate good weather with the holidays ▸ **associar-se** *vp* to form a partnership (*to do sth*)

assombrado, -a *adj* (*lugar*) haunted: *uma casa assombrada* a haunted house

assombro *sm* amazement **LOC** **ser um assombro** to be amazing: *A casa é um ~.* The house is amazing.

assoprar ▸ *vt* **1** (*para apagar alguma coisa*) to blow *sth* out: *~ uma vela* to blow out a candle **2** (*para arrefecer alguma coisa*) to blow on *sth*: *~ a sopa* to blow on your soup **3** (*dizer em voz baixa*) to whisper: *Assoprou-me as respostas.* He whispered the answers to me. ▸ *vi* ~ **em** (*instrumento*) to blow *sth* [*vt*]: *~ na corneta* to blow the bugle

assumir *vt* **1** (*compromissos, obrigações*) to take *sth* on **2** (*responsabilidade*) to accept **3** (*culpa*) to admit

assunto *sm* **1** (*tema*) subject: *Qual era o ~ da conversa?* What was the topic of conversation? **2** (*questão*) matter: *um ~ de interesse geral* a matter of general interest **3** (*Pol*) affair **LOC** **assunto encerrado!** subject closed! **não é assunto meu** it's none of my, your, etc. business **o assunto do dia** the topic of the day *Ver tb* DIREITO, ESPONJA

assustar ▸ *vt* to scare, to frighten (*mais formal*): *O cão assustou-me.* The dog scared me. ▸ **assustar-se** *vp* to be scared, to be frightened (*mais formal*) (*by/of sb/sth*): *Assustas-te com tudo.* You're frightened of everything.

asterisco *sm* asterisk

astro *sm* star

astrologia *sf* astrology

astrólogo, -a *sm-sf* astrologer

astronauta *smf* astronaut

astronomia *sf* astronomy

astrónomo, -a *sm-sf* astronomer

astúcia *sf* **1** (*habilidade*) shrewdness: *ter muita ~* to be very shrewd **2** (*manha*) cunning

astuto, -a *adj* **1** (*hábil*) shrewd: *um homem muito ~* a very shrewd man **2** (*manhoso*) cunning: *Elaboraram um plano muito ~.* They devised a cunning plan.

ata *sf* minutes [*pl*]

atacante *smf* attacker

atacar *vt* to attack

atalho *sm* short cut: *ir por um ~* to take a short cut

ataque *sm* **1** ~ **(a/contra)** attack (on *sb/sth*): *um ~ ao governo* an attack on the government **2** ~ **de** (*riso, tosse, raiva, etc.*) fit of *sth*: *Deu-lhe um ~ de tosse.* He had a coughing fit. ◇ *um ~ de ciúmes/nervos* a fit of jealousy/hysteria **LOC** *Ver* CARDÍACO

atar *vt* **1** to tie *sb/sth* (up): *Ataram-nos as mãos.* They tied our hands. ◇ *Ata bem o pacote.* Tie the parcel tightly. **2** (*sapato, bota*) to do *sth* up

atarefado, -a *adj* **1** (*pessoa*) busy **2** (*dia*) hectic

atchim! *interj* atishoo!

A pessoa que espirra desculpa-se com **excuse me!** As pessoas à sua volta costumam dizer **bless you!**; contudo, muitas vezes não dizem nada.

até ▸ *prep*

• **tempo** until, till (*mais coloq*)

Until usa-se tanto em inglês formal como informal. **Till** usa-se sobretudo no inglês falado e não deve usar-se no início de uma frase: *Estarei lá até às sete.* I'll be there until seven. ◇ *Até quando é que ficas?* How long are you staying?

• **lugar** **1** (*distância*) as far as...: *Vieram comigo ~ Évora.* They came with me as far as Évora. **2** (*altura, longitude, quantidade*) up to...: *A água chegou ~ aqui.* The water came up to here. **3** (*para baixo*) down to...: *A saia chega-me ~ aos tornozelos.* The skirt comes down to my ankles.

• **saudações** see you...: *Até amanhã/segunda!* See you tomorrow/on Monday! ◇ *Até logo!* Bye! ▸ *adv* even: *Até eu o fiz.* Even I did it. ◇ *Até me deram dinheiro.* They even gave me money. **LOC** **até que enfim!** at last!

atelier *sm* (*Arte*) studio [*pl* studios]

atenção ▸ *sf* attention ▸ **atenção!** *interj* look out! **LOC** *Ver* CHAMAR, DESVIAR, PRESTAR

atencioso, -a *adj* **1** (*respeitoso*) considerate **2** (*amável*) kind

atendedor *sm* **LOC** **atendedor de chamadas** answering machine

atender ▸ *vt* **1** (*numa loja*) to serve: *Já a estão a ~?* Are you being served? **2** (*receber*) to see: *Têm de ~ muitas pessoas.* They have to see lots of people. **3** (*tarefa, problema, pedido*) to deal with *sth*: *Só atendemos casos urgentes.* We only deal with emergencies. **4** (*responder*) to answer: *~ as chamadas/o telefone* to answer

A

calls/the phone ▸ *vi* (*à porta, ao telefone*) to answer

atendimento *sm* (*serviço*) service LOC *Ver* HORÁRIO

atentado *sm* **1** (*tentativa de assassínio*) attempt on *sb's* life: *um ~ contra dois deputados* an attempt on the lives of two MPs **2** (*ataque*) attack (*on sb/sth*): *um ~ contra um quartel do exército* an attack on an army barracks

atentamente *adv* (*fórmula de despedida*) Yours faithfully, Yours sincerely ➲ *Ver nota em* YOURS

atentar *vi* ~ **contra** to make an attempt on *sb's* life: *Atentaram contra a vida do juiz.* They made an attempt on the judge's life.

atento, -a *adj* attentive: *Ouviram ~s.* They listened attentively. LOC **estar atento (a alguém/alguma coisa) 1** (*vigiar*) to keep an eye on sb/sth: *Está ~ às crianças.* Keep an eye on the children. **2** (*prestar atenção*) to be attentive (to sb/sth): *Estava muito ~ aos seus convidados.* He was very attentive to his guests. **3** (*estar à espera*) to be waiting (for sth): *Estamos ~s à sua decisão.* We're waiting for his decision. **estar atento a alguma coisa 1** (*vigiar*) to watch out for sth: *estar ~ à chegada do comboio* to watch out for the train **2** (*prestar atenção*) to pay attention to sth

aterrador, -ora *adj* terrifying

aterragem *sf* landing LOC **aterragem forçada** emergency landing *Ver tb* TREM

aterrar *vi* (*descer em terra*) to land: *Aterraremos em Gatwick.* We shall be landing at Gatwick.

aterro *sm* landfill

aterrorizar *vt* **1** (*amedrontar*) to terrify: *Aterrorizava-me a ideia de que eles pudessem deitar a porta abaixo.* I was terrified they might knock the door down. **2** (*com violência*) to terrorize: *Esses patifes aterrorizam a vizinhança.* Those thugs terrorize the neighbourhood.

atestado *sm* certificate: *~ de óbito* death certificate ◇ *~ médico* sick note

ateu, ateia *sm-sf* atheist: *ser ~* to be an atheist

atiçar *vt* (*fogo*) to poke

atinar *vi* ~ **(com) 1** (*executar bem*) to cope (with *sth*): *Não consigo ~ com isto, como é que se faz?* I can't cope with this, how's it done? **2** (*encontrar*) to find *sb/sth* [*vt*]: *Não atinámos com o lugar e voltámos para trás.* We couldn't find the place and so we turned back.

atingir *vt* **1** (*alcançar*) to reach: *Caiu antes de ~ a meta.* She fell before reaching the finish. **2** (*pessoa com arma de fogo, alvo*) to hit: *A bala atingiu-o numa perna.* The bullet hit him in the leg. **3** (*objetivo*) to achieve: *Não atingiram os objetivos previstos.* They didn't achieve their intended aims. **4** (*afetar*) to affect: *Muitas empresas foram atingidas pela crise.* Many firms were affected by the crisis. **5** (*criticar*) to get at *sb*: *Apesar de o comentário não lhe ser dirigido, sentiu-se atingido.* Though the remark wasn't aimed at him, he felt got at. **6** (*entender*) to grasp, to get (*mais coloq*): *Ele não atinge essas coisas!* He can't grasp such things!

atirador, -ora *sm-sf* shot: *É um bom ~.* He's a good shot. LOC **atirador furtivo** sniper

atirar ▸ *vt* **1** to throw *sth* (*to sb*): *As crianças atiravam pedras.* The children were throwing stones. ◇ *Atira a bola ao teu colega.* Throw the ball to your teammate.

> Quando se atira algo a alguma coisa ou alguém com a intenção de atingir um objeto ou magoar uma pessoa, usa-se **throw sth at sb/sth**: *Não atires pedras ao gato.* Don't throw stones at the cat. ◇ *atirar pedras à polícia* to throw stones at the police

2 (*deitar fora*) to throw *sth* away: *Atira isso fora; já está muito velho.* Throw it away; it's really old now. **3** ~ **(a/contra)** (*com força ou violência*) to hurl *sb/sth* (against *sth*): *Atirou-o contra a parede.* She hurled him against the wall. ▸ *vi* **1** ~ **(a)** (*chutar, Desp*) to shoot (at *sb/sth*): *~ à baliza* to shoot at goal ▸ **atirar-se** *vp* **1** (*saltar, lançar-se*) to jump: *atirar-se pela janela fora/para a água* to jump out of the window/into the water **2** **atirar-se a** (*com força ou violência*) to pounce on *sb/sth*: *Atiraram-se a mim/ao dinheiro.* They pounced on me/the money. LOC **atirar ao chão** to knock *sb* over **atirar dinheiro fora** to waste money *Ver tb* LIXO, PARAQUEDAS

atitude *sf* attitude (*to/towards sb/sth*) LOC **tomar uma atitude** to do something *about sth/sb*: *Se não tomares uma ~, tomo eu.* If you don't do something about it, I will.

ativar *vt* to activate: *~ um mecanismo* to activate a mechanism

atividade *sf* activity [*pl* activities]

ativo, -a ▸ *adj* active ▸ *sm* (*Com*) assets [*pl*]

atlântico, -a ▸ *adj* Atlantic ▸ **Atlântico** *sm* Atlantic (Ocean)

atlas *sm* atlas

atleta *smf* athlete

atlético, -a *adj* athletic

atletismo *sm* athletics [*não-contável*], track and field [*não-contável*] (*USA*)

atmosfera *sf* atmosphere: *~ pesada* uneasy atmosphere

atmosférico, -a *adj* atmospheric: *condições atmosféricas* atmospheric conditions

ato *sm* **1** (*ação, Teat*) act: *um ~ violento* an act of violence ◇ *uma peça em quatro ~s* a four-act play **2** (*cerimónia*) ceremony [*pl* ceremonies]: *o ~ de encerramento* the closing ceremony **LOC** **no ato 1** (*no momento*) on the spot: *pagar no ~ de compra* to pay on the spot **2** (*imediatamente*) straight away: *Levantei-me no ~.* I stood up straight away.

atolado, -a *adj* **1** (*incapaz de se mover*) stuck (*in sth*) **2** (*trabalho*) overwhelmed (*with sth*): *Estou ~ em trabalho esta semana.* I'm overwhelmed with work this week.

atómico, -a *adj* atomic

átomo *sm* atom

ator, atriz *sm-sf* **1** (*masc*) actor **2** (*fem*) actress ➲ *Ver nota em* ACTRESS **LOC** **ator/atriz principal** male/female lead

atormentar *vt* to torment

atração *sf* attraction: *uma ~ turística* a tourist attraction ◇ *sentir ~ por alguém* to be attracted to sb **LOC** *Ver* PARQUE

atraente *adj* attractive

atraiçoar ▸ *vt* to betray: *~ um amigo* to betray a friend ▸ **atraiçoar-se** *vp* to give yourself away : *Sem querer, atraiçoou-se.* He unintentionally gave himself away.

atrair *vt* **1** to attract: *~ os turistas* to attract tourists ◇ *Os homens mediterrâneos atraem--me.* I'm attracted to Mediterranean men. **2** (*ideia*) to appeal to *sb*

atrapalhar ▸ *vt* **1** (*baralhar*) to confuse: *Está calado que me estás a ~.* Do be quiet, you're confusing me. **2** (*estorvar*) to be in the way of *sb/sth*: *Senta-te e não atrapalhes as pessoas.* Sit down and don't get in people's way. ▸ **atrapalhar-se** *vp* to get confused: *Atrapalhei--me na oral e chumbei.* I got confused in the oral and failed.

atrás *adv* **1** (*no fundo, na parte de trás*) at the back: *Sentam-se sempre ~.* They always sit at the back. **2** (*sentido temporal*) ago: *(há) anos ~* years ago **LOC** **andar/estar atrás de alguém/alguma coisa** to be after sb/sth **atrás de 1** behind: *~ de nós/da casa* behind us/the house **2** (*depois de*) after: *Fuma um cigarro ~ do outro.* He smokes one cigarette after another. **deixar alguém/alguma coisa atrás** to leave sb/sth behind **ir atrás de alguém/alguma coisa** (*seguir*) to follow sb/sth **não ficar (muito) atrás** not to be far behind: *Ela não te fica muito ~.* She's not far behind you. *Ver tb* MARCHA, VOLTA

atrasado, -a ▸ *adj* **1** (*país, região*) backward **2** (*publicação, salário*) back: *os números ~s de uma revista* the back numbers of a magazine **3** (*relógio*) slow: *O teu relógio está ~.* Your watch is slow. **4** (*pagamento, renda*) overdue **5** (*mentalmente*) mentally handicapped ➲ *Ver nota em* DEFICIENTE **6** (*como insulto*) thick, dumb (*USA*) ▸ *sm-sf* (*como insulto*) idiot **LOC** **chegar/estar atrasado** to arrive/be late: *O comboio chegou ~ uma hora.* The train was an hour late. **estar atrasado no trabalho, etc.** to be behind with your work, etc.: *Estou muito ~ no meu trabalho.* I'm very behind with my work. ◇ *Está atrasada nos pagamentos.* She's in arrears. *Ver tb* ATRASAR

atrasar ▸ *vt* **1** (*retardar*) to hold *sb/sth* up, to delay (*mais formal*): *Atrasaram os voos todos.* All the flights were delayed. **2** (*relógio*) to put *sth* back: *~ o relógio uma hora* to put the clock back an hour ▸ *vi* **1** (*comboio, autocarro*) to be delayed: *O comboio atrasou e cheguei tarde ao emprego.* The train was delayed and I got to work late. **2** (*relógio*) to be slow: *Este relógio atrasa dez minutos.* This watch is ten minutes slow. ▸ **atrasar-se** *vp* **1** (*chegar tarde*) to be late: *Desculpa se me atrasei.* Sorry I'm late. **2** (*no trabalho*) to fall behind (*in/with sth*): *Começou a atrasar-se nas aulas.* He began to fall behind in his studies.

atraso *sm* **1** (*demora*) delay: *Alguns voos sofreram ~s.* Some flights were subject to delays. ◇ *Começou com cinco minutos de ~.* It began five minutes late. **2** (*subdesenvolvimento*) backwardness **LOC** **estar com/levar/ter atraso** to be late: *O comboio está com cinco horas de ~.* The train is five hours late. **ter trabalho, etc. em atraso** to be behind with your work, etc.

atrativo, -a ▸ *adj* attractive ▸ *sm* **1** (*coisa que atrai*) attraction: *um dos ~s da cidade* one of the city's attractions **2** (*interesse*) appeal [*não-contável*] **3** (*pessoa*) charm

através *adv* **LOC** **através de 1** through: *Corria ~ do bosque.* He was running through the wood. **2** (*de um lado para o outro*) across: *Correram ~ do parque/dos campos.* They ran across the park/fields.

atravessar ▸ *vt* **1** to cross: *~ a rua/um rio/a fronteira* to cross the street/a river/the border ◇ *~ a rua a correr* to run across the street ◇ *~ o rio a nado* to swim across the river **2** (*perfurar, experimentar*) to go through *sth*: *A bala atravessou-lhe o coração.* The bullet went through his heart. ◇ *Estão a ~ uma grave crise.* They're going through a serious crisis. ▸ **atravessar-se** *vp* **1** (*no caminho*) to block *sb's* path: *Atravessou-se um elefante à frente.* An elephant blocked our path. **2** (*na garganta*): *Atravessou-se-me uma espinha na garganta.* I got a bone stuck in my throat.

atrelar *vt* to hitch: ~ *um reboque ao trator* to hitch a trailer to the tractor

atrever-se *vp* ~ **(a)** to dare (*do sth*): *Não me atrevo a pedir-lhe dinheiro.* I daren't ask him for money. ➲ *Ver nota em* DARE

atrevido, -a *adj* **1** (*audaz*) daring **2** (*mal-criado*) cheeky, sassy (*USA*) *Ver tb* ATREVER-SE

atrevimento *sm* **1** (*audácia*) daring **2** (*insolência*) nerve: *Que ~!* What a nerve!

atribuição *sf* (*prémio, bolsa*) award

atribuir *vt* **1** (*causa*) to attribute *sth* (*to sb/sth*) **2** (*conceder*) to award: ~ *um prémio/uma bolsa a alguém* to award a prize/scholarship to sb **3** (*culpa, responsabilidade*) to lay *sth* on *sb*: *Atribui sempre a culpa a outra pessoa.* She always lays the blame on someone else. **4** (*importância*) to attach: *Não atribuas demasiada importância ao caso.* Don't attach too much importance to the matter. **5** (*cargo, função*) to assign

atributo *sm* attribute

atrito *sm* friction [*não-contável*]: *Parece existir um certo ~ entre ele e o patrão.* There seems to be some friction between him and his boss.

atrofiar *vt, vi* to waste away, to atrophy (*mais formal*): *Este tipo de trabalho atrofia o cérebro.* Your brain wastes away doing this kind of work.

atropelado, -a *adj* (*por um veículo*): *Morreu ~.* He died after being run over by a car. *Ver tb* ATROPELAR

atropelamento *sm*: *Houve um ~ na minha rua.* Someone was run over on my street.

atropelar *vt* to run *sb* over: *Um carro atropelou-me.* I was run over by a car.

atuação *sf* (*desempenho*) performance

atual *adj* **1** (*relativo ao momento presente*) current: *o estado ~ das obras* the current state of the building work **2** (*relativo à atualidade*) present-day: *A ciência ~ depara-se com problemas éticos.* Present-day science faces ethical problems.

atualidade *sf* (*tempo presente*) present (times) LOC **da atualidade** topical: *assuntos/temas da ~* topical issues

atualizado, -a *adj* up to date: *uma versão atualizada* an up-to-date version ➲ *Ver nota em* WELL BEHAVED; *Ver tb* ATUALIZAR

atualizar *vt* to update

atualmente *adv* currently

atuar *vi* **1** (*artista*) to perform **2** (*agir*) to act

atum *sm* tuna [*pl* tuna]

audacioso, -a *adj* daring: *uma blusa/decisão audaciosa* a daring blouse/decision

audaz *adj* bold

audição *sf* **1** (*ouvido*) hearing: *perder a ~* to lose your hearing **2** (*teste*) audition

audiência *sf* **1** audience: *o programa de maior ~* the programme with the largest audience **2** (*Jur*) hearing LOC *Ver* CAMPEÃO

audiovisual *adj* audiovisual

auditivo, -a *adj* LOC *Ver* APARELHO

auditoria *sf* audit

auditório *sm* **1** (*edifício*) concert hall **2** (*ouvintes*) audience [*v sing ou pl*]

aula *sf* lesson: *Vou dar ~ agora.* I've got a lesson now. ◇ *~s de condução* driving lessons ◇ *~ particular* private lesson LOC **dar aulas** to teach: *Dou ~s numa escola privada.* I teach at an independent school. *Ver tb* COLEGA, SALA

aumentar ▸ *vt* **1** to increase: *~ a competitividade* to increase competition ◇ *A revista aumentou a tiragem.* The magazine increased its circulation. **2** (*volume*) to turn *sth* up **3** (*lupa, microscópio*) to magnify ▸ *vi* to increase: *A população está a ~.* The population is increasing.

aumento *sm* rise, increase (*mais formal*) (*in sth*): *pedir um ~* to ask for a rise/pay increase ◇ *um ~ da população* an increase in population ◇ *Registar-se-á um ~ da temperatura.* There will be a rise in temperature.
❶ No sentido salarial, diz-se **raise** nos Estados Unidos.

aurora *sf* dawn: *ao romper da ~* at daybreak LOC **aurora boreal** northern lights [*pl*] *Ver tb* ROMPER

auscultador *sm* **1** (*telefone*) receiver **2 auscultadores** headphones

ausência *sf* absence

ausentar-se *vp* ~ **(de) 1** (*de país, etc.*) to be away (from...) **2** (*de sala*) to be out (of...): *Ausentei-me da sala apenas por alguns minutos.* I was only out of the room for a few minutes.

ausente ▸ *adj* ~ **(de)** absent (from...): *Estava ~ da reunião.* He was absent from the meeting. ▸ *smf* absentee

austero, -a *adj* austere

Austrália *sf* Australia

australiano, -a *adj, sm-sf* Australian

Áustria *sf* Austria

austríaco, -a *adj, sm-sf* Austrian

autarca *smf* councillor

autarquia *sf* council [*v sing ou pl*]: *a ~ local* the local council ➲ *Ver nota em* JÚRI

autárquico, **-a** *adj* (*imposto, serviços, representante, gestão*) council: *eleições autárquicas* council elections

autêntico, **-a** *adj* genuine, authentic (*mais formal*): *um Renoir* ~ an authentic Renoir

autobiografia *sf* autobiography [*pl* autobiographies]

autobiográfico, **-a** *adj* autobiographical

autocarro *sm* **1** (*transporte público*) bus: *apanhar/perder o* ~ to catch/miss the bus **2** (*para excursões*) coach, bus (*USA*) **LOC** *Ver* PASSE

autoclismo *sm* flush: *puxar o* ~ to flush the toilet

autocolante ▸ *adj* self-adhesive ▸ *sm* sticker

autodefesa *sf* self-defence

autódromo *sm* racetrack

autoescola *sf* driving school

autoestrada *sf* motorway, freeway (*USA*)

autografar *vt* to autograph

autógrafo *sm* autograph

automático, **-a** *adj* automatic **LOC** *Ver* CAIXA², LAVAGEM, LAVANDARIA, PILOTO

automatizar *vt* to computerize

automobilismo *sm* motor racing, auto racing (*USA*)

automobilista *smf* motorist

automóvel *sm* car **LOC** *Ver* ACIDENTE, CORREDOR

autonomia *sf* **1** (*autodeterminação*) autonomy **2** (*independência*) independence: *a* ~ *do poder judicial* the independence of the judiciary

autónomo, **-a** *adj* **1** autonomous **2** (*governo*) regional

autópsia *sf* post-mortem

autor, **-ora** *sm-sf* **1** (*escritor*) author **2** (*compositor musical*) composer **3** (*crime*) perpetrator **LOC** *Ver* DIREITO

autoridade *sf* **1** authority [*pl* authorities] **2** (*pessoa*) leading figure

autorização *sf* permission

autorizar *vt* **1** (*ação*) to authorize: *Não autorizaram a greve.* They haven't authorized the strike. **2** (*dar o direito*) to give *sb* the right (*to do sth*): *O cargo autoriza-nos a utilizar um carro oficial.* The job gives us the right to use an official car. **LOC** **não autorizado** unauthorized

autorretrato *sm* self-portrait

autosserviço *sm* **1** (*restaurante*) self-service restaurant **2** (*bombas de gasolina*) self-service petrol station

autossuficiente *adj* self-sufficient

auxiliar¹ ▸ *adj* auxiliary: *o pessoal* ~ the auxiliary staff ▸ *smf* assistant

auxiliar² *vt* (*ajudar*) to assist

auxílio *sm* **1** help: *prestar* ~ *a alguém* to help sb ◇ *O* ~ *não tardará a chegar.* Help will be here soon. **2** (*monetário, financeiro*) aid

avalanche *sf* avalanche

avaliação *sf* assessment

avaliar *vt* **1** to value *sth* (*at sth*): *Avaliaram o anel num milhão de euros.* The ring was valued at a million euros. **2** (*Educ, prejuízos, riscos, etc.*) to assess: ~ *um aluno* to assess a student ◇ *Tinha chegado o momento de* ~ *os resultados.* It was time to assess the results. **3** (*situação*) to weigh *sth* up

avançado, **-a** ▸ *adj* advanced ▸ *sm-sf* (*Desp*) forward: *Joga como* ~. He plays forward. *Ver tb* AVANÇAR

avançar ▸ *vt* to move *sth* forward: *Avancei um peão.* I moved a pawn forward. ▸ *vi* to advance

avanço *sm* advance: *os* ~*s da medicina* advances in medicine

avante *adv* **LOC** *Ver* LEVAR

avarento, **-a** (*tb* avaro, -a) ▸ *adj* mean, cheap (*USA*) ▸ *sm-sf* miser

avareza *sf* greed

avaria *sf* **1** (*veículo, mecanismo*) breakdown **2** (*falha*) fault: *uma* ~ *na instalação elétrica* a fault in the electrical system

avariado, **-a** *adj* (*máquina*) out of order *Ver tb* AVARIAR

avariar *vi* (*Mec*) to break down

ave *sf* bird **LOC** **aves de rapina** birds of prey **ser uma ave rara** to be a bit of an oddball *Ver tb* GRIPE

aveia *sf* oats [*pl*]

avelã *sf* hazelnut

avelãzeira (*tb* aveleira) *sf* hazel

ave-maria *sf* Hail Mary: *rezar três* ~*s* to say three Hail Marys

avenida *sf* avenue (*abrev* Ave./Av.)

avental *sm* apron

aventura *sf* **1** adventure: *Vivemos uma* ~ *fascinante.* We had a fascinating adventure. **2** (*caso amoroso*) fling

aventurar(-se) *vi, vp* to venture *into sth*: *Ele aventurou-se pela mata em busca de comida.* He ventured into the forest in search of food.

aventureiro, **-a** ▸ *adj* adventurous ▸ *sm-sf* adventurer

averiguar *vt* **1** (*investigar*) to check *sth* out

2 (*verdade, factos*) to find *sth* out, to discover (*mais formal*)

avessas *sf* LOC **às avessas 1** (*ao contrário*) the wrong way round **2** (*de pernas para o ar*) upside down ➲ *Ver ilustração em* CONTRÁRIO

avesso *sm* (*tecido*) wrong side LOC **do avesso** inside out: *Tens a camisola do ~.* Your jumper's on inside out. ➲ *Ver ilustração em* CONTRÁRIO; *Ver tb* VIRAR

avestruz *sm ou sf* ostrich

aviação *sf* aviation: *~ civil* civil aviation

avião *sm* plane, aeroplane (*mais formal*): *um ~ de papel* a paper aeroplane LOC **ir/viajar de avião** to fly **por avião** (*correio*) by airmail

avisar *vt* **1** (*informar*) to let *sb* know (*about sth*): *Avisa-me quando chegarem.* Let me know when they arrive. **2** (*prevenir*) to warn: *Estou a avisar-te, se não pagas...* I'm warning you that if you don't pay... LOC **sem avisar**: *Vieram sem ~.* They turned up unexpectedly. ◇ *Foi-se embora para casa sem ~.* He left for home without saying anything.

aviso *sm* **1** notice: *Encerrado até novo ~.* Closed until further notice. **2** (*advertência*) warning: *sem ~ prévio* without prior warning LOC *Ver* QUADRO

avistar *vt* to catch sight of *sth*

avô, avó *sm-sf* **1** (*masc*) grandfather, grandad (*coloq*) **2** (*fem*) grandmother, granny [*pl* grannies] (*coloq*) **3 avós** grandparents: *em casa dos meus avós* at my grandparents' (house)

axila *sf* armpit

azar *sm* **1** (*acaso*) chance: *jogo de ~* game of chance **2** (*falta de sorte*) bad luck LOC **ao azar** at random: *Escolhe um número ao ~.* Choose a number at random. **estar com azar** to be out of luck **por azar** unfortunately: *Por ~ não o tenho comigo.* Unfortunately I haven't got it with me. *Ver tb* JOGO

azarado, -a *adj* unlucky

azedo, -a *adj* **1** (*leite, vinho, carácter*) sour **2** (*comida*) bad

azeite *sm* olive oil LOC **estar com os azeites** to be in a bad mood

azeitona *sf* olive: *~s recheadas/sem caroço* stuffed/pitted olives

azeviche *sm* jet: *negro como o ~* jet black

azevinho *sm* (*árvore*) holly [*pl* hollies]

azia *sf* heartburn [*não-contável*]

azinheira *sf* holm oak

azul *adj, sm* blue ➲ *Ver exemplos em* AMARELO LOC *Ver* CORREIO

azul-celeste *adj, sm* sky blue

azul-claro, -a *adj, sm* pale blue

azulejo *sm* tile

azul-escuro, -a *adj, sm* dark blue

azul-marinho *adj, sm* navy blue

azul-turquesa *adj, sm* turquoise

B b

baba *sf* **1** (*de pessoa*) dribble **2** (*de animal*) foam **3** (*de caracol, lesma*) slime

babar-se *vp* **1** to dribble **2 babar-se (por)** to dote on *sb*: *Baba-se toda pelos netos.* She dotes on her grandchildren.

babete (*tb* **babadouro**) *sm* bib

babysitter *smf* babysitter LOC **fazer de babysitter** to babysit

bacalhau *sm* cod [*pl* cod]

bacia *sf* **1** (*recipiente*) bowl **2** (*Geog*) basin: *a ~ do Tejo* the Tagus basin **3** (*Anat*) pelvis

baço, -a ▸ *adj* (*cabelo, etc.*) dull ▸ *sm* (*Anat*) spleen

bacon *sm* bacon

bactéria *sf* bacterium [*pl* bacteria]

badalada *sf* (*relógio*) stroke: *as doze ~s da meia-noite* the twelve strokes of midnight LOC **dar duas, etc. badaladas** to strike two, etc.: *O relógio deu seis ~s.* The clock struck six.

badalado, -a *adj* **1** (*muito falado*) much talked-about: *a badalada demissão do ministro* the much talked-about resignation of the minister **2** (*festa*) incredible

badminton *sm* badminton

bafiento, -a *adj* (*odor*) musty: *Na cave pairava um cheiro ~.* The basement smelt musty.

baga *sf* (*Bot*) berry [*pl* berries]

bagagem *sf* luggage [*não-contável*], baggage [*não-contável*] (*USA*): *Não tenho muita ~.* I haven't got much luggage. ◇ *~ de mão* hand luggage ◇ *preparar a ~* to pack LOC *Ver* DEPÓSITO, EXCESSO, RECOLHA

bago *sm* (*uva*) grape: *um ~ de uva* a grape

baía *sf* bay

bailado *sm* **1** (*Ballet*) ballet: *a Companhia Nacional de Bailado* the National Ballet Company **2** (*dança*) dance

bailarino, -a *sm-sf* dancer

baile *sm* (*festa*) dance: *O ~ começa às nove.* The dance begins at nine. LOC **baile de finalistas** prom **baile de gala** ball **baile de máscaras** fancy dress ball, costume party [*pl* costume parties] (*USA*)

bainha *sf* hem: *Tens a ~ descosida.* Your hem has come undone.

bairrista *adj, smf* (person who is) excessively proud of their hometown, region, etc.

bairro *sm* **1** neighbourhood: *Fui criado neste ~.* I grew up in this neighbourhood. **2** (*zona típica*) quarter: *o ~ dos pescadores* the fishing quarter **3** (*divisão administrativa*) district LOC **bairro de lata** shanty town **do bairro** local: *o padeiro do ~* the local baker

baixa[1] *sf* **1** (*preço*) fall (*in sth*): *uma ~ no preço do pão* a fall in the price of bread **2** (*ausência autorizada*) sick leave: *estar de ~* to be on sick leave **3** (*Mil*) casualty [*pl* casualties]

baixa[2] *sf* centre: *a ~ da cidade* the city centre ◇ *uma loja da ~* a city-centre shop LOC **ir à baixa** to go into town

baixa-mar *sf* low tide

baixar ▸ *vt* **1** to get *sth* down: *Ajuda-me a ~ a mala?* Could you help me get my suitcase down? **2** (*pôr mais para baixo*) to bring *sth* down: *Baixa-o um pouco mais.* Bring it down a bit. **3** (*olhos, voz, persiana, etc.*) to lower: *~ a cabeça* to lower your head **4** (*som*) to turn *sth* down **5** (*preço*) to bring *sth* down, to lower (*mais formal*) **6** (*arquivo*) to download ▸ *vi* **1** (*temperatura, rio*) to fall: *Baixou a temperatura.* The temperature has fallen. **2** (*descer, preços*) to go/come down: *Baixou à rua por uns momentos.* She went down to the street for a few moments. ◇ *Voltou a ~ o pão.* (The price of) bread has come down again. ➲ *Ver nota em* IR **3** (*inchaço*) to go down **4** (*maré*) to go out ▸ **baixar-se** *vp* to bend down LOC **baixar a crista a alguém** to take sb down a peg or two **baixa-te!/ baixem-se!** duck!

baixela *sf* **1** tableware [*não-contável*] **2** (*serviço completo*) dinner service

baixista *smf* bass guitarist

baixo[1] *sm* (*instrumento*) bass

baixo[2] *adv* **1** (*posição*) below: *de ~* from below **2** (*em edifício*) downstairs: *o vizinho de ~* the man who lives downstairs ◇ *Há mais uma casa de banho lá em ~.* There is another toilet downstairs. **3** (*a pouca altura*) low: *Os pássaros voam ~.* The birds are flying low. **4** (*suavemente*) quietly: *Toca mais ~.* Play more quietly. LOC **em/por baixo de** under **o de baixo** the bottom one **para baixo** downwards *Ver tb* AÍ, ALI, BOCA, CABEÇA, CIMA, FALAR, LÁ, PARTE

baixo, -a *adj* **1** (*pessoa*) short **2** ~ **(em)** low (in *sth*): *uma sopa baixa em calorias* a low-calorie soup **3** (*medíocre*) poor: *As suas notas têm sido muito baixas.* His marks have been very poor. **4** (*voz, som*) quiet: *falar em voz baixa* to speak quietly/softly ◇ *A televisão está demasiado baixa.* The volume on the TV is too low. **5** (*sapato*) flat **6** (*atitude*) mean LOC **estar (com a moral) em baixo** to be in low spirits **os altos e baixos de** the ups and downs of *sth* *Ver tb* CLASSE, GOLPE, MEDIR

bala *sf* (*arma*) bullet LOC **como uma bala** like a shot *Ver tb* COLETE, PROVA

balada *sf* ballad

balança ▸ *sf* **1** (*instrumento*) scales [*pl*], scale (*USA*): *~ de casa de banho* bathroom scales **2** (*Com*) balance ▸ **Balança** *sm* (*Astrol*) Libra ➲ *Ver exemplos em* AQUARIUS LOC **balança comercial** balance of trade

balançar(-se) *vt, vp* **1** to swing **2** (*cadeira de baloiço, barco*) to rock

balanço *sm* **1** balance: *~ positivo/negativo* a positive/negative balance **2** (*número de vítimas*) toll LOC *Ver* CADEIRA

balão *sm* **1** balloon: *uma viagem de ~* a balloon trip **2** (*chiclete, saliva*) bubble **3** (*em banda desenhada*) speech bubble LOC *Ver* SOPRAR

balbuciar *vt, vi* **1** (*gaguejar*) to stammer **2** (*dizer/falar sem clareza*) to mumble: *Balbuciou umas palavras.* He mumbled a few words.

balbúrdia *sf* (*desordem*) mess: *Que ~!* What a mess!

balcão *sm* **1** (*loja, aeroporto*) counter **2** (*informações, receção*) desk **3** (*bar*) bar: *Estavam sentados ao ~ a tomar café.* They were sitting at the bar having a coffee. **4** (*teatro*) circle, balcony (*USA*) LOC *Ver* EMPREGADO

balde *sm* bucket LOC **balde do lixo** dustbin, garbage can (*USA*)

baleia *sf* whale

baliza *sf* **1** (*Desp*) goal **2** (*Náut*) buoy **3** (*Aeronáut*) beacon LOC *Ver* PRÓPRIO

ballet *sm* ballet LOC *Ver* FATO

balneário *sm* (*Desp*) changing room

baloiçar(-se) (*tb* balouçar(-se)) *vt, vp* **1** (*baloiço*) to swing **2** (*berço, bebé, barco*) to rock

baloiço *sm* swing: *brincar nos ~s* to play on the swings LOC *Ver* CADEIRA

bambo, -a *adj* LOC *Ver* CORDA

bambu *sm* bamboo: *uma mesa de ~* a bamboo table

banalidade *sf* triviality [*pl* trivialities]

banana *sf* banana

banca *sf* **1** (*bancos*) banks [*pl*]: *a ~ japonesa* Japanese banks **2** (*sector*) banking: *os sectores da ~ e comércio* the banking and business sectors

B

bancada *sf* **1** (*estádio*) stand: *As ~s estavam cheias.* The stands were full. **2** (*na cozinha*) worktop, counter (*USA*)

bancário, -a ▸ *adj* bank: *empregados ~s* bank employees ◇ *o sistema ~* the banking system ▸ *sm-sf* bank employee LOC *Ver* TRANSFERÊNCIA

bancarrota *sf* bankruptcy LOC **abrir bancarrota/estar na bancarrota** to go/be bankrupt

banco *sm* **1** bank: *o ~ de Portugal* the Bank of Portugal ◇ *~ de dados/sangue* data/blood bank **2** (*parque, Desp*) bench **3** (*cozinha, bar*) stool **4** (*igreja*) pew **5** (*carro*) seat **6** (*hospital*) accident and emergency (*abrev* A & E), emergency room (*abrev* ER) (*USA*) LOC **banco de areia** sandbank **banco do(s) réu(s)** (*Jur*) dock: *estar no ~ dos réus* to be in the dock

banda *sf* **1** (*Mús*) **(a)** (*de rock, etc.*) band **(b)** (*filarmónica*) brass band **2** (*lado*) side LOC **banda desenhada** comic strip **banda larga** (*Informát*) broadband **banda sonora** soundtrack *Ver tb* LIVRO, REVISTA

bandeira *sf* **1** flag: *As ~s estão a meia haste.* The flags are flying at half-mast. **2** (*Mil*) colours [*pl*] LOC **bandeira branca** white flag *Ver tb* RIR

bandeirada *sf* (*táxi*) minimum fare

bandeja *sf* tray LOC **dar de bandeja** to hand *sb sth* on a plate

bandelete *sf* hairband

bandido, -a *sm-sf* **1** (*fora-da-lei*) bandit **2** (*pessoa maliciosa*) rascal

bando *sm* **1** group: *um ~ de repórteres* a group of reporters **2** (*quadrilha*) gang: *um ~ de vândalos* a gang of hooligans **3** (*aves*) flock **4** (*leões*) pride

bangaló (*tb* **bungalow**) *sm* chalet

banhado, -a *adj* bathed: *~ em lágrimas/suor/sangue* bathed in tears/sweat/blood LOC **banhado em ouro/prata** gold-plated/silver-plated *Ver tb* BANHAR

banhar ▸ *vt* **1** to bath, to bathe (*USA*) **2** (*em metal*) to plate *sth* (*with sth*) ▸ **banhar-se** *vp* to have a bath

banheira *sf* bath, bathtub (*USA*)

banheiro *sm* (*piscina, praia*) lifeguard

banhista *smf* bather

banho *sm* **1** (*em banheira*) bath: *Tomei um ~ de espuma.* I had a bubble bath. **2** (*de chuveiro*) shower: *De manhã tomo sempre um ~ de chuveiro.* I always have a shower in the morning. ◇ *Está a tomar ~.* He's in the shower. **3** (*mar, piscina*) swim: *Vamos ao ~?* Shall we go for a swim? LOC **com (um) banho de ouro/prata** (*metal*) gold-plated/silver-plated: *um anel com um ~ de ouro* a gold-plated ring **levar um banho de alguma coisa**: *Levei um ~ de cerveja.* I got beer spilled all over me. **tomar banho(s) de sol** to sunbathe *Ver tb* CALÇÕES, CASA, FATO, GEL, QUARTO, SAL, TOUCA

banho-maria *sm* bain-marie

banqueiro, -a *sm-sf* banker

banqueta *sf* stool: *trepar para uma ~* to stand on a stool

banquete *sm* dinner, banquet (*mais formal*): *Deram um ~ em sua honra.* They gave a dinner in his honour.

banzé *sm* **1** (*barulho*) racket: *armar ~* to make a racket **2** (*discussão*) fuss: *Armou um tremendo ~ na loja.* He kicked up a fuss in the shop.

baqueta *sf* (*para tambor*) drumstick

bar *sm* **1** (*bebidas alcoólicas*) bar, pub: *passar a noite de ~ em ~* to go on a pub crawl ➲ *Ver nota em pág. 587* **2** (*cafetaria*) snack bar

baralhar ▸ *vt* **1** (*cartas*) to shuffle **2** (*misturar*) to mix *sth* up: *A bibliotecária baralhou os livros todos.* The librarian has mixed up all the books. ◇ *Separa-os, não os baralhes.* Separate them, don't mix them up. **3** (*confundir*) to confuse: *Não me baralhes.* Don't confuse me. ▸ **baralhar-se** *vp* **baralhar-se (com/em)** to get in a muddle (with/over *sth*): *Baralha-se sempre com as datas.* He always gets in a muddle with dates.

baralho *sm* pack of cards, deck of cards (*USA*)

> Na Grã-Bretanha tal como em Portugal utiliza-se o baralho francês. O baralho francês tem 52 cartas que se dividem em quatro *naipes* ou **suits**: **hearts** (*copas*), **diamonds** (*ouros*), **clubs** (*paus*) e **spades** (*espadas*). Cada um tem um **ace** (*ás*), **king** (*rei*), **queen** (*dama*), **jack** (*valete*), e nove cartas numeradas de 2 a 10. Antes de se começar a jogar, *baralha-se* (**shuffle**), *corta-se* (**cut**) e *dão-se* (**deal**) as cartas.

barão, -onesa *sm-sf* **1** (*masc*) baron **2** (*fem*) baroness

barata *sf* cockroach

barato, -a ▸ *adj* cheap: *Aquele é mais ~.* That one's cheaper. ▸ *adv*: *comprar alguma coisa ~* to buy sth cheaply ◇ *Essa loja vende ~.* Prices are low in that shop.

barba *sf* beard: *deixar crescer a ~* to grow a beard ◇ *um homem de ~* a man with a beard LOC **fazer a barba** to (have a) shave *Ver tb* PINCEL

barbaridade *sf* **1** (*brutalidade*) barbarity [*pl* barbarities] **2** (*disparate*) nonsense [*não-contável*]: *Não digas ~s!* Don't talk nonsense!

LOC **uma barbaridade** (*quantidade, número*) loads (*of sth*): *uma ~ de gente* loads of people

barbatana *sf* **1** (*peixe*) fin **2** (*mergulhador, foca*) flipper

barbear ▸ *vt* to shave: *Não deixa que ninguém o barbeie.* He doesn't let anyone shave him. ▸ **barbear-se** *vp* to (have a) shave: *Já te barbeaste hoje?* Have you had a shave today? LOC *Ver* CREME, LÂMINA, MÁQUINA

barbearia *sf* barber's, barber shop (*USA*) ➲ *Ver nota em* TALHO

barbeiro *sm* **1** (*pessoa*) barber **2** (*local*) barber's, barber shop (*USA*) ➲ *Ver nota em* TALHO

barco *sm* **1** boat: *dar um passeio de ~* to go out in a boat **2** (*navio*) ship ➲ *Ver nota em* BOAT LOC **barco a motor** motorboat **barco a remos** rowing boat, rowboat (*USA*) **barco a vapor** steamship **barco à vela** sailing boat, sailboat (*USA*) **ir de barco** to go by boat/ship

barman *sm* barman [*pl* -men], bartender (*USA*)

barómetro *sm* barometer

barra *sf* **1** bar: *uma ~ de ferro* an iron bar ◇ *uma ~ de chocolate* a bar of chocolate **2** (*sinal gráfico*) slash ➲ *Ver pág. 315* LOC **barra de ferramentas** (*Informát*) toolbar **barra (inclinada)** (*Informát*) (forward) slash **barra invertida** (*Informát*) backslash ➲ *Ver pág. 315*

barraca *sf* **1** (*casa*) shack **2** (*feira*) stall **3** (*feira popular*) sideshow **4** (*praia*) beach tent

barragem *sf* (*hidroelétrica*) dam

barranco *sm* ravine

barrar *vt* **1** (*espalhar*) to spread *sth on sth*: *~ as torradas com doce* to spread jam on toast **2** (*Cozinha*) to coat *sth* (*in/with sth*): *~ um bolo com chocolate* to coat a cake in chocolate LOC *Ver* CHEQUE

barreira *sf* **1** barrier: *Tinham a ~ levantada.* The barrier was up. ◇ *a ~ da comunicação* the language barrier **2** (*Atletismo*) hurdle: *os 500 metros ~s* the 500 metres hurdles **3** (*Futebol*) wall

barricada *sf* barricade: *construir uma ~* to build a barricade

barriga *sf* **1** (*ventre*) belly [*pl* bellies]: *Dói-me a ~.* I've got bellyache. **2** (*pança*) paunch: *Estás a ganhar ~.* You're getting a paunch. LOC **barriga da perna** calf [*pl* calves] **estar com/ter a barriga a dar horas**: *Tenho a ~ a dar horas.* My tummy's rumbling. *Ver tb* ENCHER

barril *sm* barrel LOC *Ver* CERVEJA

barro *sm* **1** (*argila*) clay **2** (*lama*) mud LOC **de barro** earthenware: *caçarolas de ~* earthenware pots

barroco, -a *adj, sm* baroque

barulheira *sf* racket: *Que ~ que os vizinhos estão a fazer!* What a racket the neighbours are making!

barulhento, -a *adj* noisy

barulho *sm* noise: *Não faças ~.* Don't make any noise. ◇ *O carro faz muito ~.* The car is really noisy. LOC **pouco barulho!** quiet!

base *sf* **1** base: *um jarrão com uma ~ pequena* a vase with a small base ◇ *~ militar* military base **2** (*fundamento*) basis [*pl* bases]: *A confiança é a ~ da amizade.* Trust is the basis of friendship. LOC **base de dados** database **base espacial** space station **base para copos** coaster **com base em** based on *sth*

basear ▸ *vt* to base *sth on sth*: *Basearam o filme num romance.* They based the film on a novel. ▸ **basear-se** *vp* **basear-se em 1** (*pessoa*) to have grounds (*for sth/doing sth*): *Em que te baseias ao afirmar tal coisa?* What grounds do you have for saying that? **2** (*teoria, filme*) to be based on *sth*

basebol *sm* baseball

básico, -a *adj* basic LOC *Ver* ENSINO, ESCOLA

basquetebol (*tb* **basquete**) *sm* basketball: *jogar ~* to play basketball

basquetebolista *smf* basketball player

bastante ▸ *adj* **1** (*número considerável, muito*) quite a lot of...: *Tenho ~s coisas para fazer.* I've got quite a lot of things to do. ◇ *Há ~ tempo que não a vou visitar.* It's quite a long time since I last visited her. **2** (*suficiente*) enough: *Temos dinheiro ~.* We've got enough money. ▸ *adv* **1** [*com adjetivo ou advérbio*] **(a)** (*muito*) quite: *É ~ inteligente.* He's quite intelligent. ◇ *Leem ~ bem para a idade.* They read quite well for their age. ➲ *Ver nota em* FAIRLY **(b)** (*relativamente*) rather: *É ~ feio, mas muito simpático.* He's rather ugly, but very nice. **2** [*com verbo*] **(a)** (*muito*) quite a lot: *Aprendi ~ em três meses.* I learnt quite a lot in three months. **(b)** (*o suficiente*) enough: *Já comeste ~.* You have eaten enough.

bastar *vi* to be enough LOC **basta!** that's enough!

bastidores *sm* (*Teat*) wings LOC **nos bastidores** (*fig*) behind the scenes

bata *sf* **1** (*de casa*) apron **2** (*de escola, de trabalho*) overall **3** (*de laboratório*) lab coat **4** (*de hospital*) white coat

batalha *sf* battle LOC *Ver* CAMPO

batalhão *sm* battalion

batalhar *vi* to work hard (*to do sth*): *Batalhei muito para conseguir este emprego.* I worked really hard to get this job.

B

B

batata

chips (*USA* **fries**)   **crisps** (*USA* **chips**)

batata *sf* potato [*pl* potatoes] LOC **batatas fritas 1** chips, (French) fries (*USA*) **2** (*de pacote*) crisps, chips (*USA*) *Ver tb* PURÉ

batedeira *sf* mixer

bater ▸ *vt* **1** to beat: *~ o adversário/o recorde mundial* to beat your opponent/the world record ◇ *~ a Inglaterra por 2–1* to beat England 2–1 ◇ *~ ovos* to beat eggs ◇ *O ramo bateu-me na cabeça.* The branch hit me on the head. **2** (*natas*) to whip **3** (*bola*) to bounce **4** (*asas*) to flap **5** (*horas*) to strike: *O relógio bateu seis horas.* The clock struck six. ▸ *vi* **1** to beat (*against/on sth*): *Tinha o coração a ~ (aceleradamente).* Her heart was beating rapidly. ◇ *O granizo batia nos vidros.* The hail was beating against the windows. **2** *~* **em/com/contra** (*ir contra*) to hit *sb/sth* [*vt*]: *Um dos miúdos bateu no outro.* One of the kids hit the other. ◇ *Bati com a cabeça.* I've hit my head. ◇ *O carro bateu contra a árvore.* The car hit the tree. **3** (*porta, janela*) to bang: *Aquela porta está a ~ na parede.* That door's banging against the wall. **4** *~* **em (a)** (*assunto*) to bang on about *sth*: *Para de ~ no assunto.* Stop banging on about the subject. **(b)** (*luz, sol*) to shine on *sth*: *O sol batia-lhe na cara.* The sun was shining on her face. LOC **bater a asa** (*fugir*) to take flight **bater a bota** (*morrer*) to kick the bucket **bater à porta 1** to knock at the door **2** (*fig*): *O Natal está a ~ à porta.* Christmas is just around the corner. **bater certo** (*conta, história*) to ring true **bater com a porta** to slam the door **bater com o nariz no chão** to fall flat on your face **bater com o pé (no chão)** to stamp your foot **bater na mesma tecla** to go on about the same thing **bater o pé** (*teimar*) to refuse to budge **bater os dentes**: *Batia os dentes com frio.* His teeth were chattering. **bater palmas** to clap **não bater bem (da bola/cabeça)** to be crazy: *Não bate bem da bola.* He's crazy. ◇ *Não faças caso dele; não bate muito bem.* Don't take any notice of him; he's not all there. *Ver tb* SEIS

bateria *sf* **1** (*Eletrón, Mil*) battery [*pl* batteries]: *Descarregou-se a ~.* The battery is flat. **2** (*Mús*) drums [*pl*]: *Lars Ulrich na ~* Lars Ulrich on drums

baterista *smf* drummer

batida *sf* (*coração*) (heart)beat

batido, -a ▸ *adj* (*comum*) hackneyed ▸ *sm* (*bebida*) milkshake: *um ~ de chocolate* a chocolate milkshake

batismo *sm* **1** (*sacramento*) baptism **2** (*ato de dar um nome*) christening LOC *Ver* NOME

batizado *sm* christening

batizar *vt* **1** (*Relig*) to baptize **2** (*dar um nome*) **(a)** (*a uma pessoa*) to christen: *Vamos batizá-la com o nome Marta.* We're going to christen her Marta. **(b)** (*a um barco, invento*) to name

bâton (*tb* **batom**) *sm* lipstick LOC **bâton para o cieiro** lipsalve

batota *sf* (*em jogo*) cheating [*não-contável*]: *Isso é ~.* That's cheating. LOC **fazer batota** to cheat

batoteiro, -a *adj, sm-sf* cheat [*s*], cheater [*s*] (*USA*): *Não sejas tão ~.* Don't be such a cheat.

batuta *sf* baton

baú *sm* trunk ➲ *Ver ilustração em* LUGGAGE

baunilha *sf* vanilla

bazar *sm* pound shop, dime store (*USA*)

bebé *sm* baby [*pl* babies]

bebedeira *sf*: *apanhar uma ~ (de uísque)* to get drunk (on whisky)

bêbedo, -a (*tb* **bêbado, -a**) *adj, sm-sf* drunk LOC *Ver* CACHO

bebedor, -ora *sm-sf* heavy drinker

beber *vt, vi* to drink: *Bebe tudo.* Drink it up. ◇ *Beberam uma garrafa de vinho inteira.* They drank a whole bottle of wine. LOC **beber alguma coisa de um trago** to drink sth in one go **beber aos golitos** to sip **beber à saúde de alguém** to drink to sb's health **beber como um desalmado** to drink like a fish **beber da garrafa/torneira** to drink straight from the bottle/tap **beber por um copo** to drink from a glass

bebida *sf* drink: *~ não-alcoólica* non-alcoholic drink

bechamel *sm* white sauce

beco *sm* alleyway LOC **beco sem saída** dead end

bege *adj, sm* beige ➲ *Ver exemplos em* AMARELO

beicinho *sm* LOC **fazer beicinho** to pout

beijar(-se) *vt, vp* to kiss: *Beijou-lhe a mão.* He kissed her hand. ◇ *Beijou-me na testa.* She kissed me on the forehead. ◇ *Nunca se beijam em público.* They never kiss in public.

beijo *sm* kiss: *Dá um ~ à tua prima.* Give your cousin a kiss. ◇ *Demos um ~.* We kissed. ◇ *atirar um ~ a alguém* to blow sb a kiss LOC *Ver* COMER[2]

beira *sf* LOC **à beira de 1** beside: *à ~ da estrada/*

do rio beside the road/river **2** (*fig*) on the verge of *sth*: *à ~ das lágrimas* on the verge of tears

beiral *sm* (*telhado*) eaves [*pl*]

beira-mar *sf* LOC **à beira-mar** on the seashore: *uma casa à ~* a house at the seaside ◇ *Gostava de viver à ~.* I'd like to live at the seaside. *Ver tb* PASSEIO

beira-rio *sf* LOC **à beira-rio** on the riverside

belas-artes *sf* fine art(s)

beleza *sf* beauty [*pl* beauties] LOC **instituto/salão de beleza** beauty salon *Ver tb* CONCURSO

belga *adj, smf* Belgian: *os ~s* the Belgians

Bélgica *sf* Belgium

beliche *sm* **1** (*em casa*) bunk bed: *As crianças dormem em ~s.* The children sleep in bunk beds. **2** (*em barco*) bunk

bélico, -a *adj*: *armas bélicas* weapons of war ◇ *material ~* weaponry

beliscão *sm* pinch LOC **dar um beliscão** to pinch

beliscar *vt* to pinch

belo, -a *adj* beautiful LOC **a Bela Adormecida** Sleeping Beauty

bem¹ *adv* **1** well: *portar-se ~* to behave well ◇ *Não me sinto ~ hoje.* I don't feel well today. ◇ *– Como é que está o teu pai? – Bem, obrigado.* 'How's your father?' 'Very well,thanks.' **2** (*de acordo, adequado*) OK: *Pareceu-lhes ~.* They thought it was OK. ◇ *– Emprestas-mo? – Está ~, mas tem cuidado.* 'Can I borrow it?' 'OK, but be careful.' **3** (*qualidade, aspeto, cheiro, sabor*) good: *Pareces ~ .* You look good. ◇ *Que ~ que cheira!* It smells really good! ◇ *Estou muito ~ de saúde.* I'm in very good health. **4** (*corretamente*): *Respondi ~ à pergunta.* I got the right answer. ◇ *Falas ~ português.* You speak good Portuguese. **5** (*suficiente*) enough: *Está ~ assim.* That's just right. ◇ *Chega ~ o dinheiro.* It's enough money. **6** (*muito*) very: *Está ~ sujo.* It's very dirty. ◇ *Foi ~ caro.* It was very expensive. **7** (*exatamente*): *Não foi ~ assim que aconteceu.* It didn't happen quite like that. ◇ *Foi ~ aqui que o deixei.* I left it right here. **8** (*hesitação*) er: *Queria dizer-te que, bem…* I wanted to tell you…er… LOC **a bem**: *É melhor que o faças a ~.* It would be better if you did it willingly. ◇ *Estou-te a pedir a ~.* I'm asking you nicely. **a bem ou a mal** whether you like it or not, whether he/she likes it or not, etc. **bem como** as well as **está bem!** OK! **estar bem de** (*ter muito*) to have plenty of *sth* **muito bem!** (very) good! ❶ Para outras expressões com **bem**, ver as entradas para o adjetivo, verbo, etc., p. ex. **tudo bem?** em TUDO.

bem² *sm* **1** (*o bom*) good: *o ~ e o mal* good and evil ◇ *São gente de ~.* They're people of good character. **2 bens** possessions LOC **bens de consumo** consumer goods **bens imóveis/de raiz** real estate [*não-contável, v sing*] **para meu, teu, etc. bem** for my, your, etc. own sake **para o bem de** for the good of *sb/sth* *Ver tb* MAL

bem³ *adj* (*snobe*) stuffy

bem-comportado, -a *adj* well behaved ➲ *Ver nota em* WELL BEHAVED

bem-disposto, -a *adj* in a good mood: *Estou muito ~ hoje.* I'm in a really good mood today.

bem-educado, -a *adj* well mannered ➲ *Ver nota em* WELL BEHAVED

bem-estar *sm* well-being

bem-humorado, -a *adj* good-tempered

bem-intencionado, -a *adj* well meaning ➲ *Ver nota em* WELL BEHAVED

bem-me-quer *sm* daisy [*pl* daisies]

bem-visto, -a *adj* LOC **ser bem-visto** to be well thought of

bênção *sf* blessing LOC **dar/deitar a bênção a** to bless *sb/sth*

bendito, -a *adj* holy

beneficente *adj* charity [*s*]: *obras ~s* charity work ◇ *uma instituição ~* a charity

beneficiar *vt* to benefit: *Beneficiaram do desconto.* They benefited from the reduction.

benefício *sm* benefit LOC **em benefício de** to the advantage of *sb/sth*: *em teu ~* to your advantage

benéfico, -a *adj* **1** beneficial **2** (*clima*) healthy

bengala *sf* walking stick

benigno, -a *adj* benign

benzer ▸ *vt* to bless ▸ **benzer-se** *vp* to cross yourself

berbequim *sm* drill

berbigão *sm* cockle

berço *sm* (*bebé*) cot, crib (*USA*) LOC **nascer em berço de ouro/ter berço** to be born into a wealthy family

beringela *sf* aubergine, eggplant (*USA*)

berlinde *sm* marble: *jogar ao ~* to play marbles

berma *sf* **1** (*autoestrada*) hard shoulder, breakdown lane (*USA*) **2** (*estrada*) verge

bermudas *sf* Bermuda shorts ➲ *Ver notas em* CALÇAS *e* PAIR

berrante *adj* **1** (*cor*) loud **2** (*coisa*) flashy: *Veste-se de uma forma muito ~.* He's a very flashy dresser.

berrar *vt, vi* to shout

B

berro *sm* shout: *Dá um ~ ao teu irmão para que venha.* Give your brother a shout. ◇ *dar ~s* to shout LOC **aos berros** at the top of your voice

besta ▸ *sf* beast ▸ *adj, smf* idiot [s]: *És mesmo uma ~!* You're such an idiot.

bestial *adj* (*genial*) brilliant: *Foi uma festa ~!* What a brilliant party! ◇ *Estamos a passar umas férias bestiais.* We're having a great time.

besugo *sm* (red) bream [*pl* (red) bream]

betão *sm* concrete

beterraba *sf* beetroot, beet (*USA*) LOC **beterraba açucareira** sugar beet

betinho, -a *adj, sm-sf* snob [s]: *Não pode ser mais ~.* He's a real snob.

bétula *sf* birch (tree)

béu *sm* woof

bexiga *sf* **1** (*Anat*) bladder **2** (*marca da varíola*) pockmark **3 bexigas** (*Med*) smallpox [*não-contável*]

bexigas-doidas *sf* (*Med*) chickenpox [*não-contável, v sing*]

bezerro, -a *sm-sf* calf [*pl* calves] LOC *Ver* PENSAR

bibe *sm* overall

biberão *sm* bottle

Bíblia *sf* Bible

bíblico, -a *adj* biblical

bibliografia *sf* bibliography [*pl* bibliographies]

biblioteca *sf* library [*pl* libraries] LOC *Ver* RATO

bibliotecário, -a *sm-sf* librarian

bica *sf* (*café*) espresso [*pl* espressos]

bicada *sf* (*pássaro*) peck

bicar *vt, vi* (*pássaro*) to peck

bicarbonato *sm* bicarbonate

bíceps (*tb* **bicípite**) *sm* biceps [*pl* biceps]

bicha *sf* **1** (*fila*) queue, line (*USA*): *pôr-se na ~* to join the queue ◇ *A ~ para o cinema era muito grande.* There was a long queue for the cinema. **2** (*trânsito*) tailback LOC **fazer bicha** to queue (up), to line up (*USA*) **(toca a ir para a) bicha!** get in the queue!, get in the line! (*USA*)

bicho *sm* **1** (*inseto*) insect, creepy-crawly [*pl* creepy-crawlies] (*coloq*) **2** (*qualquer animal*) animal LOC **bicho do mato** (*pessoa insociável*) shrinking violet **que bicho te mordeu?** what's eating you?

bicho-carpinteiro *sm* LOC **ter bichos-carpinteiros** to be fidgety

bicho-da-seda *sm* silkworm

bicho-de-sete-cabeças *sm* big deal: *fazer um ~ de alguma coisa* to make a big deal out of sth ◇ *Não é nenhum ~.* It's no big deal.

bicicleta *sf* bicycle, bike (*coloq*): *Sabes andar de ~?* Can you ride a bike? ◇ *ir de ~ para o trabalho* to cycle to work ◇ *dar um passeio de ~* to go for a bike ride LOC **bicicleta de corrida/montanha** racing/mountain bike **bicicleta ergométrica** exercise bike

bico *sm* **1** (*pássaro*) beak **2** (*lápis*) point **3** (*caneta*) nib **4** (*fogão*) burner **5** (*sapato*) toe **6** (*bule, chaleira*) spout LOC **em bicos de pés** on tiptoe: *andar em ~s de pés* to walk on tiptoe ◇ *Entrei/Saí em ~s de pés.* I tiptoed in/out. *Ver tb* ABRIR, CALAR, DECOTE

bicudo, -a *adj* **1** (*pontiagudo*) pointed **2** (*problema, situação*) tricky

bidão *sm* drum

bidé *sm* bidet

bifana *sf* pork steak sandwich

bife *sm* steak: *~ de atum* tuna steak ➲ *Ver nota em* MALPASSADO LOC **bife do lombo** sirloin (steak)

bigode *sm* **1** moustache: *um homem de ~* a man with a moustache ◇ *O Pai Natal tinha uns grandes ~s.* Father Christmas had a large moustache. **2 bigodes** (*gato*) whiskers [*pl*]

bijutaria *sf* costume jewellery [*não-contável*]

bikini *sm Ver* BIQUÍNI

bilha *sf* (*gás*) (gas) cylinder

bilhar *sm* **1** (*jogo*) billiards [*não-contável*]: *jogar ~* to play billiards

> Ao bilhar americano, de 16 bolas, chama-se **pool**, e ao bilhar de 22 bolas, muito popular na Grã-Bretanha, chama-se **snooker**. **Billiards** refere-se à modalidade que se joga somente com três bolas.

2 (*mesa*) billiard table **3 bilhares** (*local*) billiard hall [*v sing*]

bilhete *sm* ticket: *um ~ de avião* an airline ticket ◇ *tirar um ~* to get a ticket LOC **bilhete de ida e volta** return (ticket), round-trip ticket (*USA*) **bilhete de ida/simples** single (ticket), one-way ticket (*USA*) **Bilhete de Identidade (de Cidadão Nacional)** identity card ❶ No Reino Unido não existem bilhetes de identidade.

bilheteira *sf* **1** (*Desp, estação, etc.*) ticket office **2** (*Cinema, Teat*) box office

bilião *sm* (*um milhão de milhões*) trillion ➲ *Ver nota em* BILLION

biliar *adj* LOC *Ver* VESÍCULA

bilingue (*tb* **bilíngue**) *adj* bilingual

binário, -a *adj* binary

bingo *sm* **1** (*jogo*) bingo: *jogar (ao) ~* to play bingo **2** (*sala*) bingo hall

binóculos *sm* binoculars

biocombustível *sm* biofuel

biodegradável *adj* biodegradable

biografia *sf* biography [*pl* biographies]

biologia *sf* biology

biológico, -a *adj* biological

biólogo, -a *sm-sf* biologist

biombo *sm* screen

bip *sm* bleeper

biqueira *sf* (*sapato*) toe

biqueirada *sf* (*pontapé*) kick

biquíni *sm* bikini [*pl* bikinis]

birra *sf* tantrum: *fazer ~* to throw a tantrum

bis! *interj* encore

bisavô, bisavó *sm-sf* **1** (*masc*) great-grandfather **2** (*fem*) great-grandmother **3 bisavós** great-grandparents

bisbilhotar *vi* to gossip

bisbilhoteiro, -a *sm-sf* gossip

bisbilhotice *sf* gossip [*não-contável*]: *Não quero ~s no escritório.* I don't want any gossip in the office. ◇ *Sabes a última ~?* Have you heard the latest gossip?

biscate *sm* odd job: *fazer (uns) ~s* to do odd jobs

biscoito *sm* biscuit, cookie (*USA*)

bisnaga *sf* (*recipiente*) tube: *uma ~ de pasta de dentes* a tube of toothpaste ➲ *Ver ilustração em* CONTAINER

bisneto, -a *sm-sf* **1** (*masc*) great-grandson **2** (*fem*) great-granddaughter **3 bisnetos** great-grandchildren

bisonte *sm* bison [*pl* bison]

bispo *sm* bishop

bissexto *adj* LOC *Ver* ANO

bissexual *adj, smf* bisexual

bisturi *sm* scalpel

bit *sm* (*Informát*) bit

blasfemar *vi* to blaspheme (*against sb/sth*)

blasfémia *sf* blasphemy [*não-contável*]: *dizer ~s* to blaspheme

blindado, -a *adj* **1** (*veículo*) armoured **2** (*porta*) reinforced LOC **(carro) blindado** armoured car

bloco *sm* **1** block: *um ~ de mármore* a marble block ◇ *um ~ de apartamentos* a block of flats **2** (*Pol*) bloc LOC **bloco de notas/papel** writing pad

bloquear *vt* **1** (*obstruir*) to block: *~ uma estrada/um jogador* to block a road/a player **2** (*Mil*) to blockade

bloqueio *sm* **1** (*Desp*) block **2** (*Mil*) blockade

bluff *sm* bluff: *fazer ~* to bluff

blusa *sf* blouse

blusão *sm* jacket: *um ~ de cabedal* a leather jacket LOC **blusão de penas** ski jacket

blush *sm* blusher: *pôr um pouco de ~* to put on some blusher

boas-festas *sf*: *desejar ~* to wish sb a merry Christmas

boas-vindas *sf* welcome [*v sing*]: *dar as ~ a alguém* to welcome sb

boato *sm* rumour LOC *Ver* CORRER

bobina *sf* **1** (*fio*) reel, spool (*USA*) **2** (*Eletrón, arame*) coil

bobo, -a *adj, sm-sf* **1** (*tonto*) silly [*adj*] **2** (*ingénuo*) naive [*adj*]: *És mesmo ~.* You're so naive.

boca *sf* **1** (*Anat*) mouth: *Não fales com a ~ cheia.* Don't talk with your mouth full. **2** (*entrada*) entrance: *a ~ do túnel* the entrance to the tunnel LOC **apanhar alguém com a boca na botija** to catch sb red-handed **boca foleira** tasteless remark **de boca em boca**: *A história foi passando de ~ em ~.* The story went the rounds. **de boca para baixo/cima** (*virado*) face down/up **dizer alguma coisa da boca para fora** to say sth without meaning it **ficar de boca aberta** (*de surpresa*) to be dumbfounded *Ver tb* ABRIR, CALAR, CÉU, CRESCER, MANDAR, RESPIRAÇÃO

bocada *sf* mouthful: *Comeram tudo com uma só ~.* They ate it all down in one go.

boca-de-incêndio *sf* hydrant

bocado *sm* **1** (*pão, bolo*) piece **2** (*relativo a tempo*) while: *Um ~ mais tarde tocou o telefone.* The telephone rang a while later. ◇ *Cheguei há ~.* I arrived a short time ago. LOC **mau bocado** (*dificuldades*) bad patch: *atravessar um mau ~* to go through a bad patch **ter para um bocado**: *Ainda tenho para um ~, não me esperes.* I've still got a lot to do, so don't wait for me.

bocal *sm* (*Mús, telefone*) mouthpiece

bocejar *vi* to yawn

bocejo *sm* yawn

bochecha *sf* cheek

boda *sf* wedding (reception) LOC **bodas de ouro/prata** golden/silver wedding [*v sing*]

bode *sm* billy goat LOC **bode expiatório** scapegoat *Ver tb* FEIO

boémio, -a *sm-sf* bohemian

bofetada *sf* slap (in the face) LOC **dar uma bofetada (a)** to slap *sb*

B

boi *sm* ox [*pl* oxen] **LOC** **estar um boi** to be very fat *Ver tb* COMER[2]

boia *sf* **1** (*para nadar*) rubber ring **2** (*pesca*) float **LOC** **boia (de salvação)** lifebelt, life preserver (*USA*)

boiar *vi* to float

boicotar *vt* to boycott

boicote *sm* boycott

boina *sf* beret

bola *sf* **1** ball: *uma ~ de ténis* a tennis ball ◇ *uma ~ de cristal* a crystal ball **2** (*padrão*) polka dot: *uma saia às ~s* a polka-dot skirt ➲ *Ver nota em* WELL BEHAVED **3** (*sabão*) bubble: *fazer ~s de sabão* to blow bubbles **LOC** **bola de neve** snowball **bolas de naftalina** mothballs *Ver tb* BATER, CABEÇADA, ORA

bolacha *sf* biscuit, cookie (*USA*)

bolar *vt* (*inventar*) to think *sth* up

boleia *sf* lift, ride (*USA*): *dar ~ a alguém* to give sb a lift **LOC** **apanhar/pedir boleia** to hitch a lift (*with sb*) **ir à boleia** to hitch-hike

boletim *sm* **1** (*publicação*) bulletin **2** (*Totobola, Totoloto*) coupon **LOC** **boletim de voto** ballot paper **boletim informativo/meteorológico** news/weather report **boletim médico** medical report

bolha *sf* **1** (*em líquido*) bubble **2** (*na pele*) blister

boliche *sm* skittles [*não-contável*]: *jogar ~* to play skittles

bolinha *sf* (*pão*) (bread) roll

bolo *sm* **1** cake: *um ~ de aniversário* a birthday cake **2** (*pão doce*) bun **LOC** **feito num bolo** a mess: *Tens a cara feita num ~.* Your face is a mess.

bolor *sm* mould **LOC** **criar/ganhar/ter bolor** to go/be mouldy

bolota *sf* acorn

bolsa *sf* **1** bag **2** (*concentração*) pocket: *uma ~ de ar* an air pocket **3** (*subsídio*) grant **4** (*Com*) stock exchange: *a ~ de Londres* the London Stock Exchange **LOC** **bolsa de estudos 1** (*do Estado*) grant **2** (*de entidade privada*) scholarship **bolsa de maquilhagem/toilette** sponge bag

bolso *sm* pocket: *Está no ~ do meu casaco.* It's in my coat pocket. **LOC** **de bolso** pocket (-sized): *guia de ~* pocket guide

bom *sm* (*Educ*) ≈ B

bom, boa ▸ *adj* **1** good: *Boas notícias.* That's good news. ◇ *É ~ fazer exercício.* It is good to take exercise. **2** (*amável*) kind: *Foram muito bons comigo.* They were very nice to me. **3** (*comida*) tasty **4** (*correto*) right: *Não vais por ~ caminho.* You're on the wrong road. **5** (*doente, aparelho*) fine: *Estive doente mas agora já estou ~.* I've been ill but I'm fine now. ▸ *sm-sf* good guy, goody [*pl* goodies] (*coloq*): *Ganhou o ~.* The good guy won. ◇ *Os bons lutaram contra os maus.* There was a fight between the goodies and the baddies. **LOC** **que bom!** (*comida*) yum-yum!

bomba[1] *sf* **1** (*Mil*) bomb: *~ atómica* atomic bomb ◇ *colocar uma ~* to plant a bomb **2** (*notícia*) bombshell **LOC** **bomba de mau cheiro** stink bomb

bomba[2] *sf* (*gasolina, água, ar*) pump: *~ de ar* air pump **LOC** **bomba (de gasolina)** petrol station, gas station (*USA*)

bombardear *vt* **1** (*com bombas*) to bomb **2** (*com mísseis/perguntas*) to bombard: *Bombardearam-me com perguntas.* They bombarded me with questions.

bombazina *sf* corduroy: *calças de ~* corduroy trousers

bombeiro *sm* firefighter ➲ *Ver nota em* POLÍCIA **LOC** **os bombeiros (voluntários)** the fire brigade [*v sing*], the fire department [*v sing*] (*USA*) *Ver tb* CARRO, CORPO, QUARTEL

bombo *sm* (*Mús*) bass drum

bombom *sm* chocolate: *uma caixa de bombons* a box of chocolates

bombordo *sm* port: *a ~* to port

bonacheirão, -ona *adj* good-natured

bondade *sf* goodness **LOC** **ter a bondade de** to be so kind as *to do sth*: *Tenha a ~ de se sentar.* Kindly take a seat.

bondoso, -a *adj* ~ **(com)** kind (to *sb/sth*)

boné *sm* cap: *um ~ de basebol* a baseball cap

boneco, -a *sm-sf* **1** (*brinquedo*) doll: *uma boneca de trapos* a rag doll ◇ *Gostas de brincar com bonecas?* Do you like playing with dolls? **2** (*de um ventríloquo, manequim*) dummy [*pl* dummies] **LOC** **boneco de neve** snowman [*pl* -men] **boneco de peluche/pelúcia** soft toy

bonitão, -ona *adj, sm-sf* **1** (*homem*) good-looking (man) **2** (*mulher*) pretty (woman)

bonito, -a *adj* **1** pretty: *Que bebé tão ~!* What a pretty baby! **2** (*homem*) good-looking **3** (*agradável*) nice: *uma casa/voz bonita* a nice house/voice ◇ *Que ~!* That's very nice! **LOC** **estar bonito** to look nice: *Estás muito bonita com esse vestido.* You look really nice in that dress. **ir bonito** to look smart

bons-dias *sm* **LOC** **dar os bons-dias** to say good morning

bónus *sm* bonus [*pl* bonuses]

boquiaberto, -a *adj* (*surpreendido*) speechless

borboleta *sf* butterfly [*pl* butterflies]

borbulha *sf* **1** (*na pele*) spot: *Estou cheio de ~s.* I'm covered in spots. **2** (*em líquido*) bubble LOC **com/sem borbulhas** (*bebida*) fizzy/still **fazer borbulhas** to bubble **ter borbulhas** (*bebida*) to be fizzy: *Tem muitas ~s.* It's very fizzy.

borda *sf* **1** edge: *à ~ do caminho* at the edge of the path ◇ *na ~ da mesa* on the edge of the table **2** (*objeto circular*) rim: *a ~ do copo* the rim of the glass **3** (*rio*) bank: *nas ~s do Sena* on the banks of the Seine **4** (*lago, mar*) shore **5** (*de navio*) side of the ship: *debruçar-se sobre a ~* to lean over the side of the ship LOC **à borda d'água** at the water's edge **à borda do rio** on the riverside **borda do passeio** kerb

bordado, -a ▸ *adj* (*Costura*) embroidered: *~ à mão* hand-embroidered ▸ *sm* embroidery [*não-contável*]: *um vestido com ~s nas mangas* a dress with embroidery on the sleeves *Ver tb* BORDAR

bordar *vt* (*Costura*) to embroider

bordo *sm* (*prato, banheira, piscina*) edge LOC **a bordo** on board: *subir a ~ do avião* to go on board the plane *Ver tb* ASSISTENTE, PAINEL

boreal *adj* LOC *Ver* AURORA

borla *sf* LOC **à/de borla** (*grátis*) free: *Vamos ver se entramos de ~.* Let's see if we can get in for free.

borra (*tb* **borras**) *sf* **1** (*café*) grounds [*pl*] **2** (*vinho*) dregs [*pl*]

borracha *sf* rubber ❶ Nos Estados Unidos, utiliza-se a palavra **eraser** para se referir à borracha de apagar. LOC *Ver* BOTA, BOTE

borracho *sm* **1** (*pombo*) young pigeon **2** (*rapaz bonito, rapariga bonita*): *É um ~.* He's drop-dead gorgeous.

borrada *sf* (*coisa malfeita*) mess: *Saiu-me uma ~.* I've made a mess of it.

borrão *sm* smudge: *cheio de borrões* full of smudges

borrego, -a *sm-sf* lamb: *~ assado* roast lamb LOC **mão de borrego** shoulder of lamb

borrifar *vt* to sprinkle

bosque *sm* wood

bota *sf* boot LOC **bota de borracha** wellington (boot), rubber boot (*USA*) *Ver tb* ARRUMAR, BATER, GATO, LAMBER

bota-de-elástico *adj, smf* old fogey [*s*] [*pl* old fogeys]

botânica *sf* botany

botânico, -a *adj* botanical LOC *Ver* JARDIM

botão *sm* **1** (*roupa*) button: *Tens um ~ desabotoado.* One of your buttons is undone. **2** (*controle*) knob: *O ~ vermelho é o do volume.* The red knob is the volume control. **3** (*flor*) bud: *um ~ de rosa* a rosebud LOC **botões de punho** cufflinks

botar *vt* LOC *Ver* CARTA

bote *sm* boat ➲ *Ver nota em* BOAT LOC **bote de borracha** (rubber) dinghy [*pl* (rubber) dinghies] **bote salva-vidas** lifeboat

botija *sf* cylinder: *~ de gás/oxigénio* gas/oxygen cylinder LOC *Ver* BOCA

botim *sm* (*bota*) ankle boot

bovino, -a *adj* LOC *Ver* GADO

bowling *sm* bowling: *pista de ~* bowling alley

boxador *sm* boxer

boxar (*tb* **boxear**) *vi* to box

boxe *sm* boxing LOC *Ver* COMBATE, PRATICAR

braçada *sf* (*Natação*) stroke

braçadeira *sf* **1** (*tira de pano*) armband **2** (*para cano, mangueira*) bracket

bracelete *sf* **1** (*pulseira*) bracelet **2** strap: *~ do relógio* watch strap

braço *sm* **1** arm: *Parti o ~.* I've broken my arm. ➲ *Ver nota em* ARM **2** (*candeeiro*) bracket **3** (*rio*) branch **4** (*mar*) inlet LOC **dar o braço a torcer** to give in **de braço dado** arm in arm ➲ *Ver ilustração em* ARM **ficar de braços cruzados**: *Não fiques aí de ~s cruzados! Faz alguma coisa.* Don't just stand there! Do something. **ser o braço direito de alguém** to be sb's right-hand man **ver-se a braços com alguma coisa** to come up against sth *Ver tb* ABRIR, CADEIRA, CRUZAR, RODEAR

braço-de-ferro *sm* **1** arm-wrestling: *jogar ao ~* to arm-wrestle **2** (*fig*) wrangling: *O ~ entre o Ministério e os professores continua.* The wrangling between the Ministry and the teachers is still going on.

braguilha *sf* flies [*pl*], fly (*USA*): *Tens a ~ aberta.* Your flies are undone.

Branca-de-Neve *n pr* Snow White

branco, -a ▸ *adj, sm* white: *pão/vinho ~* white bread/wine ➲ *Ver exemplos em* AMARELO ▸ *sm-sf* (*pessoa*) white man/woman [*pl* men/women] LOC **branco como a neve** as white as snow **em branco** blank: *um cheque/página em ~* a blank cheque/page **ficar em branco** to be left blank *Ver tb* ARMA, BANDEIRA, CHEQUE, VOTO

brando, -a *adj* **1** soft: *um professor ~* a soft teacher **2** (*carácter*) gentle LOC *Ver* LUME

branquear *vt* **1** to whiten **2** (*caiar*) to whitewash **3** (*dinheiro*) to launder

brasa *sf* (*carvão, lenha*) ember LOC **estar sobre brasas** to be on tenterhooks **passar pelas brasas** (*dormir (um) pouco*) to have (a) little sleep **ser uma brasa** (*pessoa*) to be (really) hot: *Ela é uma ~.* She's really hot. *Ver tb* ASSADO, PUXAR

B

braseira *sf* (*elétrica*) electric heater

Brasil *sm* Brazil

brasileiro, -a *adj, sm-sf* Brazilian: *os ~s* the Brazilians

bravo, -a ▸ *adj* (*animal*) fierce ▸ **bravo!** *interj* bravo!

brecha *sf* (*ferida*) gash

breu *sm* pitch LOC *Ver* ESCURO

breve *adj* short: *uma estadia ~* a short stay LOC **até breve!** see you soon! **em breve** soon **ser breve** (*ao falar*) to be brief

bricolage *sf* DIY

briga *sf* fight: *procurar ~* to be looking for a fight ◇ *meter-se numa ~* to get into a fight

brigada *sf* **1** (*Mil*) brigade **2** (*polícia*) squad [*v sing ou pl*]: *a ~ de homicídios/anti-droga* the murder/drug squad ➲ *Ver nota em* JÚRI

brigadeiro *sm* **1** (*bombom*) chocolate truffle **2** (*Mil*) brigadier

brigão, -ona *sm-sf* bully [*pl* bullies]

brigar *vi* ~ **(com) (por) 1** (*discutir*) to quarrel (with *sb*) (about/over *sth*): *Não briguem por isso.* Don't quarrel over something like that. **2** (*zangar-se*) to fall out (with *sb*) (about/over *sth*): *Acho que brigou com a namorada.* I think he's fallen out with his girlfriend. **3** (*lutar*) to fight (*for/against/over sb/sth*): *As crianças brigavam pelos brinquedos.* The children were fighting over the toys.

brilhante ▸ *adj* **1** (*luz, cor*) bright **2** (*superfície*) shiny **3** (*fenomenal, perfeito*) brilliant: *Fiz um exame ~.* I did a brilliant exam. ▸ *sm* diamond

brilhar *vi* **1** to shine: *Os seus olhos brilhavam de alegria.* Their eyes shone with joy. ◇ *Como brilha!* Look how shiny it is! **2** (*lâmpada*) to give off light: *Aquela lâmpada não brilha muito.* That lamp isn't giving off much light. **3** ~ **(em)** (*distinguir-se*) to do brilliantly (in *sth*): *Brilhou em matemática este ano.* She did brilliantly in maths this year. LOC *Ver* OURO

brilho *sm* **1** brightness: *o ~ do candeeiro* the brightness of the lamp **2** (*cabelo, sapatos*) shine **3** (*metal, olhos*) gleam **4** (*fogo*) blaze

brincadeira *sf* **1** (*partida*) joke: *Não se trata de uma ~.* Don't treat it as a joke. ◇ *Aquilo era uma ~, ninguém sabia o que fazer.* It was a joke; no one knew what to do. ◇ *Deixa-te de ~s!* Stop messing about! **2** (*jogo*) game LOC **brincadeira de crianças** child's play **estar na brincadeira** to be joking **fora de brincadeira** joking apart **levar alguma coisa para a brincadeira** to treat sth as a joke **na/por brincadeira** jokingly **nem por brincadeira!** no way!

brincalhão, -ona ▸ *adj* playful ▸ *sm-sf* joker: *É um ~.* He's a real joker.

brincar *vi* **1** (*criança*) to play **2** (*gracejar*) to joke LOC **a brincar** as a joke: *dizer alguma coisa a ~* to say sth as a joke ◇ *Estava a ~.* I was only joking. *Ver tb* ESCONDIDO

brinco *sm* earring

brindar *vi* **1** ~ **(a)** to drink a toast (to *sb/sth*): *Brindemos à sua felicidade.* Let's drink (a toast) to their happiness. **2** ~ **alguém com alguma coisa** (*presentear*) to give sth to sb

brinde *sm* **1** (*saudação*) toast **2** (*presente*) free gift LOC **fazer um brinde** to drink a toast (*to sb/sth*)

brinquedo *sm* toy LOC **de brinquedo** toy: *camião de ~* toy lorry *Ver tb* LOJA

brisa *sf* breeze

brita *sf* gravel

britânico, -a *adj, sm-sf* British: *os ~s* the British LOC *Ver* ILHA

broca *sf* (*berbequim, de dentista*) drill

broche *sm* (*joia*) brooch, pin (*USA*)

brochura *sf* brochure

brócolos *sm* broccoli [*não-contável*]

bronca *sf* **1** (*sarilho*) trouble [*não-contável*] **2** (*situação embaraçosa*) faux pas [*pl* faux pas] LOC **armar/dar bronca** to cause trouble

bronco, -a ▸ *adj* stupid ▸ *sm-sf* **1** (*estúpido*) twit **2** (*pessoa convencida*) show-off

bronquite *sf* bronchitis [*não-contável*]

bronze *sm* bronze

bronzeado, -a ▸ *adj* tanned ▸ *sm* (sun)tan *Ver tb* BRONZEAR

bronzeador *sm* suntan lotion

bronzear ▸ *vt* (*pele*) to tan ▸ **bronzear-se** *vp* to get a suntan

brotar *vi* **1** (*plantas*) to sprout **2** (*flores*) to bud **3** (*líquido*) to gush (out) (*from sth*)

bruços *sm* (*Natação*) breaststroke LOC **de bruços** (*posição*) face down *Ver tb* NADAR

bruma *sf* mist

brusco, -a *adj* **1** (*repentino*) sudden **2** (*pessoa*) abrupt LOC *Ver* TRAVAGEM

brutal *adj* (*violento*) brutal

bruto, -a ▸ *adj* **1** (*força*) brute **2** (*estúpido*) thick: *Não sejas ~!* Don't be so thick! **3** (*peso, rendimento*) gross ▸ *sm-sf* **1** (*pessoa violenta*) brute **2** (*pessoa estúpida*) idiot LOC *Ver* PETRÓLEO, PRODUTO

bruxa *sf* **1** (*feiticeira*) witch **2** (*adivinha*) psychic: *Pareces ~.* You must be psychic.

bruxaria *sf* witchcraft [*não-contável*]

bruxo ▸ *sm* **1** (*feiticeiro*) wizard **2** (*adivinho*) psychic: *Pareces ~.* You must be psychic. ▸ **bruxo!** *interj* (*exatamente*) spot on!

budismo *sm* Buddhism

budista *adj, smf* Buddhist

búfalo *sm* buffalo [*pl* buffalo/buffaloes]

bufete (*tb* bufé) *sm* **1** (*refeição*) buffet **2** (*móvel*) sideboard, buffet (*USA*)

buldogue *sm* bulldog

bule *sm* **1** (*chá*) teapot **2** (*café*) coffee pot

bulício *sm* **1** (*ruído*) noise **2** (*atividade*) hustle and bustle: *o ~ da capital* the hustle and bustle of the capital

buraco *sm* **1** hole: *fazer um ~* to make a hole **2** (*em estrada*) pothole: *Estas estradas estão cheias de ~s.* These roads are full of potholes. LOC **buraco da fechadura** keyhole

burguês, -esa *adj* middle-class

burguesia *sf* middle class

burla *sf* fraud

burlar *vt* to swindle *sb* (*out of sth*): *Burlou os investidores em milhões de libras.* He has swindled investors out of millions of pounds.

burocracia *sf* **1** bureaucracy **2** (*papelada excessiva*) red tape

burocrático, -a *adj* bureaucratic

burrice (*tb* burrada) *sf* (*asneira*) stupid thing: *Foi uma ~ o que fizeste.* That was a really stupid thing to do. LOC **dizer burrices** to talk nonsense

burro, -a ▸ *adj*: *Não sejas ~!* Don't be such an ass! ▸ *sm-sf* **1** (*animal*) donkey [*pl* donkeys] **2** (*pessoa*) ass: *o ~ do meu cunhado* my idiotic brother-in-law LOC **burro de carga** (*pessoa*) dogsbody [*pl* dogsbodies] *Ver tb* PORTA

busca *sf* ~ **(de)** search (for *sb/sth*): *Abandonaram a ~ do cadáver.* They abandoned the search for the body. ◇ *Realizaram uma ~ aos bosques.* They searched the woods. LOC **em busca de** in search of *sb/sth* *Ver tb* MOTOR

buscar *vt* **1** (*recolher alguém*) **(a)** (*de carro*) to pick *sb* up: *Fomos buscá-lo à estação.* We picked him up at the station. **(b)** (*a pé*) to meet **2** (*procurar e trazer*) to fetch, to get (*mais coloq*): *Fui ~ o médico.* I went to get the doctor. **3** (*procurar*) to look for *sb/sth* LOC **ir buscar lenha para se queimar** to get yourself into trouble: *Ela está sempre a ir ~ lenha para se queimar.* She's always getting into trouble. **ir/vir buscar alguém/alguma coisa** to go/come and get sb/sth *Ver tb* MANDAR

bússola *sf* compass

busto *sm* bust

butano *sm* butane

buzina *sf* horn: *tocar a ~* to sound your horn

buzinar *vi* to hoot

búzio *sm* whelk

byte *sm* (*Informát*) byte

C c

cá *adv*: *Vem/Anda cá.* Come here. ◇ *Chega-o mais para cá.* Bring it nearer. LOC **de cá para lá**: *Passei o dia de cá para lá.* I've been running around all day. ◇ *Tenho andado de cá para lá à tua procura.* I've been looking for you everywhere.

cabana *sf* (*barraca*) hut

cabaz *sm* hamper: *~ de Natal* Christmas hamper

cabeça *sf* **1** head **2** (*lista, liga*) top: *à ~ da lista* at the top of the list **3** (*juízo*) sense: *Que ~ tens!* You've got no sense! LOC **de cabeça** headlong: *atirar-se de ~ para a piscina* to dive headlong into the swimming pool **de cabeça para baixo** upside down ➲ *Ver ilustração em* CONTRÁRIO **estar/ir à cabeça 1** (*estudo, investigação*) to lead the field **2** (*corrida, competição*) to be in the lead **meter-se na cabeça a alguém fazer alguma coisa** to take it into your head to do sth **não estar bom da cabeça** not to be right in the head **por cabeça** a/per head **ter cabeça** to be very brainy ❶ Para outras expressões com **cabeça**, ver as entradas para o substantivo, verbo, etc., p. ex. **ser uma cabeça de vento** em VENTO.

cabeçada *sf* **1** (*golpe*) head butt **2** (*Futebol*) header LOC **dar uma cabeçada (na bola)** to head the ball

cabeça-dura *adj, smf* stubborn [*adj*]: *Um gestor não pode ser um ~.* A manager can't be stubborn.

cabeçalho *sm* **1** (*jornal*) masthead **2** (*página, documento*) heading

cabecear *vi* **1** (*de sono*) to nod **2** (*Futebol*) to head: *~ para a rede* to head the ball into the net

cabeceira *sf* **1** head: *sentar-se à ~ da mesa* to sit at the head of the table **2** (*parte de uma cama*) headboard LOC *Ver* MESA

cabecilha *smf* ringleader

cabeçudo, -a *adj, sm-sf* (*teimoso*) pig-headed [*adj*]: *Saíste-me um ~!* You're so pig-headed!

cabedal *sm* leather

cabeleira *sf* **1** (*postiça*) wig **2** (*verdadeira*) head of hair

C

cabeleireiro, -a *sm-sf* **1** (*pessoa*) hairdresser **2** (*local*) hairdresser's ➲ *Ver nota em* TALHO LOC *Ver* SALÃO

cabelo *sm* hair: *usar o ~ solto* to wear your hair loose ◇ *apanhar o ~* to tie your hair back ◇ *ter o ~ encaracolado/liso* to have curly/straight hair ◇ *Arrepiaram-se me os ~s.* My hair stood on end. LOC **até à ponta/raiz dos cabelos** to be fed up to the back teeth (*with sb/sth*) **estar pelos cabelos** to be fed up (*with sb/sth*) **por um (fio de) cabelo** by the skin of your teeth: *Livraram-se de um acidente por um ~.* They missed having an accident by the skin of their teeth. *Ver tb* ARREPIAR-SE, CORTAR, CORTE¹, DESEMARANHAR, ESCOVA, PINTAR, SOLTAR

caber *vi* **1** ~ **(em)** to fit (in/into *sth*): *A minha roupa não cabe na mala.* My clothes won't fit in the suitcase. ◇ *Caibo?* Is there room for me? **2** (*passar*) to go through *sth*: *O piano não cabia na porta.* The piano wouldn't go through the door. **3** ~ **a** to be up to *sb* (*to do sth*): *Cabe-te a ti fazer o jantar hoje.* It's up to you to make dinner today. **4** (*vir a propósito*) to be appropriate (*to do sth*): *Não cabe aqui fazer comentários.* This is not the time or place to comment. LOC **não caber em si** to be bursting *with sth*: *não ~ em si de felicidade/alegria/contente* to be bursting with happiness

cabide *sm* **1** (*de armário*) hanger: *Pendura o fato num ~.* Put your suit on a hanger. **2** (*de pé*) coat stand **3** (*de parede*) coat hook

cabina (*tb* **cabine**) *sf* **1** (*avião*) cockpit **2** (*barco*) cabin **3** (*camião*) cab LOC **cabina de provas** fitting room ❶ Também se diz **changing room**. **cabina eleitoral/de voto** polling booth **cabina (telefónica/de telefone)** telephone box

cabo *sm* **1** cable **2** (*Rádio, TV, etc.*) lead, cord (*USA*) **3** (*utensílio, vassoura, esfregona, etc.*) handle **4** (*extremo*) end **5** (*Náut*) rope **6** (*Geog*) cape: *o ~ da Boa Esperança* the Cape of Good Hope **7** (*Mil*) corporal: *o ~ Ramos* Corporal Ramos LOC **ao cabo de** after: *ao ~ de um ano* after a year **dar cabo de** (*estragar*) to muck *sth* up: *Alguém deu ~ do vídeo.* Somebody's mucked up the video. **dar cabo dos nervos** to set *sb's* nerves on edge **de cabo a rabo** from beginning to end **levar a cabo** to carry *sth* out *Ver tb* FIM

Cabo Verde *sm* Cape Verde Islands [*pl*]

cabo-verdiano, -a *adj, sm-sf* Cape Verdean

cabra *sf* goat

> **Goat** é o substantivo genérico. **Billy goat** refere-se só ao macho. Quando nos queremos referir apenas à fêmea, utilizamos **nanny goat**. *Cabrito* traduz-se por **kid**.

cabra-cega *sf* (*jogo*) blind man's buff

cabrito, -a *sm-sf* kid ➲ *Ver nota em* CABRA

cábula *sf* (*para copiar*) crib

caca *sf* poo

caça¹ *sf* **1** (*caçada*) **(a)** hunting: *A ~ é um desporto que não me agrada.* I don't like hunting. **(b)** (*pequena caçada*) shooting **2** (*animais*) game: *Nunca comi ~.* I've never tried game. LOC **andar/ir à caça de** to be after *sb/sth* **caça grossa** big game hunting **caça miúda** shooting **ir à caça 1** to go hunting **2** (*pequena caçada*) to go shooting *Ver tb* ÉPOCA, FURTIVO, TEMPORADA

caça² *sm* (*avião*) fighter (plane)

caçada *sf* **1** hunt: *uma ~ ao elefante* an elephant hunt **2** (*pequena caçada*) shoot

caçador, -ora *sm-sf* hunter LOC *Ver* FURTIVO

cação *sm* dogfish

caçar ▸ *vt* **1** to hunt **2** (*com espingarda*) to shoot **3** (*apanhar*) to catch: *~ borboletas* to catch butterflies **4** (*conseguir*) to land: *~ um bom emprego* to land a good job ▸ *vi* **1** to hunt **2** (*com espingarda*) to shoot

cacarejar *vi* (*galinha*) to cackle

caçarola *sf* casserole ➲ *Ver ilustração em* POT

cacau *sm* **1** (*planta*) cacao **2** (*em pó*) cocoa

cacete *sm* **1** stick **2** (*pão*) baguette ➲ *Ver ilustração em* PÃO

cachaço *sm* back of the neck

caché (*tb* **cachet**) *sm* (*mundo do espetáculo*) appearance fee

cachecol *sm* scarf [*pl* scarves/scarfs]

cachimbo *sm* pipe: *fumar ~* to smoke a pipe ◇ *o ~ da paz* the pipe of peace

cacho *sm* bunch LOC **(bêbedo) como um cacho** as drunk as a lord

cachorro, -a *sm-sf* puppy [*pl* puppies] ➲ *Ver nota em* CÃO

cachorro-quente *sm* hot dog

cacifo *sm* **1** (*armário*) locker **2** (*móvel com escaninhos*) pigeonholes [*pl*]

cacimba *sf* drizzle

cada *pron* **1** each: *Deram um presente a ~ criança.* They gave each child a present. ➲ *Ver nota em* EVERY **2** [*com expressões de tempo, com expressões numéricas*] every: *~ semana/vez* every week/time ◇ *~ dez dias* every ten days **3** [*com valor exclamativo*]: *Dizes ~ coisa!* The things you come out with! LOC **cada dois dias,**

duas semanas, etc. every other day, week, etc. **cada qual** everyone **cada um** each (one): *Cada um custava cinco euros.* Each one cost five euros. ◇ *Deram um saco a ~ um de nós.* They gave each of us a bag./They gave us a bag each. **por cada...** between: *um livro por ~ dois/três alunos* one book between two/three students ❶ Para outras expressões com **cada**, ver as entradas para o substantivo, adjetivo, etc., p. ex. **cada vez menos** em VEZ.

cadastro *sm* (*registo policial*) criminal record: *ter ~* to have a criminal record

cadáver *sm* corpse, body [*pl* bodies] (*mais coloq*)

cadeado *sm* padlock: *fechado a ~* padlocked

cadeia *sf* **1** chain **2** (*prisão*) prison: *estar na ~* to be in prison LOC **cadeia montanhosa** mountain range *Ver tb* CHOQUE

cadeira *sf* **1** (*móvel*) chair: *sentado numa ~* sitting on a chair **2** (*disciplina*) subject: *Chumbei a duas ~s.* I've failed two subjects. LOC **cadeira de baloiço/balanço** rocking chair **cadeira de braços** armchair **cadeira de rodas** wheelchair

cadeirão *sm* armchair: *sentado num ~* sitting in an armchair

cadeirinha *sf* (*carrinho de bebé*) pushchair, stroller (*USA*)

cadela *sf* (*animal*) bitch ➲ *Ver nota em* CÃO

caderneta *sf* **1** (*caderno*) notebook **2** (*de banco, etc.*) book: *~ do aluno/professor* student's/teacher's book ◇ *~ de poupança* savings book

caderno *sm* **1** notebook **2** (*de exercícios*) exercise book, notebook (*USA*)

cadete *smf* cadet

caducar *vi* **1** (*documento, prazo*) to expire **2** (*alimento*) to go past its sell-by date, to go past its pull date (*USA*) **3** (*medicamento*) to be out of date: *Quando caduca?* When does it have to be used by?

caduco, **-a** *adj* LOC *Ver* FOLHA

café *sm* **1** coffee: *Queres um ~?* Would you like some/a coffee? **2** (*estabelecimento*) cafe LOC **café de máquina** espresso [*pl* espressos] **café (simples)/com leite** black/white coffee **café pingado** macchiato [*pl* macchiatos] **café solúvel** instant coffee *Ver tb* MÁQUINA, MOINHO

cafeína *sf* caffeine: *sem~* caffeine free

cafetaria *sf* snack bar

cafeteira *sf* coffee pot LOC **cafeteira elétrica** coffee machine

cafezeiro, **-a** *adj* **1** coffee: *a indústria cafezeira* the coffee industry **2** (*pessoa*): *ser muito ~* to be very fond of coffee

cágado *sm* terrapin LOC *Ver* PASSO

caiar *vt* to whitewash

cãibra *sf* cramp(s): *Dão-me ~s nas pernas.* I get cramp in my legs. ◇ *~ no estômago* stomach cramps

caído, **-a** *adj* fallen: *um pinheiro ~* a fallen pine LOC **caído do céu 1** (*inesperado*) out of the blue **2** (*oportuno*): *um presente ~ do céu* a real godsend *Ver tb* CAIR

caimão *sm* alligator

cair *vi* **1** to fall: *Cuidado, não caias.* Mind you don't fall. ◇ *~ na armadilha* to fall into the trap ◇ *Caía a noite.* Night was falling. **2** (*dente, cabelo*) to fall out: *Está a cair-lhe o cabelo.* His hair is falling out. **3 ~ sobre** (*responsabilidade, suspeita*) to fall on *sb*: *Todas as suspeitas caíram sobre mim.* Suspicion fell on me. LOC **ao cair da tarde/noite** at dusk/nightfall **cair alguma coisa a alguém** to drop sth: *Caiu-me o gelado.* I dropped my ice cream. ➲ *Ver nota em* DROP **cair bem/mal 1** (*roupa*) to suit/not to suit *sb*, to look good/not to look good on *sb* (*USA*): *Este vestido cai-me mesmo mal.* This dress doesn't suit me at all. **2** (*alimento*) to agree/not to agree *with sb*: *O café não me cai bem.* Coffee doesn't agree with me. **3** (*fazer um bom/mau efeito*) to do *sb* good/no good: *Caiu-me mesmo bem o descanso.* The rest did me good. **4** (*levar a bem/mal*): *Caiu-me mesmo mal não me terem convidado.* I was upset that I wasn't invited. ❶ Para outras expressões com **cair**, ver as entradas para o substantivo, adjetivo, etc., p. ex. **cair na rede** em REDE.

cais *sm* **1** (*estação*) platform **2** (*porto*) wharf [*pl* wharves/wharfs]

caixa[1] *sf* **1** box: *uma ~ de cartão* a cardboard box ◇ *uma ~ de bombons* a box of chocolates ➲ *Ver ilustração em* CONTAINER **2** (*ovos*) carton **3** (*vinho*) case LOC **caixa de ferramentas** toolbox **caixa de primeiros socorros** first-aid kit **caixa de velocidades** gearbox **caixa do correio 1** (*na rua*) postbox, mailbox (*USA*) **2** (*numa casa*) letter box, mail slot (*USA*) ➲ *Ver ilustração em* LETTER BOX

caixa[2] ▸ *sf* **1** (*supermercado*) checkout **2** (*outras lojas*) cash desk **3** (*banco*) cashier's desk, teller's window (*USA*) **4 Caixa** ≈ National Health Service, (*GB*) ▸ *smf* (*pessoa*) cashier LOC **caixa automática** cash machine, ATM (*USA*) **caixa de crédito** savings bank **caixa registadora** till **fazer a caixa** to cash up, to cash out (*USA*) *Ver tb* CARTÃO

caixão *sm* coffin, casket (*USA*)

caixa-preta *sf* black box

caixote *sm* **1** (*de papelão*) (cardboard) box

2 (*de madeira*) crate **LOC** **caixote do lixo** (rubbish) bin, trash can (*USA*) ➲ *Ver ilustração em* BIN

cajadada *sf* **LOC** *Ver* MATAR

cal *sf* lime

calabouço *sm* **1** (*masmorra*) dungeon **2** (*cela*) cell

calado, -a *adj* **1** quiet: *O teu irmão está muito ~ hoje.* Your brother is very quiet today. **2** (*em completo silêncio*) silent: *Permaneceu ~.* He remained silent. **LOC** **calado como um rato** as quiet as a mouse *Ver tb* CALAR

calafrio *sm* shiver **LOC** **dar calafrios** to send shivers down your spine **sentir/ter calafrios** to shiver

calamidade *sf* calamity [*pl* calamities]

calão, -ona ▸ *sm-sf* (*pessoa*) lazy person: *É um ~, não quer trabalhar!* He's so lazy – he never wants to do any work! ▸ *sm* (*linguagem*) slang

calar ▸ *vt* (*pessoa*) to get *sb* to be quiet: *Vê se calas essas crianças!* Get those children to be quiet! ▸ **calar-se** *vp* **1** (*não falar*) to say nothing: *Prefiro calar-me.* I'd rather say nothing. **2** (*deixar de falar ou fazer barulho*) to go quiet, to shut up (*coloq*): *Dá-lho a ver se ele se cala.* Give it to him and see if he shuts up. **3** (*não revelar*) to keep quiet about *sth* **LOC** **cala a boca!/cala o bico!** shut up! **cala-te!** be quiet!

calçada *sf* cobbled street

calcadela *sf* **LOC** **dar uma calcadela em alguém** to tread on sb's foot

calçado *sm* footwear [*não-contável*], shoes [*pl*] (*mais coloq*): *~ de pele* leather footwear **LOC** *Ver* POMADA

calcanhar *sm* (*pé, sapato*) heel

calcar *vt* (*pisar*) to stand on *sb's* foot

calçar ▸ *vt* **1** (*sapato*) to wear: *Calço sapatos rasos.* I wear flat shoes. **2** (*número*) to take: *Que número calças?* What size do you take? **3** (*pessoa*) to put *sb's* shoes on: *Calças o miúdo?* Can you put the little boy's shoes on for him? ▸ **calçar-se** *vp* to put your shoes on

calças *sf* trousers [*pl*], pants [*pl*] (*USA*): *Não encontro as ~ do pijama.* I can't find my pyjama trousers.

> **Trousers, pants, shorts**, etc. são palavras que só existem no plural em inglês, portanto, para nos referirmos a "uma calça" ou "umas calças", utilizamos **some trousers** ou **a pair of trousers**: *Vestia umas calças velhas.* He was wearing some old trousers/an old pair of trousers. ◇ *Preciso de umas calças pretas.* I need a pair of black trousers. ➲ *Ver tb nota em* PAIR

LOC **calças de ganga** jeans **calças de peito** dungarees, overalls (*USA*) ➲ *Ver ilustração em* OVERALLS

calcinado, -a *adj* charred *Ver tb* CALCINAR

calcinar *vt* to burn *sth* down

cálcio *sm* calcium

calço *sm* wedge

calções *sm* shorts **LOC** **calções de banho** swimming trunks ❶ De notar que *uns calções de banho* corresponde a **a pair of swimming trunks**. ➲ *Ver tb notas em* CALÇAS *e* PAIR

calculadora *sf* calculator

calcular *vt* **1** to work *sth* out, to calculate (*mais formal*): *Calcula quanto necessitamos.* Work out/Calculate how much we need. **2** (*supor*) to reckon, to guess (*USA*): *Calculo que sejam umas 60 pessoas.* I reckon there must be around 60 people.

cálculo *sm* calculation: *Segundo os meus ~s são 105.* It's 105 according to my calculations. ◇ *Tenho de fazer uns ~s antes de decidir.* I have to make some calculations before deciding. **LOC** **cálculo renal** (*Med*) kidney stone **fazer um cálculo aproximado** to make a rough estimate *Ver tb* FOLHA

calda *sf* syrup: *pêssegos em ~* peaches in syrup

caldeira *sf* boiler

caldo *sm* **1** (*para cozinhar*) stock: *~ de galinha* chicken stock **2** (*sopa*) broth [*não-contável*]: *Quero um ~ de legumes.* I'd like some vegetable broth. **LOC** **caldo verde** kale and potato broth

calendário *sm* calendar

calhar *vi* **1 ~ a** (*ocorrer*) to fall (on *sth*): *O meu aniversário calha a uma terça.* My birthday falls on a Tuesday. **2 ~ a** (*prémio*) to go to *sb/sth*: *O prémio calhou ao meu grupo.* The prize went to my group. **3** (*acontecer*) to happen: *Calhou eu estar em casa senão...* Good job I happened to be at home or else... **LOC** **ao calhas**: *Esta resposta vai ao calhas.* This answer is chosen at random. **calhar bem/mal** (*convir*) to suit/not to suit: *Amanhã calha-me mal.* Tomorrow doesn't suit me. **como calhar** (*não importa como*): *– Como queres o café? – Como ~.* 'How do you like your coffee?' 'As it comes.' **se calhar** maybe **vir mesmo a calhar** to come in (very) handy: *Vem mesmo a ~.* It will come in very handy.

calibre *sm* calibre: *uma pistola de ~ 38* a .38 calibre gun

cálice *sm* **1** (*copo*) port glass **2** (*sagrado*) chalice

caligrafia *sf* handwriting

calista *smf* chiropodist

calma *sf* calm: *manter a ~* to keep calm **LOC** **levar alguma coisa com calma** to take sth easy: *Leva as coisas com ~.* Take it easy. **(tem) calma!** calm down! *Ver tb* PERDER

calmante *sm* **1** (*para os nervos*) tranquillizer **2** (*para a dor*) painkiller

calmo, -a *adj* **1** calm, laid-back (*coloq*): *É uma mulher muito calma.* She's a very calm person. ◇ *É tão ~ que me deixa nervosa.* He's so laid-back he makes me nervous. **2** (*local*) quiet: *Moro numa zona calma.* I live in a quiet area. **3** (*mar*) calm

calo *sm* **1** (*dedo do pé*) corn **2** (*mão, planta do pé*) callus [*pl* calluses]

caloiro, -a *sm-sf* fresher

calor *sm* heat **LOC** **estar calor** to be hot: *Está muito ~.* It's very hot. ◇ *Que ~ que está!* It's so hot! **estar com/ter calor** to be/feel hot: *Tenho ~.* I'm hot. ➲ *Ver nota em* QUENTE; *Ver tb* MORRER

caloria *sf* calorie: *uma dieta baixa em ~s* a low-calorie diet

caloroso, -a *adj* warm: *uma receção calorosa* a warm welcome

caloteiro, -a *adj, sm-sf*: *Não vendo nada a ~s.* I don't sell anything to people who don't pay.

calva *sf* bald patch

calvo, -a *adj* bald: *ficar ~* to go bald

cama *sf* bed: *ir para a ~* to go to bed ◇ *Ainda estás na ~?* Are you still in bed? ◇ *enfiar-se/meter-se na ~* to get into bed ◇ *sair da ~* to get out of bed **LOC** **cama de casal** double bed **cama elástica** trampoline **cama individual/de solteiro** single bed **fazer a cama à francesa** to make an apple-pie bed (*for sb*)

camada *sf* **1** layer: *a ~ do ozono* the ozone layer **2** (*tinta, verniz*) coat

camaleão *sm* chameleon

câmara *sf* **1** chamber: *a ~ legislativa* the legislative chamber ◇ *música de ~* chamber music **2** (*Cinema, Fot*) camera **LOC** **câmara de vídeo** camcorder **câmara fotográfica** camera **câmara municipal 1** (*organismo*) (town) council [*v sing ou pl*] ➲ *Ver nota em* JÚRI **2** (*edifício*) town hall **em câmara lenta** in slow motion *Ver tb* OPERADOR, PRESIDENTE

camarada *smf* **1** (*Pol*) comrade **2** (*colega*) mate

câmara-de-ar *sf* (*roda de bicicleta*) inner tube

camarão *sm* **1** prawn, shrimp (*USA*) **2** (*pequeno*) shrimp

camarata *sf* (*colégio interno, quartel*) dormitory [*pl* dormitories]

camarim *sm* dressing room

camarote *sm* **1** (*navio*) cabin **2** (*teatro*) box

cambalhota *sf* somersault: *dar uma ~* to do a somersault

câmbio *sm* (*Fin*) exchange rate **LOC** *Ver* CASA

camélia *sf* camellia

camelo *sm* (*animal*) camel

camião *sm* lorry [*pl* lorries], truck (*USA*) **LOC** **camião de mudanças** removal van, moving van (*USA*) **camião do lixo** dustcart, garbage truck (*USA*)

camião-cisterna *sm* tanker

caminhada *sf* **1** walk: *fazer uma grande ~* to go for a long walk **2** (*por montanha, deserto, etc.*) trek

caminhar ▸ *vi* to walk ▸ *vt* to cover: *Caminhámos 150 km.* We've covered 150 km.

caminho *sm* **1** (*direção, via*) way: *Não me lembro do ~.* I can't remember the way. ◇ *Encontrei-a no ~.* I met her on the way. **2** ~ **(de/para)** (*rumo*) path (to *sth*): *o ~ da fama* the path to fame **3** (*estrada não asfaltada*) track **LOC** **de caminho 1** (*no trajeto*) on the way: *Fica-me de ~.* It's on my way. **2** (*ao mesmo tempo*): *Leva isto ao escritório e de ~ fala com a secretária.* Take this to the office, and while you're there have a word with the secretary. **(estar/ir) a caminho de...** (to be) on the/your way to... **ficar a caminho** to be on my, your, etc. way **ir por bom/mau caminho** to be on the right/wrong track **pelo caminho** as I, you, etc. go (along): *Decidimos pelo ~.* We'll decide as we go along. **pôr-se a caminho** to set off **sai do caminho!** get out of the way! *Ver tb* ABRIR, ERRAR, MEIO

caminho-de-ferro *sm* railway, railroad (*USA*): *estação do ~* railway/train station

camioneta *sf* **1** (*mercadorias*) (small) lorry [*pl* (small) lorries] **2** (*pessoas*) coach, bus (*USA*)

camionista *smf* lorry driver, truck driver (*USA*)

camisa *sf* shirt **LOC** **camisa de noite/dormir** nightdress, nightie (*coloq*) *Ver tb* MANGA

camisola *sf* **1** sweater **2** (*Desp*) shirt: *a ~ número 11* the number 11 shirt **3** (*Ciclismo*) jersey [*pl* jerseys]: *a ~ amarela* the yellow jersey **LOC** **camisola de gola alta** polo neck, turtleneck (*USA*) **camisola interior** vest, undershirt (*USA*) *Ver tb* AMOR

camomila *sf* chamomile: *um chá de ~* a chamomile tea

campainha *sf* bell: *tocar à ~* to ring the bell

campanário *sm* belfry [*pl* belfries]

campanha *sf* (*Com, Pol, Mil*) campaign: *~ eleitoral* election campaign

campeão, -eã *sm-sf* champion: *o ~ do mundo/*

C

da Europa the world/European champion **LOC campeão de audiências** (*TV*) programme with the highest viewing figures

campeonato *sm* championship(s): *o Campeonato Mundial de Atletismo* the World Athletics Championships

campismo *sm* camping: *fazer ~* to go camping **LOC** *Ver* PARQUE, TENDA

campista *smf* camper

campo *sm* **1** (*natureza*) country: *viver no ~* to live in the country **2** (*terra de cultivo*) field: *~s de cevada* barley fields **3** (*paisagem*) countryside: *O ~ em abril é lindo.* The countryside looks lovely in April. **4** (*âmbito, Fís, Informát*) field: *~ magnético* magnetic field ◇ *o ~ da engenharia* the field of engineering **5** (*Desp*) **(a)** (*Ténis, Basquetebol, Squash*) court: *Os jogadores já estão no ~.* The players are on court. **(b)** (*Futebol, Râguebi*) pitch, field (*USA*): *um ~ de râguebi* a rugby pitch ◇ *entrar no ~* to come out onto the pitch **(c)** (*Golfe*) course: *~ de golfe* golf course **(d)** (*estádio*) ground: *o ~ do Marítimo* Marítimo's ground **6** (*acampamento*) camp: *~ de concentração/prisioneiros* concentration/prison camp **LOC campo de batalha** battlefield **no campo contrário** (*Desp*) away: *jogar no ~ contrário* to play away *Ver tb* FAINA, PRODUTO, TRABALHO

camponês, -esa *sm-sf* peasant

campus *sm* (*universitário*) campus [*pl* campuses]

camuflagem *sf* camouflage

camuflar *vt* **1** to camouflage **2** (*encobrir*) to cover *sth* up: *A Federação camuflou um caso de doping.* The Federation covered up a case of doping.

camurça *sf* (*pele*) suede

cana *sf* (*bambu, açúcar*) cane **LOC cana (de pesca)** fishing rod

Canadá *sm* Canada

cana-de-açúcar *sf* sugar cane

canadiana *sf* (*casaco de inverno*) duffel coat

canadiano, -a *adj, sm-sf* Canadian

canal *sm* **1** (*TV, Informát, estreito marítimo natural*) channel: *um ~ de televisão* a TV channel ◇ *o ~ da Mancha* the Channel **2** (*estreito marítimo artificial, de rega*) canal: *o ~ do Suez* the Suez Canal **3** (*Med*) duct

canalização *sf* (*canos*) plumbing

canalizador, -ora *sm-sf* plumber

canário *sm* (*pássaro*) canary [*pl* canaries]

canção *sf* (*Mús*) song **LOC canção de embalar/ninar** lullaby [*pl* lullabies]

cancela *sf* (*portão*) gate: *Fecha a ~, se faz favor.* Shut the gate, please.

cancelar *vt* to cancel: *~ um voo/uma reunião* to cancel a flight/meeting

Câncer *sm* (*Astrol*) Cancer ➲ *Ver exemplos em* AQUARIUS

cancro *sm* cancer [*não-contável*]: *~ do pulmão* lung cancer

candeeiro *sm* **1** (*de casa*) lamp **2** (*de rua*) street light **LOC candeeiro de pé** standard lamp

candidatar-se *vp* **1** (*em eleições*) to stand (*for sth*): *~ a deputado* to stand for parliament **2** *~ a* (*emprego, bolsa*) to apply for *sth*

candidato, -a *sm-sf* ~ **(a) 1** candidate (for *sth*): *o ~ à presidência do clube* the candidate for chair of the club **2** (*emprego, bolsa, curso*) applicant (for *sth*)

candidatura *sf* ~ **(a) 1** (*cargo*) candidacy (for *sth*): *retirar a sua ~* to withdraw your candidacy ◇ *Apresentou a sua ~ ao senado.* He is standing for the senate. **2** (*emprego, curso*) application (for *sth*): *uma ~ a um emprego* a job application ◇ *preencher o formulário de ~* to fill in the application (form)

caneca *sf* mug: *~ de cerveja* beer mug ➲ *Ver ilustração em* CUP

canela[1] *sf* (*especiaria*) cinnamon

canela[2] *sf* (*perna*) shin **LOC** *Ver* ESTICAR

canelones *sm* cannelloni [*não-contável, v sing*]

caneta *sf* pen **LOC caneta de gel** gel pen **caneta (de ponta) de feltro** felt tip (pen) **caneta de tinta permanente** fountain pen

cangalheiro *sm* undertaker, mortician (*USA*)

canguru *sm* kangaroo [*pl* kangaroos]

canhão *sm* (*de artilharia*) cannon

canhoto, -a *adj* left-handed

canibal *sm* cannibal: *uma tribo de canibais* a cannibal tribe

caniço *sm* (*junco*) reed

canil *sm* kennels [*pl*]

canino, -a ▸ *adj* canine ▸ *sm* (*dente*) canine (tooth) **LOC** *Ver* FOME

canivete *sm* penknife [*pl* penknives]

canja *sf* **1** (*caldo*) chicken soup **2** (*coisa fácil*) pushover: *O exame era ~.* The exam was a pushover.

cano *sm* **1** pipe: *Rebentou um ~.* A pipe has burst. **2** (*espingarda*) barrel: *uma espingarda de dois ~s* a double-barrelled shotgun **LOC cano de esgoto** drainpipe **entrar pelo cano 1** (*meter-se em sarilhos*) to get into a mess: *João perdeu o emprego. Entrou pelo ~!* João lost his job. He's got into a real mess. **2** (*planos, etc.*) to turn out badly

canoa *sf* canoe

canoagem *sf* canoeing: *fazer ~* to go canoeing

cansaço *sm* tiredness LOC *Ver* MORTO

cansado, -a *adj* **1 ~ (de)** (*fatigado*) tired (from *sth/doing sth*): *Estão ~s de tanto correr.* They're tired from all that running. **2 ~ de** (*farto*) tired of *sb/sth/doing sth*: *Estou ~ de tanto falar.* I'm tired of talking so much. LOC *Ver* VISTA; *Ver tb* CANSAR

cansar ▸ *vt* **1** (*fatigar*) to tire *sb/sth* (out) **2** (*aborrecer, fartar*): *Cansa-me ter de repetir as coisas.* I get tired of having to repeat things. ▸ *vi* (*ser cansativo*) to be tiring: *Este trabalho cansa muito.* This work is very tiring. ▸ **cansar-se** *vp* **cansar-se (de)** to get tired (of *sb/sth/doing sth*): *Cansa-se facilmente.* He gets tired very easily.

cansativo, -a *adj* **1** tiring: *A viagem foi cansativa.* It was a tiring journey. **2** (*pessoa*) tiresome

cantar ▸ *vt, vi* to sing ▸ *vi* **1** (*cigarra, pássaro pequeno*) to chirp **2** (*galo*) to crow LOC **cantar de galo** to celebrate victory **cantar vitória antes do tempo** to count your chickens before they're hatched

cântaro *sm* jug LOC *Ver* CHOVER

cantarolar *vt, vi* to hum

canteiro *sm* (*de flores*) flower bed

cântico *sm* chant LOC **cântico de Natal** Christmas carol

cantiga *sf* song

cantil *sm* **1** (*para água*) water bottle **2** (*para licores*) hip flask

cantina *sf* (*escola, fábrica*) canteen

canto¹ *sm* **1** (*arte*) singing: *estudar ~* to study singing **2** (*canção, poema*) song: *um ~ fúnebre* a dirge

canto² *sm* (*ângulo*) corner LOC *Ver* OBSERVAR, PONTAPÉ

cantor, -ora *sm-sf* singer

cão *sm* dog

Quando nos queremos referir apenas à fêmea, dizemos **bitch**. Os cachorros recém-nascidos chamam-se **puppies**.

LOC **cão de guarda** guard dog **cão que ladra não morde** his/her bark is worse than his/her bite **cão vadio** stray (dog) **de cão** lousy: *um dia de ~* a lousy day **ser como cão e gato** to fight like cat and dog **ter uma vida de cão** to lead a dog's life

cão-de-água *sm* spaniel

cão-pastor *sm* sheepdog

caos *sm* chaos [*não-contável*]: *A notícia causou o ~.* The news caused chaos.

capa *sf* **1** cover **2** (*vinil, CD, etc.*) sleeve **3** (*para papéis*) folder **4** (*peça de vestuário*) **(a)** (*comprida*) cloak **(b)** (*curta*) cape **5** (*sapatos*) heel: *Estas botas precisam de umas ~s (nos saltos).* These boots need new heels. LOC **(livro de) capa dura/mole** hardback/paperback

capacete *sm* helmet: *levar ~* to wear a helmet LOC *Ver* ABANAR

capacho *sm* (*tapete*) doormat

capacidade *sf* **~ (de/para) 1** capacity (for *sth*): *uma grande ~ de trabalho* a great capacity for work ◇ *um hotel com ~ para 300 pessoas* a hotel with capacity for 300 guests **2** (*aptidão*) ability (*to do sth*): *Tem ~ para o fazer.* She has the ability to do it.

capar *vt* **1** to castrate **2** (*animal doméstico*) to neuter

capataz *smf* **1** (*masc*) foreman [*pl* -men] **2** (*fem*) forewoman [*pl* -women]

capaz *adj* **~ (de)** capable (of *sth/doing sth*): *Quero pessoas ~es e trabalhadoras.* I want capable, hard-working people. LOC **estar capaz de comer alguém**: *Não lhe perguntes nada que está ~ de comer alguém.* Don't ask him; he'll bite your head off. **ser capaz de 1** (*poder*) to be able *to do sth*: *Não sei como foram ~es de lhe dizer daquela forma.* I don't know how they could tell her like that. ◇ *Não sou ~ de o fazer.* I just can't do it. **2** (*talvez*) to be likely *to do sth*: *Sou ~ de chegar hoje.* I might arrive today. ◇ *É ~ de chover.* It could rain.

capela *sf* chapel

capelão *sm* chaplain

capital ▸ *sf* capital ▸ *sm* (*Fin*) capital LOC *Ver* PENA²

capitalismo *sm* capitalism

capitalista *adj, smf* capitalist

capitão, -ã ▸ *sm-sf* captain: *o ~ da equipa* the team captain ▸ *smf* (*Mil*) captain

capitular *vi* to surrender

capítulo *sm* chapter: *Em que ~ vais?* What chapter are you on?

capot *sm* (*carro*) bonnet, hood (*USA*)

capricho *sm* (*desejo*) whim: *os ~s da moda* the whims of fashion LOC *Ver* SATISFAZER

caprichoso, -a *adj* **1** (*que quer coisas*): *Que criança mais caprichosa!* That child's never satisfied! **2** (*que muda de ideias*): *É muito ~.* He's always changing his mind. ◇ *um cliente ~* a fussy customer

Capricórnio *sm* (*Astrol*) Capricorn ➲ *Ver exemplos em* AQUARIUS

cápsula *sf* **1** capsule: ~ *espacial* space capsule **2** (*de garrafa*) bottle top

captar *vt* **1** (*atenção*) to attract **2** (*sinal, onda*) to pick *sth* up **3** (*compreender*) to grasp

captura *sf* **1** (*fugitivo*) capture **2** (*armas, drogas*) seizure

capturar *vt* **1** (*fugitivo*) to capture **2** (*armas, drogas*) to seize

Capuchinho *n pr* LOC **Capuchinho Vermelho** Little Red Riding Hood

capucho (*tb* capuz) *sm* hood

caqui *adj, sm* khaki: *umas calças* ~ a pair of khaki trousers ➲ *Ver exemplos em* AMARELO

cara *sf* **1** (*rosto*) face **2** (*descaramento*) cheek: *Não sei como tem ~ para vir.* I don't know how he's got the cheek to come. **3** (*aspeto*) look: *Não vou com a ~ dele.* I don't much like the look of him. **4** (*expressão*) expression: *com uma ~ pensativa* with a thoughtful expression LOC **cara a cara** face to face **caras ou coroas** heads or tails **dar a cara** to face the music **dar de caras com alguém** to come face to face with sb, to bump into sb (*coloq*) **de caras** face to face: *Disse-lhe de ~s que não estava interessado.* I told him to his face that I wasn't interested. **estar na cara** to be obvious **ir à cara de alguém** to slap sb **ir com a cara de alguém** (*gostar*) to like sb: *A minha mãe foi mesmo com a tua ~.* My mother really liked you. **partir/quebrar a cara a alguém** to smash sb's face in **ter boa/má cara** (*pessoa*) to look well/ill **ter cara de miúdo/garoto** to look very young **virar/voltar a cara** to look the other way *Ver tb* CUSTAR, FECHAR, VERGONHA

carabina *sf* (*arma*) carbine

caracol *sm* **1** (*animal*) snail **2** (*cabelo*) curl LOC *Ver* ESCADA, PASSO

caracol-do-mar *sm* winkle

carácter *sm* **1** character: *um defeito de ~* a character defect **2** (*índole*) nature LOC **ter bom/mau carácter** to be good-natured/ill-tempered **ter muito/pouco carácter** to be strong-minded/weak-minded

característica *sf* characteristic

característico, -a *adj* characteristic

caracterizar ▸ *vt* **1** (*distinguir*) to characterize **2** (*Cinema, Teat*) to dress *sb* up *as sb/sth*: *Caracterizaram-me de velha.* They dressed me up as an old lady. ▸ **caracterizar-se** *vp* **caracterizar-se como** to dress up as *sb/sth*

caramba! *interj* **1** (*surpresa*) wow! **2** (*irritação*) for heaven's sake!

caramelo *sm* **1** (*rebuçado*) toffee **2** (*açúcar queimado*) caramel

caranguejo ▸ *sm* crab ▸ **Caranguejo** *sm* (*Astrol*) Cancer ➲ *Ver exemplos em* AQUARIUS

carapau *sm* horse mackerel [*pl* horse mackerel]

caravana *sf* **1** (*atrelado*) caravan, trailer (*USA*) **2** (*de camelos*) caravan

caravela *sf* caravel

carbonizado, -a *adj* charred

carbono *sm* carbon LOC *Ver* DIÓXIDO, HIDRATO, MONÓXIDO

carburante *sm* fuel

cardeal *sm* (*Relig*) cardinal

cardíaco, -a *adj* LOC **ataque cardíaco** heart attack **paragem cardíaca** cardiac arrest

cardinal *adj* cardinal

cardo *sm* thistle

careca ▸ *adj* bald: *ficar ~* to go bald ▸ *sf* bald patch

carecer *vi* ~ **de 1** (*ter falta*) to lack *sth* [*vt*]: *Carecemos de remédios.* We lack medicines. **2** (*precisar*) to need *sth* [*vt*]

carente *adj* (*de atenção, carinho, etc.*) needy

careta *sf* grimace LOC **fazer caretas** to make/pull a face/faces (*at sb*), to grimace (*mais formal*): *Não faças ~s, come.* Don't make a face, just eat it.

carga *sf* **1** (*ação*) loading: *~ e descarga* loading and unloading **2** (*peso*) load: *~ máxima* maximum load **3** (*mercadorias*) **(a)** (*avião, barco*) cargo [*pl* cargoes] **(b)** (*camião*) load **(c)** (*comboio*) freight **4** (*explosivo, munição, Eletrón*) charge: *uma ~ elétrica* an electric charge **5** (*obrigação*) burden **6** (*caneta*) refill LOC **à carga!** charge! **carga horária** workload **por que carga de água...?** why the hell... ? *Ver tb* BURRO

cargo *sm* **1** post: *um ~ importante* an important post **2** (*Pol*) office: *o ~ de presidente da câmara* the office of mayor LOC **ter a seu cargo** to be in charge of *sb/sth*: *Tenho a meu ~ o escritório.* I'm in charge of the office.

cariado, -a *adj* (*dente*) bad, decayed (*mais formal*)

carica *sf* (*de garrafa*) bottle top

caricatura *sf* **1** caricature: *fazer uma ~* to draw a caricature **2** (*em jornal*) cartoon

caricaturista *smf* **1** caricaturist **2** (*para jornal*) cartoonist

carícia *sf* caress LOC **fazer carícias** to caress

caridade *sf* charity: *viver da ~ alheia* to live on charity

caridoso, -a *adj* ~ **(com/para com)** charitable (to/towards *sb*)

cárie *sf* **1** (*doença*) tooth decay [*não-contável*]: *para prevenir a ~* to prevent tooth decay

2 (*buraco*) hole: *Tenho uma ~ no dente.* I've got a hole in my tooth.

caril *sm* curry: *~ de frango* chicken curry

carimbar *vt* to stamp: *~ uma carta/um passaporte* to stamp a letter/passport

carimbo *sm* **1** stamp **2** (*em carta*) postmark

carinho *sm* **1** (*afeto*) affection **2** (*delicadeza*) loving care: *Trata as suas coisas com muito ~.* He treats his things with loving care. LOC **com carinho** (*em cartas*) with love **ter carinho por alguém/alguma coisa** to be fond of sb/sth

carinhoso, -a *adj* **1** ~ **(com)** affectionate (towards *sb/sth*) **2** (*abraço, saudações*) warm **3** (*pai, marido, etc.*) loving: *um pai e marido ~* a loving father and husband

caritativo, -a *adj* charitable: *uma instituição caritativa* a charitable institution

carnaval *sm* carnival LOC *Ver* TERÇA-FEIRA

carne *sf* **1** (*Anat, Relig, fruta*) flesh **2** (*alimento*) meat: *Gosto da ~ bem passada.* I like my meat well done. ➲ *Ver nota em* MALPASSADO

> Em inglês existem palavras diferentes para os animais e a carne que deles se obtém: do *porco* (**pig**) obtém-se **pork**, da *vaca* (**cow**), **beef**, da *vitela* (**calf**), **veal**. **Mutton** é a carne de *ovelha* (**sheep**), e do *borrego* ou *cordeiro* (**lamb**) obtém-se a carne de borrego ou **lamb**.

LOC **carne picada** mince, ground beef (*USA*) **em carne e osso** in the flesh **em carne viva** raw: *Tens o joelho em ~ viva.* Your knee is red and raw. **ser de carne e osso** to be only human *Ver tb* PASTEL, UNHA

carneiro ▸ *sm* **1** (*animal*) ram **2** (*carne*) mutton ▸ **Carneiro** *sm* (*Astrol*) Aries ➲ *Ver exemplos em* AQUARIUS

carniceiro, -a *sm-sf* butcher

carnificina *sf* (*chacina*) massacre

carnívoro, -a *adj* carnivorous

caro, -a[1] ▸ *adj* expensive, dear (*mais coloq*) ▸ *adv*: *comprar/pagar alguma coisa muito ~* to pay a lot for sth LOC **custar/pagar caro** to cost *sb* dearly: *Pagarão ~ pelo erro.* Their mistake will cost them dearly.

caro, -a[2] *adj* (*em cartas*) dear LOC **Caro Senhor/Cara Senhora** Dear Sir/Madam

carochinha *sf* LOC *Ver* HISTÓRIA

caroço *sm* **1** (*Med*) lump: *Apareceu-me um ~ na mão.* I've got a lump on my hand. **2** (*fruto*) **(a)** (*pêssego, azeitona, etc.*) stone, pit (*USA*) **(b)** (*laranja, maçã, etc.*) pip, seed (*USA*)

carpa *sf* (*peixe*) carp [*pl* carp]

carpete *sf* carpet

carpintaria *sf* carpentry

carpinteiro, -a *sm-sf* carpenter

carraça *sf* tick

carrapito *sm* bun: *Usa sempre o cabelo num ~.* She always wears her hair in a bun.

carregado, -a *adj* **1** ~ **(de/com)** loaded (with *sth*): *uma arma carregada* a loaded weapon ◇ *Vinham ~s com malas.* They were loaded down with suitcases. **2** ~ **de** (*responsabilidades*) burdened down with *sth* **3** (*atmosfera*) stuffy *Ver tb* CARREGAR

carregador *sm* charger: *~ de pilhas* battery charger

carregamento *sm* **1** (*ação*) loading: *O ~ do barco levou vários dias.* Loading the ship took several days. **2** (*mercadorias*) **(a)** (*avião, barco*) cargo [*pl* cargoes] **(b)** (*camião*) load **(c)** (*comboio*) freight

carregar ▸ *vt* **1** to load: *Carregaram o camião com caixas.* They loaded the lorry with boxes. ◇ *~ uma arma* to load a weapon **2** (*pilha, bateria*) to charge **3** (*com dinheiro*) to top *sth* up ▸ *vi* **1** ~ **(em)** (*premer*) to press: *Carregue na tecla duas vezes.* Press the key twice. **2** ~ **(em)** (*campainha*) to ring **3** ~ **com (a)** (*levar*) to carry *sth* [*vt*]: *Sou sempre eu a ~ com tudo.* I always end up carrying everything. **(b)** (*responsabilidade*) to shoulder *sth* [*vt*] **4** ~ **(com)** (*problema, dívida*) to have *sth* [*vt*]: *Há semanas que carrego com esta constipação.* I've had this cold for weeks. **5** ~ **(contra)** (*Mil*) to charge (at *sb*)

carreira *sf* (*profissão*) career: *Estou no melhor momento da minha ~.* I'm at the peak of my career.

carreiro *sm* (*tb* **carreira** *sf*) (*caminho*) (foot) path

carrete *sm* (*bobina*) reel, spool (*USA*)

carril *sm* rail

carrinha *sf* **1** (*mercadorias*) van **2** (*transporte de passageiros*) minibus [*pl* minibuses] **3** (*carro*) **(a)** (*monovolume*) people carrier, minivan (*USA*) **(b)** (*station*) estate car, station wagon (*USA*)

carrinho *sm* (*de compras*) trolley [*pl* trolleys], (shopping) cart (*USA*): *~ de supermercado* shopping trolley LOC **carrinho (de bebé)** pushchair, stroller (*USA*) **carrinho de mão** wheelbarrow *Ver tb* CHOQUE

carro *sm* **1** (*automóvel*) car: *ir de ~* to go by car **2** (*supermercado, aeroporto*) trolley [*pl* trolleys] LOC **carro alegórico** float **carro alugado** hire car, rental car (*USA*) **carro de bombeiros** fire engine **carro de combate** tank **carro de corridas** racing car, race car (*USA*) **carro de mão** wheelbarrow **carro fúnebre** hearse *Ver tb* BLINDADO, CHOQUE

carro-bomba *sm* car bomb

C

carroça *sf* cart

carroçaria *sf* bodywork [*não-contável*]

carrocel *sm* merry-go-round

carruagem *sf* carriage, car (*USA*)

carruagem-cama *sf* sleeping car

carruagem-restaurante *sf* dining car

carta *sf* **1** (*missiva*) letter: *pôr uma ~ no correio* to post a letter ◇ *Alguma ~ para mim?* Are there any letters for me? ◇ *~ registada/expresso* registered/express letter **2** (*de baralho*) (playing) card: *jogar às ~s* to play cards ➲ *Ver nota em* BARALHO **3** (*navegação*) chart **4** (*documento*) charter LOC **botar/deitar as cartas** to tell *sb's* fortune **carta de apresentação** covering letter, cover letter (*USA*) **carta (de condução)** driving licence, driver's license (*USA*) **tirar a carta (de condução)** to pass your driving test: *Ando a tirar a ~.* I'm taking my driving test. *Ver tb* PAPEL

carta-bomba *sf* letter bomb

cartão *sm* **1** card: *~ de crédito/embarque* credit/boarding card ◇ *~ de Natal/Boas Festas* Christmas card ◇ *~ multibanco* debit card ◇ *Viu o ~ amarelo.* He was given a yellow card. **2** (*material*) cardboard: *caixas de ~* cardboard boxes LOC **cartão da segurança social/Caixa** medical card *Ver tb* PAGAR

cartaz *sm* **1** poster: *afixar um ~* to put up a poster **2** (*em jornal*) listings [*pl*]: *~ teatral* theatre listings LOC **em cartaz**: *Está em ~ há um mês.* It's been on for a month. *Ver tb* PROIBIDO

carteira *sf* **1** (*porta-moedas*) wallet **2** (*de senhora*) handbag, purse (*USA*) **3** (*secretária*) desk LOC **a carteira ou a vida!** your money or your life!

carteirista *smf* pickpocket

carteiro *sm* postman [*pl* -men], letter carrier (*USA*) ❶ Quando o carteiro é mulher, na Grã-Bretanha chama-se **postwoman**. No plural diz-se **postwomen**.

cartolina *sf* card

cartomante *smf* clairvoyant

cartório *sm* (*registo civil*) registry office, registrar of vital statistics (*USA*)

cartucho *sm* **1** (*projétil, recarga*) cartridge **2** (*para mercearia*) paper bag

carvalho *sm* oak (tree)

carvão *sm* coal LOC **carvão (vegetal/de lenha)** charcoal

casa *sf* **1** (*residência*) **(a)** house **(b)** (*apartamento*) flat, apartment (*USA*) **(c)** (*prédio*) block of flats [*pl* blocks of flats], apartment building (*USA*) **2** (*lar*) home: *Não há nada como a nossa ~.* There's no place like home. **3** (*empresa*) company [*pl* companies]: *uma ~ discográfica* a record company **4** (*Xadrez, Damas*) square **5** (*botão*) buttonhole LOC **Casa da Moeda 1** (*instituição*) mint **2** (*repartição*) State document office **Casa da Sorte** lottery agency [*pl* lottery agencies] **casa de banho 1** bathroom **2** (*w.c., em edifício público, restaurante*) toilet, loo (*coloq*): *Faz favor, onde são as ~s de banho?* Where are the toilets, please? ➲ *Ver nota em* TOILET **casa de câmbio** bureau de change [*pl* bureaux de change] **casa de penhores/prego** pawnshop **casa de quinta** farmhouse **casa de saúde** private hospital **casa geminada** semi-detached house, duplex (*USA*) **casa individual** detached house **em casa** at home: *Fiquei em ~.* I stayed at home. ◇ *A tua mãe está em ~?* Is your mother in? **em/na casa de** at *sb's* (house): *Estarei na ~ da minha irmã.* I'll be at my sister's house. ❶ Na linguagem coloquial omite-se a palavra **house**: *Estarei em casa da Ana.* I'll be at Ana's. **fora de casa** (*Desp*) away: *jogar ~ de casa* to play away **ir a/para casa** to go home **ir a/para casa de** to go to *sb's* (house): *Irei para ~ dos meus pais.* I'll go to my parents' (house). **passar por casa de alguém** to drop in (on sb): *Passo por tua ~ amanhã.* I'll drop in tomorrow. *Ver tb* CHEGAR, DONA, GEMINADO, MUDAR, TRABALHO

casaca *sf* LOC *Ver* CORTAR

casaco *sm* **1** (*curto*) jacket **2** (*comprido*) coat: *Veste o ~.* Put your coat on. LOC **casaco de malha** cardigan

casado, -a ▸ *adj* married: *estar ~ (com alguém)* to be married (to sb) ▸ *sm-sf* married man/woman [*pl* men/women] *Ver tb* CASAR

casal *sm* **1** couple: *Fazem um lindo ~.* They make a really nice couple. **2** (*animais*) pair **3** (*aldeia*) hamlet LOC *Ver* CAMA

casamento *sm* **1** (*instituição*) marriage **2** (*cerimónia*) wedding: *aniversário de ~* wedding anniversary ◇ *Amanhã vamos a um ~.* We're going to a wedding tomorrow.

Wedding refere-se à cerimónia, e **marriage** refere-se ao matrimónio como instituição. Na Grã-Bretanha os casamentos celebram-se tanto na *igreja* (a **church wedding**) como no *registo civil* (a **registry office wedding**). A *noiva* (**bride**) costuma ser acompanhada por *damas de honor* (**bridesmaids**). O *noivo* (**groom**) não é acompanhado por uma *madrinha*, mas por um **best man** (normalmente o seu melhor amigo). Também não é costume falar-se de *padrinho*: a noiva normalmente entra acompanhada pelo pai. Depois da cerimónia realiza-se o *banquete* ou *boda* (**reception**).

LOC *Ver* PEDIDO, PROPOSTA

casar(-se) *vi, vp* **1** to get married: *Adivinha quem vai ~?* Guess who's getting married? **2 ~ com** to marry *sb*: *Nunca casarei contigo.* I'll never marry you. LOC **casar pela igreja** to get married in Church **casar pelo civil** to get married in a registry office, to get married in a civil ceremony (*USA*) ➲ *Ver nota em* CASAMENTO

casca *sf* **1** (*ovo, noz*) shell: *~ de ovo* eggshell **2** (*limão, laranja*) peel **3** (*banana*) skin **4** (*queijo*) rind ➲ *Ver nota em* PEEL **5** (*árvore*) bark **6** (*cereal*) husk LOC **saído da casca** self-confident: *Era tímido, mas agora anda muito saído da ~.* He was shy, but now he's really self-confident. ◊ *Parecia sossegada mas agora anda muito saída da ~.* She seemed so quiet but now she's really forward.

cascalho *sm* (*pedra britada*) gravel [*não-contável*]

cascata *sf* waterfall

cascavel *sf* rattlesnake

casco *sm* **1** (*animal*) hoof [*pl* hoofs/hooves] **2** (*barco*) hull LOC **em cascos de rolha** in the middle of nowhere

caseiro, -a *adj* **1** home-made: *geleia caseira* home-made jelly **2** (*pessoa*) home-loving: *ser muito ~* to love being at home LOC *Ver* COMIDA, FABRICO

casino *sm* casino [*pl* casinos]

casmurro, -a *adj* **1** (*teimoso*) pig-headed **2** (*sorumbático*) grumpy

caso ▸ *sm* **1** case: *em qualquer ~* in any case **2** (*aventura amorosa*) (love) affair, fling (*mais coloq*) ▸ *conj* if: *Caso ele te pergunte...* If he asks you... LOC **caso contrário** otherwise **em caso de** in the event of *sth*: *Quebrar em ~ de incêndio.* Break the glass in the event of fire. **em todo o caso** in any case **fazer (pouco) caso de** to take (no) notice of *sb/sth* **no caso de...** if... **no melhor/pior dos casos** at best/worst **ser um caso** to be a right one **ser um caso aparte** to be something else **vir/não vir ao caso** to be relevant/irrelevant: *O que dizes não vem ao ~.* What you say is irrelevant. *Ver tb* ACONTECER, TAL, TANTO, ÚLTIMO

casota *sf* (*cão*) kennel

caspa *sf* dandruff

casquilho *sm* (*lâmpada*) socket

casquinha *sf* LOC **em casquinha de ouro/prata** (*metal*) gold-plated/silver-plated

cassar *vt* to take *sth* away (*from sb/sth*): *Cassaram-me a carta de condução.* I had my driving licence taken away.

cassete *sf* (*audio, vídeo*) tape: *uma ~ virgem* a blank tape

cassetete *sm* (*de polícia*) truncheon, nightstick (*USA*)

casta *sf* (*grupo social*) caste

castanha *sf* (*fruto*) chestnut

castanheiro *sm* chestnut (tree)

castanho, -a *adj, sm* brown: *olhos ~s* brown eyes ◊ *Tem cabelo ~.* He's got brown hair. ➲ *Ver exemplos em* AMARELO

castelo *sm* castle LOC **castelo de areia** sandcastle **em castelo** stiffly beaten: *bater as claras em ~* to beat egg whites until they are stiff

castiçal *sm* candlestick

castigar *vt* **1** (*ger*) to punish *sb* (*for sth*): *Castigaram-me por ter mentido.* I was punished for telling lies. ◊ *É preciso castigá-los.* They'll have to be punished. **2** (*Desp*) to penalize

castigo *sm* punishment: *perdoar o ~* to withdraw a punishment ◊ *Como ~ ficámos sem recreio.* We were kept in at break.

castor *sm* beaver

castrar *vt* **1** to castrate **2** (*animal doméstico*) to neuter **2** (*cavalo*) to geld

casual *adj* chance: *um encontro ~* a chance meeting

casualidade *sf* chance: *Conhecemo-nos por pura ~.* We met by sheer chance. ◊ *Não terás por ~ o número de telefone deles?* You wouldn't have their phone number by any chance? LOC **que casualidade!** what a coincidence!

casulo *sm* (*inseto*) cocoon

catálogo *sm* catalogue

catarata *sf* **1** (*cascata*) waterfall **2** (*Med*) cataract

catástrofe *sf* catastrophe

catatua *sf* cockatoo [*pl* cockatoos]

catecismo *sm* catechism

catedral *sf* cathedral

catedrático, -a *sm-sf* **1** (*de universidade*) professor **2** (*de escola superior*) head of department

categoria *sf* **1** (*classe*) category [*pl* categories] **2** (*nível*) level: *um torneio de ~ intermédia* an intermediate-level tournament **3** (*social, profissional*) status: *a minha ~ profissional* my professional status LOC **de categoria 1** (*nível, qualidade*) first-rate **2** (*considerável*) serious: *uma ensaboadela de ~* a serious telling-off **de primeira/segunda/terceira categoria** first-rate/second-rate/third-rate

categórico, -a *adj* categorical

catequese *sf* religious instruction

cativar *vt* (*atrair*) to captivate

C

cativeiro *sm* captivity

cativo, -a *adj, sm-sf* captive

cato *sm* cactus [*pl* cactuses/cacti]

catolicismo *sm* Catholicism

católico, -a *adj, sm-sf* Catholic: *ser ~* to be a Catholic

catorze *sm, adj, pron* **1** fourteen **2** (*data*) fourteenth ➲ *Ver exemplos em* SEIS

caução *sf* (*Jur*) bail [*não-contável*]: *uma ~ de cinco mil euros* bail of five thousand euros

cauda *sf* **1** (*animal*) tail **2** (*vestido*) train: *O vestido tem pouca ~.* The dress has a short train. **3** (*fila*) rear: *ir na ~* to bring up the rear LOC *Ver* PIANO

caudal *sm* flow: *o ~ do rio* the flow of the river

caudaloso, -a *adj* fast-flowing

caule *sm* (*planta*) stalk

causa *sf* **1** (*origem, ideal*) cause: *a principal ~ do problema* the main cause of the problem ◇ *Abandonou tudo pela ~.* He left everything for the cause. **2** (*motivo*) reason: *sem ~ aparente* for no apparent reason **3** (*Jur, ação judicial*) case LOC **por causa de** because of *sb/sth*

causar *vt* **1** (*ser a causa de*) to cause: *~ a morte/ferimentos/danos* to cause death/injury/damage **2** (*alegria, pena, etc.*): *Causou-me uma grande alegria/pena.* It made me very happy/sad. LOC **causar estragos** to create havoc *Ver tb* DIFICULDADE, SENSAÇÃO

cautela *sf* **1** (*cuidado*) caution **2** (*lotaria*) share LOC **à/por cautela** as a safeguard **com cautela** cautiously **ter cautela** to be careful

cauteloso, -a *adj* cautious

cavaco *sm* LOC **não dar cavaco** not to say a word

cavala *sf* mackerel [*pl* mackerel]

cavalaria *sf* **1** (*Mil*) cavalry [*v sing ou pl*] **2** (*Idade Média*) chivalry

cavalariça *sf* stable

cavaleiro *sm* **1** (*pessoa a cavalo*) rider **2** (*Hist*) knight

cavalete *sm* **1** (*Arte*) easel **2** (*suporte*) trestle

cavalgar *vi* ~ **(em)** to ride (on *sth*): *Cavalgar numa mula é muito divertido.* Riding (on) a mule is great fun.

cavalheiro *sm* gentleman [*pl* -men]: *O meu avô era um verdadeiro ~.* My grandfather was a real gentleman.

cavalinho *sm* LOC *Ver* PAPEL

cavalinhos *sm* merry-go-round [*v sing*] LOC *Ver* PAPEL

cavalo *sm* **1** (*animal*) horse **2** (*Xadrez*) knight **3** (*Mec*) horsepower (*abrev* h.p.): *um motor com doze ~s* a twelve-horsepower engine **4** (*Ginástica*) (vaulting) horse LOC **cavalo de corrida(s)** racehorse *Ver tb* MONTAR, POTÊNCIA

cavalo-marinho *sm* sea horse

cavar *vt, vi* to dig

cave *sf* **1** (*casa*) basement **2** (*vinho*) cellar

caveira *sf* skull

caverna *sf* cavern

CD *sm* CD

CD-ROM *sm* CD-ROM

cear ▸ *vi* to have dinner/supper ➲ *Ver nota em* DINNER ▸ *vt* to have *sth* for dinner/supper

cebola *sf* onion

cebolinha *sf* **1** (*para saladas*) spring onion, green onion (*USA*) **2** (*de conserva*) pickled onion

ceder ▸ *vt* **1** to hand *sth* over (*to sb*): *~ o poder* to hand over power ◇ *Cederam o edifício à câmara.* They handed over the building to the council. **2** (*lugar*) to give *sth* up: *Cedi o meu lugar a um senhor idoso.* I gave my seat up to an old gentleman. **3** (*emprestar*) to lend: *A professora cedeu o seu dicionário a um dos alunos.* The teacher lent her dictionary to one of her students. ▸ *vi* **1** (*transigir*) to give in (*to sb/sth*): *É importante saber ~.* It's important to know how to give in gracefully. **2** (*não resistir*) to give way: *A prateleira cedeu com o peso de tantos livros.* The shelf gave way under the weight of the books. **3** (*intensidade, força*) to ease off: *O vento cedeu.* The wind eased off. LOC **ceder a palavra** to hand over to *sb* **ceder a passagem** to give way, to yield (*USA*)

cedilha *sf* cedilla

cedo *adv* early: *Chegou de manhã ~.* He arrived early in the morning. LOC **quanto mais cedo melhor** the sooner the better *Ver tb* TARDE

cedro *sm* cedar

cegar *vt* to blind: *As luzes cegaram-me.* I was blinded by the lights.

cego, -a ▸ *adj* ~ **(de)** blind (with *sth*): *ficar ~* to go blind ◇ *~ de raiva* blind with rage ▸ *sm-sf* blind person: *uma coleta para os ~s* a collection for the blind

> Hoje em dia, quando nos referimos aos cegos, é preferível dizer **people who are visually impaired**.

LOC **às cegas**: *Compraram-no às cegas.* They bought it without seeing it. ◇ *Avançaram pelo corredor às cegas.* They groped their way along the corridor. *Ver tb* DIABO

cegonha *sf* stork

cegueira *sf* blindness

ceia *sf* dinner, supper ➲ *Ver nota em* DINNER

ceifar *vt* to reap

ceifeira-debulhadora *sf* combine harvester

cela *sf* cell

celebração *sf* celebration

celebrar ▸ *vt* to celebrate: ~ *um aniversário* to celebrate a birthday ◇ ~ *uma missa* to hold/celebrate a mass ▸ **celebrar-se** *vp* to take place LOC **celebrar contrato (com)** (*Desp*) to sign (for *sb*): ~ *contrato com o Benfica* to sign for Benfica

célebre *adj* famous

celeiro *sm* barn

celeste (*tb* **celestial**) *adj* heavenly

celofane *sm* Cellophane®: *película de* ~ Cellophane wrapping

célula *sf* cell

celular *adj* cellular

celulite *sf* cellulite

cem *sm, adj, pron* **1** a hundred: *Faz ~ anos hoje.* She's a hundred today. ◇ *Estavam lá ~ mil pessoas.* There were a hundred thousand people.

> Normalmente traduz-se por **one hundred** quando se quer enfatizar a quantidade: *Eu disse cem, e não duzentos.* I said one hundred, not two.

2 (*centésimo*) hundredth: *Sou o (número) ~ na lista.* I'm hundredth on the list. ➲ *Ver pág. 710* LOC **cem mil vezes** hundreds of times **cem por cento** a hundred per cent

cemitério *sm* **1** cemetery [*pl* cemeteries] **2** (*de igreja*) graveyard

cena *sf* scene: *primeiro ato, segunda ~* act one, scene two LOC **em cena** showing: *A peça está em ~ desde o Natal.* The play's been on since Christmas. **entrar em cena 1** (*entrar no palco*) to come on **2** (*entrar em ação*) to start up **fazer uma cena** to make a scene **levar a/pôr em cena** to stage

cenário *sm* **1** (*filme, peça teatral*) setting **2** (*programa de televisão*) set

cenografia *sf* (*Teat*) set design

cenoura *sf* carrot

censo *sm* census [*pl* censuses]

censor, -ora *sm-sf* censor

censura *sf* censorship

censurar *vt* **1** (*livro, filme, etc.*) to censor **2** (*repreender*) to reproach *sb*, to tell *sb* off (*coloq*) (*for sth/doing sth*): *Censurou-me por não lhe ter telefonado.* He reproached me for not telephoning him. **3** (*condenar*) to censure

centeio *sm* rye

centelha *sf* spark

centena *sf* **1** (*cem*) (a) hundred [*pl* hundred]: *várias ~s* several hundred ◇ *unidades, dezenas e ~s* hundreds, tens and units **2** (*cem aproximadamente*) a hundred or so: *uma ~ de espetadores* a hundred or so spectators ➲ *Ver pág. 710* LOC **centenas de...** hundreds of...: *~s de pessoas* hundreds of people

centenário *sm* centenary [*pl* centenaries], centennial (*USA*): *o ~ da sua fundação* the centenary of its founding ◇ *o sexto ~ do seu nascimento* the 600th anniversary of his birth

centésimo, -a *adj, pron, sm-sf* hundredth: *um ~ de segundo* a hundredth of a second

centígrado, -a *adj* Celsius (*abrev* C): *cinquenta graus ~s* fifty degrees Celsius

> Nos Estados Unidos, utiliza-se o sistema **Fahrenheit** para medir a temperatura, o qual é também utilizado por algumas pessoas na Grã-Bretanha: *A temperatura é de 21 graus.* The temperature is seventy degrees Fahrenheit.

centímetro *sm* centimetre (*abrev* cm): ~ *quadrado/cúbico* square/cubic centimetre ➲ *Ver pág. 713*

cento *sm, adj* (a) hundred [*pl* hundred]: ~ *e sessenta e três* a hundred and sixty-three ➲ *Ver pág. 710* LOC **por cento** per cent: *50 por ~ da população* 50 per cent of the population *Ver tb* CEM

centopeia *sf* centipede

centrado, -a *adj* (*no centro*): *O título não está bem ~.* The heading isn't in the centre. *Ver tb* CENTRAR

central ▸ *adj* central: *aquecimento ~* central heating ▸ *sf* **1** (*energia*) power station: *uma ~ nuclear* a nuclear power station **2** (*repartição principal*) head office LOC **central telefónica** telephone exchange

centrar ▸ *vt* **1** (*colocar no centro*) to centre: ~ *a fotografia numa página* to centre the photo on a page **2** (*atenção, olhar*) to focus *sth on sth*: *Centraram as críticas no governo.* They focused their criticism on the government. ▸ *vi* (*Desp*) to cross: *Ele centrou e o colega marcou golo.* He crossed quickly and his teammate scored.

centro *sm* centre: *o ~ da cidade* the city centre ◇ *o ~ das atenções* the centre of attention ◇ *as ruas do ~* city centre streets ◇ *um apartamento* *no* ~ a flat in the centre of town LOC **centro comercial** shopping mall **centro cultural** arts centre **centro de emprego** job centre **centro de saúde** health centre **ir ao centro** to go into town

cera *sf* **1** wax **2** (*ouvidos*) earwax LOC *Ver* DEPILAÇÃO, LÁPIS

cerâmica *sf* ceramics [*não-contável*], pottery [*não-contável*] (*mais coloq*)

cerca[1] *sf* (*vedação*) fence

cerca[2] *adv* LOC **cerca de 1** (*quase*) about: *O comboio atrasou ~ de uma hora.* The train was about an hour late. **2** (*a pouca distância*) near: *~ daqui* near here

cercar *vt* **1** (*vedar*) to fence *sth* in **2** (*rodear*) to surround

cereal *sm* **1** (*planta, grão*) cereal **2 cereais** cereal [*não-contável, v sing*]: *Ao pequeno-almoço como cereais.* I have cereal for breakfast.

cerebral *adj* (*Med*) brain [*s*]: *um tumor ~* a brain tumour

cérebro *sm* **1** (*Anat*) brain **2** (*pessoa*) brains [*sing*]: *o ~ do grupo* the brains behind the gang LOC *Ver* LAVAGEM

cereja *sf* cherry [*pl* cherries]

cerejeira *sf* cherry tree

cerimónia *sf* ceremony [*pl* ceremonies] LOC **de cerimónia** formal: *traje de ~* formal dress **sem cerimónias** without ceremony

cerrado, -a *adj* **1** (*nevoeiro, vegetação*) thick **2** (*noite*) dark

certamente *adv* **1** (*sem dúvida*) of course **2** (*provavelmente*) probably: *Certamente não virão.* They probably won't come.

certeza *sf* certainty [*pl* certainties] LOC **com certeza 1** (*sem dúvida*) of course: *Com ~ que vou!* Of course I'm going! **2** (*provavelmente*) probably: *Com ~ não sabe o que se passa.* He probably doesn't know what's going on. **dar a certeza** to confirm: *Não deu a ~ se viria ou não.* She didn't confirm if she'd be coming or not. **de certeza** definitely: *Vou de ~.* I'm definitely going. **ter a certeza** to be sure (*of sth/that...*): *Tenho a ~ de que não o fizeram.* I'm sure they didn't do it.

certidão *sf* (*nascimento, casamento*) certificate

certificado *sm* certificate LOC **certificado de habilitações** school certificate

certificar ▸ *vt* to certify ▸ **certificar-se** *vp* **certificar-se (de)** (*verificar*) to make sure of *sth*

certo, -a ▸ *adj* **1** certain: *com certa ansiedade* with a certain anxiety ◇ *Só lá estão a certas horas do dia.* They're only there at certain times of the day. **2** (*correto*) right: *Quantas perguntas tiveste certas?* How many questions did you get right? ▸ *adv* (*responder, agir*) correctly: *Respondi ~ a todas as perguntas.* I answered all the questions correctly. ▸ **certo!** *interj* right LOC **ao certo** for certain: *Não sei ao ~ o que aconteceu.* I don't know for certain what happened. **até certo ponto** up to a point **de certo modo/de certa forma** in a way: *De ~ modo tem razão.* In a way she's right. **o mais certo é...**: *O mais ~ é chegarem tarde.* They're bound to be late. **ter por certo que...** to take it for granted that... *Ver tb* ALTURA, BATER

cerveja *sf* beer: *Duas ~s, por favor.* Two beers, please. LOC **cerveja imperial/de barril** draught beer **cerveja preta** stout **cerveja sem álcool** alcohol-free beer *Ver tb* FÁBRICA

cesariana *sf* Caesarean

cessar *vi* **1 ~ (de)** to stop (*doing sth*) **2** (*funções*) to give *sth* up LOC **sem cessar** incessantly

cessar-fogo *sm* ceasefire

cesta *sf* (big) basket

cesto *sm* basket: *um ~ com comida* a basket of food ◇ *meter um ~* to score a basket LOC **cesto da roupa suja** laundry basket **cesto dos papéis** waste-paper basket, wastebasket (*USA*): *Manda isso para o ~ dos papéis.* Throw it in the waste-paper basket. ➲ *Ver ilustração em* BIN

cético, -a ▸ *adj* sceptical ▸ *sm-sf* sceptic

cetim *sm* satin

céu ▸ *sm* **1** (*firmamento*) sky [*pl* skies] **2** (*Relig*) heaven ▸ **céus!** *interj* good heavens! LOC **céu da boca** roof of the mouth *Ver tb* CAÍDO, SÉTIMO

cevada *sf* barley

chá *sm* tea: *Queres (um) ~?* Would you like a cup of tea? LOC *Ver* COLHER, SALÃO

chacota *sf* mockery LOC **fazer chacota de** to mock *sb/sth*

chaga *sf* **1** (*ferida aberta*) sore **2** (*úlcera*) ulcer

chalé *sm* chalet

chaleira *sf* kettle, teakettle (*USA*)

chama *sf* flame LOC **estar em chamas** to be ablaze

chamada *sf* **1** call: *fazer uma ~ (telefónica)* to make a (phone) call **2** (*Educ, exames*): *Passei a tudo na primeira ~ (em junho).* I passed in June. ◇ *Vou tentar outra vez na ~ de setembro.* I'll try again in the September resits. LOC **chamada a cobrar no destinatário** reverse charge call, collect call (*USA*) **chamada interurbana** long-distance call: *fazer uma ~ interurbana* to make a long-distance call **fazer a chamada** to call the register *Ver tb* ATENDEDOR

chamado, -a *adj* so-called: *o ~ Terceiro Mundo* the so-called Third World LOC **meter-se onde não se é chamado** to poke your nose in (where you're not wanted) *Ver tb* CHAMAR

chamar ▸ *vt* to call: *O seu nome é António mas todos lhe chamam Tó.* His name's António but everyone calls him Tó. ◇ *~ a polícia* to call the police ▸ **chamar-se** *vp* to be called: *Como te chamas?* What's your name? ◇ *Chamo-me Ana.* I'm called Ana./My name's Ana. LOC **chamar a atenção 1** (*sobressair*) to attract attention: *Veste-se assim para ~ a atenção.* He dresses like that to attract attention. **2** (*surpreender*) to surprise: *Chamou-nos a atenção teres voltado sozinha.* We were surprised that you came back alone. **3** (*repreender*) to tell *sb* off, to reprimand (*USA*) **chamar a cobrar** to reverse the charges, to call collect (*USA*) *Ver tb* MANDAR

chaminé *sf* **1** chimney [*pl* chimneys]: *Daqui veem-se as ~s da fábrica.* You can see the factory chimneys from here. **2** (*barco*) funnel

champanhe *sm* champagne

champô *sm* shampoo [*pl* shampoos]: *~ anticaspa* anti-dandruff shampoo

chamuscar *vt* to singe

chamusco *sm* LOC *Ver* CHEIRAR

chance *sf* chance *(to do sth)*: *ter a ~ de fazer alguma coisa* to have the chance to do sth

chanfrado, -a ▸ *adj* crazy ▸ *sm-sf* nutter, nut (*USA*)

chantagem *sf* blackmail LOC **fazer chantagem com alguém** to blackmail sb

chantagista *smf* blackmailer

chantajar *vt* to blackmail *sb* (*into doing sth*)

chão *sm* **1** (*solo*) ground: *cair no ~* to fall (to the ground) **2** (*de edifício*) floor LOC *Ver* ATIRAR, BATER, LAVAR, PANO

chapa *sf* **1** (*lâmina, Fot*) plate: *~s de aço* steel plates **2** (*crachá*) badge **3** (*carroçaria*) bodywork LOC **chapa de matrícula** number plate, license plate (*USA*)

chapada *sf* **1** (*bofetada*) slap: *Olha que levas uma ~!* Watch out or you'll get a slap! **2** (*de água*): *Atirou-lhe uma ~ de água.* He threw some water at her.

chapado, -a *adj* **1** (*idêntico*) just like *sb/sth*: *É a cara chapada da mãe.* She's the spitting image of her mother. **2** (*absoluto*) out-and-out: *um mentiroso ~* an out-and-out liar ◇ *ser um idiota ~* to be a total idiot

chapéu *sm* (*cabeça*) hat LOC **chapéu alto** top hat **chapéu de chuva** umbrella: *abrir/fechar um ~* to put up/take down an umbrella **chapéu de sol** (*sombrinha*) sunshade

chapinhar *vi* to splash about: *As crianças chapinhavam nas poças de água.* The children were splashing about in the puddles.

charco *sm* pool

charcutaria *sf* (*loja*) delicatessen, deli (*mais coloq*)

charlatão, -ona *sm-sf* quack

charme *sm* charm: *Tem muito ~.* He's got a lot of charm.

charmoso, -a *adj* charming

charro *sm* joint

charrua *sf* plough

charter *adj, sm*: *um (voo) ~* a charter flight

charuto *sm* cigar

chassis *sm* chassis [*pl* chassis]

chatear ▸ *vt* **1** (*irritar*) to annoy, to bug (*coloq*): *O que mais me chateia é que…* What annoys me most of all is that… **2** (*pedir com insistência*) to pester: *Fartou-se de nos ~ para lhe comprarmos uma bicicleta.* He kept pestering us to get him the bike. ◇ *Não me chateies mais!* Stop pestering me! ▸ *vi* (*importunar*) to be a nuisance ▸ **chatear-se** *vp* **1 chatear-se (com) (por)** (*irritar-se*) to get annoyed (with *sb*) (at/about *sth*) **2** (*ficar triste*) to get upset: *Não te chateies com isso.* Don't get upset over something like that.

chatice *sf* **1** (*incómodo*) pain (in the neck): *Estas moscas são uma ~.* These flies are a pain. **2** (*aborrecimento*): *Que ~ de filme!* What a boring film!

chato, -a ▸ *adj* **1** (*plano*) flat: *ter os pés ~s* to have flat feet **2** (*constrangedor*) awkward **3** (*aborrecido*) boring ➲ *Ver nota em* BORING ▸ *adj, sm-sf* (*maçador*) pain [*s*]: *Que criança mais ~!* What a pain that child is! ◇ *São uns ~s.* They're (such) a pain.

chave *sf* **1 ~ (de)** key [*pl* keys] (to *sth*): *a ~ do armário* the key to the wardrobe ◇ *a ~ da porta* the door key ◇ *a ~ do seu êxito* the key to their success **2** (*Mec*) spanner, wrench (*USA*) **3** (*fundamental*) key: *fator/pessoa ~* key factor/person **4** (*código*) code LOC **chave de fendas/parafusos** screwdriver **chave de ignição** ignition key *Ver tb* FECHAR, SETE

chave-inglesa *sf* adjustable spanner, monkey wrench (*USA*)

chávena *sf* cup: *uma ~ de café* a cup of coffee ➲ *Ver ilustração em* CUP

check-in *sm* check-in LOC **fazer o check-in** to check (*sth*) in: *Já fizeste o ~ (das malas)?* Have you checked in (the cases)?

check-up *sm* check-up: *fazer um ~* to have a check-up

chefe *smf* **1** (*superior*) boss: *ser o ~* to be the boss **2** (*de um grupo*) head: *~ de departamento/Estado* head of department/state **3** (*de uma*

C

associação) leader: *o ~ do partido* the party leader **4** (*de uma tribo*) chief LOC **chefe de cozinha** chef **chefe de estação** station master **chefe de família** head of a/the household

chefiar *vt* to lead

chegada *sf* arrival LOC *Ver* LINHA

chegar ▸ *vi* **1** to arrive (*at/in...*): *Chegámos ao aeroporto/hospital às cinco.* We arrived at the airport/hospital at five o'clock. ◇ *Cheguei a Inglaterra há um mês.* I arrived in England a month ago. ➲ *Ver nota em* ARRIVE **2** (*alcançar*) to reach: *Chegas lá?* Can you reach? ◇ *~ a uma conclusão* to reach a conclusion **3** (*bastar*) to be enough: *A comida não chegou para todos.* There wasn't enough food for everybody. ◇ *Chegam 30 contos.* 150 euros will be enough. **4** (*altura*) to come up *to sth*: *A minha filha já me chega ao ombro.* My daughter comes up to my shoulder. **5** ~ **até** (*estender-se*) to go as far as...: *A propriedade chega até ao rio.* The estate goes as far as the river. **6** (*tempo*) to come: *quando ~ o Verão* when summer comes ◇ *Chegou o momento de...* The time has come to... ▸ *vt* **1** (*aproximar*) to bring *sth* closer (*to sb/sth*): *Chegou o microfone à boca.* He brought the microphone closer to his mouth. **2** (*dar*) to pass: *Chega-me essa faca.* Pass me that knife. ▸ **chegar-se** *vp* **1** **chegar-se (a)** (*aproximar-se*) to get closer (to *sb/sth*): *Chega-te aqui.* Come closer. **2** (*afastar-se*) to move: *chegar-se para lá* to move over LOC **chegar a casa** to arrive home, to get home (*mais coloq*) **chegar a fazer alguma coisa** (*conseguir*) to manage to do sth **chegar ao fim** to come to an end **chegar a ser** to become **chegar a tempo** to be on time **chegar a vias de facto** (*lutar*) to come to blows (*with sb*) **chegar bem** to arrive safely **chegar cedo/tarde** to be early/late **estar a chegar** to be due any time: *O teu pai deve estar a ~.* Your father must be due any time now. **(já) chega!** that's enough! *Ver tb* ATRASADO

cheia *sf* flood

cheio, **-a** *adj* **1** full (*of sth*): *Esta sala está cheia de fumo.* This room is full of smoke. ◇ *Não quero mais, estou ~.* I don't want any more, I'm full. ◇ *O autocarro estava ~ até ao teto.* The bus was full to bursting. **2** (*coberto*) covered *in/with sth*: *O teto estava ~ de teias de aranha.* The ceiling was covered in cobwebs. LOC **estar cheio de alguém/alguma coisa** (*estar farto*) to have had enough of sb/sth **estar cheio (dele)** (*ter dinheiro*) to be rolling in it *Ver tb* ESTILO, LUA, PERIPÉCIA

cheirar *vt, vi* ~ **(a)** to smell (of *sth*): *~ a tinta* to smell of paint ◇ *Cheira a quê?* What's that smell? ◇ *Esse perfume cheira bem.* That perfume smells nice. ➲ *Ver nota em* SMELL LOC **cheirar a chamusco** (*fig*) to smell a rat **cheirar alguma coisa (a alguém)** (*desconfiar*) to suspect sth (about sb): *Cheira-me que foi ele o culpado.* I suspect he was the culprit. **cheirar a queimado** to smell of burning **cheirar que tresanda** to stink **não cheirar bem** (*fig*) to smell fishy: *Há qualquer coisa que não cheira bem nesta história.* There's something fishy about this story. *Ver tb* FLOR, MARAVILHA

cheiro *sm* smell (*of sth*): *Sentia-se um ~ a rosas/queimado.* There was a smell of roses/burning. ➲ *Ver nota em* SMELL LOC *Ver* BOMBA

cheiroso, **-a** *adj* sweet-smelling

cheque *sm* cheque: *um ~ no valor de...* a cheque for... ◇ *depositar/levantar um ~* to pay in/cash a cheque LOC **cheque barrado/cruzado** crossed cheque **cheque de viagem** traveller's cheque **cheque em branco** blank cheque **cheque sem fundos/sem provisão** bad cheque **cheque visado** authorized cheque *Ver tb* LIVRO, PAGAR

cheque-prenda *sm* gift token, gift certificate (*USA*)

cherne *sm* stone bass [*pl* stone bass]

chiar *vi* **1** (*rato, bicicleta*) to squeak **2** (*porco*) to squeal **3** (*porta*) to creak **4** (*travões, pneus*) to screech

chiça! *interj* damn

chichi *sm* pee LOC **fazer chichi** to have a pee

chicotada *sf* **1** (*golpe*) lash **2** (*som*) crack

chicote *sm* whip

chifre *sm* horn

chilique *sm* LOC **ter um chilique** **1** (*desmaiar*) to faint **2** (*enervar-se*) to have a fit

chilrear *vi* (*pássaro*) to sing

chilreio *sm* trill

chimpanzé *sm* chimpanzee, chimp (*coloq*)

China *sf* China

chinelo *sm* **1** (*de quarto*) slipper **2** (*de dedo do pé*) flip-flop

chinês, **-esa** ▸ *adj, sm* Chinese: *falar ~* to speak Chinese ▸ *sm-sf* Chinese man/woman [*pl* men/women]: *os chineses* the Chinese LOC **(isso) para mim é chinês!** it's all double Dutch to me!

chio *sm* **1** (*rato, bicicleta*) squeak **2** (*porco*) squeal **3** (*porta*) creak **4** (*travões, pneus*) screech

chip *sm* chip

chique *adj* **1** posh: *a zona ~ da cidade* the posh part of the city **2** (*bem vestido*) smart

chiqueiro *sm* pigsty [*pl* pigsties]

chiu! *interj* (*silêncio!*) sh!

chocalho *sm* **1** bell **2** (*de bebé*) rattle

chocante *adj* shocking

chocar[1] ▸ *vt* (*horrorizar, escandalizar*) to shock: *Chocaram-nos imenso as condições do hospital.* We were shocked at conditions in the hospital. ▸ *vi* ~ **(com/contra)** (*colidir*) to crash (into *sth*): ~ *com outro veículo* to crash into another vehicle ◇ *O carro chocou contra uma parede.* The car crashed into a wall.

chocar[2] *vt* **1** (*ovo*) to hatch **2** (*doença*) to come/go down with *sth*: *Sinto-me mesmo mal, devo estar a ~ uma gripe.* I don't feel at all well, I must be coming down with flu.

choco *sm* (*molusco*) cuttlefish [*pl* cuttlefish] LOC **estar/ficar no choco** to stay at home in bed

chocolate *sm* chocolate: ~ *de leite/negro* milk/plain chocolate

chofer *sm* **1** (*carro privado*) chauffeur **2** (*camião, autocarro*) driver

choque *sm* **1** (*colisão, ruído*) crash **2** (*confronto*) clash **3** (*eletricidade*) (electric) shock: *Vais apanhar um ~!* You'll get a shock! **4** (*desgosto*) shock LOC **carros/carrinhos de choque** dodgems, bumper cars (*USA*): *andar nos carrinhos de ~* to go on the dodgems **choque em cadeia** pile-up **polícia/tropa(s) de choque** riot police [*v sing ou pl*]

choramingas *adj, smf* crybaby [*s*] [*pl* crybabies]: *Não sejas ~.* Don't be such a crybaby.

chorão *sm* (*árvore*) weeping willow

chorar *vi* **1** to cry: *Não chores.* Don't cry. ◇ *pôr-se a ~* to burst out crying ◇ *~ de alegria/raiva* to cry with joy/rage **2** (*olhos*) to water: *Tenho os olhos a ~.* My eyes are watering. LOC **chorar rios de lágrimas** to cry your eyes out *Ver tb* DESATAR, FARTAR-SE

choro *sm* crying

chorrilho *sm* LOC **dizer um chorrilho de asneiras/disparates** to talk a load of rubbish **um chorrilho de mentiras** a pack of lies

choupo *sm* poplar

chouriço *sm* chorizo

chover *v imp* to rain: *Choveu toda a tarde.* It rained all afternoon. ◇ *Está a ~?* Is it raining? LOC **chover a cântaros/potes** to pour: *Chove a potes.* It's pouring. **quer chova, quer faça sol** whatever happens: *Vou ao concerto, quer chova, quer faça sol.* I'm going to the concert, whatever happens. *Ver tb* PARECER

chucha *sf* dummy [*pl* dummies], pacifier (*USA*)

chui *sm* cop

chumaço *sm* shoulder pad

chumbar ▸ *vt* **1** (*reprovar*) to fail (*sb*) (*in sth*): *Chumbaram-me a francês.* They've failed me in French. ◇ *Chumbei a matemática.* I failed maths. **2** (*dente*) to fill: *Vão ter de me ~ três dentes.* I've got to have three teeth filled. ▸ *vi* (*reprovar*) to fail

chumbo *sm* **1** (*metal*) lead **2** (*exame*) fail: *Apanhei/Levei um ~!* I've failed! **3** (*dente*) filling **4** (*munição*) pellet LOC *Ver* GASOLINA

chupa-chupa *sm* lolly [*pl* lollies], sucker (*USA*)

chupadela *sf* suck: *O menino dava ~s no chupa-chupa.* The boy was sucking his lolly.

chupar *vt* **1** to suck: ~ *no dedo* to suck your thumb **2** (*absorver*) to soak *sth* up: *Esta planta chupa muita água.* This plant soaks up a lot of water.

chupeta *sf* dummy [*pl* dummies], pacifier (*USA*)

chupista *adj, smf* (*explorador*) sponger [*s*]: *És um ~!* You're a real sponger!

churrascaria *sf* grill (restaurant)

churrasco *sm* barbecue: *fazer um ~* to have a barbecue

churro *sm* (*comida*) Spanish doughnut

chutar *vt, vi* to shoot: ~ *para a baliza* to shoot at goal

chuteira *sf* football boot, cleat (*USA*)

chuva *sf* **1** rain: *A ~ não me deixou dormir.* The rain kept me awake. ◇ *um dia de ~* a rainy day ◇ *Estas são umas boas botas para a ~.* These boots are good for wet weather. **2** ~ **de** (*bilhetes, prendas*) shower of *sth* **3** ~ **de** (*balas, pedras, murros, insultos*) hail of *sth* LOC **chuva ácida** acid rain **chuva de neve** sleet **chuva molha-tolos/molha-parvos** drizzle **chuva radioativa** radioactive fallout **debaixo da chuva** in the rain *Ver tb* CHAPÉU

chuvada *sf* downpour: *Mas que ~!* What a downpour!

chuveiro *sm* shower: *tomar banho de ~* to have a shower

chuviscar *v imp* to drizzle

chuvisco *sm* drizzle

chuvoso, -a *adj* **1** (*zona, país, temporada*) wet **2** (*dia, tarde, tempo*) rainy

cibercafé *sm* Internet cafe

cibercrime *sm* cybercrime

ciberespaço *sm* cyberspace

cicatriz *sf* scar: *Fiquei com uma ~.* I was left with a scar.

cicatrizar *vi* to heal

ciclismo *sm* cycling: *fazer ~* to cycle

ciclista *smf* cyclist

C

ciclo *sm* cycle: *um ~ de quatro anos* a four-year cycle

ciclone *sm* cyclone

ciclovia *sf* cycle lane, bike path (*USA*)

cidadania *sf* citizenship

cidadão, -ã *sm-sf* citizen: *ser ~ da União Europeia* to be a citizen of the European Union ◇ *Agradeceu a todos os ~s de Sintra.* He thanked the people of Sintra. LOC *Ver* BILHETE

cidade *sf* **1** (*importante*) city [*pl* cities] **2** (*mais pequena*) town LOC **cidade geminada** twin town **cidade natal** home town **cidade universitária** campus [*pl* campuses]

cieiro *sm* LOC *Ver* BÂTON

ciência *sf* **1** science **2 ciências** (*Educ*) science [*não-contável, v sing*]: *o meu professor de ~s* my science teacher ◇ *Estudei ~s.* I studied science. LOC **ciências da Terra e da Vida** biology [*não-contável, v sing*] **ciências físico-químicas** physical chemistry [*não-contável, v sing*] **ciências naturais** natural science(s)

ciente *adj* **~ de** aware of *sth*: *Parece não estar ~ do risco que corre.* He doesn't seem aware of the risk he's running.

científico, -a *adj* scientific LOC *Ver* FICÇÃO

cientista *smf* scientist

cifra *sf* (*número*) figure: *uma ~ de um milhão de euros* a figure of one million euros

cigano, -a *adj, sm-sf* Gypsy [*pl* Gypsies]

cigarra *sf* cicada

cigarro *sm* cigarette LOC **cigarro de liamba** joint

cilada *sf* trap: *cair numa ~* to fall into a trap

cilíndrico, -a *adj* cylindrical

cilindro *sm* **1** cylinder **2** (*máquina*) steam-roller **3** (*de aquecimento de água*) boiler

cima *adv* **1** up: *aquele castelo lá em ~* that castle up there ◇ *da cintura para ~* from the waist up **2** (*andar*) upstairs: *Vivem por ~.* They live upstairs. ◇ *os vizinhos de ~* our upstairs neighbours LOC **de cima abaixo 1** up and down: *Olhou-me de ~ abaixo.* He looked me up and down. **2** (*completamente*): *mudar alguma coisa de ~ abaixo* to change sth completely **em cima (de) 1** (*em*) on: *Deixa-o em ~ da mesa.* Leave it on the table. **2** (*sobre*) on top (of sth/sb): *Deixei-o em ~ dos outros livros.* I've put it on top of the other books. ◇ *Leva o que está em ~.* Take the top one. **estar em cima de alguém** to be on sb's back **para cima** upwards: *Move um pouco o quadro para ~.* Move the picture up a bit. **para cima de 1** (*para o cimo de*) onto: *O gato subiu para ~ da mesa.* The cat jumped onto the table. **2** (*mais de*) over: *Eram para ~ de mil.* There were over a thousand. **para cima e para baixo** up and down: *mover alguma coisa para ~ e para baixo* to move sth up and down **por cima (de) 1** (*a cobrir alguma coisa*) over: *pôr uma coberta por ~ do sofá* to put a throw over the sofa **2** (*além do mais*) on top of everything: *E, por ~, ainda te ris!* And on top of everything, you stand there laughing! **tirar alguém de cima (de alguém)** to get rid of sb *Ver tb* AÍ, ALI, BOCA, LÁ, OLHAR, PARTE, PESO, VISTA

cimeira *sf* summit

cimento *sm* cement

cimo *sm* top LOC **no cimo de tudo** at the very top

cinco *sm, adj, pron* **1** five **2** (*data*) fifth ➲ *Ver exemplos em* SEIS LOC *Ver* FUTEBOL

Cinderela *n pr* Cinderella

cineasta *smf* film-maker

cinema *sm* cinema, movie theater (*USA*): *ir ao ~* to go to the cinema LOC **de cinema** (*festival, diretor, crítico*) film, movie (*USA*): *um ator/realizador de ~* a film actor/director

cinematográfico, -a *adj* film, movie (*USA*): *a indústria cinematográfica* the film industry

cínico, -a ▸ *adj* hypocritical ▸ *sm-sf* hypocrite

cinquenta *sm, adj, pron* **1** fifty **2** (*quinquagésimo*) fiftieth ➲ *Ver exemplos em* SESSENTA

cinta *sf* **1** (*cintura*) waist **2** (*peça de roupa*) girdle

cintilar *vi* **1** (*estrelas*) to twinkle **2** (*luz*) to glimmer

cinto *sm* belt LOC **cinto (de segurança)** seat belt *Ver tb* APERTAR

cintura *sf* waist: *Tenho 60cm de ~.* I've got a 24 inch waist.

cinturão *sm* (*karaté*) belt: *ser ~ negro* to be a black belt

cinza *sf* ash: *espalhar as ~s* to scatter the ashes LOC *Ver* QUARTA-FEIRA

cinzeiro *sm* ashtray

cinzel *sm* chisel

cinzento, -a ▸ *adj* **1** (*cor*) grey ➲ *Ver exemplos em* AMARELO **2** (*tempo*) dull: *Está um dia ~.* It's a dull day. ▸ *sm* (*cor*) grey

cio *sm* LOC **estar no cio** to be on heat, to be in heat (*USA*)

cipreste *sm* cypress

circo *sm* **1** (*espetáculo*) circus [*pl* circuses] **2** (*anfiteatro*) amphitheatre

circuito *sm* (*Desp, Eletrón*) circuit: *O piloto deu dez voltas ao ~.* The driver did ten laps of the circuit.

circulação *sf* **1** (*Anat*) circulation: *má ~ do sangue* poor circulation **2** (*trânsito*) traffic

circular¹ *sf* (*estrada*) ring road, beltway (*USA*)

circular² *adj, sf* circular: *uma mesa ~* a round table ◇ *enviar uma ~* to send out a circular

circular³ ▸ *vt, vi* to circulate: *~ uma carta* to circulate a letter ◇ *O sangue circula pelas veias.* Blood circulates through your veins. ▸ *vi* **1** (*carro*) to drive: *Circulem com cuidado.* Drive carefully. **2** (*comboio, autocarro*) to run **3** (*rumor*) to go round LOC **circulem!** move along!

círculo *sm* **1** circle: *formar um ~* to form a circle **2** (*associação*) society [*pl* societies] LOC **círculo eleitoral** constituency [*pl* constituencies] **círculo polar antártico/ártico** Antarctic/Arctic Circle **círculo vicioso** vicious circle

circunferência *sf* **1** (*círculo*) circle: *O diâmetro divide uma ~ em duas partes iguais.* The diameter divides a circle into two equal parts. ◇ *duas ~s concêntricas* two concentric circles **2** (*perímetro*) circumference: *A terra tem uns 40.000 kilómetros de ~.* The earth has a circumference of about 40000 kilometres.

circunflexo, -a *adj* LOC *Ver* ACENTO

circunstância *sf* circumstance: *nas ~s* under the circumstances LOC *Ver* POMPA

circunvalação *sf* (*estrada*) ring road, beltway (*USA*)

círio *sm* candle

cirurgia *sf* surgery: *~ estética/plástica* cosmetic/plastic surgery

cirurgião, -ã *sm-sf* surgeon

cirúrgico, -a *adj* surgical: *uma intervenção cirúrgica* an operation

cisco *sm* speck: *Tenho um ~ no olho.* I've got a speck in my eye.

cismar ▸ *vt* ~ **que** to get it into your head that...: *Agora cismou que o andamos a tentar enganar.* He's got it into his head that we're trying to deceive him. ▸ *vi* **1** (*refletir*) to think deeply (*about sth*): *depois de muito ~* after much thought **2** ~ **em** to get it into your head *to do sth*: *Cismou em comprar uma moto, e ninguém o consegue fazer mudar de ideias.* He's got it into his head to buy a motorbike, and nobody can make him change his mind.

cisne *sm* swan

cisterna *sf* **1** (*depósito*) tank **2** (*autoclismo*) cistern

citação *sf* (*frase*) quotation, quote (*coloq*)

citar *vt* **1** (*fazer referência*) to quote (from *sb/sth*) **2** (*mencionar*) to cite: *Não citou nenhum exemplo.* She didn't cite a single example. **3** (*Jur*) to summons

citrinos *sm* citrus fruits

ciúme *sm* **ciúmes** jealousy [*não-contável, v sing*]: *É só ~s.* That's just jealousy. ◇ *Sentiu ~s.* He felt jealous. LOC **fazer ciúmes a alguém** to make sb jealous **ter ciúmes (de alguém)** to be jealous (of sb) *Ver tb* MORTO, ROÍDO

ciumento, -a *adj, sm-sf* jealous [*adj*]: *É um ~.* He's very jealous.

cívico, -a *adj* public-spirited: *sentido ~* public-spiritedness LOC *Ver* SERVIÇO

civil ▸ *adj* civil: *um confronto ~* a civil disturbance ▸ *smf* civilian LOC *Ver* CASAR, ENGENHEIRO, ESTADO, REGISTO

civilização *sf* civilization

civilizado, -a *adj* civilized

clã *sm* clan

clamar ▸ *vt* (*exigir*) to demand ▸ *vi* (*gritar*) to cry out

clamor *sm* **1** (*gritos*) shouts [*pl*]: *o ~ da multidão* the shouts of the crowd **2** (*em espetáculos*) cheers [*pl*]: *os ~es do público* the cheers of the audience

clandestino, -a ▸ *adj* clandestine ▸ *sm-sf* **1** (*imigrante*) illegal immigrant **2** (*passageiro*) stowaway: *viajar como ~* to stow away

claque *sf* (*Futebol*) fans [*pl*] LOC **fazer claque por** to root for *sb*: *Fizemos ~ pela equipa de Portugal.* We were rooting for the Portuguese team.

clara *sf* (*ovo*) egg white

claraboia *sf* skylight

clarão *sm* flash

clarear *v imp* **1** (*céu*) to clear up: *Clareou por volta das cinco.* It cleared up at about five. **2** (*tempo, dia*) to brighten up **3** (*amanhecer*) to get light

clareira *sf* (*bosque*) clearing

clareza *sf* clarity LOC **com clareza** clearly

claridade *sf* **1** (*luz*) light **2** (*fig*) clarity

clarificar *vt* (*esclarecer*) to clarify

clarim *sm* bugle

clarinete *sm* clarinet

claro, -a ▸ *adj* **1** clear: *um céu ~/uma mente clara* a clear sky/mind **2** (*cor*) light: *verde-claro* light green **3** (*luminoso*) bright **4** (*cabelo*) fair ▸ *adv* clearly ▸ **claro!** *interj* of course LOC **claro que não** of course not **claro que sim** of course **deixar claro** to make *sth* clear **ser mais claro do que a água** to be crystal clear *Ver tb* NOITE

classe *sf* class: *viajar em primeira ~* to travel first class LOC **classe alta/baixa/média** upper/lower/middle class(es) [*usa-se muito no plural*]

C

ter classe to be classy: *Tem muita ~.* It's really classy.

C

clássico, -a ▸ *adj* **1** (*Arte, Hist, Mús*) classical **2** (*típico*) classic: *o comentário ~* the classic remark ▸ *sm* classic

classificação *sf* **1** classification: *a ~ das plantas* the classification of plants **2** (*nota escolar*) mark, grade (*USA*): *boas classificações* good marks **3** (*descrição*) description: *O seu comportamento não merece outra ~.* His behaviour cannot be described in any other way. **4** (*Desp*): *desafio para ~* qualifying match ◇ *O tenista alemão está à frente na ~mundial.* The German player is number one in the world rankings. ◇ *a ~ geral para a taça* the league table

classificados *sm* classified ads

classificar ▸ *vt* **1** (*ordenar*) to classify: *~ os livros por matérias* to classify books according to subject **2** (*exames, teste*) to mark, to grade (*USA*) **3** (*aluno*) to give *sb* a mark, to give *sb* a grade (*USA*) **4** (*descrever*) to label *sb* (*as sth*): *Classificaram-na de excêntrica.* They labelled her as eccentric. ▸ **classificar-se** *vp* **classificar-se (para)** to qualify (for *sth*): *classificar-se para a final* to qualify for the final LOC **classificar-se em segundo, terceiro, etc. lugar** to come second, third, etc.

classificatório, -a *adj* qualifying

claustro *sm* (*Arquit*) cloister

claustrofobia *sf* claustrophobia: *ter ~* to suffer from claustrophobia

claustrofóbico, -a *adj* claustrophobic

cláusula *sf* clause

clave *sf* (*Mús*) clef LOC **clave de sol/fá** treble/bass clef

clavícula *sf* collarbone

clero *sm* clergy [*pl*]

clicar *vi* ~ **(em)** to click on *sth*: *Clique duas vezes no ícone.* Double-click on the icon.

cliché *sm* (*lugar-comum*) cliché

cliente *smf* **1** (*loja, restaurante*) customer: *um dos meus melhores ~s* one of my best customers **2** (*empresa*) client

clientela *sf* customers [*pl*]

clima *sm* **1** (*lit*) climate: *um ~ húmido* a damp climate **2** (*fig*) atmosphere: *um ~ de cordialidade/tensão* a friendly/tense atmosphere

climatizado, -a *adj* air-conditioned LOC *Ver* PISCINA

clímax *sm* climax

clínica *sf* clinic LOC **clínica dentária** dental practice **clínica geral** general practice

clínico, -a *adj* LOC **ter olho clínico** to have a sharp eye (*for sb/sth*)

clip *sm* (*vídeo*) video [*pl* videos]

clipe *sm* (*papel*) paper clip

clonagem *sm* cloning

clonar *vt* to clone

clone *sm* clone

cloro *sm* chlorine

clorofila *sf* chlorophyll

clube *sm* club

coador *sm* **1** (*leite, chá*) strainer **2** (*legumes*) colander

coagir *vt* to coerce *sb* (*into doing sth*)

coagular *vi* to clot

coágulo *sm* clot

coala *sm* koala (bear)

coalhar *vi* **1** (*leite*) to curdle **2** (*iogurte*) to set

coar *vt* **1** (*chá, legumes, etc.*) to strain **2** (*café*) to filter

cobaia *sf* guinea pig

cobarde ▸ *adj* cowardly ▸ *smf* coward

cobardia *sf* cowardice [*não-contável*]: *É uma ~.* It's an act of cowardice.

coberta *sf* **1** (*cama*) bedspread **2** (*navio*) deck

coberto, -a *adj* **1** ~ **(com/de/por)** covered (in/with *sth*): *~ de manchas* covered in stains ◇ *A cadeira estava coberta com um lençol.* The chair was covered with a sheet. **2** (*instalação*) indoor: *uma piscina coberta* an indoor swimming pool *Ver tb* COBRIR

cobertor *sm* blanket: *Cobre-o com um ~.* Put a blanket over him.

cobertura *sf* **1** (*revestimento*) covering **2** (*Jornal*) coverage LOC **dar cobertura a** to cover up for *sb*: *O governo foi acusado de dar ~ aos banqueiros.* The government was accused of covering up for the bankers.

cobiça *sf* **1** (*avidez*) greed **2** (*inveja*) envy **3** ~ **de** lust for *sth*: *a sua ~ de poder/riquezas* their lust for power/riches

cobiçar *vt* **1** (*ambicionar*) to covet **2** (*invejar*) to envy: *Cobiço-lhe a moto.* I envy him his motorbike.

cobra *sf* snake LOC **dizer cobras e lagartos de alguém** to call sb all the names under the sun

cobrador, -ora *sm-sf* (*dívidas, faturas*) collector

cobrança *sf* **1** (*dívida, impostos*) collection **2** (*preço, tarifa*) charging LOC **à cobrança** cash on delivery (*abrev* COD) *Ver tb* ENVIO

cobrar ▸ *vt, vi* to charge (*sb*) (*for sth*): *Cobraram-me dois euros por um café.* They charged me two euros for a coffee. ▸ *vt*

1 (*imposto, dívida*) to collect **2** (*custar*) to cost: *A guerra cobrou muitas vidas.* The war has cost many lives. ▸ **cobrar-se** *vp* **cobrar-se (de)**: *Cobraram-se de seis horas de trabalho.* They charged for six hours' work. ◇ *Cobre-se das bebidas, se faz favor?* How much are the drinks? LOC **cobrar de mais/menos** to overcharge/undercharge *Ver tb* CHAMADA, IMPORTÂNCIA

cobre *sm* copper

cobrir *vt* ~ **(de/com)** to cover *sb/sth* (in/with *sth*): *Cobriram as paredes com propaganda eleitoral.* They've covered the walls with election posters. ◇ ~ *as despesas de viagem* to cover travelling expenses ◇ ~ *uma ferida com uma ligadura* to cover a wound with a bandage LOC **cobrir-se de glória** to cover yourself in glory **cobrir-se de ridículo** to make yourself look ridiculous

Coca-Cola® *sf* Coke®

cocaína *sf* cocaine

coçar *vt* to scratch

cócegas *sf* LOC **fazer cócegas** to tickle **ter cócegas** to be ticklish: *Tenho muitas ~s nos pés.* My feet are very ticklish.

cochichar *vt, vi* to whisper

coco *sm* (*fruto*) coconut LOC *Ver* PARTIR

cocó *sm* poo, poop (*USA*) LOC **fazer cocó** to do a poo, to do a poop (*USA*)

cócoras *sf* LOC **de cócoras** squatting **pôr-se de cócoras** to squat

cocorocó *sm* cock-a-doodle-doo

côdea *sf* crust

codificar *vt* (*Informát*) to encode

código *sm* code LOC **código da estrada** Highway Code **código postal** postcode, Zip code (*USA*)

codorniz *sf* quail

coeficiente *sm* LOC *Ver* INTELIGÊNCIA

coelho, -a *sm-sf* rabbit

> **Rabbit** é o substantivo genérico. Para nos referirmos só ao macho dizemos **buck**, e à fêmea **doe**.

LOC *Ver* MATAR

coentros *sm* coriander [*não-contável, v sing*]

coerência *sf* **1** (*lógica*) coherence **2** (*consistência*) consistency

coexistência *sf* coexistence

cofre *sm* safe

cogumelo *sm* mushroom LOC **cogumelo venenoso** toadstool

coice *sm* **1** kick: *dar ~s* to kick **2** (*de arma*) recoil

coincidência *sf* coincidence LOC **por coincidência...** it just so happens (that)...

coincidir *vi* ~ **(com) 1** (*acontecimentos, resultados*) to coincide (with *sth*): *Espero que não coincida com os meus exames.* I hope it doesn't coincide with my exams. **2** (*estar de acordo*) to tally (with *sth*): *A notícia não coincide com o que aconteceu.* The news doesn't tally with what happened.

coiro *sm Ver* COURO

coisa *sf* **1** thing: *Uma ~ ficou clara...* One thing is clear... ◇ *Vão-lhes bem as ~s.* Things are going well for them. **2** (*algo*) something: *Queria perguntar-te uma ~.* I wanted to ask you something. **3** (*nada*) nothing, anything: *Não há ~ mais impressionante do que o mar.* There's nothing more impressive than the sea. ➲ *Ver nota em* NADA **4 coisas** (*assuntos*) affairs: *Primeiro quero tratar das minhas ~s.* I want to sort out my own affairs first. ◇ *Nunca conta as ~s da vida dele.* He never talks about his personal life. LOC **cada coisa a seu tempo** all in good time **coisa de** roughly: *Durou ~ de uma hora.* It lasted roughly an hour. **coisas da vida!** that's life! **como são as coisas!** would you believe it! **com uma coisa e outra** what with one thing and another **fazer as coisas às três pancadas**: *Esse canalizador faz as ~s às três pancadas.* That plumber is really slapdash. **mais coisa menos coisa** more or less **não ser grande coisa** to be nothing special **ou (alguma) coisa parecida** or something like that **ou coisa assim** or so: *uns doze ou ~ assim* about twelve or so **que coisa mais estranha!** how odd! **ser coisa de alguém**: *Esta brincadeira deve ser ~ da minha irmã.* This joke must be my sister's doing. **ser pouca coisa** (*ferimento*) not to be serious **ver tal/semelhante coisa**: *Alguma vez viste tal ~?* Did you ever see anything like it? *Ver tb* ALGUM, OUTRO, PENSAR, QUALQUER

coitado, -a ▸ *adj* poor : *Coitado do miúdo!* Poor kid! ▸ **coitado!** *interj* poor thing!

cola *sf* glue

colaboração *sf* collaboration: *fazer alguma coisa em ~ com alguém* to do sth in collaboration with sb

colaborar *vi* ~ **(com) (em)** to collaborate (with *sb*) (on *sth*)

colagem *sf* collage: *fazer uma ~* to make a collage

colapso *sm* collapse

colar[1] *sm* (*adorno*) necklace: *um ~ de esmeraldas* an emerald necklace

colar[2] ▸ *vt* (*com cola*) to glue *sth* (together):

~ *uma etiqueta a uma encomenda* to glue a label on a parcel ▸ *vi* to stick

C

colarinho *sm* collar: *o ~ da camisa* the shirt collar

colateral *adj* collateral LOC *Ver* EFEITO

colcha *sf* bedspread

colchão *sm* **1** mattress **2** (*campismo, praia*) air bed, air mattress (*USA*) **3** (*ginásio*) mat

colcheia *sf* (*Mús*) quaver

colchete *sm* **1** (*Costura*) fastener **2** (*sinal*) square bracket LOC **colchete (macho e fêmea)** hook and eye (fastener)

coleção *sf* collection

colecionador, -ora *sm-sf* collector

colecionar *vt* to collect

colega *smf* **1** (*companheiro*) colleague: *um ~ meu* a colleague of mine **2** (*amigo*) friend LOC **colega de apartamento** flatmate, roommate (*USA*) **colega de aula/turma** classmate **colega de quarto** room-mate *Ver tb* EQUIPA

colégio *sm* (*Educ*) (private/independent) school ➲ *Ver nota em* SCHOOL LOC **colégio de padres/freiras** Catholic school **colégio interno** boarding school

coleira *sf* (*cão, gato*) collar

cólera *sf* **1** (*raiva*) fury **2** (*doença*) cholera

colérico, -a *adj* furious

colesterol *sm* cholesterol

coleta *sf* collection LOC **fazer uma coleta** (*com fins caritativos*) to collect for charity

colete *sm* waistcoat, vest (*USA*) LOC **colete à prova de bala(s)** bulletproof vest **colete salva-vidas** life jacket

coletivo, -a *adj* **1** collective **2** (*transporte*) public

colheita *sf* **1** harvest: *A ~ deste ano será boa.* There's going to be a good harvest this year. **2** (*vinho*) vintage: *a ~ de 2005* the 2005 vintage

colher[1] *sf* **1** (*objeto*) spoon **2** (*conteúdo*) spoonful **3** (*pedreiro*) trowel LOC **colher de chá** **1** (*objeto*) teaspoon **2** (*conteúdo*) teaspoonful **colher de pau** wooden spoon

colher[2] *vt* **1** (*frutos, flores, legumes*) to pick **2** (*cereais*) to harvest

colherada *sf* spoonful: *duas ~s de açúcar* two spoonfuls of sugar

cólica *sf* colic [*não-contável*]

colina *sf* hill

colírio *sm* eye drops [*pl*]

colisão *sf* collision (*with sth*): *uma ~ de frente* a head-on collision

colite *sf* diarrhoea [*não-contável*], colitis [*não-contável*] (*mais formal*)

collants *sm* tights [*pl*], pantyhose [*pl*] ➲ *Ver notas em* CALÇAS *e* PAIR

colmeia *sf* beehive

colo *sm* (*regaço*) lap: *Tinha um bebé ao ~.* She had a baby in her arms. ◇ *uma criança de ~* a baby

colocar *vt* **1** (*posicionar*) to put, to place (*mais formal*): *Isto coloca-me numa situação difícil.* This puts me in a very awkward position. **2** (*bomba*) to plant **3** (*em emprego*) to post: *Ficou colocada em Viseu.* She's been posted to Viseu. **4** (*problema, questões*) to raise : *~ dúvidas/perguntas* to raise doubts/questions ◇ *O livro coloca vários problemas importantes.* The book raises several important issues.

cólon *sm* colon

colónia[1] *sf* colony [*pl* colonies]

colónia[2] *sf* (*perfume*) cologne [*não-contável*]: *pôr ~* to put (some) cologne on

colonial *adj* colonial

colonizador, -ora ▸ *adj* colonizing ▸ *sm-sf* settler

colonizar *vt* to colonize

colono, -a *sm-sf* settler

coloquial *adj* colloquial

colóquio *sm* conference

colorau *sm* paprika

colorido, -a *adj* colourful *Ver tb* COLORIR

colorir *vt* to colour *sth* (in)

coluna *sf* **1** column **2** (*Anat*) spine **3** (*hi-fi, rádio*) speaker LOC **coluna social** gossip column **coluna vertebral** **1** (*Anat*) spinal column **2** (*fig*) backbone: *a ~ vertebral da economia* the backbone of the economy

colunável *adj, smf* society figure [*s*]: *uma pessoa ~* a society figure

colunista *smf* columnist

com *prep* **1** with: *Vivo ~ os meus pais.* I live with my parents. ◇ *Prega-o ~ um pionés.* Stick it up with a drawing pin. ◇ *Com que é que o limpas?* What do you clean it with?

> Às vezes traduz-se por **and**: *pão com manteiga* bread and butter ◇ *água com açúcar* sugar and water. Também pode traduzir-se por **to**: *Com quem estavas a falar?* Who were you talking to? ◇ *É simpática com toda a gente.* She's very nice to everyone.

2 (*conteúdo*) of: *uma mala ~ roupa* a suitcase (full) of clothes ◇ *um balde ~ água e sabão* a bucket of soapy water **3** (*em expressões com o verbo "estar"*): *estar ~ pressa* to be in a hurry

◇ *estar ~ calor/fome/sono* to be hot/hungry/sleepy

coma *sm ou sf* (*Med*) coma: *estar em ~* to be in a coma LOC *Ver* ESTADO

comadre *sf*: *Somos ~s.* She's my child's godmother./I'm her child's godmother.

comandante *sm* (*navio, polícia, forças armadas*) commander

comando *sm* **1** (*direção*) **(a)** (*liderança*) leadership: *ter o dom do ~* to be a born leader **(b)** (*Mil*) command: *entregar/tomar o ~* to hand over/take command **2** (*Informát*) joystick ➲ *Ver ilustração em* COMPUTADOR **3 comandos** controls: *quadro de ~s* control panel **4** (*Mil, pessoa, divisão*) commando [*pl* commandos] **5** (*terrorista*) cell LOC **comando à distância** remote control

combate *sm* combat [*não-contável*]: *soldados mortos em ~* soldiers killed in combat ◇ *O ~ foi feroz.* There was fierce fighting. LOC **combate de boxe** boxing match **de combate** fighter: *avião/piloto de ~* fighter plane/pilot **estar fora de combate 1** to be out of action **2** (*Boxe*) to be knocked out *Ver tb* CARRO

combatente *smf* fighter, combatant (*mais formal*)

combater ▸ *vt* to combat: *~ o terrorismo* to combat terrorism ▸ *vi* to fight

combinação *sf* **1** (*mistura, de um cofre*) combination **2** (*acordo*) agreement

combinado, -a *adj* agreed: *Vejo-vos no local ~.* I'll see you where we agreed to meet. LOC **está combinado!** it's a deal! *Ver tb* COMBINAR

combinar ▸ *vt* **1** to combine **2** (*roupa*) to match *sth* (*with sth*) **3** (*planear*) to arrange *sth* (*with sb*): *Combinei com a Guida ir ao cinema hoje.* I arranged with Guida to go to the cinema today. ▸ *vi* **1** (*cores*) to go *with sth*: *O preto combina com qualquer cor.* Black goes well with any colour. ◇ *Cor de laranja e vermelho não combinam.* Orange and red don't go (well) together. **2** (*roupa*) to match: *Estes sapatos não combinam com a carteira.* Those shoes don't match the handbag.

comboio *sm* train: *apanhar/perder o ~* to catch/miss the train ◇ *estação do ~* railway/train station ◇ *viajar de ~* to travel by train LOC **comboio de mercadorias** freight train **comboio interurbano** local train

combustível ▸ *adj* combustible ▸ *sm* fuel

começar *vt, vi* ~ **(a)** to begin, to start (*sth/doing sth/to do sth*): *De repente começou a chorar.* All of a sudden he started to cry. ➲ *Ver nota em* START LOC **para começar** to start with *Ver tb* ZERO

começo *sm* start, beginning (*mais formal*) ➲ *Ver nota em* BEGINNING

comédia *sf* comedy [*pl* comedies] LOC **comédia musical** musical *Ver tb* FILME

comediante *smf* **1** comedian **2** (*ator cómico*) comic actor ➲ *Ver nota em* ACTRESS

comemoração *sf* celebrations [*pl*]: *A ~ estendeu-se pela noite dentro.* The celebrations continued till well into the night.

comemorar *vt, vi* to celebrate

comentador, -ora *sm-sf* commentator

comentar *vt* **1** (*analisar*) to comment on *sth* **2** (*dizer*) to say: *Limitou-se a ~ que estava doente.* He would only say he was sick. **3** (*falar mal de*) to make comments about *sth*

comentário *sm* comment, remark (*mais coloq*): *fazer um ~* to make a remark LOC **comentário de texto** textual criticism **fazer comentários** to comment (*on sb/sth*) **sem comentários** no comment

comer[1] *sm* **1** (*alimentos*) food: *O ~ está pronto!* The food is ready! **2** (*refeição*) meal: *Telefona-me sempre à hora do ~.* She always rings me up at mealtimes.

comer[2] ▸ *vt* **1** to eat: *~ uma sandes* to eat a sandwich ◇ *Devias ~ alguma coisa antes de sair.* You should eat something before you go. **2** (*omitir*) to miss *sth* out: *~ uma palavra* to miss a word out **3** (*Xadrez, Damas*) to take **4** (*insetos*) to eat *sb* alive: *Os mosquitos comeram-me vivo.* I've been eaten alive by the mosquitoes. ▸ *vi* to eat LOC **comer com beijos** to smother *sb* with kisses **comer com os olhos** to gaze longingly at *sb/sth* **comer como um abade/boi/lobo** to eat like a horse **dar de comer a alguém** to feed sb *Ver tb* CAPAZ

comercial *adj* commercial LOC *Ver* BALANÇA, CENTRO, GALERIA

comercializar *vt* to market

comerciante *smf* (*dono de loja*) shopkeeper, storekeeper (*USA*)

comerciar ▸ *vt, vi* (*produto*) to trade (*in sth*): *~ em armas* to trade in arms ▸ *vi* ~ **com** to do business (with *sb*)

comércio *sm* (*atividade*) trade: *~ externo* foreign trade LOC **comércio eletrónico** e-commerce

comestível ▸ *adj* edible ▸ **comestíveis** *sm* (*víveres*) foodstuffs

cometa *sm* comet

cometer *vt* **1** (*delito, infração*) to commit **2** (*erro*) to make

comichão *sf* itch: *Sinto ~ nas costas.* I've got an itchy back. LOC **fazer comichão** to itch

comício *sm* (*Pol*) rally [*pl* rallies]

cómico, -a ▸ *adj* **1** (*engraçado*) funny **2** (*de comédia*) comedy [s]: *ator* ~ comedy actor ▸ *sm-sf* comedian LOC *Ver* FILME

C

comida *sf* food: *Temos o frigorífico cheio de* ~. The fridge is full of food. LOC **comida caseira** home cooking

comigo *pron* with me: *Vem* ~. Come with me. ◊ *Não quer falar* ~. He doesn't want to speak to me. LOC **comigo mesmo/próprio** with myself: *Estou contente* ~ *mesma*. I'm very pleased with myself.

comilão, -ona ▸ *adj* greedy ▸ *sm-sf* glutton

cominhos *sm* cumin [*não-contável, v sing*]

comissão *sf* commission: *10% de* ~ a 10% commission ◊ *a Comissão Europeia* the European Commission LOC **à comissão** on commission

comissário, -a *sm-sf* **1** (*polícia*) superintendent **2** (*membro de comissão*) commissioner

comité *sm* committee [*v sing ou pl*] ➲ *Ver nota em* JÚRI

comitiva *sf* entourage

como ▸ *adv* **1** (*modo, na qualidade de, segundo*) as: *Respondi* ~ *pude*. I answered as best I could. ◊ *Levei-o para casa* ~ *recordação*. I took it home as a souvenir. ◊ *Como te estava a dizer*... As I was saying... **2** (*comparação, exemplo*) like: *Tem um carro* ~ *o nosso*. He's got a car like ours. ◊ *chás* ~ *o de camomila e menta* herbal teas like camomile and peppermint ◊ *macio* ~ *a seda* smooth as silk **3** [*em interrogativas*] **(a)** (*de que modo*) how: *Como se traduz esta palavra?* How do you translate this word? ◊ *Não sabemos* ~ *aconteceu*. We don't know how it happened. ◊ *Como é que pudeste não me dizer?* How could you not tell me? **(b)** (*quando não se ouviu ou entendeu alguma coisa*) sorry, pardon (*mais formal*): *Como? Podes repetir?* Sorry? Can you say that again? **4** [*em exclamações*]: *Como te pareces com o teu pai!* You're just like your father! ▸ *conj* (*causa*) as: *Como cheguei cedo, preparei um café para mim*. As I was early, I made myself a coffee. ▸ **como!** *interj* (*aborrecimento, espanto*) what!: *Como! Ainda não te vestiste?* What! Aren't you dressed yet? LOC **a como está/estão?** how much is it/are they? **como é?** (*descrição*) what is he, she, it, etc. like? **como é isso?** how come? **como é que...?** how come?: *Como é que não saíste?* How come you didn't go out? **como estás?** how are you? **como podia eu...!** how am I, are you, etc. supposed to...!: *Como podia eu saber!* How was I supposed to know! **como que...?** (*espanto, aborrecimento*): *Como que não sabias?* What do you mean, you didn't know? **como se** as if: *Trata-me* ~ *se fosse sua filha*. He treats me as if I were his daughter.

> Neste tipo de expressões é mais correto dizer "as if I/he/she/it **were**". Contudo, atualmente na linguagem falada usa-se muito "as if I/he/she/it **was**".

como vai isso? how's it going? **seja como for 1** (*a qualquer preço*) at all costs: *Temos de ganhar seja* ~ *for*. We must win at all costs. **2** (*em qualquer dos casos*) in any case: *Seja* ~ *for, nós vamos*. We're going in any case. **3** (*não importa como*) any old how: *Deixa sempre a roupa seja* ~ *for, toda espalhada pelo quarto*. He always leaves his clothes any old how, scattered about his room.

cómoda *sf* chest of drawers [*pl* chests of drawers], dresser (*USA*)

comodidade *sf* **1** (*conforto*) comfort **2** (*conveniência*) convenience: *a* ~ *de ter o metropolitano perto* the convenience of having the underground nearby

cómodo, -a *adj* **1** (*confortável*) comfortable: *sentir-se* ~ to feel comfortable **2** (*conveniente*) convenient: *É muito* ~ *esquecer o assunto*. It's very convenient to forget about it.

comover ▸ *vt* to move ▸ **comover-se** *vp* to be moved

compacto, -a *adj* compact LOC *Ver* DISCO

compadecer-se *vp* ~ **(de)** to feel sorry for *sb*

compadre *sm* (*padrinho*): *Somos* ~*s*. He's my child's godfather./I'm her child's godfather.

compaixão *sf* pity, compassion (*mais formal*) LOC **ter compaixão de alguém** to take pity on sb

companheiro, -a *sm-sf* **1** (*amigo*) companion **2** (*em casal*) partner **3** (*no trabalho*) colleague **4** (*de turma*) classmate LOC *Ver* EQUIPA

companhia *sf* company [*pl* companies]: *Trabalha numa* ~ *de seguros*. He works for an insurance company. LOC **companhia aérea** airline **fazer companhia a alguém** to keep sb company **má(s) companhia(s)**: *Ele anda com más* ~*s*. He hangs out with the wrong crowd.

comparação *sf* comparison: *Esta casa não tem* ~ *alguma com a anterior*. There's no comparison between this house and the old one. LOC **em comparação com** compared to/with *sb/sth*

comparar *vt* to compare *sb/sth* (*to/with sb/sth*): *Não compares esta cidade com a minha!* Don't go comparing this town to mine!

comparável *adj* ~ **a/com** comparable to/with *sb/sth*

compartilhar *vt* to share

compartimento *sm* compartment

compassivo, -a *adj* ~ **(com)** compassionate (towards *sb*)

compasso *sm* **1** (*Mat, Náut*) compass **2** (*Mús*) **(a)** (*tempo*) time: *o ~ de três por quatro* three four time **(b)** (*divisão de pentagrama*) bar, measure (*USA*): *os primeiros ~s duma sinfonia* the first bars of a symphony LOC *Ver* MARCAR

compatível *adj* compatible

compatriota *smf* fellow countryman/woman [*pl* fellow countrymen/-women]

compensação *sf* compensation

compensar ▸ *vt* **1** (*duas coisas*) to make up for *sth*: *para ~ a diferença de preços* to make up for the difference in price **2** (*uma pessoa*) to repay *sb* (*for sth*): *Não sei como compensá-los por tudo o que fizeram.* I don't know how to repay them for all they've done. ▸ *vi*: *Não compensa ir só por uma hora.* It's not worth going for only an hour. ◇ *A longo prazo compensa.* It's worth it in the long run.

competência *sf* **1** (*capacidade de executar bem*) competence: *falta de ~* incompetence **2** (*específica*) skill: *~s linguísticas* linguistic skills

competente *adj* competent: *um professor ~* a competent teacher

competição *sf* competition

competir *vi* to compete: *~ pelo título* to compete for the title ◇ *~ com empresas estrangeiras* to compete with foreign companies LOC **competir a alguém** to be sb's responsibility (*to do sth*): *Compete-me a mim escolher o novo assistente.* It's my responsibility to choose the new assistant.

competitivo, -a *adj* competitive

complemento *sm* **1** (*suplemento*) supplement: *como ~ da dieta* as a dietary supplement **2** (*Gram*) object

completar *vt* to complete

completo, -a *adj* complete: *a coleção completa* the complete collection LOC **por completo** completely *Ver tb* NOME, PENSÃO

complexo, -a *adj, sm* complex: *É um problema muito ~.* It's a very complex problem. ◇ *um ~ de escritórios* an office complex ◇ *ter ~s de superioridade* to have a superiority complex

complicado, -a *adj* **1** complicated **2** (*pessoa*) awkward *Ver tb* COMPLICAR

complicar ▸ *vt* to complicate ▸ **complicar-se** *vp* to become complicated LOC **complicar a vida** to make life difficult for yourself **complicar (mais) as coisas** to complicate things

compor ▸ *vt* **1** (*formar*) to make *sth* up **2** (*Mús*) to compose **3** (*arrumar*) to tidy *sth* up, to clear *sth* up (*USA*) ▸ **compor-se** *vp* **compor-se de** to consist of *sth*: *O curso compõe-se de seis cadeiras.* The course consists of six subjects. LOC **tudo se há de compor** everything will be OK

comportamento *sm* behaviour [*não-contável*]: *O seu ~ foi exemplar.* Their behaviour was exemplary.

comportar-se *vp* to behave

composição *sf* composition

compositor, -ora *sm-sf* composer

composto, -a ▸ *adj* **1** compound: *palavras compostas* compound words **2** ~ **de/por** consisting of *sth* ▸ *sm* compound *Ver tb* COMPOR

compota *sf* **1** (*doce*) preserve **2** (*fruta cozida*) stewed fruit: *~ de maçã* stewed apple

compra *sf* purchase: *uma boa ~* a good buy LOC **fazer as compras** to do the shopping **ir às compras** to go shopping *Ver tb* PODER²

comprador, -ora *sm-sf* purchaser

comprar *vt* to buy: *Quero comprar-lhes um presente.* I want to buy them a present. ◇ *Compras-mo?* Will you buy it for me? ◇ *Comprei a bicicleta a um amigo.* I bought the bike from a friend. LOC **comprar a prestações** to buy *sth* on hire purchase, to buy *sth* in installments (*USA*) *Ver tb* MEIO

compreender ▸ *vt, vi* (*entender*) to understand: *Os meus pais não me compreendem.* My parents don't understand me. ◇ *Como irá compreender...* As you will understand... ▸ *vt* (*incluir*) to include

compreensão *sf* understanding LOC **ter/mostrar compreensão** to be understanding (*towards sb*)

compreensivo, -a *adj* understanding (*towards sb*)

comprido, -a *adj* long: *O casaco fica-te muito ~.* That coat is too long for you. ◇ *É uma história muito comprida.* It's a long story. LOC **ao comprido** lengthways

comprimento *sm* length: *nadar seis vezes o ~ da piscina* to swim six lengths ◇ *Quanto é que mede de ~?* How long is it? ◇ *Tem cinquenta metros de ~.* It's fifty metres long. LOC *Ver* SALTO

comprimido *sm* (*medicamento*) tablet LOC *Ver* PISTOLA

comprometedor, -ora *adj* compromising

comprometer ▸ *vt* **1** (*deixar mal*) to put *sb* in an awkward position **2** (*obrigar*) to commit *sb to sth/doing sth* ▸ **comprometer-se** *vp* **1** (*dar a sua palavra*) to promise (*to do sth*):

C

Comprometi-me a ir. I've promised to go. **2** (*em casamento*) to get engaged (*to sb*)

comprometido, -a *adj* **1** (*culpado*) guilty **2** (*namorado*) spoken for *Ver tb* COMPROMETER

compromisso *sm* **1** (*obrigação*) commitment: *O casamento é um grande ~.* Marriage is a big commitment. **2** (*acordo*) agreement **3** (*encontro, matrimonial*) engagement: *Não posso ir pois tenho um ~.* I can't go as I've got a prior engagement. ❶ A palavra **compromise** não significa "compromisso", mas sim "acordo". LOC **sem compromisso** without obligation

comprovar *vt* to prove

computador *sm* computer

Após ligar o computador deve-se fazer o login (**log in/on**). Às vezes é necessário digitar uma senha (**key in/enter your password**) e então pode-se navegar na Internet (**surf the Net**) e mandar mensagens pelo correio eletrónico (**send emails**), ou conversar com os amigos em salas de conversação (**chat rooms**). Pode-se também abrir um arquivo (**open a file**), e não devemos esquecer-nos de salvar (**save**) os documentos. Também é sempre boa ideia fazer uma cópia de segurança (**make a backup copy**). Finalmente, desliga-se o computador depois de se fazer o logoff (**log off/out**).

LOC **computador pessoal** personal computer (*abrev* PC)

computorizar *vt* to computerize

comum *adj* **1** common: *um problema ~* a common problem ◇ *características comuns a um grupo* characteristics common to a group **2** (*compartilhado*) joint: *um esforço ~* a joint effort LOC **ter alguma coisa em comum** to have sth in common *Ver tb* SENSO, VALA

comunhão *sf* communion: *fazer a primeira ~* to make your first Communion

comunicação *sf* **1** communication: *a falta de ~* lack of communication **2** (*comunicado*) statement LOC *Ver* MEIO

comunicado *sm* announcement

comunicar ▸ *vt* to report *sth* (*to sb*): *Comunicaram as suas suspeitas à polícia.* They've reported their suspicions to the police. ▸ *vi* **~ (com) 1** to communicate (with *sb/sth*): *Tenho dificuldade em ~ com os outros.* I find it difficult to communicate with other people. ◇ *O meu quarto comunica com o teu.* My room communicates with yours. **2** (*pôr-se em contacto*) to get in touch (with *sb*): *Não consigo ~ com eles.* I can't get in touch with them.

comunidade *sf* community [*v sing ou pl*] [*pl* communities]

comunismo *sm* communism

comunista *adj, smf* communist

côncavo, -a *adj* concave

conceber *vt, vi* to conceive

conceder *vt* **1** (*ger*) to give: *~ um empréstimo a alguém* to give sb a loan ◇ *Concede-me uns minutos, por favor?* Could you spare me a couple of minutes, please? **2** (*prémio, bolsa*) to award: *Concederam-me uma bolsa.* I was awarded a scholarship. **3** (*reconhecer*) to acknowledge: *Há que conceder-lhes algum mérito.* We have to acknowledge that they have some merit.

conceito *sm* **1** (*ideia*) concept **2** (*opinião*) opinion: *Não sei que ~ tens de mim.* I don't know what you think of me.

conceituado, -a *adj* highly regarded ➲ *Ver nota em* WELL BEHAVED

concelho *sm* municipality [*pl* municipalities]

concentração *sf* concentration: *falta de ~* lack of concentration

concentrado, -a ▸ *adj* **1** (*pessoa*): *Estava tão*

computador

Comandos Commands

abrir open
apagar clear/delete
colar paste
copiar copy
cortar cut
desfazer undo
deslocar página para cima page up
executar run
fechar close
guardar save
guardar como save as
imprimir print
inserir insert
localizar find
pré-visualizar impressão print preview
recortar e colar cut and paste
refazer redo
renomear rename
sair quit/exit
selecionar select
selecionar tudo select all
substituir replace
visualizar view
voltar a página page down

~ *na leitura que não te ouvi entrar.* I was so immersed in the book that I didn't hear you come in. **2** (*substância*) concentrated ▸ *sm* concentrate: ~ *de uva* grape concentrate LOC *Ver* TOMATE; *Ver tb* CONCENTRAR

concentrar ▸ *vt* **1** (*atenção*) to focus *sth on sth* **2** (*esforços*) to concentrate (*your efforts*) (*on sth/doing sth*) ▸ **concentrar-se** *vp* **concentrar-se (em) 1** to concentrate (on *sth*): *Concentra-te no que estás a fazer.* Concentrate on what you are doing. **2** (*prestar atenção*) to pay attention (to *sth*): *sem se ~ nos detalhes* without paying attention to detail

concerto *sm* **1** (*recital*) concert **2** (*composição musical*) concerto [*pl* concertos]

concha *sf* **1** shell **2** (*sopa*) ladle

conciliar *vt* to combine *sth* (*with sth*): ~ *o trabalho com a família* to combine work with your family life

conciso, -a *adj* concise

concluir ▸ *vt, vi* (*terminar*) to conclude, to finish (*mais coloq*) ▸ *vt* (*deduzir*) to conclude *sth* (*from sth*): *Concluíram que estava inocente.* They concluded that he was innocent.

conclusão *sf* conclusion: *chegar a/tirar uma* ~ to reach/draw a conclusion

concordar *vi* to agree (*with sb*) (*on/about sth/ to do sth*): *Concordam comigo em que ele é um rapaz estupendo.* They agree with me that he's a great lad. ◇ *Concordamos em tudo.* We agree on everything. ◇ *Concordámos em voltar ao trabalho.* We agreed to return to work.

concorrência *sf* competition: *A ~ é algo de bom.* Competition is a good thing. LOC **fazer concorrência (a)** to compete with *sb/sth*

concorrente *smf* **1** (*competição, concurso*) contestant **2** (*adversário*) rival

concorrer *vi* **1** ~ **a** (*candidatar-se*) to apply for *sth*: ~ *a um emprego na câmara* to apply for a job with the council **2** (*competir*) to compete (*for sth*) **3** (*a concurso*) to take part (*in sth*)

concorrido, -a *adj* **1** (*cheio de gente*) crowded **2** (*popular*) popular *Ver tb* CONCORRER

concreto, -a *adj* **1** (*específico*) specific: *as tarefas concretas que desempenham* the specific tasks they perform **2** (*preciso*) definite: *uma data concreta* a definite date

concurso *sm* **1** (*jogos de habilidade, Desp*) competition **2** (*TV, Rádio*) **(a)** (*de perguntas e respostas*) quiz show **(b)** (*de jogos e provas*) game show **3** (*para emprego*) open competition LOC **concurso de beleza** beauty contest

condado *sm* county [*pl* counties]

condão *sm* LOC **ter o condão de** to have the effect of *sth*: *A música tinha o ~ de a acalmar.* The music had the effect of calming her down. *Ver tb* VARINHA

conde, -essa *sm-sf* **1** (*masc*) count **2** (*fem*) countess

condecoração *sf* medal

condecorar *vt* to award *sb* a medal (*for sth*)

condenado, -a *adj* **1** ~ **a** (*predestinado*) doomed (to *sth*) **2** (*a uma pena*) sentenced (to *sth*) *Ver tb* CONDENAR

condenar *vt* **1** (*desaprovar*) to condemn **2** (*Jur*) **(a)** (*a uma pena*) to sentence *sb* (*to sth*): ~ *alguém à morte* to sentence sb to death **(b)** (*por um delito*) to convict *sb* (*of sth*)

condensar(-se) *vt, vp* to condense LOC *Ver* LEITE

condescendente *adj* **1** (*tolerante*) tolerant (*of/towards sb*): *Os pais dele são muito ~s com ele.* His parents are very tolerant (towards him). **2** (*com ares de superioridade*) condescending: *um sorrisinho ~* a condescending smile

condessa *sf Ver* CONDE

condição *sf* **1** condition: *É a minha única ~.* That is my one condition. ◇ *Faço-o com a ~ de me ajudares.* I'll do it on condition that you help me. ◇ *Eles estabeleceram as condições.* They laid down the conditions. ◇ *A mercadoria chegou em perfeitas condições.* The goods arrived in perfect condition. **2** (*social*) background LOC **estar em condições (de) 1** (*fisicamente*) to be fit *to do sth* **2** (*ter a possibilidade*) to be in a position *to do sth* **sem condições** unconditional: *uma rendição sem condições* an unconditional surrender ◇ *Aceitou sem condições.* He accepted unconditionally.

condicionado, -a *adj* LOC *Ver* AR, TRÂNSITO

condicional *adj, sm* conditional LOC *Ver* LIBERDADE

condimento *sm* seasoning

condizer *vi* ~ **(com)** (*cores, roupa*) to go (with *sth*), to go together: *Este vestido não condiz com os meus sapatos.* This dress doesn't go with my shoes. ◇ *As cores que escolheste não condizem.* The colours you've chosen don't go together.

condução *sf* LOC *Ver* CARTA, ESCOLA, EXAME

conduta[1] *sf* behaviour [*não-contável*]

conduta[2] *sf* (*tubo*) pipe LOC **conduta do lixo** rubbish chute

condutor, -ora *sm-sf* driver ❶ Em inglês **conductor** significa *cobrador* ou *revisor.* LOC **condutor de fim de semana** Sunday driver

conduzir ▸ *vt* **1** to drive **2** (*moto*) to ride

3 (*levar*) to lead *sb* (*to sth*): *As pistas conduziram-nos ao ladrão.* The clues led us to the thief. **4** (*reunião, negociações, negócio*) to conduct ▸ *vi* **1** (*veículo*) to drive: *Estou a aprender a ~.* I'm learning to drive. **2 ~ a** (*levar*) to lead to *sth*: *Este caminho conduz ao palácio.* This path leads to the palace.

C

cone *sm* cone

conexão *sf* **1 ~ (com)** connection (to/with *sth*) **2 ~ (entre)** connection (between...)

confeitaria *sf* **1** (*loja*) confectioner's ➲ *Ver nota em* TALHO **2** (*ramo comercial*) confectionery

conferência *sf* **1** (*exposição oral*) lecture **2** (*congresso*) conference LOC **conferência de imprensa** press conference

conferencista *smf* lecturer

conferir ▸ *vt* (*verificar*) to check ▸ *vi* **~ (com)** (*coincidir*) to tally (with *sth*)

confessar ▸ *vt, vi* **1** to confess (to *sth/doing sth*): *Tenho de ~ que prefiro o teu.* I must confess I prefer yours. ◇ *~ um crime/homicídio* to confess to a crime/murder ◇ *Confessaram ter assaltado o banco.* They confessed to robbing the bank. **2** (*padre*) to hear (*sb's*) confession: *Não confessam aos domingos.* They don't hear confession on Sundays. ▸ **confessar-se** *vp* (*Relig*) to go to confession LOC **confessar a verdade** to tell the truth

confessionário *sm* confessional

confessor *sm* confessor

confetti *sm* confetti

confiança *sf* **1 ~ (em)** confidence (in *sb/sth*): *Não têm muita ~ nele.* They don't have much confidence in him. **2** (*familiaridade*) familiarity: *tratar alguém com demasiada ~* to be too familiar with sb LOC **confiança em si mesmo/próprio** self-confidence: *Não tenho ~ em mim mesmo.* I lack self-confidence. **de confiança** trustworthy: *um empregado de ~* a trustworthy employee **não ser de confiança** to be unreliable *Ver tb* ABUSO, DIGNO

confiante *adj* **~ (em)** confident (of *sth*): *estar ~ de que...* to be confident that...

confiar ▸ *vi* **~ em** to trust *sb/sth* [*vt*]: *Confia em mim.* Trust me. ◇ *Não confio nos bancos.* I don't trust banks. ▸ *vt* to entrust *sb/sth* with *sth*: *Sei que posso confiar-lhe a organização da festa.* I know I can entrust him with the arrangements for the party.

confidência *sf* confidence LOC **em confidência** in confidence

confidencial *adj* confidential

confidente *smf*: *Juliana é a minha única ~.* Juliana's the only person I can confide in.

confirmar *vt* to confirm

confiscar *vt* to seize: *A polícia confiscou-lhes os documentos.* The police seized their documents.

confissão *sf* confession

conflito *sm* conflict: *um ~ entre as duas potências* a conflict between the two powers LOC **conflito de interesses** clash of interests

conformar-se *vp* **~ (com) 1** to be happy (with *sth/doing sth*): *Conformo-me com um "suficiente".* I'll be happy with a pass. ◇ *Conformam-se com pouco.* They're easily pleased. **2** (*resignar-se*): *Não me agrada, mas terei de conformar-me.* I don't like it, but I'll have to get used to the idea.

conforme ▸ *prep* **1** (*de acordo com*) according to *sth*: *~ os planos* according to the plans **2** (*dependendo de*) depending on *sth*: *~ o seu tamanho* depending on what size it is ▸ *conj* **1** (*de acordo com o que*) according to what: *~ ouvi dizer* from what I've heard **2** (*à medida que*) as: *~ forem entrando* as they come in LOC **(é) conforme!** it all depends!

conformista *adj, smf* conformist: *Ele é muito ~.* He's a real conformist.

confortar *vt* to comfort

confortável *adj* comfortable

conforto *sm* comfort

confrontar *vt* **1** (*encarar*) to bring *sb* face to face *with sb/sth* **2** (*comparar*) to compare *sb/sth with sb/sth*

confronto *sm* **1** confrontation **2** (*paralelo*) comparison

confundir ▸ *vt* **1** (*misturar*) to mix *sth* up: *Confundes sempre tudo.* You always mix everything up. **2** (*deixar baralhado*) to confuse: *Não me confundas.* Don't confuse me. **3** (*tomar uma coisa por outra*) to mistake *sb/sth for sb/sth*: *Creio que me confundiu com outra pessoa.* I think you've mistaken me for somebody else. ◇ *~ o sal com o açúcar* to mistake the salt for the sugar ▸ **confundir-se** *vp* **1** (*enganar-se*): *Qualquer um se pode ~.* We all make mistakes. **2** (*ser tomado por outro*): *Facilmente se confundem.* They're easily mistaken for one another.

confusão *sf* **1** (*falta de clareza*) confusion: *causar ~* to cause confusion **2** (*equívoco*) mistake: *Deve ter havido uma ~.* There must have been a mistake. **3** (*desordem*) mess: *Mas que ~!* What a mess! **4** (*problema*) trouble [*não-contável*]: *Não te metas em confusões.* Don't get into trouble. **5** (*tumulto*) commotion: *Era tamanha a ~ que a polícia teve de intervir.* There was such a commotion that the police had to intervene. LOC **fazer confusão** to get confused: *São tantas as portas que faço ~.* I get confused with all these doors. *Ver tb* ARMAR

confuso, -a *adj* **1** (*pouco claro*) confusing: *As indicações que me deu eram muito confusas.* His directions were very confusing. **2** (*perplexo*) confused

congelado, -a ▸ *adj* frozen ▸ *sm* **congelados** frozen food(s): *o balcão de ~s* the frozen food counter *Ver tb* CONGELAR

congelador *sm* freezer

congelar *vt* to freeze

congestionado, -a *adj* **1** (*ruas*) congested: *As ruas estão congestionadas com tanto trânsito.* The streets are congested with traffic. **2** (*nariz*) blocked up: *Ainda tenho o nariz ~.* My nose is still blocked up. *Ver tb* CONGESTIONAR

congestionamento *sm* (*trânsito*) congestion [*não-contável*]

congestionar *vt* to bring *sth* to a standstill: *O acidente congestionou o trânsito.* The accident brought the traffic to a standstill.

congresso *sm* congress ➲ *Ver nota em* CONGRESS

conhaque *sm* brandy [*pl* brandies]

conhecer *vt* **1** to know: *Conheço-os da universidade.* I know them from university. ◇ *Conheço bem Paris.* I know Paris very well. **2** (*uma pessoa pela primeira vez*) to meet: *Conheci-os nas férias.* I met them on holiday. **3** (*saber da existência*) to know of *sb/sth*: *Conheces um bom hotel?* Do you know of a good hotel? **4** (*passar a ter conhecimento sobre*) to get to know : *Quero viajar e ~ novas culturas.* I want to travel and get to know other ways of life. LOC **conhecer alguma coisa como a palma da mão** to know sth like the back of your hand **conhecer de vista** to know *sb* by sight *Ver tb* ENCANTADO, PRAZER

conhecido, -a ▸ *adj* well-known: *um ~ sociólogo* a well-known sociologist ▸ *sm-sf* acquaintance *Ver tb* CONHECER

conhecimento *sm* knowledge [*não-contável*]: *Puseram à prova os seus ~s.* They put their knowledge to the test. ◇ *É do ~ de todos.* It's common knowledge. LOC **tomar conhecimento de alguma coisa** to find out about sth: *Tomei ~ do ocorrido pela rádio.* I heard about what had happened on the radio. *Ver tb* TRAVAR

cónico, -a *adj* conical

conífera *sf* conifer

conjugar *vt* to conjugate

conjunção *sf* conjunction

conjuntivite *sf* conjunctivitis [*não-contável*]

conjuntivo *sm* (*Gram*) subjunctive

conjunto *sm* **1** (*de objetos, obras*) collection **2** (*totalidade*) whole: *a indústria alemã no seu ~* German industry as a whole **3** (*musical*) group **4** (*roupa*) outfit: *Leva um ~ de saia e casaco.* She's wearing a skirt and matching jacket. **5** (*Mat*) set LOC **em conjunto** together

conluio *sm* plot

connosco *pron* with us: *Vens ~?* Are you coming with us? ◇ *Não quis falar ~.* He didn't want to talk to us.

conquista *sf* conquest

conquistador, -ora ▸ *adj* conquering ▸ *sm-sf* conqueror: *Guilherme o Conquistador* William the Conqueror

conquistar *vt* **1** (*Mil*) to conquer **2** (*seduzir*) to win *sb's* heart

consagrar *vt* **1** (*dedicar*) to devote *sth* (*to sth*): *Consagraram a vida ao desporto.* They devoted their lives to sport. **2** (*tornar famoso*) to establish *sb/sth* (*as sth*): *A exposição consagrou-o como pintor.* The exhibition established him as a painter.

consciência *sf* **1** (*sentido moral*) conscience **2** (*conhecimento*) consciousness: *~ da diferença de classes* class consciousness LOC **ter a consciência limpa/tranquila** to have a clear conscience **ter a consciência pesada** to have a guilty conscience **ter/tomar consciência de alguma coisa** to be/become aware of sth *Ver tb* OBJETOR, PESO, RECOBRAR

consciencializar ▸ *vt* to make *sb* aware (*of sth*) ▸ **consciencializar-se** *vp* to become aware (*of sth*)

consciente *adj* **1** ~ **(de)** conscious, aware (*mais coloq*) (of *sth*) **2** (*Med*) conscious

conseguinte *adj* LOC **por conseguinte** consequently

conseguir *vt* **1** (*obter*) to obtain, to get (*mais coloq*): *~ um visto* to obtain a visa ◇ *~ que alguém faça alguma coisa* to get sb to do sth **2** (*alcançar*) to achieve: *para ~ os nossos objetivos* to achieve our aims **3** (*ganhar*) to win: *~ uma medalha* to win a medal **4 + infinitivo** to manage *to do sth*: *Consegui convencê-los.* I managed to persuade them.

conselheiro, -a *sm-sf* adviser

conselho *sm* **1** (*recomendação*) advice [*não-contável*]

Há algumas palavras em português, como *conselho, notícia*, etc., que possuem tradução não-contável em inglês (**advice, news**, etc.). Existem duas formas de se utilizar estas palavras. "Um conselho/uma notícia" diz-se **some advice/news** ou **a piece of advice/news**:

Vou dar-te um conselho. I'm going to give you some advice/a piece of advice. ◇ *Tenho uma ótima notícia para si.* I have some good news/a piece of good news for you. Quando se utiliza no plural (*conselhos, notícias*, etc.) traduz-se pelo substantivo não-contável correspondente (**advice, news**, etc.): *Não sigas os seus conselhos.* Don't follow their advice. ◇ *Tenho boas notícias.* I've got some good news.

2 (*organismo*) council [*v sing ou pl*] ➲ *Ver nota em* JÚRI LOC **conselho de administração** board of directors [*v sing ou pl*] **o Conselho de Ministros** the Cabinet [*v sing ou pl*] ➲ *Ver nota em* PARLIAMENT

consentimento *sm* consent

consentir *vt* **1** (*dizer que sim*) to agree: *Pedi à minha mãe para ir à festa e ela consentiu.* I asked my mother to let me go to the party, and she agreed. **2** (*tolerar*) to allow: *Não consentirei que me trates assim.* I won't allow you to treat me like this.

consequência *sf* **1** consequence: *arcar com as ~s* to suffer the consequences **2** (*resultado*) result: *como/em ~ daquilo* as a result of that

conserto *sm* repair LOC **não tem conserto** **1** (*objeto*) it can't be mended **2** (*problema*) it can't be solved **3** (*pessoa*) he's/she's a hopeless case

conserva *sf* **1** (*em lata*) tinned food, canned food (*USA*): *ervilhas de ~* tinned peas **2** (*em frasco*) bottled food

conservador, -ora *adj, sm-sf* conservative

conservante *sm* preservative

conservar *vt* **1** (*comida*) to preserve **2** (*coisas*) to keep: *Ainda conservo as suas cartas.* I've still got his letters. **3** (*calor*) to retain

conservatório *sm* school of music

consideração *sf* **1** (*reflexão, cuidado*) consideration: *ter alguma coisa em ~* to take sth into consideration **2** ~ **(por)** (*respeito*) respect (for *sb*) LOC **com/sem consideração** considerately/inconsiderately **em/por consideração a** out of consideration for

considerar *vt* **1** (*examinar*) to weigh *sth* up, to consider (*mais formal*): *~ os prós e os contras* to weigh up the pros and cons **2** (*ver, apreciar*) to regard *sb/sth* (*as sth*): *Considero-a a nossa melhor jogadora.* I regard her as our best player. **3** (*pensar em*) to think about *sth/doing sth*: *Não considerei essa possibilidade!* I didn't think about that!

considerável *adj* substantial

consigo *pron* **1** (*ele, ela*) with him/her **2** (*você*) with you **3** (*eles, elas*) with them **4** (*coisa, animal*) with it LOC **consigo mesmo/próprio** with himself, herself, etc.

consistente *adj* **1** (*constante, coerente*) consistent **2** (*refeição*) big: *um pequeno-almoço ~* a big breakfast

consistir *vi* ~ **em** to consist of *sth/doing sth*: *O meu trabalho consiste em atender o público.* My work consists of dealing with the public.

consoante[1] *sf* consonant

consoante[2] *prep* **1** (*dependendo de*) depending on *sth* **2** (*segundo*) according to *sth*

consola *sf* (*jogos de vídeo*) console

consolação *sf* consolation: *prémio de ~* consolation prize

consolar *vt* to console: *Tentei consolá-lo pela perda da mãe.* I tried to console him for the loss of his mother.

consolo *sm* consolation: *É um ~ saber...* It is a consolation to know... ◇ *procurar ~ em alguma coisa* to seek consolation in sth

conspiração *sf* conspiracy [*pl* conspiracies]

constante *adj* constant

constar *vi* ~ **(de) 1** (*figurar*) to appear (in/on sth): *O teu nome não consta da lista.* Your name doesn't appear on the list. **2** (*consistir*) to consist of *sth*: *A obra consta de três actos.* The play consists of three acts.

constatar *vt* **1** (*perceber*) to notice **2** (*comprovar*) to establish

constelação *sf* constellation

constipação *sf* cold: *Estou com uma ~.* I've got a cold. ◇ *apanhar uma ~* to catch a cold

constipado, -a *adj*: *Estou ~.* I've got a cold. ❶ A palavra **constipated** não significa "constipado", mas "com prisão de ventre". *Ver tb* CONSTIPAR-SE

constipar-se *vp* to catch a cold

constitucional *adj* constitutional

constituição *sf* constitution: *ter uma ~ de ferro* to have an iron constitution

constituir *vt* to be, to constitute (*mais formal*): *Pode ~ um perigo para a saúde.* It may be a health hazard. LOC *Ver* OBSTÁCULO

constrangedor, -ora *adj* embarrassing: *uma situação constrangedora* an embarrassing situation

constranger *vt* to embarrass

construção *sf* building, construction (*mais formal*): *em ~* under construction

construir *vt, vi* to build: *~ um futuro melhor* to build a better future ◇ *Ainda não começaram a ~.* They haven't started building yet.

construtor, -ora *sm-sf* building contractor

construtora *sf* construction company [*pl* construction companies]

cônsul *smf* consul

consulado *sm* consulate

consulta *sf* (*Med*) surgery [*pl* surgeries], (doctor's) office (*USA*): *A médica dá ~s hoje.* The doctor has a surgery today. LOC **de consulta** reference: *livros de ~* reference books *Ver tb* MARCAR

consultar *vt* **1** to consult *sb/sth* (*about sth*): *Consultaram-nos sobre a questão.* They've consulted us about this matter. **2** (*palavra, dado*) to look *sth* up: *Consulta a palavra no dicionário.* Look the word up in the dictionary. LOC **consultar o travesseiro (sobre alguma coisa)** to sleep on sth

consultor, -ora *sm-sf* consultant

consultório *sm* (*médico*) surgery [*pl* surgeries], (doctor's) office (*USA*)

consumado, -a *adj* LOC *Ver* FACTO

consumidor, -ora ▸ *adj* consuming: *países ~es de petróleo* oil-consuming countries ▸ *sm-sf* consumer

consumir ▸ *vt* **1** to consume: *um país que consome mais do que produz* a country that consumes more than it produces **2** (*energia*) to use: *Este aquecedor consome muita eletricidade.* This heater uses a lot of electricity. **3** (*fogo*) to burn *sth* down: *O incêndio consumiu a fábrica.* The fire burnt the factory down. ▸ *vt, vi* to use (drugs): *Já consumia desde os 15 anos.* He was using drugs already at 15. LOC **consumir de preferência antes de...** best before...

consumo *sm* consumption LOC *Ver* BEM²

conta *sf* **1** (*Com, Fin*) account: *uma ~ corrente* a current account **2** (*fatura*) bill: *a ~ do gás/da luz* the gas/electricity bill ◇ *Garçon, a ~, por favor!* Could I have the bill, please? ❶ Nos Estados Unidos, utiliza-se a palavra **check** para nos referirmos a restaurantes, hotéis, etc. **3** (*operação aritmética*) sum: *A ~ não bate certo.* I can't work this out. **4** (*rosário*) bead LOC **afinal/no fim de contas** after all **dar-se conta de 1** to realize (*that ...*): *Dei-me ~ de que eles não estavam a ouvir.* I realized (that) they weren't listening. **2** (*ver*) to notice *sth/that ...* **em conta** (*preço*) reasonable **fazer contas** to work something out **fazer contas de cabeça** to work *sth* out in your head **fazer de conta** (*fingir*) to pretend: *Viu-nos mas fez de ~ que não.* He saw us but pretended not to. **não ser da conta de alguém** to be none of sb's business: *Não é da sua ~.* It's none of your business. **por conta própria** (*trabalhador*) self-employed **sem conta** countless: *vezes sem ~* countless times **ter/levar em conta** to bear *sth* in mind: *Terei em ~ os teus conselhos.* I'll bear your advice in mind. **tomar conta de 1** (*responsabilizar-se*) to take charge of *sth* **2** (*cuidar de alguém*) to look after *sb* *Ver tb* AJUSTAR, AJUSTE, PERDER

C

contabilidade *sf* **1** (*contas*) accounts [*pl*]: *a ~ da empresa* the firm's accounts **2** (*profissão*) accountancy, accounting (*USA*) **3** (*secção*) accounts department LOC **fazer a contabilidade** to do the accounts

contabilista *smf* accountant

contactar *vi, vt* ~ **(com)** to contact: *Tentei ~ (com) a minha família.* I tried to contact my family.

contacto *sm* contact LOC **manter-se/entrar em contacto com alguém** to keep/get in touch with sb **perder contacto com alguém** to lose touch with sb **pôr alguém em contacto com alguém** to put sb in touch with sb

contador *sm* meter: *o ~ do gás* the gas meter

contagem *sf* counting LOC **contagem decrescente** countdown

contagiar *vt* to infect

contagioso, -a *adj* contagious

contaminação *sf* contamination

contaminar *vt, vi* to contaminate

conta-quilómetros *sm* milometer, odometer (*USA*)

contar ▸ *vt* **1** (*enumerar, calcular*) to count: *Contou o número de passageiros.* He counted the number of passengers. **2** (*narrar*) to tell: *Contaram-nos uma história.* They told us a story. ▸ *vi* **1** to count: *Conta até 50.* Count to 50. **2** ~ **com** (*esperar*) to count on *sb/sth*: *Conto com eles.* I'm counting on them. **3** (*denunciar*) to tell (on *sb*): *Viu-me a copiar e foi ~ ao professor.* He saw me copying and told on me to the teacher. ◇ *Vou ~ à mãe.* I'm going to tell mum. LOC **contar fazer alguma coisa** to expect to do sth **contar pelos dedos** to count on your fingers **contar vantagem** to boast

contemplar *vt* to contemplate: *~ um quadro/uma possibilidade* to contemplate a painting/a possibility

contemporâneo, -a *adj, sm-sf* contemporary [*pl* contemporaries]

contentar-se *vp* ~ **com** to be satisfied with *sth*: *Contenta-se com pouco.* He's easily pleased.

contente *adj* **1** (*feliz*) happy **2** ~ **(com)** (*satisfeito*) pleased (with *sb/sth*): *Estamos ~s com o novo professor.* We're pleased with the new teacher.

contentor *sm* **1** (*do lixo*) dustbin, garbage can

(*USA*) ➲ *Ver ilustração em* BIN **2** (*para mercadorias*) container

conter ▸ *vt* **1** to contain: *Este texto contém alguns erros.* This text contains a few mistakes. **2** (*reprimir*) to hold *sth* back: *O menino não conseguia ~ as lágrimas.* The little boy couldn't hold back his tears. ▸ **conter-se** *vp* to restrain yourself

conterrâneo, -a *sm-sf* fellow countryman/woman [*pl* fellow countrymen/-women]

conteúdo *sm* contents [*pl*]: *o ~ de uma garrafa* the contents of a bottle

contexto *sm* context

contigo *pron* with you: *Saiu ~.* He left with you. ◇ *Quero falar ~.* I want to talk to you. LOC **contigo mesmo/próprio** with yourself **é contigo** it's your problem

continental *adj* continental

continente *sm* continent

continuação *sf* continuation

continuar *vi* **1** to go on (*with sth/doing sth*), to continue (*with sth/to do sth*) (*mais formal*): *Continuaremos a apoiar-te.* We shall go on supporting you. **2** (*estado*) to be still...: *Continua muito quente.* It's still very hot. LOC **continuar na mesma** to be just the same

contínuo, -a[1] *adj* **1** (*sem interrupção*) continuous **2** (*repetido*) continual ➲ *Ver nota em* CONTINUAL

contínuo, -a[2] *sm-sf* caretaker, custodian (*USA*)

conto *sm* **1** story [*pl* stories]: *~s de fadas* fairy stories ◇ *Conta-me um ~.* Tell me a story. **2** (*género literário*) short story [*pl* short stories]

contornar *vt* **1** (*esquina, edifício*) to go round *sth* **2** (*problema, situação*) to get round *sth* **3** (*desenho*) to outline

contorno *sm* (*perfil*) outline

contra *prep* **1** against: *a luta ~ o crime* the fight against crime ◇ *Coloca-te ~ a parede.* Stand against the wall. ◇ *És a favor ou ~?* Are you for or against? ◇ *Foi ~ a sua vontade.* It was against their will. **2** (*com verbos como lançar, disparar, atirar*) at: *Lançaram pedras ~ as janelas.* They threw stones at the windows. **3** (*com verbos como chocar, embater*) into: *O meu carro chocou ~ a parede.* My car crashed into the wall. ◇ *Estampou-se ~ uma árvore.* He hit a tree. **4** (*golpe, ataque*) on: *Deu com a cabeça ~ a porta.* She banged her head on the door. ◇ *um atentado ~ a sua vida* an attempt on his life **5** (*resultado*) to: *Ganharam por onze votos ~ seis.* They won by eleven votes to six. **6** (*tratamento, vacina*) for: *uma vacina ~ a sida* a vaccine for AIDS **7** (*confronto*) versus (*abrev* v, vs): *o Benfica ~ o Sporting* Benfica v Sporting LOC **ser do contra** to disagree: *Gostam de ser do ~.* They always like to disagree. *Ver tb* PRÓ

contra-atacar *vi* to fight back

contra-ataque *sm* counter-attack

contrabaixo *sm* (*instrumento*) double-bass

contrabandista *smf* smuggler

contrabando *sm* **1** (*atividade*) smuggling **2** (*mercadoria*) contraband LOC **contrabando de armas** gunrunning

contração *sf* contraction

contraceção *sf* contraception

contracetivo, -a *adj, sm* contraceptive

contradição *sf* contradiction

contraditório, -a *adj* contradictory

contradizer *vt* to contradict

contraindicado, -a *adj* contraindicated

contrair ▸ *vt* to contract: *~ um músculo* to contract a muscle ◇ *~ dívidas/a malária* to contract debts/malaria ▸ **contrair-se** *vp* (*materiais, músculos*) to contract LOC **contrair matrimónio** to get married (*to sb*)

contrapartida *sf* compensation LOC **em contrapartida** on the other hand

contrariar *vt* **1** (*opor-se*) to oppose **2** (*aborrecer*) to annoy

contrariedade *sf* (*aborrecimento*) annoyance

contrário

inside out

back to front (*USA* backwards)

upside down

contrário, -a ▸ *adj* **1** (*equipa, opinião, teoria*) opposing **2** (*direção, lado*) opposite **3** ~ **a** (*pessoa*) opposed (to *sth*) ▸ *sm* opposite LOC **ao contrário 1** (*mal*) wrong: *Sai-me tudo ao ~!* Everything's going wrong for me! **2** (*inverso*) the other way round: *Fiz tudo ao ~ de ti.* I did it all the other way round from you. **3** (*de cabeça *para baixo*) upside down **4** (*do avesso*) inside out: *Tens a camisola ao ~.* Your jumper's on inside out. **5** (*detrás para diante*) back to front, backwards (*USA*) **de contrário** otherwise **muito pelo contrário** (quite) the opposite: *Muito pelo ~: os professores acham que é bom aluno.* Quite the opposite: his teachers think he's a good student. *Ver tb* CAMPO, CASO

contrassenha *sf* password

contrastar *vt, vi* ~ **(com)** to contrast (*sth*) (with *sth*): *~ uns resultados com os outros* to contrast one set of results with another

contraste *sm* contrast

contratação *sf* **1** (*trabalhadores*) recruitment **2** (*Desp*) signing: *a nova ~ do Sporting* Sporting's new signing

contratar *vt* **1** (*pessoal, trabalhadores*) to take *sb* on, to recruit (*mais formal*) **2** (*desportista, artista*) to sign *sb* on/up **3** (*detetive, decorador, etc.*) to employ

contratempo *sm* **1** (*problema*) setback **2** (*acidente*) mishap

contrato *sm* contract LOC *Ver* CELEBRAR

contribuição *sf* ~ **(para)** contribution (to *sth*)

contribuinte *smf* taxpayer

contribuir *vi* **1** to contribute (*sth*) (*to/towards sth*): *Contribuíram com um milhão de euros para a construção do hospital.* They contributed a million euros to the construction of the hospital. **2** ~ **para alguma coisa** (*ajudar*) to help to do sth: *Contribuirá para a melhoria da imagem da escola.* It will help (to) improve the school's image.

controlar *vt* to control: *~ as pessoas/a situação* to control people/the situation

controlo (*tb* controle) *sm* **1** control: *~ de natalidade* birth control ◇ *perder o ~* to lose control **2** (*de polícia, Desp*) checkpoint LOC **controlo remoto** remote control **fora de/sob controlo** out of/under control *Ver tb* ANTIDOPING

controvérsia *sf* controversy [*pl* controversies]

controverso, -a *adj* controversial

contudo *conj* however

contundente *adj* (*instrumento*) blunt

contusão *sf* (*Med*) bruise

convalescer *vi* to convalesce

convenção *sf* convention

convencer ▸ *vt* **1** to convince *sb* (*of sth/to do sth/that...*): *Convenceram-nos de que estava bem.* They convinced us that it was right. **2** (*persuadir*) to persuade *sb* (*to do sth*): *Vê se o convences a vir.* See if you can persuade him to come. ▸ **convencer-se** *vp* **convencer-se de (que)** to convince yourself (*that...*): *Tens de te ~ de que acabou tudo.* You must get it into your head that it's over.

C

convencido, -a *adj, sm-sf* (*vaidoso*) conceited [*adj*]: *ser um ~* to be conceited *Ver tb* CONVENCER

conveniência *sf* LOC *Ver* LOJA

conveniente *adj* convenient: *uma hora/um lugar ~* a convenient time/place LOC **ser conveniente fazer alguma coisa**: *É ~ chegar meia hora antes do espetáculo.* You should arrive half an hour before the show.

convénio *sm* agreement

convento *sm* **1** (*para freiras*) convent **2** (*para frades*) monastery [*pl* monasteries]

conversa *sf* **1** (*conversação*) talk, chat (*mais coloq*): *Precisamos de ter uma ~.* We need to have a chat. **2** (*tagarelice*) chatter: *Deixa-te de ~s!* Stop chattering! LOC **conversa fiada** chit-chat [*não-contável*] **estar na conversa** to chatter away **ir na conversa de alguém** to let yourself be persuaded by sb

conversação *sf* conversation: *um tópico de ~* a topic of conversation

conversador, -ora *adj* talkative

conversar *vi* to talk, to chat (*mais coloq*) (*to/with sb*) (*about sb/sth*): *Conversámos sobre a atualidade.* We talked about current affairs.

converter ▸ *vt* **1** to turn *sb/sth into sth*: *Converteram a casa num museu.* His house was turned into a museum. **2** (*Relig*) to convert *sb* (*to sth*) ▸ **converter-se** *vp* **converter-se em** (*transformar-se*) to turn into *sth*: *O príncipe converteu-se em sapo.* The prince turned into a toad.

convés *sm* deck: *subir ao ~* to go up on deck

convexo, -a *adj* convex

convidado, -a *adj, sm-sf* guest [*s*]: *o artista ~* the guest artist ◇ *Os ~s chegarão às sete.* The guests will arrive at seven. *Ver tb* CONVIDAR

convidar ▸ *vt* to invite *sb* (*to sth/to do sth*): *Convidou-me para a sua festa.* She's invited me to her party. ▸ *vi* (*pagar*): *Convido eu.* I'll get this one.

convir *vi* **1** (*ser conveniente*) to suit: *Faz o que melhor te convenha.* Do whatever suits you best. **2** (*ser aconselhável*): *Não te convém trabalhar tanto.* You shouldn't work so hard. ◇ *Convém-te rever tudo outra vez.* You should go over it again. LOC **não convém...** it's not done...: *Não convém chegar tarde.* It's not done to arrive late.

convite *sm* invitation (*to sth/to do sth*): *Convite da casa.* It's on the house.

C

convivência *sf* living together: *É difícil a ~ com ele.* He's difficult to live with.

conviver *vi* **1** to live with *sb*: *São incapazes de ~ um com o outro.* They're incapable of living together/with one another. **2** (*confraternizar*) to socialize: *Tens de sair e ~ mais.* You should get out and about more.

convívio *sm* LOC *Ver* SALA

convocação *sf* **1** (*greve, eleições*) call: *a ~ de uma greve/eleições* the call for a strike/elections **2** (*para reunião, julgamento*) summons

convocar *vt* **1** (*greve, eleições, reunião*) to call: *~ uma greve geral* to call a general strike **2** (*citar*) to summon: *~ os dirigentes para uma reunião* to summon the leaders to a meeting

convosco *pron* with you

cooperar *vi* ~ **(com) (em)** to cooperate (with *sb*) (on *sth*): *Recusou-se a ~ com eles no projeto.* He refused to cooperate with them on the project.

coordenada *sf* LOC *Ver* EIXO

coordenar *vt* to coordinate

copa *sf* **1** (*árvore*) top **2** (*divisão*) pantry [*pl* pantries] **3 copas** (*naipe*) hearts ➲ *Ver nota em* BARALHO LOC *Ver* FECHAR

cópia *sf* copy [*pl* copies]: *fazer uma ~* to make a copy LOC **cópia de segurança** backup (copy)

copião, -ona *sm-sf* copycat

copiar ▸ *vt, vi* to copy (*sth*) (*from sb/sth*): *Copiaste este quadro a partir do original?* Did you copy this painting from the original? ◇ *Copiei pelo Luís.* I copied it from Luís. ▸ *vt* (*escrever*) to copy *sth* down: *Copiaram o que o professor escreveu.* They copied down what the teacher wrote.

copiloto *smf* **1** (*avião*) co-pilot **2** (*automóvel*) co-driver

copo *sm* **1** glass: *um ~ de água* a glass of water **2** (*bebida*) drink: *tomar uns ~s* to have a few drinks **3** (*para dados*) shaker LOC **copo de água** (*num casamento*) (wedding) reception **copo de plástico/papel** plastic/paper cup **ir aos/sair para os copos** to go (out) drinking *Ver tb* BASE, BEBER, GOTA, TEMPESTADE

coqueiro *sm* coconut palm

coquetel *sm* **1** (*bebida*) cocktail **2** (*reunião*) cocktail party [*pl* cocktail parties]

cor[1] *sm* LOC **saber alguma coisa de cor (e salteado)** to know sth by heart

cor[2] *sf* colour: *~es vivas* bright colours LOC **a cores**: *uma fotografia a ~es* a colour photo **às cores** coloured: *papel às ~es* coloured paper ◇ *meias às ~es* brightly-coloured socks **de cor** coloured: *lápis de ~* coloured pencils

coração *sm* **1** heart: *no fundo do ~* at the bottom of his heart ◇ *em pleno ~ da cidade* in the very heart of the city **2** (*fruta*) core: *Descascar e retirar o ~.* Peel and remove the core. LOC **do (fundo do) coração** from the heart: *Falo-te do fundo do ~.* I'm speaking from the heart. **o que os olhos não veem o coração não sente** what the eye doesn't see, the heart doesn't grieve over **ter bom coração** to be kind-hearted

corado, -a *adj* **1** (*de saúde, pelo sol*) rosy **2** (*de vergonha, embaraço*) flushed

coragem *sf* courage LOC **ter a coragem de fazer alguma coisa** to dare (to) do sth: *Tens ~ de saltar de paraquedas?* Would you dare to do a parachute jump? ◇ *Ele teve a ~ de me desafiar!* He dared to defy me! ➲ *Ver nota em* DARE; *Ver tb* ARRANJAR

corajoso, -a *adj* courageous

coral *sm* (*Zool*) coral

corante *adj, sm* colouring [*s*]: *sem ~s nem conservantes* no artificial colourings or preservatives

corar *vi* to blush

corcunda ▸ *adj* hunched ▸ *smf* (*pessoa*) hunchback ▸ *sf* hump

corda *sf* **1** rope: *uma ~ de saltar* a skipping rope ◇ *Ata-o com uma ~.* Tie it up with a rope. **2** (*Mús*) string: *instrumentos de ~* stringed instruments LOC **corda bamba** tightrope **cordas vocais** vocal cords **dar corda a alguém** to encourage sb (to talk) **dar corda a um relógio** to wind up a clock/watch **estar com a corda na garganta** to be in a fix **jogar/saltar à corda** to skip, to jump (*USA*)

cordão *sm* **1** (*cordel*) cord **2** (*sapato*) (shoe) lace: *atar os cordões dos sapatos* to do your shoelaces up **3** (*colar*) (gold) chain **4** (*policial*) cordon LOC **cordão umbilical** umbilical cord

cordeiro *sm* lamb: *~ assado* roast lamb

cordel *sm* string

cor-de-rosa *adj, sm* pink ➲ *Ver exemplos em* AMARELO LOC *Ver* SONHO

coreografia *sf* choreography

coreto *sm* bandstand

corinto *sm* currant

córnea *sf* cornea

corneta *sf* bugle

corno *sm* horn LOC *Ver* TOURO

coro *sm* choir LOC **em coro** in unison: *Gritaram em ~ que sim.* They all shouted 'yes' in unison. *Ver tb* MENINO

coroa *sf* **1** crown **2** (*de flores*) wreath **3** (*careca*) bald patch LOC *Ver* CARA

coroação *sf* coronation

coroar *vt* to crown: *Foi coroado rei.* He was crowned king.

coronel *sm* colonel

corpo *sm* body [*pl* bodies] LOC **corpo de bombeiros** fire brigade [*v sing ou pl*], fire department (*USA*) **de corpo e alma** wholeheartedly **de corpo inteiro** full-length: *uma fotografia de ~ inteiro* a full-length photograph

corporal *adj* body: *linguagem ~* body language

corpulento, **-a** *adj* hefty

correção *sf* correction: *fazer correções a um texto* to make corrections to a text LOC **correção salarial/monetária** wage/monetary adjustment

corrediço, **-a** *adj* LOC *Ver* NÓ, PORTA

corredor *sm* **1** corridor: *Não corras nos ~es.* Don't run along the corridors. **2** (*igreja, avião, teatro*) aisle

corredor, **-ora** *sm-sf* **1** (*atleta*) runner **2** (*ciclista*) cyclist LOC **corredor de automóveis** racing driver

correia *sf* **1** strap: *~ do relógio* watch strap **2** (*máquina*) belt: *~ da ventoinha* fan belt

correio *sm* **1** post, mail (*USA*): *Chegou pelo ~, quinta-feira.* It came in Thursday's post. ◇ *votar por ~* to vote by post ➲ *Ver nota em* MAIL **2** (*pessoa*) postman/woman [*pl* -men/ -women], letter carrier (*USA*): *Já passou o ~?* Has the postman been? **3 correios** post office [*v sing*]: *Onde são os ~s?* Where's the post office?

Os selos do correio vendem-se nos **post offices** (*estações de correio*), que realizam também alguns serviços administrativos: pode-se pagar aí o imposto de circulação automóvel e a licença de televisão (**TV licence**), assim como levantar a pensão ou reforma, subsídio de desemprego, etc. Os **newsagents** também vendem selos, para além de jornais, rebuçados, chocolates e tabaco. Os quiosques, tal como nós os conhecemos, já não existem; o que existe são postos de venda de jornais ou **news-stands**.

LOC **correio aéreo** airmail **correio azul** express mail **correio de voz** voicemail **correio eletrónico** email **deitar/pôr no correio** to post, to mail (*USA*) **dos correios** postal: *greve dos ~s* postal strike *Ver tb* CAIXA[1], MARCO, VENDA, VOTAR

corrente ▸ *adj* **1** (*comum*) common: *um problema/uma árvore ~* a common problem/tree **2** (*atual*) current: *despesas/receitas ~s* current expenses/receipts ▸ *sf* **1** (*água, eletricidade*) current: *Foram arrastados pela ~.* They were swept away by the current. **2** (*bicicleta*) chain ▸ *sm*: *ao ~* in the know LOC **água corrente** running water **corrente de ar** draught **o corrente ano, mês, etc.** this year, month, etc. **pôr-se ao corrente** to get up to date

correr ▸ *vi* **1** to run: *Corriam pelo pátio.* They were running round the playground. ◇ *Saí e corri atrás dele.* I ran out after him. ◇ *Quando me viu desatou a ~.* He ran off when he saw me. **2** (*despachar-se*) to hurry: *Não corras, ainda tens tempo.* There's no need to hurry, you've still got time. ◇ *Corre!* Hurry up! **3** (*líquidos*) to flow: *A água corria pela rua.* Water flowed down the street. **4** (*boato, notícia*) to go around **5** (*tempo*) to pass: *Como o tempo corre!* Doesn't time fly! ▸ *vt* **1** (*cortinas*) to draw **2** (*Desp*) to compete in *sth*: *~ os 100 metros barreiras* to compete in the 100 metres hurdles **3** (*risco*) to run: *Corre o risco de vir a perder o emprego.* She's running the risk of losing her job. LOC **correr ao pontapé** to kick *sb* out **correr às mil maravilhas** to go really well **correr com alguém** (*expulsar*) to get rid of sb **correr o boato** to be rumoured (*that...*): *Corre o boato de que estão arruinados.* It's rumoured (that) they're ruined. ◇ *Correu o boato de que estava morto.* He was rumoured to be dead. **correr perigo** to be in danger **fazer alguma coisa a correr** to do sth in a rush **sair a correr** to dash off *Ver tb* PÉ-COXINHO

correspondência *sf* **1** (*cartas*) correspondence **2** (*relação*) relation LOC *Ver* AMIGO

correspondente ▸ *adj* **1** ~ **(a)** corresponding (to *sth*): *Qual é a expressão ~ em chinês?* What's the corresponding expression in Chinese? ◇ *as palavras ~s às definições* the words corresponding to the definitions **2** (*próprio*) own: *Cada estudante receberá o ~ diploma.* Each student will have their own diploma. **3** (*adequado*) relevant: *apresentar os documentos ~s* to produce the relevant documents **4** ~ **a** for: *matéria ~ ao primeiro período* subjects for the first term ▸ *smf* correspondent

corresponder ▸ *vi* **1** (*pertencer, ser adequado*): *Coloque uma cruz na resposta que corresponda.* Tick as appropriate. ◇ *Esse texto corresponde a outra fotografia.* That text goes with another photo. **2** (*retribuir*) to reciprocate ▸ **corresponder-se** *vp* **corresponder-se (com)** to write to *sb*: *Gostaria de corresponder-me com alguém inglês.* I'd like to have an English penfriend.

correto, **-a** *adj* correct: *o resultado ~* the correct result ◇ *O teu avô é muito ~.* Your grandfather is very correct.

corretor *sm* (*fluido*) Tippex®, correction fluid (*USA*)

C

C

corrida *sf* **1** (*Desp*) race: *~ de estafetas/sacos* relay/sack race ◇ *~ de cavalos* horse race **2** (*carreira*) run: *Já não estou para ~s.* I'm not up to running any more. LOC **corrida ao armamento** arms race **corrida de touros** bullfight *Ver tb* BICICLETA, CARRO, CAVALO

corrigir *vt* to correct: *Corrige-me se estou errada.* Correct me if I'm wrong. ◇ *~ exames* to mark/correct exams

corrimão *sm* (*escada*) banister(s) [*usa-se muito no plural*]: *descer pelo ~* to slide down the banisters

corroer(-se) *vt, vp* (*metais*) to corrode

corromper *vt* to corrupt

corrupção *sf* corruption

corta-mato *sm* cross-country race: *participar num ~* to take part in a cross-country race

cortante *adj* sharp: *um objeto ~* a sharp object

cortar ▸ *vt* **1** to cut: *Corta-o em quatro pedaços.* Cut it into four pieces. **2** (*água, luz, telefone, parte do corpo, ramo*) to cut *sth* off: *Cortaram o telefone/gás.* The telephone/gas has been cut off. ◇ *A máquina cortou-lhe um dedo.* The machine cut off one of his fingers. **3** (*com tesoura*) to cut *sth* out: *Cortei a fotografia de uma revista velha.* I cut the photo out of an old magazine. **4** (*estrada, rua*) to close **5** (*barba, bigode*) to shave *sth* off: *Cortou o bigode.* He's shaved his moustache off. **6** (*rasgar*) to slit: *Cortaram-me os pneus.* They slit my tyres. ▸ *vi* to cut: *Esta faca não corta.* This knife doesn't cut. ◇ *Tem cuidado que essa tesoura corta muito.* Be careful, those scissors are very sharp. LOC **cortar a palavra a alguém** to cut sb short: *Cortou-me a palavra e foi-se embora.* He cut me short and walked off. **cortar a relva** to mow the lawn **cortar na casaca de alguém** to slag sb off (*argot*), to criticize sb **cortar o cabelo 1** (*a si mesmo*) to cut your hair **2** (*no cabeleireiro*) to have your hair cut *Ver tb* LIGAÇÃO, MÁQUINA

corta-unhas *sm* nail clippers [*pl*] ➲ *Ver nota em* PAIR

corte¹ *sm* cut: *Sofreu vários ~s no braço.* He got several cuts on his arm. ◇ *um ~ de energia* a power cut LOC **corte de cabelo** haircut **corte e costura** dressmaking

corte² *sf* (*de um reino*) court

cortejo *sm* **1** (*Carnaval, Queima das Fitas*) parade **2** (*religioso, fúnebre*) procession

cortesia *sf* courtesy [*pl* courtesies]: *por ~* out of courtesy

cortiça *sf* cork

cortina *sf* curtain: *abrir/fechar as ~s* to draw the curtains

corvo *sm* raven

coscuvilheiro, -a ▸ *adj* nosy ▸ *sm-sf* busybody [*pl* busybodies]

coser *vt, vi* to sew: *~ um botão* to sew a button on

cosmético, -a *adj, sm* cosmetic

cósmico, -a *adj* cosmic

cosmos *sm* cosmos

costa *sf* coast: *Faro fica na ~ sul.* Faro is on the south coast.

costas *sf* **1** back: *Doem-me as ~.* My back hurts. ◇ *um vestido sem ~* a backless dress **2** (*Natação*) backstroke: *100 metros ~* 100 metres backstroke LOC **às costas** on your back **costas com costas** back to back **de costas**: *Põe-te de ~ contra a parede.* Stand with your back to the wall. ◇ *ver alguém de ~* to see sb from behind **fazer alguma coisa nas/pelas costas de alguém** to do sth behind sb's back **ter as costas quentes** to have friends in high places **virar/voltar as costas** to turn your back *on sb/sth*: *Tentei falar com ele, mas voltou-me as ~.* I tried to talk to him, but he turned his back on me. *Ver tb* NADAR

costeiro, -a *adj* coast [*s*]: *ao lado da linha costeira* along the coast LOC *Ver* GUARDA

costela *sf* rib

costeleta *sf* **1** chop: *~s de porco* pork chops **2** (*vitela, cordeiro*) cutlet

costumar *vt* **1** (*no presente*) to usually do sth: *Não costumo tomar o pequeno-almoço.* I don't usually have breakfast. ➲ *Ver nota em* ALWAYS **2** (*no passado*) used to do sth: *Costumávamos visitá-lo no verão.* We used to visit him in the summer. ◇ *Não costumávamos sair.* We didn't use to go out. ➲ *Ver nota em* USED TO

costume *sm* **1** (*de uma pessoa*) habit: *Temos o ~ de ouvir rádio.* We listen to the radio out of habit. **2** (*de um país*) custom: *É um ~ português.* It's a Portuguese custom. LOC **apanhar o costume** to get into the habit (*of doing sth*) **como é costume** as usual: *Como é ~ está atrasado.* He's late as usual. **de costume** usual: *mais simpático do que de ~* nicer than usual *Ver tb* PERDER

costura *sf* **1** (*atividade*) sewing: *uma caixa de ~* a sewing box **2** (*de peça de roupa*) seam: *Descoseu-se a ~ do casaco.* The seam of the coat has come undone. LOC **alta costura** haute couture *Ver tb* CORTE¹

costureira *sf* dressmaker

cotação *sf* **1** (*de preços*) estimate, quote (*coloq*): *fazer uma ~ de preços* to get some quotes **2** (*Fin*) value: *A ~ do dólar bateu o* *recorde hoje.* The dollar reached a record high today.

cotado, -a *adj* (*conceituado*) highly rated ➲ *Ver nota em* WELL BEHAVED

cotovelada *sf* **1** (*para chamar a atenção*) nudge: *Deu-me uma ~.* He gave me a nudge. **2** (*violenta, para abrir caminho*): *Abri caminho às ~s.* I elbowed my way through the crowd.

cotoveleira *sf* elbow patch

cotovelo *sm* elbow LOC *Ver* DOR, FALAR

cotovia *sf* lark

couraça *sf* (*tartaruga*) shell

couraçado *sm* battleship

courato *sm* LOC **courato assado/frito** crackling [*não-contável*]

courgette *sf* courgette, zucchini [*pl* zucchini/zucchinis] (*USA*)

couro *sm* leather: *um blusão de ~* a leather jacket LOC **couro cabeludo** scalp

couve *sf* cabbage: *~ roxa* red cabbage LOC **couve de Bruxelas** Brussels sprout **couve lombarda** savoy cabbage **couve portuguesa** kale

couve-flor *sf* cauliflower

cova *sf* **1** (*buraco*) hole: *fazer/cavar uma ~* to dig a hole **2** (*sepultura*) grave

covarde *adj, smf Ver* COBARDE

coveiro, -a *sm-sf* gravedigger

covil *sm* **1** den **2** (*ladrões*) hideout

covinha *sf* (*queixo, face*) dimple

coxa *sf* thigh

coxear *vi* ~ **(de) 1** (*ser coxo*) to be lame (in *sth*): *Coxeio da perna direita.* I'm lame in my right leg. **2** (*devido a lesão*) to limp: *Ainda coxeio um pouco, mas estou melhor.* I'm still limping, but I feel better.

coxia *sf* aisle

coxo, -a ▸ *adj* **1** (*pessoa*): *estar ~ (dum pé)* to have a limp ◇ *Depois do acidente ficou ~.* The accident left him with a limp. **2** (*animal*) lame **3** (*móvel*) wobbly ▸ *sm-sf* person with a limp

cozer ▸ *vt* **1** (*em água*) to boil **2** (*no forno*) to bake **3** (*cerâmica*) to fire ▸ *vi* (*alimento*) to cook LOC *Ver* OVO

cozinha *sf* **1** (*lugar*) kitchen **2** (*arte de cozinhar*) cookery: *um curso/livro de ~* a cookery course/book **3** (*Cozinha*) cooking: *a ~ chinesa* Chinese cooking LOC *Ver* CHEFE, PANO, ROBOT, TREM, UTENSÍLIO

cozinhar *vt, vi* to cook: *Não sei ~.* I can't cook.

cozinheiro, -a *sm-sf* cook: *ser bom ~* to be a good cook

crachá *sm* (*insígnia*) badge

craniano, -a *adj* LOC *Ver* TRAUMATISMO

crânio *sm* skull, cranium [*pl* craniums/crania] (*mais formal*) LOC **ser um crânio** to be really brainy

craque *smf* **1** expert **2** (*Desp*) star

crasso, -a *adj* (*grave*) serious

cratera *sf* crater

cravar *vt* **1** (*faca, punhal*) to stick *sth into sb/sth*: *Cravou a faca na mesa.* He stuck the knife into the table. **2** (*unhas, garras, dentes*) to dig *sth into sth/sb*: *O gato cravou-lhe as garras na perna.* The cat dug its claws into his leg. **3** (*dinheiro, cigarros*) to scrounge *sth* (*off sb*): *Cravei-lhe um cigarro.* I scrounged a cigarette off him.

cravinho *sm* (*Cozinha*) clove

cravo *sm* **1** (*flor*) carnation **2** (*na pele*) wart

crawl *sm* crawl LOC *Ver* NADAR

creche *sf* day nursery [*pl* day nurseries]

credencial *sf* (*médico*) referral note: *uma ~ para o otorrinolaringologista* a referral note for the ENT specialist

credifone® *sm* phonecard

crédito *sm* credit: *comprar alguma coisa a ~* to buy sth on credit LOC *Ver* CAIXA², PAGAR

credo ▸ *sm* creed ▸ **credo!** *interj* good heavens!

credor, -ora *sm-sf* creditor

crédulo, -a *adj* gullible

cremar *vt* to cremate

crematório *sm* crematorium [*pl* crematoria/crematoriums]

creme ▸ *sm* **1** cream: *Põe um pouco de ~ nas costas.* Put some cream on your back. **2** (*sopa cremosa*) soup: *~ de marisco* fish soup ▸ *adj, sm* (*cor*) cream ➲ *Ver exemplos em* AMARELO LOC **creme de barbear** shaving cream **creme de limpeza** cleanser *Ver tb* DESMAQUILHANTE, HIDRATANTE

crença *sf* belief

crente *smf* believer

crepe *sm* pancake ➲ *Ver nota em* TERÇA-FEIRA

crepúsculo *sm* twilight

crer *vt, vi* **1** to believe (*in sb/sth*): *~ na justiça* to believe in justice ◇ *Ninguém crê em mim.* Nobody believes me. **2** (*pensar*) to think: *Creem ter descoberto a verdade.* They think they've uncovered the truth. LOC **creio que sim/não** I think so/I don't think so: *Crês que sim?* Do you think so? **ver para crer** seeing is believing

crescente *adj* increasing LOC *Ver* ORDEM, QUARTO

crescer *vi* **1** to grow: *Cresceu-te imenso o*

C

cabelo! Hasn't your hair grown! **2** (*criar-se*) to grow up: *Cresci no campo.* I grew up in the country. **3** (*alongar-se*) to get longer: *Os dias estão a ~.* The days are getting longer. **4** (*subir*) to go up **5** (*Cozinha*) to rise: *O bolo não cresceu.* The cake hasn't risen. **6** (*sobejar*) to be left (over): *Cresceu um montão de comida.* A mound of food was left over. LOC **deixar crescer o cabelo, a barba, etc.** to grow your hair, a beard, etc. **fazer crescer água na boca** to be mouthwatering

crescido, -a *adj* **1** (*adulto*) grown-up: *Os seus filhos já são ~s.* Their children are grown-up now. **2** (*idoso*) old: *Não achas que já és demasiado ~ para essas brincadeiras?* Don't you think you're too old for that kind of game? *Ver tb* CRESCER

crescimento *sm* growth

crespo, -a *adj* (*cabelo*) frizzy

cria *sf* (*leão, tigre*) cub

criação *sf* **1** creation: *~ de emprego* job creation **2** (*de animais*) breeding: *~ de cães* dog breeding LOC **criação de gado** livestock farming

criado, -a *sm-sf* servant

criador, -ora *sm-sf* **1** creator **2** (*de animais*) breeder LOC **criador de gado** livestock farmer/breeder

criança *sf* child [*pl* children], kid (*coloq*): *São umas ~s amorosas.* They're lovely kids. LOC *Ver* BRINCADEIRA

criar ▸ *vt* **1** to create, to make (*mais coloq*): *~ problemas* to create problems ◇ *~ inimigos* to make enemies **2** (*educar*) to bring *sb* up **3** (*gado*) to rear **4** (*empresa*) to set *sth* up **5** (*cães, cavalos*) to breed ▸ **criar-se** *vp* (*pessoa*) to grow up: *Criei-me na cidade.* I grew up in the city. LOC **criar distúrbios** to make trouble *Ver tb* BOLOR, OBSTÁCULO

criatividade *sf* creativity

criativo, -a *adj* creative

criatura *sf* creature

crime *sm* crime: *cometer um ~* to commit a crime LOC *Ver* ARMA

criminal *adj* criminal LOC *Ver* REGISTO

criminologista *smf* criminologist

criminoso, -a *adj, sm-sf* criminal

crina *sf* mane

crise *sf* **1** crisis [*pl* crises] **2** (*histeria, nervos*) fit

crisma *sf* confirmation

crista *sf* **1** (*galo*) comb **2** (*outras aves, montanha, onda*) crest LOC *Ver* BAIXAR

cristal *sm* crystal: *uma garrafa de licor de ~* a crystal decanter

cristão, -ã *adj, sm-sf* Christian

cristianismo *sm* Christianity

Cristo *n pr* Christ LOC **antes/depois de Cristo** BC/AD ❶ As abreviaturas significam **before Christ/Anno Domini**.

critério *sm* **1** (*princípio*) criterion [*pl* criteria] **2** (*capacidade de julgar, Jur*) judgement: *Deixo-o ao teu ~.* I'll leave it to your judgement

crítica *sf* **1** criticism: *Estou farta das tuas ~s.* I'm fed up with your criticism. **2** (*num jornal*) review, write-up (*mais coloq*): *A peça teve ~s excelentes.* The play got an excellent write-up. **3** (*conjunto de críticos*) critics [*pl*]: *bem recebida pela ~* well received by the critics

criticar *vt, vi* to criticize

crítico, -a *sm-sf* critic

crivar *vt* (*perfurar*) to riddle: *~ alguém de balas* to riddle sb with bullets

croché *sm* crochet: *fazer ~* to crochet

crocodilo *sm* crocodile LOC *Ver* LÁGRIMA

croissant *sm* croissant ➲ *Ver ilustração em* PÃO

crómio *sm* (*Quím*) chromium

cromo *sm* (*de coleção*) picture card LOC **ser um cromo 1** (*ser muito bom em*) to be brilliant (*at sth*) **2** (*ser bronco*) to be a show-off

cromossoma *sm* chromosome

crónico, -a *adj* chronic

cronologia *sf* chronology [*pl* chronologies]

cronológico, -a *adj* chronological

cronometrar *vt* to time

cronómetro *sm* (*Desp*) stopwatch

croquete *sm* croquette

crosta *sf* (*ferida*) scab LOC **a crosta terrestre** the earth's crust

cru, crua *adj* **1** (*por cozinhar*) raw **2** (*mal cozido*) underdone **3** (*realidade*) harsh **4** (*linguagem*) crude

crucificar *vt* to crucify

crucifixo *sm* crucifix

cruel *adj* cruel

crueldade *sf* cruelty [*pl* cruelties]

crustáceo *sm* crustacean

cruz *sf* cross: *Assinale a resposta com uma ~.* Put a cross next to the answer. LOC **Cruz Vermelha** Red Cross

cruzado, -a *adj* LOC *Ver* BRAÇO, CHEQUE, FOGO, PALAVRA; *Ver tb* CRUZAR

cruzamento *sm* **1** (*de estradas*) junction, intersection (*USA*): *Quando chegar ao ~ vire à direita.* Turn right when you reach the junction. **2** (*de raças*) cross: *um ~ entre um boxer e um doberman* a cross between a boxer and a Dobermann LOC *Ver* LUZ

cruzar ▸ *vt* to cross: *~ as pernas* to cross your legs ▸ **cruzar-se** *vp* to meet (*sb*): *Cruzámo-nos no caminho.* We met on the way. LOC **cruzar os braços** to fold your arms

cruzeiro *sm* (*viagem*) cruise: *fazer um ~* to go on a cruise

cruzeta *sf* coat hanger

cu *sm* (*traseiro*) bum, butt (*USA*)

cúbico, -a *adj* cubic: *metro ~* cubic metre LOC *Ver* RAIZ

cubículo *sm* cubicle

cubo *sm* cube: *~ de gelo* ice cube LOC *Ver* ELEVADO

cuco *sm* cuckoo [*pl* cuckoos]

cueca *sf* **cuecas 1** (*de mulher*) knickers, panties (*USA*) **2** (*de homem*) underpants ℹ De notar que *umas cuecas* equivale a **a pair of knickers** ou **a pair of underpants**: *Tens umas cuecas limpas na gaveta.* You've got a clean pair of knickers in the drawer. ➲ *Ver tb nota em* PAIR

cuidado ▸ *sm* **1** care **2** *~* **com**: *Cuidado com o cão!* Beware of the dog! ◇ *Cuidado com o degrau!* Mind the step! ▸ **cuidado!** *interj* look out!: *Cuidado! Vem lá um carro.* Look out! There's a car coming. LOC **com (muito) cuidado** (very) carefully **em cuidados** (*inquieto*) on tenterhooks: *Deixaste-nos em ~s toda a noite.* You've kept us on tenterhooks all night. **ter cuidado (com)** to be careful (with *sb/sth*): *Teremos de ter ~.* We'll have to be careful. *Ver tb* UNIDADE

cuidadoso, -a *adj* *~* **(com)** careful (with *sth*): *É muito ~ com os brinquedos.* He is very careful with his toys.

cuidar ▸ *vt, vi* *~* **(de)** to look after *sb/sth*: *Cuidei sempre das minhas plantas.* I've always looked after my plants. ◇ *Podes ~ das crianças?* Can you look after the children? ◇ *Cuide de si.* Take care. ▸ **cuidar-se** *vp* to look after yourself: *Não se cuida nada.* She doesn't look after herself at all. ◇ *Cuida-te.* Look after yourself. LOC *Ver* LINHA

cujo, -a *pron* whose: *Aquela é a rapariga ~ pai me apresentaram.* That's the girl whose father was introduced to me. ◇ *a casa cujas portas pintaste* the house whose doors you painted

culatra *sf* LOC *Ver* TIRO

culinária *sf* cookery

culpa *sf* **1** (*responsabilidade*) fault: *A ~ não é minha.* It isn't my fault. **2** (*sentimento*) guilt LOC **deitar a culpa a/em cima de/para alguém** to blame sb (*for sth*) **por culpa de** because of *sb/sth* **ter a culpa** to be to blame (*for sth*): *Ninguém tem a ~ do que se passou.* Nobody is to blame for what happened.

culpado, -a ▸ *adj* *~* **(de)** guilty (of *sth*): *ser ~ de homicídio* to be guilty of murder ▸ *sm-sf* culprit LOC *Ver* DECLARAR; *Ver tb* CULPAR

culpar *vt* to blame *sb* (*for sth*): *Culpam-me pelo que aconteceu.* They blame me for what happened.

cultivar *vt* to grow

cultivo *sm* growing: *o ~ de pepinos* cucumber growing

culto, -a ▸ *adj* **1** (*pessoa*) cultured **2** (*linguagem, expressão*) formal ▸ *sm* **1** *~* **(a/de)** (*veneração*) worship (of *sb/sth*): *o ~ do Sol* sun worship ◇ *liberdade de ~* freedom of worship **2** (*seita*) cult: *membros de um novo ~ religioso* members of a new religious cult **3** (*missa*) service LOC *Ver* PRESTAR

cultura *sf* culture

cultural *adj* cultural LOC *Ver* CENTRO

culturismo *sm* bodybuilding

cume *sm* top: *chegar ao ~* to reach the top

cúmplice *smf* accomplice (*in/to sth*)

cumprimentar *vt* to say hello to *sb*, to greet (*mais formal*): *Viu-me mas não me cumprimentou.* He saw me but didn't say hello.

cumprimento *sm* **1** (*saudação*) greeting **2** (*elogio*) compliment **3** **cumprimentos** best wishes, regards (*mais formal*): *Mandam-te ~s.* They send their regards. LOC **com os melhores cumprimentos** Yours faithfully, Yours sincerely ➲ *Ver nota em* YOURS **dá-lhe cumprimentos da minha parte** give him my regards

cumprir ▸ *vt* **1** (*ordem*) to carry *sth* out **2** (*promessa, obrigação*) to fulfil **3** (*prazo*) to meet: *Cumprimos o prazo.* We met the deadline. **4** (*pena*) to serve ▸ *vi* *~* **a alguém fazer alguma coisa 1** (*ser o dever de*) to be sb's responsibility to do sth **2** (*ser a vez de*) to be sb's turn to do sth ▸ **cumprir-se** *vp* (*realizar-se*) to come true: *Cumpriram-se os seus sonhos.* His dreams came true. LOC **cumprir a sua parte** to do your bit: *Eu cumpri a minha parte.* I've done my bit. **fazer cumprir** (*lei, etc.*) to enforce *sth*

cúmulo *sm* LOC **para cúmulo** to make matters worse **ser o cúmulo** to be the limit

cunha *sf* **1** wedge **2** (*porta*) doorstop **3** (*contacto*) contacts [*pl*]: *Arranjaram um emprego porque tinham ~.* It was thanks to their contacts that they got a job. LOC **meter uma cunha** to pull strings (*for sb*) **ter (uma) cunha** to be well-connected

cunhado, -a *sm-sf* **1** (*masc*) brother-in-law

[*pl* brothers-in-law] **2** (*fem*) sister-in-law [*pl* sisters-in-law] **3 cunhados**: *meus ~* my brother-in-law and his wife/my sister-in-law and her husband

cupão *sm* coupon

cúpula *sf* dome

cura *sf* cure: *~ de repouso* rest cure LOC **ter/não ter cura** to be curable/incurable

curar ▸ *vt* **1** (*sarar*) to cure (*sb*) (of *sth*): *Esses comprimidos curaram-me a constipação.* Those pills have cured my cold. **2** (*ferida*) to dress **3** (*alimentos*) to cure ▸ **curar-se** *vp* **curar-se (de)** (*pôr-se bom*) to recover (from *sth*): *O menino já se curou do sarampo.* The little boy has recovered from the measles.

curativo *sm* (*de uma ferida*) dressing: *Depois de lavar a ferida aplique o ~.* After washing the wound apply the dressing.

curiosidade *sf* curiosity [*pl* curiosities] LOC **por curiosidade** out of curiosity: *Entrei por pura ~.* I went in out of sheer curiosity. **ter curiosidade (de)** to be curious (about *sth*)

curioso, **-a** ▸ *adj* curious: *Estou ~ por saber como são.* I'm curious to find out what they're like. ▸ *sm-sf* **1** (*observador*) onlooker **2** (*indiscreto*) busybody [*pl* busybodies]

currículo *sm* **1 curriculum vitae** curriculum vitae (*abrev* CV), résumé (*USA*) **2** (*empregado, estudante*) record: *ter um bom ~ académico* to have a good academic record

curso *sm* **1** course: *o ~ de um rio* the course of a river ◇ *~s de línguas* language courses **2** (*licenciatura*) degree: *tirar um ~ de advocacia* to get a degree in law ◇ *~ universitário/superior* university degree LOC **curso de formação** training course **o ano/mês em curso** the current year/month

cursor *sm* cursor

curtido, **-a** *adj* cool: *Foi uma festa curtida.* It was a really cool party.

curtir ▸ *vt* **1** (*gostar*) to like: *Ela curte-me.* She likes me. ◇ *Curto imenso esta música.* This music is really great. **2** (*couro*) to tan ▸ *vi* ~ **com 1** (*divertir-se*) to hang out with *sb* **2** (*envolver-se sexualmente*) to get off, to make out (*USA*) with *sb*

curto, **-a** *adj* short: *Essas calças ficam-te curtas.* Those trousers are too short for you. ◇ *uma camisa de manga curta* a short-sleeved shirt LOC **curto de ideias** dim **curto de vista** short-sighted *Ver tb* PRAZO

curto-circuito *sm* short-circuit

curva *sf* **1** (*linha, gráfico*) curve: *desenhar uma ~* to draw a curve **2** (*estrada, rio*) bend: *uma ~ perigosa/apertada* a dangerous/sharp bend LOC **vai dar uma curva!** get lost!

curvar(-se) *vt, vp* to bend: *~ a cabeça* to bend your head

curvo, **-a** *adj* curved: *uma linha curva* a curved line

cuspir ▸ *vt* to spit *sth* (out) ▸ *vi* to spit: *~ em alguém* to spit at sb

cuspo *sm* spit [*não-contável*]

custa *sf* **custas** (*Jur*) costs LOC **à custa de 1** (*a expensas de*) at *sb's* expense: *à nossa ~* at our expense ◇ *à ~ dos pais* at their parents' expense **2** (*a preço de*) thanks to: *à ~ de muito esforço* thanks to great effort *Ver tb* VIVER

custar ▸ *vt* to cost: *O bilhete custa 30 libras.* The ticket costs 30 pounds. ◇ *O acidente custou a vida a cem pessoas.* The accident cost the lives of a hundred people. ▸ *vi* **1** (*ser difícil*) to be hard: *Custa a acreditar.* It's hard to believe. **2** (*achar difícil*) to find it hard (*to do sth*): *Custa-me muito levantar cedo.* I find it hard to get up early. LOC **custar muito/pouco 1** (*dinheiro*) to be expensive/cheap **2** (*esforço*) to be hard/easy **custar os olhos da cara** to cost an arm and a leg **custe o que custar** at all costs **não custa nada (fazer alguma coisa)** there's no harm in doing sth: *Não custa nada perguntar!* There's no harm in asking! *Ver tb* CARO, QUANTO

custo *sm* cost: *o ~ de vida* the cost of living LOC **a custo** with difficulty **a todo o custo** at all costs **custos de envio** postage and packing [*v sing*]

custódia *sf* custody

cutícula *sf* cuticle

cútis *sf* **1** (*pele*) skin **2** (*tez*) complexion

D d

da *Ver* DE

dado *sm* **1** (*informação*) information [*não-contável*]: *um ~ importante* an important piece of information **2 dados** (*Informát*) data: *processamento de ~s* data processing **3** (*de jogar*) dice [*pl* dice]: *lançar/atirar os ~s* to roll the dice LOC **dados pessoais** personal details *Ver tb* BASE

dado, **-a** *adj* **1** (*determinado*) given: *em ~ momento* at a given moment **2** (*muito barato*) dirt cheap LOC **dado que** given that *Ver tb* ALTURA, MÃO; *Ver tb* DAR

dador, **-ora** *sm-sf* donor: *um ~ de sangue* a blood donor

daí *adv* **1** (*espaço*) from (over) there: *Sai ~!* Get out of there! **2** (*tempo*): *~ em/por diante* from then on LOC **daí a um ano, mês, uma hora, etc.** a year, a month, an hour, etc. later **e daí?** so what? *Ver tb* POUCO

dali *adv* **1** (*espaço*) from (over) there: *Saiu ~, daquela porta.* He came out that way, through that door. **2** (*tempo*): *~ em/por diante* from then on LOC **dali a um ano, mês, uma hora, etc.** a year, a month, an hour, etc. later *Ver tb* POUCO

daltónico, -a *adj* colour-blind

dama *sf* **1** (*senhora*) lady [*pl* ladies] **2** (*em jogo de cartas*) queen **3 damas** draughts [*não-contável, v sing*], checkers [*não-contável, v sing*] (*USA*): *jogar às ~s* to play draughts LOC **dama de honor** bridesmaid ➲ *Ver nota em* CASAMENTO

damasco *sm* apricot

dança *sf* dance LOC *Ver* PISTA

dançar *vt, vi* to dance: *Queres ~?* Would you like to dance? ◇ *~ um tango* to dance a tango

dançarino, -a *sm-sf* dancer

danificar *vt* to damage

dano *sm* damage (*to sth*) [*não-contável*]: *A chuva causou muitos ~s.* The rain caused a lot of damage. LOC **danos e prejuízos** damages

daquele, -a *Ver* DE

daqui *adv* **1** (*espaço*) from (over) here: *Daqui não se vê nada.* From (over) here you can't see a thing. **2** (*tempo*): *~ em/por diante* from now on LOC **daqui a pouco** in a little while **daqui a um ano, mês, uma hora, etc.** in a year's, a month's, an hour's, etc. time

dar ▸ *vt* **1** to give: *Deu-me a chave.* He gave me the key. ◇ *Que susto que me deste!* What a fright you gave me! ➲ *Ver nota em* GIVE **2** (*quando já não se quer alguma coisa*) to give *sth* away: *Vou ~ as tuas bonecas.* I'm going to give your dolls away. **3** (*Educ*) **(a)** (*professor*) to teach: *~ ciências* to teach science ◇ *~ aulas* to teach **(b)** (*aluno*) to do: *Agora estamos a ~ os verbos irregulares.* Now we're doing the irregular verbs. **4** (*Educ, trabalho para casa*) to set **5** (*relógio*) to strike: *O relógio deu as doze.* The clock struck twelve. ◇ *Já deram as cinco?* Is it five o'clock already? **6** (*fruto, flor*) to bear **7** (*calcular*): *Quantos anos lhe dás?* How old do you think she is? ◇ *Dou-lhe 18.* I make it 18. **8** (*cartas*) to deal ▸ *vi* **1** (*ser suficiente*) to be enough: *Isto dá?* Is this enough? **2** (*ataque*) to have: *Deu-lhe um ataque de coração/tosse.* He had a heart attack/a coughing fit. **3** (*luz*) to shine: *A luz dava-me em cheio nos olhos.* The light was shining right in my eyes. **4** (*bater*) to give *sb* a smack: *Está quieto; senão, dou-te!* Be quiet or you'll get a smack! **5** ~ **(com/contra)** to hit *sth* [*vt*]: *Deu com o joelho na mesa.* He hit his knee against the table. **6** ~ **para** to overlook *sth* [*vt*]: *A varanda dá para a praça.* The balcony overlooks the square. **7** ~ **(para)** (*pessoa*) to be good as *sth*: *Eu não dava para professora.* I'd be no good as a teacher. ▸ *vt, vi* (*filme, programa*) to show: *O que é que dá esta noite na televisão?* What's on tonight? ▸ **dar-se** *vp* to get on LOC **(a mim) tanto se me dá como se me deu** that's nothing to do with me, you, etc. **dar-se bem/mal** to get on well/badly (*with sb*) ❶ Para outras expressões com **dar**, ver as entradas para o substantivo, adjetivo, etc., p. ex. **dar a cara** em CARA.

dardo *sm* **1** (*Desp*) javelin: *lançamento do ~* javelin throwing **2 dardos** darts [*não-contável, v sing*]

das *Ver* DE

data *sf* date: *~ de nascimento* date of birth ◇ *Qual é a ~ de hoje?* What's the date today? ◇ *Tem a ~ de 3 de maio.* It is dated 3 May. LOC **data de validade** expiry date, expiration date (*USA*) **data limite 1** (*candidatura*) closing date **2** (*projeto*) deadline **3** (*de venda*) sell-by date, pull date (*USA*)

de *prep*

- **posse 1** (*de alguém*): *o livro do Pedro* Pedro's book ◇ *o cão dos meus amigos* my friends' dog ◇ *É dela/da minha avó.* It's hers/my grandmother's. **2** (*de alguma coisa*): *uma página do livro* a page of the book ◇ *as divisões da casa* the rooms in the house ◇ *a Sé de Lisboa* Lisbon cathedral
- **origem, procedência** from: *São de Évora.* They are from Évora. ◇ *de Londres a Lisboa* from London to Lisbon
- **meio de transporte** by: *de comboio/avião/carro* by train/plane/car
- **em descrições de pessoas 1** (*qualidades físicas*) **(a)** with: *uma menina de cabelo louro* a girl with fair hair **(b)** (*roupa, cores*) in: *a senhora do vestido verde* the lady in the green dress **2** (*qualidades não físicas*) of: *uma pessoa de muito carácter* a person of great character ◇ *uma mulher de 30 anos* a woman of 30
- **em descrições de coisas 1** (*qualidades físicas*) **(a)** (*matéria*): *um vestido de linho* a linen dress **(b)** (*conteúdo*) of: *um copo de leite* a glass of milk **2** (*qualidades não físicas*) of: *um livro de grande interesse* a book of great interest
- **tema, disciplina**: *um livro/professor de física* a physics book/teacher ◇ *uma aula de história* a history class ◇ *Não entendo de política.* I don't understand anything about politics.
- **com números e expressões de tempo**: *mais/menos de dez* more/less than ten ◇ *um selo de 47 cêntimos* a 47 cent stamp ◇ *um quarto de quilo* a quarter of a kilo ◇ *de noite/dia* at night/during the day ◇ *às dez da manhã* at ten in the morning ◇ *de manhã/tarde* in the

morning/afternoon ◇ *amanhã de manhã* tomorrow morning
- **série**: *de quatro em quatro metros* every four metres ◇ *de meia em meia hora* every half hour
- **agente** by: *um livro de Saramago* a book by Saramago ◇ *seguido de três jovens* followed by three young people
- **causa**: *morrer de fome* to die of hunger ◇ *Saltámos de alegria.* We jumped for joy.
- **outras construções**: *o melhor ator do mundo* the best actor in the world ◇ *dum trago* in one gulp ◇ *mais rápido do que o outro* faster than the other one ◇ *um daqueles livros* one of those books

debaixo *adv* **1** underneath: *Leva o que está ~.* Take the bottom one. **2 ~ de** under: *Está ~ da mesa.* It's under the table. ◇ *Abrigámo-nos ~ de um guarda-chuva.* We sheltered under an umbrella. ◇ *~ de chuva* in the rain LOC **por debaixo de** below *sth*: *por ~ da porta* under the door *Ver tb* MANTER

debandada *sf* stampede LOC *Ver* FUGIR

debate *sm* debate: *ter um ~* to have a debate

debater ▸ *vt* (*discutir*) to debate ▸ **debater-se** *vp* to struggle

débil *adj* weak: *Tem um coração ~.* He has a weak heart.

debilidade *sf* weakness

debilitado, **-a** *adj* weak

débito *sm* (*Com*) debit

debruçar-se *vp* **1** (*inclinar-se*) to lean over: *Não se debruce à janela.* Don't lean out of the window. **2 ~ sobre** (*analisar*) to pore over *sth*

década *sf* decade LOC **a década de oitenta, noventa, etc.** the eighties, nineties, etc. [*pl*]

decadente *adj* decadent

decalcar *vt* to trace

decalque *sm* **1** (*desenho*) tracing: *papel de ~* tracing paper **2** (*imitação*) imitation

decapitar *vt* to behead

deceção *sf* disappointment: *apanhar uma ~* to be disappointed ◇ *ser uma ~* to be a disappointment

dececionante *adj* disappointing

dececionar *vt* **1** (*desiludir*) to disappoint: *O filme dececionou-me.* The film was disappointing. **2** (*falhar*) to let *sb* down: *Voltaste a dececionar-me.* You've let me down again.

decente *adj* decent

decididamente *adv* definitely

decidir ▸ *vt, vi* to decide: *Decidiram vender a casa.* They've decided to sell the house. ▸ **decidir-se** *vp* **1 decidir-se (a)** to decide (*to do sth*): *No fim decidi-me a sair.* In the end I decided to go out. **2 decidir-se por** to decide on *sb/sth*: *Decidimo-nos todos pelo vermelho.* We all decided on the red one. LOC **decide-te!/vê lá se te decides!** make up your mind!

decifrar *vt* **1** (*mensagem*) to decode **2** (*escrita*) to decipher **3** (*enigma*) to solve

decimal *adj, sm* decimal

décimo, **-a** *adj, pron, sm-sf* tenth ➲ *Ver exemplos em* SEXTO LOC **décimo primeiro, segundo, terceiro, etc.** eleventh, twelfth, thirteenth, etc. ➲ *Ver pág. 710*

decisão *sf* decision: *a ~ do árbitro* the referee's decision ◇ *tomar uma ~* to make/take a decision

decisivo, **-a** *adj* decisive

declaração *sf* **1** declaration: *uma ~ de amor* a declaration of love **2** (*Jur, manifestação pública*) statement: *Não quis prestar declarações.* He didn't want to make a statement. ◇ *A polícia ouviu a sua ~.* The police took his statement. LOC **declaração de rendimentos** tax return *Ver tb* PRESTAR

declarar ▸ *vt, vi* **1** to declare: *Alguma coisa a ~?* Anything to declare? **2** (*em público*) to state: *segundo o que declarou o ministro* according to the minister's statement ▸ **declarar-se** *vp* **1** to come out: *declarar-se a favor de/contra alguma coisa* to come out in favour of/against sth **2** (*confessar amor*): *Declarou-se-me.* He told me he loved me. LOC **declarar-se culpado/inocente** to plead guilty/not guilty

decoração *sf* **1** (*ação, adorno*) decoration **2** (*estilo*) décor LOC **decoração de interiores** interior design

decorar[1] *vt* (*ornamentar*) to decorate

decorar[2] *vt* (*memorizar*) to learn *sth* (off) by heart

decorrer *vi* **1** (*tempo*) to pass: *Decorreram dois dias desde a sua partida.* Two days have passed since he left. **2** (*suceder*) to take place

decotado, **-a** *adj* low-cut

decote *sm* neckline LOC **decote em V/em bico** V-neck

decrescente *adj* LOC *Ver* CONTAGEM, ORDEM

decreto *sm* decree

decreto-lei *sm* act

dedal *sm* thimble

dedicação *sf* dedication: *A ~ que tens aos teus doentes é admirável.* Your dedication to your patients is admirable.

dedicado, **-a** *adj* ~ **(a)** (*devotado*) devoted (to *sb/sth*) *Ver tb* DEDICAR

dedicar ▸ *vt* **1** to devote *sth to sb/sth*: *Dedica-*

ram a vida aos animais. They devoted their lives to animals. ◇ *A que dedicas os teus tempos livres?* How do you spend your free time? **2** (*canção, poema*) to dedicate *sth* (*to sb*): *Dediquei o livro ao meu pai.* I dedicated the book to my father. **3** (*autografar*) to autograph ▸ **dedicar-se** *vp* **dedicar-se a**: *A que te dedicas?* What do you do for a living? ◇ *Dedica-se a comprar e vender antiguidades.* He's in antiques.

dedicatória *sf* dedication

dedo *sm* **1** (*da mão*) finger **2** (*do pé*) toe **3** (*medida*) half an inch: *Ponha dois ~s de água no tacho.* Put an inch of water in the pan. LOC **dedo anular/indicador/médio** ring/index/middle finger **dedo grande** big toe **dedo mindinho 1** (*da mão*) little finger **2** (*do pé*) little toe **dedo polegar** thumb **meter o dedo no nariz** to pick your nose **não ter dois dedos de testa** to be (as) thick as two short planks **pôr o dedo no ar** to put your hand up: *Ponha o ~ no ar quem souber responder.* Hands up anybody who knows. *Ver tb* CONTAR, ESCOLHER, LAMBER, NÓ

deduzir *vt* **1** (*concluir*) to deduce *sth* (*from sth*): *Deduzi que não estava em casa.* I deduced that he wasn't at home. **2** (*descontar*) to deduct *sth* (*from sth*)

defeito *sm* **1** defect: *um ~ na fala* a speech defect **2** (*moral*) fault **3** (*roupa*) flaw ➲ *Ver nota em* MISTAKE LOC **achar/pôr defeitos em tudo** to find fault with everything

defeituoso, -a *adj* defective, faulty (*mais coloq*)

defender ▸ *vt* **1** to defend *sb/sth* (*against sb/sth*) **2** (*golo*) to save ▸ **defender-se** *vp* **1 defender-se (de)** to defend yourself (against *sb/sth*) **2** (*safar-se*) to get by: *O pouco inglês que tenho dá para me ~.* I don't know much English, but I get by.

defensiva *sf* LOC **estar/pôr-se na defensiva** to be/go on the defensive

defensivo, -a *adj* defensive

defensor, -ora *sm-sf* defender

defesa ▸ *sf* **1** defence: *as ~s do corpo* the body's defences ◇ *uma equipa com uma boa ~* a team with a very good defence **2** (*Desp*) save: *O guarda-redes fez uma ~ incrível.* The goalkeeper made a spectacular save. **3** (*elefante, javali*) tusk ▸ *smf* (*Desp*) defender LOC **defesa pessoal** self-defence *Ver tb* ADVOGADO, LEGÍTIMO

deficiência *sf* deficiency [*pl* deficiencies]

deficiente ▸ *adj* **1** ~ **(em)** (*carente*) deficient (in *sth*) **2** (*imperfeito*) defective **3** (*Med*) handicapped: *mentalmente ~* mentally handicapped ▸ *smf* **1** (*mentalmente*) mentally handicapped person **2** (*fisicamente*) (physically) disabled person: *lugares reservados aos ~s* seats for the disabled

Hoje em dia, quando nos referimos a pessoas deficientes, é preferível dizer **people with disabilities**: *um plano para integrar os deficientes no mercado de trabalho* a plan to bring people with disabilities into the workplace.

LOC **deficiente físico** (physically) disabled [*adj*]: *ser ~ físico* to be (physically) disabled **deficiente mental** mentally handicapped [*adj*]: *ser ~ mental* to be mentally handicapped

definição *sf* definition

definido, -a *adj* (*artigo*) definite *Ver tb* DEFINIR

definir *vt* to define

definitivamente *adv* **1** (*para sempre*) for good: *Voltou ~ para o seu país.* He returned home for good. **2** (*de forma determinante*) definitely

definitivo, -a *adj* **1** final: *o resultado ~* the final result ◇ *o número ~ de vítimas* the final death toll **2** (*solução*) definitive

deflagrar(-se) *vi, vp* (*incêndio, epidemia*) to break out

deformado, -a *adj* (*peça de vestuário*) out of shape *Ver tb* DEFORMAR

deformar ▸ *vt* **1** (*corpo*) to deform **2** (*peça de vestuário*) to pull *sth* out of shape **3** (*imagem, realidade*) to distort ▸ **deformar-se** *vp* **1** (*corpo*) to become deformed **2** (*peça de vestuário*) to lose its shape

defrontar *vt* **1** (*enfrentar*) to confront **2** (*Desp*) to take *sb* on: *Portugal irá ~ a Áustria no Campeonato da Europa.* Portugal is taking on Austria in the European Championship.

defunto, -a *sm-sf* deceased: *os familiares do ~* the family of the deceased

degenerado, -a *adj, sm-sf* degenerate *Ver tb* DEGENERAR

degenerar *vi* to degenerate

degradado, -a *adj* (*zona, bairro, edifício*) run-down *Ver tb* DEGRADAR

degradante *adj* (*situação, condição*) degrading

degradar ▸ *vt* to degrade ▸ **degradar-se** *vp* (*deteriorar-se*) to deteriorate: *O solo tem vindo a degradar-se bastante.* The soil has deteriorated a lot.

degrau *sm* step

deitado, -a *adj* LOC **estar deitado 1** (*estendido*) to be lying down **2** (*na cama*) to be in bed *Ver tb* DEITAR

gado de turma class representative **Delegado do Ministério Público** public prosecutor

deleitar ▸ *vt* to delight ▸ **deleitar-se** *vp* to be delighted (*at/with sth*): *Deleitaram-se com a notícia.* They were delighted at the news.

deles, delas *adj* their(s): *O carro ~ está avariado.* Their car has broken down. ◇ *O ~ está a fazer a revisão.* Theirs is being serviced.

delgado, -a *adj* **1** (*pessoa*) slim ➲ *Ver nota em* MAGRO **2** (*corda, pau*) thin

deliberado, -a *adj* deliberate

delicadeza *sf* **1** (*qualidade*) delicacy **2** (*tato*) tact: *Podias tê-lo dito com mais ~.* You could have put it more tactfully. ◇ *É uma falta de ~.* It's very tactless. **3** (*cortesia*) thoughtfulness **4** (*cuidado*) care LOC **que delicadeza!** how thoughtful! **ter a delicadeza de** to have the courtesy *to do sth*

delicado, -a *adj* **1** (*frágil, sensível*) delicate **2** (*cortês*) thoughtful: *És sempre tão ~.* You're always so thoughtful. LOC **ser extremamente delicado (com alguém)** to be very considerate (to sb)

delícia *sf* (*manjar*) delicacy [*pl* delicacies]: *ser uma ~* to be delicious

deliciar ▸ *vt* to delight ▸ **deliciar-se** *vp* **deliciar-se com** to take delight in *sth/doing sth*

delicioso, -a *adj* **1** (*comida*) delicious **2** (*encantador*) delightful

delinquência *sf* crime LOC **delinquência juvenil** juvenile delinquency

delinquente *smf* delinquent LOC **delinquente juvenil** juvenile delinquent

delirante *adj* (*incrível*) amazing

delirar *vi* **1** to be delirious: *Delirou com a notícia.* She was delirious at the news. **2** (*dizer disparates*) to talk nonsense

delito *sm* crime: *cometer um ~* to commit a crime

delta *sm* delta

demais ▸ *adj* **1** [*com substantivo não-contável*] too much: *Era comida ~.* It was too much food. **2** [*com substantivo contável*] too many: *Compraste coisas ~.* You've bought too many things. ▸ *pron* (the) others: *Só veio o Paulo; os ~ ficaram em casa.* Only Paulo came; the others stayed at home. ◇ *ajudar os ~* to help others ▸ *adv* **1** [*modificando um verbo*] too much: *beber/comer ~* to drink/eat too much **2** [*modificando um adjetivo ou advérbio*] too: *grande/pequeno ~* too big/small ◇ *depressa ~* too fast LOC **ser demais** (*ser muito divertido*) to be a great laugh

demasiado, -a ▸ *adj* **1** [*com substantivo não-contável*] too much: *Há demasiada comida.* There is too much food. **2** [*com substantivo* *contável*] too many: *Levas demasiadas coisas.* You're carrying too many things. ▸ *pron* too much [*pl* too many] ▸ *adv* **1** [*modificando um verbo*] too much: *Fumas ~.* You smoke too much. **2** [*modificando um adjetivo ou advérbio*] too: *Vais ~ depressa.* You're going too fast. LOC **demasiadas vezes** too often

demissão *sf* **1** (*voluntária*) resignation: *Apresentou a sua ~.* He handed in his resignation. **2** (*involuntária*) dismissal

Quando alguém perde o emprego porque a empresa precisa de cortar custos, utiliza-se a palavra **redundancy** ou, em inglês americano, **lay-off**. Os verbos correspondentes são **make sb redundant** ou **lay sb off**.

LOC *Ver* PEDIR

demitir ▸ *vt* to dismiss, to give *sb* the sack (*mais coloq*) ▸ **demitir-se** *vp* **demitir-se (de)** to resign (from *sth*): *~ de um cargo* to resign from a post

democracia *sf* democracy [*pl* democracies]

democrata *smf* democrat

democrático, -a *adj* democratic

demolhar *vt* to soak

demolir *vt* to demolish

demónio *sm* **1** (*diabo*) devil **2** (*espírito*) demon

demonstrar *vt* **1** (*provar*) to prove: *Demonstrei-lhe que estava enganado.* I proved him wrong. **2** (*mostrar*) to show

demora *sf* **1** delay: *sem ~* without delay **2** (*trânsito*) hold-up

demorado, -a *adj* **1** (*tarde*) late **2** (*que leva demasiado tempo*): *A reunião está demorada.* The meeting is going on for ages. *Ver tb* DEMORAR

demorar *vi* to take (time) *to do sth*: *A tua irmã está a ~!* Your sister's taking a long time! ◇ *Demoraram muito a responder.* It took them a long time to reply. ◇ *Demorei dois meses a recuperar.* It took me two months to get better. ◇ *Demora duas horas de carro.* It takes two hours by car. LOC **não demorar (nada)** not to be long: *Não demores.* Don't be long. ◇ *Não demorou nada a fazer.* It didn't take long to do.

densidade *sf* density

denso, -a *adj* dense

dentada *sf* bite

dentadura *sf* teeth [*pl*]: *~ postiça* false teeth

dental *adj* dental LOC *Ver* FIO

dentário, -a *adj* LOC *Ver* CLÍNICA

dente *sm* **1** tooth [*pl* teeth] **2** (*garfo, ancinho*) prong LOC **dente de alho** clove of garlic **dente de leite** milk tooth [*pl* milk teeth] **dente do siso** wisdom tooth [*pl* wisdom teeth] *Ver tb* BATER, DOR, ESCOVA, LAVAR, PASTA, UNHA

dentífrico *sm* toothpaste

dentista *smf* dentist

dentro *adv* **1** in/inside: *O gato está lá ~.* The cat is inside. ◇ *ali/aqui ~* in there/here **2** (*edifício*) indoors: *Prefiro ficar cá ~.* I'd rather stay indoors. **3 ~ de (a)** (*espaço*) in/inside: *~ do envelope* in/inside the envelope **(b)** (*tempo*) in: *~ de uma semana* in a week ◇ *~ de instantes* in a little while ◇ *~ de três meses* in three months' time LOC **de dentro** from (the) inside **dentro de nada/em pouco** very soon **estar por dentro de alguma coisa** (*ter conhecimento*) to be in the know about sth: *Estava por ~ de toda a história.* She was in the know about the whole story. **mais para dentro** further in **para dentro** in: *Mete a barriga para ~.* Pull your tummy in. **por dentro** (on the) inside: *pintado por ~* painted on the inside *Ver tb* AÍ, ALI, LÁ, MAR

denúncia *sf* **1** (*acidente, delito*) report: *apresentar uma ~* to report sth to the police **2** (*revelação*) exposure

denunciar *vt* **1** to report *sb/sth* (*to sb*): *Denunciaram-me à polícia.* They reported me to the police. **2** (*revelar*) to denounce

deparar *vi* **~ com** (*encontrar*) to come across *sth*

departamento *sm* department

dependência *sf* **1** (*droga*) dependency [*pl* dependencies] **2** (*pais, chefe*) dependence **3** (*casa*) room

depender *vi* **1 ~ de** to depend on *sth/on whether...*: *Depende do tempo (que esteja).* It depends on the weather. ◇ *Isso depende de me trazeres o dinheiro ou não.* That depends on whether you bring me the money. **2 ~ de alguém** to be up to sb (whether): *Depende do meu chefe eu poder tirar um dia de folga ou não.* It's up to my boss whether I can have a day off. **3 ~ de** (*economicamente*) to be dependent on *sb/sth*

depilação *sf* hair removal LOC **depilação com cera** waxing

depilar *vt* **1** (*sobrancelhas*) to pluck **2** (*pernas, axilas*) **(a)** (*com cera*) to wax: *Tenho de ~ as pernas antes de irmos de férias.* I must have my legs waxed before we go on holiday. **(b)** (*com lâmina*) to shave

depoimento *sm* **1** (*em esquadra*) statement **2** (*em tribunal*) testimony [*pl* testimonies] LOC *Ver* PRESTAR

depois *adv* **1** (*mais tarde*) afterwards, later (*mais coloq*): *Depois disse que não tinha gostado.* He said afterwards he hadn't liked it. ◇

Saíram pouco ~. They came out shortly afterwards. ◇ *Só muito ~ é que me disseram.* They didn't tell me until much later. **2** (*a seguir, em seguida*) then: *Batem-se os ovos e ~ junta-se o açúcar.* Beat the eggs and then stir in the sugar. ◇ *Primeiro é o hospital e ~ a farmácia.* First there's the hospital and then the chemist's. ◇ *E ~, o que é que aconteceu?* And what happened next? LOC **depois de** after *sth/doing sth*: *~ das duas* after two o'clock ◇ *~ de falar com eles* after talking to them ◇ *A farmácia fica ~ do banco.* The chemist's is after the bank. **e depois?** (*e daí?*) so what? **pouco depois de** shortly after: *pouco ~ de te ires embora* shortly after you left *Ver tb* LOGO

depor *vi* **1** (*na esquadra*) to make a statement **2** (*em tribunal*) to testify

depositar *vt* **1** (*dinheiro*) to pay *sth* in, to deposit (*mais formal*): *~ dinheiro numa conta bancária* to pay money into a bank account **2** (*confiança*) to place: *~ toda a sua confiança em alguém* to place all one's trust in sb

depósito *sm* **1** (*reservatório*) tank: *o ~ da gasolina* the petrol tank **2** (*dinheiro*) deposit LOC **depósito de bagagem** left luggage office, baggage room (*USA*)

depressa *adv* **1** (*em breve*) soon: *Volta ~.* Come back soon. ◇ *o mais ~ possível* as soon as possible **2** (*rapidamente*) quickly: *Por favor, doutor, venha ~.* Please, doctor, come quickly. LOC **depressa!** hurry up!

depressão *sf* depression

deprimente *adj* depressing

deprimido, -a *adj* depressed: *estar/ficar ~* to be/get depressed *Ver tb* DEPRIMIR

deprimir *vt* to depress

deputado, -a *sm-sf* deputy [*pl* deputies]

> Na Grã-Bretanha, o equivalente é **Member of Parliament** (*abrev* **MP**), e nos Estados Unidos, **Representative** (*abrev* **Rep.**). ➲ *Ver tb notas em* CONGRESS *e* PARLIAMENT

deriva *sf* LOC **à deriva** adrift **andar à deriva** to drift

derivar *vi* ~ **de 1** (*Ling*) to derive from *sth* **2** (*proceder*) to stem from *sth*

derramamento *sm* spilling LOC **derramamento de sangue** bloodshed

derramar *vt* (*verter*) to spill: *Derramei um pouco de vinho na alcatifa.* I spilt some wine on the carpet. LOC **derramar lágrimas/sangue** to shed tears/blood

derrame *sm* haemorrhage

derrapagem *sf* skid: *fazer uma ~* to go into a skid

derrapar *vi* to skid

derreter(-se) *vt, vp* **1** (*manteiga, gordura*) to melt **2** (*neve, gelo*) to thaw

derrota *sf* defeat

derrotar *vt* to defeat

derrubar *vt* **1** (*muro*) to knock *sth* down **2** (*fazer cair*) to knock *sb/sth* over: *Cuidado com esse jarrão, não o derrubes.* Careful you don't knock that vase over. **3** (*porta*) to batter *sth* down **4** (*avião, pássaro*) to bring *sth* down **5** (*governo, regime*) to bring *sth* down

desabafar *vi* **1** (*tirar um peso de cima*) to get *sth* off your chest: *Eu tenho um problema e preciso de ~.* I've got a problem that I need to get off my chest. **2** ~ **com alguém** to confide in sb

desabamento *sm* LOC *Ver* TERRA

desabar *vi* to collapse

desabitado, -a *adj* uninhabited

desabotoar *vt* to unbutton

desacelerar *vt, vi* to slow (*sth*) down

desacreditado, -a *adj* discredited

desafiar *vt* **1** (*provocar*) to challenge *sb* (*to sth*): *Desafio-te para um jogo de damas.* I challenge you to a game of draughts. **2** (*perigo*) to brave

desafinado, -a *adj* out of tune *Ver tb* DESAFINAR

desafinar *vi* **1** (*ao cantar*) to sing out of tune **2** (*instrumento*) to be out of tune **3** (*músico*) to play out of tune

desafio *sm* **1** challenge **2** (*Desp*) match: *~ de futebol* football match

desaforo *sm* insult: *Que ~!* What an insult!

desafortunado, -a *adj* unfortunate

desagradar *vi* **1** (*não agradar*) to dislike *sth/doing sth* [*vt*]: *Desagrada-me fazer isso.* I dislike doing that. ◇ *Não me desagrada.* I don't dislike it. **2** (*desgostar*) to displease *sb* [*vt*]: *Não gosta de ~ aos pais.* She doesn't like to displease her parents.

desagradável *adj* unpleasant

desaguar *vi* ~ **em** (*rio*) to flow into *sth*

desajeitado, -a *adj, sm-sf* clumsy [*adj*]: *És mesmo um ~!* You're so clumsy!

desalinhado, -a *adj* (*mal-arranjado*) scruffy

desalmado, -a *sm-sf* LOC *Ver* BEBER

desamarrar *vt* to untie

desamparado, -a *adj* helpless

desanimado, -a *adj* (*deprimido*) depressed *Ver tb* DESANIMAR

desanimar ▸ *vt* to discourage ▸ **desanimar-se** *vp* to lose heart

desaparafusar *vt* to unscrew

desaparecer *vi* **1** to disappear **2** (*nuvens*) to clear (away) LOC **desaparece!** get lost! **desaparecer do mapa** to vanish off the face of the earth

desaparecido, **-a** ▸ *adj* missing ▸ *sm-sf* missing person *Ver tb* DESAPARECER

desaparecimento *sm* disappearance

desapertar ▸ *vt* **1** (*botão*) to undo **2** (*nó, tampa*) to loosen: *Desapertei-lhe a gravata.* I loosened his tie. ◇ *Desapertei o cinto.* I loosened my belt. ▸ **desapertar-se** *vp* **1** (*botão*) to come undone: *Desapertou-se-me a saia.* My skirt came undone. **2** (*parafuso, nó*) to come loose

desapontado, **-a** *adj* disappointed: *ficar* ~ to be disappointed *Ver tb* DESAPONTAR

desapontamento *sm* disappointment

desapontar *vt* to disappoint

desarmamento *sm* disarmament: *o ~ nuclear* nuclear disarmament

desarmar *vt* **1** (*pessoa, exército*) to disarm **2** (*desmontar*) to take *sth* to pieces, to dismantle

desarrumado, **-a** *adj* untidy *Ver tb* DESARRUMAR

desarrumar *vt* to make *sth* untidy

desastrado, **-a** *adj, sm-sf* clumsy [*adj*]: *És um ~.* You're so clumsy!

desastre *sm* **1** (*acidente*) accident: *um ~ de automóvel* a car crash **2** (*catástrofe*) disaster **3** (*pessoa*) useless [*adj*]: *É um ~.* He's so useless.

desastroso, **-a** *adj* disastrous

desatar ▸ *vt* (*nó, corda, animal*) to untie ▸ *vi* ~ **a** to start *doing sth/to do sth*: *Desataram a correr.* They started to run. ▸ **desatar-se** *vp* to come undone: *Desatou-se-me um atacador.* One of my laces has come undone. LOC **desatar a rir/chorar** to burst out laughing/crying

desatento, **-a** *adj* distracted

desativar *vt* (*bomba*) to defuse

desatualizado, **-a** *adj* **1** (*máquina, livro*) out of date ➲ *Ver nota em* WELL BEHAVED **2** (*pessoa*) out of touch

desavergonhado, **-a** *adj, sm-sf* **1** (*que não tem vergonha*) shameless [*adj*]: *ser um ~* to have no shame **2** (*insolente*) cheeky [*adj*]

desbaratar *vt* (*dinheiro*) to squander

desbocado, **-a** *adj* foul-mouthed

desbotado, **-a** *adj* (*cor*) faded *Ver tb* DESBOTAR

desbotar ▸ *vt, vi* (*perder a cor*) to fade: *A tua saia desbotou.* Your skirt's faded. ▸ *vi* (*largar tinta*): *Essa camisa vermelha desbota.* The colour runs in that red shirt.

descafeinado, **-a** ▸ *adj* decaffeinated ▸ *sm* decaffeinated coffee, decaf® (*coloq*)

descalçar ▸ *vt* (*sapatos, botas*) to take *sth* off: *Descalça os sapatos.* Take your shoes off. ▸ **descalçar-se** *vp* to take your shoes off

descalço, **-a** *adj* barefoot: *Gosto de andar ~ na areia.* I love walking barefoot on the sand. ◇ *Não andes ~.* Don't go round in your bare feet. LOC *Ver* PÉ

descampado *sm* area of open ground

descansar ▸ *vt, vi* to rest (*sth*) (*on sth*): *Deixa-me ~ um bocado.* Let me rest for a few minutes. ◇ *~ os olhos* to rest your eyes ▸ *vi* (*fazer uma pausa*) to have a break: *Terminamos isto e descansamos cinco minutos.* We'll finish this and have a break for five minutes.

descanso *sm* **1** (*repouso*) rest: *O médico recomendou-lhe ~ e ar fresco.* The doctor prescribed rest and fresh air. ◇ *não dar um minuto de ~* not to give sb a minute's peace **2** (*no trabalho*) break: *trabalhar sem ~* to work without a break

descapotável *adj, sm* convertible

descarado, **-a** *adj, sm-sf* cheeky so-and-so [*s*] [*pl* cheeky so-and-sos]: *Aquele ~ meteu-se comigo.* The cheeky so-and-so made a pass at me.

descaramento *sm* cheek: *Que ~!* What (a) cheek! LOC **ter (cá um) descaramento** to have a nerve: *Tens cá um ~!* You've got a nerve!

descarga *sf* **1** (*mercadoria*) unloading: *a carga e ~ de mercadoria* the loading and unloading of goods **2** (*elétrica*) shock

descarregado, **-a** *adj* (*pilha, bateria*) flat *Ver tb* DESCARREGAR

descarregar ▸ *vt* **1** to unload: *~ um camião/uma pistola* to unload a lorry/gun **2** (*raiva, frustração*) to vent ▸ **descarregar-se** *vp* (*pilha, bateria*) to go flat

descarrilamento *sm* derailment

descarrilar *vi* **1** to be derailed: *O comboio descarrilou.* The train was derailed. **2** (*pessoa*) to go off the rails: *Foi bom aluno, mas na universidade descarrilou.* She was a good student, but she went off the rails at university.

descartar ▸ *vt* to rule *sb/sth* out: *~ uma possibilidade/um candidato* to rule out a possibility/candidate ▸ **descartar-se** *vp* **descartar-se de** to get rid of *sb/sth*

descartável *adj* disposable

D

D

descascar *vt* **1** to peel: ~ *uma laranja* to peel an orange **2** (*ervilhas, marisco, nozes*) to shell

descendência *sf* descendants [*pl*]

descendente *smf* descendant

descender *vi* ~ **de** (*família*) to be descended from *sb*: *Descende de um príncipe russo.* He's descended from a Russian prince.

descer ▸ *vt* **1** to get *sth* down: *Ajuda-me a ~ a mala?* Could you help me get my suitcase down? **2** (*levar/trazer*) to take/to bring *sth* down: *Temos de ~ esta cadeira ao segundo andar?* Do we have to take this chair down to the second floor? **3** (*ir/vir para baixo*) to go/come down *sth*: ~ *a encosta* to go down the hill ➲ *Ver nota em* IR ▸ *vi* **1** (*ir/vir para baixo*) to go/to come down, to descend (*mais formal*): *Podia ~ à receção, se faz favor?* Can you come down to reception, please? ➲ *Ver nota em* IR **2** ~ **(de)** **(a)** (*automóvel*) to get out (of *sth*): *Nunca desças com o carro em andamento.* Never get out of a moving car. **(b)** (*transporte público, cavalo, bicicleta*) to get off (*sth*): ~ *do autocarro* to get off the bus **3** (*temperatura, preços, nível*) to fall: *A temperatura desceu.* The temperature has fallen. **4** (*Desp, equipa*) to be relegated: *Desceram para a segunda divisão.* They've been relegated to the second division. LOC *Ver* ESCADA, PIQUE

descida *sf* **1** (*declive*) descent: *É uma ~ perigosa.* It's a dangerous descent. ◇ *O avião teve problemas durante a ~.* The plane had problems during the descent. **2** (*encosta*) slope: *uma ~ suave/acentuada* a gentle/steep slope **3** (*temperatura*) drop *in sth* **4** (*Econ*) fall (*in sth*): *Continua a ocorrer uma ~ nas taxas de juro.* Interest rates continue to fall. **5** (*Desp, equipa*) relegation

desclassificação *sf* disqualification

desclassificar *vt* to disqualify

descoberta *sf* **1** (*achado*) discovery [*pl* discoveries]: *Os cientistas fizeram uma grande ~.* Scientists have made an important discovery. **2** (*pessoa, coisa*) find: *A nova bailarina é uma autêntica ~.* The new dancer is a real find.

descoberto, -a *adj* uncovered LOC **a descoberto** (*ao ar livre*) in the open air *Ver tb* DESCOBRIR

descobridor, -ora *sm-sf* discoverer

descobrimento *sm* discovery [*pl* discoveries]

descobrir *vt* **1** (*encontrar, dar-se conta*) to discover: ~ *uma ilha/vacina* to discover an island/a vaccine ◇ *Descobri que não tinha dinheiro.* I discovered I had no money. **2** (*averiguar*) to find *sth* (out): *Descobri que me andavam a enganar.* I found out that they were deceiving me. **3** (*destapar, desvendar*) to uncover **4** (*estátua, placa*) to unveil LOC **descobriu-se tudo** it all came out

descodificador *sm* decoder

descodificar *vt* to decode

descolado, -a *adj* unstuck *Ver tb* DESCOLAR

descolagem *sf* (*avião*) take-off

descolar ▸ *vt* to pull *sth* off ▸ *vi* (*avião*) to take off: *O avião está a ~.* The plane is taking off. ▸ **descolar-se** *vp* to come off: *Descolou-se a asa.* The handle's come off.

descompostura *sf* (*reprimenda*) telling-off [*pl* tellings-off], talking-to (*USA*): *Apanhei mais uma ~.* I've been told off again.

desconcertado, -a *adj* LOC **estar/ficar desconcertado** to be taken aback: *Ficaram ~s com a minha recusa.* They were taken aback by my refusal. *Ver tb* DESCONCERTAR

desconcertar *vt* to disconcert: *A reação dele desconcertou-me.* I was disconcerted by his reaction.

desconfiado, -a *adj, sm-sf* suspicious [*adj*]: *És um ~.* You've got a really suspicious mind. *Ver tb* DESCONFIAR

desconfiar *vi* ~ **de** **1** (*não ter confiança*) not to trust *sb/sth* [*vt*]: *Desconfia até da própria sombra.* He doesn't trust anyone. **2** (*suspeitar*) to have your suspicions about *sb/sth*

desconfortável *adj* uncomfortable

desconforto *sm* discomfort

descongelar *vt* (*frigorífico, alimento*) to defrost

desconhecer *vt* not to know: *Desconheço a razão.* I don't know the reason.

desconhecido, -a ▸ *adj* unknown: *uma equipa desconhecida* an unknown team ▸ *sm-sf* stranger *Ver tb* DESCONHECER

descontar *vt* **1** (*subtrair*) to deduct: *Tens de ~ as despesas de viagem.* You have to deduct your travelling expenses. **2** (*fazer um desconto*) to give a discount (*on sth*): *Descontavam 10% em todos os brinquedos.* They were giving a 10% discount on all toys.

descontente *adj* ~ **(com)** dissatisfied (with *sb/sth*)

desconto *sm* discount: *Fizeram-me um ~ de cinco por cento.* They gave me a five per cent discount. ◇ *São 25 euros menos o ~.* It's 25 euros before the discount.

descontrair-se *vp* to relax, to let your hair down (*mais coloq*)

descontrolado, -a *adj* **1** (*máquina*) out of control **2** (*pessoa*) hysterical

descoser ▸ *vt* to unpick ▸ **descoser-se** *vp* **1** to come apart at the seams **2** (*revelar um segredo*) to spill the beans

descrever *vt* to describe

descrição *sf* description

descuidado, -a *adj* **1** (*desprezado*) neglected **2** (*pouco cuidadoso*) careless **3** (*mal-arranjado*) scruffy *Ver tb* DESCUIDAR

descuidar ▸ *vt* to neglect ▸ **descuidar-se** *vp*: *Descuidei-me e quase perdi o comboio.* I wasn't paying attention and I nearly missed the train. ◇ *Desculpa chegar atrasado mas descuidei-me com a hora.* Sorry I'm late but I didn't notice the time.

descuido *sm*: *O acidente ocorreu devido a um ~ do condutor.* The driver lost his concentration and caused an accident. ◇ *Num ~ o cão fugiu-lhe.* His attention wandered and he lost the dog.

desculpa *sf* **1** (*justificativa*) excuse (*for sth/ doing sth*): *Arranja sempre uma ~ para não vir.* He always finds an excuse not to come. ◇ *Isto não tem ~.* There's no excuse for this. **2** (*pedido de perdão*) apology [*pl* apologies] **LOC** *Ver* PEDIDO, PEDIR

desculpar ▸ *vt* to forgive: *Desculpe interromper.* Forgive the interruption. ◇ *Desculpa o atraso.* Sorry I'm late. ▸ **desculpar-se** *vp* to apologize (*to sb*) (*for sth*): *Desculpei-me por não lhe ter escrito.* I apologized to her for not writing. **LOC** **desculpa, desculpe, etc. 1** (*para pedir desculpa*) sorry: *Desculpe, pisei-o?* Sorry, did I stand on your foot? **2** (*para chamar a atenção*) excuse me: *Desculpe! Tem horas?* Excuse me, have you got the time, please? **3** (*quando não se ouviu bem*) sorry, I beg your pardon (*mais formal*): *– Sou a Isabel Rodrigues. – Desculpe? Quem?* 'I am Isabel Rodrigues.' 'Sorry? Who?' ➲ *Ver nota em* EXCUSE

desde *prep* since: *Vivo nesta casa ~ 1986.* I've been living in this house since 1986. ◇ *Sabia ~ o início que não ia resultar.* She knew from the beginning that it wouldn't work. ➲ *Ver nota em* FOR **LOC** **desde...a/até...** from...to...: *~ abril a junho* from April to June ◇ *~ o 8 até ao 15* from the 8th to the 15th ◇ *A loja vende ~ roupas até barcos.* The shop sells everything from clothing to boats. **desde que... 1** (*depois que*) since: *Desde que foram embora...* Since they left... **2** (*contanto que*) as long as...: *~ que me avises* as long as you tell me

desdém *sm* contempt: *um olhar de ~* a scornful look

desdenhoso, -a *adj* scornful: *num tom ~* in a scornful tone

desdobrar *vt* to unfold

desejar *vt* **1** (*querer*) to want: *O que é que deseja?* Can I help you? **2** (*ansiar*) to wish for *sth*: *Que mais podia eu ~?* What more could I wish for? **3** (*boa sorte*) to wish *sb sth*: *Desejo-te boa sorte.* I wish you luck.

desejo *sm* **1** wish: *Pensa num ~.* Make a wish. **2** (*anseio*) desire **LOC** **ter desejos** to have cravings: *Algumas mulheres grávidas têm ~s.* Some pregnant women have cravings. **ter desejos de** to have a craving for *sth*

desemaranhar *vt* to untangle **LOC** **desemaranhar o cabelo** to get the tangles out of your hair

desembaraçado, -a *adj* **1** (*desinibido*) free and easy **2** (*despachado*) resourceful **3** (*expedito*) efficient: *um empregado muito ~* a very efficient waiter *Ver tb* DESEMBARAÇAR-SE

desembaraçar-se *vp* ~ **de** to get rid of *sb/sth*

desembarcar ▸ *vt* **1** (*mercadoria*) to unload **2** (*pessoa*) to set *sb* ashore ▸ *vi* to disembark

desembarque *sm* **1** (*passageiros*) disembarkation: *O ~ atrasou duas horas.* It took two hours to disembark. **2** (*carga*) unloading

desembocar *vi* ~ **em 1** (*rio*) to flow into *sth* **2** (*rua, túnel*) to lead to *sth*

desembolsar *vt* to pay *sth* (out): *Teve de desembolsar 20 euros pelo bilhete.* I had to pay out 20 euros for the ticket.

desembrulhar *vt* to unwrap: *~ um pacote* to unwrap a parcel

desempatar *vi* **1** (*Desp*) to play off **2** (*Pol*) to break the deadlock

desempate *sm* play-off

desempenhar *vt* **1** (*papel*) to play **2** (*cargo*) to hold: *~ o cargo de reitor* to hold the post of Vice-Chancellor

desempregado, -a ▸ *adj* unemployed ▸ *sm-sf* unemployed person: *os ~s* the unemployed

desemprego *sm* unemployment **LOC** **(estar) no desemprego** (to be) unemployed

desencaminhar ▸ *vt* to lead *sb* astray ▸ **desencaminhar-se** *vp* to go off the straight and narrow

desencontrar-se *vp* to miss one another

desenferrujar *vt* **1** (*metal*) to remove the rust from *sth* **2** (*língua*) to brush *sth* up: *~ o meu francês* to brush up my French **3** (*pernas*) to stretch

desenganar *vt* **1** (*doente*) to give no hope of recovery to *sb* **2** (*desiludir*) to disillusion

desenhado, -a *adj* **LOC** *Ver* BANDA, LIVRO, REVISTA; *Ver tb* DESENHAR

desenhador, -ora *sm-sf* **1 (a)** (*masc*) draughtsman [*pl* -men] **(b)** (*fem*) draughtswoman [*pl* -women] **2** (*humor*) cartoonist

desenhar *vt* **1** to draw **2** (*vestuário, mobiliário, produtos*) to design

desenho *sm* **1** (*Arte*) drawing: *estudar ~* to study drawing ◇ *um ~* a drawing ◇ *Faz um ~ da família.* Draw your family. **2** (*técnico*) design: *~ gráfico* graphic design **3** (*padrão*) pattern LOC **desenho geométrico** technical drawing **desenhos animados** cartoons

D

desenrascar-se *vp* **1** (*desembaraçar-se*) to get by: *Estudam apenas o suficiente para se desenrascarem.* They do just enough work to get by. **2** (*sair de dificuldades*) to manage (*to do sth*): *Consegui desenrascar-me para sair.* I managed to go out. ◇ *Desenrasca-te como puderes.* You'll have to manage somehow.

desenrolar *vt* **1** (*papel*) to unroll **2** (*cabo*) to unwind

desenroscar *vt* to unscrew

desenterrar *vt* to dig *sth* up: *~ um osso* to dig up a bone

desentupir *vt* to unblock

desenvoltura *sf* (*desembaraço*) self-confidence: *Tem muita ~.* He's very confident.

desenvolver(-se) *vt, vp* to develop: *~ os músculos* to develop your muscles

desenvolvido, -a *adj* developed: *os países ~s* developed countries *Ver tb* DESENVOLVER

desenvolvimento *sm* development LOC **em (vias de) desenvolvimento** developing: *países em (vias de) ~* developing countries

desequilibrar-se *vp* to lose your balance

deserto, -a ▸ *adj* deserted ▸ *sm* desert LOC *Ver* ILHA

desertor, -ora *sm-sf* deserter

desesperado, -a *adj* **1** desperate: *Estou ~ por vê-la.* I'm desperate to see her. **2** (*situação, caso*) hopeless *Ver tb* DESESPERAR

desesperar ▸ *vt* to drive *sb* mad: *Desesperava-o não ter trabalho.* Not being able to get a job was driving him mad. ▸ *vi* to despair: *Não desesperes, ainda podes vir a passar.* Don't despair. You can still pass.

desespero *sm* despair: *para ~ meu/dos médicos* to my despair/to the despair of the doctors LOC **por desespero** in desperation

desestabilizar *vt* **1** (*desassossegar*) to stir *sb* up: *~ o resto da turma* to stir up the rest of the class **2** (*perturbar*) to disrupt: *A greve desestabilizou as aulas.* The classes were disrupted by the strike.

desfavorável *adj* unfavourable

desfazer ▸ *vt* **1** (*nó, embrulho*) to undo **2** (*fruta, batata, cenoura, etc.*) to mash **3** (*vegetais em sopa*) to cream **4** (*cama*) to unmake **5** (*destruir*) to smash: *O miúdo desfez por completo os brinquedos.* The child smashed his toys to bits. **6** (*dúvida, engano*) to dispel **7** (*desmontar*) to take *sth* to pieces: *~ um puzzle* to take a jigsaw to pieces ▸ **desfazer-se** *vp* **1** (*nó, costura*) to come undone **2** (*derreter-se*) to melt **3** **desfazer-se de** to get rid of *sb/sth*: *desfazer-se de um carro velho* to get rid of an old car LOC **desfazer-se em lágrimas** to cry your eyes out *Ver tb* MALA, PEDAÇO

desfecho *sm* outcome

desfeita *sf* insult

desfiladeiro *sm* (*Geog*) gorge

desfilar *vi* **1** to march **2** (*modelos*) to parade

desfile *sm* parade LOC **desfile de moda** fashion show

desfocado, -a *adj* (*imagem, foto*) blurred: *Sem óculos vejo tudo ~.* Everything is blurred without my glasses.

desforra *sf* revenge

desgastante *adj* (*cansativo*) stressful

desgastar(-se) *vt, vp* (*rochas*) to wear (*sth*) away, to erode (*mais formal*)

desgaste *sm* **1** (*máquina, mobiliário*) wear and tear **2** (*rochas*) erosion

desgosto *sm* (*tristeza*) sorrow: *A sua decisão causou-lhes um grande ~.* His decision caused them great sorrow. LOC **dar desgostos (a)** to upset *sb* [*vt*]: *Dá muitos ~s aos pais.* He's always upsetting his parents. **ter/sofrer um desgosto** to be upset: *Sofri um ~ quando recebi as notas.* I was upset when I got my results. *Ver tb* MATAR

desgostoso, -a *adj* upset: *Quando recebi as notas fiquei muito ~.* I was upset when I got my results.

desgraça *sf* misfortune: *Têm-lhes acontecido muitas ~s.* They've had many misfortunes.

desgraçado, -a ▸ *adj* **1** (*sem sorte*) unlucky **2** (*infeliz*) unhappy: *levar uma vida desgraçada* to lead an unhappy life ▸ *sm-sf* **1** (*infeliz*) wretch **2** (*má pessoa*) swine

desidratação *sf* dehydration

design *sm* design

designar *vt* **1** (*para cargo*) to appoint *sb* (*sth/to sth*): *Foi designado presidente/para o cargo.* He has been appointed chairman/to the post. **2** (*sítio*) to designate *sth* (*as sth*): *~ Lisboa como o local dos jogos* to designate Lisbon as the venue for the Games

designer *smf* designer

desigual *adj* **1** (*tratamento*) unfair **2** (*luta, terreno*) uneven

desigualdade *sf* inequality [*pl* inequalities]

desiludir *vt* to disappoint

desilusão *sf* disappointment LOC **ter/sofrer uma desilusão** to be disappointed

desimpedir *vt* to clear: *Toca a ~ a zona!* Clear the area!

desinchar ▸ *vt* to let *sth* down ▸ *vi* to go down

desinfetante *sm* disinfectant

desinfetar *vt* to disinfect

desinibido, **-a** *adj* uninhibited

desintegração *sf* disintegration

desinteressar-se *vp* ~ **de** to lose interest in *sb/sth*

desinteresse *sm* (*falta de interesse*) lack of interest (*in sb/sth*)

desistir *vi* ~ **(de)** to give up (*sth/doing sth*): *~ de procurar trabalho* to give up looking for work

desleal *adj* disloyal

desleixado, **-a** *adj* **1** (*desordenado*) sloppy **2** (*pouco cuidadoso*) careless **3** (*mal-arranjado*) scruffy

desligado, **-a** *adj* **1** (*telefone*) off the hook: *Devem tê-lo deixado ~.* They must have left it off the hook. **2** (*rádio, televisão, luzes*) switched off *Ver tb* DESLIGAR

desligar ▸ *vt* **1** (*apagar*) to switch *sth* off **2** (*tomada*) to unplug ▸ **desligar-se** *vp* **1** (*aparelho*) to switch off **2** (*pessoa*) to cut yourself off (*from sb/sth*) LOC **desligar (o telefone)** to hang up: *Não desligue, por favor.* Please hold the line.

deslizar ▸ *vt* **1** to slide: *Podes ~ o assento para a frente.* You can slide the seat forward. **2** (*dissimuladamente*) to slip: *Deslizou a carta para o bolso.* He slipped the letter into his pocket. ▸ *vi* **1** to slide: *~ no gelo* to slide on the ice **2** (*cobra*) to slither

deslize *sm* (*lapso*) slip

deslocado, **-a** *adj* **1** (*pessoa*) out of place: *sentir-se ~* to feel out of place **2** (*Med*) dislocated *Ver tb* DESLOCAR

deslocar ▸ *vt* to dislocate ▸ **deslocar-se** *vp* to go: *Deslocam-se a todo o lado de táxi.* They go everywhere by taxi.

deslumbrante *adj* dazzling: *uma luz/atuação ~* a dazzling light/performance

deslumbrar *vt* to dazzle

desmaiado, **-a** *adj* **1** (*pessoa*) unconscious **2** (*cor*) faded *Ver tb* DESMAIAR

desmaiar *vi* to faint

desmaio *sm* fainting fit LOC **ter um desmaio** to faint

desmancha-prazeres *smf* spoilsport

desmantelar *vt* to dismantle

desmaquilhante *adj* LOC **creme/loção desmaquilhante** make-up remover

desmedido, **-a** *adj* excessive

desmentir *vt* to deny: *Desmentiu as acusações.* He denied the accusations.

desmontar ▸ *vt* **1** to take *sth* apart: *~ uma bicicleta* to take a bike apart **2** (*andaime, estante, tenda*) to take *sth* down ▸ *vi* **1** ~ **de** (*bicicleta*) to get off (*sth*) **2** (*cavalo*) to dismount

desmoralizar ▸ *vt* to demoralize ▸ **desmoralizar(-se)** *vi, vp* to lose heart: *Não te desmoralizes.* Don't lose heart.

desmoronamento *sm* (*edifício*) collapse LOC *Ver* TERRA

desmoronar-se *vp* to collapse

desnecessário, **-a** *adj* unnecessary

desnorteado, **-a** *adj* disoriented

desnutrição *sf* malnutrition

desobedecer *vi* ~ **(a)** to disobey: *~ às ordens/aos teus pais* to disobey orders/your parents

desobediência *sf* disobedience

desobediente *adj, smf* disobedient [*adj*]: *És uma ~!* You're a very disobedient girl!

desobstruir *vt* to unblock

desocupado, **-a** *adj* **1** (*lugar*) vacant: *um lote ~* a vacant plot **2** (*casa, apartamento*) empty

desodorizante (*tb* **desodorante**) *sm* deodorant

desolado, **-a** *adj* devastated

desolador, **-ora** *adj* devastating

desonesto, **-a** *adj* dishonest LOC *Ver* PROPOSTA

desordeiro, **-a** *sm-sf* troublemaker

desordem *sf* mess: *Peço desculpa pela ~.* Sorry for the mess. ◇ *Tinha a casa em ~.* The house was in a mess.

desordenado, **-a** *adj, sm-sf* untidy [*adj*]: *És um ~!* You're so untidy! *Ver tb* DESORDENAR

desordenar *vt* to make *sth* untidy, to mess *sth* up (*mais coloq*): *Desordenaste-me o guarda-fatos todo.* You've messed up my wardrobe.

desorganizado, **-a** *adj* disorganized

desorientado, **-a** *adj* (*confuso, sem rumo*) disoriented *Ver tb* DESORIENTAR

desorientar ▸ *vt* (*confundir*) to confuse: *As indicações que ele me deu desorientaram-me.* I was confused by his directions. ▸ **desorientar-se** *vp* to get lost: *Desorientei-me.* I got lost.

despachar ▸ *vt* (*bagagem, encomenda, merca-*

D

doria) to dispatch ▸ **despachar-se** *vp* **1** (*apressar-se*) to hurry up: *Despacha-te ou perdes o comboio.* Hurry up or you'll miss the train. **2 despachar-se de** (*livrar-se*) to get rid of *sth/sb*: *Despachou-se de nós rapidamente.* He soon got rid of us.

despedida *sf* **1** goodbye, farewell (*mais formal*): *jantar de ~* farewell dinner **2** (*celebração*) leaving party LOC **despedida de solteiro/solteira** stag/hen night

despedimento *sm* **1** dismissal **2** (*por dificuldades financeiras*) redundancy [*pl* redundancies], lay-off (*USA*) ➲ *Ver nota em* DEMISSÃO

despedir ▸ *vt* **1** (*empregado*) to dismiss, to give *sb* the sack (*coloq*) **2** (*por falta de recursos*) to lay *sb* off, to make *sb* redundant (*mais formal*): *A empresa planeia ~ 100 empregados.* The firm plans to make 100 employees redundant. ▸ **despedir-se** *vp* **despedir-se (de)** **1** (*dizer adeus*) to say goodbye (to *sb/sth*): *Nem sequer se despediram.* They didn't even say goodbye. **2** (*demitir-se*) to resign

despeitado, **-a** *adj* spiteful

despejar *vt* **1** (*esvaziar*) to empty: *Despeja o cesto dos papéis que está cheio.* Empty the waste paper bin; it's full. **2** (*resíduos*) to dump **3** (*para um recipiente*) to pour: *Despeja o leite para outra chávena.* Pour the milk into another cup. **4** (*de casa, apartamento*) to evict **5** (*beber*) to drink: *Despejaram três garrafas de vinho ao jantar.* They drank three bottles of wine over dinner.

despendurar *vt* to take *sth* down: *Ajuda-me a ~ o espelho.* Help me take the mirror down.

despensa *sf* larder

despenteado, **-a** *adj* dishevelled: *Estás todo ~.* Your hair's untidy. *Ver tb* DESPENTEAR

despentear *vt* to mess *sb's* hair up: *Não me despenteies.* Don't mess my hair up.

despercebido, **-a** *adj* unnoticed: *passar ~* to go unnoticed

desperdiçar *vt* to waste: *Não desperdices esta oportunidade.* Don't waste this opportunity.

desperdício *sm* **1** waste **2 desperdícios** scraps

despertador *sm* alarm (clock): *Pus o ~ para as sete.* I've set the alarm for seven. ➲ *Ver ilustração em* RELÓGIO

despertar ▸ *vt* **1** (*pessoa*) to wake *sb* up: *A que horas queres que te desperte?* What time do you want me to wake you up? **2** (*interesse, suspeitas*) to arouse ▸ **despertar(-se)** *vi, vp* to wake up

desperto, **-a** *adj* (*acordado*) awake: *Estás ~?* Are you awake? LOC **estar bem desperto** to be wide awake *Ver tb* DESPERTAR

despesa *sf* expense

despido, **-a** *adj* (*pessoa*) naked *Ver tb* DESPIR

despir ▸ *vt* to undress ▸ **despir-se** *vp* to get undressed: *Despiu-se e meteu-se na cama.* He got undressed and climbed into bed.

despistado, **-a** *adj* **1** (*por natureza*) absent-minded: *És mesmo ~.* You're so absent-minded! **2** (*doido*) crazy: *É completamente ~.* He's completely crazy. **3** (*distraído*) miles away: *Ia meio ~ e não os vi.* I was miles away and didn't see them. *Ver tb* DESPISTAR

despistar *vt* **1** (*desorientar*) to confuse **2** (*escapar a*) to shake *sb* off: *Despistou a polícia.* He shook off the police.

despontar *vi* **1** (*aurora, dia*) to break **2** (*sol*) **(a)** (*amanhecer*) to rise **(b)** (*por entre as nuvens*) to come out: *O sol despontou à tarde.* The sun came out in the afternoon.

desportista ▸ *adj* keen on sport: *Sempre foi muito ~.* She's always been very keen on sport. ▸ *smf* sportsman/woman [*pl* -men/-women]

desportivo, **-a** *adj* **1** sports: *competição desportiva* sports competition **2** (*comportamento*) sporting: *um comportamento pouco ~* unsporting behaviour **3** (*vestuário*) casual: *sapatos ~s* casual shoes ◇ *roupa desportiva* casual clothes LOC **levar as coisas na desportiva** to take things lightly *Ver tb* ESPÍRITO

desporto *sm* sport: *Praticas algum ~?* Do you play any sports?

> Em inglês há três construções possíveis quando se fala de desportos. *Jogar futebol, golfe, basquete*, etc. diz-se **play + substantivo**, p. ex. **play football, golf, basketball**, etc. *Fazer aeróbica, atletismo, judo*, etc. diz-se **do + substantivo**, p. ex. **do aerobics, athletics, judo**, etc. *Fazer natação, caminhada, ciclismo*, etc. diz-se **go + -ing**, p. ex. **go swimming, hiking, cycling**, etc. Esta última construção usa-se, principalmente, quando existe em inglês um verbo específico para tal desporto, como **swim, hike** ou **cycle**.

LOC **desportos radicais** extreme sports **fazer desporto** to get some exercise **por desporto** for fun: *Ele trabalha por ~.* He works just for fun. *Ver tb* ROUPA

déspota *smf* tyrant

despovoado, **-a** *adj* (*sem habitantes*) uninhabited *Ver tb* DESPOVOAR

despovoar *vt* to depopulate

despregado, **-a** *adj* LOC *Ver* RIR

desprender *vt* to unhook

desprendimento *sm* (*desapego*) detachment **LOC** *Ver* TERRA

despreocupado, **-a** *adj* carefree

desprevenido, **-a** *adj* unprepared: *apanhar alguém* ~ to catch sb unawares

desprezar *vt* **1** (*menosprezar*) to despise, to look down on *sb* (*mais coloq*): *Desprezam os restantes alunos.* They look down on the other students. **2** (*rejeitar*) to reject: *Desprezaram a nossa ajuda.* They rejected our offer of help. **3** (*repelir alguém grosseiramente*) to snub

desprezível *adj* despicable

desprezo *sm* contempt (*for sb/sth*): *mostrar ~ por alguém* to show contempt for sb

desproporcionado, **-a** *adj* disproportionate (*to sth*)

desproporcional *adj* out of proportion (*with sth*)

desprovido, **-a** *adj* ~ **de** lacking in *sth*

desqualificação *sf* (*Desp*) disqualification

desqualificar *vt* (*Desp*) to disqualify: *Desqualificaram-no por ter feito batota.* He was disqualified for cheating.

desrespeitador, **-ora** *adj* ~ **com/para com** disrespectful (to/towards *sb/sth*)

desse, **-a** *Ver* DE

destacar ▸ *vt* **1** (*salientar*) to point *sth* out: *O professor destacou vários aspetos da sua obra.* The teacher pointed out various aspects of his work. **2** (*pessoa*) to post: *Vão destacar-me.* I'm going to be posted somewhere else. ▸ **destacar(-se)** *vi, vp* to stand out: *O vermelho destaca-se no verde.* Red stands out against green. ◇ *Destacou-se entre os escritores do seu tempo.* He stands out among the writers of his time.

destapar ▸ *vt* **1** (*tirar a tampa*) to take the lid off *sth*: ~ *um tacho* to take the lid off a saucepan **2** (*na cama*) to pull the bedclothes off *sb*: *Não me destapes.* Don't pull the bedclothes off me. ▸ **destapar-se** *vp* (*na cama*) to throw the bedclothes off

destaque *sm* prominence **LOC em destaque** in focus

deste, **-a** *Ver* DE

destemido, **-a** *adj* fearless

destinatário, **-a** *sm-sf* **LOC** *Ver* CHAMADA

destino *sm* **1** (*sina*) fate **2** (*avião, navio, comboio, passageiro*) destination **LOC com destino a...** for...: *o ferry com ~ ao Barreiro* the ferry for Barreiro

destoar *vi* ~ **(com)** to clash (with *sth*): *Achas que estas cores destoam?* Do you think these colours clash?

destrancar *vt* (*porta*) to unbolt

destreza *sf* skill

destro, **-a** *adj* **1** (*hábil*) skilful **2** (*ágil*) deft **3** (*que usa a mão direita*) right-handed

destroçar *vt* **1** to destroy **2** (*fazer em pedaços*) to smash: *Destroçaram os vidros da montra.* They smashed the shop window. **3** (*arruinar*) to ruin: ~ *a vida de alguém* to ruin sb's life

destroços *sm* wreckage [*não-contável*]

destruição *sf* destruction

destruidor *sm* (*Náut*) destroyer

destruir *vt* to destroy

destrutivo, **-a** *adj* destructive

desvalorizar ▸ *vt* to devalue ▸ **desvalorizar-se** *vp* to depreciate

desvanecer-se *vp* (*desaparecer*) to disappear

desvantagem *sf* disadvantage **LOC estar em desvantagem** to be at a disadvantage

desviar ▸ *vt* to divert: ~ *o trânsito* to divert traffic ◇ ~ *os fundos de uma sociedade* to divert company funds ▸ **desviar-se** *vp* to get out of the way **LOC desviar a atenção** to distract *sb's* attention **desviar o olhar** to look away

desvio *sm* **1** (*trânsito*) diversion **2** (*volta*) detour: *Tivemos de fazer um ~ de cinco quilómetros.* We had to make a five-kilometre detour. **3** ~ **(de)** (*irregularidade*) deviation (from *sth*) **4** (*fundos*) embezzlement

detalhadamente *adv* in detail

detalhado, **-a** *adj* detailed *Ver tb* DETALHAR

detalhar *vt* **1** (*contar com detalhes*) to give details of *sth* **2** (*especificar*) to specify

detalhe *sm* detail

detenção *sf* (*prisão*) arrest

deter ▸ *vt* **1** to stop **2** (*prender*) to arrest, to detain (*mais formal*) ▸ **deter-se** *vp* to stop **LOC deter as rédeas** to be in charge (*of sth*)

detergente *sm* detergent **LOC detergente em pó** washing powder, detergent (*USA*) **detergente para a loiça** washing-up liquid, dishwashing liquid (*USA*)

deteriorar ▸ *vt* (*danificar*) to damage ▸ **deteriorar-se** *vp* to deteriorate: *A sua saúde deteriorava-se de dia para dia.* Her health deteriorated by the day.

determinação *smf* **1** (*firmeza*) determination: *A sua ~ em vencer era incrível.* His determination to win was incredible. **2** (*ordem*) order: *Fomos libertados por ~ do presidente.* We were freed on the president's orders.

determinado, -a *adj* (*certo*) certain: *em ~s casos* in certain cases *Ver tb* DETERMINAR

determinar *vt* to determine: *~ o preço de alguma coisa* to determine the price of sth

D

detestar *vt* to detest *sth/doing sth*, to hate *sth/doing sth* (*mais coloq*)

detetar *vt* to detect

detetive *smf* detective LOC **detetive privado** private detective

detetor *sm* detector: *um ~ de mentiras/metais* a lie/metal detector

detido, -a ▸ *adj*: *estar/ficar ~* to be under arrest ▸ *sm-sf* person under arrest *Ver tb* DETER

detonar *vt* (*fazer explodir*) to detonate

detrás *adv* behind LOC **de detrás** from behind **por detrás** (*atrás*) at/on the back: *O mercado fica por ~.* The market is at the back. ◇ *O preço está por ~.* The price is on the back. **por detrás de** behind *sb/sth*

deus *sm* god LOC **Deus me livre!** God forbid! **meu Deus!** good God! **se Deus quiser** God willing **só Deus sabe/sabe Deus** God knows *Ver tb* AMOR, GRAÇA, SANTO

deusa *sf* goddess

devagar ▸ *adv* slowly: *Conduz ~.* Drive slowly. ▸ **devagar!** *interj* slow down! LOC **devagar e bem** slowly but surely **ir mais devagar do que uma tartaruga** to go at a snail's pace

dever¹ ▸ *vt* **1** [*com substantivo*] to owe: *Devo-te 20 euros/uma explicação.* I owe you 20 euros/ an explanation. **2** [*com infinitivo*] **(a)** [*no presente ou futuro*], [*frases afirmativas*] must: *Deves estudar/obedecer às regras.* You must study/obey the rules. ◇ *A lei deve ser anulada.* The law must be abolished. ◇ *Já deve estar em casa.* She must be home by now. ➲ *Ver nota em* MUST **(b)** [*no presente ou futuro*], [*frases negativas*]: *Não deve ser fácil.* It can't be easy. **(c)** [*no passado ou condicional*] should: *Há uma hora que devias estar aqui.* You should have been here an hour ago. ◇ *Devias tê-lo dito antes de sairmos!* You should have said so before we left! ◇ *Não devias sair assim.* You shouldn't go out like that. ▸ **dever-se** *vp* to be due *to sth*: *Isto deve-se à falta de fundos.* This is due to lack of funds. LOC **como deve ser** proper(ly): *um escritório como deve ser* a proper office ◇ *fazer alguma coisa como deve ser* to do sth properly

dever² *sm* **1** (*obrigação moral*) duty [*pl* duties]: *cumprir um ~* to do your duty **2 deveres** (*Educ*) homework [*não-contável, v sing*]: *fazer os ~es* to do your homework ◇ *O professor passa muitos ~es.* Our teacher gives us lots of homework.

devidamente *adv* (*corretamente*) duly, properly (*mais coloq*)

devido, -a *adj* (*correto*) proper LOC **devido a** due to *sb/sth* *Ver tb* DEVER¹

devolução *sf* **1** (*artigo*) return: *a ~ de produtos defeituosos* the return of defective goods **2** (*dinheiro*) refund

devolver *vt* **1** to return *sth* (*to sb/sth*): *Devolveste os livros à biblioteca?* Did you return the books to the library? **2** (*dinheiro*) to refund: *Ser-lhe-á devolvido o dinheiro.* You will have your money refunded.

devorar *vt* to wolf *sth* down, to devour (*mais formal*)

devoto, -a *adj* devout

dez *sm, adj, pron* **1** ten **2** (*data*) tenth ➲ *Ver exemplos em* SEIS

dezanove *sm, adj, pron* **1** nineteen **2** (*data*) nineteenth ➲ *Ver exemplos em* SEIS

dezasseis *sm, adj, pron* **1** sixteen **2** (*data*) sixteenth ➲ *Ver exemplos em* SEIS

dezassete *sm, adj, pron* **1** seventeen **2** (*data*) seventeenth ➲ *Ver exemplos em* SEIS

dezembro *sm* December (*abrev* Dec.) ➲ *Ver exemplos em* JANEIRO

dezena *sf* **1** (*Mat, número coletivo*) ten **2** (*aproximadamente*) about ten: *uma ~ de pessoas/vezes* about ten people/times

dezoito *sm, adj, pron* **1** eighteen **2** (*data*) eighteenth ➲ *Ver exemplos em* SEIS

dia *sm* **1** day: *Passámos o ~ em Lisboa.* We spent the day in Lisbon. ◇ *– Que ~ é hoje? – Terça.* 'What day is it today?' 'Tuesday.' ◇ *no ~ seguinte* the following day **2** (*em datas*): *Chegaram no ~ 10 de abril.* They arrived on 10 April. ❶ Diz-se 'April the tenth' ou 'the tenth of April': *Termina no dia 15.* It ends on the 15th. LOC **ao/por dia** a day: *três vezes ao ~* three times a day **bom dia/bons dias!** good morning!, morning! (*mais coloq*) **de dia/durante o dia** in/during the daytime: *Dormem de ~.* They sleep in the daytime. **dia da mãe/do pai** Mother's/Father's Day **dia das mentiras** ≈ April Fool's Day **dia de Entrudo** Shrove Tuesday **dia de Natal** Christmas Day ➲ *Ver nota em* NATAL **dia de Reis** 6 January **dia de semana** weekday **dia de Todos-os-Santos** All Saints' Day ➲ *Ver nota em* HALLOWEEN **dia dos namorados** Valentine's Day ➲ *Ver nota em* VALENTINE'S DAY **dia livre/de folga 1** (*não ocupado*) free day **2** (*sem ir trabalhar*) day off [*pl* days off]: *Amanhã é o meu ~ livre.* Tomorrow's my day off. **dia santo** holy day **dia sim, dia não** every other day **estar/andar em dia** to be up to date **estar/fazer um bom dia** to be a nice day **fazer-se dia** to get light **o dia de amanhã** the future **pôr em dia** to bring *sb/sth* up to date **ser (de) dia** to be light

todos os dias every day ➲ *Ver nota em* EVERYDAY; *Ver tb* ALGUM, ASSUNTO, FOLGA, HOJE, NOITE, PLENO, QUINZE

diabetes *sf ou sm* diabetes [*não-contável*]

diabético, -a *adj, sm-sf* diabetic

diabo *sm* devil LOC **do(s) diabo(s)**: *Está um frio dos ~s.* It's freezing. ◇ *um problema dos ~s* a hell of a problem **o diabo seja cego, surdo e mudo!** touch wood!, knock on wood! (*USA*) **por que diabo...?** why the hell...?: *Por que ~ não me disseste?* Why the hell didn't you tell me? *Ver tb* ADVOGADO

diafragma *sm* diaphragm

diagnóstico *sm* diagnosis [*pl* diagnoses]

diagonal *adj, sf* diagonal

diagrama *sm* diagram

dialeto *sm* dialect: *um ~ do inglês* a dialect of English

diálogo *sm* dialogue

diamante *sm* diamond

diâmetro *sm* diameter

diante *adv* LOC **diante de 1** in front of *sb/sth*: *Estava sentada ~ dele.* She was sitting in front of him. **2** (*perante*) **(a)** (*pessoa*) in the presence of *sb*: *Estás ~ do futuro presidente.* You're in the presence of the future president. **(b)** (*coisa*) up against *sth*: *Estamos ~ de um grande problema.* We're up against a major problem. *Ver tb* AGORA, AQUI, ASSIM, HOJE

dianteira *sf* **1** (*carro*) front **2** (*liderança*) lead: *tomar a ~* to take the lead ◇ *ir na ~* to be in the lead

dianteiro, -a *adj* front

diapositivo *sm* slide

diária *sf* (*de hotel, empregada, etc.*) daily rate

diariamente *adv* every day

diário, -a ▸ *adj* daily ▸ *sm* **1** (*jornal*) daily [*pl* dailies] **2** (*pessoal*) diary [*pl* diaries]

diarreia *sf* diarrhoea [*não-contável*]

dica *sf* hint, tip (*mais coloq*)

dicionário *sm* dictionary [*pl* dictionaries]: *Procura no ~.* Look it up in the dictionary. ◇ *um ~ bilingue* a bilingual dictionary

didático, -a *adj* educational LOC *Ver* MATERIAL

diesel *sm* (*motor*) diesel engine

dieta *sf* diet: *estar de ~* to be on a diet

dietético, -a *adj* diet: *chocolate ~* diet chocolate

difamar *vt* **1** (*oralmente*) to slander **2** (*por escrito*) to libel

diferença *sf* **1 ~ em relação a/entre** difference between *sth* and *sth*: *Paris tem uma hora de ~ em relação a Lisboa.* There's an hour's difference between Paris and Lisbon. ◇ *a ~ entre os dois tecidos* the difference between two fabrics **2 ~ (de)** difference (in/of *sth*): *Não há muita ~ de preço entre os dois.* There's not much difference in price between the two. ◇ *~ de opinião* difference of opinion LOC **que diferença faz?** what difference does it make?

diferenciar ▸ *vt* to differentiate *sth* (*from sth*), to differentiate between *sth and sth* ▸ **diferenciar-se** *vp*: *Não se diferenciam em nada.* There's no difference between them. ◇ *Como se diferenciam?* What's the difference?

diferente *adj* **1 ~ (de/para)** different (from/to/than *sb/sth*): *Pensamos de modo/maneira ~.* We think differently. ➲ *Ver nota em* DIFFERENT **2** (*irreconhecível*) unrecognizable: *Estava totalmente ~ com aquele disfarce.* He was unrecognizable in that disguise. ◇ *Está muito ~; ultimamente não para de sorrir.* She's been a changed woman recently; she's always smiling.

diferentemente *adv* differently LOC **diferentemente de** unlike

difícil *adj* difficult LOC *Ver* IDADE

dificuldade *sf* **1** difficulty [*pl* difficulties] **2** (*problema*) snag: *Surgiram algumas ~s.* There were a few snags. LOC **causar/levantar dificuldades** to create difficulties: *Achas que vão levantar ~s quanto à minha matrícula?* Do you think I'll have trouble registering?

dificultar *vt* **1** (*tornar difícil*) to make *sth* difficult **2** (*progresso, mudança*) to hinder

difundir ▸ *vt* **1** (*TV, Rádio*) to broadcast **2** (*publicar*) to publish **3** (*oralmente*) to spread ▸ **difundir-se** *vp* (*notícia, luz*) to spread

difusão *sf* **1** (*ideias*) dissemination **2** (*programas*) broadcasting **3** (*jornal, revista*) circulation

digerir *vt* to digest

digestão *sf* digestion LOC **fazer a digestão**: *Ainda estou a fazer a ~.* I've only just eaten. ◇ *Antes de ir para a água é necessário fazer a ~.* You mustn't go swimming straight after meals.

digestivo, -a *adj* digestive: *o aparelho ~* the digestive system

digital *adj* digital LOC *Ver* IMPRESSÃO

digitalizado, -a *adj* digitized

digitar *vt* to key *sth* in

dígito *sm* **1** figure: *um número com três ~s* a three-figure number **2** (*telefone*) digit: *um número de telefone com seis ~s* a six-digit phone number

dignar-se *vp* **~ a** to deign *to do sth*

D

dignidade *sf* dignity

digno, -a *adj* **1** decent: *o direito a um trabalho* ~ the right to a decent job **2** ~ **de** worthy of *sth*: ~ *de atenção* worthy of attention LOC **digno de confiança** reliable

digressão *sf* (*tournée*) tour LOC **estar/ir em digressão** to be/go on tour

dilatar(-se) *vt, vp* **1** to expand **2** (*poros, pupilas*) to dilate

dilema *sm* dilemma

diligentemente *adv* carefully

diluir *vt* **1** (*sólido*) to dissolve **2** (*líquido*) to dilute **3** (*molho, tinta*) to thin

dilúvio *sm* flood LOC **o Dilúvio** the Flood

dimensão *sf* dimension: *a quarta* ~ the fourth dimension ◇ *as dimensões de uma sala* the dimensions of a room LOC **de grandes/enormes dimensões** huge

diminuição *sf* drop (*in sth*): *uma* ~ *no número de acidentes* a drop in the number of accidents

diminuir ▸ *vt* to reduce: *Diminua a velocidade.* Reduce your speed. ▸ *vi* to drop: *Os preços diminuíram.* Prices have dropped.

diminutivo, -a *adj, sm* diminutive

diminuto, -a *adj* tiny

Dinamarca *sf* Denmark

dinamarquês, -esa ▸ *adj, sm* Danish: *falar* ~ to speak Danish ▸ *sm-sf* Dane: *os dinamarqueses* the Danes

dinâmica *sf* dynamics [*não-contável*]

dinâmico, -a *adj* dynamic

dinamite *sf* dynamite

dínamo *sm* dynamo [*pl* dynamos]

dinastia *sf* dynasty [*pl* dynasties]

dinheirão *sm* fortune: *Custa um* ~. It costs a fortune.

dinheiro *sm* money [*não-contável*]: *Tens* ~? Have you got any money? ◇ *Necessito de* ~. I need some money. LOC **andar/estar mal de dinheiro** to be short of money **dinheiro trocado** (loose) change *Ver tb* ATIRAR, LAVAGEM, NADAR, PAGAR

dinossauro *sm* dinosaur

dióxido *sm* dioxide LOC **dióxido de carbono** carbon dioxide

diploma *sm* **1** diploma **2** (*de licenciatura*) degree certificate: *Quero emoldurar o meu* ~. I want to frame my degree certificate. LOC **diploma escolar** school-leaving certificate

diplomacia *sf* diplomacy

diplomado, -a *adj* qualified: *uma enfermeira diplomada* a qualified nurse

diplomata *smf* diplomat

diplomático, -a *adj* diplomatic

dique *sm* dyke

direção *sf* **1** (*rumo*) direction: *Iam na* ~ *contrária.* They were going in the opposite direction. ◇ *sair em* ~ *ao Porto* to set off for Oporto **2** (*endereço*) address: *nome e* ~ name and address **3** (*empresa*) management **4** (*carro*) steering LOC **direção assistida** power steering **em direção a** towards *Ver tb* MUDANÇA

direita *sf* **1** right: *É a segunda porta à* ~. It's the second door on the right. ◇ *Quando chegar aos semáforos, vire à* ~. Turn right at the traffic lights. **2** (*mão*) right hand: *escrever com a* ~ to be right-handed LOC **a direita** (*Pol*) the Right [*v sing ou pl*] **de direita** right-wing

direito, -a ▸ *adj* **1** (*destro*) right: *partir o pé* ~ to break your right foot **2** (*reto*) straight: *Este quadro não está* ~. That picture isn't straight. ◇ *Põe-te* ~. Sit up straight. **3** (*aprumado*) upright ▸ **direito** *sm* **1** (*oposto de avesso*) right side **2** (*faculdade legal ou moral*) right: *Com que* ~ *entras aqui?* What right do you have to come in here? ◇ *os* ~*s humanos* human rights ◇ *o* ~ *de voto* the right to vote **3** (*curso*) law ▸ **direito** *adv* straight: *Vai* ~ *a casa.* Go straight home. LOC **dar o direito a alguma coisa** to entitle *sb* to sth: *Este cupão dá-te direito a um desconto.* This coupon entitles you to a discount. **direitos alfandegários** customs duties **direitos de autor** copyright **estar no seu direito** to be within my, your, etc. rights: *Estou no meu* ~. I'm within my rights. **ir direito ao assunto** to get to the point **não há direito!** it's not fair! **ter o direito a alguma coisa** to be entitled to sth *Ver tb* BRAÇO, PRIMO, SEMPRE, TORTO

diretamente *adv* (*direito*) straight: *Regressámos* ~ *a Lisboa.* We went straight back to Lisbon.

direto, -a *adj* direct: *um voo* ~ a direct flight ◇ *Qual é o caminho mais* ~? What's the most direct way? ◇ *um comboio* ~ *para Coimbra* a direct train to Coimbra LOC **em direto** live: *uma atuação em* ~ a live performance

diretor, -ora *sm-sf* **1** director: ~ *artístico/financeiro* artistic/financial director ◇ *um* ~ *teatral* a theatre director **2** (*escola*) head (teacher), principal (*USA*) **3** (*banco*) manager **4** (*jornal, editora*) editor LOC **diretor de turma** (class) tutor

dirigente ▸ *adj* **1** (*Pol*) ruling **2** (*gerente*) management [s]: *a equipa* ~ the management team ▸ *smf* (*Pol*) leader

dirigir ▸ *vt* **1** (*peça de teatro, trânsito, filme*) to direct **2** (*orquestra*) to conduct **3** (*carta, mensa-*

gem) to address *sth to sb/sth* **4** (*arma, mangueira, telescópio*) to point *sth at sb/sth* **5** (*debate, campanha, expedição, partido*) to lead **6** (*negócio*) to run ▸ **dirigir-se** *vp* **1 dirigir-se a/para** (*ir*) to head for...: *dirigir-se à fronteira* to head for the border **2 dirigir-se a (a)** (*falar*) to speak to *sb* **(b)** (*por carta*) to write to *sb* LOC **dirigir a palavra** to speak *to sb*

disciplina *sf* **1** discipline: *manter a ~* to maintain discipline **2** (*matéria*) subject: *Chumbei a duas ~s.* I've failed two subjects.

discípulo, -a *sm-sf* **1** (*seguidor*) disciple **2** (*aluno*) pupil

disco *sm* **1** (*objeto circular*) disc **2** (*Informát*) disk: *o ~ duro/rígido* the hard disk **3** (*Desp*) discus LOC **disco compacto** compact disc (*abrev* CD) **disco voador** flying saucer

discográfico, -a *adj* record [*s*]: *uma empresa discográfica* a record company

disc(o)-jockey *smf* disc jockey [*pl* disc jockeys] (*abrev* DJ)

discordar *vi* ~ **de** to disagree with *sb* (*about sth*)

discoteca *sf* (night)club LOC **de discoteca** (*música*) dance: *música de ~* dance music

discreto, -a *adj* **1** (*prudente*) discreet **2** (*modesto*) unremarkable

discriminação *sf* discrimination (*against sb*): *a ~ racial* racial discrimination ◇ *a ~ contra as mulheres* discrimination against women

discriminar *vt* to discriminate against *sb*

discurso *sm* speech: *pronunciar um ~* to give a speech

discussão *sf* **1** (*debate*) discussion **2** (*briga*) argument LOC **entrar em discussões** to start arguing: *Não entremos em discussões* . Let's not start an argument.

discutir ▸ *vt* **1** (*debater*) to discuss: *~ política* to discuss politics **2** (*questionar*) to question: *~ uma decisão* to question a decision ▸ *vi* **1** ~ **sobre** (*falar*) to discuss *sth* [*vt*]: *Discutiam amigavelmente sobre questões políticas.* They discussed politics in a friendly way. **2** (*brigar*) to argue (*with sb*) (*about sth*) LOC *Ver* GOSTO

disfarçar ▸ *vt* (*dissimular*) to hide: *~ uma cicatriz* to hide a scar ▸ *vi* (*fingir*) to pretend: *Disfarça, faz como se não soubesses de nada.* Pretend you don't know anything. ◇ *Já aí vêm, disfarça!* There they are! Pretend you haven't seen them. ▸ **disfarçar-se** *vp* **disfarçar-se (de)** (*para uma festa*) to dress up (as *sb/sth*): *Disfarçou-se de Cinderela.* She dressed up as Cinderella.

disfarce *sm* disguise

disforme *adj* deformed

dislexia *sf* dyslexia

disléxico, -a *adj, sm-sf* dyslexic

disparado, -a *adj* LOC **sair disparado** to shoot out (*of...*): *Saíram ~s do banco.* They shot out of the bank. *Ver tb* DISPARAR

disparar ▸ *vt, vi* to shoot: *~ uma flecha* to shoot an arrow ◇ *Não disparem!* Don't shoot! ◇ *Disparavam contra tudo o que se movesse.* They were shooting at everything that moved. ▸ *vi* (*arma, dispositivo*) to go off: *A pistola disparou.* The pistol went off.

disparatado, -a *adj* foolish

disparate *sm* **1** (*dito*) nonsense [*não-contável*]: *Não digas ~s!* Don't talk nonsense! **2** (*feito*) stupid thing LOC *Ver* CHORRILHO

disparo *sm* shot: *Ouvi vários ~s.* I heard several shots.

dispensar *vt* **1** (*passar sem*) to dispense with *sth*: *Dispensa apresentações.* Don't bother with introductions. **2** (*de exame, prova*) to excuse *sb from sth*: *Como tinha boas notas dispensaram-no do exame.* As he had good marks he didn't have to take the exam. **3** (*ceder*) to lend *sb sth*: *Podes-me ~ uma folha?* Can you lend me a sheet of paper? **4** (*de um cargo*) to relieve *sb of sth*: *Foi dispensado do cargo.* He was relieved of his duties.

dispersar(-se) *vt, vi, vp* to disperse

disponível *adj* available

dispor ▸ *vt* to arrange: *Dispus os livros em pequenos montes.* I arranged the books in small piles. ▸ *vi* ~ **de 1** (*ter*) to have *sth* [*vt*]: *Só posso ~ de 20 euros para a prenda.* I only have 20 euros for the present. **2** (*utilizar*) to use *sth* [*vt*]: *~ das tuas economias* to use your savings ▸ **dispor-se** *vp* **dispor-se a 1** (*estar pronto*) to get ready for *sth/to do sth*: *Dispunha-me a sair quando chegou a minha sogra.* I was getting ready to leave when my mother-in-law arrived. **2** (*oferecer-se*) to offer *to do sth*: *Dispus-me a ajudar mas recusaram a minha ajuda.* I offered to help but they turned me down.

disposição *sf* (*arrumação*) arrangement LOC **estar à disposição de alguém** to be at sb's disposal **estar com disposição para** to feel like doing *sth*: *Hoje estou com ~ para o trabalho.* I feel like working today.

dispositivo *sm* device

disposto, -a *adj* **1** (*ordenado*) arranged **2** (*solícito*) willing (*to do sth*) **3** ~ **a** (*decidido*) prepared *to do sth*: *Não estou ~ a demitir-me.* I'm not prepared to resign. *Ver tb* DISPOR

D

disputado, **-a** *adj* (*jogo, partida, etc.*) fiercely contested *Ver tb* DISPUTAR

disputar *vt* **1** to compete for *sth* **2** (*Desp, campeonato, jogo*) to play

dissecar *vt* to dissect

dissimulado, **-a** *adj* (*fingido*): *Nunca se sabe o que ele verdadeiramente pensa, é muito ~.* You never know what he's thinking, he always hides it. LOC *Ver* PUBLICIDADE; *Ver tb* DISSIMULAR

dissimular ▸ *vt* to hide: *~ uma cicatriz* to hide a scar ▸ *vi* to pretend: *Dissimula, faz como se não soubesses de nada.* Pretend you don't know anything.

disso *Ver* DE

dissolver(-se) *vt, vp* to dissolve: *Dissolva o açúcar no leite.* Dissolve the sugar in the milk. ◇ *~ o Parlamento* to dissolve parliament

dissuadir *vt* to dissuade *sb* (*from sth/doing sth*)

distância *sf* distance: *A que ~ ficam as próximas bombas de gasolina?* How far is it to the next petrol station? LOC **a/à distância** at/from a distance **a muita/pouca distância de…** a long way from/not far from…: *a pouca ~ de nossa casa* not far from our house *Ver tb* COMANDO

distanciar ▸ *vt* **1** (*no espaço, tempo*) to distance **2** (*pessoas*) to drive *sb* apart ▸ **distanciar-se** *vp* **1** (*afastar-se*) to move away **2** (*pessoas*) to grow apart

distante *adj* distant: *um lugar ~* a distant place

distinção *sf* distinction: *fazer distinções* to make distinctions LOC **sem distinção de raça, sexo, etc.** regardless of race, gender, etc.

distinguir *vt* **1** to distinguish *sb/sth* (*from sb/sth*): *Consegues ~ os machos das fêmeas?* Can you distinguish the males from the females? ◇ *Não consigo ~ os dois irmãos.* I can't tell the difference between the two brothers. **2** (*divisar*) to make *sth* out: *~ uma silhueta* to make out an outline

distinto, **-a** *adj* **1** ~ **(de/para)** different (from/to/than *sb/sth*): *Pensamos de modo/maneira ~.* We think differently. ➲ *Ver nota em* DIFFERENT **2** (*som, ruído*) distinct **3** (*eminente*) distinguished

disto *Ver* DE

distorcer *vt* (*alterar*) to distort: *~ uma imagem/os factos* to distort an image/the facts

distração *sf* **1** (*divertimento, esquecimento*) distraction **2** (*falta de atenção*) absent-mindedness **3** (*descuido*) oversight

distraído, **-a** *adj* absent-minded LOC **estar/ir distraído** to be miles away **fazer-se de distraído** to pretend not to notice *Ver tb* DISTRAIR

distrair ▸ *vt* **1** (*entreter*) to keep *sb* amused: *Contei-lhes histórias para os ~.* I told them stories to keep them amused. **2** (*fazer perder a atenção*) to distract *sb* (*from sth*): *Não me distraias (do meu trabalho).* Don't distract me (from what I'm doing). ▸ **distrair-se** *vp* **1 distrair-se a fazer alguma coisa** (*passar o tempo*) to pass your time doing sth **2** (*descuidar-se*) to be distracted: *Distraí-me por um instante.* I was distracted for a moment. **3 distrair-se (com)** (*divertir-se*) to relax (with *sth*)

distribuição *sf* **1** distribution **2** (*correspondência*) delivery [*pl* deliveries]

distribuir *vt* to distribute: *Distribuirão alimentos aos/pelos refugiados.* Food will be distributed to/among the refugees.

distrito *sm* district

distúrbio *sm* **1** (*perturbação*) disturbance **2** (*violento*) riot LOC *Ver* CRIAR

ditado *sm* **1** (*para ser escrito*) dictation: *Vamos fazer um ~.* We're going to do a dictation. **2** (*provérbio*) saying: *Como diz o ~…* As the saying goes…

ditador, **-ora** *sm-sf* dictator

ditadura *sf* dictatorship: *durante a ~ militar* under the military dictatorship

ditar *vt, vi* to dictate LOC **ditar (a) sentença** to pass sentence

dito, **-a** *adj* LOC **dito de outra forma/maneira** in other words **dito e feito** no sooner said than done *Ver tb* DIZER

ditongo *sm* diphthong

diversão *sf* **1** (*distração*) amusement **2** (*prazer*) fun: *Pintar para mim é uma ~.* I paint for fun. **3** (*espetáculo*) entertainment: *lugares de ~* places of entertainment LOC *Ver* PARQUE

diverso, **-a** *adj* **1** (*variado, diferente*) different: *pessoas de diversas origens* people from different backgrounds **2 diversos** (*vários*) various: *O livro cobre ~s aspectos.* The book covers various aspects.

divertido, **-a** *adj* **1** (*engraçado*) funny **2** (*agradável*) enjoyable, fun (*mais coloq*): *umas férias divertidas* an enjoyable holiday ➲ *Ver nota em* FUN LOC **estar/ser (muito) divertido** to be (great) fun *Ver tb* DIVERTIR

divertir ▸ *vt* to amuse ▸ **divertir-se** *vp* **1** to enjoy yourself: *Diverte-te!* Enjoy yourself!/Have a good time! **2 divertir-se (a/com)** to enjoy *sth/doing sth*: *Divertem-se a irritar as pessoas.* They enjoy annoying people.

dívida *sf* debt LOC **estar em/ter uma dívida** to be in debt (*to sb/sth*): *estar em ~ (para) com o banco* to be in debt to the bank

dividir ▸ *vt* **1** to divide *sth* (up): ~ *o trabalho/o bolo* to divide (up) the work/cake ◇ ~ *alguma coisa em três partes* to divide sth into three parts ◇ *Dividiram-no entre/pelos filhos.* They divided it between their children. **2** (*Mat*) to divide *sth* (*by sth*): ~ *oito por dois* to divide eight by two **3** (*partilhar*) to share: ~ *um apartamento* to share a flat ▸ **dividir(-se)** *vt, vp* **dividir(-se) (em)** to split (*sth*) (into *sth*): *Esse assunto dividiu a família.* That affair has split the family. ◇ *dividir-se em duas fações* to split into two factions

divino, **-a** *adj* divine

divisão *sf* **1** division: *uma equipa da primeira* ~ a first division team **2** (*casa*) room: *um apartamento com quatro divisões* a four-roomed flat

divisar *vt* to make *sb/sth* out

divisório, **-a** *adj* LOC *Ver* LINHA

divorciado, **-a** ▸ *adj* divorced ▸ *sm-sf* divorcee *Ver tb* DIVORCIAR-SE

divorciar-se *vp* ~ **(de)** to get divorced (from *sb*)

divórcio *sm* divorce

divulgação *sf* **1** spread: *A* ~ *das boas práticas é muito importante.* It's very important to spread good practice. **2** (*livro, etc.*) publicizing

divulgar ▸ *vt* **1** (*notícia, etc.*) to spread **2** (*livro, etc.*) to publicize ▸ **divulgar-se** *vp* to spread

dizer *vt* to say, to tell

Dizer traduz-se geralmente por **say**: – *São três horas, disse a Rosa.* 'It's three o'clock,' said Rosa. ◇ *O que é que ele disse?* What did he say? Quando especificamos a pessoa com quem estamos a falar, é mais natural utilizar **tell**: *Disse-me que ia chegar tarde.* He told me he'd be late. ◇ *Quem te disse?* Who told you? **Tell** também se utiliza para dar ordens: *Disse-me que lavasse as mãos.* She told me to wash my hands. ➲ *Ver tb nota em* SAY

LOC **digamos...** let's say...: *Digamos às seis.* Let's say six o'clock. **digo...** I mean...: *Custa quatro, digo, cinco euros.* It costs four, I mean five, euros. **dizem que...** they say that... **dizer mal de alguém** to criticize sb, to slag sb off (*argot*) **não (me) digas!** you don't say! **não dizer nada 1** (*não conhecer*): *Esse nome não me diz nada.* I don't know that name. **2** (*não interessar*) not to interest *sb*: *Gosto de desporto, mas o golfe não me diz nada.* I like sport, but golf doesn't interest me. **o que dirão as pessoas** what people will say **por assim dizer** you know what I mean **sem dizer nada** without a word ❶ Para outras expressões com **dizer**, ver as entradas para o substantivo, adjetivo, etc., p.ex. **dizer umas verdades** em VERDADE.

do *Ver* DE

dó[1] *sm* LOC **dar dó** to be a pity: *Dá dó deitar fora tanta comida.* It's a pity to throw away so much food. **sem dó nem piedade** ruthless: *uma pessoa sem dó nem piedade* a ruthless individual **ter dó de alguém** to have pity on sb: *Tem dó de mim!* Have pity on me!

dó[2] *sm* **1** (*nota musical*) doh **2** (*tom*) C: *em dó maior* in C major

doador, **-ora** *sm-sf* donor

doar *vt* to donate

dobra *sf* **1** fold **2** (*livro, envelope*) flap

dobrada *sf* (*Cozinha*) tripe

dobradiça *sf* hinge

dobrar ▸ *vt* **1** (*sobrepor*) to fold: ~ *um papel oito vezes* to fold a piece of paper into eight **2** (*curvar, flexionar*) to bend: ~ *o joelho/uma barra de ferro* to bend your knee/an iron bar **3** (*duplicar*) to double: *Dobraram a oferta.* They doubled their offer. **4** (*esquina*) to turn **5** (*filme*) to dub: ~ *um filme em português* to dub a film into Portuguese ▸ *vi* (*sinos*) to toll ▸ **dobrar-se** *vp* (*curvar-se*) to bend (over)

dobrável *adj* folding

dobro *sm* twice as much/many: *Custa o* ~. It costs twice as much. ◇ *Ganha o* ~ *de mim.* She earns twice as much as me. ◇ *Estava lá o* ~ *das pessoas.* There were twice as many people. ◇ *com o* ~ *da largura* twice as wide

doca *sf* dock

doce ▸ *adj* **1** sweet: *um vinho* ~ a sweet wine **2** (*pessoa, voz*) gentle ▸ *sm* **1** (*sobremesa*) sweet, dessert (*USA*) **2** (*compota*) jam: ~ *de alperce/morango* apricot/strawberry jam **3** (*de citrinos*) marmalade: ~ *de laranja* orange marmalade LOC *Ver* ÁGUA, ALGODÃO

documentação *sf* **1** (*de uma pessoa*) (identity) papers [*pl*] **2** (*de um carro*) documents [*pl*]

documentário *sm* documentary [*pl* documentaries]

documento *sm* **1** document **2** **documentos** **(a)** (*de uma pessoa*) (identity) papers **(b)** (*de um carro*) documents

doença *sf* **1** illness: *uma* ~ *muito perigosa* a very serious illness **2** (*infeciosa, contagiosa*) disease: ~ *hereditária/de Parkinson* hereditary/Parkinson's disease ➲ *Ver nota em* DISEASE

doente ▸ *adj* ill, sick

Sick e **ill** ambos significam *doente*, contudo usam-se em contextos diferentes. **Ill** surge sempre depois de um verbo: *estar doente* to be ill ◇ *ficar doente* to fall ill; **sick** é usado antes de um substantivo: *cuidar de um*

D

animal doente to look after a sick animal, ou quando nos referimos a faltas às aulas ou ao trabalho por doença: *Cinco crianças estão doentes.* There are five children off sick. Quando utilizamos **sick** com o verbo **be** ou **feel**, não significa "estar doente" mas "ter vontade de vomitar" ou "estar maldisposto": *Apetece-me vomitar.* I feel sick.
No inglês americano, *doente* diz-se sempre **sick**: *estar doente* to be sick.

▸ *smf* **1** sick person ❶ Quando nos queremos referir aos doentes em geral, dizemos **the sick**: *cuidar dos doentes* to look after the sick. **2** (*paciente*) patient LOC **deixar alguém doente** to make sb sick

doer *vi* **1** to hurt: *Isto não vai ~ nada.* This won't hurt (you) at all. ◇ *Dói-me a perna/o estômago.* My leg/stomach hurts. ◇ *Doeu-me imenso eles não me terem apoiado.* I was very hurt by their lack of support. **2** (*cabeça, dentes*) to ache: *Dói-me a cabeça.* I've got a headache.

doidice *sf* **1** (*loucura*) madness [*não-contável*] **2** (*ideia*) wild notion

doido, -a ▸ *adj* ~ **(por)** mad (about *sb/sth*): *ficar ~* to go mad ◇ *Sou ~ por chocolate.* I'm mad about chocolate. ◇ *É ~ por ti.* He's crazy about you. ▸ *sm-sf* madman/woman [*pl* -men/-women] LOC **à doida** like crazy: *Conduzem à doida.* They drive like crazy. **cada doido com a sua mania** each to his own **ser doido varrido** to be mad as a hatter

dois, duas *sm, adj, pron* **1** two **2** (*data*) second ➲ *Ver exemplos em* SEIS LOC **dois a dois** in pairs **os dois/as duas** both: *as duas mãos* both hands ◇ *Nós ~ fomos.* We both went./Both of us went. ❶ Para outras expressões com **dois**, ver as entradas para o substantivo, adjetivo, etc., p. ex. **dois pontos** em PONTO.

dólar *sm* dollar (*abrev* $)

dolorido, -a *adj Ver* DORIDO

doloroso, -a *adj* painful

dom *sm* gift: *o ~ da palavra* the gift of the gab

domador, -ora *sm-sf* tamer

domar *vt* **1** to tame **2** (*cavalo*) to break *sth* in

doméstico, -a *adj* household: *tarefas domésticas* household chores LOC *Ver* ANIMAL, TAREFA, TRABALHO

domicílio *sm* home, residence (*mais formal*): *mudança de ~* change of address ◇ *distribuição/serviço ao ~* delivery service

dominante *adj* dominant

dominar *vt* **1** to dominate: *~ os demais* to dominate other people **2** (*língua*) to be fluent in *sth*: *Domina bem o russo.* He speaks fluent Russian. **3** (*matéria, técnica*) to be good at *sth*

domingo *sm* Sunday (*abrev* Sun.) ➲ *Ver exemplos em* SEGUNDA-FEIRA LOC **Domingo de Ramos/Páscoa** Palm/Easter Sunday

domínio *sm* **1** (*controlo*) control: *o seu ~ da bola* his ball control **2** (*língua*) command **3** (*técnica*) mastery **4** (*sector, campo*) field **5** (*território*) domain LOC **ser do domínio público** to be common knowledge

dominó *sm* (*jogo*) dominoes [*não-contável*]: *jogar ~* to play dominoes LOC *Ver* PEDRA

dona *sf* LOC **dona de casa** housewife [*pl* housewives] *Ver tb* DONO

donativo *sm* donation

doninha *sf* weasel

dono, -a *sm-sf* **1** owner **2** (*bar, pensão*) **(a)** (*masc*) landlord **(b)** (*fem*) landlady [*pl* landladies] *Ver tb* DONA

donut® *sm* doughnut ➲ *Ver ilustração em* PÃO

dor *sf* **1** pain: *alguma coisa contra/para a ~* something for the pain **2** (*mágoa*) grief LOC **dor de cabeça/dentes/ouvidos** headache/toothache/earache **dor de cotovelo** jealousy: *ter ~ de cotovelo* to be jealous **dor de estômago** stomach ache **dor de garganta** sore throat *Ver tb* ESTREMECER, GRITAR, TORCER

dorido, -a *adj* sore: *Tenho o ombro ~.* My shoulder is sore.

dormente *adj* numb: *Tenho a perna ~.* My leg's gone to sleep.

dormir *vi* **1** to sleep: *Não consigo ~.* I can't sleep. ◇ *Não dormi nada.* I didn't sleep a wink. **2** (*estar adormecido*) to be asleep: *enquanto a minha mãe dormia* while my mother was asleep LOC **dormir que nem uma pedra** to sleep like a log **não deixar dormir** to keep *sb* awake **toca a dormir!** time for bed! *Ver tb* CAMISA, HORA, SESTA

dormitório *sm* dormitory [*pl* dormitories]

dorsal *adj* LOC *Ver* ESPINHA

dos *Ver* DE

dose *sf* **1** (*Med*) dose **2** (*comida*) portion, helping (*mais coloq*): *Meia ~ de lulas, se faz favor.* A small portion of squid, please. LOC **ser dose** too much/many: *Três testes numa semana é ~!* Three tests in a week is too many!

dossier *sm* **1** (*escolar*) folder **2** (*processo*) file

dotado, -a *adj* **1** (*talentoso*) gifted **2 ~ de (a)** (*de uma qualidade*) endowed with *sth*: *~ de inteligência* endowed with intelligence **(b)** (*equipado*) equipped with *sth*: *veículos ~s de rádio* vehicles equipped with a radio

dote *sm* **1** (*de uma mulher*) dowry [*pl* dowries] **2** (*talento*) gift

dourada *sf* bream [*pl* bream]

dourado, -a *adj* **1** gold: *uma carteira dourada*

a gold bag ◇ *cores/tons ~s* gold colours/tones **2** (*cabelo*) golden

doutor, **-ora** *sm-sf* doctor (*abrev* Dr)

doutoramento *sm* PhD

doutrina *sf* doctrine

doze *sm, adj, pron* **1** twelve **2** (*data*) twelfth ➲ *Ver exemplos em* SEIS

dragão *sm* dragon

drama *sm* drama LOC **fazer drama** to make a fuss (*about/over sth*)

dramático, **-a** *adj* dramatic

dramatizar *vt, vi* to dramatize: *Não dramatizes!* Stop being so dramatic!

dramaturgo, **-a** *sm-sf* playwright

driblar *vt, vi* (*Desp*) to dribble

droga *sf* **1** (*substância*) drug: *uma ~ leve/pesada* a soft/hard drug **2 a droga** (*vício, tráfico*) drugs [*pl*]: *a luta contra a ~* the fight against drugs ◇ *organizar uma campanha contra a ~* to organize an anti-drug campaign **3** (*coisa de má qualidade*) rubbish, trash (*USA*) LOC *Ver* TRÁFICO

drogado, **-a** *sm-sf* drug addict

drogar ▸ *vt* to drug ▸ **drogar-se** *vp* to take drugs

duas *adj, pron Ver* DOIS

duche *sm* shower: *tomar um ~* to have a shower

duelo *sm* duel

dum, **duma** *Ver* DE

duna *sf* dune

duns *Ver* DE

duo *sm* **1** (*composição*) duet **2** (*par*) duo [*pl* duos]

duodécimo *sm* twelfth

dupla *sf* pair *Ver tb* DUPLO

duplicar *vi* (*quantidade*) to double

duplo, **-a** ▸ *adj* double ▸ *sm* **1** (*quantidade*) twice as much/many: *Custa o ~.* It costs twice as much. ◇ *com o ~ da largura* twice as wide **2** (*pessoa parecida*) double **3** (*Cinema*) **(a)** (*substituto*) stand-in **(b)** (*para cenas perigosas*) stuntman/woman [*pl* -men/-women] LOC **com (um) duplo sentido** (*piada, palavra*) with a double meaning *Ver tb* ESTACIONAR, FICHA

duque, **-esa** *sm-sf* **1** (*masc*) duke **2** (*fem*) duchess ❶ O plural de **duke** é "dukes", mas quando dizemos *os duques*, referindo-nos ao duque e à duquesa, traduz-se por "the duke and duchess".

duração *sf* **1** length: *a ~ de um filme* the length of a film **2** (*lâmpada, pilha*) life: *pilhas de longa ~* long-life batteries

durante *prep* during, for: *~ o concerto* during the concert ◇ *~ dois anos* for two years

> **During** utiliza-se quando nos queremos referir ao tempo ou ao momento em que se inicia a ação, e **for** quando se especifica a duração da ação: *Senti-me mal durante a reunião.* I felt ill during the meeting. ◇ *Ontem à noite choveu durante três horas.* Last night it rained for three hours.

durar *vi* to last: *A crise durou dois anos.* The crisis lasted two years. ◇ *~ muito* to last a long time ◇ *Durou pouco.* It didn't last long.

duro, **-a** ▸ *adj* **1** hard: *A manteiga está dura.* The butter is hard. ◇ *uma vida dura* a hard life ◇ *ser ~ com alguém* to be hard on sb **2** (*castigo, clima, crítica*) harsh **3** (*forte, resistente, carne*) tough: *É preciso ser ~ para sobreviver.* You have to be tough to survive. **4** (*pão*) stale ▸ *adv* hard: *trabalhar ~* to work hard LOC **duro de ouvido** hard of hearing *Ver tb* CAPA, MÃO, OSSO, OVO

dúvida *sf* **1** (*incerteza*) doubt: *sem ~ (alguma/nenhuma)* without doubt ◇ *longe de ~* beyond (all) doubt **2** (*problema*): *Alguma ~?* Are there any questions? ◇ *O professor passou a aula toda a tirar ~s.* The teacher spent the whole class sorting out queries. LOC **estar em dúvida** to be in some doubt **não há dúvida (de) que…** there is no doubt that… **sem dúvida!** absolutely! *Ver tb* LUGAR, SOMBRA, VIA

duvidar ▸ *vt* to doubt: *Duvido que seja fácil.* I doubt that it'll be easy. ▸ *vi* **1 ~ (de/que…)** to doubt *sth* [*vt*]: *Duvido.* I doubt it. ◇ *Duvidas da minha palavra?* Do you doubt my word? **2 ~ de** (*pessoa*) to mistrust *sb* [*vt*]: *Duvida de todos.* She mistrusts everyone.

duvidoso, **-a** *adj* **1** (*suspeito*) dubious: *um penalty ~* a dubious penalty **2** (*incerto*) doubtful: *Estou meio ~.* I'm rather doubtful.

duzentos, **-as** *adj, pron, sm* two hundred ➲ *Ver exemplos em* SEISCENTOS

dúzia *sf* dozen: *uma ~ de pessoas* a dozen people LOC **às dúzias** by the dozen

DVD *sm* DVD

E e

e *conj* **1** (*copulativa*) and: *meninos e meninas* boys and girls **2** (*em interrogativas*) and what about...?: *E tu?* And what about you? **3** (*para designar as horas*) past, after (*USA*): *São duas e dez.* It's ten past two.

ébano *sm* ebony

ebulição *sf* LOC *Ver* PONTO

écharpe *sf* scarf [*pl* scarves/scarfs]

ecler *sm* LOC *Ver* FECHO

eclesiástico, -a *adj* ecclesiastical

eclipse *sm* eclipse

eco *sm* echo [*pl* echoes]: *A gruta fazia ~.* The cave had an echo.

ecografia *sf* (ultrasound) scan

ecologia *sf* ecology

ecológico, -a *adj* ecological

ecologista ▸ *adj* environmental: *grupos ~s* environmental groups ▸ *smf* environmentalist

economia *sf* **1** economy [*pl* economies]: *a ~ do nosso país* our country's economy **2 economias** (*poupanças*) savings

económico, -a *adj* **1** (*que gasta pouco*) economical: *um carro muito ~* a very economical car **2** (*Econ*) economic

economista *smf* economist

economizar *vt, vi* to save: *~ tempo/dinheiro* to save time/money

ecoponto *sm* recycling point

ecossistema *sm* ecosystem

ecrã *sm* screen ➲ *Ver ilustração em* COMPUTADOR LOC **ecrã táctil** (*Informát*) touch screen

edição *sf* **1** (*publicação*) publication **2** (*tiragem, versão, TV, Rádio*) edition: *a primeira ~ do livro* the first edition of the book ◇ *~ pirata/semanal* pirate/weekly edition

edifício *sm* building

edital *sm* official announcement (of dates, results, etc.)

editar *vt* **1** (*publicar*) to publish **2** (*preparar texto, Informát*) to edit

editor, -ora *sm-sf* **1** (*empresário*) publisher **2** (*textos, Jornal, TV, Rádio*) editor

editora *sf* (*casa editorial*) publishing house: *De que ~ é?* Who are the publishers?

editorial ▸ *adj* (*sector*) publishing: *o mundo ~ de hoje* the publishing world of today ▸ *sm* (*em jornal*) editorial ▸ *sf* (*casa editorial*) publishing house

edredão (*tb* **edredom**) *sm* **1** quilt **2** (*grosso*) duvet, comforter (*USA*)

educação *sf* **1** (*ensino*) education: *~ sexual* sex education **2** (*criança*) upbringing: *Tiveram uma boa ~.* They've been well brought up. **3** (*cortesia*) manners [*pl*]: *Não tem ~ nenhuma!* She has no manners. LOC **educação física** physical education (*abrev* PE) **ser boa/má educação** to be good/bad manners (*to do sth*): *Bocejar é má ~.* It's bad manners to yawn. *Ver tb* ESCOLA, FALTA

educado, -a *adj* polite *Ver tb* EDUCAR

educador, -ora *sm-sf* educator LOC **educador de infância** infant teacher

educar *vt* **1** (*ensinar*) to educate **2** (*criar*) to bring *sb* up: *É difícil ~ bem os filhos.* It's difficult to bring your children up well.

educativo, -a *adj* **1** educational: *brinquedos ~s* educational toys **2** (*sistema*) education: *o sistema ~* the education system LOC *Ver* MATERIAL

efeito *sm* **1** effect: *fazer/não fazer ~* to have an effect/no effect **2** (*bola*) spin: *A bola levava um ~.* The ball had (a) spin on it. LOC **com efeito** indeed **efeito colateral/secundário** side effect **efeito de estufa** greenhouse effect *Ver tb* SURTIR

efetivamente *adv* (*resposta*) that's right: *– Disse que o vendeu ontem? – Efetivamente.* 'Did you say you sold it yesterday?' 'That's right.'

efetuar ▸ *vt* **1** to carry *sth* out: *~ um ataque/uma prova* to carry out an attack/a test **2** (*pagamento, reserva*) to make ▸ **efetuar-se** *vp* to take place LOC **efetuar (o) registo** to register

eficaz *adj* **1** (*que produz efeito*) effective: *um remédio ~* an effective remedy **2** (*eficiente*) efficient

eficiente *adj* efficient: *um ajudante muito ~* a very efficient assistant

egoísmo *sm* selfishness

egoísta *adj, smf* selfish [*adj*]: *São uns ~s.* They're really selfish.

égua *sf* mare

eh! *interj* hey: *Eh, cuidado!* Hey, watch out!

eixo *sm* **1** (*rodas*) axle **2** (*Geom, Geog, Pol*) axis [*pl* axes] LOC **eixo das coordenadas** x and y axes [*pl*]

ela *pron* **1** (*pessoa*) **(a)** [*sujeito*] she: *A Maria e ~ são primas.* She and Maria are cousins. **(b)** [*complemento, em comparações*] her: *É para ~.* It's for her. ◇ *És mais alto do que ~.* You're taller than her. **2** (*coisa*) it LOC **é ela** it's her **ela**

mesma/própria she herself: *Foi ~ mesma que me disse.* It was she herself who told me.

elaborar *vt* (*redigir*) to draw *sth* up: *~ um relatório* to draw up a report

elástico, -a ▸ *adj* **1** elastic **2** (*atleta*) supple ▸ *sm* **1** elastic **2** (*para papéis, etc.*) elastic band, rubber band (*USA*) LOC *Ver* CAMA, PASTILHA, PUNHO

ele *pron* **1** (*pessoa*) **(a)** [*sujeito*] he: *O José e ~ são primos.* José and he are cousins. **(b)** [*complemento, em comparações*] him: *É para ~.* It's for him. ◇ *És mais alta do que ~.* You're taller than him. **2** (*coisa*) it: *Perdi o relógio e não posso passar sem ~.* I've lost my watch and I can't do without it. LOC **é ele** it's him **ele mesmo/próprio** he himself: *Foi ~ mesmo que me disse.* It was he himself who told me.

elefante *sm* elephant

elegância *sf* elegance LOC **andar com elegância** to walk gracefully **ter elegância** to be graceful

elegante *adj* elegant

eleger ▸ *vt* (*votar*) to elect: *Vão ~ um novo presidente.* They are going to elect a new president. ▸ *vi* (*optar*) to choose: *Não me deixaram ~.* They didn't let me choose. ◇ *~ entre Matemática e Biologia* to choose between Maths and Biology

eleição *sf* **1** (*escolha*) choice **2 eleições** election(s): *convocar eleições* to call an election LOC **eleições autárquicas** local election(s) **eleições gerais/legislativas** general election [*v sing*]

eleito, -a *adj* **1** elected **2** (*escolhido*) chosen *Ver tb* ELEGER

eleitor, -ora *sm-sf* voter

eleitorado *sm* electorate [*v sing ou pl*]: *O ~ está dececionado.* The electorate is/are disillusioned.

eleitoral *adj* electoral: *campanha ~* electoral campaign ◇ *lista ~* list of (election) candidates LOC *Ver* CABINA, CÍRCULO, LISTA, RECENSEAMENTO

elementar *adj* elementary

elemento *sm* **1** (*Quím, Mat, etc.*) element **2** (*equipa*) member **3** (*informação*) fact

elenco *sm* (*Cinema, Teat*) cast

eles, elas *pron* **1** [*sujeito*] they **2** [*complemento, em comparações*] them: *Isto é para ~.* This is for them. LOC **eles mesmos/próprios** they themselves: *Foram elas mesmas que me disseram.* It was they themselves who told me. **são eles** it's them

eletricidade *sf* electricity LOC *Ver* FIO

eletricista *smf* electrician

elétrico, -a ▸ *adj* electric, electrical

> **Electric** emprega-se quando nos queremos referir a eletrodomésticos e dispositivos elétricos específicos, como por exemplo *electric razor/car/fence*; também se usa em frases feitas como *an electric shock* e em sentido figurado em expressões como *The atmosphere was electric.* **Electrical** refere-se à eletricidade num sentido mais geral, como por exemplo *electrical engineering, electrical goods* ou *electrical appliances.*

▸ *sm* tram, streetcar (*USA*) LOC *Ver* CAFETEIRA, ENERGIA, FIO, INSTALAÇÃO

eletrocutado, -a *adj*: *morrer ~* to be electrocuted

elétrodo *sm* electrode

eletrodoméstico *sm* electrical appliance

eletrónica *sf* electronics [*não-contável*]

eletrónico, -a *adj* electronic LOC *Ver* AGENDA, COMÉRCIO, CORREIO

elevado, -a *adj* high: *temperaturas elevadas* high temperatures LOC **elevado ao quadrado/cubo** squared/cubed **elevado a quatro, etc.** (raised) to the power of four, etc. *Ver tb* ELEVAR

elevador *sm* lift, elevator (*USA*): *chamar o ~* to call the lift

elevar ▸ *vt* to raise: *~ o nível de vida* to raise living standards ▸ **elevar-se** *vp* to rise

eliminação *sf* elimination

eliminar *vt* to eliminate

eliminatória *sf* **1** (*concurso, competição*) qualifying round **2** (*Atletismo, Natação*) heat

elipse *sf* ellipse

elite *sf* elite

elo *sm* LOC **elo de ligação** link

elogiar *vt* to praise *sb/sth* (*for sth*): *Elogiaram-no pela sua coragem.* They praised him for his courage.

elogio *sm* praise [*não-contável*]: *Fizeram-te muitos ~s.* They were full of praise for you. ◇ *Não era uma crítica mas um ~.* It wasn't meant to be a criticism so much as a compliment.

em *prep*

- **lugar 1** (*dentro*) in, inside: *As chaves estão na gaveta.* The keys are in the drawer. **2** (*dentro, com movimento*) into: *Entrou no quarto.* He went into the room. **3** (*sobre*) on: *Está na mesa.* It's on the table. **4** (*cidade, país, campo*) in: *Trabalham em Coimbra/no campo.* They work in Coimbra/the country. **5** (*ponto de referência*) at

E

Quando nos referimos a um lugar, não o considerando como uma área, mas como um ponto de referência, utilizamos **at**: *Espera-me na esquina.* Wait for me at the corner. ◇ *Encontramo-nos na estação.* We'll meet at the station. Também se utiliza **at** quando nos queremos referir a lugares onde as pessoas trabalham, estudam ou se divertem: *Estão na escola.* They're at school. ◇ *Os meus pais estão no cinema/teatro.* My parents are at the cinema/theatre. ◇ *Trabalho no supermercado.* I work at the supermarket.

- **com expressões de tempo 1** (*meses, anos, séculos, estações*) in: *no verão/no século XII* in the summer/the twelfth century **2** (*dia*) on: *O que é que fizeste na véspera de Ano Novo?* What did you do on New Year's Eve? ◇ *É numa segunda-feira.* It falls on a Monday. **3** (*Natal, Páscoa, momento*) at: *Vou sempre a casa no Natal.* I always go home at Christmas. ◇ *nesse momento* at that moment **4** (*dentro de*) in: *Estou aqui numa hora.* I'll be here in an hour.
- **outras construções 1** (*modo*) in: *pagar em euros* to pay in euros ◇ *Perguntei-lhe em inglês.* I asked him in English. ◇ *de porta em porta* from door to door ◇ *Gasta o dinheiro todo em roupa.* She spends all her money on clothes. **2** (*assunto*): *perito em computadores* expert in/on computers ◇ *licenciar-se em Letras/Economia* to graduate in Arts/Economics **3** (*estado*) in: *em boas/más condições* in a good/bad condition ◇ *uma máquina em funcionamento* a machine in working order **4** [*com complemento*]: *O termo caiu em desuso.* The term has fallen into disuse. ◇ *Nunca confiei nele.* I've never trusted him.

emagrecer *vi* to lose weight: ~ *três quilos* to lose three kilos

e-mail *sm* email

emancipar-se *vp* to become independent

emaranhar(-se) *vt, vp* (*cabelo*) to get *(sth)* tangled (up)

embaciar ▸ *vt* **1** (*vapor*) to cause *sth* to steam up **2** (*olhos*) to cause *sth* to mist over ▸ **embaciar(-se)** *vi, vp* **1** (*vapor*) to steam up **2** (*olhos*) to mist over

embaixada *sf* embassy [*pl* embassies]

embaixador, -ora *sm-sf* ambassador

embalado, -a *adj* LOC **embalado a/no vácuo** vacuum-packed *Ver tb* EMBALAR

embalagem *sf* **1** packet **2** (*apresentação do produto*) packaging [*não-contável*]: *Uma ~ atraente ajuda a vender.* Attractive packaging helps to sell a product.

embalar *vt* **1** (*produto*) to pack **2** (*bebé*) to rock LOC *Ver* CANÇÃO

embaraçar *vt* (*desconcertar*) to embarrass

embaraçoso, -a *adj* embarrassing

embarcação *sf* boat, vessel (*mais formal*) ➲ *Ver nota em* BOAT

embarcar ▸ *vt* **1** (*passageiros*) to embark **2** (*mercadorias*) to load ▸ *vi* to board: ~ *no avião* to board the plane

embarque *sm* boarding LOC **sala/sector de embarque** departure lounge, boarding area (*USA*) *Ver tb* PORTA

embebedar ▸ *vt* to get *sb* drunk ▸ **embebedar-se** *vp* **embebedar-se (com)** to get drunk (on *sth*)

emblema *sm* emblem

embora ▸ *conj* though: ... ~ *não gostasse dele* ...though I didn't like him ▸ *adv* away: *mandar alguém* ~ to send sb away ◇ *ir* ~ to go away ◇ *levar alguma coisa* ~ to take sth away LOC **ir-se embora** to leave: *Amanhã vou-me ~ para Inglaterra.* I'm leaving for England tomorrow. ◇ *ir-se ~ de casa* to leave home

emboscada *sf* ambush: *armar uma ~ a alguém* to lay an ambush for sb

embraiagem *sf* clutch: *meter a ~* to put the clutch in

embriagar ▸ *vt* to get *sb* drunk ▸ **embriagar-se** *vp* **embriagar-se (com)** to get drunk (on *sth*)

embrião *sm* embryo [*pl* embryos]

embrulhar *vt* to wrap *sb/sth* (up) (*in sth*): *Quer que embrulhe?* Would you like it wrapped? LOC **embrulhar para presente/dar** to gift-wrap: *Podia embrulhar-mo para presente?* Can you gift-wrap it for me, please?

embrulho *sm* package *Ver* PAPEL

embruxado, -a *adj* (*pessoa*) bewitched

embutido, -a *adj* fitted: *armários ~s* fitted cupboards

emenda *sf* **1** (*roupa, etc.*) adjustment **2** (*lei*) amendment (*to sth*)

emendar ▸ *vt* **1** (*erros, defeitos*) to correct **2** (*lei*) to amend ▸ **emendar-se** *vp* to mend your ways

ementa *sf* menu: *Não estava na ~.* It wasn't on the menu. LOC **ementa turística** set menu

emergência *sf* emergency [*pl* emergencies]

emigração *sf* emigration

emigrante *adj, smf* emigrant [*s*]: *trabalhadores ~s* emigrant workers

emigrar *vi* to emigrate

emissão *sf* **1** (*emanação*) emission **2** (*TV, Rádio*) **(a)** transmission: *problemas com a ~*

transmission problems **(b)** (*programa*) broadcast

emissora *sf* (*Rádio*) radio station

emitir *vt* **1** (*calor, luz, som*) to emit **2** (*Rádio, TV*) to broadcast **3** (*documento, etc.*) to issue: *~ um passaporte* to issue a passport

emoção *sf* **1** (*comoção*) emotion **2** (*excitação*) excitement ◇ *Que ~!* How exciting!

emocionado, -a *adj* emotional *Ver tb* EMOCIONAR

emocionante *adj* **1** (*comovedor*) moving **2** (*excitante*) exciting

emocionar ▸ *vt* (*comover*) to move ▸ **emocionar-se** *vp* to be moved (*by sth*)

emoldurar *vt* to frame

empacotar *vt* to box *sth* (up)

empada *sf* **1** (*grande*) pie **2** (*pequena*) pasty [*pl* pasties] ➲ *Ver nota em* PIE

empadão *sm* pie ➲ *Ver nota em* PIE

empalidecer *vi* to go pale

empanturrar-se *vp* ~ **(de/com)** to stuff yourself (with *sth*): *Empanturrámo-nos de lagosta.* We stuffed ourselves with lobster.

empatado, -a *adj* LOC **estar empatados**: *Quando me fui embora estavam ~s.* They were even when I left. ◇ *Estão ~s a quatro.* It's four all. *Ver tb* EMPATAR

empatar ▸ *vt, vi* **1** (*Desp*) **(a)** (*em relação ao resultado final*) to draw (*sth*), to tie (*sth*) (*USA*) (*with sb*): *Empataram com o Chelsea.* They drew with Chelsea. **(b)** (*no marcador*) to equalize: *Temos de ~ antes do intervalo.* We must equalize before half-time. **2** (*votação, concurso*) to tie (*sth*) (*with sb*) ▸ *vt* **1** (*fazer perder tempo*) to waste *sb's* time: *Não me empates, tenho muito que fazer.* Don't waste my time, I'm very busy. **2** (*investir*) to invest LOC **empatar a um, dois, etc.** to draw one all, two all, etc., to tie at one, two, etc. (*USA*) **empatar a zero** to draw nil nil, to tie at zero (*USA*)

empate *sm* **1** ~ **(a)** (*Desp*) draw, tie (*USA*): *um ~ a dois* a two-all draw **2** (*votação, concurso*) tie **3** (*Fin*) investment LOC *Ver* GOLO

empenhado, -a *adj* LOC **estar empenhado (em fazer alguma coisa)** to be determined (to do sth) *Ver tb* EMPENHAR

empenhar ▸ *vt* to pawn ▸ **empenhar-se** *vp* **empenhar-se (em)** (*esmerar-se*) to take pains *with sth/to do sth/in doing sth*

empenho (*tb* **empenhamento**) *sm* ~ **(de/em/por)** determination (*to do sth*)

emperrar *vi* **1** to get stuck (*in sth*): *A porta emperrou.* This door has stuck. **2** (*mecanismo*) to jam

empestar ▸ *vt* to make *sth* stink (*of sth*) ▸ *vi* ~ **(a)** to stink (of *sth*)

empilhar *vt* to stack

empinado, -a *adj* (*encosta*) steep

emplastro *sm* **1** (*Med*) poultice **2** (*pessoa*) pain in the neck: *Ele quer sempre colar-se a nós. É um ~.* He never leaves us alone. He's a pain in the neck.

empreendedor, -ora *adj* enterprising

empregado, -a *sm-sf* **1** employee **2** (*escritório*) clerk **3** (*doméstico*) domestic help LOC **empregado de balcão** shop assistant, sales clerk (*USA*) **empregado de escritório** office worker **empregado de limpeza** cleaner **empregado de mesa 1** (*masc*) waiter **2** (*fem*) waitress

empregador, -ora *sm-sf* employer

empregar *vt* **1** (*dar trabalho*) to employ **2** (*utilizar*) to use **3** (*tempo, dinheiro*) to spend: *Empreguei demasiado tempo nisto.* I've spent too long on this. ◇ *~ mal o tempo* to waste your time

emprego *sm* **1** (*trabalho*) job: *conseguir um bom ~* to get a good job ➲ *Ver nota em* WORK **2** (*Pol*) employment LOC *Ver* ANÚNCIO, CENTRO, OFERTA

empresa *sf* **1** (*Com*) company [*pl* companies] [*v sing ou pl*] **2** (*projeto*) enterprise LOC **empresa de laticínios** dairy [*pl* dairies] **empresa estatal/pública** state-owned company **empresa privada** private company *Ver tb* ADMINISTRAÇÃO

empresarial *adj* business [*s*]: *sentido ~* business sense

empresário, -a *sm-sf* **1** businessman/woman [*pl* -men/-women] **2** (*espetáculo*) impresario [*pl* impresarios]

emprestado, -a *adj*: *Não é meu, é ~.* It's not mine. I borrowed it. ◇ *Porque é que não lho pedes ~?* Why don't you ask him if you can borrow it? LOC *Ver* PEDIR; *Ver tb* EMPRESTAR

emprestar *vt* to lend: *Emprestei-lhe os meus livros.* I lent her my books. ◇ *Emprestas-mo?* Can I borrow it? ◇ *Emprestas-me dez euros?* Can you lend me ten euros, please? ◇ *Empresto-to se tiveres cuidado.* I'll lend it to you if you're careful. ➲ *Ver ilustração em* BORROW

empréstimo *sm* loan

empunhar *vt* **1** (*de forma ameaçadora*) to brandish **2** (*ter na mão*) to hold

empurrão *sm* shove: *dar um ~ a alguém* to give sb a shove LOC **aos empurrões**: *Saíram aos empurrões.* They pushed (and shoved) their way out.

E

empurrar *vt* **1** to push: *Não me empurres!* Don't push me! ➲ *Ver ilustração em* PUSH **2** (*carro de mão, bicicleta*) to wheel **3** (*obrigar*) to push *sb into doing sth*: *A família empurrou-a para o jornalismo.* Her family pushed her into studying journalism.

emudecer *vi* **1** (*perder a fala*) to go dumb **2** (*calar-se*) to go quiet

ena! *interj* wow!

enamorar-se *vp* ~ **(de)** to take a fancy to *sb/sth*: *Enamorou-se daquele vestido.* She's taken a fancy to that dress.

encabeçar *vt* to head

encaixar ▸ *vt* **1** (*colocar, meter*) to fit *sth* (*into sth*) **2** (*juntar*) to fit *sth* together: *Estou a tentar ~ as peças do puzzle.* I'm trying to fit the pieces of the jigsaw together. ▸ *vi* to fit: *Não encaixa.* It doesn't fit. ▸ **encaixar-se** *vp* **encaixar-se (em)** (*enquadrar-se*) to fit in (with *sb/sth*): *Tentaremos encaixar-nos no vosso horário.* We'll try to fit in with your timetable.

encaixotar *vt* to box *sth* up

encalhar *vi* (*embarcação*) to run aground

encaminhar ▸ *vt* **1** (*aconselhar*) to put *sb* on the right track **2** (*processo*) to set *sth* in motion ▸ **encaminhar-se** *vp* **encaminhar-se para** to head (for...): *Encaminharam-se para casa.* They headed for home.

encantado, -a *adj* **1** ~ **(com)** (very) pleased (with *sb/sth*) **2** ~ **por** (very) pleased to do sth/(that...): *Estou encantada por terem vindo.* I'm very pleased (that) you've come. **3** (*enfeitiçado*) enchanted: *um príncipe ~* an enchanted prince LOC **encantado (de o/a conhecer)** pleased to meet you **estou encantado** I am, you are, etc. really looking forward *to sth/doing sth*: *Está encantada com a ideia de viajar de avião.* She's really looking forward to going on a plane. *Ver tb* PRÍNCIPE; *Ver tb* ENCANTAR

encantador, -ora *adj* lovely

encantamento *sm* spell: *quebrar um ~* to break a spell

encantar *vt* (*enfeitiçar*) to cast a spell on *sb/sth*, to bewitch (*mais formal*)

encanto *sm* (*feitiço*) spell LOC **como que por encanto** as if by magic **ser um encanto** to be lovely

encaracolado, -a *adj* curly: *Tenho o cabelo ~.* I've got curly hair. *Ver tb* ENCARACOLAR

encaracolar ▸ *vt* to curl ▸ *vi* to go curly: *Com a chuva o meu cabelo encaracolou.* My hair's gone curly because of the rain.

encarapuçado, -a *adj* hooded: *dois homens ~s* two hooded men

encarar *vt* (*enfrentar*) to face

encarcerar *vt* to imprison

encarnado, -a *adj* red

encarregado, -a ▸ *adj* in charge (*of sth/doing sth*): *o juiz ~ do caso* the judge in charge of the case ◇ *Ficas encarregada de receber o dinheiro.* You're in charge of collecting the money. ▸ *sm-sf* (*de grupo de trabalhadores*) **1** (*masc*) foreman [*pl* -men] **2** (*fem*) forewoman [*pl* -women] *Ver tb* ENCARREGAR

encarregar ▸ *vt* (*mandar*) to ask *sb to do sth*: *Encarregaram-me de regar o jardim.* They asked me to water the garden. ▸ **encarregar-se** *vp* **encarregar-se de 1** (*cuidar*) to look after *sb/sth*: *Quem se encarrega do bebé?* Who will look after the baby? **2** (*ser responsável*) to be in charge of *sth* **3** (*comprometer-se*) to undertake *to do sth*

encenador, -ora *sm-sf* (theatre) director

encenar *vt* **1** (*representar*) to stage **2** (*adaptar*) to dramatize

encerrado, -a *adj* closed LOC *Ver* ASSUNTO; *Ver tb* ENCERRAR

encerramento *sm* closure LOC **de encerramento** closing: *ato/discurso de ~* closing ceremony/speech

encerrar *vt, vi* **1** to shut (*sb/sth*) up **2** (*terminar*) to end

encestar *vi* (*Desp*) to score (a basket)

encharcado, -a *adj* **1** soaked through **2** (*terreno*) covered with puddles LOC **ficar encharcado até aos ossos** to get soaked to the skin *Ver tb* ENCHARCAR

encharcar ▸ *vt* (*molhar*) to soak: *A chuva encharcou-me a roupa toda até à camisola interior.* The rain soaked through to my vest. ▸ **encharcar-se** *vp* to get drenched

encher ▸ *vt* **1** to fill *sb/sth* (up) (*with sth*): *Enche a jarra de água.* Fill the jug with water. ◇ *Não o enchas tanto que vai transbordar.* Don't fill it too much or it'll run over. ◇ *A mãe enche-os de comida.* Their mother fills them up (with food). ◇ *Não fazia mais nada a não ser ~ o copo a toda a gente.* He just kept on filling up everybody's glasses. **2** (*com ar*) to blow *sth* up, to inflate (*mais formal*): *~ uma bola* to blow up a ball ▸ **encher-se** *vp* **1** to fill (up) (*with sth*): *A casa encheu-se de convidados.* The house filled (up) with guests. **2** (*de comida*) to stuff yourself (*with sth*) **3** (*enriquecer*) to make a packet: *Encheram-se a vender gelados.* They've made a packet selling ice creams. LOC **encher a barriga (de)** to stuff yourself (with *sth*) **encher o saco** (*tirar proveitos financeiros*) to scrounge

enchidos *sm* cured sausage [*v sing*]

enciclopédia *sf* encyclopedia [*pl* encyclopedias]

encoberto, -a *adj* (*céu, dia*) overcast *Ver tb* ENCOBRIR

encobrir *vt* **1** to conceal: *~ um crime* to conceal a crime **2** (*delinquente*) to harbour

encolher *vi* to shrink: *Não encolhe em água fria.* It doesn't shrink in cold water. LOC **encolher os ombros** to shrug your shoulders

encomenda *sf* **1** (*Com*) order: *fazer/anular uma ~* to place/cancel an order **2** (*pacote*) parcel, package (*USA*): *mandar uma ~ pelo correio* to post a parcel ➲ *Ver nota em* PARCEL LOC **feito por encomenda 1** made to order **2** (*roupa*) made to measure

encomendar *vt* to order: *Já encomendámos o sofá na loja.* We've already ordered the sofa from the shop.

encontrar ▸ *vt* to find: *Não encontro o meu relógio.* I can't find my watch. ▸ **encontrar-se** *vp* **1 encontrar-se (com)** (*pessoa*) **(a)** (*marcar encontro*) to meet (*sb*): *Decidimos encontrar-nos na livraria.* We decided to meet at the bookshop. **(b)** (*por acaso*) to run into *sb*: *Encontrei-me com ela no supermercado.* I ran into her in the supermarket. **2** (*estar*) to be LOC **encontrar um rumo de vida** to get on in life *Ver tb* MAL

encontro *sm* **1** (*amigos, casal*) date **2** (*Desp*) match, game (*USA*): *ver um ~ de futebol* to watch a football match **3** (*reunião*) meeting LOC *Ver* MARCAR

encorpado, -a *adj* **1** (*pessoa*) well built ➲ *Ver nota em* WELL BEHAVED **2** (*vinho*) full-bodied

encosta *sf* slope LOC **encosta acima/abaixo** uphill/downhill

encostar *vt* **1** (*apoiar*) to lean *sth* (*on sb/sth*): *Encostou a cabeça ao meu ombro.* He leant his head on my shoulder. **2** (*pôr contra*) to put *sth against sth*: *Encostou a cama à janela.* He put his bed against the window.

encosto *sm* (*assento*) back

encravado, -a *adj* LOC *Ver* UNHA

encrenca *sf* trouble [*não-contável*]: *meter-se em ~s* to get into trouble

encurralar *vt* (*pessoa*) to corner

encurtar *vt* to shorten

endereço *sm* address LOC *Ver* AGENDA

endireitar(-se) *vt, vp* to straighten (up): *Endireita as costas.* Straighten your back. ◇ *Endireita-te!* Stand up straight!

endívia *sf* chicory [*não-contável*], endive [*não-contável*] (*USA*)

endoidecer *vi* to go mad

endurecer *vt* **1** to harden **2** (*músculos*) to firm *sth* up

enegrecer ▸ *vt* to blacken ▸ *vi* to go black

energia *sf* energy [*não-contável*]: *~ nuclear/solar* nuclear/solar energy ◇ *Não tenho ~s nem para me levantar da cama.* I haven't even the energy to get out of bed. LOC **energia elétrica/eólica** electric/wind power

enervar ▸ *vt* **1** (*irritar*) to get on *sb's* nerves **2** (*pôr nervoso*) to make *sb* nervous ▸ **enervar-se** *vp* **1** (*zangar-se*) to get worked up **2** (*pôr-se nervoso*) to get nervous: *Não te enerves.* Keep calm! **3 enervar-se (com) (por)** (*irritar-se*) to get annoyed (with *sb*) (at/about *sth*)

enésimo, -a *adj* LOC **pela enésima vez** for the umpteenth time

enevoado, -a *adj* (*céu*) cloudy

enfarte *sm* heart attack

ênfase *sf* emphasis [*pl* emphases]

enfatizar *vt* to stress

enfeite *sm* decoration: *~s de Natal* Christmas decorations

enfeitiçar *vt* to cast a spell on *sb*, to bewitch (*mais formal*)

enfermagem *sf* nursing: *tirar o curso de ~* to train as a nurse

enfermaria *sf* ward

enfermeiro, -a *sm-sf* nurse

enferrujado, -a *adj* rusty *Ver tb* ENFERRUJAR

enferrujar ▸ *vt* to corrode ▸ *vi* to go rusty: *A tesoura enferrujou.* The scissors have gone rusty.

enfiar *vt* **1** (*introduzir*) to put *sth in sth*: *Enfiou as mãos nos bolsos.* He put his hands in his pockets. **2** (*calças, camisola*) to put *sth* on **3** (*agulha*) to thread

enfim *adv* **1** (*finalmente*) at last: *Enfim chegas!* At last you've arrived! **2** (*em resumo*) to cut a long story short **3** (*bem*) well: *Enfim, é a vida.* Well, that's life. LOC *Ver* ATÉ

enforcar(-se) *vt, vp* to hang (yourself) ℹ No sentido de *enforcar*, o verbo **hang** é regular; portanto, para formar o passado basta acrescentar **-ed**.

enfraquecer *vt* to weaken

enfrentar *vt* **1** to face: *O país enfrenta uma crise profunda.* The country is facing a serious crisis. **2** (*encarar*) to face up to *sth*: *~ a realidade* to face up to reality

enfurecer ▸ *vt* to infuriate ▸ **enfurecer-se** *vp* **enfurecer-se (com) (por)** to become furious (with *sb*) (at *sth*)

enganado, -a *adj* wrong: *estar ~* to be wrong *Ver tb* ENGANAR

enganar ▸ *vt* **1** (*mentir*) to lie to *sb*: *Não me enganes.* Don't lie to me. ◇ *Enganaram-me dizendo que era ouro.* They told me it was gold but it wasn't. ➲ *Ver nota em* LIE[1] **2** (*ser infiel*) to cheat on *sb* ▸ **enganar-se** *vp* **1 enganar-se (em)** (*confundir-se*) to be wrong (about *sth*): *Aí é que te enganas.* You're wrong about that. **2** (*errar*): *Enganou-se no número.* You've got the wrong number. ◇ *enganar-se na estrada* to take the wrong road ◇ *enganar-se na porta* to knock/ring at the wrong door **3** (*iludir-se*) to fool yourself LOC *Ver* APARÊNCIA

engano *sm* **1** (*erro*) mistake: *cometer um ~* to make a mistake ➲ *Ver nota em* MISTAKE **2** (*mal-entendido*) misunderstanding LOC **é engano** (*ao telefone*) (you've got the) wrong number

engarrafado, -a *adj* (*trânsito*) in gridlock: *O trânsito está muito ~ hoje.* The traffic's terrible today. *Ver tb* ENGARRAFAR

engarrafamento *sm* (*trânsito*) traffic jam

engarrafar ▸ *vt* **1** (*envasar*) to bottle **2** (*trânsito*) to block ▸ *vi* (*trânsito*) to get congested

engasgar-se *vp* **1 ~ (com)** to choke (on *sth*): *Engasguei-me com uma espinha.* I choked on a bone. **2** (*com palavra*) to get stuck: *Engasgo-me sempre nesta palavra.* I always get stuck on this word.

engatar *vt* **1** (*atrelar*) to hitch: *~ um atrelado ao trator* to hitch a trailer to the tractor **2** (*gancho, anzol*) to hook **3** (*namorar*) to get off with *sb*, to make out with *sb* (*USA*): *Engatou o rapaz mais bonito da turma.* She got off with the best-looking boy in the class. ◇ *Gosta de ~ as miúdas.* He likes chatting girls up.

engelhar(-se) *vt, vi, vp* (*roupa*) to crease: *Esta saia engelha facilmente.* This skirt creases easily.

engenharia *sf* engineering

engenheiro, -a *sm-sf* engineer LOC **engenheiro agrónomo** agriculturalist **engenheiro civil** civil engineer

engenho *sm* **1** (*génio*) ingenuity **2** (*máquina, aparelho*) device: *um ~ explosivo* an explosive device

engenhoca *sf* contraption

engenhoso, -a *adj* ingenious

engessado, -a *adj* in plaster: *Tenho o braço ~.* My arm's in plaster. *Ver tb* ENGESSAR

engessar *vt* (*Med*) to put *sth* in plaster: *Engessaram-me uma perna.* They put my leg in plaster.

engodo *sm* bait

engolir *vt, vi* **1** (*ingerir*) to swallow: *Dói-me a garganta ao ~.* My throat hurts when I swallow. ◇ *Engoli um caroço de azeitona.* I swallowed an olive stone. ◇ *~ o orgulho* to swallow your pride ◇ *Engoliu a história da promoção do Miguel.* He swallowed the story about Miguel's promotion. **2** (*comer muito rápido*) to gobble (*sth* up/down) **3** (*suportar*) to put up with *sth*: *Não sei como consegues ~ tanto.* I don't know how you put up with it. LOC **engolir em seco** to swallow hard

engordar ▸ *vt* to fatten *sb/sth* (up) ▸ *vi* **1** (*pessoa*) to put on weight: *Engordei muito.* I've put on a lot of weight. **2** (*alimento*) to be fattening: *Os doces engordam.* Sweets are fattening.

engordurar *vt* **1** (*com gordura*) to grease **2** (*com óleo*) to oil

engraçado, -a *adj* funny, amusing (*mais formal*): *Não acho essa piada nada engraçada.* I don't find that joke very funny. ➲ *Ver nota em* FUN LOC **armar-se em/fazer-se de engraçado** to play the clown **que engraçado!** how funny!

engravidar *vt, vi* to get *(sb)* pregnant

engraxador, -ora *sm-sf* shoeshine boy/girl

engraxar *vt* **1** (*sapatos*) to polish **2** (*professor, chefe*) to butter *sb* up

engrossar *vt, vi* to thicken

enguia *sf* eel

enguiçar *vi* (*motor, máquina*) to break down

enigma *sm* enigma

enjaular *vt* to cage

enjoado, -a *adj* **1** sick: *Estou um pouco ~.* I'm feeling rather sick. **2** (*farto*) sick and tired: *Já estou ~ de tanto o ouvir falar daquela moto.* I'm sick and tired of him going on about that motorbike. *Ver tb* ENJOAR

enjoar ▸ *vt* **1** to make *sb* feel sick: *Esse cheiro enjoa-me.* That smell makes me feel sick. **2** (*fartar*) to get on *sb's* nerves: *A música deles está a começar a enjoá-la.* Their music is getting on her nerves. ◇ *Já me enjoas!* You're beginning to get on my nerves! ▸ *vi* **1** to get sick: *Enjoo quando vou no banco de trás.* I get sick if I sit in the back seat. **2** (*em barco*) to get seasick

enjoo *sm* (*náusea*) sickness LOC *Ver* PASTILHA

enlatar *vt* to can

enlouquecedor, -ora *adj* maddening

enlouquecer ▸ *vi* to go mad: *O público enlouqueceu de entusiasmo.* The audience went wild with excitement. ▸ *vt* to drive *sb* mad

enorme *adj* enormous, massive (*mais formal*):

uma ~ afluência de turistas a massive influx of tourists LOC *Ver* DIMENSÃO

enquanto *conj* **1** (*simultaneidade*) while: *Canta ~ pinta.* He sings while he paints. **2** (*tanto tempo como, sempre que*) as long as: *Aguenta-te ~ for possível.* Put up with it as long as you can. LOC **enquanto que** whereas: *Ficaram todos no hotel, ~ que eu fiquei na casa de amigos.* They all stayed at the hotel, whereas I stayed with friends. **por enquanto** for the time being

enraivecido, -a *adj* enraged

enredo *sm* plot

enriquecer ▸ *vt* (*fig*) to enrich: *Enriqueceu o seu vocabulário lendo.* He enriched his vocabulary by reading. ▸ *vi* to get rich

enrolar *vt* **1** (*fio, papel*) to roll *sth* up: *~ um cigarro* to roll a cigarette **2** (*cabelo*) to curl **3** (*enganar*) to deceive, to con (*coloq*): *Não te deixes ~.* Don't let yourself be conned.

enroscar ▸ *vt* **1** (*tampa*) to screw *sth* on: *Enrosca bem a tampa.* Screw the top on tightly. **2** (*peças, porcas*) to screw *sth* together ▸ **enroscar-se** *vp* **1** (*gato, cão*) to curl up **2** (*cobra*) to coil up

enrugar(-se) *vt, vi, vp* **1** (*pele*) to wrinkle **2** (*roupa*) to crease **3** (*papel*) to crumple (*sth*) (up): *Dobra-o bem para que não enrugue.* Fold it properly so that it doesn't get crumpled.

ensaboadela *sf* (*reprimenda*) telling-off [*pl* tellings-off], talking-to (*USA*): *Levei mais uma ~.* I've been told off again. LOC **passar uma ensaboadela** to give *sb* a telling-off

ensaiar *vt, vi* **1** to practise **2** (*Teat*) to rehearse

ensaio *sm* **1** (*experiência*) test: *um tubo de ~* a test tube **2** (*Mús, Teat*) rehearsal **3** (*Liter*) essay LOC **ensaio geral** dress rehearsal

ensanguentado, -a *adj* bloodstained *Ver tb* ENSANGUENTAR

ensanguentar *vt* (*manchar*) to get blood on *sth*

enseada *sf* inlet

ensinado, -a *adj* LOC **bem ensinado** well trained ➲ *Ver nota em* WELL BEHAVED; *Ver tb* ENSINAR

ensinar *vt* **1** to teach *sth*, to teach *sb to do sth*: *Ensina matemática.* He teaches maths. ◇ *Quem te ensinou a jogar?* Who taught you how to play? **2** (*mostrar*) to show: *Ensina-me onde é que fica.* Show me where it is.

ensino *sm* **1** teaching **2** (*sistema educativo*) education: *~ primário/superior* primary/higher education LOC **ensino básico** basic compulsory education ❶ No Reino Unido equivale à **primary education** e a parte da **secondary education**. **ensino secundário** secondary education (from age 15) *Ver tb* ESCOLA, ESTABELECIMENTO

ensopado, -a ▸ *adj* (*molhado*) soaked ▸ *sm* (*Cozinha*) stew *Ver tb* ENSOPAR

ensopar ▸ *vt* to soak ▸ **ensopar-se** *vp* to get soaked

ensurdecedor, -ora *adj* deafening: *um ruído ~* a deafening noise

ensurdecer ▸ *vt* to deafen ▸ *vi* to go deaf

entalar(-se) *vt, vp* ~ **(com/em)** to get (*sth*) caught (in *sth*): *Entalei o dedo na porta.* I got my finger caught in the door.

entanto *adv* LOC **e no entanto...** and yet... **no entanto** however, nevertheless (*mais formal*)

então *adv* **1** (*nesse momento*) then: *desde ~* since then **2** (*naquela altura*) at that time **3** (*nesse caso*) so: *Não vinham, ~ fui-me embora.* They didn't come so I left. ◇ *Quer dizer, ~, que vão mudar!* So you're moving, are you? LOC **e então?** so what?

entardecer *sm* dusk: *ao ~* at dusk

enteado, -a *sm-sf* **1** (*masc*) stepson **2** (*fem*) stepdaughter **3 enteados** stepchildren

entender ▸ *vt, vi* to understand: *fácil/difícil de ~* easy/difficult to understand ▸ *vi* ~ **de** (*saber*) to be well up in *sth*: *Não entendo muito disso.* I'm not very well up in that. ▸ **entender-se** *vp* **entender-se (com)** to get on (with *sb*): *Entendemo-nos muito bem.* We get on very well. LOC **dar a entender** to imply **entender mal** to misunderstand **eu entendo que...** I think (that)... **faço-me entender?** do you see what I mean? **não entender nada**: *Não entendi nada do que ele disse.* I didn't understand a word he said.

entendido, -a ▸ *sm-sf* ~ **(em)** expert (at/in/on *sth*) ▸ *interj*: *Entendido!* Right! ◇ *Entendido?* All right? *Ver tb* ENTENDER

enterrar *vt* **1** to bury **2** (*afundar*) to sink: *~ os pés na areia* to sink your feet into the sand

enterro *sm* **1** funeral: *Estava muita gente no ~.* There were a lot of people at the funeral. **2** (*enterramento*) burial

entoação *sf* intonation

entornar *vt* to spill: *Tem cuidado, vais ~ o café.* Be careful or you'll spill the coffee.

entorse *sf* (*Med*) sprain

entortar *vt* (*curvar*) to bend

entrada *sf* **1** ~ **(em)** (*ação de entrar*) **(a)** entry (into *sth*): *Entrada proibida.* No entry. **(b)** (*clube, associação, hospital, instituição*) admission (to *sth*): *Os sócios não pagam ~.* Admission is free for members. **2** (*bilhete*) ticket: *Já não há ~s.* It's sold out. **3** (*porta*) entrance (*to sth*): *Espero-te na ~.* I'll wait for you at the entrance. **4** (*primeiro pagamento*) deposit (*on sth*): *dar 20% de ~* to pay a 20% deposit **5** (*prato*) starter **6 entradas** (*cabelo*) receding hairline [*v sing*]: *As tuas ~s estão cada vez maiores.* Your hairline is receding fast. LOC **dar entrada** (*em centro hospitalar*): *Deu ~ no Hospital de São José às 4.30.* He was admitted to São José at 4.30. **entrada grátis/livre** free admission *Ver tb* PROIBIDO

entrar *vi* **1 (a)** to go in/inside: *Não me atrevi a ~.* I didn't dare to go in. ◇ *O prego não entrou bem.* The nail hasn't gone in properly. **(b)** (*passar*) to come in/inside: *Diz-lhe que entre.* Ask him to come in. ➲ *Ver nota em* IR **2 ~ em (a)** to go into..., to enter (*mais formal*): *Não entres no meu escritório quando eu não estou.* Don't go into my office when I'm not there. ◇ *~ em pormenores* to go into detail **(b)** (*passar*) to come into..., to enter (*mais formal*): *Não entres no meu quarto sem bater.* Knock before you come into my room. **3 ~ em** (*ingressar, comboio, autocarro*) to get on *sth*: *Entrou no comboio em Coimbra.* He got on the train in Coimbra. **4 ~ para (a)** (*instituição, clube*) to join *sth* [*vt*]: *~ para a tropa* to join the army **(b)** (*profissão, esfera social*) to enter *sth* [*vt*] **5** (*caber*) **(a)** (*roupa*) to fit: *Esta saia não me entra.* This skirt doesn't fit (me). **(b) ~ (em)** to fit (in/into *sth*): *Não creio que entre no porta-bagagens.* I don't think it'll fit in the boot. **6 ~ (em)** (*participar*) to take part (in *sth*): *~ na brincadeira* to take part in the fun **7 ~ com** (*contribuir*) to give *sth* [*vt*]: *Entrei com 100 euros para ajudar os desalojados.* I gave 100 euros to help the homeless. **8** (*mudanças*) to engage: *A primeira nunca entra muito bem.* First never seems to engage properly. LOC **entrar com alguém** (*brincar*) to pull sb's leg **não me entra (na cabeça)...** I, you, etc. just don't understand... ❶ Para outras expressões com **entrar**, ver as entradas para o substantivo, adjetivo, etc., p.ex. **entrar em cena** em CENA.

entre *prep* **1** (*duas coisas, pessoas*) between: *~ a loja e o cinema* between the shop and the cinema **2** (*mais de duas coisas, pessoas*) among: *Sentámo-nos ~ as árvores.* We sat among the trees. **3** (*no meio*) somewhere between: *Os teus olhos são de uma cor ~ o verde e o azul.* Your eyes are somewhere between green and blue. LOC **entre si 1** (*duas pessoas*) (to) each other: *Falavam ~ si.* They were talking to each other. **2** (*várias pessoas*) among themselves: *Os garotos discutiam o assunto ~ si.* The boys were discussing it among themselves. **entre todos** together: *Vamos fazê-lo ~ todos.* We'll do it together.

a small house **between** two large ones

a house **among** some trees

entreaberto, -a *adj* (*porta*) ajar

entrega *sf* **1** handing over: *a ~ do dinheiro* the handing over of the money **2** (*mercadorias, correio*) delivery [*pl* deliveries]: *~ ao domicílio* home delivery LOC **entrega de medalhas** medal ceremony [*pl* medal ceremonies] **entrega de prémios** prize-giving **o homem/a mulher das entregas** delivery man/woman [*pl* delivery men/women] *Ver tb* REEMBOLSO

entregar ▸ *vt* **1** to hand *sb/sth* over (*to sb*): *~ os documentos/as chaves* to hand over the documents/keys ◇ *~ alguém às autoridades* to hand sb over to the authorities **2** (*prémio, medalhas*) to present *sth* (*to sb*) **3** (*correio, mercadorias*) to deliver ▸ **entregar-se** *vp* **entregar-se (a) 1** (*render-se*) to give yourself up, to surrender (*mais formal*) (to *sb*): *Entregaram-se à polícia.* They gave themselves up to the police. **2** (*dedicar-se*) to devote yourself to *sb/sth* LOC **entregar os pontos** to throw in the towel **entregar-se ao vício** to turn to drink, drugs, etc.

entrepernas *sm* crotch

entretanto *adv* in the meantime

entretenimento (*tb* **entretimento**) *sm* **1** (*diversão*) entertainment **2** (*passatempo*) pastime

entreter ▸ *vt* **1** (*demorar*) to keep: *Não te quero ~ demasiado.* I won't keep you long. **2** (*divertir*) to keep *sb* amused **3** (*distrair*) to keep *sb* busy: *Entretém-no enquanto eu entro.* Keep him busy while I go in. ▸ **entreter-se** *vp* **1 entreter-se (com)** (*ocupar o tempo*): *É só para me ~.* I just do it to pass the time. ◇ *Entretenho-me com qualquer coisa.* I'm easily amused. **2** (*deter-se*) to hang around (*doing sth*): *Não se entretenham, venham imediatamente para casa.* Don't hang around; come home straight away.

entrevista *sf* interview

entrevistado, -a *sm-sf* interviewee *Ver tb* ENTREVISTAR

entrevistador, **-ora** *sm-sf* interviewer

entrevistar *vt* to interview

entristecer ▸ *vt* to sadden: *Entristece-me pensar que não te tornarei a ver.* It saddens me to think that I won't see you again. ▸ *vi* ~ **(com/por)** to be sad (because of/about *sth*)

entroncamento *sm* (*caminhos-de-ferro, estradas*) junction, intersection (*USA*)

Entrudo *sm* LOC *Ver* DIA

entulho *sm* **1** (*de construção*) rubble **2** (*lixo*) junk

entupido, **-a** *adj* blocked *Ver tb* ENTUPIR

entupir ▸ *vt* to block *sth* (up) ▸ **entupir-se** *vp* (*cano*) to get blocked

entusiasmado, **-a** *adj* LOC **estar entusiasmado (com)** to be excited (about/at/by *sth*) *Ver tb* ENTUSIASMAR

entusiasmar ▸ *vt* to thrill ▸ **entusiasmar-se** *vp* **entusiasmar-se (com)** to get excited (about/at/by *sth*)

entusiasmo *sm* ~ **(por)** enthusiasm (for *sth*) LOC **com entusiasmo** enthusiastically

entusiasta *smf* enthusiast

entusiástico, **-a** *adj* enthusiastic

enumerar *vt* to list, to enumerate (*formal*)

enunciado *sm* **1** (*teste, exame*) test paper **2** (*problema, teoria*) wording

envelhecer ▸ *vi* (*pessoa*) to get old: *Envelheceu muito.* He's got very old. ▸ *vt* **1** (*pessoa, vinho*) to age: *A doença envelheceu-o.* Illness has aged him. **2** (*madeira*) to season

envelope *sm* envelope

envenenar *vt* to poison

envergonhado, **-a** *adj* **1** (*tímido*) shy **2** (*embaraçado*) embarrassed: *estar/ficar* ~ to be embarrassed *Ver tb* ENVERGONHAR

envergonhar ▸ *vt* **1** (*humilhar*) to make *sb* feel ashamed: ~ *a família* to make your family feel ashamed **2** (*embaraçar*) to embarrass: *Envergonha-me a forma como tu te vestes.* The way you dress embarrasses me. ▸ **envergonhar-se** *vp* **1** (*arrepender-se*) to be ashamed (*of sth/doing sth*): *Envergonho-me de lhes ter mentido.* I'm ashamed of having told them a lie. **2** (*sentir incómodo*) to be embarrassed: *Envergonharam-se com a sua própria ignorância.* They were embarrassed by their own ignorance.

envernizar *vt* to varnish

enviado, **-a** *sm-sf* **1** (*emissário*) envoy **2** (*Jornal*) correspondent: ~ *especial* special correspondent

enviar *vt* to send ➲ *Ver nota em* GIVE LOC **enviar uma mensagem de texto** to text *sb*

envio *sm* **1** (*ação*) sending **2** (*custo*) delivery charge LOC **envio à cobrança** cash on delivery (*abrev* COD) *Ver tb* CUSTO

envolvente *adj* absorbing

envolver ▸ *vt* (*implicar*) to involve *sb* (*in sth*) ▸ **envolver-se** *vp* **1 envolver-se (em)** (*disputa, assunto*) to get involved (in *sth*): *Pretende envolver-se na política.* She's going to get involved in politics. **2 envolver-se com** (*caso amoroso*) to get involved with *sb*

envolvido, **-a** *adj* LOC **andar envolvido com alguém** to be having an affair with sb **estar envolvido com alguém** to be involved with sb **estar envolvido em alguma coisa** to be busy with sth **ver-se envolvido em** to find yourself involved in *sth* *Ver tb* ENVOLVER

enxada *sf* hoe

enxaguar *vt* to rinse

enxame *sm* swarm

enxaqueca *sf* migraine

enxerto *sm* (*Bot, Med*) graft

enxofre *sm* sulphur

enxoval *sm* trousseau [*pl* trousseaus/trousseaux]

enxugar ▸ *vt* **1** (*secar*) to dry **2** (*suor, lágrimas*) to wipe *sth* (away): *Enxugou as lágrimas.* He wiped his tears away. ▸ *vi* to dry

enxuto, **-a** *adj* (*seco*) dry

enzima *sf* enzyme

eólico, **-a** *adj* LOC *Ver* ENERGIA

epidemia *sf* epidemic: *uma* ~ *de cólera* a cholera epidemic

epilepsia *sf* epilepsy

epilético, **-a** *adj, sm-sf* epileptic

episódio *sm* **1** episode: *uma série com cinco* ~*s* a serial in five episodes **2** (*história curiosa ou divertida*) anecdote

época *sf* **1** time: *naquela* ~ at that time ◇ *a* ~ *mais fria do ano* the coldest time of the year **2** (*era*) age: *a* ~ *dos Descobrimentos* the age of the Discoveries **3** (*temporada*) season: *a* ~ *futebolística* the football season ◇ *a* ~ *alta/baixa* the high/low season LOC **da época** seasonal **época de caça** open season

equação *sf* equation LOC **equação de segundo/terceiro grau** quadratic/cubic equation

equador *sm* equator

equatorial *adj* equatorial

equilátero, **-a** *adj* LOC *Ver* TRIÂNGULO

equilibrado, **-a** *adj* well balanced ➲ *Ver nota em* WELL BEHAVED; *Ver tb* EQUILIBRAR

equilibrar *vt* to balance

equilíbrio *sm* **1** balance: *manter/perder o ~* to keep/lose your balance ◇ *~ de forças* balance of power **2** (*Fís*) equilibrium

equilibrista *smf* **1** (*acrobata*) acrobat **2** (*de corda bamba*) tightrope walker

equino, **-a** *adj* LOC *Ver* GADO

equipa *sf* team [*v sing ou pl*]: *uma ~ de futebol* a football team ◇ *uma ~ de peritos* a team of experts ➲ *Ver nota em* JÚRI LOC **colega/companheiro de equipa** teammate *Ver tb* TRABALHO

equipagem *sf* (*navio*) crew [*v sing ou pl*] ➲ *Ver nota em* JÚRI

equipamento *sm* **1** equipment [*não-contável*] **2** (*Desp*) kit [*não-contável*]

equipar ▸ *vt* **1** to equip *sb/sth* (*with sth*): *~ um escritório* to equip an office **2** (*roupa, Náut*) to supply *sb/sth*, to fit *sb/sth* out (*mais coloq*) (*with sth*): *~ a equipa* to supply the team with kit ▸ **equipar-se** *vp* to kit yourself out

equitação *sf* (horse) riding, horseback riding (*USA*)

equivalente *adj, sm* equivalent

equivaler *vi* ~ **a** to be equivalent to *sth*: *Equivaleria a mil euros.* That would be equivalent to one thousand euros.

era *sf* era LOC **era glacial** Ice Age

ereção *sf* erection

ergométrico, **-a** *adj* LOC *Ver* BICICLETA

erguer ▸ *vt* **1** (*levantar*) to lift *sth* up **2** (*cabeça*) to hold *sth* up **3** (*monumento*) to erect ▸ **erguer-se** *vp* (*levantar-se*) to get up

ermida *sf* hermitage

erosão *sf* erosion

erótico, **-a** *adj* erotic

errado, **-a** *adj* wrong: *Tomaram a decisão errada.* They made the wrong decision. ◇ *A informação estava errada.* The information was incorrect. LOC *Ver* PÉ; *Ver tb* ERRAR

errar ▸ *vt* **1** (*pergunta*) to get *sth* wrong **2** (*falhar*) to miss: *Errou o tiro.* He missed (with) his shot. ▸ *vi* (*vaguear*) to wander LOC **errar o caminho** to lose your way

erro *sm* mistake: *cometer um ~* to make a mistake ◇ *muitos ~s de ortografia* lots of spelling mistakes ➲ *Ver nota em* MISTAKE LOC **salvo erro** unless I'm mistaken *Ver tb* INDUZIR

erupção *sf* **1** eruption **2** (*Med*) rash

erva *sf* **1** grass: *deitar-se na ~* to lie down on the grass **2** (*Med, Cozinha*) herb **3** (*marijuana*) dope LOC **erva daninha** weed

erva-doce *sf* (*condimento*) aniseed

ervanário *sm* (*loja*) herbalist's

ervilha *sf* pea

esbanjador, **-ora** *adj* wasteful [*adj*]: *É um ~.* He's so wasteful.

esbanjar *vt* (*dinheiro*) to squander

esbarrar *vi* ~ **com/em/contra 1** (*colidir, encontrar*) to bump into *sb/sth*: *Esbarrei com a tua irmã no parque.* I bumped into your sister in the park. **2** (*problema*) to come up against *sth*

esbelto, **-a** *adj* **1** (*magro*) slender **2** (*elegante*) graceful

esboço *sm* **1** (*Arte*) sketch **2** (*ideia geral*) outline

esbofetear *vt* to slap

esborrachar *vt* to squash

esbranquiçado, **-a** *adj* whitish

esburacado, **-a** *adj* (*rua*) full of potholes

escada (*tb* escadas) *sf* **1** (*de um edifício*) stairs [*pl*], staircase

> **Stairs** refere-se somente aos degraus, que também se podem chamar **steps**, sobretudo se estiverem no exterior de um edifício: *Caí pelas escadas abaixo.* I fell down the stairs. ◇ *ao pé da escada* at the foot of the stairs. **Staircase** refere-se a toda a estrutura da escada, a escadaria: *A casa tem uma escada antiga.* The house has an antique staircase.

2 (*portátil*) ladder LOC **descer/subir as escadas** to go downstairs/upstairs **escada de caracol** spiral staircase **escada de incêndios** fire escape **escada rolante** escalator *Ver tb* VÃO

escadaria *sf* staircase

escadote *sm* stepladder

escafandro *sm* diving suit

escala *sf* **1** scale: *numa ~ de um a dez* on a scale of one to ten **2** (*viagem*) stopover LOC **escala musical** scale **fazer escala** to stop (over) *in...*

escalada *sf* **1** (*Desp*) (rock) climbing **2** (*de uma montanha*) ascent

escalador, **-ora** *sm-sf* climber

escalar *vt* (*montanha*) to climb (up) *sth*

escaldar ▸ *vt* **1** (*legumes*) to blanch **2** (*queimar*) to burn ▸ *vi* (*estar muito quente*) to be boiling hot: *Tem cuidado que a sopa está a ~.* Be careful, the soup is boiling hot.

escaleno, **-a** *adj* LOC *Ver* TRIÂNGULO

escalfar *vt* (*ovo*) to poach

escalope *sm* escalope

escama *sf* scale

escancarado, **-a** *adj* (*porta*) wide open

escandalizar *vt* to shock

escândalo *sm* scandal LOC **armar/fazer um**

escândalo to kick up a fuss **dar escândalo** to make a scene

escandaloso, -a *adj* scandalous

escangalhar-se *vp* to fall apart LOC *Ver* RIR

escapada *sf* **1** (*fuga*) escape **2** (*viagem*) (short) break: *uma ~ de fim de semana* a weekend break **3** (*Desp*) breakaway

escapar ▸ *vi* **1** ~ **(de)** (*conseguir sair*) to escape (from *sb/sth*): *O papagaio escapou da gaiola.* The parrot escaped from its cage. **2** ~ **(a)** (*evitar*) to escape *sth* [*vt*]: *~ à justiça* to escape arrest **3** (*segredo, involuntariamente*) to let *sth* slip: *Escapou-me (da boca) que ela estava grávida.* I let (it) slip that she was pregnant. ◊ *Escapou-lhe uma praga.* He accidentally swore. **4** (*pormenores, oportunidade*) to miss *sth* [*vt*]: *Não te escapa nada.* You don't miss a thing. ▸ **escapar-se** *vp* **1** (*gás, líquido*) to leak **2** (*fugir*) to escape LOC **deixar escapar 1** (*pessoa*) to let *sb* get away **2** (*oportunidade*) to let *sth* slip: *Deixaste ~ a oportunidade da tua vida.* You've let slip the chance of a lifetime. **escapar por um fio/triz** to escape by the skin of your teeth

escapatória *sf* way out: *É a nossa única ~.* It's the only way out.

escape *sm* (*veículo*) exhaust LOC *Ver* TUBO

escápula *sf* hook

escapulir-se *vp* **1** (*escapar*) to slip away **2** ~ **de/de entre** to slip out of *sth*: *~ das mãos* to slip out of your hands **3** (*fugir*) to run away, to do a runner (*coloq*)

escaravelho *sm* beetle

escarrar ▸ *vt* to spit *sth* (out) ▸ *vi* to spit: *~ em alguém* to spit at sb

escassez *sf* shortage: *Há ~ de professores.* There is a shortage of teachers. LOC **ter escassez de** to be short of *sth*

escasso, -a *adj* **1** [*com substantivo contável no plural*] few: *a ~s metros de distância* a few metres away **2** [*com substantivo não-contável*] little: *A ajuda que receberam foi escassa.* They received very little help. ◊ *devido ao ~ interesse* due to lack of interest

escavação *sf* excavation

escavadora *sf* digger

escavar *vt* **1** to dig: *~ um túnel* to dig a tunnel ◊ *~ a terra* to dig in the earth **2** (*Arqueologia*) to excavate

esclarecer *vt* **1** (*explicar*) to clarify **2** (*crime*) to clear *sth* up: *~ um assassinato* to clear a murder up

escocês, -esa ▸ *adj* Scottish ▸ *sm-sf* Scotsman/woman [*pl* -men/-women]: *os escoceses* the Scots LOC *Ver* SAIA

Escócia *sf* Scotland ➲ *Ver nota em* GRÃ-BRETANHA

escoicear *vi* to kick

escola *sf* school: *Iremos depois da ~.* We'll go after school. ◊ *Segunda-feira não há ~.* There's no school on Monday. ◊ *Vou todos os dias de autocarro para a ~.* I go to school on the bus every day. ◊ *Terça-feira vou à ~ falar com o teu professor.* On Tuesday I'm going into school to talk to your teacher. ➲ *Ver nota em* SCHOOL LOC **escola de condução** driving school **escola preparatória/de ensino básico** ≈ middle school **escola primária** primary school, elementary school (*USA*) **escola privada** independent school, private school (*USA*) **escola profissional** vocational school **escola pública** state school, public school (*USA*)

> Na Grã-Bretanha há escolas estatais ou públicas, **state schools**, e escolas privadas, **independent schools**. As **public schools** são colégios privados tradicionais e com muito prestígio, como por exemplo Eton e Harrow.

escola secundária secondary school, high school (*USA*) **escola superior de educação** teacher training college *Ver tb* MESA

escolar *adj* **1** school [*s*]: *o início das férias ~es* the start of the school holidays **2** (*sistema*) education [*s*]: *o sistema ~* the education system LOC *Ver* DIPLOMA, INSUCESSO, MATERIAL, MENSALIDADE, PASSE

escolha *sf* choice: *não ter ~* to have no choice LOC *Ver* EXAME

escolher *vt, vi* to choose: *Escolhe tu.* You choose. ◊ *~ entre duas coisas* to choose between two things ◊ *Tens de ~ do menu.* You have to choose from the menu. LOC **escolher a dedo** to hand-pick

escolta *sf* escort

escombros *sm* rubble [*não-contável, v sing*]: *reduzir alguma coisa a ~* to reduce sth to rubble ◊ *uma montanha de ~* a pile of rubble

esconder ▸ *vt* to hide *sb/sth* (*from sb/sth*): *Esconderam-me da polícia.* They hid me from the police. ◊ *Não tenho nada a ~.* I have nothing to hide. ◊ *Esconde o presente para a tua mãe não ver.* Hide the present from your mother. ▸ **esconder-se** *vp* to hide (*from sb/sth*): *De quem se escondem?* Who are you hiding from?

esconderijo *sm* hiding place

escondido, -a *adj* (*oculto*) hidden LOC **às escondidas** in secret **brincar/jogar às escondidas** to play hide-and-seek *Ver tb* ESCONDER

escorpião ▸ *sm* (*animal*) scorpion ▸ **Escorpião**

sm (*Astrol*) Scorpio [*pl* Scorpios] ➲ *Ver exemplos em* AQUARIUS

escorredor *sm* **1** (*verduras*) colander **2** (*louça*) plate rack

escorrega *sm* **1** slide **2** (*em parque de diversões*) helter-skelter

escorregadela *sf* slip: *dar uma ~* to slip

escorregadio, -a *adj* slippery

escorregar *vi* **1** (*pessoa*) to slip: *Escorreguei numa mancha de óleo.* I slipped on a patch of oil. **2** (*superfície*) to be slippery **3 ~ (de/por entre)** to slip (out of/from *sth*): *O sabão escorregou-lhe das mãos.* The soap slipped out of his hands.

escorrer ▸ *vt* **1** (*roupa*) to wring *sth* (out) **2** (*pratos, verduras, legumes*) to drain ▸ *vi* **1** to drain: *Deixa os pratos a ~.* Leave the dishes to drain. **2** (*roupa*) to drip **3 ~ (por)** to slide (along/down *sth*): *A chuva escorria pelos vidros.* The rain slid down the windows.

escotilha *sf* hatch

escova *sf* brush ➲ *Ver ilustração em* BRUSH LOC **escova das unhas** nail brush **escova de dentes/do cabelo** toothbrush/hairbrush

escovar *vt* **1** (*peça de roupa, cabelo*) to brush **2** (*cão, cavalo*) to groom

escravatura *sf* (*tráfico de escravos*) slave trade

escravidão *sf* slavery

escravo, -a *adj, sm-sf* slave [*s*]: *Tratam-nos como ~s.* They treat us like slaves. ◇ *ser (um) ~ do dinheiro* to be a slave to money

escrever ▸ *vt, vi* to write: *~ um livro* to write a book ◇ *Nunca me escreves.* You never write to me. ◇ *Ainda não sabe ~.* He can't write yet. ➲ *Ver nota em* WRITE ▸ **escrever-se** *vp* **1 escrever-se com** to correspond with *sb*: *Gostaria de escrever-me com alguém inglês.* I'd like to have an English penfriend. **2** (*ortografia*) to spell: *Como se escreve?* How do you spell it? LOC **escrever à mão** to write *sth* by hand *Ver tb* MÁQUINA

escrita *sf* writing

escrito, -a *adj*: *pôr alguma coisa por ~* to put sth in writing LOC **escrito à mão/à máquina** handwritten/typed **escrito pelo seu próprio punho** in his/her own handwriting *Ver tb* ESCREVER

escritor, -ora *sm-sf* writer

escritório *sm* **1** (*local de trabalho*) office: *Recebeu-nos no seu ~.* She saw us in her office. **2** (*casa*) study [*pl* studies]: *Os teus livros estão todos no ~.* All your books are in the study. **3** (*advogado*) legal practice LOC *Ver* EMPREGADO, MESA

escritura *sf* **1** (*documento legal*) deed **2 Escritura(s)** Scripture(s): *a Sagrada Escritura/as Sagradas Escrituras* the Holy Scripture(s)

escrivaninha *sf* (writing) desk

escrúpulo *sm* scruple: *não ter ~s* to be unscrupulous

escrupuloso, -a *adj* scrupulous

escrutínio *sm* **1** (*contagem*) count **2** (*sistema*) ballot

escudo *sm* **1** shield: *~ protetor* protective shield **2** (*insígnia*) emblem **3** (*moeda*) escudo [*pl* escudos] LOC **escudo de armas** coat of arms [*pl* coats of arms]

esculpir *vt, vi* to sculpt: *~ em pedra* to sculpt in stone

escultor, -ora *sm-sf* sculptor

escultura *sf* sculpture

escuras *sf* LOC **às escuras** in the dark: *Ficámos às ~.* We were left in the dark.

escurecer ▸ *vt* to darken ▸ *v imp* to get dark

escuridão *sf* **1** dark: *Tenho medo da ~.* I'm afraid of the dark. **2** (*qualidade*) darkness: *a ~ da noite* the darkness of the night

escuro, -a ▸ *adj* **1** (*cabelo, pele*) dark **2** (*pão*) brown ▸ *sm* dark: *Tenho medo do ~.* I'm afraid of the dark. LOC **escuro como o breu** pitch-black

escutar *vt, vi* to listen (to *sb/sth*): *Nunca escutas os meus conselhos.* You never listen to my advice. ◇ *Escuta! Estás a ouvi-lo?* Listen! Can you hear it?

escuteiro, -a *sm-sf* (*tb* escuta) *smf* **1** (*masc*) (boy) scout **2** (*fem*) (girl) guide

> Na Grã-Bretanha, ao contrário do que acontece em Portugal, os grupos de escutas não são mistos. Para os rapazes existem os **Scouts** e os **Cub Scouts** (para os rapazes com menos de onze anos). Para as raparigas existem as **Guides** e as **Brownies** (para raparigas com menos de onze anos).

esfaquear *vt* to stab

esfera *sf* sphere

esférico, -a *adj* spherical

esferográfica *sf* ballpoint pen

esferovite *sm* polystyrene, Styrofoam® (*USA*)

esfinge *sf* sphinx

esfoladela *sf* graze

esfolar *vt* (*arranhar*) to graze: *~ a mão* to graze your hand

esfomeado, -a *adj* starving

esforçado, **-a** *adj* hard-working: *O meu filho é muito ~ no estudo.* My son works hard at his studies. *Ver tb* ESFORÇAR-SE

esforçar-se *vp* ~ **(para/por)** to try (hard) (*to do sth*): *Esforçaram-se muito.* They tried very hard.

esforço *sm* **1** effort: *Faz um ~ e come qualquer coisa.* Make an effort to eat something. **2** (*tentativa*) attempt (*at doing sth/to do sth*): *num último ~ para evitar um desastre* in a last attempt to avoid disaster LOC **sem esforço** effortlessly

esfregão *sm* scourer

esfregar *vt* **1** (*friccionar*) to rub: *O pequeno esfregava os olhos.* The little boy was rubbing his eyes. ◇ *~ as mãos de contentamento* to rub your hands (together) with pleasure **2** (*limpar*) to scrub **3** (*panela, tacho*) to scour

esfregona *sf* mop

esfumar *vt* (*Desenho*) to blur

esgotado, **-a** *adj* **1** (*cansado*) worn out, exhausted (*mais formal*) **2** (*produtos*) sold out **3** (*livros*) out of print LOC **deixar esgotado** (*cansar*) to wear *sb* out: *As crianças deixam-me esgotada.* The children wear me out. *Ver tb* LUGAR; *Ver tb* ESGOTAR

esgotamento *sm* (*cansaço*) exhaustion LOC **esgotamento nervoso** nervous breakdown

esgotante *adj* exhausting

esgotar ▸ *vt* **1** to exhaust: *~ um tema* to exhaust a subject **2** (*produtos, reservas*) to use *sth* up: *Esgotámos todo o nosso stock.* We've used up all our supplies. ▸ **esgotar-se** *vp* **1** to run out: *A minha paciência está a esgotar-se.* My patience is running out. **2** (*livro, bilhetes*) to sell out LOC *Ver* LOTAÇÃO

esgoto *sm* drain: *rede de ~s* sewage system LOC *Ver* CANO

esgrima *sf* (*Desp*) fencing: *praticar ~* to fence

esgueirar-se *vp* to sneak off

esmagador, **-ora** *adj* overwhelming: *conseguir uma maioria ~a* to win by an overwhelming majority

esmagar *vt* **1** to crush: *~ alho* to crush garlic **2** (*coisa mole, inseto*) to squash

esmalte *sm* enamel

esmeralda *sf* emerald

esmerar-se *vp* ~ **(por)** to try very hard (*to do sth*): *Esmera-te um pouco mais.* Try a bit harder.

esmero *sm* (great) care LOC **com esmero** (very) carefully

esmigalhar *vt* **1** to break *sth* into small pieces **2** (*pão, bolachas*) to crumble *sth* (up)

esmola *sf*: *Demos-lhe uma ~.* We gave him some money. ◇ *Uma ~, por favor.* Could you spare some change, please? LOC *Ver* PEDIR

espacial *adj* space: *missão/voo ~* space mission/flight LOC *Ver* BASE, FATO, NAVE, VAIVÉM

espaço *sm* **1** space: *Aproveita este ~.* Use this space. **2** (*sítio*) room: *Há ~ na minha mala para a tua camisola.* There is room for your jumper in my suitcase. **3** (*em branco*) gap: *Preenche os ~s com as preposições.* Fill the gaps with prepositions. **4** (*tempo livre*) free time [*não-contável*]: *Tenho um ~ segunda à tarde.* I've got some free time on Monday afternoon.

espada *sf* **1** (*arma*) sword **2 espadas** (*naipe*) spades ➲ *Ver nota em* BARALHO LOC **estar entre a espada e a parede** to be between the devil and the deep blue sea

espadarte *sm* swordfish [*pl* swordfish]

espalhado, **-a** *adj* **1** (*disperso*) scattered **2** (*pelo chão*) lying (around): *~ no chão* lying on the ground ◇ *Deixaram tudo ~.* They left everything lying around. *Ver tb* ESPALHAR

espalhafato *sm* LOC **fazer espalhafato** to make a fuss (*about sb/sth*)

espalhar ▸ *vt* **1** (*dispersar*) to scatter **2** (*notícia, manteiga, tinta*) to spread ▸ **espalhar-se** *vp* **1** (*dispersar-se*) to scatter **2** (*notícia, boato*) to spread **3** (*cair*) to sprawl **4** (*em teste, exame*) to slip up

espanador *sm* (feather) duster

espancamento *sm* beating

espancar *vt* to beat *sb* up

Espanha *sf* Spain

espanhol, **-ola** ▸ *adj, sm* Spanish: *falar ~* to speak Spanish ▸ *sm-sf* Spaniard: *os espanhóis* the Spanish

espantalho *sm* scarecrow

espantar ▸ *vt* **1** (*surpreender*) to amaze **2** (*afugentar*) to drive *sb/sth* away ▸ **espantar-se** *vp* **1** (*surpreender-se*) to be amazed: *Espantaram-se por nos ver.* They were amazed to see us. ◇ *Espantei-me com a desordem.* I was amazed by the mess. **2** (*fugir com medo*) to run off

espanto *sm* amazement: *olhar com ~* to look in amazement ◇ *fazer cara de ~* to look amazed

espantoso, **-a** *adj* amazing

espargo *sm* asparagus

esparguete *sm* spaghetti [*não-contável*]

espasmo *sm* spasm

espatifar ▸ *vt* (*destruir*) to smash ▸ **espatifar-se** *vp* (*carro, moto*) to crash

especial *adj* special LOC **em especial 1** (*sobre-*

tudo) especially: *Gosto muito de animais, em ~ de cães.* I'm very fond of animals, especially dogs. ➲ *Ver nota em* SPECIALLY **2** (*em concreto*) in particular: *Suspeitam de um deles em ~.* They suspect one of them in particular.

especialidade *sf* speciality [*pl* specialities], specialty [*pl* specialties] (*USA*)

especialista *smf* ~ **(em)** specialist (in *sth*): *um ~ em informática* a computer specialist

especializado, -a *adj* **1** ~ **(em)** specialized (in *sth*) **2** (*trabalhador*) skilled *Ver tb* ESPECIALIZAR-SE

especializar-se *vp* ~ **(em)** to specialize (in *sth*)

especialmente *adv* **1** (*sobretudo*) especially: *Adoro animais, ~ gatos.* I love animals, especially cats. **2** (*em particular*) particularly: *Estou ~ preocupada com o avô.* I'm particularly concerned about grandad. **3** (*expressamente*) specially: *~ desenhado para deficientes* specially designed for disabled people ➲ *Ver nota em* SPECIALLY

especiaria *sf* spice

espécie *sf* **1** (*Biol*) species [*pl* species]: *uma ~ em vias de extinção* an endangered species **2** (*tipo*) kind: *Era uma ~ de verniz.* It was a kind of varnish. **LOC** *Ver* PAGAR

especificar *vt* to specify

específico, -a *adj* specific

espécime (*tb* **espécimen**) *sm* specimen

espectro *sm* **1** (*fantasma*) spectre **2** (*Fís*) spectrum [*pl* spectra]

especulação *sf* speculation

especular *vi* ~ **(sobre)** to speculate (about/on *sth*)

espelho *sm* mirror: *ver-se ao ~* to look at yourself in the mirror **LOC espelho retrovisor** rear-view mirror

espera *sf* wait **LOC estar à espera de** to be waiting for *sb/sth* ➲ *Ver nota em* ESPERAR; *Ver tb* LISTA, SALA

esperança *sf* **1** hope **2 esperanças** (*Desp*) youth squad [*v sing ou pl*] ➲ *Ver nota em* JÚRI **LOC esperança de vida** life expectancy

esperar ▸ *vt* to wait for *sb/sth*, to expect, to hope

> Os três verbos **wait**, **expect** e **hope** significam todos *esperar*, contudo não devem confundir-se.
> **Wait** indica que uma pessoa está à espera que alguém chegue ou que alguma coisa aconteça, sem fazer mais nada: *Espera por mim, se faz favor.* Wait for me, please. ◇ *Estou à espera do autocarro.* I'm waiting for the bus. ◇ *Estamos à espera que pare de chover.* We're waiting for it to stop raining.
> **Expect** utiliza-se quando o que se espera é não só lógico, como muito provável: *Havia mais trânsito do que eu esperava.* There was more traffic than I had expected. ◇ *Esperava uma carta dele ontem, mas não recebi nada.* I was expecting a letter from him yesterday, but didn't receive one. Se uma mulher está grávida, também se diz **expect**: *Espera um bebé.* She's expecting a baby.
> Com **hope** exprime-se o desejo de que alguma coisa aconteça ou tenha acontecido: *Espero voltar a ver-te em breve.* I hope to see you again soon. ◇ *Espero que sim/não.* I hope so/not.

▸ *vi* to wait: *Estou farta de ~.* I'm fed up of waiting. **LOC fazer alguém esperar** to keep sb waiting: *Detesto que me façam ~.* I hate being kept waiting. **ir esperar alguém** to meet sb: *Tens de ir ~ o Luís à estação.* You've got to meet Luís at the station. **(não) saber o que esperar** (not) to know what to expect

esperma *sm* sperm

espermatozóide *sm* sperm [*pl* sperm/sperms]

espernear *vi* **1** to kick (your feet) **2** (*fazer birra*) to throw a tantrum

espertalhão, -ona *sm-sf* sharp operator

esperto, -a *adj* clever: *Não te armes em ~ comigo.* Don't try and be clever with me.

espesso, -a *adj* thick

espessura *sf* thickness: *Esta tábua tem dois centímetros de ~.* This plank is two centimetres thick.

espetacular *adj* spectacular

espetáculo *sm* **1** spectacle: *um ~ impressionante* an impressive spectacle **2** (*função*) show **LOC dar espetáculo** to make a scene *Ver tb* GUIA, MUNDO, SALA

espetada *sf* kebab

espetador, -ora *sm-sf* **1** (*Desp*) spectator **2** (*TV*) viewer **3** (*Teat, Mús*) member of the audience

espetar ▸ *vt* **1** (*cravar*) to stick **2** (*com alfinete*) to prick ▸ **espetar-se** *vp* **1 espetar-se em** (*cravar-se*) to stick to *sth* **2** (*picar-se*) to prick yourself: *Espetei-me num espinho.* I pricked myself on a thorn.

espevitado, -a *adj* **1** (*vivo*) lively **2** (*atrevido*) cheeky

espezinhar *vt* **1** (*pisar*) to stamp on *sth* **2** (*fig*) to trample on *sth*: *~ os direitos de alguém* to trample on sb's rights

espião, -ã *sm-sf* (*tb* espia *smf*) spy [*pl* spies]

espiar *vt, vi* to spy (on *sb*): *Não me espies.* Don't spy on me.

espiga *sf* (*cereal*) ear

espinafre *sm* spinach [*não-contável*]: *Adoro ~s.* I love spinach.

espingarda *sf* **1** rifle **2** (*de chumbos*) shotgun

espinha *sf* **1** (*peixe*) bone **2** (*borbulha*) pimple LOC **espinha dorsal** spine

espinho *sm* **1** thorn: *uma rosa sem ~s* a rose without thorns **2** (*de animal*) spine

espiral *adj, sf* spiral

espiritismo *sm* spiritualism: *ir a uma sessão de ~* to attend a séance

espírito *sm* **1** spirit: *~ de equipa* team spirit **2** (*humor*) wit LOC **espírito desportivo** sportsmanship **Espírito Santo** Holy Spirit *Ver tb* PRESENÇA

espiritual *adj* spiritual

espirituoso, -a *adj* witty: *um comentário ~* a witty remark

espirrar *vi* to sneeze ➲ *Ver nota em* ATCHIM!

espirro *sm* sneeze

esplanada *sf* (*de café, etc.*) terrace: *Sentemo-nos na ~.* Let's sit outside (on the terrace). ◇ *Já montaram a ~?* Have they put the tables out yet?

esplêndido, -a *adj* splendid

esponja *sf* sponge LOC **passar uma esponja sobre o assunto** to wipe the slate clean

espontâneo, -a *adj* **1** (*impulsivo*) spontaneous **2** (*natural*) natural

espora *sf* spur

esporádico, -a *adj* sporadic

esposo, -a *sm-sf* **1** (*masc*) husband **2** (*fem*) wife [*pl* wives]

espreguiçadeira *sf* **1** sunlounger **2** (*cadeira de praia*) deckchair

espreguiçar-se *vp* to stretch

espreita *sf* LOC **estar à espreita 1** (*vigiar*) to be on the lookout (*for sb/sth*) **2** (*esperar escondido*) to lie in wait (*for sb/sth*)

espreitar *vt, vi* **1** (*espiar*) to peep (at *sb*): *~ pelo buraco da fechadura* to peep through the keyhole **2** (*esperar escondido*) to lie in wait (for *sb/sth*): *O inimigo espreitava na escuridão.* The enemy lay in wait in the darkness.

espremedor *sm* **1** (*manual*) lemon squeezer **2** (*elétrico*) juicer

espremer *vt* (*fruta*) to squeeze *sth* (out) LOC **espremer os miolos** to rack your brains

espuma *sf* **1** foam **2** (*cerveja*) froth **3** (*sabonete, champô*) lather **4** (*banho*) bubble: *um banho de ~* a bubble bath **5** (*mar*) surf LOC **fazer espuma 1** (*ondas*) to foam **2** (*sabão*) to lather

espumante (*tb* espumoso, -a) ▸ *adj* (*vinho*) sparkling ▸ *sm* sparkling wine

esquadra *sf* **1** (*polícia*) police station **2** (*Náut*) fleet **3** (*Mil*) squad [*v sing ou pl*]

esquadrão *sm* squadron [*v sing ou pl*] ➲ *Ver nota em* JÚRI

esquadro *sm* set square

esquartejar *vt* **1** (*carniceiro*) to carve *sth* up **2** (*assassino*) to chop *sb/sth* into pieces

esquecer(-se) *vt, vp* **1** to forget *sth/to do sth*: *Esqueci-me de comprar detergente.* I forgot (to buy) washing powder. ◇ *~ o passado* to forget the past **2** (*deixar*) to leave *sth* (behind): *Esqueci-me do guarda-chuva no autocarro.* I left my umbrella on the bus. ◇ *Não te esqueças dele.* Don't leave it behind.

esquecido, -a *adj* (*pessoa*) forgetful *Ver tb* ESQUECER(-SE)

esquecimento *sm* forgetfulness

esquelético, -a *adj* (*muito magro*) skinny ➲ *Ver nota em* MAGRO

esqueleto *sm* **1** (*Anat*) skeleton **2** (*estrutura*) framework

esquema *sm* **1** (*diagrama*) diagram **2** (*resumo*) outline **3** (*plano*) scheme

esquentador *sm* water heater

esquerda *sf* **1** left: *Siga pela ~.* Keep left. ◇ *conduzir pela ~* to drive on the left ◇ *a casa da ~* the house on the left ◇ *A estrada vira à ~.* The road bears left. **2** (*Desp*) backhand LOC **a esquerda** (*Pol*) the Left [*v sing ou pl*]: *A ~ ganhou as eleições.* The Left has/have won the election. **de esquerda** left-wing: *grupos de ~* left-wing groups *Ver tb* ZERO

esquerdo, -a *adj* left: *Parti o braço ~.* I've broken my left arm. ◇ *na margem esquerda do Sena* on the left bank of the Seine LOC *Ver* LEVANTAR, PÉ

esqui *sm* **1** (*objeto*) ski [*pl* skis] **2** (*Desp*) skiing LOC **esqui aquático** waterskiing: *fazer ~ aquático* to go waterskiing *Ver tb* ESTAÇÃO, PISTA

esquiador, -ora *sm-sf* skier

esquiar *vi* to ski: *Gosto muito de ~.* I love skiing. ◇ *Esquiam todos os fins de semana.* They go skiing every weekend.

esquilo *sm* squirrel

esquimó *smf* Eskimo [*pl* Eskimo/Eskimos] ❶ Os próprios esquimós preferem o termo **Inuit** [*pl*].

esquina *sf* corner: *a casa que faz ~ com a rua*

E

da Moeda the house on the corner of Moeda Street LOC *Ver* VIRAR

esquisito, -a *adj* **1** (*estranho*) strange: *uma maneira muito esquisita de falar* a very strange way of speaking ◇ *Que ~!* How strange! **2** (*picuinhas*) fussy: *Dá-me o teu copo que não sou ~.* Give me your glass. I'm not fussy.

esquivar-se *vp* ~ **(de) 1** to dodge **2** (*pessoa*) to avoid

esquizofrenia *sf* schizophrenia

esquizofrénico, -a *adj, sm-sf* schizophrenic

esse *sm* LOC **andar/ir aos esses 1** to zigzag **2** (*pessoa*) to stagger

esse, -a ▸ *adj* that [*pl* those]: *~s livros* those books ▸ *pron* **1** (*coisa*) that one [*pl* those (ones)]: *Não quero esse/esses.* I don't want that one/those ones. **2** (*pessoa*): *Foi essa!* It was her! ◇ *Não vou com ~s.* I'm not going with them.

essência *sf* essence

essencial *adj* ~ **(para)** essential (to/for *sth*)

estabelecer ▸ *vt* **1** (*determinar, ordenar*) to establish: *~ a identidade de uma pessoa* to establish the identity of a person **2** (*criar*) to set *sth* up: *~ uma sociedade* to set up a company **3** (*recorde*) to set ▸ **estabelecer-se** *vp* **1** (*fixar-se*) to settle **2** (*num negócio*) to set up: *estabelecer-se por conta própria* to set up your own business

estabelecimento *sm* **1** (*loja*) shop, store (*USA*): *Têm um pequeno ~.* They have a small shop. ◇ *A que horas abrem os ~s?* What time do the shops open? **2** (*instalações*) premises [*pl*]: *O ~ é bastante grande.* The premises are quite big. LOC **estabelecimento de ensino** school **estabelecimento de ensino superior** higher education institution

estabilidade *sf* stability

estábulo *sm* **1** (*cavalos*) stable **2** (*vacas*) cowshed

estaca *sf* **1** stake **2** (*tenda*) peg **3** (*Bot*) cutting LOC *Ver* VOLTAR

estação *sf* **1** station: *Onde fica a ~ de autocarros?* Where's the bus station? **2** (*do ano*) season **3** (*repartição*) office: *~ de correios* post office LOC **estação de esqui** ski resort **estação de serviço** service area *Ver tb* CHEFE

estacar *vi* (*pessoa*) to freeze

estacionamento *sm* **1** (*ato*) parking **2** (*espaço para estacionar*) parking space **3** (*local*) car park, parking lot (*USA*)

estacionar *vt, vi* to park: *Não encontro espaço para ~.* I can't find a parking space. ◇ *Onde é que estacionaste?* Where have you parked? LOC **estacionar em fila dupla** to double-park

estadia (*tb* estada) *sf* **1** stay: *a sua ~ no hospital* his stay in hospital **2** (*gastos*) living expenses [*pl*]: *pagar os custos da viagem e a ~* to pay travel and living expenses

estádio *sm* stadium

estado *sm* **1** state: *a segurança do ~* state security **2** (*condição médica*) condition: *O seu ~ não é grave.* Her condition isn't serious. LOC **em bom/mau estado 1** in good/bad condition **2** (*estrada*) in a good/bad state of repair **em estado de coma** in a coma **estado civil** marital status *Ver tb* GOLPE, SECRETARIA

Estados Unidos *sm* (the) United States (*abrev* US/USA) [*v sing ou pl*]

estafado, -a *adj* (*cansado*) exhausted, shattered (*coloq*)

estafeta *sf* **estafetas** (*Desp*): *uma corrida de ~s* a relay race

estagiário, -a *sm-sf* **1** trainee **2** (*professor*) student teacher

estágio *sm* **1** traineeship **2** (*professor*) teaching practice

estagnado, -a *adj* (*água*) stagnant *Ver tb* ESTAGNAR

estagnar *vi* **1** (*água*) to stagnate **2** (*negociações*) to come to a standstill

estalactite *sf* stalactite

estaladiço, -a *adj* (*alimento*) crunchy

estalagmite *sf* stalagmite

estalar ▸ *vt* **1** to crack **2** (*língua*) to click **3** (*dedos*) to snap ▸ *vi* **1** to crack **2** (*lenha*) to crackle

estaleiro *sm* shipyard

estalido *sm* **1** crack **2** (*fogueira*) crackle **3** (*ossos, soalho*) creak

estalo *sm* **1** (*som*) crack **2** (*língua*) click: *dar um ~ com a língua* to click your tongue **3** (*dedos*) snap **4** (*bofetada*) slap

estampa *sf* (*ilustração*) plate: *~s a cores* colour plates

estampado, -a *adj* (*tecido*) patterned *Ver tb* ESTAMPAR

estampar ▸ *vt* (*imprimir*) to print ▸ **estampar-se** *vp* **estampar-se (contra)** to crash into *sth*

estandarte *sm* banner

estanho *sm* tin

estante *sf* **1** shelves [*pl*]: *Essa ~ está torta.* Those shelves are crooked. **2** (*livros*) bookcase

estar ▸ *vi* **1** to be: *~ doente/cansado* to be ill/tired ◇ *~ calado/quieto* to be quiet/still ◇ *A Ana*

está? Is Ana in? **2** (*aspeto*) to look: *Estás muito bonito hoje.* You look very nice today. **3** ~ **em** (*consistir*) to lie in *sth*: *O êxito do grupo está na sua originalidade.* The group's success lies in their originality. ▸ *v aux* + **a** + **infinitivo** to be doing sth: *Estavam a jogar.* They were playing. ▸ *v imp* (*com tempo meteorológico*): *Está frio/calor/vento/sol.* It's cold/hot/windy/sunny. ◇ *Esteve um tempo ótimo no verão passado.* We had very nice weather last summer. LOC **está bem 1** (*de acordo*) OK: *–Emprestas-mo? –Está bem.* 'Can I borrow it?' 'OK.' **2** (*chega*) that's enough **estar a 1** (*data*): *Estamos a três de maio.* It's the third of May. **2** (*preço*): *A como/quanto estão as bananas?* How much are the bananas? ◇ *A gasolina está a mais de dois euros o litro.* The price of petrol is over two euros a litre. **estar com 1** (*apoiar*) to be behind *sb*: *Ânimo, que nós estamos contigo!* Go for it, we're behind you! **2** (*doença*) to have: *Ela está com gripe.* She's got the flu. **3** (*temperatura*): *Os Açores estão com 30°C.* It's 30°C in the Azores. **estar numa de** to be into *sth*: *Ultimamente está numa de música pop.* She's into pop music lately. **estar que...**: *Estou que nem me tenho de pé.* I'm dead on my feet. **estar sem**: *Estou sem dinheiro.* I haven't got any money. **estou!/está!** (*telefone*) hello! **não estar para** not to be in the mood for *sth*: *Não estou para brincadeiras.* I'm not in the mood for jokes.
🛈 Para outras expressões com **estar**, ver as entradas para o substantivo, adjetivo, etc., p.ex. **estar de acordo** em ACORDO.

estardalhaço *sm* (*ruído*) racket: *fazer ~* to make a racket

estatal *adj* state: *escola ~* state school LOC *Ver* EMPRESA

estático, -a *adj* static

estatística *sf* **1** (*ciência*) statistics [*não-contável*] **2** (*cifra*) statistic

estátua *sf* statue

estatura *sf* height: *É uma mulher de ~ mediana.* She's of average height. ◇ *É de pequena ~.* He's short.

estatuto *sm* **1** (*regulamento*) statute **2** (*de pessoa*) status

estável *adj* stable

este *sm* east (*abrev* E) ➲ *Ver exemplos em* LESTE

este, -a ▸ *adj* this [*pl* these] ▸ *pron* **1** (*coisa*) this one [*pl* these (ones)]: *Prefiro aquele fato a ~.* I prefer that suit to this one. ◇ *Preferes ~s?* Do you prefer these ones? **2** (*pessoa*): *Quem é ~?* Who's this? ◇ *Dei o bilhete a esta.* I've given the ticket to her.

esteira *sf* **1** (*tapete*) mat **2** (*barco*) wake

estendal *sm* **1** (*corda*) clothes/washing line **2** (*montável*) clothes horse

estender ▸ *vt* **1** (*esticar, braço, mão*) to stretch *sth* out **2** (*alargar*) to extend: *~ uma mesa* to extend a table ◇ *~ o prazo das matrículas* to extend the registration period **3** (*desdobrar, espalhar*) to spread *sth* (out): *~ um mapa sobre a mesa* to spread a map out on the table **4** (*roupa em estendal*) to hang *sth* out: *Ainda tenho de ~ a roupa.* I've still got to hang the washing out. ▸ **estender-se** *vp* **1** (*deitar-se*) to lie down ➲ *Ver nota em* LIE[1] **2** (*no espaço*) to stretch: *O jardim estende-se até ao lago.* The garden stretches down to the lake. **3** (*no tempo*) to last: *O debate estendeu-se horas e horas.* The debate lasted for hours. **4** (*propagar-se*) to spread: *A epidemia estendeu-se a todo o país.* The epidemic spread through the whole country.

estendido, -a *adj* **1** (*pessoa*) lying: *Estava ~ no sofá.* He was lying on the sofa. **2** (*roupa*): *A roupa já está estendida.* The washing is on the line. **3** (*braços, pernas*) outstretched *Ver tb* ESTENDER

estenografia *sf* shorthand

esterco *sm* dung

estereofónico, -a *adj* stereo

estereótipo *sm* stereotype

esterilizar *vt* to sterilize

esterlina *adj* sterling: *libras ~s* pounds sterling

esterno *sm* breastbone

esteróide *sm* steroid

estética *sf* aesthetics [*não-contável*]

esteticista *smf* beautician

estético, -a *adj* aesthetic

estetoscópio *sm* stethoscope

estibordo *sm* starboard: *a ~* to starboard

esticado, -a *adj* **1** stretched **2** (*tenso*) tight *Ver tb* ESTICAR

esticar ▸ *vt* **1** to stretch: *~ uma corda* to stretch a rope tight **2** (*braço, perna*) to stretch *sth* out **3** (*dinheiro*) to spin *sth* out **4** (*alisar*) to smooth ▸ **esticar-se** *vp* (*espreguiçar-se*) to stretch LOC **esticar a canela/perna/o pernil** to snuff it

estilhaçar(-se) *vt, vp* to shatter

estilista *smf* (*moda*) fashion designer

estilo *sm* **1** style: *ter muito ~* to have a lot of style **2** (*Natação*) stroke: *~ costas* backstroke ◇ *~ mariposa* butterfly LOC **com muito/cheio de estilo** stylish **estilo de vida** lifestyle

estima *sf* esteem LOC **ter alguém em alta/grande estima** to think highly of sb

estimado, -a *adj* **1** (*apreciado*) well thought

E

of: *Ele é muito ~ por os colegas.* He's very well thought of by his colleagues. **2** (*calculado*) estimated: *o valor ~* the estimated value **3** (*em cartas*) dear

estimativa *sf* estimate

estimulante ▸ *adj* stimulating ▸ *sm* stimulant: *A cafeína é um ~.* Caffeine is a stimulant.

estimular *vt* to stimulate

estímulo *sm* ~ **(para)** stimulus [*pl* stimuli] (to *sth*/to do *sth*)

estirada *sf* (*distância*) way: *Até minha casa ainda é uma boa ~.* It's quite a way to my house.

estivador, -ora *sm-sf* docker, longshoreman [*pl* -men] (*USA*)

estofar *vt* (*móvel, carro*) to upholster

estofo *sm* (*móvel, carro*) upholstery [*não-contável*] LOC **ter estofo para artista, líder, etc.** to be a born artist, leader, etc.

estojo *sm* **1** (*lápis, instrumento musical*) case **2** (*maquilhagem, joias*) box LOC **estojo de primeiros-socorros** first-aid kit

estômago *sm* stomach: *Dói-me o ~.* My stomach hurts. LOC *Ver* ARDOR, DOR

estore *sm* blind

estorninho *sm* starling

estorvar *vt, vi* to be in *sb's* way, to be in the way: *Se as caixas te estorvarem, diz.* Tell me if those boxes are in your way. ◇ *Estorvo?* Am I in the way?

estourado, -a (*tb* estoirado, -a) *adj* (*cansado*) exhausted, shattered (*coloq*): *Estou ~ de colar tanto papel de parede.* I'm shattered after all that wallpapering.

estouro *sm* (*explosão*) explosion

estrábico, -a *adj* cross-eyed

estrabismo *sm* squint

estrada *sf* road LOC **estrada circular/de circunvalação** ring road, beltway (*USA*) **estrada de terra** dirt road **estrada nacional/interprovíncias** A-road **estrada secundária** B-road **por estrada** by road *Ver tb* CÓDIGO, LUZ

estrado *sm* platform

estragado, -a *adj* **1** (*alimento*) off: *O peixe estava ~.* The fish was off. **2** (*máquina*) out of order *Ver tb* ESTRAGAR

estragar ▸ *vt* **1** to ruin: *A chuva estragou-nos os planos.* The rain ruined our plans. **2** (*aparelho*) to break **3** (*desperdiçar*) to waste ▸ **estragar-se** *vp* **1** (*avariar*) to break down **2** (*comida*) to go off **3** (*fruta*) to go bad **4** to be ruined: *Estragaram-se-nos as férias.* Our holidays were ruined. **5** (*desperdiçar-se*) to be wasted: *A comida que se estragou!* What a waste of food!

estrago *sm* (*dano*) damage [*não-contável*]: *Sofreu alguns ~s.* It suffered some damage. LOC *Ver* CAUSAR

estrangeiro, -a ▸ *adj* foreign ▸ *sm-sf* foreigner LOC **no/para o estrangeiro** abroad *Ver tb* MINISTÉRIO, MINISTRO

estrangular *vt* to strangle

estranhar *vt, vi* (*surpreender-se com*) to be surprised *(at sth)*, to find *sth* strange: *Estranhei a tua conduta.* I was surprised at your behaviour. ◇ *Ao princípio irás ~ mas acabarás por te habituar.* At first you'll find it strange but you'll soon get used to it.

estranho, -a ▸ *adj* strange: *Ouvi um ruído ~.* I heard a strange noise. ▸ *sm-sf* stranger LOC **esse nome, rosto, etc. não me é estranho** that name, face, etc. rings a bell *Ver tb* COISA

estratagema *sm* scheme: *Estou farta dos teus ~s para ganhar mais dinheiro!* I'm fed up with your schemes to earn more money.

estratégia *sf* strategy [*pl* strategies]

estratégico, -a *adj* strategic

estrato *sm* (*Geol, Sociol*) stratum [*pl* strata]

estrear ▸ *vt* **1** *Estreei hoje estes sapatos.* I'm wearing new shoes today. **2** (*filme*) to premiere **3** (*peça de teatro*) to stage *sth* for the first time ▸ **estrear(-se)** *vi, vp* **1** (*filme*) to premiere **2** (*peça de teatro*) to open

estreia *sf* **1** (*filme*) premiere **2** (*peça de teatro*) first/opening night **3** (*ator*) debut

estreitar ▸ *vi* to narrow: *A estrada estreita daqui a 50 metros.* The road narrows in 50 metres. ▸ *vt* (*relações*) to make *sth* closer: *O embaixador quer ~ as relações entre os países.* The ambassador wants to forge a closer relationship between the countries.

estreito, -a ▸ *adj* narrow ▸ *sm* strait(s) [*usa-se muito no plural*]: *o ~ de Bering* the Bering Strait(s)

estrela *sf* star: *~ polar* pole star ◇ *um hotel de três ~s* a three-star hotel ◇ *uma ~ de cinema* a film star LOC **ver (as) estrelas** to see stars

estrelado, -a *adj* **1** (*noite, céu*) starry **2** (*figura*) star-shaped **3** (*ovo*) fried *Ver tb* ESTRELAR[2]

estrela-do-mar *sf* starfish [*pl* starfish]

estrelar[1] *adj* (*Astron*) stellar

estrelar[2] *vt* (*ovos*) to fry

estrelato *sm* stardom: *rumo ao ~* on the way to stardom

estremecer *vt, vi* to shake LOC **estremecer de dor** to wince with pain **estremecer de medo** to shudder with fear

estria *sf* **1** groove **2** (*pele*) stretch mark

estribeira *sf* LOC *Ver* PERDER

estribilho *sm* **1** (*canção*) chorus **2** (*poema*) refrain

estribo *sm* stirrup

estridente *adj* (*som*) shrill

estrofe *sf* verse, stanza (*mais formal*)

estrondo *sm* (*som*) bang: *A porta fechou-se com um grande ~.* The door banged shut.

estrume *sm* manure

estrutura *sf* structure

estuário *sm* estuary [*pl* estuaries]

estudante *smf* student: *um grupo de ~s de medicina* a group of medical students LOC *Ver* RESIDÊNCIA

estudar *vt, vi* to study: *Gostava de ~ francês.* I'd like to study French. ◇ *Estuda num colégio particular.* She goes to an independent school.

estúdio *sm* **1** (*Cinema, Fot, TV*) studio [*pl* studios] **2** (*apartamento*) studio (flat/apartment)

estudioso, -a *adj* studious

estudo *sm* **1** study [*pl* studies]: *Realizaram ~s sobre a matéria.* They've done studies on the subject. ◇ *Sou licenciado em Estudos Portugueses.* I've got a degree in Portuguese Studies. **2 estudos** education [*não-contável, v sing*]: *não ter ~* to lack education LOC **em estudo** under consideration *Ver tb* BOLSA, PROGRAMA

estufa *sf* (*para plantas*) greenhouse LOC *Ver* EFEITO

estufado *sm* stew

estupefaciente *sm* drug

estupendo, -a *adj* fantastic

estupidez *sf* stupidity: *o cúmulo da ~* the height of stupidity

estúpido, -a ▸ *adj* stupid ▸ *sm-sf* idiot LOC *Ver* PORTA

esturricado, -a *adj* burnt

esvair-se *vp* LOC **esvair-se em sangue** to bleed to death

esvaziar ▸ *vt* **1** to empty *sth* (out) (*into sth*): *Esvaziemos aquela caixa.* Let's empty (out) that box. **2** (*tirar o ar*) to let the air out of *sth*: *Esvaziaram-me os pneus.* They let the air out of my tyres. ▸ **esvaziar-se** *vp* (*sair o ar*) to go down, to deflate (*mais formal*)

esvoaçar *vi* to flutter

etapa *sf* stage: *Fizemos a viagem em duas ~s.* We did the journey in two stages. LOC **por etapas** in stages

etário, -a *adj* LOC *Ver* FAIXA

etc. *sm* et cetera (*abrev* etc.)

eternidade *sf* eternity LOC **uma eternidade** ages: *Estiveste lá uma ~.* You've been ages. ◇ *Passa uma ~ na casa de banho.* He spends ages in the bathroom.

eterno, -a *adj* eternal

ética *sf* **1** (*princípios morais*) ethics [*pl*] **2** (*Fil*) ethics [*não-contável*]

ético, -a *adj* ethical

etimologia *sf* etymology [*pl* etymologies]

etiqueta

label

price tag

etiqueta *sf* **1** label: *a ~ numa encomenda* the label on a parcel **2** (*preço*) price tag **3** (*social*) etiquette

etiquetar *vt* to label

etnia *sf* ethnic group

étnico, -a *adj* ethnic

eu *pron* **1** [*sujeito*] I: *Vamos eu e a minha irmã.* My sister and I will go. **2** [*em comparações*], [*com preposição*] me: *como eu* like me ◇ *exceto eu* except (for) me ◇ *incluindo eu* including me LOC **eu?** me?: *Quem? Eu?* Who do you mean? Me? **eu mesmo/próprio** I myself: *Fá-lo-ei eu mesmo/próprio.* I'll do it myself. ◇ *Fui eu mesma quem te disse.* I was the one who told you. **se eu fosse a ti** if I were you **sou eu** it's me

eucalipto *sm* eucalyptus [*pl* eucalyptuses/ eucalypti]

Eucaristia *sf* Eucharist

euforia *sf* euphoria

eufórico, -a *adj* euphoric

euro *sm* euro [*pl* euros]

eurodeputado, -a *sm-sf* Euro MP (*abrev* MEP)

Euromilhões® *sm* EuroMillions®

europeu, -eia *adj, sm-sf* European LOC *Ver* UNIÃO

eutanásia *sf* euthanasia

evacuação *sf* evacuation

evacuar *vt* **1** (*esvaziar*) to vacate: *O público evacuou o cinema.* The public vacated the cinema. ◇ *Evacuem a sala, por favor.* Please clear the hall. **2** (*transportar para outro local*) to evacuate: ~ *os refugiados* to evacuate the refugees

evadir-se *vp* ~ **(de)** to escape (from *sth*)

evangelho *sm* gospel: *o ~ segundo São João* the gospel according to Saint John

evangélico, -a ▸ *adj* evangelical ▸ *sm-sf* evangelist

evaporação *sf* evaporation

evaporar(-se) *vt, vp* to evaporate

evasão *sf* **1** (*fuga*) escape **2** (*distração*) evasion LOC **evasão aos impostos** tax evasion

evasiva *sf* excuse

evento *sm* **1** (*acontecimento*) event: *os ~s dos últimos dias* the events of the past few days **2** (*incidente*) incident

eventual *adj* (*possível*) possible

evidência *sf* evidence

evidente *adj* obvious LOC **como é evidente** obviously

evitar *vt* **1** (*prevenir*) to prevent: ~ *uma catástrofe* to prevent a disaster **2** (*esquivar-se*) to avoid *sb/sth/doing sth*: *Faz tudo para me ~.* He does everything he can to avoid me. ◇ *Evitou o meu olhar.* She avoided my gaze. **3** (*golpe, obstáculo*) to dodge LOC **não consigo evitá-lo/não o posso evitar** I, you, etc. can't help it **se o pudesses evitar** if you could help it

evocar *vt* to evoke

evolução *sf* **1** (*Biol*) evolution **2** (*desenvolvimento*) development

evoluir *vi* **1** (*Biol*) to evolve **2** (*desenvolver-se*) to develop

exagerado, -a *adj* **1** exaggerated: *Não sejas ~.* Don't exaggerate. **2** (*excessivo*) excessive: *O preço parece-me ~.* I think the price is excessive. *Ver tb* EXAGERAR

exagerar *vt, vi* to exaggerate: ~ *a importância de alguma coisa* to exaggerate the importance of sth ◇ *Não exageres.* Don't exaggerate.

exagero *sm* (*tb* exageração *sf*) exaggeration LOC **sem exagero** seriously

exalar ▸ *vt* (*gás, vapor, odor*) to give *sth* off ▸ *vi* to breathe out, to exhale (*mais formal*)

exaltar ▸ *vt* (*elogiar*) to praise ▸ **exaltar-se** *vp* **1** (*irritar-se*) to get annoyed **2** (*excitar-se*) to get excited

exame *sm* exam, examination (*mais formal*): *fazer um ~* to do/sit an exam ◇ *repetir um ~* to resit an exam LOC **exame de acesso** entrance exam **exame de condução** driving test: *fazer ~ de condução* to take your driving test **exame final** finals [*pl*] **exame médico/de aptidão física** medical, physical (*USA*): *Tens de fazer um ~ médico.* You have to have a medical. **exame tipo teste americano/de escolha múltipla** multiple-choice exam **fazer exame (a)** to take an exam (for *sth*) **ter exame (a)** to have an exam: *Esta tarde tenho ~ de Francês.* I've got a French exam this afternoon. **ter exames** to be taking exams *Ver tb* APRESENTAR

examinador, -ora *sm-sf* examiner

examinar *vt* to examine

exatidão *sf* **1** exactness **2** (*descrição, relógio*) accuracy LOC **com exatidão** exactly: *Não sabemos com ~.* We don't know exactly.

exato, -a ▸ *adj* **1** (*correto*) exact: *Necessito das medidas exatas.* I need the exact measurements. ◇ *Dois quilos ~s.* Exactly two kilos. **2** (*descrição, relógio*) accurate: *Não me deram uma descrição muito exata.* They didn't give me a very accurate description. **3** (*idêntico*) identical: *As duas cópias são exatas.* The two copies are identical. ▸ **exato!** *interj* exactly

exaustivo, -a *adj* thorough, exhaustive (*mais formal*)

exausto, -a *adj* exhausted

exceção *sf* exception LOC **à/com exceção de** except (for) *sb/sth* *Ver tb* ABRIR

excecional *adj* exceptional

excedente *sm* (*excesso*) surplus [*pl* surpluses]

exceder ▸ *vt* to exceed ▸ **exceder-se** *vp* **exceder-se em** to overdo *sth*: *Acho que te excedeste no sal.* I think you've overdone the salt.

excelência *sf* LOC **por excelência** par excellence **Sua Excelência** His/Her Excellency **Sua/Vossa Excelência** Your Excellency

excelente ▸ *adj* **1** (*resultado, referência, tempo*) excellent **2** (*qualidade, nível*) top **3** (*preço, recorde*) unbeatable **4** (*atuação*) outstanding ▸ *sm* (*Educ*) ≈ A: *Tive três ~s.* I got three A's.

excêntrico, -a *adj* eccentric

excessivo, -a *adj* excessive: *Têm uma afeição excessiva por cães.* They're much too fond of dogs.

excesso *sm* ~ **(de)** excess (of *sth*) LOC **com/em excesso** too much **excesso de bagagem** excess baggage **excesso de velocidade** speeding: *Foi multado por ~ de velocidade.* He was fined for speeding.

exceto *prep* except (for) *sb/sth*: *todos ~ eu* everybody except me ◇ *todos ~ o último* all of them except (for) the last one

excetuar *vt*: *Excetuando um, os restantes são todos veteranos.* Except for one, the rest are all veterans.

excitado, -a *adj* **1** (*entusiasmado*) enthusiastic: *Estava muito ~ no início.* I was very enthusiastic when I started. **2** ~ **com** excited about/at/by *sth/doing sth*: *Estão muito ~s com a viagem.* They're really excited about the trip. *Ver tb* EXCITAR

excitar ▸ *vt* to excite ▸ **excitar-se** *vp* to get excited (*about/at/by sth*)

exclamação *sf* exclamation LOC *Ver* PONTO

exclamar *vi, vt* to exclaim

excluir *vt* to exclude *sb/sth* (*from sth*)

exclusivo, -a *adj, sm* exclusive

excursão *sf* trip, excursion (*mais formal*): *fazer uma ~* to go on an a trip

excursionista *smf* tripper

executar *vt* **1** (*realizar*) to carry *sth* out: *~ uma operação* to carry out an operation **2** (*pena de morte, Jur, Informát*) to execute

executivo, -a *adj, sm-sf* executive: *órgão ~* executive body ◇ *um ~ importante* an important executive LOC *Ver* PODER²

exemplar ▸ *adj* exemplary ▸ *sm* (*texto, livro, CD, etc.*) copy [*pl* copies]

exemplo *sm* example: *Espero que vos sirva de ~.* Let this be an example to you. LOC **dar o exemplo** to set an example **por exemplo** for example (*abrev* e.g.)

exercer ▸ *vt* **1** (*profissão*) to practise: *~ a advocacia/medicina* to practise law/medicine **2** (*autoridade, poder, direitos*) to exercise **3** (*função*) to fulfil ▸ *vi* to practise: *Já não exerço.* I don't practise any more.

exercício *sm* **1** exercise: *fazer um ~ de matemática* to do a maths exercise ◇ *Devias fazer mais ~.* You should take more exercise. **2** (*profissão*) practice

exército *sm* army [*pl* armies] [*v sing ou pl*]

exibição *sf* exhibition LOC **em exibição** (*filme, peça*) showing

exibicionismo *sm* **1** exhibitionism **2** (*sexual*) indecent exposure

exibicionista *smf* **1** exhibitionist **2** (*sexual*) flasher (*coloq*)

exibir ▸ *vt* **1** (*expor*) to exhibit **2** (*filme*) to show ▸ **exibir-se** *vp* to show off: *Gostam de se ~.* They love showing off.

exigência *sf* **1** (*requisito*) requirement **2** (*imposição*) demand (*for sth/that...*)

exigente *adj* **1** (*que pede muito*) demanding **2** (*rigoroso*) strict

exigir *vt* **1** (*pedir*) to demand *sth* (*from sb*): *Exijo uma explicação.* I demand an explanation. **2** (*requerer*) to require: *Exige uma preparação especial.* It requires special training. LOC *Ver* RESGATE

exilado, -a ▸ *adj* exiled ▸ *sm-sf* exile *Ver tb* EXILAR

exilar ▸ *vt* to exile *sb* (*from...*) ▸ **exilar-se** *vp* **exilar-se (em)** to go into exile (in...)

exílio *sm* exile

existência *sf* existence

existente *adj* existing

existir *vi* **1** to exist: *Essa palavra não existe.* That word doesn't exist. **2** (*haver*): *Não existe vontade de colaboração.* There is no spirit of cooperation.

êxito *sm* **1** success **2** (*canção, CD, etc.*) hit: *o seu último ~* their latest hit LOC **ter êxito** to be successful

Exmo, -a *abrev* LOC **Exmo Senhor/Exma Senhora** Dear Sir/Madam

exorcismo *sm* exorcism

exótico, -a *adj* exotic

expandir ▸ *vt* to expand ▸ **expandir-se** *vp* **1** to expand **2** (*alastrar*) to spread

expansão *sf* expansion

expatriado, -a *adj, sm-sf* expatriate [*s*]: *americanos ~s em Portugal* expatriate Americans living in Portugal

expectativa *sf* **1** (*esperança*) expectation: *Foi além das minhas ~s.* It exceeded my expectations. **2** (*perspetiva*) prospect: *~s eleitorais* electoral prospects **3** (*espera*) waiting: *Terminou a ~.* The waiting came to an end. **4** (*interesse*) expectancy: *A ~ está a crescer.* Expectancy is growing. LOC **estar/ficar na expectativa** to be on the lookout (*for sth*)

expedição *sf* (*viagem*) expedition

experiência *sf* **1** experience: *anos de ~ de trabalho* years of work experience ◇ *Foi uma grande ~.* It was a great experience. **2** (*teste*) experiment: *fazer uma ~* to carry out an experiment LOC **à experiência** on trial: *Contrataram-me à ~ para trabalhar na fábrica.* I was taken on at the factory for a trial period. **sem experiência** inexperienced

experiente *adj* experienced

experimentação *sf* experiment: *fazer uma ~* to carry out an experiment

experimental *adj* experimental: *com carácter ~* on an experimental basis

experimentar ▸ *vt* **1** (*testar*) to try *sth* out: *~ a máquina de lavar* to try out the washing machine ◇ *~ um carro* to test-drive a car **2** (*tentar*) to try (*doing sth*): *Experimentaste abrir a janela?* Have you tried opening the window? ◇ *Experimentei tudo sem êxito.* I've tried everything but with no success. **3** (*roupa*) to try *sth* on **4** (*mudança*) to experience ▸ *vi* ~ **(com)** to experiment (with *sth*)

expiatório, -a *adj* LOC *Ver* BODE

expirar *vi* to expire

E

explicação *sf* **1** explanation **2** (*aula particular*) private lesson: *explicações de matemática* private maths lessons ◇ *dar explicações* to give private lessons

explicador, **-ora** *sm-sf* (*professor*) private tutor

explicar *vt* to explain *sth* (*to sb*): *Explicou-me os seus problemas.* He explained his problems to me.

explodir *vi* to explode

explorador, **-ora** *sm-sf* **1** (*pesquisador*) explorer **2** (*abusador*) exploiter

explorar *vt* **1** (*investigar*) to explore **2** (*abusar*) to exploit

explosão *sf* explosion: *uma ~ nuclear* a nuclear explosion ◇ *a ~ demográfica* the population explosion

explosivo, **-a** *adj*, *sm* explosive

expor ▸ *vt* **1** (*pintura*, *escultura*) to exhibit **2** (*ideias*) to present **3** (*produtos*) to display ▸ **expor-se** *vp* **expor-se a** to expose yourself to *sth*: *Não te exponhas demasiado ao sol.* Don't stay out in the sun too long.

exportação *sf* export LOC *Ver* IMPORTAÇÃO

exportador, **-ora** ▸ *adj* exporting: *os países ~es de petróleo* the oil-exporting countries ▸ *sm-sf* exporter

exportar *vt* to export

exposição *sf* **1** (*de arte*) exhibition: *uma ~ de fotografia* an exhibition of photographs ◇ *montar uma ~* to put on an exhibition **2** (*de um tema*) presentation

expositor, **-a** *sm-sf* exhibitor

expressão *sf* expression LOC *Ver* LIBERDADE

expressar(-se) *vt*, *vp* to express (yourself)

expressivo, **-a** *adj* **1** expressive: *um trecho musical muito ~* an expressive piece of music **2** (*olhar*) meaningful

expresso, **-a** *adj* express: *correio ~* express mail

exprimir(-se) *vt*, *vp* to express (yourself)

expulsão *sf* **1** expulsion: *Este ano houve três expulsões na escola.* There have been three expulsions from the school this year. **2** (*Desp*) sending-off [*pl* sendings-off]

expulsar *vt* **1** to expel *sb* (*from ...*): *Vão expulsá-la da escola.* They're going to expel her (from school). **2** (*Desp*) to send *sb* off

êxtase *sm* ecstasy [*pl* ecstasies]

extensão *sf* **1** (*superfície*) area: *uma ~ de 30 metros quadrados* an area of 30 square metres **2** (*duração*): *uma grande ~ de tempo* a long period of time ◇ *Qual é a ~ do contrato?* How long is the contract for? **3** (*prazo*, *acordo*, *telefone*) extension

extenso, **-a** *adj* **1** (*grande*) extensive **2** (*comprido*) long LOC **por extenso** in full: *escrever alguma coisa por ~* to write sth in full

exterior ▸ *adj* **1** outside: *as paredes ~es.* the outside walls **2** (*superfície*) outer: *a camada ~ da Terra* the outer layer of the earth ▸ *sm* outside: *o ~ da casa* the outside of the house ◇ *do ~ do teatro* from outside the theatre

exterminar *vt* to exterminate

externo, **-a** ▸ *adj* **1** external: *influências externas* external influences **2** (*comércio*, *política*) foreign: *política externa* foreign policy ▸ *sm-sf* (*aluno*) day student LOC *Ver* USO

extinção *sf* (*espécie*) extinction: *em vias de ~* in danger of extinction

extinguir ▸ *vt* **1** (*fogo*) to put *sth* out **2** (*espécie*) to wipe *sth* out ▸ **extinguir-se** *vp* **1** (*fogo*) to go out **2** (*espécie*) to become extinct

extinto, **-a** *adj* (*vulcão*, *espécie*) extinct *Ver tb* EXTINGUIR

extintor *sm* (fire) extinguisher

extra ▸ *adj* **1** (*superior*) top quality **2** (*adicional*) extra: *uma camada ~ de verniz* an extra coat of varnish ▸ *smf* (*Cinema*, *Teat*) extra LOC *Ver* HORA

extrair *vt* to extract *sth from sb/sth*: *~ ouro de uma mina* to extract gold from a mine ◇ *~ informações de alguém* to extract information from sb

extraordinário, **-a** *adj* **1** (*excelente*) excellent: *A comida estava extraordinária.* The food was excellent. **2** (*especial*) special: *edição extraordinária* special edition **3** (*convocatória*, *reunião*) extraordinary: *reunião extraordinária* extraordinary meeting

extraterrestre ▸ *adj* extraterrestrial ▸ *smf* alien

extrato *sm* **1** extract **2** (*de conta*) statement

extrator *sm* (*de fumos*) extractor hood

extravagante *adj* extravagant

extraviar ▸ *vt* to lose ▸ **extraviar-se** *vp* to go astray: *A carta deve ter-se extraviado.* The letter must have gone astray.

extremidade *sf* (*extremo*) end

extremo, **-a** ▸ *adj* extreme: *um caso ~* an extreme case ◇ *fazer alguma coisa com extrema precaução* to do sth with extreme care ▸ *sm* **1** (*ponto mais alto ou mais baixo*) extreme: *ir de um ~ ao outro* to go from one extreme to another **2** (*ponta*) end: *Pega na toalha pelos ~s.* Take hold of the ends of the tablecloth. ◇ *Vivem no outro ~ da cidade.* They live at the other end of town. LOC *Ver* ORIENTE

extrovertido, **-a** ▸ *adj* outgoing ▸ *sm-sf* extrovert

F f

fã *smf* fan: *um ~ do futebol* a football fan

fá *sm* **1** (*nota musical*) fah **2** (*tom*) F: *~ maior* F major LOC *Ver* CLAVE

fábrica *sf* **1** (*ger*) factory [*pl* factories]: *uma ~ de conservas* a canning factory **2** (*cimento, aço, tijolos*) works [*v sing ou pl*]: *A ~ de aço vai fechar.* The steelworks is/are closing down. LOC **fábrica de cerveja** brewery [*pl* breweries] **fábrica de papel** paper mill

fabricado, -a *adj* LOC **fabricado em...** made in... *Ver tb* FABRICAR

fabricante *smf* manufacturer

fabricar *vt* to manufacture: *~ automóveis* to manufacture cars LOC **fabricar em série** to mass-produce

fabrico *sm* manufacture, making (*mais coloq*): *~ de aviões* aircraft manufacture LOC **de fabrico caseiro** homemade **de fabrico holandês, português, etc.** made in Holland, Portugal, etc.

fabuloso, -a *adj* fabulous

faca *sf* knife [*pl* knives]

facada *sf* stab: *matar alguém à ~* to stab sb to death

façanha *sf* **1** (*feito heroico*) exploit **2** (*sucesso*) achievement: *Conseguir passar foi uma ~.* Passing was a great achievement.

facção *sf* (*Mil, Pol*) faction

face *sf* **1** face **2** (*Geom*) side LOC **em face** opposite **em face de** in view of **face a face** face to face

fachada *sf* (*Arquit*) front, facade (*mais formal*): *a ~ do hospital* the front of the hospital LOC **ser só fachada** to be only a facade

fácil *adj* easy: *É mais ~ do que parece.* It's easier than it looks. ◇ *Isso é ~ de dizer.* That's easy to say.

facilidade *sf* (*destreza*) ease: *com ~* with ease

facto *sm* **1** fact **2** (*acontecimento*) event LOC **facto consumado** fait accompli [*pl* faits accomplis] *Ver tb* CHEGAR

faculdade *sf* **1** (*capacidade*) faculty [*pl* faculties]: *em pleno poder das suas ~s mentais* in full possession of his mental faculties ◇ *Perdeu ~s.* He's lost his faculties. **2** (*Educ*) **(a)** (*universidade*) university, college (*USA*): *um companheiro da ~* a friend of mine from university **(b) Faculdade** Faculty [*pl* Faculties]: *~ de Letras* Faculty of Arts

facultativo, -a *adj* optional

fada *sf* fairy [*pl* fairies]: *um conto de ~s* a fairy story

fadista *smf* fado performer

fado *sm* **1** (*destino*) fate **2** (*Mús*) fado

faia *sf* beech (tree)

faina *sf* work LOC **faina agrícola/do campo** farm work

faisão *sm* pheasant

faísca *sf* spark: *dar/deitar ~s* to send out sparks LOC **deitar faíscas pelos olhos** to be hopping mad

faixa *sf* **1** (*estrada*) lane: *~ de autocarros/bicicletas* bus/cycle lane **2** (*tira de pano*) sash **3** (*CD, etc.*) track LOC **faixa de rodagem** lane **faixa etária** age group

fala *sf* (*faculdade*) speech LOC **sem fala** speechless: *Deixou-me sem ~.* It left me speechless. ◇ *ficar sem ~* to be speechless

fala-barato *smf* chatterbox

falado, -a *adj* spoken: *o inglês ~* spoken English LOC *Ver* RETRATO; *Ver tb* FALAR

falador, -ora ▸ *adj* talkative ▸ *sm-sf* chatterbox

falante *smf* speaker

falar[1] ▸ *vt* (*língua*) to speak: *Falas russo?* Do you speak Russian? ▸ *vi* ~ **(com alguém) (de/sobre alguém/alguma coisa)** to speak, to talk (to sb) (about sb/sth)

> **Speak** e **talk** têm praticamente o mesmo significado, contudo, normalmente utiliza-se **speak** em situações mais formais: *falar em público* to speak in public ◇ *Fala mais devagar.* Speak more slowly. Também usamos **speak** quando nos referimos a "falar ao telefone": *Posso falar com o João?* Can I speak to João? **Talk** utiliza-se em contextos mais informais, geralmente com a ideia de *conversar*: *Estivemos toda a noite a falar.* We talked all night. ◇ *Estão a falar de nós.* They're talking about us. ◇ *Falam em mudar-se.* They're talking about moving. ◇ *falar de política* to talk about politics.

LOC **fala mais alto/baixo** speak up/lower your voice **falar à rédea solta/pelos cotovelos** to talk nineteen to the dozen, to talk a blue streak (*USA*) **falar a sério** to be serious: *Estás a ~ a sério?* Are you serious? **falar mal de** to criticize, to slag *sb/sth* off (*argot*) **falar para a parede** to talk to a brick wall: *O professor sentia-se a ~ para a parede.* The teacher felt like he was talking to a brick wall. **não falar com alguém** not to be on speaking terms with sb **nem falar!** no way! **para falar a verdade** to tell the truth **por falar nisso** by the way **quem fala?** (*ao* *telefone*) who is it? **sem falar em** not to mention *sb/sth* *Ver tb* ASSIM, OUVIR

falar² *sm* (*modo de se exprimir*) way of speaking: *o ~ alentejano* the way they speak in the Alentejo

falcão *sm* falcon

falcatrua *sf* (*fraude*) scam

F

falecer *vi* to pass away

falecido, -a ▸ *adj* late: *o ~ presidente* the late president ▸ *sm-sf* deceased: *os familiares do ~* the family of the deceased *Ver tb* FALECER

falência *sf* bankruptcy [*pl* bankruptcies] LOC **estar na falência** to be bankrupt **ir/levar à falência** to go/make *sb* bankrupt

falha *sf* **1** (*erro*) mistake, error (*mais formal*): *devido a uma ~ humana* due to human error ➲ *Ver nota em* MISTAKE **2** (*problema*) fault: *uma ~ nos travões* a fault in the brakes **3** (*imperfeição*) flaw **4** (*omissão*) omission

falhar ▸ *vi* **1** to fail: *Já me começa a ~ a vista.* My eyesight's failing. **2** (*fracassar*) to founder **3** (*não acertar*) to miss ▸ *vt* to miss: *O caçador falhou o tiro.* The hunter missed. LOC **não falha (nunca)!** it, he, etc. is always the same!: *Vai chegar tarde de certeza, não falha (nunca)!* He's bound to be late; he's always the same.

falir *vi* to go bankrupt, to go bust (*coloq, USA*)

falsificação *sf* forgery [*pl* forgeries]

falsificar *vt* to forge

falso, -a *adj* **1** false: *um ~ alarme* a false alarm **2** (*de imitação*) fake: *diamantes ~s* fake diamonds **3** (*documento*) forged **4** (*dinheiro*) counterfeit

falta *sf* **1 ~ de** (*carência*) lack of *sth*: *a sua ~ de ambição/respeito* his lack of ambition/respect **2** (*erro*) mistake ➲ *Ver nota em* MISTAKE **3** (*Futebol*) foul: *cometer (uma) ~* to commit a foul **4** (*de comparência*) absence: *Já deste três ~s este mês.* That's three times you've been absent this month. ◇ *Não quero que a professora me marque ~.* I don't want to be marked absent. LOC **falta de educação** rudeness: *Que ~ de educação!* How rude! **falta de jeito** clumsiness **faz(em) falta 1** (*provocando saudade*) to miss *sb/sth* [*vt*]: *Os meus pais fazem-me muita ~.* I miss my parents a lot. **2** (*sendo preciso*) to need *sb/sth* [*vt*]: *Faz-me ~ um lápis.* I need a pencil. **sem falta** without fail **sentir falta (de)** to miss *sb/sth/doing sth*: *Sinto falta da minha cama.* I really miss my bed. ◇ *Sentimos falta das nossas idas ao cinema.* We miss going to the cinema. *Ver tb* ASSINALAR

faltar *vi* **1** (*necessitar*) to need *sb/sth* [*vt*]: *Falta-lhes carinho.* They need affection. ◇ *Falta um diretor aqui.* This place needs a manager. ◇ *Faltam-me moedas para poder telefonar.* I need some coins to make a phone call. ◇ *Faltam medicamentos em muitos hospitais.* Many hospitals need medicines. **2** (*não estar*) **(a)** to be missing: *Falta alguém?* Is there anybody missing? **(b)** (*aluno*) to be absent **3 ~ a** (*trabalho, aulas*) **(a)** (*intencionalmente*) to skip *sth* [*vt*], to skive off *sth* (*coloq*): *Faltaram às aulas para ir nadar.* They skived off classes to go swimming. **(b)** (*não intencional*) to miss *sth* [*vt*]: *~ a uma aula* to miss a lesson **4** (*restar tempo/distância*): *Faltam dez minutos (para que termine a aula).* There are ten minutes to go (till the end of the lesson). ◇ *Faltam três dias para as férias.* There are three days left before we go on holiday. ◇ *Falta muito para o almoço?* Is it long till lunch? ◇ *Falta pouco para lá chegarmos.* We're nearly there. **5** (*enfraquecer*) to flag: *Começam a faltar-me as forças.* My strength is flagging. LOC **era só o que faltava!** that's all I/we needed! **faltar ao prometido** to break your promise **faltar ao respeito** to show no respect *to sb* **faltar um parafuso a alguém** to have a screw loose

fama *sf* **1** (*celebridade*) fame: *alcançar a ~* to achieve fame **2 ~ (de)** (*reputação*) reputation (for *sth/doing sth*): *ter boa/má ~* to have a good/bad reputation ◇ *Tem ~ de ser duro.* He has a reputation for being very strict.

família *sf* family [*pl* families] [*v sing ou pl*]: *uma ~ numerosa* a large family ◇ *Como está a tua ~?* How's your family? ◇ *A minha ~ vive em França.* My family live in France. ◇ *A minha ~ é do norte.* My family is/are from the north.

Existem duas formas possíveis de dizer o apelido de família em inglês: usando **family** ("the Robson family") ou usando o apelido no plural ("the Robsons").

LOC **mãe/pai de família** mother/father **ser de família** to run in the family *Ver tb* ABONO, CHEFE, MÉDICO

familiar ▸ *adj* **1** (*da família*) family: *laços ~es* family ties **2** (*conhecido*) familiar: *uma cara ~* a familiar face ▸ *smf* relative

faminto, -a *adj* starving

famoso, -a *adj* **~ (por) 1** (*célebre*) famous (for *sth*): *tornar-se ~* to become famous **2** (*com má fama*) notorious (for *sth*): *É ~ pelo seu mau génio.* He's notorious for his bad temper.

fanático, -a *adj, sm-sf* fanatic: *Ele é ~ por cinema.* He's a film fanatic.

fanico *sm* LOC **fazer em fanicos 1** to shatter: *Fiquei feito em ~s.* I was shattered by the end. **2** (*papel, tecido*) to tear *sth* to shreds **ter um fanico** (*desmaiar*) to faint

fantasia *sf* **1** fantasy [*pl* fantasies]: *São ~s*

dele. That's just a fantasy of his. **2** (*máscara*) fancy dress [*não-contável*], costume (*USA*): *um sítio onde alugam ~s* a shop that hires out fancy dress

fantasiar-se *vp* ~ **(de)** (*para uma festa*) to dress up (as *sb/sth*)

fantasma *sm* ghost: *uma história de ~s* a ghost story

fantástico, -a *adj* fantastic

fantoche *sm* puppet LOC *Ver* TEATRO

faraó *sm* pharaoh

farda *sf* uniform: *estar de ~* to be in uniform

farejar ▸ *vi* **1** (*cheirar*) to sniff around **2** (*pesquisar*) to snoop around: *A polícia andou a ~ por aqui.* The police have been snooping around here. ▸ *vt* **1** (*cheirar*) to sniff **2** (*seguir o rasto*) to scent

farinha *sf* flour LOC **farinha integral** wholemeal flour

farmacêutico, -a *sm-sf* chemist

farmácia *sf* **1** (*loja*) chemist's, pharmacy [*pl* pharmacies] (*USA*): *Há alguma ~ por aqui?* Is there a chemist's near here? ➲ *Ver notas em* PHARMACY *e* TALHO **2** (*curso*) pharmacy LOC **farmácia de serviço** duty chemist, all-night pharmacy (*USA*)

faro *sm* (*cão*) smell LOC **ter faro** to have a nose *for sth*: *Têm ~ para as antiguidades.* They have a nose for antiques.

farol *sm* **1** (*torre*) lighthouse **2** (*carro, moto*) headlight **3** (*bicicleta*) (bike) light

farpa *sf* (*pele*) splinter

farpado, -a *adj* LOC *Ver* ARAME

farra *sf* partying [*não-contável*] LOC **fazer uma farra** to have a big party: *Fizemos uma tremenda ~ no dia do casamento.* We had a big party on the day of the wedding. **ir para a farra** to go (out) partying

farrapo *sm* **1** rag **2** (*pessoa*): *Está um ~ desde que a mulher morreu.* He's been in a real state since his wife died.

fartar-se *vp* **1** ~ **(de)** (*cansar-se*) to be fed up (with *sb/sth/doing sth*): *Já me fartei das tuas queixas.* I'm fed up with your complaints. **2** (*empanturrar-se*) **(a)** to be full (up): *Comi até me fartar.* I ate till I was full (up). **(b)** ~ **de** to stuff yourself (with *sth*): *Fartei-me de comer bolos.* I stuffed myself with cakes. LOC **fartar-se de chorar** to cry your eyes out **fartar-se de rir** to laugh your head off

farto, -a *adj* **1** (*cheio*) full **2** ~ **(de)** (*cansado*) fed up (with *sb/sth/doing sth*): *Estou ~ de ti.* I'm fed up with you.

fartura *sf* **1** (*abundância*) abundance **2** (*Cozinha*) deep-fried strip of dough

fascículo *sm* instalment: *publicar/vender alguma coisa em ~s* to publish/sell sth in instalments

fascinante *adj* fascinating

fascinar *vt* to fascinate

fascismo *sm* fascism

fascista *adj, smf* fascist

fase *sf* stage, phase (*mais formal*): *a ~ inicial/classificatória* the preliminary/qualifying stage LOC **em fase de** in the process of *doing sth*: *Estamos em ~ de divórcio.* We're in the process of getting a divorce.

fatal *adj* fatal: *um acidente ~* a fatal accident

fatia *sf* slice: *duas ~s de pão* two slices of bread ➲ *Ver ilustração em* PÃO LOC **às fatias** sliced

fatigado, -a *adj* tired

fatigante *adj* tiring

fato *sm* **1** (*duas peças*) suit: *O Arménio leva um ~ muito elegante.* Arménio is wearing a very smart suit. **2** (*Carnaval*) costume LOC **fato de aeróbica/ballet** leotard **fato de banho 1** (*de homem*) swimming trunks [*pl*]: *Esse ~ de banho é pequeno demais para ti.* Those swimming trunks are too small for you. ❶ De notar que *um fato de banho* corresponde a **a pair of swimming trunks.** ➲ *Ver tb nota em* PAIR **2** (*de mulher*) swimsuit **fato de mergulhador** wetsuit **fato de treino** tracksuit, sweatsuit (*USA*) **fato espacial** spacesuit

fato-macaco *sm* overalls [*pl*], coveralls [*pl*] (*USA*): *Vestia um ~ azul.* He was wearing blue overalls. ➲ *Ver ilustração em* OVERALLS

fator *sm* factor: *um ~ chave* a key factor

fatura *sf* **1** invoice **2** (*conta*) bill: *a ~ da luz* the electricity bill

faturar *vt, vi* to make (money): *Faturaram 50.000 euros.* They made 50000 euros. ◇ *O negócio teve muito sucesso, faturaram imenso.* The business was a great success; they made lots of money.

fauna *sf* fauna

fava *sf* broad bean, lima bean (*USA*) LOC *Ver* PAGAR

favo *sm* LOC **favo (de mel)** honeycomb

favor *sm* favour: *Fazes-me um ~?* Can you do me a favour? ◇ *pedir um ~ a alguém* to ask sb a favour ◇ *Faça ~ de entrar.* Do come in. LOC **a favor de** in favour of *sb/sth/doing sth*: *Somos a ~ de agir.* We're in favour of taking action. **faz favor** (*para chamar a atenção*) excuse me **por favor/se faz favor** please ➲ *Ver nota em* PLEASE

favorável *adj* favourable

favorecer *vt* **1** to favour: *Estas medidas*

favorecem-nos. These measures favour us. **2** (*roupa, penteado*) to suit: *O vermelho favorece-te.* Red suits you.

favorito, **-a** *adj, sm-sf* favourite

fax *sm* fax: *enviar um ~* to send a fax ◇ *Mandaram-no por ~.* They faxed it.

fazenda *sf* **1** (*tecido*) cloth **2** (*quinta*) estate

F

fazer ▸ *vt*

- traduz-se por **make** nos seguintes casos: **1** (*fabricar*): *~ bicicletas/uma blusa* to make bicycles/a blouse **2** (*dinheiro, ruído, cama*): *Nunca fazes a cama de manhã.* You never make your bed in the morning. **3** (*comentário, promessa, esforço*): *Tens de ~ um esforço.* You must make an effort. **4** (*amor*): *Fazer amor e não guerra.* Make love, not war. **5** (*tornar*): *Dizem que o sofrimento nos faz mais fortes.* They say suffering makes you stronger. ➲ *Ver exemplos em* MAKE
- traduz-se por **do** nos seguintes casos: **1** (*quando falamos de uma atividade sem dizer do que se trata*): *Que fazemos esta tarde?* What shall we do this afternoon? ◇ *Faço o que posso.* I do what I can. ◇ *Conta-me o que é que fazes na escola.* Tell me what you do at school. **2** (*estudos*): *~ os deveres/um exame/um curso* to do your homework/an exam/a course ◇ *~ contas de somar e subtrair* to do sums **3** (*favor*): *Fazes-me um favor?* Can you do me a favour? ➲ *Ver exemplos em* DO
- **outros usos: 1 fazer (com) (que...)** to get *sb to do sth*: *Fazem-nos vir todos os sábados.* They're getting us to come in every Saturday. ◇ *Fiz (com) que mudassem o pneu.* I got them to change the tyre. **2** (*quando outra pessoa realiza a ação*) to have *sth* done: *Estão a ~ uma casa.* They're having a house built. **3** (*anos*) to be: *Faz 16 anos em agosto.* She'll be 16 in August. ◇ *Quantos anos fazes?* How old are you? **4** (*escrever*) to write: *~ uma redação* to write an essay **5** (*pintar*) to paint **6** (*desenhar*) to draw: *~ um desenho/risco* to draw a picture/line **7** (*nó*) to tie: *~ um laço* to tie a bow **8** (*distância*): *Todos os dias faço 50km.* I travel/drive 50km every day. ◇ *Às vezes fazemos cinco quilómetros a correr.* We sometimes go for a five-kilometre run. **9** (*pergunta*) to ask: *Porque é que fazes tantas perguntas?* Why do you ask so many questions? **10** (*papel*) to play: *Fiz o papel de Julieta.* I played the part of Juliet. **11** (*desporto*): *~ judo/aeróbica* to do judo/aerobics ◇ *~ ciclismo/alpinismo* to go cycling/climbing ➲ *Ver nota em* DESPORTO ▸ *vi* **~ de 1** (*agir como*) to act as *sth* **2** (*coisa*) to serve as *sth*: *Uma caixa de cartão fazia de mesa.* A cardboard box served as a table. ▸ *v imp* (*tempo cronológico*): *Faz dez anos que me casei.* I got married ten years ago. ➲ *Ver nota em* AGO ▸ **fazer-se** *vp* **fazer-se de** to pretend to be *sth*: *Não te faças de surdo.* It's no good pretending to be deaf. ◇ *Não te faças de esperta comigo.* Don't try and be clever with me. LOC **fazer bem/mal 1** (*ao agir*) to be right/wrong (*to do sth*): *Fiz bem em ir?* Was I right to go? **2** (*à saúde*) to be good/bad *for sb/sth*: *Fumar faz mal.* Smoking is bad for you. **fazer como se...** to pretend: *Fez como se não me tivesse visto.* He pretended he hadn't seen me. **fazer-se passar por...** to pass yourself off as *sb/sth*: *Fez-se passar por jornalista.* He passed himself off as a journalist. **fazer uma das suas** to be up to his, her, etc. old tricks again: *O António voltou a ~ uma das suas.* António's been up to his old tricks again. **não faz mal** (*não importa*) it doesn't matter: *Não faz mal se o perdeste.* It doesn't matter if you've lost it. **(o que é) que fazes? 1** (*profissão*) what do you do?: *– O que é que ela faz? – É professora.* 'What does she do?' 'She's a teacher.' **2** (*neste momento*) what are you doing?: *– Olá, que fazes? – Estou a ver um filme.* 'Hi, what are you doing?' 'Watching a film.' ❶ Para outras expressões com **fazer**, ver as entradas para o substantivo, adjetivo, etc., p. ex. **fazer batota** em BATOTA.

faz-tudo *sm* handyman [*pl* -men]

fé *sf* faith (*in sb/sth*) LOC **de boa/má fé** in good/bad faith

febra *sf* fillet

febre *sf* **1** (*temperatura anormal*) temperature: *Baixou-te/Subiu-te a ~.* Your temperature has gone down/up. ◇ *ter ~* to have a temperature ◇ *Tem 38° de ~.* He's got a temperature of 38°. **2** (*doença, fig*) fever: *~ amarela* yellow fever

fechado, **-a** *adj* **1** closed, shut (*mais coloq*) **2** (*à chave*) locked **3** (*espaço*) enclosed **4** (*torneira*) turned off LOC *Ver* HERMETICAMENTE, MENTALIDADE; *Ver tb* FECHAR

fechadura *sf* lock LOC *Ver* BURACO

fechar ▸ *vt* **1** to close, to shut (*mais coloq*): *Fecha a porta.* Shut the door. ◇ *Fechei os olhos.* I closed my eyes. **2** (*encarcerar*) to lock *sb/sth* up **3** (*gás, torneira*) to turn *sth* off **4** (*luz*) to switch *sth* off ▸ *vi* to close, to shut (*mais coloq*): *Não fechamos à hora do almoço.* We don't close for lunch. ▸ **fechar-se** *vp* **1** to close, to shut (*mais coloq*): *Fechou-se-me a porta.* The door closed on me. ◇ *Fechavam-se-me os olhos.* My eyes were closing. **2** (*a si próprio*) **(a)** to shut yourself in **(b)** (*com chave*) to lock yourself in LOC **fechar (à chave)** to lock: *Fechaste o carro?* Did you lock the car? **fechar ao ferrolho** to bolt *sth* **fechar a porta na cara de alguém** to shut the door in sb's face **fechar-se em copas** to keep quiet *Ver tb* ABRIR

fecho *sm* **1** (*de peça de roupa*) zip, zipper (*USA*): *Não consigo fechar o ~.* I can't do my zip up. ◇ *Abre-me o ~ (do vestido).* Unzip my dress for me. **2** (*porta, janela*) lock **3** (*colar, pulseira*) clasp **4** (*ato de encerrar*) closure LOC **fecho de segurança** safety catch **fecho (ecler)** zip, zipper (*USA*)

fecundar *vt* to fertilize

federação *sf* federation

federal *adj* federal

fedor *sm* stink: *Que ~!* What a stink! ➲ *Ver nota em* SMELL

feijão *sm* bean: *~ verde* green bean

feijoada *sf* bean stew

feio, -a *adj* **1** (*aspeto*) ugly: *uma pessoa/casa feia* an ugly person/house **2** (*desagradável*) nasty: *Que costume mais ~.* That's a very nasty habit. LOC **feio como um bode/feio de morrer** as ugly as sin

feira *sf* **1** fair: *~ do livro* book fair **2** (*mercado*) market LOC **feira da ladra** flea market **feira de mostras** trade fair **feira popular** (fun)fair

feirante *smf* stallholder, (market) vendor (*USA*)

feiticeiro, -a *sm-sf* **1 (a)** (*masc*) wizard **(b)** (*fem*) witch **2** (*em tribos primitivas*) witch doctor

feitiço *sm* spell

feito, -a ▸ *adj* **1** (*manufaturado*) made: *É ~ de quê?* What's it made of? ◇ *~ à mão/máquina* handmade/machine-made **2** (*adulto*) grown: *um homem ~* a grown man ▸ *sm* (*façanha*) achievement LOC **bem feito!** it serves you right! **estamos feitos!** that's all we need! **feito há pouco**: *Tenho 15 anos ~s há pouco.* I've just turned 15. **muito bem feito!** well done! **que é feito de...?**: *Que é ~ da tua irmã?* What's your sister been up to? ◇ *Que é ~ de vocês?* What have you been up to? *Ver tb* DITO, FRASE; *Ver tb* FAZER

felicidade *sf* **1** happiness: *cara de ~* a happy face **2 felicidades** best wishes (*on sth*)

felicitar *vt* to congratulate *sb* (*on sth*): *Felicitei-o pela sua promoção.* I congratulated him on his promotion.

feliz *adj* happy LOC **feliz aniversário!** happy birthday! **feliz Natal!** happy/merry Christmas!

felizmente *adv* fortunately

feltro *sm* felt LOC *Ver* CANETA

fêmea *sf* female: *um leopardo ~* a female leopard ➲ *Ver nota em* FEMALE LOC *Ver* COLCHETE

feminino, -a *adj* **1** female: *o sexo ~* the female sex **2** (*Desp, moda*) women's: *a equipa feminina* the women's team **3** (*característico da mulher, Gram*) feminine: *Veste roupas muito femininas.* She wears very feminine clothes. ➲ *Ver nota em* FEMALE

feminismo *sm* feminism

feminista *adj, smf* feminist

fenda *sf* crack LOC *Ver* CHAVE

feno *sm* hay

fenomenal *adj* fantastic

fenómeno *sm* phenomenon [*pl* phenomena]: *~s climatológicos* meteorological phenomena LOC **ser um fenómeno** to be fantastic: *Este ator é um ~.* This actor is fantastic.

fera *sf* wild animal LOC **estar (pior que) uma fera** to be furious: *O teu pai está (pior que) uma ~.* Your father's furious. **ficar uma fera** to blow your top

feriado *sm* **1** (*religioso*) holiday **2** (*oficial*) bank holiday **3** (*Educ, aula livre*) free period: *Hoje tivemos ~ a Inglês, porque a professora está doente.* We had a free English period today, because the teacher's off sick. LOC **feriado nacional** public holiday: *Amanhã é ~ nacional.* It's a public holiday tomorrow.

férias *sf* holiday, vacation (*USA*) LOC **entrar em férias** to start your holidays, to start your vacation (*USA*) **estar/ir de férias** to be/go on holiday **férias grandes** summer holidays: *Vamos sempre para a praia nas ~ grandes.* We always spend our summer holidays at the seaside.

ferida *sf* **1** injury [*pl* injuries] **2** (*bala, navalha*) wound ➲ *Ver nota em* FERIMENTO

ferido, -a *sm-sf* casualty [*pl* casualties]

ferimento *sm* **1** injury [*pl* injuries] **2** (*bala, navalha*) wound

É difícil saber quando usar **wound** e quando usar **injury**, ou os verbos **wound** e **injure**.
Wound utiliza-se quando nos queremos referir a ferimentos causados por uma arma (p. ex. uma navalha, pistola, etc.) de forma deliberada: *ferimentos de bala* gunshot wounds ◇ *A ferida não tardará a cicatrizar.* The wound will soon heal. ◇ *Foi ferido durante a guerra.* He was wounded in the war.
Se o ferimento é o resultado de um acidente utilizamos **injury** ou **injure**, que por vezes também se pode traduzir por *lesão* ou *lesionar-se*: *Apenas sofreu ferimentos leves.* He only suffered minor injuries. ◇ *Os estilhaços de vidro feriram várias pessoas.* Several people were injured by flying glass. ◇ *O capacete protege os jogadores de possíveis lesões cerebrais.* Helmets protect players from brain injuries.

ferir *vt* **1** to injure **2** (*bala, navalha*) to wound ➲ *Ver nota em* FERIMENTO **3** (*ofender*) to hurt

F

fermentar *vt, vi* to ferment

fermento *sm* yeast LOC **fermento em pó** baking powder

feroz *adj* fierce

ferrado, -a *adj* LOC **estar ferrado no sono** to be fast asleep *Ver tb* FERRAR

ferradura *sf* horseshoe

ferragens *sf* (*objetos*) hardware: *loja de ~* hardware store

ferramenta *sf* tool LOC *Ver* BARRA, CAIXA¹

ferrão *sm* (*inseto*) sting: *cravar o ~ em alguém* to sting sb

ferrar *vt* (*cavalo*) to shoe

ferraria *sf* forge

ferreiro *sm* **1** (*loja*) ironmonger's ➲ *Ver nota em* TALHO **2** (*pessoa*) blacksmith

ferro *sm* (*material, eletrodoméstico*) iron: *uma barra de ~* an iron bar ◇ *~ forjado/fundido* wrought/cast iron LOC **passar a ferro** to iron *Ver tb* MÃO

ferroada *sf* (*abelha, vespa*) sting

ferrolho *sm* bolt LOC *Ver* FECHAR

ferro-velho *sm* (*local*) scrapyard, junkyard (*USA*)

ferrugem *sf* (*metal*) rust

ferry *sm* ferry [*pl* ferries]

fértil *adj* fertile

fertilização *sf* fertilization

fertilizante *sm* fertilizer

fertilizar *vt* to fertilize

ferver ▸ *vt, vi* to boil: *O leite está a ~.* The milk is boiling. ◇ *Ferve-me o sangue só de me lembrar.* Just thinking about it makes my blood boil. ▸ *vi* (*estar muito quente*) to be boiling hot: *A sopa está a ~.* The soup is boiling hot. LOC **ferver em pouca água** to get worked up over nothing

fervura *sf* LOC **deitar água na fervura** to try to calm *sb* down: *Fartei-me de deitar água na ~, mas...* I really tried to calm him down, but...

festa *sf* **1** (*celebração*) party [*pl* parties]: *dar uma ~ de anos* to hold a birthday party **2** (*carícia*) caress **3 festas** (*festividades*): *as ~s locais* the town festival LOC **boas festas!** merry Christmas! **fazer festas (a) 1** (*animal*) to stroke, to pet (*USA*) **2** (*pessoa*) to caress

festejar *vt, vi* to celebrate

festim *sm* feast: *Mas que ~!* What a feast we had!

festival *sm* **1** festival **2** (*canção*) contest: *o Festival da Canção* the Eurovision Song Contest

festividade *sf* **1** (*Relig*) feast **2 festividades**: *as ~s natalícias* the Christmas festivities ◇ *as ~s locais* the town festival

feto¹ *sm* (*embrião*) foetus [*pl* foetuses]

feto² *sm* (*Bot*) fern

fevereiro *sm* February (*abrev* Feb.) ➲ *Ver exemplos em* JANEIRO

fiador, -ora *sm-sf* (*Fin*) guarantor

fiambre *sm* ham

fiança *sf* (*Jur*) bail [*não-contável*]: *uma ~ de cinco mil euros* bail of five thousand euros LOC *Ver* LIBERDADE

fiar ▸ *vt* **1** to let *sb* have *sth* on credit: *Fiaram-me o pão.* They let me have the bread on credit. **2** (*com fio*) to spin ▸ *vi* to give credit ▸ **fiar-se** *vp* **fiar-se em** to trust *sb/sth* [*vt*]: *Não me fio nela.* I don't trust her. LOC **fiar-se demasiado** to be overconfident **ser de fiar** to be trustworthy *Ver tb* CONVERSA

fiável *adj* reliable

fibra *sf* fibre LOC **fibra de vidro** fibreglass

ficar *vi* **1** (*estar situado, alcançar*) to be: *Onde fica a casa deles?* Where's their house? ◇ *Ficámos em terceiro no concurso.* We were third in the competition. **2** (*permanecer*) to stay: *~ na cama/em casa* to stay in bed/at home **3** (*restar*) to be left (over): *Se de cinco tiramos três ficam dois.* If you take three from five you get two. **4** [*com adjetivo*] **(a)** to get: *Ficou doente.* He got ill. ◇ *Estou a ~ velho.* I'm getting old. **(b)** (*tornar-se*) to go: *~ careca/cego* to go bald/blind ◇ *~ louco* to go mad **5** (*roupa*): *Que tal me fica?* How does it look? ◇ *A saia ficava-me muito grande.* The skirt was too big for me. **6 ~ com** (*guardar*) to keep *sth* [*vt*]: *Fique com o troco.* Keep the change. **7 ~ de** (*concordar*) to agree *to do sth*: *Ficámos de nos encontrar na terça.* We agreed to meet on Tuesday. **8 ~ de** (*prometer*) to promise *to do sth*: *Ele ficou de me ajudar.* He promised to help me. **9 ~ por** (*custar*) to come to *sth*: *O jantar ficou por 50 euros.* The dinner came to 50 euros. **10 ~ sem (a)** (*perder*) to lose *sth* [*vt*]: *Ficou sem emprego e sem casa.* She lost her job and her home. **(b)** (*esgotar-se*): *Fiquei sem dinheiro trocado.* I've run out of change. LOC **ficar bem/mal** (*roupa*) to suit/not to suit *sb*, (not) to look good on *sb* (*USA*): *Fica-te bem o cabelo curto.* Short hair suits you. ◇ *Este vestido fica-me muito mal.* This dress doesn't suit me at all. **ficar bem/mal fazer alguma coisa** to be polite/rude to do sth: *Não fica bem não retribuir o convite.* It's rude not to return an invitation. **ficar na sua** to stand your ground **ficar para trás**: *Anda, não fiques para trás.* Come on, don't get left behind. ◇ *Come-*

çou a ~ para trás nos estudos. He began to fall behind in his studies. ℹ Para outras expressões com **ficar**, ver as entradas para o substantivo, adjetivo, etc., p. ex. **ficar siderado** em SIDERADO.

ficção *sf* fiction LOC **ficção científica** science fiction

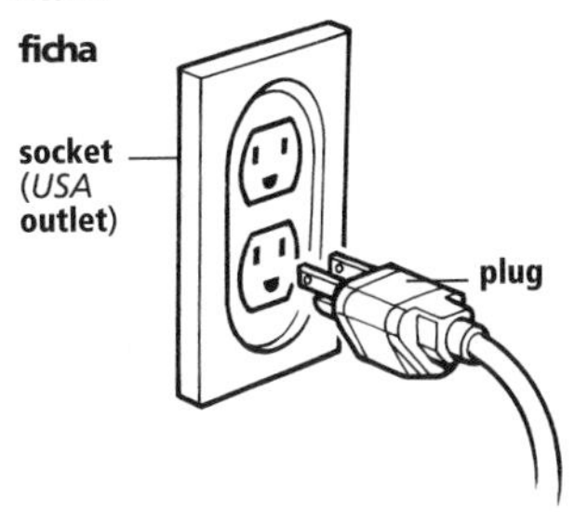

ficha *sf* **1** (*Educ, teste*) test **2** (*de ficheiro*) (index) card **3** (*elétrica*) **(a)** (*macho*) plug: *~ simples* two-pin plug **(b)** (*fêmea*) socket, outlet (*USA*) **4** (*formulário*) form **5** (*peça de jogo*) counter LOC **ficha dupla/tripla** two-way/three-way adaptor **ficha médica** medical record

ficheiro *sm* **1** file: *os ~s municipais* council files **2** (*caixa*) card index, card catalogue (*USA*) **3** (*móvel*) filing cabinet

fidelidade *sf* faithfulness LOC **alta fidelidade** hi-fi

fiel *adj* **1** ~ **(a)** (*leal*) faithful (to *sb/sth*) **2** ~ **a** (*princípios, palavra*) true to *sth*: *~ às suas ideias* true to his ideas

fígado *sm* liver

figo *sm* fig

figueira *sf* fig tree

figura *sf* **1** figure: *uma ~ de plasticina* a plasticine figure ◇ *uma ~ política* a political figure **2** (*corpo*) **(a)** (*de mulher*) figure: *Tem uma ~ bonita.* She has a nice figure. **(b)** (*de homem*) body **3** (*má aparência*) sight: *Que ~ que ele faz com aquele blusão!* He looks a real sight in that jacket! LOC **fazer boa/má figura** to come across well/badly

figurante *smf* (*Cinema, Teat*) extra

figurar *vi* (*encontrar-se*) to be: *Portugal figura entre os países da UE.* Portugal is one of the EU countries. ◇ *O teu nome não figura na lista.* Your name isn't on the list.

fila *sf* **1** (*um ao lado do outro*) row: *Sentaram-se na primeira/última ~.* They sat in the front/back row. **2** (*um atrás do outro*) line: *Formem uma ~.* Get in line. **3** (*bicha*) queue, line (*USA*) LOC **(em) fila indiana** (in) single file *Ver tb* ESTACIONAR

filarmónica *sf* philharmonic (orchestra)

fileira *sf* **1** (*um ao lado do outro*) row: *uma ~ de crianças/árvores* a row of children/trees **2** (*um atrás do outro*) line **3 fileiras** (*Mil, Pol*) ranks

filete *sm* fillet

filhinho, -a *sm-sf* LOC **filhinho/filhinha do papá** **1** (*masc*) daddy's (little) boy **2** (*fem*) daddy's (little) girl

filho, -a *sm-sf* **1** (*masc*) son **2** (*fem*) daughter **3 filhos** children: *Não temos ~s.* We don't have any children. ◇ *Têm duas filhas e um ~.* They have two daughters and a son. LOC **filho único** only child: *Sou ~ único.* I'm an only child. *Ver tb* TAL

filhote *sm* **1** cub: *um ~ de leão* a lion cub **2** (*cachorro*) puppy [*pl* puppies]

filial *sf* (*empresa*) branch

filiar-se *vp* ~ **em** to join *sth*: *Resolvi filiar-me no partido.* I decided to join the party.

filmagem *sf* (*Cinema*) filming: *a ~ de uma série televisiva* the filming of a TV series

filmar *vt* to film LOC *Ver* VÍDEO

filme *sm* (*Cinema, Fot*) film, movie (*USA*) LOC **filme cómico/de comédia** comedy [*pl* comedies] **filme de cowboys** western **filme de longa-metragem/curta-metragem** feature film/short (film) **filme de suspense/filme policial** thriller **filme de terror** horror film **filme mudo** silent film **passar um filme** to show a film

filosofia *sf* philosophy [*pl* philosophies]

filósofo, -a *sm-sf* philosopher

filtrar *vt* to filter

filtro *sm* filter LOC **filtro de papel** filter paper

fim *sm* **1** end: *no ~ do mês* at the end of the month ◇ *Não é o ~ do mundo.* It's not the end of the world. **2** (*filme, romance*) the end **3** (*finalidade*) purpose LOC **a fim de** in order to *do sth* **ao fim de 1** (*tarde*) late: *ao ~ da tarde de ontem* late yesterday evening ◇ *segunda-feira ao ~ do dia* late last Monday **2** (*depois de*) after: *ao ~ de esperar duas horas* after waiting for two hours **ao fim e ao cabo** after all **fim de semana** weekend: *ao ~* at the weekend ➲ *Ver nota em* WEEKEND **no fim de…** at the end of…: *no ~ do ano/mês* at the end of the year/month **por fim** at last **sem fim** endless **ter por fim** to aim at *doing sth* *Ver tb* CHEGAR, CONDUTOR, CONTA, PRINCÍPIO

final ▸ *adj* final ▸ *sm* **1** end: *a dois minutos do ~* two minutes from the end **2** (*romance, filme*) ending: *um ~ feliz* a happy ending ▸ *sf* final: *a ~ de Taça* the Cup Final LOC **no final** at the end, in the end

F

At the end é uma expressão neutra: *O curso dura seis meses e recebe-se um diploma no final.* The course runs for six months and you get a diploma at the end. Utiliza-se **in the end** quando se faz referência a um longo período de tempo com muitas mudanças ou problemas: *Não se preocupe, vai ver que no final tudo acaba bem.* Don't worry, it will all work out in the end. "No final de" traduz-se sempre por **at the end of**: *no final da fila/da partida* at the end of the line/match.

Ver tb EXAME, PONTO, RETA, RESULTADO

finalidade *sf* (*objetivo*) purpose

finalista *adj, smf* **1** finalist [s]: *Foi um dos ~s do torneio.* He reached the final. ◇ *as equipas ~s* the finalists **2** (*de curso*) final year student [s]: *Ele é ~ de Direito.* He's in his final year studying Law. LOC *Ver* BAILE

finalizar *vt* to finish

finanças *sf* **1** (*economia*) finances: *As minhas ~s andam um pouco em baixo.* I'm a bit low on finance. **2** (*repartição*) finance department [*v sing*] **3 as Finanças** the Treasury [*sing*] LOC *Ver* MINISTÉRIO, MINISTRO, REPARTIÇÃO

fincar *vt* **1** (*dente*) to sink *sth into sth*: *Fincou os dentes na melancia.* He sank his teeth into the watermelon. **2** (*estaca*) to drive *sth into sth*: *Fincou as estacas na terra.* He drove the stakes into the ground.

fingido, -a *adj, sm-sf* two-faced [*adj*]: *Não acredites nela, é uma fingida.* She's so two-faced. Don't believe a word she says. *Ver tb* FINGIR

fingir *vt, vi* to pretend: *Deve estar a ~.* He's probably just pretending. ◇ *Fingiram não nos ver.* They pretended they hadn't seen us.

Finlândia *sf* Finland

fino, -a ▸ *adj* **1** (*delgado*) thin: *um lápis ~* a fine pencil **2** (*dedos, cintura*) slender **3** (*elegante*) posh (*coloq*): *Que ~ te tornaste!* You've become very posh! **4** (*educado*) polite **5** (*ouvido*) keen ▸ *sm* (*cerveja*) glass of beer: *Tomei quatro ~s.* I had four glasses (of beer)/four beers. LOC *Ver* SAL

finta *sf* (*Futebol*) dribble

fintar *vt* **1** (*Futebol*) to dribble **2** (*enganar*) to con

fio *sm* **1** thread: *Perdi o ~ à meada.* I've lost the thread of the argument. **2** (*metal*) wire: *~ de aço/cobre* steel/copper wire **3** (*de líquido*) trickle: *um ~ de água/óleo* a trickle of water/oil **4** (*colar*) chain **5** (*faca, navalha*) cutting edge LOC **dias, horas, etc. a fio** days, hours, etc. on end: *passar horas a ~ a fazer alguma coisa* to do sth for hours on end **fio dental 1** (*Odontologia*) dental floss [*não-contável*] **2** (*biquíni*) G-string bikini [*pl* G-string bikinis] **fios da eletricidade/elétricos** cables **por um fio** by the skin of your teeth **sem fio(s)** cordless: *um telefone sem ~* a cordless phone *Ver tb* CABELO, ESCAPAR, LIGAÇÃO

firme *adj* firm: *um colchão ~* a firm mattress ◇ *Fui ~.* I stood firm. LOC *Ver* MANTER, TERRA

fiscal ▸ *adj* tax: *encargos fiscais* taxes ▸ *smf* tax inspector LOC *Ver* FRAUDE, GUARDA

fisga *sf* (*brinquedo*) catapult, slingshot (*USA*)

física *sf* physics [*não-contável*]

físico, -a ▸ *adj* **1** physical **2** (*necessidades, funções, contacto*) bodily: *necessidades ~s* bodily needs ▸ *sm-sf* (*cientista*) physicist ▸ *sm* (*de pessoa*) physique LOC *Ver* CIÊNCIA, DEFICIENTE, EDUCAÇÃO, EXAME

fisioterapeuta *smf* physiotherapist

fisioterapia *sf* physiotherapy

fita *sf* **1** (*cabelo*) band: *~ para o cabelo* hairband **2** (*tira*) ribbon LOC **fita isoladora** insulating tape **fita métrica** tape measure

fita-cola *sf* Sellotape®, Scotch tape® (*USA*)

fitar *vt* to stare at *sb/sth*: *Fitou-me.* He stared at me.

fivela *sf* buckle

fixar *vt* **1** to fix: *~ um preço/uma data* to fix a price/date **2** (*memorizar*) to memorize

fixo, -a *adj* **1** fixed: *As pernas estão fixas ao chão.* The legs are fixed to the ground. **2** (*permanente*) permanent: *um posto/contrato ~* a permanent post/contract LOC *Ver* IDEIA, PREÇO

flagrante *sm* LOC **apanhar/surpreender alguém em flagrante** to catch sb red-handed

flamingo *sm* flamingo [*pl* flamingos/flamingoes]

flanco *sm* flank

flanela *sf* flannel

flash *sm* flash

flauta *sf* flute LOC **flauta (de bisel)** recorder

flautista *smf* flautist

flecha *sf* arrow LOC *Ver* SUBIR

flexível *adj* flexible

flippers *sm* pinball

floco *sm* flake: *~s de neve* snowflakes

flor *sf* **1** flower: *~es secas* dried flowers **2** (*árvore de fruto, arbusto*) blossom [*não-contável*]: *a ~ da amendoeira* almond blossom ◇ *~ de laranjeira* orange blossom LOC **em flor** in bloom **estar na flor da idade** to be in your prime **não ser flor que se cheire** to be a nasty piece of work *Ver tb* NERVO

flora *sf* flora

florescer *vi* **1** (*planta*) to flower **2** (*árvore de fruto, arbusto*) to blossom **3** (*fig*) to flourish: *A indústria está a ~.* Industry is flourishing.

floresta *sf* forest LOC **floresta tropical** rainforest

florestal *adj* forest: *um incêndio ~* a forest fire

florista *sf* (*loja*) florist's, flower shop (*USA*) ➲ *Ver nota em* TALHO

fluência *sf* fluency: *Fala francês com ~.* She speaks fluent French.

fluido, -a ▸ *adj* **1** (*circulação, diálogo*) free-flowing **2** (*linguagem, estilo*) fluent ▸ *sm* fluid

fluir *vi* to flow

flúor *sm* **1** (*gás*) fluorine **2** (*dentífrico*) fluoride

fluorescente *adj* fluorescent LOC *Ver* LÂMPADA, MARCADOR

flutuar *vi* to float: *A bola flutuava sobre a água.* The ball was floating on the water. ◇ *O barco ainda flutua.* The ship is still afloat. ◇ *pôr novamente a ~ um barco* to refloat a boat

fluvial *adj* river: *o transporte ~* river transport

fluxo *sm* flow

fobia *sf* phobia

foca *sf* seal

focagem *sf* (*Fot*) focus [*pl* focuses/foci]

focar *vt* **1** (*proceder à focagem*) to focus *sth* (*on sb/sth*) **3** (*assunto, problema*) to approach

focinho *sm* **1** muzzle **2** (*porco*) snout

foco *sm* focus [*pl* focuses/foci]: *És o ~ de todos os olhares.* You're the focus of attention.

fofo, -a *adj* **1** (*macio*) soft **2** (*bolo, pão*) light

fogão *sm* (*Cozinha*) cooker, stove (*USA*) LOC **fogão de sala** stove

fogo *sm* fire LOC **fogo cruzado** crossfire **fogo de artifício** firework **fogo posto** arson **pôr/pegar fogo** to set light/fire *to sth* *Ver tb* ARMA, PROVA

fogueira *sf* bonfire: *fazer uma ~* to make a bonfire ➲ *Ver nota em* BONFIRE NIGHT

foguetão *sm* rocket

foguete *sm* rocket

folclore *sm* folklore

fole *sm* LOC *Ver* GAITA

fôlego *sm* breath LOC **sem fôlego** out of breath: *Estou sem ~.* I'm out of breath. **tomar fôlego** to get your breath back

foleiro, -a *adj* naff, tasteless (*USA*) LOC *Ver* BOCA

folga *sf* **1** (*dia livre*) day off [*pl* days off] **2** (*espaço livre*) gap

folgado, -a *adj* (*roupa*) loose-fitting

folha *sf* **1** leaf [*pl* leaves]: *as ~s de uma árvore* the leaves of a tree **2** (*livro, jornal*) page **3** (*de papel*) sheet (of paper): *Dá-me uma ~ (de papel).* Can I have some paper, please? ◇ *uma ~ em branco* a clean sheet of paper **4** (*arma branca, ferramenta*) blade LOC **de folha caduca/perene** deciduous/evergreen **folha de cálculo** spreadsheet **passar a folha/página** to turn over *Ver tb* NOVO, OURO

folhado, -a *adj* LOC *Ver* MASSA

folhagem *sf* foliage

folhear *vt* **1** (*passar folhas*) to flick through *sth*: *~ uma revista* to flick through a magazine **2** (*ler por alto*) to glance at *sth*: *~ o jornal* to glance at the paper

folhetim *sm* (*radiofónico*) serial ➲ *Ver nota em* SERIES

folheto *sm* **1** (*livro pequeno*) **(a)** (*de publicidade*) brochure: *um ~ de viagens* a holiday brochure **(b)** (*de informação, de instruções*) booklet **2** (*folha*) leaflet: *Arranjei um ~ com o horário.* I picked up a leaflet with the timetable in it.

folho *sm* frill

fome *sf* hunger, starvation, famine

> Não se deve confundir as palavras **hunger**, **starvation** e **famine**:
> **Hunger** é o termo geral e usa-se em casos como: *fazer greve de fome* to go on (a) hunger strike, ou para exprimir um desejo: *fome de conhecimento/poder* hunger for knowledge/power.
> **Starvation** refere-se à fome sofrida durante um prolongado período de tempo: *Deixaram-no morrer de fome.* They let him die of starvation. O verbo **starve** significa *morrer de fome* e utiliza-se muito na expressão: *Estou morto de fome.* I'm starving.
> **Famine** usa-se quando a fome afeta um grande número de pessoas e é normalmente consequência de uma catástrofe natural: *uma população enfraquecida pela fome* a population weakened by famine ◇ *A seca prolongada foi seguida de longos meses de fome.* The long drought was followed by months of famine.

LOC **estar com fome** to be hungry: *O bebé está com ~.* The baby is hungry. **passar/sentir/ter fome** to go/to feel/to be hungry **ter uma fome canina/de lobo** to be starving *Ver tb* MATAR, MORRER, MORTO, RAPAR

fomentar *vt* to promote

fone *sm* **fones** (*auscultadores*) headphones

fonte *sf* **1** (*nascente*) spring **2** (*numa praça, num jardim*) fountain **3** (*origem*) source: *~s próxi-*

mas do governo sources close to the government **4** (*cabeça*) temple LOC **saber alguma coisa de fonte limpa/segura** to have sth on good authority

fora ▸ *adv* **1** ~ **(de)** outside: *~ de Portugal* outside Portugal ◇ *Está rachado por ~.* There are cracks on the outside. **2** (*não em casa*) out: *jantar ~* to eat out ◇ *Passam todo o dia ~.* They're out all day. **3** (*em viagem*) away: *Está ~ numa viagem de negócios.* He's away on business. **4** ~ **de** (*fig*) out of *sth*: *~ de perigo/do normal* out of danger/the ordinary ◇ *Manter ~ do alcance das crianças.* Keep out of reach of children. ▸ **fora!** *interj* get out! LOC **de fora**: *Ela está com a barriga de ~.* Her belly's showing. **deitar fora** (*pôr no lixo*) to throw sth away/out: *Não deites fora o jornal que ainda não o li.* Don't throw the paper away, I haven't read it yet. **deitar por fora** (*transbordar*) to overflow: *A banheira está quase a deitar por ~!* The bath's almost overflowing! **deixar alguém fora de si** to drive sb mad **fora de si** beside himself, herself, etc. **pôr fora** (*expulsar*) **(a)** to throw *sb* out: *Fomos postos ~ do bar.* We were thrown out of the bar. **(b)** (*escola*) to expel: *Fui posto ~ da escola.* I've been expelled from school.
ℹ Para outras expressões com **fora**, ver as entradas para o substantivo, adjetivo, etc., p.ex. **fora de mão** em MÃO.

forasteiro, -a *sm-sf* stranger

forca *sf* **1** (*cadafalso*) gallows **2** (*jogo*) hangman: *jogar à ~* to play hangman

força ▸ *sf* **1** (*potência, Fís, Mil, Pol*) force: *a ~ da gravidade* the force of gravity ◇ *as ~s armadas* the armed forces **2** (*energia física*) strength [*não-contável*]: *recobrar as ~s* to get your strength back ◇ *Não tenho ~ para continuar.* I don't have the strength to carry on. ▸ **força!** *interj* come on!: *Força, Benfica!* Come on, Benfica! LOC **à força** (*violentamente*) by force **com força 1** (*usando força, intensamente*) hard: *puxar uma corda com ~* to pull a rope hard **2** (*firmemente*) tight: *Agarra-te com ~!* Hold on tight! **força aérea** air force [*v sing ou pl*] **força de vontade** willpower **por força** (*necessariamente*): *Tenho de o fazer por ~.* I just have to do it.

forçado, -a *adj* LOC *Ver* ATERRAGEM, TRABALHO; *Ver tb* FORÇAR

forçar *vt* to force

forjar *vt* to forge

forma[1] *sf* **1** (*contorno*) shape: *em ~ de cruz* in the shape of a cross **2** (*modo*) way: *Desta ~ é mais fácil.* It's easier if you do it this way. LOC **de forma espontânea, indefinida, etc.** spontaneously, indefinitely, etc. **estar/pôr-se em forma** to be/get fit *Ver tb* ARRANJAR, CERTO, DITO, MANTER, PLENO

forma[2] *sf* **1** mould **2** (*Cozinha*) baking tin LOC *Ver* PÃO

formação *sf* **1** formation: *a ~ de um governo* the formation of a government **2** (*educação*) education LOC **formação profissional** vocational training *Ver tb* AÇÃO, CURSO

formado, -a *adj* LOC **ser formado em** to be a graduate in *sth*: *Ele é ~ em Medicina.* He graduated from medical school. **ser formado por** to consist of *sb/sth* *Ver tb* FORMAR

formal *adj* formal

formar ▸ *vt* **1** (*criar*) to form: *~ um grupo* to form a group **2** (*educar*) to educate ▸ *vi* (*Mil*) to fall in: *Formar!* Fall in! ▸ **formar-se** *vp* **1** (*tomar forma*) to form **2** (*Educ*) to graduate: *Formou-se pela Universidade de Coimbra.* She graduated from Coimbra University.

formatar *vt* (*Informát*) to format

formato *sm* format

formiga *sf* ant

formigueiro *sm* **1** (*buraco*) ants' nest **2** (*montículo*) anthill **3** (*dos pés, etc.*) pins and needles [*pl*]: *Sinto um ~.* I've got pins and needles.

formoso, -a *adj* attractive

fórmula *sf* formula [*pl* formulas/formulae]

formulário *sm* form: *preencher um ~* to fill in a form

fornecedor, -ora *sm-sf* supplier

fornecer *vt* to supply (*sb*) (with *sth*): *Forneceu-me os dados.* He supplied me with the information.

forno *sm* **1** oven: *acender o ~* to turn the oven on ◇ *Esta sala é um ~.* It's like an oven in here. **2** (*fornalha*) furnace **3** (*cerâmica, tijolos*) kiln

forquilha *sf* (*jardim, bicicleta*) fork

forrar *vt* **1** (*o interior*) to line *sth* (*with sth*): *~ uma caixa com veludo* to line a box with velvet **2** (*o exterior*) to cover *sth* (*with sth*): *~ um livro com papel* to cover a book with paper

forreta ▸ *adj* miserly ▸ *smf* skinflint

forro *sm* **1** (*interior*) lining: *pôr um ~ num casaco* to put a lining in a coat **2** (*exterior*) cover

fortalecer *vt* to strengthen

fortaleza *sf* fortress

forte ▸ *adj* **1** strong: *um queijo/cheiro muito ~* a very strong cheese/smell **2** (*chuva, nevão*) heavy **3** (*dor, crise*) severe **4** (*abraço*) big ▸ *sm* fort

fortuna *sf* fortune: *fazer uma ~* to make a fortune

fosco, -a *adj* (*vidro*) frosted

fosforescente *adj* phosphorescent

fósforo *sm* **1** (*para acender*) match: *acender um ~* to strike a match ◊ *uma caixa de ~s* a box of matches **2** (*Quím*) phosphorus

fossa *sf* (*séptica*) septic tank LOC **estar na fossa** to be down in the dumps

fóssil *sm* fossil

fosso *sm* **1** (*buraco*) ditch **2** (*de castelo*) moat

foto *sf* photo [*pl* photos]

fotocópia *sf* photocopy [*pl* photocopies]: *fazer/tirar uma ~ a alguma coisa* to photocopy sth

fotocopiadora *sf* photocopier

fotocopiar *vt* to photocopy

fotogénico, -a *adj* photogenic

fotografar *vt* to photograph

fotografia *sf* **1** (*atividade*) photography **2** (*imagem*) photo [*pl* photos], photograph (*mais formal*): *Tirou-me uma ~.* He took my photo. ◊ *um álbum de ~s* a photograph album LOC **fotografia tipo passe** passport photo **ir tirar fotografias** to have your photo taken

fotográfico, -a *adj* LOC *Ver* CÂMARA, MÁQUINA, REPÓRTER

fotógrafo, -a *sm-sf* photographer

foz *sf* (*rio*) mouth

fração *sf* (*porção, Mat*) fraction

fracassado, -a *sm-sf* failure

fracassar *vi* **1** to fail **2** (*planos*) to fall through

fracasso *sm* failure

fraco, -a *adj* **1** weak: *um café ~* a weak coffee **2** (*sem qualidade*) poor: *O teu trabalho de casa está bastante ~.* Your homework is quite poor. **3** (*chuva, vento*) light LOC **estar/ser fraco em alguma coisa** to be weak at/in sth: *Sou bastante ~ em história.* I'm very weak at history. *Ver tb* PARTE, PONTO

frágil *adj* fragile

fragmento *sm* fragment

fralda *sf* nappy [*pl* nappies], diaper (*USA*): *mudar a ~ a um bebé* to change a baby's nappy

framboesa *sf* raspberry [*pl* raspberries]

França *sf* France

francamente ▸ *adv* **1** (*muito*) really: *É ~ difícil.* It's really hard. **2** (*sem rodeios*) frankly: *Disse-lhe ~ o que pensava.* I told her quite frankly what I thought. ▸ **francamente!** *interj* honestly!

francês, -esa ▸ *adj, sm* French: *falar ~* to speak French ▸ *sm-sf* Frenchman/woman [*pl* -men/-women]: *os franceses* the French LOC *Ver* CAMA

franco, -a *adj* **1** (*sincero*) frank **2** (*claro*) marked: *um ~ declínio* a marked decline LOC **para ser franco...** to be quite honest...

frango *sm* chicken: *~ assado/no churrasco* roast/barbecued chicken

franja *sf* **1** (*cabelo*) fringe, bangs [*pl*] (*USA*) **2 franjas** fringe [*v sing*]: *um casaco de carneira com ~s* a fringed leather jacket

franqueza *sf* frankness: *Falemos com ~.* Let's be frank.

franquia *sf* postage

franzir *vt* (*Costura*) to gather LOC **franzir as sobrancelhas/o sobrolho** to frown

fraqueza *sf* weakness

frasco *sm* **1** (*perfume, medicamento*) bottle **2** (*conservas, compota*) jar ➲ *Ver ilustração em* CONTAINER

frase *sf* **1** (*oração*) sentence **2** (*locução*) phrase LOC **frase feita** set phrase

fraternal (*tb* **fraterno, -a**) *adj* brotherly, fraternal (*mais formal*): *o amor ~* brotherly love

fraternidade *sf* **1** (*entre homens*) brotherhood **2** (*entre mulheres*) sisterhood

fratura *sf* fracture

fraturar *vt* to fracture

fraude *sf* fraud LOC **fraude fiscal** tax evasion

fraudulento, -a *adj* fraudulent

freguês, -esa *sm-sf* (*cliente*) customer

freguesia *sf* **1** (*clientela*) customers [*pl*] **2** (*parte de um concelho*) parish: *junta de ~* parish council

freira *sf* nun LOC *Ver* COLÉGIO

freixo *sm* ash (tree)

frente

They're sitting **opposite** (*USA* **across from**) each other.

She's sitting **in front of** him.

frente *sf* front: *uma ~ fria* a cold front LOC **à frente** at the front: *Senta-te à ~, se não consegues ver o quadro.* Sit at the front if you can't see the board. **à frente de 1** (*posição*) in front of *sb/sth*: *à ~ da televisão* in front of the television ◇ *Contou-me à ~ de mais pessoas.* She told me in front of other people. ➲ *Ver ilustração em* FRONT **2** (*encarregado de*) in charge of *sth*: *Está à ~ da empresa.* He's in charge of the company. **da frente**: *os assentos da ~* the front seats ◇ *o motorista da ~* the driver in front **de frente 1** (*voltada*) facing *sb/sth*: *Ele sentou-se de ~ para a parede.* He sat facing the wall. **2** (*bater*) head-on: *Os carros bateram de ~.* The cars crashed head-on. **em frente** forward: *Dei um passo em ~.* I took a step forward. **em frente (de)** opposite, across (from *sb/sth*) (*USA*): *A minha casa fica em ~ do estádio.* My house is opposite the stadium. ◇ *o senhor sentado em ~* the man sitting opposite ◇ *O hospital fica em ~.* The hospital is across the road. **fazer frente a alguém/alguma coisa** to stand up to sb/sth **frente a frente** face to face **ir à frente** (*em competição*) to be in the lead **para a frente** forwards **pela frente** ahead: *Temos pela ~ uma longa viagem.* We've a long journey ahead of us. *Ver tb* PALMO, PARTE, SABER, SEMPRE, TRÁS

frequência *sf* **1** frequency [*pl* frequencies] **2** (*Educ*) mid-term exam LOC **com frequência** often, frequently (*mais formal*)

frequentar *vt* **1** (*lugar*) to frequent **2** (*curso*) to attend

frequente *adj* **1** (*repetido*) frequent: *Tenho ~s ataques de asma.* I have frequent asthma attacks. **2** (*habitual*) common: *É uma prática ~ neste país.* It is common practice in this country.

frequentemente *adv* often

fresco, -a *adj* **1** (*temperatura, roupa*) cool: *O dia está um pouco ~.* It is rather cool today. ➲ *Ver nota em* FRIO **2** (*comida, pistas*) fresh **3** (*notícia*) latest: *notícias frescas* the latest news LOC **pôr-se ao fresco** (*fugir*) to make yourself scarce *Ver tb* AR, PINTADO

fresta *sf* crack

fretado, -a *adj* LOC *Ver* VOO

fretar *vt* to charter LOC *Ver* VOO

friccionar *vt* to rub

frigideira *sf* frying pan: *~ antiaderente* non-stick frying pan ➲ *Ver ilustração em* POT

frigorífico *sm* fridge, refrigerator (*mais formal*)

frio, -a *adj, sm* cold: *Fecha a porta, que entra ~.* Shut the door, you're letting the cold in. ◇ *É muito fria com a família.* She's very cold towards her family.

Não se devem confundir as seguintes palavras: **cold**, **chilly** e **cool**.
Cold indica uma temperatura baixa e muitas vezes desagradável: *Este inverno foi muito frio.* It's been a terribly cold winter. **Chilly** utiliza-se quando não está muito frio, mas um frio que incomoda: *Está friozinho lá fora. Ponha um casaco.* It's chilly outside. Put a jacket on. **Cool** significa mais *fresco* do que frio e expressa uma temperatura agradável: *Lá fora está calor, mas aqui está fresco.* It's hot outside but it's nice and cool in here.

LOC **apanhar frio** to catch cold **estar com frio** to be cold: *Estou com ~.* I'm cold. **estar frio** to be cold: *Está muito ~ na rua.* It's very cold outside. **estar um frio de rachar** to be freezing (cold) **passar/sentir/ter frio** to be/feel cold: *Tenho ~ nas mãos.* My hands are cold. *Ver tb* MORRER, MORTO, RAPAR, TREMER

friorento, -a *adj, sm-sf*: *Sou muito ~.* I feel the cold a lot.

fritar *vt, vi* **1** to fry **2** (*em muito óleo*) to deep-fry

frito, -a *adj* fried LOC **estar frito** to be done for *Ver tb* BATATA, COURATO, OVO; *Ver tb* FRITAR

fronha *sf* pillowcase

frontal *adj* **1** (*ataque*) frontal **2** (*choque*) head-on

fronteira *sf* border, frontier (*mais formal*): *atravessar a ~* to cross the border ◇ *na ~ espanhola* on the Spanish border ➲ *Ver nota em* BORDER LOC **fazer fronteira (com)** to border on...: *A Espanha faz ~ com Portugal.* Spain borders on Portugal.

frota *sf* fleet

frouxo, -a *adj* (*elástico, corda*) slack

frustração *sf* frustration

frustrado, -a *adj, sm-sf* frustrated [*adj*]: *É um ~.* He's frustrated.

frustrante *adj* frustrating

fruta *sf* fruit [*ger não-contável*]: *Queres ~?* Do you want some fruit? ◇ *uma peça de ~* a piece of fruit LOC *Ver* SALADA

frutaria *sf* greengrocer's ➲ *Ver nota em* TALHO

fruteira *sf* (*prato*) fruit bowl

fruteiro, -a *sm-sf* greengrocer

fruto *sm* fruit: *uma árvore de ~* a fruit tree LOC **frutos secos 1** (*de casca dura*) nuts **2** (*uva, ameixa, etc.*) dried fruit [*não-contável, v sing*]

fuga *sf* **1** (*evasão*) escape, flight (*mais formal*): *pôr-se em ~* to take flight **2** (*gás, água*) leak LOC **fuga aos impostos** tax evasion

fugir *vi* **1** ~ **(de)** **(a)** (*país*) to flee: *Fugiram do país.* They have fled the country. **(b)** (*prisão*) to escape (from *sb/sth*): *Fugiram da prisão.* They escaped from prison. **(c)** (*casa, colégio*) to run away (from *sth*) **2 ~ a** (*eludir*) to evade *sth* [*vt*]: *~ à justiça* to evade justice ◊ *~ aos impostos* to evade taxes **3 ~ a/de** (*evitar*) to avoid *sb/sth*: *Não fujas de nós.* Don't try to avoid us. ◊ *Conseguimos ~ à imprensa.* We managed to avoid the press. LOC **fugir em debandada** to scatter in all directions

fugitivo, -a *adj, sm-sf* fugitive

fulano, -a *sm-sf* **1** so-and-so [*pl* so-and-sos]: *Imagina que vem ~...* Just suppose so-and-so comes... **2** (*tipo*) guy: *Vinha com um ~ com mau aspeto.* He was with a dodgy-looking guy. LOC **(o Senhor) Fulano de Tal** Mr So-and-so

fulo, -a *adj* furious

fumaceira *sf* cloud of smoke

fumado, -a *adj* smoked: *salmão ~* smoked salmon LOC *Ver* ARENQUE; *Ver tb* FUMAR

fumador, -ora *sm-sf* smoker LOC **fumador ou não-fumador?** (*em transportes, em restaurantes*) smoking or non-smoking?

fumar *vt, vi* to smoke: *~ cachimbo* to smoke a pipe ◊ *Devias deixar de ~.* You should give up smoking. ◊ *Não ~, por favor.* Please do not smoke. LOC *Ver* PROIBIDO

fumarada *sf* cloud of smoke

fumo *sm* **1** smoke: *Saía ~ pela porta.* There was smoke coming out of the door. **2** (*carro*) fumes [*pl*]: *o ~ do tubo de escape* exhaust fumes

função *sf* function: *A nossa ~ é informar.* Our function is to inform. LOC **função pública** civil service

funcionamento *sm* operation: *pôr alguma coisa em ~* to put sth into operation

funcionar *vi* **1** to work: *O alarme não funciona.* The alarm doesn't work. **2 ~ (a)** to run (on *sth*): *Este carro funciona a gasóleo.* This car runs on diesel.

funcionário, -a *sm-sf* **1** employee **2** (*representante de organismo*) official: *um ~ do governo/da ONU* a government/UN official LOC **funcionário público** civil servant

fundação *sf* foundation

fundador, -ora *adj, sm-sf* founder [*s*]: *os membros ~es* the founder members

fundamental *adj* fundamental

fundamento *sm* **1** (*motivo*) grounds [*pl*] **2** (*princípio*) fundamental LOC **sem fundamento** unfounded: *uma acusação sem ~* an unfounded accusation

fundar *vt* to found

fundir(-se) *vt, vp* **1** to melt: *~ queijo* to melt cheese **2** (*fusível*) to blow: *Fundiram-se os fusíveis.* The fuses blew.

fundo, -a ▸ *adj* deep: *É um poço muito ~.* It's a very deep well. ▸ *sm* **1** bottom: *ir ao ~ da questão* to get to the bottom of things **2** (*mar, rio*) bed **3** (*rua, corredor*) end: *Fica ao ~ do corredor, à direita.* It's at the end of the corridor on the right. **4** (*quarto, cenário*) back: *ao ~ do restaurante* at the back of the restaurant ◊ *o quarto dos ~s* the back room **5** (*dinheiro em comum*) kitty [*pl* kitties]: *organizar/ter um ~ (comum)* to have a kitty **6 fundos** (*financiamento*) funds: *arranjar ~s* to raise funds LOC **a fundo 1** (*com substantivo*) thorough: *uma revisão a ~* a thorough review **2** (*com verbo*) thoroughly: *Limpa-o a ~.* Clean it thoroughly. **de fundo** (*Desp*) **1** (*Atletismo*) distance: *um corredor de ~* a distance runner **2** (*Esqui*) cross-country: *um esquiador de ~* a cross-country skier **no fundo 1** (*apesar das aparências*) deep down: *Dizes que não, mas no ~ importas-te.* You say you don't mind, but deep down you do. **2** (*na realidade*) basically: *No ~ todos pensamos o mesmo.* We are basically in agreement. **sem fundo** bottomless *Ver tb* CHEQUE, CORAÇÃO, MÚSICA, PRATO

fúnebre *adj* **1** (*para um funeral*) funeral: *a marcha ~* the funeral march **2** (*triste*) mournful LOC *Ver* CARRO, SERVIÇO

funeral *sm* funeral: *o ~ de um vizinho* a neighbour's funeral

fungo *sm* fungus [*pl* fungi]

funil *sm* funnel

furacão *sm* hurricane

furado, -a *adj* **1** (*dente*) bad **2** (*orelha*) pierced **3** (*pneu*) flat LOC *Ver* TOSTÃO; *Ver tb* FURAR

furador *sm* hole punch

furar ▸ *vt* **1** to make a hole in *sth* **2** (*com berbequim*) to drill a hole in *sth* **3** (*com furador*) to punch holes in *sth* **4** (*orelha*) to pierce **5** (*pneu*) to puncture **6** (*fila*) to jump ▸ **furar-se** *vp* (*bola, pneu*) to puncture: *Furou-se-me um pneu.* I've got a puncture.

furgoneta *sf* van

fúria *sf* fury LOC **com fúria** furiously

furioso, -a *adj* furious: *Estava ~ com ela.* I was furious with her. LOC **ficar furioso** to fly into a rage

furo *sm* **1** (*pneu*) puncture, flat (*USA*): *remendar um ~* to mend a puncture **2** (*buraco*) hole **3** (*aula livre*) free period

furtivo, -a *adj* furtive LOC **caça/pesca furtiva** poaching **caçador/pescador furtivo** poacher *Ver tb* ATIRADOR

fusão *sf* **1** (*Fís*) fusion: *a ~ nuclear* nuclear fusion **2** (*gelo, metais*) melting **3** (*empresas, partidos políticos*) merger LOC *Ver* PONTO

F

fusível *sm* fuse: *Rebentaram os fusíveis.* The fuses have blown.

fuso *sm* LOC **fuso horário** time zone

futebol *sm* football, soccer (*USA*)

Nos Estados Unidos apenas se usa o termo **soccer**, para não haver confusão com o futebol americano.

LOC **futebol de cinco** five-a-side football

futebolista *smf* footballer

futuro, -a *adj, sm* future: *ter um bom ~ pela frente* to have a good future ahead of you LOC *Ver* ADIVINHAR

fuzileiro *sm* marine

G g

gabar ▸ *vt* **1** (*elogiar*) to praise *sb/sth* (*for sth*): *Gabaram-lhe a coragem.* They praised him for his courage. **2** (*com vaidade*) to brag about *sth*: *Está sempre a ~ o carro.* She's forever bragging about her car. ▸ **gabar-se** *vp* **gabar-se (de)** to boast (about/of *sth*)

gabardina *sf* raincoat

gabarolas *smf* show-off

gabinete *sm* **1** (*escritório*) office **2** (*Pol*) Cabinet [*v sing ou pl*] LOC **gabinete de imprensa** press office **gabinete médico** infirmary [*pl* infirmaries]

gado *sm* livestock LOC **gado (bovino)** cattle [*pl*] **gado equino** horses [*pl*] **gado ovino** sheep [*pl*] **gado suíno** pigs [*pl*] *Ver tb* CRIAÇÃO, CRIADOR

gafanhoto *sm* **1** grasshopper **2** (*praga*) locust

gafe *sf* blunder

gago, -a *adj, sm-sf*: *ser ~* to have a stutter ◇ *os ~s* people who stutter

gaguejar *vt, vi* to stutter

gaiola *sf* cage

gaita ▸ *sf* **1** (*instrumento*) pipe **2** (*inconveniente*) pain: *Que ~!* What a pain! ▸ **gaita!** *interj* damn LOC **gaita de foles** bagpipes [*pl*]: *tocar ~* to play the bagpipes

gaivota *sf* **1** (*ave*) seagull **2** (*embarcação*) pedalo [*pl* pedaloes/pedalos]

gajo, -a *sm-sf* **1** (*masc*) guy **2** (*fem*) girl

gala *sf* gala: *Vamos assistir à ~ inaugural.* We'll attend the gala opening. ◇ *um jantar de ~* a gala dinner LOC *Ver* BAILE, TRAJE

galão[1] *sm* (*uniforme*) stripe

galão[2] *sm* **1** (*medida*) gallon **2** (*café*) (long) white coffee

galardão *sm* award

galardoado, -a *adj* prizewinning: *um autor/livro ~* a prizewinning author/book *Ver tb* GALARDOAR

galardoar *vt* to award *sb* a prize

galáxia *sf* galaxy [*pl* galaxies]

galeria *sf* (*Arte, Teat*) gallery [*pl* galleries]: *uma ~ de arte* an art gallery ➲ *Ver nota em* MUSEU LOC **galerias (comerciais)** shopping centre [*v sing*], (shopping) mall [*v sing*] (*USA*)

galês, -esa ▸ *adj, sm* Welsh: *falar ~* to speak Welsh ▸ *sm-sf* Welshman/woman [*pl* -men/-women]: *os galeses* the Welsh

galgo *sm* greyhound

galinha *sf* hen LOC *Ver* PELE

galinheiro *sm* **1** (*para galinhas*) hen house **2 o galinheiro** (*Teat*) the gallery, the gods [*pl*] (*coloq*)

galo *sm* **1** (*ave*) cock, rooster (*USA*) **2** (*inchaço*) bump: *Tinha um ~ na cabeça.* I had a bump on my head. LOC *Ver* CANTAR, JOGO, MISSA

galocha *sf* wellington (boot), rubber boot (*USA*)

galopar *vi* to gallop: *ir ~* to go for a gallop

galope *sm* gallop LOC **a galope**: *O cavalo pôs-se a ~.* The horse started to gallop. ◇ *Partiram a ~.* They galloped off.

gama *sf* range: *uma grande ~ de cores* a wide range of colours

gamão *sm* backgammon

gamar *vt* (*roubar*) to pinch, to steal (*mais formal*): *Gamaram-me o rádio.* Somebody's pinched my radio.

gamba *sf* king prawn

gana *sf* LOC **como/o que me der na (real) gana** however/whatever I, you, etc. want: *Vou fazê-lo como me der na ~.* I'll do it however I want. ◇ *Faz o que te der na ~.* Do whatever you want.

ganância *sf* greed

ganancioso, -a *adj* greedy

gancho *sm* **1** hook **2** (*para cabelo*) hairgrip

ganga *sf* denim: *um blusão de ~* a denim jacket ◇ *calças de ~* jeans

gângster (*tb* **gânguester**) *sm* gangster

ganhar ▸ *vt* **1** (*dinheiro, respeito*) to earn: *~ a vida* to earn your living ◇ *Ganhou o respeito de todos.* He has earned everybody's respect. **2** (*prémio, jogo, guerra*) to win: *~ a lotaria* to win the lottery ◇ *Quem é que ganhou o jogo?* Who won the match? **3** (*conseguir*) to gain (*by/from sth/doing sth*): *Que ganho eu em te dizer?*

What do I gain by telling you? ▸ *vi* **1** (*vencer*) to win **2** ~ **a** (*derrotar*) to beat [*vt*]: *Portugal ganhou à Alemanha.* Portugal beat Germany. LOC **ficar a ganhar** to do well (*out of sth*): *Fiquei a ~ com a reorganização.* I've done well out of the reorganization. **ganhar o pão** to earn your living **ganhar tempo** to gain time *Ver tb* BOLOR, IMPORTÂNCIA

ganho *sm* gain LOC *Ver* PERDA

ganir *vi* to whine

ganso *sm* goose [*pl* geese] LOC *Ver* JOGO

ganzado, -a *adj* (*drogado*) high *Ver tb* GANZAR-SE

ganzar-se *vp* ~ **com** (*droga*) to get high (on *sth*)

garagem *sf* garage

garanhão *sm* stallion

garantia *sf* guarantee

garantir *vt* **1** to guarantee: *Garantimos a qualidade do produto.* We guarantee the quality of the product. **2** (*assegurar*) to assure: *Garanto-te que virão.* They'll come, I assure you.

garça *sf* heron

gare *sf* (*estação*) platform

garfo *sm* fork

gargalhada *sf* roar of laughter [*pl* roars of laughter] LOC *Ver* RIR, SOLTAR

gargalo *sm* neck: *o ~ de uma garrafa* the neck of a bottle ◇ *beber pelo ~* to drink straight out of the bottle

garganta *sf* **1** (*Anat*) throat: *Dói-me a ~.* I've got a sore throat. **2** (*Geog*) gorge LOC **ter um aperto/nó na garganta** to have a lump in your throat *Ver tb* DOR, PASTILHA

gargantilha *sf* necklace

gargarejar *vi* to gargle

garoto, -a ▸ *sm-sf* **1** (*masc*) boy **2** (*fem*) girl **3 garotos** (*rapazes e raparigas*) youngsters, kids (*coloq*) ▸ *sm* (*café*) (small) white coffee LOC *Ver* CARA

garra *sf* **1** (*animal*) claw **2** (*ave de rapina*) talon **3** (*para carro*) clamp LOC **ter garra** to put up a fight: *A equipa não tinha ~.* The team didn't put up much of a fight.

garrafa *sf* bottle LOC **de/em garrafa** bottled: *Compramos leite em ~.* We buy bottled milk. *Ver tb* BEBER

garrafão *sm* **1** (*recipiente*) flagon **2** (*estrada*) bottleneck

garrido, -a *adj* (*cor*) gaudy

gás *sm* **1** gas: *Cheira a ~.* It smells of gas. ◇ *Acabou-se o ~.* I've run out of gas. **2 gases** (*Med*) wind [*não-contável, v sing*], gas [*não-contável, v sing*] (*USA*): *O bebé tem gases.* The baby's got wind. LOC **a todo o gás** at full speed **gás butano** butane **gás lacrimogéneo** tear gas *Ver tb* MINERAL

gasoduto *sm* gas pipeline

gasóleo *sm* diesel

gasolina *sf* petrol, gas (*USA*) LOC **gasolina normal** three-star petrol **gasolina sem chumbo** unleaded petrol **gasolina super** four-star petrol *Ver tb* BOMBA, INDICADOR, POSTO

gasosa *sf* (fizzy) lemonade

gasoso, -a *adj* **1** (*Quím*) gaseous **2** (*bebida*) fizzy

gastar ▸ *vt* **1** (*dinheiro*) to spend *sth* (*on sb/sth*): *Gasto muito em revistas.* I spend a lot on magazines. **2** (*consumir*) to use: *~ menos eletricidade* to use less electricity **3** (*esgotar*) to use *sth* up: *Gastaste-me o perfume todo.* You've used up all my perfume. **4** (*desperdiçar*) to waste: *~ tempo e dinheiro* to waste time and money ▸ **gastar(-se)** *vt, vp* (*calçado*) to wear (*sth*) out: *~ umas botas* to wear out a pair of boots

gasto, -a ▸ *adj* **1** (*dinheiro*) spent: *calcular o dinheiro ~* to tot up what you've spent **2** (*água, eletricidade*) **(a)** (*usado*) used **(b)** (*desperdiçado*) wasted **3** (*roupa, sapatos*) worn out ▸ *sm* **1** (*dinheiro*) expense: *Não ganho nem para os ~s.* I don't earn enough to cover my expenses. **2** (*água, energia, gasolina*) consumption LOC *Ver* OLHAR; *Ver tb* GASTAR

Gata-Borralheira *n pr* Cinderella

gatafunhar *vt, vi* **1** (*desenhar*) to doodle **2** (*escrever*) to scribble

gatafunho *sm* **1** (*desenho*) doodle **2** (*escrita*) scribble

gatilho *sm* trigger: *apertar o ~* to pull the trigger

gatinhar *vi* to crawl

gato, -a *sm-sf* cat

> **Tomcat** ou **tom** é um gato macho, e **kittens** são os gatinhos. Os gatos ronronam (**purr**) e miam (**miaow**).

LOC **andar de gatas** to crawl **de gatas** on all fours: *pôr-se de gatas* to get down on all fours **gato siamês** Siamese **o Gato das Botas** Puss in Boots *Ver tb* CÃO, IMPINGIR

gaveta *sf* drawer

gay *adj, sm* gay

gaze *sf* (*tecido*) gauze

gazeta *sf* LOC **fazer gazeta** to skive off school, to skip class (*USA*)

geada *sf* frost

gel *sm* gel LOC **gel de banho** shower gel *Ver tb* CANETA

geladaria *sf* ice cream parlour

gelado, **-a** ▸ *adj* **1** (*congelado*) frozen: *um lago ~* a frozen pond **2** (*pessoa, quarto*) freezing: *Estou ~.* I'm freezing! ▸ *sm* **1** ice cream: *~ de chocolate* chocolate ice cream **2** (*de fruta com pauzinho*) ice lolly [*pl* ice lollies], Popsicle® (*USA*) LOC *Ver* TARTE; *Ver tb* GELAR

G

gelar *vi* **1** (*solidificar*) to freeze (over): *O lago gelou.* The lake has frozen over. ◇ *Os canos gelaram.* The pipes are frozen. **2** (*Med*): *Gelou um pé a um dos alpinistas.* One of the mountaineers got frostbite in his foot. LOC **gelar-se o sangue nas veias** to be terrified

gelatina *sf* **1** (*substância*) gelatine **2** (*Cozinha*) jelly [*pl* jellies], Jell-O® (*USA*)

geleia *sf* jelly [*pl* jellies]: *~ de pêssego* peach jelly

gélido, **-a** *adj* (*vento*) icy

gelo *sm* ice [*não-contável*]: *Traz-me ~.* Bring me some ice. ◇ *uma cuvete para o ~* an ice cube tray LOC *Ver* HÓQUEI, PEDRA, PISTA, QUEBRAR

gelosia *sf* (*persiana*) blind

gema *sf* (*ovo*) (egg) yolk

gémeo, **-a** ▸ *adj, sm-sf* twin [s]: *irmãs gémeas* twin sisters ▸ **Gémeos** *sm* (*Astrol*) Gemini ➲ *Ver exemplos em* AQUARIUS LOC **gémeos siameses** Siamese twins

gemer *vi* **1** (*pessoa*) to groan **2** (*animal*) to whine

gemido *sm* **1** (*pessoa*) groan: *Ouviam-se os ~s do doente.* You could hear the sick man groaning. **2** (*animal*) whine: *os ~s do cão* the whining of the dog

geminado, **-a** *adj* LOC **casa/vivenda/moradia geminada** semi-detached house, duplex (*USA*) *Ver tb* CIDADE

gene *sm* gene

genealógico, **-a** *adj* genealogical LOC *Ver* ÁRVORE

general *sm* general

generalizado, **-a** *adj* widespread *Ver tb* GENERALIZAR

generalizar *vt, vi* to generalize

género *sm* **1** (*tipo*) kind: *problemas desse ~* problems of that kind **2** (*Arte, Liter*) genre **3** (*Gram*) gender **4 géneros** (*mercadoria*) goods LOC **alguma coisa do género** something like that: *pimenta ou alguma coisa do ~* pepper or something like that **género policial** crime writing **géneros alimentícios** foodstuffs **não fazer o género de alguém** not to be sb's thing: *Este tipo de música não faz o meu ~.* This kind of music's not my thing.

generoso, **-a** *adj* generous: *É muito ~ com os amigos.* He is very generous to his friends.

genética *sf* genetics [*não-contável*]

genético, **-a** *adj* genetic

gengibre *sm* ginger

gengiva *sf* gum

genial *adj* brilliant: *uma ideia/um pianista ~* a brilliant idea/pianist

génio *sm* **~ (em/para)** genius [*pl* geniuses] (at *sth/doing sth*): *És um ~ a fazer reparações.* You're a genius at doing repairs. LOC **ter (mau) génio** to have a (bad) temper: *Que ~ que tu tens!* What a temper you've got!

genital *adj* genital LOC *Ver* ÓRGÃO

genro *sm* son-in-law [*pl* sons-in-law]

gente *sf* people [*pl*]: *Estava lá muita ~.* There were a lot of people. ◇ *~ normal/vulgar* ordinary people LOC **toda a gente** everyone ➲ *Ver nota em* EVERYONE

gentil *adj* kind

gentileza *sf* kindness: *Foi muita ~ da sua parte.* That was very kind of you.

genuíno, **-a** *adj* genuine

geografia *sf* geography

geográfico, **-a** *adj* geographical

geógrafo, **-a** *sm-sf* geographer

geologia *sf* geology

geológico, **-a** *adj* geological

geólogo, **-a** *sm-sf* geologist

geometria *sf* geometry

geométrico, **-a** *adj* geometric LOC *Ver* DESENHO

geração *sf* generation LOC *Ver* ÚLTIMO

gerador *sm* generator

geral *adj* general LOC **em/no geral** in general *Ver tb* CLÍNICA, ELEIÇÃO, ENSAIO, MÉDICO, PROVA

gerânio *sm* geranium

gerar *vt* **1** (*causar*) to generate: *~ energia* to generate energy **2** (*conceber*) to conceive

gerência *sf* management

gerente *smf* manager

gerir *vt* to run: *~ um negócio* to run a business

germe (*tb* **gérmen**) *sm* germ

germinar *vi* to germinate

gesso *sm* **1** (*material*) plaster **2** (*Med*) plaster cast

gestão *sf* **1** (*curso*) business studies [*não-contável*] **2** (*administração*) management

gesticular *vi* to gesticulate

gesto *sm* gesture: *um ~ simbólico* a symbolic gesture ◇ *comunicar/falar por ~s* to communicate by gestures

gestor, **-ora** *sm-sf* manager

gigante ▸ *adj* **1** gigantic **2** (*Bot*) giant: *um olmo ~* a giant elm ▸ *sm* giant LOC *Ver* RODA

gigantesco, **-a** *adj* enormous

gilete *sf* razor

gim (*tb* gin) *sm* gin: *um ~ tónico* a gin and tonic

ginásio *sm* gym, gymnasium [*pl* gymnasiums/gymnasia] (*mais formal*)

ginástica *sf* **1** gymnastics [*não-contável*]: *o campeonato de ~ desportiva* the gymnastics championships **2** (*educação física*) physical education (*abrev* PE): *um professor de ~* a PE teacher LOC **fazer ginástica** to exercise, to work out (*mais coloq*)

ginecologia *sf* gynaecology

ginecologista *smf* gynaecologist

ginja *sf* morello cherry [*pl* morello cherries]

gira-discos *sm* record player

girafa *sf* giraffe

girar *vt, vi* **1** to turn: *~ o volante para a direita* to turn the steering wheel to the right **2** (*pião*) to spin LOC **girar em torno de alguém/alguma coisa** to revolve around sb/sth: *A Terra gira em torno do Sol.* The earth revolves around the sun.

girassol *sm* sunflower

giratório, **-a** *adj* LOC *Ver* PORTA

gíria *sf* **1** (*linguagem coloquial*) slang **2** (*profissional*) jargon

girino *sm* tadpole

giro, **-a** *adj* **1** (*pessoa*) good-looking **2** (*coisa, animal*) cute

giz *sm* chalk: *~es de cor* coloured chalks ◇ *Passa-me um (pau de) ~.* Give me a piece of chalk. ◇ *Traga-me mais ~.* Bring me some more chalk.

glacial *adj* **1** (*vento*) icy **2** (*temperatura*) freezing **3** (*época, zona*) glacial **4** (*olhar, atmosfera*) frosty LOC *Ver* ERA

glaciar *sm* glacier

glândula *sf* gland

glicose (*tb* glucose) *sf* glucose

global *adj* **1** global **2** (*geral*) overall LOC *Ver* PROVA

globo *sm* LOC **globo ocular** eyeball **o globo (terrestre)** the globe

glória *sf* **1** glory: *fama e ~* fame and glory **2** (*pessoa célebre*) great name: *as velhas ~s do desporto* the great sporting names of the past LOC *Ver* COBRIR, JOGO

glossário *sm* glossary [*pl* glossaries]

glutão, **-ona** ▸ *adj* greedy ▸ *sm-sf* glutton

gnomo *sm* gnome

Goa *sf* Goa

goês, **-esa** *adj, sm-sf* Goan

goiaba *sm* guava

gola *sf* collar LOC **gola alta** polo neck, turtleneck (*USA*) *Ver tb* CAMISOLA

gole *sm* sip: *tomar um ~ de café* to have a sip of coffee LOC **aos goles** in sips *Ver tb* BEBER

golfe *sm* golf

golfinho *sm* dolphin

golfo *sm* gulf: *o ~ do México* the Gulf of Mexico

golo *sm* goal: *marcar/meter um ~* to score a goal LOC **o golo do empate** the equalizer

golpe *sm* **1** (*pancada, emocional*) blow: *A sua morte foi um duro ~ para nós.* Her death came as a heavy blow. **2** (*corte*) cut: *um ~ no dedo* a cut on your finger LOC **dar um golpe** (*enganar*) to pull off a scam: *Deram um ~ de milhares de euros em cheques falsos.* They pulled off a scam of thousands of euros in counterfeit cheques. **de golpe** out of the blue: *Bem, se lhe disseres de ~...* Well, if you tell him out of the blue... **golpe baixo** dirty trick: *aplicar um ~ baixo em alguém* to play a dirty trick on sb **golpe de Estado** coup **golpe de mestre** masterstroke

gomo *sm* segment

gonzo *sm* hinge LOC **sair dos gonzos** (*porta*) to come off its hinges

goraz *sm* (red) bream [*pl* (red) bream]

gordo, **-a** ▸ *adj* **1** (*pessoa, animal*) fat

> **Fat** é a palavra mais comum, porém existem outras palavras mais educadas. **Overweight** é a palavra mais neutra, enquanto que **plump** e **chubby** têm conotação mais positiva.

2 (*leite*) full-fat **3** (*alimento*) fatty ▸ *sm-sf* fat man/woman [*pl* fat men/women] LOC *Ver* LEITE

gorducho, **-a** *adj* chubby ➲ *Ver nota em* GORDO

gordura *sf* **1** fat: *Frite as panquecas num pouco de ~.* Fry the pancakes in a little fat. **2** (*sujidade*) grease

gordurento, **-a** (*tb* gorduroso, -a) *adj* greasy

gorila *sm* **1** (*animal*) gorilla **2** (*guarda-costas*) bodyguard

gorjeta *sf* tip: *Deixamos ~?* Shall we leave a

G

tip? ◇ *Dei-lhe três libras de ~.* I gave him a three-pound tip.

gorro *sm* (woolly) hat

gostar *vi* ~ **de 1** to like *sth/doing sth* [*vt*]: *Não gosto.* I don't like it. ◇ *Gosto da maneira como ela explica as coisas.* I like the way she explains things.

> **Like to do** ou **like doing**?
> No sentido de "divertir-se a fazer alguma coisa", usa-se normalmente **like doing sth**: *Gostam de passear.* They like walking. ◇ *Gosta de pintar?* Do you like painting? No sentido de "preferir fazer alguma coisa, por ser boa ideia", utiliza-se **like to do sth**: *Eu gosto de tomar um banho antes de dormir.* I like to take a shower before I go to bed.

2 (*sentimentalmente*) to fancy *sb* [*vt*], to have a crush on *sb* (*USA*): *Acho que ele gosta de ti.* I think he fancies you. LOC **gostar imenso de** to thoroughly enjoy *sth/doing sth*: *Gostei imenso.* I thoroughly enjoyed it. **gostar mais de** to prefer *sth/doing sth*: *Gosto mais do vestido vermelho.* I prefer the red dress. **não gostar nada** to hate *sth/doing sth*: *Não gosto nada de me levantar cedo.* I hate having to get up early.

gosto *sm* **1** taste: *Fez um comentário de mau ~.* His remark was in bad taste. ◇ *para todos os ~s* to suit all tastes ◇ *Temos ~s totalmente diferentes.* Our tastes are completely different. **2** (*prazer*) pleasure: *Com todo o ~!* With pleasure! ◇ *Muito ~ em conhecê-lo!* Pleased to meet you! ◇ *ter o ~ de fazer alguma coisa* to have the pleasure of doing sth LOC **gostos não se discutem** there's no accounting for taste *Ver tb* PARTIDA

gostoso, -a *adj* (*comida*) tasty

gota *sf* drop LOC **ser como duas gotas de água** to be like two peas in a pod **ser a última gota (que faz transbordar o copo)** to be the last straw

goteira *sf* **1** (*cano*) gutter **2** (*fenda*) leak: *Sempre que chove, temos ~s.* The roof leaks every time it rains.

gotejar *vi* to drip: *Essa torneira está a ~.* That tap's dripping.

gótico, -a *adj, sm* Gothic

governador, -ora *sm-sf* governor

governanta *sf* housekeeper

governante ▸ *adj* governing ▸ *smf* leader

governar *vt* **1** (*país*) to govern **2** (*barco*) to steer

governo *sm* government [*v sing ou pl*]: *~ regional/central* regional/central government ➲ *Ver nota em* JÚRI

gozar *vt, vi* **1** ~ **(com)** (*fazer troça*) to make fun of *sb/sth*: *Para de me ~!* Stop making fun of me! **2** ~ **(de)** (*desfrutar*) to enjoy *sth/doing sth*: *~ de boa saúde* to enjoy good health ◇ *~ umas férias na praia* to enjoy a seaside holiday

Grã-Bretanha *sf* Great Britain (*abrev* GB)

> A Grã-Bretanha (**Great Britain**) é composta de três países: Inglaterra (**England**), Escócia (**Scotland**) e País de Gales (**Wales**). Juntamente com a Irlanda do Norte (**Northern Ireland**), formam o Reino Unido (**the United Kingdom**).

graça *sf* **1** (*piada*) witty remark: *Fez-nos rir com as suas ~s.* She made us laugh with her witty remarks. **2** (*elegância, Relig*) grace LOC **dar graças a Deus** to count yourself lucky **de graça** free: *Os reformados viajam de ~.* Pensioners travel free. ◇ *trabalhar de ~* to work for nothing **graças a...** thanks to *sb/sth*: *~s a ti, consegui o emprego.* Thanks to you, I got the job. **ter graça** to be funny: *As tuas piadas não têm ~ nenhuma.* Your jokes aren't funny. *Ver tb* AÇÃO, ACHAR

grade *sf* **1** (*janela*) grille **2** (*garrafas*) crate **3 grades (a)** (*varanda, vedação*) railings: *saltar umas ~s de ferro* to jump over some iron railings **(b)** (*prisão*) bars: *atrás das ~s* behind bars

gradeamento *sm* **1** (*jaula, janela*) bars [*pl*] **2** (*para plantas*) trellis

gráfico, -a ▸ *adj* graphic ▸ *sm* graph

grafiti (*tb* grafito) *sm* graffiti [*não-contável*]: *A parede estava coberta de ~s.* There was graffiti all over the wall. ◇ *Um ~ que dizia...* A piece of graffiti that said...

gralha *sf* **1** (*ave*) rook **2** (*em texto impresso*) misprint

grama *sm* gram (*abrev* g) ➲ *Ver pág. 712*

gramar *vt* **1** (*gostar de*) to like: *Não gramo aquele gajo.* I don't like that guy. **2** (*aguentar*) to put up with *sth*: *Tive de ~ o filme inteiro.* I had to sit through the entire film.

gramática *sf* grammar

granada *sf* (*projétil*) grenade

grande *adj* **1** (*tamanho*) large, big (*mais coloq*): *uma casa/cidade ~* a big house/city ◇ *Grande ou pequeno?* Large or small? ➲ *Ver nota em* BIG **2** (*sério*) big: *um ~ problema* a big problem **3** (*número, quantidade*) large: *uma ~ quantidade de areia* a large amount of sand ◇ *uma ~ quantidade de gente* a large number of people **4** (*notável*) great: *um ~ músico* a great musician LOC **à grande**: *divertir-se à ~* to have a great time **quando for grande** when I, you, etc. grow up: *Quando for ~ quero ser médico.* I want to be a doctor when I grow up. ❶ Para outras expressões com **grande**, ver as entradas para o adjetivo, verbo, etc., p. ex. **grande área** em ÁREA.

grandeza *sf* LOC *Ver* MANIA

granizar *v imp* to hail: *Ontem à noite granizou.* It hailed last night.

granizo *sm* hail

grão *sm* **1** grain: *um ~ de areia* a grain of sand **2** (*semente*) seed **3** (*café*) bean **4** (*pó*) speck

grão-de-bico *sm* chickpea

grasnar *vi* **1** (*corvo*) to caw **2** (*pato*) to quack **3** (*ganso*) to honk

gratidão *sf* gratitude: *Que falta de ~!* How ungrateful!

gratificante *adj* satisfying

grátis *adj, adv* free: *As bebidas eram ~.* The drinks were free. LOC *Ver* ENTRADA

grato, -a *adj* grateful (*to sb*): *Estou-lhe muito ~.* I'm very grateful to her.

gratuito, -a *adj* free

grau *sm* **1** degree: *Estão dois ~s abaixo de zero.* It's two degrees below zero. ◇ *queimaduras de terceiro ~* third-degree burns **2 graus** (*álcool*): *Este vinho tem 12 ~s.* The alcoholic content of this wine is 12%. ◇ *Esta cerveja tem muitos ~s.* This beer is very strong. LOC *Ver* EQUAÇÃO

gravação *sf* recording

gravador *sm* tape recorder

gravar *vt* **1** (*som, imagem*) to record **2** (*metal, pedra*) to engrave LOC *Ver* VÍDEO

gravata *sf* tie: *Tinham todos ~.* They were all wearing ties.

grave *adj* **1** serious: *um problema/uma doença ~* a serious problem/illness **2** (*solene*) solemn: *expressão ~* solemn expression **3** (*som, nota*) low: *O baixo produz sons ~s.* The bass guitar produces low notes. **4** (*voz*) deep LOC *Ver* ACENTO

gravemente *adv* seriously

grávida *adj* pregnant: *Está ~ de cinco meses.* She's five months pregnant.

gravidade *sf* **1** (*Fís*) gravity **2** (*importância*) seriousness LOC **com gravidade** seriously: *Foi ferido com ~.* He was seriously injured.

gravidez *sf* pregnancy [*pl* pregnancies]

gravura *sf* **1** (*em metal, pedra, etc.*) engraving **2** (*em livro*) illustration

graxa *sf* (*calçado*) (shoe) polish: *Põe ~ nos sapatos.* Give your shoes a polish. LOC **dar/passar graxa** to suck up *to sb*

Grécia *sf* Greece

grego, -a ▸ *adj, sm* Greek: *falar ~* to speak Greek ▸ *sm-sf* Greek man/woman [*pl* men/women]: *os ~s* the Greeks

grelha *sf* **1** grill: *bife na ~* grilled steak **2** (*esgotos*) grating

grelhar *vt* to grill: *carne grelhada/peixe grelhado* grilled meat/fish

grelos *sm* **1** (*nabo*) turnip shoots **2** (*couve, couve-nabiça*) cabbage shoots

greta *sf* crack

gretar *vt, vi* **1** to crack **2** (*pele*) to chap

greve *sf* strike: *estar/fazer ~* to be/go on strike ◇ *uma ~ geral/de fome* a general/hunger strike

grevista *smf* striker

grilo *sm* cricket

grinalda *sf* garland

gripe *sf* flu [*não-contável*]: *Estou com ~.* I've got (the) flu. LOC **gripe suína/das aves** swine/bird flu

grisalho, -a *adj* grey: *ser ~* to have grey hair

gritar *vi* **1** to shout (*at sb*): *O professor gritou para que nos calássemos.* The teacher shouted at us to be quiet. ◇ *Não me grites!* Don't shout at me! ➲ *Ver nota em* SHOUT **2** (*berrar*) to scream LOC **gritar de dor** to cry out in pain

grito *sm* **1** shout: *Ouvimos um ~.* We heard a shout. **2** (*auxílio, dor, alegria*) cry [*pl* cries]: *~s de alegria* cries of joy LOC **aos gritos** at the top of your voice **dar um grito** to shout **de gritos** **1** (*muito engraçado*) hilarious **2** (*impressionante*) incredible

groselha *sf* redcurrant

groselha-negra *sf* blackcurrant

grosseiro, -a ▸ *adj* **1** (*pessoa, tecido, linguagem*) coarse **2** (*piada*) rude ▸ *sm-sf* (*pessoa*) rude person: *És um ~.* You're so rude.

grosso, -a *adj* **1** thick **2** (*bêbedo*) drunk **3** (*voz*) deep LOC **a grosso** (*vender*) wholesale *Ver tb* CAÇA, SAL, VISTA

grossura *sf* thickness: *Esta tábua tem dois centímetros de ~.* This piece of wood is two centimetres thick.

grua *sf* crane

grumo *sm* lump: *um molho com ~s* a lumpy sauce

grunhir *vi* **1** (*pessoa, porco*) to grunt **2** (*resmungar*) to grumble

grupo *sm* **1** group: *Formámos ~s de seis.* We got into groups of six. ◇ *Gosto de trabalho em ~.* I enjoy group work. **2** (*musical*) band LOC **grupo sanguíneo** blood group

gruta *sf* **1** (*natural*) cave **2** (*artificial*) grotto [*pl* grottoes/grottos]

guarda ▸ *smf* **1** (*polícia*) police officer ➲ *Ver*

nota em POLÍCIA **2** (*vigilante*) guard: ~ *de segurança* security guard ▸ *sf* guard LOC **Guarda Costeira** coastguard **Guarda Fiscal** ≈ Customs and Excise **Guarda Nacional Republicana** National Republican Guard *Ver tb* CÃO, MONTAR, MUNICIPAL

guarda-chuva *sm* umbrella: *abrir/fechar um* ~ to put up/take down an umbrella

guarda-costas *smf* bodyguard

guarda-fatos *sm* wardrobe, closet (*USA*)

guarda-florestal *smf* forest ranger

guarda-freios *smf* tram driver

guarda-lamas *sm* mudguard, fender (*USA*)

guarda-louça *sm* (*armário*) sideboard

guardanapo *sm* napkin: ~*s de papel* paper napkins LOC *Ver* ARGOLA

guarda-noturno *sm* nightwatchman [*pl* -men]

guardar *vt* **1** to keep: *Guarda o teu bilhete.* Keep your ticket. ◇ *Guarda-me a vez?* Could you please keep my place in the queue? ◇ ~ *um segredo* to keep a secret **2** (*arrecadar*) to put *sth* away: *Já guardei toda a roupa de inverno.* I've put away all my winter clothes. **3** (*vigiar*) to guard: ~ *os prisioneiros/o cofre-forte* to guard the prisoners/safe LOC **guardar rancor a alguém** to bear sb a grudge: *Não lhe guardo nenhum rancor.* I don't bear him any grudge.

guarda-redes *smf* goalkeeper

guarda-roupa *sm* (*vestuário, Cinema, Teat*) wardrobe

guarda-vestidos *sm* wardrobe, closet (*USA*)

guardião, -ã *sm-sf* guardian

guarnição *sf* **1** (*Cozinha*) garnish: *uma* ~ *de verduras* a garnish of vegetables **2** (*Mil*) garrison

guerra *sf* war: *estar em* ~ to be at war ◇ *durante a Primeira Guerra Mundial* during the First World War ◇ *declarar* ~ *a alguém* to declare war on sb LOC *Ver* NAVIO

guerreiro, -a ▸ *adj* (*bélico*) warlike ▸ *sm-sf* warrior

guerrilha *sf* **1** (*grupo*) guerrillas [*pl*] **2** (*tipo de guerra*) guerrilla warfare

gueto *sm* ghetto [*pl* ghettos/ghettoes]

guia ▸ *smf* (*pessoa*) guide ▸ *sm* **1** (*pessoa, livro, etc.*) guide: ~ *turístico/de hotéis* tourist/hotel guide **2** (*estudos*) prospectus [*pl* prospectuses]: *A universidade publica um* ~ *anual.* The university publishes a prospectus every year. LOC **guia de espetáculos** What's On

guiador *sm* (*bicicleta*) handlebars [*pl*]

guião *sm* (*Cinema, TV*) script

guiar ▸ *vt* (*indicar caminho*) to guide ▸ *vt, vi* to drive ▸ **guiar-se** *vp* **guiar-se por** to be guided by *sth*: *guiar-se por um mapa/pelas estrelas* to make your way from a map/by the stars ◇ *Não devias guiar-te pelas aparências.* You shouldn't go by appearances.

guiché (*tb* **guichet**) *sm* **1** (*balcão*) counter **2** (*portinhola*) window

guinar *vi* **1** (*Náut*) to lurch **2** (*carro*) to swerve: *Teve que* ~ *rapidamente para a direita.* He had to swerve to the right.

guinchar *vi* **1** (*pessoa*) to shriek **2** (*papagaio*) to squawk

guincho *sm* **1** (*pessoa*) shriek **2** (*ave*) screech **3** (*papagaio*) squawk

guindaste *sm* crane

Guiné-Bissau *sf* Guinea-Bissau

guineense ▸ *adj* of/from Guinea-Bissau ▸ *smf* native of Guinea-Bissau

guionista *smf* scriptwriter

guisado *sm* stew

guisar *vt, vi* to braise

guitarra *sf* guitar: ~ *portuguesa* fado guitar

guitarrista *smf* guitarist

guizo *sm* bell

guloseima *sf* sweet

guloso, -a *adj, sm-sf*: *ser muito/um* ~ to have a sweet tooth ◇ *as pessoas gulosas* people with a sweet tooth

guru *smf* guru

H h

hábil *adj* **1** skilful: *um jogador muito* ~ a very skilful player **2** (*astuto*) clever: *uma manobra muito* ~ a clever move

habilidade *sf* skill

habilidoso, -a *adj* handy

habilitações *sf* qualifications: ~ *académicas* academic qualifications LOC *Ver* CERTIFICADO

habitação *sf* **1** housing [*não-contável*]: *o problema da* ~ the housing problem **2** (*casa*) house: *procurar* ~ to look for a house **3** (*andar*) flat, apartment (*USA*): *prédios de* ~ blocks of flats

habitante *smf* **1** (*país, cidade*) inhabitant **2** (*bairro, rua*) resident

habitar *vt, vi* ~ **(em)** to live in...: *os animais que* *habitam os bosques* the animals that live in the woods

habitat *sm* habitat

hábito *sm* habit LOC **apanhar o hábito** to get into the habit (*of doing sth*) **como é hábito** as usual **por hábito** out of habit

habitual *adj* **1** (*normal*) usual **2** (*cliente, leitor, visitante*) regular

habituar ▸ *vt* to get *sb* used *to doing sth*: *~ uma criança a deitar-se cedo* to get a child used to going to bed early ▸ **habituar-se** *vp* **habituar-se (a) 1** (*acostumar-se*) to get used to *sth/doing sth*: *Acabarás por habituar-te.* You'll get used to it eventually. **2** (*prazer, vício*) to acquire a taste for *sth*: *habituar-se à boa vida* to acquire a taste for the good life

hálito *sm* breath: *ter mau ~* to have bad breath

hall *sm* (entrance) hall

haltere *sm* dumb-bell

halterofilia *sf* weightlifting

hambúrger *sm* hamburger, burger (*mais coloq*)

hámster *sm* hamster

harmonia *sf* harmony [*pl* harmonies]

harmónica *sf* mouth organ

harpa *sf* harp

haste *sf* **1** (*bandeira*) flagpole **2** (*veado*) antler **3** (*óculos*) arm LOC *Ver* MEIO

haver ▸ *v aux* **1** [*tempos compostos*] to have: *Haviam-me dito que viriam.* They had told me they would come. **2** *~* **que** must: *Há que ser valente.* You must be brave. **3** *~* **de**: *Hei de chegar lá.* I'll get there. ▸ *v imp* **1** (*existir*) there is, there are

> **There is** utiliza-se com substantivos no singular e substantivos não-contáveis: *Há uma garrafa de vinho na mesa.* There's a bottle of wine on the table. ◇ *Não há pão.* There isn't any bread. ◇ *Não havia ninguém.* There wasn't anybody.
> **There are** utiliza-se com substantivos no plural: *Quantas garrafas de vinho lá há?* How many bottles of wine are there?

2 (*tempo cronológico*): *Há dez anos que me casei.* I got married ten years ago. ◇ *Tinham-se conhecido há/havia alguns meses.* They had met a few months earlier. ◇ *Há muito que vives aqui?* Have you been living here long? ◇ *Há anos que nos conhecemos.* We've known each other for ages. ◇ *Estão à espera há duas horas.* They've been waiting for two hours. ◇ *Há quanto tempo estás em Lisboa?* How long have you been in Lisbon? ➲ *Ver nota em* AGO ▸ **haver-se** *vp* **haver-se com** to answer to *sb*: *Se bateres no meu irmão vais ter de te ~ comigo!* If you thump my brother you'll have me to deal with! LOC **desde há** for: *Conheço-o desde há muito tempo.* I've known him for a long time. ◇ *Não o vejo desde há já algum tempo/já alguns anos.* I haven't seen him for some time now/some years now. ◇ *Mudou muito desde há dois anos para cá.* He has changed a lot in the last two years. ❶ Para outras expressões com **haver**, ver as entradas para o substantivo, adjetivo, etc., p. ex. **não há direito!** em DIREITO.

haveres *sm* belongings

haxixe *sm* hashish

hectare *sm* hectare (*abrev* ha)

hélice *sf* propeller

helicóptero *sm* helicopter

hélio *sm* helium

hematoma *sm* bruise

hemisfério *sm* hemisphere: *o ~ norte/sul* the northern/southern hemisphere

hemofílico, -a *sm-sf* haemophiliac

hemorragia *sf* haemorrhage

hepatite *sf* hepatitis [*não-contável*]

hera *sf* ivy [*pl* ivies]

herança *sf* inheritance

herbívoro, -a *adj* herbivorous

herdade *sf* (*propriedade*) estate

herdar *vt* to inherit *sth* (*from sb*)

herdeiro, -a *sm-sf ~* **(de)** heir (to *sth*): *o ~/a herdeira do trono* the heir to the throne ❶ Também existe o feminino **heiress**, todavia apenas se usa quando nos queremos referir a uma herdeira rica. LOC *Ver* PRÍNCIPE

hereditário, -a *adj* hereditary

hermeticamente *adv* LOC **hermeticamente fechado** tightly sealed

hermético, -a *adj* airtight

hérnia *sf* hernia

herói, heroína *sm-sf* **1** (*masc*) hero [*pl* heroes] **2** (*fem*) heroine

heroína *sf* (*droga*) heroin

hesitar *vi ~* **em** to hesitate *to do sth*: *Não hesites em perguntar.* Don't hesitate to ask.

heterogéneo, -a *adj* heterogeneous

heterossexual *adj, smf* heterosexual

hexágono *sm* hexagon

hibernação *sf* hibernation

hibernar *vi* to hibernate

híbrido, -a *adj* hybrid

hidratante *adj* moisturizing LOC **creme/loção hidratante** moisturizer

hidratar *vt* (*pele*) to moisturize

hidrato *sm* (*Quím*) hydrate LOC **hidratos de carbono** carbohydrates

hidráulico, **-a** *adj* hydraulic: *energia/bomba hidráulica* hydraulic power/pump

hidroelétrico, **-a** *adj* hydroelectric

hidrogénio *sm* hydrogen

hiena *sf* hyena

hierarquia *sf* hierarchy [*pl* hierarchies]

hieróglifo *sm* hieroglyphic

hífen *sm* hyphen ➲ *Ver pág. 315*

higiene *sf* hygiene: *a ~ oral/pessoal* oral/personal hygiene

higiénico, **-a** *adj* hygienic LOC *Ver* PAPEL, PENSO

hindu *adj, smf* (*Relig*) Hindu

hinduísmo *sm* Hinduism

hino *sm* hymn LOC **hino nacional** national anthem

hipermercado *sm* superstore

hipermétrope *adj* long-sighted, far-sighted (*USA*)

hipermetropia *sf* long-sightedness, far-sightedness (*USA*): *ter ~* to be long-sighted

hipertensão *sf* high blood pressure

hípico, **-a** *adj* (horse) riding, horseback riding (*USA*): *clube/concurso ~* riding club/competition

hipismo *sm* **1** (horse) riding, horseback riding (*USA*) **2** (*com obstáculos*) show jumping

hipnotizar *vt* to hypnotize

hipocondríaco, **-a** *adj, sm-sf* hypochondriac

hipócrita ▸ *adj* hypocritical ▸ *smf* hypocrite

hipódromo *sm* racecourse, racetrack (*USA*)

hipopótamo *sm* hippo [*pl* hippos] ❶ **Hippopotamus** é o termo científico.

hipótese *sf* **1** (*possibilidade*) possibility [*pl* possibilities] **2** (*suposição*) hypothesis [*pl* hypotheses] LOC **em hipótese alguma** under no circumstances **na hipótese de** in the event of **na melhor/pior das hipóteses** at best/worst **não ter hipótese** to have no chance **por hipótese** for instance

hippy (*tb* **hippie**) *adj, smf* hippy [*pl* hippies]

histeria *sf* hysteria: *Deu-lhe um ataque de ~.* He became hysterical.

histérico, **-a** *adj* hysterical LOC **ficar/pôr-se histérico** to have hysterics **ser um histérico** to get worked up about things

história *sf* **1** history: *~ antiga/natural* ancient/natural history ◇ *Passei a ~.* I've passed history. **2** (*relato*) story [*pl* stories]: *Conta-nos uma ~.* Tell us a story. **3** (*mentira*) fib: *Não me venhas com ~s.* Don't tell fibs. LOC **deixar-se de histórias** to get to the point **histórias da carochinha** fairy tales **passar à história** to be all in the past: *Foi um grande jogador mas já passou à ~.* He was a great player, but now that's all in the past. *Ver tb* LONGO

historiador, **-ora** *sm-sf* historian

historial *sm* record LOC **historial médico** medical history

histórico, **-a** *adj* **1** historical: *documentos/personagens ~s* historical documents/figures **2** (*importante*) historic: *um triunfo/acordo ~* a historic victory/agreement

historieta *sf* story [*pl* stories]

hoje *adv* today: *Temos de terminá-lo ~.* We've got to get it finished today. LOC **de hoje**: *o jornal de ~* today's paper ◇ *a música de ~* present-day music ◇ *Este pão não é de ~.* This bread isn't fresh. **de hoje em diante** from now on **hoje em dia** nowadays *Ver tb* NOITE

Holanda *sf* Holland

holandês, **-esa** ▸ *adj, sm* Dutch: *falar ~* to speak Dutch ▸ *sm-sf* Dutchman/woman [*pl* -men/-women]: *os holandeses* the Dutch

holocausto *sm* holocaust: *um ~ nuclear* a nuclear holocaust

holofote *sm* floodlight

holograma *sm* hologram

homem *sm* **1** man [*pl* men]: *o ~ moderno* modern man ◇ *ter uma conversa de ~ para ~* to have a man-to-man talk ◇ *o ~ da rua* the man in the street **2** (*humanidade*) mankind: *a evolução do ~* the evolution of mankind ➲ *Ver nota em* MAN LOC **de/para homem**: *secção para ~* menswear department **homem do lixo** dustman [*pl* -men], garbage man [*pl* men] (*USA*) **homem do talho** butcher *Ver tb* ENTREGA, NEGÓCIO, TORNAR

homem-rã *sm* frogman [*pl* -men]

homenagear *vt* to pay tribute to *sb/sth*

homenagem *sf* tribute [*não-contável*]: *fazer uma ~ a alguém* to pay tribute to sb LOC **em homenagem a** in honour of *sb/sth*

homeopata *smf* homeopath

homeopático, **-a** *adj* homeopathic

homicida *smf* murderer

homicídio *sm* homicide

homogéneo, **-a** *adj* homogeneous

homossexual *adj, smf* homosexual

honestidade *sf* honesty

honesto, **-a** *adj* honest: *uma pessoa honesta* an honest person

H

honor *sm* LOC *Ver* DAMA

honorários *sm* fees

honra *sf* **1** honour: *o convidado de ~* the guest of honour ◇ *É uma grande ~ para mim estar aqui hoje.* It's a great honour for me to be here today. **2** (*bom nome*) good name: *A ~ do banco está em perigo.* The bank's good name is at risk. LOC **com muita honra!** and proud of it! **ter a honra de** to have the honour of *doing sth* *Ver tb* PALAVRA

honrado, -a *adj* honest

hooligan *smf* football hooligan

hóquei *sm* hockey, field hockey (*USA*) LOC **hóquei em patins** roller hockey **hóquei sobre o gelo** ice hockey, hockey (*USA*)

hora *sf* **1** hour: *A aula dura duas ~s.* The class lasts two hours. ◇ *120km por ~* 120km an hour **2** (*relógio, momento, horário*) time: *Que ~s são?* What time is it? ◇ *A que ~s é que eles vêm?* What time are they coming? ◇ *a qualquer ~ do dia* at any time of the day ◇ *~s de consulta/expediente/visita* surgery/office/visiting hours ◇ *à ~ do almoço/jantar* at lunchtime/dinner time **3** (*encontro*) appointment: *Tenho ~ marcada no dentista.* I've got a dental appointment. LOC **a horas** on time: *chegar/partir a ~s* to arrive/to leave on time **estar na hora de**: *Está na ~ de ir para a cama.* It's time to go to bed. ◇ *Acho que está na ~ de nos irmos embora.* I think it's time we were going. **hora de dormir** bedtime **hora de ponta** rush hour **horas extra** overtime [*não-contável, v sing*] **horas vagas** spare time [*não-contável, v sing*]: *O que é que fazes nas ~s vagas?* What do you do in your spare time? **já eram horas!** about time too! **na hora H** just at the right time *Ver tb* BARRIGA, FIO, MARCAR, SEIS, ÚLTIMO

horário *sm* **1** (*aulas, comboio*) timetable, schedule (*USA*) **2** (*consulta, trabalho*) hours [*pl*]: *O ~ de trabalho é das nove às seis.* Office hours are nine to six. LOC **horário de atendimento (ao público)** opening hours [*pl*] **horário de verão** summer time **horário nobre** prime time *Ver tb* CARGA, FUSO

horizontal *adj* horizontal

horizonte *sm* horizon: *no ~* on the horizon

hormona *sf* hormone

horóscopo *sm* horoscope

horrível *adj* awful

horror *sm* **1** (*medo*) horror: *um grito de ~* a cry of horror ◇ *os ~es da guerra* the horrors of war **2** (*grande quantidade*): *Era um ~ de carros.* There were loads of cars. LOC **dizer horrores de** to say horrible things about *sb/sth* **que horror!** how awful! **ter horror a** to hate *sth/doing sth*

horroroso, -a *adj* **1** (*aterrador*) horrific: *um incêndio ~* a horrific fire **2** (*muito feio*) hideous: *Tem um nariz ~.* He's got a hideous nose. **3** (*mau*) dreadful: *Está um tempo ~.* The weather's dreadful. ◇ *Está um calor ~.* It's dreadfully hot.

horta *sf* vegetable garden

hortaliça *sf* vegetables [*pl*]

hortelã *sf* mint

hospedar-se *vp* to stay: *~ num hotel* to stay in/at a hotel

hóspede, -a *sm-sf* guest

hospedeira *sf* (*de bordo*) flight attendant

hospital *sm* hospital: *~ psiquiátrico* psychiatric hospital ➲ *Ver nota em* SCHOOL

hospitaleiro, -a *adj* hospitable

hospitalidade *sf* hospitality

hospitalizar *vt* to hospitalize

hostil *adj* hostile

hotel *sm* hotel

hotelaria *sf* (*curso*) catering (and hotel management)

hum! *interj* ahem!

humanidade *sf* humanity [*pl* humanities]

humanitário, -a *adj* humanitarian: *ajuda humanitária* humanitarian aid

humano, -a ▸ *adj* **1** human: *o corpo ~* the human body ◇ *os direitos ~s* human rights **2** (*compreensivo, justo*) humane: *um sistema judicial mais ~* a more humane judicial system ▸ *sm* human being

humedecer ▸ *vt* to dampen: *~ a roupa antes de passar a ferro* to dampen clothes before ironing them ▸ *vi* to get moist

humidade *sf* **1** damp: *Esta parede tem ~.* This wall is damp. **2** (*atmosfera*) humidity

húmido, -a *adj* **1** damp: *Estas meias estão húmidas.* These socks are damp. **2** (*ar, calor*) humid ➲ *Ver nota em* MOIST

humildade *sf* humility

humilde *adj* humble

humilhação *sf* humiliation

humilhante *adj* humiliating

humilhar *vt* to humiliate

humor *sm* **1** humour: *ter sentido de ~* to have a sense of humour ◇ *~ negro* black humour **2** (*comicidade*) comedy: *uma série de ~* a comedy series LOC **deixar alguém de mau humor** to make sb angry **estar de bom/mau humor** to be in a good/bad mood

humorista *smf* **1** (*de palco*) comedian **2** (*escritor*) humorist

hurra! *interj* hooray

iate *sm* yacht

içar *vt* to hoist

icebergue (*tb* iceberg) *sm* iceberg

ida *sf* outward journey: *durante a ~* on the way there LOC **ida e volta** there and back: *Ida e volta são três horas.* It's three hours there and back. *Ver tb* BILHETE

idade *sf* age: *Que ~ têm?* How old are they? ◇ *com a tua ~* at your age ◇ *crianças de todas as ~s* children of all ages LOC **a Idade Média** the Middle Ages [*pl*] **da minha idade** my, your, etc. age: *Não havia lá ninguém da minha ~.* There wasn't anybody my age. **de idade** elderly: *um senhor de ~* an elderly gentleman **estar numa idade difícil** (*adolescência*) to be at an awkward age **idade adulta** adulthood **não ter idade (para)** to be too young/too old (for *sth*/to do *sth*) **ter idade (para)** to be old enough (for *sth*/to do *sth*) *Ver tb* FLOR, LAR, MAIOR, TERCEIRO

ideal *adj, sm* ideal: *Isso seria o ~.* That would be ideal/the ideal thing. ◇ *É um homem sem ideais.* He's a man without ideals.

idealista ▸ *adj* idealistic ▸ *smf* idealist

idealizar *vt* to idealize

ideia *sf* **1** (*lembrança*) idea: *Tenho uma ~.* I've got an idea. ◇ *ter ~s malucas* to have strange ideas **2** (*conceito*) concept: *a ~ de democracia* the concept of democracy **3 ideias** (*ideologia*) convictions: *~s políticas/religiosas* political/religious convictions LOC **ideia fixa** obsession **não faço a menor/mínima ideia!** I haven't a clue! **que ideia!** you must be joking! *Ver tb* CURTO, MUDAR

idem *pron* (*numa lista*) ditto ➲ *Ver nota em* DITTO LOC **idem idem aspas aspas**: *É um descarado e o filho idem idem aspas aspas.* He's got a real cheek and the same goes for his son.

idêntico, -a *adj* ~ **(a)** identical (to *sb*/*sth*): *gémeos ~s* identical twins ◇ *É ~ ao meu.* It's identical to mine.

identidade *sf* identity [*pl* identities] LOC *Ver* BILHETE

identificação *sf* identification

identificar ▸ *vt* to identify ▸ **identificar-se** *vp* **1** (*mostrar identificação*) to identify yourself **2 identificar-se com** to identify with *sb*/*sth*: *identificar-se com o personagem principal* to identify with the main character LOC **por identificar** unidentified

ideologia *sf* ideology [*pl* ideologies]

idioma *sm* language

idiomático, -a *adj* idiomatic: *expressão idiomática* idiom

idiota ▸ *adj* stupid ▸ *smf* idiot: *Que ~ (que ele é)!* What an idiot (he is)! ◇ *Seu ~!* You idiot!

idiotice *sf* stupidity LOC **dizer idiotices** to talk nonsense

ídolo *sm* idol

idoso, -a ▸ *adj* elderly ▸ *sm-sf* elderly man/woman [*pl* elderly men/women]: *os ~s* the elderly LOC *Ver* LAR

iglu *sm* igloo [*pl* igloos]

ignição *sf* ignition LOC *Ver* CHAVE

ignorante ▸ *adj* ignorant ▸ *smf* moron

ignorar *vt* **1** (*desconhecer*) not to know: *Ignoro se já saíram.* I don't know if they've already left. **2** (*não querer saber*) to ignore

igreja *sf* church: *a Igreja católica* the Catholic Church ➲ *Ver nota em* SCHOOL LOC *Ver* CASAR(-SE)

igual ▸ *adj* **1** equal: *Todos os cidadãos são iguais.* All citizens are equal. ◇ *A é ~ a B.* A is equal to B. **2** ~ **(a)** (*idêntico*) the same (as *sb*/*sth*): *Aquela saia é ~ à tua.* That skirt is the same as yours. ▸ *smf* equal LOC **é-me igual** it's all the same to me, you, etc. **para mim é igual ao litro** I couldn't care less **sem igual** unrivalled

igualar *vi* (*Desp*) to equalize

igualmente *adv* equally: *São ~ culpados.* They are equally guilty. LOC **igualmente!** the same to you!

iguaria *sf* delicacy [*pl* delicacies]

ilegal *adj* illegal

ilegível *adj* illegible

ileso, -a *adj* unharmed: *escapar/sair ~* to escape unharmed

ilha *sf* island: *as Ilhas dos Açores* the Azores LOC **as Ilhas Britânicas** the British Isles **ilha deserta** desert island

ilhéu, -oa *sm-sf* islander

ilimitado, -a *adj* unlimited: *quilometragem ilimitada* unlimited mileage

iludir ▸ *vt* to deceive ▸ **iludir-se** *vp* **iludir-se (em)** to delude yourself, to fool yourself (*mais coloq*) (into *sth*/doing *sth*): *Não te iludas pensando que estás livre.* Don't fool yourself into thinking you're free.

iluminação *sf* lighting LOC *Ver* POSTE

iluminado, -a *adj* ~ **(com)** lit (up) (with *sth*): *A cozinha estava iluminada com velas.* The kitchen was lit (up) with candles. *Ver tb* ILUMINAR

iluminar ▸ *vt* **1** to light *sth* up: *~ um monumento* to light a monument up **2** (*apontar uma luz*) to shine a light on *sth*: *Ilumina-me a caixa dos fusíveis.* Shine a light on the fuse box.

▸ **iluminar-se** *vp* to light up: *A cara dele iluminou-se.* His face lit up.

ilusão *sf* illusion LOC **ilusão ótica** optical illusion **ter ilusões** to cherish fond hopes *Ver tb* PERDER

ilustração *sf* illustration

ilustrar *vt* to illustrate

ilustre *adj* illustrious

imagem *sf* **1** image: *Os espelhos distorciam a sua ~.* The mirrors distorted his image. ◊ *mudar de ~* to change your image **2** (*Cinema, TV*) picture

imaginação *sf* imagination LOC **é (pura) imaginação** it's all in the mind

imaginar *vt* to imagine: *Imagino que já saíram.* I imagine they must have left by now. ◊ *Imagino que sim.* I imagine so. ◊ *Imagina!* Just imagine!

imaginário, -a ▸ *adj* imaginary ▸ *sm* imagination

íman *sm* magnet

imaturo, -a *adj* immature

imbatível *adj* (*preço, recorde*) unbeatable

imbecil ▸ *adj* stupid: *Não sejas ~.* Don't be stupid. ▸ *smf* idiot: *Cala-te, ~!* Be quiet, you idiot!

imediações *sf* LOC **nas imediações (de)** in the vicinity (of *sth*)

imediato, -a *adj* immediate: *um êxito ~* an immediate success

imenso, -a ▸ *adj* **1** immense **2** (*sentimentos*) great: *uma alegria/pena imensa* great happiness/sorrow **3 imensos** (*muitos*) many, many: *Tive de esperar imensas horas.* I had to wait many, many hours. ▸ *adv* a lot: *Choveu ~.* It rained a lot. ◊ *divertir-se ~* to have a terrific time LOC *Ver* GOSTAR

imigração *sf* immigration

imigrante *smf, adj* immigrant

imigrar *vi* to immigrate

imitação *sf* imitation LOC **de imitação** fake

imitar *vt* **1** (*copiar*) to imitate **2** (*arremedar*) to mimic: *Imita muito bem os professores.* He's really good at mimicking the teachers.

imobiliária *sf* estate agent's, real estate agency [*pl* real estate agencies] (*USA*) ➲ *Ver nota em* TALHO

imoral *adj* immoral

imortal *adj* immortal

imóvel *adj* still: *permanecer ~* to stand still LOC *Ver* BEM²

impacientar ▸ *vt* to exasperate ▸ **impacientar-se** *vp* **impacientar-se (com)** to get worked up (about *sth*)

impaciente *adj* impatient

impacto *sm* impact: *o ~ ambiental* the impact on the environment

ímpar *adj* **1** (*Mat*) odd: *números ~es* odd numbers **2** (*único*) unique

imparcial *adj* unbiased

impasse *sm* deadlock

impecável *adj* **1** impeccable **2** (*pessoa*) great: *É um tipo ~.* He's a great guy.

impedido, -a *adj* **1** (*telefone*) engaged, busy (*USA*): *O telefone está ~.* It's engaged. **2** (*trânsito*) blocked *Ver tb* IMPEDIR

impedir *vt* **1** (*passagem*) to block *sth* (up) **2** (*impossibilitar*) to prevent *sb/sth* (*from doing sth*): *A chuva impediu que se celebrasse o casamento.* The rain prevented the wedding from taking place. ◊ *Ninguém te pode ~.* There's nothing stopping you.

impensável *adj* unthinkable

imperador, -triz *sm-sf* **1** (*masc*) emperor **2** (*fem*) empress

imperativo, -a *adj, sm* imperative

imperdível *adj* unmissable: *uma oportunidade ~* an unmissable opportunity

imperdoável *adj* unforgivable

imperfeição *sf* imperfection

imperial *adj* imperial LOC *Ver* CERVEJA

imperialismo *sm* imperialism

império *sm* empire

impermeável ▸ *adj* waterproof ▸ *sm* raincoat

impertinente *adj* impertinent

impessoal *adj* impersonal

impingir *vt* to foist *sth on sb/sth* LOC **impingir gato por lebre** to take *sb* in

implicar ▸ *vt* **1** (*comprometer*) to implicate: *Implicaram-no no assassinato.* He was implicated in the murder. **2** (*significar*) to imply **3** (*acarretar*) to involve ▸ *vi* ~ **com** to pick on *sb*

implícito, -a *adj* implicit

implorar *vt* to beg *sb* for *sth*, to beg *sb to do sth*: *Implorei ajuda aos meus amigos.* I begged my friends for help.

impor ▸ *vt* **1** to impose: *~ condições/uma multa* to impose conditions/a fine **2** (*respeito, ordem, silêncio*) to command: *~ o respeito* to command respect ▸ **impor-se** *vp* **1** (*fazer-se respeitar*) to command respect **2** (*prevalecer*) to prevail (*over sb/sth*): *Impôs-se justiça.* Justice prevailed.

importação *sf* import: *a ~ de trigo* the import

of wheat ◇ *reduzir as importações* to reduce imports LOC **de importação e exportação** import-export: *um negócio de ~ e exportação* an import-export business

importado, -a *adj* imported: *um carro ~* an imported car *Ver tb* IMPORTAR1, 2

importador, -ora *sm-sf* importer

importância *sf* **1** importance **2** (*quantidade*) amount: *a ~ da dívida* the amount of the debt LOC **adquirir/cobrar/ganhar importância** to become important **dar pouca importância (a)** to play *sth* down: *Dá sempre pouca ~ aos seus feitos.* She always plays down her achievements. **não tem importância** it doesn't matter **sem importância** unimportant

importante *adj* **1** important: *É muito ~ que assistas às aulas.* It's very important for you to attend lectures. **2** (*considerável*) considerable: *um ~ número de ofertas* a considerable number of offers LOC **o importante é que...** the main thing is that...

importar1 *vt* to import: *Portugal importa petróleo.* Portugal imports oil.

importar2 ▸ *vi* **1** (*ter importância*) to matter: *O que importa é ter boa saúde.* Health is what matters most. ◇ *Não importa.* It doesn't matter. **2** (*preocupar*) to care about *sb/sth*: *Não me importa o que eles pensam.* I don't care what they think. ▸ **importar-se** *vp* **1 importar-se (de/que...)** to mind (*doing sth/if...*): *Importas-te de fechar a porta?* Do you mind shutting the door? ◇ *Não me importo de me levantar cedo.* I don't mind getting up early. ◇ *Importa-se que eu fume?* Do you mind if I smoke? **2 importar-se com** (*preocupar-se*) to care about *sb/sth*: *Parece não se ~ com os filhos.* He doesn't seem to care about his children. LOC **pouco me importa** I, you, etc. couldn't care less

impossível *adj, sm* impossible: *Não peças o ~.* Don't ask (for) the impossible. LOC **impossível de perder** you can't miss it

imposto *sm* tax: *livre de ~s* tax-free LOC **Imposto sobre o Rendimento** (*abrev* **IRS**) income tax **Imposto sobre o Valor Acrescentado** (*abrev* **IVA**) value added tax (*abrev* VAT) *Ver tb* EVASÃO, FUGA

impotente *adj* impotent

impreciso, -a *adj* inaccurate

imprensa *sf* **1** (*prensa*) press **2** (*prelo*) printing press **3** (*jornais*) papers [*pl*]: *Não li o que vinha na ~.* I've not read what it said in the papers. **4 a imprensa** (*jornalistas*) the press [*v sing ou pl*]: *Estava lá toda a ~ internacional.* All the international press was/were there. LOC **imprensa sensacionalista** gutter press *Ver tb* CONFERÊNCIA, GABINETE, LETRA, LIBERDADE

imprescindível *adj* indispensable

impressão *sf* **1** (*sensação*) impression **2** (*processo*) printing: *pronto para ~* ready for printing LOC **ficar com (uma) boa/má impressão**: *O Rui deve ter ficado com uma má ~ de mim.* I made a bad impression on Rui. **impressão (digital)** fingerprint **tenho a impressão de que...** I get the feeling that...

impressionante *adj* **1** impressive: *um feito ~* an impressive achievement **2** (*espetacular*) striking: *uma beleza ~* striking beauty **3** (*comovente*) moving

impressionar *vt* **1** to impress: *Impressiona-me a sua eficiência.* I am impressed by her efficiency. **2** (*emocionar*) to move: *O final impressionou-me muito.* The ending was very moving. **3** (*desagradavelmente*) to shock: *Impressionou-nos muito o acidente.* We were shocked by the accident.

impressionável *adj* impressionable

impresso, -a ▸ *adj* printed ▸ *sm* form: *preencher um ~* to fill in a form *Ver tb* IMPRIMIR

impressor *sm* (*local*) printer's ➲ *Ver nota em* TALHO

impressora *sf* printer ➲ *Ver ilustração em* COMPUTADOR

imprevisível *adj* unpredictable

imprevisto, -a ▸ *adj* unforeseen ▸ *sm*: *Surgiu um ~.* Something unexpected has come up. ◇ *Tenho algum dinheiro de lado para os ~s.* I've got some money put aside for a rainy day.

imprimir *vt* to print

impróprio, -a *adj* **(~ para)** unsuitable (for *sth*): *água imprópria para consumo* water unsuitable for human consumption

improvável *adj* unlikely

improvisar *vt* to improvise

imprudente *adj* **1** rash **2** (*condutor*) careless

impulsivo, -a *adj* impulsive

impulso *sm* **1** impulse: *agir por ~* to act on impulse **2** (*estímulo*) boost: *O bom tempo deu um tremendo ~ ao turismo.* The good weather has given tourism a boost.

impuro, -a *adj* impure

imundície (*tb* **imundice**) *sf* filth [*não-contável*]

imundo, -a *adj* filthy: *Estás ~.* You're filthy.

imune *adj* **~ (a)** immune (to *sth*): *~ à dor/doença* immune to pain/illness

imunidade *sf* immunity: *gozar de/ter ~ diplomática* to have diplomatic immunity

imunodeficiência *sf* LOC *Ver* SÍNDROME

inabalável *adj* adamant: *uma negativa* ~ an adamant refusal

inacabado, -a *adj* unfinished

inaceitável *adj* unacceptable

inacessível *adj* inaccessible

inacreditável *adj* unbelievable

inadaptado, -a *adj* maladjusted

inadequado, -a *adj* inappropriate

inadiável *adj* pressing: *um encontro* ~ a pressing appointment

inadmissível *adj* unacceptable: *um comportamento* ~ unacceptable behaviour

inalador *sm* inhaler

inalar *vt* to inhale

inato, -a *adj* innate

inauguração *sf* opening, inauguration (*mais formal*): *a cerimónia de* ~ the opening ceremony

inaugurar *vt* to open, to inaugurate (*mais formal*)

incalculável *adj* incalculable: *com um valor* ~ priceless

incansável *adj* tireless

incapaz *adj* ~ **(de)** incapable (of *sth*/*doing sth*)

incendiar ▸ *vt* to set fire to *sth*: *Um louco incendiou a escola.* A madman has set fire to the school. ▸ **incendiar-se** *vp* to catch fire

incendiário, -a *sm-sf* arsonist

incêndio *sm* fire: *apagar um* ~ to put out a fire LOC *Ver* ALARME, ESCADA

incentivar *vt* to motivate

incentivo *sm* incentive

incerto, -a *adj* uncertain

inchaço *sm* (*Med*) swelling: *Parece que o* ~ *diminuiu.* The swelling seems to have gone down.

inchado, -a *adj* **1** swollen: *um braço/pé* ~ a swollen arm/foot **2** (*estômago*) bloated **3** (*orgulhoso*) full of yourself *Ver tb* INCHAR

inchar *vi* to swell (up): *Inchou-me o tornozelo.* My ankle has swollen up.

incidente *sm* incident

incineração *sf* **1** incineration **2** (*cadáver*) cremation

incineradora *sf* incinerator

incinerar *vt* **1** to incinerate **2** (*cadáver*) to cremate

incisivo *sm* incisor

inclinado, -a *adj* **1** (*terreno, telhado, etc.*) sloping **2** (*pessoa, edifício*) leaning LOC *Ver* BARRA; *Ver tb* INCLINAR

inclinar ▸ *vt* **1** to tilt: *Inclina um pouco o guarda-chuva.* Tilt the umbrella a bit. **2** (*cabeça para anuir ou saudar*) to nod ▸ *vi* to lean: *O edifício inclina para o lado.* The building leans over to one side. ▸ **inclinar-se** *vp* **1** (*lit*) to lean **2 inclinar-se para** (*fig*): *Inclinamo-nos para os Verdes.* Our sympathies lie with the Green Party.

incluído, -a *adj* including: *com o IVA* ~ including VAT LOC **(com) tudo incluído** all-in: *São 100 euros com tudo* ~. It's 100 euros all-in. *Ver tb* INCLUIR

incluir *vt* to include: *O preço inclui o serviço.* The price includes a service charge. LOC **incluindo eu** including me, you, etc.

inclusive *adv* inclusive: *de 3 a 7* ~ from the 3rd to the 7th inclusive ◇ *até sábado* ~ up to and including Saturday

incoerente *adj* **1** (*confuso*) incoherent: *palavras* ~*s* incoherent words **2** (*ilógico*) inconsistent: *comportamento* ~ inconsistent behaviour

incógnita *sf* mystery [*pl* mysteries]

incógnito, -a *adj* incognito: *viajar* ~ to travel incognito

incolor *adj* colourless

incomodar ▸ *vt* **1** (*importunar*) to bother: *Peço desculpa por te vir* ~ *a estas horas.* I'm sorry to bother you so late. **2** (*interromper*) to disturb: *Não quer que ninguém a incomode enquanto trabalha.* She doesn't want to be disturbed while she's working. ▸ *vi* to be a nuisance: *Não quero* ~. I don't want to be a nuisance. ▸ **incomodar-se** *vp* **1 incomodar-se (com)** (*importar-se*) to care (about *sth*): *Não me incomodo com o que as pessoas possam pensar.* I don't care about what people might think. **2 incomodar-se (em)** (*dar-se ao trabalho*) to bother (*to do sth*): *Nem se incomodou em responder à minha carta.* He didn't even bother to reply to my letter. LOC **incomoda-te que...?** do you mind if...?: *Incomoda-se que fume?* Do you mind if I smoke? **não incomodar** do not disturb

incómodo, -a ▸ *adj* uncomfortable ▸ *sm* **1** (*dor*) discomfort [*não-contável*] **2** (*maçada*) inconvenience: *causar* ~ *a alguém* to cause inconvenience to sb ◇ *Desculpem qualquer* ~. We apologize for any inconvenience. LOC **dar-se ao incómodo de** to take the trouble *to do sth* **se não for incómodo** if it's no bother

incomparável *adj* (*ímpar*) unique: *uma experiência/obra de arte* ~ a unique experience/work of art

incompatível *adj* incompatible

incompetente *adj, smf* incompetent

incompleto, **-a** *adj* **1** incomplete: *informação incompleta* incomplete information **2** (*por terminar*) unfinished

incompreensível *adj* incomprehensible

incomunicável *adj* **1** cut off: *Ficámos incomunicáveis devido à neve.* We were cut off by the snow. **2** (*preso*) in solitary confinement

inconfundível *adj* unmistakable

inconsciente ▸ *adj, sm* unconscious: *O doente está ~.* The patient is unconscious. ◇ *um gesto ~* an unconscious gesture ▸ *adj, smf* (*irresponsável*) irresponsible [*adj*]: *És um ~.* You're so irresponsible.

incontável *adj* countless

inconveniente ▸ *adj* **1** (*inoportuno, incómodo*) inconvenient: *uma hora ~* an inconvenient time **2** (*pouco apropriado*) inappropriate: *um comentário ~* an inappropriate comment ▸ *sm* **1** (*dificuldade, obstáculo*) problem: *Surgiram alguns ~s.* Some problems have arisen. **2** (*desvantagem*) disadvantage: *Tem vantagens e ~s.* It has its advantages and disadvantages.

incorporado, **-a** *adj* **1** ~ **em** incorporated into *sth*: *novos vocábulos ~s na língua* new words incorporated into the language **2** (*integrado*) built-in: *com antena incorporada* with a built-in aerial *Ver tb* INCORPORAR

incorporar ▸ *vt* **1** (*pessoa*) to include *sb* (*in sth*): *Incorporaram-me na equipa.* I've been included in the team. **2** (*território*) to annex ▸ **incorporar-se** *vp* **incorporar-se (em)** to join *sth*

incorreto, **-a** *adj* **1** (*errado*) incorrect **2** (*comportamento*) impolite

incriminar *vt* to incriminate

incrível *adj* incredible

incrustar-se *vp* (*projétil*): *A bala incrustou-se na parede.* The bullet embedded itself in the wall.

incubadora *sf* incubator

incubar *vt, vi* to incubate

inculto, **-a** *adj, sm-sf* ignorant [*adj*]: *És um ~.* You're so ignorant.

incurável *adj* incurable

indecente *adj* **1** (*roupa*) indecent **2** (*espetáculo, gesto, linguagem*) obscene **3** (*incorreto*) unfair: *É ~ despedir assim uma pessoa.* It's unfair to dismiss someone like that. **4** (*sujo*) filthy: *Esta cozinha está ~.* This kitchen is filthy.

indeciso, **-a** *adj, sm-sf* (*pessoa*) indecisive [*adj*]: *ser um ~* to be indecisive

indefeso, **-a** *adj* defenceless

indefinido, **-a** *adj* **1** (*Ling*) indefinite **2** (*cor, idade, forma*) indeterminate

indelicado, **-a** *adj* impolite

indemnizar *vt* to pay *sb* compensation (*for sth*)

independência *sf* independence

independente *adj* **1** independent **2** (*trabalhador*) self-employed

indescritível *adj* indescribable

indestrutível *adj* indestructible

indeterminado, **-a** *adj* **1** (*período*) indefinite: *uma greve por tempo ~* an indefinite strike **2** (*cor, idade, forma*) indeterminate

Índia *sf* India

indiano, **-a** *adj, sm-sf* Indian: *os ~s* the Indians LOC *Ver* FILA

indicação *sf* **1** sign **2 indicações (a)** (*instruções*) instructions: *Siga as indicações do folheto.* Follow the instructions in the leaflet. **(b)** (*de um caminho*) directions: *pedir ~* to ask for directions

indicado, **-a** *adj* **1** (*adequado*) suitable (*for sth/to do sth*): *Não são os mais ~s para este trabalho.* They're not suitable for this job. **2** (*marcado*) specified: *a data indicada no documento* the date specified in the document **3** (*aconselhável*) advisable *Ver tb* INDICAR

indicador *sm* **1** indicator **2** (*dedo*) index finger LOC **indicador de gasolina/pressão** petrol/pressure gauge *Ver tb* DEDO

indicar *vt* **1** (*mostrar*) to show, to indicate (*mais formal*): *~ o caminho* to show the way **2** (*mencionar*) to point *sth* out (*to sb*): *Indicou que se tratava de um erro.* He pointed out that it was a mistake.

indicativo *sm* (*telefone*) (area) code: *Qual é o ~ de Lisboa?* What's the code for Lisbon?

índice *sm* index [*pl* indexes/indices] LOC **índice (de matérias)** table of contents **índice de natalidade** birth rate

indício *sm* **1** (*sinal*) sign **2** (*pista*) clue

Índico *sm* Indian Ocean

indiferença *sf* indifference (*to sb/sth*)

indiferente *adj* indifferent (*to sb/sth*), not interested (*in sb/sth*) (*mais coloq*): *Mostra-se ~ às modas.* She isn't interested in fashion. LOC **é-me indiferente** I, you, etc. don't care **ser indiferente**: *É ~ que seja branco ou preto.* It doesn't matter whether it's black or white.

indígena ▸ *adj* indigenous ▸ *smf* native

indigestão *sf* indigestion

indignado, **-a** *adj* indignant (*at/about sth*) *Ver tb* INDIGNAR

indignar ▸ *vt* to infuriate ▸ **indignar-se** *vp*

indignar-se (com) (por) to get angry (with/at *sb*) (at/about *sth*)

indigno, -a *adj* **1** (*desprezível*) contemptible **2** ~ **de** unworthy of *sb/sth*: *um comportamento ~ de um diretor* behaviour unworthy of a director

índio, -a *adj, sm-sf* (American) Indian ➲ *Ver nota em* NATIVE AMERICAN

indireta *sf* hint: *Não perceberam a ~.* They didn't take the hint. ◇ *mandar uma ~* to drop a hint

indireto, -a *adj* indirect

indiscreto, -a *adj* indiscreet

indiscrição *sf* indiscretion: *se não é ~* if you don't mind my asking

indiscutível *adj* indisputable

indispensável *adj* essential LOC **o indispensável** the bare essentials [*pl*]

indisposto, -a *adj* (*maldisposto*) not well: *Não veio à aula porque está ~.* He hasn't come to class because he's not well.

individual *adj* individual LOC *Ver* CAMA, CASA, QUARTO

indivíduo *sm* individual

índole *sm* nature: *uma pessoa de boa ~* a good-natured person

indolor *adj* painless

indústria *sf* industry [*pl* industries]: *~ alimentar/siderúrgica* food/iron and steel industry

industrial ▸ *adj* industrial ▸ *smf* industrialist LOC *Ver* QUANTIDADE

induzir *vt* (*persuadir*) to persuade *sb to do sth* LOC **induzir em erro** to mislead

inédito, -a *adj* **1** (*original*) unheard-of **2** (*livro*) unpublished

ineficaz *adj* ineffective

ineficiente *adj* inefficient

inegável *adj* undeniable

inércia *sf* inertia LOC **por inércia** through force of habit

inerente *adj* ~ **(a)** inherent (in *sb/sth*): *problemas ~s ao cargo* problems inherent in the job

inesgotável *adj* **1** (*interminável*) inexhaustible **2** (*incansável*) tireless

inesperado, -a *adj* unexpected

inesquecível *adj* unforgettable

inestimável *adj* invaluable: *a sua ajuda ~* their invaluable help ◇ *de valor ~* priceless

inevitável *adj* inevitable

inexperiência *sf* inexperience

inexperiente *adj* inexperienced

infância *sf* childhood LOC *Ver* EDUCADOR, JARDIM

infantaria *sf* infantry [*v sing ou pl*] LOC **infantaria da marinha** marines [*pl*]

infantário *sm* nursery school, preschool (*USA*)

infantil *adj* **1** (*para crianças*) children's: *literatura/programação ~* children's books/programmes **2** (*inocente*) childlike: *um sorriso ~* a childlike smile **3** (*pejorativo*) childish, infantile (*mais formal*): *Não sejas ~.* Don't be childish. LOC *Ver* JARDIM, MAUS-TRATOS, PARQUE

infeção *sf* infection

infecioso, -a *adj* infectious

infelicidade *sf* **1** unhappiness **2** (*desgraça*) misfortune

infeliz ▸ *adj* **1** unhappy **2** (*inoportuno*) unfortunate: *um comentário ~* an unfortunate remark ▸ *smf* unfortunate person

infelizmente *adv* unfortunately

inferior *adj* ~ **(a)** **1** inferior (to *sb/sth*): *com uma qualidade ~ à vossa* inferior to yours **2** (*mais baixo*) lower (than *sth*): *uma taxa de natalidade ~ à do ano passado* a lower birth rate than last year

inferioridade *sf* inferiority: *complexo de ~* inferiority complex

inferno *sm* hell: *ir para o ~* to go to hell ◇ *fazer a vida um ~ a alguém* to make life hell for sb

infestar *vt* to infest

infetar ▸ *vt* to infect *sb/sth* (*with sth*) ▸ *vi* to become infected: *A ferida infetou.* The wound has become infected.

infidelidade *sf* infidelity [*pl* infidelities]

infiel *adj* unfaithful (*to sb/sth*): *Foi-lhe ~.* He has been unfaithful to her.

infiltrar-se *vp* **1** to filter (in/out) (*through sth*): *A luz infiltrava-se pelas frestas.* Light was filtering in through the cracks. **2** (*líquido*) to leak (in/out) (*through sth*): *Infiltrou-se água pela parede.* Water has leaked in through the wall. **3** (*pessoa*) to sneak in: *Vi-os ~.* I noticed them sneaking in. **4** (*Mil*) to infiltrate (*into sth*)

infinidade *sf* (*grande quantidade*) a great many: *uma ~ de gente/coisas* a great many people/things

infinito, -a *adj* infinite: *As possibilidades são infinitas.* The possibilities are infinite.

inflação *sf* inflation

inflamação *sf* (*Med*) swelling, inflammation (*mais formal*)

inflamar-se *vp* **1** (*incendiar-se*) to catch fire **2** (*Med*) to swell (up): *Inflamou-se-me bastante o tornozelo.* My ankle swelled up quite a bit.

inflamável *adj* inflammable

influência *sf* influence (*on/over sb/sth*): *Não tenho qualquer ~ sobre ele.* I have no influence over him.

influenciar *vt* to influence

influente *adj* influential: *ter amigos ~s* to have friends in high places

informação *sf* **1** information (*on/about sb/sth*) [*não-contável*]: *pedir ~* to ask for information ➲ *Ver nota em* CONSELHO **2** (*notícias*) news [*não-contável*]: *A televisão oferece muita ~ desportiva.* There's a lot of sports news on television. **3 informações (a)** (*telefónicas*) directory enquiries [*pl*], directory assistance [*não-contável, v sing*] (*USA*) **(b)** (*receção*) information desk **(c)** (*dados*) information [*não-contável, v sing*]: *segundo as suas informações* according to their information **4** (*denúncia*) tip-off LOC *Ver* QUADRO

informal *adj* **1** (*cerimónia, etc.*) informal: *uma reunião ~* an informal gathering **2** (*roupa*) casual

informar ▸ *vt* **1** (*notificar*) to inform *sb* (*of/about sth*): *Devemos ~ a polícia do acidente.* We must inform the police of the accident. **2** (*anunciar*) to announce: *A rádio informou que...* It was announced on the radio that... **3** (*prevenir*) to tip *sb* off (*about sth*) ▸ **informar-se** *vp* **informar-se (sobre/acerca de)** to find out (about *sb/sth*): *Tenho de me ~ sobre o que aconteceu.* I've got to find out what happened.

informática *sf* **1** computing **2** (*curso*) information technology (*abrev* IT)

informático, -a *adj* computer: *sistema ~* computer system LOC *Ver* PIRATA, PIRATARIA

informativo, -a *adj* LOC *Ver* BOLETIM

informatizar *vt* to computerize

infração *sf* **1** offence: *uma ~ de trânsito* a traffic offence **2** (*acordo, contrato, regra*) breach *of sth*: *uma ~ da lei* a breach of the law

infraestrutura *sf* infrastructure

infravermelho, -a *adj* infrared

infundado, -a *adj* unfounded

infundir *vt* **1** (*medo*) to instil *sth* (*in/into sb*) **2** (*suspeitas*) to arouse *sb's suspicions* **3** (*respeito, confiança*) to inspire *sth* (*in sb*)

infusão *sf* (*chá*) herbal tea

ingénuo, -a *adj, sm-sf* **1** (*inocente*) innocent **2** (*crédulo*) naive [*adj*]: *És um ~!* You're so naive!

Inglaterra *sf* England ➲ *Ver nota em* GRÃ-BRETANHA

inglês, -esa ▸ *adj, sm* English: *falar ~* to speak English ▸ *sm-sf* Englishman/woman [*pl* -men/-women]: *os ingleses* the English LOC *Ver* MOLHO

ingrato, -a *adj* **1** (*pessoa*) ungrateful **2** (*trabalho, tarefa*) thankless

ingrediente *sm* ingredient

íngreme *adj* steep

ingresso *sm* **1** (*instituição*) admission (*to sth*) **2** (*exército*) enlistment (*in sth*)

inibir ▸ *vt* to inhibit ▸ **inibir-se** *vp* to feel inhibited

iniciação *sf* ~ **(a) 1** introduction (to *sth*): *~ à música* an introduction to music **2** (*rito*) initiation (into *sth*)

inicial *adj, sf* initial LOC *Ver* PÁGINA

iniciar *vt* **1** (*começar*) to begin: *~ a reunião* to begin the meeting ➲ *Ver nota em* START **2** (*negócio*) to start *sth* (up) **3** (*viagem, etc.*) to set off on *sth*: *~ uma viagem* to set off on a trip **4** (*reformas*) to initiate

iniciativa *sf* initiative: *ter ~* to show initiative ◊ *tomar a ~* to take the initiative ◊ *por ~ própria* on your own initiative LOC *Ver* LIVRE

início *sm* start, beginning (*mais formal*) LOC **dar início** to begin **desde o início** from the very beginning **estar no início** to be in its early stages **no início de...** at the beginning of...

inimigo, -a *adj, sm-sf* enemy [*pl* enemies]: *as tropas inimigas* the enemy troops

injeção *sf* injection: *dar uma ~ a alguém* to give sb an injection

injetar ▸ *vt* to inject ▸ **injetar-se** *vp* (*drogar-se*) to be on drugs

injustiça *sf* injustice: *Cometeram-se muitas ~s.* Many injustices were done. LOC **ser uma injustiça**: *É uma ~.* It's not fair.

injusto, -a *adj* ~ **(com/para)** unfair (on/to *sb*): *É ~ para os outros.* It's unfair on the others.

inocente ▸ *adj, smf* innocent: *armar-se em ~* to play the innocent ▸ *adj* **1** (*ingénuo*) naive **2** (*brincadeira*) harmless LOC *Ver* DECLARAR

inodoro, -a *adj* odourless

inofensivo, -a *adj* harmless LOC *Ver* MENTIRA

inoportuno, -a *adj* inopportune: *um momento ~* an inopportune moment

inovador, -ora *adj* innovative

inox *sm* stainless steel

inoxidável *adj* stainless

inquebrável *adj* unbreakable

inquérito *sm* **1** survey [*pl* surveys]: *efetuar um ~* to carry out a survey **2** (*investigação*) investigation: *um ~ policial* a police investigation

inquietação (*tb* inquietude) *sf* (*preocupação*) worry [*pl* worries]

inquietar(-se) *vt, vp* to worry (*about sb/sth*)

inquieto, -a *adj* ~ **(com)** (*preocupado*) worried (about *sb/sth*)

inquilino, -a *sm-sf* tenant

insatisfeito, -a *adj* dissatisfied (*with sb/sth*)

inscrever ▸ *vt* **1** (*em lista*) to put *sb's* name down **2** (*matricular*) to enrol *sb*: *Vou ~ o meu filho na escola.* I'm going to enrol my son in school. **3** (*gravar*) to inscribe ▸ **inscrever-se** *vp* **inscrever-se (em) 1** (*curso*) to enrol (*for sth*): *Inscrevi-me no judo.* I've enrolled for judo classes. **2** (*organização, partido*) to join **3** (*competição, concurso*) to enter

inscrição *sf* **1 (a)** (*registo*) registration **(b)** (*curso, exército*) enrolment **2** (*gravura*) inscription

insegurança *sf* insecurity LOC **insegurança pública** lack of safety on the streets

inseguro, -a *adj* **1** (*pessoa*) insecure **2** (*perigoso*) unsafe **3** (*passo, voz*) unsteady

insensato, -a *adj* foolish

insensível *adj* **1** ~ **(a)** insensitive (to *sth*): *~ ao frio/sofrimento* insensitive to cold/suffering **2** (*membro, nervo*) numb

inseparável *adj* inseparable

inserir *vt* to put *sth* in, to put *sth* into *sth*, to insert (*mais formal*)

inseticida *sm* insecticide

inseto *sm* insect

insígnia *sf* badge

insignificante *adj* insignificant

insinuação *sf* insinuation

insinuar *vt* to insinuate: *Estás a ~ que estou a mentir?* Are you insinuating that I'm lying?

insípido, -a *adj* **1** (*comida*) bland: *A sopa está um pouco insípida.* This soup is a bit bland. **2** (*pessoa*) dull **3** (*piada*) not funny: *As piadas deles são muito insípidas.* Their jokes aren't funny.

insistente *adj* **1** (*com palavras*) insistent **2** (*atitude*) persistent

insistir *vi* ~ **(em)** to insist (on *sth/doing sth*): *Insistiu que fôssemos.* He insisted that we should go.

insolação *sf* sunstroke [*não-contável*]: *apanhar uma ~* to get sunstroke

insolente *adj* insolent

insónia *sf* insomnia

insonorizar *vt* to soundproof

insosso, -a *adj* (*comida*) bland

inspecionar *vt* to inspect

inspetor, -ora *sm-sf* inspector

inspiração *sf* inspiration

inspirar ▸ *vt* **1** to inspire (*sb*) (with *sth*): *Esse médico não me inspira nenhuma confiança.* That doctor doesn't inspire me with confidence. **2** (*inalar*) to inhale, to breathe in (*mais coloq*) ▸ **inspirar-se** *vp* **inspirar-se (em)** to get inspiration (from *sth*): *O autor inspirou-se num facto verídico.* The author got his inspiration from a real-life event.

instabilidade *sf* (*tempo*) uncertainty [*pl* uncertainties]

instalação *sf* **1** installation **2 instalações** facilities: *instalações desportivas* sports facilities LOC **instalação elétrica** (electrical) wiring [*não-contável, v sing*]

instalar ▸ *vt* to install ▸ **instalar-se** *vp* **1** (*em cidade, país, numa cadeira, etc.*) to settle (down): *Instalou-se no sofá.* He settled down on the sofa. **2** (*numa casa*) to move *into sth*: *Acabámos de nos ~ na nova casa.* We've just moved into our new house. **3** (*pânico, medo*) to spread: *Instalou-se o pânico.* Panic spread.

instantâneo, -a *adj* instantaneous

instante *sm* moment: *nesse (mesmo) ~* at that (very) moment ◇ *a qualquer ~* at any moment LOC **a todo o instante** constantly **dentro de instantes** shortly **de um instante para o outro** suddenly **num instante** in a second **por instantes** for a moment

instável *adj* **1** unstable: *É uma pessoa muito ~.* He's very unstable. **2** (*tempo*) changeable

instinto *sm* instinct LOC **por instinto** instinctively

instituição *sf* institution

instituto *sm* institute LOC **Instituto Politécnico** ≈ technical college, career school (*USA*) *Ver tb* BELEZA

instrução *sf* **1** (*Mil*) training **2 instruções** instructions: *instruções de uso* instructions for use

instrumental *adj* instrumental

instrumento *sm* instrument

instrutor, -ora *sm-sf* instructor

insubordinado, -a *adj* insubordinate

insubstituível *adj* irreplaceable

insucesso *sm* failure LOC **insucesso escolar** poor school performance

insuficiência *sf* **1** (*falta*) lack **2** (*Med*) failure:

~ *cardíaca/renal* heart/kidney failure **3** (*deficiência*) inadequacy [*pl* inadequacies]

insuficiente ▸ *adj* **1** (*escasso*) insufficient **2** (*deficiente*) inadequate ▸ *sm* (*Educ*) ≈ F : *Teve ~.* He got an F. ➲ *Ver nota em* A, A

insulina *sf* insulin

insultar *vt* to insult

insulto *sm* insult

insuperável *adj* **1** (*feito, beleza*) matchless **2** (*dificuldade*) insuperable **3** (*qualidade, oferta*) unbeatable

insuportável *adj* unbearable

intacto, -a *adj* **1** (*intocado*) untouched **2** (*não danificado*) intact: *A sua reputação permanece intacta.* His reputation remains intact.

íntegra *sf* LOC **na íntegra** whole: *o meu ordenado na ~* my whole salary

integração *sf* ~ **(em)** integration (into *sth*)

integral *adj* (*completo*) comprehensive: *uma reforma ~* a comprehensive reform LOC *Ver* FARINHA, PÃO

integrar-se *vp* ~ **(em)** (*adaptar-se*) to integrate (into *sth*)

integridade *sf* integrity

íntegro, -a *adj* honest

inteirar-se *vp* ~ **(de) 1** (*descobrir*) to find out (about *sth*) **2** (*notícia*) to hear (about *sth*): *Já me inteirei do que aconteceu com o teu avô.* I've heard about what happened to your grandfather.

inteiro, -a *adj* **1** (*completo*) whole, entire (*mais formal*) **2** (*intacto*) intact LOC *Ver* CORPO, TEMPO

intelectual *adj, smf* intellectual

inteligência *sf* intelligence LOC **coeficiente/quociente de inteligência** intelligence quotient (*abrev* IQ)

inteligente *adj* intelligent

intenção *sf* intention: *ter más intenções* to have evil intentions LOC **com más intenções** maliciously **fazer alguma coisa com boas intenções** to mean well: *Fi-lo com boas intenções.* I meant well. **ter a intenção de** to intend *to do sth*: *Temos a ~ de comprar um apartamento.* We intend to buy a flat. *Ver tb* SEGUNDO

intencional *adj* deliberate

intensidade *sf* **1** intensity **2** (*corrente elétrica, vento, voz*) strength

intensificar(-se) *vt, vp* to intensify

intensivo, -a *adj* intensive LOC *Ver* UNIDADE

intenso, -a *adj* **1** intense: *uma onda de frio/calor ~* intense cold/heat **2** (*chuva, nevão, trânsito, trabalho*) heavy: *um ritmo ~ de trabalho* a heavy work schedule **3** (*dor, crise*) severe

interativo, -a *adj* interactive LOC *Ver* QUADRO

intercâmbio *sm* exchange LOC *Ver* VIAGEM

interceder *vi* ~ **(a favor de/por)** to intervene (on *sb's* behalf): *Intercederam por mim.* They intervened on my behalf.

Intercidades *sm* (*comboio*) intercity train: *Apanhou o ~ para o Porto.* She caught the intercity train to Oporto.

interdito, -a *adj* banned: *~ a menores de 18 anos* only for over 18s

interessado, -a *adj* **1** interested: *Não estou ~.* I'm not interested. **2** ~ **(em)** (*disposto*) keen (*to do sth*): *Estou ~ em ir.* I am keen to go. *Ver tb* INTERESSAR

interessante *adj* interesting

interessar ▸ *vi* ~ **(a)** to be interested in *sth/doing sth*: *A arte interessava a todos.* Everyone was interested in art. ◇ *Interessa-te participar?* Are you interested in taking part? ▸ *vt* ~ **alguém (em alguma coisa)** to interest sb (in sth): *Não conseguiu ~ o público nas reformas.* He didn't manage to interest the public in the reforms. ▸ **interessar-se** *vp* **interessar-se por 1** (*mostrar interesse*) to show (an) interest in *sth*: *O diretor interessou-se pela minha obra.* The director showed (an) interest in my work. **2** (*como passatempo*) to get into *sth/doing sth*: *Interessou-se pelo xadrez.* She's really got into chess. LOC **não interessa** it doesn't matter: *Não interessa o que digas, eu vou deixá-la.* It doesn't matter what you say, I'm leaving her. *Ver tb* QUE[3]

interesse *sm* **1** ~ **(em/por)** interest (in *sb/sth*): *ter ~ pela política* to be interested in politics ◇ *não mostrar qualquer ~* to show no interest ◇ *É uma pessoa sem ~s.* He's got no interest in anything. **2** (*egoísmo*) self-interest: *Fizeram-no por puro ~.* They acted out of pure self-interest. LOC *Ver* CONFLITO

interface *sf* interface

interferência *sf* interference [*não-contável*]: *Ocorreram ~s na emissão do programa.* The programme has been affected by interference.

interferir *vi* ~ **(em)** to interfere (in *sth*): *Deixa de ~ nos meus assuntos.* Stop interfering.

interfone *sm* intercom

interior ▸ *adj* **1** inner: *um quarto ~* an inner room **2** (*bolso*) inside ▸ *sm* interior: *o ~ de um edifício/país* the interior of a building/country LOC *Ver* CAMISOLA, DECORAÇÃO, ROUPA

interjeição *sf* interjection

intermediário, -a *sm-sf* **1** (*mediador*) mediator: *A ONU atuou como intermediária no conflito.* The UN acted as a mediator in the conflict. **2** (*mensageiro*) go-between [*pl* go-betweens] **3** (*Com*) middleman [*pl* -men]

intermédio, -a *adj* intermediate LOC **por intermédio de** through

interminável *adj* endless

internacional *adj* international

internar *vt*: *Internaram-no no hospital.* He was admitted to hospital.

internato *sm* boarding school

internauta *smf* Internet user

Internet *sf* Internet

> Em inglês utiliza-se **Internet** quase sempre com o artigo definido **the**: *Eu encontrei isto na Internet.* I found it on the Internet. No entanto, quando esta precede um substantivo, não se utiliza o artigo definido: *um provedor de Internet* an Internet Service Provider.

LOC *Ver* NAVEGAR, PÁGINA, PROVEDOR

interno, -a[1] *adj* **1** internal: *órgãos ~s* internal organs **2** (*comércio, política, voo*) domestic: *comércio ~* domestic trade **3** (*face, parte*) inner: *a parte interna da coxa* the inner thigh LOC *Ver* MINISTÉRIO, MINISTRO, PRODUTO

interno, -a[2] *sm-sf* (*aluno*) boarder LOC *Ver* COLÉGIO

interpretação *sf* interpretation

interpretar *vt* **1** to interpret: *~ a lei* to interpret the law **2** (*Cinema, Teat, Mús*) to perform LOC **interpretar mal** to misinterpret: *Interpretaste mal as minhas palavras.* You misinterpreted what I said.

intérprete *smf* **1** (*tradutor*) interpreter **2** (*Teat, Cinema, Mús*) performer

interprovíncias *adj* LOC *Ver* ESTRADA

interrogação *sf* LOC *Ver* PONTO

interrogar *vt* to question

interrogatório *sm* interrogation

interromper *vt* **1** to interrupt: *Não me interrompas.* Don't interrupt me. **2** (*trânsito, aula*) to disrupt: *As obras irão ~ o trânsito.* The roadworks will disrupt the traffic.

interrupção *sf* interruption LOC *Ver* TORNEIRA

interruptor *sm* switch

interurbano, -a *adj* **1** intercity: *serviços ~s* intercity services **2** (*chamada*) long-distance LOC *Ver* CHAMADA, COMBOIO

intervalo *sm* **1** interval: *Encontrei-me com eles durante o ~ (da peça).* I met them during the interval. ◇ *com ~s de meia hora* at half-hourly intervals **2** (*aula, programa de televisão*) break **3** (*Desp*) half-time: *Ao ~ estava três-um.* They were three one at half-time.

intervir *vi* **1** ~ **(em)** to intervene (in *sth*): *A polícia teve de ~.* The police had to intervene. **2** (*falar*) to speak

intestino *sm* intestine: *~ delgado/grosso* small/large intestine LOC *Ver* PRENDER

intimidade *sf* **1** (*privacidade*) privacy: *o direito à ~* the right to privacy **2** (*familiaridade*) intimacy: *tratar alguém com demasiada ~* to treat sb with too much intimacy

intimidar *vt* to intimidate

íntimo, -a *adj* **1** intimate: *uma conversa íntima* an intimate conversation **2** (*amizade, relação*) close: *São amigos ~s.* They're very close friends. LOC **no íntimo** deep down

intitular *vt* to call: *Não sei como ~ o poema.* I don't know what to call the poem.

intolerância *sf* intolerance

intolerante *adj* intolerant

intolerável *adj* intolerable

intoxicação *sf* poisoning: *~ alimentar* food poisoning ❶ De notar que a palavra inglesa **intoxication** equivale a **embriaguez** em português.

Internet

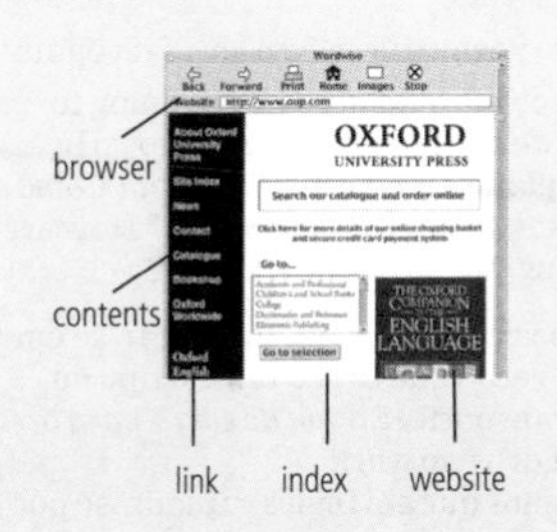

Para ter acesso à Internet (**access the Net**), é necessário um navegador (**browser**). Na página inicial, pode-se fazer uma busca (**do a search**) através de um motor de busca (**search engine**) ou clicar numa hiperligação (**click on a link**).
Isto permite o acesso a outras páginas, nas quais se pode ler um jornal, fazer uma compra na Net (**online**), baixar um arquivo (**download a file**), fazer o upload de fotos (**upload photos**) ou participar numa sala de conversa (**chatroom**).

www.oup.com lê-se "www dot oup dot com".

intricado, -a (*tb* intrincado, -a) *adj* (*complicado*) complicated

intriga *sf* **1** (*maquinação, romance*) intrigue: *~s políticas* political intrigues **2** (*filme*) plot **3** (*mexerico*) gossip [*não-contável*]: *a última ~* the latest piece of gossip

intrigar *vt* to intrigue

introdução *sf* introduction: *uma ~ à música* an introduction to music

introduzir *vt* **1** (*inserir*) to put *sth* in, to put *sth* into *sth*, to insert (*mais formal*): *Introduza a moeda na ranhura.* Insert the coin in the slot. **2** (*computador*) to key *sth* in: *Introduza o seu número pessoal.* Key in your PIN number.

intrometer-se *vp* ~ **(em)** to meddle (in/with *sth*): *Não quero intrometer-me nos assuntos de família.* I don't want to meddle in family affairs.

intrometido, -a ▸ *adj* interfering ▸ *sm-sf* meddler *Ver tb* INTROMETER-SE

introvertido, -a ▸ *adj* introverted ▸ *sm-sf* introvert

intruso, -a *sm-sf* intruder

intuição *sf* intuition: *Respondi por ~.* I answered intuitively.

intuir *vt* to sense

inumano, -a *adj* **1** inhuman **2** (*injusto*) inhumane

inúmero, -a *adj* countless: *inúmeras vezes* countless times

inundação *sf* flood

inundar(-se) *vt, vp* to flood: *Inundaram-se os campos.* The fields flooded.

inútil ▸ *adj* useless: *cacarecos inúteis* useless junk ◇ *Será um esforço ~.* It'll be a waste of time. ▸ *smf* good-for-nothing

invadir *vt* to invade

invalidez *sf* disability [*pl* disabilities]

inválido, -a ▸ *adj* (*pessoa*) disabled ▸ *sm-sf* invalid

invasão *sf* invasion

invasor, -ora ▸ *adj* invading ▸ *sm-sf* invader

inveja *sf* envy: *fazer alguma coisa por ~* to do sth out of envy ◇ *Que ~!* I really envy you! LOC **fazer inveja** to make *sb* jealous **ter inveja** to be jealous (*of sb/sth*) *Ver tb* MORTO, ROÍDO

invejar *vt* to envy

invejoso, -a *adj, sm-sf* envious [*adj*]: *És um ~.* You're very envious.

invenção *sf* **1** invention **2** (*mentira*) lie: *Não é verdade, são invenções dela.* It's not true, she's telling lies.

inventar *vt* **1** (*criar*) to invent: *Gutenberg inventou a imprensa.* Gutenberg invented the printing press. **2** (*desculpa, história*) to make *sth* up: *~ uma desculpa* to make up an excuse ◇ *Não é verdade, estás a ~.* It's not true, you're just making it up. **3** (*idear*) to think *sth* up, to devise (*mais formal*)

invento *sm* invention

inventor, -ora *sm-sf* inventor

inverno *sm* winter: *roupa de ~* winter clothes ◇ *Nunca uso a bicicleta no ~.* I never ride my bike in the winter. LOC *Ver* PINO

inverso, -a *adj* **1** (*proporção*) inverse **2** (*ordem*) reverse **3** (*direção*) opposite: *em sentido ~ ao da rotação* in the opposite direction to the rotation

invertebrado, -a *adj, sm* invertebrate

invertido, -a *adj* LOC *Ver* BARRA

investigação *sf* ~ **(de/sobre) 1** investigation (into *sth*): *Será feita uma ~ do acidente.* There'll be an investigation into the accident. **2** (*científica, académica*) research (into/on *sth*) [*não-contável*]: *Estão a realizar um trabalho de ~ sobre a malária.* They're doing research on malaria.

investigador, -ora *sm-sf* **1** investigator **2** (*cientista, académico*) researcher

investigar *vt, vi* **1** to investigate: *~ um caso* to investigate a case **2** (*cientista, académico*) to do research (*into/on sth*): *Estão a ~ o vírus da sida.* They're doing research on the AIDS virus.

investimento *sm* (*Fin*) investment

investir *vt, vi* ~ **(em)** to invest (*sth*) (in *sth*): *Investiram dez milhões de euros na companhia.* They've invested ten million euros in the company.

invisível *adj* invisible

invocar *vt* (*razões, motivos*) to claim: *Invocou motivos pessoais.* He claimed personal reasons were responsible.

invólucro *sm* wrapper

iodo *sm* iodine

ioga *sm ou sf* yoga

iogurte *sm* yoghurt: *~ magro* low-fat yoghurt

ir ▸ *vi* **1** to go: *Vão a Roma.* They're going to Rome. ◇ *ir de carro/comboio/avião* to go by car/train/plane ◇ *ir a pé* to go on foot ◇ *Como vão as coisas (com o teu namorado)?* How are things going (with your boyfriend)?

> Em vez do verbo **go**, é comum utilizar-se em inglês um verbo que especifique o tipo ou meio de transporte: *Eu vou de carro para o trabalho.* I drive to work.
> Relembramos que em inglês *ir* traduz-se por

come, quando se está próximo da pessoa com quem se está a falar: *Não precisas de chamar mais. Já estou a ir!* Coming! You don't need to call me again. ◇ *Vou para Oxford amanhã. Ver-nos-emos então.* I'm coming to Oxford tomorrow so I'll see you then.

2 (*estar*) to be: *Íamos mortos de sede.* We were thirsty. ◇ *ir bem vestido/malvestido* to be well/ badly dressed **3** (*Mat*): *22 e vão dois* 22 and carry two. ◇ *De nove para doze vão três.* Nine from twelve leaves three. **4** (*funcionar*) to work: *O elevador não quer ir.* The lift's not working. **5** ~ **com** (*roupa, cores*) to go (with *sth*): *O casaco não vai com a saia.* The jacket doesn't go with the skirt. ◇ *Essas meias não vão com estes sapatos.* Those socks don't go with these shoes. ▸ *v aux* **1** [+ *infinitivo*] **(a)** to be going *to do sth*: *Vamos vender a casa.* We're going to sell the house. ◇ *Íamos comer quando tocou o telefone.* We were just going to eat when the phone rang. **(b)** (*em ordens*) to go *and do sth*: *Vai falar com o teu pai.* Go and talk to your father. **2** [+ *gerúndio*] **(a)** (*iniciar*) to start *doing sth*: *Vai pondo a mesa.* Start laying the table. **(b)** (*indicando simultaneidade*) to go on *doing sth*: *Ela ia comendo enquanto ele falava.* She went on eating while he was talking. ▸ **ir-se** *vp* **1** (*partir*) to leave **2** (*luz, dor*) to go: *Foi--se a luz.* The electricity's gone (off). **3** (*líquido, gás*) to leak LOC **ir dar a** (*rua*) to lead to *sth*: *Este caminho vai dar ao povoado.* This track leads to the village. **ir de** (*vestido*) to be dressed as *sb/ sth*, to be dressed in *sth*: *ir de palhaço* to be dressed as a clown ◇ *ir de azul* to be dressed in blue **ir indo**: *Como vai a tua mãe? Vai indo.* How's your mother? Not so bad. ◇ *Vamos indo.* We're doing OK. **já vou!** coming! **vamos...?** (*sugestões*) shall we...?: *Vamos comer?* Shall we eat? ◇ *Vamos ver?* Shall we go and see? **vamos!** come on!: *Vamos, senão perdemos o comboio!* Come on or we'll miss the train! ◇ *Vamos! Não exageres.* Come on, don't exaggerate! ❶ Para outras expressões com **ir**, ver as entradas para o substantivo, adjetivo, etc., p. ex. **vai passear!** em PASSEAR.

ira *sf* anger

íris *sf* iris

Irlanda *sf* Ireland LOC **Irlanda do Norte** Northern Ireland ➲ *Ver nota em* GRÃ-BRETANHA

irlandês, **-esa** ▸ *adj, sm* Irish: *falar* ~ to speak Irish ▸ *sm-sf* Irishman/woman [*pl* -men/ -women]: *os irlandeses* the Irish

irmandade *sf* **1** (*entre homens*) brotherhood **2** (*entre mulheres*) sisterhood **3** (*confraria*) association

irmão, **-ã** *sm-sf* **1** (*masc*) brother: *Tenho um ~ mais velho.* I have an older brother. **2** (*fem*) sister: *a minha irmã mais nova* my youngest sister ❶ **Brother** e **sister** também se usam no sentido religioso, sendo neste caso escritas em inglês com letra maiúscula: *o irmão Francisco* Brother Francis. **3 irmãos**

Por vezes dizemos *irmãos* referindo-nos a irmãos e irmãs, nesses casos devemos dizer em inglês **brothers and sisters**: *Tens irmãos?* Have you got any brothers and sisters? ◇ *Somos seis irmãos.* I've got five brothers and sisters. ◇ *São dois irmãos e três irmãs.* There are two boys and three girls.

LOC **irmão/irmã por parte do pai/da mãe** **1** (*masc*) half-brother **2** (*fem*) half-sister

ironia *sf* irony [*pl* ironies]: *uma das ~s da vida* one of life's little ironies

irónico, **-a** *adj, sm-sf* ironic [*adj*]: *ser um ~* to be ironic

irra! *interj* damn

irracional *adj* irrational

irreal *adj* unreal

irreconhecível *adj* unrecognizable

irregular *adj* **1** irregular: *verbos ~es* irregular verbs ◇ *um batimento cardíaco ~* an irregular heartbeat **2** (*anormal*) abnormal: *uma situação ~* an abnormal situation

irrelevante *adj* irrelevant

irremediável *adj* irremediable: *uma perda/ falha ~* an irremediable loss/mistake

irreparável *adj* irreparable

irrepreensível *adj* irreproachable

irrequieto, **-a** *adj* restless: *uma criança irrequieta* a restless child

irresistível *adj* irresistible: *uma atração/ força ~* an irresistible attraction/force

irresponsável *adj, smf* irresponsible [*adj*]: *És um ~!* You're so irresponsible!

irreversível *adj* irreversible

irrigação *sf* (*Agricultura*) irrigation LOC **irrigação sanguínea** circulation

irritação *sf* **1** irritation **2** (*na pele*) rash

irritante *adj* annoying

irritar ▸ *vt* to irritate ▸ **irritar-se** *vp* **1 irritar-se (com) (por)** to get annoyed (with *sb*) (at/about *sth*): *Irrita-se por tudo e por nada.* He gets annoyed very easily. **2** (*Med*) to get irritated

IRS *sm* income tax

isco *sm* bait [*não-contável*]

isento, **-a** *adj* ~ **(de)** **1** (*não obrigatório*) exempt (from *sth*) **2** (*livre*) free (from *sth*): *~ de impostos* tax-free

islâmico, -a *adj* Islamic

islamista *adj, smf* Islamist

isolado, -a *adj* isolated: *casos ~s* isolated cases *Ver tb* ISOLAR

isolador, -ora ▸ *adj* insulating ▸ *sm* insulator **LOC** *Ver* FITA

isolar *vt* **1** (*separar*) to isolate *sb/sth* (*from sb/sth*) **2** (*deixar incomunicável*) to cut *sb/sth* off (*from sb/sth*): *As cheias isolaram a aldeia.* The village was cut off by the floods. **3** (*com material isolador*) to insulate **4** (*polícia*) to cordon *sth* off

isósceles *adj* **LOC** *Ver* TRIÂNGULO

isqueiro *sm* lighter

isso *pron* that: *Que é ~?* What's that? ◇ *É ~, muito bem.* That's right, very good. **LOC** **isso é que não!** definitely not! **isso mesmo!** that's right! **para isso** in order to do that **por isso** so, therefore (*mais formal*)

istmo *sm* isthmus [*pl* isthmuses]

isto *pron* this: *Temos de acabar com ~.* We've got to put a stop to this. ◇ *Que é ~?* What's this? **LOC** **isto é…** that is (to say)…

Itália *sf* Italy

italiano, -a *adj, sm-sf, sm* Italian: *os ~s* the Italians ◇ *falar ~* to speak Italian

item *sm* **1** point: *Não concordo com este ~.* I don't agree with this point. **2** (*numa lista*) item

itinerário *sm* itinerary [*pl* itineraries], route (*mais coloq*)

IVA *sm* VAT

J j

já *adv* **1** [*referindo-se ao passado*] already: *Já o acabaste?* Have you finished it already? ➲ *Ver nota em* YET **2** [*referindo-se ao presente*] now: *Estava muito doente mas agora já está bom.* He was very ill but he's fine now. **3** [*referindo-se ao futuro*]: *Já veremos.* We'll see. **4** (*em ordens*) at once: *Vem aqui já!* Come here at once! ◇ *Quero que o faças já.* I want you to do it at once. **5** (*alguma vez*) ever: *Já estiveste em Inglaterra?* Have you ever been to/in England? ◇ *Já andaste de avião?* Have you ever flown in an aeroplane? **6** [*uso enfático*]: *Já sei.* I know. ◇ *Sim, já percebi.* Yes, I understand. ◇ *Já vais ver.* Just you wait and see. **LOC** **desde já** straight away **é para já!** coming up! **já não…**: *Já lá não moro.* I don't live there any more. **já que** since **já vou!** coming!

jacaré *sm* alligator

jacinto *sm* hyacinth

jade *sm* jade

jaguar *sm* jaguar

jamais *adv* never: *Jamais conheci alguém assim.* I've never known anyone like him. ➲ *Ver nota em* ALWAYS

janeiro *sm* January (*abrev* Jan.): *Os exames são em ~.* We've got exams in January. ◇ *O meu aniversário é no dia 12 de ~.* My birthday's (on) January 12. ❶ Diz-se 'January the twelfth' ou 'the twelfth of January'.

janela *sf* window

jangada *sf* raft

jantar[1] *sm* dinner, supper: *O que é o ~?* What's for dinner? ◇ *Comi uma omeleta ao ~.* I had an omelette for supper. ➲ *Ver nota em* DINNER **LOC** **dar um jantar** to have a dinner party *Ver tb* SALA

jantar[2] ▸ *vi* to have dinner/supper ▸ *vt* to have *sth* for dinner/supper ➲ *Ver nota em* DINNER

Japão *sm* Japan

japonês, -esa ▸ *adj, sm* Japanese: *falar ~* to speak Japanese ▸ *sm-sf* Japanese man/woman [*pl* men/women]: *os japoneses* the Japanese

jarda *sf* yard

jardim *sm* garden **LOC** **jardim botânico** botanical gardens [*pl*] **jardim infantil/de infância** nursery school, preschool (*USA*) **jardim público** public gardens [*pl*] **jardim zoológico** zoo

jardim-escola *sm* nursery school, preschool (*USA*)

jardinagem *sf* gardening

jardineira *sf* **1 jardineiras** (*peça de vestuário*) dungarees [*pl*], overalls [*pl*] (*USA*) ➲ *Ver ilustração em* OVERALLS **2** (*Cozinha*) vegetable stew

jardineiro, -a *sm-sf* gardener

jargão *sm* jargon

jarra *sf* **1** (*flores*) vase **2** (*bebida*) jug, pitcher (*USA*)

jarrão *sm* vase

jarro[1] *sm* (*bebida*) (large) jug, pitcher (*USA*)

jarro[2] *sm* (*Bot*) arum lily [*pl* arum lilies]

jato *sm* jet

jaula *sf* cage

javali *sm* wild boar [*pl* wild boar]

jazida *sf* **1** (*Geol*) deposit: *uma ~ de carvão* a coalfield **2** (*Arqueologia*) site

jazigo *sm* grave

jeans *sm* jeans: *Quero comprar uns ~.* I want to buy a pair of jeans.

jeito *sm* **1** (*modo*) way: *Não gosto do ~ como ele fala.* I don't like the way he talks. **2** (*habilidade*) skill **LOC** **apanhar o jeito** to get the hang *of sth*:

Já começa a apanhar o ~ ao inglês. She's getting the hang of English now. **com jeito** carefully **dar um jeito em** (*reparar*) to fix : *Vê se dás um ~ na televisão.* See if you can fix the television. **dar um (mau) jeito ao pé/tornozelo** to sprain your foot/ankle **de jeito nenhum!** no way! **estar a jeito** (*perto*) to be nearby: *O supermercado está mesmo a ~.* The supermarket's nearby. **fazer jeito** to come in handy **fazer um jeito a alguém** to do sb a favour **ter jeito** to be good *at sth/doing sth*: *ter ~/não ter ~ para a matemática* to be good/to be no good at maths *Ver tb* FALTA

jejum *sm* fast: *40 dias de ~* 40 days of fasting **LOC em jejum**: *Estou em ~.* I've had nothing to eat or drink.

Jesus Cristo *n pr* Jesus Christ

jipe *sm* jeep®

joalharia *sf* (*loja*) jeweller's, jewelry store (*USA*) ➲ *Ver nota em* TALHO

joalheiro, -a *sm-sf* jeweller

joaninha *sf* ladybird, ladybug (*USA*)

joelheira *sf* **1** (*Desp*) knee pad **2** (*Med*) knee support **3** (*remendo*) knee patch

joelho *sm* knee **LOC de joelhos**: *Toda a gente estava de ~s.* Everyone was kneeling down. ◇ *Terás de me pedir de ~s.* You'll have to get down on your knees and beg. **pôr-se de joelhos** to kneel (down)

jogada *sf* move

jogador, -ora *sm-sf* **1** (*competidor*) player: *~ de futebol/ténis* football/tennis player **2** (*que aposta*) gambler

jogar ▸ *vt* **1** to play: *~ futebol/cartas* to play football/cards **2** (*atirar*) to throw: *Joga os dados.* Throw the dice. **3** (*apostar*) to put *money on sth*: *~ 300 euros num cavalo* to put 300 euros on a horse **4** ~ **(contra)** (*atirar com violência*) to hurl *sb/sth* (against *sth*): *Jogou-o contra a parede.* He hurled him against the wall. ▸ *vi* **1** ~ **(a)** to play: *Esta semana o Benfica joga fora.* Benfica are playing away this week. ◇ *~ às escondidas* to play hide-and-seek ◇ *~ à bola* to play ball **2** (*apostar*) to gamble **LOC jogar fora** (*desperdiçar, deitar fora*) to throw *sth* away: *~ fora uma oportunidade única* to throw away a golden opportunity **jogar limpo/sujo** to play fair/dirty **jogar na lotaria** to buy a lottery ticket *Ver tb* CORDA, ESCONDIDO

jogging *sm* jogging: *fazer ~* to go jogging

jogo *sm* **1** game: *~s de vídeo* video games ◇ *~ da bola* ball game ◇ *O tenista português ganha por três ~s a um.* The Portuguese player is winning by three games to one. **2** (*azar*) gambling **3** (*conjunto*) set: *~ de chaves* set of keys **LOC estar em jogo** to be at stake **fora de jogo** (*Futebol*) offside **jogo de azar** game of chance **jogo de palavras** pun **jogo de tabuleiro** board game **jogo do galo** noughts and crosses [*não-contável*], tic-tac-toe [*não-contável*] (*USA*) **jogo do ganso/da glória** ≈ snakes and ladders [*não-contável*] **jogo limpo/sujo** fair/foul play **Jogos Olímpicos** Olympic Games **pôr em jogo** (*arriscar*) to put *sth* at risk *Ver tb* MÁQUINA

joia *sf* **1** jewel: *Comprou-lhe uma ~.* He bought her a jewel. ◇ *as ~s da Coroa* the Crown jewels **2 joias** jewellery [*não-contável, v sing*]: *As ~s estavam no cofre.* The jewellery was in the safe. ◇ *~s roubadas* stolen jewellery **3** (*coisa, pessoa*) treasure: *És uma ~.* You're a treasure.

jóquei *smf* jockey [*pl* jockeys]

jóquer *sm* joker

jornada *sf* **1** day: *uma ~ de trabalho de oito horas* an eight-hour working day **2 jornadas** (*congresso*) conference [*v sing*]

jornal *sm* newspaper, paper (*mais coloq*) **LOC** *Ver* POSTO, QUIOSQUE

jornaleiro, -a *sm-sf* casual labourer

jornalismo *sm* journalism

jornalista *smf* journalist

jorrar *vi* to gush out

jorro *sm* **1** jet **2** (*muito abundante*) gush **LOC sair aos jorros** to gush out

jovem ▸ *adj* young: *É seis meses mais ~ do que eu.* She's six months younger than me. ▸ *smf* **1** (*rapaz*) young man [*pl* men] **2** (*rapariga*) girl, young woman [*pl* women] (*mais formal*) **3 jovens** young people

judaico, -a *adj* Jewish

judaísmo *sm* Judaism

judeu, -ia ▸ *adj* Jewish ▸ *sm-sf* Jew

judicial (*tb* judiciário, -a) *adj* **LOC** *Ver* AÇÃO, PODER², POLÍCIA

judiciária *sf* **1** (*polícia*) police [*v sing ou pl*] **2** (*local*) police station

judo *sm* judo

juiz, -íza *sm-sf* judge

juízo ▸ *sm* **1** (*sensatez*) (common) sense: *Não tens ~ nenhum.* You don't have any common sense. **2** (*opinião*) opinion: *emitir um ~* to give an opinion ▸ **juízo!** (*tb* juizinho!) *interj* behave! **LOC (não) estar bom do juízo** (not) to be in your right mind **ter juízo** to be sensible *Ver tb* APANHADO, PERDER, SORTE

julgamento *sm* **1** judgement: *Confio no ~ das pessoas.* I trust people's judgement. **2** (*Jur*) trial

julgar ▸ *vt* **1** to judge **2** (*achar*) to think ▸ **julgar-se** *vp*: *Julga-se muito esperto.* He thinks he's very clever. LOC **julgar mal** to misjudge

julho *sm* July (*abrev* Jul.) ➲ *Ver exemplos em* JANEIRO

junho *sm* June (*abrev* Jun.) ➲ *Ver exemplos em* JANEIRO

júnior *smf* (*Desp*) junior: *Joga nos juniores.* She plays in the junior team.

junta *sf* (*comité*) board [*v sing ou pl*]: *a ~ médica* the medical board ➲ *Ver nota em* JÚRI

juntar ▸ *vt* **1** (*pôr juntos*) to put *sb/sth* together: *Juntamos as mesas?* Shall we put the tables together? **2** (*unir*) to join *sth* (together): *Juntei os dois pedaços.* I've joined the two pieces (together). **3** (*reunir*) to get *people* together **4** (*adicionar*) to add: *Junte um pouco de água.* Add a little water. **5** (*dinheiro*) **(a)** (*poupar*) to save: *Ando a ~ dinheiro para comprar um skate.* I'm saving up for a skateboard. **(b)** (*angariar*) to raise ▸ **juntar-se** *vp* **1** (*reunir-se*) to gather: *Juntou-se um monte de gente à sua volta.* Lots of people gathered round him. **2** (*para fazer alguma coisa*) to get together (*to do sth*): *Toda a turma se juntou para comprar o presente.* Everyone in the class got together to buy the present. **3** (*casal*) to move in together

junto, -a ▸ *adj* **1** together: *todos ~s* all together ◇ *Estudamos sempre ~s.* We always study together. **2** (*próximo*) close together: *As árvores estão muito juntas.* The trees are very close together. ▸ *adv* **1** ~ **a** next to: *O cinema fica ~ ao café.* The cinema is next to the café. **2** ~ **com** with

Júpiter *sm* Jupiter

juramento *sm* oath [*pl* oaths] LOC *Ver* PRESTAR

jurar *vt, vi* to swear: *~ lealdade a alguém* to swear allegiance to sb

júri *sm* **1** jury [*pl* juries] [*v sing ou pl*]

> Em inglês britânico, muitas palavras como **jury**, **committee**, **crew**, **government**, **staff** e **team** podem levar o verbo tanto no singular como no plural. Se o verbo está no plural, os pronomes e adjetivos possessivos também estão no plural (ou seja **them** e **their**): *O júri está prestes a dar o veredicto.* The jury is/are about to give its/their verdict. Se estas palavras forem precedidas de **a**, **each**, **every**, **this** e **that**, o verbo é utilizado no singular: *Cada equipa tem o seu líder.* Each team has a leader.
> Em inglês americano, usa-se sempre o verbo no singular.

2 (*de exame*) examining board [*v sing ou pl*], examiners [*pl*] (*mais coloq*): *O ~ era muito severo.* The examiners were very strict.

juro *sm* **juros** interest [*não-contável, v sing*]: *com 10% de ~s* at 10% interest

justamente *adv* just, exactly (*mais formal*): *Encontrei-o ~ onde me disseste.* I found it just where you told me.

justiça *sf* **1** justice: *Espero que seja feita ~.* I hope justice is done. **2** (*organização estatal*) law: *Não faças ~ com as tuas próprias mãos.* Don't take the law into your own hands. LOC *Ver* PALÁCIO, SUPREMO

justificar *vt* **1** to justify **2** (*explicar*) to give reasons for *sth*: *Justifica a tua resposta.* Give reasons for your answer.

justo, -a *adj* **1** (*razoável*) fair: *uma decisão justa* a fair decision **2** (*correto, exato*) right: *o preço ~* the right price **3** (*apertado*) tight: *Esta saia está-me muito justa.* This skirt is too tight for me. ◇ *um vestido ~* a tight-fitting dress LOC **à justa** (*suficiente*) just enough: *Temos pratos à justa.* We have just enough plates.

juvenil *adj* **1** (*carácter*) youthful: *a moda ~* young people's fashion **2** (*Desp*) junior LOC *Ver* DELINQUÊNCIA, DELINQUENTE

juventude *sf* **1** (*idade*) youth **2** (*os jovens*) young people [*pl*]: *A ~ de hoje em dia gosta de liberdade.* The young people of today like to have their freedom. LOC *Ver* POUSADA

K k

karaoke *sm* karaoke

karaté *sm* karate: *fazer ~* to do karate

karateca *smf* person who practises karate

kart *sm* go-kart

kickboxing *sm* kickboxing

kilowatt *sm* kilowatt (*abrev* kw)

kispo® *sm* anorak

kiwi *sm* kiwi fruit [*pl* kiwi fruit]

L l

lá[1] *adv* there: *Deixei-o lá.* I left it there. ◇ *de Lisboa para lá* from Lisbon on ◇ *Tenho lá um amigo.* I have a friend there. LOC **lá dentro** inside **lá em baixo/cima 1** down/up there **2** (*numa casa*) downstairs/upstairs **lá fora 1** (*fora de determinado local*) outside: *Ouvia-se o barulho lá fora.* You could hear noises outside. ◇ *Estão lá fora no jardim.* They're outside in the garden. **2** (*fora do país*) abroad: *Lá fora as coisas são diferentes.* Abroad things are different. **lá para fora 1** (*para fora do local*) outside: *Vamos lá para fora.* Let's go outside. **2** (*para fora do país*) abroad: *Foi trabalhar lá para fora há dois anos.* She went to work abroad two years ago. **lá por...** (*tempo*): *lá por volta das dez horas da noite* at about 10 p.m. ◇ *lá pelos anos 90* back in the 90's **mais para lá** (*para um lado*) further over: *empurrar a mesa mais para lá* to push the table further over **para lá de 1** (*mais de*) more than: *Eram para lá de cem.* There were more than a hundred of them. **2** (*para além de*) beyond: *Fica para lá de Lisboa.* It's beyond Lisbon. *Ver tb* CÁ, QUERER, SABER

lá[2] *sm* **1** (*nota musical*) lah **2** (*tom*) A: *lá menor* A minor

lã *sf* wool LOC **de lã** woollen: *uma camisola de lã* a woollen jumper **lã virgem** new wool

labareda *sf* flame

lábio *sm* lip LOC *Ver* LER, PINTAR

labirinto *sm* **1** labyrinth **2** (*num jardim*) maze

laboral *adj* working: *horário ~* working hours

laboratório *sm* laboratory [*pl* laboratories], lab (*coloq*)

laborioso, **-a** *adj* hard-working

labuta *sf* work, grind (*mais coloq*): *a ~ diária* the daily grind

laca *sf* hairspray

laço *sm* **1** (*laçada*) bow: *uma blusa com ~s vermelhos* a blouse with red bows **2** (*fita*) ribbon: *Põe-lhe um ~ no cabelo.* Put a ribbon in her hair. **3** (*gravata*) bow tie **4** (*vínculo*) tie: *~s de família* family ties ◇ *~s de amizade* bonds of friendship

lacónico, **-a** *adj* laconic

lacre *sm* seal

lacrimogéneo, **-a** *adj* LOC *Ver* GÁS

lácteo, **-a** *adj* (*produto*) dairy LOC *Ver* VIA

lacuna *sf* (*omissão*) gap

ladeira *sf* slope

lado *sm* **1** side: *Um triângulo tem três ~s.* A triangle has three sides. ◇ *do ~ da caixa* on the side of the box ◇ *ver o ~ bom das coisas* to look on the bright side ◇ *Vamos jogar em ~s opostos.* We'll be playing on different sides. **2** (*lugar*) place: *de um ~ para o outro* from one place to another ◇ *Vamos a outro ~?* Shall we go somewhere else? ◇ *em algum/nenhum ~* somewhere/nowhere **3** (*direção*) way: *Foram por outro ~.* They went a different way. ◇ *olhar para todos os ~s* to look in all directions ◇ *Foi cada um por seu ~.* They all went their separate ways. LOC **ao lado 1** (*perto*) really close by: *Fica aqui ao ~.* It's really close by. **2** (*contíguo*) next door: *o edifício ao ~* the building next door **ao lado de** next to *sb/sth*: *Sentou-se ao ~ da sua amiga.* She sat down next to her friend. ◇ *Põe-te ao meu ~.* Stand next to me. **deixar/pôr de lado** to set *sth* aside **de lado 1** (*obliquamente*) sideways (on): *pôr-se de ~* to turn sideways (on) **2** (*sobre o flanco*) on its/their side: *pôr alguma coisa de ~* to put sth on its side **de lado a lado/de um lado ao outro** from one side to the other **do lado** (*contíguo*) next door: *os vizinhos do ~* the next-door neighbours ➲ *Ver nota em* WELL BEHAVED **em/por todo o lado** all over the place **estar/pôr-se do lado de alguém** to be on/take sb's side: *De que ~ estás?* Whose side are you on? **lado a lado** side by side **passar (mesmo) ao lado** (*sem ver*) to go straight past *sb/sth* **por um lado...por outro (lado)** on the one hand...on the other (hand)

ladrão, **-a** *sm-sf* **1** thief [*pl* thieves]: *Os da frutaria são uns ladrões.* They're a bunch of thieves at the greengrocer's. **2** (*de casas*) burglar **3** (*de bancos*) robber ➲ *Ver nota em* THIEF

ladrar *vi* to bark (*at sb/sth*): *O cão não parava de nos ~.* The dog wouldn't stop barking at us. LOC *Ver* CÃO

ladrilho *sm* floor tile

lagarta *sf* caterpillar

lagartixa *sf* gecko [*pl* geckos/geckoes]

lagarto *sm* lizard LOC **lagarto, lagarto!** touch wood!, knock on wood! (*USA*) *Ver tb* COBRA

lago *sm* **1** (*natural*) lake **2** (*jardim, parque*) pond

lagoa *sf* **1** (*lago pequeno*) small lake **2** (*laguna*) lagoon

lagosta *sf* (spiny) lobster

lagostim *sm* langoustine

lágrima *sf* tear LOC **lágrimas de crocodilo** crocodile tears *Ver tb* CHORAR, DERRAMAR, DESFAZER

laguna *sf* lagoon

laia *sf*: *Não me dou com gente dessa ~.* I don't get on with people like that.

laje *sf* **1** (*interior*) floor tile **2** (*exterior*) paving stone

lama¹ *sf* mud

lama² *sm* (*animal*) llama

lamacento, -a *adj* muddy

lambada *sf* **1** (*bofetada*) slap **2** (*dança*) lambada

lamber *vt* to lick LOC **lamber as botas a alguém** to soft-soap *sb* **lamber os dedos** to lick your fingers

lambreta® *sf* scooter

lamentar ▸ *vt* to regret *sth/doing sth*: *Lamentamos ter-vos causado tanto transtorno.* We regret having caused you so much trouble. ◇ *Lamentamos comunicar-lhe que...* We regret to inform you that... ◇ *Lamento muito.* I'm terribly sorry. ▸ **lamentar-se** *vp* to complain (*about sth*): *Agora não serve de nada lamentar-nos.* It's no use complaining now.

L

lamentável *adj* **1** (*aspeto, condição*) pitiful **2** (*erro, injustiça*) regrettable

lâmina *sf* blade LOC **lâmina de barbear** razor blade

lâmpada *sf* light bulb: *A ~ fundiu-se.* The bulb has blown. LOC **lâmpada fluorescente** fluorescent light

lança *sf* spear LOC *Ver* PONTA

lançamento *sm* **1** (*míssil, satélite, navio, produto*) launch **2** (*filme, CD, etc.*) release: *o ~ do seu novo CD* the release of their new album **3** (*Desp*) throw: *O seu último ~ foi o melhor.* His last throw was the best one. **4** (*bomba*) dropping LOC **lançamento (lateral)** (*Futebol*) throw-in

lançar ▸ *vt* **1** (*míssil, satélite, navio, produto*) to launch **2** (*filme, CD, etc.*) to release **3** (*atirar*) to throw **4** (*bomba*) to drop ▸ **lançar-se** *vp* **lançar-se sobre** to pounce on *sb/sth*: *Lançaram-se sobre mim/o dinheiro.* They pounced on me/the money. LOC *Ver* PARAQUEDAS, RAIZ

lancha *sf* launch

lanchar ▸ *vt* to have *sth* for tea: *Que querem para ~?* What do you want for tea? ▸ *vi* to have tea: *Lanchamos às seis.* We have tea at six o'clock.

lanche *sm* (*refeição*) tea

lancheira *sf* lunch box

lanço *sm* **1** (*escadas*) flight **2** (*leilão*) bid

lânguido, -a *adj* languid

lanterna *sf* **1** lantern **2** (*de bolso*) torch, flashlight (*USA*)

lapela *sf* (*casaco*) lapel

lápide *sf* gravestone

lápis *sm* pencil: *~ de cor* coloured pencils LOC **a lápis** in pencil **lápis de cera** wax crayon

lapiseira *sf* propelling pencil, mechanical pencil (*USA*)

lapso *sm* **1** (*esquecimento*) slip **2** (*engano*) mistake: *Por ~ deixei-lhe o número errado.* I left him the wrong number by mistake. ➲ *Ver nota em* MISTAKE

lar *sm* **1** (*casa*) home: *Lar doce lar.* Home sweet home. **2** (*família*) family: *casar-se e formar um ~* to get married and start a family LOC **lar de idosos/de terceira idade** old people's home

laranja *adj, sm, sf* (*cor, fruto*) orange ➲ *Ver exemplos em* AMARELO

laranjada *sf* orangeade

laranjeira *sf* orange tree

laranjinha *sf* skittles [*não-contável*]: *jogar à ~* to play skittles

lareira *sf* fire(side): *sentados à ~* sitting by the fire(side) ◇ *Acende a ~.* Light the fire.

largar *vt* **1** (*soltar*) to let go of *sb/sth*: *Larga-me!* Let go of me! ◇ *Não largues a minha mão.* Don't let go of my hand. **2** (*deixar cair*) to drop **3** (*abandonar*) to leave: *Largou a mulher e o emprego.* He left his wife and his job. **4** (*superar*) to come off *sth*: *~ a droga* to come off drugs LOC **largar amarras** to cast off

largo, -a ▸ *adj* **1** wide: *uma estrada larga* a wide road ◇ *Não é suficientemente ~.* It isn't wide enough. **2** (*roupa*) baggy: *uma camisola larga* a baggy jumper ◇ *A cintura é demasiado larga.* The waist is too big. **3** (*ombros, costas*) broad: *Tem as costas largas.* He's got broad shoulders ➲ *Ver nota em* BROAD ▸ *sm* (*praça*) square LOC *Ver* BANDA, RÉDEA, TRAÇO

largura *sf* width: *Quanto mede de ~?* How wide is it? ◇ *Tem dois metros de ~.* It is two metres wide.

lasanha *sf* lasagne

lasca *sf* (*madeira*) splinter

lascar *vt* to chip

laser *sm* laser LOC *Ver* RAIO¹

lástima *sf* pity: *Que ~!* What a pity! ◇ *É uma ~ deitá-lo fora.* It's a pity to throw it away.

lata *sf* **1** (*embalagem*) can, tin

> **Can** utiliza-se na Grã-Bretanha para falar de bebidas em lata: *uma lata de Coca-Cola* a can of Coke. Para outros alimentos podemos usar **can** ou **tin**: *uma lata de sardinhas* a can/tin of sardines. ➲ *Ver tb ilustração em* CONTAINER

2 (*material*) tin **3** (*descaramento*) nerve: *Tens cá uma ~!* You've got a nerve! LOC **de/em lata** tinned, canned (*USA*) *Ver tb* BAIRRO

latão *sm* brass

lateral ▸ *adj* side: *uma rua ~* a side street ▸ *sm* (*Futebol*) **1** (*avançado*) winger **2** (*defesa*) full back **LOC** *Ver* RODA

laticínio *sm* dairy product **LOC** *Ver* EMPRESA

latifundiário, **-a** *sm-sf* landowner

latifúndio *sm* large estate

latim *sm* Latin

latino, **-a** *adj* Latin: *a gramática latina* Latin grammar ◇ *o temperamento ~* the Latin temperament

latitude *sf* latitude

lava *sf* lava

lavabo *sm* **1** (*lavatório*) washbasin, sink (*USA*) **2** (*casa de banho*) toilet, bathroom (*USA*): *Onde é que são os ~s, por favor?* Where are the toilets, please? ➲ *Ver nota em* TOILET

lavagante *sm* lobster

lavagem *sf* washing **LOC** **lavagem ao cérebro** brainwashing: *fazer uma ~ ao cérebro a alguém* to brainwash sb **lavagem a seco** dry-cleaning **lavagem automática** automatic car wash **lavagem de dinheiro** money laundering

lava-louça *sm* sink

lavanda *sf* lavender

lavandaria *sf* **1** laundry [*pl* laundries] **2** (*tinturaria*) dry-cleaner's ➲ *Ver nota em* TALHO **LOC** **lavandaria automática** launderette, Laundromat® (*USA*)

lavar ▸ *vt* to wash: *~ a roupa/os pés* to wash your clothes/your feet ▸ **lavar-se** *vp*: *Gosto de lavar-me em água quente.* I like to wash in hot water. ◇ *Lava-te bem.* Have a good wash. ◇ *Lavei-me antes de me deitar.* I had a wash before I went to bed. **LOC** **lavar a cabeça** to wash your hair **lavar a loiça** to do the washing-up, to do the dishes (*USA*) **lavar à mão** to wash *sth* by hand **lavar a roupa suja (em público)** to wash your dirty linen in public **lavar a seco** to dry-clean **lavar o chão** to mop the floor **lavar os dentes** to brush your teeth *Ver tb* MÁQUINA

lavatório *sm* washbasin, sink (*USA*)

lavrador, **-ora** *sm-sf* **1** (*proprietário*) farmer **2** (*jornaleiro*) farm labourer

lavrar *vt* to plough

laxante *adj*, *sm* laxative

leal *adj* **1** (*pessoa*) loyal (*to sb/sth*) **2** (*animal*) faithful (*to sb*)

lealdade *sf* loyalty (*to sb/sth*) **LOC** **com lealdade** loyally

leão, **-oa** ▸ *sm-sf* **1** (*masc*) lion **2** (*fem*) lioness ▸ **Leão** *sm* (*Astrol*) Leo [*pl* Leos] ➲ *Ver exemplos em* AQUARIUS

lebre *sf* hare **LOC** *Ver* IMPINGIR

legal *adj* legal

legalizar *vt* to legalize

legenda *sf* **1** (*mapa*) key **2** (*imagem*) caption **3 legendas** (*Cinema*, *TV*) subtitles

legislação *sf* legislation

legislar *vi* to legislate

legislativo, **-a** *adj* **LOC** *Ver* ELEIÇÃO, PODER²

legítimo, **-a** *adj* legitimate **LOC** **em legítima defesa** in self-defence

legume *sm* vegetable

lei *sf* **1** law: *ir contra a ~* to break the law ◇ *a ~ da gravidade* the law of gravity **2** (*parlamento*) act **LOC** *Ver* PROJETO

leilão *sm* auction

leitão *sm* suckling pig

leite *sm* milk: *Acabou-se o ~.* We've run out of milk. ◇ *Compro ~?* Shall I buy some milk? **LOC** **leite condensado** condensed milk **leite em pó** powdered milk **leite gordo** full-fat milk, whole milk (*USA*) **leite magro/meio-gordo** skimmed/semi-skimmed milk *Ver tb* CAFÉ, DENTE, MEIA², PÃO

leite-creme *sm* ≈ crème brûlée

leiteiro, **-a** ▸ *adj* dairy: *uma vaca leiteira* a dairy cow ▸ *sm* milkman [*pl* -men]

leito *sm* (*rio*) river bed

leitor, **-ora** *sm-sf* reader **LOC** **leitor de CDs, DVDs, etc.** CD, DVD, etc. player

leitura *sf* reading: *O meu passatempo favorito é a ~.* My favourite hobby is reading. **LOC** *Ver* LIVRO

lema *sm* **1** (*Com*, *Pol*) slogan **2** (*regra de conduta*) motto [*pl* mottoes/mottos]

lembrança *sf* **1** (*presente*) souvenir **2** (*recordação*) memory [*pl* memories] **3** (*ideia*) idea **4 lembranças** regards: *Dá-lhe ~s minhas.* Give him my regards. ◇ *A minha mãe manda ~s.* My mother sends her regards. **LOC** **mas que lembrança!** what will you, he, etc. think of next?

lembrar ▸ *vt* **1 ~ alguma coisa a alguém** to remind *sb* about sth/to do sth: *Lembra-me de comprar pão.* Remind me to buy some bread. ◇ *Lembra-me amanhã; senão, esqueço-me.* Remind me tomorrow or I'll forget. **2** (*por associação*) to remind *sb* (of *sb/sth*): *Lembra-me o meu irmão.* He reminds me of my brother. ◇ *Sabes o que/quem esta canção me lembra?* Do you know what/who this song reminds me of? ➲ *Ver nota em* REMIND ▸ **lembrar-se** *vp* **lembrar-se (de)** (*recordar-se*) to remember *sth/doing sth/to do sth*: *Não me lembro do nome dele.* I can't remember his name. ◇ *Lembra-te que amanhã tens exame.*

L

Remember (that) you've got an exam tomorrow. ◇ *Lembro-me de os ter visto.* I remember seeing them. ◇ *Lembra-te de pôr a carta no correio.* Remember to post the letter. ➲ *Ver nota em* REMEMBER LOC **que eu me lembre** as far as I remember

leme *sm* **1** (*objeto*) rudder **2** (*posição*) helm: *Quem ia ao ~?* Who was at the helm?

lenço *sm* **1** (*mão*) handkerchief [*pl* handkerchiefs/handkerchieves], hanky [*pl* hankies] (*coloq*) **2** (*cabeça, pescoço*) scarf [*pl* scarves/ scarfs] LOC **lenço de papel** tissue

lençol *sm* sheet

lenda *sf* legend

lêndea *sf* nit

lenha *sf* firewood LOC *Ver* BUSCAR, CARVÃO

lenhador, -ora *sm-sf* woodcutter

lente *sf* lens [*pl* lenses]: *a ~ da câmara* the camera lens ◇ *~s de contacto* contact lenses

lentidão *sf* slowness

lentilha *sf* lentil

lento, -a *adj* slow LOC *Ver* CÂMARA

leopardo *sm* leopard

lepra *sf* leprosy

leque *sm* **1** fan **2** (*variedade*) range: *um amplo ~ de opções* a wide range of options

ler *vt, vi* to read: *Lê-me a lista.* Read me the list. LOC **ler a sina** to tell *sb's* fortune **ler o pensamento** to read *sb's* mind **ler os lábios** to lip-read **ler para si** to read to yourself

lesão *sf* **1** injury [*pl* injuries]: *lesões graves* serious injuries **2** (*fígado, rim, cérebro*) damage [*não-contável*] LOC ➲ *Ver nota em* FERIMENTO

lésbica *sf* lesbian

lesionado, -a ▸ *adj* injured: *Está ~.* He is injured. ▸ *sm-sf* injured person: *a lista dos ~s* the list of the injured *Ver tb* LESIONAR

lesionar *vt* to hurt: *Lesionei uma perna.* I hurt my leg. ➲ *Ver nota em* FERIMENTO

lesma *sf* **1** (*bicho*) slug **2** (*pessoa*) slowcoach

leste *sm* east (*abrev* E): *a/no ~* in the east ◇ *na costa ~* on the east coast ◇ *mais a ~* further east ◇ *a Europa de Leste* Eastern Europe

letivo, -a *adj* school: *ano ~* school year

letra *sf* **1** (*abecedário*) letter **2** (*escrita*) (hand) writing: *Não entendo a tua ~.* I can't read your (hand)writing. **3** (*canção*) lyrics [*pl*]: *A ~ desta canção é muito difícil.* The lyrics of this song are very difficult. **4** (*num cartaz, letreiro*) lettering [*não-contável*]: *As ~s são demasiado pequenas.* The lettering is too small. **5 Letras** (*área de estudos*) arts: *um aluno de Letras* an arts student ◇ *Faculdade de Letras* Arts Faculty LOC **letra de imprensa** block capitals [*pl*] **letra maiúscula** capital letters [*pl*] *Ver tb* PÉ

letreiro *sm* **1** (*aviso*) sign: *Põe o ~ de fechado na porta.* Put the closed sign on the door. **2** (*nota*) notice: *Havia um ~ na porta.* There was a notice on the door.

léu *sm* LOC **ao léu**: *com as pernas ao ~* with bare legs ◇ *com a cabeça ao ~* bareheaded

leucemia *sf* leukaemia

levadiço, -a *adj* LOC *Ver* PONTE

levantamento *sm* (*dinheiro de conta*) withdrawal LOC **levantamento de pesos** weightlifting

levantar ▸ *vt* **1** to raise: *Levanta o braço esquerdo.* Raise your left arm. ◇ *~ o moral/a voz* to raise your spirits/voice **2** (*coisa pesada, tampa*) to lift *sth* up: *Levanta essa tampa.* Lift that lid up. **3** (*erguer*) to pick *sb/sth* up: *Levantaram-no entre todos.* They picked him up between them. **4** (*cheque, vale postal*) to cash **5** (*dinheiro*) to get *sth* out: *Vou ao multibanco ~ dinheiro.* I'm going to the cash machine to get some money out. ▸ **levantar-se** *vp* **1** (*pôr-se de pé*) to stand up **2** (*da cama, vento*) to get up: *Tenho de me ~ cedo normalmente.* I usually have to get up early. LOC **levantar (a) âncora** to weigh anchor **levantar pesos** (*Desp*) to do weight training **levantar-se com o pé esquerdo** to get out of bed on the wrong side **levantar voo** to take off *Ver tb* DIFICULDADE, MESA

levar ▸ *vt* **1** to take: *Leva as cadeiras para a cozinha.* Take the chairs to the kitchen. ◇ *Levarei um par de dias a repará-lo.* It'll take me a couple of days to fix it. ◇ *Levei o cão ao veterinário.* I took the dog to the vet. ◇ *Levaram-me a casa.* They took me home. ◇ *O ladrão levou o vídeo.* The thief took the video.

Quando a pessoa que fala se oferece para levar alguma coisa a quem ouve, utiliza-se **bring**: *Escusas de cá vir, eu levo-to na sexta.* You don't need to come, I'll bring it on Friday. ➲ *Ver ilustração em* TAKE *e nota em* GIVE

2 (*carga*) to carry: *Ofereceu-se para ~ a mala.* He offered to carry her suitcase. **3** (*palmada, bofetada*) to get: *Está quieto ou levas uma bofetada.* Be quiet or you'll get a slap. **4** (*conduzir*) to drive: *Quem é que levava o carro?* Who was driving? **5** (*ter*) to have: *Não levava dinheiro.* I didn't have any cash on me. ◇ *Levas troco?* Have you got any change? **6** (*tomar emprestado*) to borrow: *Posso ~ o teu carro?* Can I borrow your car? ➲ *Ver ilustração em* BORROW ▸ *vi* **1 ~ a** (*conduzir a*) to lead to *sth*: *Esta estrada leva-nos até à foz do rio.* This road leads to the mouth of the river. **2** (*levar uma bofetada*) to get a smack: *Olha que levas.* You'll get a smack!

LOC **levar a mal** to take offence at *sth* **levar a sua adiante/avante** to get your own way **levar consigo** (*dinheiro, documentos*) to have *sth* on you: *Não levo um tostão comigo.* I haven't got a penny on me. **para levar** to take away, to take out (*USA*): *uma pizza para ~* a pizza to take away ℹ Para outras expressões com **levar**, ver as entradas para o substantivo, adjetivo, etc., p.ex. **levar a cabo** em CABO.

leve *adj* **1** light: *comida/roupa ~* light food/ clothing ◇ *ter o sono ~* to sleep lightly **2** (*que quase não se nota*) slight **3** (*ágil*) agile LOC *Ver* ÂNIMO

lhe *pron* **1** (*ele, ela, coisa*) **(a)** [*complemento*] him/ her/it: *Comprámos-lhe a nossa casa.* We bought our house from him/her. ◇ *Vi a minha chefe mas não ~ falei.* I saw my boss but I didn't speak to her. ◇ *Vamos comprar-lhe um vestido.* We're going to buy her a dress. ◇ *Como já não queria o livro, devolveu-lho.* As she no longer wanted the book, she gave it back to him. **(b)** (*partes do corpo, objetos pessoais*): *Tiraram-lhe o bilhete de identidade.* They took away his identity card. **2** (*você*) **(a)** [*complemento*] you: *Fiz-lhe uma pergunta.* I asked you a question. **(b)** (*partes do corpo, objetos pessoais*): *Tenha cuidado, ou ainda ~ roubam a carteira.* Be careful or they'll steal your bag.

lhes *pron* (*a eles, a elas*) [*complemento*] them: *Dei-lhes tudo o que tinha.* I gave them everything I had. ◇ *Comprei-lhes um bolo.* I bought them a cake./I bought a cake for them. (*partes do corpo, objetos pessoais*): *Roubaram-lhes a mala.* Their bag was stolen.

liamba *sf* cannabis LOC *Ver* CIGARRO

libélula (*tb* **libelinha**) *sf* dragonfly [*pl* dragonflies]

liberal *adj, smf* liberal

liberar *vt* to free

liberdade *sf* freedom LOC **liberdade condicional** parole **liberdade de expressão** freedom of speech **liberdade de imprensa** freedom of the press **liberdade sob fiança** bail: *sair em ~ sob fiança* to be released on bail **pôr em liberdade** to release: *Dois dos suspeitos detidos foram postos em ~.* Two of the suspects were released. **tomar a liberdade** to take the liberty *of doing sth*

libertação *sf* **1** (*país*) liberation **2** (*preso*) release

libertar *vt* **1** (*país*) to liberate **2** (*preso*) to release

libra ▸ *sf* **1** (*dinheiro*) pound (*abrev* £): *cinquenta ~s* fifty pounds ◇ *~s esterlinas* pounds sterling **2** (*peso*) pound (*abrev* lb) ➲ *Ver pág. 712* ▸ **Libra** *sf* (*Astrol*) Libra ➲ *Ver exemplos em* AQUARIUS

lição *sf* lesson LOC **dar uma lição a alguém** to teach sb a lesson **aprender a/levar uma lição** to learn (a lesson): *Será que nunca aprenderás (a lição)?* Will you never learn?

licença *sf* **1** (*autorização*) permission (*to do sth*): *pedir/dar ~* to ask for/give permission **2** (*documento*) licence: *~ de pesca/porte de arma* fishing/gun licence ◇ *~ de exportação/ importação* export/import licence **3** (*férias*) leave: *Estou de ~.* I'm on leave. ◇ *Pedi uma semana de ~.* I've asked for a week off. LOC **com licença** excuse me: *Com ~, podia deixar-me passar?* Excuse me, could you let me through?

licenciado, -a *adj, sm-sf* ~ **(em)** graduate (in *sth*) [*s*]: *~ em biologia* a biology graduate ◇ *um ~ pela Universidade de Londres* a graduate from London University *Ver tb* LICENCIAR-SE

licenciar-se *vp* ~ **(em)** to graduate (in *sth*): *~ em história* to graduate in history ◇ *~ na Universidade de Coimbra* to graduate from Coimbra University

licenciatura *sf* **1** (*diploma*) degree **2** (*curso*) degree course

liceu *sm* secondary school, high school (*USA*)

licor *sm* liqueur

lidar *vi* ~ **com** to deal with *sb/sth*

líder *smf* leader

liderar *vt* to lead

liga *sf* **1** league: *a ~ de basquetebol* the basketball league **2** (*para meias*) garter

ligação *sf* **1** link **2** (*autocarros, comboios*) connection **3** (*amorosa*) affair LOC **cair/cortar a ligação** (*telefone*) to be cut off: *Estávamos a falar e de repente caiu a ~.* We were talking and then suddenly we got cut off. ◇ *Cortaram a ~.* We were cut off. **fazer ligação (com alguma coisa)** (*transportes*) to connect (with sth) **ligação sem fios** (*Internet*) wireless connection *Ver tb* ELO

ligado, -a *adj* (*televisão, luz*) (switched) on *Ver tb* LIGAR

ligadura *sf* bandage: *Pus uma ~ no dedo.* I bandaged (up) my finger.

ligamento *sm* ligament: *sofrer uma fratura/ rotura de ~s* to tear a ligament

ligar ▸ *vt* **1** (*televisão, luz*) to switch *sth* on **2** (*aparelho ou tomada*) to plug *sth* in **3** (*com ligadura*) to bandage *sb/sth* (up): *Ligaram-me o tornozelo.* They bandaged (up) my ankle. ◇ *Ligaram-na dos pés à cabeça.* She was bandaged from head to foot. ▸ *vt, vi* (*unir, relacionar*) to connect (*sth*) (*to/with sth*): *~ a impressora ao computador* to connect the printer to the computer ▸ *vi* **1** ~ **(para)** (*telefonar*) to call:

Ligou alguém? Did anyone call? ◇ *Ligou para o 112.* He called 112. **2** ~ **a/para (a)** (*prestar atenção*) to take notice of *sb/sth*: *Não liga nenhuma ao que eu lhe digo.* He takes no notice of what I tell him. ◇ *Não me ligou a mínima durante toda a noite.* She took no notice of me all night. **(b)** (*dar importância*) to care (*about sth*): *Não ligo (a essas coisas).* I don't care (about such things).

ligeiramente *adv* slightly: ~ *instável* slightly unsettled

ligeiro, -a *adj* **1** (*que quase não se nota, pouco intenso*) slight: *um ~ sotaque brasileiro* a slight Brazilian accent **2** (*ágil*) agile

light *adj* (*baixo em calorias*) diet: *Coca-Cola ~* Diet Coke ➲ *Ver nota em* LOW-CALORIE

lilás *sm* lilac: *O ~ fica-te bem.* Lilac suits you. ➲ *Ver exemplos em* AMARELO

L

lima[1] *sf* (*ferramenta*) file: ~ *das unhas* nail file

lima[2] *sf* (*fruta*) lime

limão *sm* lemon

limar *vt* to file LOC **limar as arestas** to smooth things over

limitação *sf* limitation: *Conhece as suas limitações.* He knows his own limitations.

limitado, -a *adj* limited: *um número ~ de lugares* a limited number of places LOC *Ver* SOCIEDADE; *Ver tb* LIMITAR

limitar ▸ *vt* to limit ▸ **limitar-se** *vp* **limitar-se a**: *Limite-se a responder à pergunta.* Just answer the question.

limite *sm* **1** limit: *o ~ de velocidade* the speed limit **2** (*Geog, Pol*) boundary [*pl* boundaries] ➲ *Ver nota em* BORDER LOC **passar dos limites** (*pessoa*) to go over the top **sem limites** unlimited *Ver tb* DATA

limo *sm* slime

limoeiro *sm* lemon tree

limonada *sf* lemonade

limpa-para-brisas *sm* windscreen wiper, windshield wiper (*USA*)

limpar ▸ *vt* **1** to clean: *Tenho de ~ os vidros.* I've got to clean the windows. **2** (*passar um pano*) to wipe **3** (*roubar*) to clean *sb/sth* out: *Assaltaram-me a casa e limparam-me tudo.* They broke into my house and completely cleaned me out. ▸ **limpar-se** *vp* to clean yourself up LOC **limpar a loiça/os pratos** to wash the dishes/plates **limpar o pelo/sebo (a alguém)** (*assassinar*) to bump *sb* off **limpar o pó** to do the dusting

limpeza *sf* **1** (*ação de limpar*) cleaning: *produtos de ~* cleaning products **2** (*asseio*) cleanliness LOC *Ver* CREME, EMPREGADO

limpo, -a ▸ *adj* **1** clean: *O hotel era bastante ~.* The hotel was quite clean. ◇ *Mantenha a cidade limpa.* Keep your city tidy. **2** (*sem nuvens*) clear: *um céu ~* a clear sky **3** (*sem dinheiro*) broke ▸ *adv* fair: *jogar ~* to play fair LOC **passar a limpo (alguma coisa)** to copy *sth* out (neatly) **tirar a limpo** (*esclarecer*) to get to the bottom *of sth*: *Vou tirar essa história a ~!* I'm going to get to the bottom of that business! **tirar limpos** (*dinheiro*) to clear: *Tirou vinte e cinco euros ~s.* He cleared fifty-five euros. *Ver tb* CONSCIÊNCIA, FONTE, JOGAR, JOGO, PRATO

lince *sm* lynx [*pl* lynx/lynxes]

lindo, -a *adj* **1** beautiful **2** (*com sentido irónico*): *Desta vez fizeste-as lindas!* You've really messed it up this time! ◇ *Linda vai ficar a tua mãe!* Your mother will get in a right old state!

lingerie *sf* lingerie

lingote *sm* ingot

língua *sf* **1** (*Anat*) tongue: *pôr a ~ de fora a alguém* to stick your tongue out at sb **2** (*idioma*) language LOC **dar à língua** (*conversar*) to chatter **de língua francesa, portuguesa, etc.** French-speaking, Portuguese-speaking, etc. **língua materna** mother tongue *Ver tb* PAPA[2], PERDER, PUXAR, SOLTAR

linguado *sm* sole [*pl* sole]

linguagem *sf* **1** language **2** (*falada*) speech

linguareiro, -a (*tb* linguarudo, -a) *sm-sf* big mouth: *És um ~!* You and your big mouth!

lingueta *sf* **1** (*porta*) bolt **2** (*sapato*) tongue

linguística *sf* linguistics [*não-contável*]

linha *sf* **1** line: *uma ~ reta* a straight line **2** (*fio*) (piece of) thread: *um carro de ~s* a reel of thread **3** (*via-férrea*) track: *a ~ do comboio* the train track LOC **cuidar da/manter a linha** to watch your weight **linha da meta/de chegada** finishing line **linha divisória** dividing line **por linha materna/paterna** on my, your, etc. mother's/father's side *Ver tb* PATIM

linho *sm* **1** (*Bot*) flax **2** (*tecido*) linen: *uma saia de ~* a linen skirt

lipoaspiração *sf* liposuction

liquidação *sf* **1** (*dívida, conta*) settlement **2** (*saldo*) sale LOC **liquidação total** clearance sale

liquidar *vt* **1** (*dívida, conta*) to settle **2** (*negócio*) to liquidate **3** (*produto*) to clear **4** (*matar*) to bump *sb* off

liquidificador *sm* blender

líquido, -a ▸ *adj, sm* liquid: *Só posso tomar ~s.* I can only have liquids. ▸ *adj* (*Econ*) net: *rendimento ~* net income ◇ *peso ~* net weight

lírica *sf* lyric poetry

lírio *sm* lily [*pl* lilies]

liso, -a *adj* **1** (*plano*) flat **2** (*suave*) smooth **3** (*sem adornos, de uma só cor*) plain **4** (*cabelo*) straight **5** (*sem dinheiro*) skint

lisonjear *vt* to flatter

lista *sf* list: ~ *de compras* shopping list LOC **lista de espera** waiting list **lista de vinhos** wine list **lista eleitoral** electoral roll **lista negra** blacklist **lista (telefónica/de telefones)** telephone directory, phone book (*mais coloq*): *Procura na* ~. Look it up in the telephone directory.

literal *adj* literal

literatura *sf* literature

litro *sm* litre (*abrev* l): *meio* ~ half a litre ➲ *Ver pág. 712* LOC *Ver* IGUAL

livrar ▸ *vt* to save *sb/sth from sth/doing sth*: *Livraram-no de morrer no incêndio.* They saved him from the fire. ▸ **livrar-se** *vp* **livrar-se (de) 1** (*escapar*) to get out of *sth/doing sth*: *Livrei-me da tropa.* I got out of doing military service. **2** (*desembaraçar-se*) to get rid of *sb/sth*: *Queria ver se me livrava deste aquecedor.* I want to get rid of this heater. LOC *Ver* DEUS

livraria *sf* bookshop, bookstore (*USA*) ❶ A palavra **library** não significa "livraria", mas sim "biblioteca".

livre *adj* free: *Sou* ~ *de fazer o que quiser.* I'm free to do what I want. ◇ *Está* ~ *esta cadeira?* Is this seat free? LOC **livre arbítrio** free will **livre iniciativa** free enterprise *Ver tb* AR, DIA, ENTRADA, LUTA, PONTAPÉ, VOO

livreiro, -a *sm-sf* bookseller

livrete *sm* vehicle registration document

livro *sm* book LOC **livro de algibeira** paperback **livro de banda desenhada/aos quadradinhos** comic **livro de cheques** chequebook **livro de leitura** textbook **livro de receitas** cookbook

lixa *sf* **1** sandpaper **2** (*unhas*) emery board

lixar *vt* **1** (*madeira*) to sand **2** (*prejudicar*) to get *sb* into trouble: *Esse gajo anda a ver se me lixa.* That guy's trying to get me into trouble.

lixeira *sf* tip

lixívia *sf* bleach

lixo *sm* rubbish [*não-contável*], garbage [*não-contável*] (*USA*): *Esta rua está cheia de* ~. There's a lot of rubbish in this street. ◇ *contentor do* ~ rubbish bin ➲ *Ver nota em* GARBAGE LOC **deitar/atirar alguma coisa para o lixo** to throw sth away *Ver tb* BALDE, CAIXOTE, CAMIÃO, CONDUTA, HOMEM, PÁ, VARREDOR

lobo, -a *sm-sf* wolf [*pl* wolves] LOC *Ver* COMER², FOME

local ▸ *adj* local ▸ *sm* **1** place **2** (*acidente, crime*) scene **3** (*concerto, jogo*) venue **4** (*de interesse histórico, para construção*) site LOC **local de nascimento 1** birthplace **2** (*em impressos*) place of birth **no local** on the spot: *o nosso repórter no* ~ our correspondent on the spot

localidade *sf* **1** (*aldeia*) village **2** (*cidade pequena*) town

localizar *vt* **1** (*encontrar*) to locate: *Já o localizaram.* They've located his whereabouts. **2** (*contactar*) to get hold of *sb*: *Passei toda a manhã a tentar localizar-te.* I've been trying to get hold of you all morning.

loção *sf* lotion LOC *Ver* DESMAQUILHANTE, HIDRATANTE

locutor, -ora *sm-sf* **1** announcer **2** (*que lê as notícias*) newsreader

lodo *sm* mud

lógica *sf* logic

lógico, -a *adj* **1** (*normal*) natural: *É* ~ *que te preocupes.* It's only natural that you're worried. **2** (*Fil*) logical

logo ▸ *adv* (*imediatamente*) at once ▸ *conj* therefore: *Penso,* ~ *existo.* I think therefore I am. LOC **até logo!** see you (later)! **desde logo 1** (*imediatamente*) straight away **2** (*antes de mais*) first of all **logo à noite** this evening **logo depois** just afterwards: *Ele chegou* ~ *depois.* He showed up just afterwards. **logo que** as soon as **mais logo** later: *Conto-te mais* ~. I'll tell you later. *Ver tb* NOITE

logotipo *sm* logo [*pl* logos]

loiça *sf* **1** (*utensílios*) crockery, china (*USA*) **2** (*material*) china LOC *Ver* DETERGENTE, LAVAR, LIMPAR, MÁQUINA, PARTIR

loja *sf* shop, store (*USA*) LOC **loja de brinquedos** toy shop **loja de conveniência** convenience store

lojista *smf* shopkeeper, storekeeper (*USA*)

lombada *sf* (*livro*) spine

lombardo, -a *adj* LOC *Ver* COUVE

lombo *sm* **1** (*Cozinha*) loin: ~ *de porco* (loin of) pork **2** (*Anat*) back LOC *Ver* BIFE

lona *sf* canvas: *sapatilhas de* ~ canvas shoes

longe *adv* ~ **(de)** far (away), a long way (away) (*mais coloq*) (from *sb/sth*): *Fica muito* ~ *daqui.* It's a long way (away) from here. LOC **ao longe** in the distance **de longe** from a distance **ir longe** to go far: *Essa miúda irá* ~. That girl will go far. **ir longe demais** to go too far **longe disso** far from it **ser de longe...** to be by far...: *É de* ~ *o mais importante.* It's by far the most important.

longitude *sf* (*Geog*) longitude

L

longo, **-a** *adj* long LOC **ao longo de 1** (*espaço*) along **2** (*tempo*) throughout: *ao ~ do dia* throughout the day **é uma longa história** it's a long story *Ver tb* PRAZO

lontra *sf* otter

losango *sm* rhombus [*pl* rhombuses]

lota *sf* (*peixe*) fish market

lotação *sf* LOC **lotação esgotada** sold out

lotaria *sf* lottery [*pl* lotteries] LOC *Ver* JOGAR

lote *sm* **1** set: *um ~ de livros* a set of books **2** (*Com*) batch **3** (*terreno*) plot

louça *sf Ver* LOIÇA

louco, **-a** ▸ *adj* mad: *ficar ~* to go mad ▸ *sm-sf* madman/woman [*pl* -men/-women] LOC **como (um) louco** like a maniac: *Tocava piano como uma louca.* She was playing the piano like a maniac. **estar louco de** to be beside yourself with *sth*: *Está louca de alegria.* She's beside herself with joy. **estar/ser louco por** to be crazy about *sb/sth*: *Sou ~ por chocolate.* I'm crazy about chocolate.

loucura *sf* **1** madness [*não-contável*] **2** (*disparate*) crazy thing: *Fiz muitas ~s.* I've done a lot of crazy things. ◇ *É uma ~ ir sozinho.* It's crazy to go alone.

loureiro *sm* bay tree

louro *sm* (*Cozinha*) bay leaf [*pl* bay leaves]: *uma folha de ~* a bay leaf ◇ *Não tenho ~.* I haven't got any bay leaves.

louro, **-a** *adj* fair, blond(e)

> **Fair** aplica-se apenas ao cabelo louro natural, **blonde** aplica-se tanto ao cabelo naturalmente louro como pintado: *Ele é louro.* He's got fair/blonde hair. ➲ *Ver tb nota em* BLONDE

LOC *Ver* PINTAR

louvar *vt* to praise *sb/sth* (*for sth*): *Louvaram-no pela sua coragem.* They praised him for his courage.

louvável *adj* praiseworthy

louvor *sm* praise [*não-contável*]: *Encheram-te de ~es.* They were full of praise for you.

lua *sf* moon: *uma viagem à Lua* a trip to the moon LOC **andar/estar com/trazer a cabeça na lua** to have your head in the clouds **estar na lua/no mundo da lua** to be miles away **lua cheia/nova** full/new moon

lua-de-mel *sf* honeymoon

luar *sm* moonlight LOC **ao luar** in the moonlight

lúcido, **-a** *adj* lucid

lúcio *sm* (*peixe*) pike [*pl* pike]

lucrar *vi* ~ **(com)** to profit (from *sth*)

lucrativo, **-a** *adj* lucrative

lucro *sm* profit: *dar/ter ~* to produce/make a profit LOC *Ver* PARTICIPAÇÃO

lufada *sf* (*vento*) gust: *Ela é uma ~ de ar fresco.* She's a breath of fresh air.

lugar *sm* **1** place: *Gosto deste ~.* I like this place. ◇ *Já não há ~es.* There are no places left. **2** (*posição, posto*) position: *ocupar um ~ importante na empresa* to have an important position in the firm **3** (*Cinema, Teat, veículo*) seat: *Há ainda algum ~ no autocarro?* Are there any seats left on the bus? **4** (*povoação*) village: *as pessoas do ~* the people from the village LOC **dar lugar a alguma coisa** to cause sth **em lugar de** instead of *sb/sth/doing sth*: *Em ~ de saíres tanto, valia-te mais estudares.* Instead of going out so much, you'd be better off studying. **em primeiro, segundo, etc. lugar 1** (*posição*) first, second, etc.: *A equipa francesa ficou classificada em último ~.* The French team came last. **2** (*em discurso*) first of all, secondly, etc.: *Em último ~...* Last of all... **(eu) no teu lugar** if I were you: *Eu no teu ~, aceitava o convite.* If I were you, I'd accept the invitation. **não há lugares/lugares esgotados** sold out **não há lugar para dúvida** there is no doubt **ter lugar** (*ocorrer*) to take place: *O acidente teve ~ às duas da madrugada.* The accident took place at two in the morning. **tomar o lugar de alguém/alguma coisa** (*substituir*) to take the place of sb/sth: *O computador tomou o ~ da máquina de escrever.* Computers have taken the place of typewriters. *Ver tb* ALGUM, CLASSIFICAR, NENHUM, OUTRO, QUALQUER

lugar-comum *sm* cliché

lúgubre *adj* gloomy

lula *sf* squid [*pl* squid/squids]

lulu *sm* (*lit e fig*) lapdog

lume *sm* **1** fire: *Sentámo-nos ao calor do ~.* We sat down by the fire. **2** (*para cigarro*) light: *Dás-me ~?* Have you got a light? **3** (*Cozinha*) stove: *Tenho a comida ao ~.* The food's on the stove. LOC **em lume brando/alto** over a low/high heat

luminária *sf* **1** (*de papel*) paper lantern **2 luminárias** (*iluminação de festa*) fairy lights

luminoso, **-a** *adj* **1** bright: *uma ideia luminosa* a bright idea **2** (*que dá luz*) luminous: *um relógio ~* a luminous watch

lunar *adj* lunar

lunático, **-a** *adj, sm-sf* lunatic

lupa *sf* magnifying glass

lusófono, **-a** ▸ *adj* Portuguese-speaking ▸ *sm-sf* Portuguese speaker

lustro *sm* (*brilho*) shine LOC *Ver* PUXAR

luta *sf* ~ **(contra/por)** fight (against/for *sb/sth*): *a ~ contra a poluição/pela igualdade* the fight

L

against pollution/for equality LOC **luta livre** wrestling

lutador, -ora *sm-sf* **1** fighter: *É um homem ~.* He's a real fighter. **2** (*desportista*) wrestler

lutar *vi* **1** to fight: *~ pelos seus direitos* to fight for your rights ◇ *~ contra os preconceitos raciais* to fight racial prejudice **2** (*Desp*) to wrestle

luto *sm* mourning: *um dia de ~* a day of mourning LOC **estar de luto** to be in mourning (*for sb*) **ir de luto** to be dressed in mourning

luva *sf* **1** glove **2** (*com um só dedo*) mitten LOC **assentar/ficar/ir como uma luva** to fit like a glove: *Esse vestido assenta-te como uma ~.* That dress fits you like a glove. **deitar a luva a alguém** to catch sb: *A polícia deitou-lhes a ~.* The police caught them.

luxo *sm* luxury [*pl* luxuries]: *Não posso permitir-me tais ~s.* I can't afford such luxuries. LOC **de luxo** luxury: *um apartamento de ~* a luxury apartment

luxuoso, -a *adj* luxurious

luxúria *sf* lust

luz *sf* **1** light: *acender/apagar a ~* to turn the light on/off ◇ *Este apartamento tem muita ~.* This flat gets a lot of light. **2** (*eletricidade*) electricity: *Ficámos sem ~ durante a tempestade.* The electricity went off during the storm. **3** (*dia*) daylight LOC **à luz de velas** by candlelight **dar à luz** to give birth (to *sb*): *Deu à ~ uma menina.* She gave birth to a baby girl. **fazer-se luz** to throw light *on sth*: *Com a divulgação do livro vem fazer-se ~ sobre este mistério.* The publication of the book will throw light on the mystery. ◇ *E de repente fez-se ~.* Things suddenly became clear in his mind. **luz do sol** sunlight **luzes de cruzamento** dipped headlights, low beams (*USA*) **luzes de estrada** headlights **luzes de perigo** hazard lights **luzes de presença** sidelights, parking lights (*USA*) **trazer à luz** to bring *sth* (out) into the open **vir à luz** (*segredo*) to come to light

luzir *vi* to shine LOC *Ver* OURO

M m

ma *Ver* ME

maca *sf* (*Med*) stretcher

macacão *sm* **1** (*para trabalho*) overalls [*pl*], coveralls [*pl*] (*USA*) ➲ *Ver ilustração em* OVERALLS **2** (*peça de roupa informal*) jumpsuit

macaco, -a ▸ *sm-sf* (*animal*) monkey [*pl* monkeys] ▸ *sm* (*carro*) jack

maça-de-Adão *sf* Adam's apple

macaense ▸ *adj* of/from Macao ▸ *smf* native of Macao

maçaneta *sf* **1** (*porta*) doorknob **2** (*gaveta*) knob

maçapão *sm* marzipan

maçã *sf* apple LOC **maçã de Adão** Adam's apple **maçã do rosto** cheekbone

Macau *sf* Macao

machado *sm* axe

machismo *sm* machismo

machista *adj, smf* sexist: *publicidade/sociedade ~* sexist advertising/society ◇ *O meu chefe é um ~ de primeira.* My boss is a real sexist.

macho ▸ *adj, sm* male: *uma ninhada de dois ~s e três fêmeas* a litter of two males and three females ➲ *Ver nota em* FEMALE ▸ *sm* (*Eletrón*) plug ➲ *Ver ilustração em* FICHA LOC *Ver* COLCHETE

maciço, -a *adj* (*objeto*) solid

macieira *sf* apple tree

macio, -a *adj* **1** (*tenro*) soft: *queijo ~* soft cheese **2** (*com pelo*) fluffy: *uma camisola macia* a fluffy jumper

maço *sm* **1** (*tabaco*) packet, pack (*USA*): *um ~ de tabaco/cigarros* a packet of cigarettes ➲ *Ver ilustração em* CONTAINER **2** (*folhas*) (note)pad: *Comprei um ~ de folhas quadriculadas.* I've bought a pad of graph paper. **3** (*notas*) bundle **4** (*martelo*) mallet

madalena *sf* fairy cake, cupcake (*USA*)

madeira *sf* **1** (*material*) wood: *O carvalho é uma ~ de grande qualidade.* Oak is a high-quality wood. ◇ *~ procedente da Noruega* wood from Norway ◇ *feito de ~* made of wood **2** (*para construção*) timber: *a ~ do telhado* the roof timbers LOC **de madeira** wooden: *uma cadeira/viga de ~* a wooden chair/beam **madeira de pinho, carvalho, etc.** pine, oak, etc.: *uma mesa de ~ de pinho* a pine table

madeiro *sm* **1** (*toro*) log **2** (*tronco*) piece of timber

madeixa *sf* **1** (*ger*) lock **2 madeixas** (*penteado*) highlights: *fazer ~s* to have your hair highlighted

madrasta *sf* stepmother

madre *sf* LOC **madre (superiora)** Mother Superior

madrepérola *sf* mother-of-pearl

madrinha *sf* **1** (*batismo*) godmother **2** (*casamento*) woman who accompanies the bride and groom ➲ *Ver nota em* CASAMENTO

madrugada *sf*: *às duas da ~* at two in the

morning ◇ *na ~ de sexta para sábado* in the early hours of Saturday morning ◇ *Levantou-se de ~.* He got up very early.

madrugador, -ora *adj, sm-sf*: *uma pessoa madrugadora* someone who gets up early ◇ *Ela é a madrugadora da nossa turma.* She's the one who gets up earliest in our class.

madrugar *vi* to get up early

maduro, -a *adj* **1** (*fruta*) ripe **2** (*de meia-idade*) middle-aged: *um homem ~* a middle-aged man **3** (*sensato*) mature: *O Luís é muito ~ para a idade que tem.* Luís is very mature for his age.

mãe *sf* mother: *ser ~ de dois filhos* to be the mother of two children LOC **mãe solteira** single mother *Ver tb* DIA, FAMÍLIA, IRMÃO, ÓRFÃO

maestro *sm* conductor

mafia (*tb* máfia) *sf* mafia: *a ~ da droga* the drugs mafia ◇ *a Mafia* the Mafia

M

magia *sf* magic: *~ branca/negra* white/black magic

mágico, -a ▸ *adj* magic: *poderes ~s* magic powers ▸ *sm-sf* (*ilusionista*) magician LOC **olho mágico** (*porta*) peephole *Ver tb* ARTE, VARINHA

magistério *sm* (*estudos*) teacher training course, teaching degree (*USA*): *A Helena fez o ~ em Aveiro.* Helena trained as a teacher in Aveiro.

magistrado, -a *sm-sf* magistrate

magnético, -a *adj* magnetic

magnífico, -a *adj* wonderful: *Esteve um tempo ~.* The weather was wonderful. ◇ *uma nadadora magnífica* a wonderful swimmer

mago, -a *adj* LOC *Ver* REI

mágoa *sf* (*pesar*) sorrow

magoado, -a *adj* hurt: *Ficou ~ com o que tu disseste.* He's hurt about what you said. *Ver tb* MAGOAR

magoar ▸ *vt* to hurt: *Ai! Estás a magoar-me.* Ouch, you're hurting me! ◇ *Isto não vai ~ nada.* This won't hurt (you) at all. ◇ *Magoou-me imenso eles não me terem apoiado.* I was hurt by their lack of support. ▸ **magoar-se** *vp* to hurt yourself: *Magoei-me na mão.* I hurt my hand.

magro, -a *adj* thin, slim

> **Thin** é a palavra mais geral para dizer magro e pode utilizar-se com pessoas, animais e coisas. **Slim** só se utiliza em relação a uma pessoa magra e com boa aparência. Existe também a palavra **skinny**, que significa *magricelas*.

LOC *Ver* LEITE

mail *sm* email

maio *sm* May ➲ *Ver exemplos em* JANEIRO

maionese *sf* mayonnaise

maior *adj*

- **uso comparativo 1** (*tamanho*) bigger (*than sth*): *Londres é ~ do que Lisboa.* London is bigger than Lisbon. ◇ *~ do que parece* bigger than it looks **2** (*importância*) greater (*than sth*): *Tenho problemas ~es do que esse.* I've got bigger problems than that.
- **uso superlativo 1** (*tamanho*) biggest: *O ~ dos três/quatro, etc.* The biggest of the three/four, etc. ◇ *O ~ dos dois.* The bigger (one) of the two. **2** (*importância*) greatest: *um dos ~es escritores atuais* one of today's greatest writers
- **outros usos** (*Mús*) major: *em dó ~* in C major

LOC **a maior parte (de)** most (of *sb/sth*): *A ~ parte são católicos.* Most of them are Catholics. **ser maior de idade**: *Quando for ~ de idade poderei votar.* I'll be able to vote when I'm eighteen. ◇ *Já pode tirar a carta porque é ~ de idade.* He can get his driving licence because he's over eighteen.

maioria *sf* majority [*pl* majorities] [*v sing ou pl*]: *obter a ~ absoluta* to get an absolute majority LOC **a maioria de** most (of *sb/sth*): *A ~ de nós gosta.* Most of us like it. ◇ *A ~ dos ingleses prefere viver no campo.* Most English people would rather live in the country. ➲ *Ver nota em* MOST

maioridade *sf* adulthood

mais ▸ *adv*

- **uso comparativo** more (*than sb/sth*): *É ~ alta/inteligente do que eu.* She's taller/more intelligent than me. ◇ *Viajaste ~ do que eu.* You have travelled more than me/than I have. ◇ *~ de quatro semanas* more than four weeks ◇ *Gosto ~ do que do teu.* I like it better than yours. ◇ *durar/trabalhar ~* to last longer/work harder ◇ *São ~ de duas horas.* It's gone two.

> Em comparações como *mais branco do que a neve, mais surdo do que uma porta*, etc., utiliza-se em inglês a construção **as... as**: "as white as snow", "as deaf as a post", etc.

- **uso superlativo** most (*in/of...*): *o edifício ~ antigo da cidade* the oldest building in the town ◇ *o ~ simpático de todos* the nicest one of all ◇ *a loja que ~ livros vendeu* the shop that has sold most books

> Quando o superlativo se refere apenas a duas coisas ou pessoas, utiliza-se a forma **more** ou **-er**. Comparar as seguintes frases: *(Das duas camas,) qual é a mais cómoda?* Which bed is more comfortable? ◇ *Qual é a cama mais cómoda da casa?* Which is the most comfortable bed in the house?

• **com pronomes negativos, interrogativos e indefinidos** else: *Se tens ~ alguma coisa para me dizer…* If you've got anything else to tell me… ◇ *Mais alguém?* Anyone else? ◇ *~ nada/ninguém* nothing/nobody else ◇ *Que ~ posso fazer por vocês?* What else can I do for you?
• **outras construções 1** (*exclamações*): *Que paisagem ~ bonita!* What lovely scenery! ◇ *Que indivíduo ~ chato!* He's so boring! ◇ *uma cara ~ antipática* a really nasty face **2** (*negativas*) only: *Não sabemos ~ do que aquilo que disseram na rádio.* We only know what it said on the radio. ◇ *Ninguém ~ sabe, a não ser tu.* Only you know this. ▸ *sm, prep* (*Mat*) plus: *Dois ~ dois são quatro.* Two plus two is four. LOC **a mais 1** (*para além do necessário*) too much, too many: *Há duas cadeiras a ~.* There are two chairs too many. ◇ *Pagaste três libras a ~.* You paid three pounds too much. **2** (*de sobra*) spare: *Não te preocupes, eu tenho uma esferográfica a~.* Don't worry. I've got a spare pen. **até mais não poder**: *Gritámos até ~ não poder.* We shouted as loud as we could. **mais nada** nothing else **mais ou menos** *Ver* MENOS **mais que tudo** particularly **por mais que** however much: *Por ~ que grites…* However much you shout… ❶ Para outras expressões com **mais**, ver as entradas para o adjetivo, advérbio, etc., p.ex. **nunca mais** em NUNCA.

maisena® *sf* cornflour, cornstarch (*USA*)

maiúscula *sf* capital letter LOC **com maiúscula** with a capital letter **em maiúsculas** in capitals *Ver tb* LETRA

Majestade *sf* Majesty [*pl* Majesties]: *Sua/Vossa ~* His/Your Majesty

major *sm* major

mal[1] *adv* **1** badly: *portar-se/falar ~* to behave/speak badly ◇ *um trabalho ~ pago* a poorly/badly paid job ◇ *A minha avó ouve muito ~.* My grandmother's hearing is very bad. **2** (*qualidade, aspeto*) bad: *Este casaco não está ~.* That jacket's not bad. **3** (*erradamente, moralmente*): *Escolheste ~.* You've made the wrong choice. ◇ *responder ~ a uma pergunta* to give the wrong answer **4** (*quase não*) hardly: *Mal havia fila.* There was hardly any queue. ◇ *Mal falaram.* They hardly said anything. **5** (*quase nunca*) hardly ever: *Agora ~ os vemos.* We hardly ever see them now. **6** (*pouco mais de*) scarcely: *~ faz um ano* scarcely a year ago LOC **andar/estar mal de** to be short of *sth* **estar/encontrar-se mal** (*de saúde*) to be/feel ill: *A avó está ~ (de saúde).* Granny is poorly. ❶ Para outras expressões com **mal**, ver as entradas para o substantivo, adjetivo, etc., p.ex. **menos mal!** em MENOS.

mal[2] *sm* **1** (*dano*) harm: *Não te desejo nenhum ~.* I don't wish you any harm. ◇ *Não lhe ralhes que ele não fez por ~.* Don't tell him off; he meant no harm. ◇ *Que ~ é que eu te fiz?* What have I done to upset you? **2** (*Fil*) evil: *o bem e o ~* good and evil **3** (*doença*) illness: *Tem um ~ incurável.* He's got an incurable illness. ➲ *Ver nota em* DISEASE **4** (*problema*) problem: *A venda da casa salvou-nos de ~es maiores.* The sale of the house saved us any further problems. LOC **não há mal que não venha por bem** every cloud has a silver lining

mal[3] *conj* (*assim que*) as soon as: *~ chegaram* as soon as they arrived

mala *sf* **1** (*viagem*) suitcase, case (*mais coloq*) ➲ *Ver ilustração em* LUGGAGE **2** (*carteira, saco*) bag LOC **fazer/desfazer a(s) mala(s)** to pack/unpack **mala a tiracolo** shoulder bag

malabarismo *sm* juggling [*não-contável*] LOC **fazer malabarismos** to juggle

mal-agradecido, -a *adj* ungrateful

malagueta *sf* chilli [*pl* chillies]

malandreco, -a (*tb* malandro, -a) *sm-sf* prankster

malandro, -a ▸ *adj* (*preguiçoso*) lazy ▸ *sm-sf* **1** (*patife*) scoundrel **2** (*preguiçoso*) layabout

malcriado, -a *adj* rude

maldade *sf* wickedness [*não-contável*]: *São conhecidos pela sua ~.* Their wickedness is notorious. ◇ *Foi uma ~ da sua parte.* It was a wicked thing to do.

maldição *sf* curse: *Temos uma ~ em cima.* There's a curse on us. ◇ *lançar uma ~ sobre alguém* to put a curse on sb ◇ *Não parava de proferir maldições.* He kept cursing and swearing.

maldisposto, -a *adj* **1** (*de mau humor*) in a bad mood **2** (*indisposto*) unwell

maldito, -a *adj* **1** (*Relig*) damned **2** (*fig*) wretched: *Estes ~s sapatos apertam-me!* These wretched shoes are too tight for me! *Ver tb* MALDIZER

maldizer *vt* to curse

maldoso, -a *adj* **1** (*malicioso*) dirty-minded: *Que ~ que tu és!* What a dirty mind you've got! **2** (*mau*) wicked: *É uma pessoa extremamente ~.* She's an extremely wicked person.

mal-educado, -a *adj, sm-sf* **1** rude [*adj*]: *Que crianças tão mal-educadas!* What rude children! ◇ *És um ~.* You're so rude! **2** (*ao falar*) foul-mouthed [*adj*]: *ser um ~* to be foul-mouthed

mal-entendido *sm* misunderstanding: *Foi um ~.* There has been a misunderstanding.

mal-estar *sm* **1** (*indisposição*): *Sinto um ~ geral.* I don't feel very well. ◇ *um ~ de estô-*

M

mago a tummy upset **2** (*inquietação*) unease: *As suas palavras causaram ~ no meio político.* His words caused unease in political circles.

malfeitor, **-ora** *sm-sf* criminal

malha *sf* **1** (*rede*) mesh **2** (*tricot*) knitting [*não-contável*] **3 malhas** (*roupa de malha*) knitwear [*não-contável, v sing*] **4** (*Ginástica, Ballet*) leotard **5** (*em animal*) spot LOC **de malha** knitted: *um vestido de ~* a knitted dress **fazer malha** to knit **malha (caída)** (*em meia, camisola*) ladder, run (*USA*) *Ver tb* CASACO

malhado, **-a** *adj* (*animal*) spotted

mal-humorado, **-a** *adj* LOC **estar mal-humorado** to be in a bad mood **ser mal-humorado** to be bad-tempered

maligno, **-a** *adj* (*Med*) malignant

má-língua *sf* gossip [*não-contável*]: *As más-línguas dizem que...* Gossip has it that...

mal-intencionado, **-a** *adj* malicious

malmequer *sm* daisy [*pl* daisies]

malnutrido, **-a** *adj* malnourished

malpassado, **-a** *adj* (*carne*) rare: *Gosto da carne malpassada.* I like my meat rare. ❶ Um bife no ponto ou meio passado diz-se **medium rare**.

malta *sf* (*amigos*) gang [*v sing ou pl*]: *Vem a ~ toda.* The whole gang is/are coming.

malte *sm* malt

maltratar *vt* to ill-treat: *Disseram que tinham sido maltratados.* They said they had been ill-treated. ◇ *Maltrataram-nos física e verbalmente.* We were subjected to physical and verbal abuse.

maluco, **-a** ▸ *adj* **~ (por)** mad, crazy (*USA*) (about *sb/sth*): *A minha prima é ~ por desenhos animados.* My cousin is mad about cartoons. ▸ *sm-sf* nutter, nut (*USA*)

maluquice *sf* **1** (*loucura*) madness [*não-contável*] **2** (*ideia*) wild notion **3** (*disparate*) crazy thing: *Fiz muitas ~s.* I've done a lot of crazy things. ◇ *É uma ~ ir sozinho.* It's crazy to go alone.

malva *sf* (*flor*) mallow

malvado, **-a** *adj* wicked

malvisto, **-a** *adj* LOC **ser malvisto** to be frowned upon

mama *sf* breast: *cancro da ~* breast cancer

mamã *sf* mum ❶ As crianças pequenas dizem **mummy**.

mamar *vi* to feed, to nurse (*USA*): *Adormece assim que termina de ~.* He falls asleep as soon as he's finished feeding. LOC **dar de mamar** to breastfeed, to nurse (*USA*)

mamífero *sm* mammal

mamilo *sm* nipple

manada *sf* herd: *uma ~ de elefantes* a herd of elephants

mancar *vi* to limp

mancha *sf* **1** (*sujidade*) stain: *uma ~ de gordura* a grease stain **2** (*leopardo*) spot

manchado, **-a** *adj* **~ (de)** stained (with *sth*): *Tens a camisa manchada de vinho.* You've got a wine stain on your shirt. ◇ *uma carta manchada de sangue/tinta* a bloodstained/ink-stained letter *Ver tb* MANCHAR

manchar ▸ *vt* (*sujar*) to get *sth* dirty: *Não manches a toalha.* Don't get the tablecloth dirty. ▸ *vi* to stain: *O vinho tinto mancha.* Red wine stains.

manco, **-a** *adj* lame

mandado *sm* (*Jur*) warrant: *um ~ de busca* a search warrant

mandamento *sm* (*Relig*) commandment

mandão, **-ona** *adj*, *sm-sf* bossy [*adj*]: *És um ~.* You're very bossy.

mandar ▸ *vt* **1** (*ordenar*) to tell *sb to do sth*: *Mandou as crianças calarem-se.* He told the children to be quiet. ➲ *Ver nota em* ORDER **2** (*enviar*) to send: *Mandei-te uma carta.* I've sent you a letter. ➲ *Ver nota em* GIVE **3** (*levar*) to have *sth* done: *Vou ~ limpá-lo.* I'm going to have it cleaned. ▸ *vi* **1** (*governo*) to be in power **2** (*ser o chefe*) to be the boss (*coloq*), to be in charge: *gostar de ~ nos outros* to like to boss people around LOC **mandar alguém passear** to tell sb to get lost **mandar bocas** to make snide remarks **mandar buscar/chamar alguém** to send for sb **mandar para a rua** (*expulsar*) to throw *sb* out **mandar uma indireta** to drop a hint

mandato *sm* mandate

mandíbula *sf* jaw

mandioca *sf* cassava

mandrião, **-ona** ▸ *adj* lazy ▸ *sm-sf* layabout: *É um ~.* He's a layabout.

mandriar *vi* to laze around

maneira *sf* **1 ~ (de)** way (of *doing sth*): *a sua ~ de falar/vestir* her way of speaking/dressing ◇ *Desta ~ é mais fácil.* It's easier this way. **2 maneiras** manners: *boas ~s* good manners ◇ *pedir alguma coisa com boas ~s* to ask nicely for sth LOC **à maneira** really nice: *Ela traz uma camisola à ~.* She's wearing a really nice sweater. **à minha maneira** my, your, etc. way **de maneira que** (*portanto*) so **de todas as maneiras** anyway **maneira de ser**: *É a minha ~ de ser.* It's just the way I am. **não haver maneira de** to be impossible *to do sth*: *Não havia ~ de o carro* *pegar.* It was impossible to start the car. **que maneira de...!** what a way to...!: *Que ~ de conduzir!* What a way to drive! *Ver tb* ARRANJAR, DITO, NENHUM, SEGUINTE

manejar *vt* **1** to handle: *~ uma arma* to handle a weapon **2** (*máquina*) to operate

manequim ▸ *sm* (*montra*) dummy [*pl* dummies] ▸ *smf* (*pessoa*) model

maneta *adj* **1** (*sem um braço*) one-armed **2** (*sem uma mão*) one-handed LOC **ir para a maneta** to break down

manga[1] *sf* sleeve: *uma camisa de ~ comprida/curta* a long-sleeved/short-sleeved shirt LOC **em mangas de camisa** in shirtsleeves **sem mangas** sleeveless

manga[2] *sf* (*tb* **mango** *sm*) (*fruta*) mango [*pl* mangoes]

mangueira *sf* (*água*) hose

manha *sf* **1** (*esperteza, astúcia*) cunning [*não-contável*]: *Usou de todas as ~s para conseguir ser promovido.* He used all his cunning to get promotion. ◇ *ter muita ~* to be very cunning **2** (*fingimento*) act: *Aquilo é ~, eu mal lhe toquei.* That's (all) an act, I hardly touched him. LOC **fazer manha** (*fingir*) to put on an act

manhã *sf* morning: *Parte esta ~.* He's leaving this morning. ◇ *na ~ seguinte* the following morning ◇ *às duas da ~* at two o'clock in the morning ◇ *O exame é segunda de ~.* The exam is on Monday morning. ◇ *amanhã de ~* tomorrow morning ➲ *Ver nota em* MORNING LOC *Ver* AMANHÃ, MEIO

mania *sf* quirk: *Todos temos as nossas pequenas ~s.* We've all got our own little quirks. ◇ *Já é uma ~!* You're getting obsessed about it! LOC **ter a mania de fazer alguma coisa** to have the bad habit of doing sth **ter manias das grandezas** to have delusions of grandeur **ter mania de perseguição** to have a persecution complex *Ver tb* DOIDO, PERDER

maníaco, -a *adj* (*obcecado*) obsessive (*about sth*)

manicure *sf* manicure

manifestação *sf* **1** (*de protesto*) demonstration **2** (*expressão*) expression: *uma ~ de apoio* an expression of support

manifestante *smf* demonstrator

manifestar ▸ *vt* **1** (*opinião*) to express **2** (*mostrar*) to show ▸ **manifestar-se** *vp* to demonstrate: *manifestar-se contra/a favor de alguma coisa* to demonstrate against/in favour of sth

manifesto *sm* manifesto [*pl* manifestos]: *o ~ comunista* the Communist Manifesto

manipular *vt* to manipulate: *~ os resultados das eleições* to manipulate the election results ◇ *Não te deixes ~.* Don't let yourself be manipulated.

manivela *sf* handle

manjericão *sm* basil

mano, -a *sm-sf* **1** (*masc*) brother **2** (*fem*) sister

manobra *sf* manoeuvre

manobrar *vi* to manoeuvre

mansão *sf* mansion

mansarda *sf* loft, attic (*USA*)

manso, -a *adj* **1** (*animal*) tame **2** (*pessoa*) meek: *~ que nem um cordeiro* meek as a lamb LOC **de mansinho** (*silenciosamente*) very quietly

manta *sf* blanket: *Cobre-o com uma ~.* Put a blanket over him.

manteiga *sf* butter

manter ▸ *vt* **1** (*conservar*) to keep: *~ a comida quente* to keep food hot ◇ *~ uma promessa* to keep a promise **2** (*economicamente*) to support: *~ uma família de oito pessoas* to support a family of eight **3** (*afirmar*) to maintain ▸ **manter-se** *vp* (*situação, problema*) to remain LOC **manter alguém/alguma coisa debaixo de olho** to keep an eye on sb/sth **manter as aparências** to keep up appearances **manter-se em forma** to keep fit **manter-se em pé** to stand (up): *Já nem consegue manter-se em pé.* He can't stand (up) any more. **manter-se firme** to stand firm **manter vivo** to keep *sb/sth* alive: *~ viva a esperança* to keep your hopes alive *Ver tb* CONTACTO, LINHA

mantimento *sm* **1** (*manutenção*) maintenance **2 mantimentos** provisions

manual *adj, sm* **1** manual: *~ de instruções* instruction manual **2** (*Educ*) textbook LOC *Ver* TRABALHO

manufaturar *vt* to manufacture

manuscrito *sm* manuscript

manusear *vt* to handle: *~ alimentos* to handle food

manutenção *sf* maintenance

mão *sf* **1** hand: *Levantar a ~.* Put your hand up. ◇ *estar em boas ~s* to be in good hands **2** (*pintura*) coat **3** (*animal*) paw **4** (*Desp*) leg: *a segunda ~ da meia-final* the second leg of the semi-final LOC **à mão 1** (*perto*) to hand: *Tens um dicionário à ~?* Have you got a dictionary to hand? **2** (*manualmente*) by hand: *Deve ser lavado à ~.* It needs washing by hand. ◇ *feito à ~* handmade **dar a mão** to hold *sb's* hand: *Dá-me a ~.* Hold my hand. **dar uma mão** to give *sb* a hand **deitar a mão a alguém** to catch sb: *A polícia deitou-lhes a ~.* The police caught them. **de mãos dadas** hand in hand (*with sb*): *Pas-*

M

seavam de ~s dadas. They were walking along hand in hand. **em/por mão** in person: *Entrega--o em ~.* Give it to him in person. **fora de mão** (*desviado*) out of the way: *Fica-nos fora de ~.* It's well out of our way. **mão dura/de ferro** firm hand **mãos ao ar/alto!** hands up! ❶ Para outras expressões com **mão**, ver as entradas para o substantivo, adjetivo, etc., p.ex. **em segunda mão** em SEGUNDO.

mão-cheia *sf* handful: *uma ~ de arroz* a handful of rice

mão-de-obra *sf* labour

mãos-largas (*tb* mãos-rotas) *smf* big spender

mapa *sm* map: *Vem no ~.* It's on the map. LOC *Ver* DESAPARECER

mapa-mundo (*tb* mapa-múndi) *sm* world map

maquete *sf* model

M

maquilhador, -ora *sm-sf* make-up artist

maquilhagem *sf* make-up [*não-contável*] LOC *Ver* BOLSA

maquilhar ▸ *vt* to make *sb* up ▸ **maquilhar-se** *vp* to put on your make-up

máquina *sf* **1** machine: *~ de costura* sewing machine **2** (*comboio*) engine LOC **máquina de barbear** electric razor **máquina de café** espresso machine **máquina de cortar relva** lawnmower **máquina de escrever** typewriter **máquina de jogos** fruit machine **máquina de lavar** washing machine **máquina de lavar loiça** dishwasher **máquina de secar** tumble dryer **máquina fotográfica** camera *Ver tb* CAFÉ, ESCRITO

maquinaria *sf* machinery

maquinista *smf* train driver

mar *sm* sea LOC **alto mar** the high sea(s): *O barco navegava no alto ~.* The ship was on the high seas. **fazer-se ao mar** to put out to sea **mar dentro** out to sea **por mar** by sea

maratona *sf* marathon

maravilha *sf* wonder LOC **cheira/sabe que é uma maravilha** it smells/tastes delicious **fazer maravilhas** to work wonders: *Este xarope faz ~s.* This cough mixture works wonders. **que maravilha!** how wonderful! *Ver tb* CORRER, MIL

maravilhoso, -a *adj* wonderful

marca *sf* **1** (*sinal*) mark **2** (*produtos de limpeza, alimentos, roupa, tabaco*) brand: *uma ~ de calças* a brand of jeans **3** (*carros, motos, eletrodomésticos, computador*) make: *De que ~ é o teu carro?* What make of car have you got? **4** (*recorde*) record: *bater/estabelecer uma nova ~* to beat/set a new record LOC **de marca**: *produtos de ~* branded goods ◇ *roupa de ~* designer clothes **marca (registada)** (registered) trademark

marcação *sf* **1** (*de pontos*) scoring: *A ~ deve estar errada.* The scoring must be wrong. **2** (*de um adversário*) marking

marcado, -a *adj* (*forte*) strong: *falar com um ~ sotaque brasileiro* to speak with a strong Brazilian accent *Ver tb* MARCAR

marcador *sm* **1** (*caneta*) felt-tip pen **2** (*Desp, painel*) scoreboard **3** (*Internet*) bookmark LOC **marcador fluorescente** highlighter

marcar ▸ *vt* **1** to mark: *~ o chão com giz* to mark the ground with chalk **2** (*data*) to fix **3** (*lugar, mesa*) to book, to reserve (*USA*) **4** (*gado*) to brand **5** (*indicar*) to say: *O relógio marcava cinco horas.* The clock said five o'clock. ▸ *vt, vi* **1** (*Desp*) to score: *Marcaram (três golos) na primeira parte.* They scored (three goals) in the first half. **2** (*telefone*) to dial: *Marcaste mal.* You've dialled the wrong number. LOC **marcar encontro (com)** to arrange to meet *sb* **marcar hora/uma consulta** to make an appointment **marcar o compasso/ritmo** to beat time/the rhythm *Ver tb* PONTO

marcha *sf* **1** (*Mil, Mús, de protesto*) march **2** (*Desp*) walk LOC **fazer marcha-atrás** to reverse

marcial *adj* martial

marco *sm* (*estrada*) landmark LOC **marco do correio** postbox, mailbox (*USA*) ➲ *Ver ilustração em* LETTER BOX

março *sm* March (*abrev* Mar.) ➲ *Ver exemplos em* JANEIRO

maré *sf* **1** tide: *~ alta/baixa* high/low tide ◇ *Subiu/Baixou a ~.* The tide has come in/gone out. **2** (*série*) run: *uma ~ de sorte* a run of good luck ◇ *uma ~ de desgraças* a series of misfortunes LOC **maré negra** oil slick *Ver tb* VENTO

maremoto *sm* tidal wave

maresia *sf* sea air

marfim *sm* ivory

margarida (*tb* margarita) *sf* daisy [*pl* daisies]

margarina *sf* margarine

margem *sf* **1** (*rio, canal*) bank **2** (*numa página*) margin **3** (*liberdade*) room (*for sth*): *~ para dúvida* room for doubt LOC **à margem**: *viver à ~ da sociedade* to live on the margins of society ◇ *Deixam-no à ~ de tudo.* They leave him out of everything.

marginal ▸ *smf* delinquent ▸ *sf* (*estrada*) coast road

marginalizado, -a ▸ *adj* **1** (*pessoa*) left out: *sentir-se ~* to feel left out **2** (*zona*) deprived ▸ *sm-sf* outcast

marido *sm* husband

marijuana *sf* marijuana

marina *sf* marina

marinha *sf* navy [*v sing ou pl*]: *a Marinha Mercante* the Merchant Navy LOC *Ver* INFANTARIA

marinheiro, -a *adj, sm* sailor [s]: *um chapéu à ~* a sailor hat

marinho, -a *adj* **1** marine: *vida/poluição marinha* marine life/pollution **2** (*aves, sal*) sea: *aves marinhas* seabirds

marioneta *sf* **1** puppet **2 marionetas** puppet show [*v sing*]

mariposa *sf* (*inseto, Natação*) butterfly [*pl* butterflies] LOC *Ver* NADAR

marisco *sm* shellfish [*pl* shellfish]

marítimo, -a *adj* **1** (*povoação, zona*) coastal **2** (*porto, rota*) sea: *porto ~* sea port

marketing *sm* marketing

marmelada *sf* quince jelly

marmelo *sm* quince

mármore *sm* marble

marmota *sf* (*peixe*) small hake [*pl* small hake]

marquês, -esa *sm-sf* **1** (*masc*) marquis **2** (*fem*) marchioness

marquise *sf* glazed balcony [*pl* glazed balconies]

marrão, -ona *sm-sf* swot, grind (*USA*)

marrar *vi* (*estudar*) to swot (*coloq*), to study hard: *Esta noite vou ter de ~.* I've got to do a lot of swotting tonight.

marreca *sf* hump

marta *sf* mink [*pl* mink/minks]

Marte *sm* Mars

martelar *vt, vi* **1** to hammer (*sth* in): *~ um prego* to hammer a nail in **2** (*insistir*) to go over (and over) *sth*: *Martelei-lhes tanto a canção que a acabaram por aprender.* I went over and over the song until they learnt it. **3** (*piano*) to bang away (on *sth*)

martelo *sm* hammer

mártir *smf* martyr

marxismo *sm* marxism

mas[1] *conj* but: *devagar ~ com segurança* slowly but surely

mas[2] *Ver* ME

mascar *vt, vi* to chew

máscara *sf* mask LOC *Ver* BAILE

mascarar ▸ *vt* to mask ▸ **mascarar-se** *vp* **mascarar-se (de)** to dress up (as *sb/sth*): *Mascariou-se de Cinderela.* She dressed up as Cinderella.

mascote *sf* mascot

masculino, -a *adj* **1** male: *a população masculina* the male population **2** (*Desp, moda*) men's: *a prova masculina dos 100 metros* the men's 100 metres **3** (*característico do homem, Gram*) masculine ➲ *Ver nota em* MALE

masmorra *sf* dungeon

massa *sf* **1** mass: *~ atómica* atomic mass ◇ *uma ~ de gente* a mass of people **2** (*macarrão, esparguete*) pasta [*não-contável*] **3** (*para tarte, empada*) pastry **4** (*para pão, dinheiro*) dough LOC **estar com a(s) mão(s) na massa 1** (*ser apanhado*) to be caught red-handed: *Ele foi apanhado com a mão na ~.* He was caught red-handed. **2** (*a tratar do assunto*) to be already doing sth: *Estava a trabalhar ao computador e já que estava com a mão na ~, aproveitei para responder aos mails.* As I was already on the computer, I answered my emails too. **de massas** mass: *cultura/movimentos de ~s* mass culture/movements **massa folhada** puff pastry *Ver tb* ROLO

massacre *sm* massacre

massagem *sf* massage: *Dás-me uma ~ às costas?* Can you massage my back for me?

massagista *smf* **1** (*masc*) masseur **2** (*fem*) masseuse

massajar *vt* to massage

mastigar *vt, vi* to chew: *Deves ~ bem a comida.* You should chew your food thoroughly.

mastro *sm* **1** (*barco*) mast **2** (*bandeira*) flagpole

masturbar-se *vp* to masturbate

mata *sf* wood

matadouro *sm* slaughterhouse

matança *sf* slaughter

matar *vt, vi* to kill: *~ o tempo* to kill time ◇ *Vou-te ~!* I'm going to kill you! LOC **estar/ficar a matar** to look great: *Esse vestido fica-te a ~!* That dress looks great on you. **matar a cabeça** (*preocupar-se*) to rack your brains (*about sth*) **matar a fome**: *Comprámos fruta para ~ a fome.* We bought some fruit to keep us going. **matar a sede** to quench your thirst **matar a tiro** to shoot *sb* dead **matar com desgostos** to make *sb's* life a misery **matar dois coelhos de uma cajadada** to kill two birds with one stone **matar saudades**: *para ~ saudades* for old time's sake ◇ *~ saudades dos amigos* to get to see your friends again **matar-se a fazer alguma coisa** to wear yourself out doing sth: *Matámo-nos a estudar/trabalhar.* We wore ourselves out studying/with work.

mate[1] *sm* (*Xadrez*) mate

mate[2] *adj* (*sem brilho*) matt

matemática *sf* maths, mathematics (*mais*

M

formal): *É muito bom a ~.* He's very good at maths.

matemático, -a ▸ *adj* mathematical ▸ *sm-sf* mathematician

matéria *sf* **1** matter: *~ orgânica* organic matter **2** (*disciplina, tema*) subject: *ser um perito na ~* to be an expert on the subject **3** (*de um curso*) syllabus [*pl* syllabuses/syllabi] LOC *Ver* ÍNDICE

material ▸ *adj* material ▸ *sm* **1** (*matéria, dados*) material: *um ~ resistente ao fogo* fire-resistant material ◇ *Tenho todo o ~ que necessito para o artigo.* I've got all the material I need for the article. **2** (*equipamento*) equipment [*não-contável*]: *~ desportivo/de laboratório* sports/laboratory equipment
LOC **material escolar** school supplies [*pl*] **material didático/educativo** teaching materials [*pl*]

materialista ▸ *adj* materialistic ▸ *smf* materialist

matéria-prima *sf* raw material

maternal *adj* motherly, maternal (*mais formal*)

maternidade *sf* **1** (*condição*) motherhood, maternity (*mais formal*) **2** (*hospital*) maternity hospital

materno, -a *adj* **1** (*maternal*) motherly: *amor ~* motherly love **2** (*parentesco*) maternal: *avô ~* maternal grandfather LOC *Ver* LÍNGUA, LINHA

matinal *adj* morning: *um voo ~* a morning flight ◇ *no fim da sessão ~* at the end of the morning session

matiz *sm* **1** (*cor*) shade **2** (*nuança*) nuance: *~es de significado* nuances of meaning ◇ *um ~ irónico* a touch of irony

mato *sm* bush LOC *Ver* BICHO

matraquilhos *sm* (*jogo*) table football, foosball (*USA*)

matrícula *sf* registration: *Já começaram as ~s.* Registration has begun. LOC **(número de) matrícula** registration number, license number (*USA*) *Ver tb* CHAPA

matricular(-se) *vt, vp* to enrol (*sb*) (*in sth*): *Ainda não me matriculei.* I still haven't enrolled.

matrimónio *sm* marriage ➲ *Ver nota em* CASAMENTO LOC *Ver* CONTRAIR

matriz *sf* **1** (*fotografia, cópia*) original **2** (*Mat*) matrix [*pl* matrices]

maturidade *sf* maturity

matutino, -a ▸ *adj* morning [*s*]: *a brisa matutina* the morning breeze ▸ *sm* (*jornal*) morning paper

mau, má ▸ *adj* **1** bad: *uma pessoa má* a bad person ◇ *~s modos/~ comportamento* bad manners/behaviour ◇ *Tivemos muito ~ tempo.* We had very bad weather. **2** (*inadequado*) poor: *má alimentação/visibilidade* poor food/visibility ◇ *devido ao ~ estado do terreno* due to the poor condition of the ground **3** (*travesso*) naughty: *Não sejas ~ e bebe o leite.* Don't be naughty — drink up your milk. **4 ~ a/em/para** (*ignorante*) bad at *sth/doing sth*: *Sou muito ~ a matemática.* I'm hopeless at maths. ▸ *sm-sf* villain, baddy [*pl* baddies] (*coloq*): *O ~ morre no último ato.* The villain dies in the last act. ◇ *No fim os bons lutam contra os ~s.* At the end there is a fight between the goodies and the baddies. ❶ Para expressões com **mau**, ver as entradas para o substantivo, p. ex. **mau bocado** em BOCADO.

mau-olhado *sm* evil eye

mausoléu *sm* mausoleum

maus-tratos *sm* ill-treatment [*não-contável, v sing*]: *Sofreram ~ na prisão.* They were subjected to ill-treatment in prison. LOC **maus-tratos infantis** child abuse [*não-contável, v sing*]

maxilar *sm* jaw

máxima *sf* (*temperatura*) maximum temperature: *Faro registou uma ~ de 35°C.* Faro had a maximum temperature of 35°C.

máximo, -a ▸ *adj* maximum: *temperatura máxima* maximum temperature ◇ *Temos um prazo ~ de sete dias para pagar.* We've got a maximum of seven days in which to pay. ▸ *sm* **1** maximum: *um ~ de dez pessoas* a maximum of ten people **2 máximos** (*veículo*) headlights LOC **ao máximo**: *Devemos aproveitar os nossos recursos ao ~.* We must make maximum use of our resources. ◇ *Esforcei-me ao ~.* I tried my best. **no máximo** at most **o máximo possível** as much as possible **ser o máximo** to be great: *A tua tia é o ~!* Your aunt is great! *Ver tb* ALTURA

me *pron* **1** [*complemento*] me: *Não me viste?* Didn't you see me? ◇ *Dá-me isso.* Give that to me. ◇ *Compra-me aquilo!* Buy that for me. **2** [*reflexivo*] myself: *Vi-me ao espelho.* I saw myself in the mirror. ◇ *Vesti-me imediatamente.* I got dressed straight away.

meados *sm* LOC **em/nos meados de...** in the middle of...

mealheiro *sm* money box

mecânica *sf* mechanics [*não-contável*]

mecânico, -a ▸ *adj* mechanical ▸ *sm-sf* mechanic

mecanismo *sm* mechanism: *o ~ de um relógio* a watch mechanism

mecha *sf* **1** (*vela*) wick **2** (*bomba*) fuse LOC **a toda/na mecha** at full speed

medalha *sf* medal: ~ *de ouro* gold medal **LOC** *Ver* ENTREGA

média *sf* **1** average: *em* ~ on average **2** (*Mat*) mean **3** (*imprensa, etc.*) media [*v sing ou pl*] ➲ *Ver nota em* MEDIA

mediação *sf* mediation

mediador, **-ora** *sm-sf* moderator

mediano, **-a** *adj* average: *de estatura mediana* of average height

mediar *vt, vi* to mediate

medicamento *sm* medicine: *receitar um* ~ to prescribe a medicine **LOC** *Ver* ARMÁRIO

medicina *sf* medicine

médico, **-a** ▸ *adj* medical: *um exame* ~ a medical examination ▸ *sm-sf* doctor: *ir ao* ~ to go to the doctor's **LOC** **médico de família/de clínica geral** GP *Ver tb* BOLETIM, EXAME, GABINETE, HISTORIAL, POSTO

médico-legista, **médica-legista** *sm-sf* forensic scientist

medida *sf* **1** (*extensão*) measurement: *Quais são as ~s desta sala?* What are the measurements of this room? **2** (*unidade, precauções*) measure: *pesos e ~s* weights and measures ◇ *Terão que ser tomadas ~s a esse respeito.* Something must be done about it. **LOC** **à medida que** as: *Terá cada vez mais dores à ~ que a doença for avançando.* She'll be in greater pain as the illness advances. **(feito) sob/por medida** (made) to measure **ficar à medida** to be a perfect fit **na medida do possível** as far as possible **tirar as medidas a alguém** to check sb out *Ver tb* MEIO

medieval *adj* medieval

médio, **-a** ▸ *adj* **1** medium: *de tamanho* ~ of medium size **2** (*mediano, normal*) average: *temperatura/velocidade média* average temperature/speed ▸ *sm* **1** (*dedo*) middle finger **2** (*Futebol, jogador*) midfielder **3 médios** (*faróis*) dipped headlights, low beams (*USA*): *Liguei os ~s.* I dipped my headlights. **LOC** *Ver* CLASSE, DEDO, IDADE, ORIENTE, PRAZO

medíocre *adj* mediocre

medir ▸ *vt* to measure: ~ *a cozinha* to measure the kitchen ▸ *vi*: *Quanto medes?* How tall are you? ◇ *A mesa mede 1.50 m de comprimento e 1 m de largura.* The table is 1.50 m long by 1 m wide. **LOC** **medir alguém de alto a baixo** to size sb up **medir as palavras** to weigh your words **não ter mãos a medir** to be rushed off your feet

meditar *vi* ~ **(em)** to think (about *sth*): *Meditou na resposta.* He thought about his answer.

mediterrâneo, **-a** *adj, sm* Mediterranean

médium *smf* medium [*pl* mediums]

medo *sm* fear (*of sb/sth/doing sth*): *o ~ de voar/do fracasso* fear of flying/failure **LOC** **com/por medo de** for fear of *sb/sth/doing sth*: *Não o fiz com ~ de me ralharem.* I didn't do it for fear of being scolded. **ficar com medo** to be scared *of sb/sth/doing sth* **meter medo** to frighten, to scare (*mais coloq*): *As tuas ameaças não me metem nenhum ~.* Your threats don't frighten me. **que medo!** how scary! **sentir medo** to be frightened, to be scared (*mais coloq*): *Senti muito ~.* I was very frightened. **ter medo** to be afraid (*of sb/sth/doing sth*), to be scared (*mais coloq*): *Tem muito ~ de cães.* He's very scared of dogs. ◇ *Tinhas ~ de vir a reprovar?* Were you afraid you'd fail? *Ver tb* ESTREMECER, MORRER, MORTO

medonho, **-a** *adj* scary

medroso, **-a** *adj* fearful

medula *sf* marrow: ~ *óssea* bone marrow

medusa *sf* jellyfish [*pl* jellyfish]

meia[1] *sf* **1** (*peúga*) sock **2** (*de vidro, nylon, etc.*) stocking **3 meias** (*collants*) tights ➲ *Ver nota em* PAIR

meia[2] *sf* (*relógio*): *São três e ~.* It's half past three. **LOC** **meia de leite** white coffee

meia-final *sf* (*Desp*) semi-final

meia-idade *sf* middle age: *uma pessoa de* ~ a middle-aged person

meia-noite *sf* midnight: *Chegaram à ~.* They arrived at midnight.

meigo, **-a** *adj* tender

meio, **-a** ▸ *adj* (*metade de*) half a, half an: *meia garrafa de vinho* half a bottle of wine ◇ *meia hora* half an hour ▸ *adv* half: *Quando ele chegou estávamos ~ adormecidos.* We were half asleep when he arrived. ▸ *sm* **1** (*centro*) middle: *uma praça com um quiosque no ~* a square with a news-stand in the middle **2** (*ambiente*) environment **3** (*círculo*) circle: ~ *familiar* family circle **4** (*Mat*) half [*pl* halves]: *Dois ~s dão um inteiro.* Two halves make a whole. **5** (*procedimento, recurso*) means [*pl* means]: ~ *de transporte* means of transport ◇ *Não têm ~s para comprar uma casa.* They lack the means to buy a house. **LOC** **a meio caminho** halfway: *A ~ caminho parámos para descansar.* We stopped to rest halfway. **a meio da manhã/tarde** in the middle of the morning/afternoon **a meia haste** at half-mast **comprar/pagar a meias 1** (*entre duas pessoas*) to go Dutch **2** (*entre mais de duas pessoas*) to chip in: *Comprámos o presente a meias.* We all chipped in to buy the present. **de meia tigela** second-rate: *um ator de meia tigela* a second-rate actor **e meio** and a half: *quilo e ~ de tomates* one and a half kilos of tomatoes ◇ *Demorámos duas horas e meia.* It took us two and a half hours. **estar/pôr-se no**

M

meio to be/get in the way: *Não posso passar, estás sempre no ~.* I can't get by – you're always (getting) in the way. **meias medidas/tintas** half measures **meio ambiente** environment **meio de comunicação** medium [*pl* media]: *um ~ de comunicação tão poderoso como a televisão* a powerful medium like TV **meio mundo** lots of people [*pl*] **não estar com meias palavras** not to beat about the bush: *Não está com meias palavras.* He doesn't beat about the bush. **no meio de** in the middle of *sth* **por meio de** by means of *sth* *Ver tb* PALMO, PENSÃO, VOLTA

meio-campo *sm* midfield: *um jogador do ~* a midfield player

meio-dia *sm* midday: *a refeição do ~* the midday meal ◇ *Chegaram ao ~.* They arrived at lunchtime.

meio-gordo *adj* LOC *Ver* LEITE

meio-irmão, meia-irmã *sm-sf* **1** (*masc*) half-brother **2** (*fem*) half-sister

Quando nos queremos referir ao filho ou à filha da nossa madrasta ou padrasto, dizemos **stepbrother** ou **stepsister**.

meio-termo *sm* compromise

mel *sm* honey LOC *Ver* FAVO

melancia *sf* watermelon

melancólico, -a *adj* melancholy

melão *sm* **1** melon **2** (*deceção*): *Ele ficou com um ~ quando a rapariga se recusou a falar com ele.* He was really disappointed when she refused to talk to him. ◇ *Que ~!* What a let-down!

melga *sf* (*inseto*) mosquito [*pl* mosquitoes/mosquitos]

melhor ▸ *adj, adv* (*uso comparativo*) better (*than sb/sth*): *Têm um apartamento ~ do que o nosso.* Their flat is better than ours. ◇ *Sinto-me muito ~.* I feel much better. ◇ *quanto antes ~* the sooner the better ◇ *Cantas ~ do que eu.* You're a better singer than me. ▸ *adj, adv, smf* ~ **(de)** (*uso superlativo*) best (in/of/that...): *o meu ~ amigo* my best friend ◇ *a ~ equipa do campeonato* the best team in the league ◇ *É a ~ da turma.* She's the best in the class. ◇ *o que ~ canta* the one who sings best LOC **fazer o melhor possível** to do your best: *Apresenta-te a exame e faz o ~ possível.* Go to the exam and do your best. **levar a melhor** to come off best: *Tu queres levar a ~ em tudo.* You always want to come off best at everything. **ou melhor** I mean: *cinco, ou ~, seis* five, I mean six *Ver tb* CASO, NUNCA, TANTO, VEZ

melhora *sf* LOC **as melhoras!** get well soon!

melhorar ▸ *vt* to improve: *~ as estradas* to improve the roads ▸ *vi* **1** to improve: *Se as coisas não melhorarem...* If things don't improve... **2** (*doente*) to get better: *Vê se melhoras!* Get well soon!

melhoria *sf* improvement (*in sb/sth*): *a ~ do seu estado de saúde* the improvement in his health

melindroso, -a *adj* **1** (*problema, situação*) delicate **2** (*suscetível*) touchy

meloa *sf* cantaloupe

melodia *sf* tune

melro (*tb* **melro-preto**) *sm* blackbird

membrana *sf* membrane

membro *sm* **1** member: *tornar-se ~* to become a member **2** (*Anat*) limb

memorável *adj* memorable

memória *sf* **1** memory: *Tens boa ~.* You've got a good memory. ◇ *perder a ~* to lose your memory **2 memórias** (*autobiografia*) memoirs LOC **de memória** by heart: *saber alguma coisa de ~* to know sth by heart *Ver tb* PUXAR, VARRER

memorizar *vt* to learn *sth* by heart, to memorize (*mais formal*)

menção *sf* mention

mencionar *vt* to mention LOC **para não/sem mencionar...** not to mention... *Ver tb* ACIMA

mendigar *vt, vi* to beg (for *sth*): *~ comida* to beg for food

mendigo, -a *sm-sf* beggar

menina *sf* **1** (*fórmula de cortesia*) Miss, Ms

Miss utiliza-se com o apelido ou com o nome e apelido: "Miss Jones" ou "Miss Mary Jones". No entanto, nunca se utiliza só com o nome próprio: *Telefone à menina Helena/à menina Helena Mendes.* Phone Helena/Helena Mendes.
Ms usa-se tanto para mulheres casadas como solteiras quando não se conhece (ou pretende diferenciar) o seu estado civil.

2 (*para chamar a atenção*) excuse me: *Desculpe, ~. Podia-me atender, se faz favor?* Excuse me! Can you serve me please? LOC **ser a menina dos olhos de alguém** to be the apple of sb's eye *Ver tb* MENINO

meninice *sf* childhood

menino, -a *sm-sf* **1** (*sem distinção de sexo*) **(a)** child [*pl* children] **(b)** (*recém-nascido*) baby [*pl* babies]: *ter um ~* to have a baby **2** (*masc*) boy **3** (*fem*) girl LOC **menino bem/rico** rich kid **menino do coro** altar boy

menino-bonito, menina-bonita *sm-sf* pet: *É o ~ do professor.* He is the teacher's pet.

menino-prodígio, **menina-prodígio** *sm-sf* child prodigy [*pl* child prodigies]

menopausa *sf* menopause

menor ▸ *adj*
- **uso comparativo** smaller (*than sth*): *O meu jardim é ~ do que o teu.* My garden is smaller than yours.
- **uso superlativo** smallest: *o ~ dos cinco* the smallest of the five
- **outros usos** (*Mús*) minor: *uma sinfonia em mi ~* a symphony in E minor ▸ *smf* (*menor de idade*) minor: *Não se serve álcool a ~es.* Alcohol will not be served to minors. LOC **menor de 18, etc. anos**: *Proibida a entrada a ~es de 18 anos.* No entry for under-18s. *Ver tb* IDEIA, TRAJE

menos ▸ *adv*
- **uso comparativo** less (*than sb/sth*): *Dá-me ~.* Give me less. ◇ *Demorei ~ do que pensava.* It took me less time than I thought it would.
- **uso superlativo** least (*in/of...*): *a ~ faladora da família* the least talkative member of the family ◇ *o aluno que ~ trabalha* the student who works least

> Com substantivos contáveis as formas mais corretas são **fewer** e **fewest**, apesar de cada vez mais pessoas utilizarem **less** e **least**: *Havia menos gente/carros que ontem.* There were fewer people/cars than yesterday. ◇ *a turma com menos alunos* the class with fewest students ➲ *Ver tb nota em* POUCO

▸ *prep* **1** (*exceto*) except: *Foram todos ~ eu.* Everybody went except me. **2** (*hora*) to: *São duas ~ cinco.* It's five to two. **3** (*Mat, temperatura*) minus: *Estamos com ~ dez graus.* It's minus ten. ◇ *Cinco ~ três são dois.* Five minus three is two. ▸ *sm* (*sinal matemático*) minus (sign) LOC **a menos** too little, too few: *Deram-me dez euros a ~.* They gave me ten euros too little. ◇ *três garfos a ~* three forks too few ➲ *Ver nota em* POUCO **a menos que** unless: *a ~ que deixe de chover* unless it stops raining **ao/pelo menos** at least **mais ou menos** more or less: *– Que tal vão as coisas? – Mais ou ~.* 'How are things?' 'So so.' ◇ *O negócio vai mais ou ~.* Business isn't going too well. **menos mal!** thank goodness! **o menos** the least: *É o ~ que posso fazer!* It's the least I can do! ◇ *o ~ possível* as little as possible **sem mais nem menos 1** (*sem pensar*) just like that: *Decidiste, assim, sem mais nem ~?* So you've made your mind up, just like that ? **2** (*sem avisar*) out of the blue: *Bem, se lhe disseres assim sem mais nem menos...* Well, if you tell him out of the blue... *Ver tb* VEZ

menosprezar *vt* to underestimate

mensageiro, **-a** *sm-sf* messenger

mensagem *sf* message LOC **mensagem de texto** text message *Ver tb* ENVIAR

mensal *adj* monthly: *um salário ~* a monthly salary

mensalidade *sf* monthly fee LOC **mensalidade escolar** (monthly) tuition fees [*pl*]

menstruação *sf* menstruation

menstruada *adj* LOC **estar/ficar menstruada** to have/start your period

mental *adj* mental LOC *Ver* DEFICIENTE

mentalidade *sf* mentality [*pl* mentalities] LOC **ter uma mentalidade aberta/fechada** to be open-minded/narrow-minded

mentalizar *vt* (*consciencializar*) to make *sb* aware (*of sth*): *~ a população para a necessidade de cuidar do meio ambiente* to make people aware of the need to look after the environment

mente *sf* mind LOC **ter alguma coisa em mente** to have sth in mind

mentir *vi* to lie: *Não me mintas!* Don't lie to me! ➲ *Ver nota em* LIE[1]

mentira *sf* lie: *contar/dizer ~s* to tell lies ◇ *Isso é ~!* That's a lie! LOC **uma mentira inofensiva** a white lie *Ver tb* CHORRILHO, DIA, PARECER

mentiroso, **-a** ▸ *adj* deceitful: *uma pessoa mentirosa* a deceitful person ▸ *sm-sf* liar

menu *sm* menu: *Não estava no ~.* It wasn't on the menu. ◇ *voltar ao ~ principal* to return to the main menu

mercado *sm* market: *Comprei-o no ~.* I bought it at the market. LOC **mercado de trabalho** job market **mercado negro** black market **mercado único** single market *Ver tb* PESQUISA

mercador *sm* merchant LOC *Ver* OUVIDO

mercadoria *sf* goods [*pl*], merchandise (*mais formal*): *A ~ estava danificada.* The goods were damaged. LOC *Ver* COMBOIO, VAGÃO

mercearia *sf* grocer's, grocery store (*USA*) ➲ *Ver nota em* TALHO

merceeiro, **-a** *sm-sf* grocer

mercúrio *sm* **1** (*Quím*) mercury **2 Mercúrio** (*planeta*) Mercury

merecer *vt* to deserve: *A equipa mereceu perder.* The team deserved to lose. LOC *Ver* PENA

merecido, **-a** *adj* well deserved: *uma vitória bem merecida* a well-deserved victory ➲ *Ver nota em* WELL BEHAVED *Ver tb* MERECER

merenda *sf* snack

merengue *sm* (*Cozinha*) meringue

mergulhador, **-ora** *sm-sf* **1** diver **2** (*Desp, com escafandro*) scuba-diver LOC *Ver* FATO

mergulhar *vi* to dive

mergulho *sm* **1** diving: *praticar ~* to go diving **2** (*ação*) dive: *Foi um ~ espetacular.* It was a spectacular dive. **3** (*com escafandro*) scuba-diving **4** (*tomar banho*) dip: *ir dar um ~* to go for a dip LOC **mergulho (com respirador)** snorkelling

meridional *adj* southern

mérito *sm* merit LOC **ter mérito** to be praiseworthy

mero, -a *adj* mere: *Foi mera coincidência.* It was mere coincidence.

mês *sm* month: *Dentro de um ~ começam as férias.* The holidays start in a month. ◇ *no ~ passado/que vem* last/next month ◇ *no início do ~* at the beginning of the month LOC **mês sim, mês não** every other month **num mês** (*no prazo de um mês*) within a month: *Fechou num ~.* It closed within a month. **por mês 1** (*em cada mês*) a month: *Quanto gastas por ~?* How much do you spend a month? **2** (*mensalmente*) monthly: *Pagam-nos por ~.* We're paid monthly. *Ver tb* CURSO

M

mesa *sf* table: *Não ponhas os pés na ~.* Don't put your feet on the table. ◇ *Sentamo-nos à ~?* Shall we sit at the table? LOC **mesa de cabeceira** bedside table **mesa (de escritório/escola)** desk **levantar/tirar a mesa** to clear the table **pôr a mesa** to lay/set the table *Ver tb* EMPREGADO, TÉNIS, TOALHA

mesada *sf* pocket money

mesa-redonda *sf* panel

meseta *sf* plateau [*pl* plateaux/plateaus]

mesmo, -a ▸ *adj* **1** (*idêntico*) same: *ao ~ tempo* at the same time ◇ *este ~ rapaz* this very boy ◇ *Vivo na mesma casa que ele.* I live in the same house as him. **2** [*uso enfático*]: *Eu ~ o vi.* I saw it myself. ◇ *estar em paz contigo ~* to be at peace with yourself ◇ *a princesa, ela mesma* the princess herself ▸ *pron* same (one): *É a mesma que veio ontem.* She's the same one who came yesterday. ◇ *Ponha-me o ~ de sempre.* I'll have the same as usual. ◇ *O ~, se faz favor!* Same again, please! ▸ *adv* **1** (*exatamente*) right: *~ diante da minha casa* right in front of my house ◇ *Prometo-te que o faço hoje ~.* I promise you I'll get it done today. **2** (*no caso, apesar de*) even: *~ quando* even when ◇ *nem ~* not even ◇ *Não quiseram vir, ~ sabendo que estavas cá.* They didn't want to come even though they knew you'd be here. **3** (*de verdade*) really: *É ~ uma maçã!* It really is an apple! LOC **esse mesmo** the very same **isso mesmo!** that's right! **mesmo assim** even so: *Mesmo assim, não aceitava.* Even so, I wouldn't accept it. **mesmo que/se** even if: *Vem, ~ que seja tarde.* Come along, even if it's late. **para mim dá no mesmo/na mesma** I, you, etc. don't care **por isso mesmo** that's why *Ver tb* AGORA, AÍ, ALI, CONFIANÇA

mesquinho, -a *adj* **1** (*forreta*) stingy **2** (*insignificante*) insignificant

mesquita *sf* mosque

mestiço, -a *adj, sm-sf* (person) of mixed race

mestrado *sm* master's (degree)

mestre, -a *sm-sf* **1** (*educador*) teacher **2 ~ (de/em)** (*figura destacada*) master: *um ~ do xadrez* a chess master LOC *Ver* GOLPE

meta *sf* **1** (*Atletismo*) finishing line: *o primeiro a atravessar a ~* the first across the finishing line **2** (*objetivo*) goal: *alcançar uma ~* to achieve a goal LOC *Ver* LINHA

metabolismo *sm* metabolism

metade *sf* half [*pl* halves]: *na primeira ~ do jogo* in the first half of the match ◇ *Metade dos deputados votou contra.* Half the MPs voted against. ◇ *partir alguma coisa pela ~* to cut sth in half LOC **a/pela metade (de)**: *Paramos a ~ do caminho.* We'll stop halfway. ◇ *A garrafa estava pela ~.* The bottle was half empty. **pela metade do preço** half-price: *Comprei-o pela ~ do preço.* I bought it half-price. *Ver tb* MISSA

metáfora *sf* metaphor

metal *sm* metal

metálico, -a *adj* **1** metal: *uma barra metálica* a metal bar **2** (*brilho, som*) metallic

meteorito *sm* meteorite

meteoro *sm* meteor

meteorológico, -a *adj* weather, meteorological (*mais formal*): *boletim ~* weather report

meteorologista *smf* **1** (*masc*) weatherman [*pl* -men] **2** (*fem*) weathergirl

meter ▸ *vt* **1** to put: *Mete o carro na garagem.* Put the car in the garage. ◇ *Onde meteste as minhas chaves?* Where did you put my keys? **2** (*introduzir*) to introduce **3** (*implicar*) to involve ▸ **meter-se** *vp* **1** (*introduzir-se*) to get into *sth*: *meter-se na cama/debaixo do chuveiro* to get into bed/the shower ◇ *Meteu-se-me uma pedra no sapato.* I've got a stone in my shoe. **2** (*na fila*) to push in, to cut in (*USA*): *Ei, ninguém se mete na fila!* Hey! No pushing in! **3** (*envolver-se, interessar-se*) to get involved *in sth*: *meter-se na política* to get involved in politics **4** (*nos assuntos de outro*) to interfere (*in sth*): *Metem-se em tudo.* They interfere in everything. **5 meter-se com** to pick on *sb*

ℹ Para expressões com **meter**, ver as entradas para o substantivo, adjetivo, etc., p.ex. **meter-se em apuros** em APURO.

meticulosamente *adv* thoroughly

método *sm* method

metralhadora *sf* machine gun

métrico, -a *adj* metric: *o sistema ~* the metric system LOC *Ver* FITA

metro¹ *sm* **1** (*medida*) metre (*abrev* m): *os 200 ~s bruços* the 200 metres breaststroke ◇ *Vende-se ao ~.* It's sold by the metre. ➲ *Ver pág. 713* **2** (*fita para medir*) tape measure

metro² *sm* (*transporte*) underground, subway (*USA*): *Podemos ir de ~.* We can go there on the underground.

O metro de Londres chama-se **the tube**: *Apanhámos o último metro.* We caught the last tube.

meu, minha ▸ *adj* my: *os ~s amigos* my friends ▸ *pron* mine: *Estes livros são ~s.* These books are mine. ❶ De notar que *um amigo meu* se traduz por **a friend of mine** porque significa *um dos meus amigos.*

mexer ▸ *vt* **1** (*mover*) to move: *Não consigo ~ as pernas.* I can't move my legs. **2** (*líquido*) to stir: *Não pares de ~ a sopa.* Keep stirring the broth. **3** (*salada*) to toss ▸ *vi* ~ **(em) 1** (*tocar*) to touch: *Não mexas nisso!* Don't touch that! **2** (*bisbilhotar*) to poke around in *sth*: *Não mexas nas minhas cartas.* Don't poke around in my letters. ▸ **mexer-se** *vp* **1** (*mover-se*) to move: *Não te mexas!* Don't move! **2** (*apressar-se*) to get a move on: *Mexe-te ou perdemos o comboio.* Get a move on or we'll miss the train. LOC *Ver* OVO

mexericar *vi* to gossip

mexerico *sm* gossip [*não-contável*]: *contar ~s* to gossip

mexeriqueiro, -a ▸ *adj* gossipy ▸ *sm-sf* busybody [*pl* busybodies]

mexilhão *sm* mussel

mi *sm* **1** (*nota musical*) mi **2** (*tom*) E: *mi maior* E major

miar *vi* to miaow ➲ *Ver nota em* GATO

miau *sm* miaow

micróbio *sm* germ, microbe (*mais formal*)

microfone *sm* microphone, mike (*coloq*)

micro-ondas *sm* microwave

microscópio *sm* microscope

migalha *sf* crumb: *~s de bolacha* biscuit crumbs

migração *sf* migration

migrar *vi* to migrate

mijar *vi* to pee

mil *sm, adj, pron* **1** (a) thousand: *~ pessoas* a thousand people

Mil também se pode traduzir por **one thousand** quando é seguido de outro número: *mil trezentos e sessenta* one thousand three hundred and sixty, ou quando se deseja dar mais ênfase: *Disse mil, não dois mil.* I said one thousand, not two.
De 1100 a 1900 é muito frequente usar as formas **eleven hundred, twelve hundred**, etc.: *uma corrida de mil e quinhentos metros* a fifteen hundred metre race.

2 (*anos*): *em 1600* in sixteen hundred ◇ *1713* seventeen thirteen ◇ *o ano 2000* the year two thousand ➲ *Ver pág. 710* LOC **às mil maravilhas** wonderfully **mil milhões** (a) billion: *Custou três ~ milhões de euros.* It cost three million euros. *Ver tb* CEM

milagre *sm* miracle

milénio *sm* millennium [*pl* millennia/millenniums]

milésimo, -a *adj, pron, sm-sf* thousandth: *um ~ de segundo* a thousandth of a second

milha *sf* mile ➲ *Ver pág. 713*

M

milhão *sm* million: *dois milhões trezentos e quinze* two million three hundred and fifteen ◇ *Tenho um ~ de coisas que fazer.* I've got a million things to do. ➲ *Ver nota em* MILLION LOC **milhões de...** millions of...: *milhões de partículas* millions of particles *Ver tb* MIL

milhar *sm* thousand ➲ *Ver pág. 710* LOC **aos milhares** in their thousands **milhares de...** thousands of...: *~es de moscas/pessoas* thousands of flies/people

milho *sm* **1** (*planta*) maize, corn (*USA*) **2** (*grão*) sweetcorn LOC *Ver* AMIDO

milímetro *sm* millimetre (*abrev* mm) ➲ *Ver pág. xxx*

milionário, -a *sm-sf* millionaire

militar ▸ *adj* military: *uniforme ~* military uniform ▸ *smf* soldier: *O meu pai era ~.* My father was in the army. LOC *Ver* SERVIÇO

mim *pron* me: *É para mim?* Is it for me? ◇ *Não gosto de falar de mim (mesma).* I don't like talking about myself.

mimar *vt* to spoil

mímica *sf* (*linguagem*) sign language LOC **fazer mímica** to mime

mímico, -a *sm-sf* mime artist

mimo *sm* **1** (*carinho*) fuss [*não-contável*]: *As crianças precisam de ~s.* Children need to be made a fuss of. **2** (*excessiva tolerância*): *Não lhe dês tanto(s) mimo(s).* Don't spoil him.

mina *sf* **1** mine: *uma ~ de carvão/ouro* a coal/gold mine ◇ *morto por uma ~ (terrestre)* killed by a landmine **2** (*lápis*) lead **3** (*trabalho*) cushy number LOC **mina (de ouro)** (*negócio, etc.*) gold mine: *Este negócio é uma ~ de ouro.* This business is a real gold mine.

mindinho *sm* little finger

mineiro, -a ▸ *adj* mining: *várias empresas mineiras* several mining companies ▸ *sm-sf* miner

mineral *adj, sm* mineral LOC **água mineral com gás** sparkling mineral water **água mineral sem gás** still mineral water, non-carbonated mineral water (*USA*)

minério *sm* ore: *~ de ferro* iron ore

minguante *adj* (*lua*) waning LOC *Ver* QUARTO

minhoca *sf* **1** worm **2** (*nos alimentos*) maggot

miniatura *sf* miniature

mínima *sf* **1** (*temperatura*) minimum temperature: *Guarda registou uma ~ de -5°C.* Guarda had a minimum temperature of -5°C. **2** (*Mús*) minim, half note (*USA*)

minimercado *sm* corner shop

minimizar *vt* **1** to minimize **2** (*dar pouca importância*) to play *sth* down

mínimo, -a ▸ *adj* **1** (*menor*) minimum: *a tarifa mínima* the minimum charge **2** (*insignificante*) minimal: *A diferença entre eles era mínima.* The difference between them was minimal. ▸ *sm* **1** minimum: *reduzir ao ~ a poluição* to cut pollution to a minimum **2 mínimos** (*veículo*) sidelights, parking lights (*USA*) LOC **no mínimo** at least *Ver tb* IDEIA, SALÁRIO

minissaia *sf* miniskirt

minissérie *sf* miniseries [*pl* miniseries]

ministério *sm* (*Pol, Relig*) ministry [*pl* ministries] LOC **Ministério da Administração Interna** (*abrev* **MAI**) ≈ Home Office (*GB*) **Ministério das Finanças** ≈ Treasury, Treasury Department (*USA*) **Ministério dos Negócios Estrangeiros** ≈ Foreign Office, State Department (*USA*)
ℹ Se nos estivermos a referir aos ministérios portugueses, dizemos em inglês **Ministry of the Interior**, **Ministry of Finance**, **Ministry of Foreign Affairs**, etc. *Ver tb* DELEGADO

ministro, -a *sm-sf* minister, secretary [*pl* secretaries] (*USA*): *o Ministro da Educação português* the Portuguese Minister for Education

> De notar que na Grã-Bretanha o chefe de um ministério se chama também **Secretary of State** ou simplesmente **Secretary**: *o Ministro da Educação* the Secretary of State for Education/Education Secretary.

LOC **Ministro da Administração Interna** ≈ Home Secretary (*GB*) **Ministro das Finanças** ≈ Chancellor of the Exchequer, Secretary of the Treasury (*USA*) **Ministro dos Negócios Estrangeiros** ≈ Foreign Secretary, Secretary of State (*USA*) *Ver tb* CONSELHO

minoria *sf* minority [*pl* minorities] [*v sing ou pl*] LOC **ser a minoria** to be in the minority

minúscula *sf* small letter, lower case letter (*mais formal*)

minúsculo, -a *adj* **1** (*diminuto*) tiny **2** (*letra*) small, lower case (*mais formal*): *um "m" ~* a small 'm'

minuto *sm* minute: *Espere um ~.* Just a minute. LOC **não deixar alguém um minuto em paz** not to leave sb in peace for a minute

miolo *sm* **1** (*pão*) crumb **2** (*cérebro*) brain LOC **dar voltas aos/puxar pelos miolos** to rack your brains *Ver tb* ESPREMER

míope *adj* short-sighted, nearsighted (*USA*)

miopia *sf* short-sightedness, nearsightedness (*USA*)

mira *sf* **1** (*arma*) sight **2** (*objetivo*) aim

miragem *sf* mirage

mise *sf* shampoo and set LOC **fazer uma mise** to have a shampoo and set

miserável ▸ *adj* **1** (*sórdido, escasso*) miserable: *um quarto/salário ~* a miserable room/wage **2** (*pessoa, vida*) wretched ▸ *smf* (*desgraçado*) wretch

miséria *sf* **1** (*pobreza*) poverty **2** (*quantidade pequena*) pittance: *Ganha uma ~.* He earns a pittance.

missa *sf* mass LOC **missa do galo** midnight mass **não saber da missa a metade** not to know the half of it: *O professor não sabe da ~ a metade.* The teacher doesn't know the half of it.

missão *sf* mission

míssil *sm* missile

missionário, -a *sm-sf* missionary [*pl* missionaries]

mistério *sm* mystery [*pl* mysteries]

misterioso, -a *adj* mysterious

misto, -a *adj* (*escola, colégio*) coeducational LOC *Ver* SALADA

mistura *sf* **1** mixture: *uma ~ de azeite e vinagre* a mixture of oil and vinegar **2** (*tabaco, álcool, café, chá*) blend **3** (*racial, social, musical*) mix

misturar ▸ *vt* **1** to mix: *~ bem os ingredientes.* Mix the ingredients well. **2** (*desordenar*) to get *sth* mixed up: *Não mistures as fotografias.* Don't get the photos mixed up. **3** (*amalgamar*) to blend **4** (*salada*) to toss ▸ **misturar-se** *vp* (*envolver-se*) to mix *with sb*: *Não se quer ~ com a gente do povoado.* He doesn't want to mix with people from the village.

mito *sm* **1** (*lenda*) myth **2** (*pessoa famosa*)

M

legend: *É um ~ do futebol português.* He's a Portuguese football legend.

mitologia *sf* mythology [*pl* mythologies]

miúdo, -a ▸ *sm-sf* **1** (*masc*) boy **2** (*fem*) girl **3 miúdos** (*rapazes e raparigas*) youngsters, kids (*mais coloq*) ▸ *adj* (*pequeno*) small LOC *Ver* CAÇA, CARA

mo *Ver* ME

mobilar *vt* to furnish LOC **por mobilar** unfurnished

mobília *sf* furniture LOC **mobília de quarto, sala de jantar, etc.** bedroom, dining-room, etc. suite

mobiliário *sm* furniture

moçambicano, -a *adj, sm-sf* Mozambican

Moçambique *sm* Mozambique

mochila *sf* backpack ➲ *Ver ilustração em* LUGGAGE

mocho[1] *sm* (*ave*) owl

mocho[2] *sm* (*banco*) stool

moço, -a ▸ *sm-sf* **1 (a)** (*masc*) boy: *o ~ de recados* the office boy **(b)** (*fem*) girl **2** (*jovem*) **(a)** (*masc*) young man [*pl* men]: *um ~ de 25 anos* a young man of twenty-five **(b)** (*fem*) young woman [*pl* women] **3 moços** (*rapazes e raparigas*) youngsters ▸ *adj* young

moda *sf* fashion: *seguir a ~* to follow fashion LOC **à moda de**: *tripas à ~ do Porto* Oporto-style tripe **(estar/passar a estar) na moda** (to be/become) fashionable: *um bar na ~* a fashionable bar **fora da moda** old-fashioned **passar de moda** to go out of fashion *Ver tb* DESFILE

modelo ▸ *sm* **1** model: *um ~ à escala* a scale model **2** (*roupa*) style: *Temos vários ~s de casaco.* We've got several styles of jacket. ▸ *smf* (*pessoa*) model LOC *Ver* PASSAGEM

modem *sm* modem

moderado, -a *adj* moderate *Ver tb* MODERAR

moderador, -ora *sm-sf* moderator

moderar *vt* **1** (*velocidade*) to reduce **2** (*linguagem*) to watch: *Modera as palavras.* Watch your language.

modernizar *vt* to modernize

moderno, -a *adj* modern

modéstia *sf* modesty

modesto, -a *adj* modest

modificar *vt* **1** (*mudar*) to change **2** (*Gram*) to modify

modista *sf* (*costureira*) dressmaker

modo *sm* **1** way (*of doing sth*): *um ~ especial de rir* a special way of laughing ◇ *Fá-lo do mesmo ~ que eu.* He does it the same way as me. **2 modos** (*maneiras*) manners: *maus ~s* bad manners LOC **ao meu modo** my, your, etc. way: *Deixa-os fazê-lo ao seu ~.* Let them do it their way. **de modo que** (*portanto*) so: *Estudaste pouco, de ~ que não vais passar.* You haven't studied much, so you won't pass. **de qualquer modo/de todos (os) modos** anyway *Ver tb* CERTO, NENHUM, TAL

módulo *sm* **1** (*Educ*) module **2** (*de autocarro/elétrico*) multiple journey bus/tram ticket

moeda *sf* **1** (*metal*) coin: *Tens uma ~ de 50?* Have you got a 50 cent coin? **2** (*unidade monetária*) currency [*pl* currencies]: *a ~ francesa* the French currency LOC *Ver* CASA

moer *vt* **1** (*café, trigo*) to grind **2** (*cansar*) to wear *sb* out LOC **moer com pancada** to give *sb* a beating

moinho *sm* mill LOC **moinho de água/vento** watermill/windmill **moinho de café** coffee grinder

mola *sf* **1** (*peça de aço*) spring **2** (*para estender roupa*) (clothes) peg, clothespin (*USA*) **3** (*Costura*) press stud, snap (*USA*) **4** (*para o cabelo*) clip

molar *sm* (*dente*) back tooth [*pl* back teeth]

moldar *vt* to mould

molde *sm* **1** (*forma*) mould **2** (*Costura*) pattern **3** (*para desenhar*) template

moldura *sf* (*fotografia, pintura*) frame

mole *adj* soft LOC *Ver* CAPA

molécula *sf* molecule

molhado, -a *adj* wet *Ver tb* MOLHAR

molhar ▸ *vt* **1** to get *sb/sth* wet: *Não molhes o chão.* Don't get the floor wet. ◇ *~ os pés* to get your feet wet **2** (*mergulhar*) to dip: *~ o pão na sopa* to dip your bread in the soup ▸ **molhar-se** *vp* to get wet: *Molhaste-te?* Did you get wet?

molho[1] *sm* sauce: *~ de tomate* tomato sauce LOC **molho inglês** Worcester sauce

molho[2] *sm* (*em água, etc.*): *Põe o grão de ~.* Soak the chickpeas.

molho[3] *sm* (*feixe*) bunch

molinete *sm* (*cana de pesca*) reel

momento *sm* **1** moment: *Espera um ~.* Hold on a moment. **2** (*período*) time: *nestes ~s de crise* at this time of crisis LOC **a qualquer momento** at any moment **a todo o momento** constantly **de momento** for the moment: *De ~ tenho bastante trabalho.* I've got enough work for the moment. **de um momento para o outro** suddenly **do momento** contemporary: *o melhor cantor do ~* the best contemporary singer **em momento nenhum** never: *Em ~ nenhum pensei que o fariam.* I never thought they would do it. **neste/no momento** at this /the

M

moment **no momento em que** just when... **num momento** immediately

monarca *smf* monarch

monarquia *sf* monarchy [*pl* monarchies]

monetário, -a *adj* monetary LOC *Ver* CORRECÇÃO

monge *sm* monk

monitor, -ora ▸ *sm-sf* instructor: *um ~ de ginástica* a gym instructor ▸ *sm* (*ecrã*) monitor

monólito *sm* monolith

monólogo *sm* monologue

monopólio *sm* monopoly [*pl* monopolies]

monótono, -a *adj* monotonous

monóxido *sm* monoxide LOC **monóxido de carbono** carbon monoxide

monstro *sm* **1** monster: *um ~ de três olhos* a three-eyed monster **2** (*prodígio*) genius [*pl* geniuses]: *um ~ da matemática* a mathematical genius

montado, -a *adj*: *~ num cavalo/numa motorizada* riding a horse/motorbike *Ver tb* MONTAR

montagem *sf* **1** (*máquina*) assembly: *uma cadeia de ~* an assembly line **2** (*Cinema, TV*) editing

montanha *sf* **1** mountain: *no alto de uma ~* at the top of a mountain **2** (*tipo de paisagem*) mountains [*pl*]: *Prefiro a ~ à praia.* I prefer the mountains to the seaside. **3** (*muitos*) a lot of *sth*: *uma ~ de problemas* a lot of problems LOC *Ver* BICICLETA

montanha-russa *sf* roller coaster

montanhismo *sm* mountaineering

montanhoso, -a *adj* mountainous LOC *Ver* CADEIA

montão *sm* an awful lot (*of sth*): *um ~ de dinheiro* an awful lot of money ◇ *Aprende-se um ~ de coisas.* You learn an awful lot.

montar ▸ *vt* **1** (*criar*) to set *sth* up: *~ um negócio* to set up a business **2** (*máquina*) to assemble **3** (*tenda de campismo*) to put *sth* up ▸ *vi* **1** to ride: *botas/roupa de ~* riding boots/clothes **2** *~* **(em)** (*subir para cavalo, bicicleta, etc.*) to get on (*sth*) LOC **montar a cavalo** to ride: *Gosto de ~ a cavalo.* I like (horse) riding. **montar em pelo** to ride bareback **montar guarda** to mount guard

monte *sm* **1** mountain **2** (*em nome próprio*) Mount: *o Monte Evereste* Mount Everest **3** (*pilha*) pile: *um ~ de areia/livros* a pile of sand/books **4 montes** (*quantidade*) loads (*of sth*): *Havia ~s de comida.* There was loads of food.

montra *sf* shop window LOC **ver (as) montras** to go window-shopping

monumental *adj* monumental

monumento *sm* monument

morada *sf* **1** home, residence (*mais formal*) **2** (*endereço*) address

moradia *sf* home, residence (*mais formal*) LOC *Ver* GEMINADO

morador, -ora *sm-sf* resident

moral ▸ *adj* moral ▸ *sf* **1** (*princípios*) morality **2** (*de história*) moral ▸ *sm* (*ânimo*) morale: *O ~ está baixo.* Morale is low. LOC *Ver* BAIXO

morango *sm* strawberry [*pl* strawberries]

morar *vi* to live: *Onde moras?* Where do you live? ◇ *Moram em Portalegre/no quinto andar.* They live in Portalegre/on the fifth floor.

morcego *sm* bat

morcela *sf* black pudding

mordaça *sf* gag LOC **pôr uma mordaça a alguém** to gag sb

mordaz *adj* (*comentário, etc.*) sarcastic

morder *vt, vi* to bite: *O cão mordeu-me na perna.* The dog bit my leg. ◇ *Mordi a maçã.* I bit into the apple. LOC **morder o anzol** to swallow the bait *Ver tb* BICHO, CÃO

mordidela *sf* bite

mordisco *sm* (small) bite LOC **dar um mordisco** to bite

mordomia *sf* **1** (*benefício*) benefit, perk (*coloq*) **2** (*regalia*) luxury

moreno, -a *adj* **1** (*pele*) dark: *A minha irmã é mais morena do que eu.* My sister's darker than me. **2** (*bronzeado*) brown: *ficar ~* to go brown

morfina *sf* morphine

morgue *sf* morgue

morno, -a *adj* lukewarm

morrer *vi* to die: *~ de enfarte/num acidente* to die of a heart attack/in an accident LOC **de morrer** (*muito cómico*) hilarious: *Foi uma cena de ~.* It was hilarious. **morrer afogado** to drown **morrer de aborrecimento/medo** to be bored/scared stiff **morrer de calor** to roast: *Estou a ~ de calor.* I'm roasting alive. **morrer de fome** to starve: *Estou a ~ de fome!* I'm starving! **morrer de frio** to freeze to death **morrer de vergonha** to be extremely embarrassed **morrer por fazer alguma coisa** to be dying to do sth *Ver tb* FEIO, RIR, RISO, SONO

morsa *sf* walrus [*pl* walruses]

morse *sm* Morse Code

mortadela *sf* mortadella, bologna (*USA*)

mortal ▸ *adj* **1** mortal: *Os seres humanos são mortais.* Human beings are mortal. ◇ *pecado ~*

mortal sin **2** (*doença, acidente*) fatal **3** (*veneno, inimigo*) deadly ▸ *smf* mortal **LOC** *Ver* RESTO

mortalidade *sf* mortality

morte *sf* death **LOC** *Ver* PENA², PENSAR, SUSTO

morto, **-a** *adj, sm-sf* dead [*adj*]: *Tinham-na dado por morta.* They had given her up for dead. ◇ *A vila fica praticamente morta durante o inverno.* The town is dead in winter. ◇ *os ~s na guerra* the war dead ◇ *O acidente provocou três ~s.* Three people were killed in the accident. **LOC** **estar morto por alguma coisa/fazer alguma coisa** to be dying for sth/to do sth **mais morto que vivo 1** (*cansado*) exhausted **2** (*assustado*) terrified **morto de aborrecimento/tédio** bored stiff **morto de cansaço** dead tired **morto de frio/fome** freezing/starving **morto de inveja** green with envy **morto de medo** scared to death **morto de raiva/ciúme(s)** eaten up with anger/jealousy **morto de sede** dying of thirst **morto de vergonha** extremely embarrassed **não ter onde cair morto** to be desperately poor *Ver tb* PESO, PONTO, VIVO; *Ver tb* MORRER

mos *Ver* ME

mosaico *sm* mosaic

mosca *sf* fly [*pl* flies] **LOC** **cair como moscas** to drop like flies **não faz mal a uma mosca** he, she, it, etc. wouldn't hurt a fly

moscardo *sm* horsefly [*pl* horseflies]

mosquito *sm* mosquito [*pl* mosquitoes/mosquitos]

mossa *sf* dent

mostarda *sf* mustard **LOC** *Ver* SUBIR

mosteiro *sm* monastery [*pl* monasteries]

mostra *sf* sign: *dar ~s de cansaço* to show signs of fatigue **LOC** *Ver* FEIRA

mostrador *sm* (*relógio*) face

mostrar ▸ *vt* to show: *Mostraram muito interesse nela.* They showed great interest in her. ▸ **mostrar-se** *vp* (*parecer*) to seem: *Mostrou-se um pouco pessimista.* He seemed rather pessimistic. **LOC** *Ver* COMPREENSÃO

mota *sf* motorbike, motorcycle (*mais formal*) **LOC** **mota de água** Jet Ski®

motim *sm* mutiny [*pl* mutinies]

motivar *vt* **1** (*causar*) to cause **2** (*incentivar*) to motivate

motivo *sm* reason (*for sth*): *o ~ da nossa viagem* the reason for our trip ◇ *por ~s de saúde* for health reasons ◇ *Zangou-se comigo sem nenhum ~.* He got angry with me for no reason.

moto (*tb* **motorizada**) *sf* motorbike, motorcycle (*mais formal*): *andar de ~* to ride a motorbike

motociclismo *sm* motorcycling

motociclista *smf* motorcyclist

motocross *sm* motocross

motor, **motriz** ▸ *adj* motive: *força motriz* driving force ▸ *sm* engine, motor ➲ *Ver nota em* ENGINE **LOC** **motor de busca** (*Internet*) search engine *Ver tb* BARCO

motorista *smf* driver

motosserra *sf* chainsaw

mouco, **-a** *sm-sf* **LOC** *Ver* OUVIDO

mourisco, **-a** *adj* Moorish

mouro, **-a** *sm-sf* Moor

mousse *sf* mousse

movediço, **-a** *adj* **LOC** *Ver* AREIA

móvel ▸ *adj* mobile ▸ *sm* **1** piece of furniture: *um ~ lindo* a lovely piece of furniture **2 móveis** (*conjunto*) furniture [*não-contável, v sing*]: *Os móveis estavam cobertos de pó.* The furniture was covered in dust.

mover(-se) *vt, vp* to move: *~ uma peça do xadrez* to move a chess piece **LOC** **mover uma ação contra alguém** to sue sb (*for sth*)

movimentado, **-a** *adj* **1** (*ativo*) busy: *Tivemos um mês muito ~.* We've had a very busy month. **2** (*animado*) lively: *um bar muito ~* a very lively bar *Ver tb* MOVIMENTAR

movimentar(-se) *vt, vp* to move

movimento *sm* **1** movement: *um ligeiro ~ da mão* a slight movement of the hand ◇ *o ~ operário/romântico* the labour/Romantic movement **2** (*andamento*) motion: *O carro estava em ~.* The car was in motion. ◇ *pôr alguma coisa em ~* to set sth in motion **3** (*atividade*) activity

mu *sm* moo

muche *sf* **LOC** *Ver* ACERTAR

muçulmano, **-a** *adj, sm-sf* Muslim

muda *sf* **LOC** **muda de roupa** change of clothes

mudança *sf* **1** ~ **(de)** change (in/of *sth*): *uma ~ de temperatura* a change in temperature ◇ *Houve uma ~ de planos.* There has been a change of plan. **2** (*bicicleta, carro*) gear: *meter ~s* to change gear ◇ *um carro com cinco ~s* a car with a five-speed gearbox **3** (*casa*) move **LOC** **estar em mudanças** to be moving (house) **mudança de direção/sentido** U-turn *Ver tb* ALAVANCA, CAMIÃO

mudar ▸ *vt, vi* **1** ~ **(de)** to change: *~ uma fralda* to change a nappy ◇ *Ele mudou muito nestes últimos anos.* He's changed a lot in the last few years. ◇ *~ de tema* to change the subject **2** (*posição*) to move: *Mudaram as minhas coisas para outro escritório.* They moved all my things to another office. **3** (*transferir*) to transfer: *Mudaram-no para o serviço de Informa-*

M

ções. He's been transferred to the intelligence service. ▸ **mudar(-se)** *vi, vp* (*de casa*) to move: *Mudámos para o número três.* We moved to number three. LOC **mudar de casa** to move (house) **mudar de ideias/opinião** to change your mind **mudar de roupa** to change (your clothes)

mudo, **-a** *adj* dumb: *É ~ de nascença.* He was born dumb. LOC *Ver* DIABO, FILME

mugir *vi* **1** (*vaca*) to moo **2** (*touro*) to bellow LOC *Ver* TUGIR

muito, **-a** ▸ *adj*

- **em frases afirmativas** a lot of *sth*: *Tenho ~ trabalho.* I've got a lot of work. ◇ *Havia ~s carros.* There were a lot of cars.
- **em frases negativas e interrogativas** **1** [*com substantivo não-contável*] much, a lot of *sth* (*mais coloq*): *Não tem muita sorte.* He doesn't have much luck. ◇ *Bebes ~ café?* Do you drink a lot of coffee? **2** [*com substantivo contável*] many, a lot of *sth* (*mais coloq*): *Não havia ~s ingleses.* There weren't many English people.
- **outras construções**: *Tens muita fome?* Are you very hungry? ◇ *há ~ tempo* a long time ago ▸ *pron* **1** [*em frases afirmativas*] a lot: *~s dos meus amigos* a lot of my friends **2** [*em frases negativas e interrogativas*] much [*pl* many] ➲ *Ver nota em* MANY ▸ *adv* **1** a lot: *Parece-se ~ com o pai.* He's a lot like his father. ◇ *O teu amigo aparece ~ por aqui.* Your friend comes round here a lot. ◇ *trabalhar ~* to work hard **2** [*com adjetivo ou advérbio, em respostas*] very: *Estão ~ bem/cansados.* They're very well/tired. ◇ *~ devagar/cedo* very slowly/early ◇ *–Estás cansado? –Não ~.* 'Are you tired?' 'Not very.' ◇ *–Gostaste? –Muito.* 'Did you like it?' 'Very much.' **3** [*com formas comparativas*] much: *És ~ mais velho do que ela.* You're much older than her. ◇ *~ mais interessante* much more interesting **4** (*muito tempo*) a long time: *Chegaram ~ antes de nós.* They got here a long time before us. ◇ *há ~* a long time ago **5** [*com substantivo*]: *É ~ homem.* He's a real man. LOC **muito bem** (*de acordo*) OK **por muito que...** however much...: *Por ~ que insistas...* However much you insist... **por muito...que...** however...: *Por ~ simpático que seja...* However nice he is... **quando muito** at the most

mula *sf* mule

muleta *sf* (*para andar*) crutch: *andar de ~s* to walk on crutches

mulher *sf* **1** woman [*pl* women] **2** (*esposa*) wife [*pl* wives] LOC *Ver* ENTREGA, NEGÓCIO

mulher-a-dias *sf* cleaner

mulher-polícia *sf* policewoman [*pl* -women] ➲ *Ver nota em* POLICIA

multa *sf* fine LOC **passar uma multa** to fine *sb*: *Passaram-lhe uma ~.* He's been fined.

multar *vt* to fine

multibanco *sm* (*caixa*) cash machine, ATM (*USA*)

multidão *sf* crowd [*v sing ou pl*]

multimédia *adj, sf* multimedia

multinacional *adj, sf* multinational

multiplicação *sf* multiplication

multiplicar *vt, vi* (*Mat*) to multiply: *~ dois por quatro* to multiply two by four ◇ *Já sabes ~?* Do you know how to do multiplication yet?

múltiplo, **-a** *adj* **1** (*não simples*) multiple: *uma fratura múltipla* a multiple fracture **2** (*numerosos*) numerous: *em ~s casos* on numerous occasions LOC *Ver* EXAME

multirracial *adj* multiracial

múmia *sf* mummy [*pl* mummies]

mundial ▸ *adj* world: *o recorde ~* the world record ▸ *sm* world championship: *o Mundial de Atletismo* the World Athletics Championships ◇ *o Mundial de Futebol* the World Cup

mundo *sm* world: *dar a volta ao ~* to go round the world LOC **o mundo do espetáculo** show business **por nada deste mundo**: *Esta criança não come por nada deste ~.* This child won't eat for love nor money. *Ver tb* LUA, MEIO, NADA, QUINTO, VOLTA

mungir *vt* to milk

munição *sf* ammunition [*não-contável*]: *ficar sem munições* to run out of ammunition

municipal *adj* municipal LOC **guarda/polícia municipal** **1** (*indivíduo*) local policeman/woman [*pl* -men/-women] **2** (*organismo*) local police force [*v sing ou pl*] *Ver tb* CÂMARA

município *sm* **1** (*divisão territorial*) town **2** (*câmara*) town council [*v sing ou pl*] ➲ *Ver nota em* JÚRI

mural *sm* mural LOC *Ver* PINTURA

muralha *sf* wall(s) [*usa-se muito no plural*]: *a ~ medieval* the medieval walls

murcho, **-a** *adj* **1** (*flor*) withered **2** (*planta*) limp

murmurar *vt, vi* **1** to murmur **2** (*queixando-se*) to mutter

murmúrio *sm* murmur: *o ~ da sua voz/do vento* the murmur of his voice/the wind

muro *sm* wall

murro *sm* punch: *dar um ~ a alguém* to punch sb ◇ *Deu um ~ na mesa.* He thumped the table.

musculação *sf* weight training

musculado, **-a** *adj* muscular

muscular *adj* muscle: *uma lesão ~* a muscle injury

músculo *sm* muscle

musculoso, **-a** *adj* muscular

museu *sm* museum: *Está no Museu de Arte Antiga, em Lisboa.* It's in the Museum of Ancient Art, in Lisbon.

Museum utiliza-se para designar os museus em que se expõem esculturas, peças históricas, científicas, etc. **Gallery** ou **art gallery** utiliza-se para designar os museus em que se expõem principalmente quadros e esculturas.

musgo *sm* moss

música *sf* music: *Não gosto de ~ clássica.* I don't like classical music. LOC **dar música a alguém** to wind sb up **música ao vivo** live music **música de fundo** background music

musical *adj, sm* musical LOC *Ver* COMÉDIA, ESCALA

músico, **-a** *sm-sf* musician

mutação *sf* LOC **em mutação** changing

mutante *adj, smf* mutant

mutilar *vt* to mutilate

mutuamente *adv* each other, one another: *Odeiam-se ~.* They hate each other. ➲ *Ver nota em* EACH OTHER

mútuo, **-a** *adj* mutual

N n

na *Ver* EM

nabo *sm* turnip

nação *sf* nation LOC *Ver* ORGANIZAÇÃO

nácar *sm* mother-of-pearl

nacional *adj* **1** (*da nação*) national: *a bandeira ~* the national flag **2** (*não internacional*) domestic: *o mercado ~* the domestic market ◇ *voos/saídas nacionais* domestic flights/departures LOC *Ver* ÂMBITO, BILHETE, ESTRADA, FERIADO, GUARDA, HINO

nacionalidade *sf* **1** nationality [*pl* nationalities] **2** (*cidadania*) citizenship

nacionalizar ▸ *vt* to nationalize
▸ **nacionalizar-se** *vp* to become a British, Portuguese, etc. citizen

nada ▸ *pron* nothing, anything

Nothing utiliza-se quando o verbo está na afirmativa em inglês e **anything** quando o verbo está na negativa: *Não resta nada.* There's nothing left. ◇ *Não tenho nada a perder.* I've nothing to lose. ◇ *Não quero nada.* I don't want anything. ◇ *Não têm nada em comum.* They haven't anything in common. ◇ *Não queres nada?* Don't you want anything? ◇ *Não ouço nada.* I can't hear anything/a thing.

▸ *adv* at all: *Não está ~ claro.* It's not at all clear. LOC **de nada 1** (*sem importância*) little: *É uma arranhadela de ~.* It's only a little scratch. **2** (*exclamação*) you're welcome: *– Obrigado pelo jantar. – De ~!* 'Thank you for the meal.' 'You're welcome!' ❶ Também se pode dizer **don't mention it**. **nada de especial/do outro mundo** nothing to write home about **nada de mais** nothing much **nada disso!** no way! **nada mais 1** (*é tudo*) that's all **2** (*só*) only: *Tenho um, ~ mais.* I only have one. **nada mais, nada menos que… 1** (*pessoa*) none other than…: *~ mais, ~ menos que o Presidente* none other than the President **2** (*quantidade*) no less than…: *~ mais, ~ menos que 100 pessoas* no less than 100 people *Ver tb* MAIS

nadador, **-ora** *sm-sf* swimmer

nadador-salvador, **nadadora-salvadora** *sm-sf* lifeguard

nadar *vi* to swim: *Não sei ~.* I can't swim. LOC **ficar a nadar** (*roupa*) to be far too big: *Esse casaco fica-lhe a ~.* That jacket's far too big for him. **nadar à crawl/mariposa** to do the crawl/(the) butterfly **nadar de bruços/costas** to do (the) breaststroke/backstroke **nadar em dinheiro** to be rolling in it

nádega *sf* buttock

nado *sm* LOC **a nado**: *Atravessaram o rio a ~.* They swam across the river.

naftalina *sf* LOC *Ver* BOLA

naipe *sm* (*cartas*) suit

namoradeiro, **-a** *sm-sf* flirt

namorado, **-a** *sm-sf* **1** (*masc*) boyfriend **2** (*fem*) girlfriend: *Tens namorada?* Have you got a girlfriend? LOC **ser namorados**: *Somos ~s vai para dois anos.* We've been going out together for two years. *Ver tb* DIA

namoriscar *vi* to flirt (*with sb*)

namoro *sm* relationship

não ▸ *adv* **1** (*resposta*) no: *Não, obrigado.* No, thank you. ◇ *Disse que ~.* I said no. **2** [*referindo-se a verbos, advérbios, frases*] not: *Não sei.* I don't know. ◇ *Não é um bom exemplo.* It's not a good example. ◇ *Começamos agora ou ~?* Are we starting now or not? ◇ *Claro que* ~. Of course not. ◇ *Que eu saiba*, ~. Not as far as I know. **3** [*negativa dupla*]: *Não sai nunca.* He never goes out. ◇ *Não sei nada de futebol.* I know nothing about football. **4** [*palavras compostas*] non-: *não-fumador* non-smoker ▸ *sm* no [*pl* noes]: *um ~ categórico* a categorical no **LOC não é, foi, etc.?**: *Hoje é terça, ~ é?* Today's Tuesday, isn't it? ◇ *Compraste-o, ~ compraste?* You did buy it, didn't you? ◇ *Paras, ou ~ paras quieta?* Keep still, will you! **não…, pois não?** (*confirmando*): *Não vieram, pois ~?* They haven't come, have they? ❶ Para outras expressões com **não**, ver as entradas para o verbo, substantivo, etc., p. ex. **não obstante** em OBSTANTE.

não-crente *smf* non-believer

naquele, **-a** *Ver* EM

narcótico *sm* **narcóticos** drugs

narcotraficante *smf* drug dealer

narcotráfico *sm* drug trafficking

narina *sf* nostril

nariz *sm* nose: *Assoa o ~.* Blow your nose. **LOC meter o nariz** to poke/stick your nose *into sth* **ter o nariz a pingar** to have a runny nose *Ver tb* ASSOAR, BATER, DEDO, PALMO, SUBIR, TORCER

narrador, **-ora** *sm-sf* narrator

narrar *vt* to tell

narrativa *sf* narrative

nas *Ver* EM

nasal *adj* nasal

nascença *sf* birth: *à ~* at birth ◇ *É cega de ~.* She was born blind.

nascente ▸ *adj* (*sol*) rising ▸ *sf* **1** (*água*) spring: *água de ~* spring water **2** (*rio*) source

nascer *vi* **1** (*pessoa, animal*) to be born: *Onde nasceste?* Where were you born? ◇ *Nasci em 1991.* I was born in 1991. **2** (*sol, rio*) to rise **3** (*planta, cabelo, penas*) to grow **LOC (não) nascer ontem**: *Pensas que nasci ontem ou quê?* Do you think I was born yesterday? **nascer para (ser) ator, cantor, etc.** to be a born actor, singer, etc. **nascer do sol** sunrise *Ver tb* BERÇO

nascimento *sm* birth: *data de ~* date of birth **LOC por nascimento**: *ser português por ~* to be Portuguese by birth *Ver tb* LOCAL

nata *sf* **1** cream [*não-contável*]: *~s batidas* whipped cream ◇ *a ~ dos alunos desta escola* the cream of the school's students **2** (*de leite fervido*) skin **LOC** *Ver* PASTEL

natação *sf* swimming

natal ▸ *adj* native: *país ~* native country ▸ **Natal** *sm* Christmas: *Feliz Natal!* Happy Christmas! ◇ *Reunimo-nos sempre no Natal.* We always get together at Christmas.

> Na Grã-Bretanha praticamente não se celebra a véspera de Natal ou a Noite de Natal, **Christmas Eve**. O dia mais importante é o dia 25 de dezembro, **Christmas Day**. Logo de manhã, a família abre os presentes trazidos pelo Pai Natal, **Father Christmas**, e, por volta das três da tarde, é transmitida pela televisão a mensagem de Natal da Rainha, após a qual se dá início ao **Christmas dinner**, cujos principais pratos são o peru assado e o **Christmas pudding** (uma espécie de bolo de frutos secos). O dia seguinte, 26 de dezembro, **Boxing Day**, é feriado nacional.

LOC *Ver* CÂNTICO, CIDADE, DIA, NOITE, PAI

natalício, **-a** *adj* (*relativo ao Natal*) Christmas: *a época natalícia* the festive season

natalidade *sf* birth rate **LOC** *Ver* ÍNDICE

nativo, **-a** *adj, sm-sf* native

nato, **-a** *adj* born: *um músico ~* a born musician

natural *adj* **1** natural: *causas naturais* natural causes ◇ *É ~!* It's only natural! **2** (*fruta, flor*) fresh **3** (*espontâneo*) unaffected: *um gesto ~* an unaffected gesture **4** (*bebida*) at room temperature **LOC ser natural de…** to come from… *Ver tb* CIÊNCIA, TAMANHO

naturalidade *sf* **1** (*origem*): *de ~ lisboeta* born in Lisbon **2** (*simplicidade*): *com a maior ~ do mundo/das ~s* as if it were the most natural thing in the world **LOC com naturalidade** naturally

naturalmente *adv* of course: *Sim, ~ que sim.* Yes, of course.

natureza *sf* nature **LOC por natureza** by nature

natureza-morta *sf* (*Arte*) still life [*pl* still lifes]

naufragar *vi* to be wrecked

naufrágio *sm* shipwreck

náufrago, **-a** *sm-sf* castaway

náusea *sf* nausea **LOC dar náuseas** to make *sb* feel sick **sentir/ter náuseas** to feel sick

náutico, **-a** *adj* sailing: *clube ~* sailing club

naval *adj* naval

navalha *sf* **1** (*de barba*) (cut-throat) razor **2** (*arma*) knife [*pl* knives]: *Ameaçaram-me na rua com uma ~.* They pulled a knife on me in the street.

navalhada *sf* knife wound: *Tinha uma ~ na cara.* He had a knife wound on his face. **LOC dar uma navalhada** to stab

nave *sf* (*igreja*) nave LOC **nave espacial** spaceship

navegação *sf* navigation

navegador *sm* **1** (*Hist*) navigator **2** (*Informát*) browser **3** (*Desp*) co-driver

navegar *vi* **1** (*barcos*) to sail **2** (*espaço*) to fly LOC **navegar na Internet/web** to surf the Net

navio *sm* ship LOC **navio de guerra** warship

neblina *sf* mist

necessaire *sf* toilet bag, toiletry bag (*USA*)

necessário, -a *adj* necessary: *Farei o que for ~.* I'll do whatever's necessary. ◇ *Não leves mais do que é ~.* Only take what you need. ◇ *Não é ~ que venhas.* You don't have to come. LOC **se for necessário** if necessary

necessidade *sf* **1** (*coisa imprescindível*) necessity [*pl* necessities]: *O aquecimento é uma ~.* Heating is a necessity. **2** ~ **(de)** need (for *sth*/to *do sth*): *Não vejo ~ de ir de carro.* I don't see the need to go by car. LOC **não há necessidade** there's no need (*for sth*/*to do sth*) **passar necessidades** to suffer hardship **sem necessidade** needlessly *Ver tb* PRIMEIRO

necessitado, -a ▸ *adj* (*pobre*) needy ▸ *sm-sf*: *ajudar os ~s* to help the poor *Ver tb* NECESSITAR

necessitar *vt, vi* ~ **(de)** to need

necrologia *sf* (*em jornal*) obituary section

nectarina *sf* nectarine

neerlandês, -esa ▸ *adj, sm* Dutch: *falar ~* to speak Dutch ▸ *sm-sf* Dutchman/woman [*pl* -men/-women]: *os neerlandeses* the Dutch

negar ▸ *vt* **1** (*facto*) to deny *sth*/*doing sth*/*that...*: *Negou ter roubado o quadro.* He denied stealing the picture. **2** (*autorização, ajuda*) to refuse: *Negaram-nos a entrada no país.* We were refused entry into the country. ▸ **negar-se** *vp* **negar-se a** to refuse *to do sth*: *Negaram-se a pagar.* They refused to pay.

negativa *sf* **1** (*reprovação*) ≈ F: *Tenho duas ~s.* I got F in two subjects. ◇ *Houve muitas ~s no exame de história.* A lot of people failed history. ➲ *Ver nota em* A, A **2** (*recusa*) refusal

negativo, -a *adj, sm* negative LOC *Ver* SALDO

negociação *sf* negotiation

negociante *smf* businessman/woman [*pl* -men/-women]

negociar *vt, vi* to negotiate

negócio *sm* **1** (*comércio, assunto*) business: *fazer ~* to do business ◇ *Muitos ~s fracassaram.* A lot of businesses have gone broke. ◇ *Estou aqui em ~s.* I'm here on business. ◇ *Negócios são ~s.* Business is business. **2** (*ironicamente*) bargain: *Mas que ~ que nós temos aqui!* Some bargain we got there! LOC **homem/mulher de negócios** businessman/woman [*pl* -men/-women] **negócio feito!** it's a deal! *Ver tb* AMIGO, MINISTÉRIO, MINISTRO

negro, -a ▸ *adj, sm* black ➲ *Ver exemplos em* AMARELO ▸ *sm-sf* (*pessoa*) black man/woman [*pl* men/women] LOC *Ver* LISTA, MARÉ, MERCADO, NÓDOA, OVELHA, UNHA

nem *conj* **1** [*negativa dupla*] neither... nor...: *Nem tu ~ eu falamos inglês.* Neither you nor I speak English. ◇ *Nem sabe ~ quer saber.* He neither knows nor cares. ◇ *Não disse ~ que sim ~ que não.* He hasn't said either yes or no. **2** (*nem sequer*) not even: *Nem ele mesmo sabe quanto ganha.* Not even he knows how much he earns. LOC **nem eu** neither am I, do I, have I, etc.: *– Não acredito. – Nem eu.* 'I don't believe it.' 'Neither do I.' **nem mais!** exactly **nem que** even if: *~ que me dessem dinheiro* not even if they paid me **nem sempre** not always **nem sequer** not even **nem todos** not everybody/all of them **nem um** not a single (one): *Já não tenho ~ um cêntimo.* I haven't got a single cent left. **nem uma palavra, um dia, etc. mais** not another word, day, etc. more **que nem** like: *correr que ~ um louco* to run like mad

nenhum, -uma ▸ *adj* no, any: *Não é ~ tolo.* He's no fool.

Utiliza-se **no** quando o verbo está na afirmativa em inglês: *Ainda não chegou nenhum aluno.* No students have arrived yet. ◇ *Não mostrou nenhum entusiasmo.* He showed no enthusiasm. **Any** utiliza-se quando o verbo está na negativa: *Não lhe prestou nenhuma atenção.* He didn't pay any attention to it.

▸ *pron* **1** (*entre duas pessoas ou coisas*) neither, either

Neither utiliza-se quando o verbo está na afirmativa em inglês: *–Qual dos dois preferes? – Nenhum.* 'Which one do you prefer?' 'Neither (of them).' **Either** utiliza-se quando o verbo está na negativa: *Não discuti com nenhum dos dois.* I didn't argue with either of them.

2 (*entre mais de duas pessoas ou coisas*) none: *Havia três, mas não resta ~.* There were three, but there are none left. ◇ *Nenhum dos concorrentes acertou.* None of the participants got the right answer. LOC **de maneira nenhuma/de modo nenhum** certainly not!, no way! (*coloq*): *Não quis ficar de maneira nenhuma.* He absolutely refused to stay. **em lugar/sítio nenhum** nowhere, anywhere

Nowhere utiliza-se quando o verbo está na afirmativa em inglês: *Desse modo não iremos a lugar nenhum.* At this rate we'll get nowhere. **Anywhere** utiliza-se quando o verbo está na negativa: *Não o encontro em parte nenhuma.* I can't find it anywhere.

nenhum dos dois/nenhuma das duas neither of them

nepotismo *sm* nepotism

Neptuno *sm* Neptune

nervo *sm* **1** nerve: *São os ~s.* That's nerves. **2** (*carne*) gristle: *Esta carne é só ~.* This meat is very gristly. LOC **ter os nervos à flor da pele** to be highly strung *Ver tb* CABO, PILHA

nervosismo *sm* nervousness

nervoso, **-a** *adj* **1** nervous: *o sistema ~* the nervous system ◇ *estar ~* to be nervous **2** (*Anat, célula, fibra, impulso*) nerve: *tecido ~* nerve tissue LOC **deixar alguém nervoso** to get on sb's nerves **ficar nervoso** to get worked up *Ver tb* ESGOTAMENTO

N

nêspera *sf* loquat

nesse, **-a** *Ver* EM

neste, **-a** *Ver* EM

neto, **-a** *sm-sf* **1** (*masc*) grandson **2** (*fem*) granddaughter **3 netos** grandchildren

neurótico, **-a** *adj, sm-sf* neurotic

neutral *adj* neutral

neutro, **-a** *adj* **1** neutral **2** (*Biol, Gram*) neuter

nevado, **-a** *adj* (*coberto de neve*) snow-covered *Ver tb* NEVAR

nevão *sm* snowfall

nevar *v imp* to snow: *Creio que vai ~.* I think it's going to snow. LOC *Ver* PARECER

neve *sf* snow LOC *Ver* BOLA, BONECO, BRANCO, CHUVA

névoa *sf* mist

nevoeiro *sm* fog: *Está muito ~.* It's very foggy.

nexo *sm* link LOC **não ter nexo** to be incoherent, to make no sense (*mais coloq*)

nicotina *sf* nicotine

ninguém *pron* no one: *Ninguém sabe disso.* No one knows that. ◇ *Não estava lá mais ~.* There was no one else there.

De notar que quando o verbo em inglês está na negativa, usamos **anyone**: *Está zangado e não fala com ninguém.* He's angry and won't talk to anyone.

ninhada *sf* litter

ninho *sm* nest: *fazer o ~* to build a nest

niquice *sf* (*coisa de pouco valor*) (little) thing: *Comprei umas ~s para o jantar.* I've bought a couple of things for dinner.

nisso *Ver* EM

nisto *Ver* EM

nitrogénio *sm* nitrogen

nível *sm* **1** level: *~ da água/do mar* water/sea level ◇ *a todos os níveis* at all levels **2** (*qualidade, preparação*) standard: *um excelente ~ de jogo* an excellent standard of play LOC **nível de vida** standard of living *Ver tb* PASSAGEM

no *Ver* EM

nó *sm* knot: *fazer/desfazer um ~* to tie/undo a knot LOC **dar o nó** (*casar-se*) to tie the knot **nó corrediço** slip knot **nó do dedo** knuckle *Ver tb* GARGANTA

nobre ▸ *adj* **1** noble **2** (*madeira, material*) fine ▸ *smf* nobleman/woman [*pl* -men/-women] LOC *Ver* HORÁRIO

nobreza *sf* nobility

noção *sf* notion LOC **ter umas noções de alguma coisa** to have a basic grasp of sth *Ver tb* PERDER

nocivo, **-a** *adj* ~ **(para)** harmful (to *sb/sth*)

nódoa *sf* (*mancha*) stain LOC **nódoa negra** (*hematoma*) bruise

nogueira *sf* walnut (tree)

noite *sf* night: *segunda à ~* on Monday night ◇ *às dez da ~* at ten o'clock at night LOC **à noite** at night **boa noite/boas noites!** good night!

Good night utiliza-se apenas como fórmula de despedida. Para saudar alguém diz-se **good evening**: *Boa noite, senhoras e senhores.* Good evening, ladies and gentlemen.

da noite evening: *sessão da ~* evening performance **da noite para o dia** overnight **de noite 1** (*à noite*) at night **2** (*escuro*) dark: *Já era de ~.* It was already dark. **3** (*vestido*) evening **esta noite** tonight **fazer-se noite** to get dark **hoje/logo à noite** tonight **Noite de Ano Novo** New Year's Eve: *Que fizeste na Noite de Ano Novo?* What did you do on New Year's Eve? **Noite de Natal** Christmas Eve: *Juntamo-nos todos na Noite de Natal.* We all get together on Christmas Eve. ➲ *Ver nota em* NATAL **passar a noite em claro** to stay awake all night *Ver tb* AMANHÃ, ANTEONTEM, CAMISA, LOGO, ONTEM, VELA[1], VESTIDO

noivo, **-a** *sm-sf* **1** (*prometido*) **(a)** (*masc*) fiancé **(b)** (*fem*) fiancée **2** (*em casamento, recém-casados*) **(a)** (*masc*) (bride)groom **(b)** (*fem*) bride ➲ *Ver nota em* CASAMENTO LOC **estar noivos** to be engaged **os noivos 1** (*em casamento*) the bride and groom **2** (*recém-casados*) the newly-weds *Ver tb* VESTIDO

nojento, -a *adj* **1** (*sujo*) filthy **2** (*repugnante*) disgusting

nojice *sf* **1** (*sujidade*) filthy [*adj*]: *A rua estava uma ~.* The street was filthy. **2** (*repugnância*) disgusting [*adj*]: *Que ~, o que estás a fazer com a comida.* What you're doing with your food is disgusting.

nojo *sm* **1** disgust: *Não conseguia esconder o ~ que sentia.* He couldn't hide his disgust. **2** (*luto*) mourning LOC **dar nojo**: *Os rins dão-me ~.* I can't stand kidney. ◇ *Este país dá-me ~.* This country makes me sick. **estar um nojo** to be filthy **que nojo!** how revolting!

nómada ▸ *adj* nomadic ▸ *smf* nomad

nome *sm* **1** **(a)** name **(b)** (*em formulários*) first name ➲ *Ver nota em* MIDDLE NAME **2** (*Gram*) noun: *~ comum* common noun LOC **de nome** by name: *Conheço a diretora de ~.* I know the director by name. **em nome de** on behalf of *sb*: *Agradeceu-lhe em ~ do presidente.* He thanked her on behalf of the president. **nome completo** full name **nome de batismo** first name **nome próprio** (*Gram*) proper noun

nomear *vt* **1** (*mencionar*) to mention *sb's name*: *sem o ~* without mentioning his name **2** (*designar alguém para um cargo*) to appoint **3** (*eleger para prémio*) to nominate *sb* (*for sth*): *Foi nomeada para um Óscar.* She was nominated for an Oscar.

nono, -a *adj, pron, sm-sf* ninth ➲ *Ver exemplos em* SEXTO

nora *sf* (*parente*) daughter-in-law [*pl* daughters-in-law]

nordeste *sm* **1** (*ponto cardeal, região*) northeast (*abrev* NE) **2** (*vento, direção*) northeasterly

norma *sf* rule LOC **(ter) por norma fazer/não fazer alguma coisa** to always/never do sth: *Por ~ não como entre as refeições.* I never eat between meals.

normal *adj* **1** (*comum*) normal: *o curso ~ dos acontecimentos* the normal course of events ◇ *É o ~.* That's the normal thing. **2** (*comum*) ordinary: *um emprego ~* an ordinary job **3** (*padrão*) standard: *o procedimento ~* the standard procedure LOC *Ver* GASOLINA

normalizar ▸ *vt* (*relações, situação*) to restore *sth* to normal ▸ *vi* to return to normal

noroeste *sm* **1** (*ponto cardeal, região*) northwest (*abrev* NW) **2** (*vento, direção*) northwesterly

norte *sm* north (*abrev* N): *a/no ~ de Portugal* in the north of Portugal ◇ *na costa ~* on the north coast LOC *Ver* IRLANDA

Noruega *sf* Norway

norueguês, -esa *adj, sm-sf, sm* Norwegian: *os noruegueses* the Norwegians ◇ *falar ~* to speak Norwegian

nos[1] *Ver* EM

nos[2] *pron* **1** [*complemento*] us: *Viram-nos.* They've seen us. ◇ *Nunca ~ dizem a verdade.* They never tell us the truth. ◇ *Mentiram-nos.* They've lied to us. ◇ *Prepararam-nos o jantar.* They've made supper for us. **2** [*reflexivo*] ourselves: *Divertimo-nos muito.* We enjoyed ourselves very much. **3** (*recíproco*) each other, one another: *Queremo-nos muito.* We love each other very much. ➲ *Ver nota em* EACH OTHER

nós *pron* **1** [*sujeito*] we: *Tu não sabes, ~ sim.* You don't know. We do. ◇ *Nós fazemos isso.* We'll do that. **2** [*complemento*], [*em comparações*] us: *Faz menos desporto do que ~.* He does less sport than us. LOC **entre nós** (*confidencialmente*) between ourselves **nós mesmos/próprios** we ourselves: *Fomos ~ mesmas que a construímos.* We built it ourselves. ◇ *Nós próprios te dissemos isso.* We told you so ourselves. **somos nós** it's us

nosso, -a ▸ *adj* our: *a nossa família* our family ▸ *pron* ours: *O vosso carro é melhor do que o ~.* Your car is better than ours. ❶ De notar que *uma amiga nossa* se traduz por **a friend of ours** porque significa *uma das nossas amigas.*

nota *sf* **1** (*Mús, recado, observação*) note: *Deixei-te uma ~ na cozinha.* I left you a note in the kitchen. ◇ *Saiu-lhe uma ~ falsa.* He hit the wrong note. **2** (*Educ*) mark, grade (*USA*): *tirar boas/más ~s* to get good/bad marks **3** (*dinheiro*) note, bill (*USA*): *~s de 100 euros* 100-euro notes **4 notas** report [*v sing*]: *Vou buscar as minhas ~s quinta-feira.* I'm getting my report on Thursday. LOC **tomar nota** to take note (*of sth*) *Ver tb* BLOCO

notar ▸ *vt* (*observar*) to notice: *Não notei nenhuma alteração.* I haven't noticed any change. ▸ **notar-se** *vp* **1** (*sentir-se*) to feel: *Nota-se a tensão.* You can feel the tension. **2** (*ver-se*) to show: *Não se lhe nota a idade.* He doesn't look his age. LOC **notar-se que...** you can tell (that)...: *Notava-se que estava nervosa.* You could tell she was nervous.

notário, -a *sm-sf* notary (public) [*pl* notaries (public)]

notícia *sf* **1** news [*não-contável, v sing*]: *Tenho uma boa/má ~ para te dar.* I've got some good/bad news for you. ◇ *As ~s são alarmantes.* The news is alarming. ◇ *Anunciaram-no nas ~s das três.* It was on the three o'clock news. ➲ *Ver nota em* CONSELHO **2** (*Jornal, TV*) news item LOC **dar notícias** to get in touch (*with sb*) **ter notícias de alguém** to hear from sb: *Tens tido ~s*

N

da tua irmã? Have you heard from your sister?

noticiário *sm* news [*sing*]: *Liga o rádio que está na hora do ~.* Switch the radio on; it's time for the news.

notificar *vt* to notify *sb* of *sth*: *Notificámos a polícia do roubo.* We notified the police of the theft.

noturno, -a *adj* **1** night: *serviço ~ de autocarros* night bus service **2** (*aulas*) evening: *aulas noturnas* evening classes

nova *sf* news [*não-contável, v sing*]: *Tenho boas ~s.* I've got good news.

novato, -a ▸ *adj* inexperienced ▸ *sm-sf* **1** beginner **2** (*escola*) new student **3** (*tropa*) new recruit

nove *sm, adj, pron* **1** nine **2** (*data*) ninth ➲ *Ver exemplos em* SEIS

novecentos, -as *adj, pron, sm* nine hundred ➲ *Ver exemplos em* SEISCENTOS

N

novela *sf* **1** (*Liter*) novel **2** (*TV*) soap opera, soap (*coloq*)

novelo *sm* ball: *um ~ de lã* a ball of wool LOC **fazer-se num novelo** to curl up

novembro *sm* November (*abrev* Nov.) ➲ *Ver exemplos em* JANEIRO

noventa *sm, adj, pron* **1** ninety **2** (*nonagésimo*) ninetieth ➲ *Ver exemplos em* SESSENTA

novidade *sf* **1** novelty [*pl* novelties]: *a ~ da situação* the novelty of the situation ◇ *O computador é uma ~ para mim.* Computers are a novelty to me. ◇ *a grande ~ da temporada* the latest thing **2** (*alteração*) change: *Não há ~s em relação ao estado do doente.* There's no change in the patient's condition. **3** (*notícia*) news [*não-contável, v sing*]: *Alguma ~?* Any news?

novilho *sm* **1** (*animal*) young bull **2** (*carne*) beef

novo, -a *adj* **1** new: *Esses sapatos são ~s?* Are those new shoes? **2** (*adicional*) further: *Surgiram ~s problemas.* Further problems have arisen. **3** (*jovem*) young: *És mais ~ do que ela.* You're younger than her. ◇ *o mais ~ dos dois* the younger of the two ◇ *o mais ~ da turma* the youngest in the class LOC **de novo** again **novo em folha** brand new *Ver tb* LUA

noz *sf* **1** (*fruto*) walnut **2 nozes** (*frutos de casca dura*) nuts [*pl*]

noz-moscada *sf* nutmeg

nu, nua *adj* **1** (*pessoa*) naked: *A criança está meio nua.* The child is half-naked. **2** (*parte do corpo, vazio*) bare: *braços ~s/paredes nuas* bare arms/walls ➲ *Ver nota em* NAKED LOC **a olho nu** with the naked eye **nu em pêlo/pelota** stark naked, buck naked (*USA*) *Ver tb* TORSO

nublado, -a *adj* cloudy *Ver tb* NUBLAR-SE

nublar-se *vp* **1** (*céu*) to cloud over **2** (*vista*) to be blurred

nuca *sf* nape (of the neck)

nuclear *adj* nuclear LOC *Ver* REATOR

núcleo *sm* nucleus [*pl* nuclei]

nulo, -a *adj* **1** (*inválido*) invalid: *um acordo ~* an invalid agreement **2** (*inexistente*) non-existent: *As possibilidades são praticamente nulas.* The chances are almost non-existent. **3 ~ em/para** hopeless at *sth/doing sth*: *Em desporto sou ~.* I'm hopeless at sport. LOC *Ver* VOTO

num, numa *Ver* EM

numeração *sf* numbers [*pl*] LOC **numeração árabe/romana** Arabic/Roman numerals [*pl*]

numeral *sm* numeral

numerar *vt* to number

numerário *sm* cash LOC *Ver* PAGAR

número *sm* **1** number: *um ~ de telefone* a telephone number ◇ *~ par/ímpar* even/odd number **2** (*tamanho*) size: *Que ~ calças?* What size shoe do you take? **3** (*publicação*) issue: *um ~ atrasado* a back issue **4** (*Teat*) act: *um ~ de circo* a circus act LOC **número primo** prime number **números árabes/romanos** Arabic/Roman numerals *Ver tb* MATRÍCULA

numeroso, -a *adj* **1** (*grande*) large: *uma família numerosa* a large family **2** (*muitos*) numerous: *em numerosas ocasiões* on numerous occasions

nunca *adv* never, ever

> **Never** utiliza-se quando o verbo está na afirmativa em inglês: *Nunca estive em Paris.* I've never been to Paris. **Ever** utiliza-se para exprimir ideias negativas ou com palavras como **nobody, nothing**, etc.: *sem nunca ver o sol* without ever seeing the sun ◇ *Nunca acontece nada.* Nothing ever happens. ➲ *Ver tb nota em* ALWAYS

LOC **como/melhor do que nunca** better than ever **mais (do) que nunca** more than ever: *Hoje está mais calor do que ~.* It's hotter than ever today. **nunca mais** never again: *Nunca mais na vida lhe empresto nada.* I'll never ever lend him anything again. **quase nunca** hardly ever: *Quase ~ nos vemos.* We hardly ever see each other.

nuns *Ver* EM

nupcial *adj* wedding: *banquete ~* wedding reception

nutrição *sf* nutrition

nutriente *sm* nutrient

nutritivo, -a *adj* nutritious

nuvem *sf* cloud LOC **andar/estar/trazer a cabeça nas nuvens** to have your head in the clouds

o[1] *art def* **1** the: *O comboio chegou tarde.* The train was late. ➲ *Ver nota em* THE **2** [*para substantivar*] the...thing: *o interessante/difícil é...* the interesting/difficult thing is... LOC **o/a de... 1** (*possessão*): *O da Marisa é melhor.* Marisa's (one) is better. ◇ *Esta bagagem aqui é a do Miguel.* This luggage is Miguel's. **2** (*característica*) the one (with...): *o dos olhos verdes/de barba* the one with green eyes/the beard ◇ *Preferia o de bolas.* I'd prefer the spotted one. **3** (*vestuário*) the one in...: *o do casaco cinzento* the one in the grey coat ◇ *a de vermelho* the one in red **4** (*procedência*) the one from...: *o de Lisboa* the one from Lisbon **o/a que... 1** (*pessoa*) the one (who/that)...: *O que eu vi era mais alto.* The one I saw was taller. **2** (*coisa*) the one (which/that)...: *A que comprámos ontem era melhor.* The one (that) we bought yesterday was nicer. **3** (*quem quer que*) whoever: *O que chegar primeiro que faça o café.* Whoever gets there first has to make the coffee. **o que** which: *o que não é verdade* which isn't true **o que...** what: *Nem imaginas o que aquilo foi.* You can't imagine what it was like. ◇ *Farei o que disseres.* I'll do whatever you say. ◇ *Faria o que quer que fosse para passar.* I'd do anything to pass. ◇ *O que ele gosta mesmo é de música.* Music's his thing. **o que é meu** (*possessão*) my, your, etc. things: *Tudo o que é meu é teu.* Everything I've got is yours.

o[2] *pron* **1** (*ele*) him: *Expulsei-o de casa.* I threw him out of the house. ◇ *Vi-o no sábado à tarde.* I saw him on Saturday afternoon. **2** (*coisa*) it: *Onde é que o tens?* Where is it? ◇ *Ignora-o.* Ignore it. **3** (*você*) you: *Eu avisei-o!* I told you so!

ó! *interj* (*ouça!*) hey

oásis *sm* oasis [*pl* oases]

obcecar *vt* to obsess: *Os livros obcecam-no.* He's obsessed with books.

obedecer *vi* to obey: *~ aos pais* to obey your parents ◇ *Obedece!* Do as you're told!

obediente *adj* obedient

obituário *sm* obituary [*pl* obituaries]

objetar *vt* to object (*to sb/sth/doing sth*)

objetiva *sf* (*Fot*) lens

objetivo, -a ▸ *adj* objective ▸ *sm* **1** (*finalidade*) objective, aim (*mais coloq*): *~s a longo prazo* long-term objectives **2** (*propósito*) purpose **3** (*Mil*) target

objeto *sm* object LOC **objetos perdidos e achados** lost property [*não-contável*], lost and found [*não-contável*] (*USA*): *secção de ~s perdidos e achados* lost property office

objetor, -ora *sm-sf* LOC **objetor de consciência** conscientious objector

oblíquo, -a *adj* oblique

oboé *sm* oboe

obra *sf* **1** work: *uma ~ de arte* a work of art ◇ *as ~ completas de Camões* the complete works of Camões **2** (*lugar em construção*) site: *Houve um acidente na ~.* There was an accident at the site. **3 obras** (*na estrada*) roadworks, roadwork [*não-contável, v sing*] (*USA*) LOC **em obras** under repair

obra-prima *sf* masterpiece

obrigação *sf* obligation LOC **ter (a) obrigação de** to be obliged *to do sth*

obrigado, -a ▸ *adj* obliged ▸ *interj* thank you, thanks (*mais coloq*): *Muito ~.* Thank you very much. ➲ *Ver nota em* PLEASE LOC **sentir-se/ver-se obrigado** to feel obliged *to do sth* **ser obrigado a** to have *to do sth*: *Somos ~s a trocá-lo.* We have to change it. *Ver tb* OBRIGAR

obrigar *vt* to force *sb to do sth*: *Obrigaram-me a entregar a mala.* They forced me to hand over the case.

obrigatório, -a *adj* compulsory: *o ensino ~* compulsory education

obsceno, -a *adj* obscene

obscurecer ▸ *vt* to darken ▸ **obscurecer-se** *vp* to get dark

obscuridade *sf* (*fig*) obscurity: *viver na ~* to live in obscurity

obscuro, -a *adj* (*fig*) obscure: *um poeta ~* an obscure poet

observação *sf* observation: *capacidade de ~* powers of observation LOC **estar em observação** to be under observation

observador, -ora ▸ *adj* observant ▸ *sm-sf* observer

observar *vt* **1** (*olhar*) to observe, to watch (*mais coloq*): *Observava as pessoas da minha janela.* I was watching people from my window. **2** (*notar*) to notice: *Observaste alguma coisa estranha nele?* Did you notice anything odd about him? **3** (*comentar*) to remark

LOC **observar alguém pelo canto do olho** to look at sb out of the corner of your eye

observatório *sm* observatory [*pl* observatories]

obsessão *sf* obsession (*with sb/sth/doing sth*): *uma ~ com motos/ganhar* an obsession with motor bikes/with winning

obsessivo, -a *adj* obsessive

obsoleto, -a *adj* obsolete

obstáculo *sm* obstacle LOC **criar obstáculos (a)/constituir um obstáculo (para)** to cause trouble (for *sb/sth*): *Achas que vão criar ~s em relação à minha matrícula?* Do you think I'll have trouble registering?

obstante *adj* LOC **não obstante** however, nevertheless (*mais formal*)

obstetra *smf* obstetrician

obstruir *vt* to block *sth* (up): *~ a entrada* to block the entrance (up)

obter *vt* **1** to obtain, to get (*mais coloq*): *~ um empréstimo/o apoio de alguém* to get a loan/ sb's support **2** (*vitória*) to score: *A equipa obteve a sua primeira vitória.* The team scored its first victory.

O

obturação *sf* (*dente*) filling

óbvio, -a *adj* obvious

ocasião *sf* **1** (*vez*) occasion: *em numerosas ocasiões* on numerous occasions **2** (*oportunidade*) opportunity [*pl* opportunities], chance (*mais coloq*) (*to do sth*): *uma ~ única* a unique opportunity LOC **de ocasião**: *preços de ~* bargain prices

ocasional *adj* **1** occasional **2** (*trabalho*) casual

ocasionar *vt* to cause

oceano *sm* ocean

ocidental ▸ *adj* western: *o mundo ~* the western world ▸ *smf* westerner

ocidente *sm* west: *as diferenças entre o Oriente e o Ocidente* the differences between East and West

ócio *sm* leisure: *tempo/momentos de ~* leisure time

oco, -a *adj* hollow: *Esta parede é oca.* This wall is hollow. ◇ *soar a ~* to sound hollow

ocorrência *sf* incident

ocorrer *vi* **1** (*acontecer*) to happen, to occur (*mais formal*): *Não quero que volte a ~.* I don't want it to happen again. **2** (*lembrar*) to occur *to sb*, to think *of sth/doing sth*: *Acaba de me ~ que...* It's just occurred to me that...

ocular *adj* LOC *Ver* GLOBO, TESTEMUNHA

oculista *smf* **1** (*pessoa*) optician, optometrist (*USA*) **2** (*estabelecimento*) optician's [*pl* opticians], optometrist's office (*USA*) ➲ *Ver nota em* TALHO

óculos *sm* **1** glasses: *um rapaz louro, de ~* a fair boy with glasses ◇ *Não o vi porque estava sem ~.* I couldn't see him because I didn't have my glasses on. ◇ *Tenho de usar ~.* I need glasses. **2** (*motociclista, esquiador, mergulhador*) goggles LOC **óculos de sol** sunglasses

ocultar ▸ *vt* to hide *sb/sth* (*from sb/sth*): *Não tenho nada a ~.* I have nothing to hide. ▸ **ocultar-se** *vp* to hide (*from sb/sth*)

ocupação *sf* (*trabalho, Mil*) occupation ➲ *Ver nota em* WORK

ocupado, -a *adj* **1** ~ **(em/com)** (*pessoa*) busy (with *sb/sth*), busy (*doing sth*): *Se alguém telefonar, diz que estou ~.* If anyone calls, say I'm busy. **2** (*telefone*) engaged, busy (*USA*) **3** (*casa de banho*) engaged, occupied (*USA*) **4** (*lugar, táxi*) taken: *Está ~ este lugar?* Is this seat taken? **5** (*país*) occupied *Ver tb* OCUPAR

ocupar *vt* **1** (*espaço, tempo*) to take up *sth*: *Ocupa meia página.* It takes up half a page. ◇ *Ocupa todo o meu tempo livre.* It takes up all my spare time. **2** (*cargo oficial*) to hold **3** (*país*) to occupy

odiar *vt* to hate *sb/sth/doing sth*: *Odeio cozinhar.* I hate cooking.

ódio *sm* hatred (*for/of sb/sth*) LOC **ter ódio a alguma coisa** to hate sth

odioso, -a *adj* hateful

odor *sm* odour: *~ corporal* body odour ➲ *Ver nota em* SMELL

oeste *sm* west (*abrev* W): *a/no ~* in the west ◇ *na costa ~* on the west coast ◇ *mais a ~* further west

ofegante *adj* breathless

ofegar *vi* to pant

ofender ▸ *vt* to offend ▸ **ofender-se** *vp* to take offence (*at sth*): *Ofendes-te com pouco.* You take offence at the slightest thing.

ofensa *sf* offence

ofensiva *sf* offensive

ofensivo, -a *adj* offensive

oferecer ▸ *vt* **1** to offer: *Ofereceram-nos um café.* They offered us a cup of coffee. **2** (*dar*) to give: *Ofereceram-me este livro.* They gave me this book. ➲ *Ver nota em* GIVE **3** (*proporcionar*) to provide: *~ ajuda* to provide help ▸ **oferecer-se** *vp* **oferecer-se para** to volunteer *to do sth*: *Ofereci-me para os levar para casa.* I volunteered to take them home. LOC **oferecer-se como voluntário** to volunteer

oferta *sf* **1** offer: *uma ~ especial* a special offer **2** (*presente*) gift: *Foi uma ~.* It was a gift

3 (*Econ, Fin*) supply: *A procura é maior do que a ~.* Demand outstrips supply. LOC **ofertas de emprego** job vacancies

oficial ▸ *adj* official ▸ *smf* (*Mil, polícia*) officer LOC **não oficial** unofficial

oficina *sf* **1** workshop: *uma ~ de teatro/carpintaria* a theatre/joiner's workshop **2** (*Mec*) garage

ofício *sm* (*profissão*) trade: *É canalizador por ~.* He is a plumber by trade. ◇ *aprender um ~* to learn a trade LOC *Ver* OSSO

oftalmologista *smf* eye specialist

ofuscar *vt* (*deslumbrar*) to dazzle

oh! *interj* **1** (*surpresa*) good heavens! **2** (*compaixão*) oh dear!: *Oh, sinto muito!* Oh dear, I'm so sorry!

oiro *sm Ver* OURO

oitavo, -a *adj, pron, sm-sf* eighth ➲ *Ver exemplos em* SEXTO

oitenta *sm, adj, pron* **1** eighty **2** (*octogésimo*) eightieth ➲ *Ver exemplos em* SESSENTA

oito *sm, adj, pron* **1** eight **2** (*data*) eighth ➲ *Ver exemplos em* SEIS

oitocentos, -as *adj, pron, sm* eight hundred ➲ *Ver exemplos em* SEISCENTOS

olá! *interj* hello, hi (*coloq*)

> A tradução mais geral é **hello**, que pode ser utilizada em qualquer situação e também para atender o telefone. **Hi** é mais coloquial e muito comum. Muitas vezes estas palavras são seguidas de **how are you?** ou **how are you doing?** (*mais coloq*). A resposta pode ser **fine, thanks** ou **very well, thank you** (*formal*); nos Estados Unidos diz-se também **good**. ➲ *Ver tb nota em* HOW

olaria *sf* pottery [*pl* potteries]

oleiro, -a *sm-sf* potter

óleo *sm* oil: *~ de girassol/soja* sunflower/soya oil LOC **quadro/pintura a óleo** oil painting *Ver tb* PINTAR

oleoduto *sm* pipeline

oleoso, -a *adj* (*pele, cabelo*) greasy: *um champô para cabelos ~s* a shampoo for greasy hair

olfato *sm* smell

olhadela (*tb* **olhada**) *sf* glance, look (*mais coloq*): *só com uma ~* at a glance ◇ *Uma ~ é o suficiente.* Just a quick look will do. LOC **dar/deitar uma olhadela** to have a (quick) look (*at sb/sth*): *Só tive tempo de dar uma ~ ao jornal.* I only had time for a quick look at the newspaper.

olhar[1] ▸ *vt* (*observar*) to watch: *Olhavam as crianças a brincar.* They were watching the children play. ▸ *vi* to look: *~ para o relógio* to look at the clock ◇ *~ para cima/baixo* to look up/down ◇ *~ pela janela/por um buraco* to look out of a window/through a hole ◇ *Olhava muito para ti.* He was looking at you a lot. LOC **olha!** (*surpresa*) hey: *Olha! Está a chover.* Hey, it's raining! **olhar alguém de cima** to look down your nose at sb **olhar (bem) nos olhos** to look into *sb's* eyes **olhar-se olhos nos olhos** to look into each other's eyes **por onde quer que se olhe** whichever way you look at it **sem olhar a gastos** (*com luxo*) in style *Ver tb* DESVIAR

olhar[2] *sm* look: *ter um ~ inexpressivo* to have a blank look (on your face) LOC *Ver* DESVIAR

olheiras *sf* dark rings under the eyes

olho *sm* eye: *É morena com os ~s verdes.* She has dark hair and green eyes. ◇ *ter os ~s papudos* to have bulging eyes ◇ *Tens ~ para os negócios.* You've got a good eye for business. LOC **a olho** roughly: *Calculei a ~.* I worked it out roughly. **até aos olhos**: *estar farto de alguém até aos ~s* to be sick to the back teeth of sb **estar de olho em** to have your eye on *sb/sth* ❶ Para outras expressões com **olho**, ver as entradas para o substantivo, adjetivo, etc., p. ex. **olho mágico** em MÁGICO.

Olimpíadas *sf* Olympic Games

olímpico, -a *adj* Olympic: *o recorde ~* the Olympic record LOC *Ver* ALDEIA, JOGO

olival *sm* olive grove

oliveira *sf* olive tree

ombro *sm* shoulder: *carregar alguma coisa aos ~s* to carry sth on your shoulders LOC *Ver* ENCOLHER

omeleta *sf* omelette

omitir *vt* to leave *sth* out, to omit (*mais formal*)

onda *sf* wave: *~ sonora/de choque* sound/shock wave ◇ *~ curta/média/longa* short/medium/long wave

onde ▸ *adv* **1** where: *a cidade ~ nasci* the city where I was born ◇ *Deixa-o ~ puderes.* Leave it over there somewhere. ◇ *um lugar ~ viver* a place to live **2** [*com preposição*]: *a cidade para ~ se dirigem* the city they're heading for ◇ *um monte de ~ se vê o mar* a hill you can see the sea from ◇ *a rua por ~ passa o autocarro* the street the bus goes along ▸ *adv* where: *Onde é que o colocaste?* Where did you put it? ◇ *De ~ és?* Where are you from? LOC **onde raios?** where on earth? **por onde?** which way?: *Por ~ foram?* Which way did they go? **por onde é que se vai para...?** how do you get to...?

ondulação *sf* **1** (*mar*) swell: *uma ~ forte* a heavy swell **2** (*cabelo*) wave

ondulado, **-a** *adj* **1** (*cabelo*) wavy **2** (*superfície*) undulating **3** (*cartão, papel*) corrugated

ONG *sf* NGO [*pl* NGOs]

Em inglês, utiliza-se o termo **NGO** sobretudo no contexto político, para nos referirmos a organizações como a AMI, a OIKOS, etc. É mais comum utilizar-se a palavra **charity** [*pl* **charities**].

ontem *adv* yesterday: ~ *à tarde/de manhã* yesterday afternoon/morning ◇ *antes de* ~ the day before yesterday LOC **de ontem**: *o jornal de* ~ yesterday's paper ◇ *O pão é de* ~. This bread isn't fresh. **ontem à noite** last night *Ver tb* ANTES, NASCER

ONU *sf Ver* ORGANIZAÇÃO

onze *sm, adj, pron* **1** eleven **2** (*data*) eleventh ➲ *Ver exemplos em* SEIS

opaco, **-a** *adj* opaque

opção *sf* option: *Não tem outra* ~. He has no other option.

opcional *adj* optional

ópera *sf* opera

operação *sf* **1** operation: *submeter-se a uma* ~ *cardíaca* to have a heart operation ◇ *uma* ~ *policial* a police operation **2** (*Fin*) transaction LOC *Ver* SALA

operado, **-a** *adj* LOC **ser operado** to have an operation: *Tenho de ser* ~ *ao pé*. I've got to have an operation on my foot. *Ver tb* OPERAR

operador, **-ora** *sm-sf* LOC **operador de câmara** cameraman/woman [*pl* -men/-women]

operar ▸ *vt* to operate on *sb*: *Operaram-me ao apêndice*. I had my appendix out. ▸ *vi* to operate

operário, **-a** ▸ *adj* **1** (*família, bairro*) working-class **2** (*sindicato*) labour: *o movimento* ~ the labour movement ▸ *sm-sf* worker

opinar *vt* to think: *Que opinas?* What do you think?

opinião *sf* opinion: *na minha* ~ in my opinion ◇ *Alguém pediu a tua* ~*?* Did anyone ask for your opinion? LOC **ter boa/má opinião de** to have a high/low opinion of *sb/sth Ver tb* MUDAR

oponente *smf* opponent

opor ▸ *vt* to offer: ~ *resistência a alguém/alguma coisa* to offer resistance to sb/sth ▸ **opor-se** *vp* **1 opor-se a** to oppose: *opor-se a uma ideia* to oppose an idea **2** (*objetar*) to object: *Irei à festa se os meus pais não se opuserem*. I'll go to the party if my parents don't object.

oportunidade *sf* chance, opportunity [*pl* opportunities] (*mais formal*): *Tive a* ~ *de ir ao teatro*. I had the chance to go to the theatre.

oportunista *smf* opportunist

oportuno, **-a** *adj* opportune: *o momento* ~ the opportune moment ◇ *um comentário* ~ an opportune remark

oposição *sf* opposition (*to sb/sth*): *o líder da* ~ the leader of the opposition

oposto, **-a** ▸ *adj* **1** (*extremo, lado, direção*) opposite **2** (*diferente*) different: *Os meus dois irmãos são totalmente* ~*s*. My two brothers are totally different. ▸ *sm* opposite: *O frio é o* ~ *do calor*. Cold is the opposite of heat. ◇ *Fez exatamente o* ~ *do que eu lhe disse*. She did exactly the opposite of what I told her. *Ver tb* OPOR

opressivo, **-a** *adj* oppressive

oprimir *vt* to oppress

optar *vi* ~ **por** to opt for *sth/to do sth*: *Optaram por continuar a estudar*. They opted to carry on studying.

ora ▸ *adv* now: *por* ~ for now ◇ *de* ~ *em diante* from now on ▸ *conj* however: *Ora, isso não quer dizer que*... However, that doesn't mean that... ▸ **ora!** *interj* come on! LOC **ora bem** well now **ora bolas!** damn **ora essa!** come now! **ora..., ora...** sometimes..., sometimes...: *Ora estuda,* ~ *não estuda*. Sometimes he studies, sometimes he doesn't. ◇ *Ora está a chover,* ~ *faz sol*. One minute it's raining, the next it's sunny.

oração *sf* **1** (*Relig*) prayer: *rezar uma* ~ to say a prayer **2** (*Gram*) **(a)** sentence: *uma* ~ *composta* a complex sentence **(b)** (*proposição*) clause: *uma* ~ *subordinada* a subordinate clause

oral *adj, sf* oral

orar *vi* to pray

órbita *sf* **1** (*Astron*) orbit: *colocar/entrar em* ~ to put/go into orbit ◇ *estar em* ~ to be in orbit **2** (*olho*) socket

orçamento *sm* **1** (*de gastos*) budget: *Não quero exceder o* ~. I don't want to exceed my budget. **2** (*estimativa*) estimate: *Pedi que me fizessem um* ~ *para a casa de banho*. I've asked for an estimate for the bathroom.

ordem *sf* **1** order: *em/por* ~ *alfabética* in alphabetical order ◇ *por* ~ *de importância* in order of importance ◇ *por* ~ *do juiz* by order of the court ◇ *a* ~ *dos franciscanos* the Franciscan Order **2** (*associação*) association: *a* ~ *dos médicos* the medical association LOC **(estar sempre a) dar ordens** to boss people around **em ordem** in order **em ordem crescente/decrescente** in ascending/descending order **estar às ordens de** to be at *sb's* disposal: *Estou às suas ordens*. I am at your disposal. *Ver tb* PERTURBAR

ordenado *sm* **1** pay [*não-contável*]: *pedir um aumento de ~* to ask for a pay increase **2** (*mensal*) salary [*pl* salaries]

ordenado, **-a** *adj* tidy, neat (*USA*): *um rapaz/quarto muito ~* a very tidy boy/room *Ver tb* ORDENAR

ordenar *vt* **1** (*apontamentos, ficheiros*) to put *sth* in order: *~ as fichas alfabeticamente* to put the cards in alphabetical order **2** (*mandar*) to order *sb to do sth*: *Ordenou-me que me sentasse.* He ordered me to sit down. ➲ *Ver nota em* ORDER **3** (*sacerdote*) to ordain

ordenhar *vt* to milk

ordinário, **-a** *adj* vulgar

orégão *sm* oregano

orelha *sf* ear LOC **estar até as orelhas 1** to be up to your eyes *in sth*: *Estou até às ~s com este projeto.* I'm up to my eyes in this project. **2** (*estar farto*) to be fed up *with sth/sb* **de trás da orelha** delicious *Ver tb* PULGA

orfanato *sm* orphanage

órfão, **-ã** *adj, sm-sf* orphan [*s*]: *~s de guerra* war orphans ◇ *ser ~* to be an orphan LOC **órfão de mãe/pai** motherless/fatherless

organismo *sm* **1** (*Biol*) organism **2** (*organização*) organization

organização *sf* organization: *organizações internacionais* international organizations ◇ *uma ~ juvenil* a youth group LOC **Organização das Nações Unidas** (*abrev* **ONU**) the United Nations (*abrev* UN)

organizador, **-ora** ▸ *adj* organizing ▸ *sm-sf* organizer

organizar ▸ *vt* to organize ▸ **organizar-se** *vp* (*pessoa*) to get yourself organized: *Devia organizar-me melhor.* I should get myself better organized.

órgão *sm* (*Anat, Mús*) organ LOC **órgãos genitais/sexuais** genitals

orgasmo *sm* orgasm

orgulhar-se *vp* ~ **de** to be proud of *sb/sth*

orgulho *sm* pride: *ferir o ~ de alguém* to hurt sb's pride

orgulhoso, **-a** *adj, sm-sf* proud [*adj*]: *É muito ~.* He is proud of himself. ◇ *São uns ~s.* They're very proud.

orientação *sf* (*instrução*) guidance

orientado, **-a** *adj* LOC **estar orientado para** (*edifício, sala*) to face: *A varanda está orientada para o sudeste.* The balcony faces south-east. *Ver tb* ORIENTAR

oriental ▸ *adj* eastern ▸ *smf* oriental [*adj*]: *Na minha turma há dois orientais.* There are two East Asian people in my class.

A palavra **Oriental** também existe em inglês como substantivo, mas é preferível não a usar pois pode ser considerada ofensiva.

orientar ▸ *vt* **1** (*posicionar*) to position: *~ uma antena* to position an aerial **2** (*dirigir*) to direct: *O polícia orientou-os.* The policeman directed them. ▸ **orientar-se** *vp* (*encontrar o caminho*) to find your way around

oriente *sm* east LOC **o Próximo/Médio/Extremo Oriente** the Near/Middle/Far East

orifício *sm* hole: *dois ~s de bala* two bullet holes

origem *sf* origin LOC **dar origem a** to give rise to *sth*

original *adj, sm* original LOC *Ver* VERSÃO

originar ▸ *vt* to lead to *sth* ▸ **originar-se** *vp* to start: *Originou-se um incêndio na mata.* A fire started in the woods.

orla *sf* shore

orquestra *sf* **1** (*de música clássica*) orchestra **2** (*de música ligeira*) band: *uma ~ de dança/jazz* a dance/jazz band

ortodoxo, **-a** *adj* orthodox

ortografia *sf* spelling: *erros de ~* spelling mistakes

orvalho *sm* dew

os, **as** ▸ *art def* the: *os livros que comprei ontem* the books I bought yesterday ➲ *Ver nota em* THE ▸ *pron* them: *Vi-os/as no cinema.* I saw them at the cinema. LOC **dos/das...**: *um terramoto dos de verdade* a really violent earthquake **os/as de... 1** (*possessão*): *os da minha avó* my grandmother's **2** (*característico*) the ones (with...): *Prefiro os de ponta fina.* I prefer the ones with a fine point. ◇ *Agradam-me os de quadrados.* I like the checked ones. **3** (*roupa*) the ones in...: *as de vermelho* the ones in red **4** (*procedência*) the ones from...: *os de Viseu* the ones from Viseu **os/as que... 1** (*pessoas*): *os que se encontravam na casa* the ones who were in the house ◇ *os que têm de madrugar* those of us who have to get up early ◇ *Entrevistámos todos os que se candidataram.* We interviewed everyone who applied. **2** (*coisas*) the ones (which/that)...: *as que comprámos ontem* the ones we bought yesterday

oscilação *sf* **1** (*candeeiro, pêndulo*) swinging **2** (*preços, temperaturas*) fluctuation: *A ~ dos preços tem sido bastante grande.* Prices have fluctuated quite a lot.

oscilar *vi* **1** (*candeeiro, pêndulo*) to swing **2** ~ **entre** (*preços, temperaturas*) to vary from *sth to sth*: *O preço oscila entre as cinco e as sete* *libras.* The price varies from five to seven pounds.

osso *sm* (*Anat*) bone LOC **ser os ossos do ofício** to be part and parcel of the job **ser um osso duro de roer** (*ser difícil*) to be a hard grind *Ver tb* CARNE, ENCHARCADO, PELE

ostra *sf* oyster

ótica *sf* **1** (*loja*) optician **2** (*ponto de vista*) viewpoint: *Na minha ~ eles estão errados.* From my viewpoint they're wrong.

ótico, -a *adj* LOC *Ver* ILUSÃO

otimismo *sm* optimism

otimista ▸ *adj* optimistic ▸ *smf* optimist

otimizar *vt* to optimize

ótimo, -a *adj* excellent: *uma ótima desculpa* an excellent excuse

otorrino *smf* ear, nose and throat specialist

ou *conj* or: *Chá ou café?* Tea or coffee? ◇ *Come tudo, ou não te deixo ir brincar.* Eat it all up, or you're not going out to play. LOC **ou... ou...** either... or...: *Vou ou de comboio ou de autocarro.* I'll go either by train or by coach.

O

ouriço-cacheiro *sm* hedgehog

ouriço-do-mar (*tb* ouriço-marinho) *sm* sea urchin

ouro *sm* **1** gold: *uma medalha de ~* a gold medal ◇ *ter um coração de ~* to have a heart of gold **2 ouros** (*naipe*) diamonds ➲ *Ver nota em* BARALHO LOC **nem tudo o que brilha/luz é ouro** all that glitters is not gold **ouro em folha** gold leaf *Ver tb* BANHADO, BERÇO, BODA, CASQUINHA, PESQUISADOR

ousadia *sf* daring LOC **ter a ousadia de** to dare *to do sth*, to have the cheek *to do sth* (*GB*)

outono *sm* autumn, fall (*USA*): *no ~* in (the) autumn

outro, -a ▸ *adj* another, other

> **Another** usa-se com substantivos no singular e **other** com substantivos no plural: *Não há outro comboio até às cinco.* There isn't another train until five. ◇ *numa outra ocasião* on another occasion ◇ *Tens outras cores?* Have you got any other colours? **Other** também se utiliza em expressões como: *na outra noite* the other night ◇ *o meu outro irmão* my other brother.
> Por vezes, **another** é seguido de um número e de um substantivo plural quando tem o sentido de *mais*: *Ainda me faltam outros três exames.* I've got another three exams to do. Nestes casos, também se pode dizer 'I've got three more exams.'

▸ *pron* another (one) [*pl* others]: *um dia ou ~* one day or another ◇ *Tens ~?* Have you got another (one)? ◇ *Não gosto. Tens ~s?* I don't like these (ones). Have you got any others? ❶ **O outro, a outra** traduzem-se por 'the other one': *Onde está o outro?* Where's the other one? LOC **em outro/noutro lugar/sítio/em outra/noutra parte** somewhere else **o outro mundo** the hereafter **outra coisa** something else: *Havia outra coisa que te queria dizer.* There was something else I wanted to tell you.

> Se a oração é negativa podemos dizer **nothing else** ou **anything else**, tudo depende se há ou não outra partícula negativa na frase: *Não há outra coisa.* There's nothing else./There isn't anything else. ◇ *Não puderam fazer outra coisa.* They couldn't do anything else.

outra vez again: *Reprovei outra vez.* I've failed again. **outro(s) tanto(s)** as much/as many again: *Pagou-me 100 euros e ainda me deve ~ tanto.* He's paid me 100 euros and still owes me as much again. *Ver tb* LADO

outubro *sm* October (*abrev* Oct.) ➲ *Ver exemplos em* JANEIRO

ouvido *sm* **1** (*Anat*) ear **2** (*sentido*) hearing LOC **ao ouvido**: *Diz-me ao ~.* Whisper it in my ear. **dar ouvidos a alguém** to listen to sb: *Nunca me dás ~s.* You never listen to me. **de ouvido** by ear: *Toco piano de ~.* I play the piano by ear. **entrar por um ouvido e sair pelo outro** to go in one ear and out the other **fazer ouvidos de mercador/moucos** to turn a deaf ear (*to sb/sth*) **que fica no ouvido** (*música*) catchy **ser todo ouvidos** to be all ears **ter bom ouvido** to have a good ear *Ver tb* AGRADÁVEL, DOR, DURO, PAREDE

ouvinte *smf* listener

ouvir *vt* **1** (*perceber sons*) to hear: *Não ouviram o despertador.* They didn't hear the alarm. ◇ *Não te ouvi entrar.* I didn't hear you come in.

> Com frequência utilizam-se **can** ou **could** com o verbo **hear**: *Estás a ouvir isso?* Can you hear that? Raramente se usa **hear** com tempos contínuos: *Não se ouvia nada.* You couldn't hear a thing.

2 (*escutar*) to listen to *sb/sth*: *~ o rádio* to listen to the radio LOC **de ouvir falar**: *Conheço-o de ~ falar, mas nunca fomos apresentados.* I've heard a lot about him, but we have never been introduced.

ova *sf* **ovas 1** (*de peixe*) roe [*não-contável, v sing*] **2** (*de rã, etc.*) spawn [*não-contável, v sing*]

oval *adj* oval

ovário *sm* ovary [*pl* ovaries]

ovelha *sf* **1** sheep [*pl* sheep]: *um rebanho de*

~*s* a flock of sheep **2** (*fêmea*) ewe LOC **ovelha negra** black sheep

overdose *sf* overdose

ovino, -a *adj* LOC *Ver* GADO

OVNI *sm* UFO [*pl* UFOs]

ovo *sm* egg: *pôr um ~* to lay an egg LOC **ovo cozido/duro** hard-boiled egg **ovo de Colombo**: *Ele descobriu o ~ de Colombo.* She found out what we all knew already. **ovo escalfado** poached egg **ovo estrelado/frito** fried egg **ovos mexidos** scrambled eggs

oxalá! *interj* **1** (*espero que*) I hope...: *Oxalá ganhem!* I hope they win! ◇ *– Vais ver como passas. – Oxalá!* 'I'm sure you'll pass.' 'I hope so!' **2** (*assim o queria*) if only: *Oxalá pudesse ir!* If only I could go!

oxidado, -a *adj* rusty *Ver tb* OXIDAR

oxidar *vt, vi* to rust

oxigenado, -a *adj* (*cabelo*) bleached

oxigénio *sm* oxygen

ozono *sm* ozone: *a camada de ~* the ozone layer

P p

pá *sf* **1** shovel **2** (*praia*) spade: *brincar com o balde e a ~* to play with a bucket and spade **3** (*Cozinha, porco, vaca*) shoulder LOC **pá do lixo** dustpan

pacato, -a *adj* **1** (*calmo*) calm, laid-back (*coloq*) **2** (*lugar*) peaceful

pachorra *sf* (*paciência*) patience: *Tens cá uma ~!* You're so patient!

paciência *sf* patience: *A minha ~ está a chegar ao fim.* My patience is wearing thin. ◇ *perder a ~* to lose your patience ◇ *jogar à ~* to play a game of patience LOC **ter paciência** to be patient: *É preciso ter ~.* You must be patient. ◇ *(Tem) ~!* Be patient!

paciente *adj, smf* patient

pacífico, -a ▸ *adj* peaceful ▸ **Pacífico** *adj, sm* Pacific (Ocean)

pacifista *smf* pacifist

pacote *sm* **1** (*comida*) packet: *um ~ de sopa* a packet of soup ◇ *um ~ de rebuçados* a bag of sweets ➲ *Ver ilustração em* CONTAINER **2** (*leite*) carton **3** (*embrulho*) parcel, package (*USA*) ➲ *Ver nota em* PARCEL

pacote-bomba *sm* parcel bomb

pacto *sm* agreement: *romper um ~* to break an agreement

pactuar *vi* to make an agreement (*with sb*) (*to do sth*)

padaria *sf* baker's, bakery [*pl* bakeries] (*USA*) ➲ *Ver nota em* TALHO

padeiro, -a *sm-sf* baker

padrão *adj, sm* (*norma*) standard

padrasto *sm* stepfather

padre *sm* **1** priest **2** (*título*) father: *o Padre Garcia* Father Garcia LOC *Ver* COLÉGIO

padrinho *sm* **1** (*batismo*) godfather **2** (*casamento*) man who accompanies the bride and the groom ➲ *Ver nota em* CASAMENTO **3 padrinhos** (*batismo*) godparents

padroeiro, -a *sm-sf* (*Relig*) patron saint: *Santo António é o ~ de Lisboa.* Saint Anthony is the patron saint of Lisbon.

paga *sf* (*pagamento*) payment

pagamento *sm* **1** (*ordenado*) pay **2** (*dívida*) payment: *efetuar/fazer um ~* to make a payment

pagão, -ã *adj, sm-sf* pagan

pagar ▸ *vt* to pay (for) *sth*: *~ as dívidas/os impostos* to pay your debts/taxes ◇ *O meu avô paga os meus estudos.* My grandfather is paying for my education. ▸ *vi* to pay: *Pagam bem.* They pay well. LOC **pagar adiantado** to pay *sth* in advance **pagar as favas** to carry the can **pagar com cheque/cartão de crédito** to pay (*for sth*) by cheque/credit card **pagar a pronto/em dinheiro/espécie/numerário** to pay (*for sth*) in cash: *Pagámos o carro a pronto.* We paid for the car in cash. **pagar na mesma moeda**: *Disse mal de mim e eu paguei-lhe na mesma moeda.* He was crticizing me, so I did the same to him. **vais pagá-las!** you'll pay for this! *Ver tb* CARO[1], MEIO

pagem *sm* page

página *sf* page (*abrev* p): *na ~ três* on page three LOC **página inicial** (*Internet*) home page **página web/de Internet** web page **páginas amarelas** yellow pages *Ver tb* FOLHA, PRIMEIRO

pai *sm* **1** father: *É ~ de dois filhos.* He is the father of two children. **2** (*termo mais carinhoso*) dad: *Pergunta ao ~.* Ask your dad. ❶ As crianças pequenas dizem **daddy**. **2 pais** parents, mum and dad (*mais coloq*) LOC **Pai Natal** Father Christmas ➲ *Ver nota em* NATAL *Ver tb* DIA, FAMÍLIA, IRMÃO, ÓRFÃO, TAL

painel *sm* panel: *~ de controlo/instrumentos* control/instrument panel LOC **painel de bordo** dashboard

pai-nosso *sm* Our Father: *rezar dois ~s* to say two Our Fathers

país *sm* country [*pl* countries] LOC **os Países Baixos** the Netherlands **País de Gales** Wales ➲ *Ver nota em* GRÃ-BRETANHA

paisagem *sf* landscape ➲ *Ver nota em* SCENERY

paisana *sf* LOC **à paisana 1** (*militar*) in civilian dress **2** (*polícia*) in plain clothes

paixão *sf* passion LOC **ter uma paixão por alguém/alguma coisa** to be crazy about sb/sth

pala *sf* **1** (*boné*) peak, visor (*USA*) **2** (*de desportista*) visor

palácio *sm* palace LOC **Palácio da Justiça** Law Courts [*pl*]

paladar *sm* palate

palavra *sf* word: *uma ~ com três letras* a three-letter word ◇ *Dou-te a minha ~.* I give you my word. ◇ *Não disse uma ~.* He didn't say a word. ◇ *por outras ~s* in other words LOC **de poucas palavras**: *Ele é um homem de poucas ~s.* He doesn't talk much. **em poucas palavras** in a few words **ficar sem palavras** to be speechless **palavra (de honra)!** honest! **palavras cruzadas** crossword [*v sing*]: *fazer as ~s cruzadas* to do the crossword **pegar na palavra (de)** to take *sb* at their word **ter a palavra**: *O Presidente agora a ~.* It's the President's turn to speak now. **ter a última palavra** to have the last word (*on sth*) *Ver tb* CEDER, CORTAR, DIRIGIR, JOGO, MEDIR, MEIO, PEDIR, VOLTAR

palavrão *sm* swear word: *dizer palavrões* to swear

palco *sm* **1** (*teatro, auditório*) stage: *entrar no/subir ao ~* to come onto the stage **2** (*lugar*) scene: *o ~ do crime* the scene of the crime

palerma *adj, smf* fool [*s*]: *Não sejas ~.* Don't be a fool.

palermice *sf* nonsense [*não-contável*]: *dizer ~s* to talk a lot of nonsense ◇ *Deixa-te de ~s.* Stop being silly.

palestra *sf* talk

paleta *sf* (*pintor*) palette

palha *sf* **1** straw **2** (*num texto, discurso*) waffle

palhaçada *sf* LOC **estar na palhaçada/fazer palhaçadas** to play the fool: *Estás sempre na ~.* You're always playing the fool.

palhaço, -a *sm-sf* clown LOC *Ver* ARMAR

palheiro *sm* hay loft LOC *Ver* PROCURAR

palheta *sf* (*Mús*) plectrum [*pl* plectrums/plectra], pick (*coloq*)

palhinha *sf* (*bebidas*) (drinking) straw

pálido, -a *adj* pale: *rosa ~* pale pink LOC **ficar/pôr-se pálido** to go pale

palito *sm* (*para os dentes*) toothpick LOC **estar um palito** to be as thin as a rake

palma *sf* (*mão*) palm LOC *Ver* BATER, CONHECER, SALVA[2]

palmada *sf* **1** smack, slap (*USA*): *Se te apanho levas uma ~ no rabo.* I'll give you a smack on the bottom if I catch you. **2** (*amigável*) pat: *Deu-me uma ~ nas costas.* He gave me a pat on the back. LOC **dar uma palmada** to smack, to slap (*USA*)

palmadão *sm* smack, slap (*USA*) LOC **dar um palmadão** to smack, to slap (*USA*)

palmeira *sf* palm (tree)

palmilha *sf* (*sapato*) insole

palmo *sm*: *É um ~ mais alto do que eu.* He's several inches taller than me. LOC **não ver um palmo à frente do nariz** not to be able to see anything: *Não vejo um ~ à frente do nariz.* I can't see a thing. **palmo a palmo** inch by inch **palmo e meio**: *escritores de ~ e meio* very young writers

pálpebra *sf* eyelid

palpitar *vi* to beat

palpite *sm* (*pressentimento*) hunch LOC **dar palpites** to stick your oar in, to put in your two cents' worth (*USA*)

palrador, -ora ▸ *adj* talkative ▸ *sm-sf* chatterbox

palrar *vi* (*bebé*) to babble

panaché *sm* (*bebida*) shandy [*pl* shandies]

panar *vt* to cover *sth* in/with breadcrumbs

pancada *sf* **1** blow: *uma ~ forte na cabeça* a severe blow to the head ◇ *Mataram-no à ~.* They beat him to death. **2** (*acidente*): *Dei uma ~ com a cabeça.* I've banged my head. ◇ *Vai mais devagar ou ainda damos alguma ~ noutro carro.* Slow down or we'll have an accident. **4** (*para chamar a atenção*) knock: *Ouvi uma ~ na porta.* I heard a knock on the door. ◇ *Dei umas ~s na porta para ver se estava alguém.* I knocked on the door to see if anybody was in. LOC **andar à pancada** to fight **dar uma pancada em...** to hit *sb/sth* **ter pancada** (*ser maluco*) to be crazy *Ver tb* COISA, MOER

pâncreas *sm* pancreas

panda *sf* panda

pandeireta *sf* tambourine

pane *sf* breakdown

panela *sf* **1** (*recipiente*) pot **2 panelas** (*de cozinha*) pots and pans: *Não te esqueças de lavar as ~s.* Don't forget to do the pots and pans. LOC **panela de pressão** pressure cooker ➲ *Ver ilustração em* POT

panfleto *sm* pamphlet

pânico *sm* panic: *em ~* in panic LOC **entrar em**

pânico to be panic-stricken **ser tomado pelo pânico** to be seized by panic

pano *sm* **1** cloth, material, fabric

Cloth é o termo mais geral para pano e utiliza-se tanto para nos referirmos ao pano usado na confeção de fatos, cortinas, etc., como para descrever com que é feita determinada coisa: *É feito de pano.* It's made of cloth. ◇ *um saco de pano* a cloth bag. **Material** e **fabric** utilizam-se apenas quando nos queremos referir ao pano que se usa na confeção de vestuário e tapeçaria, sobretudo quando se trata de um tecido com diversas cores. **Material** e **fabric** são substantivos contáveis e não-contáveis, ao passo que **cloth** é não-contável quando significa tecido: *Alguns tecidos encolhem ao lavar.* Some materials/fabrics shrink when you wash them. ◇ *Necessito de mais pano/tecido para as cortinas.* I need to buy some more cloth/material/fabric for the curtains.

2 (*Teat*) curtain: *Subiram o ~.* The curtain went up. LOC **pano de cozinha** tea towel, dishtowel (*USA*) **pano de chão** floor cloth **pano do pó** duster

panorama *sm* **1** (*vista*) view: *contemplar o bonito ~* to look at the lovely view **2** (*perspetiva*) prospect: *Mas que ~!* What a prospect!

panqueca *sf* pancake

pântano *sm* marsh

pantera *sf* panther

pantufa *sf* slipper

pão

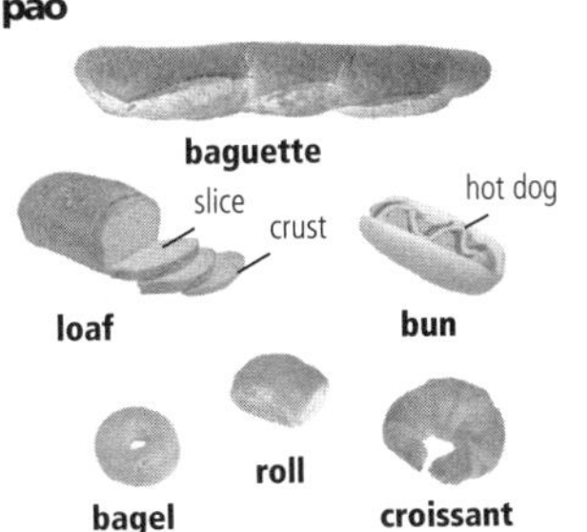

pão *sm* **1** bread [*não-contável*]: *Queres ~?* Do you want some bread? ◇ *Gosto do ~ acabado de cozer.* I like freshly-baked bread. ◇ *~ duro* stale bread ➲ *Ver nota em* BREAD **2** (*individual*) **(a)** (*pequeno*) roll: *Dê-me três pães.* Could I have three rolls, please? **(b)** (*grande*) (round) loaf [*pl* (round) loaves] LOC **dizer pão, pão, queijo, queijo** to call a spade a spade **pão de forma** white loaf **pão de leite** milk roll **pão integral** wholemeal/brown bread **pão ralado** breadcrumbs [*pl*] **ser um pão** (*homem*) to be a hunk *Ver tb* GANHAR

pão-de-ló *sm* sponge cake

pãozinho *sm* roll

papa¹ *sm* pope: *o ~ Bento XVI* Pope Benedict XVI

papa² *sf* (*bebé*) baby food LOC **estar feito em papas** (*cansado*) to be shattered **não ter papas na língua** not to beat about the bush

papá *sm* daddy LOC *Ver* FILHINHO

papagaio *sm* **1** (*ave*) parrot **2** (*brinquedo*) kite

papão *sm* bogeyman [*pl* -men]

papeira *sf* mumps [*não-contável*]: *ter ~* to have (the) mumps

papel *sm* **1** (*material*) paper [*não-contável*]: *uma folha de ~* a sheet of paper ◇ *O chão está coberto de papéis.* The pavement is covered in bits of paper. ◇ *guardanapos de ~* paper napkins ◇ *~ quadriculado/reciclado* graph/recycled paper **2** (*recorte, pedaço*) piece of paper: *anotar alguma coisa num ~* to note sth down on a piece of paper **3** (*personagem, função*) part: *fazer o ~ de Otelo* to play the part of Othello ◇ *Terá um ~ importante na reforma.* It will play an important part in the reform. LOC **papel cavalinho** art paper **papel de alumínio** foil **papel de carta** writing paper **papel de embrulho** wrapping paper **papel higiénico** toilet paper **papel principal/secundário** (*Cinema, Teat*) leading/supporting role **papel vegetal 1** (*para cozinhar*) greaseproof paper, wax paper (*USA*) **2** (*de desenho*) tracing paper *Ver tb* BLOCO, CESTO, COPO, FÁBRICA, FILTRO, LENÇO

papelada *sf* **1** paperwork [*não-contável*] **2** (*sentido pejorativo*) bumf (*coloq*)

papelaria *sf* stationer's [*pl* stationers], office supply store (*USA*) ➲ *Ver nota em* TALHO

papoila (*tb* **papoula**) *sf* poppy [*pl* poppies]

papo-seco *sm* (*pão*) roll ➲ *Ver ilustração em* PÃO

papudo, -a *adj* (*olhos*) swollen

paquete *sm* (*em hotel*) bellboy

par ▸ *adj* even: *números ~es* even numbers
▸ *sm* **1** (*em relação amorosa*) couple: *Fazem um lindo ~.* They make a really nice couple. **2** (*equipa, coisas*) pair: *o ~ vencedor do torneio* the winning pair ◇ *um ~ de peúgas* a pair of socks **3** (*em jogos, em dança*) partner: *Não posso jogar porque não tenho ~.* I can't play because I haven't got a partner. **4** (*número indefinido*) couple: *há um ~ de meses* a couple of months ago LOC **aos pares** two by two: *Entraram aos ~es.* They went in two by two. **a par** (*ao mesmo tempo*) at the same time **de par em**

P

par wide open: *deixar a porta (aberta) de ~ em ~* to leave the door wide open **estar a par (de)** to be up to date (on *sth*): *Estou a ~ da situação.* I'm up to date on what's happening. **pôr alguém a par** to fill *sb* in (on *sth*): *Ele pôs-me a ~ da situação.* He filled me in on what was happening.

para *prep* **1** for: *muito útil ~ a chuva* very useful for the rain ◇ *demasiado complicado ~ mim* too complicated for me ◇ *Para que é que o queres?* What do you want it for? **2 + infinitivo** to do sth: *Vieram ~ ficar.* They've come to stay. ◇ *Fi-lo ~ não te incomodar.* I did it so as not to bother you. ◇ *~ não perdê-lo* so as not to miss it **3** (*futuro*): *Preciso dele ~ segunda.* I need it for Monday. ◇ *Deve estar pronto lá ~ o outono.* It should be finished by autumn. **4** (*em direção a*) towards: *Avançou ~ a cama.* He advanced towards the bed. ◇ *Vou agora mesmo ~ casa.* I'm going home now. ◇ *Foi ~ a cama.* She went to bed. ◇ *Já estão a ir ~ lá.* They're on their way. **LOC** **para isso**: *Para isso, compro um novo.* I might as well buy a new one. ◇ *Foi ~ isso que me chamaste?* You got me here just for that? **para que...** so (that)...: *Repreendeu-os ~ que não tornassem a fazer o mesmo.* He told them off so that they wouldn't do it again. ◇ *Vim ~ que tivesses companhia.* I came so (that) you'd have company. **para si** to yourself: *dizer alguma coisa ~ si próprio* to say sth to yourself

parabéns *sm* **1** (*aniversário, etc.*) best wishes (*on...*): *Parabéns pelo teu aniversário.* Best wishes on your birthday. **2** (*felicitação*) congratulations (*on sth/doing sth*): *Parabéns pelo teu novo emprego/por passares os exames.* Congratulations on your new job/on passing your exams. **LOC** **dar os parabéns 1** (*por determinado êxito*) to congratulate *sb* (*on sth*) **2** (*por aniversário*) to wish sb a happy birthday **parabéns!** (*aniversário*) happy birthday!

parábola *sf* **1** (*Bíblia*) parable **2** (*Geom*) parabola

parabólica *sf* satellite dish

para-brisas *sm* windscreen, windshield (*USA*)

para-choques *sm* bumper, fender (*USA*)

paradeiro *sm* whereabouts [*não-contável, v sing ou pl*]

parado, -a *adj* **1** (*imóvel*) motionless **2** (*imobilizado*) at a standstill: *As obras estão paradas há já dois meses.* The roadworks have been at a standstill for two months. **3** (*desligado*) switched off *Ver tb* PARAR

parafuso *sm* **1** screw: *apertar um ~* to tighten a screw **2** (*para porca*) bolt **LOC** *Ver* CHAVE, FALTAR

paragem *sf* stop: *~ de autocarros* bus stop ◇ *Desce na próxima ~.* Get off at the next stop. **LOC** *Ver* CARDÍACO, TÁXI

parágrafo *sm* paragraph **LOC** *Ver* PONTO

paraíso *sm* paradise **LOC** **isto é o paraíso!** this is heaven! **paraíso terrestre** heaven on earth

para-lamas *sf* mudguard, fender (*USA*)

paralelas *sf* (*Ginástica*) parallel bars

paralelo, -a *adj, sm* ~ **(a)** parallel (to *sth*): *linhas paralelas* parallel lines ◇ *estabelecer um ~ entre A e B* to draw a parallel between A and B

paralisar *vt* to paralyse

paralisia *sf* paralysis [*não-contável*]

paralítico, -a *adj* paralysed: *ficar ~ de cintura para baixo* to be paralysed from the waist down

parapeito *sm* windowsill

parapente *sm* paragliding: *fazer ~* to go paragliding

paraquedas *sm* parachute **LOC** **atirar-se/lançar-se de paraquedas** to parachute

paraquedista *smf* parachutist

parar *vt, vi* to stop: *Para o carro.* Stop the car. ◇ *O comboio não parou.* The train didn't stop. ◇ *Parei a falar com uma amiga.* I stopped to talk to a friend. **LOC** **ir parar a** to end up: *Foram ~ à prisão.* They ended up in prison. ◇ *Onde terá ido ~?* Where can it have got to? **ir parar à rua** (*perder o emprego*) to lose your job **não parar** to be always on the go **sem parar** non-stop: *trabalhar sem ~* to work non-stop **ser de parar o trânsito** (*muito atraente*) to be a stunner *Ver tb* SECO

para-raios *sm* lightning conductor

parasita *smf* **1** (*Biol*) parasite **2** (*explorador*) scrounger, freeloader (*USA*)

parceiro, -a *sm-sf* partner: *Não posso jogar porque não tenho ~.* I can't play because I haven't got a partner. ◇ *Ana veio com o seu ~.* Ana came with her partner.

parcial *adj* **1** (*incompleto*) partial: *uma solução ~* a partial solution **2** (*partidário*) biased **LOC** *Ver* TEMPO

pardal *sm* sparrow

parecença *sf* similarity [*pl* similarities]

parecer ▸ *vi* **1** (*dar a impressão*) to seem: *Parecem (estar) muito certos.* They seem certain. ◇ *Parece que foi ontem.* It seems like only yesterday. **2** (*ter aspeto*) **(a)** [*com adjetivo*] to look: *Parece mais jovem do que é.* She looks younger than she really is. **(b)** [*com substantivo*] to look like *sb/sth*: *Parece uma atriz.* She looks like an actress. **3** (*opinar*) to think: *Pareceu-me que não tinha razão.* I thought he was wrong. ◊ *Que tal te pareceram os meus primos?* What did you think of my cousins? ◊ *Não me parece bem que lhes telefones.* I don't think you ought to phone them. ◊ *Que tal te parece amanhã?* Is tomorrow all right? ▸ **parecer-se** *vp* **parecer-se (com) 1** (*pessoas*) **(a)** (*fisicamente*) to look alike, to look like *sb*: *Parecem-se muito.* They look very much alike. ◊ *Pareces-te muito com a tua irmã.* You look very much like your sister. **(b)** (*em carácter*) to be alike, to be like *sb*: *Não nos damos muito bem pois parecemo-nos muito.* We don't get on because we are so alike. ◊ *Nisso pareces-te com o teu pai.* You're like your father in that. **2** (*coisas*) to be similar (to *sth*): *Parece-se muito com o meu.* It's very similar to mine. LOC **até parece que...!** anyone would think...: *Até parece que sou milionário!* Anyone would think I was a millionaire! **parece mentira (que...)**: *Parece mentira!* I can hardly believe it! ◊ *Parece mentira que sejas tão despistado.* How can you be so absent-minded? **parece que...** it seems (that)... **parece que vai chover/nevar** it looks like rain/snow **parecer nunca mais acabar** to drag: *O dia parece que nunca mais acaba.* Today is really dragging on.

parecido, -a *adj* ~ **(com) 1** (*pessoas*) alike, like *sb*: *Vocês são tão ~s!* You're so alike! ◊ *És muito parecida com a tua mãe.* You're like your mother. **2** (*coisas*) similar (to *sth*): *Têm estilos ~s.* They have similar styles. ◊ *Esse vestido é muito ~ com o da Ana.* That dress is very similar to Ana's. LOC *Ver* COISA; *Ver tb* PARECER

parede *sf* wall: *Há vários posteres na ~.* There are several posters on the wall. LOC **as paredes têm ouvidos** walls have ears *Ver tb* ESPADA, FALAR, SUBIR

parente, -a *sm-sf* relation: *~ próximo/afastado* close/distant relation

parentela *sf* relations [*pl*]

parentesco *sm* relationship LOC **ter parentesco com alguém** to be related to sb

parênteses (*tb* parêntesis) *sm* (*sinal*) brackets [*pl*], parentheses [*pl*] (*USA*): *abrir/fechar ~* to open/close (the) brackets ➲ *Ver pág. 315* LOC **entre parênteses** in brackets, in parentheses (*USA*)

parir *vt, vi* to give birth (*to sb/sth*)

parlamentar ▸ *adj* parliamentary ▸ *sm-sf* Member of Parliament (*abrev* MP) ➲ *Ver nota em* PARLIAMENT

parlamento *sm* parliament [*v sing ou pl*] ➲ *Ver nota em* PARLIAMENT

parmesão *sm* parmesan

pároco *sm* parish priest

paróquia *sf* **1** (*igreja*) parish church **2** (*comunidade*) parish

parque *sm* **1** (*jardim*) park **2** (*bebé*) playpen LOC **parque de atrações/diversões** amusement park **parque de campismo** campsite, campground (*USA*) **parque de estacionamento** car park, parking lot (*USA*): *um ~ de estacionamento subterrâneo* an underground car park **parque infantil** playground **parque temático** theme park

parquímetro *sm* parking meter

parte *sf* **1** part: *três ~s iguais* three equal parts ◊ *Em que ~ da cidade vives?* What part of the town do you live in? ◊ *Vai fazer barulho para outra ~.* Go and make a noise somewhere else. ◊ *Em qualquer ~ te reparam isso.* This can be repaired anywhere. **2** (*pessoa*) party [*pl* parties]: *a ~ contrária* the opposing party LOC **à parte 1** (*de lado*) aside: *Porei estes papéis à ~.* I'll set these documents aside. **2** (*separadamente*) separately: *Pago isto à ~.* I'll pay for this separately. **3** (*exceto*) apart from *sb/sth*: *À ~ disso não se passou mais nada.* Apart from that nothing happened. ◊ *À ~ de mim mais ninguém o disse.* Nobody said it apart from me. **4** (*separado*) separate: *Para estas coisas dá-me uma conta à ~.* Give me a separate bill for these items. **5** (*diferente*) different: *um mundo à ~* a different world **a parte de baixo/cima** the bottom/top **a parte de trás/da frente** the back/front **(a/uma) grande parte de** most of: *Grande parte do público era formada por crianças.* Most of the audience were children. **da parte de alguém** on behalf of sb: *da ~ de nós todos* on behalf of us all **da parte de quem?** (*ao telefone*) who's calling? **dar parte de alguma coisa a alguém** to inform sb of/about sth **em/por toda(s) a(s) parte(s)** everywhere **não dar parte de fraco** to keep a stiff upper lip **pela minha parte** as far as I am, you are, etc. concerned: *Pela nossa ~ não há nenhum problema.* As far as we're concerned, there's no problem. **pôr de parte** (*rejeitar*) to reject: *Sentiu-se posto de ~.* He felt rejected. **por partes** bit by bit: *Estamos a reparar o telhado por ~s.* We're repairing the roof bit by bit. **tomar parte** to take part (*in sth*) *Ver tb* ALGUM, AMIGO, CUMPRIMENTO, CUMPRIR, IRMÃO, MAIOR, OUTRO, QUALQUER

parteira *sf* midwife [*pl* midwives]

participação *sf* participation: *a ~ do público* audience participation LOC **participação nos lucros** profit-sharing

participante ▸ *adj* participating: *os países ~s* the participating countries ▸ *smf* participant

P

participar *vi* ~ **(em)** to take part, to participate (*mais formal*) (in *sth*): ~ *num projeto* to participate in a project

particípio *sm* (*Gram*) participle

partícula *sf* particle

particular *adj* **1** (*privado*) private: *aulas ~es* private tuition **2** (*característico*) characteristic: *Cada vinho tem um sabor ~.* Each wine has its own characteristic taste.

partida *sf* **1 (a)** (*jogo*) game: *jogar uma ~ de xadrez* to play a game of chess **(b)** (*Desp*) match, game (*USA*): *uma ~ de futebol* a football match **2** (*viagem*) departure: *~s nacionais/ internacionais* domestic/international departures ◇ *o painel de ~s* the departures board **3** (*corrida*) start **4** (*brincadeira*) joke: *Pregaram-lhe muitas ~s.* They played a lot of jokes on him. LOC **à partida** from the beginning: *A viagem estava condenada já à ~.* The journey was a disaster from the very beginning. **estar de partida** to be about to leave **partida de mau gosto** practical joke *Ver tb* PREGAR

partidário, -a ▸ *adj* ~ **de** in favour of *sth/ doing sth*: *Não sou ~ desse método de ação.* I'm not in favour of that approach. ▸ *sm-sf* supporter

partido, -a ▸ *adj* broken ▸ *sm* (*Pol*) party [*pl* parties] LOC **tirar partido de alguma coisa** to make the most of sth *Ver tb* PARTIR

partilhar *vt* to share

partir ▸ *vt* **1** to break: *Parti o braço a jogar futebol.* I broke my arm playing football. **2** (*com faca*) to cut *sth* (up): ~ *o bolo* to cut up the cake **3** (*com as mãos*) to break *sth* (off): *Partes-me um pedaço de pão?* Could you break me off a piece of bread? **4** (*noz*) to crack ▸ *vi* (*ir-se embora*) to leave (*for...*): *Partem amanhã para Lisboa.* They're leaving for Lisbon tomorrow. ▸ **partir(-se)** *vi, vp* **1** (*quebrar*) to break: *Partiu-se sozinha.* It broke of its own accord. **2** (*corda*) to snap LOC **a partir de** from...(on): *a ~ das nove da noite* from 9 p.m. onwards ◇ *a ~ de então* from then on ◇ *a ~ de amanhã* starting from tomorrow **de partir o coco** hilarious: *A cara que ele fez era de ~ o coco.* The expression on his face was hilarious. **partir a cabeça** to split your head open **partir a loiça** to make a scene **partir para outra** to move on: *O melhor a fazer é ~ para outra.* The best thing to do is move on. *Ver tb* CARA, ZERO

partitura *sf* score

parto *sm* birth LOC *Ver* TRABALHO

parvo, -a *adj, sm-sf* idiot [*s*]: *Não sejas ~!* Don't be an idiot!

Páscoa *sf* Easter LOC *Ver* DOMINGO

pasmado, -a *adj* amazed (*at/by sth*): *Fiquei ~ com a insolência deles.* I was amazed at/by their insolence.

passa *sf* **1** (*uva*) raisin **2** (*cigarro*) drag: *dar uma ~ num cigarro* to have a drag on a cigarette **3** (*droga*) grass: *andar na ~* to smoke grass

passadeira *sf* **1** (*peões*) pedestrian crossing, crosswalk (*USA*) **2** (*escadas, corredor*) (carpet) runner

passado, -a[1] *adj* LOC **bem/demasiado passado** (*carne*) well done/overdone *Ver tb* MALPASSADO **estar/ficar passado** not to be able to believe *sth*: *Ele ficou ~ com o preço do vestido.* He couldn't believe how much the dress cost. *Ver tb* PASSAR

passado, -a[2] ▸ *adj* **1** (*dia, semana, mês, verão, etc.*) last: *terça passada* last Tuesday **2** (*Gram, época*) past: *séculos ~s* past centuries ▸ *sm* past *Ver tb* PASSAR

passageiro, -a *sm-sf* passenger: *um barco de ~s* a passenger boat

passagem *sf* **1** passage: *a ~ do tempo* the passage of time **2** (*caminho*) way (through): *Por aqui não há ~.* There's no way through. LOC **de passagem** in passing **diga-se de passagem** by the way, incidentally (*mais formal*) **passagem de ano** New Year's Eve: *Que fizeste na ~ de ano?* What did you do on New Year's Eve? **passagem de modelos** fashion show **passagem de nível** level crossing, railroad crossing (*USA*) **passagem para peões** pedestrian crossing, crosswalk (*USA*) **passagem subterrânea 1** (*para peões*) subway **2** (*para carros*) underpass *Ver tb* CEDER, PROIBIDO, TORNEIRA

passajar *vt* to darn

passaporte *sm* passport

passar ▸ *vt* **1** to pass: *Passas-me esse livro?* Can you pass me that book, please? ◇ *Faz malha para ~ o tempo.* She knits to pass the time. **2** (*período de tempo*) to spend: *Passámos a tarde/duas horas a falar.* We spent the afternoon/two hours chatting. **3** (*ponte, rio, fronteira*) to cross **4** (*filme, programa*) to put *sth* on: *Passam um filme bom esta noite.* They're putting a very good film on tonight. **5** (*a ferro*) to iron: ~ *uma camisa* to iron a shirt **6** (*doença, vírus*) to pass *sth* on: *Vais ~ os vírus a toda a gente.* You're going to pass your germs on to everybody. **7** (*aplicar*) to apply: *Passa um pouco de creme nessa pele seca.* Apply a little cream to your dry skin. **8** ~ **por** (*Cozinha*) **(a)** (*por pão ralado*) to cover *sth* in/with breadcrumbs **(b)** (*por um polme, ovo*) to dip *sth* in batter/egg **(c)** (*por farinha*) to dust *sth* with flour **(d)** (*por açúcar*) to sprinkle *sth* with sugar ▸ *vi* **1** to pass: *A moto passou a toda a velocidade.* The motorbike passed at top speed. ◇ *Passaram três horas.* Three hours passed. ◇ *Já passaram dois dias desde que telefonou.*

P

It's two days since he phoned. ◇ *Como o tempo passa!* Doesn't time fly! ◇ *Esse autocarro passa pelo museu.* That bus goes past the museum. ◇ ~ *por alguém na rua* to pass sb in the street **2** ~ **(a/de/em)** (*Educ*) to pass: *Passei à primeira.* I passed first time. ◇ *Passei a física.* I passed (in) physics. ◇ *Passei no exame de física.* I passed the physics exam. ◇ *Não passei a nenhuma disciplina.* I haven't passed a single subject. ◇ *Passei de ano.* I've (now) moved up a year. **3** (*entrar*) to come in: *Posso ~?* May I come in? **4** (*ir*) to go: *Amanhã passo pelo banco.* I'll go to the bank tomorrow. **5** (*terminar*) to be over: *O Natal já passou.* Christmas is now over. ◇ *Pronto, não chores que já passou.* Come on, don't cry, it's all over now. ◇ *Já lhe passou a dor de cabeça.* Her headache's better now. ◇ *O prazo de entrega das candidaturas já passou.* The deadline for applications has expired. **6** (*a ferro*) to do the ironing: *É a minha vez de ~.* It's my turn to do the ironing.
▸ **passar-se** *vp* **1** (*acontecer*) to happen: *Passou-se o mesmo comigo.* The same thing happened to me. ◇ *Não se passa nada na rua.* There's nothing going on in the street. **2** (*romance, filme*) to be set (*in...*): *O filme passa-se no século XVI.* The film is set in the sixteenth century. **3** (*esquecer-se*) to forget: *Passou-se-me completamente que tinha treino.* I completely forgot about the training session. **4** (*descontrolar-se*) to lose it: *Quando a acusaram injustamente, passou-se.* When they accused her unfairly, she just lost it.
LOC **como tem passado?** how have you been? **não passar de...** to be nothing but...: *Tudo isto não passa de um grande mal-entendido.* The whole thing's nothing but a misunderstanding. **(o que é) que se passa?** what's the matter? **passar (bem) sem 1** (*sobreviver*) to manage/do without *sb/sth*: *Passo bem sem a tua ajuda/sem ti.* I can manage without your help/you. ◇ *Não posso ~ sem o meu carro.* I can't manage without a car. **2** (*omitir*) to skip: ~ *sem uma refeição* to skip a meal **passar das boas** (*ter problemas*) to have a hard time: *Está a ~ das boas.* She's having a very hard time. **passar em grande** to have a great time: *Passei umas férias em ~.* I had a great time on my holidays. ◇ *Passámos um dia em ~.* We had a wonderful day. **passar por 1** (*confundir-se*) to pass for sb/sth: *Essa rapariga passa bem por italiana.* That girl could easily pass for an Italian. **2** (*atravessar*) to go through *sth*: *Está a ~ por um mau bocado.* She's going through a bad patch. **passar por água** to rinse **passar por alto** (*ignorar*) to overlook **passa-se alguma coisa?** (is) anything the matter? ⓘ Para outras expressões com **passar**, ver as entradas para o substantivo, adjetivo, etc., p. ex. **passar por alto** em ALTO.

passarela *sf* catwalk

pássaro *sm* bird LOC **mais vale um pássaro na mão que dois a voar** a bird in the hand is worth two in the bush

passatempo *sm* **1** (*ocupação*) hobby [*pl* hobbies]: *como/por ~* as a hobby **2 passatempos** (*num jornal*) puzzles: *a página dos ~s* the puzzle page

passe *sm* **1** (*espetáculo, comboio*) monthly ticket: *comprar um ~* to take out a monthly ticket **2** (*autorização, Futebol*) pass: *Não podes entrar sem ~.* You can't get in without a pass. LOC **passe de autocarro** bus pass **passe escolar** student card **passe turístico** tourist travelcard *Ver tb* FOTOGRAFIA

passear *vt, vi* to walk: ~ *o cão* to walk the dog ◇ *Saio para ~ todos os dias.* I go for a walk every day. LOC **vai passear!** get lost! *Ver tb* MANDAR

passeio *sm* **1** (*a pé*) walk **2** (*de bicicleta, a cavalo*) ride **3** (*de carro*) drive **4** (*em rua*) pavement, sidewalk (*USA*) LOC **dar um passeio** to go for a walk **passeio à beira-mar** promenade *Ver tb* BORDA

passiva *sf* (*Gram*) passive (voice)

passivo, -a *adj* passive

passo *sm* **1** step: *dar um ~ atrás/em frente* to step back/forward ◇ *um ~ para a paz* a step towards peace **2 passos** (*ruído*) footsteps: *Pareceu-me ouvir ~s.* I thought I heard footsteps. **3** (*ritmo*) pace: *A este ~ nunca mais lá chegamos.* We'll never get there at this pace. **4** (*trecho de texto literário*) passage LOC **a passo de cágado/caracol** at snail's pace **ao passo que...** while... **ficar a dois passos** to be just round the corner (*from sth*): *Fica a dois ~s daqui.* It's just round the corner from here. **passo a passo** step by step *Ver tb* ACELERAR

pasta¹ *sf* **1** (*maleta*) briefcase ➲ *Ver ilustração em* LUGGAGE **2** (*da escola*) school bag **3** (*cartão, plástico*) folder **4** (*médico*) (doctor's) bag **5** (*Pol*) portfolio: *ministro sem ~* minister without portfolio

pasta² *sf* paste: *Misturar até formar uma ~ espessa.* Mix to a thick paste. LOC **pasta de amêndoa** marzipan **pasta de dentes** toothpaste

pastar *vi* to graze

pastel *sm* **1** cake **2** (*Arte*) pastel LOC **pastel de carne** meat pasty [*pl* meat pasties] **pastel de nata** custard tart

pastelaria *sf* **1** (*loja*) coffee shop **2** (*bolos*) confectionery

pastilha *sf* **1** (*comprimido*) tablet **2** (*doce*) pastille LOC **pastilha (elástica)** chewing gum [*não-contável*]: *Compra-me uma ~ de mentol.* Buy

P

me some spearmint chewing gum. **pastilhas para a garganta** throat pastilles **pastilhas para a tosse** cough sweets **pastilhas para o enjoo** travel-sickness pills

pasto *sm* pasture

pastor, -ora *sm-sf* **1** (*masc*) shepherd **2** (*fem*) shepherdess LOC **pastor alemão** Alsatian

pata[1] *sf* **1** (*perna de animal, de móvel*) leg **2** (*pé de animal*) **(a)** (*quadrúpede com unhas*) paw: *O cão magoou a ~.* The dog has hurt its paw. **(b)** (*casco*) hoof [*pl* hoofs/hooves]: *as ~s de um cavalo* a horse's hooves LOC **deitar a(s) pata(s)** to get your hands on *sb/sth*

pata[2] *sf* (*ave*) *Ver* PATO

patada *sf* **1** (*pontapé*) kick: *Deu uma ~ na mesa.* He kicked the table. **2** (*no chão*) stamp LOC **apanhar/levar/receber uma patada** to get a kick in the teeth

patamar *sm* landing

patavina *sf* LOC **não perceber/saber patavina** not to understand/know a thing: *Não sei ~ de francês.* I don't know a word of French.

patê *sm* pâté

patear *vi* to stamp (your feet)

patente *sf* patent

paternal *adj* fatherly, paternal (*mais formal*)

paternidade *sf* fatherhood, paternity (*mais formal*) LOC *Ver* TESTE

paterno, -a *adj* **1** (*paternal*) fatherly **2** (*parentesco*) paternal: *avô ~* paternal grandfather LOC *Ver* LINHA

pateta *smf* idiot

patife *sm* scoundrel

patilha *sf* (*na cara*) sideboard

patim *sm* **1** (*com rodas paralelas*) roller skate **2** (*de lâmina*) ice skate LOC **patins em linha** Rollerblades® *Ver tb* HÓQUEI

patinador, -ora *sm-sf* skater

patinagem *sf* skating: *~ no gelo/artística* ice/figure skating LOC *Ver* RINQUE

patinar *vi* to skate

patinho, -a *sm-sf* duckling

pátio *sm* **1** courtyard **2** (*escola*) playground

pato, -a *sm-sf* duck

> **Duck** é o substantivo genérico. Quando nos queremos referir apenas ao macho, dizemos **drake**. **Ducklings** são os patinhos.

patrão, -oa *sm-sf* boss

pátria *sf* (native) country

patrício, -a *sm-sf* (*compatriota*) fellow countryman/woman [*pl* -men/-women]

património *sm* **1** (*herança*) heritage: *~ nacional* national heritage **2** (*bens*) property

patriota *smf* patriot

patriótico, -a *adj* patriotic

patriotismo *sm* patriotism

patrocinador, -ora *sm-sf* sponsor

patrocinar *vt* to sponsor

patrocínio *sm* sponsorship

patrono, -a *sm-sf Ver* PADROEIRO

patrulha *sf* patrol: *carro de ~* patrol car

patrulhar *vt, vi* to patrol

patuscada *sf* feast: *fazer uma ~* to have a feast

pau *sm* **1** stick **2 paus** (*naipe*) clubs ➲ *Ver nota em* BARALHO LOC **de pau** wooden: *colher/perna de ~* wooden spoon/leg **estar um pau de virar tripas** to be as thin as a rake *Ver tb* COLHER

paul *sm* marsh

pausa *sf* pause LOC **fazer uma pausa** to pause

pauta *sf* **1** (*de alunos para exame*) candidates' register **2** (*lista de resultados*) list of exam results **3** (*Mús*) stave

pauzinhos *sm* (*talher*) chopsticks

pavão, -oa *sm-sf* peacock ❶ Quando queremos especificar que nos referimos a uma pavoa fêmea, dizemos **peahen**.

pavilhão *sm* **1** (*exposição*) pavilion: *o ~ da França* the French pavilion **2** (*Desp*) sports hall **3** (*escola, hospital*) block

pavio *sm* (*vela*) wick

pavor *sm* terror: *um grito de ~* a cry of terror LOC **ter pavor de alguém/alguma coisa** to be scared stiff of sb/sth

paz *sf* peace: *plano de ~* peace plan ◇ *em tempo(s) de ~* in peacetime LOC **deixar em paz** to leave *sb/sth* alone: *Não me deixam em ~.* They won't leave me alone. **fazer as pazes** to make it up (*with sb*): *Fizeram as ~es.* They've made it up. *Ver tb* MINUTO

PBX *sm* switchboard

pé *sm* **1** foot [*pl* feet]: *o ~ direito/esquerdo* your right/left foot ◇ *ter os ~s chatos* to have flat feet **2** (*estátua, coluna*) pedestal **3** (*copo*) stem **4** (*candeeiro*) stand LOC **ao pé da letra** literally **ao pé de** near: *O restaurante é ao ~ do hotel.* The restaurant is near the hotel. **a pé** on foot **com o pé errado/esquerdo** on the wrong foot: *entrar com o ~ esquerdo* to get off on the wrong foot **de pés descalços** barefoot **dos pés à cabeça** from top to toe **estar de pé** to be standing (up) **meter o pé na argola** to put your foot in it **meter os pés pelas mãos** to get into a tangle

P

não ter pés nem cabeça to be absurd **pôr os pés em** to set foot in *sth* **pôr-se de pé** to stand up **ter pé** (*em água*): *Não tenho* ~. I'm out of my depth. *Ver tb* BATER, BICO, CANDEEIRO, JEITO, LEVANTAR, MANTER, PEITO, PLANTA

peão *sm* **1** pedestrian **2** (*Xadrez*) pawn **LOC** *Ver* PASSAGEM

peça *sf* **1** (*Xadrez, Mús, etc.*) piece **2** (*Mec*) part: *uma ~ sobresselente* a spare part **3** (*pessoa*): *É uma boa ~!* He's a nasty piece of work! **LOC peça de roupa/vestuário** garment **peça (teatral/de teatro)** play

pecado *sm* sin

pecador, -ora *sm-sf* sinner

pecar *vi* to sin **LOC pecar do mesmo** to have the same faults (*as sb*) **pecar por** to be too...: *Pecas por seres tão confiante.* You're too trusting.

pechincha *sf* bargain

pé-coxinho *sm* **LOC andar/correr ao pé--coxinho** to hop

peculiar *adj* special

pedaço *sm* **1** piece: *um ~ de bolo/pão* a piece of cake/bread ◇ *Corta a carne em ~s.* Cut the meat into pieces. **2** (*de tempo*) while: *Chegou há ~.* He arrived a while ago. ◇ *Já estou à espera há ~.* I've been waiting for quite a while. **LOC desfazer-se/fazer-se em pedaços** to fall apart **fazer em pedaços** to smash *sth* (to pieces)

pedagogia *sf* education

pedagógico, -a *adj* educational

pedal *sm* pedal

pedalar *vi* to pedal

pé-de-chinelo *smf* poor [*adj*]: *Ele é um verdadeiro ~.* He's really poor.

pediatra *smf* paediatrician

pedicuro, -a *sm-sf* (*tb* **pedicure** *smf*) chiropodist, podiatrist (*USA*)

pedido *sm* **1** request (*for sth*): *um ~ de informação* a request for information **2** (*Com*) order **LOC a pedido de alguém** at sb's request **pedido de casamento** proposal of marriage **pedido de desculpa(s)** apology [*pl* apologies]

pedinte *smf* beggar

pedir *vt* **1** to ask (*sb*) for *sth*: *~ pão/a conta* to ask for bread/the bill ◇ *~ ajuda aos vizinhos* to ask the neighbours for help **2** (*autorização, favor, quantidade*) to ask (*sb*) (*sth*): *Queria pedir-te um favor.* I want to ask you a favour. ◇ *Pedem duas mil libras.* They're asking two thousand pounds. **3 ~ a alguém que faça/para fazer alguma coisa** to ask sb to do sth: *Pediu-me que esperasse/para esperar.* He asked me to wait. **4** (*encomendar*) to order: *Como entrada pedimos sopa.* We ordered soup as a starter. **LOC estás a pedi-las** you're asking for it **peço-te por tudo** I beg you to...: *Peço-te por tudo que não contes aos meus pais.* I beg you not to tell my parents. **pedir a palavra** to ask for permission to speak **pedir demissão** to resign **pedir desculpa/perdão** to apologize (*to sb*) (*for sth*) **pedir emprestado** to borrow: *Pediu-me o carro emprestado.* He borrowed my car. ➲ *Ver ilustração em* BORROW **pedir esmola** to beg *Ver tb* BOLEIA, RESGATE

pedra *sf* **1** stone: *um muro de ~* a stone wall ◇ *uma ~ preciosa* a precious stone **2** (*lápide*) tombstone **3** (*granizo*) hailstone **LOC pedra de gelo** ice cube **pedras de dominó** dominoes *Ver tb* DORMIR

pedrada *sf*: *Receberam-no à ~.* They threw stones at him.

pedrado, -a *adj* **LOC estar pedrado** (*drogado*) to be stoned

pedreira *sf* quarry [*pl* quarries]

pedreiro *sm* **1** builder, construction worker (*USA*) **2** (*que só põe tijolos*) bricklayer

pedúnculo *sm* (*fruta*) stalk

pega[1] *sf* (*ave*) magpie

pega[2] *sf* (*asa*) handle

pegada *sf* **1** (*pé, sapato*) footprint **2** (*animal*) track: *~s de urso* bear tracks

pegajoso, -a *adj* **1** (*viscoso*) sticky **2** (*pessoa*) clingy

pegar ▸ *vt* **1** (*apanhar*) to catch: *Pegaram-nos a roubar.* They were caught stealing. **2** (*levar*) to take: *Peguei-o pelo braço.* I took him by the arm. **3** (*contagiar*) to pass *sth* on *to sb*: *Pegou--me a varicela.* He passed the chickenpox on to me. ◇ *Pegaste-me a gripe.* You've given me your flu. **4** (*colar*) to stick: *Peguei cartazes nas paredes.* I stuck posters on the walls.
▸ *vi* **1 ~ em (a)** (*agarrar*) to get hold of *sth* **(b)** (*segurar*) to hold: *Pega nesse lado que eu pego neste.* Hold that end while I hold this one. ◇ *Importas-te de ~ na criança?* Do you mind holding the baby? **(c)** (*apanhar*) to pick *sth* up: *Pegou nos livros e foi-se embora.* She picked the books up and left. **2** (*motor, carro*) to start: *A moto não quer ~.* The motorbike won't start. **3** (*mentira, desculpa*) to be believed: *Não vai ~.* Nobody is going to believe that. **4** (*ideia, moda*) to catch on: *Não estou a ver essa moda a ~.* I can't see that fashion catching on. **5** (*planta*) to take: *Nenhum dos rebentos pegou.* None of the cuttings took. **6** (*incendiar--se*) to light: *Se estiver molhado não pega.* It won't light if it's wet. ▸ **pegar-se** *vp* **1** (*colar-se, comida*) to stick **2** (*doença*) to be catching **3** (*brigar*) to come to blows (*with sb*) **LOC estar/**

P

ficar pegado a (*muito perto*) to be right next to... **pegar e...** to up and *do sth*: *Peguei e fui-me embora.* I upped and left. ❶ Para outras expressões com **pegar**, ver as entradas para o substantivo, adjetivo, etc., p.ex. **pegar no sono** em SONO.

peidar *vi* to fart (*coloq*)

peido *sm* fart LOC **dar um peido** to fart

peito *sm* **1** chest: *Queixa-se de dores no ~.* He's complaining of chest pains. **2** (*apenas mulheres*) **(a)** (*busto*) bust **(b)** (*mama*) breast **3** (*ave*) breast: *~ de galinha* chicken breast LOC **ao peito** (*braço*) in a sling: *com o braço ao ~* with your arm in a sling **levar alguma coisa a peito 1** (*a sério*) to take sth seriously: *Leva o trabalho demasiado a ~.* He takes his work too seriously. **2** (*ofender-se*) to take *sth* personally: *Era brincadeira, não leves a ~.* It was a joke; don't take it personally. **peito do pé** instep *Ver tb* CALÇAS

peitoril *sm* **1** ledge **2** (*chaminé*) mantelpiece, mantel (*USA*) **3** (*janela*) windowsill

peixaria *sf* fishmonger's ➲ *Ver nota em* TALHO

peixe ▸ *sm* fish [*pl* fish]: *~ azul/branco* blue/white fish ◇ *Vou comprar ~.* I'm going to buy some fish. ◇ *~s de água doce* freshwater fish ◇ *O aquário tem dois ~s.* There are two fish in the goldfish bowl. ➲ *Ver nota em* FISH ▸ **Peixes** *sm* (*Astrol*) Pisces ➲ *Ver exemplos em* AQUARIUS

peixe-dourado *sm* goldfish [*pl* goldfish]

peixe-espada *sm* scabbard fish

peixeiro, -a *sm-sf* fishmonger

pela *prep Ver* POR

pelar *vt, vi* to peel: *O teu nariz vai ~.* Your nose will peel.

pele *sf* **1** (*Anat*) skin: *ter a ~ branca/morena* to have fair/dark skin **2** (*com pelo*) fur: *um casaco de ~s* a fur coat **3** (*couro*) leather: *uma carteira de ~* a leather wallet **4** (*fruta*) skin: *Tira a ~ às uvas.* Peel the grapes. LOC **arriscar/salvar a pele** to risk/save your neck **pele de galinha** goose pimples [*pl*], goosebumps [*pl*] (*USA*): *Fiquei com ~ de galinha.* I got goose pimples. **ser/ter só pele e osso** to be nothing but skin and bone *Ver tb* NERVO

pelicano *sm* pelican

película *sf* LOC **película aderente** cling film, plastic wrap (*USA*)

pelo¹ *Ver* POR

pelo² *sm* **1** (body) hair: *ter ~s nas pernas* to have hair on your legs **2** (*pele de animal*) coat: *Esse cão tem um ~ muito macio.* That dog has a silky coat. LOC **passar a mão pelo pelo** to flatter *sb* **ter pelo na venta** to have a bad temper *Ver tb* LIMPAR, MONTAR, NU

pelota *sf* LOC **estar em pelota** (*nu*) to be stark naked, to be buck naked (*USA*)

pelotão *sm* (*Ciclismo*) peloton

peluche *sm* (*tb* **pelúcia** *sf*) plush LOC *Ver* BONECO, URSO

peludo, -a *adj* **1** hairy: *braços ~s* hairy arms **2** (*animal*) long-haired

pena¹ *sf* (*ave*) feather: *um colchão de ~s* a feather mattress

pena² *sf* **1** (*tristeza*) sorrow: *afogar as ~s* to drown your sorrows **2** (*lástima*) pity: *Que ~ que não possas vir!* What a pity you can't come! **3** (*condenação*) sentence: *Foi condenado a uma ~ de cinco anos.* He got a five-year sentence. ◇ *estar a cumprir ~* to serve your sentence LOC **dar pena**: *Essas crianças dão-me tanta ~.* I feel very sorry for those children. **merecer/valer a pena** to be worth *sth/doing sth*: *Vale a ~ lê-lo.* It's worth reading. ◇ *Não merece a ~.* It's not worth it. **não vale a pena...** there's no point *in doing sth*: *Não vale a ~ gritares.* There's no point in shouting. ◇ *Não vale a ~ tentares convencê-lo.* There's no point (in) trying to convince him. **pena capital/de morte** death penalty **ter pena 1** (*pessoa*) to feel sorry *for sb* **2** (*coisa, situação*) to be sorry (*about sth*): *Tenho ~ que tenham de se ir embora.* I'm sorry you have to go.

penal *adj* penal

penalidade *sf* LOC **(grande) penalidade** (*Desp*) penalty [*pl* penalties]

penalti (*tb* **penalty**) *sm* (*Desp*) penalty [*pl* penalties]: *marcar um (golo de) ~* to score (from) a penalty LOC *Ver* ASSINALAR

pendente ▸ *adj* **1** (*assunto, dívida, problema*) outstanding **2** (*decisão, veredicto*) pending ▸ *sm* pendant

pendurado, -a *adj* **~ a/em** hanging on/from *sth* LOC **deixar alguém pendurado** (*abandonar em momento crítico*) to leave sb in the lurch **pendurado no telefone** on the phone *Ver tb* PENDURAR

pendurar *vt* **1** to hang *sth from/on sth* **2** (*roupa*) to hang *sth* up ➲ *Ver nota em* ENFORCAR

penedo *sm* boulder

peneira *sf* sieve, sifter (*USA*)

penetrante *adj* **1** penetrating: *um olhar ~* a penetrating look **2** (*frio, vento*) bitter

penetrar *vt, vi* **~ (em) 1** (*entrar*) to enter *sth*, to get into *sth* (*mais coloq*): *A água penetrou na cave.* The water got into the cellar. **2** (*bala, flecha, som*) to pierce: *A bala penetrou-lhe o coração.* The bullet pierced his heart.

P

penhasco *sm* cliff

penhor, -a *sm-sf* LOC *Ver* CASA

péni *sm* penny [*pl* pence]: *Custa 50 pence.* It's 50 pence. ◇ *uma moeda de cinco pence* a five-pence piece ➲ *Ver pág. 714*

penicilina *sf* penicillin

penico *sm* (*para crianças*) potty [*pl* potties]

península *sf* peninsula

pénis *sm* penis

penitência *sf* penance: *fazer ~* to do penance

penitenciária *sf* prison

penoso, -a *adj* hard

pensamento *sm* thought LOC *Ver* LER

pensão *sf* **1** (*reforma*) pension: *uma ~ de viuvez/sobrevivência* a widow's pension **2** (*residencial*) guest house LOC **pensão completa/meia pensão** full/half board

pensar *vt, vi* **1 ~ (em)** to think (about/of *sb/sth/doing sth*): *Pensa num número.* Think of a number. ◇ *Em que pensas?* What are you thinking about? ◇ *Estamos a ~ em casar.* We're thinking about/of getting married. ◇ *Pensas que virão?* Do you think they'll come? ◇ *Em quem pensas?* Who are you thinking about? **2** (*opinar*) to think *sth of sb/sth*: *Que pensas do João?* What do you think of João? ◇ *Não penses mal deles.* Don't think badly of them. **3** (*ter decidido*): *Pensávamos ir amanhã.* We were going to go tomorrow. ◇ *Não penso ir.* I'm not going to go. ◇ *Pensas vir?* Are you going to come? LOC **bem pensadas as coisas** all things considered **é o que tu pensas, eles pensam, etc.** you/they've got another think coming **nem pensar!** no way! **pensando bem...** on second thoughts... **pensa nisso** think it over **pensar na morte da bezerra** to daydream **sem pensar duas vezes** without thinking twice **só pensar em si/no seu** to think only of yourself: *Tu só pensas em ti.* You always think only of yourself.

pensativo, -a *adj* thoughtful

pênsil *adj* LOC *Ver* PONTE

pensionista *smf* pensioner

penso *sm* dressing LOC **penso higiénico** sanitary towel, sanitary napkin (*USA*) **penso rápido** plaster, Band-Aid® (*USA*)

pente *sm* comb

penteado, -a ▸ *adj*: *Ainda não estás penteada?* Haven't you done your hair yet? ▸ *sm* hairstyle LOC **andar/ir bem/mal penteado**: *Ia muito bem penteada.* Her hair looked really nice. ◇ *Anda sempre mal ~.* His hair always looks a mess. *Ver tb* PENTEAR

pentear ▸ *vt* **1** (*ger*) to comb *sb's* hair: *Deixa-me pentear-te.* Let me comb your hair. **2** (*cabeleireiro*) to do *sb's* hair ▸ **pentear-se** *vp* to comb your hair: *Penteia-te antes de sair.* Comb your hair before you go out.

penúltimo, -a ▸ *adj* penultimate, last *sb/sth* but one (*mais coloq*): *o ~ capítulo* the penultimate chapter ◇ *a penúltima paragem* the last stop but one ▸ *sm-sf* last but one

pepino *sm* **1** cucumber **2** (*pequeno de conserva*) gherkin: *~s de conserva* pickled gherkins

pequeno, -a *adj* **1** small: *um ~ problema/pormenor* a small problem/detail ◇ *O quarto é demasiado ~.* The room is too small. ◇ *As minhas saias estão-me todas pequenas.* All my skirts are too small for me now. ➲ *Ver nota em* SMALL **2** (*criança*) little: *quando eu era ~* when I was little ◇ *as crianças pequenas* little children **3** (*pouco importante*) minor: *umas pequenas alterações* a few minor changes LOC **mais pequeno** (*mais novo*) youngest: *o meu filho mais ~* my youngest son ◇ *O mais ~ está a estudar direito.* The youngest one is studying law.

pequeno-almoço *sm* breakfast: *Queres que te prepare o ~?* Shall I get you some breakfast? ◇ *Que queres para o ~?* What would you like for breakfast? LOC **tomar/comer alguma coisa ao pequeno-almoço** to have sth for breakfast: *Ao ~ só tomo café.* I just have coffee for breakfast. **tomar/comer o pequeno-almoço** to have breakfast: *Gosto de tomar o ~ na cama.* I like having breakfast in bed. ◇ *antes de tomar o ~* before breakfast

Pequeno-Polegar *n pr* Tom Thumb

pera *sf* **1** (*fruto*) pear **2** (*barba*) goatee

perante *prep* **1** before: *~ as câmaras* before the cameras ◇ *comparecer ~ o juiz* to appear before the judge **2** (*face a*) in the face of *sth*: *~ as dificuldades* in the face of adversity

perceber ▸ *vt, vi* (*entender*) to understand: *Não percebo!* I just don't understand! ▸ *vt* **~ que** to realize: *Percebi que estava enganado.* I realized I was wrong. LOC **perceber muito de alguma coisa** to know a lot about sth *Ver tb* PATAVINA

percentagem *sf* percentage

percevejo *sm* (*inseto*) bedbug

percorrer *vt* **1** to go round *sth*: *Percorremos a França de comboio.* We went round France by train. **2** (*distância*) to cover, to do (*mais coloq*): *Levámos três horas para ~ um quilómetro.* It took us three hours to do one kilometre.

percurso *sm* route

perda *sf* **1** loss: *A sua partida foi uma grande ~.* His leaving was a great loss. ◇ *sofrer ~s económicas* to lose money **2** (*de tempo*) waste:

P

Isto é uma ~ de tempo. This is a waste of time. **3 perdas** (*danos*) damage [*não-contável, v sing*]: *As ~s devido à tempestade são avultadas.* The storm damage is extensive. LOC **perdas e ganhos** profit and loss [*v sing*] *Ver tb* SINAL

perdão ▸ *sm* forgiveness ▸ **perdão!** *interj* sorry! ➲ *Ver nota em* EXCUSE LOC *Ver* PEDIR

perdedor, -ora ▸ *adj* losing: *a equipa ~a* the losing team ▸ *sm-sf* loser: *ser um bom/mau ~* to be a good/bad loser

perder ▸ *vt* **1** to lose: *~ altura/peso* to lose height/weight ◇ *Perdi o relógio.* I've lost my watch. **2** (*meio de transporte, oportunidade, filme*) to miss: *~ o autocarro/avião* to miss the bus/plane ◇ *Não perca esta oportunidade!* Don't miss this opportunity! **3** (*desperdiçar*) to waste: *~ tempo* to waste time ◇ *sem ~ um minuto* without wasting a minute **4** (*líquido, gás*) to leak: *O depósito perde gasolina.* The tank is leaking petrol. ◇ *~ óleo/gás* to have an oil/gas leak ▸ *vi* **1** ~ **(em)** to lose (at *sth*): *Perdemos.* We've lost. ◇ *~ no xadrez* to lose at chess **2** (*sair prejudicado*) to lose out: *Tu é que perdes.* You're the only one to lose out. ▸ **perder-se** *vp* to get lost: *Se não levares mapa, vais perder-te.* If you don't take a map you'll get lost. LOC **deitar alguma coisa a perder** to ruin sth **ficar a perder** to lose out **não perder uma** (*ser muito esperto*) to be sharp as a needle **perder a cabeça/o juízo** to lose your head **perder a calma** to lose your temper **perder a conta (de)** to lose count (of *sth*) **perder a língua** to have lost your tongue **perder a noção do tempo** to lose track of time **perder as estribeiras** to go mad, to go crazy (*USA*) **perder as ilusões** to become disillusioned **perder a vez** (*em fila*) to lose your place **perder a vontade** to go off the idea (*of doing sth*): *Perdi a vontade de ir ao cinema.* I've gone off the idea of going to the cinema. **perder de vista** to lose sight of *sb/sth* **perder o costume/a mania** to kick the habit (*of doing sth*): *~ o costume de roer as unhas* to kick the habit of biting your nails **perder o rasto** to lose track *of sb/sth* **sair a perder** to lose out *Ver tb* CONTACTO, IMPOSSÍVEL, SENTIDO

perdido, -a *adj* lost: *Estou completamente perdida.* I'm completely lost. LOC **ser perdido por** to be mad about *sb/sth* *Ver tb* OBJETO; *Ver tb* PERDER

perdiz *sf* partridge

perdoar *vt* **1** to forgive *sb* (for *sth/doing sth*): *Perdoas-me?* Will you forgive me? ◇ *Jamais perdoarei o que ele fez.* I'll never forgive him for what he did. **2** (*dívida, obrigação, sentença*) to let *sb* off *sth*: *Perdoou-me os cem euros que lhe devia.* He let me off the hundred euros I owed him.

perecível *adj* perishable

peregrinação *sf* pilgrimage: *ir em ~* to go on a pilgrimage

peregrino, -a *sm-sf* pilgrim

pereira *sf* pear tree

perene *adj* **1** everlasting **2** (*Bot*) perennial LOC *Ver* FOLHA

perfeito, -a *adj* perfect: *ser um ~ idiota* to be a total idiot LOC **sair perfeito** to turn out perfectly: *Saiu-nos tudo ~.* It all turned out perfectly for us.

perfil *sm* **1** (*pessoa*) profile: *É mais bonito de ~.* He's better-looking in profile. ◇ *um retrato de ~* a profile portrait ◇ *Põe-te de ~.* Stand sideways. **2** (*edifício, montanha*) outline LOC **ter perfil para** (*conjunto de qualidades*) to be the right person for *sth*: *Tem ~ para representar a empresa.* He's the right person to represent the company.

perfumado, -a *adj* scented LOC **estar perfumado** (*pessoa*) to smell nice *Ver tb* PERFUMAR

perfumar ▸ *vt* to perfume ▸ **perfumar-se** *vp* to put perfume on

perfumaria *sf* perfumery [*pl* perfumeries]

perfume *sm* perfume ➲ *Ver nota em* SMELL

pergaminho *sm* parchment

pergunta *sf* question: *responder a uma ~* to answer a question LOC **fazer uma pergunta** to ask a question

perguntar ▸ *vt, vi* to ask ▸ *vi* ~ **por 1** (*ao procurar alguém/alguma coisa*) to ask for *sb/sth*: *Esteve aqui um senhor a ~ por si.* A man was asking for you. **2** (*ao interessar-se por alguém*) to ask after *sb*: *Pergunta-lhe pelo filho mais novo.* Ask after her little boy. **3** (*ao interessar-se por alguma coisa*) to ask about *sth*: *Perguntei--lhe pelo exame.* I asked her about the exam. LOC **perguntar a si mesmo/próprio** to wonder: *Pergunto a mim mesmo quem será a estas horas.* I wonder who it can be at this time of night.

periferia *sf* (*cidade*) outskirts [*pl*]

periférico *sm* (*Informát*) peripheral

perigo *sm* danger: *Está em ~.* He's in danger. ◇ *fora de ~* out of danger LOC *Ver* CORRER, LUZ

perigoso, -a *adj* dangerous

perímetro *sm* perimeter

periódico, -a *adj* periodic

período *sm* **1** period **2** (*escolar*) term, semester (*USA*) **3** (*telefone, contador*) unit LOC **estar com o período** to have your period

peripécia *sf* (*imprevisto*) incident LOC **cheio**

de/com muitas peripécias very eventful: *uma viagem cheia de ~s* a very eventful journey

periquito *sm* budgerigar, budgie (*coloq*)

perito, -a *adj, sm-sf* ~ **(a/em)** expert (at/in/on *sth/doing sth*)

permanecer *vi* to remain, to be (*mais coloq*): *~ pensativo/sentado* to remain thoughtful/ seated ◇ *Permaneci acordada toda a noite.* I was awake all night.

permanente ▸ *adj* permanent ▸ *sf* perm **LOC** **fazer uma permanente** to have your hair permed *Ver tb* CANETA

permitir *vt* **1** (*deixar*) to let *sb* (*do sth*): *Permita-me ajudá-lo.* Let me help you. ◇ *Não mo permitiriam.* They wouldn't let me. **2** (*autorizar*) to allow *sb to do sth*: *Não permitem que ninguém entre sem gravata.* You are not allowed in without a tie. ➲ *Ver nota em* ALLOW **LOC** **permite-me...?** may I...?: *Permite-me que use o seu isqueiro?* May I use your lighter?

perna *sf* leg: *partir uma ~* to break your leg ◇ *cruzar/esticar as ~s* to cross/stretch your legs ◇ *~ de borrego* leg of lamb ➲ *Ver nota em* ARM **LOC** **com as pernas cruzadas** cross-legged **de pernas para o ar** upside down: *Estava tudo de ~s para o ar.* Everything was upside down. *Ver tb* BARRIGA, ESTICAR

pernoitar *vi* to spend the night

pérola *sf* pearl

perpendicular *adj, sf* perpendicular

perpétuo, -a *adj* perpetual **LOC** *Ver* PRISÃO

perplexo, -a *adj* puzzled: *Fiquei ~.* I was puzzled. **LOC** **deixar alguém perplexo** to leave sb speechless: *A notícia deixou-nos ~s.* The news left us speechless.

perro, -a *adj* (*fecho, gaveta*) stiff

persa *adj* Persian

perseguição *sf* **1** pursuit: *A polícia foi em ~ dos assaltantes.* The police went in pursuit of the robbers. **2** (*Pol, Relig*) persecution **LOC** **perseguição (de automóvel)** car chase *Ver tb* MANIA

perseguir *vt* **1** to pursue: *~ um carro/objetivo* to pursue a car/an objective **2** (*Pol, Relig*) to persecute

perseverança *sf* determination: *trabalhar com ~* to work with determination

persiana *sf* blind: *subir/baixar as ~s* to raise/ lower the blinds

persistente *adj* persistent

persistir *vi* to persist (*in sth/doing sth*)

personagem *sm ou sf* character: *a ~ principal* the main character

personalidade *sf* personality [*pl* personalities]

personalizado, -a *adj* personalized

perspetiva *sf* **1** perspective: *Falta ~ a esse quadro.* The perspective's not quite right in that painting. **2** (*vista*) view **3** (*para o futuro*) prospect: *boas ~s* good prospects

perspicaz *adj* perceptive

persuadir ▸ *vt* to persuade: *Persuadi-o a sair.* I persuaded him to come out. ▸ **persuadir-se** *vp* to become convinced (*of sth/that...*)

persuasivo, -a *adj* persuasive

pertence *sm* **pertences** belongings

pertencente *adj* ~ **a** belonging to *sb/sth*: *os países ~s à UE* the countries belonging to the EU

pertencer *vi* to belong *to sb/sth*: *Este colar pertencia à minha avó.* This necklace belonged to my grandmother.

pertinente *adj* relevant

perto *adv* near(by): *Vivemos muito ~.* We live very nearby. ➲ *Ver nota em* NEAR **LOC** **de perto**: *Deixa-me vê-lo de ~.* Let me see it close up. **perto de 1** (*a pouca distância*) near: *~ daqui* near here **2** (*quase*) nearly: *O comboio atrasou ~ de uma hora.* The train was nearly an hour late. *Ver tb* AQUI

perturbar *vt* to disturb **LOC** **perturbar a ordem pública** to cause a breach of the peace

peru, -ua *sm-sf* turkey [*pl* turkeys]

peruca *sf* wig

perverso, -a *adj* (*malvado*) wicked

perverter *vt* to pervert

pervertido, -a *sm-sf* pervert

pesadelo *sm* nightmare: *Ontem à noite tive um ~.* I had a nightmare last night.

pesado, -a *adj* heavy: *uma mala/comida pesada* a heavy suitcase/meal **LOC** *Ver* CONSCIÊNCIA; *Ver tb* PESAR[1]

pêsames *sm* condolences: *Os meus ~.* My deepest condolences. **LOC** **dar os pêsames** to offer *sb* your condolences

pesar[1] ▸ *vt* to weigh: *~ uma mala* to weigh a suitcase ▸ *vi* **1** to weigh: *Quanto pesas?* How much do you weigh? ◇ *Como pesa!* It weighs a ton! **2** (*ser pesado*) to be heavy: *Esta encomenda pesa e bem!* This parcel is very heavy. ◇ *Pesa?* Is it very heavy? ◇ *Não pesa nada!* It hardly weighs a thing! **LOC** **pesar uma tonelada/como um morto** to weigh a ton

pesar[2] *sm* (*tristeza*) sorrow

P

pesca *sf* fishing: *ir à ~* to go fishing LOC *Ver* CANA, FURTIVO

pescada *sf* hake [*pl* hake]

pescador, -ora *sm-sf* fisherman/woman [*pl* -men/-women] LOC *Ver* FURTIVO

pescar ▸ *vi* to fish: *Tinham ido ~.* They'd gone fishing. ▸ *vt* to catch: *Pesquei duas trutas.* I caught two trout.

pescoço *sm* neck: *Dói-me o ~.* My neck hurts.

pés-de-galinha *sm* crow's feet

peso *sm* weight: *ganhar/perder ~* to put on/lose weight ◇ *vender alguma coisa ao ~* to sell sth by weight ◇ *~ bruto/líquido* gross/net weight LOC **deixar/ter um peso na consciência** to feel guilty: *Deixou-me um ~ na consciência.* I feel guilty. **de peso** (*fig*) **1** (*pessoa*) influential **2** (*assunto*) weighty **em peso** (*em sua totalidade*) whole: *a turma em ~* the whole class **peso morto** dead weight **tirar um peso de cima**: *Tiraram-me um grande ~ de cima.* That's a great weight off my mind. *Ver tb* LEVANTAMENTO, LEVANTAR

pesqueiro, -a ▸ *adj* fishing: *um porto ~* a fishing port ▸ *sm* (*barco*) fishing boat

pesquisa *sf* **1** (*investigação científica*) research **2** (*Internet*) search: *fazer uma ~* to do a search LOC **pesquisa de mercado** market research [*não-contável*]

pesquisador, -ora *sm-sf* researcher LOC **pesquisador de ouro** gold prospector **pesquisador de tesouros** treasure hunter

pêssego *sm* peach

pessegueiro *sm* peach tree

pessimamente *adv* terribly: *Portaram-se ~.* They behaved terribly.

pessimista ▸ *adj* pessimistic ▸ *smf* pessimist

péssimo, -a *adj* terrible: *Tiveram um ano ~.* They had a terrible year. ◇ *Sinto-me ~.* I feel terrible.

pessoa *sf* person [*pl* people]: *milhares de ~s* thousands of people LOC **em pessoa** in person **pessoa adulta** grown-up **por pessoa** a head: *50 euros por ~* 50 euros a head **ser (uma) boa pessoa** to be nice: *São muito boas ~s.* They're very nice.

pessoal ▸ *adj* personal ▸ *sm* staff [*v sing ou pl*] ➲ *Ver nota em* JÚRI LOC *Ver* COMPUTADOR, DEFESA

pestana *sf* eyelash

pestanejar *vi* to blink: *Nem pestanejaram.* They didn't even blink. LOC **sem pestanejar** without batting an eyelid: *Escutou a notícia sem ~.* He heard the news without batting an eyelid.

peste *sf* **1** (*doença*) plague: *~ bubónica* bubonic plague **2** (*pessoa, inseto, animal*) pest: *Esta criança é uma ~.* This child's a pest.

pesticida *sm* pesticide

peta *sf* (*mentira*) lie: *Pregou-me uma ~.* He told me a lie.

pétala *sf* petal

petardo *sm* (*explosivo*) banger

petição *sf* petition: *elaborar uma ~* to draw up a petition

petiscar *vt* (*comer*) to nibble: *Apetece-te ~ alguma coisa?* Do you fancy something to nibble? ◇ *Puseram-nos umas coisas para ~.* They gave us some nibbles.

petisco *sm* **1** (*aperitivo*) savoury [*pl* savouries], snack (*mais coloq*) **2** (*iguaria*) delicacy [*pl* delicacies]

petroleiro *sm* oil tanker

petróleo *sm* oil: *um poço de ~* an oil well LOC **petróleo bruto** crude oil

peúga *sf* sock

pevide *sf* **1** (*semente*) seed **2** (*de fruta*) pip

pia *sf* sink

piada *sf* **1** (*anedota*) joke: *contar uma ~* to tell a joke ◇ *perceber/entender a ~* to get the joke **2** (*comentário*) wisecrack: *Está sempre a mandar ~s.* She's always coming out with wisecracks. **3** (*humor*): *Onde é que está a ~?* What's so funny about it? ◇ *Não teve ~ nenhuma!* It wasn't a bit funny!

pianista *smf* pianist

piano *sm* piano [*pl* pianos]: *tocar um excerto musical ao ~* to play a piece of music on the piano LOC **piano de cauda** grand piano

pião *sm* (spinning) top: *jogar ao ~* to spin a top

piar *vi* to chirp LOC **sem piar** without saying a word

PIB *sm Ver* PRODUTO

picada (*tb* **picadela**) *sf* **1** (*alfinete, agulha*) prick **2** (*mosquito*) bite **3** (*abelha, vespa*) sting: *Não te movas se não ainda te dá uma ~.* Don't move or it'll sting you.

picadeiro *sm* riding school

picado, -a *adj* **1** (*carne*) minced **2** (*cebola, salsa*) chopped **3** (*mar*) choppy **4** (*zangado*) cross: *Acho que estão ~s comigo.* I think they're cross with me. LOC *Ver* CARNE, VOO; *Ver tb* PICAR

picante *adj* **1** (*Cozinha*) hot: *um molho ~* a hot sauce **2** (*anedota*) saucy

picar ▸ *vt* **1** to prick: *~ alguém com um alfinete* to prick sb with a pin **2** (*mosquito*) to bite

3 (*abelha, vespa*) to sting **4** (*carne*) to mince **5** (*cebola, hortaliça*) to chop *sth* (up) **6** (*bilhete*) to punch **7** (*comer*): *Apetece-te ~ alguma coisa?* Do you fancy something to eat? ◇ *Puseram-nos umas coisas para irmos picando.* They gave us some nibbles. ▸ *vi* **1** (*planta espinhosa*) to be prickly: *Tem cuidado que picam.* Be careful, they're very prickly. **2** (*produzir comichão*) to itch: *Esta camisola pica.* This jumper makes me itch. **3** (*olhos*) to sting: *Picam-me os olhos.* My eyes are stinging. **4** (*peixe*) to bite: *Picou um!* I've got a bite! **5** (*ser picante*) to be hot: *Este molho pica muito!* This sauce is really hot! ▸ **picar-se** *vp* **1 picar-se (com/em)** (*objeto afiado*) to prick yourself (on/with *sth*): *picar-se numa/com uma agulha* to prick yourself on/with a needle **2 picar-se (com) (por)** (*irritar-se*) to get annoyed (with *sb*) (at/about *sth*): *Pica-se por tudo.* He's always getting annoyed about something. LOC *Ver* PONTO

pico *sm* **1** (*ponta aguda*) sharp point **2** (*espinho*) thorn **3** (*cume*) peak: *os ~s cobertos de neve* the snow-covered peaks **4** (*sabor*) tang LOC **e pico(s) 1** odd: *dez euros e ~s* ten-odd euros ◇ *um ano e ~s* a year and a bit ◇ *Tem trinta e ~s anos.* He's thirty something. **2** (*hora*) just after: *Eram umas duas e ~.* It was just after two.

picuinhas *adj* **1** (*esquisito*) fussy **2** (*demasiado minucioso*) pedantic

piedade *sf* **1** (*compaixão*) mercy (*on sb*): *Senhor tende ~.* Lord have mercy. **2** (*devoção*) piety LOC *Ver* DÓ

piedoso, -a *adj* (*religioso*) devout

piegas *adj* (*sentimental*) soppy, sappy (*USA*)

piela *sf* LOC **apanhar uma piela** to get plastered

pifar ▸ *vt* (*roubar*) to nick, to steal (*USA*): *Pifaram-me a carteira.* My wallet's been nicked. ▸ *vi* (*avariar*) to break down: *A televisão pifou.* The TV's broken down.

pigmento *sm* pigment

pijama *sm* pyjamas [*pl*]: *Esse ~ fica-te pequeno.* Those pyjamas are too small for you. ❶ De notar que *um pijama* é **a pair of pyjamas**: *Coloca dois pijamas na mala.* Pack two pairs of pyjamas. ➲ *Ver tb nota em* PAIR

pilar *sm* pillar

pilha *sf* **1** (*monte*) pile: *uma ~ de jornais* a pile of newspapers **2** (*grande quantidade*) loads (*of sth*): *Têm ~s de dinheiro.* They've got loads of money. **3** (*Eletrón*) battery [*pl* batteries]: *Acabaram-se as ~s.* The batteries have run out. LOC **estar uma pilha de nervos** to be a bundle of nerves

pilhagem *sf* plunder

pilotar *vt* **1** (*avião*) to fly **2** (*carro*) to drive

piloto *sm* **1** (*avião*) pilot **2** (*carro*) racing driver LOC **piloto automático** automatic pilot

pílula *sf* pill: *Tomas a ~?* Are you on the pill?

pimenta *sf* pepper

pimentão-doce *sm* paprika

pimento *sm* pepper: *~ vermelho* red pepper

pinça *sf* **1** tweezers [*pl*]: *uma ~ para as sobrancelhas* eyebrow tweezers **2** (*açúcar, gelo*) tongs [*pl*] ➲ *Ver nota em* PAIR **3** (*caranguejo, lagosta*) pincer

pincel *sm* brush ➲ *Ver ilustração em* BRUSH LOC **pincel da barba** shaving brush

pincho *sm* (*bola*) bounce LOC **dar pinchos** to bounce

pinga *sf* (*tb* **pingo** *sm*) (*gota*) drop

pingar ▸ *vi* **1** (*gotejar*) to drip **2** (*estar encharcado*) to be dripping wet: *Estes lençóis estão a ~.* These sheets are dripping wet. ▸ *v imp* (*chover*) to spit: *Está a começar a ~?* Is it starting to spit? LOC *Ver* CAFÉ, NARIZ

pingo *sm* LOC *Ver* COLOCAR

pingue-pongue *sm* ping-pong

pinguim *sm* penguin

pinha *sf* (*pinheiro*) pine cone LOC **estar à pinha** to be packed

pinhal *sm* pine wood

pinhão *sm* (*Bot*) pine nut

pinheiro *sm* pine (tree)

pino *sm* LOC **fazer o pino** to do a handstand **no pino do verão/inverno** in high summer/in the depths of winter

pinta *sf* **1** (*mancha, bola*) dot **2** (*aspeto*) look: *Não gosto da ~ deste peixe.* I don't like the look of that fish. LOC **ter pinta (de)** to look (like *sth*): *Esses bolos têm ~ de ser bons.* Those cakes look very nice.

pintado, -a *adj* LOC **pintado à mão** hand-painted **pintado de** painted: *As paredes estão pintadas de azul.* The walls are painted blue. **pintado de fresco** (*aviso*) wet paint *Ver tb* PINTAR

pintainho (*tb* **pinto**) *sm* chick

pintar ▸ *vt, vi* to paint: *~ as unhas* to paint your nails ◇ *~ uma parede de vermelho* to paint a wall red ◇ *Gosto de ~.* I like painting. ▸ *vt* (*colorir*) to colour *sth* (in): *O garoto tinha pintado a casa de azul.* The little boy had coloured the house blue. ◇ *Desenhou uma bola e depois pintou-a.* He drew a ball and then coloured it in. ▸ **pintar-se** *vp* (*maquilhar-se*) to put your make-up on: *Não tive tempo para me ~.* I haven't had time to put my make-up on. ◇ *Não me pinto.* I don't wear make-up. ◇ *Pinta-se* *muito.* She wears too much make-up. LOC **pintar a óleo/aguarela** to paint in oils/watercolours **pintar o cabelo** to dye your hair: *~ o cabelo de castanho escuro* to dye your hair dark brown **pintar o cabelo de louro** to bleach your hair **pintar o sete** to have a whale of a time **pintar os lábios/olhos** to put your lipstick/eye make-up on

pintor, -ora *sm-sf* painter

pintura *sf* painting: *A ~ é um dos meus passatempos.* Painting is one of my hobbies. LOC **pintura mural** mural *Ver tb* ÓLEO

pio *sm* (*som*) tweet LOC **não dar um pio** not to open your mouth

piolho *sm* louse [*pl* lice]

pioneiro, -a ▸ *adj* pioneering ▸ *sm-sf* pioneer (*in sth*): *um ~ da cirurgia estética* a pioneer in cosmetic surgery

pionés *sm* drawing pin, thumbtack (*USA*)

pior ▸ *adj, adv* [*uso comparativo*] worse (*than sb/sth*): *Este carro é ~ do que aquele.* This car is worse than that one. ◇ *Sinto-me muito ~ hoje.* I feel much worse today. ◇ *Foi ~ do que eu esperava.* It was worse than I had expected. ◇ *Cozinha ainda ~ do que a mãe.* She's an even worse cook than her mother. ▸ *adj, adv, smf* **~ (de)** (*uso superlativo*) worst (in/of...): *Sou o ~ corredor do mundo.* I'm the worst runner in the world. ◇ *a ~ de todas* the worst of all ◇ *o que ~ canta* the one who sings worst LOC **o pior é que...** the trouble is (that)... *Ver tb* CASO, TANTO, VEZ

piorar ▸ *vt* to make *sth* worse ▸ *vi* to get worse: *Piorou imenso desde a última vez que o vi.* He's got much worse since the last time I saw him.

pipa *sf* barrel

pipocas *sf* popcorn [*não-contável, v sing*]: *Queres ~?* Would you like some popcorn?

pique *sm* LOC **cair/descer a pique 1** (*preços*) to collapse **2** (*avião*) to nosedive **ir a pique** (*barco*) to sink

piquenique *sm* picnic: *fazer um ~* to go for a picnic

piquete *sm* picket

pirâmide *sf* pyramid

pirar-se *vp* (*fugir*) to clear off

pirata *adj, smf* pirate [*s*]: *um barco/uma emissora ~* a pirate ship/radio station LOC **pirata informático** hacker

pirataria *sf* piracy LOC **pirataria informática** hacking

piratear *vt* **1** (*CD, vídeo, etc.*) to pirate **2** (*sistema informático*) to hack into *sth*

pires *sm* saucer ➲ *Ver ilustração em* CUP

pirilampo *sm* firefly [*pl* fireflies]

piripiri *sm* chilli [*pl* chillies]

piroga *sf* canoe

pirómano, -a (*tb* **piromaníaco, -a**) *sm-sf* pyromaniac

piropo *sm* **1** (*elogio*) compliment **2** (*na rua*): *lançar um ~* to shout a sexist remark

piroso, -a *adj* tacky

pirueta *sf* pirouette

pírulas *smf* (*doido*) crackpot

pisada *sf* **1** (*som*) footstep **2** (*marca*) footprint

pisadela *sf* LOC **dar uma pisadela em alguém** to tread on sb's foot

pisar ▸ *vt* **1** to step on/in *sth*: *~ o pé de alguém* to step on sb's foot ◇ *~ uma poça de água* to step in a puddle **2** (*terra*) to tread *sth* down **3** (*acelerador, travão*) to put your foot on *sth* **4** (*dominar*) to walk all over *sb*: *Não te deixes ~.* Don't let people walk all over you. **5** (*contundir*) to bruise ▸ *vi* to tread LOC **pisar o risco** to overstep the mark **ver por onde se pisa** to tread carefully *Ver tb* PROIBIDO

piscadela *sf* wink

pisca-pisca *sm* indicator, turn signal (*USA*)

piscar ▸ *vt* (*olho*) to wink (*at sb*): *Piscou-me o olho.* He winked at me. ▸ *vi* **1** (*olhos*) to blink **2** (*luz*) to flicker

piscina *sf* swimming pool LOC **piscina climatizada/coberta** heated/indoor pool

pisco (*tb* **pisco-de-peito-ruivo**) *sm* robin

piso *sm* **1** (*superfície*) surface **2** (*andar*) floor ➲ *Ver nota em* FLOOR

pista *sf* **1** (*rasto*) track(s) [*usa-se muito no plural*]: *seguir a ~ de um animal* to follow an animal's tracks ◇ *Perdi a ~ ao Manuel.* I've lost track of Manuel. **2** (*dado*) clue: *Dá-me mais ~s.* Give me more clues. **3** (*de corridas*) track: *uma ~ ao ar livre/coberta* an outdoor/indoor track **4** (*faixa*) lane: *o atleta na ~ dois* the athlete in lane two **5** (*Aeronáut*) runway LOC **estar na pista de alguém** to be on sb's trail **pista de dança** dance floor **pista de esqui** ski slope **pista de gelo** ice rink

pistácio *sm* pistachio [*pl* pistachios]

pistola *sf* gun LOC **pistola de ar comprimido** airgun

pitada *sf* (*de sal*) pinch

pitão *sm* (*tb* **píton** *sf*) (*cobra*) python

pitoresco, -a *adj* picturesque: *uma paisagem pitoresca* a picturesque landscape

pivete *sm* **1** (*mau cheiro*) stink: *Mas que ~!* What a stink! ➲ *Ver nota em* SMELL **2** (*criança*) precocious brat

P

piza (*tb* **pizza**) *sf* pizza

pizzaria *sf* pizzeria

placa *sf* **1** (*lâmina, Geol*) plate: *~s de aço* steel plates ◇ *A ~ na porta diz "dentista".* The plate on the door says 'dentist'. **2** (*comemorativa*) plaque: *uma ~ comemorativa* a commemorative plaque **3** (*em estrada*) sign LOC **placa de som/vídeo** sound/video card

placard (*tb* **placar**) *sm* board: *Escreveu-o no ~.* He wrote it up on the board. LOC **placard publicitário** billboard

plaina *sf* (*madeira*) plane

planador *sm* glider

planalto *sm* plateau [*pl* plateaux/plateaus]

planar *vi* to glide

planeamento *sm* planning: *~ familiar* family planning

planear *vt* to plan: *~ a fuga* to plan your escape

planeta *sm* planet

planície *sf* plain

planificação *sf* planning

plano, -a ▸ *adj* flat: *uma superfície plana* a flat surface ▸ *sm* **1** (*desígnio*) plan: *Mudei de ~s.* I've changed my plans. ◇ *Tens ~s para sábado?* Have you got anything planned for Saturday? **2** (*nível*) level: *As casas foram construídas em ~s diferentes.* The houses were built on different levels. ◇ *no ~ pessoal* on a personal level **3** (*Cinema*) shot LOC *Ver* PRIMEIRO

planta *sf* **1** (*Bot*) plant **2** (*desenho*) **(a)** (*cidade, metro*) map **(b)** (*Arquit*) plan LOC **planta do pé** sole

plantação *sf* plantation

plantado, -a *adj* LOC **deixar plantado** to stand *sb* up *Ver tb* PLANTAR

plantão *sm* (*turno*) shift LOC **de plantão** on duty: *o médico de ~* the doctor on duty ◇ *estar de ~* to be on duty

plantar *vt* to plant

plantel *sm* (*Desp*) squad [*v sing ou pl*] ➲ *Ver nota em* JÚRI

plástica *sf* plastic surgery: *uma ~ ao nariz/seios* a nose/boob job LOC **plástica ao rosto** facelift

plasticina *sf* plasticine®, play dough® (*USA*)

plástico, -a *adj, sm* plastic: *a cirurgia plástica* plastic surgery ◇ *um recipiente de ~* a plastic container ◇ *Tapa-o com um ~.* Cover it with a plastic sheet. LOC *Ver* ARTE, COPO

plastificar *vt* to laminate

plataforma *sf* platform

plátano *sm* plane tree

plateia *sf* **1** (*parte do teatro*) stalls [*pl*], orchestra (*USA*) **2** (*público*) audience [*v sing ou pl*]

platina *sf* platinum

pleno, -a *adj* full: *Sou membro de ~ direito.* I'm a full member. ◇ *~s poderes* full powers LOC **em pleno...** (right) in the middle of...: *em ~ inverno* in the middle of winter ◇ *em ~ centro da cidade* right in the centre of the city **em pleno dia** in broad daylight **estar em plena forma** to be in peak condition

plural *adj, sm* plural

plutónio *sm* plutonium

pneu *sm* tyre LOC **pneu recauchutado** retread

pneumonia *sf* pneumonia [*não-contável*]: *apanhar uma ~* to catch pneumonia

pó *sm* **1** (*sujidade*) dust: *A estante está cheia de pó.* There's a lot of dust on the bookshelf. **2** (*Cozinha, Quím, cosmético*) powder LOC **estar com um pó a alguém** to be furious with sb **pó de talco** talcum powder [*não-contável, v sing*] *Ver tb* DETERGENTE, FERMENTO, LEITE, LIMPAR, PANO

pobre ▸ *adj* poor ▸ *smf* **1** poor man/woman [*pl* poor men/women]: *os ricos e os ~s* the rich and the poor **2** (*desgraçado*) poor thing LOC **o pobre do...** poor old...: *o ~ do Henrique* poor old Henrique

pobreza *sf* poverty

poça *sf* (*charco*) puddle

pocilga *sf* pigsty [*pl* pigsties]

poço *sm* well: *um ~ de petróleo* an oil well

podar *vt* to prune LOC *Ver* TESOURA

poder[1] *v aux* **1** can *do sth*, to be able *to do sth*: *Posso escolher Londres ou Lisboa.* I can choose London or Lisbon. ◇ *Não podia acreditar.* I couldn't believe it. ◇ *Desde então não pode andar.* He hasn't been able to walk since then. ➲ *Ver nota em* CAN[2] **2** (*ter autorização*) can, may (*mais formal*): *Posso falar com o André?* Can I talk to André? ◇ *Posso sair?* May I go out? ➲ *Ver nota em* MAY **3** (*probabilidade*) may, could, might

> O uso de **may**, **could** e **might** depende do grau de probabilidade de a ação se vir a realizar: **could** e **might** exprimem menos probabilidade do que **may**: *Podem chegar a qualquer momento.* They may arrive at any minute. ◇ *Poderia ser perigoso.* It could/might be dangerous.

LOC **não poder mais** (*estar cansado*) to be exhausted **poder com** to cope with *sth*: *Não posso com tantos deveres.* I can't cope with so much homework. **pode-se/não se pode**: *Pode-se?* Can I come in? ◇ *Não se pode fumar aqui.*

P

You can't smoke in here. **pode ser (que...)** maybe: *Pode ser que sim, pode ser que não.* Maybe, maybe not. ❶ Para outras expressões com **poder**, ver as entradas para o substantivo, adjetivo, etc., p. ex. **salve-se quem puder!** em SALVAR.

poder² *sm* power: *tomar o ~* to seize power LOC **o poder executivo/judicial/legislativo** the executive/judiciary/legislature [*v sing ou pl*] **poder de compra** purchasing power **ter em seu poder alguma coisa** to have sth in your possession

poderoso, -a *adj* powerful

pódio *sm* podium

podre *adj* rotten: *uma maçã/sociedade ~* a rotten apple/society LOC **ser podre de rico** to be filthy rich

poeira *sf* dust: *~ radioativa* radioactive fallout

poeirada *sf* cloud of dust: *levantar uma ~* to raise a cloud of dust

poeirento, -a *adj* dusty

poema *sm* poem

poesia *sf* **1** poetry: *a ~ épica* epic poetry **2** (*poema*) poem

poeta *sm* poet

poético, -a *adj* poetic

poetisa *sf* poet

pois *conj* **1** well: *Pois como estávamos a dizer...* Well, as we were saying... ◇ *Pois a mim não me disse nada!* Well, he didn't mention it to me! ◇ *Não te apetece sair? Pois então não saias.* You don't feel like going out? Well, don't. **2** (*porque*) because: *Ficou em casa, ~ sentia-se mal.* She stayed at home because she felt ill.

polaco, -a ▸ *adj, sm* Polish: *falar ~* to speak Polish ▸ *sm-sf* Pole: *os ~s* the Poles

polar *adj* polar LOC *Ver* CÍRCULO

polegada *sf* inch (*abrev* in.) ➲ *Ver pág. 713*

polegar *sm* thumb

Polegarzinho *n pr* Tom Thumb

polémica *sf* controversy [*pl* controversies]

polémico, -a *adj* controversial

pólen *sm* pollen

polícia ▸ *smf* police officer

Pode-se dizer também **policeman** e **policewoman**, porém é preferível evitar o uso do sufixo **-man** em palavras que fazem referência a um trabalho ou a uma profissão, como p. ex. **salesman**, **chairman** ou **fireman**, a menos que se esteja a falar realmente de um homem. Desta forma, utilizam-se palavras que não fazem referência ao sexo da pessoa, como **salesperson**, **chair** ou **firefighter**. ➲ *Ver tb nota em* ACTRESS

▸ *sf* police [*v sing ou pl*]: *A ~ está a investigar o caso.* The police are investigating the case. LOC **polícia de segurança pública** uniformed constabulary **polícia de trânsito** traffic police [*v sing ou pl*] **polícia judiciária** ≈ CID, FBI (*USA*) *Ver tb* CHOQUE, MULHER, MUNICIPAL

policial *adj* police [*s*]: *investigação ~* police investigation LOC *Ver* FILME, GÉNERO

polígono *sm* (*Geom*) polygon

polir *vt* to polish

politécnico, -a *adj* polytechnic LOC *Ver* INSTITUTO

política *sf* **1** (*Pol*) politics [*não-contável, v sing ou pl*]: *meter-se na ~* to get involved in politics **2** (*posição, programa*) policy [*pl* policies]: *a ~ externa* foreign policy

político, -a ▸ *adj* (*Pol*) political: *um partido ~* a political party ▸ *sm-sf* politician: *um ~ de esquerda* a left-wing politician

polo *sm* **1** (*Geog, Fís*) pole: *o ~ Norte/Sul* the North/South Pole **2** (*Desp*) polo: *~ aquático* water polo

Polónia *sf* Poland

polpa *sf* pulp LOC *Ver* TOMATE

poltrona *sf* (*cadeira*) armchair

poluente *adj, sm* pollutant

poluição *sf* pollution

poluir *vt, vi* to pollute

polvo *sm* octopus [*pl* octopuses]

pólvora *sf* gunpowder

pomada *sf* ointment LOC **pomada para calçado** shoe polish

pomar *sm* orchard

pomba *sf* (*branca*) dove: *a ~ da paz* the dove of peace

pombo *sm* pigeon

pombo-correio *sm* carrier pigeon

pompa *sf* (*solenidade*) pomp LOC **com pompa e circunstância** with a great song and dance: *Anunciaram-no com ~ e circunstância.* They made a great song and dance about it.

pomposo, -a *adj* pompous

ponderar *vi* ~ **(sobre)** to reflect (on *sth*)

pónei *sm* pony [*pl* ponies]

ponta *sf* **1** (*faca, arma, pena, lápis*) point **2** (*língua, dedo, ilha, icebergue*) tip: *Tenho-o na ~ da língua.* It's on the tip of my tongue. ◇ *Não sinto as ~s dos dedos.* I can't feel my fingertips. **3** (*extremo, cabelo*) end: *na outra ~ da mesa* at the other end of the table LOC **de uma ponta à**

outra/de ponta a ponta: *de uma ~ à outra de Lisboa* from one end of Lisbon to the other **ponta de lança** (*Futebol*) striker **tomar alguém de ponta** to have got it in for sb: *O professor tomou-me de ~.* The teacher's got it in for me. *Ver tb* CABELO, CANETA, HORA, TECNOLOGIA

pontada *sf* stitch: *Não posso correr mais que me dá uma ~.* I can't run any further or I'll get a stitch.

pontapé *sm* kick: *Dei-lhe um ~.* I kicked him. LOC **pontapé de canto** corner (kick) **pontapé de saída** kick-off **pontapé livre** free kick *Ver tb* CORRER

pontaria *sf* aim: *Mas que ~ !* What a good aim! LOC **fazer pontaria** to take aim **ter boa/má pontaria** to be a good/bad shot

ponte *sf* bridge LOC **fazer ponte** to have a long weekend **ponte aérea** shuttle service **ponte levadiça** drawbridge **ponte pênsil** suspension bridge

ponteiro *sm* hand: *~ dos segundos* second hand ◇ *~ grande/dos minutos* minute hand ◇ *~ pequeno/das horas* hour hand

pontiagudo, -a *adj* pointed

pontinha *sf*: *uma ~ de sal* a pinch of salt ◇ *uma ~ de humor* a touch of humour LOC **nem uma pontinha**: *Hoje não está nem uma ~ de frio.* It's not at all cold today. ◇ *Não tem nem uma ~ de graça.* It's not the least bit funny.

ponto *sm* **1** point: *Passemos ao ~ seguinte.* Let's go on to the next point. ◇ *Perdemos por dois ~s.* We lost by two points. ◇ *em todos os ~s do país* all over the country **2** (*sinal de pontuação*) full stop, period (*USA*) ➲ *Ver pág. 315* **3** (*teste*) test: *Amanhã temos ~ de geografia.* We've got a geography test tomorrow. **4** (*grau*) extent: *Até que ~ isso é verdade?* To what extent is this true? **5** (*Costura, Med*) stitch: *Dá um ~ nessa bainha.* Put a stitch in the hem. ◇ *Levei três ~s.* I had three stitches. LOC **dois pontos** colon ➲ *Ver pág. 315* **em ponto** precisely, on the dot (*coloq*): *São duas em ~.* It's two o'clock precisely. **e ponto final!** and that's that! **estar a ponto(s) de fazer alguma coisa 1** to be about to do sth: *Está a ~ de terminar.* It's about to finish. **2** (*por pouco*) to nearly do sth: *Esteve a ~ de perder a vida.* He nearly lost his life. **marcar/picar o ponto** (*em trabalho*) **1** (*ao entrar*) to clock in/on, to punch in (*USA*) **2** (*ao sair*) to clock off, to punch out (*USA*) **no ponto** (*carne*) medium rare **ponto de ebulição/fusão** boiling/melting point **ponto de exclamação** exclamation mark, exclamation point (*USA*) ➲ *Ver pág. 315.* **ponto de interrogação** question mark ➲ *Ver pág. xxx* **ponto de referência** landmark **ponto de vista** point of view **ponto e vírgula** semicolon ➲ *Ver pág. 315* **ponto final** full stop, period (*USA*) ➲ *Ver pág. 315* **ponto fraco** weak point **ponto morto 1** (*carro*) neutral **2** (*negociações*) deadlock **ponto parágrafo** new paragraph **ponto por ponto** (*pormenorizadamente*) down to the last detail **ser um ponto** to be a real laugh *Ver tb* CERTO, ENTREGAR

ponto-negro *sm* (*borbulha*) blackhead

pontuação *sf* **1** (*escrita*) punctuation: *sinais de ~* punctuation marks ➲ *Ver pág. 315* **2** (*concurso, exame*) mark(s), grade(s) (*USA*) [*usa-se muito no plural*]: *Tudo depende da ~ que o júri lhe der.* It all depends on what marks the judges award him. ◇ *Teve a ~ mais alta de todos.* He got the highest mark of all. **3** (*competição*) score

pontual *adj* punctual

> **Punctual** utiliza-se quando nos queremos referir à qualidade ou virtude de uma pessoa: *É importante ser pontual.* It's important to be punctual. Quando nos queremos referir à ideia de *chegar a tempo* utiliza-se a expressão **on time**: *Procura ser pontual.* Try to get there on time. ◇ *Este rapaz nunca é pontual.* He's always late./He's never on time.

pontualidade *sf* punctuality

pontuar ▸ *vt* **1** (*escrita*) to punctuate **2** (*atribuir pontos*) to mark, to grade (*USA*) ▸ *vi* (*em competição, concurso*) to score

popa *sf* stern

população *sf* population: *a ~ ativa* the working population

popular *adj* popular LOC *Ver* FEIRA

póquer *sm* poker

por *prep*

- **lugar 1** (*com verbos de movimento*): *circular pela direita/esquerda* to drive on the right/left ◇ *Passas ~ uma farmácia?* Are you going past a chemist's? ◇ *passar pelo centro de Paris* to go through the centre of Paris ◇ *Passo pela tua casa amanhã.* I'll drop in tomorrow. ◇ *viajar pela Europa* to travel round Europe ◇ *~ aqui/ali* this/that way **2** (*com verbos como pegar, agarrar*) by: *Peguei-lhe pelo braço.* I grabbed him by the arm.
- **tempo 1** (*durante*) for: *só ~ uns dias* only for a few days ➲ *Ver nota em* FOR **2** (*perto de*) about: *Chegarei lá pelas oito.* I'll arrive (at) about eight.
- **causa**: *Foi cancelado ~ causa do mau tempo.* It's been cancelled because of bad weather. ◇ *Faria qualquer coisa ~ ti.* I'd do anything for you/for your sake. ◇ *fazer alguma coisa ~ dinheiro* to do sth for money ◇ *Foi despedido ~ furto/ser preguiçoso.* He was sacked for

P

stealing/for being lazy. ◇ ~ *ciúme/inveja* out of jealousy/envy ◇ ~ *costume/hábito* out of habit
• **agente** by: *assinado por…* signed by… ◇ *pintado ~ Vieira da Silva* painted by Vieira da Silva
• **para com/a favor de** for: *sentir carinho ~ alguém* to feel affection for sb ◇ *És ~ que equipa?* Which team do you support?
• **com expressões numéricas**: *Mede 7 ~ 2.* It measures 7 by 2. ◇ *50 libras ~ hora/~ pessoa* 50 pounds an/per hour/per person
• **outras construções 1** (*meio, modo*): ~ *mar/avião* by sea/air ◇ ~ *escrito* in writing **2** (*substituição*): *Ela irá ~ mim.* She'll go instead of me. ◇ *Comprei-o ~ dois milhões de euros.* I bought it for two million euros. **3** (*sucessão*) by: *um ~ um* one by one **4** [*com adjetivo ou advérbio*] however: *Por muito simples que…* However simple… ◇ *Por muito que trabalhes…* However much you work… ◇ ~ *muita gente que seja* no matter how many people there are **5** (*não feito*): *Os pratos ainda estavam ~ lavar.* The dishes still hadn't been done. ◇ *Tive de deixar o trabalho ~ acabar.* I had to leave the work unfinished. LOC **por isso** so: *Já é tarde, ~ isso despacha-te.* It's late, so hurry up. ◇ *Perdi-o, ~ isso não lho posso emprestar.* I've lost it, so I won't be able to lend it to him. **por mim** as far as I am, you are, etc. concerned **por que** why

pôr ▸ *vt* **1** to put: *Põe os livros sobre a mesa/numa caixa.* Put the books on the table/in a box. **2** (*na rua*) to take *sth* out: ~ *o lixo na rua* to take the rubbish out **3** (*parte do corpo*) to stick *sth* out: *Não me ponhas a língua de fora.* Don't stick your tongue out at me. ◇ ~ *a cabeça à janela* to stick your head out of the window **4** (*ligar, vestir, estender*) to put *sth* on: ~ *o rádio a tocar* to put on the radio ◇ *O que é que eu ponho?* What shall I put on? ◇ *Põe a toalha na mesa.* Put the (table)cloth on the table. **5** (*disco*) to play **6** (*relógio*) to set: *Põe o despertador para as seis.* Set the alarm for six. **7** (*servir*) to give: *Põe-me mais um pouco de sopa.* Give me some more soup please. **8** (*ovos*) to lay **9** (*mesa*) to lay **10** (*dúvidas, objeções*) to raise **11** (*defeitos*) to find: *Põe defeitos em tudo.* She finds fault with everything. ▸ **pôr-se** *vp* **1** (*ficar*) to get: *pôr-se bom (de saúde)* to get well ◇ *pôr-se nervoso/furioso* to get worked up/angry ◇ *pôr-se corado* to blush **2** (*colocar-se*) to stand: *Põe-te ao meu lado.* Stand next to me. **3** (*sol*) to set **4 pôr-se a** to start *doing sth/to do sth*: *pôr-se a chorar* to burst into tears ◇ *Puseram-se a correr.* They started to run. LOC **pôr um contra o outro** to set *sb* at odds with *sb*: *Com as suas bisbilhotices puseram as duas irmãs uma contra a outra.* With their gossip they set the two sisters at odds. ❶ Para outras expressões com **pôr**, ver as entradas para o substantivo, adjetivo, etc., p. ex. **pôr na rua** em RUA.

porão *sm* (*barco, avião*) hold: *no ~ do barco* in the ship's hold

porca *sf* **1** (*de parafuso*) nut **2** (*animal*) sow ➲ *Ver nota em* PORCO

porcaria *sf* **1** (*sujidade*) filth **2** (*alguma coisa de fraca qualidade*) rubbish [*não-contável*], garbage [*não-contável*] (*USA*): *O filme é uma ~.* The film is rubbish. ➲ *Ver nota em* GARBAGE **3** (*alguma coisa malfeita*) botch-up: *Esse desenho é uma ~.* You've made a real botch-up of that drawing. **4** (*guloseimas*) junk (food) [*não-contável, v sing*]: *Deixa-te de comer ~s.* Stop eating junk food. LOC **fazer porcaria** to make a mess: *Não faças ~ com a comida.* Don't make a mess with your food. **que porcaria de…!**: *Que ~ de tempo!* What lousy weather!

porcelana *sf* china, porcelain (*mais formal*): *um prato de ~* a china plate

porco, -a ▸ *adj* **1** (*sujo*) filthy: *O teu carro está todo ~!* Your car's filthy! **2** (*obsceno*) dirty: *anedotas porcas* dirty jokes ▸ *sm-sf* **1** (*animal*) pig

Pig é o substantivo genérico. Para nos referirmos só ao macho dizemos **boar**, e à fêmea **sow**. **Piglet** é a cria do porco.

2 (*grosseirão*) slob ▸ *sm* (*carne*) pork: *lombo de ~* loin of pork

porco-espinho *sm* porcupine

pôr-do-sol *sm* sunset

porém *conj* however

pormenor *sm* detail

pormenorizadamente *adv* in detail

pormenorizado, -a *adj* detailed *Ver tb* PORMENORIZAR

pormenorizar *vt* **1** (*contar com pormenores*) to give details of *sth* **2** (*especificar*) to specify

pornografia *sf* pornography

pornográfico, -a *adj* pornographic

poro *sm* pore

poroso, -a *adj* porous

porque ▸ *conj* (*explicação*) because: *Não vem ~ não quer.* He's not coming because he doesn't want to. ▸ *adv* why: *Não disse ~ não viria.* He didn't say why he wasn't coming. ◇ *Porque não?* Why not?

porquê ▸ *sm* ~ **(de)** reason (for *sth*): *o ~ da greve* the reason for the strike ▸ *adv* why: *sem saber ~* without knowing (the reason) why LOC **sem como nem porquê** for no apparent reason

porquinho-da-índia *sm* guinea pig

P

porreiro, **-a** *adj* cool: *É um gajo ~.* He's a cool guy.

porta *sf* **1** door: *a ~ principal/das traseiras* the front/back door ◇ *Está alguém à ~.* There's somebody at the door. **2** (*de uma cidade, um palácio*) gate LOC **estar à porta** (*estar a chegar*) (just) (a)round the corner: *O verão está à ~.* Summer's just (a)round the corner. **porta corrediça/giratória** sliding/revolving door **porta de embarque** gate **sair porta fora** to clear off **ser burro/estúpido que nem uma porta** to be (as) thick as two short planks *Ver tb* BATER, FECHAR, SURDO, VÃO

porta-aviões *sm* aircraft carrier

porta-bagagens *sm* boot, trunk (*USA*)

porta-bandeira *sf* standard-bearer

porta-chaves *sm* keyring

portada *sf* shutter

portagem *sf* toll

porta-luvas *sm* glove compartment

porta-moedas *sm* purse, change purse (*USA*)

portanto *adv* therefore

portão *sm* gate

portaria *sf* **1** (*entrada*) entrance (hall) **2** (*decreto*) decree

portar-se *vp* to behave: *~ bem/mal* to behave well/badly ◇ *Porta-te bem.* Be good.

portátil ▸ *adj* portable: *uma televisão ~* a portable television ▸ *sm* (*Informát*) laptop

porta-voz *smf* spokesperson [*pl* spokespersons/spokespeople]

> Existem as formas **spokesman** e **spokeswoman**, contudo, é preferível usar **spokesperson** porque se refere tanto a um homem como a uma mulher: *os porta-vozes da oposição* spokespersons for the opposition.

porte *sm* (*custo de envio*) postage and packing

porteiro, **-a** *sm-sf* **1** (*de um edifício público*) caretaker, custodian (*USA*) **2** (*de um edifício privado*) porter, doorman [*pl* -men] (*USA*) **3** (*de discoteca, etc.*) bouncer

porto *sm* port: *um ~ comercial/pesqueiro* a commercial/fishing port

Portugal *sm* Portugal

português, **-esa** ▸ *adj, sm* Portuguese: *falar ~* to speak Portuguese ▸ *sm-sf* Portuguese man/woman [*pl* men/women]: *os portugueses* the Portuguese LOC *Ver* COUVE

porventura *adv* perhaps

posar *vi* to pose

pose *sf* (*postura*) pose

pós-escrito *sm* postscript (*abrev* PS)

pós-graduação *sf* postgraduate course, graduate course (*USA*)

posição *sf* **1** position: *dormir numa má ~* to sleep in an awkward position ◇ *Terminaram na última ~.* They finished last. **2** (*atitude*) stance

positiva *sf* (*Educ*) pass: *Tive ~ no teste/a matemática.* I got a pass in the test/in maths. ➲ *Ver nota em* A, A

positivo, **-a** *adj* positive: *O resultado do teste foi ~.* The test was positive.

posse *sf* **1** (*possessão*) possession: *estar em ~ de alguma coisa* to be in possession of sth **2 posses** (*dinheiro*) wealth: *ter muitas ~s* to be quite wealthy ◇ *uma família com poucas ~s* a family of slender means LOC **tomar posse** (*de cargo*) to take up office: *O novo Presidente tomou ~ ontem.* The new President took up office yesterday.

possessivo, **-a** *adj* possessive

possesso, **-a** *adj* furious LOC **estar possesso** to be in a rage **ficar possesso** to fly into a rage

possibilidade *sf* possibility [*pl* possibilities] LOC **ter (muitas) possibilidades de...** to have a (good) chance of *doing sth*

possível *adj* **1** possible: *É ~ que já tenham chegado.* It's possible that they've already arrived. **2** (*potencial*) potential: *um ~ acidente* a potential accident LOC **fazer (todo) o possível por/para** to do your best *to do sth Ver tb* MÁXIMO, MEDIDA, MELHOR

possuir *vt* (*ser dono de*) to own

posta *sf* (*peixe*) slice

postal ▸ *adj* postal ▸ *sm* postcard LOC *Ver* CÓDIGO, VALE[2]

poste *sm* **1** pole: *~ telegráfico* telegraph pole **2** (*Desp*) (goal)post: *A bola bateu no ~.* The ball hit the post. LOC **poste de alta tensão** pylon, transmission tower (*USA*) **poste de iluminação** lamp post

poster *sm* poster

posterior *adj* ~ **(a) 1** (*tempo*): *um acontecimento ~* a subsequent event ◇ *os anos ~es à guerra* the years after the war **2** (*lugar*): *a fachada ~ da casa* the back of the house

postiço, **-a** *adj* false: *dentadura postiça* false teeth

posto, **-a** ▸ *adj* (*preparado, vestido*): *Deixarei a mesa posta.* I'll leave the table laid. ◇ *Não embrulhe, levo-o já ~.* There's no need to put it in a bag. I'll wear it. ▸ *sm* **1** (*lugar*) place: *O primeiro ~ é ocupado pelo ciclista espanhol.* The Spanish cyclist is in first place. ◇ *Todos aos seus ~s!* Places, everyone! **2** (*em emprego*)

P

position: *Foi-lhe oferecido um novo ~.* He's been offered a new position. **3** (*polícia, bombeiros*) station LOC **posto de gasolina** petrol station, gas station (*USA*) **posto de saúde** health centre **posto de turismo** tourist information centre **posto de venda de jornais** newsstand ➲ *Ver nota em* CORREIO **posto médico** (*em escola*) sickroom *Ver tb* FOGO; *Ver tb* PÔR

postura *sf* **1** (*corporal*) posture **2** (*atitude*) attitude (*to/toward sb/sth*)

potável *adj* drinkable LOC **água potável** drinking water

pote *sm* **1** (*de geleia, açúcar, cosméticos, etc.*) jar **2** (*de iogurte, etc.*) pot ➲ *Ver ilustração em* CONTAINER

potência *sf* power: *~ atómica/económica* atomic/economic power ◇ *as Grandes Potências* the Great Powers LOC **de alta/grande potência** powerful **potência (em cavalos)** horsepower [*pl* horsepower] (*abrev* h.p.)

potente *adj* powerful

potro, -a *sm-sf* foal

Foal é o substantivo genérico. Para nos referirmos só ao macho dizemos **colt**, e à fêmea **filly** [*pl* **fillies**].

pouco, -a ▸ *adj* **1** [*com substantivo não-contável*] little, not much (*mais coloq*): *Demonstram muito ~ interesse.* They show very little interest. ◇ *Tenho ~ dinheiro.* I don't have much money. **2** [*com substantivo contável*] few, not many (*mais coloq*): *em poucas ocasiões* on very few occasions ◇ *Tem ~s amigos.* He hasn't got many friends.

Little ou **few**? **Little** normalmente acompanha substantivos não-contáveis, e o comparativo é **less**: *—Tenho pouco dinheiro. —Eu tenho ainda menos (que tu).* 'I've got very little money.' 'I've got even less money (than you).' **Few** normalmente acompanha substantivos no plural; a forma comparativa é **fewer**: *menos acidentes, pessoas, etc.* fewer accidents, people, etc. Contudo, no inglês falado emprega-se mais a palavra **less** do que **fewer**, com substantivos no plural: *less accidents, people, etc.* ➲ *Ver tb notas em* FEW *e* LITTLE

▸ *pron* little [*pl* few]: *Vieram muito ~s.* Very few came. ▸ *adv* **1** not much: *Come ~ para o tamanho que tem.* He doesn't eat much for his height. **2** (*pouco tempo*) not long: *Vi-a há ~.* I saw her not long ago. **3** [*com adjetivo*] not very: *É ~ inteligente.* He's not very intelligent. LOC **aos poucos** gradually **daí/dali a pouco** shortly after, a bit later (*mais coloq*) **daqui a pouco** in a little while **fazer pouco de** to make fun of *sb/sth* **pouco a pouco** little by little **pouco mais de** only just, barely (*mais formal*): *Tem ~ mais de três anos.* She's only just three. **pouco mais/menos (de)** just over/under: *~ menos de 5.000 pessoas* just under 5000 people **por pouco não...** nearly: *Por ~ não me atropelaram.* I was nearly run over. **um pouco** a little, a bit (*mais coloq*): *um ~ mais/melhor* a little more/better ◇ *um ~ de açúcar* a bit of sugar ◇ *Espera um ~.* Wait a bit. **uns poucos** a few: *uns ~s cravos* a few carnations ◇ *– Quantos queres? – Dá-me uns ~s.* 'How many would you like?' 'Just a few.' ➲ *Ver nota em* FEW ❶ Para outras expressões com **pouco**, ver as entradas para o substantivo, adjetivo, etc., p.ex. **ser pouca coisa** em COISA.

poupado, -a ▸ *adj* thrifty ▸ *sm-sf* saver LOC **ser pouco poupado** to be bad with money *Ver tb* POUPAR

poupança *sf* saving: *todas as minhas ~s* all my savings

poupar *vt, vi* to save: *~ tempo/dinheiro* to save time/money

pousada *sf* historic building converted into a luxury hotel LOC **pousada de juventude** youth hostel

pousar *vi* **1** ~ **(em/sobre)** (*avião, ave, inseto*) to land (on *sth*) **2** (*pó, sedimento*) to settle

povo *sm* people [*pl*]: *o ~ português* the Portuguese people

povoação *sf* **1** (*conjunto de pessoas*) population **2** (*localidade*) **(a)** (*cidade pequena*) town **(b)** (*aldeia*) village

povoado *sm* village

praça *sf* **1** (*espaço aberto*) square: *a ~ principal* the main square **2** (*mercado*) market(place) LOC **praça de touros** bullring *Ver tb* TÁXI

prado *sm* meadow

praga *sf* **1** (*maldição*) curse: *rogar uma ~ a alguém* to put a curse on sb **2** (*abundância de coisas importunas*) plague: *uma ~ de melgas* a plague of mosquitoes LOC **ser uma praga** to be a pain (in the neck): *Ele é uma grande ~, não para de nos chatear.* He's a real pain (in the neck). He never stops bugging us.

praguejar *vi* to swear: *Não parava de ~.* He kept cursing and swearing.

praia *sf* beach: *Passámos o verão na ~.* We spent the summer on the beach.

prancha *sf* board: *~ de saltos* diving board LOC **prancha de surf/windsurf** surfboard/windsurfer

pranto *sm* crying

P

prata *sf* silver: *um anel de ~* a silver ring **LOC** *Ver* BANHADO, BANHO, BODA, CASQUINHA

prateado, -a *adj* **1** (*cor*) silver: *tinta prateada* silver paint **2** (*revestido de prata*) silver-plated

prateleira *sf* shelf [*pl* shelves]: *numa ~* on a shelf

prática *sf* **1** practice: *Em teoria funciona, mas na ~...* It's all right in theory, but in practice... ◊ *pôr alguma coisa em ~* to put sth into practice **2** (*Educ, aula*) practical

praticamente *adv* practically

praticante *adj* practising: *Sou católico ~.* I'm a practising Catholic.

praticar *vt* **1** to practise: *~ medicina* to practise medicine **2** (*desporto*) to play: *Praticas algum desporto?* Do you play any sports? ➲ *Ver nota em* DESPORTO **LOC praticar boxe/pugilismo** to box

prático, -a *adj* practical

prato *sm* **1** (*utensílio*) **(a)** plate **(b)** (*para chávena*) saucer ➲ *Ver ilustração em* CUP **2** (*iguaria*) dish: *um ~ típico do país* a national dish **3** (*parte de uma refeição*) course: *Como primeiro ~ comi sopa.* I had soup for my first course. ◊ *o ~ principal* the main course **4 pratos** (*Mús*) cymbals **LOC pôr tudo em pratos limpos** to get things out into the open **prato fundo/de sopa** soup plate **prato raso/de sobremesa** dinner/dessert plate **ser um prato** (*pessoa*) to be a great laugh *Ver tb* LIMPAR

praxe *sf* custom

prazer *sm* pleasure: *Tenho o ~ de vos apresentar o Dr Garcia.* It is my pleasure to introduce Dr Garcia. **LOC muito prazer!/prazer em conhecê-lo!** pleased to meet you! **o prazer é (todo) meu!** the pleasure is all mine!

prazo *sm*: *O ~ acaba amanhã.* Tomorrow's the deadline. ◊ *o ~ de matrícula* the enrolment period ◊ *Temos dois meses de ~ para pagar.* We've got two months to pay. **LOC a curto/médio/longo prazo** in the short/medium/long term **prazo de validade** expiry date, expiration date (*USA*): *passar do ~ de validade* to be past its expiry date

precaução *sf* precaution: *tomar precauções contra o fogo* to take precautions against fire **LOC com precaução** carefully: *Circulem com ~.* Drive carefully. **por precaução** as a precaution

precavido, -a *adj* prepared: *Eu não me molharei pois vim ~.* I won't get wet as I came prepared. *Ver tb* PRECAVER-SE

precedente ▸ *adj* preceding ▸ *sm* precedent **LOC sem precedente** unprecedented

preceder *vt* to go/come before *sb/sth*, to precede (*mais formal*): *O adjetivo precede o nome.* The adjective goes before the noun.

preceito *sm* rule

preciosidade *sf* lovely [*adj*]: *Este vaso é uma ~.* This flowerpot is lovely.

precioso, -a *adj* precious: *o ~ dom da liberdade* the precious gift of freedom ◊ *uma pedra preciosa* a precious stone

precipício *sm* precipice

precipitação *sf* **1** (*pressa*) haste **2** (*chuva*) rainfall [*não-contável*]: *~ abundante* heavy rainfall

precipitado, -a *adj* hasty: *uma decisão precipitada* a hasty decision *Ver tb* PRECIPITAR-SE

precipitar-se *vp* **1** (*não pensar*) to be hasty: *Pensa bem, não te precipites.* Don't be hasty. Think it over. **2** (*atirar-se*) to throw yourself *out of sth*: *O paraquedista precipitou-se do avião para o vazio.* The parachutist jumped out of the plane. **3 ~ sobre** (*correr*) to rush towards *sb/sth*: *A multidão precipitou-se sobre a porta.* The crowd rushed towards the door.

precisão *sf* accuracy **LOC com precisão** accurately

precisar *vt* **1 ~ (de)** (*necessitar*) to need, to require (*mais formal*) **2** (*especificar*) to specify: *~ até ao último pormenor* to specify every detail **LOC precisa-se de...**: *Precisa-se de ajudante.* Assistant required.

preciso, -a *adj* **1** (*exato*) precise: *dar ordens precisas* to give precise instructions ◊ *a quantidade precisa para a receita* the precise amount for the recipe **2** (*necessário*): *Não foi ~ recorrerem aos bombeiros.* They didn't have to call the fire brigade. ◊ *É ~ que venhas.* You must come.

preço *sm* price: *~s de fábrica* factory prices ◊ *Qual é o ~ do quarto duplo?* How much is a double room? **LOC a preço fixo** at a fixed price **não ter preço** to be priceless *Ver tb* METADE, RELAÇÃO

precoce *adj* (*criança*) precocious

preconcebido, -a *adj* preconceived

preconceito *sm* prejudice

predador, -ora ▸ *adj* predatory ▸ *sm* predator

predileto, -a *adj* favorite

prédio *sm* **1** (*edifício*) building **2** (*apartamentos*) block of flats [*pl* blocks of flats], apartment building (*USA*)

predizer *vt* to foretell

predominante *adj* predominant

preencher *vt* (*formulário, impresso*) to fill *sth* in: *~ um formulário* to fill in a form

pré-escolar *adj* preschool: *crianças em idade ~* preschool children

pré-fabricado, **-a** *adj* prefabricated

prefácio *sm* preface

preferência *sf* preference LOC **de preferência** preferably *Ver tb* CONSUMIR

preferido, **-a** *adj, sm-sf* favourite *Ver tb* PREFERIR

preferir *vt* to prefer *sb/sth* (*to sb/sth*): *Prefiro chá a café.* I prefer tea to coffee. ◇ *Prefiro estudar de manhã.* I prefer to study in the morning.

Quando se pergunta o que uma pessoa prefere,utiliza-se **would prefer** quando se trata de duas coisas e **would rather** quando se trata de duas ações, por exemplo: *Preferes chá ou café?* Would you prefer tea or coffee? ◇ *Preferes ir ao cinema ou ver um vídeo?* Would you rather go to the cinema or watch a video?
Para responder a este tipo de perguntas deve utilizar-se **I would rather, he/she would rather**, etc. ou **I'd rather, he'd/she'd rather**, etc.: *– Preferes chá ou café? – Prefiro chá.* 'Would you prefer tea or coffee?' 'I'd rather have tea, please.' ◇ *– Queres sair? – Não, prefiro ficar em casa esta noite.* 'Would you like to go out?' 'No, I'd rather stay at home tonight.'
De notar que **would rather** é sempre seguido do infinitivo sem **to**.

P

preferível *adj* preferable LOC **ser preferível**: *É ~ que não entres agora.* It would be better not to go in now.

prefixo *sm* (*Ling*) prefix

prega *sf* **1** fold: *O tecido caía formando ~s.* The material hung in folds. **2** (*saia*) pleat

pregado, **-a** *adj* (*fixado*) nailed (*to sth*) *Ver tb* PREGAR[1, 2]

pregar[1] *vt, vi* (*Relig*) to preach

pregar[2] *vt* **1** (*prego*) to hammer *sth into sth*: *~ pregos na parede* to hammer nails into the wall **2** (*fixar alguma coisa com pregos*) to nail *sth to/onto sth*: *Pregaram o quadro à parede.* They nailed the picture onto the wall. **3** (*botão*) to sew *sth* on LOC **não pregar olho** not to sleep a wink **pregar uma partida** to play a joke *on sb* **pregar uma resteira/um truque** to play a dirty trick *on sb* **pregar um susto** to give *sb* a fright *Ver tb* SERMÃO

prego *sm* **1** (*de metal*) nail **2** (*Cozinha*) steak sandwich LOC **pôr no prego** to pawn *sth Ver tb* CASA

preguiça *sf* laziness LOC **dar preguiça** to feel sleepy: *Depois de comer dá-me cá uma ~.* I always feel very sleepy after lunch. **que preguiça**: *Que ~, não me apetece nada levantar agora!* I really don't feel like getting up now. **sentir/ter preguiça** to feel lazy

preguiçoso, **-a** ▸ *adj* lazy ▸ *sm-sf* slacker

pré-histórico, **-a** *adj* prehistoric

prejudicar *vt* **1** to damage: *A seca prejudicou as colheitas.* The drought damaged the crops. ◇ *Fumar prejudica a saúde.* Smoking can damage your health. **2** (*interesses*) to prejudice

prejudicial *adj* ~ **(a) 1** harmful (to *sb/sth*) **2** (*saúde*) bad (for *sb/sth*): *O tabaco é ~ à saúde.* Cigarettes are bad for your health.

prejuízo *sm* **1** (*em negócio*) loss: *um ~ de um milhão de euros* a million-euro loss ◇ *A empresa teve muitos ~s.* The firm suffered many losses. **2** (*dano*) harm [*não-contável*]: *causar ~s a alguém* to cause sb harm LOC **ser em prejuízo de alguém** to go against sb *Ver tb* DANO

prematuro, **-a** *adj* premature

premeditado, **-a** *adj* planned: *E foi ~!* And it was planned beforehand!

pré-menstrual *adj* LOC *Ver* SÍNDROME

premer (*tb* **premir**) *vt* **1** to press: *Prema a tecla duas vezes.* Press the key twice. **2** (*campainha*) to ring

premiado, **-a** ▸ *adj* **1** (*escritor, livro*) prizewinning **2** (*número, cautela*) winning ▸ *sm-sf* prize-winner

premiar *vt* **1** to award *sb* a prize: *Premiaram o romancista.* The novelist was awarded a prize. ◇ *Foi premiado com um óscar.* He was awarded an Oscar. **2** (*recompensar*) to reward: *~ alguém pelo seu esforço* to reward sb for their efforts

prémio *sm* **1** prize: *Ganhei o primeiro ~.* I won first prize. ◇ *~ de consolação* consolation prize **2** (*recompensa*) reward: *como ~ pelo teu esforço* as a reward for your efforts LOC *Ver* ENTREGA

pré-natal *adj* (*consultas*) antenatal, prenatal (*USA*)

prenda *sf* **1** (*presente*) present **2 prendas** (*jogo*) forfeits

prender ▸ *vt* **1** (*atar*) to tie *sb/sth* (up): *Prendeu o cão a um banco do jardim.* She tied the dog (up) to a garden seat. **2** (*cabelo*) to tie *sth* back **3** (*com alfinetes*) to pin *sth* (*to/on sth*): *Prendi a manga com alfinetes.* I pinned the sleeve on. **4** (*deter*) to arrest **5** (*encarcerar*) to imprison **6** (*Mil*) to take *sb* prisoner
▸ **prender-se** *vp* **1** (*ficar preso*) to get caught: *Prendeu-se-me um sapato no gradeamento.* My shoe got caught in the grating.
2 (*imobilizar-se*) to get stuck: *A roda prendeu-*

-se. The wheel's got stuck. LOC **prender os intestinos** to make *sb* constipated

prenhe *adj* pregnant

prensar *vt* to press

preocupação *sf* worry [*pl* worries]

preocupar ▸ *vt* to worry: *Preocupa-me a saúde do meu pai.* My father's health worries me. ▸ **preocupar-se** *vp* **preocupar-se (com)** to worry (about *sb/sth*): *Não te preocupes comigo.* Don't worry about me. LOC **não se preocupar (nada) com alguma coisa** not to care about sth: *Não se preocupa nada com os estudos.* He doesn't care about school.

preparação *sf* **1** preparation: *Tempo de ~: 10 minutos.* Preparation time: 10 minutes. **2** (*treino*) training: *~ profissional/física* professional/physical training

preparado, -a *adj* **1** (*pronto*) ready: *O jantar está ~.* Dinner is ready. **2** (*pessoa*) qualified *Ver tb* PREPARAR

preparar ▸ *vt* to prepare, to get *sb/sth* ready (*mais coloq*): *~ o jantar* to get supper ready ▸ **preparar-se** *vp* **preparar-se para** to prepare for *sth*: *Prepara-se para fazer o exame de condução.* He's preparing for his driving test.

preparativos *sm* preparations

preparatório, -a *adj* LOC *Ver* ESCOLA

preposição *sf* preposition

prepotente *adj* arrogant

presa *sf* (*caça*) prey [*não-contável*]

prescindir *vi* ~ **de 1** (*privar-se*) to do without *sth*: *Não posso ~ do carro.* I can't do without the car. **2** (*desfazer-se*) to dispense with *sb*: *Prescindiram do treinador.* They dispensed with the trainer.

presença *sf* presence: *A sua ~ põe-me nervosa.* His presence makes me nervous. LOC **presença de espírito** presence of mind *Ver tb* LUZ

presenciar *vt* **1** (*testemunhar*) to witness: *Muita gente presenciou o acidente.* Many people witnessed the accident. **2** (*estar presente*) to attend: *Presenciaram o encontro mais de 10.000 espetadores.* More than 10000 spectators attended the match.

presente ▸ *sm* (*prenda, Gram*) present ▸ *adj, smf* ~ **(em)** present (at *sth*) [*adj*]: *entre os ~s na reunião* among those present at the meeting LOC *Ver* EMBRULHAR

presentear *vi* ~ **com** to give *sb sth*: *Presenteou-me com um ramo de flores.* She gave me a bunch of flowers.

presépio *sm* crib, crèche (*USA*): *Vamos montar o ~.* Let's set up the crib.

preservação *sf* conservation

preservativo *sm* condom

presidência *sf* **1** presidency [*pl* presidencies]: *a ~ de um país* the presidency of a country **2** (*clube, comité, empresa, partido*) chairmanship

presidencial *adj* presidential

presidente, -a *sm-sf* **1** (*Pol*) president: *Presidente da República* President of the Republic **2** (*clube, comité, empresa, partido*) chairman/woman [*pl* -men/-women] ❶ Cada vez se utiliza mais a palavra **chair** ou **chairperson** [*pl* **chairpersons**] para evitar o sexismo. **3** (*companhia*) managing director LOC **presidente da câmara** mayor

presidiário, -a *sm-sf* convict

presidir *vi* ~ **a** to preside at/over *sth*: *O secretário presidirá à reunião.* The secretary will preside at/over the meeting.

preso, -a ▸ *adj* **1** (*atado*) tied up **2** (*prisioneiro*): *estar ~* to be in prison ◇ *Levaram-no ~.* They arrested him . **3** (*imobilizado*) stuck ▸ *sm-sf* prisoner *Ver tb* PRENDER

pressa *sf* hurry: *Não há ~.* There's no hurry. ◇ *Com a ~ esqueci-me de o desligar.* I was in such a hurry that I forgot to unplug it. LOC **à pressa** in a hurry **estar com/ter pressa** to be in a hurry

presságio *sm* omen

pressão *sf* pressure: *a ~ atmosférica* atmospheric pressure LOC *Ver* INDICADOR, PANELA

pressentimento *sm* feeling: *Tenho o ~ de que...* I have a feeling that... ◇ *Tenho um mau ~.* I've got a bad feeling about it.

pressentir *vt* to have a feeling (*that...*): *Pressinto que vais passar.* I've got a feeling that you're going to pass.

pressionar *vt* **1** (*apertar*) to press **2** (*forçar*) to put pressure on *sb* (*to do sth*): *Não o pressiones.* Don't put pressure on him.

prestação *sf* (*pagamento*) instalment: *pagar alguma coisa a prestações* to pay for sth in instalments LOC *Ver* COMPRAR

prestar *vi* ~ **(para) 1** (*servir*) to do: *Esta caneta presta?* Will this pen do? ◇ *Isso presta para quê?* What's that for? ❶ Para dizer *não prestar* emprega-se **be no good**: *Atirei fora as esferográficas que não prestavam.* I threw away all the pens that were no good. **2** (*pessoa*) to be good (as *sth*): *Eu não prestaria para professora.* I'd be no good as a teacher. LOC **não prestar para nada 1** (*ser inútil*) to be useless: *Isto não presta para nada.* This is utterly useless. **2** (*de má qualidade*) to be rubbish: *O filme não presta para nada.* The film is rubbish. **prestar atenção** to pay attention **prestar culto** to worship **prestar declarações** to give evidence **prestar depoimento 1** (*em esquadra*) to make a statement **2** (*em tribunal*) to give evidence **prestar juramento** to take an oath **prestar-se ao ridículo** to make a fool of yourself **prestar um serviço** to provide a service

prestativo, **-a** *adj* helpful

prestes *adj* ~ **a** ready *to do sth*: *Estava ~ a sair quando tocou o telefone.* I was ready to go out when the phone rang.

prestidigitador, **-ora** *sm-sf* conjurer

prestígio *sm* prestige LOC **com muito prestígio** very prestigious

presumido, **-a** *adj* vain

presumível *adj* alleged: *o ~ criminoso* the alleged criminal

presunçoso, **-a** *adj* (*convencido*) conceited

presunto *sm* cured ham

pretender *vt* **1** (*querer*) to want: *O que é que pretendes de mim?* What do you want from me? ◇ *Pretende que eu acabe o projeto hoje?* Do you want me to finish the project today? **2** (*ter o propósito*) to intend *to do sth/doing sth*: *Ele não pretende ficar em nossa casa, pois não?* He's not intending to stay at our house, is he? **3** (*intentar*) to try *to do sth*: *O que é que ele pretende dizer-nos?* What's he trying to tell us?

pretexto *sm* excuse: *Encontras sempre algum ~ para não lavares a louça.* You always find some excuse not to wash up.

preto, **-a** *adj, sm* black: *Veste-se sempre de ~.* She always wears black. ◇ *uns sapatos ~s* a pair of black shoes ➲ *Ver exemplos em* AMARELO LOC *Ver* CERVEJA

prevenção *sf* prevention

prevenido, **-a** *adj* **1** (*preparado*) prepared: *estar ~ para alguma coisa* to be prepared for sth **2** (*prudente*) prudent: *ser ~* to be prudent *Ver tb* PREVENIR

prevenir *vt* **1** (*evitar*) to prevent: *~ um acidente* to prevent an accident **2** (*avisar*) to warn *sb about sth*: *Preveni-te do que eles planeavam.* I warned you about what they were planning.

preventivo, **-a** *adj*: *medidas preventivas contra a cólera* measures to prevent cholera

prever *vt* to foresee

previdente *adj* far-sighted

prévio, **-a** *adj*: *experiência prévia* previous experience ◇ *sem aviso ~* without prior warning

previsão *sf* forecast: *a ~ do tempo* the weather forecast

primária *sf* (*escola*) primary school, elementary school (*USA*)

primário, **-a** *adj* primary: *cor primária* primary colour ◇ *ensino ~* primary education ◇ *professor ~* primary school teacher

primavera *sf* spring: *na ~* in (the) spring

primeira *sf* **1** (*automóvel*) first (gear): *Meti a ~ e saí a toda a velocidade.* I put it into first and sped off. **2** (*classe*) first class: *viajar em ~* to travel first class LOC **à primeira** first time: *Saiu-me bem à ~.* I got it right first time.

primeiro, **-a** ▸ *adj* **1** first (*abrev* 1st): *primeira classe* first class ◇ *Gostei dele desde o ~ momento.* I liked it from the first moment. **2** (*principal*) main, principal (*mais formal*): *o ~ de todos os países produtores de açúcar* the principal sugar-producing country in the world ▸ *pron, sm-sf* **1** first (one): *Fomos os ~s a sair.* We were the first (ones) to leave. **2** (*melhor*) top: *És o ~ da turma.* You're top of the class. ▸ *adv* first: *Prefiro fazer ~ os deveres.* I'd rather do my homework first. ◇ *chegar ~* to come first LOC **à primeira vista** at first glance **de primeira necessidade** absolutely essential **em primeira mão** brand new: *Ele comprou um carro em primeira mão.* He bought a brand new car. **primeira página** (*Jornal*) front page: *uma notícia de primeira página* front page news **primeiro plano** close-up **primeiro que tudo** first of all **primeiros socorros** first aid [*não-contável, v sing*] *Ver tb* CAIXA[1], CLASSE, ESTOJO

primeiro-ministro, **primeira-ministra** *sm-sf* prime minister

primitivo, **-a** *adj* primitive

primo, **-a** *sm-sf* cousin LOC **primo direito/segundo primo** first/second cousin *Ver tb* NÚMERO

princesa *sf* princess

principal *adj* main, principal (*mais formal*): *prato/oração ~* main course/clause ◇ *Isso é o ~.* That's the main thing. LOC *Ver* ATOR, PAPEL

príncipe *sm* prince ❶ O plural de **prince** é "princes". Contudo, quando nos referimos a um casal de príncipes, dizemos "prince and princess": *Os príncipes receberam-nos no palácio.* The prince and princess received us at the palace. LOC **príncipe encantado** Prince Charming **príncipe herdeiro** Crown prince

principiante *smf* beginner

princípio *sm* **1** (*início*) beginning: *no ~ do romance* at the beginning of the novel ◇ *desde o ~* from the beginning ➲ *Ver nota em* BEGINNING **2** (*conceito, moral*) principle LOC **a(o) princípio** at first **do princípio ao fim** from beginning to end **em princípio** in principle **no(s) princípio(s)**

de... at the beginning of...: *no ~ do ano/mês* at the beginning of the year/month ◇ *no ~ de janeiro* in early January **por princípio** on principle

prioridade *sf* priority [*pl* priorities] LOC *Ver* SINAL

prisão *sf* **1** (*local*) prison: *ir para a ~* to go to prison ◇ *Mandaram-no para a ~.* They put him in prison. **2** (*detenção*) arrest **3** (*clausura*) imprisonment: *10 meses de ~* 10 months' imprisonment LOC **prisão de ventre** constipation **prisão perpétua** life imprisonment

prisioneiro, -a *sm-sf* prisoner LOC **fazer prisioneiro** to take *sb* prisoner

privacidade *sf* privacy: *o direito à ~* the right to privacy

privado, -a *adj* private: *em ~* in private LOC *Ver* DETETIVE, EMPRESA, ESCOLA; *Ver tb* PRIVAR

privar ▸ *vt* to deprive *sb/sth* (*of sth*) ▸ **privar-se** *vp* **privar-se de** to do without *sth*

privilegiado, -a ▸ *adj* **1** (*excecional*) exceptional: *uma memória privilegiada* an exceptional memory **2** (*favorecido*) privileged: *as classes privilegiadas* the privileged classes ▸ *sm-sf* privileged [*adj*]: *Somos uns ~s.* We're privileged people.

privilégio *sm* privilege

pró *sm* LOC **os prós e os contras** the pros and cons

proa *sf* bow(s) [*usa-se muito no plural*]

probabilidade *sf* chance: *Creio que tenho bastantes ~s de passar.* I think I've got a good chance of passing. ◇ *Tem poucas ~s.* He hasn't got much chance.

problema *sm* problem LOC **o problema é teu!** tough! *Ver tb* ARRANJAR

procedência *sf* origin

procedente *adj* **~ de** from...: *o comboio ~ de Braga* the train from Braga

procedimento *sm* procedure: *de acordo com os ~s convencionalizados* according to established procedure

processador *sm* (*Informát*) processor: *~ de dados/texto* data/word processor

processamento *sm* processing: *~ de dados/texto* data/word processing

processar *vt* **1** (*classificar*) to file **2** (*Informát*) to store: *~ dados* to store data **3** (*Jur*) **(a)** (*indivíduo*) to sue *sb* (*for sth*) **(b)** (*Estado*) to prosecute *sb* (*for sth/doing sth*): *Processaram-na por fraude.* She was prosecuted for fraud.

processo *sm* **1** process: *um ~ químico* a chemical process **2** (*Jur*) **(a)** (*ação civil*) lawsuit **(b)** (*divórcio, falência*) proceedings [*pl*]

procissão *sf* procession

proclamar *vt* to proclaim

procura *sf* **1 ~ (de)** search (for *sth*): *a ~ de uma solução pacífica* the search for a peaceful solution **2** (*Com*) demand: *a oferta e a ~* supply and demand LOC **à procura de**: *andar à ~ de alguém/alguma coisa* to be looking for sb/sth

procuração *sf* (*Jur*) power of attorney

procurar ▸ *vt* **1** to look for *sb/sth*: *Procuro trabalho.* I'm looking for work. **2** (*sistematicamente*) to search for *sb/sth*: *Usam cães para ~ a droga.* They use dogs to search for drugs. **3** (*num livro, numa lista*) to look *sth* up: *~ uma palavra no dicionário* to look a word up in the dictionary **4 ~ fazer alguma coisa** to try to do sth: *Procuremos descansar.* Let's try to rest. ▸ *vi* **~ (em)** to look (in/through *sth*): *Procurei no arquivo.* I looked in the file. LOC **procurar uma agulha num palheiro** to look for a needle in a haystack **procura-se** wanted: *Procura-se apartamento.* Flat wanted.

prodígio *sm* prodigy [*pl* prodigies]

produção *sf* **1** production: *a ~ de aço* steel production **2** (*industrial, artística*) output

produto *sm* product: *~s de beleza/limpeza* beauty/cleaning products LOC **produto interno bruto** (*abrev* **PIB**) gross domestic product (*abrev* GDP) **produto químico** chemical **produtos agrícolas/do campo** agricultural/farm produce [*não-contável*] ➲ *Ver nota em* PRODUCT **produtos alimentares** foodstuffs

produtor, -ora ▸ *adj* producing: *um país ~ de petróleo* an oil-producing country ▸ *sm-sf* producer

produtora *sf* production company [*pl* production companies]

produzir *vt* to produce: *~ óleo/papel* to produce oil/paper LOC *Ver* VERTIGEM

proeza *sf* exploit LOC **ser uma grande proeza** to be quite a feat

proferir *vt* **1** (*palavra, frase*) to utter **2** (*discurso*) to give: *~ um discurso* to give a speech **3** (*insultos*) to hurl **4** (*acusações, desejo*) to make **5** (*sentença*) to pass

professor, -ora *sm-sf* **1** teacher: *um ~ de geografia* a geography teacher **2** (*de universidade*) lecturer

profeta, -isa *sm-sf* prophet

profissão *sf* profession ➲ *Ver nota em* WORK

profissional *adj, smf* professional: *um ~ de xadrez* a professional chess player LOC *Ver* ESCOLA, FORMAÇÃO

profissionalizante *adj* (*curso*) vocational

profundidade *sf* depth: *a 400 metros de ~* at a depth of 400 metres ◇ *Tem 200 metros de ~.* It's 200 metres deep. LOC **pouca profundidade** shallowness

profundo, -a *adj* deep: *uma voz profunda* a deep voice ◇ *cair num sono ~* to fall into a deep sleep LOC **pouco profundo** shallow

prognóstico *sm* **1** (*Med*) prognosis [*pl* prognoses]: *Qual é o ~ dos especialistas?* What do the specialists think? **2** (*tempo*) forecast: *o ~ do tempo* the weather forecast

programa *sm* **1** programme: *um ~ de televisão* a TV programme ◇ *~ cómico* comedy programme **2** (*Informát*) program **3** (*matéria de uma disciplina*) syllabus [*pl* syllabuses/syllabi] **4** (*plano*) plan: *Tens ~ para sábado?* Have you got anything planned for Saturday? LOC **programa de estudos** curriculum [*pl* curricula/curriculums]

programação *sf* **1** (*rádio, televisão*) programmes [*pl*]: *a ~ infantil* children's programmes **2** (*Informát*) programming

programador, -ora *sm-sf* (*Informát*) programmer

programar ▸ *vt* **1** (*elaborar*) to plan **2** (*dispositivo*) to set: *~ o vídeo* to set the video ▸ *vt, vi* (*Informát*) to program

progredir *vi* to make progress: *Progrediu muito.* He's made good progress.

progresso *sm* progress [*não-contável*]: *fazer ~s* to make progress

proibido, -a *adj* forbidden: *O fruto ~ é o mais apetecido.* Forbidden fruit is the tastiest. ◇ *circular em sentido ~* to drive the wrong way LOC **proibida a entrada** no entry: *Proibida a entrada de cães.* No dogs. ◇ *Proibida a entrada a menores de 18 anos.* No admittance to under-18s. **proibido afixar anúncios/cartazes** no fly-posting **proibida a passagem** no access **proibido fumar** no smoking **proibido pisar a relva** keep off the grass *Ver tb* SENTIDO, TRÂNSITO; *Ver tb* PROIBIR

proibir *vt* **1** not to allow *sb*, to forbid *sb* (*mais formal*) *to do sth*: *O meu pai proibiu-me de sair à noite.* My father doesn't allow me to go out at night. ◇ *Proibiram-na de comer doces.* She's been forbidden to eat sweets. **2** (*oficialmente*) to ban *sb/sth* (*from doing sth*): *Proibiram o trânsito no centro da cidade.* Traffic has been banned in the town centre.

projetar *vt* **1** (*refletir*) to project: *~ uma imagem num ecrã* to project an image onto a screen **2** (*Cinema*) to show: *~ slides/um filme* to show slides/a film

projeto *sm* **1** project: *Estamos quase no final do ~.* We're almost at the end of the project. **2** (*plano*) plan: *Tens algum ~ para o futuro?* Have you got any plans for the future? LOC **projeto de lei** bill

projetor *sm* **1** (*lâmpada*) spotlight: *Vários ~es iluminavam o monumento.* Several spotlights lit up the monument. **2** (*de slides, etc.*) projector

prol *sm* LOC **em prol de** in favour of *sb/sth*: *a organização em ~ dos cegos* the society for the blind

prólogo *sm* prologue

prolongamento *sm* **1** (*de um prazo*) extension **2** (*Desp*) extra time, overtime (*USA*)

prolongar ▸ *vt* **1** (*tempo*) to prolong, to make *sth* longer (*mais coloq*): *~ a vida de um doente* to prolong a patient's life **2** (*espaço*) to extend: *~ uma estrada* to extend a road ▸ **prolongar-se** *vp* (*demorar demasiado*) to drag on: *A reunião prolongou-se até às duas.* The meeting dragged on till two.

promessa *sf* promise: *cumprir/fazer uma ~* to keep/make a promise ◇ *uma jovem ~* a young woman with great promise

prometer *vt* to promise: *Prometo-te que volto.* I promise I'll come back. ◇ *Prometo-te.* I promise (you).

prometido, -a *sm-sf* (*noivo*) **1** (*masc*) fiancé **2** (*fem*) fiancée LOC *Ver* FALTAR

promoção *sf* promotion: *a ~ de um filme* the promotion of a film LOC **em promoção** on special offer

promotor, -ora *sm-sf* promoter LOC **promotor público** public prosecutor, district attorney [*pl* district attorneys] (*USA*)

promover *vt* to promote: *~ o diálogo* to promote dialogue ◇ *Promoveram-no a capitão.* He was promoted to captain.

pronome *sm* pronoun

prontificar-se *vp* ~ **a** to offer *to do sth*

pronto, -a ▸ *adj* **1** (*preparado*) ready (*for sth/to do sth*): *Está tudo ~ para a festa.* Everything is ready for the party. ◇ *Estamos ~s para sair.* We're ready to leave. **2** (*cozinhado*) done: *O frango ainda não está ~.* The chicken isn't done yet. ▸ **pronto!** *interj* **1** (*bom!*) right (then)! **2** (*e acabou-se!*) so there!: *Pois agora não vou, ~!* Well, now I'm not going, so there! LOC *Ver* PAGAR

pronto-a-comer *sm* takeaway, takeout (*USA*)

pronto-a-vestir *sm* (*loja*) clothes shop, clothes store (*USA*)

pronto-socorro *sm* **1** (*ambulância*) ambulance **2** (*reboque*) breakdown truck, tow truck (*USA*)

pronúncia *sf* **1** pronunciation **2** (*sotaque*) accent: *falar com uma ~ estrangeira* to speak with a foreign accent

pronunciar ▸ *vt* to pronounce ▸ *vi*: *Pronuncias muito bem.* Your pronunciation is very good. ▸ **pronunciar-se** *vp* **pronunciar-se contra/a favor de** to speak out against/in favour of *sth*: *pronunciar-se contra a violência* to speak out against violence

propaganda *sf* **1** (*publicidade, material publicitário*) advertising: *fazer ~ de um produto* to advertise a product ◇ *A caixa do correio estava cheia de ~.* The letter box was full of advertising leaflets. ❶ No sentido pejorativo, à propaganda pelo correio chamamos **junk mail** e à propaganda por e-mail **spam**. **2** (*Pol*) propaganda: *~ eleitoral* election propaganda

propagar(-se) *vt, vp* to spread: *O vento propagou as chamas.* The wind spread the flames.

propenso, -a *adj* ~ **a** prone to *sth/to do sth*

propina *sf* fee: *~s académicas* tuition fees

propor ▸ *vt* **1** (*medida, plano*) to propose: *Proponho-te um acordo.* I've got a deal to propose to you. **2** (*ação*) to suggest *doing sth/that...*: *Proponho que vamos ao cinema esta tarde.* I suggest going to the cinema this evening. ◇ *Propôs que nos fôssemos embora.* He suggested (that) we should leave. ▸ **propor-se** *vp* **1 propor-se a** (*oferecer-se*) to offer *to do sth*: *Propus-me a ajudar.* I offered to help. **2** (*decidir-se*) to set out *to do sth*: *Propus-me acabá-lo.* I set out to finish it.

proporção *sf* **1** (*relação, tamanho*) proportion: *O comprimento deve estar em ~ com a largura.* The length must be in proportion to the width. **2** (*Mat*) ratio: *A ~ de rapazes e raparigas é de um para três.* The ratio of boys to girls is one to three.

proporcionar ▸ *vt* (*arranjar*) to arrange ▸ **proporcionar-se** *vp* (*ocasião*) to arise: *Proporcionou-se a ocasião de ela ir à TV.* The opportunity for her to go on TV arose.

propósito *sm* **1** (*intenção*) intention: *bons ~s* good intentions **2** (*objetivo*) purpose: *O ~ desta reunião é...* The purpose of this meeting is... **3 propósitos** (*maneiras*) manners: *Não tem ~s nenhuns.* He has no manners. LOC **a propósito** by the way **de propósito** on purpose

proposta *sf* proposal: *A ~ foi recusada.* The proposal was turned down. LOC **fazer propostas desonestas** to make improper suggestions **proposta de casamento** proposal (of marriage): *fazer uma ~ de casamento a alguém* to propose to sb

propriedade *sf* property [*pl* properties]: *~ particular/privada* private property ◇ *as ~s medicinais das plantas* the medicinal properties of plants

proprietário, -a *sm-sf* owner

próprio, -a ▸ *adj* **1** (*de cada um*) my, your, etc. own: *Tudo o que fazes é em benefício ~.* Everything you do is for your own benefit. **2** (*mesmo*) himself, herself, themselves: *O ~ pintor inaugurou a exposição.* The painter himself opened the exhibition. **3** (*característico*) typical *of sb*: *Chegar tarde é ~ dela.* It's typical of her to be late. ▸ *pron* **1 o próprio/a própria** the very same **2** (*ao telefone*): *É o ~.* Speaking. LOC **na própria baliza**: *marcar um golo na própria baliza* to score an own goal *Ver tb* CONFIANÇA, CONTA, NOME

prosa *sf* prose

prosperar *vi* to prosper

prosperidade *sf* prosperity

próspero, -a *adj* prosperous

prospeto *sm* leaflet

próstata *sf* prostate (gland)

prostituta *sf* prostitute

protagonista *smf* main character

protagonizar *vt* to star in *sth*: *Protagonizam o filme dois atores desconhecidos.* Two unknown actors star in this film.

proteção *sf* protection

proteger *vt* to protect *sb/sth* (*against/from sb/sth*): *O chapéu protege-te do sol.* Your hat protects you from the sun. ◇ *A lei protege-nos de abusos.* The law protects us from abuse.

proteína *sf* protein

protestante *adj, smf* Protestant

protestantismo *sm* Protestantism

protestar *vi* **1** ~ **(contra/por)** (*reivindicar*) to protest (against/about *sth*): *~ contra uma lei* to protest against a law **2** ~ **(por)** (*queixar-se*) to complain (about *sth*): *Para de ~.* Stop complaining.

protesto *sm* protest: *Ignoraram os ~s dos alunos.* They ignored the students' protests. ◇ *uma carta de ~* a letter of protest

protetor, -ora ▸ *adj* protective (*towards sb*) ▸ *sm* (*solar*) sunscreen

protótipo *sm* **1** (*primeiro exemplar*) prototype: *o ~ dos novos motores* the prototype for the new engines **2** (*modelo*) epitome: *o ~ do homem moderno* the epitome of modern man

prova *sf* **1** test: *uma ~ de aptidão* an aptitude test ◇ *~s orais* orals **2** (*Mat*) proof **3** (*Desp*): *Hoje começam as ~s de salto em altura.* The high jump competition begins today.

P

4 *(amostra)* token: *uma ~ de amor* a token of love **5** *(Jur)* evidence *[não-contável]*: *Não há ~s contra mim.* There's no evidence against me. LOC **à prova de bala** bulletproof **pôr alguém à prova** to test sb **prova de fogo** acid test **prova de vinhos** wine tasting **prova geral de acesso** university entrance exam **prova global** final exam: *As ~s globais começam para a semana.* Finals start next week. *Ver tb* CABINA, COLETE

provador *sm* fitting room

provar *vt* **1** *(demonstrar)* to prove: *Isto prova que eu tinha razão.* This proves I was right. **2** *(comida, bebida)* **(a)** *(pela primeira vez)* to try: *Nunca provei caviar.* I've never tried caviar. **(b)** *(degustar)* to taste: *Prova isto. Está insosso?* Taste this. Does it need salt? **3** *(roupa)* to try *sth* on

provável *adj* likely, probable *(mais formal)*: *É ~ que não esteja em casa.* He probably won't be in. ◇ *É muito ~ que chova.* It's likely to rain. LOC **pouco provável** unlikely, improbable *(mais formal)*

provavelmente *adv* probably

provedor *sm* LOC **provedor de (serviços de) Internet** Internet Service Provider *(abrev* ISP)

proveito *sm* benefit LOC **bom proveito!** enjoy your meal! **tirar proveito** to benefit *from sth*: *tirar o máximo ~ de alguma coisa* to get the most out of sth

proveniente *adj* ~ **de** from...: *o voo ~ de Madrid* the flight from Madrid

provérbio *sm* proverb

proveta *sf* test tube

providência *sf* *(medida)* measure LOC **tomar providências** to take steps

província *sf* province: *uma vila da ~ do Minho* a town in the Minho province

provinciano, **-a** *adj, sm-sf* provincial

provir *vi* ~ **de** to come from *sth*: *A sidra provém da maçã.* Cider comes from apples.

provisório, **-a** *adj* provisional

provocar *vt* **1** *(desafiar)* to provoke **2** *(causar)* to cause: *~ um acidente* to cause an accident **3** *(incêndio)* to start

proximidade *sf* nearness, proximity *(mais formal)*: *a ~ do mar* the proximity of the sea

próximo, **-a** ▸ *adj* **1** *(seguinte)* next: *a próxima paragem* the next stop ◇ *para o ~ mês/a próxima terça* next month/Tuesday **2** *(relativo a tempo)*: *O Natal/verão está ~.* It will soon be Christmas/summer. **3** ~ **(de)** *(relativo a intimidade)* close to *sth*: *um parente ~* a close relative ◇ *fontes próximas da família* sources close to the family **4** ~ **de** *(relativo a distância)* near *sb/sth*, close to *sb/sth*: *uma aldeia próxima de Coimbra* a village near Coimbra ➲ *Ver nota em* NEAR ▸ *sm* neighbour: *amar o ~* to love your neighbour LOC *Ver* ORIENTE

prudência *sf* caution LOC **com prudência** carefully: *conduzir com ~* to drive carefully

prudente *adj* **1** *(cuidadoso)* careful **2** *(sensato)* sensible: *um homem/uma decisão ~* a sensible man/decision

prurido *sm* itch

pseudónimo *sm* pseudonym

psicologia *sf* psychology

psicólogo, **-a** *sm-sf* psychologist

psiquiatra *smf* psychiatrist

psiquiatria *sf* psychiatry

psiquiátrico, **-a** *adj* psychiatric

pub *sm* bar ➲ *Ver nota em pág. 587*

puberdade *sf* puberty

púbis *sm ou sf (tb* **pube** *sf)* pubis

publicação *sf* publication LOC **de publicação semanal** weekly: *uma revista de ~ semanal* a weekly magazine

publicar *vt* **1** to publish: *~ um romance* to publish a novel **2** *(divulgar)* to publicize

publicidade *sf* **1** publicity: *Foi feita demasiada ~ do caso.* The case has had too much publicity. **2** *(propaganda)* advertising: *fazer ~ na televisão* to advertise on TV LOC **publicidade dissimulada** subliminal advertising

publicitário, **-a** ▸ *adj* advertising: *uma campanha publicitária* an advertising campaign ▸ *sm-sf* advertising executive LOC *Ver* PLACARD

público, **-a** ▸ *adj* **1** public: *a opinião pública* public opinion ◇ *transporte ~* public transport **2** *(do Estado)* state: *o sector ~* the state sector ▸ *sm* **1** public *[v sing ou pl]*: *O ~ é a favor da nova lei.* The public is/are in favour of the new law. ◇ *aberto/fechado ao ~* open/closed to the public ◇ *falar em ~* to speak in public **2** *(espetadores)* audience *[v sing ou pl]* ❶ Para expressões com **público**, ver as entradas para o substantivo, verbo, etc., p. ex. **promotor público** em PROMOTOR.

pudim *sm* pudding

pudim-flan *sm* crème caramel

pudor *sm* modesty LOC **ter pudor** *(constrangimento)* to be embarrassed *(about sth)*: *Ela tem ~ em usar biquíni.* She's embarrassed about wearing a bikini.

puericultura *sf* childcare

pugilismo *(tb* **pugilato**) *sm* boxing LOC *Ver* PRATICAR

pugilista *smf* boxer

P

puído, **-a** *adj* threadbare

pular *vi* to jump

pulga *sf* flea LOC **estar com a pulga atrás da orelha** to smell a rat **estar em pulgas** to be on tenterhooks

pulmão *sm* lung

pulmonar *adj* lung [s]: *uma infeção ~* a lung infection

pulo *sm* jump LOC **dar pulos** to jump: *dar ~s de alegria* to jump for joy

pulôver *sm* pullover

púlpito *sm* pulpit

pulsação *sf* (*coração*) pulse rate: *Com o exercício aumenta o número de pulsações.* Your pulse rate increases after exercise.

pulseira *sf* **1** (*bracelete*) bracelet **2** (*relógio*) strap

pulso *sm* **1** (*Anat*) wrist: *fraturar o ~* to fracture your wrist **2** (*Med*) pulse: *Tens o ~ muito fraco.* You have a very weak pulse. ◇ *O médico tomou-me o ~.* The doctor took my pulse. **3** (*mão firme*) (steady) hand: *ter ~ (firme)* to have a steady hand LOC **a pulso** with my, your, etc. bare hands: *Levantou-me a ~.* He lifted me up with his bare hands.

pulverizador *sm* spray

pulverizar *vt* **1** (*vaporizar*) to spray *sth* (*with sth*): *As plantas devem ser pulverizadas duas vezes ao dia.* The plants should be sprayed twice a day. **2** (*destroçar*) to pulverize

puma *sm* puma

punhado *sm* handful: *um ~ de arroz* a handful of rice

punhal *sm* dagger

punhalada *sf* stab

punho *sm* **1** (*mão fechada*) fist **2** (*manga*) cuff **3** (*bastão, guarda-chuva*) handle **4** (*espada*) hilt LOC **punho elástico** wristband *Ver tb* BOTÃO, ESCRITO

punk *adj, smf* punk

pupila *sf* pupil

puré *sm* purée: *~ de maçã* apple purée LOC **puré de batata** mashed potato

pureza *sf* purity

purgatório *sm* purgatory

purificador *sm* LOC **purificador do ar** air freshener

purificar *vt* to purify

puritanismo *sm* puritanism

puritano, **-a** ▸ *adj* **1** (*púdico*) puritanical **2** (*Relig*) Puritan ▸ *sm-sf* Puritan

puro, **-a** *adj* **1** pure: *ouro ~* pure gold **2** [*uso enfático*] simple: *a pura verdade* the simple truth LOC **por puro acaso/pura casualidade** by sheer luck

puro-sangue *sm* thoroughbred

púrpura *sf* purple ➲ *Ver exemplos em* AMARELO

pus *sm* pus

puta *sf* whore

puto *sm* kid

puxador *sm* (*porta, gaveta*) handle

puxão *sm* tug: *dar um ~ de cabelo a alguém* to give sb's hair a tug ◇ *Senti um ~ na manga.* I felt a tug on my sleeve.

puxar ▸ *vt* to pull: *~ a corrente.* Pull the chain. ➲ *Ver ilustração em* PUSH ▸ *vi* **1** *~* **a** to take after *sb*: *Puxa um pouco à família da mãe.* He takes after his mother's side of the family. **2** *~* **para**: *O cabelo dele puxa para o louro.* He's got blondish hair. ◇ *cor-de-rosa a ~ para o vermelho* pinky red LOC **puxar a brasa à sua sardinha** to defend your (own) interests **puxar o lustro a** to make *sth* shine **puxar pela língua a alguém** to make sb talk **puxar pela memória** to try to remember *Ver tb* MIOLO

puxo *sm* (*cabelo*) pigtail

puzzle *sm* jigsaw: *fazer um ~* to do a jigsaw

Q q

quadrado, **-a** ▸ *adj* square ▸ *sm* **1** square **2** (*desenhado, formulário*) box: *colocar uma cruz no ~* to put a tick in the box **3** **quadrados** (*tecido*) check [*v sing*]: *calças aos ~s* check trousers ◇ *Os ~s ficam-te bem.* Check suits you. LOC *Ver* ELEVADO, RAIZ

quadril *sm* hip

quadrilha *sf* gang

quadro *sm* **1** (*numa sala de aula*) board: *ir ao ~* to go up to the board **2** (*Arte*) painting **3** (*pessoal efetivo*) staff [*v sing ou pl*] ➲ *Ver nota em* JÚRI LOC **quadro de avisos/informações** noticeboard, bulletin board (*USA*) **quadro interativo** interactive whiteboard *Ver tb* ÓLEO

quádruplo, **-a** ▸ *adj* quadruple ▸ *sm* four times: *Qual é o ~ de quatro?* What is four times four?

qual ▸ *pron* **1** (*pessoa*) whom: *Tenho dez alunos, dois dos quais são ingleses.* I've got ten students, two of whom are English. ➲ *Ver nota em* WHOM **2** (*coisa, animal*) which: *Saramago ganhou vários prémios, dos quais se destaca o Nobel.* Saramago won a number of awards, most importantly the Nobel Prize. ▸ *pron* **1** what: *Qual é a capital do Brasil?* What's the capital of Brazil? **2** (*entre vários*) which (one): *Qual preferes?* Which one do you prefer? ➲ *Ver nota em* WHAT LOC *Ver* CADA

qualidade *sf* quality [*pl* qualities]: *a ~ de vida nas cidades* the quality of life in the cities ◇ *fruta de ~* quality fruit LOC **na qualidade de** as: *na ~ de porta-voz* as a spokesperson *Ver tb* RELAÇÃO

qualificar-se *vp* to qualify (*as sth*)

qualquer *adj* **1** any: *Apanha ~ autocarro que vá para o centro.* Catch any bus that goes into town. ◇ *em ~ caso* in any case ◇ *a ~ momento* at any time ➲ *Ver nota em* SOME **2** (*qualquer que seja*) any old: *Traz um trapo ~.* Fetch any old cloth. LOC **em qualquer lugar/parte/sítio** anywhere **por qualquer coisa** over the slightest thing: *Discutem por ~ coisa.* They argue over the slightest thing. **qualquer coisa** anything **qualquer um/uma 1** (*qualquer pessoa*) anyone: *Qualquer um pode enganar-se.* Anyone can make a mistake. **2** (*entre dois*) either (one): – *Qual dos dois livros devo levar?* – *Qualquer um.* 'Which of the two books should I take?' 'Either one (of them).' **3** (*entre mais de dois*) any (one): *em ~ uma dessas cidades* in any one of those cities **qualquer um dos dois** either of them: *Qualquer um dos dois serve.* Either (of them) will do.

Q

quando *adv* **1** when: *Desataram a rir ~ me viram.* They burst out laughing when they saw me. ◇ *Quando é que tens exame?* When's your exam? ◇ *Passe pelo banco ~ quiser.* Pop into the bank whenever you want. **2** (*simultaneidade*) as: *Vi-o ~ ia a sair.* I saw him as I was leaving. ◇ *Atacaram-me ~ regressava do cinema.* I was attacked as I was going home from the cinema. LOC **de quando em quando** from time to time **de quando em quando?** how often? **desde quando?** how long...?: *Desde ~ jogas ténis?* How long have you been playing tennis? ❶ Também se pode dizer **since when?** mas a expressão tem um matiz muito irónico: *Desde quando é que te interessas por desporto?* And since when have you been interested in sport? **quando muito** at (the) most: *Eram ~ muito uns dez.* There were ten of them at the most. **quando quer que...** whenever... *Ver tb* VEZ

quantia *sf* (*dinheiro*) amount

quantidade *sf* **1** [*com substantivo não-contável*] amount: *uma ~ pequena de tinta/água* a small amount of paint/water ◇ *De que ~ necessitas?* How much do you need? **2** [*com substantivo contável*] number: *Estava lá uma enorme ~ de gente.* There were a large number of people. ◇ *Que grande ~ de carros!* What a lot of cars! **3** (*magnitude*) quantity LOC **em quantidades industriais** in huge amounts

quanto, -a ▸ *adj*

- **uso interrogativo 1** [*com substantivo não-contável*] how much: *Quanto dinheiro gastaste?* How much money did you spend? **2** [*com substantivo contável*] how many: *Quantas pessoas lá estavam?* How many people were there?
- **uso exclamativo**: *Quanto vinho!* What a lot of wine! ◇ *Quantos turistas!* What a lot of tourists!
- **outras construções**: *Faz ~s testes forem necessários.* Do whatever tests are necessary. ◇ *Fá-lo-ei quantas vezes tiver de ser.* I will do it as many times as I have to. ▸ *pron* **1** [*uso interrogativo*] how much [*pl* how many] **2** [*uso não-interrogativo*]: *Demos-lhe ~ tínhamos.* We gave him everything we had. ◇ *Chora ~ quiseres.* Cry as much as you like. ▸ *adv* **1** [*uso interrogativo*] how much **2** [*uso exclamativo*]: *Quanto lhes quero!* I'm so fond of them! LOC **a quantos estamos?** what's the date today? **quanto a...** as for... **quanto antes** as soon as possible **quanto é/custa?** how much is it? **quanto mais/menos...** the more/less...: *Quanto mais tem, mais quer.* The more he has, the more he wants. ◇ *Quanto mais penso no assunto, menos percebo.* The more I think about it, the less I understand. **quanto mais não seja** at least: *Dá-me ~ mais não seja um.* Give me at least one. **quanto (tempo)/quantos dias, meses, etc.?** how long...?: *Quanto tempo demoraste a chegar lá?* How long did it take you to get here? ◇ *Há ~s anos vives em Londres?* How long have you been living in London? **uns quantos** a few: *uns ~s amigos* a few friends ◇ *Uns ~s chegaram tarde.* A few people were late. *Ver tb* TANTO

quarenta *adj, pron, sm* **1** forty **2** (*quadragésimo*) fortieth ➲ *Ver exemplos em* SESSENTA

quarentena *sf* quarantine

quaresma *sf* Lent: *Estamos na ~.* It's Lent.

quarta-feira (*tb* quarta) *sf* Wednesday (*abrev* Wed(s).) ➲ *Ver exemplos em* SEGUNDA-FEIRA LOC **Quarta-feira de Cinzas** Ash Wednesday

quarteirão *sm* **1** (*de casas*) block **2** (*quantidade*) twenty-five ◇ *um ~ de sardinhas* twenty-five sardines LOC *Ver* VOLTA

quartel *sm* barracks [*v sing ou pl*]: *O ~ fica perto daqui.* The barracks is/are very near here. LOC **quartel dos bombeiros** fire station

quartel-general *sm* headquarters (*abrev* HQ) [*v sing ou pl*]: *O ~ da polícia fica ao fim da rua.* The police headquarters is/are at the end of the street.

quarto *sm* **1** room: *Não entres no meu ~.* Don't

go into my room. **2** (*de dormir*) bedroom **LOC quarto de arrumações** box room **quarto de banho** bathroom ➲ *Ver nota em* TOILET **quarto individual** single room *Ver tb* COLEGA

quarto, -a ▸ *adj, pron, sm-sf* fourth (*abrev* 4th) ➲ *Ver exemplos em* SEXTO ▸ *sm* (*quantidade*) quarter: *um ~ de hora/quilo* a quarter of an hour/a kilo ▸ **quarta** *sf* (*velocidade*) fourth (gear) **LOC menos um quarto/e um quarto** a quarter to/a quarter past: *Chegaram às dez menos um ~.* They arrived at a quarter to ten. ◇ *É uma e um ~.* It's a quarter past one. **quarto crescente/minguante** first/last quarter

quartos-de-final *sm* quarter-finals

quase *adv* **1** (*em frases afirmativas*) nearly, almost: *Quase caí.* I nearly fell. ◇ *Estava ~ cheio.* It was nearly full. ◇ *Eu ~ diria que...* I would almost say...

> **Almost** e **nearly** podem muitas vezes ser usados como sinónimos. Contudo, só **almost** pode ser usado para qualificar outro advérbio terminado em **-ly**: *almost completely* quase completamente, e só **nearly** pode ser qualificado por outros advérbios: *I very nearly left.* Quase que me fui embora.

2 (*em frases negativas*) hardly: *Quase nunca a vejo.* I hardly ever see her. ◇ *Quase ninguém veio.* Hardly anybody came. ◇ *Não ficou ~ nada.* There was hardly anything left. **LOC quase, quase** very nearly: *Eram quase, quase mil pessoas.* There were very nearly a thousand people. **quase sempre** nearly always

quatro *sm, adj, pron* **1** four **2** (*data*) fourth ➲ *Ver exemplos em* SEIS

quatrocentos, -as *adj, pron, sm* four hundred ➲ *Ver exemplos em* SEISCENTOS

que[1] *pron*

- **sujeito 1** (*pessoas*) who: *o homem ~ aqui esteve ontem* the man who came yesterday ◇ *A minha irmã, ~ lá vive, diz que é lindo.* My sister, who lives there, says it's lovely. **2** (*coisas*) that: *o carro ~ está estacionado na praça* the car that's parked in the square ❶ Quando **que** equivale a *o qual, a qual*, etc., traduz-se por **which**: *Este edifício, que antes foi sede de Governo, hoje é uma biblioteca.* This building, which previously housed the Government, is now a library.
- **complemento** ❶ Em inglês é preferível não traduzir **que** quando este funciona como complemento, apesar de ser correto usar **that/who** com pessoas e **that/which** com coisas: *a revista que me emprestaste ontem* the magazine (that/which) you lent me yesterday ◇ *o rapaz que conheceste em Roma* the boy (that/who) you met in Rome. **LOC o que/a que/os que/as que** *Ver tb* O[1]

que[2] *conj* **1** (*com orações subordinadas*) (that):

Disse ~ viria esta semana. He said (that) he would come this week. ◇ *Quero ~ viajes em primeira.* I want you to travel first class. **2** (*em comparações*): *O meu irmão é mais alto (do) ~ tu.* My brother's taller than you. **3** (*em ordens*): *Quero ~ te cales!* Shut up! ◇ *Espero ~ se divirtam!* Have a good time! **4** (*resultado*) (that): *Estava tão cansada ~ adormeci.* I was so tired (that) I fell asleep. **5** (*outras construções*): *Põe o rádio mais alto ~ não ouço nada.* Turn the radio up — I can't hear it. ◇ *Não há dia ~ não chova.* There isn't a single day when it doesn't rain. ◇ *Que dizes! Já acabou o prazo de candidatura?* What! It's too late to apply?

que[3] ▸ *adj*

- **interrogação** what: *Que horas são?* What time is it? ◇ *Em ~ andar vives?* What floor do you live on? ❶ Quando existem poucas possibilidades devemos usar **which**: *Que carro levamos hoje? O teu ou o meu?* Which car shall we take today? Yours or mine?
- **exclamação 1** [*com substantivos contáveis no plural e substantivos não-contáveis*] what: *Que casas tão bonitas!* What lovely houses! ◇ *Que coragem!* What courage! **2** [*com substantivos contáveis no singular*] what a: *Que vida!* What a life! **3** [*quando se traduz por adjetivo*] how: *Que raiva/horror!* How annoying/awful! ▸ *pron* what: *Não sei o ~ queres.* I don't know what you want. ▸ *adv* how: *Que interessante!* How interesting! **LOC mas que bem!** great! **que mau!** oh no! **que me/te, etc. interessa?** what's it to me, you, etc.? **que nada!** no way! **que tal?** **1** (*saudação*) how are things? **2** (*como está/estão?*) how is/are...?: *Que tal estão os teus pais?* How are your parents? **3** (*como é/são?*) what is/are *sb/sth* like?: *Que tal foi o filme?* What was the film like?

quê *pron* what: *O ~? Fala mais alto.* What? Speak up. **LOC não tem de quê** you're welcome, not at all (*mais formal*) **para quê?** what for?

quebra-cabeças *sm* **1** (*puzzle*) jigsaw: *fazer um ~* to do a jigsaw **2** (*adivinha*) puzzle

quebrado, -a *adj* (*partido*) broken *Ver tb* QUEBRAR

quebra-luz *sm* lampshade

quebra-mar *sm* breakwater

quebra-nozes *sm* nutcrackers [*pl*] ➲ *Ver nota em* PAIR

quebrar *vt, vi* to break: *Quebrei o vidro com a bola.* I broke the window with my ball. ◇ *~ uma promessa* to break a promise **LOC quebrar a cabeça** to crack your head open **quebrar o gelo** to break the ice *Ver tb* CARA

queda *sf* **1** fall: *uma ~ de três metros* a three-metre fall ◇ *a ~ do governo* the fall of the

Q

government **2** ~ **(de)** (*descida*) fall (in *sth*): *uma ~ dos preços* a fall in prices **3** (*cabelo*) loss: *prevenir a ~ de cabelo* to prevent hair loss **LOC** **queda de água** waterfall *Ver tb* TIRO

queijo *sm* cheese: *uma sandes de ~* a cheese sandwich ◇ *~ ralado* grated cheese **LOC** *Ver* PÃO, TÁBUA

queimado, **-a** *adj* **1** burnt **2** (*bronzeado*) tanned **3** (*calcinado*) charred **LOC** *Ver* CHEIRAR; *Ver tb* QUEIMAR

queimadura *sf* **1** burn: *~s de segundo grau* second-degree burns **2** (*com líquido a ferver*) scald **LOC** **queimadura solar** sunburn [*não-contável*]: *Este creme é para as ~s solares.* This cream is for sunburn.

queimar ▸ *vt* **1** to burn: *Vais ~ a omeleta.* You're going to burn the omelette. ◇ *~ a língua* to burn your tongue **2** (*edifício, bosque*) to burn *sth* down: *Já queimou três edifícios.* He's already burnt down three buildings. ▸ *vi* **1** to be hot: *Queima!* It's very hot! **2** (*sol*) to be strong ▸ **queimar-se** *vp* **1** **queimar-se (com/em)** (*pessoa*) to burn *sth/yourself* (on *sth*): *Queimei-me com a frigideira.* I burnt myself on the frying pan. **2** (*comida*) to be burnt **3** (*com o sol*) to get sunburnt: *Queimo-me facilmente.* I get sunburnt very easily. **LOC** *Ver* BUSCAR

queixa *sf* complaint: *fazer ~ de alguém a alguém* to complain about sb to sb

queixar-se *vp* ~ **(de/por)** to complain, to moan (*coloq*) (about *sb/sth*)

queixinhas *smf* telltale, tattletale (*USA*)

queixo *sm* chin

queixume *sm* **1** (*de dor*) moan **2** (*lamento, suspiro*) sigh **3** (*animal*) whine

quem ▸ *pron* **1** [*sujeito*] who: *Quem me disse foi o meu irmão.* It was my brother who told me. **2** [*complemento*] ❶ Em inglês é preferível não traduzir **quem** quando este funciona como complemento, apesar de ser correto usar **who** ou **whom**: *Quem quero ver é a minha mãe.* It's my mother I want to see. ◇ *Foi ele a quem eu disse.* He was the one I told. ◇ *O rapaz com quem eu a vi ontem é primo dela.* The boy (who) I saw her with yesterday is her cousin. ◇ *a atriz sobre quem se tem escrito tanto* the actress about whom so much has been written **3** (*qualquer um*) whoever: *Convida ~ queiras.* Invite whoever you want. ◇ *Quem estiver a favor que levante a mão.* Those in favour, raise your hands. ◇ *O Arménio, o Zé ou ~ seja.* Arménio, Zé or whoever. ▸ *pron* who: *Quem é?* Who is it? ◇ *Quem é que tu viste?* Who did you see? ◇ *Quem é que vem?* Who's coming? ◇ *Para ~ é este presente?* Who is this present for? ◇ *De ~ falas?* Who are you talking about? **LOC** **de quem...?** (*possessão*) whose...?: *De ~ é este casaco?* Whose coat is this? **quem quer que** whoever: *Quem quer que seja o culpado será castigado.* Whoever is responsible will be punished.

quente *adj* **1** hot: *água ~* hot water ◇ *Esteve um dia muito ~.* It was a very hot day. **2** (*morno*) warm: *A cama está ~.* The bed is warm. ◇ *uma noite ~* a warm night

> Não se devem confundir as palavras **hot** e **warm**. **Hot** descreve uma temperatura bastante mais quente do que **warm**. **Warm** corresponde a *morno* ou *ameno*, e quase sempre tem conotações agradáveis. Comparem-se os seguintes exemplos: *Não o posso beber, está muito quente.* I can't drink it, it's too hot. ◇ *Que calor que está aqui!* It's too hot here! ◇ *Senta-te ao pé da lareira, que depressa aqueces.* Sit by the fire, you'll soon warm up.

LOC *Ver* COSTAS, SACO

quer *conj* **LOC** **quer queiras quer não (queiras)** whether you like it or not **quer...quer...** whether...or...: *~ chova ~ não chova* whether it rains or not

querer ▸ *vt* **1** to want: *Qual queres?* Which one do you want? ◇ *Quero sair.* I want to go out. ◇ *Quer que vamos à sua casa.* He wants us to go to his house. ◇ *Para começar, quero caldeirada de peixe.* I'd like the fish stew to start with. ➲ *Ver nota em* WANT **2** (*amar*) to love ▸ *vi* to want to: *Não quero.* I don't want to. ◇ *Claro que ele quer.* Of course he wants to. **LOC** **como, quando, quanto, etc. você, ela, etc. quiser**: *Pode comer o quanto quiser.* You can eat as much as you like. ◇ *Podemos ir quando ela quiser.* We can go whenever she likes. **muito queria eu...** I, he, etc. would like *to do sth*: *Muito queria eu saber porque é que chegas sempre atrasado.* I'd like to know why you're always late. **por querer** (*de propósito*) on purpose **querer dizer** to mean: *Que quer dizer esta palavra?* What does this word mean? **quero lá saber!** what do I care! **sem querer**: *Desculpa, foi sem ~.* Sorry, it was an accident. *Ver tb* DEUS, QUANDO

querido, **-a** ▸ *adj* dear: *Querido Carlos...* Dear Carlos... ➲ *Ver pág. xxx* ▸ *sm-sf* sweetheart: *Meu ~!* Sweetheart! *Ver tb* QUERER

questão *sf* **1** question: *Recusou-se a responder às minhas questões.* He refused to answer my questions. ◇ *Isso está fora de ~!* That's out of the question! **2** (*assunto, problema*) matter: *em ~ de horas* in a matter of hours ◇ *É uma ~ de vida ou de morte.* It's a matter of life or death. **LOC** **a questão é...** the thing is... **em questão** in question **fazer ques-**

Q

tão (de) to insist (on *doing sth*): *Ele fez ~ de pagar.* He insisted on paying. ◇ *Faço ~ de ajudar.* I really want to help. **há questão de...** about...: *Chegou há ~ de uma hora.* He arrived about an hour ago. **pôr alguma coisa em questão** to question sth

questionar *vt* to question

questionário *sm* questionnaire: *preencher um ~* to fill in a questionnaire

quiçá *adv* perhaps: *– Achas que vem? – Quiçá.* 'Do you think she'll come?' 'Perhaps.'

quieto, -a *adj* **1** (*imóvel*) still: *estar/ficar ~* to keep still **2** (*em silêncio*) quiet: *Têm estado muito ~s, devem estar a preparar alguma.* They've been very quiet, they must be up to something.

quilo *sm* kilo [*pl* kilos] (*abrev* kg) ➲ *Ver pág. 712*

quilograma *sm* kilogram(me) (*abrev* kg) ➲ *Ver pág. 712*

quilométrico, -a *adj* (*fila, etc.*) very long

quilómetro *sm* kilometre (*abrev* km) ➲ *Ver pág. 713*

química *sf* chemistry

químico, -a ▸ *adj* chemical ▸ *sm-sf* chemist LOC *Ver* CIÊNCIA, PRODUTO

quinhentos, -as *adj, pron, sm* five hundred ➲ *Ver exemplos em* SEISCENTOS

quinta *sf* farm LOC *Ver* CASA

quinta-feira (*tb* quinta) *sf* Thursday (*abrev* Thur(s).) ➲ *Ver exemplos em* SEGUNDA-FEIRA LOC **Quinta-feira Santa** Maundy Thursday

quintal *sm* backyard

quinto, -a ▸ *adj, pron, sm-sf* fifth ➲ *Ver exemplos em* SEXTO ▸ **quinta** *sf* (*mudança*) fifth (gear) LOC **nos quintos (do mundo)** in the middle of nowhere

quinze *sm, adj, pron* **1** fifteen **2** (*data*) fifteenth ➲ *Ver exemplos em* SEIS LOC **quinze dias** fortnight: *Vamos apenas por ~ dias.* We're only going for a fortnight.

quinzena *sf* (*quinze dias*) fortnight, two weeks [*pl*] (*USA*): *a segunda ~ de janeiro* the last fortnight of January

quiosque *sm* kiosk LOC **quiosque de jornais** news-stand ➲ *Ver nota em* CORREIO

quiquerique *sm* cock-a-doodle-doo

quites *adj* quits (*with sb*): *Assim estamos ~.* That way we're quits.

quivi *sm Ver* KIWI

quociente *sm* LOC *Ver* INTELIGÊNCIA

quota *sf* (*de sócio, membro*) fee: *a ~ de sócio* the membership fee

quotidiano, -a ▸ *adj* daily ▸ *sm* everyday life

R r

rã *sf* frog

rabanada *sf* French toast [*não-contável*]

rabanete *sm* radish

rabicho *sm* pigtail, braid (*USA*)

rabiscar *vt, vi* **1** (*desenhar*) to doodle **2** (*escrever*) to scribble

rabisco *sm* **1** (*desenho*) doodle **2** (*escrita*) scribble

rabo *sm* **1** (*animal*) tail **2** (*pessoa*) bum LOC **pelo rabo do olho** out of the corner of your eye *Ver tb* CABO

rabo-de-cavalo *sm* ponytail

rabugento, -a *adj* grumpy

raça *sf* **1** (*humana*) race **2** (*animal*) breed: *De que ~ é?* What breed is it? LOC **de raça 1** (*cão*) pedigree **2** (*cavalo*) thoroughbred **ser de má raça** to be a nasty piece of work

ração *sf* **1** (*para gado*) fodder **2** (*para cães*) dry dog food

racha *sf* **1** (*fenda*) crack **2** (*saia*) slit

rachar ▸ *vi* (*fender*) to crack: *O espelho rachou.* The mirror cracked. ▸ *vt* (*lenha*) to chop LOC **ou vai ou racha** third time lucky *Ver tb* FRIO

racial *adj* racial: *a discriminação ~* racial discrimination ◇ *as relações raciais* race relations

raciocinar *vi* to think: *Não raciocinava com clareza.* He wasn't thinking clearly.

raciocínio *sm* reasoning

racional *adj* rational

racionamento *sm* rationing: *o ~ da água* water rationing

racionar *vt* to ration

racismo *sm* racism

racista *adj, smf* racist

radar *sm* radar [*não-contável*]: *os ~es inimigos* enemy radar

radiador *sm* radiator

radiante *adj* **1** (*brilhante*) bright: *Estava um sol ~.* The sun was shining brightly. **2** (*pessoa*) radiant: *~ de alegria* radiant with happiness

radical *adj, smf* radical LOC *Ver* DESPORTO

rádio[1] *sm* (*Quím*) radium

rádio[2] *sm ou sf* radio [*pl* radios]: *ouvir (a) ~* to listen to the radio LOC **no/pela rádio** on the radio: *Ouvi no ~.* I heard it on the radio. ◇ *falar pela ~* to speak on the radio

radioamador, **-ora** *sm-sf* radio ham

radioativo, **-a** *adj* radioactive LOC *Ver* CHUVA

rádio-despertador *sm* clock radio

radiografia *sf* X-ray: *fazer/tirar uma ~* to take an X-ray

radiotáxi *sm* minicab, car service [*não-contável*] (*USA*)

rafeiro, **-a** *adj, sm* (*cão*) mongrel

râguebi *sm* rugby: *um jogo de ~* a rugby match

raia *sf* skate

rainha *sf* queen

raio[1] ▸ *sm* **1** ray: *um ~ de sol* a ray of sunshine ◇ *os ~s do sol* the sun's rays **2** (*Meteorologia*) lightning [*não-contável*]: *Os ~s e os trovões assustam-me.* Thunder and lightning frighten me. ▸ **raios!** *interj* damn: *Raios te partam!* Damn you! LOC **raio laser** laser beam **raios X** X-rays *Ver tb* ONDE

raio[2] *sm* **1** (*Geom*) radius [*pl* radii] **2** (*roda*) spoke LOC **num raio**: *Não havia uma única casa num ~ de dez quilómetros.* There were no houses within ten kilometres.

raiva *sf* **1** (*ira*) anger **2** (*Med*) rabies [*não-contável*]: *O cão tinha ~.* The dog had rabies. LOC **dar (uma) raiva** to drive *sb* mad: *Dá-me cá uma ~.* It really drives me mad. **ter raiva a alguém** to hate sb: *Tem-lhe cá uma ~.* She really hates him. *Ver tb* MORTO, ROÍDO, RUBRO

raivoso, **-a** *adj* **1** (*furioso*) furious **2** (*Med*) rabid: *um cão ~* a rabid dog

raiz *sf* root LOC **deitar/lançar raízes 1** (*planta*) to take root **2** (*pessoa*) to put down roots **raiz quadrada/cúbica** square/cube root *Ver tb* BEM[2], CABELO

rajada *sf* **1** (*vento*) gust **2** (*disparos*) burst: *uma ~ de tiros* a burst of gunfire

ralado, **-a** *adj* LOC *Ver* PÃO; *Ver tb* RALAR

ralar ▸ *vt* to grate ▸ **ralar-se** *vp* **1** (*preocupar-se*) to worry: *Não te rales que devem estar a chegar.* Don't worry, they'll be here soon. **2** (*dar importância*) to care (*about sth*): *Não me ralo com o que as pessoas possam pensar.* I don't care about what people might think.

ralhar *vi* ~ **(com) (por)** to tell *sb* off, to reprimand *sb* (*USA*) (for *sth*/*doing sth*)

ralo *sm* drain

rama *sf* foliage LOC **pela rama** superficially

ramal *sm* (*caminhos-de-ferro*) branch line

ramo *sm* **1** (*de flores*) bunch **2** (*de árvore, de ciência*) branch: *um ~ de árvore* the branch of a tree ◇ *um ~ da filosofia* a branch of philosophy **3** (*sector*) sector LOC *Ver* DOMINGO

rampa *sf* ramp

rancor *sm* resentment LOC *Ver* GUARDAR

rancoroso, **-a** *adj* resentful

rançoso, **-a** *adj* rancid

ranger ▸ *vi* (*porta, soalho*) to creak ▸ *vt* (*dentes*) to grind

rangido *sm* (*porta*) creak

ranhura *sf* **1** (*em superfície*) groove **2** (*telefone público*) slot: *introduzir a moeda na ~* to put the coin in the slot

rapar *vt* **1** (*tirar raspando*) to scrape *sth (off sth)* **2** (*barbear*) to shave: *~ a cabeça/as pernas* to shave your head/legs **3** (*barba, bigode*) to shave *sth* off: *Rapou o bigode.* He shaved his moustache off. **4** (*cabelo*) to crop LOC **rapar frio/fome** to freeze/starve

rapariga *sf* girl

rapaz *sm* boy

rapel *sm* abseiling, rappel (*USA*)

rapidez *sf* speed LOC **com rapidez** quickly

rápido, **-a** ▸ *adj* **1** (*breve*) quick: *Posso fazer uma chamada rápida?* Can I make a quick phone call? **2** (*veloz*) fast: *um corredor ~* a fast runner

> Tanto **fast** como **quick** significam *rápido*, contudo **fast** utiliza-se para descrever uma pessoa ou coisa que se move a grande velocidade: *a fast horse/car/runner* um cavalo/carro/corredor veloz, ao passo que **quick** se refere a algo que se realiza num curto espaço de tempo: *a quick decision/visit* uma decisão/visita rápida.

▸ *adv* quickly ▸ *sm* **1** (*rio*) rapids [*pl*] **2 Rápido** (*comboio*) express (train) LOC *Ver* PENSO, VIA

raposa *sf* fox: *caça à ~* fox hunting ◇ *um casaco de pele de ~* a fox fur coat ❶ Quando queremos especificar que nos referimos a uma raposa fêmea, dizemos **vixen**. LOC **ser uma raposa** (*fig*) not to miss a trick: *Ela é uma ~.* She never misses a trick.

raptar *vt* to kidnap

rapto *sm* kidnapping

raptor, **-ora** *sm-sf* kidnapper

raquete (*tb* **raqueta**) *sf* **1** (*Ténis, Badminton, etc.*) racket: *uma ~ de ténis* a tennis racket **2** (*Ténis de mesa*) bat, paddle (*USA*)

raramente *adv* hardly ever, rarely (*mais formal*) ➲ *Ver nota em* ALWAYS

raro, **-a** *adj* (*pouco comum*) rare: *uma planta rara* a rare plant LOC *Ver* AVE

rasca *adj* crummy LOC **estar à rasca** to be dying

R

to do sth: *Estou à ~ para ir à casa de banho.* I'm dying to go to the toilet. **ver-se à rasca** to have trouble *doing sth*: *Vi-me à ~ para passar a matemática.* I had trouble passing maths.

rascunho *sm* draft: *Faz primeiro um ~ da redação.* Write a (rough) draft of your essay first.

rasgado, **-a** *adj* **1** (*tecido, papel*) torn **2** (*sorriso*) broad **3** (*olhos*) almond-shaped *Ver tb* RASGAR

rasgar ▸ *vt* to tear *sth* (up): *Rasguei a saia num prego.* I've torn my skirt on a nail. ◇ *Rasgou a carta.* He tore up the letter. ▸ **rasgar-se** *vp* to tear: *Este tecido rasga-se facilmente.* This material tears easily.

raso, **-a** *adj* **1** (*plano*) flat **2** (*colher, medida*) level **3** (*salto, calçado*) flat LOC *Ver* PRATO

raspadinha *sf* (*loteria*) scratch card

raspanete *sm* LOC **passar um raspanete** to give *sb* a good talking-to

raspar *vt* **1** (*superfície*) to scrape *sth* (*off sth*): *Raspámos a tinta do chão.* We scraped the paint off the floor. ◇ *Raspa o papel da parede.* Scrape the paper off the wall. **2** (*tocar levemente*) to graze

rasteira *sf* (*teste, exame*) tricky question LOC **passar uma rasteira** to trip *sb* up: *Passaste-lhe uma ~.* You tripped him up. *Ver tb* PREGAR

rastejante *adj* **1** (*planta*) creeping **2** (*animal*) crawling

rastejar *vi* to crawl

rasto *sm* **1** (*marca, pista*) trail: *Os cães seguiram o ~.* The dogs followed the trail. **2** (*barco*) wake **3** (*avião*) vapour trail LOC **de rastos**: *Aproximou-se de ~s.* He crawled over. ◇ *Trouxe o saco para dentro de ~s.* He dragged the bag in. ◇ *Não queriam ir, tive de os levar de ~s.* They didn't want to go so I had to drag them away. ◇ *Chegou a casa de ~s.* She arrived home shattered. **sem deixar rasto** without trace *Ver tb* PERDER

rasura *sf* crossing-out [*pl* crossings-out]: *cheio de ~s* full of crossings-out

rasurar *vt* to cross *sth* out

ratazana *sf* rat

ratificar *vt* to ratify

rato *sm* mouse [*pl* mice] ❶ No sentido informático, o plural é **mouses**. ➲ *Ver tb ilustração em* COMPUTADOR LOC **rato de biblioteca** bookworm *Ver tb* CALADO, TAPETE, TOCA

ratoeira *sf* **1** trap **2** (*para ratos*) mousetrap

razão *sf* reason (*for sth/doing sth*): *A ~ da sua demissão é óbvia.* The reason for his resignation is obvious. LOC **com razão** rightly so **dar razão a alguém** to admit sb is right **sem razão** for no reason **ter/não ter razão** to be right/wrong

razoável *adj* reasonable

ré *sm* **1** (*nota musical*) ray **2** (*tom*) D: *ré maior* D major

reabastecer(-se) *vt, vi* (*veículo*) to refuel

reabilitação *sf* **1** rehabilitation: *programas para a ~ de delinquentes* rehabilitation programmes for young offenders **2** (*prédio*) renovation

reabilitar *vt* **1** to rehabilitate **2** (*prédio*) to renovate

reação *sf* reaction

readmitir *vt* to readmit *sb* (*to...*): *Readmitiram-no na escola.* He was readmitted to school.

reagir *vi* ~ **(a) 1** to react (to *sb/sth*) **2** (*doente*) to respond (to *sth*): *O doente não está a ~ ao tratamento.* The patient is not responding to treatment.

reajustar *vt* (*preços, salários*) to increase

real[1] *adj* (*caso, história*) true LOC *Ver* TEMPO

real[2] *adj* (*de reis*) royal

real[3] *sm* (*unidade monetária brasileira*) real

realçar *vt* **1** (*cor, beleza*) to bring *sth* out **2** (*dar ênfase*) to enhance

realidade *sf* reality [*pl* realities] LOC **na realidade** actually *Ver tb* TORNAR

realismo *sm* realism

realista ▸ *adj* realistic ▸ *smf* realist

realização *sf* **1** (*projeto, trabalho*) carrying out: *Eu encarrego-me da ~ do plano.* I'll take charge of carrying out the plan. **2** (*objetivo, sonho*) fulfilment **3** (*Cinema*) direction

realizador, **-ora** *sm-sf* (*Cinema*) director: *um ~ de cinema* a film director

realizar ▸ *vt* **1** (*levar a cabo*) to carry *sth* out: *~ um projeto* to carry out a project **2** (*sonho, objetivo*) to fulfil **3** (*filme*) to direct **4** (*reunião*) to hold ▸ **realizar-se** *vp* **1** (*tornar-se realidade*) to come true: *Realizaram-se os meus sonhos.* My dreams came true. **2** (*pessoa*) to fulfil yourself **3** (*reunião, evento*) to take place

realmente *adv* really

reanimar ▸ *vt* to revive ▸ *vi* **1** (*fortalecer*) to get your strength back **2** (*voltar a si*) to regain consciousness

rearmamento *sm* rearmament

reator *sm* LOC **reator nuclear** nuclear reactor

reaver *vt* to get *sth* back, to retrieve (*mais formal*): *Tens de ~ os teus bens.* You must retrieve your belongings.

rebaixar ▸ *vt* to humiliate: *Rebaixou-me diante de todos.* He humiliated me in front of

R

everyone. ▸ **rebaixar-se** *vp* **1** to lower yourself (*by doing sth*): *Não me rebaixaria aceitando o teu dinheiro.* I wouldn't lower myself by accepting your money. **2 rebaixar-se perante alguém** to bow down to sb

rebanho *sm* **1** (*ovelhas*) flock **2** (*gado*) herd

rebatível *adj* reclining: *bancos rebatíveis* reclining seats

rebelde ▸ *adj* **1** rebel: *o general ~* the rebel general **2** (*espírito*) rebellious **3** (*criança*) difficult ▸ *smf* rebel

rebelião *sf* rebellion

rebentamento *sm* **1** (*bomba*) explosion **2** (*guerra*) outbreak

rebentar ▸ *vi* **1** (*bomba*) to explode **2** (*balão, pneu, pessoa*) to burst: *Se comes mais, rebentas.* If you eat any more you'll burst. ◇ *~ de alegria* to be bursting with happiness **3** (*guerra, epidemia*) to break out **4** (*escândalo, tempestade*) to break **5** (*plantas*) to sprout **6** (*flores*) to bud ▸ *vt* **1** (*fazer explodir*) to blow *sth* up: *~ um edifício* to blow up a building **2** (*balão*) to burst **3** (*fusíveis*) to blow LOC *Ver* RIR

rebento *sm* **1** shoot **2** (*flor*) bud

rebobinar *vt* to rewind

rebocar *vt* to tow

rebolar-se *vp* **1** to roll about: *Rebolámo-nos na relva.* We rolled about on the lawn. **2** (*na água, lama*) to wallow LOC *Ver* RISO

reboque *sm* **1** (*ato*): *a ~* on tow ◇ *Sujeito a ~.* Vehicles will be towed away. **2** (*veículo*) breakdown truck, tow truck (*USA*)

rebuçado *sm* (boiled) sweet

rebuliço *sm* **1** (*ruído*) row: *Armaram um tremendo ~ na discoteca.* They kicked up a terrible row at the disco. **2** (*desordem*) mess: *Mas que ~ vai no teu escritório!* What a mess your office is!

recado *sm* **1** (*mensagem*) message: *deixar (um) ~* to leave a message **2** (*encargo*) errand: *Tenho de fazer uns ~s.* I have to run a few errands.

recaída *sf* LOC **ter uma recaída 1** (*Med*) to have a relapse **2** (*vício*) to go back to your old ways

recarga *sf* **1** (*caneta*) refill **2** (*Desp*) rebound: *na ~* on the rebound

recarregar(-se) *vt, vp* to recharge

recauchutado, -a *adj* revamped LOC *Ver* PNEU

recear *vt* to fear

receber *vt* **1** to receive, to get (*mais coloq*): *Recebi a tua carta.* I received/got your letter. **2** (*notícia*) to take: *Receberam a notícia com resignação.* They took the news philosophically. **3** (*pessoa*) to welcome: *Veio cá fora receber-nos.* He came out to welcome us. **4** (*pagamento*): *Ainda não recebi o dinheiro daquelas aulas.* I still haven't been paid for those classes. ◇ *Recebemos (o ordenado) quinta!* Thursday is pay day! LOC *Ver* PATADA

receção *sf* reception LOC *Ver* SALA

rececionista *smf* receptionist

receio *sm* fear

receita *sf* **1** (*Cozinha*) recipe (*for sth*): *Tens de me dar a ~ deste prato.* You must give me the recipe for this dish. **2** (*Med*) prescription: *Só se vende mediante ~ (médica).* Only available on prescription. **3 receitas (a)** (*instituição*) income [*v sing*] **(b)** (*Estado, município*) revenue [*v sing*] LOC *Ver* LIVRO

receitar *vt* to prescribe

recém-casado, -a ▸ *adj* newly-married ▸ *sm-sf* newly-wed: *os ~s* the newly-weds

recém-nascido, -a ▸ *adj* newborn ▸ *sm-sf* newborn baby [*pl* newborn babies]

recenseamento *sm* census [*pl* censuses] LOC **recenseamento eleitoral** electoral register

recente *adj* **1** (*marcas*) fresh **2** (*acontecimento*) recent

recentemente *adv* recently: *~ criado* recently formed ◇ *Tenho 15 anos ~ feitos.* I've just turned 15.

recessão *sf* recession: *~ económica* economic recession

recheio *sm* **1** (*doce*) filling: *pastéis com ~ de nata* cream cakes **2** (*almofada, peru, etc.*) stuffing

rechonchudo, -a *adj* chubby ➲ *Ver nota em* GORDO

recibo *sm* receipt: *Para trocá-lo precisa do ~.* You'll need the receipt if you want to exchange it.

reciclagem *sf* recycling

reciclar *vt* to recycle

recife *sm* reef

recipiente *sm* receptacle

recitar *vt* to recite

reclamação *sf* complaint: *fazer/apresentar uma ~* to make/lodge a complaint

reclamar ▸ *vt* to demand: *Reclamam justiça.* They are demanding justice. ▸ *vi* to complain: *Deves ~, isto não funciona.* You should complain; it doesn't work.

reclinar-se *vp* (*pessoa*) to lean back (*against sb/sth*)

recobrar *vt* (*forças*) to get *sth* back, to recover

R

(*mais formal*) LOC **recobrar a consciência** to regain consciousness

recolha *sf* (*lixo, correio*) collection LOC **recolha de bagagem** baggage reclaim *Ver tb* TOQUE

recolher ▸ *vt* **1** (*lixo, correio*) to collect **2** (*reunir*) to collect: ~ *assinaturas* to collect signatures ▸ **recolher-se** *vp* (*ir dormir*) to go to bed LOC *Ver* TOQUE

recomeçar *vt, vi* to restart, to start (*sth*) again (*mais coloq*)

recomendação *sf* recommendation: *Fomos por ~ do meu irmão.* We went on my brother's recommendation.

recomendar *vt* to recommend

recompensa *sf* reward: *como ~ por alguma coisa* as a reward for sth

recompensar *vt* to reward *sb* (*for sth*)

recompor-se *vp* ~ **(de)** to recover (from *sth*)

reconciliar-se *vp* to make (it) up (*with sb*): *Brigaram mas já se reconciliaram.* They quarrelled but they've made (it) up now.

reconhecer *vt* **1** to recognize: *Não a reconheci.* I didn't recognize her. **2** (*admitir*) to admit: ~ *um erro* to admit a mistake

reconhecimento *sm* recognition

reconstruir *vt* **1** (*casa, relação, etc.*) to rebuild **2** (*factos, evento*) to reconstruct

recordação *sf* **1** (*memória*) memory [*pl* memories]: *Tenho boas recordações da nossa amizade.* I have happy memories of our friendship. **2** (*turismo*) souvenir

recordar(-se) *vt, vp* ~ **(de)** to recall: *Não me recordo do nome dele.* I can't recall his name. ◇ ~ *o passado* to recall the past LOC **recordar-se de ter feito alguma coisa** to remember doing sth: *Recordo-me de o ter visto.* I remember seeing it. ➲ *Ver nota em* REMEMBER

recorde *sm* record: *bater/deter um ~* to break/hold a record

recorrer *vi* ~ **a 1** (*utilizar*) to resort to *sth* **2** (*pedir ajuda*) to turn to *sb*: *Não tinha ninguém a quem ~.* I had no one to turn to. **3** (*Jur*) to appeal

recortar *vt* to cut *sth* out: *Recortei a fotografia de uma revista velha.* I cut the photograph out of an old magazine.

recorte *sm* (*de jornal, revista, etc.*) (press) clipping

recreio *sm* **1** (*pausa*) break, recess (*USA*): *Às onze saímos para o ~.* Break is at eleven. **2** (*local*) playground LOC **de recreio** recreational

recruta *smf* recruit

recuar *vi* **1** (*andar para trás*) to back away: *Recuou ao ver o cadáver.* He backed away when he saw the body. **2** (*desistir*) to back down: *Não recuarei perante as dificuldades.* I won't back down in the face of adversity.

recuperar ▸ *vt* **1** to get *sth* back, to recover (*mais formal*): ~ *o dinheiro* to get your money back ◇ ~ *a memória* to get your memory back ◇ *Tenho a certeza que irá ~ a vista.* I'm sure he'll recover his sight. **2** (*tempo, aulas*) to make *sth* up: *Tens de ~ as horas de trabalho que perdeste.* You'll have to make up the time. ▸ *vi* to recover (*from sth*), to get over *sth* (*mais coloq*): ~ *de uma doença* to recover from an illness LOC *Ver* SENTIDO

recurso *sm* **1** (*meio*) resort: *em último ~* as a last resort **2 recursos** resources: *~s humanos/económicos* human/economic resources **3** (*Jur*) appeal

recusar ▸ *vt* to turn *sb/sth* down: *Recusaram a nossa proposta.* Our proposal was turned down. ◇ *Recusei o convite deles.* I turned their invitation down. ▸ **recusar-se** *vp* to refuse *to do sth*: *Recusei-me a acreditar.* I refused to believe it. ◇ *Recusaram-se a vir.* They refused to come.

redação *sf* (*composição*) essay: *fazer uma ~ sobre a tua cidade* to write an essay on your town

redator, -ora *sm-sf* (*Jornal*) editor

rede *sf* **1** (*Desp, Caça, Pesca*) net **2** (*Informát, comunicações*) network: *a ~ de caminhos-de-ferro/rodoviária* the railway/road network **3** (*água, luz*) mains [*pl*] **4** (*vedação, cerca*) wire netting **5** (*para dormir*) hammock **6** (*organizações, sucursais*) chain **7** (*criminosa*) ring: *uma ~ de tráfico de droga* a drug-trafficking ring LOC **cair na rede** to fall into the trap

rédea *sf* rein LOC **à rédea solta** headlong **dar rédea larga** to give free rein *to sb/sth Ver tb* DETER, FALAR

redigir *vt, vi* to write: ~ *uma carta* to write a letter ◇ *Para a idade redige bem.* He writes well for his age.

redondezas *sf* vicinity [*sing*]: *Moras nas ~?* Do you live around here?

redondo, -a *adj* round: *em números ~s* in round figures

redor *adv* **ao/em ~ (de)** around: *as pessoas ao meu ~* the people around me ◇ *em ~ da casa* around the house

redução *sf* reduction

reduzido, -a *adj* **1** (*pequeno*) small **2** (*limitado*) limited *Ver tb* REDUZIR

reduzir *vt* to reduce: ~ *a velocidade* to reduce speed ◇ *O fogo reduziu a casa a cinzas.* The

R

fire reduced the house to ashes. ◇ *Reduziu o preço em 15%.* He gave us a 15 per cent reduction. LOC **tudo se reduz a...** it all boils down to...

reeleger *vt* to re-elect : *Reelegemo-lo como o nosso representante.* We've re-elected him as our representative.

reembolsar *vt* **1** (*quantidade paga*) to refund **2** (*gastos*) to reimburse

reembolso *sm* refund LOC **entrega contra reembolso** cash on delivery, collect on delivery (*USA*) (*abrev* COD)

reencarnação *sf* reincarnation

reencontrar(-se) *vt, vp* to meet (*sb*) again: *Reencontrámo-nos semana passada.* We met again last week.

refazer *vt* to redo LOC **refazer a vida** to rebuild your life

refeição *sf* meal: *uma ~ ligeira* a light meal ◇ *Nunca como entre as refeições.* I never eat between meals.

refeitório *sm* (*escola, fábrica*) canteen

refém *smf* hostage

referência *sf* reference (*to sb/sth*): *servir de ~* to serve as a (point of) reference ◇ *Com ~ à sua carta...* With reference to your letter... ◇ *ter boas ~s* to have good references LOC **fazer referência a** to refer to *sb/sth Ver tb* PONTO

referendo *sm* referendum [*pl* referendums/ referenda]

referente *adj* ~ **a** regarding *sb/sth*

referir-se *vp* ~ **a** to refer to *sb/sth*: *A que te referes?* What are you referring to?

refilar *vi*: *Não refiles!* Don't answer back!

refinado, -a *adj* LOC *Ver* AÇÚCAR

refinaria *sf* refinery [*pl* refineries]

refletir ▸ *vt* to reflect ▸ *vi* **1** (*ponderar*) to think things over, to reflect (*on/upon sth*) (*mais formal*) **2** ~ **sobre** to think *sth* over

reflexo, -a ▸ *adj* reflex: *um ato ~* a reflex action ▸ *sm* **1** reflection: *Via o meu ~ no espelho.* I could see my reflection in the mirror. **2** (*reação*) reflex: *ter bons ~s* to have good reflexes **3 reflexos** (*cabelo*) highlights

reflorestamento *sm* reforestation

reforçar *vt* to reinforce *sth* (*with sth*)

reforço *sm* reinforcement

reforma *sf* **1** reform: *~ agrária* land reform **2** (*aposentação*) retirement **3** (*pensão*) pension

reformado, -a ▸ *adj* retired: *estar ~* to be retired ▸ *sm-sf* pensioner *Ver tb* REFORMAR

reformar ▸ *vt* **1** to reform: *~ uma lei/um delinquente* to reform a law/a delinquent **2** (*edifício*) to make alterations to *sth* ▸ **reformar-se** *vp* **1** (*aposentar-se*) to retire **2** (*corrigir-se*) to mend your ways

reformatório *sm* young offenders' institution, reform school (*USA*)

refrão *sm* chorus

refrescante *adj* refreshing

refrescar ▸ *vt* **1** (*arrefecer*) to cool **2** (*memória*) to refresh **3** (*conhecimentos*) to brush up on *sth*: *Necessito ~ o meu inglês.* I need to brush up on my English. ▸ **refrescar-se** *vp* to freshen up

refresco *sm* **1** (*bebida*) soft drink **2** (*em pó*) sherbet

refrigerante *sm* soft drink

refrigerar *vt* to refrigerate

refugiado, -a *sm-sf* refugee: *um campo de ~s* a refugee camp

refugiar-se *vp* ~ **(de)** to take refuge (from *sth*): *~ da chuva* to take refuge from the rain

refúgio *sm* refuge: *um ~ de montanha* a mountain refuge

regaço *sm* lap

regadio *sm* irrigation: *terra de ~* irrigated land

regador *sm* watering can

regalia *sf* **regalias** (*emprego*) perks

regar *vt* to water

regata *sf* regatta

regatear *vt, vi* to haggle (*over sth*)

regenerar ▸ *vt* to regenerate ▸ **regenerar-se** *vp* **1** to regenerate **2** (*pessoa*) to mend your ways

regente *adj, smf* regent: *o príncipe ~* the Prince Regent

reger *vt* **1** (*país, sociedade*) to rule **2** (*orquestra, banda filarmónica*) to conduct

região *sf* region

regime *sm* **1** (*Pol, normas*) regime: *um ~ muito liberal* a very liberal regime **2** (*dieta*) diet: *estar de ~* to be on a diet

regimento *sm* regiment LOC **para um regimento** (*comida*) to feed an army: *Temos comida para um ~.* We've got enough food here to feed an army.

regional *adj* regional

registado, -a *adj* (*carta, correio*) registered LOC *Ver* MARCA; *Ver tb* REGISTAR

registador, -ora *adj* LOC *Ver* CAIXA²

registar ▸ *vt* **1** to register: *~ um nascimento/ uma carta* to register a birth/a letter **2** (*alteração, acontecimento*) to record: *~ informação* to record information ▸ **registar-se** *vp* to register

R

registo *sm* **1** (*inscrição*) registration **2** (*lugar, repartição*) registry [*pl* registries] LOC **registo civil** registry office **registo criminal** police record *Ver tb* EFETUAR

regozijar-se *vp* ~ **com/por** to take pleasure in *sth/doing sth*: ~ *com a desgraça alheia* to take pleasure in other people's misfortunes

regra *sf* rule: *Vai contra as ~s da escola.* It's against the school rules. ◇ ~ *geral* as a general rule

regressar *vi* to go/come back (*to ...*): *Não querem ~ ao seu país.* They don't want to go back to their own country. ◇ *Creio que regressam amanhã.* I think they're coming back tomorrow.

regresso *sm* return (*to...*): *no meu ~ à cidade* on my return to the city

régua *sf* ruler

regulamentar *adj* regulation: *uniforme ~* regulation uniform

regulamento *sm* regulations [*pl*]

regular[1] *vt* to regulate LOC **não regular bem** not to be all there: *Não ligues, ele não regula bem.* Don't pay him any attention, he's not all there.

regular[2] *adj* **1** regular: *verbos ~es* regular verbs **2** (*médio*) medium: *de altura ~* of medium height LOC *Ver* VOO

regularidade *sf* regularity LOC **com regularidade** regularly

rei *sm* **1** king ❶ O plural de **king** é "kings". Contudo, quando dizemos *os reis* referindo-nos ao rei e à rainha, o equivalente em inglês é "king and queen". **2 Reis** Epiphany [*não-contável, v sing*] LOC **os Reis Magos** the Three Wise Men *Ver tb* DIA

reinado *sm* reign

reinar *vi* **1** (*governar*) to reign **2** (*prevalecer*) to prevail LOC **reinar com alguém** (*brincar*) to pull sb's leg

reincidir *vi* ~ **(em)** to relapse (into *sth/doing sth*)

reiniciar *vt* **1** to resume: ~ *o trabalho* to resume work **2** (*Informát*) to restart

reino *sm* **1** kingdom: *o ~ animal* the animal kingdom **2** (*âmbito*) realm LOC **o Reino Unido** the United Kingdom (*abrev* UK) ➲ *Ver nota em* GRÃ-BRETANHA

reivindicação *sf* **1** (*exigência*) demand (*for sth*) **2** ~ **(de)** (*atentado*): *Não houve nenhuma ~ da bomba.* Nobody has claimed responsibility for the bomb.

reivindicar *vt* **1** (*exigir*) to demand: ~ *um aumento salarial* to demand a pay rise **2** (*atentado*) to claim responsibility for *sth*

rejuvenescer ▸ *vt* to make *sb* look younger ▸ *vi* to become younger

relação *sf* **1** ~ **(com)** relationship (with *sb/sth*): *manter relações com alguém* to have a relationship with sb **2** ~ **(entre)** (*ligação*) connection (between...) LOC **com/em relação a** in/with relation to *sb/sth* **relação qualidade preço** value for money **relações públicas** public relations (*abrev* PR) **ter relações (sexuais)** to have sex (*with sb*)

relacionado, -a *adj* ~ **(com)** related (to *sth*) LOC **ser bem relacionado** to be well connected *Ver tb* RELACIONAR

relacionamento *sm* (*relação*) relationship: *Devemos melhorar o nosso ~ com os vizinhos.* We must try to improve our relationship with our neighbours. ◇ *Não temos um bom ~.* We don't get on very well.

relacionar ▸ *vt* to relate *sth* (*to/with sth*): *Os médicos relacionam os problemas de coração com o stress.* Doctors relate heart disease to stress. ▸ **relacionar-se** *vp* **relacionar-se (com)** to mix (with *sb*)

relâmpago ▸ *sm* lightning [*não-contável*]: *Um ~ e um trovão anunciaram a tempestade.* A flash of lightning and a clap of thunder heralded the storm. ◇ *Os ~s assustam-me.* Lightning frightens me. ▸ *adj* (*rápido*) lightning: *uma viagem/visita ~* a lightning trip/visit

R

relance *sm* LOC **de relance**: *Só a vi de ~.* I only caught a glimpse of her.

relatar *vt* to relate

relatividade *sf* relativity

relativo, -a *adj* **1** (*não absoluto*) relative: *Bem, isso é ~.* Well, that depends. **2** ~ **a** relating to *sth*

relato *sm* **1** (*narrativa*) story [*pl* stories]: *um ~ histórico* a historical story **2** (*descrição*) account: *fazer um ~ dos eventos* to give an account of events **3** (*jogo de futebol*) report: *ouvir o ~ do jogo* to listen to the match report

relatório *sm* report: *o ~ anual de uma sociedade* the company's annual report ◇ ~ *médico* medical report ◇ *um ~ escolar* a school report

relaxamento *sm* relaxation: *técnicas de ~* relaxation techniques

relaxar *vt, vi* to relax: *Relaxa a mão.* Relax your hand. ◇ *Precisas de ~.* You must relax.

relevante *adj* relevant

relevo *sm* **1** (*Geog*) relief: *um mapa em ~* a relief map ◇ *uma região com ~ acidentado* an area with a rugged landscape **2** (*importância*) significance: *um acontecimento de ~ internacional* an event of international significance

religião *sf* religion

religioso, -a ▸ *adj* religious ▸ *sm-sf* **1** (*masc*) monk **2** (*fem*) nun

relinchar *vi* to neigh

relíquia *sf* relic

relógio

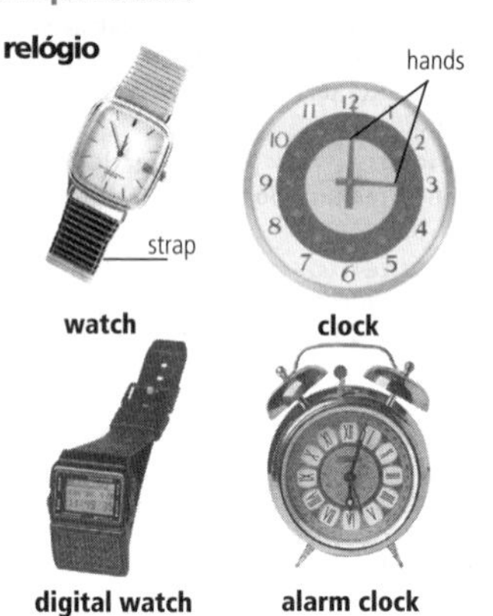

relógio *sm* **1** clock: *Que horas são no ~ da cozinha?* What time does the kitchen clock say? ◇ *uma corrida contra o ~* a race against the clock **2** (*de pulso, de bolso*) watch: *Tenho o ~ atrasado.* My watch is slow. LOC *Ver* CORDA

relojoeiro, -a *sm-sf* watchmaker

reluzir *vi* to shine

relva *sf* **1** (*ger*) grass: *Proibido pisar a ~.* Keep off the grass. **2** (*em jardim privado*) lawn LOC *Ver* CORTAR, MÁQUINA

relvado *sm* **1** lawn **2** (*Futebol, Râguebi*) pitch, field (*USA*)

remar *vi* to row

rematar ▸ *vt* (*terminar*) to finish *sb/sth* off ▸ *vi* (*Desp*) to shoot: *A bola foi para o capitão que rematou à baliza.* The ball went to the captain, who shot at goal.

remate *sm* **1** (*acabamento*) edging: *um ~ de renda* a lace edging **2** (*Desp*) shot: *O guarda-redes defendeu o ~.* The goalkeeper saved the shot. **3** (*final*) end

remediar *vt* to remedy: *~ a situação* to remedy the situation

remédio *sm* ~ **(para/contra)** remedy [*pl* remedies] (for *sth*) LOC **não ter outro remédio (senão...)** to have no choice (but to...)

remela *sf* sleep [*não-contável*]

remendar *vt* **1** to mend **2** (*peúgas*) to darn

remendo *sm* patch

remessa *sf* **1** (*ação*) sending **2** (*Com*) consignment **3** (*dinheiro*) remittance **4** (*ilegal*) haul: *uma ~ de 500 kg de haxixe* a haul of 500 kg of hashish

remetente *smf* **1** (*pessoa*) sender **2** (*endereço*) return address

remexer ▸ *vt* **1** (*à procura de alguma coisa*) to rummage among/in/through *sth*: *Remexeu a carteira durante algum tempo.* She spent some time rummaging through her bag. **2** (*terra*) to turn *sth* over ▸ *vi* ~ **em 1** (*gavetas, papéis*) to rummage among/in/through *sth*: *Alguém andou a ~ nas minhas coisas.* Someone's been rummaging through my things. **2** (*assunto*) to bring *sth* up

remo *sm* **1** (*instrumento*) **(a)** (*grande*) oar **(b)** (*pequeno*) paddle **2** (*Desp*) rowing: *um clube de ~* a rowing club ◇ *praticar ~* to row LOC **a remo**: *Atravessaram o estreito a ~.* They rowed across the straits. *Ver tb* BARCO

remoinho *sm* **1** eddy [*pl* eddies] **2** (*em rio*) whirlpool

remontar *vi* ~ **a** (*evento, tradição*) to date back to *sth*

remorso *sm* remorse [*não-contável*]: *sentir ~* to feel guilty

remoto, -a *adj* remote: *uma possibilidade remota* a remote possibility LOC *Ver* CONTROLO

remover *vt* to remove

rena *sf* reindeer [*pl* reindeer]

renal *adj* LOC *Ver* CÁLCULO

Renascença *sf* Renaissance

renascimento *sm* **1** (*ressurgimento*) revival **2 Renascimento** Renaissance

renda¹ *sf* (*casa*) rent

renda² *sf* (*crochet*) lace

render ▸ *vt* **1** (*dinheiro*) to bring *sth* in **2** (*juros*) to earn **3** (*preço*) to fetch **4** (*substituir*) to take over (from *sb*): *Estive de serviço até que um colega me rendeu.* I was on duty until a colleague took over from me. ▸ *vi* (*ser lucrativo*) to pay off ▸ **render-se** *vp* **1** to give up: *Não te rendas.* Don't give up. **2** (*Mil*) to surrender (*to sb/sth*) **3** (*fazer por turnos*) to take turns (*at sth/doing sth*)

rendição *sf* **1** surrender **2** (*de sentinelas*) relief

rendimento *sm* **1** (*Fin*) income: *o imposto sobre o ~* income tax **2** (*atuação*) performance: *o seu ~ nos estudos* his academic performance ◇ *um motor com alto ~* a high-performance engine LOC *Ver* DECLARAÇÃO, IMPOSTO

renhido, -a *adj* hard-fought: *O jogo foi bastante ~.* It was a hard-fought match.

R

renovação *sf* **1** renewal: *a data de ~* the renewal date **2** (*prédio*) **(a)** (*estrutural*) renovation: *Estão a fazer algumas renovações no prédio.* They're doing renovation work on the building. **(b)** (*decoração, equipamento*) refurbishment

renovar *vt* **1** to renew: *~ um contrato/o passaporte* to renew a contract/your passport **2** (*prédio*) **(a)** (*a nível estrutural*) to renovate **(b)** (*a nível de equipamento, decoração*) to refurbish **3** (*modernizar*) to modernize

rentável *adj* profitable: *um negócio ~* a profitable deal

rente ▸ *adj* ~ **a** level with *sth*: *~ ao chão* along the floor ▸ *adv*: *cortar alguma coisa ~* to cut sth short ◇ *Cortou o cabelo ~.* She cropped her hair.

renunciar *vi* ~ **a 1** to renounce, to give *sth* up (*mais coloq*): *~ a uma herança/um direito* to renounce an inheritance/a right **2** (*posto*) to resign (from *sth*): *Renunciou ao cargo.* She resigned from her post.

reparação *sf* repair: *reparações imediatas* repairs while you wait ◇ *Esta casa necessita de reparações.* This house is in need of repair.

reparar ▸ *vt* **1** to repair: *Gostaria de ~ os danos causados.* I'd like to repair the damage I've caused. **2** (*remediar*) to remedy: *~ a situação* to remedy the situation ▸ *vi* ~ **em/que** to notice *sth*/(that...): *Reparei que tinha os sapatos molhados.* I noticed (that) his shoes were wet.

reparo *sm* critical remark **LOC estar com/fazer reparos** to find fault *with sth*

repartição *sf* (*governo, administração*) department **LOC Repartição de Finanças** ≈ Inland Revenue Office, Treasury Office (*USA*)

repartir *vt* **1** (*dividir*) to share *sth* out: *~ o trabalho* to share the work out **2** (*distribuir*) to distribute

repelente *sm* insect repellent

repente *sm* outburst: *De vez em quando dão-lhe estes ~s.* Now and again he gets these outbursts. **LOC de repente** suddenly

repentino, -a *adj* sudden

repercussão *sf* repercussion

repercutir-se *vp* to have repercussions (*on sth*): *Poderia ~ na economia.* It could have repercussions on the economy.

repertório *sm* repertoire

repetição *sf* repetition

repetir ▸ *vt, vi* **1** to repeat: *Pode ~?* Could you repeat that please? ◇ *Não vou ~.* I'm not going to tell you again. **2** (*servir-se de mais comida*) to have another helping (*of sth*): *Posso ~?* Can I have another helping? ▸ **repetir-se** *vp* **1** (*acontecimento*) to happen again: *Que isto não se repita!* And don't let it happen again! **2** (*pessoa*) to repeat yourself

repicar *vt, vi* to peal (out)

repleto, -a *adj* ~ **(de)** full (of *sth/sb*)

replicar *vt, vi* to retort

repolho *sm* cabbage

repor *vt* **1** (*no devido lugar*) to put *sth* back: *Repus o livro na estante.* I've put the book back in the bookcase. **2** (*substituir*) to replace: *Terás de ~ a garrafa de vinho que bebeste.* You'll have to replace the bottle of wine you drank. **3** (*filme*) to rerun **4** (*combustível, provisões*) to replenish

reportagem *sf* **1** (*televisão, rádio*) report: *Esta noite dão uma ~ sobre a Índia no telejornal.* There's a TV news report tonight about India. **2** (*jornal, revista*) article

repórter *smf* reporter **LOC repórter fotográfico** press photographer

repousar *vi* **1** to rest: *Necessitas de ~.* You need to rest. **2** (*jazer*) to lie: *Os seus restos repousam neste cemitério.* His remains lie in this cemetery. ➲ *Ver nota em* LIE[1]

repouso *sm* **1** (*descanso*) rest: *Os médicos recomendaram-lhe ~.* The doctors have told him to rest. **2** (*paz*) peace: *Não tenho um momento de ~.* I don't get a moment's peace.

repreender *vt* to tell *sb* off, to reprimand *sb* (*USA*) (*for sth/doing sth*): *Repreendeu-me por não ter regado as plantas.* He told me off for not watering the plants.

represália *sf* reprisal

representação *sf* **1** representation **2** (*Teat*) performance

representante *smf* representative: *o ~ do partido* the party representative

representar ▸ *vt* **1** (*organização, país*) to represent: *Representaram Portugal nos Jogos Olímpicos.* They represented Portugal in the Olympics. **2** (*quadro, estátua*) to depict: *O quadro representa uma batalha.* The painting depicts a battle. **3** (*simbolizar*) to symbolize: *O verde representa a esperança.* Green symbolizes hope. **4** (*Teat*) **(a)** (*peça teatral*) to perform **(b)** (*papel*) to play: *Representou o papel de Otelo.* He played the part of Othello. ▸ *vi* (*ator*) to act: *Ele simplesmente não sabe ~.* He just can't act.

representativo, -a *adj* representative

repressão *sf* repression

repressivo, -a *adj* repressive

reprimido, **-a** *adj, sm-sf* repressed [*adj*]: *É um ~.* He's repressed.

reprodução *sf* reproduction

reproduzir(-se) *vt, vp* to reproduce

reprovar *vt, vi* to fail: *Reprovei-o em inglês.* I've failed him in English. ◇ *~ em duas disciplinas* to fail in two subjects

réptil *sm* reptile

república *sf* republic

republicano, **-a** *adj, sm-sf* republican LOC *Ver* GUARDA

repugnante *adj* revolting

reputação *sf* reputation: *ter boa/má ~* to have a good/bad reputation

repuxo *sm* (*fonte*) fountain

requentar *vt* to warm *sth* up

requerente *smf* **1** (*candidato*) applicant (*for sth*) **2** (*que faz reclamação*) claimant

requerer *vt* to require

requerimento *sm* request (*for sth*) LOC **fazer um requerimento** to make an application (*for sth/to do sth*)

requintado, **-a** *adj* **1** (*comida, bebida*) delicious **2** (*gosto, objeto*) exquisite

requisito *sm* requirement (*for sth/to do sth*)

rês *sf* (farm) animal

rés-do-chão *sm* ground floor ➲ *Ver nota em* FLOOR

reserva ▸ *sf* **1** (*hotel, viagem, restaurante*) reservation: *fazer uma ~* to make a reservation **2** (*de recursos*) reserve(s) [*usa-se muito no plural*]: *uma boa ~ de carvão* good coal reserves ◇ *~s de petróleo* oil reserves **3** (*gasolina*) reserve tank **4** (*parque natural*) reserve ▸ *smf* (*Desp*) reserve LOC **de reserva** spare: *um pneu de ~* a spare tyre **sem reservas** unreservedly

reservado, **-a** *adj* (*pessoa*) reserved *Ver tb* RESERVAR

reservar *vt* **1** (*guardar*) to save: *Reserva-me um lugar.* Save me a place. **2** (*pedir antecipadamente*) to book, to reserve (*USA*): *Quero ~ uma mesa para três.* I'd like to book a table for three.

reservatório *sm* **1** (*tanque*) tank **2** (*para abastecimento de área, cidade*) reservoir

resgatar *vt* **1** (*salvar*) to rescue *sb* (*from sth*): *~ um refém* to rescue a hostage **2** (*Fin*) to redeem

resgate *sm* (*pagamento*) ransom: *pedir um ~ elevado* to demand a high ransom LOC **exigir/pedir resgate por alguém** to hold sb to ransom

resguardar ▸ *vt* to protect *sb/sth* (*against/from sth*) ▸ **resguardar-se** *vp* **resguardar-se (de)** (*abrigar-se*) to shelter (from *sth*): *resguardar-se da chuva* to shelter from the rain

residência *sf* residence LOC **residência de estudantes/universitária** hall (of residence), dormitory [*pl* dormitories] (*USA*)

residente *adj, smf* resident

resíduo *sm* **resíduos** waste [*não-contável, v sing*]: *~s tóxicos* toxic waste

resina *sf* resin

resistência *sf* **1** (*oposição, defesa*) resistance: *Não ofereceu qualquer ~ .* He offered no resistance. **2** (*pessoa*) stamina: *Têm pouca ~.* They have very little stamina. **3** (*material*) strength

resistir *vi* ~ **(a) 1** (*suportar*) to withstand [*vt*]: *As barracas não resistiram ao furacão.* The shanty town didn't withstand the hurricane. **2** (*peso*) to take [*vt*]: *A ponte não resistirá ao peso daquele camião.* The bridge won't take the weight of that lorry. **3** (*tentação*) to resist *sth/doing sth* [*vt*]: *Não pude ~ e comi os bolos todos.* I couldn't resist eating all the cakes. **4** (*manter-se firme*) to hold on **5** (*debater-se*) to struggle

resmungão, **-ona** *adj, sm-sf* grumpy [*adj*]: *É uma resmungona.* She's really grumpy.

resmungar *vi* to grumble (*about sth*)

resolver ▸ *vt* **1** (*problema, mistério, caso*) to solve **2** ~ **fazer alguma coisa** to resolve to do sth: *Resolvemos não lhe dizer.* We've resolved not to tell her. ▸ **resolver-se** *vp* (*decidir-se*) to make up your mind

respeitar *vt* **1** (*estimar*) to respect: *~ a opinião dos outros* to respect other people's opinions **2** (*código, sinal*) to obey: *~ os sinais de trânsito* to obey road signs

respeitável *adj* respectable: *uma pessoa/quantidade ~* a respectable person/amount

respeito *sm* ~ **(para com/por)** respect (for *sb/sth*): *o ~ pelos outros/pela natureza* respect for others/nature LOC **com respeito a/a respeito de** with regard to *sb/sth* **dizer respeito (a)** to concern: *Esse assunto não te diz ~.* That matter doesn't concern you. *Ver tb* FALTAR

respeitoso, **-a** *adj* respectful

respetivo, **-a** *adj* respective

respiração *sf* breath: *ficar sem ~* to be out of breath ◇ *conter a ~* to hold your breath LOC **respiração artificial** artificial respiration **respiração boca-a-boca** mouth-to-mouth resuscitation

respirador *sm* (*mergulho*) snorkel

respirar *vt, vi* to breathe: *~ ar puro* to breathe fresh air ◇ *Respire fundo.* Take a deep breath.

respiratório, **-a** *adj* respiratory

resplandecente *adj* shining

resplandecer *vi* to shine

responder ▸ *vi* **1** ~ **(a)** (*dar uma resposta*) to answer *sb/sth* [*vt*], to reply to *sb/sth* (*mais formal*): *Nunca respondem às minhas cartas.* They never answer my letters. ◇ ~ *a uma pergunta* to answer a question **2** ~ **(a)** (*reagir*) to respond (to *sth*): ~ *a um tratamento* to respond to treatment ◇ *Os travões não responderam.* The brakes didn't respond. **3** ~ **por** to answer for *sb/sth*: *Não respondo por mim!* I won't answer for my actions! ◇ *Eu respondo por ele.* I'll answer for him. **4** (*replicar*) to answer *sb* back: *Não me respondas!* Don't answer (me) back! ▸ *vt* ~ **(que)** to answer, to reply (*mais formal*): *Não respondeu nada.* He gave no answer. ◇ *Respondeu que não tinha nada a ver com o assunto.* He replied that he had nothing to do with it. LOC **responder torto** to answer (*sb*) back: *Quando a mãe o repreendeu, respondeu-lhe torto.* When his mother told him off, he answered her back.

responsabilidade *sf* responsibility [*pl* responsibilities]

responsabilizar ▸ *vt* to hold *sb* responsible (*for sth/doing sth*) ▸ **responsabilizar-se** *vp* **responsabilizar-se (por)** to take responsibility (for *sth/doing sth*): *Eu responsabilizo-me pelas minhas decisões.* I take responsibility for my decisions.

responsável ▸ *adj* **1** responsible (*for sth*): *Quem é o ~ por todo este barulho?* Who is responsible for this row? **2** (*de confiança*) reliable ▸ *smf* (*encarregado*) person in charge: *o ~ pelas obras* the person in charge of the building work ◇ *Os responsáveis entregaram-se.* Those responsible gave themselves up.

resposta *sf* **1** answer, reply [*pl* replies] (*mais formal*): *Desejo uma ~ à minha pergunta.* I want an answer to my question. ◇ *Não tivemos nenhuma ~.* We haven't had a reply. ◇ *Espero uma ~.* I await your reply. **2** (*reação*) response (*to sth*): *uma ~ favorável* a favourable response

ressaca *sf* **1** (*bebedeira*) hangover: *estar de ~* to have a hangover **2** (*mar*) undertow

ressentimento *sm* resentment

ressentir-se *vp* **1** (*melindrar-se*) to take offence (*at sth*): *Ressentiu-se com o que eu disse.* She took offence at what I said. **2** (*sentir o efeito de*) to feel the effects (*of sth*): *O país ressente-se da crise.* The country is feeling the effect of the crisis. ◇ *A sua saúde começa a ~.* It's starting to have an effect on his health. **3** (*doer*) to hurt: *A minha perna ainda se ressente da queda.* My leg still hurts from the fall.

ressequido, -a *adj* parched

ressoar *vi* **1** (*metal, voz*) to ring **2** (*retumbar*) to resound

ressonar *vi* to snore

ressurreição *sf* resurrection

restabelecer ▸ *vt* **1** to restore: ~ *a ordem* to restore order **2** (*diálogo, negociações*) to resume ▸ **restabelecer-se** *vp* to recover (*from sth*): *Levou várias semanas a restabelecer-se.* He took several weeks to recover.

restar *vi* **1** (*haver*) to be left: *Resta café?* Is there any coffee left? **2** (*ter*) to have *sth* left: *Ainda nos restam duas garrafas.* We've still got two bottles left. ◇ *Já não me resta dinheiro nenhum.* I haven't got any money left.

restauração *sf* restoration

restaurador, -ora *sm-sf* restorer

restaurante *sm* restaurant

restaurar *vt* to restore

resto *sm* **1** rest: *O ~ conto-te amanhã.* I'll tell you the rest tomorrow. ◇ *O ~ não importa.* Nothing else matters. **2** (*Mat*) remainder: *Quanto é o ~?* What's the remainder? **3 restos (a)** (*comida*) leftovers **(b)** (*Arqueologia*) remains LOC **restos mortais** mortal remains

resultado *sm* result: *como ~ da luta* as a result of the fight LOC **dar/não dar resultado** to be successful/unsuccessful **resultado final** (*Desp*) final score

resultar *vi* **1 em/de** to result in/from *sth* **2** (*plano, esquema*) to work

resumir *vt* **1** to summarize: ~ *um livro* to summarize a book **2** (*concluir*) to sum *sth* up: *Resumindo,...* To sum up,...

resumo *sm* summary [*pl* summaries]: ~ *informativo* news summary LOC **em resumo** in short

resvalar *vi* **1** to slip **2** (*veículo*) to skid

reta *sf* **1** (*linha*) straight line **2** (*estrada*) straight stretch of road LOC **reta final 1** (*Desp*) home straight **2** (*fig*) closing stages [*pl*]: *na ~ final da campanha* in the closing stages of the campaign

retalho *sm* (*tecido*) remnant LOC **a retalho** (*vender*) retail

retangular *adj* rectangular

retângulo *sm* rectangle LOC *Ver* TRIÂNGULO

retardado, -a *adj* delayed: *com ação retardada* delayed-action

reter *vt* **1** (*guardar*) to keep **2** (*memorizar*) to remember **3** (*deter*) to hold: ~ *alguém contra a sua vontade* to hold sb against their will ◇ ~ *a respiração* to hold your breath

R

reticências *sf* dot dot dot

retificar *vt* to rectify: *A empresa terá de ~ os danos.* The company will have to rectify the damage.

retina *sf* retina

retirada *sf* (*Mil*) retreat: *O general ordenou a ~.* The general ordered a retreat. ◇ *bater em ~* to retreat

retirar ▸ *vt* to withdraw (*sb/sth*) (*from sth*): *~ a licença a alguém* to withdraw sb's licence ◇ *~ uma revista de circulação* to withdraw a magazine from circulation ▸ *vi* (*Mil*) to retreat ▸ **retirar-se** *vp* (*ir-se embora, desistir*) to withdraw (*from sth*): *retirar-se de uma luta* to withdraw from a fight ◇ *Retirou-se da política.* He withdrew from politics.

retiro *sm* retreat

reto, -a ▸ *adj* **1** straight: *em linha reta* in a straight line **2** (*pessoa*) upright ▸ *sm* rectum [*pl* rectums/recta]

retocar *vt* (*pintura, fotografias*) to retouch

retomar *vt* to resume: *~ o trabalho* to resume work

retoque *sm* finishing touch: *dar os últimos ~s num desenho* to put the finishing touches to a drawing

retorno *sm* (*regresso*) return: *o ~ à normalidade* the return to normality

retorquir *vt* **1** (*explicar*) to explain **2** (*com irritação*) to retort: *– Quem pediu a tua opinião? retorquiu ele.* 'Who asked you?' he retorted.

retratar *vt* **1** (*pintar*) to paint *sb's* portrait: *O artista retratou-a em 1897.* The artist painted her portrait in 1897. **2** (*Fot*) to take a photograph (*of sb/sth*) **3** (*descrever*) to portray: *A obra retrata a vida da aristocracia.* The play portrays aristocratic life.

retrato *sm* **1** (*quadro*) portrait **2** (*fotografia*) photograph **3** (*descrição*) portrayal
LOC **retrato falado** identikit picture, composite sketch (*USA*)

retrete *sf* toilet ➲ *Ver nota em* TOILET

retrovisor *sm* rear-view mirror

retumbante *adj* **1** (*tremendo*) resounding: *um sim/fracasso ~* a resounding 'yes'/flop **2** (*negativa*) emphatic

retumbar *vt* to resound

réu, ré *sm-sf* accused LOC *Ver* BANCO

reumatismo *sm* rheumatism

reunião *sf* **1** (*de trabalho, etc.*) meeting: *Amanhã temos uma ~ importante.* We've got an important meeting tomorrow. **2** (*social*) gathering, get-together (*coloq*) **3** (*encontro*) reunion: *uma ~ de antigos alunos* a school reunion

reunir ▸ *vt* **1** to gather *sb/sth* together: *Reuni as minhas amigas/a família.* I gathered my friends/family together. **2** (*informação*) to collect **3** (*dinheiro*) to raise **4** (*qualidades*) to have: *~ qualidades de liderança* to have leadership qualities ▸ **reunir-se** *vp* to meet: *Reunimo-nos esta tarde.* We'll meet this evening.

revelação *sf* **1** revelation **2** (*Fot*) developing

revelar *vt* **1** to reveal: *Nunca nos revelou o seu segredo.* He never revealed his secret to us. **2** (*Fot*) to develop **3** (*interesse, talento*) to show

rever *vt* **1** (*fazer revisão*) to check: *~ um texto* to check a text **2** (*Educ, estudar*) to revise, to review (*USA*) **3** (*pessoa, lugar*) to see *sb/sth* again

reversível *adj* reversible

reverso *sm* (*moeda*) reverse

revés *sm* (*contratempo*) setback: *sofrer um ~* to suffer a setback

revestir *vt* (*cobrir*) to cover

reviravolta *sf* **1** (*mudança de direção*) U-turn **2** (*cambalhota*) somersault: *O carro deu três ~s.* The car somersaulted three times.

revisão *sf* **1** (*Educ*) revision [*não-contável*], review (*USA*): *Hoje vamos fazer revisões.* We're going to do some revision today. ◇ *fazer uma ~ a alguma coisa* to revise sth **2** (*verificação, inspeção*) check **3** (*veículo*) service

revisor, -ora *sm-sf* ticket inspector

revista *sf* **1** (*publicação*) magazine **2** (*inspeção*) search **3** (*Teat*) revue **4** (*Mil*) review: *passar ~ às tropas* to review the troops LOC **revista de banda desenhada** comic (book)

revistar *vt* to search, to frisk (*mais coloq*): *Revistaram todos os passageiros.* All the passengers were searched.

reviver *vt, vi* to revive: *~ o passado/uma velha amizade* to revive the past/an old friendship

revolta *sf* revolt

revoltado, -a *adj* (*agitado*) worked up: *O povo anda ~ com as eleições.* People are worked up about the elections. *Ver tb* REVOLTAR-SE

revoltante *adj* outrageous

revoltar-se *vp* **1** ~ **(contra)** to rebel (against *sb/sth*) **2** ~ **(com)** (*indignar-se*) to be outraged (by *sth*)

revolução *sf* revolution

revolucionar *vt* to revolutionize

revolucionário, -a *adj, sm-sf* revolutionary [*pl* revolutionaries]

revólver *sm* revolver

rezar ▸ *vt* to say: *~ uma oração* to say a prayer ▸ *vi* ~ **(por)** to pray (for *sb/sth*)

rezingar *vi* (*queixar-se*) to grumble (*about sth*)

ria *sf* estuary [*pl* estuaries]

riacho *sm* stream

ribeira *sf* stream

rico, **-a** ▸ *adj* ~ **(em)** rich (in *sth*): *uma família rica* a rich family ◇ *~ em minerais* rich in minerals ▸ *sm-sf* rich man/woman [*pl* men/women]: *os ~s* the rich LOC *Ver* MENINO, PODRE

ricochete *sm* LOC **fazer ricochete** to ricochet (*off sth*)

ridicularizar *vt* to ridicule

ridículo, **-a** *adj* ridiculous: *O que ele está a dizer é ~.* He's talking rubbish. ◇ *Que ~!* How ridiculous! LOC **meter alguém a ridículo** to make a fool of sb *Ver tb* COBRIR, PRESTAR

rifa *sf* **1** (*sorteio*) raffle **2** (*bilhete*) raffle ticket

rifar *vt* to raffle

rígido, **-a** *adj* **1** (*teso*) rigid **2** (*severo*) strict: *Tem uns pais muito ~s.* She has very strict parents.

rigoroso, **-a** *adj* **1** (*severo*) strict **2** (*minucioso*) thorough **3** (*castigo*) harsh

rijo, **-a** *adj* tough

rim *sm* **1** (*órgão*) kidney [*pl* kidneys] **2 rins** (*zona lombar*) lower back [*v sing*]

rima *sf* rhyme

rimar *vi* to rhyme

rímel *sm* mascara: *pôr ~* to apply mascara

ringue *sm* ring

rinite *sf* rhinitis LOC **rinite alérgica (sazonal)** hay fever

rinoceronte *sm* rhino [*pl* rhinos] ℹ **Rhinoceros** é o termo científico.

rinque *sm* rink LOC **rinque de patinagem** (roller) skating rink

rio *sm* river

> Em inglês, **river** escreve-se normalmente com letra maiúscula quando precede o nome de um rio: *o rio Tejo* the River Tagus.

LOC **rio abaixo/acima** downstream/upstream *Ver tb* BORDA, CHORAR

riqueza *sf* **1** (*dinheiro*) wealth [*não-contável*]: *amontoar ~s* to amass wealth **2** (*qualidade*) richness: *a ~ do terreno* the richness of the land

rir ▸ *vi* to laugh: *desatar a ~* to burst out laughing ▸ **rir-se** *vp* **1 rir-se com alguém** to have a laugh with sb: *Rimo-nos sempre com ele.* We always have a laugh with him. **2 rir-se com alguma coisa** to laugh at sth **3 rir-se de** to laugh at *sb/sth*: *De que te ris?* What are you laughing at? ◇ *Riem-se sempre de mim.* They always laugh at me. ◇ *Riem-se de todas as suas piadas.* They laugh at all his jokes. LOC **escangalhar-se/morrer/rebentar a rir** to fall about laughing **fazer rir** to make *sb* laugh **rir a bandeiras despregadas/rir-se às gargalhadas** to laugh like a drain *Ver tb* DESATAR, FARTAR-SE, VONTADE

risca *sf* **1** stripe: *uma camisa de ~s* a striped shirt **2** (*cabelo*) parting, part (*USA*): *um penteado com ~ ao meio* a hairstyle with a centre parting LOC **à risca** to the letter

riscar *vt* **1** (*rasurar*) to cross *sth* out: *Risca todos os adjetivos.* Cross out all the adjectives. **2** (*folha, livro*) to scribble on *sth*: *O Zé riscou-me o livro.* Zé's scribbled on my book. **3** (*superfície*) to scratch: *Não risques o carro.* Don't scratch my car. **4** (*fósforo*) to strike

risco[1] *sm* **1** line: *fazer um ~* to draw a line **2** (*rasura*) crossing-out [*pl* crossings-out]: *cheio de ~s* full of crossings-out **3** (*linha delimitadora*) mark LOC *Ver* PISAR

risco[2] *sm* risk: *Correm o ~ de perder o dinheiro.* They run the risk of losing their money. LOC **contra todos os riscos** (*seguro*) comprehensive

riso *sm* **1** laugh: *um ~ nervoso/contagioso* a nervous/contagious laugh **2 risos** laughter [*não-contável, v sing*]: *Ouviam-se os ~s das crianças.* You could hear the children's laughter. LOC **morrer/rebolar de riso** to fall about laughing *Ver tb* TORCER

risonho, **-a** *adj* **1** (*cara*) smiling **2** (*pessoa*) cheerful

rissol *sm* rissole

ritmo *sm* **1** (*Mús*) rhythm, beat (*mais coloq*): *acompanhar o ~* to keep time **2** (*velocidade*) rate: *o ~ de crescimento* the growth rate LOC **ritmo de vida** pace of life **ter ritmo 1** (*pessoa*) to have a good sense of rhythm **2** (*melodia*) to have a good beat *Ver tb* MARCAR

rito *sm* rite

ritual *sm* ritual

rival *adj, smf* rival

rixa *sf* **1** (*briga*) fight **2** (*discussão*) row, fight (*USA*)

robalo *sm* sea bass [*pl* sea bass]

robot *sm* robot LOC **robot de cozinha** food processor

robusto, **-a** *adj* robust

roçar[1] *vt, vi* **1** to brush (*against sb/sth*): *Rocei contra o seu vestido.* I brushed against her dress. ◇ *A bola roçou-me a perna.* The ball grazed my leg. **2** (*raspar*) to rub: *Estas botas roçam no calcanhar.* These boots rub at the back. ◇ *O guarda-lamas roça contra a roda.* The mudguard rubs against the wheel. **3** (*folhas secas, papel*) to rustle

roçar² *sm* (*folhas secas, papel*) rustle

rocha *sf* rock

rochedo *sm* cliff

rochoso, -a *adj* rocky

roda *sf* **1** wheel: *~ dianteira/traseira* front/back wheel ◇ *mudar a ~* to change the wheel **2** (*pessoas*) circle: *fazer uma ~* to form a circle **3** (*jogo*) ring-a-ring-a-roses **4** (*peça de roupa*): *Essa saia tem muita ~.* That skirt's very full. LOC **roda gigante** (*de feira popular*) big wheel, Ferris wheel (*USA*) **roda lateral** (*Ginástica*) cartwheel **ter a cabeça a andar à roda** to feel dizzy *Ver tb* CADEIRA

rodada *sf* **1** (*veículo*) track **2** (*bebidas*) round: *Esta é a tua ~.* It's your round.

rodagem *sf* LOC *Ver* FAIXA

rodapé *sm* **1** (*de chão*) skirting board, baseboard (*USA*) **2** (*de texto*) footnote

rodar ▸ *vt* **1** to turn: *Roda a maçaneta para a direita.* Turn the knob to the right. **2** (*girar rapidamente*) to spin: *Para de ~ a cadeira.* Stop spinning your chair round. **3** (*filme*) to film **4** (*veículo, motor*) to run *sth* in: *Ainda estou a ~ o carro.* I'm still running the car in. ▸ *vi* **1** (*girar*) to turn: *A chave não roda.* The key won't turn. **2** (*girar rapidamente*) to spin

rodear ▸ *vt* to surround *sb/sth* (*with sb/sth*): *Rodeámos o inimigo.* We've surrounded the enemy. ◇ *As suas amigas rodearam-na para a felicitarem.* She was surrounded by friends wanting to congratulate her. ▸ **rodear-se** *vp* **rodear-se de** to surround yourself with *sb/sth*: *Adoram rodear-se de pessoas jovens.* They love to surround themselves with young people. LOC **rodear com os braços** to put your arms *around sb*

rodeio *sm* LOC **estar com rodeios** to beat about the bush

rodela *sf* slice: *uma ~ de limão/melão* a slice of lemon/melon LOC **às/em rodelas**: *Corta-o às ~s.* Slice it. ◇ *ananás em ~s* pineapple rings

rodovalho *sm* turbot [*pl* turbot/turbots]

rodoviária *sf* bus station

rodoviário, -a *adj* road: *educação rodoviária* road safety awareness

roedor *sm* rodent

roer *vt* to gnaw (at) *sth*: *O cão roía o osso.* The dog was gnawing (at) its bone. LOC **roer as unhas** to bite your nails *Ver tb* OSSO

rogado, -a *adj* LOC **fazer-se rogado** to play hard to get *Ver tb* ROGAR

rogar *vt* **1** (*suplicar*) to beg (*sb*) for *sth*, to beg *sth of sb*: *Roguei-lhes que me soltassem.* I begged them to let me go. **2** (*rezar*) to pray: *Roguemos a Deus.* Let us pray.

roído, -a *adj* LOC **roído de inveja/raiva/ciúme(s)** eaten up with envy/anger/jealousy *Ver tb* ROER

rola *sf* turtle dove

rolante *adj* LOC *Ver* ESCADA

rolar *vi* to roll: *As rochas rolaram pelo precipício.* The rocks rolled down the cliff.

roleta *sf* roulette

rolha *sf* cork: *tirar a ~ de uma garrafa* to uncork a bottle LOC *Ver* CASCO

rolo *sm* **1** roll: *~s de papel higiénico* toilet rolls ◇ *~ (de papel) de cozinha* kitchen roll **2** (*Fot*) film: *O ~ inteiro ficou desfocado.* The whole film is blurred. **3** (*cabelo, pintura*) roller LOC **rolo da massa** (*Cozinha*) rolling pin

romã *sf* pomegranate

romance *sm* novel: *~ cor-de-rosa/policial* romantic/detective novel

romancista *smf* novelist

romano, -a *adj, sm-sf* Roman: *os ~s* the Romans LOC *Ver* NUMERAÇÃO, NÚMERO

romântico, -a *adj, sm-sf* romantic

romper ▸ *vt* **1** to tear: *~ as calças/um ligamento* to tear your trousers/a ligament **2** (*gastar, puir*) to wear *sth* out: *Rompe as camisolas todas nos cotovelos.* He wears out all his jumpers at the elbows. **3** (*contrato, acordo, noivado*) to break *sth* (off) ▸ *vi* **~ (com)** (*namorados*) to split up (with *sb*) ▸ **romper-se** *vp* **1** to tear: *As calças romperam-se quando se baixou.* His trousers tore when he bent down. **2** (*gastar-se*) to wear out: *O mais certo é romperem-se num instante.* They're bound to wear out in no time. LOC **ao romper da aurora** at daybreak

roncar *vi* **1** (*porco*) to grunt **2** (*ressonar*) to snore

ronda *sf* round: *A tua casa não faz parte da minha ~.* Your house isn't on my round. LOC **fazer a ronda 1** (*polícia, soldado, vigilante*) to be on patrol **2** (*distribuidor*) to do your round

ronrom *sm* purr: *Ouvia-se o ~ do gato.* You could hear the cat purring.

ronronar *vi* to purr

rosa ▸ *sf* rose ▸ *adj, sm* (*cor*) pink ➲ *Ver exemplos em* AMARELO

rosário *sm* (*Relig*) rosary [*pl* rosaries]: *rezar o ~* to say the rosary

rosbife *sm* T-bone steak

rosca *sf* **1** (*pão*) (ring-shaped) roll **2** (*parafuso*)

R

thread: *Este parafuso tem a ~ gasta.* The thread is worn on this screw. LOC *Ver* TAMPA

rosé *adj* (*vinho*) rosé

roseira *sf* rose bush

rosnar *vi* (*cão*) to growl

rosto *sm* face: *A expressão do seu ~ dizia tudo.* The look on his face said it all. LOC *Ver* MAÇÃ, PLÁSTICA

rota *sf* route: *a ~ da seda* the silk route ◊ *Que ~ seguimos?* What route shall we take?

rotação *sf* rotation: *~ de cultivo* crop rotation

roteiro *sm* (*itinerário*) itinerary [*pl* itineraries]

rotina *sf* routine: *inspeções de ~* routine inspections ◊ *Não deseja mudar a sua ~ diária.* She doesn't want to change her daily routine. ◊ *Tornou-se ~.* It's become a routine.

roto, -a *adj* **1** (*cano, depósito*) leaky **2** (*roupa, calçado*): *Tens as calças rotas/o sapato ~.* You have a hole in your trousers/your shoe. *Ver tb* ROMPER

rótula *sf* kneecap

rotular *vt* to label

rótulo *sm* label: *o ~ de uma garrafa* the label on a bottle

rotunda *sf* roundabout, traffic circle (*USA*)

roubar ▸ *vt* **1** (*banco, loja, pessoa*) to rob: *~ um banco* to rob a bank ◊ *Fui roubado!* I've been robbed! **2** (*uma casa*) to burgle, to burglarize (*USA*): *Roubaram a casa dos vizinhos.* Our neighbours' house has been burgled. **3** (*dinheiro, objetos*) to steal: *Roubaram-me o relógio.* My watch has been stolen. ➲ *Ver nota em* ROB **4** (*arrancando das mãos à força*) to snatch: *Roubaram-me a carteira.* I've had my wallet snatched. **5** (*ideia*) to pinch, to steal (*USA*): *~ uma ideia a alguém* to pinch an idea from sb **6** (*tempo*) to take up *sb's time*: *As crianças roubam-me muito tempo.* The children take up a lot of my time. ▸ *vi* to steal: *Foi expulso da escola por ~.* He was expelled for stealing. ➲ *Ver nota em* ROB

roubo *sm* **1** (*banco, loja, pessoa*) robbery [*pl* robberies]: *o ~ do supermercado* the supermarket robbery ◊ *Fui vítima de um ~.* I was robbed. **2** (*objetos*) theft: *acusado de ~* accused of theft ◊ *~ de carros/bicicletas* car/bicycle theft ➲ *Ver nota em* THEFT **3** (*preço excessivo*) rip-off: *Isso é um ~!* That's a rip-off!

rouco, -a *adj* hoarse: *Fiquei ~ de tanto gritar.* I shouted myself hoarse.

roulotte *sf* caravan, trailer (*USA*)

roupa *sf* **1** (*de pessoas*) clothes [*pl*]: *~ infantil* children's clothes ◊ *~ usada/suja* second-hand/dirty clothes ◊ *Que ~ visto?* What shall I wear today? **2** (*para uso doméstico*) linen: *~ branca/de cama* household/bed linen **3** (*para lavar ou já lavada*) washing: *lavar a ~* to do the washing LOC **roupa de desporto** sportswear **roupa de semana** everyday clothes **roupa interior** underwear *Ver tb* CESTO, LAVAR, MUDA, MUDAR, PEÇA

roupão *sm* dressing gown, bathrobe (*USA*)

rouxinol *sm* nightingale

roxo, -a ▸ *adj* **1** (*de frio*) blue **2** (*com pisadelas*) black and blue: *Tinha o corpo ~.* My whole body was black and blue. ▸ *adj, sm* (*cor*) violet ➲ *Ver exemplos em* AMARELO

rua ▸ *sf* street (*abrev* St): *uma ~ pedonal* a pedestrian street ◊ *Fica na ~ Augusta.* It's in Augusta Street.

> Quando se menciona o número da casa ou porta usa-se a preposição **at**: *Vivemos no número 49 da rua Augusta.* We live at 49 Augusta Street. ➲ *Ver tb nota em* ROAD

▸ **rua!** *interj* (get) out! LOC **pôr na rua 1** (*expulsar*) to throw *sb* out **2** (*despedir*) to sack, to fire (*USA*) **rua acima/abaixo** up/down the street *Ver tb* MANDAR, PARAR, VARREDOR

rubéola *sf* German measles [*não-contável*]

rubi *sm* ruby [*pl* rubies]

ruborizar-se *vp* to blush

rubro, -a *adj* **1** (*metal*) red-hot **2** (*rosto*) ruddy LOC **rubro de raiva** red with anger

rúcula *sf* rocket, arugula (*USA*)

rude *adj* coarse

ruela *sf* backstreet

rufar *vi* (*tambor*) to roll

ruga *sf* **1** (*pele*) wrinkle **2** (*papel, roupa*) crease

rugby *sm Ver* RÂGUEBI

rugido *sm* roar

rugir *vi* to roar

ruído *sm* noise: *Ouvi uns ~s estranhos e fiquei com medo.* I heard some strange noises and got frightened. ◊ *Ouviste algum ~?* Did you hear a noise?

ruidoso, -a *adj* noisy

ruína *sf* **1** ruin: *A cidade estava em ~s.* The city was in ruins. ◊ *as ~s de uma cidade romana* the ruins of a Roman city ◊ *~ económica* financial ruin ◊ *levar alguém à ~* to ruin sb **2** (*desmoronamento*) collapse: *Esse edifício ameaça ~.* That building is in danger of collapsing.

ruir *vi* to collapse

ruivo, -a ▸ *adj* red-haired, ginger (*mais coloq*) ▸ *sm-sf* redhead

rum *sm* rum

R

ruminante *adj, sm* ruminant

ruminar *vi* (*vaca*) to chew the cud

rumo *sm* **1** (*caminho, direção*) direction **2** (*avião, barco*) course LOC **(com) rumo a**: *O barco ia com ~ aos Açores.* The ship was bound for the Azores. ◇ *O barco partiu ~ ao sul.* The ship set course southwards. **sem rumo** adrift *Ver tb* ENCONTRAR

rumor *sm* **1** (*notícia*) rumour: *Corre o ~ de que vão casar.* There's a rumour going round that they're getting married. **2** (*murmúrio*) murmur

rural *adj* rural

rusga *sf* raid: *efetuar uma ~* to carry out a raid

Rússia *sf* Russia

russo, -a *adj, sm-sf, sm* Russian: *os ~s* the Russians ◇ *falar ~* to speak Russian

rústico, -a *adj* rustic

S s

sábado *sm* Saturday (*abrev* Sat.) LOC **Sábado de Aleluia** Holy Saturday ➲ *Ver exemplos em* SEGUNDA-FEIRA

sabão *sm* soap [*não-contável*]: *uma barra de ~* a bar of soap ◇ *~ para a barba* shaving soap

sabedoria *sf* wisdom

saber ▸ *vt* **1** to know: *Não soube o que dizer.* I didn't know what to say. ◇ *Não sei nada de mecânica.* I don't know anything about mechanics. ◇ *Sabia que voltaria.* I knew he would be back. ◇ *Já sei!* I know! **2 ~ fazer alguma coisa**: *Sabes nadar?* Can you swim? ◇ *Não sei conduzir.* I can't drive. **3** (*descobrir*) to find out: *Fiquei a ~ ontem.* I found out yesterday. ▸ *vi* **1** to know: *Gosto muito dela, sabes?* I'm very fond of her, you know. ◇ *Nunca se sabe.* You never know. ◇ *Sabes que mais? O David vai casar.* Guess what? David's getting married. **2 ~ de** (*ter notícias*) to hear of *sb/sth*: *Nunca mais soubemos dele.* That was the last we heard of him. **3 ~ (a)** to taste (of *sth*): *Sabe a salsa.* It tastes of parsley. ◇ *Sabe a esturro/queimado.* It tastes burnt. ◇ *Que bem que sabe!* It tastes really good! LOC **como é que eu hei/havia de saber?** how should I know? **ficar a saber** (*aprender*) to get *sth* out of *sth*: *Não fiquei a ~ nada.* I haven't got anything out of it. **que eu saiba** as far as I know **saber de trás para a frente** to know *sth* back to front **saber mal** to have a nasty taste **sei lá!** how should I know!

ℹ Para outras expressões com **saber**, ver as entradas para o substantivo, adjetivo, etc., p.ex. **não saber patavina** em PATAVINA.

sabichão, -ona *sm-sf* know-all, know-it-all (*USA*)

sábio, -a *adj* wise

sabonete *sm* soap [*não-contável*]: *um ~* a bar of soap

sabor *sm* **~ (a) 1** (*gosto*) taste (of *sth*): *A água não tem ~.* Water is tasteless. ◇ *Tem um ~ muito estranho.* It tastes very strange. **2** (*aromatizante*) flavour (of *sth*): *Há com sete ~es diferentes.* It comes in seven different flavours. ◇ *Que ~ queres?* Which flavour would you like? LOC **com sabor a** flavoured: *um iogurte com ~ a banana* a banana-flavoured yoghurt

saborear *vt* **1** (*comida, bebida*) to savour: *Gosta de ~ o café.* He likes to savour his coffee. **2** (*vitória, férias, sol*) to enjoy

saboroso, -a *adj* delicious

sabotagem *sf* sabotage

sabotar *vt* to sabotage

saca *sf* sack

sacanear *vt* to screw (*argot*)

sacarina *sf* saccharin

saca-rolhas *sm* corkscrew

sacerdote *sm* priest

sacho *sm* hoe

saciar *vt* **1** (*fome, ambição, desejo*) to satisfy **2** (*sede*) to quench

saco *sm* **1** bag: *um ~ de desporto/viagem* a sports/travel bag ◇ *um ~ de plástico* a plastic bag **2** (*grande*) sack **3** (*edredão*) cover LOC **saco de água quente** hot-water bottle *Ver tb* ENCHER

saco-cama *sm* sleeping bag

sacramento *sm* sacrament

sacrificar ▸ *vt* to sacrifice: *Sacrifiquei tudo pela minha família.* I sacrificed everything for my family. ▸ **sacrificar-se** *vp* **sacrificar-se (por/para)** to make sacrifices (for *sb/sth*): *Os meus pais sacrificaram-se muito.* My parents have made a lot of sacrifices.

sacrifício *sm* sacrifice: *Terás de fazer alguns ~s.* You'll have to make some sacrifices.

sacudir *vt* **1** to shake: *Sacode a toalha de mesa.* Shake the tablecloth. ◇ *~ a areia (da toalha)* to shake the sand off (the towel) **2** (*com mão, escova*) to brush *sth* (off): *~ a caspa do casaco* to brush the dandruff off your coat

sádico, -a ▸ *adj* sadistic ▸ *sm-sf* sadist

sadio, -a *adj* healthy

safira *sf* sapphire

Sagitário *sm* (*Astrol*) Sagittarius ➲ *Ver exemplos em* AQUARIUS

sagrado, -a *adj* **1** (*Relig*) holy: *um lugar ~* a holy place ◊ *a Bíblia Sagrada* the Holy Bible **2** (*intocável*) sacred: *Os domingos para mim são ~s.* My Sundays are sacred.

saia *sf* skirt LOC **saia escocesa 1** tartan skirt **2** (*traje típico*) kilt

saia-calça *sf* culottes [*pl*] ➲ *Ver notas em* CALÇAS *e* PAIR

saída *sf* **1** (*ação de sair*) way out (*of sth*): *à ~ do cinema* on the way out of the cinema **2** (*porta*) exit: *a ~ de emergência* the emergency exit **3** (*avião, comboio*) departure LOC *Ver* BECO, PONTAPÉ

saiote *sm* underskirt

sair ▸ *vi* **1** (*ir/vir para fora*) to go/come out: *Saímos para o jardim?* Shall we go out into the garden? ◊ *Não queria ~ da casa de banho.* He wouldn't come out of the bathroom. ◊ *Saí para ver o que se passava.* I went out to see what was going on. ➲ *Ver nota em* IR **2** (*cair, abandonar*) to come off: *Saiu uma peça.* A piece has come off. ◊ *O carro saiu da estrada.* The car came off the road. **3** (*líquido*) to leak **4** (*partir*) to leave: *A que horas sai o avião?* What time does the plane leave? ◊ *Saímos de casa às duas.* We left home at two. ◊ *O comboio sai da linha cinco.* The train leaves from platform five. **5** (*conviver*) to go out: *Ontem à noite saímos para jantar.* We went out for a meal last night. ◊ *Anda a ~ com um estudante.* She's going out with a student. **6** (*produto, nódoa, sol*) to come out: *Esta nódoa não sai.* This stain won't come out. ◊ *O livro sai em abril.* The book is coming out in April. ◊ *O sol saiu à tarde.* The sun came out in the afternoon. **7 ~ de** (*superar*): *~ de uma situação difícil* to get through a tricky situation **8 ~ a alguém** (*parecer-se*) to take after sb **9 ~ a/por** (*custar*) to work out at *sth*: *Sai a 20 euros o metro.* It works out at 20 euros a metre. **10** (*resultar*) to turn out: *Que tal te saiu a receita?* How did the recipe turn out? ◊ *A excursão saiu muito bem.* The trip turned out really well. **11** (*saber fazer alguma coisa*): *Ainda não me saí bem no pino.* I still can't do handstands properly. ▸ **sair-se** *vp* **1** (*obter êxito*) to get on: *Tem-se saído bem no trabalho/na escola.* He's getting on well at work/school. **2 sair-se com** (*dizer*) to come out with *sth*: *Sai-se com cada uma!* The things he comes out with! LOC **sai (daí)!** get out of the way! **sair-se bem/mal** to come off well/badly ❶ Para outras expressões com **sair**, ver as entradas para o substantivo, adjetivo, etc., p.ex. **sair perfeito** em PERFEITO.

sal *sm* salt LOC **sais de banho** bath salts **sal fino/grosso** table/sea salt **sem sal** unsalted

sala *sf* **1** room: *~ de reuniões* meeting room **2** (*casa*) sitting room **3** (*Cinema*) screen: *A ~ 1 é a maior.* Screen One is the biggest one. LOC **sala de aula 1** (*em escola*) classroom **2** (*em universidade*) lecture room **sala de convívio** (*em escola*) common room **sala de espera** waiting room **sala de espetáculos** (concert) hall **sala de estar** living room **sala de jantar** dining room **sala de operações** (operating) theatre, operating room (*USA*) **sala de receções** main hall *Ver tb* EMBARQUE, FOGÃO

salada *sf* salad LOC **salada de alface/mista** green/mixed salad **salada de frutas** fruit salad

saladeira *sf* salad bowl

salão *sm* **1** (*de uma casa*) sitting room **2** (*de um hotel*) lounge LOC **salão de cabeleireiro** hairdressing salon **salão de chá** tea room *Ver tb* BELEZA

salarial *adj* LOC *Ver* CORREÇÃO

salário *sm* salary [*pl* salaries] LOC **salário mínimo** basic/minimum wage

saldar *vt* (*conta, dívida*) to settle

saldo *sm* **1** (*de uma conta*) balance **2 saldos** sales: *os ~s de verão/janeiro* the summer/January sales LOC **estar com/ter saldo negativo** to be in the red

salgado, -a *adj* **1** (*gosto*) salty **2** (*em oposição a doce*) savoury LOC *Ver* ÁGUA

salgueiro *sm* willow

salgueiro-chorão *sm* weeping willow

saliva *sf* saliva

salmão *sm, adj* (*peixe, cor*) salmon [*pl* salmon] ➲ *Ver exemplos em* AMARELO

salmo *sm* psalm

salmonete *sm* red mullet [*pl* red mullet]

salmoura (*tb* salmoira) *sf* brine

salpicão *sm* salami [*não-contável*]

salpicar *vt* **1** (*sujar*) to splash *sb/sth* (*with sth*): *Um carro salpicou-me as calças.* A car splashed my trousers. **2** (*borrifar*) to sprinkle

salsa *sf* parsley

salsicha *sf* sausage

saltar ▸ *vt* to jump: *O cavalo saltou a vedação.* The horse jumped the fence. ▸ *vi* **1** to jump: *Saltaram para a água/pela janela.* They jumped into the water/out of the window. ◊ *Saltei da cadeira quando ouvi a campainha.* I jumped up from my chair when I heard the bell. ◊ *~ sobre alguém* to jump on sb **2** (*bola*) to bounce: *Esta bola salta muito.* This ball is very bouncy. LOC **saltar à vista/aos olhos** to be obvious **saltar de alegria** to jump for joy *Ver tb* CORDA

salto[1] *sm* **1** jump: *Atravessei o ribeiro de um ~.*

I jumped over the stream. **2** (*pássaro, coelho, canguru*) hop: *O coelho escapou aos ~s.* The rabbit hopped off. **3** (*de prancha de saltos*) dive **4** (*salto vigoroso, progresso*) leap **5** (*bola*) bounce LOC **dar saltos** (*bola*) to bounce **dar um salto 1** (*crescer*) to shoot up **2** (*ir*) to pop over *to* ...: *Importas-te de dar um ~ à loja para comprar leite?* Do you mind popping over to the shop for some milk? **salto à vara** pole vault **salto em altura/comprimento** high/long jump

salto[2] *sm* (*calçado*) heel: *Parti um ~.* I've broken my heel. ◇ *Nunca usa ~s (altos).* She never wears high heels. LOC **de salto (alto)** high-heeled **sem salto** flat

salva[1] *sf* (*planta*) sage

salva[2] *sf* (*tiro*) salvo [*pl* salvos/salvoes] LOC **de salva** blank: *fogo de ~* blank ammunition **uma salva de palmas** a round of applause

salvação *sf* salvation: *Foste a minha ~.* You've saved my life. LOC *Ver* BOIA

salvador, -ora *sm-sf* saviour

salvamento *sm* rescue: *equipa de ~* rescue team

salvar ▸ *vt* to save: *O cinto de segurança salvou-lhe a vida.* The seat belt saved his life. ▸ **salvar-se** *vp* **1** (*sobreviver*) to survive **2** (*escapar*) to escape LOC **salve-se quem puder!** every man for himself! *Ver tb* PELE

salva-vidas *sm* lifeboat LOC *Ver* BOTE, COLETE

salvo, -a ▸ *adj* safe ▸ *prep* except: *Vieram todos ~ ele.* Everybody came except him. LOC **estar a salvo** to be safe **pôr-se a salvo** to escape **salvo se...** unless...: *Fá-lo-ei, ~ se me disseres o contrário.* I'll do it, unless you say otherwise. *Ver tb* SÃO

sanção *sf* **1** (*castigo*) sanction: *sanções económicas* economic sanctions **2** (*multa*) fine

sancionar *vt* **1** to sanction **2** (*confirmar*) to ratify

sandália *sf* sandal

sandes (*tb* sande, sanduíche) *sf* sandwich: *uma ~ de queijo* a cheese sandwich

sangrar *vt, vi* to bleed: *Tenho o nariz a ~.* I've got a nosebleed.

sangrento, -a *adj* **1** (*luta*) bloody **2** (*ferida*) bleeding

sangria *sf* (*bebida*) sangria

sangue *sm* blood: *dar ~* to give blood LOC **deitar sangue** to bleed: *deitar ~ pelo nariz* to have a nosebleed **fazer sangue**: *Caí e fiz ~ no joelho.* I fell and cut my knee. **tirar sangue 1** (*fazer análise*) to have a blood test: *Tenho de ir tirar ~.* I need to have a blood test. **2** (*analista*) to take a blood sample *from sb* *Ver tb* ANÁLISE, DERRAMAMENTO, DERRAMAR, ESVAIR-SE, GELAR

sangue-frio *sm* calm manner: *Admiro o seu ~.* I admire her calm manner. LOC **a sangue-frio** in cold blood **ter sangue-frio** (*serenidade*) to keep your cool

sanguessuga *sf* leech

sanguíneo, -a *adj* blood: *grupo ~* blood group LOC *Ver* IRRIGAÇÃO

sanidade *sf* health: *~ mental* sanity

sanitário, -a ▸ *adj* **1** (*de saúde*) health [*s*]: *medidas sanitárias* health measures **2** (*de higiene*) sanitary ▸ **sanitários** *sm* (public) conveniences ➲ *Ver nota em* TOILET

santinho, -a *adj, sm-sf* (*criança*) little angel: *Mas que ~!* What a little angel! LOC **santinho!** (*ao espirrar*) bless you! ➲ *Ver nota em* ATCHIM!

santo, -a ▸ *adj* **1** (*Relig*) holy **2** [*uso enfático*]: *Passámos todo o ~ dia em casa.* We didn't go out of the house all day. ▸ *sm-sf* **1** saint: *Essa mulher é uma santa.* That woman is a saint. **2** (*título*) Saint (*abrev* St): *Santo António* Saint Anthony LOC **Santa Sé** Holy See **santo Deus!** good Lord! **ser um santo** to be a saint **fazer/ter uma vida santa** to live the life of Riley *Ver tb* DIA, ESPÍRITO, QUINTA-FEIRA, SEXTA-FEIRA, TERRA

santola *sf* spider crab

santuário *sm* shrine

são *adj* Saint (*abrev* St): *~ Pedro* Saint Peter

são, sã *adj* **1** (*clima, vida, ambiente, corpo, comida*) healthy **2** (*em forma*) fit **3** (*madeira*) sound **4** (*de espírito*) sane LOC **são e salvo** safe and sound

São Tomé e Príncipe *sm* São Tomé and Principe

são-tomense *adj, smf* São Tomean

sapataria *sf* shoe shop, shoe store (*USA*)

sapateado *sm* tap-dancing

sapateira *sf* (*crustáceo*) crab

sapateiro, -a *sm-sf* shoe repairer

sapatilha *sf* **1** (*Desp*) trainer, sneaker (*USA*) **2** (*de pano*) canvas shoe **3** (*de ballet, de ténis*) shoe

sapato *sm* shoe: *~s rasos* flat shoes ◇ *~s de salto alto* high-heeled shoes

sapinho *sm* (*Med*) thrush

sapo *sm* toad

saque *sm* **1** (*cidade*) sack **2** (*roubo*) looting **3** (*Desp*) serve

saquear *vt* **1** (*cidade*) to sack **2** (*roubar*) to loot **3** (*despensa*) to raid

saraiva *sf* hail

saraivada *sf* hailstorm

sarampo *sm* measles [*não-contável*]

sarar *vi* **1** (*ferida*) to heal (over/up) **2** (*doente*) to recover

sarcástico, -a *adj* sarcastic

sarda *sf* freckle: *Estou cheia de ~s.* I've come out in freckles.

sardão *sm* lizard

sardinha *sf* sardine LOC *Ver* PUXAR

sardinhada *sf* sardine barbecue

sardinheira *sf* (*Bot*) pelargonium [*pl* pelargoniums]

sargento *sm* sergeant

sargento-ajudante *sm* sergeant major

sarilho *sm*: *Que ~!* What a mess! ◇ *Meteram-no num grande ~.* They got him into trouble.

sarjeta *sf* gutter

satélite *sm* satellite LOC *Ver* VIA

satisfação *sf* satisfaction

satisfatório, -a *adj* satisfactory

satisfazer ▸ *vt* **1** to satisfy: *~ a fome/a curiosidade* to satisfy your hunger/curiosity **2** (*sede*) to quench **3** (*ambição, sonho*) to fulfil **4** (*ser suficiente*) to satisfy: *Nada o satisfaz.* He's never satisfied. **5** (*agradar*) to please: *Satisfaz-me poder fazê-lo.* I'm pleased to be able to do it. ▸ *vi* to be satisfactory LOC **satisfazer um capricho** to give *sb* a treat

satisfeito, -a *adj* **1** satisfied (*with sth*): *um cliente ~* a satisfied customer **2** (*contente*) pleased (*with sb/sth*): *Estou muito satisfeita com o rendimento dos meus alunos.* I'm very pleased with the way my students are working. LOC **dar-se por satisfeito** to be happy *with sth*: *Dar-me-ia por ~ com um dez.* I'd be happy with a pass. **satisfeito consigo mesmo/próprio** self-satisfied *Ver tb* SATISFAZER

Saturno *sm* Saturn

saudação *sf* **1** greeting **2 saudações** best wishes, regards (*mais formal*)

saudade *sf* **saudades 1** (*casa, país*) homesickness [*não-contável, v sing*]: *sentir ~s de casa* to be homesick **2** (*pessoa*) longing [*não-contável, v sing*] **3** (*passado, infância*) nostalgia [*não-contável, v sing*] LOC **deixar saudades** to be missed: *Irá deixar ~s.* He'll be missed. **sentir/ter saudades de** to miss *sb/sth* *Ver tb* MATAR

saudar *vt* to say hello (*to sb*), to greet (*mais formal*): *Viu-me, mas não me saudou.* He saw me but didn't say hello.

saudável *adj* healthy

saúde *sf* health: *estar bem/mal de ~* to be in good/poor health ◇ *~ pública* public health LOC **saúde!** cheers! *Ver tb* BEBER, CASA, CENTRO, POSTO

sauna *sf* sauna

saxofone *sm* saxophone, sax (*coloq*)

scanear *vt* (*Informát*) to scan

scanner *sm* scanner

se[1] *pron*

- **reflexo 1** (*ele, ela, coisas*) himself, herself, itself: *Magoou-se.* She hurt herself. **2** (*você, vocês*) yourself [*pl* yourselves]: *Sentem-se.* Do sit down. **3** (*eles, elas*) themselves
- **recíproco** each other, one another: *Amam-se.* They love each other. ◇ *Veem-se com muita frequência?* Do you see each other very often? ➲ *Ver nota em* EACH OTHER
- **passivo**: *Registaram-se três mortos.* Three deaths were recorded. ◇ *Não se aceitam cartões de crédito.* We do not accept credit cards.
- **impessoal**: *Vive-se bem aqui.* Life here is terrific. ◇ *Diz-se por aí que estão arruinados.* They are said to be broke.

se[2] *conj* **1** if: *Se chover, não vamos.* If it rains, we won't go. ◇ *Se fosse rico, comprava uma moto.* If I were rich, I'd buy a motorbike. ❶ É mais correto dizer 'if I/he/she/it **were**', contudo hoje em dia, na linguagem falada, usa-se frequentemente 'if I/he/she/it **was**'. **2** (*dúvida*) whether: *Não sei se hei de ir, se hei de ficar.* I don't know whether to stay or go. **3** (*desejo*) if only: *Se me tivesses dito antes!* If only you had told me before! LOC **se bem que** although

sé *sf* cathedral LOC *Ver* SANTO

sebe *sf* fence LOC **sebe (viva)** hedge

sebento, -a *adj* filthy

sebo *sm* LOC *Ver* LIMPAR

seca *sf* **1** (*falta de chuva*) drought **2 (a)** (*pessoa/coisa aborrecida*) bore: *Esse tipo é uma ~.* What a bore that bloke is! ◇ *Que ~ de filme!* The film is a real bore! **(b)** (*pessoa/coisa chata ou irritante*) pain (in the neck)

secador *sm* hairdryer

secamente *adv* (*dizer, responder*) just: *Disse-me que não, ~.* He just said 'no'.

secar ▸ *vt* **1** to dry: *Secou as lágrimas.* He dried his tears. **2** (*flor*) to press ▸ *vi* **1** to dry **2** (*planta, rio, lago, terra, ferida*) to dry up: *O lago tinha secado.* The pond had dried up. LOC *Ver* MÁQUINA

secção *sf* **1** (*Arquit, Mat, etc.*) section **2** (*loja*) department: *~ para homens* menswear department **3** (*jornal, revista*) pages [*pl*]: *a ~ desportiva* the sports pages LOC **secção de voto** polling station

seco, -a *adj* **1** dry: *Está ~?* Is it dry? ◇ *um clima muito ~* a very dry climate **2** (*resposta*) curt **3** (*sem vida*) dead: *folhas secas* dead leaves

S

4 (*frutos, flores*) dried: *figos ~s* dried figs **5** (*som, pancada*) sharp LOC **parar/travar em seco** to stop dead *Ver tb* AMEIXA, ENGOLIR, FRUTO, LAVAGEM, LAVAR

secretaria *sf* (*de escola*) office LOC **Secretaria de Estado** government department

secretária *sf* (*mesa*) desk

secretariado *sm* **1** (*curso*) secretarial course **2** (*organismo*) secretariat: *o ~ da ONU* the UN secretariat **3** (*sede do secretariado*) secretary's office

secretário, **-a** *sm-sf* secretary [*pl* secretaries] LOC **secretária de administração** personal assistant (*abrev* PA) **Secretário de Estado** minister of state ➲ *Ver nota em* MINISTRO

secreto, **-a** *adj* secret

sector *sm* **1** (*zona, indústria*) sector **2** (*grupo de pessoas*) section: *um pequeno ~ da população* a small section of the population LOC *Ver* EMBARQUE

século *sm* **1** (*cem anos*) century [*pl* centuries]: *no ~ XX* in the 20th century ❶ Lê-se: 'in the twentieth century'. **2** (*era*) age: *Vivemos no ~ dos computadores.* We are living in the computer age. **3 séculos** ages: *Há ~s que eu sabia disso!* I've known that for ages!

secundário, **-a** *adj* secondary LOC *Ver* EFEITO, ENSINO, ESCOLA, ESTRADA, PAPEL

seda *sf* silk: *uma camisa de ~* a silk shirt

sedativo *sm* sedative

sede[1] *sf* (*sensação*) thirst LOC **ter/passar sede** to be thirsty: *Tenho muita ~.* I'm very thirsty. *Ver tb* MATAR, MORTO

sede[2] *sf* (*lugar*) headquarters (*abrev* HQ) [*v sing ou pl*]

sedentário, **-a** *adj* sedentary

sedentarismo *sm* sedentary lifestyle

sedimento *sm* sediment

sedução *sf* **1** (*sexual*) seduction **2** (*encanto*) allure

sedutor, **-ora** ▸ *adj* **1** (*sentido sexual*) seductive **2** (*encantador*) alluring ▸ *sm-sf* seducer

seduzir *vt* **1** (*sexualmente*) to seduce **2** (*tentar*) to entice

segadeira *sf* scythe

segmento *sm* segment

segredo *sm* secret LOC **em segredo** secretly

segregação *sf* segregation

segregar *vt* (*separar*) to segregate *sb/sth* (*from sb/sth*)

seguido, **-a** *adj* in a row: *quatro vezes seguidas* four times in a row ◇ *Fê-lo três dias ~s.* He did it three days running. LOC **em/de seguida** **1** (*depois, agora*) next: *E em ~ temos um filme de terror.* And next we have a horror film. **2** (*imediatamente*) straight away: *Li-o e dei-lho em ~.* I read it and gave it to him straight away. *Ver tb* SEGUIR

seguidor, **-ora** *sm-sf* follower

seguinte ▸ *adj* next: *no dia ~* the next day ▸ *smf* next one: *Que entre a ~.* Tell the next one to come in. LOC **da seguinte maneira** as follows **o seguinte** the following: *Queria dizer-te o seguinte...* I'd like to tell you the following...

seguir ▸ *vt* **1** to follow: *Segue-me.* Follow me. **2** (*estudos*) to do: *Estou a ~ um curso de francês.* I'm doing a French course. **3** (*carreira*) to pursue: *Resolveu ~ a carreira de médico.* He's decided to pursue a medical career. **4** (*regras, ordens*) to abide by *sth*: *Seguiremos as normas.* We'll abide by the rules. ▸ *vi* to go on (*doing sth*): *Siga até à praça.* Go on till you reach the square. ▸ **seguir-se** *vp* to ensue: *Seguiram-se vinte anos de paz.* There ensued twenty years' peace. LOC **a seguir** (*depois*) afterwards **a seguir a...** after...

segunda-feira (*tb* segunda) *sf* Monday (*abrev* Mon.): *~ de manhã/à tarde* on Monday morning/afternoon ◇ *Às ~s não trabalho.* I don't work on Mondays. ◇ *~ sim, ~ não* every other Monday ◇ *Aconteceu ~ passada.* It happened last Monday. ◇ *Vemo-nos ~ que vem.* We'll meet next Monday. ◇ *Este ano, o meu aniversário calha a uma ~.* My birthday falls on a Monday this year. ◇ *Casam-se ~ 25 de julho.* They're getting married on Monday July 25. ❶ Lê-se: 'Monday the twenty-fifth of July'.

segundo[1] ▸ *prep* **1** (*de acordo com*) according to *sb/sth*: *~ ela/os planos* according to her/the plans **2** (*dependendo de*) depending on *sth*: *~ o seu tamanho* depending on what size it is ▸ *conj* **1** (*de acordo com o que*) according to what: *~ ouvi dizer* from what I've heard **2** (*à medida que*) as: *~ forem entrando* as they come in

segundo[2] *sm* (*tempo*) second

segundo, **-a** ▸ *adj, pron, sm-sf* second (*abrev* 2nd) ➲ *Ver exemplos em* SEXTO ▸ **segunda** *sf* (*mudança*) second (gear) LOC **em segunda mão** second-hand: *carros em segunda mão* second-hand cars **ter segundas intenções** to have ulterior motives *Ver tb* EQUAÇÃO, PRIMO

seguradora *sf* insurance company [*pl* insurance companies]

segurança ▸ *sf* **1** (*contra acidentes*) safety: *a ~ pública/rodoviária* public/road safety **2** (*contra um ataque/roubo, garantia*) security: *controlos de ~* security checks **3** (*certeza*) certainty **4** (*confiança*) self-confidence ▸ *smf* (*pessoa*) security guard LOC **com segurança** (*atuar, afir-*

S

mar, responder) confidently **Segurança Social** **1** social security, welfare (*USA*) **2** (*Caixa*) ≈ National Health Service, (*GB*) *Ver tb* ALFINETE, CARTÃO, CINTO, CÓPIA, FECHO, POLÍCIA

segurar ▸ *vt* **1** (*agarrar*) to hold: *Segura bem o guarda-chuva.* Hold the umbrella tight. **2** (*prender*) to fasten: *~ papéis com um clipe* to fasten papers together with a paper clip **3** (*com uma companhia de seguros*) to insure *sb/sth* (*against sth*): *Quero ~ o carro contra fogo e roubo.* I want to insure my car against fire and theft. ▸ **segurar-se** *vp* **segurar-se (a)** (*agarrar-se*) to hold on (to *sth*): *Segura-te ao meu braço.* Hold on to my arm.

seguro, -a ▸ *adj* **1** (*sem risco*) safe: *um lugar ~* a safe place **2** (*convencido*) sure: *Estou segura de que virão.* I'm sure they'll come. **3** (*firme, bem-apertado*) secure: *O gancho não estava bem ~.* The hook wasn't secure. **4** (*atado*) fastened: *A bagagem ia bem segura.* The luggage was tightly fastened. **5** (*preso*): *Dois polícias tinham-no ~.* Two policemen were holding him down. ▸ *sm* insurance [*não-contável*]: *adquirir um ~ de vida* to take out life insurance ◇ *pôr alguma coisa no ~* to insure sth **LOC** *Ver* FONTE; *Ver tb* SEGURAR

seio *sm* (*mama*) breast

seis *sm, adj, pron* **1** six: *o número ~* number six ◇ *tirar um ~ num exame* to get six in an exam ◇ *O ~ vem a seguir ao cinco.* Six comes after five. ◇ *~ e três são nove.* Six and three are/make nine. ◇ *~ vezes três (são) dezoito.* Three sixes (are) eighteen. **2** (*data, sexto*) sixth: *no minuto ~* in the sixth minute ◇ *Fomos a 6 de maio.* We went on 6 May. ❶ Lê-se: ' on the sixth of May'. **LOC** **às seis** at six o'clock **bater/dar as seis** to strike six: *Bateram as ~ (no relógio).* The clock struck six. **são seis (horas)** it's six o'clock **seis e cinco, etc.** five, etc. past six, five, etc. after six (*USA*) **seis em cada dez** six out of ten **seis e meia** half past six **seis e um quarto** a quarter past six, a quarter after six (*USA*) **seis menos cinco, etc.** five, etc. to six **seis menos um quarto** a quarter to six ➲ *Para mais informação sobre o uso dos números, datas, etc., ver págs. 710-715*

seiscentos, -as ▸ *adj, pron* six hundred: *~ e quarenta e dois* six hundred and forty-two ◇ *Éramos ~ no casamento.* There were six hundred of us at the wedding. ◇ *há ~ anos* six hundred years ago ▸ *sm* six hundred **LOC** **seiscentos e um, seiscentos e dois, etc.** six hundred and one, six hundred and two, etc. ➲ *Ver pág. 710*

seita *sf* sect

seiva *sf* (*Bot*) sap

seixo *sm* pebble

sela *sf* saddle

selar[1] *vt* **1** (*fechar*) to seal: *~ um envelope/uma amizade* to seal an envelope/a friendship **2** (*pôr selo*) to stamp

selar[2] *vt* (*cavalo*) to saddle *sth* (up)

seleção *sf* **1** selection **2** (*equipa*) squad [*v sing ou pl*]: *a ~ portuguesa de basquetebol* the Portuguese basketball squad ➲ *Ver nota em* JÚRI

selecionar *vt* to select

seleto, -a *adj* select: *um grupo/restaurante ~* a select group/restaurant

self-service *sm Ver* AUTOSSERVIÇO

selim *sm* (*bicicleta*) saddle

selo *sm* **1** (*correios*) stamp: *Dois ~s para França, se faz favor.* Two stamps for France, please. ◇ *Põe um ~ no postal.* Put a stamp on the postcard. ➲ *Ver nota em* STAMP **2** (*lacre*) seal

selva *sf* jungle

selvagem *adj* **1** wild: *animais selvagens* wild animals **2** (*povo, tribo*) uncivilized

sem *prep* without: *~ açúcar* without sugar ◇ *~ pensar* without thinking ◇ *Saiu ~ dizer nada.* She went out without saying anything. ◇ *Saíram ~ ninguém os ver.* They left without anybody seeing them.

sem-abrigo *smf* homeless person: *os ~* the homeless

semáforo *sm* **semáforos** traffic lights [*pl*]: *O ~ está vermelho.* The lights are red.

semana *sf* week: *a ~ passada/que vem* last/next week ◇ *duas vezes por ~* twice a week **LOC** **semana sim, semana não** every other week *Ver tb* CONDUTOR, DIA, FIM, ROUPA

semanada *sf* pocket money [*não-contável*]

semanal *adj* **1** (*de cada semana*) weekly: *uma revista ~* a weekly magazine **2** (*por semana*): *Temos uma hora ~ de ginástica.* We have one hour of PE a week. **LOC** *Ver* PUBLICAÇÃO

semear *vt* **1** to sow: *~ trigo/uma terra* to sow wheat/a field **2** (*legumes*) to plant: *Semearam batatas nessa terra.* They've planted that field with potatoes.

semelhança *sf* similarity [*pl* similarities] **LOC** **à semelhança de** just like: *À ~ do ano passado, os resultados foram maus.* The results were poor, just like last year.

semelhante *adj* **1** (*parecido*) similar: *um modelo ~ a este* a model similar to this one **2** (*tal*): *Como pudeste fazer ~ coisa?* How could you do a thing like that? **LOC** *Ver* COISA

sémen *sm* semen

semente *sf* seed

sementeira *sf* sowing

semestral *adj* half-yearly: *uma publicação ~*

a half-yearly publication ◇ *A presidência da União Europeia é* ~. The presidency of the European Union lasts six months.

semestre *sm* **1** (period of) six months: *durante o primeiro ~ de 1999* in the first six months of 1999 **2** (*universidade*) semester

semibreve *sf* (*Mús*) semibreve, whole note (*USA*)

semicírculo *sm* semicircle

semicolcheia *sf* (*Mús*) semiquaver, sixteenth note (*USA*)

semifinal *sf* semi-final

semifinalista *smf* semi-finalist

seminário *sm* **1** (*aula*) seminar **2** (*Relig*) seminary [*pl* seminaries]

seminu, -nua *adj* half-naked

sempre *adv* always: *Dizes ~ o mesmo.* You always say the same thing. ◇ *Vivi ~ com os meus primos.* I've always lived with my cousins. ➲ *Ver nota em* ALWAYS LOC **como sempre** as usual **desde sempre**: *Conheço-a desde ~.* I've known her all my life. ◇ *amigos desde ~* lifelong friends **de sempre** (*habitual*) usual: *Encontramo-nos no mesmo sítio de ~.* We'll meet in the usual place. **o de sempre** the usual thing **para sempre 1** (*permanentemente*) for good: *Deixo Portugal para ~.* I'm leaving Portugal for good. **2** (*eternamente*) for ever: *O nosso amor é para ~.* Our love will last for ever. **sempre a direito/em frente** straight on: *Siga ~ a direito até ao fim da rua.* Go straight on to the end of the road. **sempre que...** whenever...: *Sempre que vamos de férias ficas doente.* Whenever we go on holiday you get ill. *Ver tb* QUASE

sem-vergonha *smf* scoundrel

senado *sm* senate ➲ *Ver nota em* CONGRESS

senador, -ora *sm-sf* senator

senão ▸ *conj* or else: *Cala-te, ~ levas.* Shut up, or else you'll catch it. ◇ *É melhor venderes agora, ~ vais perder dinheiro.* You'd better sell now, or else you'll lose money. ▸ *adv* (*exceto*) but: *Não fazes mais nada ~ criticar.* You do nothing but criticize.

senha *sf* **1** (*autocarro*) multiple journey bus ticket **2** (*cantina, bar*) voucher: *Não te esqueças de comprar a ~ para o almoço de amanhã.* Don't forget to buy a voucher for lunch tomorrow. **3** (*palavra*) password

senhor, -ora ▸ *sm-sf* **1 (a)** (*masc*) man [*pl* men]: *Está ali um ~ que quer falar contigo.* There's a man who wants to talk to you. **(b)** (*fem*) lady [*pl* ladies]: *um cabeleireiro de senhoras* a ladies' hairdresser **2** (*antes do apelido*) **(a)** (*masc*) Mr: *O ~ Lopes está?* Is Mr Lopes in? ◇ *os ~es Silva* Mr and Mrs Silva **(b)** (*fem*) Mrs **3** (*de cortesia*) **(a)** (*masc*) sir: *Bom dia, ~.* Good morning, sir. **(b)** (*fem*) madam **(c)** (*pl*) gentlemen/ladies: *Senhoras e senhores...* Ladies and gentlemen... **4** (*antes do nome ou cargo*): *A senhora Luísa é a costureira.* Luísa is the dressmaker. ◇ *o ~ Presidente da Câmara* the mayor **5** (*para chamar a atenção*) excuse me!: *Minha senhora! Deixou cair o bilhete.* Excuse me! You've dropped your ticket. ▸ **Senhor** *sm* Lord ▸ **senhora** *sf* (*esposa*) wife [*pl* wives] LOC **não senhor!** no way! **senhor!** good Lord! **sim senhor!** too right! *Ver tb* CARO, EXMO

senhorio, -a *sm-sf* **1** (*masc*) landlord **2** (*fem*) landlady [*pl* landladies]

senil *adj* senile: *ficar ~* to go senile

sensação *sf* feeling LOC **causar/fazer sensação** (*fazer furor*) to cause a sensation

sensacional *adj* sensational

sensacionalista *adj* LOC *Ver* IMPRENSA

sensatez *sf* good sense

sensato, -a *adj* sensible

sensibilidade *sf* sensitivity

sensibilização *sf* awareness-raising: *uma ação de ~ ambiental* an environmental awareness workshop

sensibilizar *vt* **1** (*comover*) to touch **2** ~ **(para)** (*consciencializar*) to make *sb* aware of *sth*

sensível *adj* **1** sensitive (*to sth*): *A minha pele é muito ~ ao sol.* My skin is very sensitive to the sun. ◇ *É uma criança muito ~.* She's a very sensitive child. **2** (*grande*) noticeable: *uma melhoria ~* a noticeable improvement

senso *sm* sense LOC **senso (comum)** (common) sense: *Que falta de ~ que tu tens.* You're totally lacking in common sense. **ter o bom senso de...** to be sensible enough to...

sensual *adj* sensual

sentado, -a *adj* sitting, seated (*mais formal*): *Estavam ~s à mesa.* They were sitting at the table. ◇ *Ficaram ~s.* They remained seated. *Ver tb* SENTAR

sentar ▸ *vt* to sit: *Sentou o bebé no carrinho.* He sat the baby in its pushchair. ▸ **sentar-se** *vp* to sit (down): *Sente-se, se faz favor.* Sit down, please. ◇ *Sentámo-nos no chão.* We sat (down) on the floor.

sentença *sf* **1** (*Jur*) sentence **2** (*ditado*) maxim LOC **passar uma sentença** to pass sentence *on sb* *Ver tb* DITAR

sentenciar *vt* to sentence *sb to sth*

sentido ▸ *sm* **1** sense: *os cinco ~s* the five senses ◇ *~ de humor* sense of humour ◇ *Não faz ~.* It doesn't make sense. **2** (*significado*) meaning **3** (*direção*) direction ▸ **sentido!** *interj*

S

attention! LOC **perder/recuperar os sentidos** to lose/regain consciousness **pôr-se em sentido** to stand to attention **sem sentidos** unconscious **sentido proibido** no entry **sentido único** one-way: *uma rua de ~ único* a one-way street *Ver tb* DUPLO, MUDANÇA, SEXTO

sentido, -a *adj* bitter: *estar ~ com alguma coisa* to be bitter about sth *Ver tb* SENTIR

sentimental *adj* **1** sentimental: *valor ~* sentimental value **2** (*vida*) love [*s*]: *vida ~* love life

sentimento *sm* feeling

sentinela *sf* **1** (*Mil*) sentry [*pl* sentries] **2** (*vigia*) lookout: *estar de ~* to be on the lookout

sentir ▸ *vt* **1** to feel: *~ frio/fome* to feel cold/hungry **2** (*lamentar*) to be sorry about *sth*/(*that...*): *Sinto muito não poder ajudar-te.* I'm sorry (that) I can't help you. **3** (*ouvir*) to hear ▸ **sentir-se** *vp* to feel: *Sinto-me muito bem.* I feel very well. LOC **sinto muito** I'm (very) sorry ❶ Para outras expressões com **sentir**, ver as entradas para o substantivo, adjetivo, etc., p. ex. **sentir medo** em MEDO.

separação *sf* **1** separation **2** (*distância*) gap: *Há uma ~ de sete metros.* There's a seven-metre gap.

separado, -a *adj* **1** (*estado civil*) separated: *– Solteira ou casada? – Separada.* 'Married or single?' 'Separated.' **2** (*diferentes*) separate: *levar vidas separadas* to lead separate lives LOC **em separado** separately *Ver tb* SEPARAR

separar ▸ *vt* **1** to separate *sb/sth* (*from sb/sth*): *Separa as bolas vermelhas das verdes.* Separate the red balls from the green ones. **2** (*distanciar*) to move *sb/sth* away (*from sb/sth*) **3** (*guardar*) to put *sth* aside: *Separa-me um pão.* Put a loaf aside for me. ▸ **separar-se** *vp* **1** to separate, to split up (*mais coloq*): *Separou-se do marido.* She separated from her husband. ◇ *Separámo-nos a metade do caminho.* We split up halfway. **2** (*distanciar-se*) to move away (*from sb/sth*): *separar-se da família* to move away from your family

sepultar *vt* (*lit e fig*) to bury

sepultura *sf* grave

sequência *sf* sequence

sequer *adv* even: *Nem ~ me telefonaste.* You didn't even phone me. ◇ *sem ~ se vestir* without even getting dressed

sequestrador, -ora *sm-sf* **1** (*de uma pessoa*) kidnapper **2** (*de um avião*) hijacker

sequestrar *vt* **1** (*pessoa*) to kidnap **2** (*avião*) to hijack

sequestro *sm* **1** (*de uma pessoa*) kidnapping **2** (*de um avião*) hijacking

sequioso, -a *adj* thirsty

ser¹ ▸ *vi* **1** to be: *É alta.* She's tall. ◇ *Sou de Coimbra.* I'm from Coimbra. ◇ *Dois e dois são quatro.* Two and two are four. ◇ *São sete horas.* It's seven o'clock. ◇ *– Quanto é? – São três euros.* 'How much is it?' '(It's) three euros.' ◇ *– Quem é? – É a Ana.* 'Who's that?' 'It's Ana.' ◇ *Na minha família somos seis.* There are six of us in my family. ◇ *A estátua é na praça.* The statue's in the square.

Em inglês utiliza-se o artigo indefinido **a/an** antes de profissões em frases com o verbo **be**: *Ele é médico/engenheiro.* He's a doctor/an engineer.

2 ~ de (*material*) to be made of *sth*: *É de alumínio.* It's made of aluminium. **3 ~ sobre** (*filme, livro*) to be about *sth*: *O filme é sobre o quê?* What's the film about? **4 ~ de** (*equipa*) to support *sth*: *São do Sporting.* They are Sporting supporters. ▸ *v aux* to be: *Será julgado segunda-feira.* He will be tried on Monday. LOC **a não ser que...** unless... **como se (isso) fosse pouco** to top it all **é que...**: *É que não me apetece.* I just don't feel like it. **o que seja** whatever **ou seja**: *No dia 17, ou seja, terça passada.* On the 17th, that's to say last Tuesday. **se eu fosse** if I were **se não é/fosse por** if it weren't for *sb/sth*: *Se não fosse por ele, matavam-me.* If it weren't for him, I would have been killed. **seja como for/seja o que for/seja quem for** no matter how/what/who **sou eu** it's me, you, etc. ❶ Para outras expressões com **ser**, ver as entradas para o substantivo, adjetivo, etc., p. ex. **ser de fiar** em FIAR.

ser² *sm* being: *um ~ humano/vivo* a human/living being

serão *sm* evening: *passar o ~ em família* to spend the evening at home LOC **fazer serão** to stay up late

sereia *sf* mermaid

sereno, -a *adj* calm

série *sf* series [*pl* series]: *uma ~ de desastres* a series of disasters ◇ *uma nova ~ televisiva* a new TV series ➲ *Ver nota em* SERIES LOC *Ver* FABRICAR

seringa *sf* (*Med*) syringe

sério, -a *adj* **1** serious: *um livro/assunto ~* a serious book/matter **2** (*cumpridor*) reliable: *É um homem de negócios ~.* He's a reliable businessman. LOC **a sério** seriously: *levar/tomar alguma coisa a ~* to take sth seriously ◇ *Falas a ~?* Are you serious?

sermão *sm* (*Relig*) sermon LOC **dar/passar/pregar um sermão** to give *sb* a lecture

seronegativo, -a *adj* HIV-negative

S

seropositivo, **-a** *adj* HIV-positive

serpentina *sf* streamer

serra *sf* **1** (*ferramenta*) saw **2** (*região*) mountains [*pl*]: *uma casa na ~* a cottage in the mountains **3** (*Geog*) mountain range

serradura *sf* sawdust

serralheiro, **-a** *sm-sf* locksmith

serrar *vt* to saw *sth* (up): *Serrei a madeira.* I sawed up the wood.

serrote *sm* (hand)saw

sertã *sf* frying pan ➲ *Ver ilustração em* POT

servente *sm* (*trabalhador*) labourer

serviço *sm* **1** service: *~ de autocarros* bus service **2** (*trabalho*) work: *Cheguei atrasado ao ~.* I was late for work. **3** (*tarefa*) job: *Tenho um ~ para ti.* I have a job for you. **4** (*Ténis*) service LOC **de serviço** on duty: *o médico de ~* the doctor on duty ◇ *estar de ~* to be on duty **fazer o serviço militar/cívico** to do (your) military/social service **Serviço de Urgência** (*em hospital*) Accident and Emergency (*abrev* A & E), emergency room (*abrev* ER) (*USA*) **serviço fúnebre** funeral *Ver tb* ESTAÇÃO, FARMÁCIA, PRESTAR, PROVEDOR

servidor *sm* (*Informát*) server

servir ▸ *vi* **1** to serve: *~ na marinha* to serve in the navy ◇ *Nadal não serviu bem na final.* Nadal didn't serve well in the final. **2 ~ de/como/para** to serve as *sth*/to do *sth*: *Serviu para clarificar as coisas.* It served to clarify things. ◇ *A caixa serviu-me de mesa.* I used the box as a table. **3 ~ para** (*usar-se*) to be (used) for *doing sth*: *Serve para cortar.* It is used for cutting. ◇ *Para que é que serve?* What do you use it for? **4 ~ de** (*atuar como*) to act as *sth*: *~ de intermediário* to act as an intermediary **5** (*roupa*) to fit: *Estas calças já não me servem.* These trousers don't fit me any more. ▸ *vt* to serve: *Demoraram muito para nos ~.* They took a long time to serve us. ◇ *Sirvo-te um pouco mais?* Would you like some more? ▸ **servir-se** *vp* (*de comida*) to help yourself (*to sth*): *Servi-me de salada.* I helped myself to salad. ◇ *Sirva-se.* Help yourself. LOC **não servir 1** (*utensílio*) to be no good (*for doing sth*): *Esta faca não serve para cortar carne.* This knife is no good for cutting meat. **2** (*pessoa*) to be no good *at sth/doing sth*: *Não sirvo para ensinar.* I'm no good at teaching.

sessão *sf* **1** session: *~ de treino/encerramento* training/closing session **2** (*Cinema*) showing **3** (*Teat*) performance LOC **sessão da tarde** matinée

sessenta *sm, adj, pron* **1** sixty **2** (*sexagésimo*) sixtieth LOC **os anos sessenta** the sixties **sessenta e um, sessenta e dois, etc.** sixty-one, sixty-two, etc. ➲ *Ver pág. 710*

sesta *sf* siesta LOC **dormir/fazer uma sesta** to have a siesta

seta *sf* arrow

sete *sm, adj, pron* **1** seven **2** (*data*) seventh ➲ *Ver exemplos em* SEIS LOC **a sete chaves** under lock and key **ter sete vidas** to have nine lives *Ver tb* PINTAR

setecentos, **-as** *adj, pron, sm* seven hundred ➲ *Ver exemplos em* SEISCENTOS

setembro *sm* September (*abrev* Sept.) ➲ *Ver exemplos em* JANEIRO

setenta *sm, adj, pron* **1** seventy **2** (*septuagésimo*) seventieth ➲ *Ver exemplos em* SESSENTA

setentrional *adj* northern

sétimo, **-a** *adj, pron, sm-sf* seventh ➲ *Ver exemplos em* SEXTO LOC **estar no sétimo céu** to be in seventh heaven

seu, **sua** ▸ *adj* **1** (*dele*) his: *A culpa é sua.* It's his fault. **2** (*dela*) her ❶ De notar que *um amigo seu* se traduz por "a friend of his, hers, etc." porque significa *um dos seus amigos.* **3** (*de objeto, animal, conceito*) its **4** (*deles/delas*) their **5** (*impessoal*) their: *Cada um tem a sua opinião.* Everyone has their own opinion. **6** (*de você/vocês*) your ▸ *pron* **1** (*dele*) his: *um escritório ao pé do ~* an office next to his **2** (*dela*) hers **3** (*de você/vocês*) yours **4** (*deles/delas*) theirs

severo, **-a** *adj* **1 ~ (com)** (*rígido*) strict (with *sb*): *O meu pai era muito ~ connosco.* My father was very strict with us. **2** (*castigo, crítica*) harsh **3** (*intenso*) severe: *um golpe ~* a severe blow

sexagésimo, **-a** *sm, adj, pron* sixtieth: *És o ~ na lista.* You're (the) sixtieth on the list. ◇ *o ~ aniversário* the sixtieth anniversary ➲ *Ver pág. 710*

sexista *adj, smf* sexist

sexo *sm* sex LOC *Ver* DISTINÇÃO

sexta-feira (*tb* sexta) *sf* Friday (*abrev* Fri.): *~ treze* Friday the thirteenth ➲ *Ver exemplos em* SEGUNDA-FEIRA LOC **Sexta-feira Santa** Good Friday

sexto, **-a** ▸ *adj* **1** sixth: *a sexta filha* the sixth daughter **2** (*em títulos*): *D. João VI* John VI ❶ Lê-se: 'John the Sixth'. ▸ *pron, sm-sf* sixth: *É o ~ da família.* He's sixth in the family. ◇ *Fui o ~ a cruzar a meta.* I was the sixth to finish. ➲ *Ver pág. 710* ▸ *sm* sixth: *cinco ~s* five sixths LOC **a/uma sexta parte** a sixth **sexto sentido** sixth sense

sexual *adj* **1** sexual: *assédio ~* sexual harassment **2** (*educação, órgãos, vida*) sex [*s*]: *educação sexual* sex education LOC *Ver* ORGÃO, RELAÇÃO

sexualidade *sf* sexuality

shopping (*tb* **shopping center**) *sm* shopping mall: *Queres ir dar uma volta pelo ~?* Do you want to go round the shopping mall?

show *sm* show

si¹ *sm* (*Mús*) **1** (*nota musical*) ti **2** (*tom*) B: *si maior* B major

si² ▸ *pron* **1** (*ele*) himself: *Falava para si (mesmo).* He was talking to himself. **2** (*ela*) herself: *Só sabe falar de si (mesma).* She can only talk about herself. **3** (*coisa*) itself: *O problema resolveu-se por si (mesmo).* The problem solved itself. **4** (*eles, elas*) themselves **5 (a)** (*tu/você*) yourself: *querer alguma coisa para si* to want sth for yourself **(b)** (*vocês*) yourselves ➲ *Ver nota em* YOU ▸ *pron* (*você, o senhor, a senhora*) you: *Isto é para si.* This is for you. ◇ *Estávamos a falar de si.* We were talking about you. LOC **dar de si** (*roupa, sapatos*) to stretch **em si (mesmo)** in itself

siamês, -esa *adj* LOC *Ver* GATO, GÉMEO

sida (*tb* **Sida**) *sf* AIDS

siderado, -a *adj* LOC **ficar siderado** to be speechless

siderúrgico, -a *adj* iron and steel: *o sector ~ português* the Portuguese iron and steel sector

sidra *sf* cider

sigilo *sm* secrecy: *O ~ é importante nos negócios.* Secrecy is important in business. ◇ *Temos de manter ~ por causa da concorrência.* We have to keep things secret from the competition.

sigla *sf* acronym: *Qual é a ~ de...?* What's the acronym for...? ◇ *UE é a ~ da União Europeia.* UE stands for 'União Europeia'.

significado *sm* meaning

significar *vt, vi* to mean (*sth*) (*to sb*): *O que significa esta palavra?* What does this word mean? ◇ *Significa muito para mim.* He means a lot to me.

signo *sm* sign: *os ~s do Zodíaco* the signs of the zodiac

sílaba *sf* syllable

silenciar *vt* **1** (*pessoa*) to silence **2** (*escândalo*) to hush *sth* up

silêncio ▸ *sm* silence: *A turma estava em ~ absoluto.* There was complete silence in the classroom. ◇ *Silêncio, por favor.* Silence please. ▸ **silêncio!** *interj* be quiet!

silenciosamente *adv* very quietly

silencioso, -a ▸ *adj* **1** (*em silêncio, calado*) silent: *A casa estava completamente silenciosa.* The house was totally silent. ◇ *um motor ~* a silent engine **2** (*tranquilo*) quiet: *uma rua muito silenciosa* a very quiet street ▸ *sm* (*Mec*) silencer, muffler (*USA*)

silhueta *sf* silhouette

silicone *sm* silicone

silva *sf* bramble

silvestre *adj* wild

silvo *sm* (*cobra*) hiss

sim ▸ *adv* **1** yes: *– Queres um pouco mais? – Sim.* 'Would you like a bit more?' 'Yes, please.' **2** [*uso enfático*]: *Ela não vai, mas eu ~.* She's not going but I am. ▸ *sm*: *Respondeu com um tímido ~.* He shyly said yes. ◇ *Ele ainda não disse que ~.* He still hasn't said yes. LOC **ou sim ou sopas** yes or no: *– Queres ir comigo? Ou ~ ou sopas.* 'Are you coming with me? Yes or no?' **pelo sim, pelo não** just in case: *Vou levar um chapéu de chuva pelo ~, pelo não.* I'll take an umbrella just in case.

simbólico, -a *adj* symbolic

simbolizar *vt* to symbolize

símbolo *sm* symbol

simétrico, -a *adj* symmetrical

similar *adj* ~ **(a)** similar (to *sb/sth*)

símio, -a *sm-sf* ape

simpatia *sf* (*atração*) charm LOC **sentir/ter simpatia por alguém** to like sb

simpático, -a *adj* nice: *É uma rapariga muito simpática.* She's a very nice girl. ◇ *Pareceu-me muito ~.* I thought he was very nice. ◇ *Estava a tentar ser ~.* He was trying to be nice. ❶ De notar que **sympathetic** não significa "simpático", mas "compreensivo", "compassivo": *Todos foram muito compreensivos.* Everyone was very sympathetic.

simpatizante *smf* sympathizer: *ser um ~ do partido liberal* to be a liberal party sympathizer

simpatizar *vi* ~ **com** (*gostar de*) to like *sb/sth* [*vt*]: *Simpatizei com ele/a cara dele.* I liked him/the look of him.

simples *adj* **1** simple: *O problema não é tão ~ como parece.* The problem's not as simple as it looks. ◇ *uma refeição ~* a simple meal ◇ *O pobre rapaz é um pouco ~.* The poor lad's a bit simple. **2** (*mero*): *É uma ~ alcunha.* It's just a nickname. **3** (*único*) single LOC *Ver* BILHETE

simplicidade *sf* simplicity

simplificar *vt* to simplify

simulação *sf* simulation

simultâneo, -a *adj* simultaneous

sina *sf* fate LOC *Ver* LER

sinagoga *sf* synagogue

S

sinal *sm* **1** sign: *sinais de trânsito* road signs ◇ *É um bom/mau ~.* It's a good/bad sign. ◇ *em ~ de protesto* as a sign of protest **2** (*marca*) mark **3** (*telefone*) tone: *o ~ de marcar/ocupado* the dialling/engaged tone **4** (*em pele*) mole **5** (*de nascimento*) birthmark **6** (*luzes*) flash: *fazer ~ de luzes* to flash your lights LOC **dar sinais** to show signs *of sth/doing sth* **fazer um sinal/sinais** to signal (*to sb*): *Fez-me ~ para entrar.* He signalled to me to come in. ◇ *Faziam-me sinais que parasse.* They were signalling to me to stop. **por sinal** by the way: *Vou encontrá-la na terça, que por ~, é o seu aniversário.* I'm meeting her on Tuesday, which is her birthday, by the way. **sinal de perda de prioridade** give way sign, yield sign (*USA*)

sinalização *sf* (*rodoviária*) road signs [*pl*]

sinalizar *vt* **1** (*fazer sinal*) to signal **2** (*marcar com sinal*) **(a)** to mark **(b)** (*estrada, etc.*) to signpost

sinceridade *sf* sincerity

sincero, **-a** *adj* sincere LOC **para ser sincero** to be honest

sincronizar *vt* to synchronize: *Sincronizemos os relógios.* Let's synchronize our watches.

sindicato *sm* (trade) union, (labor) union (*USA*): *o ~ dos mineiros* the miners' union

síndrome *sf* syndrome LOC **síndrome de abstinência** withdrawal symptoms [*pl*] **síndrome de imunodeficiência adquirida** acquired immune deficiency syndrome (*abrev* AIDS) **síndrome pré-menstrual** pre-menstrual syndrome (*abrev* PMS)

sinfonia *sf* symphony [*pl* symphonies]

sinfónico, **-a** *adj* **1** (*música*) symphonic **2** (*orquestra*) symphony [*s*]: *orquestra sinfónica* symphony orchestra

singelo, **-a** *adj* simple

single *sm* (*disco vinil*) single: *o último ~ do grupo* the group's latest single

singular *adj* (*Gram*) singular

sinistro, **-a** ▸ *adj* sinister: *aspeto ~* sinister appearance ▸ *sm* (*acidente*) accident

sino *sm* bell: *Soaram os ~s.* The bells rang out.

sinónimo, **-a** ▸ *adj* ~ **(de)** synonymous (with *sth*) ▸ *sm* synonym

sinopse *sf* (*de filme, livro, etc.*) synopsis [*pl* synopses]

sintetizador *sm* synthesizer

sintoma *sm* symptom

sintonizar *vt, vi* to tune in (*to sth*): *~ a BBC* to tune in to the BBC

sinuoso, **-a** *adj* (*rio, estrada, etc.*) winding

sinusite *sf* sinusitis

sirene *sf* siren: *~ da polícia* police siren

sísmico, **-a** *adj* seismic LOC *Ver* ABALO

siso *sm* LOC *Ver* DENTE

sistema *sm* **1** system: *~ político/educativo* political/education system ◇ *o ~ solar* the solar system **2** (*método*) method: *os ~s pedagógicos modernos* modern teaching methods

site *sm* LOC *Ver* WEB

sítio[1] *sm* **1** (*lugar*) place: *um ~ para dormir* a place to sleep **2** (*Internet*) (web)site LOC *Ver* ALGUM, NENHUM, OUTRO, QUALQUER

sítio[2] *sm* (*cerco*) siege: *estado de ~* state of siege

situação *sf* situation: *uma ~ difícil* a difficult situation ◇ *Assim deixas-me numa ~ difícil.* You're putting me in an awkward situation. LOC *Ver* ALTURA

situado, **-a** *adj* situated *Ver tb* SITUAR

situar ▸ *vt* **1** (*colocar, edificar*) to place: *Situaram as tropas em torno do edifício.* They placed the troops around the building. ◇ *Resolveram ~ a nova ponte mais a norte.* They decided to place the new bridge further to the north. **2** (*encontrar*) to locate: *A polícia está a tentar ~ o fugitivo.* The police are trying to locate the fugitive. **3** (*em mapa*) to find: *Situa-me a Suíça no mapa.* Find Switzerland on the map. **4** (*romance, filme*) to set *sth in...* ▸ **situar-se** *vp* **1** (*pôr-se*) to position yourself **2** (*estar situado*) to be situated

skate *sm* skateboard

ski *sm Ver* ESQUI

slalom *sm* slalom

slide *sm* slide: *um ~ a cores* a colour slide

slogan *sm* slogan

slot-machine *sf* fruit machine, slot machine (*USA*)

slow *sm* slow dance

smoking *sm* dinner jacket, tuxedo [*pl* tuxedos] (*USA*)

snobe ▸ *adj* snobbish ▸ *smf* snob

só ▸ *adj* **1** (*sem companhia*) alone: *Estava só em casa.* She was alone in the house. **2** (*solitário*) lonely: *É uma pessoa muito só.* She's a very lonely person. ▸ *adv* only: *Só trabalho aos sábados.* I only work on Saturdays. ◇ *Só te peço uma coisa.* I'm just asking you one thing. LOC **estar/sentir-se só** to be/feel lonely **não só...como também...** not only...but also...

soalheiro, **-a** *adj* sunny

soalho *sm* (wooden) floor

S

soar *vi* **1** (*alarme, sirene*) to go off **2** (*campainha, sino, telefone*) to ring **3** ~ **(a)** to sound: *Esta parede soa a oco.* This wall sounds hollow. ◇ *Que tal te soa este parágrafo?* How does this paragraph sound to you?

sob *prep* under

soberano, -a *adj, sm-sf* sovereign

sobra *sf* **sobras** leftovers [*pl*] LOC **de sobra** plenty (of *sth*): *Há comida de ~.* There's plenty of food. ◇ *Temos tempo de ~.* We have plenty of time.

sobrancelha *sf* eyebrow LOC *Ver* FRANZIR

sobrar *vi* **1** (*restar*): *Sobrou queijo de ontem.* There's some cheese left (over) from yesterday. **2** (*haver mais do que o necessário*): *Sobra tecido para a saia.* There's plenty of material for the skirt. ◇ *Sobram duas cadeiras.* There are two chairs too many. **3** (*estar a mais*) to be unnecessary: *As palavras sobram.* Words are unnecessary. LOC **sobrar alguma coisa a alguém 1** (*restar*) to have sth left: *Sobram-me dois rebuçados.* I've got two sweets left. **2** (*ter demasiado*) to have too much/many...: *Sobra-me trabalho.* I've got too much work.

sobre *prep* **1** (*em cima de*) on: ~ *a mesa* on the table **2** (*por cima, sem tocar*) over: *Voámos ~ Lisboa.* We flew over Lisbon. **3** (*acerca de*) about: *um filme ~ a Escócia* a film about Scotland **4** (*num total de*) out of: *oito ~ dez* eight out of ten

sobreaviso *sm* LOC **estar/ficar de sobreaviso** to be on your guard

sobrecarregar *vt* to overload

sobreiro *sm* cork oak

sobreloja *sf* (*edifício*) mezzanine

sobremesa *sf* dessert, pudding (*mais coloq*): *O que é a ~?* What's for pudding? ◇ *Como ~ comi bolo.* I had cake for dessert. LOC *Ver* PRATO

sobrenatural *adj* supernatural

sobrenome *sm* surname

sobrescrito *sm* envelope

sobressair *vi* **1** (*objeto, parte do corpo*) to stick out, to protrude (*mais formal*) **2** (*destacar, ressaltar*) to stand out (*from sb/sth*): *Sobressai entre as suas companheiras.* She stands out from her friends.

sobressaltar *vt* to startle

sobressalto *sm* (*susto*) fright LOC **em sobressalto** on tenterhooks: *Deixaste-nos em ~ toda a noite.* You've kept us on tenterhooks all night.

sobresselente (*tb* **sobressalente**) *adj* spare

sobretaxa *sf* surcharge

sobretudo[1] *sm* overcoat

sobretudo[2] *adv* especially ➲ *Ver nota em* SPECIALLY

sobrevivente ▸ *adj* surviving ▸ *smf* survivor

sobreviver *vi* to survive

sobrevoar *vt, vi* to fly over (*sth*)

sobrinho, -a *sm-sf* **1** (*masc*) nephew **2** (*fem*) niece ❶ Por vezes dizemos *sobrinhos* referindo-nos a sobrinhos e sobrinhas; nesses casos devemos dizer em inglês **nephews and nieces**: *Quantos sobrinhos tens?* How many nephews and nieces have you got?

sóbrio, -a *adj* sober

sobrolho *sm* eyebrow LOC *Ver* FRANZIR

soca *sf* (*tb* **soco** *sm*) (*calçado*) clog

socalco *sm* (*Agricultura*) terrace

social *adj* social LOC *Ver* ASSISTÊNCIA, ASSISTENTE, CARTÃO, COLUNA, SEGURANÇA

socialismo *sm* socialism

socialista *adj, smf* socialist

sociável *adj* sociable

sociedade *sf* **1** society [*pl* societies]: *uma ~ de consumo* a consumer society **2** (*Com*) company [*pl* companies] LOC **sociedade anónima** public limited company (*abrev* plc), public corporation (*USA*) **sociedade (anónima de responsabilidade) limitada** limited company (*abrev* Ltd)

sócio, -a *sm-sf* **1** (*clube*) member: *tornar-se ~ de um clube* to become a member of a club/to join a club **2** (*Com*) partner

sociologia *sf* sociology

sociólogo, -a *sm-sf* sociologist

soco *sm* (*murro*) punch: *Deu-me um ~ no estômago.* He punched me in the stomach.

socorrer *vt* to help

socorrismo *sm* **1** (*primeiros-socorros*) first aid **2** (*na água*) life-saving

socorrista *smf* **1** (*para primeiros-socorros*) first aider **2** (*na água*) lifeguard

socorro ▸ *sm* help: *um pedido de ~* a cry for help ▸ **socorro!** *interj* help!

soda *sf* **1** (*bicarbonato*) bicarbonate of soda **2** (*bebida*) soda (water)

sofá *sm* sofa

sofá-cama *sm* sofa bed

sofisticado, -a *adj* sophisticated

sofrer ▸ *vt* **1** to have: *~ um acidente/ataque de coração* to have an accident/a heart attack **2** (*lesão, derrota, etc.*) to suffer **3** (*mudança*) to undergo ▸ *vi* **1** ~ **(de)** to suffer (from *sth*): *Sofre*

S

de dores de cabeça. He suffers from headaches. **2** ~ **com** to have: *A cidade sofre com problemas de trânsito.* The city has traffic problems. LOC **sofrer das costas, do coração, etc.** to have back, heart, etc. trouble *Ver tb* DESGOSTO, DESILUSÃO

sofrimento *sm* suffering

sogro, -a *sm-sf* **1** (*masc*) father-in-law **2** (*fem*) mother-in-law **3 sogros** parents-in-law, in-laws (*mais coloq*)

soja *sf* soya

sol[1] *sm* sun: *O ~ batia-me na cara.* The sun was shining on my face. ◇ *sentar-se ao ~* to sit in the sun ◇ *uma tarde de ~* a sunny afternoon LOC **de sol a sol** from morning to night **estar/fazer sol** to be sunny **tomar sol** to sunbathe *Ver tb* BANHO, CHAPÉU, CHOVER, LUZ, NASCER, ÓCULOS, RAIO

sol[2] *sm* **1** (*nota musical*) soh **2** (*tom*) G: *~ bemol* G flat LOC *Ver* CLAVE

sola *sf* sole: *sapatos com ~ de borracha* rubber-soled shoes

solar[1] *adj* (*do sol*) solar LOC *Ver* QUEIMADURA

solar[2] *sm* manor (house)

soldado *sm* soldier

soldar *vt* to solder

soleira *sf* (*porta*) threshold

solene *adj* solemn

soletrar *vt* to spell

solfejo *sm* music theory

solha *sf* (*peixe*) plaice [*pl* plaice]

solicitar *vt* to request, to ask for *sth* (*mais coloq*): *~ uma entrevista* to request an interview

solidão *sf* loneliness, solitude (*mais formal*)

solidariedade *sf* solidarity

solidário, -a *adj* supportive LOC **ser solidário com** to support *sb/sth*

solidez *sf* solidity

solidificar *vt, vi* **1** to solidify **2** (*água*) to freeze

sólido, -a *adj, sm* solid

solista *smf* soloist

solitário, -a *adj* **1** (*sozinho*) solitary: *Leva uma vida solitária.* She leads a solitary life. **2** (*lugar*) lonely: *as ruas solitárias* the lonely streets

solo[1] *sm* **1** (*superfície da terra*) ground **2** (*terra*) soil

solo[2] *sm* (*Mús*) solo [*pl* solos]: *tocar/cantar um ~* to play/sing a solo

soltar ▸ *vt* **1** (*largar*) to let go of *sb/sth*: *Solta-me!* Let go of me! **2** (*deixar cair*) to drop **3** (*libertar*) to set *sb/sth* free, to release (*mais formal*) **4** (*cão*) to set *sth* loose **5** (*cabo, corda, grito, suspiro*) to let *sth* out: *Solta um pouco a corda.* Let the rope out a bit. ◇ *~ um suspiro de alívio* to heave a sigh of relief **6** (*velas*) to unfurl ▸ **soltar-se** *vp* (*desprender-se*) to come/work loose LOC **soltar a língua** to spill the beans **soltar o cabelo** to let your hair down **soltar uma gargalhada** to laugh out loud

solteirão, -ona *sm-sf* **1** (*masc*) bachelor **2** (*fem*) spinster ➲ *Ver nota em* SPINSTER

solteiro, -a ▸ *adj* single: *ser/estar ~* to be single ▸ *sm-sf* single man/woman [*pl* men/women] LOC *Ver* CAMA, DESPEDIDA, MÃE

solto, -a *adj* loose: *uma página solta* a loose page ◇ *um parafuso ~* a loose screw ◇ *Uso sempre o cabelo ~.* I always wear my hair loose. LOC *Ver* FALAR, RÉDEA

solução *sf* solution (*to sth*): *encontrar uma ~ para o problema* to find a solution to the problem

soluçar *vi* **1** (*chorar*) to sob **2** (*Med*) to hiccup

solucionar *vt* to solve: *~ um problema* to solve a problem

soluço *sm* **1** (*ao chorar*) sob **2** (*Med*) hiccup: *curar os ~s* to cure the hiccups ◇ *Tenho ~s.* I've got the hiccups.

solúvel *adj* soluble: *aspirina ~* soluble aspirin LOC *Ver* CAFÉ

solvente *adj, sm* solvent

som *sm* sound LOC *Ver* APARELHAGEM, PLACA, TOM

soma *sf* sum: *fazer uma ~* to do a sum

somar *vt, vi* to add (*sth*) up: *Soma dois mais cinco.* Add up two and five. ◇ *Sabem ~?* Can you add up?

sombra *sf* **1** (*ausência de sol*) shade: *Sentámo-nos à ~.* We sat in the shade. ◇ *A árvore dava ~ ao carro.* The car was shaded by the tree. ◇ *Estás-me a fazer ~.* You're keeping the sun off me. **2** (*silhueta*) shadow: *projetar uma ~* to cast a shadow ◇ *Já não é nem a ~ do que era.* She is a shadow of her former self. LOC **à sombra de** (*sob a proteção de*) in the shadow of *sb* **fazer sombra a** to overshadow *sb* **sem sombra de dúvida/nem por sombras** undoubtedly **sombra (para os olhos)** eyeshadow

sombreado, -a *adj* shady

sombrinha *sf* sunshade

somente *adv Ver* SÓ

sonâmbulo, -a *sm-sf* sleepwalker

sonante *adj* **1** (*ressonante*) resonant **2** (*linguagem*) pompous

S

a **shadow** They're sitting in the **shade**.

sondagem *sf* (*opinião, mercado*) poll: *uma ~ de opinião* an opinion poll

sondar *vt* **1** (*pessoa*) to sound *sb* out (*about/on sth*) **2** (*opinião, mercado*) to test

soneca *sf* nap: *dormir/tirar uma ~* to have/take a nap

sonhador, -ora *sm-sf* dreamer

sonhar *vt, vi* ~ **(com) 1** (*a dormir*) to dream about (*sb/sth*): *Ontem à noite sonhei contigo.* I dreamt about you last night. ◇ *Não sei se o sonhei.* I don't know if I dreamt it. **2** (*desejar*) to dream of *doing sth*: *Sonho ter uma moto.* I dream of having a motorbike. ◇ *Sonham (com) vir a ser famosos.* They dream of becoming famous. LOC **nem sonhes!** no chance! **sonhar acordado** to daydream **sonhar alto (com)** to have pipe dreams (about *sth*) **sonhar com os anjos** to have sweet dreams

sonho *sm* dream: *Foi um ~ que se tornou realidade.* It was a dream come true. LOC **de sonho** dream: *uma casa de ~* a dream home **nem por sonhos** no chance **ter sonhos cor-de--rosa** to have sweet dreams

sonífero *sm* sleeping pill

sono *sm* **1** (*descanso*) sleep: *por falta de ~* due to lack of sleep ◇ *Não deixes que isso te tire o ~.* Don't lose any sleep over it. **2** (*sonolência*) drowsiness: *Estes comprimidos dão ~.* These pills make you drowsy. LOC **dar sono** to make *sb* drowsy **estar a cair/morrer de sono** to be dead on your feet **estar com/ter sono** to be sleepy **pegar no sono** to fall asleep **tirar o sono a alguém** to keep sb awake (*over sth*): *As coisas que eles fazem tiram o ~ aos seus pais.* The things they do keep their parents awake at night. *Ver tb* FERRADO

sonolento, -a *adj* sleepy

sonoro, -a *adj* **1** sound: *efeitos ~s* sound effects **2** (*voz*) loud LOC *Ver* BANDA

sopa *sf* soup: *~ de pacote/massinhas* packet/noodle soup ◇ *colher de ~* soup spoon LOC **levar sopa** to be turned down (*by sb*): *Ele pediu-lhe para dançar e levou ~.* He asked her to dance, but she turned him down. *Ver tb* PRATO, SIM

soprano *smf* soprano [*pl* sopranos]

soprar ▸ *vt* **1** (*para apagar alguma coisa*) to blow *sth* out: *~ uma vela* to blow out a candle **2** (*para arrefecer alguma coisa*) to blow on *sth*: *~ a sopa* to blow on your soup ▸ *vi* to blow LOC **soprar no balão** to be breathalysed

sopro *sm* **1** blow: *Apagou as velas todas com um ~.* He blew out the candles in one go. **2** (*vento*) gust

sórdido, -a *adj* sordid

sorridente *adj* smiling

sorrir *vi* to smile (*at sb*): *Sorriu-me.* He smiled at me.

sorriso *sm* smile

sorte *sf* **1** luck: *Boa ~ no exame!* Good luck in the exam! ◇ *dar/trazer boa/má ~* to bring good/bad luck ◇ *Que ~!* What a stroke of luck! **2** (*destino*) fate LOC **à sorte** at random **de sorte** lucky: *o meu número de ~* my lucky number **por sorte** fortunately **pouca sorte** bad luck **ter a pouca sorte de** to be unlucky enough *to do sth* **ter mais sorte que juízo**: *Tens mais ~ que juízo!* You've got more luck than judgement. **ter sorte/pouca sorte** to be lucky/unlucky **tirar à sorte** to toss for *sth*: *Tirámos à ~.* We tossed for it. *Ver tb* CASA

sortear *vt* **1** (*tirar à sorte*) to draw lots for *sth* **2** (*rifar*) to raffle

sorteio *sm* **1** (*lotaria, extração*) draw **2** (*rifa*) raffle

sortido, -a ▸ *adj* (*variado*) assorted: *bombons ~s* assorted chocolates ▸ *sm* selection: *Têm um ~ muito pobre.* They've got a very poor selection.

sortudo, -a ▸ *adj* lucky ▸ *sm-sf* lucky person: *És um ~.* You're so lucky.

sorver *vt, vi* **1** to sip **2** (*com uma palha*) to suck

sorvete *sm* sorbet

sorvo *sm* sip LOC **aos sorvos** in sips

SOS *sm* SOS: *enviar um ~* to send out an SOS

soslaio *sm* LOC **de soslaio**: *Olhava-me de ~.* He was looking at me out of the corner of his eye.

sossegado, -a *adj* quiet *Ver tb* SOSSEGAR

sossegar *vt, vi* to calm (*sb/sth*) down

S

sossego *sm* peace (and quiet): *deixar alguém em paz e ~* to leave sb in peace and quiet

sótão *sm* loft

sotaque *sm* accent: *falar com um ~ estrangeiro* to speak with a foreign accent

sova *sf* beating: *O Benfica deu-lhes uma ~.* Benfica gave them a sound beating.

sovaco *sm* armpit

sovina ▸ *adj* (*pessoa*) mean, cheap (*USA*) ▸ *smf* miser

sozinho, -a *adj* **1** (*sem companhia*) alone: *Estava sozinha em casa.* She was alone in the house. **2** (*sem ajuda*) by myself, yourself, etc.: *O menino já come ~.* He can eat by himself now. ➲ *Ver nota em* ALONE

squash *sm* squash

standard *adj, sm* standard

stick *sm* **1** (*hóquei*) stick **2** (*golfe*) club

stop *sm* (*trânsito*) stop sign

stress *sm* stress: *sofrer de ~* to be suffering from stress

stressado, -a *adj* stressed (out)

stressante *adj* stressful

suado, -a *adj* sweaty *Ver tb* SUAR

suar *vi* to sweat LOC **dar que suar** to be hard going: *O teste deu-me que ~.* The test was really hard going.

suave *adj* **1** (*cor, luz, música, voz*) soft **2** (*superfície*) smooth **3** (*brisa, pessoa, curva, descida, som*) gentle **4** (*castigo, clima, sabor*) mild **5** (*exercícios, chuva, vento*) light

subalimentado, -a *adj* undernourished

subconsciente *adj, sm* subconscious

subdesenvolvido, -a *adj* underdeveloped

subdesenvolvimento *sm* underdevelopment

súbdito, -a *sm-sf* subject: *uma súbdita britânica* a British subject

subentender-se *vp* to be understood

subida *sf* **1** (*ação*) ascent **2** (*ladeira*) slope: *no cimo desta ~* at the top of this slope **3** (*aumento*) rise (*in sth*): *uma ~ de preços* a rise in prices

subir ▸ *vt* **1** (*ir/vir para cima*) to go/come up: *~ uma rua* to go up a street ➲ *Ver nota em* IR **2** (*montanha, escada*) to climb: *~ o Evereste* to climb Everest **3** (*pôr mais para cima*) to put *sth* up: *Sobe-o um pouco mais.* Put it a bit higher. **4** (*levantar*) to lift *sth* up: *Subiu a bagagem para o comboio.* He lifted the luggage onto the train. **5** (*levar*) to take/bring *sth* up: *Subiu as malas até ao quarto.* He took the suitcases up to the room. **6** (*volume*) to turn *sth* up **7** (*preços*) to put *sth* up, to raise (*mais formal*) **8** (*estore, persiana*) to raise ▸ *vi* **1** (*ir/vir para cima*) to go/come up: *Subimos ao segundo andar.* We went up to the second floor. ◇ *~ ao telhado* to go up onto the roof ➲ *Ver nota em* IR **2** (*trepar*) to climb: *Gosta de ~ às árvores.* She loves climbing trees. **3** (*temperatura, rio*) to rise **4** (*maré*) to come in **5** (*preços*) to go up (in price): *A gasolina subiu.* Petrol has gone up in price. **6** (*volume, voz*) to get louder **7** ~ **(para)** **(a)** (*automóvel*) to get in, to get into *sth*: *Subi para o táxi.* I got into the taxi. **(b)** (*transporte público, cavalo, bicicleta*) to get on (*sth*): *Subiram dois passageiros.* Two passengers got on. LOC **subir à cabeça (de alguém)** (*bebida, êxito, cargo*) to go to sb's head: *O êxito subiu-lhe à cabeça.* Success has gone to his head. **subir a mostarda ao nariz** to get angry: *Está a subir-lhe a mostarda ao nariz.* He's getting angry. **subir em flecha** (*preços*) to shoot up **subir pelas paredes** (*ficar furioso*) to hit the roof *Ver tb* ESCADA

súbito, -a *adj* sudden

subjetivo, -a *adj* subjective

sublime *adj* sublime

sublinhar *vt* to underline

submarino, -a ▸ *adj* underwater ▸ *sm* submarine

submergir *vt* to submerge

submersível (*tb* **submergível**) *adj* water-resistant

submeter ▸ *vt* **1** (*dominar*) to subdue **2** (*expor*) to subject *sb/sth to sth*: *~ os presos a torturas* to subject prisoners to torture ◇ *Submeteram o metal ao calor.* The metal was subjected to heat. **3** (*procurar aprovação*) to submit *sth* (*to sb/sth*): *Têm de ~ o projeto ao conselho.* The project must be submitted to the council. ▸ **submeter-se** *vp* **submeter-se a 1** (*aceitar*) to submit to *sth*: *Submeteu-se às suas exigências.* She submitted to his demands. **2** (*sofrer*) to undergo: *Submeteu-se a várias operações.* He underwent several operations. LOC **submeter a votação** to put *sth* to the vote

submisso, -a *adj* submissive

submundo *sm* underworld

subordinado, -a *adj, sm-sf* subordinate

subornar *vt* to bribe

suborno *sm*: *tentativa de ~* attempted bribery ◇ *aceitar ~s* to accept/take bribes

subsidiar *vt* to subsidize

subsídio *sm* **1** (*para indivíduo*) benefit: *~ de doença/desemprego* sickness/unemployment benefit **2** (*para empresa, atividade*) subsidy [*pl* subsidies]: *os ~s da UE* EU subsidies

subsistir *vi* to subsist (*on sth*)

substância *sf* substance

substancial *adj* substantial

substantivo *sm* noun

substituição *sf* **1** (*permanente*) replacement **2** (*temporária, Desp*) substitution

substituir *vt* **1** (*permanentemente*) to replace *sb/sth* (*with sb/sth*): *Substituí o gato por um cão.* I've replaced the cat with a dog. **2** (*pontualmente, tomar o lugar de*) to stand in for *sb*: *O meu ajudante substituir-me-á.* My assistant will stand in for me.

substituto, -a *sm-sf* **1** (*permanente*) replacement: *Estão à procura de um ~ para o chefe de pessoal.* They're looking for a replacement for the personnel manager. **2** (*suplente*) stand-in **3** (*professor*) supply teacher

subterrâneo, -a *adj* underground LOC *Ver* PASSAGEM

subtil *adj* subtle

subtração *sf* (*Mat*) subtraction

subtrair *vt* to take *sth* away, to subtract (*mais formal*): *~ 3 a 7* to take 3 away from 7

subúrbio *sm* suburb

sucata *sf* scrap [*não-contável*]: *vender um carro para ~* to sell a car for scrap ◇ *Este frigorífico é uma ~.* This fridge is only fit for scrap.

sucedâneo, -a *sm-sf* substitute (*for sth*)

suceder *vi* **1** (*acontecer*) to happen (*to sb/sth*): *Que isto não volte a ~!* Don't let it happen again! **2** (*cargo, trono*) to succeed: *Será o filho que lhe sucederá no trono.* His son will succeed to the throne.

sucessão *sf* succession

sucessivamente *adv* successively LOC *Ver* ASSIM

sucesso *sm* **1** (*êxito*) success: *ter ~* to be successful **2** (*Mús, Cinema*) hit: *os seus últimos ~s cinematográficos* his latest box-office hits

sucessor, -ora *sm-sf* ~ **(a/de)** successor (to *sb/sth*): *Ainda não nomearam a sua sucessora.* They haven't named her successor yet.

suco *sm* juice

suculento, -a *adj* **1** (*com bastante sumo*) juicy **2** (*carne*) succulent

sucursal *sf* branch

sudeste (*tb* sueste) *sm* **1** (*ponto cardeal, região*) south-east (*abrev* SE): *a fachada ~ do edifício* the south-east face of the building **2** (*vento, direção*) south-easterly: *em direção ao ~* in a south-easterly direction

sudoeste *sm* **1** (*ponto cardeal, região*) south-west (*abrev* SW) **2** (*vento, direção*) south-westerly

Suécia *sf* Sweden

sueco, -a ▸ *adj, sm* Swedish: *falar ~* to speak Swedish ▸ *sm-sf* Swede: *os ~s* the Swedes

suficiente ▸ *adj* enough: *Não tenho arroz ~ para tantas pessoas.* I haven't got enough rice for all these people. ◇ *Serão ~s?* Will there be enough (of them)? ◇ *Ganho o ~ para viver.* I earn enough to live on. ▸ *sm* (*Educ*) ≈ C: *tirar um ~* to get (a) C ➲ *Ver nota em* A, A

sufocante *adj* stifling: *Estava um calor ~.* It was stiflingly hot.

sufocar ▸ *vt* **1** (*asfixiar*) to suffocate: *O fumo sufocava-me.* The smoke was suffocating me. **2** (*rebelião*) to put *sth* down ▸ *vi* **1** (*de calor*) to suffocate: *Quase sufoquei no metro.* I was suffocating on the underground. **2** (*respirar mal*) to be unable to breathe: *Quando tenho um ataque de asma, sufoco.* When I have an asthma attack, I can't breathe. **3** (*ao engasgar-se*) to choke: *Quase sufocava com a espinha.* I almost choked on that bone.

sugerir *vt* to suggest

sugestão *sf* suggestion

Suíça *sf* Switzerland

suíça (*tb* suíças) *sf* (*pelos na cara*) sideburn [*usa-se muito no plural*]

suicidar-se *vp* to commit suicide

suicídio *sm* suicide

suíço, -a ▸ *adj* Swiss ▸ *sm-sf* Swiss man/woman [*pl* men/women]: *os ~s* the Swiss

suíno *sm* pig ➲ *Ver nota em* PORCO LOC *Ver* GADO, GRIPE

suíte *sf* suite

sujar ▸ *vt* to get *sth* dirty: *Não sujes a mesa.* Don't get the table dirty. ◇ *Sujaste o vestido de óleo.* You've got oil on your dress. ▸ **sujar-se** *vp* to get dirty

sujeitar ▸ *vt* to subject *sb/sth to sth* ▸ **sujeitar-se** *vp* (*arriscar-se*) to risk *sth*: *Sujeitas-te a ser multado.* You're risking a fine.

sujeito, -a ▸ *adj* ~ **a** subject to *sth*: *Estamos ~s às regras do clube.* We are subject to the rules of the club. ▸ *smf* (*tipo*) character ▸ *sm* (*Gram*) subject *Ver tb* SUJEITAR

sujidade *sf* dirt

sujo, -a *adj* dirty LOC *Ver* CESTO, JOGAR, JOGO, LAVAR

sul *sm* south (*abrev* S): *no ~ de França* in the south of France ◇ *Fica a ~ de Lisboa.* It's south of Lisbon. ◇ *na costa ~* on the south coast

sulco *sm* **1** (*Agricultura, ruga*) furrow **2** (*água*) wake **3** (*disco vinil, metal*) groove

sultana *sf* (*passa*) sultana

suma *sf* LOC **em suma** in short

sumarento, -a *adj* juicy

sumariar *vt* to summarize

sumir *vi* to vanish

sumo *sm* (fruit) juice: ~ *de ananás* pineapple juice ◊ ~ *de laranja fresco* fresh orange juice

suor *sm* sweat

superar ▸ *vt* **1** (*dificuldade, problema*) to overcome, to get over *sth* (*mais coloq*): *Superei o medo de voar.* I've got over my fear of flying. **2** (*rival, recorde*) to beat **3** (*prova*) to pass **4** (*fazer melhor*) to surpass: ~ *as expectativas* to surpass expectations ◊ *A equipa portuguesa superou os italianos no jogo.* The Portuguese team outplayed the Italians. ▸ **superar-se** *vp* to better yourself

superdotado, -a *adj* (*génio*) gifted

superficial *adj* superficial

superfície *sf* **1** surface: *a ~ da água* the surface of the water **2** (*Mat, extensão*) area

supérfluo, -a *adj* **1** superfluous: *pormenores ~s* superfluous detail **2** (*despesas*) unnecessary

superior ▸ *adj* **1** ~ **(a)** higher (than *sb/sth*): *um número 20 vezes ~ ao normal* a figure 20 times higher than normal ◊ *ensino ~* higher education **2** ~ **(a)** (*qualidade*) superior (to *sb/sth*): *Era ~ ao seu rival.* He was superior to his rival. **3** (*posição*) top: *o canto ~ esquerdo* the top left-hand corner ◊ *o lábio ~* the upper lip **4** (*oficial*) senior ▸ *sm* superior LOC *Ver* ESCOLA, ESTABELECIMENTO

superioridade *sf* superiority

superlotado, -a *adj* jam-packed: *Os autocarros vão sempre ~s.* The buses are always jam-packed.

supermercado *sm* supermarket

superpovoado, -a *adj* overpopulated

superstição *sf* superstition

supersticioso, -a *adj* superstitious

supervisionar *vt* to supervise

suplemento *sm* supplement: *o ~ dominical* the Sunday supplement

suplente *adj, smf* **1** replacement [*s*]: *um condutor ~* a replacement driver ◊ *um pneu ~* a spare (tyre) **2** (*Futebol*) substitute [*s*]: *um jogador ~* a substitute

súplica *sf* plea

suplicar *vt* to beg (*sb*) (for *sth*): *Supliquei-lhe que não o fizesse.* I begged him not to do it.

suplício *sm* **1** (*tortura*) torture [*não-contável*]: *Estes saltos são um ~.* These high heels are torture. **2** (*experiência*) ordeal: *Aquelas horas de incerteza foram um ~.* Those hours of uncertainty were an ordeal.

supor *vt* to suppose: *Suponho que virão.* I suppose they'll come. ◊ *Suponho que sim/não.* I suppose so/not. LOC **supondo/supunhamos que...** supposing...

suportar *vt* **1** (*pessoa, situação*) to put up with *sb/sth*: ~ *o calor* to put up with the heat ❶ Quando a frase é negativa utiliza-se muito o verbo **stand**: *Não a suporto.* I can't stand her. ◊ *Não suporto ter de esperar.* I can't stand waiting. **2** (*peso, pressão, dor*) to withstand **3** (*sustentar*) to support: *São as vigas que suportam o telhado.* It's the beams that support the roof.

suporte *sm* **1** support **2** (*prateleira, mangueira*) bracket

suposição *sf* supposition

suposto, -a *adj* (*presumível*) alleged: *o ~ culpado* the alleged culprit *Ver tb* SUPOR

supremacia *sf* supremacy (*over sb/sth*)

supremo, -a *adj* supreme LOC **Supremo Tribunal de Justiça** High Court

suprimir *vt* **1** (*omitir, excluir*) to leave *sth* out, to omit (*mais formal*): *Eu suprimia este parágrafo.* I'd leave this paragraph out. **2** (*abolir*) to abolish: ~ *uma lei* to abolish a law

surdez *sf* deafness

surdo, -a ▸ *adj, sm-sf* deaf: *ficar ~* to go deaf ▸ *sm-sf* deaf person: *uma escola especial para ~s* a special school for the deaf ❶ Hoje em dia, ao referirmo-nos aos surdos, é preferível dizer **people who are hearing-impaired**. LOC **fazer-se de surdo** to turn a deaf ear (*to sb/sth*) **surdo como uma porta** as deaf as a post *Ver tb* DIABO

surdo-mudo, surda-muda ▸ *adj* deaf and dumb ▸ *sm-sf* deaf mute ➲ *Ver nota em* SURDO

surf *sm* surfing: *fazer/praticar ~* to go surfing LOC *Ver* PRANCHA

surfista *smf* surfer

surgir *vi* **1** (*aparecer*) to appear: *De onde é que isto surgiu?* Where did this appear from? **2** (*problema, complicação*) to arise: *Espero que não surja nenhum problema.* I hope that no problems arise.

surpreendente *adj* surprising

surpreender *vt* **1** to surprise: *Surpreende-me que ainda não tenha chegado.* I'm surprised he hasn't arrived yet. **2** (*apanhar desprevenido*) to catch *sb* (unawares): *Surpreendeu-os a roubar.* He caught them stealing. ◊ *Surpreenderam os assaltantes.* They caught the robbers unawares. LOC *Ver* FLAGRANTE

S

surpreendido, **-a** *adj* surprised *Ver tb* SURPREENDER

surpresa *sf* surprise LOC **apanhar de surpresa** to take *sb* by surprise **fazer uma surpresa (a)** to surprise *sb*

surra *sf* thrashing, whipping (*USA*) LOC **dar uma surra (em)** **1** (*açoitar*) to wallop **2** (*com cinto*) to belt

surrar *vt* (*açoitar*) to thrash

surrar(-se) *vt, vp* (*roupa*) to wear (*sth*) out: *Surraram-se os cotovelos da camisola.* My sweater's worn at the elbows.

surtir *vt* LOC **surtir efeito** to produce an effect

surto *sm* (*epidemia, violência*) outbreak: *um ~ de cólera* an outbreak of cholera

suscetível *adj* **1** (*melindroso*) touchy **2** ~ **de** (*capaz*) liable to *do sth*

suspeita *sf* suspicion

suspeitar *vt, vi* to suspect: *Suspeitam que o jovem seja um terrorista.* They suspect the young man of being a terrorist. LOC **já suspeitava!** just as I thought!

suspeito, **-a** ▸ *adj* suspicious ▸ *sm-sf* suspect

suspender *vt* **1** (*aluno, jogo*) to suspend: *O árbitro suspendeu o jogo durante meia hora.* The referee suspended the game for half an hour. **2** (*adiar*) to postpone

suspense *sm* suspense LOC *Ver* FILME

suspensórios *sm* braces, suspenders (*USA*)

suspirar *vi* to sigh

suspiro *sm* **1** (*ai*) sigh **2** (*Cozinha*) meringue

sussurrar *vt, vi* to whisper

sussurro *sm* whisper

sustenido, **-a** *adj* (*Mús*) sharp: *fá ~* F sharp

sustentar *vt* **1** (*suster*) to support, to hold *sth* up (*mais coloq*) **2** (*manter*) to maintain

sustento *sm* **1** (*alimento*) sustenance **2** (*suporte, apoio*) support

suster *vt* **1** (*segurar*) to hold *sth* up **2** (*peso, carga*) to support **3** (*reprimir*) to hold *sth* back

susto *sm* **1** (*medo, sobressalto*) fright: *Que ~ me deste/pregaste!* What a fright you gave me! **2** (*falso alarme*) scare LOC **um susto de morte** the fright of your life: *apanhar/levar um ~ de morte* to get the fright of your life *Ver tb* PREGAR[2]

sutiã *sm* bra

sweatshirt *sf* sweatshirt

T t

ta *Ver* TE

tabacaria *sf* tobacconist's ➲ *Ver nota em* TALHO

tabaco *sm* **1** tobacco: *~ de cachimbo* pipe tobacco **2** (*cigarros*) cigarettes [*pl*]: *Fiquei sem ~.* I've run out of cigarettes.

tabefe *sm* (*bofetada*) slap

tabela *sf* **1** (*lista, índice*) table: *~ de equivalências* conversion table **2** (*preços*) price list **3** (*marcador*) scoreboard LOC **à tabela** (*a horas*) on time: *O comboio nunca chega à ~.* The train never gets here on time.

taberna *sf* bar

tabique *sm* partition: *derrubar um ~* to knock down a partition

tablete *sf* (*chocolate*) bar: *uma ~ de chocolate* a chocolate bar

tablier *sm* dashboard

tabu *sm* taboo [*pl* taboos]: *um tema/uma palavra ~* a taboo subject/word

tábua *sf* **1** (*de madeira por alisar*) plank: *um ponte feita de ~s* a bridge made from planks **2** (*de madeira polida, prancha*) board: *~ de passar a ferro* ironing board LOC **tábua de queijos** cheeseboard

tabuada *sf* (*Mat*) table: *saber a ~* to know your (multiplication) tables LOC **a tabuada do dois, etc.** the two, etc. times table

tabuleiro *sm* **1** (*para comida, bebidas*) tray **2** (*Xadrez, Damas*) board: *~ de xadrez* chessboard LOC *Ver* JOGO

tabuleta *sf* sign

taça *sf* **1** (*tigela*) bowl **2** (*chávena*) cup ➲ *Ver ilustração em* CUP **3** (*copo*) (champagne) glass: *uma ~ de champanhe* a glass of champagne **4** **Taça** (*Desp*) Cup: *a Taça de Portugal* the Portuguese Cup

tacanho, **-a** *adj* narrow-minded

tacão *sm* (*sapato*) heel

tacho *sm* saucepan ➲ *Ver ilustração em* POT

taco *sm* **1** (*Bilhar*) cue **2** (*Golfe*) (golf) club **3** (*Basebol*) bat

táctil *adj* LOC *Ver* ECRÃ

tagarela ▸ *adj* talkative ▸ *smf* **1** (*falador*) chatterbox **2** (*indiscreto*) gossip

tagarelice *sf* chatter: *Deixa-te de ~s!* Stop chattering! LOC **estar na tagarelice** to chatter away

tainha *sf* grey mullet [*pl* grey mullet]

tal *adj* **1** [*com substantivos contáveis no plural e substantivos não-contáveis*] such: *em tais situações* in such situations ◇ *uma questão de ~ gravidade* a matter of such importance **2** [*com substantivos contáveis no singular*] such a: *Como podes dizer ~ coisa?* How can you say such a thing? LOC **de tal modo que** so much that: *Gritou de tal ~ que ficou sem fala.* He shouted so much that he lost his voice. **em tal caso** in that case **o/a tal** the so-called: *A ~ esposa não era mais do que sua cúmplice.* His so-called wife was only his accomplice. **tais como...** such as... **tal como** (*do modo*) the way: *Escreve-se ~ como se diz.* It's spelt the way it sounds. **tal pai, tal filho** like father, like son **tal qual** exactly like *sb/sth*: *É ~ qual o pai.* He's exactly like his father. **um/uma tal** a: *Telefonou um ~ Luís Martins.* A Luís Martins rang for you. *Ver tb* FULANO, QUE[3]

talão *sm* **1** (*recibo*) receipt **2** (*bilhete*) ticket

talco *sm* talc LOC **(pó de) talco** talcum powder, talc (*coloq*)

talento *sm* **1** (*habilidade*) talent (*for sth/doing sth*): *Tem ~ para a música/pintar.* He has a talent for music/painting. **2** (*inteligência*) ability: *Tem ~ mas não gosta de estudar.* He's got ability but doesn't like studying.

talentoso, -a *adj* talented

talhada *sf* slice: *uma ~ de melão* a slice of melon

talhar ▸ *vt* **1** (*madeira, pedra*) to carve: *~ alguma coisa em coral* to carve sth in coral **2** (*joia*) to cut ▸ *vi* (*leite, natas*) to curdle

talher *sm* **talheres** cutlery [*não-contável, v sing*], silverware [*não-contável, v sing*] (*USA*): *Só me falta pôr os ~es.* I've just got to put out the cutlery. ◇ *Ainda não aprendeu a usar os ~s.* He hasn't learnt how to use a knife and fork yet.

talho *sm* (*loja*) butcher's, butcher shop (*USA*)

> Em inglês, o nome de muitas lojas é formado a partir do nome do profissional que nelas trabalha, seguido de **'s**, p.ex. **butcher's**, **baker's**, etc. Se quiser falar de vários talhos, deverá somente dizer **butchers**, tal como quando fala de vários talhantes. Em alguns casos pode também dizer-se **butcher's shops** (ou **butcher shops** nos Estados Unidos): *Há dois talhos nesta rua.* There are two butchers/two butcher's shops in this street.

LOC *Ver* HOMEM

talismã *sm* good-luck charm

talo *sm* stem

talvez *adv* maybe

tamanco *sm* clog

tamanho, -a ▸ *adj* such: *Nunca ouvi tamanha estupidez.* I've never heard such stupidity. ▸ *sm* size: *Que ~ de camisa vestes?* What size shirt do you take? ◇ *Não têm o meu ~.* They haven't got my size. ◇ *Que ~ tem a caixa?* What size is the box? ◇ *ser do/ter o mesmo ~* to be the same size LOC **em tamanho natural** life-sized: *uma foto em ~ natural* a life-sized photo

tâmara *sf* date

também *adv* also, too, as well

> **Too** e **as well** são colocados no final da frase: *Eu também quero ir.* I want to go too/as well. ◇ *Eu também cheguei tarde.* I was late too/as well. **Also** é a variante mais formal e coloca-se antes do verbo principal, ou depois se é um verbo auxiliar: *Também vendem sapatos.* They also sell shoes. ◇ *Conheci a Jane e os seus pais também.* I've met Jane and I've also met her parents.

LOC **eu também** me too: *– Quero uma sandes. – Eu ~.* 'I want a sandwich.' 'Me too.' **também não** neither, nor, either: *– Não vi esse filme. —Eu ~ não.* 'I haven't seen that film.' 'Neither have I./Me neither./Nor have I.' ◇ *—Não gosto. —Eu ~ não.* 'I don't like it.' 'Nor do I./ Neither do I./I don't either.' ◇ *Eu ~ não fui.* I didn't go either. ➲ *Ver nota em* NEITHER; *Ver tb* SÓ

tambor *sm* drum: *tocar ~* to play the drum ◇ *o ~ de uma máquina de lavar* the drum of a washing machine

tamboril *sm* (*peixe*) monkfish [*pl* monkfish]

tamborim *sm* tambourine

tampa *sf* **1** lid **2** (*garrafa, tubo*) top **3** (*banheira, ralo*) plug LOC **tampa de rosca** screwcap

tampão *sm* **1** (*higiénico*) tampon **2** (*para os ouvidos*) earplug

tampo *sm* **1** (*mesa*) top **2** (*sanita*) lid

tanga *sf* **1** (*indígena*) loincloth **2** (*biquini*) (Brazilian) bikini [*pl* bikinis]

tangente *sf* tangent LOC **à tangente** barely: *Passou de ano à ~.* She barely passed the final exams for the year.

tangerina *sf* tangerine

tanque *sm* tank

tanto, -a ▸ *adj, pron* **1** [*referido a substantivo não-contável*] so much: *Não me ponhas ~ arroz.* Don't give me so much rice. ◇ *Nunca tinha passado tanta fome.* I'd never been so hungry. ◇ *Dão-me ~ por mês.* They give me so much a month. **2** [*referido a substantivo contável*] so many: *Estavam lá tantas pessoas!* There were so many people (there)! ◇ *Tinha ~s problemas!* He had so many problems! ◇ *Porque é* *que compraste ~s?* Why did you buy so many? ▸ *adv* **1** so much: *Comi ~ que nem me posso mexer.* I've eaten so much (that) I can't move. **2** (*tempo*) so long: *Há ~ que não te vejo!* I haven't seen you for so long! **3** (*tão rápido*) so fast: *Não corras ~.* Don't run so fast. **4** (*tantas vezes*) so often LOC **às/até às tantas** in/until the small hours **de tantas em tantas horas, semanas, etc.** every so many hours, weeks, etc. **e tantos 1** (*com quantidade, idade*) odd: *quarenta e tantas pessoas* forty-odd people **2** (*com ano*): *mil novecentos e sessenta e ~s* nineteen sixty something **não ser (caso) para tanto**: *Sei que te dói, mas não é para ~!* I know it hurts but it's not as bad as all that! **tanto...como... 1** [*em comparações*] **(a)** [*com substantivo não-contável*] as much...as...: *Bebi tanta cerveja como tu.* I drank as much beer as you. **(b)** [*com substantivo contável*] as many...as...: *Não temos ~s amigos como antes.* We haven't got as many friends as we had before. **2** (*os dois*) both...and...: *Sabiam ~ ele como a irmã.* He and his sister both knew. **tanto faz** it's all the same **tanto melhor** so much the better **tanto pior** too bad **tanto quanto/quantos... 1** (*quantidade*) as much/as many as...: *~s quantos forem necessários* as many as are needed **2** (*tempo*) as long as... **tantos por cento** a percentage **um tanto** (*bastante*) rather, pretty (*USA*): *É um ~ caro.* It's rather dear. **um tanto ou quanto** slightly: *É um ~ ou quanto estúpido.* He's slightly stupid. *Ver tb* OUTRO

tão *adv* **1** [*antes de um adjetivo ou advérbio*] so: *Não creio que seja ~ ingénuo assim.* I don't think he's so naive. ◇ *Não pensei que chegasses ~ tarde.* I didn't think you'd be this late. ◇ *É ~ difícil que...* It's so hard that... **2** [*depois de um substantivo*] such: *Não esperava um presente ~ caro.* I wasn't expecting such an expensive present. ◇ *São umas crianças ~ boazinhas que...* They're such good children that... ◇ *Que casa ~ bonita que tens!* What a lovely house you've got! LOC **tão...como...** as...as...: *É ~ elegante como o pai.* He's as smart as his father.

tão-pouco *adv* neither, nor, either: *– Não li esse livro. – Eu ~ .* 'I haven't read that book.' 'Neither have I./Me neither./Nor have I.' ◇ *—Não gosto. —Eu ~ .* 'I don't like it.' 'Nor do I./ Neither do I./I don't either.' ◇ *Ele ~ veio.* He didn't come either. ➲ *Ver nota em* NEITHER

tapado, -a *adj* (*nariz*) blocked (up): *Ainda tenho o nariz ~.* My nose is still blocked up. *Ver tb* TAPAR

tapar ▸ *vt* **1** (*cobrir*) to cover *sb/sth* (*with sth*) **2** (*abrigar*) to wrap *sb/sth* up (*in sth*): *Tapei-a com uma manta.* I wrapped her up in a blanket. **3** (*com um testo, uma tampa*) to put the lid on *sth*: *Tapa o tacho.* Put the lid on the saucepan. **4** (*com tampa de rosca*) to put the top on *sth*: *~ a pasta de dentes* to put the top on the toothpaste **5** (*buraco, goteira*) to stop *sth* (up) (*with sth*): *Tapei os buracos com gesso.* I stopped (up) the holes with plaster. **6** (*obstruir*) to block: *O lixo tapou o cano.* The rubbish blocked the drainpipe. **7** (*a vista*) to block *sb's* view (*of sth*): *Não me tapes a televisão.* Don't block my view of the TV.
▸ **tapar-se** *vp* **tapar-se (com)** (*abrigar-se*) to wrap up (in *sth*): *Tapa-te bem.* Wrap up well.

tapeçaria *sf* tapestry [*pl* tapestries]

tapete *sm* **1** (*grande*) carpet **2** (*pequeno*) rug **3** (*capacho*) mat LOC **tapete para o rato** mouse mat, mouse pad (*USA*)

tarado, -a ▸ *adj* (*doido*) nuts ▸ *sm-sf* nutter, nut (*USA*)

tarântula *sf* tarantula

tardar *vt, vi* to take a long time (*to do sth*): *A encomenda não tarda a chegar.* The order won't take long to arrive. LOC **o mais tardar** at the latest: *Chegarei às quatro, o mais ~.* I'll be there at four, at the latest.

tarde ▸ *sf* afternoon, evening: *O concerto é à ~.* The concert is in the afternoon/evening. ◇ *Chegaram domingo à ~.* They arrived on Sunday afternoon/evening. ◇ *Vejo-te amanhã à ~.* I'll see you tomorrow afternoon/evening. ◇ *Que vais fazer hoje à ~?* What are you doing this afternoon/evening? ◇ *às quatro da ~* at four o'clock in the afternoon ◇ *a programação da ~* afternoon television

> **Afternoon** utiliza-se desde o meio-dia até, aproximadamente, às seis da tarde e **evening** desde as seis da tarde até à hora de dormir. ➲ *Ver tb nota em* MORNING

▸ *adv* **1** late: *Levantámo-nos ~.* We got up late. ◇ *Vou-me embora, que já é ~.* I'm off; it's getting late. **2** (*demasiado tarde*) too late: *É ~ para telefonar.* It's too late to ring them. LOC **boa tarde!** good afternoon/evening! **mais tarde ou mais cedo** sooner or later *Ver tb* CAIR, CHEGAR, MEIO, SESSÃO, VALER

tarefa *sf* **1** task: *uma ~ impossível* an impossible task **2** (*obrigação*) duty [*pl* duties]: *Quais são as minhas ~s?* What are my duties? LOC **tarefas domésticas** housework [*não-contável, v sing*]

tarifa *sf* tariff

tartã *sm* tartan

tartaruga *sf* **1** (*da terra*) tortoise **2** (*do mar*) turtle ❶ Nos Estados Unidos, em linguagem coloquial, usa-se **turtle** para os dois tipos de tartaruga. LOC *Ver* DEVAGAR

T

tarte *sf* tart, pie: *uma ~ de maçã* an apple tart/pie ➲ *Ver nota em* PIE LOC **tarte gelada** ice-cream cake

tas *Ver* TE

tasca *sf* bar

tática *sf* **1** tactics [*pl*]: *a ~ de guerra dos romanos* Roman military tactics ◇ *uma mudança de ~* a change of tactics **2** (*manobra*) tactic: *uma brilhante ~ eleitoral* a brilliant electoral tactic

tato *sm* **1** (*sentido*) sense of touch: *ter um ~ muito desenvolvido* to have a highly developed sense of touch ◇ *reconhecer alguma coisa pelo ~* to recognize sth by touch **2** (*habilidade*) tact: *Que falta de ~!* How tactless! ◇ *É preciso ter muito ~.* You need to be very tactful.

tatuagem *sf* tattoo [*pl* tattoos]

taxa *sf* **1** (*índice*) rate: *a ~ de natalidade* the birth rate **2** (*imposto*) tax

táxi *sm* taxi LOC **paragem/praça de táxis** taxi rank, taxi stand (*USA*)

taxista *smf* taxi driver

tchim-tchim! *interj* cheers

te *pron* **1** [*complemento*] you: *Ele viu-te?* Did he see you? ◇ *Trouxe-te um livro.* I've brought you a book. ◇ *Escrevo-te em breve.* I'll write to you soon. ◇ *Comprei-to.* I've bought it for you. **2** (*parte do corpo, objetos pessoais*): *Não te engessaram o braço?* Didn't they put your arm in plaster? **3** [*reflexivo*] yourself: *Vais-te magoar.* You'll hurt yourself. ◇ *Veste-te.* Get dressed.

teatral *adj* **1** (*relativo ao teatro*) theatre [*s*]: *grupo ~* theatre group **2** (*comportamento, pessoa*) theatrical LOC *Ver* PEÇA

teatro *sm* theatre: *o ~ clássico/moderno* classical/modern theatre LOC **fazer teatro** (*fingir*) to put on an act: *É verdade que lhe dói o pé, mas ele também está a fazer um pouco de ~.* His foot does hurt, but he's putting on a bit of an act. **teatro de fantoches** puppet theatre *Ver tb* PEÇA

tecer *vt* **1** to weave **2** (*aranha, bicho-da-seda*) to spin

tecido *sm* **1** (*pano*) fabric ➲ *Ver nota em* PANO **2** (*Anat*) tissue

tecla *sf* key [*pl* keys]: *premer uma ~* to press a key LOC *Ver* BATER

teclado *sm* keyboard ➲ *Ver ilustração em* COMPUTADOR

teclar ▸ *vt* (*digitar*) to key *sth* in ▸ *vi* (*conversar*) to chat (online): *Teclei com um rapaz muito simpático.* I was chatting (online) to a really nice boy.

técnica *sf* **1** (*método*) technique **2** (*tecnologia*) technology [*pl* technologies]: *os avanços da ~* technological advances

técnico, -a ▸ *adj* technical ▸ *sm-sf* **1** technician **2** (*água, luz, telefones*) engineer **3** (*Desp*) manager LOC *Ver* ASSISTÊNCIA

tecnologia *sf* technology [*pl* technologies] LOC **tecnologia de ponta** state-of-the-art technology

tecnológico, -a *adj* technological

tédio *sm* boredom: *Como por puro ~.* I eat from sheer boredom. LOC *Ver* MORTO

teia *sf* web LOC **teia de aranha** cobweb

teimar *vt, vi* to insist (on *sth*)

teimosia *sf* stubbornness

teimoso, -a *adj, sm-sf* stubborn [*adj*]: *É um ~.* He's so stubborn.

tejadilho *sm* **1** (*carro*) roof **2** (*para a bagagem*) roof rack

tela *sf* canvas

telecomunicações *sf* telecommunications

teleférico *sm* **1** (*de cabina*) cable car **2** (*de cadeira*) chairlift

telefonadela *sf* ring, (phone) call (*USA*): *Dá-me uma ~ amanhã.* Give me a ring tomorrow.

telefonar *vt, vi* to telephone, to phone (*mais coloq*)

telefone *sm* **1** (*aparelho*) telephone, phone (*mais coloq*): *Está ao ~ a falar com a mãe.* She's on the phone to her mother. ◇ *Atendes o ~?* Can you answer the phone? ◇ *~ celular* mobile (phone) ◇ *Ana, ~!* It's for you, Ana! ◇ *O ~ dá sinal de ocupado.* The line's engaged. **2** (*número*) phone number: *Tens o meu ~?* Have you got my phone number? LOC **telefone público** (public) payphone *Ver tb* AGENDA, CABINA, DESLIGAR, LISTA, PENDURADO

telefonema *sm* phone call

telefónico, -a *adj* telephone, phone (*mais coloq*): *fazer uma chamada telefónica* to make a phone call LOC *Ver* CABINA, CENTRAL, LISTA

telefonista *smf* telephonist

telegrama *sm* telegram: *mandar um ~* to send a telegram

telejornal *sm* news [*sing*]: *A que horas é o ~?* What time is the news on? ◇ *Nem sequer tive tempo para ver o ~.* I haven't even had time to watch the news today.

telemóvel *sm* mobile (phone), cellphone (*USA*)

telenovela *sf* soap (opera)

T

teleobjetiva *sf* telephoto lens [*pl* telephoto lenses]

telepatia *sf* telepathy

telescópio *sm* telescope

telespetador, -ora *sm-sf* viewer

teletexto *sm* teletext

televisão *sf* television (*abrev* TV), telly (*coloq*): *Estávamos a ver ~.* We were watching television. ◇ *aparecer na ~* to be on television ◇ *Liga/desliga a ~.* Turn the TV on/off. ◇ *O que é que dá hoje à noite na ~?* What's on the telly tonight? LOC *Ver* TRANSMITIR

televisor *sm* television (set) (*abrev* TV)

telha *sf* (roof) tile

telhado *sm* roof

telheiro *sm* shed

tema *sm* **1** subject: *o ~ de uma palestra/um poema* the subject of a talk/poem ◇ *Não mudes de ~.* Don't change the subject. **2** (*Mús*) theme **3** (*questão importante*) question: *~s ecológicos/económicos* ecological/economic questions LOC *Ver* AFASTAR

temática *sf* subject matter

temático, -a *adj* LOC *Ver* PARQUE

temer *vt* to be afraid *of sb/sth/doing sth*: *Temo que não venham.* I'm afraid they won't come. ◇ *Temo enganar-me.* I'm afraid of making mistakes. ◇ *Não disse nada pois temi que se ofendesse.* I didn't say it for fear of offending him.

temível *adj* frightening

temor *sm* fear

temperado, -a *adj* **1** (*clima*) mild **2** (*comida*) seasoned *Ver tb* TEMPERAR

temperamento *sm* temperament: *Tem cá um ~!* He is very temperamental!

temperar *vt* **1** (*comida*) to season **2** (*salada*) to dress

temperatura *sf* temperature: *A ~ vai descer amanhã.* The temperatures will fall tomorrow. LOC **temperatura ambiente** room temperature

tempero *sm* **1** (*comida*) seasoning **2** (*salada*) dressing

tempestade *sf* storm: *Vem aí uma ~.* There's a storm brewing. ◇ *Parece que vai haver ~.* It looks like there's going to be a storm. LOC **fazer/ser uma tempestade num copo de água** to make/be a storm in a teacup

tempestuoso, -a *adj* stormy

templo *sm* temple

tempo *sm* **1** time: *no ~ dos romanos* in Roman times ◇ *Há ~ que moro aqui.* I've been living here for some time. ◇ *nos meus ~s livres* in my spare time ◇ *Há quanto ~ estudas inglês?* How long have you been studying English? **2** (*meteorológico*) weather: *Ontem esteve bom/mau ~.* The weather was good/bad yesterday. **3** (*Gram*) tense **4** (*Educ, hora de aula*) period: *Tenho Inglês ao primeiro/último ~ da manhã.* I've got English first/last period in the morning. **5** (*Desp*) half [*pl* halves]: *o primeiro ~* the first half LOC **ao mesmo tempo (que)** at the same time (as *sb/sth*): *Falámos ao mesmo ~.* We said it at the same time. ◇ *Acabou ao mesmo ~ que eu.* He finished at the same time as I did. **a tempo inteiro/parcial** full-time/part-time: *Procuram alguém para trabalhar a ~ inteiro.* They're looking for someone to work full-time. ◇ *trabalhar a ~ parcial* to have a part-time job **com o tempo** in time: *Com o ~ vais entender.* You'll understand in time. **com tempo 1** (*de sobra*) in good time: *Avisa-me com ~.* Let me know in good time. **2** (*alargadamente*) at length **dar tempo ao tempo** to wait patiently **de tempos a tempos** from time to time **do tempo** (*fruta*) seasonal **em tempo real** in real time **estar a tempo** to be in time (*to do sth*): *Ainda estás a ~ de o enviar.* You're still in time to send it. **fazer tempo** to while away your time **passar o tempo** to pass the time **pouco tempo depois** soon afterwards *Ver tb* CANTAR, CHEGAR, COISA, GANHAR, PERDER, QUANTO

têmpora *sf* (*Anat*) temple

temporada *sf* **1** (*período de tempo*) time: *Esteve doente durante uma longa ~.* He was ill for a long time. ◇ *passar uma ~ no estrangeiro* to spend some time abroad **2** (*época*) season: *a ~ futebolística* the football season LOC **temporada da caça** open season

temporal *sm* storm

temporário, -a *adj* temporary

temporizador *sm* timer

tenaz ▸ *adj* tenacious ▸ **tenazes** *sf* tongs ➲ *Ver nota em* PAIR

tenda *sf* **1** (*festa*) marquee, tent (*USA*) **2** (*feira*) stall LOC **tenda (de campismo)** tent: *montar/desmontar uma ~* to put up/take down a tent

tendão *sm* tendon

tendência *sf* **1** tendency [*pl* tendencies]: *Tem ~ para engordar.* He has a tendency to put on weight. **2** (*moda*) trend: *as últimas ~s da moda* the latest trends in fashion

tendencioso, -a *adj* controversial, tendentious (*mais formal*)

tender *vi* ~ **a** to tend to *do sth*: *Tende a complicar as coisas.* He tends to complicate things.

tenebroso, -a *adj* sinister

tenente *sm* lieutenant

T

ténis *sm* **1** (*jogo*) tennis **2** (*sapatilha*) trainer, sneaker (*USA*) **LOC** **ténis de mesa** table tennis

tenista *smf* tennis player

tenor *sm* tenor

tenro, -a *adj* tender: *um bife ~* a tender steak

tensão *sf* **1** tension: *a ~ de uma corda* the tension of a rope ◇ *Notava-se uma grande ~ durante o jantar.* There was a lot of tension during dinner. **2** (*elétrica*) voltage: *cabos de alta ~* high voltage cables **LOC** **tensão (arterial)** blood pressure: *ter a ~ alta* to have high blood pressure *Ver tb* POSTE

tenso, -a *adj* **1** tense **2** (*esticado*) tight: *Assegura-te de que a corda está bem tensa.* Make sure the rope is tight.

tentação *sf* temptation: *Não pude resistir à ~ de o comer.* I couldn't resist the temptation to eat it up. ◇ *cair na ~* to fall into temptation

tentáculo *sm* tentacle

tentador, -ora *adj* tempting

tentar *vt* **1** (*experimentar*) to try (*sth/to do sth*): *Tenta.* Just try. ➲ *Ver nota em* TRY **2** (*seduzir*) to tempt: *Tenta-me a ideia de ir de férias.* I'm tempted to go on holiday.

tentativa *sf* attempt: *à primeira ~* at the first attempt

ténue *adj* faint

teologia *sf* theology

teoria *sf* theory [*pl* theories]: *em ~* in theory

teórico, -a *adj* theoretical

tépido, -a *adj* lukewarm

ter ▸ *vt*

• **possessão** to have

> Em inglês existem duas formas para expressar *ter* no presente: **have got** e **have**. **Have got** é mais frequente e não necessita de um auxiliar nas frases negativas e interrogativas: *Tens irmãos?* Have you got any brothers or sisters? ◇ *Não tem dinheiro nenhum.* He hasn't got any money.
> **Have** pode ser acompanhado de um auxiliar na negativa e na interrogativa: *Tens irmãos?* Do you have/Have you any brothers or sisters? ◇ *Não tem dinheiro nenhum.* He doesn't have/He hasn't any money.
> Nos restantes tempos verbais utiliza-se **have**: *Quando era pequena tinha uma bicicleta.* I had a bicycle when I was little.

• **estado, atitude 1** (*idade, tamanho*) to be: *A minha filha tem dez anos.* My daughter is ten (years old). ◇ *Tem três metros de comprimento.* It's three metres long. **2** (*sentir, ter determinada atitude*) to be

> Quando *ter* significa "sentir", em inglês utiliza-se o verbo **be** com um adjetivo, ao passo que em português usamos um substantivo: *Tenho muita fome.* I'm very hungry. ◇ *ter calor/frio/sede/medo* to be hot/cold/thirsty/frightened ◇ *Tenho um grande carinho pela tua mãe.* I'm very fond of your mother. ◇ *ter cuidado/paciência* to be careful/patient.

3 (*dor, doença*) to have: *~ dor de dentes/pneumonia/febre* to have toothache/pneumonia/a temperature **4** (*amor, raiva, ódio*): *Tem-lhe uma raiva tremenda/um ódio tremendo.* She really hates him. ◇ *~ carinho por alguém* to care about sb

• **em construções com adjetivos**: *Tens as mãos sujas.* Your hands are dirty. ◇ *Tenho a minha mãe doente.* My mother is ill. ▸ *v aux* **1** *~* **de fazer alguma coisa** to have to do sth: *Tiveram de se ir embora imediatamente.* They had to leave straight away. ◇ *Tens de lhe dizer.* You must tell him. ➲ *Ver nota em* MUST **2** **+ particípio**: *Têm tudo planeado.* It's all arranged. ◇ *Tinham-me dito que vinham.* They had told me they would come. **LOC** **ir ter com** (*encontrar-se*) to meet up with *sb*: *Fiquei de ir ~ com ele logo.* I arranged to meet up with him later. **ter a ver** (*assunto*) to have to do with *sb/sth*: *Mas o que é que isso tem a ver com o assunto?* What's that got to do with it? ◇ *Isso não tem nada a ver (com o assunto).* That's got nothing to do with it. ❶ Para outras expressões com **ter**, ver as entradas para o substantivo, adjetivo, etc., p.ex. **ter lugar** em LUGAR.

terapia *sf* therapy [*pl* therapies]: *~ de grupo* group therapy

terça-feira (*tb* **terça**) *sf* Tuesday (*abrev* Tue(s).) ➲ *Ver exemplos em* SEGUNDA-FEIRA **LOC** **Terça-feira de Carnaval** Shrove Tuesday

> A Terça-feira de Carnaval também se chama **Pancake Day** porque é tradicional comer panquecas com sumo de limão e açúcar.

terceiro, -a ▸ *adj, pron, sm-sf* third (*abrev* 3rd) ➲ *Ver exemplos em* SEXTO ▸ **terceiros** *sm* third party: *seguro contra ~s* third-party insurance ▸ **terceira** *sf* (*mudança*) third (gear) **LOC** **terceira idade**: *atividades para a terceira idade* activities for senior citizens *Ver tb* EQUAÇÃO

terço *sm* **1** (*quantidade*) third: *dois ~s da população* two thirds of the population **2** (*Relig*) rosary [*pl* rosaries]: *rezar o ~* to say the rosary

terçolho (*tb* **terçol**) *sm* sty(e) [*pl* sties/styes]: *Tenho um ~.* I've got a sty(e).

termas *sf* spa [*v sing*]
terminação *sf* ending
terminal *adj, sm* terminal: *doentes terminais* terminally ill patients ◇ *~ de passageiros* passenger terminal
terminar ▸ *vt* to finish ▸ *vi* **1** ~ **(em)** to end (in *sth*): *As festas terminam segunda que vem.* The festivities end next Monday. ◇ *A manifestação terminou em tragédia.* The demonstration ended in tragedy. **2** (*pessoa*) to finish: *Já terminaste?* Have you finished yet?
terminologia *sf* terminology
termo¹ *sm* **1** term: *em ~s gerais* in general terms **2** (*fim*) end: *pôr ~ a alguma coisa* to put an end to sth
termo² *sm* (*recipiente*) Thermos®
termómetro *sm* thermometer LOC **pôr o termómetro** to take *sb's* temperature
termostato *sm* thermostat
terno, -a *adj* tender: *um olhar ~* a tender look
ternura *sf* tenderness: *tratar alguém com ~* to treat sb tenderly
terra *sf* **1** (*por oposição ao mar, campo, terreno*) land [*não-contável*]: *viajar por ~* to travel by land ◇ *cultivar a ~* to work the land ◇ *Vendeu as ~s da família.* He sold his family's land. **2** (*para plantas, terreno*) soil: *~ para vasos* soil for the plants ◇ *uma ~ fértil* fertile soil **3** (*chão*) ground: *Caiu por ~.* He fell to the ground. **4** (*pátria*) home: *costumes da minha ~* customs from back home **5 Terra** (*planeta*) earth **6** (*Eletrón*) earth, ground (*USA*): *O fio está ligado à ~.* The cable is earthed. **7** (*lugar*) place: *Viajou por muitas ~s.* She's travelled through lots of places. LOC **cair por terra** (*fig*) **1** to collapse **2** (*planos*) to fall through **deitar por terra** (*destruir*) to ruin **desabamento/desmoronamento/desprendimento de terra(s)** landslide **terra adentro** inland **terra à vista!** land ahoy! **terra firme** dry land **Terra Santa** the Holy Land *Ver tb* ABALO, CIÊNCIA, ESTRADA
terra-a-terra *adj* (*pessoa*) down-to-earth
terraço *sm* terrace
terramoto *sm* earthquake
terreno *sm* **1** (*terra*) land [*não-contável*]: *um ~ muito fértil* very fertile land ◇ *Compraram um ~.* They bought some land. **2** (*fig*) field: *o ~ da biologia* the field of biology LOC *Ver* APALPAR
terrestre *adj* land: *um animal/ataque ~* a land animal/attack LOC *Ver* CROSTA, GLOBO, PARAÍSO
terrífico, -a *adj* terrifying
território *sm* territory [*pl* territories]
terrível *adj* terrible: *Este filme é uma seca ~.* The film is terribly boring.
terror *sm* terror LOC **de terror** (*filme, romance*) horror: *um filme de ~* a horror film
terrorismo *sm* terrorism
terrorista *adj, smf* terrorist
tertúlia *sf* get-together: *fazer/organizar uma ~* to have a get-together
tese *sf* thesis [*pl* theses]
teso, -a *adj* **1** (*apertado*) taut: *uma corda tesa* a taut rope **2** (*rígido*) stiff: *Detesto colarinhos ~s.* I can't stand wearing stiff collars. LOC **estar/ficar teso** (*sem dinheiro*) to be broke
tesoura *sf* **tesouras** scissors [*pl*]

> **Scissors** é uma palavra plural em inglês; assim, para nos referirmos a *uma(s) tesoura(s)* utilizamos **some/a pair of scissors**: *Necessito de uma tesoura nova.* I need some new scissors/a new pair of scissors. ➲ *Ver tb nota em* PAIR

LOC **tesoura de podar** shears [*pl*]
tesoureiro, -a *sm-sf* treasurer
tesouro *sm* treasure: *encontrar um ~ escondido* to find hidden treasure ◇ *És um ~!* You're a treasure! LOC *Ver* PESQUISADOR
testa *sf* (*Anat*) forehead LOC *Ver* DEDO
testamento *sm* **1** (*Jur*) will: *fazer um ~* to make a will **2 Testamento** Testament: *o Antigo/Novo Testamento* the Old/New Testament
testar *vt* to test
teste *sm* test: *fazer o ~ de gravidez* to have a pregnancy test LOC **teste de paternidade** paternity test *Ver tb* ANTIDOPING, EXAME
testemunha *sf* witness LOC **ser testemunha de alguma coisa** to witness sth **testemunha ocular** eyewitness
testemunhar ▸ *vt* (*presenciar*) to witness ▸ *vi* (*Jur*) to testify
testemunho *sm* **1** (*Jur*) evidence: *dar o seu ~* to give evidence **2** (*Desp*) baton: *entregar o ~* to pass the baton
testículo *sm* testicle
testo *sm* lid: *Põe o ~ na panela.* Put the lid on the pan.
teta *sf* teat
tétano *sm* tetanus
teto *sm* **1** ceiling: *Há uma mancha de humidade no ~.* There's a damp patch on the ceiling. **2** (*carro*) roof
Tetra Pak® *sm* carton ➲ *Ver ilustração em* CONTAINER
tétrico, -a *adj* gloomy

teu, tua ▸ *adj* your: *os ~s livros* your books ◇ *Esses sapatos não são ~s.* Those shoes aren't yours. ◇ *Não é assunto ~.* That's none of your business. ❶ De notar que *um amigo teu* se traduz por "a friend of yours" porque significa *um dos teus amigos.* ▸ *pron* yours: *Esses sapatos não são os ~s.* Those shoes aren't yours.

têxtil *adj, sm* textile: *uma fábrica ~* a textile factory

texto *sm* text LOC **processamento/tratamento de textos** word processing *Ver tb* COMENTÁRIO, ENVIAR, MENSAGEM

textualmente *adv* word for word

textura *sf* texture

texugo *sm* badger

tez *sf* complexion

ti *pron* you: *Faço-o por ti.* I'm doing it for you. ◇ *Só pensas em ti (mesmo/próprio).* You're always thinking of yourself.

tigela *sf* bowl LOC *Ver* MEIO

tigre *sm* tiger ❶ Quando queremos especificar que nos referimos a uma tigre fêmea, dizemos **tigress**.

tijolo *sm* brick

til *sm* swung dash

tília *sf* lime (tree): *chá de ~* lime tea

timão *sm* rudder

timbre *sm* **1** (*voz*) pitch: *Tem um ~ de voz muito agudo.* He has a very high-pitched voice. **2** (*papel*) heading

tímido, -a *adj, sm-sf* shy [*adj*]: *É um ~.* He's shy.

timorense *adj, smf* East Timorese

Timor Leste República Democrática de Timor Leste *sm* East Timor

tímpano *sm* (*ouvido*) eardrum

tingir ▸ *vt* to dye: *~ uma camisa de vermelho* to dye a shirt red ▸ *vi* to run: *Essa camisa vermelha tinge.* The colour runs in that red shirt.

tinta *sf* **1** (*de pintar*) paint **2** (*de escrever*) ink: *um desenho a ~* an ink drawing **3** (*para tingir, para o cabelo*) dye LOC **estar-se nas tintas** not to care less *about sb/sth*: *Estou-me nas ~s para ela.* I couldn't care less about her. ◇ *Está-se nas ~s para tudo.* He couldn't care less. *Ver tb* CANETA, MEIO

tinto ▸ *adj* (*vinho*) red ▸ *sm* red wine

tinturaria *sf* dry-cleaner's ➲ *Ver nota em* TALHO

tio, -a *sm-sf* **1** (*masc*) uncle: *o ~ Daniel* Uncle Daniel **2** (*fem*) aunt, auntie (*coloq*) **3 tios** uncle and aunt: *Vou para casa dos meus ~s.* I'm going to my uncle and aunt's.

típico, -a *adj* **1** (*característico*) typical (*of sb/sth*): *Isso é mesmo ~ do Zé.* That's just typical of Zé. **2** (*tradicional*) traditional: *uma dança típica/um traje ~* a traditional dance/costume

tipo *sm* kind (*of sth*): *o ~ nervoso* the nervous kind ◇ *todo o ~ de gente/animais* all kinds of people/animals ◇ *Não é o meu ~.* He's not my type.

tipo, -a *sm-sf* **1** (*masc*) guy: *Que ~ mais feio!* What an ugly guy! **2** (*fem*) girl

tique *sm* twitch

tira *sf* (*papel, pano*) strip: *Corta o papel às ~s.* Cut the paper into strips.

tiracolo *sm* LOC *Ver* MALA

tirada *sf* LOC **de uma tirada** in one go

tiragem *sf* **1** (*jornal, revista*) circulation **2** (*correio*) collection

tira-linhas *sm* drawing pen

tiranizar *vt* to tyrannize

tirano, -a *sm-sf* tyrant

tirar ▸ *vt* **1** to take *sth* off/down, to remove (*mais formal*): *Tira o preço.* Take the price tag off. ◇ *Tira os sapatos.* Take your shoes off. ◇ *Tira as tuas coisas da minha secretária.* Take your things off my desk. ◇ *Tirou o cartaz.* He took the poster down. **2** (*para fora*) to take *sb/sth* out (*of sth*): *Tirou uma capa da gaveta.* He took a folder out of the drawer. ◇ *Tira as mãos dos bolsos!* Take your hands out of your pockets! **3** (*Mat, subtrair*) to take *sth* away (*from sb/sth*): *Se a três tiras um...* If you take one (away) from three... **4** (*nódoa*) to remove **5** (*conseguir*) to get: *O que é que tiraste a matemática?* What did you get in maths? **6** (*roubar*) to steal: *Quem é que me tirou a caneta?* Who's stolen my pen? **7** (*parte do corpo*) to poke *sth* out: *Quase que me tiravas um olho!* You nearly poked my eye out! **8** (*tempo*) to take up *sb's time*: *As crianças tiram-me muito tempo.* The children take up a lot of my time. ▸ *vi* (*em jogo de cartas*) to draw: *É a tua vez de ~.* It's your turn to draw. LOC **tira-te (daí)!** get out of the way! ❶ Para outras expressões com **tirar**, ver as entradas para o substantivo, adjetivo, etc., p.ex. **tirar sangue** em SANGUE.

tiritar *vi* **~ (com/de)** to shiver (with *sth*): *~ de frio* to shiver with cold

tiro *sm* **1** (*disparo*) shot **2** (*ferida de disparo*) bullet wound: *um ~ na cabeça* a bullet wound in the head LOC **dar um tiro** to shoot: *Deu um ~ em si próprio.* He shot himself. **é um tiro daqui lá** it's a stone's throw away (from here) **sair como um tiro** to rush out **sair o tiro pela culatra**

to backfire **ser tiro e queda** to be a certainty **tiro ao arco** archery *Ver tb* MATAR

tiroteio *sm* **1** (*entre polícia e criminosos*) shoot-out: *Morreu num ~.* He died in a shoot-out. **2** (*ruído de disparos*) shooting [*não-contável*]: *Ouvimos um ~ na rua.* We heard shooting in the street. **3** (*durante uma guerra*) fighting [*não--contável*]

titular ▸ *adj*: *a equipa ~* the first team ◇ *um (jogador) ~* a first team player ▸ *smf* (*passaporte, conta bancária*) holder

título *sm* **1** title: *Que ~ deste ao teu romance?* What title have you given your novel? ◇ *Amanhã vão lutar pelo ~.* They're fighting for the title tomorrow. **2** (*jornal*) headline: *Foi um dos ~s dos jornais da manhã.* It was in the headlines this morning. **3** (*Fin*) bond

to *Ver* TE

toa *sf* LOC **à toa** at random

toalha *sf* towel: *~ de banho/rosto* bath/hand towel LOC **toalha de mesa** tablecloth

toca *sf* **1** den: *uma ~ de leão/lobo* a lion's/ wolf's den **2** (*coelho*) burrow LOC **toca de rato** mouse hole

tocar ▸ *vt* **1** to touch: *Não toques!* Don't touch it! **2** (*apalpar*) to feel: *Posso ~ no tecido?* Can I feel the fabric? **3** (*Mús*) to play: *~ viola* to play the guitar **4** (*fazer soar*) **(a)** (*sino*) to ring **(b)** (*buzina, sirene*) to sound ▸ *vi* **1** (*Mús*) to play **2** (*campainha, telefone*) to ring **3** ~ **(em) (a)** (*pessoa, objeto*) to touch [*vt*] **(b)** (*assunto, tema*) to touch on *sth* **4** ~ **a** (*campainha*) to ring: *~ à campainha* to ring the bell **5** ~ **a (a)** (*dizer respeito*) to be up to *sb to do sth*: *Não me toca a mim decidir.* It's not up to me to decide. **(b)** (*ser a vez*) to be *sb's* turn *to do sth*: *Toca-te a ti pagar as bebidas.* It's your turn to buy the drinks. LOC **pelo que me toca** as far as I'm, you're, etc. concerned

tocha *sf* torch: *a ~ olímpica* the Olympic torch

todavia *conj* however

todo, -a ▸ *adj* **1** all: *Fiz o trabalho ~.* I've done all the work. ◇ *Estiveste ~ o mês doente.* You've been ill all month. ◇ *Vão limpar ~s os edifícios da aldeia.* They're going to clean up all the buildings in the village.

Com um substantivo contável no singular, em inglês é preferível utilizar **the whole**: *Vão limpar o edifício todo.* They're going to clean the whole building.

2 (*cada*) every: *Levanto-me ~s os dias às sete.* I get up at seven every day. ➲ *Ver nota em* EVERY ▸ *pron* **1** all: *Todos gostámos da peça.* We all/ All of us liked the play. **2** (*toda a gente*) everyone, everybody [*sing*]: *Todos dizem o mesmo.* Everyone says the same thing.

De notar que **everyone** e **everybody** são acompanhados do verbo no singular, mas podem ser seguidos de um pronome ou adjetivo no plural (p. ex. "their"): *Todos têm os seus lápis?* Has everyone got their pencils?

▸ *sm* whole: *considerado como um ~* taken as a whole LOC **ao todo** altogether: *Ao ~ somos dez.* There are ten of us altogether. **de todo** completely: *É maluco de ~.* He's completely mad. **no todo** all in all: *No ~ até foi uma boa experiência.* All in all, it was a good experience. **por todo Portugal, todo o mundo, etc. (fora)** throughout Portugal, the world, etc. ❶ Para outras expressões com **todo**, ver as entradas para o substantivo, adjetivo, etc., p. ex. **toda a gente** em GENTE.

todo-o-terreno *adj, sm* four-by-four (4 × 4)

toilette *sf* LOC *Ver* BOLSA

toiro *sm Ver* TOURO

tola *sf* (*cabeça*) nut

toldo *sm* awning

tolerar *vt* **1** (*suportar*) to bear, to tolerate (*mais formal*): *Não tolera pessoas como eu.* He can't bear people like me. **2** (*consentir*) to let *sb* get away with *sth*: *Toleram-te demasiadas coisas.* They let you get away with too much.

tolice *sf* **1** silly thing: *Discutimos por qualquer ~.* We're always arguing over silly little things. **2 tolices** nonsense [*não-contável, v sing*]: *Isso são ~s!* That's nonsense! ◇ *dizer ~s* to talk nonsense LOC **deixar-se de tolices** to stop messing around

tolo, -a ▸ *adj* silly, stupid

Silly e **stupid** são praticamente sinónimos, mas **stupid** é um pouco mais forte: *uma desculpa tola* a silly excuse ◇ *Não sejas tolo, e para de chorar.* Don't be so stupid. Stop crying.

▸ *sm-sf* fool: *armar-se em ~* to play the fool

tom *sm* **1** tone: *Não me fales nesse ~!* Don't speak to me in that tone of voice! **2** (*cor*) shade **3** (*Mús*) key [*pl* keys] LOC **sem tom nem som** nonsensical **ser de bom tom** to be the done thing

tomada *sf* socket, outlet (*USA*) ➲ *Ver ilustração em* FICHA

tomar ▸ *vt* **1** to take: *~ uma decisão* to take a decision ◇ *~ um duche* to have a shower ◇ *~ notas/precauções* to take notes/precautions ◇ *Por quem me tomas?* Who do you take me for? ◇ *Não devias tê-lo tomado assim.* You shouldn't have taken it like that. **2** (*beber*) to have: *O que é que vais ~?* What are you going

T

to have? ▸ *vi*: *Toma, é para ti.* Here, it's for you. ▸ **toma!** *interj* (*bem feito!*) it serves you, him, etc. right: *Roubou e foi apanhado. Toma!* He committed a robbery and got caught. It serves him right! ❶ Para expressões com **tomar**, ver as entradas para o substantivo, adjetivo, etc., p. ex. **tomar o sol** em SOL.

tomara *interj* LOC **tomara que** let's hope: *Tomara que não chova no feriado.* Let's hope it doesn't rain for the holiday.

tomate *sm* tomato [*pl* tomatoes] LOC **concentrado/polpa de tomate** tomato purée *Ver tb* VERMELHO

tombar ▸ *vt* to knock *sth* down ▸ *vi* to fall down

tombo *sm* (*queda*) tumble

tomilho *sm* thyme

tomo *sm* volume

tona *sf* LOC **vir à tona** to emerge

tonalidade *sf* **1** (*cor*) shade **2** (*Mús*) key

tonel *sm* cask

tonelada *sf* ton LOC *Ver* PESAR[1]

tónico, -a ▸ *adj* (*Ling*) stressed ▸ *sm* tonic LOC **água tónica** tonic (water)

tonto, -a ▸ *adj* **1** (*zonzo*) dizzy: *Esses comprimidos deixaram-me ~.* Those pills have made me dizzy. ◇ *estar/ficar ~* to feel dizzy **2** (*devido a uma pancada*) stunned **3** (*tolo*) silly ▸ *sm-sf* idiot

tontura *sf* dizziness LOC **ter/sentir tonturas** to feel dizzy

topo *sm* top

toque *sm* **1** (*pancada pequena*) tap **2** (*matiz*) touch: *dar o ~ final em alguma coisa* to put the finishing touch to sth **3** (*campainha, telefone*) ring LOC **dar um toque a alguém 1** (*mencionar*) to mention *sth* to sb **2** (*avisar*) to have a word with sb **toque de recolha/recolher** curfew

toranja *sf* grapefruit [*pl* grapefruit/grapefruits]

tórax *sm* thorax [*pl* thoraxes/thoraces]

torcer ▸ *vt* **1** to twist: *Torceu-lhe o braço.* She twisted his arm. **2** (*Med*) to sprain: *~ o pé* to sprain your ankle **3** (*roupa*) to wring *sth* out ▸ *vi* **1** *~* **por** (*equipa, partido*) to support *sb/sth* **2** *~* **por alguém/para que...** to keep your fingers crossed for sb/that...: *Amanhã tenho exame, torce por mim.* I've got an exam tomorrow, keep your fingers crossed for me. ◇ *Torce para que eu consiga o emprego.* Keep your fingers crossed that I'll get the job. LOC **torcer o nariz** to turn your nose up (*at sth*) **torcer-se de dor** to writhe in pain **torcer-se de riso** to double up with laughter *Ver tb* BRAÇO

torcicolo *sm* crick in your neck: *Deu-me um ~.* It's given me a crick in my neck.

tordo *sm* (*ave*) thrush

tormento *sm* torment

tornado *sm* tornado [*pl* tornadoes]

tornar ▸ *vt* **1** (*fazer*) to make: *O livro tornou-o famoso.* The book made him famous. **2** (*transformar*) to turn *sth into sth*: *Estou a pensar em ~ esta divisão num escritório.* I'm thinking of turning this room into a study. ▸ *vi* *~* **a fazer alguma coisa** to do *sth* again ▸ **tornar-se** *vp* to become: *Tornou-se muito calmo.* He became very calm. ◇ *Tornou-se taxista.* He became a taxi driver. LOC **tornar-se homem** to grow up **tornar-se realidade** to come true

torneio *sm* **1** tournament **2** (*atletismo*) meeting, meet (*USA*)

torneira *sf* tap, faucet (*USA*): *abrir/fechar a ~* to turn the tap on/off LOC **água da torneira** tap water **torneira de passagem/interrupção** (*da água*) stopcock *Ver tb* BEBER

torniquete *sm* **1** (*Med*) tourniquet **2** (*portão*) turnstile

torno *sm* **1** (*carpinteiro*) lathe **2** (*oleiro*) (potter's) wheel LOC **em torno de** around: *em ~ da cidade* around the city *Ver tb* GIRAR

tornozelo *sm* ankle: *Torci o ~.* I've sprained my ankle. LOC *Ver* JEITO

toro *sm* (*madeira*) log

torpedo *sm* torpedo [*pl* torpedoes]

torrada *sf* toast [*não-contável*]: *Queimei as ~s.* I've burnt the toast. ◇ *uma ~ com doce* a slice of toast with jam

torradeira *sf* toaster

torrão *sm* lump: *um ~ de açúcar* a sugar lump

torrar ▸ *vt* **1** (*pão, amêndoas, etc.*) to toast **2** (*café*) to roast ▸ *vi* (*ao sol*) to roast

torre *sf* **1** tower **2** (*telecomunicações*) mast **3** (*Xadrez*) rook LOC **torre de vigia** watchtower

torrencial *adj* torrential: *chuvas torrenciais* torrential rain

torrente *sf* torrent

torso *sm* torso LOC **em torso nu** bare-chested

torta *sf* Swiss roll

torto, -a *adj* **1** (*dentes, nariz, linha*) crooked **2** (*quadro, roupa*) not straight: *Não vês que o quadro está ~?* Can't you see the picture isn't straight? LOC **a torto e a direito** left, right and centre *Ver tb* RESPONDER

tortura *sf* torture [*não-contável*]: *métodos de ~* methods of torture

torturar *vt* to torture

T

tos *Ver* TE

tosquiar *vt* to shear

tosse *sf* cough: *O fumo do tabaco dá-me ~.* Cigarette smoke makes me cough. LOC *Ver* PASTILHA

tossir *vi* **1** to cough **2** (*para aclarar a voz*) to clear your throat

tosta *sf* **1** (*sandes*) toasted sandwich: *uma ~ mista* a toasted ham and cheese sandwich **2** (*biscoito*) Melba toast

tostão *sm* **tostões** cash [*não-contável, v sing*]: *ganhar uns tostões* to earn a bit of cash LOC **um tostão (furado)**: *não ter um ~ furado* to be broke ◇ *Não vale um ~ furado.* It's not worth a penny.

total *adj, sm* total LOC **no total** altogether: *Somos dez no ~.* There are ten of us altogether. *Ver tb* LIQUIDAÇÃO

totalizar *vt* to add *sth* up

totó ▸ *sm* (*carrapito*) bun: *Usa sempre o cabelo num ~.* She always wears her hair in a bun. ▸ *smf* (*pessoa*) idiot: *É mesmo ~.* He's a real idiot.

Totobola® *sm* football pools [*pl*]: *jogar no ~* to do the pools

Totoloto® *sm* national lottery: *jogar no ~* to play the lottery

touca *sf* hat: *uma ~ de lã* a woolly hat LOC **touca de banho 1** (*para piscina*) swimming cap **2** (*para duche*) shower cap

toucinho *sm* streaky bacon

toupeira *sf* mole

tourada *sf* bullfight

tourear *vt, vi* to fight

toureiro, -a *sm-sf* bullfighter

tournée *sf* tour LOC **estar/ir em tournée** to be/go on tour

touro ▸ *sm* (*animal*) bull ▸ **Touro** *sm* (*Astrol*) Taurus ➲ *Ver exemplos em* AQUARIUS LOC **agarrar/pegar o touro pelos cornos** to take the bull by the horns *Ver tb* CORRIDA, PRAÇA

tóxico, -a *adj* toxic

toxicodependência *sf* drug addiction

toxicodependente *smf* drug addict

trabalhador, -ora ▸ *adj* hard-working ▸ *sm-sf* worker: *~es qualificados/não qualificados* skilled/unskilled workers

trabalhar *vi, vt* to work: *Trabalha para uma empresa inglesa.* She works for an English company. ◇ *Nunca trabalhei como professora.* I've never worked as a teacher. ◇ *Em que trabalha a tua irmã?* What does your sister do? ◇ *~ a terra* to work the land

trabalheira *sf* **1** (*muito trabalho*): *Esta festa deu-me uma grande ~.* This party has been a lot of work. **2** (*maçada*) nuisance: *É uma ~, mas o que é que se há de fazer?* It's a nuisance but it can't be helped.

trabalho *sm* **1** work [*não-contável*]: *Tenho muito ~.* I've got a lot of work to do. ◇ *Tens de pôr o teu ~ em dia.* You must get up to date with your work. ◇ *Deram-me a notícia no ~.* I heard the news at work. **2** (*emprego*) job: *dar (um) ~ a alguém* to give sb a job ◇ *um ~ bem pago* a well-paid job ◇ *ficar sem ~* to lose your job ➲ *Ver nota em* WORK **3** (*na escola*) project: *fazer um ~ sobre o meio ambiente* to do a project on the environment LOC **dar trabalho** to give *sb* trouble: *Estes miúdos dão muito ~.* These kids are a real handful. ◇ *Este vestido deu-me muito ~.* This dress was a lot of work. **estar em trabalho de parto** to be in labour **estar sem trabalho** to be out of work **trabalho agrícola/do campo** farm work [*não-contável*] **trabalho de casa** (*Educ*) homework [*não-contável*] **trabalho de/em equipa** teamwork [*não-contável*] **trabalho doméstico** housework [*não-contável*] **trabalhos forçados** hard labour [*não-contável*] **trabalhos manuais** arts and crafts *Ver tb* MERCADO

traça *sf* moth

traçar *vt* **1** (*linha, mapa*) to draw **2** (*plano, projeto*) to draw *sth* up, to devise (*mais formal*): *~ um plano* to draw up a plan

traço *sm* **1** feature: *os ~s distintivos da sua obra* the distinctive features of her work **2** (*personalidade*) characteristic **3** (*de pena, pincel*) stroke LOC **em traços largos** in general terms **sem deixar traço(s)** without trace: *Desapareceram sem deixar ~.* They disappeared without trace. **traço de união** (*Ortografia*) hyphen ➲ *Ver pág. 315*

tradição *sf* tradition: *seguir uma ~ familiar* to follow a family tradition

tradicional *adj* traditional

tradução *sf* translation (*from sth*) (*into sth*): *fazer uma ~ do português para o russo* to do a translation from Portuguese into Russian

tradutor, -ora *sm-sf* translator

traduzir *vt, vi* to translate (*sth*) (*from sth*) (*into sth*): *~ um livro do francês para o inglês* to translate a book from French into English ➲ *Ver nota em* INTERPRET

tráfego *sm* traffic

traficante *smf* dealer: *um ~ de armas/drogas* an arms/drug dealer

traficar *vt, vi* to deal in *sth*: *Traficavam em drogas.* They dealt in drugs.

T

tráfico *sm* traffic LOC **tráfico de drogas** drug trafficking

trafulhice *sf* fiddle: *Que ~!* What a fiddle! ◇ *fazer ~* to be on the fiddle

tragédia *sf* tragedy [*pl* tragedies]

trágico, **-a** *adj* tragic

trago *sm* mouthful LOC *Ver* BEBER

traição *sf* **1** betrayal: *cometer uma ~ contra os amigos* to betray your friends **2** (*contra o Estado*) treason: *Foi julgado por alta ~.* He was tried for high treason. LOC **à traição**: *Dispararam à ~.* They shot him in the back. ◇ *Fizeram-no à ~.* They went behind his back.

traidor, **-ora** *sm-sf* traitor

trair *vt* **1** (*amigo, causa, etc.*) to betray: *~ um companheiro/uma causa* to betray a friend/a cause **2** (*marido, namorada, etc.*) to cheat on *sb* **3** (*nervos*) to let *sb* down: *Os nervos traíram-me.* My nerves let me down.

traje *sm* (*de um país, de uma região*) dress LOC **em trajes menores** in your underwear **traje de gala** formal dress

trajeto *sm* route: *o ~ do autocarro* the bus route ◇ *Este comboio faz o ~ Porto-Lisboa.* This train runs on the Oporto-Lisbon route.

trajetória *sf* trajectory [*pl* trajectories]

trama *sf* (*intriga*) plot

tramar *vt* to plot: *Sei que estão a ~ alguma.* I know they're up to something.

T

trâmite *sm* **trâmites** procedure [*não-contável, v sing*]: *Seguiu os ~s normais.* He followed the usual procedure.

trampolim *sm* **1** (*Ginástica*) springboard: *A ginasta saltou do ~.* The gymnast jumped off the springboard. **2** (*Natação*) diving board: *atirar-se do ~* to dive from the board

tranca *sf* bar

trança *sf* plait, braid (*USA*): *Faz uma ~.* Do your hair in a plait.

tranquilidade *sf* **1** calm: *um ambiente de ~* an atmosphere of calm ◇ *a ~ do campo* the peace of the countryside **2** (*espírito*) peace of mind: *Para tua ~, posso dizer-te que é verdade.* For your peace of mind, I can tell you it is true.

tranquilizante *sm* tranquillizer

tranquilizar ▸ *vt* **1** to calm *sb* down: *Não conseguiu tranquilizá-la.* He couldn't calm her down. **2** (*aliviar*) to reassure: *As notícias tranquilizaram-no.* The news reassured him. ▸ **tranquilizar-se** *vp* to calm down: *Tranquiliza-te que eles não tardam aí.* Calm down, they'll soon be here.

tranquilo, **-a** *adj* **1** calm **2** (*lugar*) peaceful LOC *Ver* CONSCIÊNCIA

transbordante *adj* ~ **(de)** overflowing (with *sth*): *~ de alegria* overflowing with joy

transbordar *vi* **1** (*rio*) to burst its banks **2** (*passar das bordas*) to overflow: *O caixote do lixo está a ~.* The dustbin is overflowing LOC *Ver* GOTA

transbordo *sm* transfer LOC **fazer transbordo** to change: *Tivemos que fazer ~ duas vezes.* We had to change twice.

transcrição *sf* transcription: *uma ~ fonética* a phonetic transcription

transeunte *smf* passer-by [*pl* passers-by]

transferência *sf* transfer LOC **transferência bancária** bank transfer

transferidor *sm* protractor

transferir *vt* to transfer *sb/sth* (*to sth*): *Transferiram três jogadores do Sporting.* Three Sporting players have been transferred.

transformador *sm* transformer

transformar ▸ *vt* to transform *sb/sth* (*into sth*): *~ um lugar/uma pessoa* to transform a place/person ▸ **transformar-se** *vp* **transformar-se em** to turn into *sb/sth*: *O sapo transformou-se em príncipe.* The frog turned into a prince.

transfusão *sf* transfusion: *Deram-lhe duas transfusões (de sangue).* He was given two (blood) transfusions.

transgénico, **-a** *adj* genetically modified (*abrev* GM)

transição *sf* transition

transístor *sm* transistor (radio)

transitar *vi* to circulate LOC **transitar (de ano)** (*Educ*) to go up a year

transitivo, **-a** *adj* transitive

trânsito *sm* traffic: *Há muito ~ no centro.* There's a lot of traffic in the town centre. LOC **trânsito condicionado** restricted traffic **trânsito proibido** no through traffic *Ver tb* PARAR, POLÍCIA

transmitir ▸ *vt* to transmit: *~ uma doença* to transmit a disease ◇ *Transmitimos-lhes a notícia.* We passed the news on to them. ▸ *vt, vi* (*programa*) to broadcast: *~ um jogo* to broadcast a match LOC **transmitir pela televisão** to televise

transparecer *vi* **1** (*verdade*) to come out **2** (*emoção, sentimento*) to be visible LOC **deixar transparecer** (*emoção, sentimento*) to show

transparente *adj* **1** transparent: *O vidro é ~.* Glass is transparent. **2** (*roupa*): *uma blusa ~* a see-through blouse

transpiração *sf* perspiration

transpirado, **-a** *adj* sweaty

transpirar *vi* to perspire

transplantar *vt* to transplant

transplante *sm* transplant

transportador, **-ora** *sm-sf* carrier

transportar *vt* to carry

transporte *sm* transport, transportation (*USA*): ~ *público/escolar* public/school transport ◇ *O ~ marítimo é mais barato que o aéreo.* Sending goods by sea is cheaper than by air.

transsexual *smf* transsexual

transtornar *vt* to upset: *A greve transtornou todos os meus planos.* The strike has upset all my plans.

transversal *adj* transverse: *eixo ~* transverse axis ◇ *A Rua Alexandre Herculano é ~ à Avenida da Liberdade.* Rua Alexandre Herculano crosses Avenida da Liberdade.

trapézio *sm* **1** (*circo*) trapeze **2** (*Geom*) trapezium [*pl* trapeziums/trapezia]

trapo *sm* **1** (*limpeza*) cloth **2 trapos** (*roupa*) old clothes LOC **trapo velho** old rag

traquinas *adj, smf* naughty [*adj*]: *És um ~.* You're very naughty.

trás *adv* LOC **deixar para trás** to leave *sb/sth* behind **de trás** (*das traseiras*) back: *a porta de ~* the back door **de trás para a frente** back to front, backward (*USA*): *Tens a camisola de ~ para a frente.* Your jumper is back to front. ➲ *Ver ilustração em* CONTRÁRIO **para trás** backward(s): *andar para ~* to walk backwards ◇ *voltar para ~* to go back **por trás** behind: *Por ~ de tudo isto está...* Behind all this there's... **vir de trás** (*no tempo*) to come from way back: *um problema que já vem de ~* a problem from way back *Ver tb* PARTE, SABER

traseira *sf* **1** (*carro*) rear **2 traseiras** (*edifício*) back [*v sing*]: *a chave das ~s* the back door key

traseiro, **-a** ▸ *adj* back: *a porta traseira* the back door ▸ *sm* (*Anat*) backside LOC *Ver* ASSENTO

traste *sm* **1** (*coisa*) junk [*não-contável*]: *Tens o quarto cheio de ~s.* Your room is full of junk. **2** (*criança*) little devil

tratado *sm* (*Pol*) treaty [*pl* treaties]

tratado, **-a** *adj* (*assunto*) sorted out: *O assunto já está ~.* The problem's sorted out now. *Ver tb* TRATAR

tratador, **-ora** *sm-sf* (*zoo*) keeper

tratamento *sm* **1** treatment: *o mesmo ~ para todos* the same treatment for everyone ◇ *um ~ contra a celulite* treatment for cellulite **2** (*Informát*) processing LOC *Ver* TEXTO

tratar ▸ *vt* **1** to treat: *Gostamos que nos tratem bem.* We like people to treat us well. **2** (*discutir*) to deal with *sth*: *Trataremos estas questões amanhã.* We will deal with these matters tomorrow. ▸ *vi* ~ **de 1** to be about *sth*: *O filme trata do mundo do espetáculo.* The film is about show business. **2** (*assunto, problema*) to sort *sth* out: *Não te preocupes que eu trato do assunto.* Don't worry, I'll sort it out. **3** (*esforçar-se*) to make every effort *to do sth*: *Trata de chegar a tempo.* Make every effort to get there on time. ➲ *Ver nota em* TRY **4** ~ **com** (*lidar*) to deal with *sb/sth*: *Não gosto de ~ com esse tipo de gente.* I don't like dealing with people like that. ▸ **tratar-se** *vp* **tratar-se de** to be about *sb/sth/doing sth*: *Trata-se do teu irmão.* It's about your brother. ◇ *Trata-se de aprender, não de passar.* It's about learning, not just passing. LOC **tratar alguém por tu/você** to be on familiar/formal terms with sb

trato *sm* **1** treatment **2** (*acordo*) deal: *fazer um ~* to make a deal

trator *sm* tractor

trauma *sm* trauma

traumatismo *sm* trauma LOC **traumatismo craniano** concussion

trautear *vt, vi* to hum

travagem *sf*: *Ouviu-se uma ~.* There was a screech of brakes. LOC **fazer uma travagem brusca** to slam on the brakes

trava-língua *sm* tongue-twister

travão *sm* (*veículo*) brake: *Falharam-me os travões.* My brakes failed. ◇ *carregar no/largar o ~* to put on/release the brake(s) LOC **travão de mão** handbrake, emergency brake (*USA*)

travar *vi* to brake: *Travei de repente.* I slammed on the brakes. LOC **travar conhecimento com alguém** to make sb's acquaintance *Ver tb* SECO

travessa[1] *sf* (*rua*) side street: *Fica numa das ~s da Rua Augusta.* It's in a side street off Rua Augusta.

travessa[2] *sf* (*bandeja*) dish: *uma ~ de carne* a dish of meat

travessão *sm* **1** (*para cabelo*) hairslide, barrette (*USA*) **2** (*Ortografia*) dash ➲ *Ver pág. 315*

travesseiro *sm* pillow LOC *Ver* CONSULTAR

travessia *sf* crossing

travesso, **-a** *adj* naughty

travessura *sf* prank LOC **fazer travessuras** to play pranks

travesti *sm* transvestite

trazer *vt* **1** to bring: *Traga-nos duas cervejas.* Bring us two beers. ➲ *Ver ilustração em* TAKE

T

2 (*causar*) to cause: *O novo sistema vai-nos ~ problemas.* The new system is going to cause problems. **3** (*consigo*) to bring *sb/sth* (with you): *Traz uma almofada.* Bring a pillow with you. LOC *Ver* LUA, LUZ, NUVEM

trégua *sf* **tréguas** truce: *romper uma ~* to break a truce

treinador, -ora *sm-sf* **1** (*Desp*) coach **2** (*de animais*) trainer

treinar(-se) *vt, vi, vp* to train (*sb/sth*) (*as/in sth*)

treino *sm* training LOC *Ver* FATO

trela *sf* lead LOC **dar trela a alguém** to give sb an opening **levar/trazer alguém pela trela** to keep a tight rein on sb

trem *sm* LOC **trem de aterragem** landing gear [*não-contável*]: *baixar o ~ de aterragem* to lower the landing gear **trem de cozinha** set of saucepans ➲ *Ver ilustração em* SAUCEPAN

tremendo, -a *adj* **1** (*terrível*) terrible: *um ~ desgosto/uma dor tremenda* a terrible blow/ pain ◇ *Tenho uma fome tremenda.* I'm famished. **2** (*impressionante*) tremendous: *Teve um êxito ~.* It was a tremendous success. ◇ *Aquele miúdo tem uma força tremenda.* That child is tremendously strong.

tremer *vi* **1** ~ **(de)** to tremble (with *sth*): *A mulher tremia de medo.* The woman was trembling with fear. ◇ *Tremia-lhe a voz.* His voice trembled. **2** (*edifício, móveis*) to shake: *O terramoto fez ~ a povoação inteira.* The earthquake made the whole village shake. LOC **tremer como varas verdes** to be shaking like a leaf **tremer de frio** to shiver

tremor *sm* tremor: *um ligeiro ~na voz* a slight tremor in his voice ◇ *um ~ de terra* an earth tremor

trenó *sm* **1** sledge **2** (*de cavalos, renas*) sleigh: *O Pai Natal viaja sempre de ~.* Father Christmas always travels by sleigh.

trepadeira *sf* creeper

trepar *vi* ~ **(a)** to climb (up) *sth*: *~ a uma árvore* to climb (up) a tree

três *sm, adj, pron* **1** three **2** (*data*) third ➲ *Ver exemplos em* SEIS LOC *Ver* COISA

tresandar *vi* ~ **a** to stink of *sth* LOC *Ver* CHEIRAR

trespassar *vt* (*negócio*) to sell LOC **trespassa-se…** …for sale

treta ▸ *sf* **1** (*artifício*) trick **2** (*coisa inútil*) thing **3** (*engenhoca*) gadget, thingummy [*pl* thingummies] (*coloq*) **4 tretas** (*lisonja*) smooth talk [*não-contável, v sing*] ▸ **tretas!** *interj* rubbish, nonsense (*USA*) ➲ *Ver nota em* GARBAGE

trevo *sm* (*Bot*) clover

treze *sm, adj, pron* **1** thirteen **2** (*data*) thirteenth ➲ *Ver exemplos em* SEIS

trezentos, -as *adj, pron, sm* three hundred ➲ *Ver exemplos em* SEISCENTOS

triangular *adj* triangular

triângulo *sm* triangle LOC **triângulo equilátero/escaleno/isósceles** equilateral/scalene/ isosceles triangle **triângulo retângulo** right-angled triangle

triatlo *sm* triathlon

tribo *sf* tribe

tribuna *sf* grandstand: *Temos bilhetes para a ~.* We've got grandstand tickets.

tribunal *sm* court: *comparecer perante o ~* to appear before the court ◇ *levar alguém a ~* to take sb to court

tributação *sf* taxation

triciclo *sm* tricycle, trike (*coloq*)

tricô *sm* knitting: *fazer ~* to knit

tricotar *vt, vi* to knit

trigémeos, -as *sm-sf* triplets

trigo *sm* wheat

trigonometria *sf* trigonometry

trilho *sm* **1** (*caminho*) track **2** (*carril*) rail

trimestral *adj* quarterly: *revistas/faturas trimestrais* quarterly magazines/bills

trimestre *sm* **1** quarter **2** (*Educ*) term

trincar *vt* to bite

trincheira *sf* trench

trinco *sm* (*porta*) latch

trindade *sf* trinity

trinta *sm, adj, pron* **1** thirty **2** (*trigésimo*) thirtieth ➲ *Ver exemplos em* SESSENTA

trio *sm* trio [*pl* trios]

tripa *sf* **tripas 1** (*Cozinha*) tripe [*não-contável, v sing*] **2** (*intestinos*) guts LOC *Ver* PAU

tripé *sm* tripod

triplicado, -a *adj* LOC **em triplicado** in triplicate *Ver tb* TRIPLICAR

triplicar *vt* to treble

triplo, -a ▸ *adj* triple: *~ salto* triple jump ▸ *sm* three times: *Nove é o ~ de três.* Nine is three times three. ◇ *Este tem o ~ do outro em tamanho.* This one's three times bigger than the other one. ◇ *Ganha o ~ de mim.* He earns three times as much as me. LOC *Ver* FICHA

tripulação *sf* crew [*v sing ou pl*] ➲ *Ver nota em* JÚRI

tripular *vt* **1** (*barco*) to sail **2** (*avião*) to fly

triste *adj* **1** **~(com/por)** sad (about *sth*): *estar/ sentir-se ~* to be/feel sad **2** (*deprimente, depri-*

T

mido, lugar) gloomy: *uma paisagem/um quarto ~* a gloomy landscape/room

tristeza *sf* **1** sadness **2** (*melancolia*) gloominess **3** (*pessoa negativa*) misery guts [*pl* misery guts]: *Aqueles dois são umas ~s.* They're a couple of misery guts.

triturar *vt* **1** (*alimentos*) to crush **2** (*papel*) to shred

triunfal *adj* **1** (*entrada*) triumphal **2** (*regresso*) triumphant

triunfante *adj* (*gesto, expressão*) triumphant

triunfar *vi* **1** (*ter êxito*) to do well: *~ na vida* to do well in life ◇ *Esta canção triunfará no estrangeiro.* This song will do well abroad. **2** (*ganhar*) to win: *~ a qualquer preço* to win at any price **3** **~(sobre)** to triumph (over *sb/sth*): *Triunfaram sobre os seus inimigos.* They triumphed over their enemies.

triunfo *sm* **1** (*Pol, Mil*) victory [*pl* victories] **2** (*feito pessoal, proeza*) triumph: *um ~ da engenharia* a triumph of engineering

trivial *adj* trivial

triz *sm* LOC **por um triz** narrowly: *Não apanhei o comboio por um ~.* I narrowly missed the train. ◇ *Não foi atropelada por um ~.* She narrowly missed being run over. *Ver tb* ESCAPAR

troca *sf* exchange: *uma ~ de impressões* an exchange of views LOC **em troca (de)** in return (for *sth/doing sth*): *Não receberam nada em ~.* They got nothing in return.

troça *sf* **1** (*escárnio*) mockery [*não-contável*]: *um tom de ~* a mocking tone **2** (*piada*) joke: *Deixa-te de ~s.* Stop joking. LOC **fazer troça** to make fun *of sb/sth*: *Não faças ~ de mim.* Don't make fun of me.

trocadilho *sm* pun

trocados *sm* small change [*não-contável, v sing*]

trocar ▸ *vt* **1** to change *sth* (*for sth*): *Vou ~ o meu carro por um carro maior.* I'm going to change my car for a bigger one. **2** (*dinheiro*) to change *sth* (*into sth*): *~ euros por libras* to change euros into pounds **3** (*permutar*) to exchange *sb/sth*, to swap *sb/sth* (*mais coloq*) (*for sb/sth*): *~ prisioneiros* to exchange prisoners ◇ *Se não te ficar bem podes ~.* You can exchange it if it doesn't fit you. ◇ *~ autocolantes* to swap stickers **4** (*confundir*) to mix *sth* up: *Não presta atenção ao que está a fazer e troca tudo.* He pays no attention to what he's doing and mixes everything up. ▸ *vi* **~ (de)** to change: *~ de sapatos* to change your shoes ▸ **trocar-se** *vp* (*pessoa*) to get changed: *Vou trocar-me que preciso de sair.* I'm going to get changed because I have to go out.

troco *sm* **1** change: *Deram-me o ~ errado.* They gave me the wrong change. ◇ *Tem ~ de 20 euros?* Have you got change for 20euros? **2** **trocos** (*dinheiro trocado*) small change [*não-contável, v sing*] LOC **a/em troco (de)** in return (for *sth/doing sth*): *a ~ de me ajudares com a matemática* in return for you helping me with my maths **não dar troco** to give no reply

troço *sm* **1** (*estrada*) stretch: *um ~ perigoso* a dangerous stretch of road **2** (*lenha*) log **3** (*couve*) stalk

troféu *sm* trophy [*pl* trophies]

tromba *sf* **1** (*de elefante*) trunk **2** (*de inseto*) proboscis [*pl* probosces/proboscises] **3** (*de focinho*) snout LOC **estar/ficar de trombas** to be in/get into a (bad) mood: *Está de ~s porque não lhe emprestei o carro.* She's in a (bad) mood because I didn't lend her the car.

tromba-d'água *sf* waterspout

trombone *sm* trombone

trombose *sf* (*cerebral*) stroke

trompete *sm* trumpet

tronco *sm* **1** (*árvore, Anat*) trunk **2** (*de lenha*) log

trono *sm* throne: *subir ao ~* to come to the throne ◇ *o herdeiro do ~* the heir to the throne

tropa *sf* **1** (*grupo de soldados*) troop: *as ~s* the troops **2** (*exército*) army [*pl* armies] [*v sing ou pl*]: *alistar-se na ~* to join the army **3** (*serviço militar*) military service: *Está na ~.* He's doing his military service. ◇ *ir à ~* to do your military service LOC *Ver* CHOQUE

tropeção *sm* stumble LOC **dar um tropeção** to trip

tropeçar *vi* **~ (em)** **1** (*cair*) to trip (over *sth*): *~ numa raiz* to trip over a root **2** (*problemas*) to come up against *sth*: *Tropeçámos em sérias dificuldades.* We've come up against serious difficulties.

tropelia *sf* LOC **fazer tropelias**: *Esse miúdo só faz ~s.* That boy is always up to mischief. ◇ *Não faças ~s.* Don't be so naughty!

tropical *adj* tropical LOC *Ver* FLORESTA

trópico *sm* tropic: *o ~ de Câncer/Capricórnio* the tropic of Cancer/Capricorn

trotar *vi* to trot

trote *sm* trot: *ir a ~* to go at a trot

trotinete *sf* (*brinquedo*) scooter

trouxa ▸ *sf* (*roupa*) bundle ▸ *smf* (*pessoa*) sucker

trovão *sm* thunder [*não-contável*]: *Ouviste o ~?* Wasn't that a clap of thunder? ◇ *Os trovões pararam.* The thunder has stopped. ◇ *raios e trovões* thunder and lightning

T

trovejar *v imp* to thunder

trovoada *sf* **1** (*tempestade*) thunderstorm: *tempo de ~* thundery weather **2** (*trovão*) thunder: *Ouviste a ~ durante a noite?* Did you hear the thunder in the night?

trufa *sf* truffle

trunfo *sm* **1** (*em jogo de cartas*) trump **2** (*vantagem*) asset: *A experiência é o teu ~.* Experience is your greatest asset.

truque *sm* trick LOC **haver truque**: *Há ~ na oferta.* There's a catch to that offer. *Ver tb* PREGAR[2]

truta *sf* trout [*pl* trout]

t-shirt *sf* T-shirt

tu *pron* you: *És tu?* Is that you? LOC **tu mesmo/próprio** you yourself: *Tu mesma me contaste.* You told me yourself.

tubarão *sm* shark

tuberculose *sf* tuberculosis (*abrev* TB)

tubo *sm* **1** (*cano*) pipe **2** (*recipiente*) tube: *um ~de pasta de dentes* a tube of toothpaste ➲ *Ver ilustração em* CONTAINER LOC **tubo de ensaio** test tube **tubo de escape** exhaust

tudo *pron* **1** all: *É ~por hoje.* That's all for today. ◇ *no fim de ~* after all **2** (*todas as coisas*) everything: *Tudo o que te disse era verdade.* Everything I told you was true. **3** (*qualquer coisa*) anything: *O meu papagaio come de ~.* My parrot eats anything. LOC **dar/fazer tudo por tudo** to give/do your all **por tudo e por nada** over the slightest thing **tudo bem?** how are things?

tufão *sm* typhoon

tugir *vi* LOC **não tugir nem mugir** not to open your mouth

tule *sm* (*tecido*) net

túlipa (*tb* **tulipa**) *sf* tulip

tumba *sf* **1** grave **2** (*mausoléu*) tomb: *a ~ de Lenine* Lenin's tomb

tumor *sm* tumour: *~ benigno/cerebral* benign/brain tumour

tumulto *sm* tumult

túnel *sm* tunnel: *passar por um~* to go through a tunnel

turbante *sm* turban

turbilhão *sm* whirlwind LOC **ter a cabeça num turbilhão** to be really confused

turismo *sm* tourism LOC **fazer turismo 1** (*por um país*) to travel: *fazer ~ por África* to travel round Africa **2** (*por uma cidade*) to go sightseeing *Ver tb* POSTO

turista *smf* tourist

turístico, -a *adj* **1** tourist: *uma atração turística* a tourist attraction **2** (*com muitos turistas*) popular with tourists: *Esta região não é muito turística.* This region isn't very popular with tourists. **3** (*com sentido pejorativo*) touristy: *Não gosto de cidades muito turísticas.* I don't like very touristy towns. LOC *Ver* EMENTA, PASSE

turma *sf* (*Educ*) class: *Estamos na mesma ~.* We're in the same class. LOC *Ver* COLEGA, DELEGADO, DIRETOR

turné *sf* tour LOC **estar/ir em turné** to be/go on tour

turno *sm* **1** (*trabalho*) shift: *~ do dia/da noite* day/night shift **2** (*vez*) turn LOC **por seu turno** in turn: *Ele, por seu ~, respondeu que...* He answered, in turn, that... **por turnos 1** (*à vez*) in turns: *A limpeza das escadas é feita por ~s.* The stairs are cleaned in turns. **2** (*trabalho*) in shifts: *Não gosto de trabalhar por ~.* I don't like shift work.

turquesa *adj, sf* turquoise ➲ *Ver exemplos em* AMARELO

turra *sf* **1** (*briga*) quarrel: *Andam sempre às ~s.* They're always quarrelling. **2** (*birra*) tantrum: *estar/vir com ~s* to throw a tantrum

turvar ▸ *vt* **1** (*líquido*) to make *sth* cloudy **2** (*assunto*) to cloud ▸ **turvar-se** *vp* **1** (*líquido*) to become cloudy **2** (*relações, assunto*) to become muddled

turvo, -a *adj* **1** (*líquido*) cloudy **2** (*relações*) unstable **3** (*assunto*) shady

tutor, -ora *sm-sf* (*Jur*) guardian

ufa! *interj* **1** (*alívio, cansaço*) phew: *Ufa, que calor!* Phew, it's hot! **2** (*nojo*) ugh: *Ufa, que mau cheiro!* Ugh, what an awful smell!

uísque *sm* whisky [*pl* whiskies]

uivar *vi* to howl

uivo *sm* howl

úlcera *sf* ulcer

ulmeiro *sm* elm (tree)

ultimamente *adv* recently

ultimato *sm* ultimatum [*pl* ultimatums/ultimata]

último, -a ▸ *adj* **1** last: *o ~ episódio* the last episode ◇ *estes ~s dias* the last few days ◇ *Vou-te dizer pela última vez.* I'm telling you for the last time. **2** (*mais recente*) latest: ***a última moda*** the latest fashion

Last refere-se ao último de uma série que já acabou: *o último álbum de John Lennon* John Lennon's last album, e **latest** refere-se ao último de uma série que ainda pode continuar.

3 (*mais alto*) top: *no ~ andar* on the top floor **4** (*mais baixo*) bottom: *Estão na última posição da liga.* They are bottom of the league. ▸ *sm-sf* **1** last (one): *Fomos os ~s a chegar.* We were the last (ones) to arrive. **2** (*mencionado em último lugar*) latter LOC **andar na/vestir a última (moda)** to be fashionably dressed **à última hora** at the last moment **de última geração** state of the art: *equipamento de última geração* state-of-the-art equipment ➲ *Ver nota em* WELL BEHAVED **em última análise** at the end of the day **em último caso** as a last resort **pela última vez** (for) the last time **por último** finally *Ver tb* GOTA, PALAVRA

ultraleve *sm* microlight

ultrapassado, -a *adj* (*sistema, pessoa*) outdated *Ver tb* ULTRAPASSAR

ultrapassagem *sf* overtaking: *Cuidado com as ultrapassagens.* Be careful when you're overtaking.

ultrapassar *vt* **1** (*quantidade, limite, medida*) to exceed: *Ultrapassou os 170km por hora.* It exceeded 170km an hour. **2** (*veículo, pessoa*) to overtake, to pass (*USA*): *O camião ultrapassou-me na curva.* The lorry overtook me on the bend.

ultrassonografia (*tb* **ultrassom**) *sf* ultrasound (scan)

um, uma[1] *art indef* **1** a, an ❶ A forma **an** emprega-se antes de uma vogal ou som vocálico: *uma árvore* a tree ◇ *um braço* an arm ◇ *uma hora* an hour **2 uns** some: *Necessito de uns sapatos novos.* I need some new shoes. ◇ *Já que lá vais, compra umas bananas.* Get some bananas while you're there. ◇ *Tens uns olhos muito bonitos.* You've got beautiful eyes. **3** [*uso enfático*]: *Está cá um calor!* It's so hot! ◇ *Estou com uma fome!* I'm starving! ◇ *Tive cá umas férias!* What a holiday I had!

um, uma[2] ▸ *adj* **1** (*quantidade*) one: *Disse um quilo, não dois.* I said one kilo, not two. **2** (*primeiro*) first: *o dia um de maio* the first of May **3 uns (a)**: *umas calças* a pair of trousers **(b)** (*aproximadamente*): *uns quinze dias* about a fortnight ◇ *Só lá estarei uns dias.* I'll only be there a few days. ◇ *Tem uns 50 anos.* He must be about 50. ▸ *pron* **1** one: *Como não tinha gravata, emprestei-lhe uma.* He didn't have a tie, so I lent him one. **2 uns**: *Uns gostam, outros não.* Some (people) like it; some don't. ▸ *sm* one: *um, dois, três* one, two, three LOC **à uma (hora)** at one (o'clock) **é uma hora** it's one o'clock **um ao outro** each other, one another: *Ajudaram-se uns aos outros.* They helped each other. ➲ *Ver nota em* EACH OTHER **um a um** one by one: *Mete um a um.* Put them in one by one. ➲ *Para mais informação sobre o uso do numeral "um", ver os exemplos em* SEIS.

umbigo *sm* navel, tummy button (*coloq*)

umbilical *adj* LOC *Ver* CORDÃO

umbral *sm* (*porta*) threshold

unanimidade *sf* unanimity LOC **por unanimidade** unanimously

unha *sf* **1** (*mão*) (finger)nail: *roer as ~s* to bite your nails **2** (*pé*) toenail LOC **com unhas e dentes** body and soul: *Ela agarrou-se ao trabalho com ~s e dentes.* She immersed herself body and soul in her work. **por uma unha negra** by the skin of your teeth **ser unha com carne** to be inseparable **unha encravada** ingrown toenail *Ver tb* ARRANJAR, ESCOVA, VERNIZ

união *sf* **1** union: *a ~ monetária* monetary union **2** (*unidade*) unity: *A ~ é a nossa melhor arma.* Unity is our best weapon. **3** (*ato*) joining (together): *a ~ das duas partes* the joining together of the two parts LOC **União Europeia** (*abrev* **UE**) European Union (*abrev* EU) *Ver tb* TRAÇO

único, -a ▸ *adj* **1** (*um só*) only: *a única exceção* the only exception **2** (*excecional*) extraordinary: *uma mulher única* an extraordinary woman **3** (*sem paralelo*) unique: *uma obra de arte única* a unique work of art ▸ *sm-sf* only one: *É a única que sabe nadar.* She's the only one who can swim. LOC *Ver* FILHO, MERCADO, SENTIDO

unidade *sf* **1** unit: *~ de medida* unit of measurement **2** (*união*) unity: *falta de ~* lack of unity LOC **Unidade de Cuidados Intensivos** intensive care (unit) (*abrev* ICU)

unido, -a *adj* close: *uma família muito unida* a very close family ◇ *São muito ~s.* They're very close. LOC *Ver* ORGANIZAÇÃO, REINO; *Ver tb* UNIR

unificar *vt* to unify

uniforme ▸ *adj* **1** uniform: *de tamanho ~* of uniform size **2** (*superfície*) even ▸ *sm* uniform LOC **com/de uniforme**: *alunos com ~* children in school uniform ◇ *soldados de ~* uniformed soldiers

unir ▸ *vt* **1** (*interesses, pessoas*) to unite: *os objetivos que nos unem* the aims that unite us **2** (*peças, objetos*) to join **3** (*estrada, via-férrea*) to link ▸ **unir-se** *vp* **unir-se a** to join: *Uniram-se ao grupo.* They joined the group.

universal *adj* **1** universal **2** (*história, literatura*) world: *história ~* world history

U

universidade *sf* university [*pl* universities]: *entrar para a ~* to go to university

universitário, -a ▸ *adj* university [*s*]: *uma professora universitária* a university teacher ▸ *sm-sf* (*estudante*) university student LOC *Ver* CIDADE, RESIDÊNCIA

universo *sm* universe

untar *vt* LOC **untar com manteiga, óleo, etc.** to grease: *~ uma forma com margarina* to grease a tin

urânio *sm* uranium

Úrano *sm* Uranus

urbanização *sf* housing development

urbano, -a *adj* urban

urgência *sf* **1** emergency [*pl* emergencies]: *em caso de ~* in case of emergency **2 urgências** (*hospital*) accident and emergency (*abrev* A & E) [*v sing*], emergency room (*abrev* ER) [*v sing*] (*USA*)

urgente *adj* **1** urgent: *um pedido/trabalho ~* an urgent order/job **2** (*correio*) express

urina *sf* urine

urinar ▸ *vi* to urinate, to pee (*coloq*) ▸ **urinar-se** *vp* to wet yourself

urna *sf* **1** (*cinzas*) urn **2** (*caixão*) coffin, casket (*USA*) **3** (*Pol*) ballot box

urso, -a *sm-sf* bear: *~ polar* polar bear LOC **urso de peluche/pelúcia** teddy bear

urtiga *sf* nettle

urze *sf* heather

usado, -a *adj* **1** (*em segunda mão*) second-hand: *roupa usada* second-hand clothes **2** (*gasto*) worn out: *uns sapatos ~s* worn-out shoes ➲ *Ver nota em* WELL BEHAVED; *Ver tb* USAR

usar ▸ *vt* **1** (*utilizar*) to use: *Uso muito o computador.* I use the computer a lot. **2** (*óculos, roupa, penteado*) to wear: *Usa óculos.* She wears glasses. ◇ *Que perfume usas?* What perfume do you wear? ▸ **usar-se** *vp* (*estar na moda*) to be in: *Este inverno irá usar-se muito o verde.* Green is in this winter.

uso *sm* use: *instruções de ~* instructions for use LOC **para uso externo** (*pomada*) for external application *Ver tb* ROUPA

utensílio *sm* **1** (*ferramenta*) tool **2** (*Cozinha*) utensil **3 utensílios** (*equipamento*) equipment [*não-contável, v sing*] LOC **utensílios de cozinha** kitchenware [*não-contável, v sing*]

utente *smf* user

útero *sm* womb

útil *adj* useful

utilidade *sf* usefulness LOC **ter muita utilidade** to be very useful

utilizador, -ora *sm-sf* user

utilizar *vt* to use

utopia *sf* Utopia

uva *sf* grape

V v

vaca *sf* **1** (*animal*) cow **2** (*carne*) beef

vacilar *vi* to hesitate (*about/over sth/doing sth*)

vacina *sf* vaccine: *a ~ contra a pólio* the polio vaccine

vacinar *vt* to vaccinate *sb/sth* (*against sth*): *Temos de ~ o cão contra a raiva.* We've got to have the dog vaccinated against rabies.

vácuo *sm* vacuum LOC *Ver* EMBALADO

vadio, -a ▸ *adj* **1** (*pessoa*) idle **2** (*animal*) stray ▸ *sm-sf* vagrant LOC *Ver* CÃO

vaga *sf* **1** (*emprego*) vacancy [*pl* vacancies]: *~s para emprego* job vacancies ◇ *Abriu uma ~ na secção de contabilidade.* There's a vacancy in the accounts department. **2** (*num curso*) place: *Já não há ~s.* There are no places left.

vagabundo, -a *sm-sf* tramp

vagão *sm* carriage, car (*USA*): *~ de passageiros* passenger carriage LOC **vagão de mercadorias** freight wagon, freight car (*USA*)

vagão-cama *sm* sleeping car

vagão-restaurante *sm* dining car

vagar *sm* LOC **com mais vagar** at a more leisurely pace **com vagar** at your leisure **ter vagar** to have time (*for sth/doing sth/to do sth*): *Não tenho ~ para brincadeiras.* I haven't got the time to fool around.

vagaroso, -a *adj* slow

vagina *sf* vagina

vago, -a *adj* vague: *uma resposta/parecença vaga* a vague answer/resemblance LOC *Ver* HORA

vaguear (*tb* vagar) *vi* to wander: *Passaram a noite toda a ~ pelas ruas da cidade.* They spent all night wandering the city streets.

vaiar *vt* (*apupar*) to boo

vaidade *sf* vanity

vaidoso, -a *adj, sm-sf* vain [*adj*]: *És um ~.* You're so vain.

vaivém *sm* **1** (*movimento de ir e vir*) to-and-fro: *Havia um constante ~.* There was a constant to-and-fro. **2** (*movimento oscilatório*) swinging: *o ~ do pêndulo* the swinging of the pendulum LOC **vaivém espacial** space shuttle

vala *sf* ditch LOC **vala comum** common grave

vale[1] *sm* (*Geog*) valley [*pl* valleys]

vale[2] *sm* **1** (*cupão*) voucher **2** (*recibo*) receipt LOC **vale postal** postal order, money order (*USA*)

valente *adj, smf* brave [*adj*]: *És um ~!* You're very brave!

valentia *sf* courage: *Falta-lhe ~.* He hasn't got the courage.

valer ▸ *vt* **1** (*custar*) to cost: *O livro valia 15 euros.* The book cost 15 euros. **2** (*ter um valor*) to be worth: *Uma libra vale 1,14 euros.* One pound is worth 1.14 euros. ▸ *vi* (*ser permitido*) to be allowed: *Não vale fazer batota.* No cheating. ▸ **valer-se** *vp* **valer-se de** to use: *Valeu-se de todos os meios para triunfar.* He used every means possible to get on. LOC **a valer** (*a sério*) for real: *Desta vez é a ~.* This time it's for real. **isso não vale!** (*não é justo*) that's not fair! **mais vale tarde (do) que nunca** better late than never **não valer para nada** to be useless **vale mais...**: *Vale mais levares o guarda-chuva.* You'd better take your umbrella. ◇ *Vale mais dizer a verdade.* You're better off telling the truth. **valer-se a si mesmo/próprio** to get by (on your own) *Ver tb* PENA[2]

valeta *sf* ditch

valete *sm* (*em baralho de cartas*) jack ➲ *Ver nota em* BARALHO

validade *sf* validity LOC *Ver* DATA, PRAZO

válido, **-a** *adj* valid

valioso, **-a** *adj* valuable

valor *sm* **1** value: *Tem um grande ~ estimativo para mim.* It has great sentimental value for me. ◇ *um objeto de grande ~* a valuable object **2** (*preço*) price: *As joias alcançaram um ~ muito alto.* The jewels fetched a very high price. **3** (*em teste*) point: *Cada pergunta vale dois ~es.* Each question is worth two points. **4** (*pessoa*) worth: *mostrar o seu ~* to show your worth LOC **dar valor a** to value *sth*: *Não dá ~ ao que tem.* She doesn't value what she's got. **sem valor** worthless *Ver tb* IMPOSTO

valorizar ▸ *vt* **1** (*dar valor a*) to value **2** (*aumentar o valor de*) to increase the value of *sth* ▸ **valorizar-se** *vp* **1** (*pessoa*) to value yourself: *Quem não se valoriza não é respeitado.* People don't respect those who don't value themselves. **2** (*aumentar o valor*) to go up (in price): *Os imóveis valorizaram-se neste bairro.* House prices went up in this neighbourhood.

válvula *sf* valve: *a ~ de escape/segurança* the exhaust/safety valve

vampiro *sm* vampire

vandalismo *sm* vandalism

vândalo, **-a** *sm-sf* vandal

vanguarda *sf* **1** (*Mil*) vanguard **2** (*Arte*) avant-garde: *teatro de ~* avant-garde theatre

vantagem *sf* advantage: *Morar no campo tem muitas vantagens.* Living in the country has a lot of advantages. ◇ *levar ~ sobre alguém* to have an advantage over sb LOC *Ver* CONTAR

vão, **vã** *adj* vain: *uma tentativa vã* a vain attempt LOC **em vão** in vain **vão da porta** doorway **vão das escadas** stairwell

vapor *sm* **1** steam: *uma máquina a ~* a steam engine ◇ *um ferro a ~* a steam iron **2** (*Quím*) vapour: *~es tóxicos* toxic vapours LOC **a todo o vapor** flat out *Ver tb* BARCO

vara *sf* **1** (*pau*) stick **2** (*Desp*) pole LOC **vara de arames** whisk *Ver tb* SALTO, TREMER

varanda *sf* balcony [*pl* balconies]: *ir para a ~* to go out onto the balcony

variação *sf* variation: *ligeiras variações de pressão* slight variations in pressure

variar *vt, vi* **1** (*tornar variado, ser variado*) to vary: *Os preços variam segundo o restaurante.* Prices vary depending on the restaurant. **2** (*mudar*) to change: *Não varia no plural.* It doesn't change in the plural. LOC **para variar** for a change

variável ▸ *adj* changeable ▸ *sf* variable

varicela *sf* chickenpox [*não-contável*]

variedade *sf* variety [*pl* varieties]

varinha *sf* LOC **varinha de condão/mágica** (*de ilusionista, fada*) magic wand **varinha mágica** (*eletrodoméstico*) hand mixer

varíola *sf* smallpox [*não-contável*]

vários, **-as** *adj, pron* several: *em várias ocasiões* on several occasions ◇ *Vários de vós terão de estudar mais.* Several of you will have to work harder.

varonil *adj* manly, virile (*mais formal*): *uma voz ~* a manly voice

varredor, **-ora** *sm-sf* LOC **varredor de rua/do lixo** road sweeper

varrer *vt, vi* to sweep (up): *Uma onda de terror varreu o país.* A wave of terror swept the country. ◇ *Se tu varres, eu lavo a louça.* If you sweep up, I'll do the dishes. LOC **varreu-se-me completamente da cabeça/memória** it's gone right out of my head *Ver tb* DOIDO

vasilha *sf* vessel

vaso *sm* **1** (*plantas*) flowerpot **2** (*Anat, Bot*)

V

vessel: *~s capilares/sanguíneos* capillary/ blood vessels

vassoura *sf* **1** broom, brush ➲ *Ver ilustração em* BRUSH **2** (*de bruxa*) broomstick

vasto, **-a** *adj* vast: *a vasta maioria* the vast majority

vau *sm* (*de um rio*) ford

vaza *sf* (*em jogo de cartas*) trick: *Ganhei três ~s.* I won three tricks.

vazio, **-a** ▸ *adj* empty: *uma caixa/casa vazia* an empty box/house ▸ *sm* void

veado *sm* **1** (*animal*) deer [*pl* deer]

A palavra **deer** é o substantivo genérico. Para nos referirmos só ao macho dizemos **stag** (ou **buck**), e à fêmea **doe**. **Fawn** é a cria, o enho.

2 (*carne*) venison

vedação *sf* fence

vedar *vt* **1** (*com cerca*) to fence *sth* off **2** (*recipiente*) to seal **3** (*acesso*) to block

vedeta *sf* star: *uma ~ de cinema* a film star

vegetação *sf* vegetation

vegetal ▸ *adj* vegetable [*s*]: *óleos vegetais* vegetable oils ▸ *sm* vegetable LOC *Ver* CARVÃO, PAPEL

vegetar *vi* **1** (*Bot*) to grow **2** (*pessoa*) to be a vegetable

vegetariano, **-a** *adj, sm-sf* vegetarian: *ser ~* to be a vegetarian

veia *sf* vein LOC *Ver* GELAR

veículo *sm* vehicle

veio *sm* **1** (*rocha*) vein **2** (*mina*) seam **3** (*madeira*) grain

vela¹ *sf* **1** (*círio*) candle: *acender/apagar uma ~* to light/put out a candle **2** (*Mec*) spark plug LOC **estar/passar a noite de vela 1** to stay up all night **2** (*com um doente*) to keep watch (*over sb*) *Ver tb* LUZ

vela² *sf* **1** (*barco, moinho*) sail **2** (*Desp*) sailing: *praticar ~* to go sailing LOC *Ver* BARCO

velar ▸ *vt* **1** (*cadáver*) to keep vigil *over sb* **2** (*doente*) to sit up *with sb* ▸ *vi* ~ **por** to look after *sb/sth*: *O teu padrinho velará por ti.* Your godfather will look after you.

veleiro *sm* sailing boat, sailboat (*USA*)

velejar *vi* to go sailing: *Fomos ~ este domingo.* We went sailing on Sunday.

velhice *sf* old age

velho, **-a** ▸ *adj* old: *estar/ficar ~* to look/get old ◊ *Sou mais ~ do que o meu irmão.* I'm older than my brother. ▸ *sm-sf* **1** old man/woman [*pl* men/women] **2 velhos** old people LOC **o mais velho** the oldest (one) (*in/of...*): *O mais ~ tem quinze anos.* The oldest (one) is fifteen. ◊ *o mais ~ da turma* the oldest (one) in the class ◊ *a mais velha das três irmãs* the oldest of the three sisters ➲ *Ver nota em* ELDER; *Ver tb* TRAPO

velhote, **-a** *sm-sf* old man/woman [*pl* men/ women]

velocidade *sf* **1** (*rapidez*) speed: *a ~ do som* the speed of sound ◊ *comboios de alta ~* high-speed trains **2** (*Mec*) gear: *mudar de ~* to change gear ◊ *um carro com cinco ~s* a car with a five-speed gearbox LOC **a toda a velocidade** at top speed **sair a toda a velocidade** to dash off *Ver tb* CAIXA¹, EXCESSO

velocímetro *sm* speedometer

velódromo *sm* velodrome, cycle track (*mais coloq*)

velório *sm* wake

veloz *adj* fast ➲ *Ver nota em* RÁPIDO

veludo *sm* velvet

vencedor, **-ora** ▸ *adj* **1** winning: *a equipa ~a* the winning team **2** (*país, exército*) victorious ▸ *sm-sf* **1** winner: *o ~ da prova* the winner of the competition **2** (*Mil*) victor

vencer ▸ *vt* **1** (*Desp*) to beat: *Venceram-nos na semifinal.* We were beaten in the semifinal. **2** (*Mil*) to defeat **3** (*superar*) to overcome: *O sono venceu-me.* I was overcome with sleep. ▸ *vi* **1** to win: *Venceu a equipa visitante.* The visiting team won. **2** (*prazo*) to expire: *O prazo venceu ontem.* The deadline expired yesterday. **3** (*pagamento*) to be due: *O pagamento do empréstimo vence hoje.* Repayment of the loan is due today. **4** (*sair de dificuldade*) to pull through: *Foi difícil mas no fim ele venceu.* It was difficult but in the end he pulled through.

vencido, **-a** ▸ *adj* beaten: *com um ar ~* with a beaten look ▸ *sm-sf* loser: *vencedores e ~s* winners and losers LOC **dar-se por vencido** to give in *Ver tb* VENCER

vencimento *sm* (*salário*) salary [*pl* salaries] LOC **não dar vencimento (a)**: *Não dou ~ a tanto trabalho.* I've got far too many things to do.

venda *sf* sale: *à ~* for sale LOC **venda pelo correio** mail order *Ver tb* POSTO

vendar *vt* to blindfold LOC **com os olhos vendados** blindfold

vendaval *sm* hurricane

vendedor, **-ora** *sm-sf* **1** seller **2** (*caixeiro-viajante*) salesperson [*pl* salespeople] ➲ *Ver nota em* POLÍCIA **3** (*em loja*) shop assistant, sales clerk (*USA*) LOC **vendedor ambulante** street trader

vender ▸ *vt* to sell: *Vão ~ o andar de cima.* The

upstairs flat is for sale. ▸ **vender-se** *vp* **1** (*estar à venda*) to be on sale: *Vendem-se no mercado.* They are on sale in the market. **2** (*deixar-se subornar*) to sell yourself LOC **vende-se** for sale

veneno *sm* poison

venenoso, -a *adj* poisonous LOC *Ver* COGUMELO

veneta *sf* LOC **dar na veneta a alguém** to take it into your head *to do sth*: *Deu-me na ~ ir às compras.* I took it into my head to go shopping. ◇ *Só faz o que lhe dá na ~.* He just does whatever he wants (to).

venta *sf* LOC *Ver* PELO²

ventilação *sf* ventilation

ventilador *sm* fan

vento *sm* wind LOC **contra vento(s) e maré(s)** come hell or high water **estar vento** to be windy: *Estava demasiado ~.* It was too windy. **ser uma cabeça de vento** to be a scatterbrain *Ver tb* MOINHO

ventre *sm* **1** (*abdómen*) belly [*pl* bellies] **2** (*útero*) womb LOC *Ver* PRISÃO

Vénus *sf* (*planeta*) Venus

ver ▸ *vt* **1** to see: *Há muito que não a vejo.* I haven't seen her for a long time. ◇ *Estás a ~? Caíste outra vez.* You see? You've fallen down again. ◇ *Não vejo porquê.* I don't see why. ◇ *Vês aquele edifício ali?* Can you see that building over there? **2** (*televisão*) to watch: *~ televisão* to watch TV **3** (*examinar*) to look at *sth*: *Necessito de vê-lo com mais calma.* I need more time to look at it. ▸ *vi* to see: *Espera, vou ~.* Wait, I'll go and see. ▸ **ver-se** *vp* (*encontrar-se*) to be: *Nunca me tinha visto em tal situação.* I'd never been in a situation like that. LOC **a ver vamos** we'll see **estar a ver** (*prever*) to see *sth* coming: *Estava mesmo a ~ isso.* I could see it coming. **fazer ver a alguém que...** to show *sb* (that)... **para tu veres!** so there! **vais ver!** (*ameaça*) you'll get what for! **vamos ver...** **1** (*desejo*) I hope...: *Vamos ~ se passo desta vez.* I hope I pass this time. **2** (*temor*) what if...: *Vamos ~, aconteceu-lhes alguma coisa!* What if something has happened to them? **3** (*pedido, ordem*) how about...?: *Vamos ~ se me escreves.* How about writing to me sometime? **vê só...!**: *Vê só, casar-se com aquele desavergonhado!* Fancy marrying that good-for-nothing! ◇ *Vê só como tu és despistado!* You're so absent-minded! ❶ Para outras expressões com **ver**, ver as entradas para o substantivo, verbo, etc., p. ex. **ver (as) montras** em MONTRA.

veraneante (*tb* veranista) *smf* holidaymaker, vacationer (*USA*)

verão *sm* summer: *No ~ está muito calor.* It's very hot in (the) summer. ◇ *as férias de ~* the summer holidays LOC *Ver* HORÁRIO, PINO

verba *sf* funds [*pl*]

verbal *adj* verbal

verbo *sm* verb

verdade *sf* truth: *Diz a ~.* Tell the truth. LOC **dizer umas verdades** to tell *sb* a few home truths **na verdade** in fact, actually (*mais coloq*) **não é verdade?**: *Este carro é mais rápido, não é ~?* This car's faster, isn't it? ◇ *Não gostas de leite, não é ~?* You don't like milk, do you? **ser verdade** to be true: *Não pode ser ~.* It can't be true. **verdade?** really? *Ver tb* CONFESSAR, FALAR

verdadeiro, -a *adj* true: *a verdadeira história* the true story

verde ▸ *adj* **1** (*cor*) green ➲ *Ver exemplos em* AMARELO **2** (*fruta*) unripe: *Ainda estão ~s.* They're not ripe yet. ▸ *sm* **1** (*cor*) green **2 os verdes** (*Pol*) the Greens LOC *Ver* CALDO, ZONA

verdura *sf* **verduras** vegetables: *frutas e ~s* fruit and vegetables ◇ *As ~s fazem bem.* Vegetables are good for you. ◇ *sopa de ~s* vegetable soup

vereador, -ora *sm-sf* (town) councillor

veredicto *sm* verdict

verga *sf* wicker: *cesto de ~* wicker basket

vergonha *sf* **1** (*timidez*) shyness: *Nunca vi um miúdo com tanta ~.* I've never seen such shyness in a kid. **2** (*embaraço*) embarrassment: *Que ~!* How embarrassing! **3** (*sentimento de culpa, pudor*) shame: *Não tens ~.* You've got no shame. ◇ *Tinha ~ de o confessar.* He was ashamed to admit it. LOC **não ter vergonha na cara** to be utterly shameless **ter vergonha 1** (*ser tímido*) to be shy: *Serve-te, não tenhas ~!* Don't be shy, help yourself! **2** (*sentir embaraço*) to be embarrassed: *Tenho ~ de lhes perguntar.* I'm too embarrassed to ask them. **ter vergonha de alguém/alguma coisa** to be ashamed of sb/sth *Ver tb* MORRER, MORTO

vergonhoso, -a *adj* disgraceful

verídico, -a *adj* true

verificar *vt* to check: *Vieram ~ o gás.* They came to check the gas.

verme *sm* **1** worm **2** (*nos alimentos*) maggot

vermelho, -a *adj, sm* red: *ficar ~* to go red ➲ *Ver exemplos em* AMARELO LOC **estar no vermelho** to be in the red **ficar vermelho como um tomate** to go as red as a beetroot *Ver tb* CAPUCHINHO, CRUZ

verniz *sm* **1** (*para madeira*) varnish **2** (*cabedal*) patent leather: *uma carteira de ~* a patent leather bag LOC **verniz para as unhas** nail varnish

V

versão *sf* version LOC **em versão original** (*filme*) with subtitles

versátil *adj* versatile

verso¹ *sm* (*face oposta*) back: *no ~ do cartão* on the back of the card

verso² *sm* **1** (*linha de um poema*) line **2** (*poema*) poem **3** (*género literário*) poetry

vértebra *sf* vertebra [*pl* vertebrae]

vertebrado, **-a** *adj, sm* vertebrate

vertebral *adj* LOC *Ver* COLUNA

vertical *adj* **1** vertical: *uma linha ~* a vertical line **2** (*posição*) upright: *em posição ~* in an upright position

vértice *sm* vertex [*pl* vertices/vertexes]

vertigem *sf* vertigo [*não-contável*]: *sentir/ter vertigens* to get vertigo LOC **dar/produzir vertigens** to make *sb* dizzy

vesgo, **-a** *adj* cross-eyed

vesícula *sf* LOC **vesícula (biliar)** gall bladder

vespa *sf* (*inseto*) wasp

vespa® *sf* (*moto*) scooter

véspera *sf* day before (*sth*): *Deixei tudo preparado na ~.* I got everything ready the day before. ◇ *a ~ do exame* the day before the exam

> Também existe a palavra **eve**, que se usa quando se trata da véspera de uma festa religiosa ou de um acontecimento importante: *a véspera de Natal* Christmas Eve ◇ *Chegaram na véspera das eleições.* They arrived on the eve of the elections.

V

LOC **em/nas vésperas de** just before *sth*: *em ~s de exames* just before the exams

vestiário *sm* **1** (*bengaleiro*) cloakroom, coat check (*USA*) **2** (*Desp*) changing room, locker room (*USA*)

vestíbulo *sm* **1** (*entrada*) hall **2** (*teatro, cinema, hotel*) foyer

vestido *sm* dress: *O ~ que levas é lindo.* You're wearing a beautiful dress. LOC **vestido de noite** evening dress **vestido de noiva** wedding dress

vestígio *sm* trace

vestir ▸ *vt* **1** to dress: *Vesti as crianças.* I got the children dressed. **2** (*levar*) to wear: *Vestia um fato cinzento.* He was wearing a grey suit. **3** (*tamanho*) to take: *~ o quarenta em calças* to take size forty trousers ▸ **vestir(-se)** *vi, vp* **vestir (-se) (de)** to dress (in *sth*): *~ bem/vestir-se de branco* to dress well/in white ▸ **vestir-se** *vp* to get dressed: *Veste-te ou vais chegar tarde.* Get dressed or you'll be late. LOC **bem vestido** well dressed ➲ *Ver nota em* WELL BEHAVED; *Ver tb* ÚLTIMO

vestuário *sm* clothing [*não-contável*] LOC *Ver* PEÇA

veterano, **-a** ▸ *adj* experienced ▸ *sm-sf* veteran: *ser um ~* to be a veteran

veterinária *sf* veterinary science

veterinário, **-a** *sm-sf* vet

veto *sm* veto [*pl* vetoes]

véu *sm* veil

vez *sf* **1** time: *três ~es por ano* three times a year ◇ *Disse-te umas cem ~es.* I've told you hundreds of times. ◇ *Ganho quatro ~es mais do que ele.* I earn four times as much as he does. ◇ *4 ~es 3 são 12.* 4 times 3 is 12. **2** (*turno*) turn: *Espera pela tua ~.* Wait for your turn. ◇ *Ela por sua ~ respondeu que...* She in turn answered that... LOC **às/por vezes** sometimes **à vez** (*individualmente*) in turns **cada vez mais** more and more: *Cada vez há mais problemas.* There are more and more problems. ◇ *Estás ~ vez mais bonita.* You're looking prettier and prettier. **cada vez melhor/pior** better and better/worse and worse **cada vez menos**: *Tenho cada ~ menos dinheiro.* I've got less and less money. ◇ *Cada vez há menos alunos.* There are fewer and fewer students. ◇ *Vemo-nos cada ~ menos.* We see less and less of each other. **cada vez que...** whenever... **de uma (só) vez** in one go **de uma vez por todas/de uma vez** once and for all: *Responde de uma ~!* Hurry up and answer! **de vez** for good: *Foi-se embora de ~.* He left for good. **de vez em quando** from time to time **duas vezes** twice **em vez de** instead of *sb/sth/doing sth* **era uma vez...** once upon a time there was... **muitas/poucas vezes** often/seldom **uma vez** once: *mais de uma ~* more than once **um de cada vez** one at a time *Ver tb* ALGUM, CEM, DEMASIADO, ENÉSIMO, OUTRO, PERDER, ÚLTIMO

via *sf* **1** (*estrada*) road **2 vias** (*Med*) tract [*v sing*]: *~s respiratórias* respiratory tract LOC **em duas, três, etc. vias** (*documento*) in duplicate, triplicate, etc. **(por) via aérea** (*correios*) (by) airmail **por via das dúvidas** just in case **Via Láctea** Milky Way **via rápida** dual carriageway, divided highway (*USA*) **via satélite** satellite: *uma ligação ~ satélite* a satellite link *Ver tb* CHEGAR, DESENVOLVIMENTO

viaduto *sm* flyover, overpass (*USA*)

via-férrea *sf* railway, railroad (*USA*)

viagem *sf* journey [*pl* journeys] trip, travel

> Não se devem confundir as palavras **journey**, **trip** e **travel**.
> O substantivo **travel** é não-contável e refere-se à atividade de viajar em geral: *Os seus*

principais interesses são a leitura e viagens. Her main interests are reading and travel. **Journey** e **trip** referem-se a uma viagem em concreto. **Journey** apenas denota o deslocamento de um lugar a outro: *A viagem foi cansativa.* The journey was exhausting. **Trip** denota o deslocamento de um lugar a outro e também a estadia: *Que tal foi a tua viagem a Paris?* How did your trip to Paris go? ◇ *uma viagem de negócios* a business trip. Existem outras palavras também utilizadas para designar uma viagem, que são **tour** e **voyage**. **Tour** é uma viagem organizada que se faz com paragens em diferentes sítios: *A Jane vai fazer uma viagem pela Terra Santa.* Jane is going on a tour around the Holy Land. **Voyage** é uma viagem longa, sobretudo por mar: *Cristovão Colombo ficou famoso pelas suas viagens ao Novo Mundo.* Columbus is famous for his voyages to the New World.

LOC **boa viagem!** have a good trip! **estar/ir de viagem** to be/go away **viagem de intercâmbio** exchange visit *Ver tb* AGÊNCIA, CHEQUE

viajado, -a *adj* well travelled ➲ *Ver nota em* WELL BEHAVED; *Ver tb* VIAJAR

viajante *smf* **1** (*turista*) traveller: *um ~ incansável* a tireless traveller **2** (*passageiro*) passenger

viajar *vi* to travel: *~ de avião/carro* to travel by plane/car LOC *Ver* ASSENTO, AVIÃO

viatura *sf* vehicle

viável *adj* (*possível*) feasible

víbora *sf* viper

vibrar *vi* to vibrate LOC **vibrar de alegria** to be thrilled

vice-campeão, -ã *sm-sf* runner-up [*pl* runners-up]

vice-presidente, -a *sm-sf* vice-president

vice-versa *adv* vice versa

viciado, -a ▸ *adj* ~ **(em)** addicted (to *sth*) ▸ *sm-sf* addict *Ver tb* VICIAR-SE

viciar-se *vp* ~ **(em)** to get hooked (on *sth*)

vício *sm* **1** vice: *Não tenho ~s.* I don't have any vices. **2** (*hábito*) addiction: *O jogo converteu-se num ~.* Gambling became an addiction. LOC **apanhar/ter o vício de alguma coisa** to get/be addicted to sth *Ver tb* ENTREGAR

vicioso, -a *adj* LOC *Ver* CÍRCULO

vida *sf* **1** life [*pl* lives]: *Como é que vai a ~?* How's life? ◇ *a ~ noturna do Porto* the night life in Oporto **2** (*sustento*) living: *ganhar a ~* to make a living LOC **com vida** alive: *Continuam com ~.* They're still alive. **isto é que é vida!** this is the life! **meter-se na vida dos outros** to poke your nose into other people's business **nunca na vida** never: *Nunca na ~ vi uma coisa assim.* I've never seen anything like it. **para toda a vida** for life **sem vida** lifeless ❶ Para outras expressões com **vida**, ver as entradas para o substantivo, adjetivo, etc., p. ex. **ter uma vida de cão** em CÃO.

videira (*tb* **vide**) *sf* vine

vidente *smf* clairvoyant

vídeo *sm* **1** video [*pl* videos] **2** (*aparelho*) video recorder LOC **filmar/gravar em vídeo** to video, to videotape (*USA*) *Ver tb* CÂMARA, PLACA

videocassete *sf* videotape

videoclipe *sm* video [*pl* videos]

videogravador *sm* video recorder, VCR (*USA*)

videoteca *sf* video library [*pl* video libraries]

vidoeiro *sm* birch (tree)

vidraça *sf* (window)pane

vidrão *sm* bottle bank

vidrar *vt* (*cerâmica*) to glaze

vidro *sm* **1** glass [*não-contável*]: *Cortei-me num ~ partido.* I cut myself on a piece of broken glass. ◇ *uma garrafa de ~* a glass bottle **2** (*carro*) window: *Baixa/sobe o ~.* Open/shut the window. **3** (*vidraça*) pane: *o ~ da janela* the windowpane LOC *Ver* FIBRA

vieira *sf* scallop

viga *sf* **1** (*madeira, cimento*) beam **2** (*metal*) girder

vigarice *sf* con, rip-off (*coloq*): *Que ~!* What a rip-off!

vigarista *smf* con artist

vigarizar *vt* (*enganar*) to con *sb/sth* (*out of sth*): *Vigarizaram-me em 500 euros.* They conned me out of 500 euros.

vigente *adj* current LOC **ser vigente** to be in force

vigia ▸ *sf* **1** (*vigilância*) watch: *estar/ficar de ~* to keep watch **2** (*barco*) porthole ▸ *smf* guard LOC *Ver* TORRE

vigiar *vt* **1** (*prestar atenção, tomar conta*) to keep an eye on *sb/sth* **2** (*doente*) to look after *sb* **3** (*guardar*) to guard: *~ a fronteira/os presos* to guard the border/prisoners **4** (*exame*) to invigilate

vigilância *sf* (*controlo*) surveillance: *Vão aumentar a ~.* They're going to step up surveillance.

vigilante *smf* guard

vigor *sm* **1** (*Jur*) force **2** (*energia*) vigour LOC **entrar em vigor** (*lei*) to come into force

V

vigorar *vi* (*lei*) to be in force: *O acordo vigora desde o passado dia 15.* The agreement has been in force since the 15th.

vila *sf* **1** (*povoação*) small town **2** (*casa*) villa

vilão, **-ã** *sm-sf* villain

vime *sm* wicker

vinagre *sm* vinegar

vinagreta *sf* vinaigrette

vinco *sm* crease

vínculo *sm* link

vindima *sf* vintage

vindimar *vi* to harvest grapes

vingança *sf* revenge LOC **ter a sua vingança** to get/take your revenge (*for sth*)

vingar ▸ *vt* to avenge ▸ **vingar-se** *vp* to take revenge (*on sb*) (*for sth*): *Vingou-se do que lhe fizeram.* He took revenge for what they'd done to him. ◇ *Hei de me ~ dele.* I'll get my revenge on him.

vingativo, **-a** *adj* vindictive

vinha *sf* vineyard

vinheta *sf* (*gravura cómica*) comic strip

vinho *sm* wine: *Queres um copo de ~ ?* Would you like a glass of wine? ◇ *~ branco/tinto/de mesa* white/red/table wine LOC *Ver* LISTA, PROVA

vinícola *adj* wine [*s*]: *a indústria ~* the wine industry ◇ *região ~* wine-growing region

vinicultor, **-ora** *sm-sf* wine-grower

vinil *sm* (*disco*) record

vinte *sm, adj, pron* **1** twenty **2** (*vigésimo*) twentieth: *o século ~* the twentieth century ➲ *Ver exemplos em* SESSENTA

viola *sf* **1** (*acústica*) guitar **2** (*tipo de violino*) viola

violação *sf* **1** (*delito*) rape **2** (*transgressão, profanação*) violation

violador, **-ora** *sm-sf* rapist

violar *vt* **1** (*estuprar*) to rape **2** (*transgredir*) to break **3** (*profanar*) to violate

violência *sf* violence

violento, **-a** *adj* violent: *um filme ~* a violent film

violeta *adj, sf, sm* violet ➲ *Ver exemplos em* AMARELO

violinista *smf* violinist

violino *sm* violin

violoncelo *sm* cello [*pl* cellos]

vir ▸ *vi* **1** to come: *Vem aqui!* Come here! ◇ *Nunca me vens ver.* You never come to see me. ◇ *Não me venhas com desculpas.* Don't come to me with excuses. ➲ *Ver nota em* IR **2** (*voltar*) to be back: *Venho de seguida.* I'll be back in a minute. **3** (*estar*) to be: *Vem nos jornais todos.* It's in all the papers. ◇ *Venho muito cansado hoje.* I'm very tired today. **4** (*chegar*) to arrive: *O comboio vem sempre atrasado.* The train always arrives late. ◇ *Veio uma semana antes.* She arrived a week before. ▸ *v aux* ~ **fazendo alguma coisa** to have been doing sth: *Há anos que te venho dizendo o mesmo.* I've been telling you the same thing for years. LOC **como vier** (*não importa como*): *– Como queres o café? – Como vier.* 'How do you like your coffee?' 'As it comes.' **que vem** next: *terça que vem* next Tuesday ❶ Para outras expressões com **vir**, ver as entradas para o substantivo, adjetivo, etc., p. ex. **não vir ao caso** em CASO.

virado, **-a** *adj* LOC **estar virado para** (*edifício, sala*) to face: *A varanda está virada para o sudeste.* The balcony faces south-east. *Ver tb* VIRAR

virar ▸ *vt* **1** to turn: *Virei a cabeça.* I turned my head. ◇ *Virou-me as costas.* He turned his back on me. ◇ *Vira o bife.* Turn the steak over. ◇ *Como não podia ~ o carro fez marcha-atrás.* He couldn't turn the car around so he reversed. **2** (*derrubar*) to knock *sth* over: *As crianças viraram o contentor.* The children knocked the rubbish bin over. **3** (*esvaziar*) to empty *sth* out **4** (*desordenar*) **(a)** to mess *sth* up: *Não me vires as gavetas.* Don't mess the drawers up. **(b)** (*ladrões*) to turn *sth* upside down: *Os ladrões viraram o apartamento.* The burglars turned the flat upside down. **5** (*estômago*) to turn ▸ *vi* **1** ~ **a** (*girar*) to turn: *~ à direita/esquerda* to turn right/left **2** (*carro*) to turn off ▸ **virar-se** *vp* **1 virar-se (para)** to turn (to/towards *sb/sth*): *Virou-se e olhou para mim.* She turned round and looked at me. ◇ *Virou-se para a Helena.* He turned towards Helena. **2** (*voltar-se sobre si*) to overturn: *O carro derrapou e virou-se.* The car skidded and overturned. LOC **ao virar da esquina** (just) round the corner **virar do avesso** to turn *sth* inside out: *Eu virei o quarto do avesso e não encontrei o passaporte.* I turned the room inside out but couldn't find the passport. *Ver tb* CARA, COSTAS, PAU

virgem ▸ *adj* **1** virgin: *ser ~* to be a virgin ◇ *florestas virgens* virgin forests ◇ *azeite extra ~* extra virgin olive oil **2** (*CD, etc.*) blank ▸ *smf* virgin: *a Virgem de Fátima* the Virgin of Fatima ▸ **Virgem** *sm* (*Astrol*) Virgo [*pl* Virgos] ➲ *Ver exemplos em* AQUARIUS LOC *Ver* LÃ

virgindade *sf* virginity

vírgula *sf* **1** (*pontuação*) comma ➲ *Ver pág. 315*

2 (*Mat*) point: *quarenta ~ cinco (40,5)* forty point five (40.5) ➲ *Ver pág. 711* LOC *Ver* PONTO

viril *adj* manly, virile (*mais formal*)

virilha *sf* groin

virilidade *sf* manliness

virtual *adj* virtual: *a realidade ~* virtual reality

virtualmente *adv* virtually

virtude *sf* virtue: *a tua maior ~* your greatest virtue

virtuoso, -a ▸ *adj* (*honesto*) virtuous ▸ *sm* virtuoso [*pl* virtuosos/virtuosi]

vírus *sm* virus [*pl* viruses]

visão *sf* **1** (*vista*) (eye)sight: *perder a ~ de um olho* to lose the sight of one eye **2** (*ponto de vista*) view: *uma ~ pessoal/de conjunto* a personal/an overall view **3** (*alucinação*) vision: *ter uma ~* to have a vision **4** (*instinto*): *um político com ~* a very far-sighted politician LOC **ter visões** to hallucinate

visar[1] *vt, vi* **1** (*fazer pontaria*) to aim (at *sb/sth*) **2** ~ **fazer alguma coisa** to aim to do sth

visar[2] *vt* (*passaporte*) to stamp a visa in *sth* LOC *Ver* CHEQUE

vísceras *sf* guts

viscoso, -a *adj* viscous

viseira *sf* **1** (*pala*) peak, visor (*USA*) **2** (*desportista*) visor

visibilidade *sf* visibility: *pouca ~* poor visibility

visita *sf* **1** visit: *horário de ~ (s)* visiting hours **2** (*visitante*) visitor: *Parece-me que tens ~s.* I think you've got visitors. LOC **fazer uma visita** to pay *sb* a visit

visitante ▸ *adj* visiting: *a equipa ~* the visiting team ▸ *smf* visitor: *os ~s do palácio* visitors to the palace

visitar *vt* to visit: *Fui visitá-lo ao hospital.* I went to visit him in hospital.

visível *adj* visible

vista *sf* **1** *Operaram-no à ~.* He had an eye operation. ◇ *As cenouras fazem bem à ~.* Carrots are very good for your eyes. **2** (*panorama*) view: *a ~ do meu quarto* the view from my room ◇ *com ~ para o mar* overlooking the sea LOC **até à vista!** see you! **(dar/deitar) uma vista de olhos** (to have) a look (*at sb/sth*): *Uma ~ de olhos é o suficiente.* Just a quick look will do. **dar nas vistas 1** (*sem ser intencional*) to stick out like a sore thumb **2** (*de propósito*) to stand out from the crowd: *Adoram dar nas ~s.* They love standing out from the crowd. **deixar alguma coisa à vista**: *Deixa-a à ~ para que não me esqueça.* Leave it where I can see it or I'll forget it. **em vista de** in view of *sth*: *em ~ do que aconteceu* in view of what has happened **fazer vista grossa** to turn a blind eye (*to sth*) **não tirar a vista/os olhos de cima (de)** not to take your eyes off *sb/sth* **ter a vista cansada** to be long-sighted, to be far-sighted (*USA*) **ter em vista** to bear *sth* in mind *Ver tb* AGRADÁVEL, AMOR, CONHECER, CURTO, PERDER, PONTO, PRIMEIRO, SALTAR, TERRA

visto *sm* visa: *~ de entrada/saída* entry/exit visa

visto, -a *adj* LOC **estar muito visto** to be unoriginal: *Isso já está muito ~.* That's not very original. ◇ *A minissaia está muito vista.* Miniskirts have been around for years. **pelos vistos** apparently **visto que** since *Ver tb* VER

vistoria *sf* inspection

vistoso, -a *adj* eye-catching

visual *adj* visual

vital *adj* **1** (*Biol*) life [*s*]: *o ciclo ~* the life cycle **2** (*decisivo*) vital

vitalidade *sf* vitality

vitamina *sf* **1** (*Med*) vitamin: *a ~ C* vitamin C **2 vitaminas** (*jardim*) plant food [*não-contável, v sing*]

vitela *sf* (*carne*) veal

vitelo, -a *sm-sf* calf [*pl* calves]

viticultura *sf* wine-growing

vítima *sf* **1** victim: *ser ~ de um roubo* to be the victim of a burglary **2** (*mortal*) casualty [*pl* casualties] LOC **fazer-se de vítima** to play the victim

vitória *sf* **1** victory [*pl* victories] **2** (*Desp*) win: *uma ~ fora* an away win LOC *Ver* CANTAR

vitorioso, -a *adj* LOC **sair vitorioso** to triumph

vitral *sm* stained-glass window

vitrine *sf* (shop) window

viúvo, -a ▸ *adj* widowed: *Ficou viúva muito jovem.* She was widowed at an early age. ▸ *sm-sf* **1** (*masc*) widower **2** (*fem*) widow

viva ▸ *sm* cheer: *Três ~s para o campeão!* Three cheers for the champion! ▸ **viva!** *interj* **1** (*olá*) hi ➲ *Ver nota em* OLÁ **2** (*hurra*) hooray: *Viva, passei!* Hooray! I've passed! ◇ *Viva o presidente!* Long live the president!

viveiro *sm* **1** (*plantas*) nursery [*pl* nurseries] **2** (*peixes*) fish farm

vivenda *sf* **1** (*na cidade*) (detached) house: *uma ~ nos arredores de Lisboa* a house on the outskirts of Lisbon **2** (*na costa*) villa **3** (*no campo*) cottage LOC *Ver* GEMINADO

viver ▸ *vi* **1** to live: *Viveu quase setenta anos.* He lived for almost seventy years. ◇ *Que bem que vives!* What a nice life you have! **2** (*subsistir*) to live on *sth*: *Não sei de que vivem.* I don't know what they live on. ◇ *Vivemos com 500 euros por mês.* We live on 500 euros a month. **3** (*existir*) to be alive: *O meu bisavô ainda vive.* My great-grandfather is still alive. **4** ~ **para** to live for *sb/sth*: *Vivem para os filhos.* They live for their children. ▸ *vt* to live (*through sth*): *Vive a tua vida.* Live your own life. ◇ ~ *uma má experiência* to live through a bad experience **LOC** **viver à custa de alguém** to live off sb

víveres *sm* provisions

vivo, **-a** *adj* **1** **(a)** [*com substantivo*] living: *seres ~s* living beings ◇ *línguas vivas* living languages **(b)** [*depois de "ser" ou "estar"*] alive: *Ele ainda é ~?* Is he still alive? **2** (*esperto*) clever, smart (*USA*) **3** (*luz, cor, olhos*) bright **4** (*cheio de vida*) full of life **LOC** **ao vivo** (*em direto*) live **ser vivo** (*não estar morto*) to be alive: *Ainda é ~?* Is he still alive? **vivo ou morto** dead or alive *Ver tb* CARNE, MANTER, MORTO, MÚSICA

vizinhança *sf* **1** (*bairro*) neighbourhood: *uma das escolas da ~* one of the schools in the neighbourhood **2** (*vizinhos*) residents [*pl*]: *Toda a ~ saiu à rua.* All the residents took to the streets.

vizinho, **-a** ▸ *adj* neighbouring: *países ~s* neighbouring countries ▸ *sm-sf* neighbour: *Como é que são os teus ~s?* What are your neighbours like?

voador, **-ora** *adj* flying **LOC** *Ver* DISCO

voar *vi* **1** to fly: *Voámos até Luanda desde Lisboa.* We flew to Luanda from Lisbon. ◇ *O tempo voa.* Time flies. **2** (*com o vento*) to blow away: *O chapéu voou pelos ares.* His hat blew away. **LOC** **a voar** (*depressa*) in a rush: *Saímos a ~ para a estação.* We rushed off to the station. *Ver tb* AR, PÁSSARO

vocabulário *sm* vocabulary [*pl* vocabularies]

vocação *sf* vocation

vocal *adj* vocal **LOC** *Ver* CORDA

vocalista *smf* lead singer

você *pron* you: *Você vai à festa?* Are you going to the party? ◇ *Devo tudo a ~s.* I owe it all to you. **LOC** **você mesmo/próprio** you yourself: *Você mesma me disse.* You told me yourself. **vocês mesmos/próprios** you yourselves

vodka *sf* vodka

vogal ▸ *sf* (*letra*) vowel ▸ *smf* member

volante *sm* (*veículo*) steering wheel

voleibol *sm* volleyball

volt *sm* volt

volta *sf* **1** (*regresso*) return: *na ~ do correio* by return of post ◇ *Vejo-te na ~.* I'll see you when I get back. **2** (*corrida*) lap: *Deram três ~s à pista.* They did three laps of the track. **3** (*competição*) round: *os jogos da primeira ~ (do campeonato)* the first-round games (in the championship) **4** (*Ciclismo*) cycle race **LOC** **a/por toda a volta** all around: *Havia livros a toda a ~.* All around there were books. **à volta de** (*cerca de*) about: *Éramos à ~ de cem.* There were about a hundred of us. **dar a volta a alguma coisa** (*virar*) to turn sth over **dar a volta ao quarteirão/ao mundo** to go round the block/the world **dar meia volta** to turn round: *Deu meia ~ e voltou para trás.* She turned round and went back. **dar voltas**: *A Lua dá ~s em torno da Terra.* The moon goes round the earth. ◇ *A Terra dá ~s sobre o seu eixo.* The earth spins on its axis. **dar voltas a alguma coisa** to turn sth: *Dou sempre duas ~s à chave.* I always turn the key twice. **dar voltas à cabeça** (*preocupar-se*) to worry about sth: *Não dês mais ~s à cabeça.* Stop worrying about it. **em volta** around: *Tinha muita gente em ~ (dele).* He had a lot of people around him. **estar de volta** to be back: *Estou de ~ a Londres.* I'm back in London. **(ir/sair para) dar uma volta** **1** (*a pé*) to go (out) for a walk/stroll **2** (*de carro*) to go (out) for a drive **por volta de** at about: *Chegaremos por ~ das dez e meia.* We'll get there at about half past ten. ➲ *Ver nota em* AROUND **volta e meia** every now and then *Ver tb* BILHETE, IDA, MIOLO

voltagem *sf* voltage

voltar ▸ *vi* **1** (*regressar*) to go/come back: *Voltei para casa.* I went back home. ◇ *Volta aqui.* Come back here. ◇ *A que horas voltas?* What time will you be back? ➲ *Ver nota em* IR **2** ~ **a fazer alguma coisa** to do sth again: *Não voltes a dizer isso.* Don't say that again. ▸ *vt* **1** to turn: *Voltei a cabeça.* I turned my head. ◇ *Voltou-me as costas.* He turned his back on me. **2** (*derrubar*) to knock *sth* over: *As crianças voltaram o contentor.* The children knocked the rubbish bin over. **3** (*esvaziar*) to empty *sth* out ▸ **voltar-se** *vp* **1** **voltar-se (para)** to turn (to/towards *sb/sth*): *Voltou-se e olhou para mim.* She turned round and looked at me. ◇ *Voltou-se para a Helena.* He turned towards Helena. **2** (*virar-se sobre si*) to overturn: *O carro derrapou e voltou-se.* The car skidded and overturned. **LOC** **voltar à estaca zero** to go back to square one **voltar a si** to come round **voltar atrás (na palavra)** to go back (on your word) *Ver tb* CARA, COSTAS

volume *sm* **1** volume: *Comprei o primeiro ~.* I bought the first volume. ◇ *baixar/subir o ~* to turn the volume down/up **2** (*embrulho*) parcel

volumoso, **-a** *adj* bulky: *Esta caixa é demasiado volumosa.* This box is too bulky. ◇ *É pouco ~.* It hardly takes up any room at all. ◇ *É muito ~?* Does it take up much room?

voluntário, -a ▸ *adj* voluntary ▸ *sm-sf* volunteer: *Trabalho como ~.* I work as a volunteer. LOC *Ver* OFERECER

volúvel *adj* (*pessoa*) fickle

vomitar ▸ *vt* to bring *sth* up: *Vomitei o jantar todo.* I brought up all my dinner. ▸ *vi* to be sick, to vomit (*mais formal*): *Acho que vou ~.* I think I'm going to be sick.

vómito *sm* vomit, sick (*mais coloq*) LOC **dar vómitos a alguém** to make sb retch: *O cheiro forte dava-me vómitos.* The stench made me retch. **sentir vómitos** to retch: *Sentia ~s.* I was retching.

vontade *sf* **1** will: *Não tem ~ própria.* He has no will of his own. ◇ *contra a minha ~* against my will **2** (*desejo*) wishes [*pl*]: *Devemos respeitar a sua ~.* We must respect his wishes. LOC **à minha vontade**: *Prefiro fazer as coisas à minha ~.* I prefer to do things my way. **à vontade 1** (*como em sua própria casa*) at home: *Esteja à ~.* Make yourself at home. **2** (*em liberdade*) quite happily: *Aqui as crianças podem brincar à ~.* The children can play here quite happily. **boa vontade** goodwill: *mostrar boa ~* to show goodwill **de boa/má vontade** willingly/reluctantly: *Fê-lo de má ~.* She did it reluctantly. **vontade de rir**: *Deu-me ~ de rir.* I got the giggles. *Ver tb* FORÇA, PERDER

voo *sm* flight: *o ~ Londres-Lisboa* the London-Lisbon flight ◇ *~s domésticos/internacionais* domestic/international flights LOC **voo charter/fretado** charter flight **voo livre** gliding **voo picado**: *cair em ~ picado* to nosedive **voo regular** scheduled flight *Ver tb* LEVANTAR

vos *pron* you: *Convido-vos para jantar.* I'll take you out for a meal. ◇ *Dei-vo-lo ontem.* I gave it to you yesterday. ◇ *Apetece-vos um café?* Would you like a coffee?

vós *pron* you: *cada um de ~* each one of you LOC **vós mesmos/próprios** you yourselves: *Vós mesmas deveis decidir.* You should decide yourselves.

vosso, -a ▸ *adj* your: *a vossa casa* your house ▸ *pron* yours: *São estes os ~s?* Are these yours? ❶ De notar que *um primo vosso* se traduz por "a cousin of yours" porque significa *um dos vossos primos*.

votação *sf* vote: *proceder a (uma) ~* to vote LOC *Ver* SUBMETER

votar *vi* to vote (*for sb/sth*): *Votei nos Verdes.* I voted Green/for the Greens. ◇ *~ a favor de/contra alguma coisa* to vote for/against sth LOC **votar pelo correio** to have a postal vote

voto *sm* **1** (*Pol*) vote: *100 ~s a favor e dois contra* 100 votes in favour, two against **2** (*Relig*) vow **3 votos** (*em carta*) wishes: *~s de felicidade* best wishes LOC **fazer votos que…** to hope that…: *Faço ~s que estejam todos bem.* I hope you're all well. **voto em branco/nulo** spoilt ballot paper *Ver tb* BOLETIM, CABINA, SECÇÃO

voz *sf* voice: *dizer alguma coisa em ~ alta/baixa* to say sth in a loud/quiet voice LOC **ter voz (ativa) (em)** to have a say (in *sth*): *Os alunos não tem ~ nesta escola.* The students have no say (in matters) at this school. *Ver tb* CORREIO

vulcão *sm* volcano [*pl* volcanoes/volcanos]

vulgar *adj* **1** (*habitual*) ordinary: *acontecimentos ~es* ordinary events ◇ *São muito ~es.* They're very ordinary. **2** (*grosseiro*) vulgar

vulto *sm* figure: *Pareceu-me ver um ~ a mover-se.* I thought I saw a figure moving.

W w

walkie-talkie *sm* walkie-talkie

walkman® *sm* Walkman® [*pl* Walkmans]

watt *sm* watt: *uma lâmpada de 60 ~s* a 60-watt light bulb

WC *sm* toilet ➲ *Ver nota em* TOILET

web *sf* **a Web** the Web LOC **site/sítio web** website *Ver tb* NAVEGAR, PÁGINA

website *sm* website

whisky *sm Ver* UÍSQUE

windsurf *sm* windsurfing: *praticar ~* to go windsurfing LOC *Ver* PRANCHA

windsurfista *smf* windsurfer

X x

xadrez *sm* **1** (*jogo*) chess **2** (*tabuleiro e peças*) chess set **3** (*prisão*) slammer (*argot*) LOC **de xadrez** check: *uma blusa de ~* a check blouse

xaile (*tb* xale) *sm* shawl: *um ~ de seda* a silk shawl

xarope *sm* syrup: *~ para a tosse* cough syrup/mixture

xeque *sm* **1** (*Xadrez*) check **2** (*líder árabe*) sheikh LOC **pôr em xeque** to put *sth* at risk

xeque-mate *sm* (*Xadrez*) checkmate: *fazer ~* to checkmate

xerez *sm* sherry [*pl* sherries]

xilofone *sm* xylophone

xô! *interj* shoo!

Y y

yen *sm* yen [*pl* yen]

yoga *sm* yoga: *fazer ~* to practise yoga

Z z

zangado, -a *adj* ~ **(com) (por)** angry (with/at *sb*) (at/about *sth*): *Estão ~s comigo.* They're angry with me. ◇ *Pareces estar ~.* You look angry. *Ver tb* ZANGAR

zangar ▸ *vt* to make *sb* angry ▸ **zangar-se** *vp* **zangar-se (com) (por) 1** (*ficar zangado*) to get angry (with/at *sb*) (about *sth*): *Não te zangues com eles.* Don't get angry with them. **2** (*amigos, namorados*) to fall out (*with sb*)

zaragata *sf* fight: *armar ~* to start a fight

zarpar *vi* ~ **(para/rumo a)** to set sail (for...): *O barco zarpou para Malta.* The boat set sail for Malta.

zás! *interj* bang

zebra *sf* zebra

zelar *vi* ~ **por** to look after *sb/sth*

zé-ninguém *sm* LOC **ser um zé-ninguém** to be a nobody

zero *sm* **1** nought, zero (*USA*): *um cinco e dois ~s* a five and two noughts ◇ *~ vírgula cinco* nought point five **2** (*temperaturas, grau*) zero: *temperaturas abaixo de ~* temperatures below zero ◇ *Estão dez graus abaixo de ~.* It's minus ten. **3** (*em números de telefone*) O ❶ Pronuncia-se /əʊ/: *O meu número de telefone é dois-nove-zero-dois-quatro-zero.* My telephone number is two nine O two four O. **4** (*Desp*) **(a)** nil, nothing (*USA*): *um a ~* one nil ◇ *um empate a ~* a goalless draw **(b)** (*Ténis*) love: *quinze-zero* fifteen love ➲ *Ver pág. 710* LOC **começar/partir do zero** to start from scratch **estar a zeros** to be broke **ser um zero à esquerda (a) 1** (*não saber nada*) to be useless (at *sth/doing sth*): *Sou um ~ à esquerda a matemática.* I'm useless at maths. **2** (*não ser importante*) to be a nobody *Ver tb* EMPATAR, VOLTAR

ziguezague *sm* zigzag: *um caminho aos ~s* a zigzag path ◇ *avançar aos ~s* to zigzag forward

zinco *sm* zinc

Zodíaco *sm* zodiac: *os signos do ~* the signs of the zodiac

zombar *vi* ~ **de** to make fun of *sb/sth*

zona *sf* **1** (*área*) area: *~ industrial/residencial* industrial/residential area **2** (*Anat, Geog, Mil*) zone: *~ fronteiriça/neutral* border/neutral zone LOC **zona norte, etc.** north, etc.: *a ~ sul da cidade* the south of the city **zonas verdes** green spaces

zonzo, -a *adj* dizzy

zoo (*tb* zoológico) *sm* zoo [*pl* zoos]

zoologia *sf* zoology

zoológico, -a *adj* LOC *Ver* JARDIM

zoom *sm* zoom lens [*pl* zoom lenses]

zumbi (*tb* zombi) *adj, smf* zombie [*s*]: *parecer um ~* to go round like a zombie

zumbido *sm* **1** (*inseto, ouvidos*) buzzing [*não-contável*]: *Ouvia-se o ~ das moscas.* You could hear the flies buzzing. **2** (*máquina*) humming [*não-contável*]

zumbir *vi* to buzz: *ter os ouvidos a ~* to have a buzzing in your ears

zunzum *sm* (*boato*) rumour: *Ouvi um ~ de que estão para casar.* I heard a rumour they're about to get married.

zurrar *vi* to bray

Secção de Referência

Guia de Gramática

Páginas de estudo

O verbo The verb

Simple tenses

Em inglês **I, you, we** e **they** compartilham a mesma forma verbal: *I live – we live* ◇ *I've eaten – we've eaten* ◇ *I don't drive – they don't drive*

No presente, a forma para **he, she, it** recebe um **s**: *he seems – it seems* ◇ *Does it hurt?* ◇ *she doesn't speak*

Present simple I look he looks	I don't (do not) look he doesn't look (does not)	do I look? does he look?
Past simple I looked he looked	I didn't look (did not) he didn't look	did I look? did he look?
Present perfect I've (I have) looked he's (he has) looked	I haven't (have not) looked he hasn't (has not) looked	have I looked? has he looked?
Past perfect I'd (I had) looked he'd (he had) looked	I hadn't (had not) looked he hadn't looked	had I looked? had he looked?
Future simple I'll (I will) look he'll (he will) look	I won't (will not) look he won't look	will I look? will he look?
Future perfect I'll have looked he'll have looked	I won't have looked he won't have looked	will I have looked? will he have looked?

Formação da terceira pessoa do singular do *present simple*

regra geral	+ s	look - looks
terminação em **sh, ch, ss, x** ou **o**	**+ es**	push - push**es**
terminação em **consoante + y**	**y → ies**	co**py** - co**pies**

Formação do *past simple*

regra geral	**+ ed**	look - look**ed**
terminação em **e**	**+ d**	love - love**d**
terminação em **consoante + y**	**y → ied**	co**py** - co**pied**
terminação de verbo com **somente uma vogal + uma consoante**	dobra-se a consoante + **ed**	fit – fi**tted**

Continuous tenses

Os tempos contínuos são formados com o verbo **be** e o gerúndio do verbo principal (forma **ing**).

Present continuous I'm (I am) looking you're (you are) looking he's (he is) looking	I'm not looking you aren't (are not) looking he isn't (is not) looking	am I looking? are you looking? is he looking?
Past continuous I was looking you were looking he was looking	I wasn't (was not) looking you weren't (were not) looking he wasn't looking	was I looking? were you looking? was he looking?
Present perfect continuous I've (I have) been looking he's (he has) been looking	I haven't (have not) been looking he hasn't (has not) been looking	have I been looking? has he been looking?
Past perfect continuous I'd (I had) been looking he'd (he had) been looking	I hadn't (had not) been looking he hadn't been looking	had I been looking? had he been looking?
Future continuous I'll (I will) be looking he'll (he will) be looking	I won't (will not) be looking he won't be looking	will I be looking? will he be looking?
Future perfect continuous I'll have been looking he'll have been looking	I won't have been looking he won't have been looking	will I have been looking? will he have been looking?

Formação do gerúndio

regra geral	**+ ing**	look - look**ing**
terminação em **e**	**e → ing**	love - lov**ing**
terminação do verbo com **somente uma vogal + uma consoante**	dobra-se a consoante + **ing**	fit – fi**tting**

Respostas curtas

As respostas curtas são formadas com o auxiliar do tempo verbal da pergunta:
'Do you smoke?' 'No, I don't.' ◇ *'Did you see that?' 'Yes, I did.'*
◇ *'Can you swim?' 'Yes, I can.'*

Formas de exprimir o presente

Usa-se o *present continuous* para descrever:
- ações que estão a acontecer no momento em que falamos
  *I'**m watching** a film on TV.* ◇ *What **are** you **reading**?* ◇ ***She isn't listening** to me.*

She**'s talking** to her friend.

Há alguns verbos que quase nunca se usam no *present continuous* - são os verbos que exprimem estados (**be, need, want, know**), sentimentos (**like, love**), processos mentais (**think, remember, understand**) e os verbos ligados aos sentidos (**smell, hear**, etc.).

Usa-se o *present simple* para descrever:

- hábitos e rotinas
  *She **leaves** for school at 8 o'clock.* ◇ *I **phone** my best friend every evening.*
- verdades gerais
  *Óscar **lives** in Lisbon.* ◇ *Apples **grow** on trees.* ◇ *How many legs **do** insects **have**?*
- gostos, sentimentos e opiniões
  *I **love** pizza.* ◇ ***Do** you **think** this story is true?*

Formas de exprimir o passado

Usa-se o *past simple* para descrever:
- ações ou acontecimentos já terminados
  *Picasso **died** in 1973.* ◇ *I **got** up early this morning.* ◇ *He **paid** the bill and **left**.* ◇ *What **did** you **say**?*
- estados no passado
  *I **was** tired.* ◇ *She **felt** ill.*
- coisas que aconteciam regularmente, no passado
  *I often **played** tennis with her.* ◇ *She always **won**.*

Com o *past simple*, podem usar-se expressões como **last** e **ago**:
***I saw** Emma last week.* ◇ ***I saw** Emma three weeks ago.*

Usa-se o *present perfect* para descrever:
- ações que começaram no passado e continuam no presente
  *She **has lived** here for ten years.* ◇ *We**'ve worked** here since 1998.* ◇ *How long **have** you **been** here?*

For usa-se para dizer há quanto tempo dura uma situação e **since** para dizer quando começou.
➲ *Ver notas em* FOR e SINCE

Just usa-se com o *present perfect* para nos referirmos a coisas que acabaram de acontecer. **Just** coloca-se depois do verbo auxiliar e antes do verbo principal:
*Ben **has** just **got** home.* (= Ben acaba de chegar a casa.)

- ações do passado que têm consequências no presente
  *She**'s lost** her mobile phone.* (e ainda não o encontrou.)

- experiências de vida (sem precisar quando aconteceram)
  *He'**s written** a book.*

O *past simple* usa-se com expressões de tempo e com datas e o *present perfect* usa-se quando não se menciona o momento ou a data, ou com expressões como **ever, never, already** e **yet**:
***Have** you **done** your homework yet? I **did** it yesterday.* ◇ ***Has** she ever **been** to Spain? No, but she **went** to Portugal in 2006.*

Repare que se usa o *present perfect* e não o *present simple* com a expressão **the first, second, etc. time (that)**: *This is the first time (that) **I've visited** England.*

Usa-se o *present perfect continuous* para descrever:
- ações que começaram no passado e continuam no presente, quando queremos realçar a duração da ação
  *He **has been working** in Coimbra since last December.* ◇ ***I've been waiting** here for two hours.*
- ações do passado que têm consequências no presente, quando queremos realçar a duração
  ***I've been studying** all day and I'm feeling very tired.*

Usa-se o *past continuous* para descrever:
- ações em curso num determinado momento do passado
  *What **were you doing** yesterday afternoon?* ◇ *I **was writing** my essay.*
- ações em curso no passado que foram interrompidas por outra ação

Para descrever a interrupção, usa-se o *past simple*:
*She **was playing** tennis when it **started** to rain.* ◇ *It **started** to rain while she **was playing** tennis.*

Usa-se o *past perfect* para descrever:
- uma ação no passado anterior a outra ação no passado
  *The train **had** already **left** when I got to the station.* ◇ *When I got to the station, the train **had** already **left**.*

Usa-se o *past perfect continuous* para descrever:
- uma ação no passado anterior a outra ação no passado, quando queremos realçar a duração da primeira
  *She **hadn't been living** in London very long when she met Jack.*

Formas de exprimir o futuro

Usa-se o *present continuous* para falar de:
- planos para o futuro, quando se especifica o momento
  *He'**s flying** to Japan in August.* ◇ *What **are** you **doing** on Saturday?*

Usa-se **be going to** + infinitivo para falar de:
- planos e intenções para o futuro
  *I'**m going to phone** Nick tonight.* ◇ *She'**s going to go** to university when she leaves school.*

Usa-se **will** para:
- exprimir decisões tomadas no momento em que se fala
  *I'**ll have** a pizza and a Coke.* ◇ *'It's cold in here.' 'OK, I'**ll close** the window.'*
- fazer previsões
  *I'm sure she'**ll be** happy in Paris.* ◇ *This job **won't take** long.*
- falar de coisas que vão acontecer de certeza
  *Laura **will be** 18 in May.*

Usa-se o *present simple* para falar:

- de acontecimentos futuros já programados
  We ***leave*** *Faro at 11 o'clock and* ***reach*** *Gatwick three hours later.*
- do futuro depois de palavras e expressões como **when, as soon as, before, until**, etc.
  Call me when you ***get*** *home.* ◇ *I'll look after Jo until you* ***get*** *back.*

Usa-se o *future continuous* para descrever:

- ações em curso num determinado momento do futuro
  Dad ***will be flying*** *to New York this time next week.*

Usa-se o *future perfect* para descrever:

- ações que estarão concluídas num determinado momento do futuro
  I ***will have finished*** *my essay by three o'clock.*

He'll **have reached** America by Christmas.

Verbos transitivos e intransitivos

Os verbos que pedem complemento direto chamam-se verbos transitivos e junto deles aparece a abreviatura *vt* (ver entrada de **like**).
Diz-se *I like cheese, I like her, I like it* ou *I like swimming*, mas não se pode dizer simplesmente ~~*I like*~~.

Os verbos que não têm complemento direto chamam-se verbos intransitivos e junto deles aparece a abreviatura *vi* (ver entrada de **listen**).
Podemos dizer *Listen! Can you hear a noise?, I was listening to the radio* ou *I was listening to her*, mas não podemos dizer ~~*I was listening her*~~.

Muitos verbos podem ser tanto transitivos como intransitivos e junto deles aparece a abreviatura *vt, vi* (ver entrada de **sing**).
Podemos dizer *She was singing a song* (transitivo) ou *She was singing in the shower* (intransitivo).

Por vezes um verbo significa uma coisa quando é transitivo e outra quando é intransitivo (ver entrada de **bank**). Quando **bank** é um verbo transitivo, significa *depositar (no banco)*: *She banked a cheque for £500.* Mas quando é intransitivo, significa *ter uma conta*: *She banks with the Westshires Bank.*

bank /bæŋk/ *substantivo, verbo*
▸ *s* **1** banco: *bank manager* gerente de banco ◇ *bank statement* extrato de conta bancária ◇ *bank account* conta bancária ◇ *bank balance* saldo bancário *Ver tb* BOTTLE BANK **2** margem (*de rio, lago, etc.*) ➲ *Comparar com* SHORE **LOC** *Ver* BREAK
▸ **1** *vt* (*dinheiro*) depositar (no banco) **2** *vi* ter uma conta: *Who do you bank with?* Qual é o teu banco? **PHR V** **bank on sb/sth** depositar esperanças em alguém/alguma coisa **banker** *s* banqueiro, -a

Verbos com dois complementos

Alguns verbos podem ter dois complementos, um direto e outro indireto. Um exemplo disto é o verbo **send**: *Send her an email. / Send an email to her.* ➲ *Ver tb nota em* GIVE

Verbos com e sem *to*

Pode ser difícil saber quando usar **to** com o complemento pessoal. Se tem dúvidas, o melhor é consultar o dicionário.

Usam-se com **to**:

explain: *Peter explained everything* ***to them***.
say: *She said goodbye* ***to them***.
write: *I wrote* ***to them*** *last week.*
listen: *Are you listening* ***to me***?

Are you **listening to** me?

Usam-se sem **to:**

advise: *He advised* ***me*** *not to buy it.*
ask: *Can I ask* ***you*** *a question?*
answer: *She didn't answer* ***me***.
tell: *She told* ***us*** *it was good.*

A voz passiva

A voz passiva é construida com o tempo verbal correspondente do verbo **be** + particípio passado. Pode encontrar as diferenças conjugações do verbo **be** na sua entrada. Nos verbos regulares, o particípio passado é igual ao *past simple*.
English ***is taught*** *from the age of 6.*
◇ *Portugal* ***were beaten*** *in the final.*
◇ *The house* ***has been sold***.

A passiva é usada quando estamos interessados na ação e não na pessoa que a pratica. Compare as seguintes frases:
Dalí ***painted*** *this picture in 1955.*
◇ *This picture* ***was painted*** *in 1955.*

Se queremos mencionar a pessoa que pratica a ação, usamos a preposição **by**:
This picture was painted ***by*** *Dalí in 1955.*
◇ *She was accompanied* ***by*** *her brother.*

Was it **painted** by an Australian?

Orações condicionais

First conditional

If Lara buys a CD, I'll get one too.
Descreve uma ação/situação e as suas consequências prováveis.

If *Lara* ***buys*** *a CD...*	ação/situação	**if** + *present simple*
*...****I'll get*** *one too.*	consequência provável	**will** / **won't** + infinitivo sem **to** ('ll = will)

Second conditional

If Lara lived in Japan, she'd speak Japanese.
Descreve uma ação/situação imaginária e as suas consequências possíveis.

If *Lara* ***lived*** *in Japan...*	ação/situação imaginária (porque não vive ali)	**if** + *past simple*
*...she****'d speak*** *Japanese.*	consequência possível	**would** / **wouldn't** + infinitivo sem **to** ('d = would)

Third conditional

If Lara had studied more, she'd have passed the exam.
Descreve uma ação/situação irreal (algo que não ocorreu no passado) e as suas consequências.

If *Lara* ***had studied*** *more...*	ação/situação irreal (porque nunca ocorreu)	**if** + *present simple*
*...she****'d have passed*** *the exam.*	consequência imaginária	**would** / **wouldn't have** + participío passado ('d = would)

O discurso indireto

O discurso indireto usa-se para contar o que alguém disse. Tal e qual como em português, retrocede-se no tempo verbal quando se passa a discurso indireto.

Discurso direto	Discurso indireto
*She **lives** in York*. (present simple)	*She told me she **lived** in York.* (past simple)
*I **missed** the train.* (past simple)	*I told them **I'd missed** the train.* (past perfect)
*We**'ll be** home before midnight*. (will)	*We promised we**'d be** home before midnight*. (would)
*They **can** speak German*. (can)	*They said they **could** speak German.* (could)

Os verbos modais **should, could, would, might, must** e **ought to,** e os verbos no past perfect simple e continuous não mudam quando passam para o discurso indireto.

Perguntas

A ordem é sujeito + verbo e não se usa ponto de interrogação.
Where do you live? → She asked me where I lived.
◇ *Are you tired? → He asked me if/whether I was tired.*

Ordens

Usa-se o pronome pessoal forma de complemento + infinitivo com **to.**
***Open** the window. → She asked **me to open** the window.* ◇ ***Don't eat** all the cherries. → She told **them not to eat** all the cherries.*
Os dois verbos mais frequentes com este tipo de frase são **say** e **tell.** ➲ *Ver notas em* DIZER, SAY e TELL

O gerúndio (a forma *ing*)

➲ Para saber como se forma, ver a página 299.

O gerúndio pode ser o sujeito da frase.
Swimming is good exercise.

O gerúndio também se usa com certos verbos, sobretudo os que exprimem preferências.
A construção verbo + *ing* usa-se com verbos como:

can't stand	**hate**
enjoy	**keep**
finish	**like**

*I hate **waiting** for the bus.* ◇ *I love **playing** tennis.* ◇ *He kept **interrupting** me.*

Outros verbos são seguidos de infinitivo + **to**, por exemplo:

expect	**need**
hope	**promise**
decide	**want**
learn	**would like**

*I hope **to go** to university.* ◇ *She's learning **to swim**.* ◇ *He promised **to write** to me.*

Se não tem a certeza da construção a usar, o melhor é consultar o dicionário. Ver, por exemplo, a entrada em **risk**:

risk /rɪsk/ *substantivo, verbo*
▸ *vt* **1** arriscar(-se a) **2** ~ **doing sth** expor-se, arriscar-se a fazer alguma coisa LOC **risk life**

Modal verbs

Can, could, may, might, must, will, would, shall, should e **ought to** são verbos modais. Eles são sempre usados com outros verbos, atribuindo-lhes a ideia de possibilidade, probabilidade, obrigação, etc.

Gramaticalmente, estes verbos não funcionam como os outros.

- Eles devem ser seguidos de outro verbo no infinitivo sem **to**:
  *I **can** swim. ◇ You **must** be Jane.*
- A sua forma não muda, ou seja, não tem a forma com **ing** ou **ed** e também não levam **s** na terceira pessoa do singular:
  *She **might** know. ◇ He **may** be late.*
- Eles não precisam do auxiliar **do** para formar orações interrogativas e negativas:
  ***Can** you swim? ◇ I **can't** believe it. ◇ You **shouldn't** drink and drive.*

Ought to é um verbo modal especial, pois é sempre seguido de um verbo no infinitivo com **to**.

Dare e **need** também podem ser utilizados como verbos modais. Para mais informações, consulte seus verbetes no dicionário.

Possibilidade e probabilidade

- **Must** e **can't** podem ser usados para nos referirmos a algo que consideramos certo, ou seja, algo do qual temos mais certeza. **Must** é usado em frases afirmativas e **can't** em frases negativas.
  *You **must** be hungry – you haven't eaten all day. ◇ You **can't** be hungry – we've just eaten!*
- **May, might** ou **could** podem ser usados para nos referirmos a algo que é possível acontecer, mas não é certo.
  *You **may** be right. ◇ He **might** be upstairs. ◇ She **may/might** not come if she's busy. ◇ It **could** be dangerous.*
- **Should** e **ought to** podem ser usados para previsões do futuro.
  *Five **should** be enough. ◇ She **ought to** pass – she's studied hard.*

Obrigação e dever

- **Must** é utilizado para expressar uma obrigação ou para dar ênfase a um conselho.
  *You **must** be back by three. ◇ I **must** stop smoking. ◇ You **must** see that film – it's great*
- **Have to** e **have got to** também podem ser usados para expressar obrigação e dever. No geral, **have got to** só é usado no presente. ➲ *Ver tb nota em* MUST
  ***I've got to** give my essay in before Friday. ◇ He **had to** give up smoking.*

Proibição

- **Mustn't** e **can't** são usados para expressar algo que é proibido.
  *You **mustn't** take photos inside the museum. ◇ They **can't** come in here.*

Conselhos

- **Should** e **ought to** são usados para dar e pedir conselhos.
  *You **should** go to bed. ◇ You **ought to** tidy your room more often. ◇ You **shouldn't** leave the children alone. ◇ **Should** I take an umbrella?*

You **shouldn't** leave the taps running.

Ofertas, sugestões e pedidos

- **Can, could, will** e **shall** (e nos Estados Unidos **should** também) são usados para oferecer, sugerir, ou pedir algo.
  ***Can** I help you? ◇ **Could** you open the door, please? ◇ **Will** you sit down, please? ◇ **Will** you stay for tea? ◇ **Shall** we go out?*

Permissão

- **Can** e **could** são utilizados no presente e no passado para expressar permissão para fazer algo.
  ***Can** I go now? ◇ **Could** I possibly borrow your car? ◇ You **can** come if you want.*
- No presente, também podemos usar **may** e **might**, mas estes são mais formais.
  ***May** I use your phone? ◇ Books **may** only be borrowed for two weeks. ◇ **You** may as well go home. ◇ I'll take a seat, if I **may**. ◇ **Might** I make a suggestion?*

Capacidades e habilidades

- **Can** e **could** são utilizados para expressar as capacidades e habilidades de uma pessoa, para dizer o que uma pessoa sabe fazer, tanto no presente como no passado.
  *I **can** speak Italian. ◇ **Can** you ride a bike? ◇ She **couldn't** do it. ◇ I **could** run for miles when I was younger.*

Lembre-se de que **be able to** também pode ser usado com este sentido.
➲ *Ver tb nota em* CAN2
*He **has been able** to swim for a year now.*
*e day we **will be able** to travel to Mars.*

Phrasal verbs

Os *phrasal verbs* são verbos formados por duas ou três palavras. A primeira palavra é sempre um verbo, seguido de um advérbio (**lie down**), uma preposição (**look after sb/sth**) ou ambos (**put up with sb/sth**).

Os *phrasal verbs* aparecem no final do verbete do verbo principal na secção marcada com PHR V. Esta é a última parte do verbete **give**:

PHR V **give sb away** atraiçoar alguém ◆ **give sth away 1** oferecer alguma coisa **2** revelar alguma coisa ◆ **give (sb) back sth**; **give sth back (to sb)** devolver alguma coisa (a alguém) ◆ **give in (to sb/sth)** ceder (perante alguém/a alguma coisa) ◆ **give sth in** entregar alguma coisa (*trabalho escolar, etc.*) ◆ **give sth out** distribuir alguma coisa ◆ **give up** abandonar, render-se ◆ **give sth up**; **give up doing sth** deixar alguma coisa, deixar de fazer alguma coisa: *to give up smoking* deixar de fumar ◇ *to give up hope* perder a esperança

Como podemos ver, os *phrasal verbs* de cada verbo aparecem em ordem alfabética, conforme as partículas que os seguem (**away**, **back**, **in**, etc.)

Muitas vezes um *phrasal verb* pode ser substituído por outro verbo com o mesmo significado. Todavia, os *phrasal verbs* são muito usados no inglês oral e os seus equivalentes são usados normalmente no inglês escrito ou em situações mais formais. Tanto **get over** como **overcome** significam "superar", mas são utilizados em contextos diferentes.

Algumas partículas têm um significado especial, que se mantém quando acompanham diferentes verbos. Observe o uso de **back**, **on** e **up** nas frases a seguir:
*She wrote to him but he never **wrote back**. ◇ **Carry on** with your work. ◇ They **stayed on** for another week at the hotel. ◇ **Drink up**! We have to go. ◇ **Eat up** all your vegetables. They're good for you.*

I'll **call** you **back** later.

Nestas frases, **back** indica que algo é devolvido (uma ligação, uma carta), **on** confere aos verbos o sentido de continuidade e **up** indica que algo foi concluído.

O nome The noun

Nomes contáveis e não-contáveis

Em inglês, os nomes podem ser contáveis (**countable**) ou não-contáveis (**uncountable**). Os que são contáveis têm singular e plural e, como o nome indica, podem-se contar:
one book - two books
◇ *a friend - a few friends*

Os nomes não-contáveis não têm forma de plural e não se usam nem com o artigo indefinido **a/an**, nem com números.

Costumam ser não-contáveis:
- os nomes de materiais ou substâncias, tais como **plastic, sugar, water**
- os conceitos abstratos, como **love, happiness, time**
- as doenças, como **cancer, flu**

Os nomes que em inglês são não-contáveis e que em português se podem usar com o artigo indefinido, ou no plural, vêm assinalados no dicionário com a palavra [*não-contável*].

➲ *Para saber mais, ver as entradas em* INFORMAÇÃO e INFORMATION *e a nota em* CONSELHO

Como formar o plural dos nomes contáveis

regra geral	+ s	*one stamp – two stamps* ◇ *a chocolate cake – lots of cakes*
se termina em **sh**, **ch** ou **x**	+ es	*dish – dish**es*** ◇ *watch – watch**es*** ◇ *bus – bus**es***
se termina em **consonante + y**	**y → ies**	*fly-fl**ies*** ◇ *party – part**ies***
-Esta forma aparece em ambos os lados do dicionário. ➲ *Ver entradas em* MOSCA e FLY -Os nomes que terminam em **ay**, **ey**, **oy** são regulares e acrescenta-se-lhes **s** (donkey-donkey**s**, boy-boy**s**).		
se terminam em **o**	**o → os** **o → oes**	*radio – radi**os*** ◇ *zoo – zo**os*** *mosquito - mosquit**oes*** ◇ *echo – ech**oes***
-Esta forma aparece em ambos os lados do dicionário. ➲ *Ver entradas em* FOTO e PHOTO, HEROI e HERO		
nome irregular	*life – **lives*** ◇ *mouse - **mice*** ◇ *child – **children*** ◇ *one sheep – lots of **sheep***	
-Esta forma aparece em ambos os lados do dicionário. ➲ *Ver entradas em* VIDA e LIFE		

Nomes no singular

Alguns nomes só se usam no singular. Nunca se usam no plural, mas podem-se usar com **a/an** ou **the.**
The traffic is at a standstill. ◇ *There's rust on the underneath of the car.*

standstill /'stændstɪl/ *s* [*sing*]: *to be at a standstill* estar parado ◇ *to bring sth to a standstill* parar alguma coisa ◇ *to come to a standstill* parar

underneath /ˌʌndə'ni:θ/ *preposição, advérbio, substantivo*
- *prep* debaixo de
- *adv* (por) debaixo
- *s* **the underneath** [*sing*] a parte inferior/de baixo

Nomes plurais

Outros nomes, por exemplo, **people, police, clothes,** usam-se sempre no plural.
How many people are coming? ◇ *The police are investigating the crime.* ◇ *I need some new clothes.* ◇ *Your jeans are torn.*
➲ *Ver tb nota em* PAIR

Nomes que podem usar-se com o verbo no singular ou no plural

Há nomes que se referem a grupos de pessoas e que podem utilizar-se com o verbo no singular ou no plural.
*The army **is/are** advancing towards the border.*

Estes nomes estão assinalados no dicionário, com a abreviatura
[v sing ou pl].
➲ *Para mais informação, ver nota em* JÚRI

Uso de *a/an, some/any*

A/an usam-se com nomes contáveis no singular.
*I'd like **a** milkshake.* ◇ *Do you want **an** apple?*

Some e **any** usam-se com:
- nomes contáveis no plural
  *She wants **some** DVDs.* ◇ *Do you have **any** biscuits?*
- nomes não-contáveis
  *She wants **some** advice.* ◇ *Do you have **any** money?*

➲ *Para mais informação sobre o uso de **some** e **any**, ver notas em* SOME *e* ANY
➲ *Para saber como se usa **a lot (of), much** e **many** com nomes contáveis e não-contáveis, ver nota em* MANY

O caso possessivo em inglês: *'s*

No singular, o caso possessivo, na maioria dos nomes, faz-se com ***'s***. Este genitivo costuma usar-se com nomes e palavras que se referem a pessoas e animais.
*my cousin**'s** bike* (= a bicicleta da minha prima) ◇ *my brother**'s** friends* ◇ *the children**'s** clothes* ◇ *the dog**'s** basket* ◇ *Ann's job*

Com objetos não deve usar-se ***'s***, mas sim **of**.
*the front seat **of** the car*

Se há dois ou mais possuidores, o caso possessivo assinala-se com um apóstrofo depois do **s**.
*my cousins**'*** dog (= o cão dos meus primos) ◇ *my parents**'** photos*

➲ *Para mais informação sobre o uso dos possessivos, ver página 312.*

O artigo The article

O artigo definido (*the*)

The usa-se para falar de:
- alguma coisa ou alguém que o interlocutor já conhece
- algo único, como o sol ou a terra
- as ilhas, os oceanos e os rios

*This is **the** DVD I told you about.* ◇ ***The** Thames goes through Oxford and London.*

O artigo indefinido (*a/an*)

A emprega-se antes de sons consoantes e **an** antes de sons vocálicos.
***a** building* ◇ ***a** euro* /ˈjʊərəʊ/ ◇ ***a** university* /ˌjuːnɪˈvɜːsəti/

***an** apple* ◇ ***an** hour* /ˈaʊə(r)/

A/an utilizam-se com nomes contáveis no singular. No plural costumamos usar **some/any**. ➲ *Ver tb nota em* SOME
***a** dog* → ***some** dogs* ◇ *I don't have **a** blue shirt.* → *I don't have **any** blue shirts.*

A/an usam-se para falar de:
- alguma coisa ou alguém pela primeira vez
- uma pessoa ou coisa qualquer e não uma em particular
  *He's got **a** new bike.* ◇ *Can you bring me **a** knife?*

Ao contrário do português, usa-se:
- para falar das profissões
- na estrutura **as a...** (= de/como...)
- em expressões negativas e depois de **without**
- antes de alguns números - **hundred, thousand, million**
  *My sister is **a** biologist.* ◇ *He works as **a** waiter.* ◇ *Use this box as **a** table.* ◇ *I don't have **a** bike.* ◇ *She went out without **a** coat.* ◇ *He won **a** thousand pounds on the lottery.*

➲ *Para saber mais sobre o uso do artigo indefinido, ver nota em* SER

Omissão do artigo

Quando falamos de alguma coisa em geral, os nomes contáveis no plural e os nomes não-contáveis não levam artigo.
Books are expensive. ◇ *Children learn very fast.*

Diz-se *I like cheese* (= Gosto de queijo em geral) mas *I like the cheese they make in my grandparents' village.* (porque é um queijo específico).

Não se usa o artigo com nomes próprios ou com nomes que indicam relações familiares.
Do you know Mrs Smith? ◇ *Jane's mother's very nice.* ◇ *Granny came to see us yesterday.*

➲ *Para mais informação sobre o uso do artigo com nomes de família, ver nota em* FAMÍLIA

Também não se usa para falar de países, ruas, lagos ou montanhas.
I'm going to China. ◇ *They live in Florida.* ◇ *a house on Walton Street* ◇ *They climbed Everest.*

Com partes do corpo e objetos pessoais usa-se o possessivo e não o artigo.
*Give me **your** hand.* ◇ *He put **his** tie on.* ◇ *I've left **my** phone on the bus.*

Hospital, school i **church** podem utilizar-se com ou sem o artigo, mas o significado é diferente.

➲ *Para mais informação sobre o uso dos artigos ver notas em* SCHOOL, HEAVEN, HELL, INTERNET *(página 159)*

Pronomes pessoais Personal pronouns

Pronomes forma de sujeito e de complemento

	sujeito	*complemento*
singular	I you he she it	me you him her it
plural	we you they	us you them

Uso

Os pronomes pessoais substituem um nome. O nome e o pronome nunca se usam ao mesmo tempo.
Silvia is from Argentina. ***She****'s a student.*
I met ***her*** *in Faro.*

Os pronomes forma de sujeito usam-se principalmente antes do verbo, como sujeito e não se podem omitir.
'What does Jen do?' *'****She****'s a nurse.'*
◇ ***I*** *live in Braga.*

Os pronomes forma de complemento usam-se nos restantes casos, por exemplo:

- depois do verbo **be**
  Who's there? It's ***me****.*
- em frases comparativas
  She's taller than ***him****.*
- depois de preposições
  They got there before ***us****.*
- quando se usam isolados
  'Who came first?' *'****Me****!'*

O pronome *it*

O pronome **it** usa-se:

- para falar de coisas, situações e animais
  I love this film – ***it****'s very romantic.*
- para falar das horas, do tempo atmosférico e distâncias
  It*'s half past three.* ◇ ***It****'s cold.* ◇ ***It****'s fifty miles to London.*
- com adjetivos para falar de coisas
  It*'s easy to see why she likes him.* ◇ *Is* ***it*** *true that they're going out?*
- para identificar a pessoa que está do outro lado da porta, do telefone, etc.
  'Is that Jo?' 'No, ***it****'s Sara'.*

O uso de *there*

There usa-se com o verbo **be**, e com outros verbos modais + **be**.
There*'s a bottle of milk in the fridge.*
◇ ***There*** *must be something wrong.*

➲ *Ver entrada em* THERE *e nota em* HAVER

Pronomes reflexos Reflexive pronouns

singular	*plural*
myself	ourselves
yourself	yourselves
himself	themselves
herself	
itself	

Uso

Usam-se quando a ação do verbo recai sobre quem a pratica.
He hurt ***himself*** *when he fell over.* ◇ *Look at* ***yourself*** *in the mirror.* ◇ *I bought it for* ***myself****.*

Também se usam de forma enfática para dizer **eu mesmo, tu mesmo,** etc. Neste caso colocam-se depois do verbo.
I made it ***myself****.* ◇ *She told me the news* ***herself****.*

Verbos reflexos

Muitos verbos que têm conjugação pronominal em português não necessitam de **myself**, **yourself**, etc., em inglês. Por exemplo:

prepare for sth (= preparar-se) *I've got to prepare for the exam.*
calm down (= acalmar-se) *Calm down, will you?*
hide (= esconder-se) *We hid behind a wall.*
apologize (= desculpar-se) *She apologized for not phoning.*

Alguns dos que levam pronome são:

look after yourself (= cuidar de si) *Ali's old enough to look after himself.*
fool yourself (= enganar-se) *Don't fool yourself – he'll never change.*

Determinantes e pronomes possessivos

	determinante	*pronome*
singular	my your his her its	mine yours his hers
plural	our your their	ours yours theirs

Uso
Em inglês, os possessivos concordam sempre com o possuidor.
She *went with* ***her*** *husband.* ◇ ***They*** *love* ***their*** *house.*
Os pronomes **mine, yours**, etc. não são seguidos pelo artigo definido **the**.
◇ *This is my mobile. Where's* ***yours****?*

Genitivo duplo - *a friend of mine/of Jane's, etc.*
My mother told me that my new teacher is a friend ***of hers****.*
➲ *Para mais informação, ver notas em* MEU, TEU, *etc.*

Determinantes demonstrativos

singular	*plural*
this that	these those

Uso
Usa-se **this** e **these** para nos referirmos a coisas ou pessoas que se encontram próximas de nós. Usa-se **that** o **those** para as coisas ou pessoas que estão mais longe de nós.
This *tastes delicious.*◇ *Do you like* ***these*** *jeans?* ◇ ***That*** *smells terrible!* ◇ *I love* ***those*** *shoes you're wearing.*

This também se usa para apresentar alguém.
Ben, ***this*** *is Lucy. Lucy,* ***this*** *is Ben.*

Ao telefone usamos **this** para dizer quem somos e **that** para perguntar quem é a outra pessoa.

Hi, ***this*** *is Alex. Can I talk to Sam?*
◇ *Oh hello, is* ***that*** *Sam?* ***This*** *is Alex.*

Adjetivos Adjectives

Em inglês, os adjetivos colocam-se geralmente antes do nome que descrevem. A sua forma não varia em género ou número.
*a **blue** shirt / a pair of **blue** trousers* ◇ *my **French** grandmother / my **French** grandparents*

Podemos usar dois adjetivos juntos.
*a **short red** skirt* ◇ ***an interesting Russian** film* ◇ *She's **a lovely little** girl.*

Comparativo e superlativo

			Comparativo	*Superlativo*
de 1 sílaba	+ **er, est**	cool	cool**er**	the cool**est**
de 1 sílaba e acabado em **e**	+ **r, st**	nice	nice**r** **a consoante dobra**	the nice**st**
de 1 sílaba e acabado em uma só vogal + uma consoante	a consoante dobra + **er, est**	wet	we**tter**	the we**ttest**
de 2 sílabas e acabado em **y**	**y → ier, iest**	happy	happ**ier**	the happ**iest**
de 2 ou mais sílabas	**more, the most**	modern interesting	**more** modern **more** interesting	the **most** modern the **most** interesting
irregular		good bad	**better** **worse**	the **best** the **worst**

Uso

O comparativo usa-se para comparar duas coisas ou pessoas entre si. Para fazer a comparação usa-se **than**.
*Oxford is **smaller than** Lisbon.* ◇ *Sérgio is **taller than** Sam.*

O superlativo usa-se para comparar três ou mais coisas ou pessoas, destacando uma delas. Esta forma leva sempre o artigo **the**.
*I think this is **the nicest** one.* ◇ *Which is **the longest** river in the world?*

The **wettest** day of our holiday

Posição dos adjetivos

A maioria dos adjetivos pode usar-se antes do nome que descreve ou depois de verbos como **look, seem**, etc.
*This bike is **new**.* ◇ *I need a **new** bike.* ◇ *This is a **great** party.* ◇ *Your hair looks **great**.*

No entanto, alguns adjetivos nunca se utilizam antes de um nome (ver entrada em **alive**), enquanto que outros só se usam nesta posição (ver entrada em **continual**).

alive /ə'laɪv/ *adj* [*nunca antes de substantivo*]
1 vivo, com vida: *to stay alive* sobreviver **2** no mundo: *He's the best player alive.* É o melhor jogador do mundo. ➲ *Comparar com* LIVING

Em inglês, usam-se frequentemente dois nomes juntos, em ocasiões em que, em português, se usaria um adjetivo ou uma frase.
***bank** account* (= conta bancária)
◊ ***school** uniform* (= uniforme escolar)
◊ *a **plastic** cup* (= um copo de plástico)
◊ *a **history** teacher* (= uma professora de História) ◊ *a **wine** bottle* (= uma garrafa de vinho)

Quando um adjetivo em português se traduz por um nome em inglês, usado nesta situação, indicamo-lo com um exemplo depois da tradução inglesa. Ver entrada em **cinematográfico**:

cinematográfico, -a *adj* film, movie (*USA*): *a indústria cinematográfica* the film industry

Adjetivos acabados em *ed* e em *ing*

Alguns adjetivos acabados em **ed** provêm do particípio passado de um verbo e descrevem como as pessoas se sentem em relação a coisas ou outras pessoas.
*I'm feeling **bored**.* ◊ *Are you **interested** in history?* ◊ *She was **surprised** to see him.*

Outros adjetivos acabados em **ing** provêm do gerúndio de um verbo e descrevem o efeito que produzem em coisas ou pessoas.
*This book is **boring**.* ◊ *Roman history is very **interesting**.* ◊ *It was **surprising** to meet him there.*

➲ *Ver tb nota em* BORING

Adjetivos compostos

Os adjetivos compostos costumam escrever-se com hífen, por exemplo, **first-class** e **good-looking**.

➲ *Para adjetivos como **well known, up to date**, etc., ver nota em* WELL BEHAVED

Adjetivos sem nome

Em inglês, os adjetivos não podem funcionar como nomes. Têm sempre de ser seguidos por uma palavra como **man**, **woman**, **person**, **thing**, etc.
The best thing about this film is...

Quando há um adjetivo em português que também pode ser nome, e a tradução em inglês só pode ser adjetivo, indicamo-lo no dicionário com a abreviatura [*adj*] depois da tradução inglesa. Nestes casos, também se da um exemplo.

egoísta *adj, smf* selfish [*adj*]: *São uns ~s.* They're really selfish.

Usa-se **the** + adjetivo em casos como **the poor** ou **the unemployed**.

➲ *Ver as entradas em* POBRE e POOR *e em* DESEMPREGADO e UNEMPLOYED

A formação dos advérbios a partir de adjetivos

Muitos advérbios formam-se juntando a terminação **ly** ao adjetivo e, às vezes, modificando ligeiramente a ortografia.
*complete → complete**ly***
*quick → quick**ly***
*bright → bright**ly***
*real → real**ly***

Os adjetivos acabados em **y** costumam mudar para **ily**.
*happy → happ**ily***
*funny → funn**ily***
*easy → eas**ily***

A pontuação no inglês

O ponto final (**full stop,** *USA* **period**) indica o final da frase se esta não for uma pergunta ou uma exclamação:
We're leaving now. Thank you.
É também utilizado em abreviaturas:
Walton St.
e em endereços da Internet e de e-mails, onde se lê "dot":
www.oup.com

O ponto de interrogação (**question mark**) indica o final de uma oração interrogativa direta:
'Who's that man?', Jenny asked.

O ponto de exclamação (**exclamation mark,** *USA* **exclamation point**) indica o final de uma oração exclamativa, e também é utilizado com interjeições ou onomatopeias:
Oh no! The cat's been run over.
◇ Crash! ◇ Wow!

A vírgula (**comma**) indica uma breve pausa dentro de uma frase:
I ran all the way to the station, but I still missed the train.
É também utilizada para citar uma pessoa, antes e depois das aspas:
Fiona said, 'I'll help you.' ◇ 'I'll help you', she said.
e para separar os elementos de uma lista:
This store sells books, DVDs and CDs.
A vírgula também pode ser utilizada para separar uma *question tag* do resto da frase:
It's pretty expensive, isn't it?

Os dois pontos (**colon**) são utilizados para introduzir listas:
There is a choice of main course: roast beef, turkey or omelette.

O ponto e vírgula (**semicolon**) é utilizado em vez da vírgula para separar os elementos de uma lista, quando a frase já contém vírgulas:
The school uniform consists of navy blue skirt or trousers; grey or white shirt; navy jumper or cardigan.

O apóstrofo (**apostrophe**) é usado para indicar que uma letra foi omitida, como no caso das contrações:
hasn't ◇ don't ◇ I'm ◇ he's
Ele também indica posse (genitivo):
my friend's car ◇ Jane's mother
➲ *Ver tb pág. 309*

As aspas (**quotation marks, inverted commas** ou **quotes**) podem ser simples (') ou duplas ("). Elas são utilizadas para introduzir as palavras ou pensamentos de uma pessoa:
'Come and see', said Martin.
Também se utilizam aspas para fazer referência a títulos de livros, filmes, etc.:
'Have you read 'Emma'?' he asked.

O hífen (**hyphen**) é utilizado para unir duas ou mais palavras que formam uma unidade:
mother-in-law ◇ a ten-ton truck
É também utilizado para unir um prefixo a uma palavra:
non-violent ◇ anti-American
e em números compostos:
thirty-four ◇ seventy-nine

O travessão (**dash**) é utilizado para separar uma oração ou explicação dentro de uma frase mais longa:
A few people – not more than ten – had already arrived.
Também pode ser empregado no fim de uma frase, para resumir o seu conteúdo:
Men were shouting, women were screaming, children were crying – it was chaos.

A barra ou barra inclinada (**slash**) é usada para separar diferentes componentes num endereço da Internet. Também se lhe chama **forward slash** para a diferenciar da barra invertida (**backslash**):
http://www.oup.com/elt

Preposições de lugar

Preposições de movimento

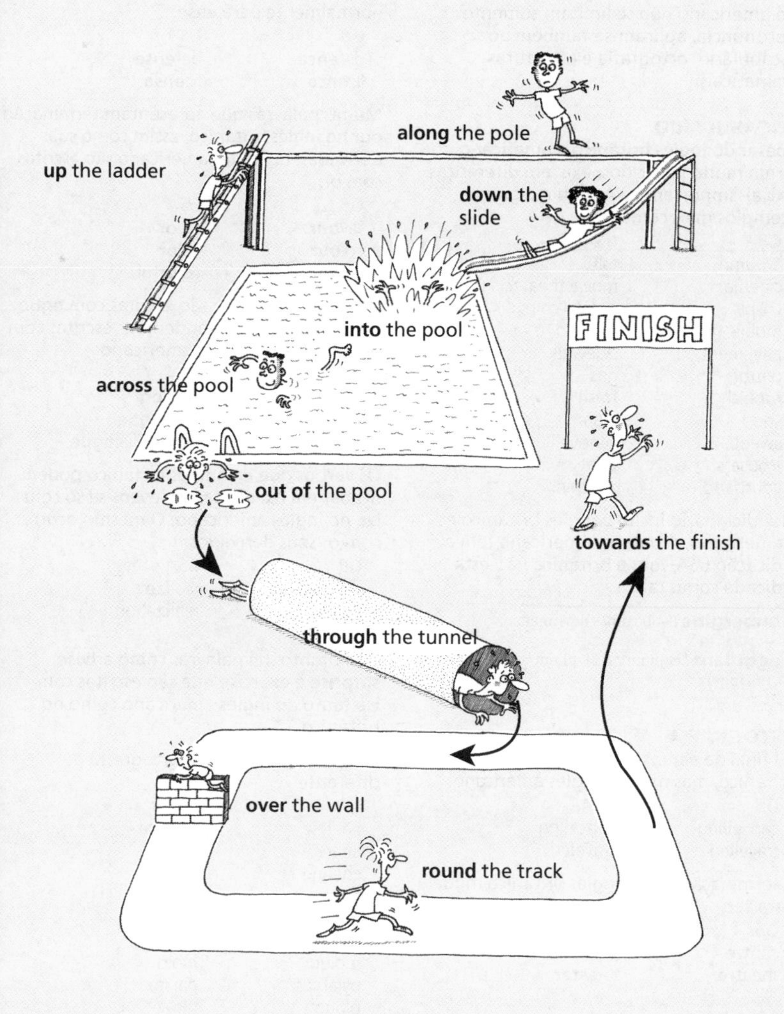

O inglês na Grã-Bretanha e nos Estados Unidos

As diferenças entre o inglês britânico e o americano não se limitam somente à pronúncia, aplicam-se também ao vocabulário, ortografia e estruturas gramaticais.

VOCABULÁRIO

Apesar do inglês britânico e americano serem muito parecidos, existem diferenças lexicais importantes. A seguir, alguns exemplos mais comuns:

GB	*USA*
autumn	fall
cinema	movie theater
crisps	potato chips
mobile (phone)	cell phone
pavement	sidewalk
petrol	gas
rubbish	trash
shop	store
sweets	candy
trousers	pants
courgette	zucchini

Este dicionário inclui o inglês britânico e o americano. A palavra americana tem a indicação *USA*, mas a britânica não está indicada como tal.

aubergine /ˈəʊbəʒiːn/ *s* beringela

eggplant /ˈegplɑːnt; *USA* -plænt/ *s* (*USA*) beringela

ORTOGRAFIA

O **l** final de alguns verbos repete-se em inglês britânico, más não em inglês americano:

GB	*USA*
cance**ll**ing	cance**l**ing
trave**ll**ed	trave**l**ed

A terminação **tre** no inglês britânico muda para **ter**:

GB	*USA*
cen**tre**	cen**ter**
thea**tre**	thea**ter**

A terminação **ence** no inglês britânico muda normalmente para **ense**:

GB	*USA*
def**ence**	def**ense**
lic**ence**	lic**ense**

Muitas palavras que apresentam terminação **our** no inglês britânico, assim como suas derivadas, no inglês americano são escritas com **or**:

GB	*USA*
fav**our**	fav**or**
col**our**	col**or**
col**our**ful	col**or**ful

Várias palavras que são escritas com **ogue** no inglês britânico, podem ser escritas com **og** ou **ogue** no inglês americano:

GB	*USA*
catal**ogue**	catal**og**/ catal**ogue**
dial**ogue**	dial**og**/dial**ogue**

Os verbos que em inglês britânico podem acabar em **ize** ou **ise,** escrevem-se só com **ize** no inglês americano. O mesmo ocorre com os seus derivados:

GB	*USA*
real**ize, -ise**	real**ize**
real**iz**ation, -**is**ation	real**iz**ation

No entanto, há palavras como **advise, surprise** e **exercise** que são escritas com **ise** tanto no inglês americano como no britânico.

Outros casos em que a ortografia é diferente:

GB	*USA*
analyse	analyze
anaemia	anemia
cheque	check
cosy	cozy
grey	gray
jewellery	jewelery
molud	mold
pyjamas	pajamas
plough	plow
practise (*verbo*)	practice
sceptical	skeptical
tyre	tire

GRAMÁTICA

Present perfect e past simple

No inglês britânico, utiliza-se o *present perfect* com advérbios como **just**, **yet** e **already**. No inglês americano, pode-se utilizar o *past simple* nestes casos:

GB	USA
***I've** just **seen** her.*	*I just **saw** her.*
***Have** you **heard** the news yet?*	***Did** you **hear** the news yet?*
*I **have** already **given** her my present.*	*I already **gave** her my present.*

Have em frases interrogativas e negativas

Para indicar a ideia de posse, no inglês britânico pode-se utilizar **have** ou **have got**, quando a frase é negativa ou interrogativa. O inglês americano utiliza somente **have**:

GB	USA
*I **haven't** (**got**) enough time./ I **don't have** enough time.*	*I **don't have** enough time.*
***Have** you **got** a camera?/ **Do** you **have** a camera?*	***Do** you **have a** camera?*

Got e *gotten*

No inglês britânico, o particípio passado de **get** é **got**, e no inglês americano utiliza-se **gotten**:

GB	USA
*Her driving has **got** much better.*	*Her driving has **gotten** much better.*

Will e *shall*

No inglês britânico, pode-se utilizar **shall** ou **will** para formar a primeira pessoa do futuro. No inglês americano, utiliza-se somente **will**:

GB	USA
*I **shall/will** be here tomorrow.*	*I **will** be here tomorrow.*

No inglês britânico, também se utiliza **shall** para oferecer algo ou fazer uma sugestão. No inglês americano, emprega-se **should**:

GB	USA
***Shall** I open the window?*	***Should** I open the window?*

Preposições e advérbios

GB	USA
*to stay **at** home*	*to stay home*
*Monday **to** Friday*	*Monday **through** Friday*
***at** the weekend*	***on** the weekend*
*a quarter **past** ten*	*a quarter **after** ten*
*Write **to** me.*	*Write me.*
*different **from/to***	*different **from/than***

Verbos irregulares

Os verbos **burn**, **dream**, **lean**, **leap**, **learn**, **smell**, **spill** e **spoil** apresentam duas formas de passado e particípio, uma regular (**burned**, **dreamed**, etc.) e a outra irregular (**burnt**, **learnt**, etc.). No inglês britânico usam-se ambas as formas, indistintamente, mas no inglês americano utiliza-se somente a forma regular para o passado e particípio:

GB	USA
*They **burned/burnt** the old sofa.*	*They **burned** the old sofa.*

Falsos amigos

Muitas palavras em inglês parecem-se, na sua forma, com palavras em português. A maioria destas palavras tem também o mesmo significado, por exemplo, **geography** (geografia) ou **radio** (rádio). No entanto, algumas são aquilo a que chamamos falsos amigos: palavras que se parecem, mas não têm o mesmo significado. A seguir, apresentamos uma lista com os falsos amigos mais comuns, acompanhados das traduções para português.

A palavra portuguesa...	diz-se em inglês...	e não...	que quer dizer...
atual	current; present-day	**actual**	exato; verdadeiro; propriamente dito
atualmente	currently	**actually**	em realidade; exatamente
agenda	diary	**agenda**	ordem do dia
apontamento	note	**appointment**	encontro marcado; nomeação; posto
aviso	notice; warning	**advice**	conselho(s)
bife	steak	**beef**	carne de vaca
colar	necklace	**collar**	gola; colarinho; coleira
colégio	(private/ independent) school	**college**	estabelecimento de ensino superior; universidade
compreensivo	understanding	**comprehensive**	global, completo
desgosto	sorrow	**disgust**	nojo, repugnância
educado	polite	**educated**	instruido, culto
eventual	possible	**eventual**	final
fábrica	factory; works	**fabric**	tecido, pano
genial	brilliant	**genial**	bem-humorado; afável
intoxicação	poisoning	**intoxication**	embriaguez
leitura	reading	**lecture**	conferência; sermão
livraria	bookshop	**library**	biblioteca
lanche	tea	**lunch**	almoço
notícia	news; news item	**notice**	aviso; cartaz; carta de demissão
parente	relation	**parent**	mãe, pai
prejuízo	loss; harm	**prejudice**	preconceito(s); parcialidade
puxar	to pull	**push**	empurrar; carregar (em); pressionar; promover
recordar(-se)	to recall	**record**	registrar; anotar; gravar; marcar
resumir	to summarize; to sum up	**resume**	retomar
sensível	sensitive; noticeable	**sensible**	sensato; acertado
simpático	nice	**sympathetic**	compreensivo; solidário; a favor

Não se engane!

Quando ler um texto em inglês, não se deixe enganar por palavras como as que se seguem, que se parecem muito com palavras em português, mas têm um significado completamente diferente.

Não se confunda com...	que quer dizer...
barracks	quartel
cigar	charuto
compromise	acordo
conductor	maestro, regente; cobrador; guarda-freio
constipated	preso dos intestinos
costume	traje; guarda-roupa
cynic	pessoa que desconfia de tudo
data	dados; informação
deception	engano
enrol	inscrever(-se), matricular(-se)
eventually	finalmente
injury	ferimento, lesão; dano
marmalade	doce de laranja (*ou outros citrinos*)
mascara	rímel
ordinary	comum, normal
petrol	gasolina
preservative	conservante
to presume	supor
to pretend	fingir
professor	professor(a) catedrático/a
to realize	aperceber-se (de), dar--se conta
retired	reformado
sort	tipo

Como encontrar as diferenças

A palavra em português *assistir* se traduz **assist** quando significa *ajudar*. Todavia, se utilizarmos *assistir* no sentido de *estar presente*, *ver* ou *testemunhar*, existem outras traduções.

assistir ▸ *vi* ~ (a) **1** (*estar presente em*) to attend *sth* [*vt*]: ~ *a uma aula/reunião* to attend a lesson/meeting **2** (*ver*) to watch *sth* [*vt*]: ~ *a um programa de televisão* to watch a TV programme **3** (*testemunhar*) to witness *sth* [*vt*]: ~ *a um acidente* to witness an accident ▸ *vt* **1** (*ajudar*) to assist **2** (*médico*) to treat: *Que médico é que te assistiu?* Which doctor treated you?

assist /ə'sɪst/ *vt*, *vi* (*formal*) ajudar, assistir: *A man is assisting the police with their enquiries.*

Cuidado ao usar palavras como estas, já que às vezes elas têm o mesmo significado nos dois idiomas, e outras vezes não!

1 Complete o quadro abaixo com a tradução das palavras **em negrito**:

assistir	→	assist	map
cliente	→	client	warn
prevenir	→	prevent	attend
planta	→	plant	company
admirar	→	admire	customer
sociedade	→	society	amaze

2 Agora escolha a palavra correta nas frases a seguir:

1 Did you ***assist/watch*** the game yesterday?
2 The shop never has many ***clients/customers***.
3 I ***prevented/warned*** him that he would get into trouble.
4 When it's hot, water your ***maps/plants*** every day.
5 I was ***admired/amazed*** to see the results.
6 She left her job and set up her own ***company/society***.

Respostas

Exercício 1
1 assistir-assist-attend
2 cliente-client-customer
3 prevenir-prevent-warn
4 planta-plant-map
5 admirar-admire-amaze
6 sociedade-society-company

Exercício 2
1 watch
2 customers
3 warned
4 plants
5 amazed
6 company

Sinónimos e antónimos

Sinónimos

Em algumas situações, existe uma palavra mais comum para se referir a alguma coisa e uma outra forma de se dizer a mesma coisa. O dicionário apresenta notas de uso com sinónimos para lhe ajudar a expandir seu vocabulário.

> **construct** /kən'strʌkt/ *vt* construir ℹ A palavra mais comum é **build**.

1 Forme pares de palavras que tenham o mesmo significado. Nos verbetes das palavras que estão **em negrito** há informações que lhe ajudam a escolher o melhor par.

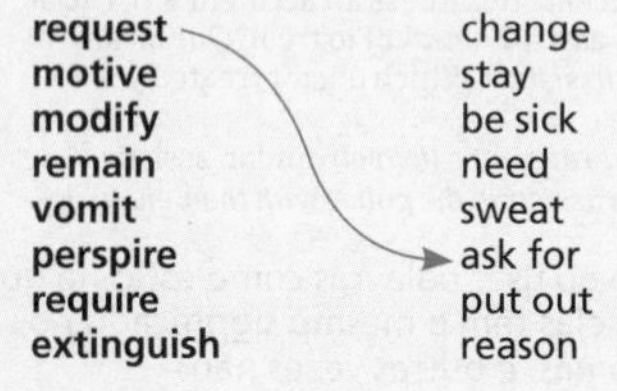

Antónimos

O dicionário também apresenta os antónimos das palavras. No lado português-inglês, os antônimos aparecem em vários exemplos de uso. Observe o significado 2 do verbete **descida**:

> **descida** *sf* **1** (*declive*) descent: *É uma ~ perigosa.* It's a dangerous descent. ◊ *O avião teve problemas durante a ~.* The plane had problems during the descent. **2** (*encosta*) slope: *uma ~ suave/acentuada* a gentle/steep slope

2 Procure a palavra em português no dicionário e observe o exemplo. Qual é o antónimo de ... ?

1 to turn the volume down (**volume**)? ....
2 dark skin (**pele**)? ....
3 high tide (**maré**)? ....
4 good marks (**nota**)? ....
5 to turn the TV on (**televisão**)? ....
6 an even number (**número**)? ....
7 low season (**época**)? ....
8 good health (**saúde**)? ....

Respostas

Exercício 1
request = ask for
motive = reason
modify = change
remain = stay
vomit = be sick
perspire = sweat
require = need
extinguish = put out

Exercício 2
1 to turn the volume up
2 fair skin
3 low tide
4 bad marks
5 to turn the TV off
6 an odd number
7 high season
8 poor health

Por telefone

Hello.
Hello, is that Helen?
Yes, speaking.
Oh, hello. This is Mike.

Hello.
Hello, is that Helen?
Yes, speaking.
Oh, hello. This is Mike.

Hello, could I speak to Simon, please?
Yes, of course. Can I ask who's calling?
It's Liz.
OK, just a minute, please.

Good morning. Could I speak to Dr Jones, please?
I'm afraid Dr Jones is out at the moment. Can I take a message?
No, thank you. I'll call back later. Goodbye.

Hi, Will. This is Sarah.
Hi, Sarah. Where are you calling from?
I'm on my mobile. I just wanted to tell you that I'll be an hour late.
Thanks for letting me know. I'll see you later then.
OK. See you later.

Mensagens de texto

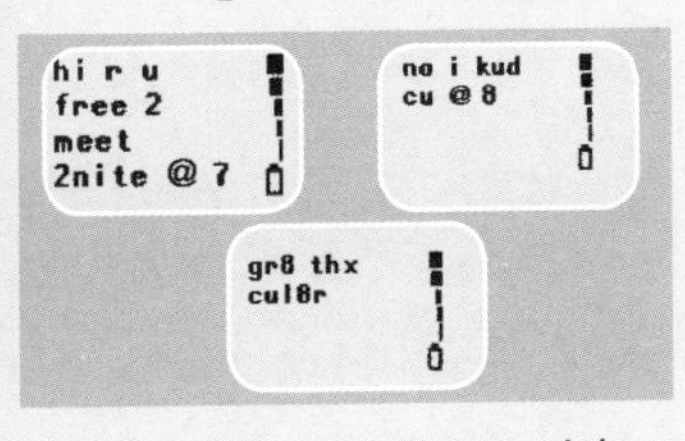

– *Hi. Are you free to meet tonight at 7?*
– No. I could see you at 8.
– *Great, thanks. See you later.*

Para enviar mensagens de texto, muitas pessoas usam formas abreviadas, como as que se seguem:

2	to, too, two
2day	today
2moro	tomorrow
2nite	tonight
4	for, four
4eva	forever
@	at
asap	as soon as possible
b	be
b4	before
brb	be right back
btw	by the way
cn	can
cu	see you
cud	could
evry1	everyone
ez	easy
fone	phone
gd	good
gr8	great
l8	late
l8r	later
lol	laugh out loud
luvu	love you
msg	message
ne1	anyone
neway	anyway
no1	no one
pls	please
ppl	people
ruok?	are you OK?
sn	soon
spksn	speak soon
txt	text
thanx *ou* **thx**	thanks
u	you
ur	you are
v	very
w	with
xoxoxo	hugs and kisses
yr	your, you're

A a

A, a /eɪ/ *s* (*pl* **As, A's, a's**)

Uso das letras

1 para soletrar: *'Alex' begins with (an) 'A'.* "Alex" começa com (a letra) "a". ◇ *'Lisa' ends in (an) 'a'.* (A palavra) "Lisa" termina em "a". ◇ *Do you spell that with an 'a' or an 'e'?* Escreve-se com "a" ou com "e"? ◇ *'April' with a capital A* "April" com A maiúsculo ◇ *How many ls* /elz/ *are there in 'lily'?* A palavra "lily" tem quantos eles? ◇ *It's spelt d-e-e-p* /'di: i: i: pi:/. Soletra-se d-e-e-p.

2 notas musicais
A = lá, B = si, C = do, D = ré, E = mi, F = fá, G = sol: *A sharp* lá sostenido ◇ *B flat* si bemol

3 notas escolares
Na Grã-Bretanha, A é a nota mais alta e, dependendo do nível da prova, as qualificações vão até E ou G. U significa reprovação: *to get (an) A in English* apanhar 20 valores em língua e literatura inglesa ◇ *I got two Bs and a C at A level.* Eu tirei um bom e um suficiente no A level. ◇ *to get (an) F in history* ter negativa a história.

🔑 **a** /ə, eɪ/ (*tb* **an** /ən, æn/) *art indef* ❶ **A, an** corresponde ao português *um, uma* exceto nos seguintes casos: **1** (*números*): *a hundred and twenty people* cento e vinte pessoas **2** (*profissões*): *My mother is a solicitor.* A minha mãe é advogada. **3** por: *200 words a minute* 200 palavras por minuto ◇ *£2 a dozen* duas libras a dúzia **4** (*com desconhecidos*) um(a) tal: *Do we know a Tim Smith?* Conhecemos um tal Tim Smith?

aback /ə'bæk/ *adv* LOC **be taken aback (by sb/sth)** ficar surpreendido (com alguém/alguma coisa): *I was really taken aback.* Apanhou-me de surpresa.

🔑 **abandon** /ə'bændən/ *vt* abandonar: *We abandoned the attempt.* Abandonámos a tentativa. ◇ *an abandoned baby/car* um bebé/carro abandonado ◇ *an abandoned village* uma aldeia abandonada

abbey /'æbi/ *s* (*pl* **abbeys**) abadia

abbreviate /ə'bri:vieɪt/ *vt* abreviar **abbreviation** *s* **1** ~ **(for/of sth)** abreviatura (de alguma coisa) **2** abreviação

ABC /ˌeɪ bi: 'si:/ *s* **1** abecedário **2** á-bê-cê

abdicate /'æbdɪkeɪt/ *vt, vi* abdicar: *to abdicate (all) responsibility* abdicar de todas as responsabilidades

abdomen /'æbdəmən/ *s* abdómen **abdominal** /æb'dɒmɪnl/ *adj* abdominal

abduct /æb'dʌkt/ *vt* raptar **abduction** *s* rapto

abide /ə'baɪd/ *vt* **can't/couldn't abide sb/sth** não suportar alguém/alguma coisa: *I can't abide them.* Não os suporto. PHR V **abide by sth** **1** (*veredicto, decisão*) respeitar alguma coisa **2** (*promessa*) cumprir com alguma coisa

🔑 **ability** /ə'bɪləti/ *s* (*pl* **abilities**) **1** (*talento*) capacidade, aptidão: *her ability to accept change* a sua capacidade para aceitar mudanças ◇ *Despite his ability as a dancer...* Apesar das suas aptidões como bailarino... **2** habilidade

ablaze /ə'bleɪz/ *adj* **1** em chamas: *to set sth ablaze* pegar fogo a alguma coisa **2 be ~ with sth** estar resplandecente com alguma coisa: *The garden was ablaze with flowers.* O jardim estava resplandecente com flores.

🔑 **able** /'eɪbl/ *adj* **1 be ~ to do sth** poder fazer alguma coisa: *Will he be able to help you?* Vai poder ajudar-te? ◇ *They are not yet able to swim.* Ainda não sabem nadar. ➲ *Ver nota em* CAN[1] **2** (**abler, -est**) capaz: *the ablest students in the class* os alunos mais capazes da turma ◇ *the less able members of society* os membros menos favorecidos da sociedade

abnormal /æb'nɔ:ml/ *adj* anormal **abnormality** /ˌæbnɔ:'mæləti/ *s* (*pl* **abnormalities**) anormalidade

aboard /ə'bɔ:d/ *adv, prep* a bordo (de): *aboard the ship* a bordo do navio ◇ *Welcome aboard.* Bem-vindos a bordo.

abode /ə'bəʊd/ *s* (*formal*) residência LOC *Ver* FIXED

abolish /ə'bɒlɪʃ/ *vt* abolir **abolition** /ˌæbə'lɪʃn/ *s* abolição

abominable /ə'bɒmɪnəbl/ *adj* abominável

abort /ə'bɔ:t/ **1** *vt, vi* (*Med*) abortar **2** *vt* abortar: *They aborted the launch.* Goraram o lançamento.

abortion /ə'bɔ:ʃn/ *s* aborto (*intencionado*): *to have an abortion* abortar ➲ *Comparar com* MISCARRIAGE

abortive /ə'bɔ:tɪv/ *adj* (*formal*) malogrado: *an abortive coup/attempt* um golpe de estado/atentado malogrado

abound /ə'baʊnd/ *vi* ~ **(with/in sth)** abundar (em alguma coisa)

🔑 **about** /ə'baʊt/ *advérbio, preposição, adjetivo*
❶ Para os usos de **about** em PHRASAL VERBS, ver as entradas para os verbos correspondentes, p. ex. **forget about sb/sth** em FORGET.

A

▸ *adv* **1** mais ou menos: *about the same height as you* mais ou menos da tua altura **2** por volta de: *I got home at about half past seven.* Cheguei a casa por volta das sete e meia.

Em expressões temporais, a palavra **about** é normalmente precedida pelas preposições **at**, **on**, **in**, etc., enquanto que a palavra **around** não requer preposição: *around/on about 15 June* por volta do dia 15 de junho.

3 quase: *Dinner's about ready.* O jantar está quase pronto. **4** de um lado para o outro: *I could hear people moving about.* Ouvia pessoas a andarem de um lado para o outro. **5** por aqui e por ali: *People were standing about in the street.* Havia pessoas paradas na rua. **6** por aqui: *She's somewhere about.* Está por aqui. ◇ *There are no jobs about at the moment.* De momento não existe nenhum trabalho.

▸ *prep* **1** por: *papers strewn about the room* papéis espalhados pelo quarto ◇ *She's somewhere about the place.* Anda por aqui. **2** sobre: *a book about flowers* um livro sobre flores ◇ *What's the book about?* De que trata o livro? **3** [*com adjetivo*]: *angry/happy about sth* zangado por/contente com alguma coisa **4** (*característica*): *There's something about her I like.* Tem qualquer coisa que me atrai. LOC **how/what about...? 1** (*pergunta*): *What about his car?* E o carro dele? **2** (*sugestão*) que tal...?: *How about going swimming?* E se fôssemos nadar? ◇ *What about it?* O que é que achas?

▸ *adj* LOC **be about to do sth** estar prestes a fazer alguma coisa

above /əˈbʌv/ *advérbio, preposição*

▸ *adv* de/em/por/para cima: *the people in the flat above* as pessoas do andar de cima ◇ *children aged eleven and above* crianças de onze anos e mais velhas

▸ *prep* **1** por cima de, mais para cima/acima de: *11 000 metres above sea level* 11.000 metros acima do nível do mar ◇ *I live in a house above the village.* Moro numa casa mais acima da aldeia. **2** mais de: *above 50%* mais de 50% LOC **above all** acima de tudo

abrasive /əˈbreɪsɪv/ *adj* **1** (*substância*) abrasivo **2** (*superfície*) áspero **3** (*pessoa*) brusco e desagradável

abreast /əˈbrest/ *adv* ~ **(of sb/sth)**: *to cycle two abreast* andar de bicicleta lado a lado com alguém ◇ *A car came abreast of us.* Um carro pôs-se ao nosso lado. LOC **keep abreast of sth** manter-se a par de alguma coisa

abroad /əˈbrɔːd/ *adv* no estrangeiro: *to go abroad* ir ao estrangeiro ◇ *Have you ever been abroad?* Já estiveste no estrangeiro?

abrupt /əˈbrʌpt/ *adj* **1** (*mudança*) repentino, brusco **2** (*pessoa*) brusco, ríspido: *He was very abrupt with me.* Foi muito brusco para comigo.

abseil /ˈæbseɪl/ *vi* fazer rapel **abseiling** *s* rapel

absence /ˈæbsəns/ *s* **1** ausência: *absences due to illness* ausências por doença **2** [*não-contável*] ausência, falta: *the complete absence of noise* a total ausência de ruído ◇ *in the absence of new evidence* com a falta de novas provas LOC *Ver* CONSPICUOUS

absent /ˈæbsənt/ *adj* **1** ausente: *to be absent from school* faltar às aulas **2** distraído

absentee /ˌæbsənˈtiː/ *s* ausente

absent-minded /ˌæbsənt ˈmaɪndɪd/ *adj* distraído

absolute /ˈæbsəluːt/ *adj* absoluto

absolutely /ˈæbsəluːtli/ *adv* **1** absolutamente: *You are absolutely right.* Tens toda a razão. ◇ *Are you absolutely sure/certain that...?* Tens a certeza absoluta de que...? ◇ *It's absolutely essential/necessary that...* É absolutamente necessário que... ◇ *absolutely nothing* absolutamente nada **2** /ˌæbsəˈluːtli/ (*manifestando acordo com alguém*): *Oh absolutely!* Sem dúvida!

absolve /əbˈzɒlv/ *vt* ~ **sb (from/of sth)** absolver alguém (de alguma coisa)

absorb /əbˈsɔːb, əbˈzɔːb/ *vt* **1** absorver, assimilar: *The root hairs absorb the water.* Os pelos particulares absorvem a água. ◇ *easily absorbed into the bloodstream* facilmente assimilado pelo sangue ◇ *to absorb information* assimilar informação **2** amortecer: *to absorb the shock* amortecer a violência do choque

absorbed /əbˈsɔːbd, əbˈzɔːbd/ *adj* absorto

absorbing /əbˈsɔːbɪŋ, əbˈzɔːbɪŋ/ *adj* (*livro, filme, etc.*) absorvente

absorption /əbˈsɔːpʃn, əbˈzɔːpʃn/ *s* **1** (*líquidos*) absorção **2** (*minerais, ideias*) assimilação

abstain /əbˈsteɪn/ *vi* ~ **(from sth)** abster-se (de alguma coisa)

abstract /ˈæbstrækt/ *adjetivo, substantivo*

▸ *adj* abstrato

▸ *s* (*Arte*) obra de arte abstrata LOC **in the abstract** em abstrato

absurd /əbˈsɜːd/ *adj* absurdo: *How absurd!* Que disparate! ◇ *You look absurd in that hat.* Ficas ridículo com esse chapéu. **absurdity** *s* (*pl* **absurdities**) absurdo: *the absurdity of the situation* o absurdo da situação

abundance /ə'bʌndəns/ *s* (*formal*) abundância

abundant /ə'bʌndənt/ *adj* (*formal*) abundante

⚷ **abuse** *verbo, substantivo*
▸ *vt* /ə'bju:z/ **1** abusar de: *to abuse your power* abusar do seu poder **2** insultar **3** maltratar
▸ *s* /ə'bju:s/ **1** abuso: *drug abuse* abuso de drogas ◇ *human rights abuses* abusos contra os direitos humanos **2** [*não-contável*] insultos: *They shouted abuse at him.* Gritaram-lhe insultos. **3** maus tratos **abusive** /ə'bju:sɪv/ *adj* insultante, grosseiro

⚷ **academic** /ˌækə'demɪk/ *adj* **1** académico **2** especulativo

academy /ə'kædəmi/ *s* (*pl* **academies**) academia

accelerate /ək'seləreɪt/ *vt, vi* acelerar **acceleration** *s* aceleração **accelerator** *s* acelerador

⚷ **accent** /'æksent, 'æksənt/ *s* **1** acento, sotaque **2** ênfase **3** til

accentuate /ək'sentʃueɪt/ *vt* **1** acentuar **2** salientar **3** agravar

⚷ **accept** /ək'sept/ *vt* **1** aceitar **2** admitir: *I've been accepted by the University.* Fui admitido na universidade. **3** (*máquina*): *The machine only accepts 50p coins.* A máquina só funciona com moedas de cinquenta pence.

⚷ **acceptable** /ək'septəbl/ *adj* ~ **(to sb)** aceitável (para alguém)

acceptance /ək'septəns/ *s* **1** aceitação **2** receção favorável

⚷ **access** /'ækses/ *substantivo, verbo*
▸ *s* ~ **(to sb/sth)** acesso (a alguém/alguma coisa)
▸ *vt* **1** (*Informát*) aceder a **2** (*formal*): *The roof can only be accessed by a ladder.* O acesso ao telhado só é possível através de uma escada.

accessible /ək'sesəbl/ *adj* acessível

accessory /ək'sesəri/ *s* (*pl* **accessories**) **1** acessório **2** ~ **(to sth)** (*Jur*) cúmplice (de alguma coisa)

⚷ **accident** /'æksɪdənt/ *s* **1** acidente **2** casualidade LOC **by accident 1** sem querer **2** por acaso **3** por lapso

⚷ **accidental** /ˌæksɪ'dentl/ *adj* **1** acidental **2** casual

accident and emergency *s* (*abrev* **A & E**) urgências

acclaim /ə'kleɪm/ *verbo, substantivo*
▸ *vt* aclamar
▸ *s* [*não-contável*] elogios

accommodate /ə'kɒmədeɪt/ *vt* **1** alojar **2** ter capacidade/espaço para: *The car can accommodate four people.* O carro tem espaço para quatro pessoas.

⚷ **accommodation** /əˌkɒmə'deɪʃn/ *s* [*não-contável*] (*USA* **accommodations** [*pl*]) **1** alojamento **2** habitação

accompaniment /ə'kʌmpənimənt/ *s* acompanhamento

⚷ **accompany** /ə'kʌmpəni/ *vt* (*pt, pp* **-ied**) acompanhar

accomplice /ə'kʌmplɪs; *USA* ə'kɒm-/ *s* cúmplice

accomplish /ə'kʌmplɪʃ; *USA* ə'kɒm-/ *vt* levar a cabo

accomplished /ə'kʌmplɪʃt; *USA* ə'kɒm-/ *adj* consumado

accomplishment /ə'kʌmplɪʃmənt; *USA* ə'kɒm-/ *s* **1** realização **2** talento

accord /ə'kɔ:d/ *substantivo, verbo*
▸ *s* acordo LOC **in accord (with sb/sth)** (*formal*) em concordância (com alguém/alguma coisa) ◆ **of your own accord** por vontade própria
▸ (*formal*) **1** *vi* ~ **with sth** concordar com alguma coisa **2** *vt* outorgar, conceder

accordance /ə'kɔ:dns/ *s* LOC **in accordance with sth** (*formal*) de acordo com alguma coisa

accordingly /ə'kɔ:dɪŋli/ *adv* **1** portanto, por conseguinte **2** em consequência: *to act accordingly* agir em consequência

⚷ **according to** *prep* segundo

accordion /ə'kɔ:diən/ *s* acordeão

⚷ **account** /ə'kaʊnt/ *substantivo, verbo*
▸ *s* **1** (*Fin, Econ, Informát*) conta: *current account* conta corrente **2** fatura **3 accounts** [*pl*] contabilidade **4** relato, narração LOC **by/from all accounts** pelo que dizem ◆ **of no account** (*formal*) de nenhuma importância ◆ **on account of sth** por causa de alguma coisa ◆ **on no account**; **not on any account** de modo nenhum, de maneira nenhuma ◆ **on this/that account** (*formal*) por esta/essa razão ◆ **take account of sth/sb**; **take sth/sb into account** ter alguma coisa/alguém em conta
▸ *v* PHR V **account for sth 1** explicar alguma coisa **2** prestar contas de alguma coisa **3** constituir alguma coisa

accountability /əˌkaʊntə'bɪləti/ *s* responsabilidade pela qual há que prestar contas

accountable /ə'kaʊntəbl/ *adj* ~ **(to sb) (for sth)** responsável (perante alguém) (por alguma coisa)

accountancy /ə'kaʊntənsi/ (*USA* **accounting**) *s* contabilidade

accountant /ə'kaʊntənt/ *s* contabilista

accumulate /ə'kjuːmjəleɪt/ *vt, vi* acumular(-se) **accumulation** *s* acumulação

accuracy /'ækjərəsi/ *s* precisão

accurate /'ækjərət/ *adj* exato: *an accurate shot* um tiro certeiro

accusation /ˌækju'zeɪʃn/ *s* acusação

accuse /ə'kjuːz/ *vt* ~ **sb (of sth)** acusar alguém (de alguma coisa): *He was accused of murder.* Foi acusado de homicídio. **the accused** *s* (*pl* **the accused**) o acusado, a acusada **accusingly** *adv*: *to look accusingly at sb* lançar um olhar de acusação a alguém

accustomed /ə'kʌstəmd/ *adj* ~ **to sth** acostumado a alguma coisa: *to become/get/grow accustomed to sth* acostumar-se a alguma coisa

ace /eɪs/ *s* ás

ache /eɪk/ *substantivo, verbo*
- ▸ *s* dor
- ▸ *vi* doer

achieve /ə'tʃiːv/ *vt* **1** (*objetivo, êxito*) atingir **2** (*resultados*) conseguir

achievement /ə'tʃiːvmənt/ *s* realização

aching /'eɪkɪŋ/ *adj* dorido

acid /'æsɪd/ *substantivo, adjetivo*
- ▸ *s* ácido
- ▸ *adj* (*tb* **acidic** /ə'sɪdɪk/) ácido **acidity** /ə'sɪdəti/ *s* acidez

acid rain *s* chuva ácida

acknowledge /ək'nɒlɪdʒ/ *vt* **1** reconhecer, admitir **2** (*carta*) acusar a receção de **acknowledgement** (*tb* **acknowledgment**) *s* **1** reconhecimento **2** notificação de receção **3** agradecimento (*num livro, etc.*)

acne /'ækni/ *s* acne

acorn /'eɪkɔːn/ *s* bolota

acoustic /ə'kuːstɪk/ *adj* acústico

acoustics /ə'kuːstɪks/ *s* [*pl*] acústica

acquaintance /ə'kweɪntəns/ *s* **1** pessoa amiga **2** pessoa conhecida LOC **make sb's acquaintance; make the acquaintance of sb** (*formal*) conhecer alguém (*pela primeira vez*) **acquainted** *adj* (*formal*) familiarizado: *to become/get acquainted with sb* (ficar a) conhecer alguém

acquiesce /ˌækwi'es/ *vi* ~ **(in sth)** (*formal*) dar consentimento (a alguma coisa), aceitar (alguma coisa) **acquiescence** *s* (*formal*) consentimento

acquire /ə'kwaɪə(r)/ *vt* (*formal*) **1** (*conhecimentos, posses*) adquirir **2** (*informação*) obter **3** (*reputação*) adquirir, ganhar **4** tomar posse de, apoderar-se de

acquisition /ˌækwɪ'zɪʃn/ *s* aquisição

acquit /ə'kwɪt/ *vt* (**-tt-**) ~ **sb (of sth)** absolver alguém (de alguma coisa) **acquittal** *s* absolvição

acre /'eɪkə(r)/ *s* acre (*medida agrária*) ➲ *Ver pág. 713*

acrobat /'ækrəbæt/ *s* acrobata

across /ə'krɒs; *USA* ə'krɔːs/ *adv, prep* ℹ Para os usos de **across** em PHRASAL VERBS, ver as entradas para os verbos correspondentes, p. ex. **come across sb/sth** em COME. **1** [*ger traduz-se por um verbo*] de um lado para o outro: *to swim across* atravessar a nado ◇ *to walk across the border* atravessar a fronteira a pé ◇ *to take the path across the fields* ir pelo caminho que atravessa os campos **2** ao outro lado: *We were across in no time.* Chegámos ao outro lado num abrir e fechar de olhos. ◇ *from across the room* do outro lado do quarto **3** sobre, ao longo de: *a bridge across the river* uma ponte sobre o rio ◇ *A branch lay across the path.* Havia um ramo atravessado no caminho. **4** de largura: *The river is half a mile across.* O rio tem meia milha de largura.

acrylic /ə'krɪlɪk/ *adj, s* acrílico

act /ækt/ *substantivo, verbo*
- ▸ *s* **1** ato: *an act of violence/kindness* um ato de violência/bondade **2** (*Teat*) ato **3** número: *a circus act* um número de circo **4** (*Jur*) decreto LOC **get your act together** (*coloq*) organizar-se ◆ **in the act (of doing sth)** no momento de fazer alguma coisa: *He was caught in the act.* Foi apanhado em flagrante. ◆ **put on an act** (*coloq*) fingir
- ▸ **1** *vi* atuar **2** *vi* portar-se **3** *vt* (*Teat*) fazer o papel de LOC *Ver* FOOL

acting /'æktɪŋ/ *substantivo, adjetivo*
- ▸ *s* [*não-contável*] **1** teatro: *She's always loved acting.* Ela sempre gostou de teatro. ◇ *his acting career* a sua carreira como ator **2** atuação: *Her acting was awful.* Desempenhou o seu papel muito mal.
- ▸ *adj* [*só antes de substantivo*] que exerce temporariamente as funções de...: *He was acting chairman at the meeting.* Desempenhou as funções de presidente na reunião.

action /'ækʃn/ *s* **1** ação: *to go into action* entrar em ação **2** [*não-contável*] medidas: *Drastic action is needed.* São necessárias medidas drásticas. **3** ato LOC **in action** em ação ◆ **out of action**: *This machine is out of action.* Esta máquina não funciona. ◆ **put sth into action** pôr alguma coisa em prática ◆ **take action** tomar medidas *Ver tb* COURSE, SPRING

activate /'æktɪveɪt/ *vt* ativar

active /'æktɪv/ *adj* **1** ativo: *to take an active part in sth* participar ativamente em alguma coisa ◇ *to take an active interest in sth* interessar-se vigorosamente por alguma coisa **2** (*vulcão*) em atividade

activity /æk'tɪvəti/ *s* **1** (*pl* **activities**) atividade **2** bulício

actor /'æktə(r)/ *s* ator, atriz ➲ *Ver nota em* ACTRESS

actress /'æktrəs/ *s* atriz ❶ Atualmente muitos preferem o termo **actor** tanto para o feminino como para o masculino.

actual /'æktʃuəl/ *adj* **1** exato: *What were his actual words?* O que é que ele disse exatamente? **2** verdadeiro: *based on actual events* baseado em factos reais **3** propriamente dito: *the actual city centre* o centro propriamente dito ❶ A palavra portuguesa *atual* traduz-se como **current**. LOC **in actual fact** na realidade

actually /'æktʃuəli/ *adv* **1** em realidade, de facto **2** exatamente

> **Actually** usa-se principalmente:
> **para dar ênfase**: *What did she actually say?* O que é que ela disse exatamente? ◇ *You actually met her?* Conheceu-a mesmo? ◇ *He actually expected me to leave.* Ele até esperava que eu me fosse embora.
> **para corrigir um equívoco**: *He's actually very bright.* Na verdade ele é muito inteligente. ◇ *Actually, my name's Sue, not Ann.* A propósito, o meu nome é Sue e não Ann. ➲ *Comparar com* AT PRESENT *em* PRESENT *e* CURRENTLY

acupuncture /'ækjupʌŋktʃə(r)/ *s* acupunctura

acute /ə'kju:t/ *adj* **1** extremo: *acute environmental problems* graves problemas ambientais ◇ *to become more acute* agravar-se **2** agudo: *acute appendicitis* apendicite aguda ◇ *acute angle* ângulo agudo **3** (*remorso*) profundo

AD (*tb* A.D.) /ˌeɪ 'di:/ *abrev de* **anno domini** depois de Cristo

ad /æd/ *s* (*coloq*) anúncio

adamant /'ædəmənt/ *adj* firme, insistente: *He was adamant about staying behind.* Insistiu em ficar.

adapt /ə'dæpt/ *vt, vi* adaptar(-se) **adaptable** *adj* **1** (*pessoa*): *to learn to be adaptable* aprender a adaptar-se **2** (*aparelho, etc.*) adaptável, ajustável **adaptation** /ˌædæp'teɪʃn/ *s* adaptação

adaptor (*tb* **adapter**) /ə'dæptə(r)/ *s* (*Eletrón*) ladrão, adaptador

add /æd/ *vt* **1** acrescentar **2** ~ **A to B**; ~ **A and B together** somar A e B PHR V **add sth on (to sth)** juntar alguma coisa (a alguma coisa) ◆ **add to sth 1** aumentar alguma coisa **2** ampliar alguma coisa ◆ **add up** (*coloq*) fazer sentido: *His story doesn't add up.* A sua explicação não faz sentido. ◆ **add (sth) up** somar (alguma coisa) ◆ **add up to sth** elevar-se a alguma coisa: *The bill adds up to £40.* A conta chega a 40 libras.

adder /'ædə(r)/ *s* víbora

addict /'ædɪkt/ *s* viciado, -a: *drug/TV addict* toxicodependente/teledependente **addicted** /ə'dɪktɪd/ *adj* ~ **(to sth)** dependente (de alguma coisa): *to become addicted to alcohol* tornar-se dependente do álcool **addiction** /ə'dɪkʃn/ *s* dependência: *drug addiction* toxicodependência **addictive** /ə'dɪktɪv/ *adj* que causa dependência

addition /ə'dɪʃn/ *s* **1** adição, aumento **2** aquisição **3** (*Mat*) adição: *Children are taught addition and subtraction.* As crianças aprendem a somar e a subtrair. LOC **in addition** de mais a mais, além do mais ◆ **in addition to sth** para além de alguma coisa

additional /ə'dɪʃənl/ *adj* adicional

additive /'ædətɪv/ *s* aditivo

address *substantivo, verbo*
▸ *s* /ə'dres; *USA* 'ædres/ **1** morada, endereço: *address book* livro de endereços **2** discurso LOC *Ver* FIXED
▸ *vt* /ə'dres/ **1** (*carta*) dirigir **2** (*formal*) dirigir-se a (*uma pessoa*) **3** ~ **(yourself to) sth** (*formal*) fazer frente a alguma coisa

adept /ə'dept/ *adj* perito

adequate /'ædɪkwət/ *adj* **1** adequado **2** suficiente, aceitável

adhere /əd'hɪə(r)/ *vi* (*formal*) aderir PHR V **adhere to sth** (*crença*) perfilhar alguma coisa

adhesive /əd'hi:sɪv/ *adj, s* adesivo

adjacent /ə'dʒeɪsnt/ *adj* adjacente

adjective /'ædʒɪktɪv/ *s* adjetivo

adjoining /ə'dʒɔɪnɪŋ/ *adj* contíguo, imediato, limítrofe

adjourn /ə'dʒɜ:n/ **1** *vt* adiar **2** *vt* (*reunião, sessão*) suspender **3** *vi* fazer uma pausa

adjust /ə'dʒʌst/ **1** *vt* ajustar, arranjar **2** *vt, vi* ~ **(sth/yourself) (to sth)** adaptar alguma coisa/adaptar-se (a alguma coisa) **adjustable** *adj* ajustável **adjustment** *s* **1** ajustamento, retificação **2** adaptação

administer /əd'mɪnɪstə(r)/ *vt* **1** administrar **2** (*organização*) dirigir **3** (*castigo*) aplicar

administration /əd,mɪnɪ'streɪʃn/ *s* administração, direção

administrative /əd'mɪnɪstrətɪv; *USA* -streɪtɪv/ *adj* administrativo

administrator /əd'mɪnɪstreɪtə(r)/ *s* administrador, -ora

admirable /'ædmərəbl/ *adj* admirável

admiral /'ædmərəl/ *s* almirante

admiration /,ædmə'reɪʃn/ *s* admiração

admire /əd'maɪə(r)/ *vt* admirar, elogiar **admirer** *s* admirador, -ora **admiring** *adj* cheio de admiração

admission /əd'mɪʃn/ *s* **1** ~ **(to sth)** entrada, admissão (em alguma coisa) **2** ~ **(to sth)** (*hospital*) ingresso (em alguma coisa) **3** reconhecimento

admit /əd'mɪt/ (**-tt-**) **1** *vt, vi* ~ **(to) sth** (*erro, etc.*) reconhecer alguma coisa **2** *vt, vi* ~ **(to) sth** (*crime*) confessar alguma coisa **3** *vt* ~ **sb/sth (to/into sth)** deixar entrar, admitir, dar ingresso a alguém/alguma coisa (em alguma coisa) **admittedly** *adv*: *Admittedly, it is rather expensive.* Há que reconhecer que é bastante caro.

adolescence /,ædə'lesns/ *s* adolescência

adolescent /,ædə'lesnt/ *adj, s* adolescente

adopt /ə'dɒpt/ *vt* adotar **adopted** *adj* adotivo **adoption** *s* adoção

adore /ə'dɔ:(r)/ *vt* adorar: *I adore cats.* Eu adoro gatos.

adorn /ə'dɔ:n/ *vt* (*formal*) adornar

adrenalin /ə'drenəlɪn/ *s* adrenalina

adrift /ə'drɪft/ *adj* à deriva

adult /'ædʌlt, ə'dʌlt/ *adjetivo, substantivo*
▸ *adj* adulto, maior de idade
▸ *s* adulto, -a

adultery /ə'dʌltəri/ *s* adultério

adulthood /'ædʌlthʊd/ *s* maioridade

advance /əd'vɑ:ns; *USA* əd'væns/ *substantivo, adjetivo, verbo*
▸ *s* **1** avanço **2** (*pagamento*) adiantamento de dinheiro LOC **in advance 1** de antemão **2** com antecedência **3** antecipadamente
▸ *adj* antecipado: *advance warning* aviso prévio
▸ **1** *vi* avançar, fazer progressos **2** *vt* fazer avançar

advanced /əd'vɑ:nst; *USA* əd'vænst/ *adj* avançado

advantage /əd'vɑ:ntɪdʒ; *USA* -'væn-/ *s* **1** vantagem **2** proveito LOC **take advantage of sb/sth** abusar de alguém/alguma coisa ◆ **take advantage of sth 1** aproveitar-se de alguma coisa **2** tirar partido de alguma coisa **advantageous** /,ædvən'teɪdʒəs/ *adj* vantajoso

advent /'ædvent/ *s* **1** vinda **2 Advent** (*Relig*) Advento

adventure /əd'ventʃə(r)/ *s* aventura **adventurer** *s* aventureiro, -a **adventurous** *adj* **1** aventureiro **2** aventuroso **3** ousado

adverb /'ædvɜ:b/ *s* advérbio

adversary /'ædvəsəri; *USA* -seri/ *s* (*pl* **adversaries**) adversário, -a

adverse /'ædvɜ:s/ *adj* **1** adverso **2** (*crítica*) contrário, desfavorável **adversely** *adv* desfavoravelmente

adversity /əd'vɜ:səti/ *s* (*pl* **adversities**) adversidade

advertise /'ædvətaɪz/ **1** *vt* anunciar **2** *vi* fazer publicidade **3** *vi* ~ **for sb/sth** procurar alguém/alguma coisa

advertisement /əd'vɜ:tɪsmənt; *USA* ,ædvər'taɪzmənt/ (*tb* **advert** /'ædvɜ:t/) *s* ~ **(for sb/sth)** anúncio (de alguém/alguma coisa)

advertising /'ædvətaɪzɪŋ/ *s* [*não-contável*] **1** publicidade: *advertising campaign* campanha publicitária **2** anúncios

advice /əd'vaɪs/ *s* [*não-contável*] conselho(s): *a piece of advice* um conselho ◇ *I asked for her advice.* Pedi-lhe um conselho. ◇ *to seek/take legal advice* consultar um advogado ➲ *Ver nota em* CONSELHO

advisable /əd'vaɪzəbl/ *adj* aconselhável

advise /əd'vaɪz/ *vt, vi* **1** aconselhar, recomendar: *to advise sb to do sth* aconselhar alguém a fazer alguma coisa ◇ *You would be well advised to...* Seria prudente... **2** assessorar **adviser** (*tb* **advisor**) *s* conselheiro, -a, assessor, -ora

advisory /əd'vaɪzəri/ *adj* consultivo

advocacy /'ædvəkəsi/ *s* ~ **of sth** (*formal*) apoio a alguma coisa

advocate /'ædvəkeɪt/ *vt* (*formal*) defender a causa de

aerial /'eəriəl/ *substantivo, adjetivo*
▸ *s* (*TV, Rádio*) antena
▸ *adj* aéreo

aerobics /eə'rəʊbɪks/ *s* [*não-contável*] aeróbica

aerodynamic /,eərəʊdaɪ'næmɪk/ *adj* aerodinâmico

aeroplane /'eərəpleɪn/ *s* avião

aerosol /'eərəsɒl; *USA* -sɔ:l/ *s* aerossol

aesthetic /i:s'θetɪk/ (*USA tb* **esthetic** /es'θetɪk/) *adj* estético

affair /ə'feə(r)/ *s* **1** assunto: *the Apito Dourado affair* o caso Apito Dourado ◇ *current affairs* a atualidade **2** acontecimento **3** (*tb* **love affair**) caso (amoroso), namoro: *to have an affair* *with sb* andar envolvido com alguém LOC *Ver* STATE

affect /ə'fekt/ *vt* **1** afetar, influir em **2** comover, emocionar

affection /ə'fekʃn/ *s* carinho, afeição **affectionate** *adj* ~ **(towards sb/sth)** carinhoso (para com alguém/alguma coisa)

affinity /ə'fɪnəti/ *s* (*pl* **affinities**) (*formal*) afinidade

affirm /ə'fɜːm/ *vt* (*formal*) declarar, afirmar categoricamente

afflict /ə'flɪkt/ *vt* (*formal*) atormentar: *to be afflicted with sth* sofrer de alguma coisa

affluence /'æfluəns/ *s* riqueza, opulência

affluent /'æfluənt/ *adj* rico, opulento

afford /ə'fɔːd/ *vt* **1** poder dar-se ao luxo ❶ **Afford** em geral é usado com **can** ou **could**: *Can you afford it?* Tens dinheiro para isso? **2** (*formal*) proporcionar **affordable** *adj* acessível

afield /ə'fiːld/ *adv* LOC **far/further afield** muito longe/mais além: *from as far afield as China* de lugares tão longínquos como a China

afloat /ə'fləʊt/ *adj* **1** a flutuar **2** (*negócio, etc.*): *She fought hard to keep her business afloat.* Ela lutou muito para conseguir manter o negócio.

afraid /ə'freɪd/ *adj* **1 be ~ (of sb/sth)** ter medo (de alguém/alguma coisa) **2 be ~ to do sth** ter medo de fazer alguma coisa **3 be ~ for sb/sth** recear por alguém/alguma coisa LOC **I'm afraid (that...)** lamento dizer que..., sinto muito, mas...: *I'm afraid so/not.* Infelizmente, sim/não.

afresh /ə'freʃ/ *adv* (*formal*) de novo

African /'æfrɪkən/ *adj, s* africano, -a

Afro-Caribbean /ˌæfrəʊ kærɪ'biːən, kə'rɪbiən/ *adj, s* afro-americano, -a

Afro-Caribbean refere-se à população de origem africana na Grã-Bretanha. Nos Estados Unidos diz-se **African American**. A palavra **black** pode ser ofensiva nos Estados Unidos.

after /'ɑːftə(r); *USA* 'æf-/ *preposição, advérbio, conjunção*
▸ *prep* **1** depois de: *after doing your homework* depois de fazeres os deveres ◇ *after lunch* depois do almoço ◇ *the day after tomorrow* depois de amanhã **2** atrás de, após: *time after time* mil/repetidas vezes **3** (*busca*): *They're after me.* Andam atrás de mim. ◇ *What are you after?* De que é que andas à procura? ◇ *She's after a job in advertising.* Está à procura dum trabalho em publicidade. **4** *We named him after you.* Demos-lhe o teu nome. LOC **after all** apesar de tudo, ao fim e ao cabo
▸ *adv* **1** depois: *soon after* pouco depois ◇ *the day after* no dia seguinte **2** atrás de: *She came running after.* Ela veio a correr atrás.
▸ *conj* depois de

aftermath /'ɑːftəmɑːθ; *USA* 'æftərmæθ/ *s* [*ger sing*] consequências: *in the aftermath of the war* após o final da guerra

afternoon /ˌɑːftə'nuːn; *USA* ˌæf-/ *s* tarde: *tomorrow afternoon* amanhã à tarde LOC **good afternoon** boa tarde ➲ *Ver notas em* MORNING *e* TARDE

afterthought /'ɑːftəθɔːt; *USA* 'æf-/ *s* reflexão tardia

afterwards /'ɑːftəwədz; *USA* 'æf-/ (*USA tb* afterward) *adv* depois: *shortly/soon afterwards* pouco depois

again /ə'gen, ə'geɪn/ *adv* outra vez, de novo: *once again* mais uma vez ◇ *never again* nunca mais ◇ *Don't do it again.* Não tornes a fazer isso. LOC **again and again** repetidas vezes ◆ **then/there again** por outro lado *Ver tb* NOW, OVER, TIME, YET

against /ə'genst, ə'geɪnst/ *prep* ❶ Para os usos de **against** em PHRASAL VERBS, ver as entradas para os verbos correspondentes, p. ex. **come up against sth** em COME. contra: *Put the piano against the wall.* Põe o piano contra a parede. ◇ *We were rowing against the current.* Remávamos contra a maré. ◇ *The mountains stood out against the blue sky.* As montanhas sobressaíam no azul do céu.

age /eɪdʒ/ *substantivo, verbo*
▸ *s* **1** idade: *to be six years of age* ter seis anos **2** velhice: *It improves with age.* Melhora com o tempo. **3** época, era **4 ages** [*pl*] (*coloq*) uma eternidade: *It's ages since I saw her.* Há que tempos que não a vejo! LOC **age of consent** idade legal para manter relações sexuais ◆ **come of age** chegar à maioridade ◆ **under age** que não tem ainda a maioridade, menor de idade *Ver tb* LOOK
▸ *vt, vi* (fazer) envelhecer

aged *adjetivo, substantivo*
▸ *adj* /'eɪdʒd/ **1** de... anos de idade: *He died aged 81.* Morreu com a idade de 81 anos. **2** (*formal*) idoso ❶ Neste sentido pronuncia-se /'eɪdʒɪd/.
▸ *s* **the aged** /'eɪdʒɪd/ [*pl*] os idosos

ageing (*tb esp USA* **aging**) /'eɪdʒɪŋ/ *adjetivo, substantivo*
▸ *adj* **1** envelhecido **2** não tão novo
▸ *s* envelhecimento

A

agency /'eɪdʒənsi/ *s* (*pl* **agencies**) agência, organismo

agenda /ə'dʒendə/ *s* ordem do dia
ℹ A palavra **agenda** traduz-se como **diary** [*pl* **diaries**].

agent /'eɪdʒənt/ *s* agente, representante

aggravate /'ægrəveɪt/ *vt* **1** agravar **2** (*coloq*) irritar **aggravating** *adj* irritante **aggravation** *s* **1** agravamento **2** (*coloq*) maçada, chatice

aggression /ə'greʃn/ *s* [*não-contável*] agressão, agressividade: *an act of aggression* uma agressão

aggressive /ə'gresɪv/ *adj* agressivo

agile /'ædʒaɪl; *USA* 'ædʒl/ *adj* ágil **agility** /ə'dʒɪləti/ *s* agilidade

aging = AGEING

agitated /'ædʒɪteɪtɪd/ *adj* agitado: *to get agitated* perturbar-se **agitation** *s* **1** desassossego, inquietação **2** (*Pol*) comício

ago /ə'gəʊ/ *adv* há: *ten years ago* há dez anos ◇ *How long ago did she die?* Há quanto tempo morreu? ◇ *as long ago as 1950* já em 1950

> **Ago** usa-se com o *past simple* e o *past continuous*, mas nunca com o *present perfect*: *She arrived a few minutes ago.* Chegou há uns minutos. Com o *past perfect* usa-se **before** ou **earlier**: *She had arrived two days before.* Tinha chegado dois dias antes.

agonize, -ise /'ægənaɪz/ *vi* ~ **(over/about sth)** martirizar-se (por alguma coisa): *to agonize over a decision* passar muitas aflições para chegar a uma decisão **agonized, -ised** *adj* angustiado **agonizing, -ising** *adj* **1** angustioso, aflitivo **2** (*dor*) torturante

agony /'ægəni/ *s* (*pl* **agonies**) **1** *to be in agony* ter umas dores horríveis **2** (*coloq*): *It was agony.* Foi uma tortura.

agree /ə'gri:/ (*pt, pp* **agreed**) **1** *vi* ~ **(with sb) (about/on sth)** concordar (com alguém) (sobre alguma coisa): *They agreed with me on all the major points.* Concordaram comigo em todos os pontos principais. **2** *vi* ~ **(to sth)** consentir (em alguma coisa), aceder (a alguma coisa): *He agreed to let me go.* Consentiu em deixar-me ir. **3** *vt* acordar: *It was agreed that...* Acordou-se que... **4** *vi* chegar a um acordo **5** *vt* (*relatório, etc.*) aprovar PHR V **not agree with sb** não fazer bem a alguém (*comida, clima*): *The climate didn't agree with him.* O clima não lhe fazia bem. **agreeable** *adj* (*formal*) **1** agradável **2** ~ **(to sth)** favorável (a alguma coisa)

agreement /ə'gri:mənt/ *s* **1** entendimento, acordo **2** convenção, acordo **3** (*Econ*) contrato LOC **in agreement with** de acordo com

agricultural /ˌægrɪ'kʌltʃərəl/ *adj* agrícola

agriculture /'ægrɪkʌltʃə(r)/ *s* agricultura

ah /ɑ:/ *interj* ah!

ahead /ə'hed/ *adv* ℹ Para os usos de **ahead** em PHRASAL VERBS, ver as entradas para os verbos correspondentes, p. ex. **forge ahead** em FORGE. **1** à frente: *She looked (straight) ahead.* Olhou para a frente. **2** próximo: *during the months ahead* durante os próximos meses **3** adiante: *the road ahead* a estrada adiante LOC **be ahead** ter vantagem: *Our team was six points ahead.* A nossa equipa estava seis pontos à frente.

ahead of *prep* **1** mais à frente de: *directly ahead of us* mesmo em frente de nós **2** antes de: *We're a month ahead of schedule.* Temos um avanço de um mês em relação ao planeado. LOC **be/get ahead of sb/sth** passar à frente de alguém/alguma coisa

aid /eɪd/ *substantivo, verbo*
▸ *s* **1** ajuda **2** (*formal*) auxílio: *to come/go to sb's aid* acudir a alguém **3** apoio *Ver tb* FIRST AID LOC **in aid of sb/sth** em benefício de alguém/alguma coisa
▸ *vt* (*formal*) ajudar, facilitar, socorrer

AIDS (*tb* Aids) /eɪdz/ *s* (*abrev de* **acquired immune deficiency syndrome**) sida

ailment /'eɪlmənt/ *s* indisposição, doença

aim /eɪm/ *verbo, substantivo*
▸ **1** *vt, vi* ~ **(sth) (at sb/sth)** (*arma*) apontar a alguém/alguma coisa (com alguma coisa), fazer pontaria **2** *vt* ~ **sth at sb/sth** dirigir alguma coisa contra alguém/alguma coisa: *She aimed a blow at his head.* Dirigiu-lhe um golpe à cabeça. **3** *vt* **be aimed at sb/sth**: *to be aimed at sth/doing sth* ter como objetivo alguma coisa/fazer alguma coisa ◇ *The course is aimed at young people.* O curso destina-se a jovens. **4** *vi* ~ **at/for sth**; ~ **at doing sth** aspirar a alguma coisa, aspirar a fazer alguma coisa **5** *vi* ~ **to do sth** ter a intenção de fazer alguma coisa
▸ *s* **1** objetivo, propósito **2** pontaria LOC **take aim** fazer pontaria

aimless /'eɪmləs/ *adj* sem objetivo **aimlessly** *adv* sem destino

ain't /eɪnt/ (*coloq*) **1** = AM/IS/ARE NOT *Ver* BE **2** = HAS/HAVE NOT *Ver* HAVE ℹ Esta forma não é considerada gramaticalmente correta.

air /eə(r)/ *substantivo, verbo*
▸ *s* ar: *air fares* tarifas aéreas ◇ *air pollution* poluição atmosférica LOC **be on/off the air** (*TV, Rádio*) estar no ar/não ser emitido ◆ **by air** de

avião, por avião, por via aérea ◆ **in the air**: *There's something in the air.* Anda qualquer coisa no ar. ◆ **(up) in the air**: *The plan is still up in the air.* O projeto continua no ar. *Ver tb* BREATH, CLEAR, OPEN, THIN
▸ *vt* **1** arejar **2** (*roupa*) refrescar

air-conditioned /ˈeə kəndɪʃnd/ *adj* com ar condicionado **air conditioning** *s* sistema de ar condicionado

aircraft /ˈeəkrɑːft; *USA* -kræft/ *s* (*pl* **aircraft**) avião, aeronave

airfield /ˈeəfiːld/ *s* aeródromo

air force *s* [*v sing ou pl*] força(s) aérea(s)

air hostess *s* (*GB, antiq*) assistente de bordo

airline /ˈeəlaɪn/ *s* linha aérea, linha de transportes aéreos

airmail /ˈeəmeɪl/ *s* correio aéreo: *by airmail* por via aérea

airplane /ˈeəpleɪn/ *s* (*USA*) avião

airport /ˈeəpɔːt/ *s* aeroporto

air raid *s* ataque aéreo

airtight /ˈeətaɪt/ *adj* hermético

aisle /aɪl/ *s* **1** nave lateral **2** coxia **3** corredor (*do supermercado, avião*)

akin /əˈkɪn/ *adj* ~ **to sth** (*formal*) semelhante a alguma coisa

alarm /əˈlɑːm/ *substantivo, verbo*
▸ *s* **1** alarme: *to raise/sound the alarm* dar sinal de alarme **2** (*tb* **alarm clock**) (relógio) despertador ➲ *Ver ilustração em* RELÓGIO **3** campainha de alarme LOC *Ver* FALSE
▸ *vt* alarmar: *to be/become/get alarmed* assustar-se

alarming /əˈlɑːmɪŋ/ *adj* alarmante

alas /əˈlæs/ *interj* (*antiq*) ai!

albeit /ˌɔːlˈbiːɪt/ *conj* (*formal*) se bem que, embora

album /ˈælbəm/ *s* álbum

alcohol /ˈælkəhɒl; *USA* -hɔːl/ *s* álcool: *alcohol-free* sem álcool

alcoholic /ˌælkəˈhɒlɪk; *USA* -ˈhɔːl-/ *adj, s* alcoólico, -a

ale /eɪl/ *s* cerveja

alert /əˈlɜːt/ *adjetivo, substantivo, verbo*
▸ *adj* ~ **(to sth)** atento (a alguma coisa)
▸ *s* **1** alerta: *to be on the alert* estar alerta **2** aviso: *bomb alert* aviso de bomba
▸ *vt* ~ **sb (to sth)** alertar alguém (para alguma coisa)

A level *s* (*abrev de* **Advanced level**) (*GB*) (*Educ*)

Os **A levels** são exames que os alunos de dezoito anos fazem para terminarem o ensino secundário, e estão divididos em dois níveis. Primeiro, têm de fazer o curso **AS** para passar depois para o curso **A2**. Os dois exames correspondem ao exame final de 12º ano em Portugal, e são precisos para entrar na universidade: *What A levels are you doing/taking?* Que exames de 12º ano é que vais fazer?

algae /ˈældʒiː, ˈælgiː/ *s* [*não-contável ou pl*] **1** limos **2** algas

algebra /ˈældʒɪbrə/ *s* álgebra

alibi /ˈæləbaɪ/ *s* (*pl* **alibis**) álibi

alien /ˈeɪliən/ *adjetivo, substantivo*
▸ *adj* **1** estranho **2** estrangeiro **3** ~ **to sb/sth** (*pej*) contrário a alguém/alguma coisa: *This is totally alien to me.* Sou totalmente alheio a isto.
▸ *s* **1** (*formal*) estrangeiro, -a **2** extraterrestre
alienate *vt* alienar

alight /əˈlaɪt/ *adj* [*nunca antes de substantivo*]: *to be alight* estar a arder LOC **set sth alight** pôr fogo a alguma coisa

align /əˈlaɪn/ **1** *vt, vi* ~ **(sth) (with sth)** alinhar alguma coisa, alinhar-se (com alguma coisa) **2** *vt* ~ **yourself with sb/sth** (*Pol*) aliar-se a alguém/alguma coisa

alike /əˈlaɪk/ *adjetivo, advérbio*
▸ *adj* [*nunca antes de substantivo*] **1** parecido: *to be/look alike* ser parecido **2** igual: *No two are alike.* Não há dois iguais.
▸ *adv* do mesmo modo: *It appeals to young and old alike.* Atrai velhos e novos igualmente. LOC *Ver* GREAT

alive /əˈlaɪv/ *adj* [*nunca antes de substantivo*] **1** vivo, com vida: *to stay alive* sobreviver **2** no mundo: *He's the best player alive.* É o melhor jogador do mundo. ➲ *Comparar com* LIVING LOC **alive and kicking** vivo, bem de saúde e ativo ◆ **keep sth alive 1** (*tradição*) conservar alguma coisa **2** (*recordação*) manter viva alguma coisa ◆ **keep yourself/stay alive** sobreviver

all /ɔːl/ *adjetivo, pronome, advérbio*
▸ *adj* **1** todo: *all four of us* nós quatro **2** *He denied all knowledge of the crime.* Negou todo o conhecimento do crime. LOC **not all that...** não tão... assim: *He doesn't sing all that well.* Ele não canta assim tão bem. ◆ **on all fours** de gatas *Ver tb* FOR
▸ *pron* **1** tudo, todos: *I ate all of it.* Comi tudo. ◇ *All of us liked it.* Gostámos todos. ◇ *Are you all going?* Vão todos? **2** *All I want is...* A única coisa que quero é... LOC **all in all** tomando tudo em conta ◆ **all the more** tanto mais, ainda

mais ◆ **at all**: *if it's at all possible* se de algum modo for possível ◆ **in all** no total ◆ **not at all** **1** não, em absoluto **2** (*resposta*) de nada
▸ *adv* **1** todo, inteiramente: *all in white* todo de branco ◇ *all alone* completamente sozinho **2** muito: *all excited* todo entusiasmado **3** (*Desp*): *The score is two all.* Empatam dois a dois. LOC **all along** todo o tempo ◆ **all but** quase: *It was all but impossible.* Era quase impossível. ◆ **all over** **1** por toda a parte **2** *That's her all over.* Isso é próprio dela. ◆ **all the better** tanto melhor ◆ **all too** demasiado: *I'm all too aware of the problem.* Sei do problema até demais. ◆ **be all for sth** estar totalmente a favor de alguma coisa *Ver tb* NOT

allegation /ˌæləˈgeɪʃn/ *s* acusação (*sem provas*)

allege /əˈledʒ/ *vt* (*formal*) alegar **alleged** *adj* (*formal*) presumido: *He was the alleged criminal.* Era o autor presumido do crime. **allegedly** /əˈledʒɪdli/ *adv* supostamente

allegiance /əˈliːdʒəns/ *s* lealdade

allergic /əˈlɜːdʒɪk/ *adj* ~ **(to sth)** alérgico (a alguma coisa)

allergy /ˈælədʒi/ *s* (*pl* **allergies**) alergia

alleviate /əˈliːvieɪt/ *vt* aliviar **alleviation** *s* alívio

alley /ˈæli/ *s* (*pl* **alleys**) (*tb* **alleyway** /ˈæliweɪ/) beco

alliance /əˈlaɪəns/ *s* aliança

allied /ˈælaɪd/ *adj* **1** (*Pol*) aliado **2** ~ **(to/with sth)** (*formal*) relacionado (com alguma coisa) ❶ Neste sentido também se pronuncia /əˈlaɪd/. *Ver tb* ALLY

alligator /ˈælɪgeɪtə(r)/ *s* jacaré

allocate /ˈæləkeɪt/ *vt* designar: *This house has been allocated to final year students.* Esta casa foi designada para os finalistas. **allocation** *s* atribuição

allot /əˈlɒt/ *vt* (-tt-) ~ **sth (to sb/sth)** atribuir alguma coisa (a alguém/alguma coisa) **allotment** *s* **1** (*formal*) partilha, repartição (*de uma quantia*) **2** (*GB*) parcela de terreno

all-out /ˌɔːl ˈaʊt/ *adjetivo, advérbio*
▸ *adj* [*só antes de substantivo*] total
▸ *adv* **all out** LOC **go all out** empenhar todo o esforço

allow /əˈlaʊ/ *vt* **1** ~ **sb/sth to do sth** deixar alguém/alguma coisa fazer alguma coisa: *Dogs are not allowed.* Entrada proibida a cães.

> **Allow** usa-se tanto no inglês formal como no coloquial. A forma passiva **be allowed to** é muito comum. **Permit** é uma palavra muito formal e usa-se normalmente na linguagem escrita. **Let** é informal e usa-se muito no inglês falado.

2 conceder **3** calcular **4** (*formal*) admitir PHR V **allow for sth** levar alguma coisa em conta **allowable** *adj* admissível, permitido

allowance /əˈlaʊəns/ *s* **1** quantia que se recebe ou se paga com regularidade, mesada **2** subsídio **3** límite permitido/máximo LOC **make allowances (for sb)** desculpar (alguém) (por alguma coisa) ◆ **make allowance(s) for sth** tomar alguma coisa em consideração

alloy /ˈælɔɪ/ *s* liga (metálica)

all right (*tb* **alright**) *adjetivo, advérbio, interjeição*
▸ *adj, adv* **1** bem: *Did you get here all right?* Chegaste bem? **2** (*adequado*): *The food was all right.* A comida não era má. **3** [*uso enfático*]: *That's him all right.* É ele mesmo.
▸ *interj* de acordo

all-round /ˌɔːl ˈraʊnd/ *adj* [*só antes de substantivo*] **1** geral **2** (*pessoa*) versátil

all-time /ˈɔːl taɪm/ *adj* [*só antes de substantivo*] de todos os tempos

ally *verbo, substantivo*
▸ *vt, vi* /əˈlaɪ/ (*pt, pp* **allied**) ~ **(yourself) with sb/sth** aliar-se a alguém/alguma coisa
▸ *s* /ˈælaɪ/ (*pl* **allies**) aliado, -a

almond /ˈɑːmənd/ *s* **1** amêndoa **2** (*tb* **almond tree**) amendoeira

almost /ˈɔːlməʊst/ *adv* quase ➲ *Ver nota em* QUASE

alone /əˈləʊn/ *adj, adv* **1** sozinho: *Are you alone?* Estás sozinha?

> Note que **alone** não se usa antes de um substantivo e é uma palavra neutra, enquanto que **lonely** pode ir antes do substantivo e tem sempre conotações negativas: *I want to be alone.* Quero estar sozinho. ◇ *She was feeling very lonely.* Sentia-se muito só. ◇ *a lonely house* uma casa solitária.

2 só: *You alone can help me.* Só tu me podes ajudar. LOC **leave/let sb/sth alone** deixar alguém/alguma coisa em paz *Ver tb* LET

along /əˈlɒŋ; *USA* əˈlɔːŋ/ *preposição, advérbio* ❶ Para os usos de **along** em PHRASAL VERBS, ver as entradas para os verbos correspondentes, p.ex **come along** em COME.
▸ *prep* por, ao longo de: *a walk along the beach* um passeio pela praia
▸ *adv*

Along emprega-se frequentemente com verbos de movimento em tempos contínuos, quando não se menciona nenhum destino. Normalmente não se traduz em português: *I was driving along.* Ia a conduzir. ◇ *Bring some friends along (with you).* Traz uns amigos contigo.

LOC **along with sb/sth** juntamente com alguém/alguma coisa: *She came along with two other people.* Ela veio com mais duas outras pessoas.

alongside /əˌlɒŋˈsaɪd; *USA* əˌlɔːŋ-/ *prep, adv* ao lado de: *A car drew up alongside ours.* Um carro parou ao lado do nosso.

aloud /əˈlaʊd/ *adv* **1** em voz alta **2** a gritos

alphabet /ˈælfəbet/ *s* alfabeto

alphabetical /ˌælfəˈbetɪkl/ *adj* alfabético: *in alphabetical order* por ordem alfabética

already /ɔːlˈredi/ *adv* já: *We got there at 6.30 but Martin had already left.* Chegámos às 6.30, mas o Martin já se tinha ido embora. ◇ *Have you already eaten?* Já comeste? ◇ *Surely you are not going already!* Não me digas que já te vais embora! ➲ *Ver nota em* YET

alright /ɔːlˈraɪt/ *Ver* ALL RIGHT

also /ˈɔːlsəʊ/ *adv* também, além disso: *I've also met her parents.* Também conheci os pais dela. ◇ *She was also very rich.* Além disso, era muito rica. ➲ *Ver nota em* TAMBÉM

altar /ˈɔːltə(r)/ *s* altar

alter /ˈɔːltə(r)/ **1** *vt, vi* mudar(-se) **2** *vt* (*roupa*) arranjar: *The skirt needs altering.* A saia precisa de arranjos. **alteration** *s* **1** modificação **2** (*roupa*) arranjo

alternate *adjetivo, verbo*
▸ *adj* /ɔːlˈtɜːnət; *USA* ˈɔːltərnət/ alternado
▸ *vt, vi* /ˈɔːltəneɪt/ alternar(-se)

alternative /ɔːlˈtɜːnətɪv/ *substantivo, adjetivo*
▸ *s* alternativa: *She had no alternative but to leave.* Não teve outro remédio senão partir.
▸ *adj* alternativo

although (*tb USA coloq* **altho**) /ɔːlˈðəʊ/ *conj* embora, se bem que

altitude /ˈæltɪtjuːd; *USA* -tuːd/ *s* altitude

altogether /ˌɔːltəˈgeðə(r)/ *adv* **1** completamente: *I don't altogether agree.* Não estou completamente de acordo. **2** ao todo **3** *Altogether, it was disappointing.* Tomando tudo em consideração, desiludiu-me.

aluminium /ˌæljəˈmɪniəm/ (*USA* **aluminum** /əˈluːmɪnəm/) *s* alumínio

always /ˈɔːlweɪz/ *adv* sempre LOC **as always** como sempre

A posição dos advérbios de frequência (**always**, **never**, **ever**, **usually**, etc.) depende do verbo que acompanham, quer dizer, vão depois dos verbos auxiliares e modais (**be**, **have**, **can**, etc.) e antes dos outros verbos: *I have never visited her.* Nunca a visitei. ◇ *I usually go shopping on Mondays.* Normalmente vou às compras às segundas-feiras.

am /əm, æm/ *Ver* BE

a.m. (*USA tb* **A.M.**) /ˌeɪ ˈem/ *abrev* da manhã: *at 11 a.m.* às onze da manhã ➲ *Ver nota em* P.M.

amalgam /əˈmælgəm/ *s* amálgama

amalgamate /əˈmælgəmeɪt/ *vt, vi* unir(-se)

amateur /ˈæmətə(r)/ *substantivo, adjetivo*
▸ *s* amador, -ora
▸ *adj* **1** amador **2** (*freq pej*): *He made an amateur attempt at the job.* Fez o trabalho mal e porcamente.

amaze /əˈmeɪz/ *vt* espantar: *to be amazed at/by sth* ficar espantado com alguma coisa **amazement** *s* espanto

amazing /əˈmeɪzɪŋ/ *adj* espantoso

ambassador /æmˈbæsədə(r)/ *s* embaixador, -ora

amber /ˈæmbə(r)/ *adj, s* âmbar

ambiguity /ˌæmbɪˈgjuːəti/ *s* (*pl* **ambiguities**) ambiguidade

ambiguous /æmˈbɪgjuəs/ *adj* ambíguo

ambition /æmˈbɪʃn/ *s* ambição

ambitious /æmˈbɪʃəs/ *adj* ambicioso

ambulance /ˈæmbjələns/ *s* ambulância

ambush /ˈæmbʊʃ/ *s* emboscada

amen /ɑːˈmen, eɪˈmen/ *interj, s* ámen

amend /əˈmend/ *vt* emendar **amendment** emenda

amends /əˈmendz/ *s* [*pl*] LOC **make amends (to sb) (for sth)** compensar (alguém) (por alguma coisa)

amenity /əˈmiːnəti; *USA* əˈmen-/ *s* (*pl* **amenities**) [*ger pl*] **1** comodidade **2** instalação (*pública*)

American /əˈmerɪkən/ *adj, s* americano, -a

amiable /ˈeɪmiəbl/ *adj* amável

amicable /ˈæmɪkəbl/ *adj* amigável

amid /əˈmɪd/ (*tb* **amidst** /əˈmɪdst/) *prep* (*formal*) entre: *Amid all the confusion, the thieves got away.* No meio de tanta confusão, os ladrões escaparam.

ammunition /ˌæmjuˈnɪʃn/ *s* [*não-contável*] **1** munições: *live ammunition* fogo real **2** (*fig*) argumentos (*para discutir*)

amnesty /ˈæmnəsti/ *s* (*pl* **amnesties**) amnistia

among /əˈmʌŋ/ (*tb* **amongst** /əˈmʌŋst/) *prep* entre (*mais de duas coisas/pessoas*): *I was among the last to leave.* Fui um dos últimos a sair. ➲ *Ver ilustração em* ENTRE

amount /əˈmaʊnt/ *substantivo, verbo*
▸ *s* **1** quantidade **2** (*fatura*) importância **3** (*dinheiro*) soma LOC **any amount (of sth)** uma grande quantidade (de alguma coisa): *any amount of money* todo o dinheiro que quiser
▸ *v* PHR V **amount to sth 1** chegar a alguma coisa: *John will never amount to much.* John nunca chegará a nada. ◇ *Our information doesn't amount to much.* As indicações que temos não são significantes. **2** equivaler a alguma coisa

amphibian /æmˈfɪbiən/ *adj, s* anfíbio

amphitheatre (*USA* **amphitheater**) /ˈæmfɪθɪətə(r); *USA* -θiːə-/ *s* anfiteatro

ample /ˈæmpl/ *adj* **1** abundante **2** (*suficiente*) bastante **3** (*extenso*) amplo

amplifier /ˈæmplɪfaɪə(r)/ *s* amplificador

amplify /ˈæmplɪfaɪ/ *vt* (*pt, pp* **-fied**) **1** ampliar, amplificar **2** (*formal*) (*narração, etc.*) ampliar

amply /ˈæmpli/ *adv* amplamente

amuse /əˈmjuːz/ *vt* **1** divertir: *I'm not amused!* Não acho piada nenhuma! **2** distrair, divertir **amusement** *s* **1** distração **2** atração: *amusement arcade* sala de jogos ◇ *amusement park* parque de diversões **3** divertimento

amusing /əˈmjuːzɪŋ/ *adj* divertido, engraçado, cómico

an *Ver* A

anaemia (*USA* **anemia**) /əˈniːmiə/ *s* anemia **anaemic** (*USA* **anemic**) *adj* anémico

anaesthetic (*USA* **anesthetic**) /ˌænəsˈθetɪk/ *s* anestesia: *to give sb an anaesthetic* anestesiar alguém

analogy /əˈnælədʒi/ *s* (*pl* **analogies**) analogia: *by analogy with sth* por analogia com alguma coisa

analyse (*USA* **analyze**) /ˈænəlaɪz/ *vt* analisar

analysis /əˈnæləsɪs/ *s* (*pl* **analyses** /-siːz/) **1** análise **2** psicanálise LOC **in the final/last analysis** no final de contas

analyst /ˈænəlɪst/ *s* **1** analista **2** psicólogo, -a

analytical /ˌænəˈlɪtɪkl/ *adj* analítico

anarchic /əˈnɑːkɪk/ *adj* anárquico

anarchist /ˈænəkɪst/ *adj, s* anarquista

anarchy /ˈænəki/ *s* anarquia

anatomy /əˈnætəmi/ *s* (*pl* **anatomies**) anatomia

ancestor /ˈænsestə(r)/ *s* antepassado, -a **ancestral** /ænˈsestrəl/ *adj* ancestral: *ancestral home* casa dos antepassados/solar **ancestry** /ˈænsestri/ *s* (*pl* **ancestries**) linhagem

anchor /ˈæŋkə(r)/ *substantivo, verbo*
▸ *s* **1** âncora: *to be at anchor* estar ancorado **2** (*fig*) apoio
▸ *vt, vi* ancorar

anchovy /ˈæntʃəvi; *USA* -tʃəʊvi/ *s* (*pl* **anchovies**) anchova

ancient /ˈeɪnʃənt/ *adj* **1** antigo **2** (*coloq*) velhíssimo

and /ænd, ənd/ *conj* **1** e **2** com: *bread and butter* pão com manteiga **3 go, come, try, etc. and**: *Come and help me.* Anda ajudar-me! **4** [*antes de adjetivo ou advérbio comparativo*]: *bigger and bigger* cada vez maior **5** (*repetição*): *They shouted and shouted.* Gritaram sem parar. ◇ *I've tried and tried.* Já experimentei mil vezes.

anecdote /ˈænɪkdəʊt/ *s* anedota

anemia, anemic (*USA*) = ANAEMIA, ANAEMIC

anesthetic (*USA*) = ANAESTHETIC

angel /ˈeɪndʒl/ *s* anjo: *guardian angel* anjo da guarda

anger /ˈæŋgə(r)/ *substantivo, verbo*
▸ *s* ira
▸ *vt* enfurecer

angle /ˈæŋgl/ *s* **1** ângulo: *right angle* ângulo reto **2** ponto de vista LOC **at an angle** inclinado

angling /ˈæŋglɪŋ/ *s* pesca (à linha)

angrily /ˈæŋgrəli/ *adv* colericamente

angry /ˈæŋgri/ *adj* (**angrier, -iest**) **1** ~ **(at/about sth)**; ~ **(with/at sb)** zangado (por alguma coisa), zangado (com alguém) **2** (*formal*) (*céu*) tormentoso LOC **get angry** zangar-se ◆ **make sb angry** enfurecer alguém

anguish /ˈæŋgwɪʃ/ *s* (*formal*) angústia **anguished** *adj* (*formal*) angustiado

angular /ˈæŋgjələ(r)/ *adj* **1** angular **2** (*feições*) anguloso **3** (*compleição*) ossudo

animal /ˈænɪml/ *s* animal: *animal experiments* experiências com animais

animate *adjetivo, verbo*
▸ *adj* /ˈænɪmət/ (*formal*) animado (*vivo*)
▸ *vt* /ˈænɪmeɪt/ animar

ankle /ˈæŋkl/ *s* tornozelo

anniversary /ˌænɪˈvɜːsəri/ *s* (*pl* **anniversaries**) aniversário

announce /əˈnaʊns/ *vt* anunciar (*tornar alguma coisa pública*) **announcement** *s* proclamação (*em público*): *to make an announcement* comunicar alguma coisa **announcer** *s* (*Rádio, TV*) locutor, -ora

annoy /ə'nɔɪ/ *vt* aborrecer **annoyance** *s* aborrecimento: *much to our annoyance* para nosso aborrecimento

annoyed /ə'nɔɪd/ *adj* ~ **(at/about sth)**; ~ **(with sb)** amuado (com alguma coisa), amuado (com alguém) LOC **get annoyed** amuar-se

annoying /ə'nɔɪɪŋ/ *adj* irritante

annual /'ænjuəl/ *adj* anual

annually /'ænjuəli/ *adv* anualmente

anonymity /ˌænə'nɪməti/ *s* anonimato

anonymous /ə'nɒnɪməs/ *adj* anónimo

anorak /'ænəræk/ *s* **1** anoraque **2** (*GB, coloq*) (*pessoa*) cromo, -a: *He's a real computer anorak.* É um verdadeiro cromo dos computadores.

anorexia /ˌænə'reksiə/ *s* anorexia **anorexic** *adj, s* anoréxico, -a

another /ə'nʌðə(r)/ *adj, pron* outro: *I'll do it another time.* Faço isso noutra ocasião. ◇ *one way or another* de uma maneira ou de outra ◇ *another one* um outro/mais um ◇ *another five* mais cinco ❶ O plural do pronome **another** é **others**. ➲ *Ver tb* ONE ANOTHER *e nota em* OUTRO

answer /'ɑːnsə(r); *USA* 'æn-/ *substantivo, verbo*

▸ *s* **1** resposta: *I phoned, but there was no answer.* Telefonei, mas ninguém atendia. **2** solução **3** (*Mat*) resultado LOC **have/know all the answers** (*coloq, freq pej*) saber tudo ◆ **in answer (to sth)** em resposta (a alguma coisa)

▸ **1** *vt, vi* responder (a): *to answer the door* atender à porta **2** *vt* (*acusação*) responder a **3** *vt* (*preces*) responder a PHR V **answer (sb) back** responder torto (a alguém) ◆ **answer for sb/sth** responder por alguém/alguma coisa ◆ **answer to sb (for sth)** responder perante alguém (por alguma coisa)

answering machine (*tb* **answerphone** /'ɑːnsəfəʊn; *USA* 'æn-/) *s* atendedor de chamadas

ant /ænt/ *s* formiga

antagonism /æn'tægənɪzəm/ *s* antagonismo **antagonistic** /ænˌtægə'nɪstɪk/ *adj* hostil

antenna /æn'tenə/ *s* **1** (*pl* **antennae** /-niː/) (*inseto*) antena **2** (*pl* **antennas** *ou* **antennae**) (*esp USA*) (*TV, Rádio*) antena

anthem /'ænθəm/ *s* hino: *national anthem* hino nacional

anthology /æn'θɒlədʒi/ *s* (*pl* **anthologies**) antologia

anthropological /ˌænθrəpə'lɒdʒɪkl/ *adj* antropológico

anthropologist /ˌænθrə'pɒlədʒɪst/ *s* antropólogo, -a

anthropology /ˌænθrə'pɒlədʒi/ *s* antropologia

antibiotic /ˌæntibaɪ'ɒtɪk/ *adj, s* antibiótico

antibody /'æntibɒdi/ *s* (*pl* **antibodies**) anticorpo

anticipate /æn'tɪsɪpeɪt/ *vt* **1** prever: *as anticipated* de acordo com o previsto ◇ *We anticipate some difficulties.* Prevemos algumas dificuldades. **2** antecipar-se a

anticipation /ænˌtɪsɪ'peɪʃn/ *s* **1** antecipação **2** expectativa

antics /'æntɪks/ *s* [*pl*] palhacices

antidote /'æntidəʊt/ *s* ~ **(for/to sth)** antídoto (contra alguma coisa)

antiquated /'æntɪkweɪtɪd/ *adj* antiquado

antique /æn'tiːk/ *substantivo, adjetivo*

▸ *s* (*objeto*) antiguidade: *antique shop* loja de antiguidades

▸ *adj* antigo (*geralmente de objetos de valor*) **antiquity** /æn'tɪkwəti/ *s* (*pl* **antiquities**) antiguidade (*época*)

antithesis /æn'tɪθəsɪs/ *s* (*pl* **antitheses** /-siːz/) antítese

antler /'æntlə(r)/ *s* **1** haste (*de veado, rena, alce*) **2** **antlers** [*pl*] chifres de veado

anus /'eɪnəs/ *s* (*pl* **anuses**) ânus

anxiety /æŋ'zaɪəti/ *s* (*pl* **anxieties**) **1** inquietação, preocupação **2** (*Med*) ansiedade **3** ~ **for sth/to do sth** ânsia de alguma coisa/fazer alguma coisa

anxious /'æŋkʃəs/ *adj* **1** ~ **(about sth)** preocupado (com alguma coisa): *an anxious moment* um momento de inquietação **2** ~ **for sth/to do sth** ansioso por alguma coisa/por fazer alguma coisa

anxiously /'æŋkʃəsli/ *adv* ansiosamente

any /'eni/ *adjetivo, pronome, advérbio*

▸ *adj, pron* ➲ *Ver nota em* SOME

• **frases interrogativas** **1** *Have you got any cash?* Tens dinheiro? **2** alguma coisa (de): *Do you know any French?* Sabes alguma coisa de francês? **3** algum: *Are there any problems?* Há algum problema? ❶ Neste sentido o substantivo costuma ir no plural em inglês.

• **frases negativas** **1** *He hasn't got any friends.* Não tem amigos. ◇ *There isn't any left.* Não resta nada. ➲ *Ver nota em* NENHUM **2** [*uso enfático*]: *We won't do you any harm.* Não te faremos mal nenhum.

• **orações condicionais** **1** *If I had any relatives…* Se eu tivesse parentes… **2** uma quantidade de: *If he's got any sense, he won't go.* Se tem um mínimo de juízo, não irá. **3** algum: *If you see any mistakes, tell me.* Se vires algum erro, avisa-me. ❶ Neste sentido o substantivo costuma ir no plural em inglês.

Nas orações condicionais pode-se empregar a palavra **some** em vez de **any** em muitos casos: *If you need some help, tell me.* Se precisares de ajuda, avisa-me.

• **frases afirmativas 1** qualquer: *just like any other boy* como qualquer outro rapaz **2** *Take any book you like.* Leva o livro que quiseres. **3** todo: *Give her any help she needs.* Dá-lhe toda a ajuda que ela precisar.

▸ *adv* [*antes de adjetivo ou advérbio comparativo*] mais: *She doesn't work here any longer.* Já não trabalha aqui. ◇ *I can't walk any faster.* Não posso andar mais depressa. ◇ *She doesn't live here any more.* Já não mora aqui.

anyhow /ˈenihaʊ/ *adv* **1** de qualquer maneira, à balda **2** de qualquer modo

any more (*tb* **anymore**) /ˌeniˈmɔː(r)/ *adv* não... mais: *She doesn't live here any more.* Ela não mora mais aqui.

⚷ **anyone** /ˈeniwʌn/ (*tb* **anybody** /ˈenibɒdi/) *pron* **1** alguém: *Is anyone there?* Está aí alguém? **2** [*em frases negativas*] ninguém: *I can't see anyone.* Não vejo ninguém. ➲ *Ver nota em* NOBODY **3** [*em frases afirmativas*]: *Invite anyone you like.* Convida quem quiseres. ◇ *Ask anyone.* Pergunta a qualquer pessoa. **4** [*em orações comparativas*]: *He spoke more than anyone.* Falou mais do que qualquer outra pessoa. ➲ *Ver notas em* EVERYONE *e* SOMEONE

LOC **anyone else 1** qualquer outra pessoa: *Anyone else would have refused.* Qualquer outra pessoa teria recusado. **2** mais alguém *Ver tb* GUESS

anyplace /ˈenipleɪs/ *adv* (*USA*) *Ver* ANYWHERE

⚷ **anything** /ˈeniθɪŋ/ *pron* **1** qualquer coisa, alguma coisa, algo: *Is anything wrong?* Passa-se alguma coisa? ◇ *Is there anything in these rumours?* Existe alguma verdade nestes boatos? **2** [*em frases afirmativas*] qualquer coisa, tudo: *We'll do anything you say.* Faremos tudo o que disseres. **3** [*em frases negativas ou comparativas*] nada: *He never says anything.* Nunca diz nada. ◇ *It was better than anything he'd seen before.* Era melhor do que qualquer coisa que tinha visto antes. ➲ *Ver notas em* NO ONE *e* SOMETHING LOC **anything but**: *It was anything but pleasant.* Foi tudo menos agradável. ◇ *'Are you tired?' 'Anything but.'* —Estás cansado? —Tudo menos isso! ◆ **if anything**: *I'm a pacifist, if anything.* Quando muito, sou pacifista.

⚷ **anyway** /ˈeniweɪ/ *adv* de qualquer modo

⚷ **anywhere** /ˈeniweə(r)/ (*USA tb* **anyplace**) *adv, pron* **1** [*em frases interrogativas*] em/a alguma parte **2** [*em frases afirmativas*]: *I'd live anywhere.* Eu viveria em qualquer sítio. ◇ *anywhere you like* onde quiseres **3** [*em frases negativas*] em/a/por nenhuma parte: *I didn't go anywhere special.* Não fui a nenhum lado especial. ◇ *I haven't got anywhere to stay.* Não tenho onde ficar. ➲ *Ver nota em* NO ONE **4** [*em orações comparativas*]: *more beautiful than anywhere* mais bonito do que qualquer outro sítio ➲ *Ver nota em* SOMEWHERE LOC *Ver* NEAR

⚷ **apart** /əˈpɑːt/ *adv* ❶ Para os usos de **apart** em PHRASAL VERBS, ver as entradas para os verbos correspondentes, p. ex. **fall apart** em FALL.

1 *The two men were five metres apart.* Os dois homens estavam a cinco metros um do outro. ◇ *They are a long way apart.* Estão muito longe um do outro. **2** afastado **3** separado: *They live apart.* Vivem separados. ◇ *I can't pull them apart.* Não consigo separá-los. LOC *Ver* JOKE, POLE

⚷ **apart from** *prep* à parte de: *Apart from that occasion, I never saw him again.* A não ser naquela ocasião, nunca mais o vi.

⚷ **apartment** /əˈpɑːtmənt/ *s* (*esp USA*) apartamento, andar

apathetic /ˌæpəˈθetɪk/ *adj* apático

apathy /ˈæpəθi/ *s* apatia

ape /eɪp/ *substantivo, verbo*

▸ *s* macaco

▸ *vt* (*GB, pej*) imitar, macaquear

apologetic /əˌpɒləˈdʒetɪk/ *adj* de desculpa: *an apologetic look* um olhar de desculpa ◇ *to be apologetic (about sth)* desculpar-se (por alguma coisa)

⚷ **apologize, -ise** /əˈpɒlədʒaɪz/ *vi* ~ **(for sth)** desculpar-se (por alguma coisa)

apology /əˈpɒlədʒi/ *s* (*pl* **apologies**) desculpa LOC **make no apologies/apology (for sth)** não se desculpar (por alguma coisa)

apostle /əˈpɒsl/ *s* apóstolo

apostrophe /əˈpɒstrəfi/ *s* apóstrofe ➲ *Ver pág. 315*

app /æp/ *s* (*coloq*) (*Informát*) aplicação

appal (*USA* **appall**) /əˈpɔːl/ *vt* (**-ll-**) horrorizar: *He was appalled at/by her behaviour.* Ficou horrorizado com o comportamento dela. **appalling** *adj* horrível

apparatus /ˌæpəˈreɪtəs; *USA* -ˈrætəs/ *s* [*não-contável*] aparelho (*num ginásio, laboratório*)

⚷ **apparent** /əˈpærənt/ *adj* **1** evidente: *to become apparent* tornar-se evidente **2** aparente: *for no apparent reason* sem motivo aparente

🔑 **apparently** /ə'pærəntli/ *adv* ao que parece: *Apparently not.* Pelos vistos, não.

🔑 **appeal** /ə'pi:l/ *verbo, substantivo*
▸ *vi* **1** ~ **(to sb) (against sth)** (*sentença*) recorrer (a alguém) (de alguma coisa) **2** ~ **(to sb)** atrair alguém **3** ~ **(to sb) for sth** rogar alguma coisa (a alguém) **4** ~ **to sb to do sth** pedir a alguém que faça alguma coisa **5** apelar
▸ *s* **1** apelo: *an appeal for help* um apelo pedindo ajuda **2** súplica **3** [*não-contável*] atração **4** recurso: *appeal(s) court* Tribunal da Relação **appealing** *adj* **1** atraente: *to look appealing* ter um aspeto sedutor **2** suplicante

🔑 **appear** /ə'pɪə(r)/ *vi* **1** aparecer: *to appear on TV* sair na televisão **2** parecer: *You appear to have made a mistake.* Parece que fizeste um erro. **3** (*acusado*) comparecer

🔑 **appearance** /ə'pɪərəns/ *s* **1** aparência **2** aparição LOC **keep up appearances** manter as aparências

appendicitis /əˌpendə'saɪtɪs/ *s* apendicite

appendix /ə'pendɪks/ *s* (*pl* **appendices** /-si:z/) (*Anat, obra escrita*) apêndice

appetite /'æpɪtaɪt/ *s* **1** apetite: *to give sb an appetite* abrir o apetite a alguém **2** grande desejo LOC *Ver* WHET

applaud /ə'plɔ:d/ *vt, vi* aplaudir **applause** *s* [*não-contável*] aplausos: *a big round of applause* uma salva de palmas

🔑 **apple** /'æpl/ *s* **1** maçã **2** (*tb* **apple tree**) macieira

appliance /ə'plaɪəns/ *s* aparelho: *electrical/kitchen appliances* eletrodomésticos

applicable /'æplɪkəbl, ə'plɪkəbl/ *adj* aplicável

applicant /'æplɪkənt/ *s* ~ **(for sth)** requerente (de alguma coisa), candidato, -a (a alguma coisa)

🔑 **application** /ˌæplɪ'keɪʃn/ *s* **1** ~ **(for sth/to do sth)** requerimento, pedido (de alguma coisa/para fazer alguma coisa): *application form* impresso de requerimento ◇ *job application form* formulário para solicitar um emprego **2** (*Informát*) aplicação

applied /ə'plaɪd/ *adj* aplicado

🔑 **apply** /ə'plaɪ/ (*pt, pp* **applied**) **1** *vt* aplicar **2** *vt* (*força*) exercer: *to apply the brakes* travar **3** *vi* ~ **(for sth)** solicitar alguma coisa, candidatar-se (a alguma coisa) **4** *vi* ~ **(to sb/sth)** ser aplicável (a alguém/alguma coisa): *In this case, the condition does not apply.* Neste caso, não se aplica esta condição. ◇ *This applies to men and women.* Isto diz respeito tanto aos homens como às mulheres. **5** *vt* ~ **yourself (to sth)** aplicar-se (a alguma coisa)

🔑 **appoint** /ə'pɔɪnt/ *vt* **1** ~ **sb (sth/to sth)** nomear alguém (alguma coisa/para alguma coisa) **2** (*formal*) (*hora, lugar*) marcar

🔑 **appointment** /ə'pɔɪntmənt/ *s* **1** encontro marcado, hora marcada (*profissional*): *a doctor's appointment* uma consulta no médico **2** (*ato*) nomeação **3** emprego, posto

appraisal /ə'preɪzl/ *s* avaliação, estimativa

🔑 **appreciate** /ə'pri:ʃieɪt/ **1** *vt* apreciar **2** *vt* (*ajuda*) agradecer **3** *vt* (*problema, etc.*) compreender **4** *vi* encarecer, revalorizar **appreciation** *s* **1** apreciação **2** agradecimento **3** avaliação **appreciative** /ə'pri:ʃətɪv/ *adj* **1** ~ **(of sth)** agradecido (por alguma coisa) **2** (*olhar, comentário*) de admiração **3** (*reação*) agradecido

apprehend /ˌæprɪ'hend/ *vt* (*formal*) deter, capturar

apprehension /ˌæprɪ'henʃn/ *s* apreensão: *filled with apprehension* cheio de apreensões **apprehensive** *adj* apreensivo

apprentice /ə'prentɪs/ *s* **1** aprendiz, -iza: *apprentice plumber* aprendiz de canalizador **2** principiante **apprenticeship** *s* aprendizagem, treino

🔑 **approach** /ə'prəʊtʃ/ *verbo, substantivo*
▸ **1** *vt, vi* aproximar-se (de) **2** *vt* (*para ajuda*) acudir a **3** *vt* (*tema, pessoa*) abordar
▸ *s* **1** chegada **2** aproximação **3** acesso **4** abordagem

appropriate[1] /ə'prəʊprieɪt/ *vt* (*formal*) apropriar-se de

🔑 **appropriate**[2] /ə'prəʊpriət/ *adj* **1** apropriado, adequado **2** (*momento, etc.*) oportuno **appropriately** *adv* apropriadamente, adequadamente

🔑 **approval** /ə'pru:vl/ *s* aprovação, assentimento LOC **on approval** a título de experiência

🔑 **approve** /ə'pru:v/ **1** *vt* aprovar **2** *vi* ~ **(of sth)** estar de acordo (com alguma coisa) **3** *vi* ~ **(of sb)**: *I don't approve of him.* Não tenho uma boa opinião dele.

🔑 **approving** /ə'pru:vɪŋ/ *adj* de aprovação

🔑 **approximate** *adjetivo, verbo*
▸ *adj* /ə'prɒksɪmət/ aproximado
▸ *vt, vi* /ə'prɒksɪmeɪt/ ~ **(to) sth** (*formal*) aproximar-se de alguma coisa

🔑 **approximately** /ə'prɒksɪmətli/ *adv* aproximadamente

apricot /'eɪprɪkɒt/ *s* **1** alperce **2** (*tb* **apricot tree**) alperceiro **3** cor de alperce

A

🔑 **April** /ˈeɪprəl/ *s* (*abrev* **Apr.**) abril: *April Fool's Day* dia das mentiras (1º de abril) ➲ *Ver nota e exemplos em* JANUARY

apron /ˈeɪprən/ *s* avental

apt /æpt/ *adj* adequado, certo LOC **be apt to do sth** tender a fazer alguma coisa

aptitude /ˈæptɪtju:d; *USA* -tu:d/ *s* aptidão

aptly /ˈæptli/ *adv* convenientemente

aquarium /əˈkweəriəm/ *s* (*pl* **aquariums** *ou* **aquaria** /-riə/) aquário

Aquarius /əˈkweəriəs/ *s* Aquário: *My sister is (an) Aquarius.* A minha irmã é Aquário. ◇ *born under Aquarius* que nasceu sob o signo de Aquário

aquatic /əˈkwætɪk/ *adj* aquático

Arab /ˈærəb/ *adj, s* árabe

Arabic /ˈærəbɪk/ *adj, s* (*língua*) árabe

arable /ˈærəbl/ *adj* arável: *arable land* terra arável ◇ *arable farming* agricultura

arbitrary /ˈɑ:bɪtrəri, -tri; *USA* -bətreri/ *adj* **1** arbitrário **2** (*formal*) despótico

arbitrate /ˈɑ:bɪtreɪt/ *vt, vi* arbitrar **arbitration** *s* arbitragem

arc /ɑ:k/ *s* arco

arcade /ɑ:ˈkeɪd/ *s* arcada: *amusement arcade* sala de jogos

arch /ɑ:tʃ/ *substantivo, verbo*
▸ *s* (*Arquit*) arco
▸ *vt, vi* arquear(-se)

archaeological (*USA* **archeological**) /ˌɑ:kiəˈlɒdʒɪkl/ *adj* arqueológico

archaeologist (*USA* **archeologist**) /ˌɑ:kiˈɒlədʒɪst/ *s* arqueólogo, -a

archaeology (*USA* **archeology**) /ˌɑ:kiˈɒlədʒi/ *s* arqueologia

archaic /ɑ:ˈkeɪɪk/ *adj* arcaico

archbishop /ˌɑ:tʃˈbɪʃəp/ *s* arcebispo

archer /ˈɑ:tʃə(r)/ *s* arqueiro, -a **archery** *s* tiro ao arco

architect /ˈɑ:kɪtekt/ *s* arquiteto, -a

architectural /ˌɑ:kɪˈtektʃərəl/ *adj* arquitetônico

architecture /ˈɑ:kɪtektʃə(r)/ *s* arquitetura

archive /ˈɑ:kaɪv/ *s* arquivo (*histórico*)

archway /ˈɑ:tʃweɪ/ *s* arco (*arquitectónico*)

ardent /ˈɑ:dnt/ *adj* (*formal*) fervoroso, entusiasta

ardour (*USA* **ardor**) /ˈɑ:də(r)/ *s* (*formal*) fervor, ardor

arduous /ˈɑ:djuəs; *USA* -dʒu-/ *adj* árduo

are /ə(r), ɑ:(r)/ *Ver* BE

🔑 **area** /ˈeəriə/ *s* **1** (*Geog*) zona, região: *area manager* diretor regional **2** superfície **3** (*de atividade, etc.*) área **4** (*de uso específico*) zona, recinto **5 the area** (*Futebol*) grande área

arena /əˈri:nə/ *s* **1** (*Desp*) estádio **2** (*circo*) pista **3** (*formal*) âmbito

aren't /ɑ:nt/ = ARE NOT *Ver* BE

arguable /ˈɑ:gjuəbl/ *adj* (*formal*) **1** *It is arguable that...* Podemos afirmar que... **2** discutível **arguably** *adv* provavelmente

🔑 **argue** /ˈɑ:gju:/ **1** *vi* ~ **(about/over sth)** discutir (sobre alguma coisa) **2** *vt, vi* argumentar: *to argue for/against sth* sustentar com argumentos a favor de/contra alguma coisa

🔑 **argument** /ˈɑ:gjumənt/ *s* **1** discussão: *to have an argument* discutir ➲ *Comparar com* DISCUSSION, ROW² **2** ~ **(for/against sth)** argumento (a favor de/contra alguma coisa)

arid /ˈærɪd/ *adj* árido

Aries /ˈeəri:z/ *s* Áries, Carneiro ➲ *Ver exemplos em* AQUARIUS

🔑 **arise** /əˈraɪz/ *vi* (*pt* **arose** /əˈrəʊz/, *pp* **arisen** /əˈrɪzn/) **1** (*problema, oportunidade, etc.*) surgir, aparecer: *should the need arise* se fosse preciso **2** (*questão, etc.*) levantar **3** (*tempestade*) levantar-se **4** (*antiq*) levantar-se

aristocracy /ˌærɪˈstɒkrəsi/ *s* (*pl* **aristocracies**) [*v sing ou pl*] aristocracia

aristocrat /ˈærɪstəkræt; *USA* əˈrɪstəkræt/ *s* aristocrata **aristocratic** /ˌærɪstəˈkrætɪk; *USA* əˌrɪstəˈkrætɪk/ *adj* aristocrático

arithmetic /əˈrɪθmətɪk/ *s* aritmética: *mental arithmetic* cálculo mental

ark /ɑ:k/ *s* arca

arm

arm in arm

arms crossed / folded

🔑 **arm** /ɑ:m/ *substantivo, verbo*

▸ *s* **1** braço: *I've broken my arm.* Parti o braço. ❶ Note que em inglês as partes do corpo são normalmente precedidas por um adjetivo

possessivo (*my, your, her, etc.*) **2** (*camisa*) manga *Ver tb* ARMS LOC **arm in arm (with sb)** de braço dado *Ver tb* CHANCE, FOLD
▸ *vt, vi* armar(-se): *to arm yourself with sth* armar-se com alguma coisa

armament /ˈɑːməmənt/ *s* [*ger pl*] armamento: *armaments factory* fábrica de armamento

armchair /ɑːmˈtʃeə(r)/ *s* poltrona, cadeira de braços

🔑 **armed** /ɑːmd/ *adj* armado: *armed robbery* assalto à mão armada

armed forces *s* forças armadas

armistice /ˈɑːmɪstɪs/ *s* armistício

armour (*USA* **armor**) /ˈɑːmə(r)/ *s* [*não-contável*] **1** armadura: *a suit of armour* armadura completa **2** blindagem LOC *Ver* CHINK **armoured** (*USA* **armored**) *adj* **1** (*veículo*) blindado **2** (*barco*) blindado

armpit /ˈɑːmpɪt/ *s* axila, sovaco

🔑 **arms** /ɑːmz/ *s* [*pl*] **1** armas: *arms race* corrida ao armamento **2** escudo (de armas) LOC **up in arms (about/over sth)** em pé de guerra (por alguma coisa)

🔑 **army** /ˈɑːmi/ *s* (*pl* **armies**) [*v sing ou pl*] exército

arose *pt de* ARISE

🔑 **around** /əˈraʊnd/ *advérbio, preposição* ❶ Para os usos de **around** em PHRASAL VERBS, ver as entradas para os verbos correspondentes, p.ex. **sit around** em SIT.
▸ *adv* **1** mais ou menos: *around 200 people* mais ou menos 200 pessoas **2** por volta de: *around 1850* por volta do ano de 1850 ➲ *Ver nota em* ABOUT **3** à sua volta: *to look around* olhar à sua volta **4** por aqui e por ali: *I've been dashing around all morning.* Passei a manhã inteira a correr de um lado para o outro. **5** por aqui: *There are few good teachers around.* Não há muitos bons professores por aqui.
▸ *prep* **1** por: *to travel around the world* viajar por todo o mundo **2** à volta de: *sitting around the table* sentados à volta da mesa

arouse /əˈraʊz/ *vt* **1** suscitar **2** excitar (sexualmente) **3** ~ **sb (from sth)** (*formal*) despertar alguém (de alguma coisa)

🔑 **arrange** /əˈreɪndʒ/ **1** *vt* arranjar, arrumar **2** *vt* pôr em ordem **3** *vt* (*evento, finanças, etc.*) organizar **4** *vi* ~ **for sb to do sth** certificar-se de que alguém faça alguma coisa **5** *vi* ~ **to do sth/that...** combinar fazer alguma coisa/que... **6** *vt* (*Mús*) arranjar

🔑 **arrangement** /əˈreɪndʒmənt/ *s* **1** disposição **2** arranjo **3** acordo **4 arrangements** [*pl*] preparativos

🔑 **arrest** /əˈrest/ *verbo, substantivo*
▸ *vt* (*criminoso*) deter
▸ *s* **1** detenção: *to be under arrest* estar/ficar detido ◇ *to put sb under arrest* deter alguém **2** *cardiac arrest* paragem cardíaca

🔑 **arrival** /əˈraɪvl/ *s* **1** chegada **2** (*pessoa*): *new/recent arrivals* recém-chegados

🔑 **arrive** /əˈraɪv/ *vi* **1** chegar

> **Arrive in** ou **arrive at**? **Arrive in** emprega-se quando se chega a um país ou a uma localidade: *When did you arrive in England?* Quando é que chegaste a Inglaterra? **Arrive at** usa-se quando seguido de lugares específicos como um edifício, uma estação, etc.: *We'll phone you as soon as we arrive at the airport.* Telefonamos-lhes assim que chegarmos ao aeroporto. O uso de **at** antes do nome de uma localidade implica que se considera essa localidade como um ponto num itinerário. Note que "chegar a casa" diz-se *arrive home* ou *get home* (*mais coloq*).

2 (*coloq*) (*êxito*) chegar ao topo

arrogance /ˈærəgəns/ *s* arrogância

arrogant /ˈærəgənt/ *adj* arrogante

🔑 **arrow** /ˈærəʊ/ *s* seta

arson /ˈɑːsn/ *s* [*não-contável*] fogo posto

🔑 **art** /ɑːt/ *s* **1** [*não-contável*] arte: *a work of art* uma obra de arte *Ver tb* FINE ART **2** [*não-contável*] (*matéria escolar*) artes plásticas **3 the arts** [*pl*] as artes: *the Arts Minister* o ministro da Cultura **4 arts** [*pl*] (*disciplina*) letras: *Bachelor of Arts* Bacharelado (num curso de Letras) **5** manha

artery /ˈɑːtəri/ *s* (*pl* **arteries**) artéria

arthritic /ɑːˈθrɪtɪk/ *adj, s* artrítico, -a

arthritis /ɑːˈθraɪtɪs/ *s* [*não-contável*] artrite

artichoke /ˈɑːtɪtʃəʊk/ *s* alcachofra

🔑 **article** /ˈɑːtɪkl/ *s* **1** artigo: *definite/indefinite article* artigo definido/indefinido **2** (*formal*): *articles of clothing* artigos de roupa

articulate *adjetivo, verbo*
▸ *adj* /ɑːˈtɪkjələt/ capaz de exprimir-se com clareza
▸ *vt, vi* /ɑːˈtɪkjuleɪt/ (*formal*) articular: *articulated lorry* camião articulado

🔑 **artificial** /ˌɑːtɪˈfɪʃl/ *adj* artificial

artillery /ɑːˈtɪləri/ *s* artilharia

artisan /ˌɑːtɪˈzæn; *USA* ˈɑːrtəzn/ *s* artífice
❶ A tradução normal de *artesão* é **craftsman** ou **craftswoman**.

🔑 **artist** /ˈɑːtɪst/ *s* artista

🔑 **artistic** /ɑːˈtɪstɪk/ *adj* artístico

artwork /'ɑːtwɜːk/ *s* **1** [*não-contável*] material gráfico (*numa publicação*) **2** obra de arte

as /əz, æz/ *preposição, advérbio, conjunção*

▸ *prep* **1** (*na qualidade de*) como: *Treat me as a friend.* Trata-me como um amigo. ◇ *You can use that plate as an ashtray.* Usa este prato como cinzeiro.

Note que para comparações e exemplos usamos **like**: *a car like yours* um carro como o teu ◇ *Romantic poets, like Byron, Shelley, etc.* poetas românticos (tais) como Byron, Shelley, etc.

2 (*com profissões*) como: *to work as a waiter* trabalhar como empregado de mesa **3** (*quando alguém é/era*) em: *as a child* em pequeno

▸ *adv* **as... as** tão... como: *She is as tall as me/as I am.* É tão alta como eu. ◇ *as soon as possible* o mais cedo possível ◇ *I earn as much as her/as she does.* Ganho tanto como ela.

▸ *conj* **1** enquanto: *I watched her as she combed her hair.* Olhei para ela enquanto se penteava. **2** como: *as you weren't there...* como não estavas lá... ◇ *as you can see* como podes ver **3** tal como: *Leave it as you find it.* Deixa-o tal como o encontrares. LOC **as for sb/sth** quanto a alguém/alguma coisa ◆ **as from**; **as of**: *as from/of 12 May* a partir do dia 12 de maio ◆ **as if**; **as though** como se: *as if nothing had happened* como se não tivesse acontecido nada ◆ **as it is** nestas circunstâncias ◆ **as many 1** tantos: *We no longer have as many members.* Já não temos tantos sócios. **2** igual número: *four jobs in as many months* quatro empregos em igual número de meses ◆ **as many again/more** outros tantos ◆ **as many as 1** tantos como: *I didn't win as many as him.* Não ganhei tantos como ele. **2** até: *as many as ten people* até dez pessoas **3** *You ate three times as many as I did.* Comeste três vezes mais do que eu. ◆ **as many... as** tantos...como ◆ **as much 1** tanto: *I don't have as much as you.* Não tenho tanto como tu. **2** *I thought as much.* Foi o que eu pensei. ◆ **as much again** outro tanto ◆ **as to sth**; **as regards sth** quanto a alguma coisa *Ver tb* YET

asap /ˌeɪ es eɪ 'piː/ *abrev de* **as soon as possible** o mais rápido possível

asbestos /æs'bestəs/ *s* amianto

ascend /ə'send/ (*formal*) **1** *vi* ascender **2** *vt* (*escadas, trono*) subir

ascendancy /ə'sendənsi/ *s* ~ **(over sb/sth)** (*formal*) supremacia (sobre alguém/alguma coisa)

ascent /ə'sent/ *s* subida, ascensão

ascertain /ˌæsə'teɪn/ *vt* (*formal*) comprovar

ascribe /ə'skraɪb/ *vt* ~ **sth to sb/sth** (*formal*) atribuir alguma coisa a alguém/alguma coisa

ash /æʃ/ *s* **1** cinza **2** (*tb* ash tree) freixo

ashamed /ə'ʃeɪmd/ *adj* ~ **(of sb/sth)** envergonhado (de alguém/alguma coisa) LOC **be ashamed to do sth** ter vergonha de fazer alguma coisa

ashore /ə'ʃɔː(r)/ *adv, prep* para/em terra: *to go ashore* desembarcar

ashtray /'æʃtreɪ/ *s* cinzeiro

Ash Wednesday *s* Quarta-feira de Cinzas

Asian American /ˌeɪʒn ə'merɪkən/ *adj, s* americano,-a descendente de asiáticos

aside /ə'saɪd/ *advérbio, substantivo*

▸ *adv* ❶ Para os usos de **aside** em PHRASAL VERBS, ver as entradas para os verbos correspondentes, p. ex. **put sth aside** em PUT. **1** a um lado **2** de reserva

▸ *s* aparte (*Teatro*)

aside from *prep* (*esp USA*) à parte

ask /ɑːsk; *USA* æsk/ **1** *vt, vi* ~ **(sb) (sth)** perguntar (alguma coisa) (a alguém): *to ask a question* fazer uma pergunta ◇ *to ask about sth* perguntar por alguma coisa **2** *vt, vi* ~ **(sb) for sth** pedir alguma coisa (a alguém) **3** *vt* ~ **sb to do sth** pedir a alguém para fazer alguma coisa **4** *vt* ~ **sb (to sth)** convidar alguém (para alguma coisa) LOC **be asking for trouble/it** (*coloq*) arranjar sarilhos ◆ **don't ask me!** (*coloq*) sei lá! ◆ **for the asking** é só pedir: *The job is yours for the asking.* O emprego é teu, é só pedir. PHR V **ask after sb** perguntar como está alguém ◆ **ask for sb** perguntar por alguém (*para o ver/falar*) ◆ **ask sb out** pedir a alguém para sair contigo (como par) ◆ **ask sb round** convidar alguém (a tua casa)

asleep /ə'sliːp/ *adj* adormecido: *to fall asleep* adormecer ◇ *fast/sound asleep* a sono solto

Note que **asleep** não se usa antes de um substantivo e portanto, para traduzir "um menino adormecido" teríamos que dizer *a sleeping baby.*

asparagus /ə'spærəgəs/ *s* [*não-contável*] espargo

aspect /'æspekt/ *s* **1** (*duma situação, etc.*) aspeto **2** (*formal*) (*Arquit*) orientação

asphalt /'æsfælt; *USA* -fɔːlt/ *s* asfalto

asphyxiate /əs'fɪksieɪt/ *vt* asfixiar

aspiration /ˌæspə'reɪʃn/ *s* aspiração

aspire /ə'spaɪə(r)/ *vi* ~ **to sth** aspirar a alguma coisa: *aspiring musicians* aspirantes a músicos

aspirin /'æsprɪn, 'æspərɪn/ *s* aspirina

ass /æs/ *s* **1** asno **2** (*coloq*) (*idiota*) burro, -a

assailant /ə'seɪlənt/ *s* (*formal*) agressor, -ora, assaltante

assassin /ə'sæsɪn; *USA* -sn/ *s* assassino, -a **assassinate** *vt* assassinar **assassination** *s* assassínio ➲ *Ver nota em* ASSASSINAR

assault /ə'sɔːlt/ *verbo, substantivo*
▸ *vt* agredir
▸ *s* **1** agressão **2** ~ **(on sb/sth)** ataque (contra alguém/alguma coisa)

assemble /ə'sembl/ **1** *vt, vi* reunir(-se) **2** *vt* (*máquina, móvel, etc.*) montar

assembly /ə'sembli/ *s* (*pl* **assemblies**) **1** assembleia **2** (*escola*) reunião (de todos os alunos e professores) **3** montagem: *assembly line* linha de montagem

assert /ə'sɜːt/ *vt* **1** afirmar **2** (*direitos, etc.*) fazer valer **3** ~ **yourself** impor-se **assertion** *s* afirmação

assertive /ə'sɜːtɪv/ *adj* resoluto, senhor de si, que se faz valer

assess /ə'ses/ *vt* (*propriedade, impostos, etc.*) avaliar **assessment** *s* avaliação **assessor** *s* avaliador, -ora

asset /'æset/ *s* **1** vantagem: *to be an asset to sb/sth* ser de grande valor para alguém/alguma coisa **2 assets** [*pl*] (*Fin*) bens, ativo

assign /ə'saɪn/ *vt* **1** ~ **sth to sb**; ~ **(sb) sth** designar alguma coisa (para alguém) **2** ~ **sb (to sth)** nomear alguém (para alguma coisa)

assignment /ə'saɪnmənt/ *s* **1** (*na escola*) trabalho **2** missão

assimilate /ə'sɪməleɪt/ **1** *vt* assimilar **2** *vi* ~ **into sth** assimilar-se a alguma coisa

⚷ **assist** /ə'sɪst/ *vt, vi* (*formal*) ajudar, assistir: *A man is assisting the police with their enquiries.* Um homem está a prestar declarações à Polícia.

⚷ **assistance** /ə'sɪstəns/ *s* (*formal*) **1** ajuda **2** auxílio

⚷ **assistant** /ə'sɪstənt/ *s* **1** ajudante **2** *Ver* SHOP ASSISTANT **3** *the assistant manager* o subdirector

⚷ **associate** *substantivo, verbo*
▸ *s* /ə'səʊʃiət/ sócio, -a
▸ /ə'səʊʃieɪt, -sieɪt/ **1** *vt* ~ **sb/sth with sb/sth** relacionar alguém/alguma coisa com alguém/alguma coisa **2** *vi* ~ **with sb** conviver com alguém

⚷ **association** /əˌsəʊʃi'eɪʃn, -si'eɪʃn/ *s* **1** associação **2** implicação

assorted /ə'sɔːtɪd/ *adj* **1** variado **2** (*bolachas, etc.*) sortido

assortment /ə'sɔːtmənt/ *s* variedade, sortido

⚷ **assume** /ə'sjuːm; *USA* ə'suːm/ *vt* **1** supor **2** tomar como certo **3** (*formal*) (*expressão, comando*) assumir **4** (*formal*) (*significado*) adquirir

assumption /ə'sʌmpʃn/ *s* **1** suposição **2** (*formal*) (*de poder, etc.*) tomada

assurance /ə'ʃʊərəns, ə'ʃɔːr-/ *s* **1** garantia **2** autoconfiança

⚷ **assure** /ə'ʃʊə(r), ə'ʃɔː(r)/ *vt* **1** garantir **2** ~ **sb of sth** prometer alguma coisa a alguém **3** ~ **sb of sth** convencer alguém de alguma coisa **4** ~ **yourself that…** certificar-se de que… **assured** *adj* certo, seguro de si: *Success seemed assured.* O sucesso parecia garantido. LOC **be assured of sth** ter a certeza de alguma coisa

asterisk /'æstərɪsk/ *s* asterisco

asthma /'æsmə; *USA* 'æzmə/ *s* asma **asthmatic** /æs'mætɪk; *USA* æz'm-/ *adj, s* asmático, -a

astonish /ə'stɒnɪʃ/ *vt* espantar **astonished** *adj* **1** assombrado: *to be astonished at/by sth* estar/ficar muito admirado com alguma coisa **2** (*cara*) de assombro **astonishing** *adj* admirável **astonishingly** *adv* incrivelmente **astonishment** *s* assombro

astound /ə'staʊnd/ *vt* deixar atónito: *We were astounded to find him playing chess with his dog.* Ficámos atónitos ao encontrá-lo a jogar xadrez com o cão. **astounding** *adj* incrível

astray /ə'streɪ/ *adv* LOC **go astray** extraviar-se, perder-se

astride /ə'straɪd/ *prep, adv* escarranchado (em)

astrology /ə'strɒlədʒi/ *s* astrologia

astronaut /'æstrənɔːt/ *s* astronauta

astronomer /ə'strɒnəmə(r)/ *s* astrónomo, -a

astronomical /ˌæstrə'nɒmɪkl/ *adj* astronómico

astronomy /ə'strɒnəmi/ *s* astronomia

astute /ə'stjuːt; *USA* ə'stuːt/ *adj* astuto

asylum /ə'saɪləm/ *s* **1** asilo: *asylum seekers* refugiados políticos **2** (*tb* **lunatic asylum**) (*antiq*) manicómio

⚷ **at** /æt, ət/ *prep* **1** (*posição*) em: *at home* em casa ◇ *at the door* à porta ◇ *at the top* no cimo ➲ *Ver nota em* EM **2** (*tempo*): *at 3.35* às 3.35 ◇ *at dawn* ao amanhecer ◇ *at times* às vezes ◇ *at night* à noite ◇ *at Christmas* no Natal ◇ *at the moment* neste momento/atualmente **3** (*preço, frequência, velocidade*) a: *at 70kph* a 70km/h ◇ *at full volume* a todo volume ◇ *two at a time* dois a dois **4** (*para, em direção a*): *to stare at sb* olhar fixamente para alguém **5** (*reação*): *surprised at sth* surpreendido com alguma coisa ◇ *At this, she fainted.* Naquele instante, ela desmaiou. **6** (*atividade*) em: *She's at work.* Está no trabalho. ◇ *to be at war* estar em guerra ◇ *children at play* crianças a brincar

ate *pt de* EAT

atheism /'eɪθiɪzəm/ *s* ateismo **atheist** *s* ateu, ateia

athlete /'æθliːt/ *s* atleta

athletic /æθ'letɪk/ *adj* atlético

athletics /æθ'letɪks/ *s* [*não-contável*] atletismo

atlas /'ætləs/ *s* **1** atlas **2** (*de estradas*) mapa

ATM /ˌeɪ tiː 'em/ *s* (*abrev de* **automated teller machine**) (caixa) multibanco

atmosphere /'ætməsfɪə(r)/ *s* **1** atmosfera **2** ambiente

atom /'ætəm/ *s* **1** átomo **2** (*fig*) minúcia

atomic /ə'tɒmɪk/ *adj* atómico: *atomic weapons* armas nucleares

atrocious /ə'trəʊʃəs/ *adj* **1** atroz **2** péssimo **atrocity** /ə'trɒsəti/ *s* (*pl* **atrocities**) atrocidade

attach /ə'tætʃ/ *vt* **1** atar **2** unir **3** (*documentos*) anexar, juntar **4** (*fig*): *to attach importance/value to sth* dar importância/valor a alguma coisa

attached /ə'tætʃt/ *adj*: *to be attached to sb/sth* estar apegado a alguém/alguma coisa LOC *Ver* STRING

attachment /ə'tætʃmənt/ *s* **1** acessório **2** ~ **(to sth)** apego (a alguma coisa) **3** (*Informát*) anexo

attack /ə'tæk/ *substantivo, verbo*
▸ *s* ~ **(on sb/sth)** ataque (contra alguém/alguma coisa)
▸ *vt, vi* atacar **attacker** *s* agressor, -ora

attain /ə'teɪn/ *vt* conseguir **attainment** *s* (*formal*) êxito

attempt /ə'tempt/ *verbo, substantivo*
▸ *vt* tentar: *to attempt to do sth* tentar fazer alguma coisa
▸ *s* **1** ~ **(at doing sth)**; ~ **(to do sth)** tentativa (de fazer alguma coisa) **2** atentado

attempted /ə'temptɪd/ *adj*: *attempted robbery/murder* tentativa de roubo/homicídio

attend /ə'tend/ *vt, vi* assistir (a): *to attend school* ir à escola PHR V **attend to sb/sth** ocupar-se, tratar de alguém/alguma coisa

attendance *s* assistência: *Attendance at the event was poor.* Houve pouca assistência no espetáculo. LOC **in attendance** (*formal*) de serviço

attendant /ə'tendənt/ *s* auxiliar, empregado, -a *Ver tb* FLIGHT ATTENDANT

attention /ə'tenʃn/ *substantivo, interjeição*
▸ *s* atenção: *for the attention of...* para a atenção de... LOC *Ver* PAY
▸ *interj* sentido!

attentive /ə'tentɪv/ *adj* atento

attic /'ætɪk/ *s* sótão, águas-furtadas

attitude /'ætɪtjuːd; *USA* -tuːd/ *s* ~ **(to/towards sb/sth)** atitude (com alguém/para com alguma coisa)

attorney /ə'tɜːni/ *s* (*pl* **attorneys**) **1** (*esp USA*) advogado, -a **2** apoderado, procurador, -ora

Attorney General *s* **1** (*GB*) assessor, -ora legal do governo **2** (*USA*) procurador, -ora geral

attract /ə'trækt/ *vt* **1** atrair **2** (*atenção*) chamar

attraction /ə'trækʃn/ *s* **1** atração **2** atrativo

attractive /ə'træktɪv/ *adj* **1** (*pessoa*) atraente **2** (*salário, etc.*) atrativo

attribute *substantivo, verbo*
▸ *s* /'ætrɪbjuːt/ atributo
▸ *vt* /ə'trɪbjuːt/ ~ **sth to sb/sth** atribuir alguma coisa a alguém/alguma coisa

aubergine /'əʊbəʒiːn/ *s* beringela

auction /'ɔːkʃn/ *substantivo, verbo*
▸ *s* leilão
▸ *vt* leiloar **auctioneer** /ˌɔːkʃə'nɪə(r)/ *s* leiloeiro, -a

audible /'ɔːdəbl/ *adj* audível

audience /'ɔːdiəns/ *s* **1** [*v sing ou pl*] (*teatro, etc.*) público **2** [*v sing ou pl*] (*TV*) audiência **3** ~ **(with sb)** audiência (com alguém)

audio /'ɔːdiəʊ/ *adj* (de) áudio: *audio equipment* aparelho de som

audit /'ɔːdɪt/ *substantivo, verbo*
▸ *s* fiscalização de contas
▸ *vt* fiscalizar (*contas*)

audition /ɔː'dɪʃn/ *substantivo, verbo*
▸ *s* teste de audição
▸ *vi* ~ **(for sth)** participar num teste de audição (para alguma coisa)

auditor /'ɔːdɪtə(r)/ *s* auditor, -ora, fiscal de contas

auditorium /ˌɔːdɪ'tɔːriəm/ *s* (*pl* **auditoriums** *ou* **auditoria** /-riə/) auditório

August /'ɔːgəst/ *s* (*abrev* **Aug.**) agosto ➲ *Ver nota e exemplos em* JANUARY

aunt /ɑ:nt; *USA* ænt/ *s* tia: *Aunt Louise* a tia Louise ◇ *my aunt and uncle* os meus tios **auntie** (*tb* **aunty**) *s* (*coloq*) titi

au pair /ˌəʊ 'peə(r)/ *s* au pair

Aussie /'ɒzi; *USA* 'ɔ:zi/ *adj, s* (*coloq*) australiano, -a

austere /ɒ'stɪə(r), ɔ:'s-/ *adj* austero **austerity** /ɒ'sterəti, ɔ:'s-/ *s* austeridade

authentic /ɔ:'θentɪk/ *adj* autêntico

authenticity /ˌɔ:θen'tɪsəti/ *s* autenticidade

author /'ɔ:θə(r)/ *s* autor, -ora

authoritarian /ɔ:ˌθɒrɪ'teəriən; *USA* ɔ:ˌθɔ:rə't-/ *adj, s* autoritário, -a

authoritative /ɔ:'θɒrətətɪv; *USA* ə'θɔ:rəteɪtɪv/ *adj* **1** (*livro, fonte, etc.*) de grande autoridade **2** (*voz, etc.*) autoritário

authority /ɔ:'θɒrəti; *USA* ə'θɔ:r-/ *s* (*pl* **authorities**) autoridade LOC **have sth on good authority** saber alguma coisa de fonte segura

authorization, -isation /ˌɔ:θəraɪ'zeɪʃn; *USA* -rə'z-/ *s* autorização

authorize, -ise /'ɔ:θəraɪz/ *vt* autorizar

autobiographical /ˌɔ:təˌbaɪə'græfɪkl/ *adj* autobiográfico

autobiography /ˌɔ:təbaɪ'ɒgrəfi/ *s* (*pl* **autobiographies**) autobiografia

autograph /'ɔ:təgrɑ:f; *USA* -græf/ *substantivo, verbo*
▸ *s* autógrafo
▸ *vt* autografar

automate /'ɔ:təmeɪt/ *vt* automatizar

automatic /ˌɔ:tə'mætɪk/ *adjetivo, substantivo*
▸ *adj* automático
▸ *s* **1** arma automática **2** carro automático

automatically /ˌɔ:tə'mætɪkli/ *adv* automaticamente

automation /ˌɔ:tə'meɪʃn/ *s* automatização

automobile /'ɔ:təməbi:l/ *s* (*USA*) automóvel

autonomous /ɔ:'tɒnəməs/ *adj* autónomo **autonomy** *s* autonomia

autopsy /'ɔ:tɒpsi/ *s* (*pl* **autopsies**) autópsia

autumn /'ɔ:təm/ *s* outono

auxiliary /ɔ:g'zɪliəri/ *adj, s* (*pl* **auxiliaries**) auxiliar

avail /ə'veɪl/ *s* LOC **to little/no avail** em vão

availability /əˌveɪlə'bɪləti/ *s* disponibilidade

available /ə'veɪləbl/ *adj* disponível

avalanche /'ævəlɑ:nʃ; *USA* -læntʃ/ *s* avalanche

avant-garde /ˌævɒ̃ 'gɑ:d/ *adj, s* (de) vanguarda

avenue /'ævənju:; *USA* -nu:/ *s* **1** (*abrev* **Ave.**, **Av.**) avenida ➲ *Ver nota em* ROAD **2** (*fig*) caminho

average /'ævərɪdʒ/ *substantivo, adjetivo, verbo*
▸ *s* médio: *on average* em média
▸ *adj* **1** médio: *average earnings* o salário médio **2** comum: *the average man* o homem comum **3** medíocre
▸ *vt* ter uma média de PHR V **average out (at sth)**: *It averages out at 10%.* Fica a uma média de 10%.

aversion /ə'vɜ:ʃn/ *s* aversão

avert /ə'vɜ:t/ *vt* **1** (*crise, etc.*) evitar **2** (*olhar*) afastar

aviation /ˌeɪvi'eɪʃn/ *s* aviação

avid /'ævɪd/ *adj* ávido

avocado /ˌævə'kɑ:dəʊ/ *s* (*pl* **avocados**) abacate

avoid /ə'vɔɪd/ *vt* **1** ~ **sb/sth/doing sth** evitar alguém/alguma coisa/fazer alguma coisa: *She avoided going.* Evitou ir. **2** (*responsabilidade, etc.*) fugir de, esquivar

await /ə'weɪt/ *vt* (*formal*) **1** estar na expectativa de **2** aguardar: *A surprise awaited us.* Aguardava-nos uma surpresa.

awake /ə'weɪk/ *adjetivo, verbo*
▸ *adj* [*nunca antes de substantivo*] desperto, acordado
▸ *vt, vi* (*pt* **awoke** /ə'wəʊk/, *pp* **awoken** /ə'wəʊkən/) (*formal*) despertar, acordar ❶ Os verbos **awake** e **awaken** só se empregam na linguagem formal ou literária. A expressão normal é **wake (sb) up**.

awaken /ə'weɪkən/ *vt, vi* (*formal*) despertar(-se) ➲ *Ver nota em* AWAKE PHR V **awaken to sth** (*perigo, etc.*) dar-se conta de alguma coisa ◆ **awaken sb to sth** (*perigo, etc.*) avisar alguém de alguma coisa

award /ə'wɔ:d/ *verbo, substantivo*
▸ *vt* (*prémio, etc.*) conceder
▸ *s* prémio, galardão

aware /ə'weə(r)/ *adj* ~ **(of sth)** ciente (de alguma coisa): *to become aware of sth* ficar a saber de alguma coisa LOC **as far as I am aware** que eu saiba ◆ **make sb aware of sth** informar alguém de alguma coisa **awareness** *s* consciência, conhecimento

away /ə'weɪ/ *adv* ❶ Para os usos de **away** em PHRASAL VERBS, ver as entradas para os verbos correspondentes, p. ex. **die away** em DIE.
1 (*indicando distância*): *The hotel is two kilometres away.* O hotel fica a dois quilómetros. ◇ *It's a long way away.* Fica muito longe.

É comum utilizar-se **away** com verbos de movimento, ou para indicar que uma ação é realizada de forma contínua. Geralmente não é traduzido para o português: *He limped away.* Foi-se embora a coxear. ◇ *I was working away all night.* Passei a noite inteira a trabalhar.

2 completamente: *The snow had melted away.* A neve tinha-se derretido toda. **3** (*Desp*) fora (de casa): *an away win* uma vitória fora de casa LOC *Ver* RIGHT

awe /ɔː/ *s* temor LOC **be/stand in awe of sb** sentir-se intimidado por alguém **awesome** *adj* **1** medonho **2** (*esp USA, coloq*) espetacular

awful /ˈɔːfl/ *adj* **1** (*coloq*) horroroso **2** (*coloq*) [*uso enfático*]: *an awful lot of money* imenso dinheiro **3** (*acidente, etc.*) terrível

awfully /ˈɔːfli/ *adv* terrivelmente: *I'm awfully sorry.* Peço imensas desculpas.

awkward /ˈɔːkwəd/ *adj* **1** (*momento, etc.*) inoportuno **2** (*sensação*) incómodo **3** (*situação*) embaraçoso **4** (*pessoa*) difícil **5** (*movimento*) desajeitado

awoke, awoken *pt, pp de* AWAKE

axe (*USA* **ax**) /æks/ *substantivo, verbo*
▸ *s* machado LOC **have an axe to grind** ter um interesse particular em alguma coisa, não dar ponto sem nó
▸ *vt* **1** (*serviço, etc.*) cortar **2** despedir

axis /ˈæksɪs/ *s* (*pl* **axes** /ˈæksiːz/) eixo

axle /ˈæksl/ *s* eixo (*de rodas*)

aye /aɪ/ *interj, s* (*antiq*) sim: *The ayes have it.* Ganharam os sins. ❶ **Aye** é corrente na Escócia e no Norte da Inglaterra.

B b

B, b /biː/ *s* (*pl* **Bs, B's, b's**) **1** B, b ➲ *Ver nota em* A, A **2** (*Mús*) si

babble /ˈbæbl/ *substantivo, verbo*
▸ *s* **1** (*vozes*) algaravia **2** (*bebé*) balbúcie
▸ *vt, vi* balbuciar

babe /beɪb/ *s* (*coloq*) boneca (*rapariga*)

baby /ˈbeɪbi/ *s* (*pl* **babies**) **1** bebé: *a newborn baby* um recém-nascido ◇ *a baby girl* uma menina **2** (*animal*) cria **3** (*esp USA, calão*) amorzinho

babysit /ˈbeɪbisɪt/ *vi* (*pt, pp* **babysat** *part pres* **babysitting**) tomar conta de uma criança

babysitter *s* baby-sitter, pessoa paga que toma conta de crianças na ausência dos pais ➲ *Comparar com* CHILDMINDER, NANNY

bachelor /ˈbætʃələ(r)/ *s* solteiro: *a bachelor flat* um apartamento de solteiro ➲ *Comparar com* SPINSTER

back /bæk/ *substantivo, adjetivo, advérbio, verbo*
▸ *s* **1** parte de trás **2** dorso **3** parte posterior, verso **4** costas: *to lie on your back* estar deitado de costas para baixo/de barriga para o ar **5** (*cadeira*) espaldar **6** (*Desp*) defesa LOC **at/in the back of your mind** no subconsciente ◆ **back to back** costas a costas ◆ **back to front** de trás para diante, às avessas ➲ *Ver ilustração em* CONTRÁRIO ◆ **be glad, etc. to see the back of sb/sth** estar feliz por se ver livre de alguém/alguma coisa ◆ **be on sb's back** (*coloq*) andar atrás de alguém ◆ **behind sb's back** nas costas de alguém ➲ *Comparar com* TO SB'S FACE *em* FACE ◆ **get/put sb's back up** (*coloq*) fazer alguém perder a paciência ◆ **have your back to the wall** (*coloq*) estar entre a espada e a parede ◆ **turn your back on sb/sth** virar-se as costas a alguém/alguma coisa *Ver tb* KNOW, PAT
▸ *adj* **1** traseiro: *the back door* a porta traseira ◇ *on the back page* no verso da página **2** (*número de revista*) atrasado LOC **by/through the back door** pela porta de trás
▸ *adv* ❶ Para os usos de **back** em PHRASAL VERBS, ver as entradas para os verbos correspondentes, p. ex. **go back** em GO. **1** (*movimento, posição*) para trás: *Stand well back.* Afastem-se. ◇ *a mile back* uma milha mais para trás **2** (*regresso, repetição*) de volta: *They are back in power.* Estão no poder de novo. ◇ *on the way back* ao voltar ◇ *to go there and back* ir e voltar **3** (*tempo*) naqueles tempos: *back in the seventies* nos anos setenta ◇ *a few years back* alguns anos atrás/há alguns anos **4** (*reciprocidade*): *He smiled back (at her).* Ele devolveu-lhe o sorriso. LOC **go, etc. back and forth** ir e vir *Ver tb* OWN
▸ **1** *vt, vi* fazer marcha-atrás, recuar: *She backed the car out of the garage.* Ela tirou o carro da garagem de marcha-atrás. **2** *vt* apoiar **3** *vt* financiar **4** *vt* apostar em
PHR V **back away (from sb/sth)** retroceder (diante de alguém/alguma coisa) ◆ **back down** (*USA tb* **back off**) desistir ◆ **back onto sth**: *Our house backs on to the river.* As traseiras da nossa casa dão para o rio. ◆ **back out (of sth)** (*acordo, etc.*) desistir (de alguma coisa) ◆ **back sth up** (*Informát*) fazer uma cópia de segurança de alguma coisa

backache /ˈbækeɪk/ *s* dor de costas

backbone /ˈbækbəʊn/ *s* **1** coluna vertebral **2** força, firmeza

backdrop /ˈbækdrɒp/ (*tb* **backcloth** /ˈbækklɒθ; *USA* -klɔːθ/) *s* pano de fundo

backfire /ˌbækˈfaɪə(r)/ *vi* **1** (*carro*) produzir rateres **2** ~ **(on sb)** (*fig*) sair o tiro pela culatra (a alguém)

background /ˈbækgraʊnd/ *s* **1** fundo: *background music* música ambiente **2** contexto **3** classe social, educação, formação

backing /ˈbækɪŋ/ *s* **1** reforço, apoio **2** (*Mús*) acompanhamento

backlash /ˈbæklæʃ/ *s* [*sing*] reação violenta

backlog /ˈbæklɒg; *USA* -lɔːg/ *s* trabalho em atraso: *a huge backlog (of work)* imenso trabalho em atraso

backpack /ˈbækpæk/ *substantivo, verbo*
▸ *s* mochila ➲ *Ver ilustração em* LUGGAGE
▸ *vi* **go backpacking** viajar com mochila **backpacker** *s* pessoa que viaja de mochila às costas

back seat *s* (*carro*) assento traseiro LOC **take a back seat** passar para um segundo plano

backside /ˈbæksaɪd/ *s* traseiro

backslash /ˈbækslæʃ/ *s* barra invertida ➲ *Comparar com* SLASH *e ver pág. 315*

backstage /ˌbækˈsteɪdʒ/ *adv* nos bastidores

backstroke /ˈbækstrəʊk/ *s* nado de costas: *to do (the) backstroke* nadar de costas

backup /ˈbækʌp/ *s* **1** reforço, assistência **2** (*Informát*) cópia de segurança

backward /ˈbækwəd/ *adj* **1** para trás: *a backward glance* uma olhadela para trás **2** atrasado

backwards /ˈbækwədz/ (*tb esp USA* **backward**) *adv* **1** para trás **2** de costas: *He fell backwards.* Caiu de costas. **3** (*USA*) de trás para diante, às avessas ➲ *Ver ilustração em* CONTRÁRIO LOC **backward(s) and forward(s)** de um lado para o outro, para trás e para a frente

backyard /ˌbækˈjɑːd/ *s* **1** (*GB*) quintal, pátio traseiro **2** (*USA*) traseiras (*da casa*)

bacon /ˈbeɪkən/ *s* bacon

bacteria /bækˈtɪəriə/ *s* [*pl*] bactérias

bad /bæd/ *adj* (*comp* **worse** /wɜːs/, *superl* **worst** /wɜːst/) **1** mau: *It's bad for your health.* Faz mal à saúde. ◇ *This film's not bad.* Este filme não é mau. **2** (*erro, acidente, etc.*) grave **3** (*dor de cabeça, etc.*) forte LOC **be bad at sth**: *I'm bad at maths.* Sou mau em matemática. ◆ **too bad** (*coloq*) **1** uma pena: *It's too bad you can't come.* É uma pena não poderes vir. **2** (*irónico*) pior para ti! ❶ Para outras expressões com **bad**, ver as entradas para o substantivo, adjetivo, etc., p.ex. **be in sb's bad books** em BOOK.

bade *pt de* BID

badge /bædʒ/ *s* **1** emblema, chapa **2** (*formal*) (*fig*) símbolo

badger /ˈbædʒə(r)/ *s* texugo

bad language *s* [*não-contável*] palavrões, palavras grosseiras

badly /ˈbædli/ *adv* (*comp* **worse** /wɜːs/, *superl* **worst** /wɜːst/) **1** mal: *It's badly made.* Está malfeito. **2** [*uso enfático*]: *The house was badly damaged.* A casa ficou muito danificada. **3** (*necessitar, etc.*) com urgência LOC **(not) be badly off** (não) estar em más circunstâncias (financeiras)

badminton /ˈbædmɪntən/ *s* badminton

bad-tempered /ˌbæd ˈtempəd/ *adj* mal-humorado

baffle /ˈbæfl/ *vt* **1** confundir **2** frustrar

baffling /ˈbæflɪŋ/ *adj* desconcertante

bag /bæg/ *s* saco: *plastic bag* saco de plástico ◇ *school bag* mochila ◇ *paper bag* cartucho ➲ *Ver ilustração em* CONTAINER *Ver tb* CARRIER BAG LOC **bags of sth** (*GB, coloq*) aos montões: *He's got bags of money.* Tem dinheiro aos montões. ◆ **be in the bag** (*coloq*) estar no papo, estar garantido *Ver tb* LET, PACK

bagel /ˈbeɪgl/ *s* bagel (*pão em forma de dónut*) ➲ *Ver ilustração em* PÃO

baggage /ˈbægɪdʒ/ *s* bagagem: *baggage reclaim* recolha de bagagem

baggy /ˈbægi/ *adj* (*roupas*) largo

bagpipes /ˈbægpaɪps/ (*tb* **pipes**) *s* [*pl*] gaita de foles **bagpipe** *adj*: *bagpipe music* música de gaita de foles

baguette /bæˈget/ *s* baguete ➲ *Ver ilustração em* PÃO

bail /beɪl/ *s* [*não-contável*] fiança, caução, liberdade sob caução: *He was granted bail.* Concederam-lhe liberdade sob fiança.

bailiff /ˈbeɪlɪf/ *s* **1** (*GB*) oficial de diligências **2** (*USA*) oficial de justiça

bait /beɪt/ *s* isca

bake /beɪk/ *vt, vi* **1** (*pão, bolo*) fazer(-se): *a baking tin* uma forma (para cozer) **2** (*batatas*) assar(-se)

baked beans *s* [*pl*] feijão em molho de tomate

baker /ˈbeɪkə(r)/ *s* **1** padeiro, -a **2** **baker's** padaria ➲ *Ver nota em* TALHO **bakery** *s* (*pl* **bakeries**) padaria

balance /ˈbæləns/ *substantivo, verbo*
▸ *s* **1** equilíbrio: *to lose your balance* perder o equilíbrio **2** (*Fin*) saldo, balanço **3** (*instrumento*) balança LOC **catch/throw sb off balance**

apanhar alguém desprevenido ◆ **on balance** bem vistas as coisas
▸ **1** *vi* ~ **(on sth)** manter o equilíbrio (sobre alguma coisa) **2** *vt* ~ **sth (on sth)** manter alguma coisa em equilíbrio (sobre alguma coisa) **3** *vt* equilibrar **4** *vt* compensar, contrapesar **5** *vt, vi* (*contas*) (fazer) equilibrar

balcony /'bælkəni/ *s* (*pl* **balconies**) **1** varanda **2** (*teatro*) balcão

bald /bɔːld/ *adj* calvo

⚷ **ball** /bɔːl/ *s* **1** (*Desp*) bola **2** esfera, novelo **3** baile LOC **(be) on the ball** (estar) a par ◆ **have a ball** (*coloq*) gozar à brava ◆ **get/set/start the ball rolling** (*conversa, atividade*) começar

ballad /'bæləd/ *s* balada, romance (em versos)

ballet /'bæleɪ/ *s* ballet: *ballet dancer* bailarino

balloon /bə'luːn/ *s* balão

ballot /'bælət/ *s* votação

ballot box *s* urna (*eleitoral*)

ballpoint /'bɔːlpɔɪnt/ (*tb* **ballpoint pen**) *s* (caneta) esferográfica

ballroom /'bɔːlruːm, -rʊm/ *s* salão de baile: *ballroom dancing* baile de salão

bamboo /ˌbæm'buː/ *s* bambu

⚷ **ban** /bæn/ *verbo, substantivo*
▸ *vt* (**-nn-**) proibir: *to ban sb from doing sth* proibir alguém de fazer alguma coisa
▸ *s* ~ **(on sth)** proibição (de alguma coisa)

banana /bə'nɑːnə; *USA* bə'nænə/ *s* banana: *banana skin* casca de banana

⚷ **band** /bænd/ *s* **1** (*Mús, Rádio*) banda: *a jazz band* um grupo de jazz **2** (*de ladrões, etc.*) quadrilha **3** faixa, fita **4** (*em tarifas*) escalão (de tributação), escala

⚷ **bandage** /'bændɪdʒ/ *substantivo, verbo*
▸ *s* ligadura
▸ *vt* vendar

Band-Aid® /'bænd eɪd/ *s* (*esp USA*) penso rápido, adesivo

bandwagon /'bændwægən/ *s* LOC **climb/jump on the bandwagon** (*coloq*) ir na onda

bang /bæŋ/ *verbo, substantivo, advérbio, interjeição*
▸ **1** *vt, vi* ~ **(on) sth** dar uma pancada em alguma coisa: *He banged his fist on the table.* Deu um murro na mesa. ◇ *I banged the box down on the floor.* Atirei com a caixa para o chão. ◇ *to bang on the door* dar murros na porta **2** *vt, vi* (*porta, etc.*) bater (com) **3** *vt* ~ **your head, etc. (against/on sth)** dar com a cabeça, etc. (em alguma coisa) **3** *vi* ~ **into sth** ir contra alguma coisa
▸ *s* **1** estrondo, pancada **2** estalido **3 bangs** [*pl*] (*USA*) franja
▸ *adv* (*esp GB, coloq*) justo, exato, completamente: *bang on time* na hora justa ◇ *bang up to date* completamente atualizado LOC **bang goes sth** (*GB, coloq*) acabar-se alguma coisa ◆ **go bang** (*coloq*) explodir
▸ *interj* pum!

banger /'bæŋə(r)/ *s* (*GB, coloq*) **1** salsicha **2** petardo **3** (*carro*) calhambeque

banish /'bænɪʃ/ *vt* desterrar

banister /'bænɪstə(r)/ *s* balaústre, corrimão

⚷ **bank** /bæŋk/ *substantivo, verbo*
▸ *s* **1** banco: *bank manager* gerente de banco ◇ *bank statement* extrato de conta bancária ◇ *bank account* conta bancária ◇ *bank balance* saldo bancário *Ver tb* BOTTLE BANK **2** margem (*de rio, lago, etc.*) ➲ *Comparar com* SHORE LOC *Ver* BREAK
▸ **1** *vt* (*dinheiro*) depositar (no banco) **2** *vi* ter uma conta: *Who do you bank with?* Qual é o teu banco? PHR V **bank on sb/sth** depositar esperanças em alguém/alguma coisa **banker** *s* banqueiro, -a

bank holiday *s* feriado

> Na Grã-Bretanha há oito feriados em que os bancos fecham por lei. Normalmente são à segunda-feira, de forma que se tem um final de semana prolongado, chamado **bank holiday weekend**: *We're coming back on Bank Holiday Monday.* Vamos regressar no feriado de segunda-feira.

bankrupt /'bæŋkrʌpt/ *adj* falido LOC **go bankrupt** falir **bankruptcy** *s* (*pl* **bankruptcies**) falência, bancarrota, quebra

banner /'bænə(r)/ *s* **1** pendão, estandarte **2** (*Internet*): *banner ads* banners

banning /'bænɪŋ/ *s* [*não-contável*] proibição

banquet /'bæŋkwɪt/ *s* banquete

bap /bæp/ *s* bola (*de pão*)

baptism /'bæptɪzəm/ *s* batismo, batizado **baptist** *adj, s* batista (*igreja protestante*) **baptize, -ise** /bæp'taɪz/ *vt* batizar

⚷ **bar** /bɑː(r)/ *substantivo, verbo, preposição*
▸ *s* **1** bar **2** balcão (*no bar*) **3** (*de chocolate*) tablete **4** (*de sabão*) barra, sabonete **5** (*Mús*) compasso **6** impedimento **7** (*Futebol*) barra LOC **behind bars** (*coloq*) entre grades
▸ *vt* (**-rr-**) ~ **sb from doing sth** proibir alguém de fazer alguma coisa LOC **bar the way** impedir a passagem
▸ *prep* exceto

barbarian /bɑː'beəriən/ *s* bárbaro, -a (*Hist*) **barbaric** /bɑː'bærɪk/ *adj* bárbaro (*cruel*)

barbecue /'bɑːbɪkjuː/ (*tb* **BBQ**) *s* churrasco

barbed wire /ˌbɑːbd ˈwaɪə(r)/ *s* [*não-contável*] arame farpado

barber /ˈbɑːbə(r)/ *s* **1** barbeiro, -a **2 barber's** (*USA* **barbershop** /ˈbɑːbəʃɒp/) barbearia ➲ *Ver nota em* TALHO

bar chart (*tb* **bar graph**) *s* gráfico de barras

bar code *s* código de barras

bare /beə(r)/ *adj* (**barer**, **-est**) **1** despido ➲ *Ver nota em* NAKED **2** descoberto **3** *bare floors* chãos sem carpete ◇ *a room bare of furniture* um quarto sem móveis **4** mínimo: *the bare essentials* o mínimo

barefoot /ˈbeəfʊt/ *adv* descalço

barely /ˈbeəli/ *adv* apenas, mal: *He can barely write.* Ele mal sabe escrever. ◇ *I could barely hear her with all that noise around.* Mal a podia ouvir com todo aquele barulho à volta.

⚷ **bargain** /ˈbɑːgən/ *substantivo, verbo*
▸ *s* **1** ajuste **2** pechincha: *bargain prices* preços de pechincha LOC **into the bargain** (*USA tb* **in the bargain**) ainda por cima *Ver tb* DRIVE
▸ *vi* **1** negociar **2** regatear PHR V **bargain for/on sth** (*coloq*) esperar alguma coisa: *He got more than he bargained for.* Teve mais do que o que esperava. **bargaining** *s* [*não-contável*] **1** negociação: *pay bargaining* negociações salariais **2** regateio

barge /bɑːdʒ/ *s* barca

baritone /ˈbærɪtəʊn/ *s* barítono

bark /bɑːk/ *substantivo, verbo*
▸ *s* **1** casca (*de árvore*) **2** latido
▸ **1** *vi* ladrar **2** *vt, vi* (*pessoa*) gritar, berrar **barking** *s* [*não-contável*] latidos

barley /ˈbɑːli/ *s* cevada

barmaid /ˈbɑːmeɪd/ *s* empregada de bar, barmaid

barman /ˈbɑːmən/ *s* (*pl* **-men** /-mən/) empregado de bar, barman

barn /bɑːn/ *s* celeiro

barometer /bəˈrɒmɪtə(r)/ *s* barómetro

baron /ˈbærən/ *s* barão

baroness /ˈbærənəs; *USA* ˌbærəˈnes/ *s* baronesa

barracks /ˈbærəks/ *s* (*pl* **barracks**) [*v sing ou pl*] quartel

barrel /ˈbærəl/ *s* **1** barril, tonel **2** cano

barren /ˈbærən/ *adj* árido, infrutífero (*terra, etc.*)

barricade /ˌbærɪˈkeɪd/ *substantivo, verbo*
▸ *s* barricada
▸ *vt* bloquear (com uma barricada) PHR V **barricade yourself in** entrincheirar-se (colocando barricadas)

⚷ **barrier** /ˈbæriə(r)/ *s* barreira

barrister /ˈbærɪstə(r)/ *s* advogado, -a ➲ *Ver nota em* ADVOGADO

barrow /ˈbærəʊ/ *s* carrinho de mão

bartender /ˈbɑːtendə(r)/ *s* (*USA*) empregado, -a de bar, barman

⚷ **base** /beɪs/ *substantivo, verbo*
▸ *s* base
▸ *vt* **1** basear **2 be based in/at...** ter a sua base em...

baseball /ˈbeɪsbɔːl/ *s* basebol

basement /ˈbeɪsmənt/ *s* cave

bash /bæʃ/ *verbo, substantivo*
▸ (*coloq*) **1** *vt, vi* bater com toda a força **2** *vt* ~ **your head, elbow, etc. (against/on/into sth)** dar com a cabeça, o cotovelo, etc. (em alguma coisa)
▸ *s* (*coloq*) pancada LOC **have a bash (at sth)** (*GB, coloq*) experimentar fazer alguma coisa

⚷ **basic** /ˈbeɪsɪk/ *adj* **1** fundamental **2** básico **3** elementar

⚷ **basically** /ˈbeɪsɪkli/ *adv* basicamente

basics /ˈbeɪsɪks/ *s* [*pl*] o essencial, a base

basil /ˈbæzl; *USA* ˈbeɪzl/ *s* manjericão

basin /ˈbeɪsn/ *s* **1** lavatório **2** tigela **3** (*Geog*) bacia

⚷ **basis** /ˈbeɪsɪs/ *s* (*pl* **bases** /-siːz/) base: *on the basis of sth* com base em alguma coisa LOC *Ver* REGULAR

basket /ˈbɑːskɪt; *USA* ˈbæs-/ *s* cesto, cabaz: *waste-paper basket* cesto de papéis LOC *Ver* EGG

basketball /ˈbɑːskɪtbɔːl; *USA* ˈbæs-/ *s* basquetebol

bass /beɪs/ *substantivo, adjetivo*
▸ *s* **1** [*não-contável*] graves: *to turn up the bass* aumentar os graves **2** (*cantor*) baixo **3** (*tb* **bass guitar**) baixo **4** *Ver* DOUBLE BASS
▸ *adj* (*Mús*) baixo

bat /bæt/ *substantivo, verbo*
▸ *s* **1** (*Basebol, Críquete*) taco **2** (*Ténis de mesa*) raquete **3** morcego
▸ *vi* (**-tt-**) manejar a pá/taco/raqueta LOC **not bat an eyelid** (*USA* **not bat an eye**) (*coloq*) não pestanejar, ficar impassível

batch /bætʃ/ *s* **1** lote **2** (*de pessoas*) leva **3** (*de pão, etc.*) fornada

⚷ **bath** /bɑːθ; *USA* bæθ/ *substantivo, verbo*
▸ *s* (*pl* **baths** /bɑːðz; *USA* bæðz/) **1** banho: *to have/take a bath* tomar banho **2** banheira
▸ *vt* dar banho a

B

bathe /beɪð/ **1** *vt* (*olhos, ferida*) lavar **2** *vi* (*antiq*) tomar banho, nadar **3** (*USA*) dar banho a

bathrobe /'bɑ:θrəʊb; *USA* 'bæθ-/ *s* (*tb* **robe**) **1** robe **2** (*esp USA*) roupão (de banho)

bathroom /'bɑ:θru:m, -rʊm; *USA* 'bæθ-/ *s* casa de banho ➲ *Ver nota em* TOILET

bathtub /'bɑ:θtʌb; *USA* 'bæθ-/ *s* (*esp USA*) *Ver* BATH (2)

baton /'bætɒn; *USA* bə'tɒn/ *s* **1** (*polícia*) casse-tête **2** (*Mús*) batuta **3** (*Desp*) testemunho

battalion /bə'tæliən/ *s* batalhão

batter /'bætə(r)/ **1** *vt* espancar: *to batter sb to death* matar alguém à paulada **2** *vt, vi* ~ **(at/on) sth** dar pancadas em alguma coisa PHR V **batter sth down** derrubar alguma coisa dando pancadas nela **battered** *adj* deforme

battery /'bætəri/ *s* (*pl* **batteries**) **1** (*Eletrón*) bateria, pilha **2** de criação intensiva: *battery hens* galinhas de criação industrial ➲ *Comparar com* FREE-RANGE

battle /'bætl/ *substantivo, verbo*
▸ *s* batalha, luta *Ver tb* PITCHED BATTLE LOC *Ver* FIGHT, WAGE
▸ *vi* ~ **(with/against sb/sth) (for sth)** lutar (com/contra alguém/alguma coisa) (por alguma coisa)

battlefield /'bætlfi:ld/ (*tb* **battleground** /'bætlgraʊnd/) *s* campo de batalha

battlements /'bætlmənts/ *s* [*pl*] ameias

battleship /'bætlʃɪp/ *s* barco/navio de guerra

bauble /'bɔ:bl/ *s* enfeite, ninharia vistosa

bawl /bɔ:l/ **1** *vt, vi* ~ **(sth) (at sb)**; ~ **sth (out)** gritar (alguma coisa) (a alguém) **2** *vi* berrar

bay /beɪ/ *substantivo, verbo*
▸ *s* **1** baía **2** zona: *loading bay* zona de carga **3** *bay tree/leaf* loureiro/louro LOC **hold/keep sb/sth at bay** não deixar alguém/alguma coisa aproximar-se
▸ *vi* uivar

bayonet /'beɪənət/ *s* baioneta

bay window *s* janela saliente

bazaar /bə'zɑ:(r)/ *s* **1** bazar **2** bazar de caridade ➲ *Comparar com* FÊTE

BBQ *abrev Ver* BARBECUE

BC (*tb* B.C.) /ˌbi: 'si:/ *abrev de* **before Christ** antes de Cristo

be /bi, bi:/ ❶ Para os usos de **be** com **there** ver THERE.

• **verbo intransitivo** **1** ser: *Life is unfair.* A vida é injusta. ◇ *'Who is it?' 'It's me.'* —Quem é? —Sou eu. ◇ *It's John's.* É do John. ◇ *Be quick!* Despacha-te! ◇ *I was late.* Cheguei tarde. **2** (*estado*) estar: *How are you?* Como estás? ◇ *Is he alive?* Está vivo? **3** (*localização*) estar: *Mary's upstairs.* A Mary está lá em cima. **4** (*origem*) ser: *She's from Italy.* É italiana. **5** [*só em tempos perfeitos*] visitar: *I've never been to Spain.* Nunca estive na Espanha. ◇ *Has the plumber been yet?* O canalizador já veio? ◇ *I've been into town.* Fui ao centro da cidade. ❶ Às vezes utiliza-se **been** como particípio de **go**. ➲ *Ver nota em* GO . **6** ter, estar com: *I'm right, aren't I?* Tenho razão, não tenho? ◇ *I'm hot/afraid.* Tenho calor/medo. ◇ *Are you in a hurry?* Estás com pressa?

Note que em português se usa **ter** ou **estar com** com substantivos como *calor, frio, fome, sede*, etc., enquanto que em inglês se usa **be** com o adjetivo correspondente.

7 (*idade*) ter: *He is ten (years old).* Tem dez anos. ➲ *Ver notas em* OLD *e* YEAR **8** (*tempo*): *It's cold/hot.* Está frio/calor. ◇ *It's foggy.* Há nevoeiro. **9** (*medida*) medir: *He is six feet tall.* Mede 1,80 m. **10** (*hora*) ser: *It's two o'clock.* São duas horas. **11** (*preço*) custar: *How much is that dress?* Quanto custa esse vestido? **12** (*Mat*) ser: *Two and two is/are four.* Dois mais dois são quatro.

• **verbo auxiliar** **1** [*com particípios para formar a voz passiva*]: *He was killed in the war.* Foi morto na guerra. ◇ *It is said that he is/He is said to be*

be

present simple

afirmativa	formas contraídas	negativa formas contraídas	past simple
I am	I'm	I'm not	I was
you are	you're	you aren't	you were
he/she/it is	he's/she's/it's	he/she/it isn't	he/she/it was
we are	we're	we aren't	we were
you are	you're	you aren't	you were
they are	they're	they aren't	they were

forma -ing **being** *particípio passado* **been**

rich. Dizem que é rico. **2** [*com -ing para formar os tempos contínuos*]: *What are you doing?* O que é que estás a fazer? ◊ *I'm just coming!* Já vou! **3** [*com infinitivo*]: *I am to inform you that...* Devo informá-lo que... ◊ *They were to be married.* Iam-se casar. ❶ Para outras expressões com **be**, ver as entradas para o substantivo, adjetivo, etc., p.ex. **be a drain on sth** em DRAIN.

beach /biːtʃ/ *substantivo, verbo*
- ▸ *s* praia
- ▸ *vt* varar

bead /biːd/ *s* **1** conta **2 beads** [*pl*] colar de contas **3** (*de suor, etc.*) gota

beak /biːk/ *s* bico

beaker /ˈbiːkə(r)/ *s* copo alto (*de plástico ou papel*)

beam /biːm/ *substantivo, verbo*
- ▸ *s* **1** viga, trave **2** (*de luz*) raio **3** (*de lanterna, etc.*) feixe de luz **4** sorriso radiante
- ▸ **1** *vi* ~ **(at sb)** dar um sorriso radiante (a alguém) **2** *vt* transmitir (*programa, mensagem*)

bean /biːn/ *s* **1** (*semente*): *kidney beans* feijões encarnados ◊ *broad beans* favas ◊ *bean sprouts* rebentos de soja *Ver tb* BAKED BEANS **2** (*vagem*) feijão verde **3** (*café, cacau*) grão

bear /beə(r)/ *verbo, substantivo*
- ▸ (*pt* **bore** /bɔː(r)/, *pp* **borne** /bɔːn/) **1** *vt* aguentar **2** *vt* (*carga*) suportar **3** *vt* resistir: *It won't bear close examination.* Não resistirá a um exame a fundo. ◊ *It doesn't bear thinking about.* É horrível pensar nisso. **4** *vt* (*gastos*) encarregar-se de **5** *vt* (*rancor, etc.*) guardar **6** *vt* (*assinatura*) levar **7** *vt* (*formal*) (*filho*) dar à luz **8** *vt* (*colheita, resultado*) produzir **9** *vi* (*estrada*) virar LOC **bear a resemblance to sb/sth** parecer-se com alguém/alguma coisa ◆ **bear little relation to sth** ter pouco a ver com alguma coisa ◆ **bear sb/sth in mind** ter alguém/alguma coisa em conta *Ver tb* GRIN PHR V **bear sb/sth out** confirmar o que alguém disse/alguma coisa ◆ **bear with sb** ter paciência com alguém
- ▸ *s* urso *Ver tb* TEDDY BEAR

bearable /ˈbeərəbl/ *adj* suportável

beard /bɪəd/ *s* barba **bearded** *adj* com barba

bearer /ˈbeərə(r)/ *s* **1** (*notícias, cheque*) portador, -ora **2** (*formal*) (*documento*) titular

bearing /ˈbeərɪŋ/ *s* (*Náut*) marcação LOC **find/get/take your bearings** orientar-se ◆ **have a/no bearing on sth** ter que ver/não ter que ver com alguma coisa

beast /biːst/ *s* animal, besta: *wild beasts* feras

beat /biːt/ *verbo, substantivo*
- ▸ (*pt* **beat** *pp* **beaten** /ˈbiːtn/) **1** *vt* ~ **sb (at sth)** vencer alguém (em alguma coisa) **2** *vt* bater, espancar **3** *vt, vi* dar pancadas (em) **4** *vt* (*metal, ovos, asas*) bater **5** *vt* (*tambor*) tocar **6** *vt, vi* ~ **(against/on) sth** bater (contra) alguma coisa **7** *vi* (*coração*) palpitar **8** *vt* (*superar*) bater: *to beat the world record* bater o recorde mundial ◊ *Nothing beats home cooking.* Não há nada melhor do que a cozinha caseira. LOC **beat about the bush** andar com rodeios ◆ **off the beaten track** (num lugar) afastado PHR V **beat sb to it/sth** chegar primeiro: *She beat me to the top of the hill.* Ela chegou primeiro do que eu ao cimo da colina. ◆ **beat sb up** sovar alguém
- ▸ *s* **1** ritmo **2** (*tambor*) rufo **3** (*polícia*) ronda

beating *s* **1** (*castigo*) sova, espancamento **2** (*Desp*) (*coloq*) sova **3** (*porta, etc.*) bater **4** (*coração*) pulsação LOC **take some beating** ser difícil de superar

beautiful /ˈbjuːtɪfl/ *adj* **1** belo **2** magnífico

beautifully /ˈbjuːtɪfli/ *adv* estupendamente

beauty /ˈbjuːti/ *s* (*pl* **beauties**) beleza: *beauty salon/parlour* centro de beleza

beaver /ˈbiːvə(r)/ *s* castor

became *pt de* BECOME

because /bɪˈkɒz, -ˈkəz; *USA* -ˈkɔːz/ *conj* porque

because of *prep* por causa de, devido a: *because of you* por tua causa

beckon /ˈbekən/ **1** *vi* ~ **to sb** acenar para alguém **2** *vt* chamar por acenos

become /bɪˈkʌm/ *vi* (*pt* **became** /bɪˈkeɪm/, *pp* **become**) **1** [*com substantivo*] chegar a ser, converter-se em, fazer-se, tornar-se: *She became a doctor.* Formou-se em Medicina. **2** [*com adjetivo*] ficar, tornar-se: *to become fashionable* tornar-se moda ◊ *She became aware that...* Ficou a saber que... LOC **become of sb/sth** ser de alguém/alguma coisa: *What has become of the book I lent you?* Que é feito do livro que te emprestei? ◊ *What will become of me?* Que será de mim?

bed /bed/ *s* **1** cama: *single/double bed* cama individual/de casal ◊ *to make the bed* fazer a cama ❶ Note que nas seguintes expressões não se usa o artigo definido em inglês: *to go to bed* ir para a cama ◊ *It's time for bed.* São horas de ir para a cama. **2** (*tb* **river bed**) leito (*dum rio*) **3** (*tb* **sea bed**) fundo (*do oceano*) **4** (*flores*) canteiro LOC *Ver* WET

bed and breakfast *s* (*abrev* **B and B, B & B**) **1** cama e pequeno-almoço **2** pensão

bedclothes /ˈbedkləʊðz/ *s* [*pl*] (*tb* **bedding** /ˈbedɪŋ/ [*não-contável*]) roupa de cama

bedroom /ˈbedruːm, -rʊm/ *s* quarto de dormir

bedside /ˈbedsaɪd/ *s* cabeceira: *bedside table* mesa-de-cabeceira

bedsit /ˈbedsɪt/ *s* quarto com cama e cozinha

B

bedspread /'bedspred/ *s* colcha

bedtime /'bedtaɪm/ *s* hora de ir para a cama

bee /bi:/ *s* abelha

beech /bi:tʃ/ (*tb* **beech tree**) *s* faia

beef /bi:f/ *s* carne de vaca: *roast beef* carne de vaca assada ➲ *Ver nota em* CARNE

beefburger /'bi:fbɜ:gə(r)/ *s* hambúrguer

beehive /'bi:haɪv/ *s* colmeia

been /bi:n, bɪn/ *pp de* BE

beep /bi:p/ *substantivo, verbo*
▸ *s* **1** apito **2** som da buzina
▸ **1** *vi* (*despertador*) tocar **2** *vt, vi* (*carro*) buzinar

beer /bɪə(r)/ *s* cerveja

beetle /'bi:tl/ *s* escaravelho

beetroot /'bi:tru:t/ (*USA* **beet** /bi:t/) *s* beterraba

before /bɪ'fɔ:(r)/ *advérbio, preposição, conjunção*
▸ *adv* antes: *the day/week before* o dia/a semana anterior ◇ *I've never seen her before.* Nunca a vi.
▸ *prep* **1** antes de (que), antes que: *before lunch* antes do almoço ◇ *the day before yesterday* antes de ontem ◇ *He arrived before me.* Chegou antes de mim. ◇ *before he goes on holiday* antes de ele ir de férias **2** perante: *right before my eyes* perante os meus próprios olhos **3** à frente de: *He puts his work before everything else.* Põe o seu trabalho à frente de todas as outras coisas.
▸ *conj* antes que

beforehand /bɪ'fɔ:hænd/ *adv* de antemão

beg /beg/ (**-gg-**) **1** *vt, vi* ~ **sth (from sb)**; ~ **(for sth) (from sb)** mendigar (alguma coisa) (de alguém): *They had to beg (for) scraps from shopkeepers.* Tinham de mendigar restos dos lojistas. **2** *vt* ~ **sb to do sth** suplicar a alguém que faça alguma coisa LOC **beg sb's pardon** (*esp GB, formal*) pedir perdão, pedir desculpa a alguém ◆ **I beg your pardon 1** (*formal*) perdão **2** desculpe, pode repetir? **beggar** *s* mendigo, -a

begin /bɪ'gɪn/ *vt, vi* (*pt* **began** /bɪ'gæn/, *pp* **begun** /bɪ'gʌn/, *part pres* **beginning**) ~ **(doing/to do sth)** começar (a fazer alguma coisa): *Shall I begin?* Começo eu? ➲ *Ver nota em* START LOC **to begin with 1** para começar **2** no princípio **beginner** *s* principiante

beginning /bɪ'gɪnɪŋ/ *s* **1** começo, princípio: *from beginning to end* do princípio até ao fim

> **At the beginning** é usado para se referir ao lugar e data em que alguma coisa começou: *at the beginning of the 19th century* no começo do século XIX. **In the beginning** significa "a princípio" e sugere contraste com uma situação posterior: *In the beginning he didn't want to go.* A princípio ele não queria ir.

2 origem

behalf /bɪ'hɑ:f; *USA* -'hæf/ *s* LOC **on behalf of sb/on sb's behalf** em nome de alguém/em seu nome

behave /bɪ'heɪv/ **1** *vi* ~ **well, badly, etc. (towards sb)** portar-se bem, mal, etc. (com alguém) **2** *vt, vi* ~ **(yourself)** comportar-se bem: *Behave yourself!* Porta-te bem! **3 -behaved**: *well behaved* bem-comportado ➲ *Ver nota em* WELL BEHAVED

behaviour (*USA* **behavior**) /bɪ'heɪvjə(r)/ *s* comportamento

behind /bɪ'haɪnd/ *preposição, advérbio, substantivo* ❶ Para os usos de **behind** em PHRASAL VERBS, ver as entradas para os verbos correspondentes, p. ex. **stay behind** em STAY.
▸ *prep* **1** atrás de: *I put it behind the cupboard.* Pu-lo atrás do armário. ◇ *What's behind this sudden change?* O que há por detrás desta mudança repentina? **2** atrasado em relação a: *to be behind schedule* ir atrasado (no que respeita a planos) **3** *We're all behind you.* Estamos todos contigo.
▸ *adv* **1** atrás: *to leave sth behind* deixar uma coisa atrás ◇ *to look behind* olhar para trás ◇ *He was shot from behind.* Foi baleado pelas costas. ◇ *to stay behind* ficar **2** ~ **(with/in sth)** atrasado (com alguma coisa)
▸ *s* traseiro

beige /beɪʒ/ *adj, s* (*cor*) bege

being /'bi:ɪŋ/ *s* **1** ser: *human beings* seres humanos **2** existência LOC **come into being** ser criado

belated /bɪ'leɪtɪd/ *adj* tardio

belch /beltʃ/ *verbo, substantivo*
▸ *vi* arrotar
▸ *s* arroto

belief /bɪ'li:f/ *s* **1** crença **2** ~ **in sth/sb** confiança, fé em alguma coisa/alguém LOC **beyond belief** incrível ◆ **in the belief that...** confiante em que... *Ver tb* BEST

believable /bɪ'li:vəbl/ *adj* crível

believe /bɪ'li:v/ *vt, vi* crer: *I believe so.* Creio que sim. LOC **believe it or not** embora não acredites *Ver tb* LEAD[1] PHR V **believe in sb** ter confiança em alguém ◆ **believe in sb/sth** acreditar em alguém/alguma coisa ◆ **believe in sth** acreditar, crer em alguma coisa **believer** *s* crente LOC **be a (great/firm) believer in sth** ser (grande) adepto de alguma coisa

bell /bel/ *s* **1** sino, sineta **2** campainha: *to ring the bell* tocar a campainha LOC *Ver* RING[2]

bellow /'beləʊ/ *verbo, substantivo*
▸ **1** *vi* bramar, rugir **2** *vt, vi* gritar
▸ *s* **1** bramido, rugido **2** grito

bell pepper *s* (*USA*) pimento

belly /'beli/ *s* (*pl* **bellies**) **1** (*pessoa*) ventre, barriga **2** (*animal*) pança

belly button *s* (*coloq*) umbigo

belong /bɪ'lɒŋ; *USA* -'lɔːŋ/ *vi* **1** ~ **to sb/sth** pertencer a alguém/alguma coisa **2** dever estar: *Where does this belong?* Onde é que isto fica? **belongings** *s* [*pl*] haveres

below /bɪ'ləʊ/ *preposição, advérbio*
▸ *prep* debaixo de, abaixo de: *five degrees below freezing* cinco graus abaixo de zero
▸ *adv* (mais) abaixo: *above and below* em cima e em baixo

belt /belt/ *s* **1** cinto *Ver tb* SEAT BELT **2** (*Mec*) correia *Ver tb* CONVEYOR BELT **3** (*Geog*) zona LOC **be below the belt** ser um golpe baixo: *That remark was rather below the belt.* Esse comentário foi um golpe baixo.

beltway /'beltweɪ/ (*tb* **outer belt**) *s* (*USA*) estrada de circunvalação

bemused /bɪ'mjuːzd/ *adj* perplexo

bench /bentʃ/ *s* **1** banco (*num parque, etc.*) **2** (*GB*) (*Pol*) bancada **3 the bench** [*sing*] a magistratura

benchmark /'bentʃmɑːk/ *s* ponto de referência

bend /bend/ *verbo, substantivo*
▸ (*pt, pp* **bent** /bent/) **1** *vt, vi* curvar(-se) **2** *vi* ~ **(down)** abaixar-se, inclinar-se
▸ *s* curva LOC **round the bend** (*esp GB, coloq*) louco

beneath /bɪ'niːθ/ *preposição, advérbio*
▸ *prep* (*formal*) **1** debaixo de **2** indigno de
▸ *adv* (*formal*) abaixo

benefactor /'benɪfæktə(r)/ *s* (*formal*) benfeitor, -ora

beneficial /ˌbenɪ'fɪʃl/ *adj* benéfico, proveitoso

benefit /'benɪfɪt/ *substantivo, verbo*
▸ *s* **1** benefício: *to be of benefit to sb* ser proveitoso para alguém **2** subsídio: *unemployment benefit* subsídio de desemprego **3** espetáculo de beneficência LOC **give sb the benefit of the doubt** conceder a alguém o benefício da dúvida
▸ (*pt, pp* **-t-** *ou* **-tt-**) **1** *vt* beneficiar **2** *vi* ~ **(from/by sth)** ficar a ganhar (com alguma coisa), tirar proveito (de alguma coisa)

benevolence /bə'nevələns/ *s* (*formal*) benevolência

benevolent /bə'nevələnt/ *adj* **1** (*formal*) benévolo **2** benéfico

benign /bɪ'naɪn/ *adj* benigno

bent /bent/ *adj* curvado, dobrado, torcido LOC **bent on (doing) sth** determinado a (fazer) alguma coisa *Ver tb* BEND

bequeath /bɪ'kwiːð/ *vt* ~ **sth (to sb)** (*formal*) legar alguma coisa (a alguém)

bequest /bɪ'kwest/ *s* (*formal*) legado

bereaved /bɪ'riːvd/ *adj* (*formal*) afligido pela morte de um ente querido **bereavement** *s* perda (de um ente querido)

beret /'bereɪ; *USA* bə'reɪ/ *s* boina

Bermuda shorts /bəˌmjuːdə 'ʃɔːts/ (*tb* **Bermudas**) *s* [*pl*] bermudas ➲ *Ver notas em* CALÇAS *e* PAIR

berry /'beri/ *s* (*pl* **berries**) baga

berserk /bə'zɜːk, -'sɜːk/ *adj* furioso: *to go berserk* ficar furioso

berth /bɜːθ/ *substantivo, verbo*
▸ *s* **1** (*barco*) camarote **2** (*comboio*) beliche **3** (*Náut*) ancoradouro
▸ *vt, vi* atracar (*um barco*)

beset /bɪ'set/ *vt* (*pt, pp* **beset** *part pres* **besetting**) (*formal*) assediar: *beset by doubts* assediado por dúvidas

beside /bɪ'saɪd/ *prep* junto a, ao lado de LOC **beside yourself (with sth)** fora de si (por alguma coisa)

besides /bɪ'saɪdz/ *preposição, advérbio*
▸ *prep* além de: *No one writes to me besides you.* Ninguém me escreve, além de ti.
▸ *adv* também

besiege /bɪ'siːdʒ/ *vt* **1** sitiar **2** (*fig*) assediar

best /best/ *adjetivo, advérbio, substantivo*
▸ *adj* (*superl de* **good**) melhor: *the best dinner I've ever had* o melhor jantar que jamais comi ◇ *the best footballer in the world* o melhor futebolista do mundo ◇ *my best friend* o meu melhor amigo *Ver tb* GOOD, BETTER LOC **best before**: *best before January 2012* consumir antes de janeiro de 2012 ◆ **best wishes**: *Best wishes, Ann.* Melhores cumprimentos da Ann. ◇ *Give her my best wishes.* Dá-lhe os meus melhores cumprimentos. *Ver tb* NEXT
▸ *adv* (*superl de* **well**) **1** melhor: *best dressed* mais bem vestido ◇ *Do as you think best.* Faz o que melhor entenderes. **2** mais: *best-known* mais conhecido LOC **as best you can** o melhor que possas
▸ *s* [*sing*] **1 the best** o/a melhor: *She's the best by far.* Ela é de longe a melhor. **2 the best** o melhor: *to want the best for sb* querer o melhor para alguém **3 (the) ~ of sth**: *We're (the) best of friends.* Somos grandes amigos.

B

LOC all the best (*em cartas*) cumprimentos ◆ **at best** quando muito ◆ **be at its/your best** estar no seu melhor momento ◆ **do/try your (level/very) best** fazer o melhor possível ◆ **make the best of sth** aproveitar o máximo possível de alguma coisa ◆ **to the best of your belief/knowledge** que tu saibas

best man *s* padrinho (de casamento) ➲ *Ver nota em* CASAMENTO

best-seller /ˌbest 'selə(r)/ *s* o mais vendido, best-seller **best-selling** *adj* mais vendido

🔑 **bet** /bet/ *verbo, substantivo*

▸ *vt, vi* (*pt, pp* **bet** *part pres* **betting**) ~ **(on) sth** apostar (em) alguma coisa: *I bet you he doesn't come.* Aposto que ele não vem. **LOC I/I'll bet...** (*coloq*) **1** imagino! **2** duvido!

▸ *s* aposta: *to place/put a bet (on sth)* apostar (em alguma coisa)

betide /bɪ'taɪd/ *v* **LOC** *Ver* WOE

betray /bɪ'treɪ/ *vt* **1** (*país, princípios*) trair **2** (*segredo*) revelar **betrayal** *s* traição

🔑 **better** /'betə(r)/ *adjetivo, advérbio, substantivo*

▸ *adj* (*comp de* **good**) melhor: *It was better than I expected.* Foi melhor do que eu esperava. ◇ *He is much better today.* Hoje está muito melhor. *Ver tb* BEST, GOOD **LOC be little/no better than...** não passar de... ◆ **get better** melhorar ◆ **have seen/known better days** já não ser o que era *Ver tb* ALL

▸ *adv* **1** (*comp de* **well**) melhor: *She sings better than me/than I (do).* Canta melhor do que eu. **2** mais: *I like him better than before.* Gosto dele mais do que antes. **LOC be better off (doing sth)**: *He'd be better off leaving now.* Seria melhor para ele ir-se embora agora. ◆ **be better off (without sb/sth)** estar melhor (sem alguém/alguma coisa) ◆ **better late than never** (*ditado*) mais vale tarde que nunca ◆ **better safe than sorry** (*ditado*) mais vale prevenir que remediar ◆ **I'd, etc. better (do sth)** é melhor (fazer, fazeres, etc. alguma coisa): *I'd better be going now.* É melhor eu ir-me embora agora. *Ver tb* KNOW, SOON

▸ *s* (alguma coisa) melhor: *I expected better of him.* Esperava mais dele. **LOC get the better of sb** levar a melhor a alguém: *His shyness got the better of him.* A timidez levou-lhe a melhor.

betting shop *s* agência de apostas

🔑 **between** /bɪ'twi:n/ *preposição, advérbio*

▸ *prep* entre (*duas pessoas/coisas*) ➲ *Ver ilustração em* ENTRE

▸ *adv* (*tb* **in between**) no meio

beware /bɪ'weə(r)/ *vi* ~ **(of sb/sth)** ter cuidado (com alguém/alguma coisa) ❶ Utiliza-se **beware** somente no imperativo e infinitivo: *Beware of the dog.* Cuidado com o cão.

bewilder /bɪ'wɪldə(r)/ *vt* desnortear **bewildered** *adj* perplexo **bewildering** *adj* desconcertante **bewilderment** *s* perplexidade

bewitch /bɪ'wɪtʃ/ *vt* enfeitiçar

🔑 **beyond** /bɪ'jɒnd/ *prep, adv* mais além (de) **LOC be beyond sb** (*coloq*): *It's beyond me.* Não compreendo.

bias /'baɪəs/ *s* **1** ~ **towards sb/sth** parcialidade a favor de alguém/alguma coisa **2** ~ **against sb/sth** preconceitos contra alguém/alguma coisa **3** parcialidade **biased** (*tb* **biassed**) *adj* parcial

bib /bɪb/ *s* babete

bible /'baɪbl/ *s* bíblia: *the Bible* a Bíblia **biblical** /'bɪblɪkl/ *adj* bíblico

bibliography /ˌbɪbli'ɒgrəfi/ *s* (*pl* **bibliographies**) bibliografia

biceps /'baɪseps/ *s* (*pl* **biceps**) bíceps

bicker /'bɪkə(r)/ *vi* ~ **(about/over sth)** discutir (por alguma coisa) (*assuntos triviais*)

🔑 **bicycle** /'baɪsɪkl/ *s* bicicleta: *to ride a bicycle* andar de bicicleta

🔑 **bid** /bɪd/ *verbo, substantivo*

▸ (*pt, pp* **bid** *part pres* **bidding**) **1** *vt, vi* (*Com*) fazer uma oferta (de), licitar **2** *vt* (*subasta, leilão*) lançar **LOC** *Ver* FAREWELL

▸ *s* **1** (*subasta, leilão*) lanço **2** (*Econ*) oferta **3** tentativa: *to make a bid for sth* tentar conseguir alguma coisa **bidder** *s* licitador, -ora

bide /baɪd/ *vt* **LOC bide your time** esperar o momento oportuno

biennial /baɪ'eniəl/ *adj* bienal

🔑 **big** /bɪg/ *adjetivo, advérbio*

▸ *adj* (**bigger, -est**) **1** grande: *the biggest desert in the world* o maior deserto do mundo

Big e **large** descrevem o tamanho, a capacidade ou a quantidade de alguma coisa, mas **big** é menos formal.

2 mais velho: *my big sister* a minha irmã mais velha **3** (*decisão*) importante **4** (*erro*) grave **LOC a big cheese/fish/noise/shot** um manda-chuva ◆ **big business**: *This is big business.* Isto é uma mina.

▸ *adv* à grande e à francesa: *Let's think big.* Vamos planeá-lo à grande.

bigamy /'bɪgəmi/ *s* bigamia

big-head /'bɪg hed/ *s* (*coloq, pej*) convencido, -a **big-headed** *adj* (*coloq, pej*) convencido

bigoted /'bɪgətɪd/ *adj* intolerante

big time *substantivo, advérbio*

▸ *s* **the big time** (*coloq*) a fama: *to make/hit the big time* atingir a fama

▸ *adv* (*coloq*): *This time they've messed up big time!* Desta vez, fizeram asneira da grossa!

bike /baɪk/ *s* (*coloq*) **1** bicicleta **2** moto, mota **biker** *s* motoqueiro, -a

bikini /bɪ'kiːni/ *s* (*pl* **bikinis**) biquíni

bilingual /ˌbaɪ'lɪŋgwəl/ *adj, s* bilingue

bill /bɪl/ *substantivo, verbo*

▸ *s* **1** fatura: *a bill for 500 euros* uma fatura de 500 euros ◇ *phone/gas bills* contas do telefone/do gás **2** (*restaurante, hotel*) conta: *The bill, please.* A conta, se faz favor. **3** programa **4** projeto de lei **5** (*USA*) nota (*de dinheiro*): *a ten-dollar bill* uma nota de dez dólares **6** bico (*de ave*) LOC **fill/fit the bill** satisfazer os requisitos *Ver tb* FOOT

▸ *vt* **1** ~ **sb (for sth)** passar a fatura (de alguma coisa) a alguém **2** anunciar (*num programa*)

billboard /'bɪlbɔːd/ *s* (*USA*) outdoor, placard

billiards /'bɪliədz/ *s* [*não-contável*] bilhar ➲ *Ver nota em* BILHAR **billiard** *adj*: *billiard ball/room/table* bola/sala/mesa de bilhar

billing /'bɪlɪŋ/ *s*: *to get top/star billing* encabeçar o cartaz

billion /'bɪljən/ *adj, s* mil milhões

bins

litter bin (*USA* **trash can**)

waste-paper basket (*USA* **wastebasket**)

dustbin (*USA* **trash can**)

wheelie bin

bin /bɪn/ *s* caixa, caixote: *litter bin* caixote do lixo ◇ *waste-paper bin* cesto de papéis

bind /baɪnd/ *verbo, substantivo*

▸ *vt* (*pt, pp* **bound** /baʊnd/) **1** ~ **sb/sth (together)** atar alguém/alguma coisa **2** ~ **sb/sth (together)** (*fig*) unir, ligar alguém/alguma coisa **3** ~ **sb (to sth)** obrigar alguém (a alguma coisa) (*moralmente*)

▸ *s* [*sing*] **1** (*GB, coloq*) maçada: *It's a terrible bind.* É uma grande chatice. **2** (*USA*) apuros: *I'm in a bit of a bind.* Estou num aperto.

binder /'baɪndə(r)/ *s* capa, dossier

binding /'baɪndɪŋ/ *substantivo, adjetivo*

▸ *s* **1** encadernação **2** debrum

▸ *adj* ~ **(on/upon sb)** vinculante (para alguém)

binge /bɪndʒ/ *substantivo, verbo*

▸ *s* (*coloq*) pândega, patuscada: *binge drinkers* bebedores compulsivos

▸ *vi* ~ **(on sth) 1** empanturrar-se (de alguma coisa) **2** embebedar-se (com alguma coisa)

bingo /'bɪŋgəʊ/ *s* bingo

binoculars /bɪ'nɒkjələz/ *s* [*pl*] binóculo

biochemical /ˌbaɪəʊ'kemɪkl/ *adj* bioquímico

biochemist /ˌbaɪəʊ'kemɪst/ *s* bioquímico, -a **biochemistry** *s* bioquímica

biodegradable /ˌbaɪəʊdɪ'greɪdəbl/ *adj* biodegradável

biodiversity /ˌbaɪəʊdaɪ'vɜːsəti/ *s* biodiversidade

biographer /baɪ'ɒgrəfə(r)/ *s* biógrafo, -a

biographical /ˌbaɪə'græfɪkl/ *adj* biográfico

biography /baɪ'ɒgrəfi/ *s* (*pl* **biographies**) biografia

biological /baɪə'lɒdʒɪkl/ *adj* biológico

biologist /baɪ'ɒlədʒɪst/ *s* biólogo, -a

biology /baɪ'ɒlədʒi/ *s* biologia

biotechnology /ˌbaɪəʊtek'nɒlədʒi/ *s* biotecnologia

bird /bɜːd/ *s* ave, pássaro: *bird of prey* ave de rapina LOC *Ver* EARLY, KILL

Biro® /'baɪrəʊ/ *s* (*pl* **Biros**) esferográfica

birth /bɜːθ/ *s* **1** nascimento **2** natalidade **3** parto **4** descendência, origem LOC **give birth (to sb)** dar à luz (alguém) ◆ **give birth to sth** (*fig*) criar, fundar alguma coisa

birthday /'bɜːθdeɪ/ *s* **1** dia de anos: *Happy birthday!* Parabéns (pelo dia de anos)! ◇ *birthday card* cartão de aniversário **2** aniversário

birthplace /'bɜːθpleɪs/ *s* lugar de nascimento

biscuit /'bɪskɪt/ *s* bolacha

bishop /'bɪʃəp/ *s* bispo (*tb Xadrez*)

bit /bɪt/ *s* **1 a bit** [*sing*] um pouco: *a bit tired* um pouco cansado **2 a bit** [*sing*] muito, bastante: *It rained quite a bit.* Choveu bastante. **3** ~ **(of sth)** bocadinho, pedacinho (de alguma coisa): *I've got a bit of shopping to do.* Tenho de fazer algumas compras. **4** freio (*de cavalo*) **5** (*Informát*) bit LOC **a bit much** (*GB, coloq*) demasiado ◆ **bit by bit** a pouco e pouco ◆ **bits and pieces** (*GB, coloq*) coisas e loisas ◆ **do your bit** (*esp GB, coloq*) fazer a tua parte ◆ **not a bit; not one (little) bit** de modo algum: *I don't like it one little*

B

bit. Não gosto absolutamente nada. ◆ **to bits**: *to pull/tear sth to bits* fazer alguma coisa em pedaços ◇ *to fall to bits* fazer-se em pedaços ◇ *to smash (sth) to bits* estilhaçar alguma coisa ◇ *to take sth to bits* desmontar alguma coisa *Ver tb* BITE

bitch /bɪtʃ/ *s* cadela ➲ *Ver nota em* CÃO

⚷ **bite** /baɪt/ *verbo, substantivo*
▸ (*pt* **bit** /bɪt/, *pp* **bitten** /ˈbɪtn/) **1** *vt, vi* ~ **(sth/into sth)** morder (alguma coisa): *to bite your nails* roer as unhas **2** *vt* (*inseto*) picar
▸ *s* **1** mordedura **2** bocado **3** picada **4** [*sing*] **a ~ (to eat)** (*coloq*): *Fancy a bite to eat?* Apetece-te comer qualquer coisa?

⚷ **bitter** /ˈbɪtə(r)/ *adjetivo, substantivo*
▸ *adj* **1** amargo **2** ressentido **3** glacial
▸ *s* cerveja amarga

⚷ **bitterly** /ˈbɪtəli/ *adv* amargamente: *It's bitterly cold.* Está um frio de rachar.

bitterness /ˈbɪtənəs/ *s* amargura

bizarre /bɪˈzɑː(r)/ *adj* **1** (*acontecimento, etc.*) esquisito **2** (*aspeto*) extravagante

⚷ **black** /blæk/ *adjetivo, substantivo, verbo*
▸ *adj* (**blacker**, **-est**) **1** preto, negro: *the black market* o mercado negro ◇ *black eye* olho pisado **2** (*céu, noite*) escuro **3** (*café, chá*) sem leite
▸ *s* **1** preto **2** (*pessoa*) negro, -a
▸ *v* PHR V **black out** perder a consciência (momentaneamente)

blackberry /ˈblækbəri, -beri/ *s* (*pl* **blackberries**) **1** amora **2** silveira

blackbird /ˈblækbɜːd/ *s* melro

blackboard /ˈblækbɔːd/ *s* quadro preto

blackcurrant /ˈblækkʌrənt, ˌblækˈkʌrənt; *USA* -ˈkɜːr-/ *s* groselha-negra

blacken /ˈblækən/ *vt* **1** (*reputação, etc.*) sujar **2** enegrecer

blacklist /ˈblæklɪst/ *substantivo, verbo*
▸ *s* lista negra
▸ *vt* pôr na lista negra

blackmail /ˈblækmeɪl/ *substantivo, verbo*
▸ *s* chantagem
▸ *vt* fazer chantagem **blackmailer** *s* chantagista

blacksmith /ˈblæksmɪθ/ *s* ferreiro, -a

bladder /ˈblædə(r)/ *s* bexiga

⚷ **blade** /bleɪd/ *s* **1** (*faca, patim, etc.*) lâmina **2** (*ventilador*) aspa, asa **3** (*remo*) pá **4** (*erva*) folha *Ver tb* SHOULDER BLADE

blag /blæg/ *vt* (**-gg-**) (*GB, coloq*) conseguir (*usando lábia*): *We blagged our way into the gig.* Conseguimos bilhetes para o concerto com a nossa lábia.

⚷ **blame** /bleɪm/ *verbo, substantivo*
▸ *vt* **1** culpar: *He blames it on her/He blames her for it.* Ele deita as culpas em cima dela.
❶ Note que **blame sb for sth** é o mesmo que **blame sth on sb**. **2** [*em frases negativas*]: *You couldn't blame him for being annoyed.* Não é de estranhar que ele tenha ficado zangado.
LOC **be to blame (for sth)** ter a culpa (de alguma coisa)
▸ *s* ~ **(for sth)** culpa (de alguma coisa) LOC **lay/put the blame (for sth) on sb** deitar a culpa (de alguma coisa) em cima de alguém

bland /blænd/ *adj* (**blander**, **-est**) insulso

⚷ **blank** /blæŋk/ *adjetivo, substantivo*
▸ *adj* **1** (*papel, cheque, etc.*) em branco **2** (*parede, espaço, etc.*) despido **3** (*expressão*) vazio **4** (*munições*) sem bala, de pólvora seca **5** (*cassete*) virgem
▸ *s* **1** espaço em branco **2** (*tb* **blank cartridge**) cartucho sem bala

blanket /ˈblæŋkɪt/ *substantivo, adjetivo, verbo*
▸ *s* manta, cobertor
▸ *adj* [*só antes de substantivo*] geral
▸ *vt* (*formal*) cobrir (*por completo*)

blare /bleə(r)/ *vi* ~ **(out)** soar a todo volume

blasphemous /ˈblæsfəməs/ *adj* blasfemo

blasphemy /ˈblæsfəmi/ *s* [*não-contável*] blasfémia

blast /blɑːst; *USA* blæst/ *substantivo, verbo, interjeição*
▸ *s* **1** explosão **2** estrondo **3** rajada: *a blast of air* uma rajada de vento LOC *Ver* FULL
▸ *vt* rebentar (*com explosivos*) PHR V **blast off** (*nave espacial*) descolar
▸ *interj* (*esp GB, coloq*) maldição **blasted** *adj* (*coloq*) maldito

blatant /ˈbleɪtnt/ *adj* descarado

blaze /bleɪz/ *substantivo, verbo*
▸ *s* **1** incêndio **2** chama, fogueira **3** [*sing*] **a ~ of sth**: *a blaze of colour* uma explosão de cor ◇ *in a blaze of publicity* numa explosão de publicidade
▸ *vi* **1** arder **2** brilhar, resplandecer **3** (*formal*): *eyes blazing* olhos chamejantes

blazer /ˈbleɪzə(r)/ *s* casaco, blazer: *a school blazer* um casaco de farda

bleach /bliːtʃ/ *substantivo, verbo*
▸ *s* lixívia
▸ *vt* branquear

bleachers /ˈbliːtʃəz/ *s* [*pl*] (*USA*) geral, bancadas

bleak /bliːk/ *adj* (**bleaker**, **-est**) **1** (*paisagem*) ermo, inóspito **2** (*tempo*) inclemente **3** (*dia*) cinzento e deprimente **4** (*situação*) pouco prometedor **bleakly** *adv* desoladamente **bleakness** *s* **1** desolação **2** inclemência

bleed /bli:d/ *vi* (*pt, pp* **bled** /bled/) sangrar **bleeding** *s* [*não-contável*] sangramento, hemorragia

blemish /ˈblemɪʃ/ *substantivo, verbo*
▸ *s* mancha
▸ *vt* (*formal*) manchar

blend /blend/ *verbo, substantivo*
▸ *vt, vi* misturar(-se) PHR V **blend in (with sth)** harmonizar (com alguma coisa), condizer (com alguma coisa)
▸ *s* mistura **blender** *s* liquidificador

bless /bles/ *vt* (*pt, pp* **blessed** /blest/) abençoar LOC **be blessed with sth** ter sorte de possuir alguma coisa ◆ **bless you!** santinho! (*ao espirrar*) ➲ *Ver nota em* ATCHIM!

blessed /ˈblesɪd/ *adj* **1** santificado **2** santo, bendito **3** (*antiq, coloq*): *the whole blessed day* todo o santo dia

blessing /ˈblesɪŋ/ *s* **1** bênção **2** [*ger sing*] aprovação LOC **it's a blessing in disguise** é um mal que vem por bem

blew *pt de* BLOW

blind /blaɪnd/ *adjetivo, verbo, substantivo*
▸ *adj* cego ➲ *Ver nota em* CEGO LOC **turn a blind eye (to sth)** fazer vista grossa (a alguma coisa)
▸ *vt* **1** cegar **2** (*momentaneamente*) deslumbrar
▸ *s* **1** estore, persiana **2 the blind** [*pl*] os cegos

blindfold /ˈblaɪndfəʊld/ *substantivo, verbo, advérbio*
▸ *s* venda (*nos olhos*)
▸ *vt* vendar os olhos a
▸ *adv* de/com os olhos vendados

blindly /ˈblaɪndli/ *adv* cegamente, às cegas

blindness /ˈblaɪndnəs/ *s* cegueira

blink /blɪŋk/ *verbo, substantivo*
▸ *vt, vi* ~ **(your eyes)** pestanejar, abrir e fechar os olhos
▸ *s* pestanejo

bliss /blɪs/ *s* [*não-contável*] regozijo **blissful** *adj* felicíssimo

blister /ˈblɪstə(r)/ *s* bolha

blistering /ˈblɪstərɪŋ/ *adj* abrasador (*calor*)

blitz /blɪts/ *s* **1** ~ **(on sth)** campanha repentina (contra alguma coisa) **2** (*Mil*) ataque relâmpago

blizzard /ˈblɪzəd/ *s* nevão

bloated /ˈbləʊtɪd/ *adj* entumecido

blob /blɒb/ *s* gota (*líquido espesso*)

bloc /blɒk/ *s* [*v sing ou pl*] bloco (*de países, partidos*)

block /blɒk/ *substantivo, verbo*
▸ *s* **1** (*pedra, gelo, etc.*) bloco **2** (*edifícios*) quarteirão, edifício **3** (*bilhetes, ações, etc.*) pacote: *a block booking* uma reserva em grupo **4** obstáculo, impedimento: *a mental block* um bloqueio mental LOC *Ver* CHIP
▸ *vt* **1** obstruir, entupir **2** tapar **3** impedir

blockade /blɒˈkeɪd/ *substantivo, verbo*
▸ *s* (*Econ, Mil*) bloqueio
▸ *vt* bloquear (*porto, cidade, etc.*)

blockage /ˈblɒkɪdʒ/ *s* **1** obstrução **2** obstrução, entupimento **3** engarrafamento

blockbuster /ˈblɒkbʌstə(r)/ *s* (*coloq*) **1** (*filme*) êxito de bilheteira **2** (*livro*) campeão de vendas

block capitals (*tb* **block letters**) *s* [*pl*] maiúsculas

blog /blɒg/ *substantivo, verbo*
▸ *s* (*Internet*) blog
▸ *vi* fazer um blog

bloke /bləʊk/ *s* (*GB, coloq*) tipo, gajo

blonde /blɒnd/ *adjetivo, substantivo*
▸ *adj* (*tb* **blond**) louro ⓘ A variante **blond** refere-se apenas ao sexo masculino. ➲ *Ver tb nota em* LOURO
▸ *s* loura ⓘ O substantivo refere-se somente ao sexo feminino.

blood /blʌd/ *s* sangue: *blood test* análise de sangue ◇ *blood group* grupo sanguíneo ◇ *blood pressure* pressão arterial LOC *Ver* FLESH

bloodshed /ˈblʌdʃed/ *s* derramamento de sangue, carnificina

bloodshot /ˈblʌdʃɒt/ *adj* (*olhos*) injetado de sangue

blood sports *s* [*pl*] desportos ou divertimentos, nos quais se mata um animal ou um pássaro

bloodstream /ˈblʌdstri:m/ *s* corrente sanguínea

bloody /ˈblʌdi/ *adjetivo, advérbio*
▸ *adj* (**bloodier, -iest**) **1** ensanguentado **2** sanguinolento
▸ *adj, adv* (*GB, calão*): *That bloody car!* O raio desse carro!

bloom /blu:m/ *substantivo, verbo*
▸ *s* (*formal*) flor
▸ *vi* florescer

blossom /ˈblɒsəm/ *substantivo, verbo*
▸ *s* flor(es) (*de árvore de fruto*)
▸ *vi* florescer ➲ *Comparar com* FLOWER

blot /blɒt/ *substantivo, verbo*
▸ *s* **1** borrão, mancha **2** ~ **(on sth)** (*fig*) mancha (em alguma coisa)

B

▸ *vt* (**-tt-**) **1** (*carta, etc.*) borrar **2** (*com mata-borrão*) secar, enxugar: *blotting paper* mata-borrão PHR V **blot sth out 1** (*memória, etc.*) apagar alguma coisa **2** (*panorama, luz, etc.*) tapar alguma coisa

blotch /blɒtʃ/ *s* mancha (*esp na pele*)

blouse /blaʊz; *USA* blaʊs/ *s* blusa

blow /bləʊ/ *verbo, substantivo*

▸ (*pt* **blew** /blu:/, *pp* **blown** /bləʊn/) **1** *vi* soprar **2** *vi* (*movido pelo vento*): *to blow shut/open* fechar-se/abrir-se com uma rajada de vento **3** *vt* (*vento, etc.*) levar: *The wind blew us towards the island.* O vento levou-nos para a ilha. **4** *vi* (*apito, assobio*) soar **5** *vt* (*apito*) tocar LOC **blow your nose** assoar-se PHR V **blow away** ser levado pelo vento ◆ **blow down/over** ser derrubado pelo vento ◆ **blow sb/sth down/over** (*vento*) deitar alguém/alguma coisa abaixo ◆ **blow sth out** apagar alguma coisa ◆ **blow over** passar (*tempestade, escândalo*) ◆ **blow up 1** (*bomba, etc.*) explodir **2** (*tempestade, escândalo*) rebentar ◆ **blow sth up 1** (*rebentar, arrebentar*) fazer ir pelos ares **2** (*bola, etc.*) encher alguma coisa de ar **3** (*Fot*) ampliar alguma coisa **4** (*assunto*) exagerar alguma coisa

▸ *s* ~ (**to sb/sth**) golpe (para alguém/alguma coisa) LOC **a blow-by-blow account, etc. (of sth)** uma narrativa, etc. (de alguma coisa) feita tintim por tintim ◆ **come to blows (over sth)** envolver-se à pancada (por alguma coisa)

blue /blu:/ *adjetivo, substantivo*

▸ *adj* **1** azul: *light/dark blue* azul claro/escuro **2** (*coloq*) triste **3** (*filme, etc.*) pornográfico LOC *Ver* ONCE

▸ *s* **1** azul **2 the blues** [*não-contável*] (*Mús*) o blues **3 the blues** [*pl*] a depressão: *I've got the blues.* Sinto-me muito em baixo. LOC **out of the blue** de repente, sem mais nem menos

blueberry /ˈblu:bəri; *USA* -beri/ *s* (*pl* **blueberries**) mirtilo

blue-collar /ˌblu: ˈkɒlə(r)/ *adj* de classe operária: *blue-collar workers* operários ➲ *Comparar com* WHITE-COLLAR

blueprint /ˈblu:prɪnt/ *s* ~ (**for sth**) anteprojecto (de alguma coisa)

bluff /blʌf/ *verbo, substantivo*

▸ *vi* fazer bluff

▸ *s* bluff

blunder /ˈblʌndə(r)/ *substantivo, verbo*

▸ *s* gafe, disparate

▸ *vi* cometer um erro crasso

blunt /blʌnt/ *adjetivo, verbo*

▸ *adj* (**blunter, -est**) **1** rombo, sem fio: *a blunt instrument* um instrumento contundente **2** (*pessoa*) frontal: *to be blunt with sb* falar sem rodeios **3** (*comentário*) brusco

▸ *vt* embotar

blur /blɜ:(r)/ *substantivo, verbo*

▸ *s* imagem confusa

▸ *vt* (**-rr-**) **1** tornar indistinto **2** (*diferença*) atenuar **blurred** *adj* indistinto

blurt /blɜ:t/ *v* PHR V **blurt sth out** sair-se com um dito ou uma frase

blush /blʌʃ/ *verbo, substantivo*

▸ *vi* corar

▸ *s* rubor **blusher** *s* blush

boar /bɔ:(r)/ *s* (*pl* **boar** *ou* **boars**) **1** javali **2** varrão ➲ *Ver nota em* PORCO

board /bɔ:d/ *substantivo, verbo*

▸ *s* **1** tábua: *ironing board* tábua de passar a ferro *Ver tb* DIVING BOARD, DRAINING BOARD **2** prancha **3** (*na escola*) quadro **4** quadro de anúncios *Ver tb* MESSAGE BOARD **5** (*Xadrez, etc.*) tabuleiro **6** cartão **7 the board** (*tb* **the board of directors**) [*v sing ou pl*] a direção **8** (*comida*) pensão: *full/half board* pensão completa/meia pensão LOC **above board** honesto ◆ **across the board** a todos os níveis: *a 10% pay increase across the board* um aumento geral de salário de 10% ◆ **on board** a bordo

▸ **1** *vi* embarcar **2** *vt* subir para, embarcar em PHR V **board sth up** cobrir alguma coisa com tábuas

boarder /ˈbɔ:də(r)/ *s* **1** (*colégio*) interno, -a **2** (*casa de hóspedes*) hóspede

boarding card (*tb* **boarding pass**) *s* cartão de embarque

boarding house *s* casa de hóspedes, pensão

boarding school *s* internato

boast /bəʊst/ *verbo, substantivo*

▸ **1** *vi* ~ (**about/of sth**) gabar-se (de alguma coisa) **2** *vt* (*formal*) possuir: *The town boasts a famous museum.* A cidade tem o orgulho de possuir um museu famoso.

▸ *s* alarde **boastful** *adj* **1** presunçoso **2** pretensioso

boat /bəʊt/ *s* **1** barco: *to go by boat* ir de barco **2** bote: *rowing boat* barco a remos ◇ *boat race* regata **3** navio LOC *Ver* SAME

Boat e **ship** têm significados muito semelhantes, mas costuma-se empregar **boat** para embarcações mais pequenas.

bob /bɒb/ *vi* (**-bb-**) ~ (**up and down**) (*na água*) boiar PHR V **bob up** aparecer de repente

bode /bəʊd/ *v* LOC **bode ill/well (for sb/sth)** (*formal*) ser de mau agoiro/bom sinal (para alguém/alguma coisa)

bodice /ˈbɒdɪs/ *s* corpete

bodily /ˈbɒdɪli/ *adjetivo, advérbio*
▸ *adj* físico, corporal
▸ *adv* **1** à força **2** em conjunto

body /ˈbɒdi/ *s* (*pl* **bodies**) **1** corpo **2** cadáver **3** [*v sing ou pl*] grupo: *a government body* um organismo do governo **4** conjunto LOC **body and soul** com corpo e alma

bodybuilding /ˈbɒdibɪldɪŋ/ *s* culturismo

bodyguard /ˈbɒdigɑːd/ *s* **1** guarda-costas **2** (*grupo*) guarda pessoal

bodywork /ˈbɒdiwɜːk/ *s* [*não-contável*] carroçaria

bog /bɒg/ *substantivo, verbo*
▸ *s* **1** pântano, paul **2** (*GB, coloq*) retrete
▸ *v* (**-gg-**) PHR V **be/get bogged down (in sth)** (*lit e fig*) encalhar (em alguma coisa)

bogeyman /ˈbəʊgimæn/ (*USA tb* **boogeyman**) *s* (*pl* **-men** /-men/) papão (*espírito maligno*)

boggy /ˈbɒgi/ *adj* pantanoso

bogus /ˈbəʊgəs/ *adj* falso, fraudulento

boil /bɔɪl/ *verbo, substantivo*
▸ **1** *vt, vi* ferver **2** *vt* (*ovo*) cozer PHR V **boil down to sth** resumir-se a alguma coisa ◆ **boil over** transbordar
▸ *s* furúnculo LOC **be on the boil** estar a ferver

boiler /ˈbɔɪlə(r)/ *s* caldeira: *boiler suit* fato-macaco

boiling /ˈbɔɪlɪŋ/ *adj* a ferver: *boiling point* ponto de ebulição ◇ *boiling hot* a ferver

boisterous /ˈbɔɪstərəs/ *adj* barulhento, animado

bold /bəʊld/ *adj* (**bolder, -est**) **1** valente **2** ousado, atrevido **3** que ressalta, distinto **4** (*cor*) berrante **5** (*Tipografia*) negrito LOC **be/make so bold (as to do sth)** (*formal*) tomar a liberdade (de fazer alguma coisa) **boldly** *adv* **1** resolutamente **2** com audácia, atrevidamente **3** distintamente **boldness** *s* **1** valentia **2** audácia, atrevimento

bolster /ˈbəʊlstə(r)/ *vt* ~ **sth (up)** reforçar alguma coisa

bolt /bəʊlt/ *substantivo, verbo*
▸ *s* **1** trinco, ferrolho **2** parafuso (com porca) **3** *a bolt of lightning* um raio
▸ **1** *vt* trancar, fechar a ferrolho **2** *vt* ~ **A to B**; ~ **A and B together** fixar A a B com parafuso(s) **3** *vi* (*cavalo*) desbocar-se **4** *vi* fugir, safar-se **5** *vt* ~ **sth (down)** engolir alguma coisa

bomb /bɒm/ *substantivo, verbo*
▸ *s* **1** bomba: *to plant a bomb* pôr uma bomba ◇ *bomb scare* ameaça de bomba ◇ *bomb disposal* desactivação de uma bomba **2 the bomb** [*sing*] a bomba atómica LOC **go like a bomb** ir com grande velocidade *Ver tb* COST
▸ **1** *vt, vi* bombardear **2** *vt, vi* pôr uma bomba (em) (*um edifício*) **3** *vi* ~ **along, down, up, etc.** (*GB, coloq*) ir lançado

bombard /bɒmˈbɑːd/ *vt* **1** bombardear **2** (*perguntas, etc.*) assediar com **bombardment** *s* bombardeamento

bomber /ˈbɒmə(r)/ *s* **1** (*avião*) bombardeiro **2** pessoa que põe bombas

bombing /ˈbɒmɪŋ/ *s* **1** bombardeio **2** atentado à bomba

bombshell /ˈbɒmʃel/ *s* (*fig*) bomba: *The news came as a bombshell.* A notícia caiu como uma bomba.

bond /bɒnd/ *substantivo, verbo*
▸ *s* **1** pacto **2** laços **3** título: *Government bonds* obrigações do Tesouro **4 bonds** [*pl*] (*formal*) cadeias
▸ *vt* unir

bone /bəʊn/ *substantivo, verbo*
▸ *s* **1** osso **2** (*peixe*) espinha LOC **be a bone of contention** ser um pomo de discórdia ◆ **have a bone to pick with sb** (*coloq*) ter de ajustar contas com alguém ◆ **make no bones about sth** ser franco a respeito de alguma coisa *Ver tb* WORK
▸ *vt* desossar, tirar as espinhas de

bone dry *adj* completamente seco

bone marrow (*tb* **marrow**) *s* medula, tutano

bonfire /ˈbɒnfaɪə(r)/ *s* fogueira

Bonfire Night *s*

> No dia 5 de novembro, celebra-se na Grã-Bretanha aquilo a que chamam **Bonfire Night**. As pessoas fazem fogueiras à noite e há fogos de artifício para recordarem o 5 de novembro de 1605, quando Guy Fawkes tentou incendiar o Parlamento.

bonnet /ˈbɒnɪt/ *s* **1** (*bebé*) gorro **2** (*senhora*) chapéu **3** capot

bonus /ˈbəʊnəs/ *s* (*pl* **bonuses**) **1** bónus: *a productivity bonus* um bónus de produtividade **2** (*fig*) vantagem adicional

bony /ˈbəʊni/ *adj* **1** ósseo **2** cheio de espinhas/ossos **3** ossudo

boo /buː/ *verbo, substantivo, interjeição*
▸ *vt, vi* (*pt, pp* **booed** *part pres* **booing**) apupar
▸ *s* (*pl* **boos**) apupo
▸ *interj* fora!

booby trap /ˈbuːbi træp/ *s* armadilha (explosiva)

boogeyman /ˈbuːgimæn/ = BOGEYMAN

book /bʊk/ *substantivo, verbo*
▸ *s* **1** livro: *book club* círculo de leitores **2** caderneta **3** caderno **4 the books** [*pl*] as contas: *to do the books* fazer a escrita LOC **be in sb's good/bad books** (*coloq*) estar nas boas graças/na lista negra de alguém: *I'm in his bad books.* Estou na sua lista negra. ◆ **do sth by the book** fazer alguma coisa segundo as regras *Ver tb* COOK, LEAF, TRICK
▸ **1** *vt, vi* reservar, fazer uma reserva **2** *vt* contratar **3** *vt* (*coloq*) (*polícia*) registar, tomar nota do nome de **4** *vt* (*GB, coloq*) (*Desp*) advertir, mostrar o cartão amarelo LOC **be booked up**; **be fully booked 1** ter a lotação esgotada **2** (*coloq*): *I'm booked up.* Não tenho nem um espaço na minha agenda. PHR V **book in**; **book into sth** registar-se (em alguma coisa)

bookcase /ˈbʊkkeɪs/ *s* estante para livros

booking /ˈbʊkɪŋ/ *s* reserva

booking office *s* bilheteira

booklet /ˈbʊklət/ *s* folheto, brochura

bookmaker /ˈbʊkmeɪkə(r)/ (*coloq* **bookie** /ˈbʊki/) *s* agente de apostas

bookmark /ˈbʊkmɑːk/ *substantivo, verbo*
▸ *s* **1** marcador de livros **2** (*Internet*) favorito
▸ *vt* (*Internet*) incluir na lista de favoritos

bookseller /ˈbʊkselə(r)/ *s* livreiro, -a

bookshelf /ˈbʊkʃelf/ *s* (*pl* **bookshelves** /-ʃelvz/) prateleira para livros

bookshop /ˈbʊkʃɒp/ (*USA* **bookstore** /ˈbʊkstɔː(r)/) *s* livraria

boom /buːm/ *substantivo, verbo*
▸ *s* **1** ~ **(in sth)** aumento (em alguma coisa): *a boom in sales* um súbito aumento nas vendas **2** estrondo
▸ *vi* **1** prosperar: *Business is booming.* O negócio está a prosperar. **2** estrondear, retumbar

boost /buːst/ *verbo, substantivo*
▸ *vt* **1** (*vendas, confiança*) aumentar **2** (*moral*) levantar
▸ *s* **1** aumento **2** estímulo

boot /buːt/ *s* **1** bota **2** (*automóvel*) porta-bagagem, mala (*do carro*) LOC *Ver* TOUGH

booth /buːð; *USA* buːθ/ *s* **1** cubículo **2** cabina: *polling/telephone booth* cabina eleitoral/telefónica

booty /ˈbuːti/ *s* pilhagem

booze /buːz/ *substantivo, verbo*
▸ *s* (*coloq*) bebida alcoólica
▸ *vi* (*coloq*): *to go out boozing* sair para apanhar uma bebedeira

border /ˈbɔːdə(r)/ *substantivo, verbo*
▸ *s* **1** fronteira

Usam-se **border** e **frontier** para se referir à divisão entre países ou estados, mas só se costuma usar **border** para falar de fronteiras naturais: *The river forms the border between the two countries.* O rio constitui a fronteira entre os dois países. Por outro lado, emprega-se **boundary** para as divisões entre áreas mais pequenas, como, por exemplo, os condados.

2 (*jardim*) canteiro **3** borda, orla
▸ *vt* limitar com, confinar com PHR V **border on sth** estar à beira de alguma coisa: *Our task borders on the impossible.* A nossa tarefa é quase impossível.

borderline /ˈbɔːdəlaɪn/ *s* limite LOC **a borderline case** um caso duvidoso

bore /bɔː(r)/ *verbo, substantivo*
▸ *vt* **1** aborrecer **2** (*buraco*) fazer (*com broca*)
▸ *s* **1** (*pessoa*) aborrecido, -a **2** chatice **3** (*espingarda*) calibre *Ver tb* BEAR

bored /bɔːd/ *adj* aborrecido ➲ *Ver nota em* BORING *Ver tb* BORE

boredom /ˈbɔːdəm/ *s* aborrecimento

boring /ˈbɔːrɪŋ/ *adj* chato

Compare as duas orações: *He's boring.* É chato. ◇ *I'm bored.* Estou aborrecido. Com adjetivos terminados em **-ing**, como *interesting, tiring*, etc., o verbo **be** expressa uma qualidade e traduz-se como "ser", enquanto que com adjetivos terminados em **-ed**, como *interested, tired*, etc., expressa um estado e traduz-se como "estar".

born /bɔːn/ *verbo, adjetivo*
▸ *vt* LOC **be born** nascer: *She was born in Bath.* Nasceu em Bath. ◇ *He was born blind.* Nasceu cego.
▸ *adj* nato: *He's a born actor.* É um ator nato.

borne *pp de* BEAR

borough /ˈbʌrə; *USA* ˈbɜːrəʊ/ *s* município, bairro

borrow /ˈbɒrəʊ/ *vt* ~ **sth (from sb/sth)** pedir alguma coisa emprestada (a alguém/alguma coisa) ❶ Em português a estrutura é outra. Emprega-se o verbo *emprestar*: *Could I borrow a pen?* Emprestas-me uma esferográfica? **borrower** *s* pessoa que pede emprestado, mutuário, -a **borrowing** *s* crédito: *public sector borrowing* crédito ao sector público

bosom /ˈbʊzəm/ *s* **1** seio, peito **2** (*fig*) seio

She's **lending** her son some money.

He's **borrowing** some money from his mother.

boss /bɒs; *USA* bɔːs/ *substantivo, verbo*
▸ *s* patrão, patroa
▸ *vt* ~ **sb (about/around)** dar ordens a alguém, mandar em alguém **bossy** *adj* (*pej*) mandão

botanical /bəˈtænɪkl/ *adj* botânico

botanist /ˈbɒtənɪst/ *s* botânico, -a

botany /ˈbɒtəni/ *s* botânica

both /bəʊθ/ *pron, adj* **1** ambos, os/as dois/duas: *both of us* nós dois ◇ *Both of us went./We both went.* Fomos os dois. **2 both...and...** tanto...como..., não só...mas também...: *The report is both reliable and readable.* O relatório não só é fidedigno mas também interessante. ◇ *both you and me* tanto tu como eu ◇ *He both plays and sings.* Tanto toca como canta.

bother /ˈbɒðə(r)/ *verbo, substantivo, interjeição*
▸ **1** *vt* importunar, chatear ➲ *Comparar com* DISTURB, MOLEST **2** *vt* preocupar: *What's bothering you?* O que é que te está a preocupar? **3** *vi* ~ **(to do sth)** preocupar-se, incomodar-se (em fazer alguma coisa): *He didn't even bother to say thank you.* Ele nem sequer se incomodou em agradecer. **4** *vi* ~ **about sb/sth** preocupar-se com alguém/alguma coisa LOC **I can't be bothered (to do sth)** não estou para (fazer) alguma coisa ◆ **I'm not bothered** para mim, tanto faz
▸ *s* [*não-contável*] maçada
▸ *interj* que chatice!

bottle /ˈbɒtl/ *substantivo, verbo*
▸ *s* **1** garrafa: *bottle-opener* abre-garrafas **2** frasco **3** biberão **4** [*não-contável*] (*GB, coloq*) lata, ousadia: *It took a lot of bottle to do that.* Foi preciso muita lata para fazer aquilo.
▸ *vt* **1** engarrafar **2** colocar em frasco

bottle bank *s* contentor de vidro (*para reciclagem*)

bottom /ˈbɒtəm/ *substantivo, adjetivo*
▸ *s* **1** (*colina*) sopé **2** (*página*) pé **3** (*escadas, mar, barco, chávena*) fundo **4** (*rua*) fundo, fim **5** (*Anat*) traseiro **6** último: *He's bottom of the class.* É o último da turma. **7** *bikini bottom* as cuecas do biquíni ◇ *pyjama bottoms* calças de pijama *Ver tb* ROCK BOTTOM LOC **be at the bottom of sth** estar por trás de alguma coisa ◆ **get to the bottom of sth** chegar ao fundo de alguma coisa
▸ *adj* **1** inferior, de baixo **2** em último lugar

bough /baʊ/ *s* (*formal*) ramo

bought *pt, pp de* BUY

boulder /ˈbəʊldə(r)/ *s* rocha (*grande*)

bounce /baʊns/ *verbo, substantivo*
▸ **1** *vt, vi* (fazer) saltar **2** *vt* fazer ressaltar **3** *vi* (*coloq*) (*cheque careca*) ser devolvido PHR V **bounce back** recuperar
▸ *s* ressalto

bouncer /ˈbaʊnsə(r)/ *s* porteiro (*em discoteca, bar*)

bound /baʊnd/ *adjetivo, substantivo, verbo*
▸ *adj* **1** ~ **to do/be sth**: *You're bound to pass the exam.* Com certeza que passas no exame. **2** obrigado (*pela lei ou por dever*) **3** ~ **for...** com destino a... LOC **bound up with sth** ligado a alguma coisa
▸ *s* salto
▸ *vi* saltar *Ver tb* BIND

boundary /ˈbaʊndri/ *s* (*pl* **boundaries**) limite, fronteira ➲ *Ver nota em* BORDER

boundless /ˈbaʊndləs/ *adj* ilimitado

bounds /baʊndz/ *s* [*pl*] limites LOC **out of bounds** (*lugar*) proibido

bouquet /buˈkeɪ/ *s* **1** (*flores*) ramo **2** (*vinho*) aroma

bourgeois /ˈbʊəʒwɑː, ˌbʊəˈʒwɑː/ *adj, s* burguês, -esa

bout /baʊt/ *s* **1** (*atividade*) sessão **2** (*doença*) ataque **3** (*Boxe*) combate

bow¹ /baʊ/ *verbo, substantivo*
▸ **1** *vi* inclinar-se, fazer uma vénia ➲ *Ver nota em* CURTSY **2** *vt* (*cabeça*) inclinar
▸ *s* **1** vénia **2** (*tb* **bows** [*pl*]) (*Náut*) proa

bow² /bəʊ/ *s* **1** laço **2** (*Desp, Mús*) arco

bowel /ˈbaʊəl/ *s* **1** [*ger pl*] (*Med*) intestino(s) **2** [*pl*] **the ~s of sth** (*fig*) as entranhas de alguma coisa

bowl /bəʊl/ *substantivo, verbo*
▸ *s* **1** tigela

Usa-se **bowl** em muitas formas compostas, cuja tradução é normalmente uma única palavra: *a fruit bowl* um fruteiro ◇ *a sugar bowl* um açucareiro ◇ *a salad bowl* uma saladeira.

2 prato (fundo) **3** taça **4** (*casa de banho*) sanita **5** (*Bowling*) bola **6 bowls** [*não-contável*] (*jogo*) bocha
▸ *vt, vi* atirar (a bola)

bowler /ˈbəʊlə(r)/ *s* **1** (*Críquete*) lançador, -ora, jogador, -ora que atira a bola **2** (*tb* **bowler hat**) chapéu de coco

bowling /ˈbəʊlɪŋ/ *s* [*não-contável*] bowling: *bowling alley* pista de bowling

bow tie /ˌbəʊ ˈtaɪ/ *s* laço

⚷ **box** /bɒks/ *substantivo, verbo*
▸ *s* **1** caixa, caixote: *cardboard box* caixa de cartão ➲ *Ver ilustração em* CONTAINER **2** estojo **3** (*Teat*) camarote **4** (*num formulário*) quadrado **5 the box** [*sing*] (*esp GB, coloq*) a televisão *Ver tb* BALLOT BOX, LETTER BOX, TELEPHONE BOX, WINDOW BOX, WITNESS BOX
▸ **1** *vt, vi* jogar boxe (com) **2** *vt* ~ **sth (up)** embalar, encaixotar alguma coisa

boxer /ˈbɒksə(r)/ *s* **1** jogador de boxe, pugilista **2** boxer (*cão*) **3 boxers** (*tb* **boxer shorts**) [*pl*] boxers ➲ *Ver notas em* CALÇAS *e* PAIR

boxing /ˈbɒksɪŋ/ *s* boxe

Boxing Day *s* 26 de dezembro ➲ *Ver nota em* NATAL

box office *s* bilheteira

⚷ **boy** /bɔɪ/ *s* **1** menino, rapaz: *It's a boy!* É um rapaz! **2** filho: *his eldest boy* o seu filho mais velho ◇ *I've got three children, two boys and one girl.* Tenho três filhos: dois rapazes e uma menina. **3** rapaz: *boys and girls* rapazes e raparigas

boycott /ˈbɔɪkɒt/ *verbo, substantivo*
▸ *vt* boicotar
▸ *s* boicote, boicotagem

⚷ **boyfriend** /ˈbɔɪfrend/ *s* namorado: *Is he your boyfriend, or just a friend?* É teu namorado ou só um amigo?

boyhood /ˈbɔɪhʊd/ *s* infância

boyish /ˈbɔɪɪʃ/ *adj* **1** (*homem*) ameninado, próprio de rapaz **2** (*mulher*): *She has a boyish figure.* Ela tem a figura de rapaz.

bra /brɑː/ *s* sutiã

brace /breɪs/ *substantivo, verbo*
▸ *s* **1** (*USA* **braces** [*pl*]) (*para os dentes*) aparelho **2 braces** [*pl*] (*GB*) suspensórios
▸ *vt* ~ **yourself (for sth)** preparar-se (para alguma coisa)

bracelet /ˈbreɪslət/ *s* pulseira, bracelete

bracing /ˈbreɪsɪŋ/ *adj* estimulante

bracket /ˈbrækɪt/ *substantivo, verbo*
▸ *s* **1** (*GB*) parêntese: *in brackets* entre parênteses **2** (*USA*) parêntese recto ➲ *Ver pág. 315* **3** suporte (*estante*) **4** categoria: *the 20-30 age bracket* o grupo etário de 20 a 30 anos
▸ *vt* **1** pôr entre parênteses **2** agrupar

brag /bræg/ *vi* (**-gg-**) ~ **(about sth)** (*pej*) gabar-se (de alguma coisa)

braid /breɪd/ *s* (*esp USA*) trança

⚷ **brain** /breɪn/ *s* **1** cérebro **2 brains** [*pl*] miolos **3** mente **4 the brains** [*sing*]: *He's the brains of the family.* É o cérebro da família. LOC **have sth on the brain** (*coloq*) ter alguma coisa metida na cabeça *Ver tb* PICK, RACK **brainless** *adj* insensato, estúpido

brainwash /ˈbreɪnwɒʃ; *USA* -wɔːʃ/ *vt* ~ **sb (into doing sth)** fazer uma lavagem ao cérebro de alguém (para que faça alguma coisa) **brainwashing** *s* lavagem ao cérebro

brainwave /ˈbreɪnweɪv/ *s* idea genial

brainy /ˈbreɪni/ *adj* (*coloq*) inteligente, esperto

brake /breɪk/ *substantivo, verbo*
▸ *s* travão, freio: *to put on/apply the brake(s)* travar
▸ *vt, vi* travar: *to brake hard* travar de repente

bramble /ˈbræmbl/ *s* sarça, silva

bran /bræn/ *s* farelo

⚷ **branch** /brɑːntʃ; *USA* bræntʃ/ *substantivo, verbo*
▸ *s* **1** ramo **2** sucursal, filial: *your nearest/local branch* a filial mais próxima/do bairro
▸ *v* PHR V **branch off** bifurcar-se, ramificar-se ◆ **branch out (into sth)** estender as suas atividades (a alguma coisa), começar (com alguma coisa): *They're branching out into Eastern Europe.* Estão a começar a operar na Europa do Leste.

⚷ **brand** /brænd/ *substantivo, verbo*
▸ *s* **1** (*Com*) marca (*produtos de limpeza, tabaco, roupa, alimentos*) ➲ *Comparar com* MAKE **2** forma: *a strange brand of humour* um humor muito esquisito
▸ *vt* **1** (*gado*) marcar (a ferro quente) **2** ~ **sb (as sth)** rotular alguém (de alguma coisa)

brandish /ˈbrændɪʃ/ *vt* brandir

brand new *adj* novo em folha

brandy /ˈbrændi/ *s* aguardente, conhaque

brash /bræʃ/ *adj* (*pej*) descarado **brashness** *s* atrevimento

brass /brɑːs; *USA* bræs/ *s* [*não-contável*] **1** latão **2** [*v sing ou pl*] (*Mús*) instrumentos de metal, os metais

bravado /brəˈvɑːdəʊ/ *s* bravata

brave /breɪv/ *adjetivo, verbo*
▸ *adj* (**braver, -est**) valente LOC **put on a brave face; put a brave face on sth** fazer cara alegre (perante/a alguma coisa)
▸ *vt* **1** (*perigo, intempérie, etc.*) desafiar **2** (*dificuldades*) enfrentar, encarar, suportar

brawl /brɔːl/ *s* briga, rixa

breach /briːtʃ/ *substantivo, verbo*
▸ *s* **1** (*contrato, promessa*) não cumprimento **2** (*lei*) violação **3** (*segurança*) falha **4** (*relações*) rompimento LOC **breach of confidence/faith/trust** abuso de confiança
▸ *vt* **1** (*contrato, promessa*) não cumprir **2** (*lei*) violar **3** (*muralha, defesas*) abrir uma brecha em

bread /bred/ *s* [*ger não-contável*] pão: *I bought a loaf/two loaves of bread.* Comprei um pão/dois pães. ◇ *a slice of bread* uma fatia de pão ❶ Note que o plural **breads** só se usa para se referir a diferentes tipos de pão, e não a vários pães. ➲ *Ver ilustração em* PÃO

breadcrumbs /ˈbredkrʌmz/ *s* [*pl*] migalhas de pão, pão ralado: *fish in breadcrumbs* peixe panado

breadth /bredθ/ *s* **1** largueza **2** largura

break /breɪk/ *verbo, substantivo*
▸ (*pt* **broke** /brəʊk/, *pp* **broken** /ˈbrəʊkən/) **1** *vt* partir, quebrar: *to break sth in two/in half* partir alguma coisa ao meio ◇ *She's broken her leg.* Ela partiu a perna. ❶ Não se usa **break** com materiais flexíveis, como o pano ou o papel. **2** *vi* partir-se, despedaçar(-se) **3** *vt* (*lei*) violar **4** *vt* (*promessa, palavra*) não cumprir, faltar a **5** *vt* (*recorde*) bater **6** *vt* (*queda*) amortecer **7** *vt* (*viagem*) interromper **8** *vi* fazer um intervalo: *Let's break for coffee.* Vamos parar para tomar um café. **9** *vt* (*vontade*) quebrar **10** *vt* (*mau hábito*) deixar, largar **11** *vt* (*código*) decifrar **12** *vt* (*cofre*) forçar **13** *vi* (*tempo*) mudar **14** *vi* (*tempestade, escândalo*) rebentar **15** *vi* (*notícia, história*) tornar-se público **16** *vi* (*voz*) mudar **17** *vi* (*ondas*) rebentar: *Her waters broke.* Rompeu-se-lhe a bolsa de águas. LOC **break it up!** já chega!: *Stop fighting, girls. Break it up!* Parem de guerrear, meninas. Já chega! ◆ **break the news (to sb)** dar a (má) notícia (a alguém) ◆ **not break the bank** (*coloq*) não levar à falência: *A meal out won't break the bank.* Comer fora não nos vai levar à bancarrota. *Ver tb* WORD
PHR V **break away (from sth)** separar-se (de alguma coisa), romper (com alguma coisa)
break down 1 (*carro, máquina*) avariar-se: *We broke down.* O nosso carro avariou-se. **2** (*pessoa*) ir-se abaixo: *He broke down and cried.* Ele perdeu o controlo e desatou a chorar. **3** (*negociações*) romper ◆ **break sth down 1** deitar alguma coisa a baixo **2** pormenorizar alguma coisa **3** decompor alguma coisa
break in forçar a entrada ◆ **break into sth 1** (*ladrões*) entrar à força em alguma coisa **2** (*mercado*) penetrar em alguma coisa **3** (*começar a fazer alguma coisa*): *to break into a run* desatar a correr ◇ *He broke into a cold sweat.* Desfez-se num suor frio.
break off parar de falar ◆ **break sth off 1** partir alguma coisa (*pedaço*) **2** romper alguma coisa (*compromisso*)
break out 1 (*epidemia*) declarar-se **2** (*guerra*) rebentar **3** (*violência*) gerar-se **4** (*incêndio*) declarar-se, acender-se **5** encher-se: *I've broken out in spots.* Estou cheio de borbulhas.
break through sth abrir caminho através de alguma coisa
break up 1 (*reunião, relação*) terminar **2** *The school breaks up on 20 July.* As aulas terminam no dia 20 de julho. ◆ **break up (with sb)** romper (com alguém) ◆ **break sth up 1** desfazer alguma coisa **2** fazer fracassar alguma coisa
▸ *s* **1** rutura, abertura **2** intervalo, pausa, recreio: *a coffee break* um intervalo para tomar café **3** férias curtas: *a weekend break* uma escapada de fim de semana **4** rutura, mudança: *a break in routine* uma mudança de rotina **5** (*coloq*) oportunidade, chance
LOC **give sb a break** dar uma oportunidade a alguém ◆ **make a break for it** tentar escapar *Ver tb* CLEAN

breakable /ˈbreɪkəbl/ *adj* quebrável

breakdown /ˈbreɪkdaʊn/ *s* **1** avaria **2** (*saúde*) colapso: *a nervous breakdown* um esgotamento nervoso **3** (*estatística*) análise

breakfast /ˈbrekfəst/ *s* pequeno-almoço: *to have breakfast* tomar o pequeno-almoço

O **English breakfast** tradicional consiste em cereais, bacon com ovos, torradas e chá ou café. Hoje em dia a maior parte das pessoas toma um **continental breakfast**, de café e pão com manteiga e doce.

Ver tb BED AND BREAKFAST

break-in /ˈbreɪk ɪn/ *s* roubo (*por meio de arrombamento*)

breakthrough /ˈbreɪkθruː/ *s* avanço (importante)

breast /brest/ *s* seio, peito (*de mulher*): *breast cancer* cancro da mama

breaststroke /ˈbreststrəʊk/ *s* nado de bruços: *to do breaststroke* nadar (de) bruços

breath /breθ/ *s* respiração: *to take a deep breath* respirar fundo LOC **a breath of (fresh) air** uma lufada de ar fresco ◆ **(be) out of breath** (ter) falta de ar ◆ **get your breath (again/back); catch your breath** recuperar o fôlego ◆ **hold your breath** **1** suster a respiração **2** (*coloq*): *Don't hold your breath!* Podes esperar sentado! ◆ **say sth, speak, etc. under your breath** dizer alguma coisa, falar, etc. por entre os dentes ◆ **take sb's breath away** deixar alguém de boca aberta *Ver tb* WASTE

breathalyse (*USA* **breathalyze**) /ˈbreθəlaɪz/ *vt* submeter ao teste do balão: *Both drivers were breathalysed at the scene of the accident.* Os dois motoristas fizeram o teste do balão no local do acidente. **breathalyser** (*USA* **Breathalyzer**®) *s* alcoolímetro, balão

breathe /bri:ð/ *vt, vi* respirar LOC **breathe down sb's neck** (*coloq*) andar em cima de alguém ◆ **breathe life into sb/sth** animar alguém/alguma coisa, dar vida a alguém/alguma coisa ◆ **not breathe a word (about/of sth)** não dizer nada (de alguma coisa) PHR V **breathe (sth) in** inspirar (alguma coisa) ◆ **breathe (sth) out** aspirar (alguma coisa)

breathing /ˈbri:ðɪŋ/ *s* respiração: *heavy breathing* respiração ofegante

breathless /ˈbreθləs/ *adj* ofegante, esbaforido

breathtaking /ˈbreθteɪkɪŋ/ *adj* espantoso, admirável

breed /bri:d/ *verbo, substantivo*
▸ (*pt, pp* **bred** /bred/) **1** *vi* (*animal*) reproduzir-se **2** *vt* (*gado*) criar **3** *vt* produzir, gerar: *Dirt breeds disease.* A sujidade produz doença.
▸ *s* raça, casta

breeze /bri:z/ *s* brisa

brew /bru:/ **1** *vt, vi* (*cerveja*) fazer(-se), fermentar(-se) **2** *vt, vi* (*chá*) fazer(-se) **3** *vi* (*fig*) preparar-se: *Trouble is brewing.* Está para haver sarilho. **brewery** /ˈbru:əri/ *s* (*pl* **breweries**) cervejaria

bribe /braɪb/ *substantivo, verbo*
▸ *s* suborno
▸ *vt* ~ **sb (into doing sth)** aliciar alguém (para que faça alguma coisa) **bribery** *s* [*não-contável*] aliciamento, suborno

brick /brɪk/ *substantivo, verbo*
▸ *s* tijolo
▸ *v* PHR V **brick sth in/up** tapar alguma coisa com tijolos

bride /braɪd/ *s* noiva (*num casamento*): *the bride and groom* os noivos ➲ *Ver nota em* CASAMENTO

bridegroom /ˈbraɪdgru:m/ (*tb* **groom**) *s* noivo (*num casamento*) ➲ *Ver nota em* CASAMENTO

bridesmaid /ˈbraɪdzmeɪd/ *s* dama de honor ➲ *Ver nota em* CASAMENTO

bridge /brɪdʒ/ *substantivo, verbo*
▸ *s* **1** ponte **2** vínculo
▸ *vt* LOC **bridge a/the gap/gulf between A and B** preencher uma lacuna entre A e B

bridle /ˈbraɪdl/ *s* brida

brief /bri:f/ *adj* (**briefer, -est**) breve LOC **in brief** em suma

briefcase /ˈbri:fkeɪs/ *s* pasta ➲ *Ver ilustração em* LUGGAGE

briefly /ˈbri:fli/ *adv* **1** brevemente **2** em poucas palavras

briefs /bri:fs/ *s* [*pl*] cuecas ➲ *Ver notas em* CUECAS *e* PAIR

bright /braɪt/ *adjetivo, advérbio*
▸ *adj* (**brighter, -est**) **1** brilhante, luminoso: *bright eyes* olhos vivos **2** (*cor*) vivo **3** (*sorriso, expressão, carácter*) radiante, alegre **4** inteligente, esperto LOC *Ver* LOOK
▸ *adv* (**brighter, -est**) brilhantemente

brighten /ˈbraɪtn/ **1** *vt, vi* clarear **2** *vi* ~ **(up)** animar-se, desanuviar (*tempo*) **3** *vt* ~ **sth (up)** dar mais vida ou cor a alguma coisa: *These curtains brighten up the room.* Estas cortinas dão mais cor ao quarto.

brightly /ˈbraɪtli/ *adv* **1** brilhantemente **2** *brightly lit* com muita luz ◇ *brightly painted* pintado com cores vivas **3** radiantemente, alegremente

brightness /ˈbraɪtnəs/ *s* **1** brilho, claridade **2** alegria **3** inteligência

brilliance /ˈbrɪliəns/ *s* **1** brilho, resplandescência **2** brilhantismo

brilliant /ˈbrɪliənt/ *adj* **1** brilhante **2** (*GB, coloq*) fantástico

brim /brɪm/ *s* **1** borda: *full to the brim* cheio até à borda **2** aba (*de chapéu*)

bring /brɪŋ/ *vt* (*pt, pp* **brought** /brɔ:t/) **1** ~ **sb/sth (with you)** trazer alguém/alguma coisa (consigo) **2** ~ **sb sth**; ~ **sth for sb** trazer alguma coisa para alguém ➲ *Ver nota em* GIVE **3** levar: *Can I bring a friend to your party?* Posso levar um amigo à tua festa? ➲ *Ver ilustração em* TAKE *e nota em* LEVAR **4** (*ações judiciais*) apresentar **5** ~ **yourself to do sth** obrigar-se a fazer alguma coisa: *I couldn't bring myself to tell her.* Não tive coragem para lhe dizer. ❶ Para expressões com **bring**, ver as entradas para o substantivo, adjetivo, etc., p.ex. **bring sth to a close** em CLOSE².
PHR V **bring sth about** causar alguma coisa

bring sth back **1** devolver alguma coisa **2** fazer pensar em alguma coisa **3** restabelecer alguma coisa
bring sth down **1** derrubar alguma coisa, deitar alguma coisa abaixo **2** (*preços, etc.*) reduzir, baixar alguma coisa
bring sth forward antecipar alguma coisa
bring sth in introduzir alguma coisa (*lei*)
bring sth off conseguir alguma coisa (*difícil*)
bring sth on causar alguma coisa ◆ **bring sth on yourself**: *You brought it on yourself.* Tu é que criaste esta situação.
bring sth out **1** produzir alguma coisa **2** publicar, lançar alguma coisa **3** tornar alguma coisa patente, fazer sobressair alguma coisa
bring sb round/to fazer alguém recuperar os sentidos ◆ **bring sb round (to sth)** convencer alguém (de alguma coisa)
bring sb/sth together reconciliar, unir alguém/alguma coisa
bring sb up criar alguém: *She was brought up by her granny.* Foi criada pela avó. ➲ *Comparar com* EDUCATE ◆ **bring sth up** **1** levantar alguma coisa **2** vomitar alguma coisa

brink /brɪŋk/ *s* **the brink (of sth)** a beira (de alguma coisa): *on the brink of war* à beira da guerra

brisk /brɪsk/ *adj* (*comp* **brisker**) **1** (*passo*) rápido, enérgico **2** (*negócio*) ativo

Brit /brɪt/ *s* (*coloq*) britânico, -a

British /ˈbrɪtɪʃ/ *adj* britânico

> O adjetivo **British** usa-se para falar das pessoas da Grã-Bretanha, ou seja, de Inglaterra, Escócia, País de Gales e da Irlanda do Norte. **English** só se usa para nos referirmos aos habitantes de Inglaterra, enquanto que o substantivo **Briton** só é usado nos jornais. ➲ *Ver tb nota em* GRÃ-BRETANHA

brittle /ˈbrɪtl/ *adj* **1** quebradiço **2** (*fig*) frágil

broach /brəʊtʃ/ *vt* abordar (*assuntos*)

⚷ **broad** /brɔːd/ *adj* (**broader, -est**) **1** largo

> Para nos referirmos à distância entre os dois extremos de alguma coisa, é mais normal empregar **wide**: *The gate is four metres wide.* O portão tem quatro metros de largura. Usa-se **broad** para nos referirmos a características geográficas: *a broad expanse of desert* uma ampla extensão de deserto, e também em frases como *broad shoulders* costas largas.

2 (*sorriso*) grande **3** (*esquema, acordo*) geral, amplo: *in the broadest sense of the word* no sentido mais amplo da palavra LOC **in broad daylight** em plena luz do dia

broadband /ˈbrɔːdbænd/ *s* (*Internet*) banda larga

broad bean *s* fava

⚷ **broadcast** /ˈbrɔːdkɑːst; *USA* -kæst/ *verbo, substantivo*
▸ (*pt, pp* **broadcast**) **1** *vt* (*TV, Rádio*) transmitir **2** *vi* emitir **3** *vt* (*opinião*) propagar
▸ *s* transmissão: *party political broadcast* tempo de antena (para compana eleitoral)

broaden /ˈbrɔːdn/ *vt, vi* alargar(-se)

⚷ **broadly** /ˈbrɔːdli/ *adv* **1** amplamente: *smiling broadly* com um enorme sorriso **2** em geral: *broadly speaking* falando em termos gerais

broccoli /ˈbrɒkəli/ *s* [*não-contável*] brócolos

brochure /ˈbrəʊʃə(r); *USA* brəʊˈʃʊər/ *s* brochura, folheto (*esp de viagens ou publicidade*)

broke /brəʊk/ *adj* (*coloq*) falido LOC **go broke** falir (*negócio*) *Ver tb* BREAK

⚷ **broken** /ˈbrəʊkən/ *adj* **1** partido, quebrado **2** (*coração*) partido **3** (*lar, casamento*) destruído *Ver tb* BREAK

broker /ˈbrəʊkə(r)/ *s Ver* STOCKBROKER

brolly /ˈbrɒli/ *s* (*pl* **brollies**) (*GB, coloq*) guarda-chuva

bronchitis /brɒŋˈkaɪtɪs/ *s* [*não-contável*] bronquite: *to catch bronchitis* apanhar uma bronquite

bronze /brɒnz/ *substantivo, adjetivo*
▸ *s* bronze
▸ *adj* de bronze, cor de bronze

brooch /brəʊtʃ/ *s* alfinete de peito (*joia*)

brood /bruːd/ *vi* ~ **(on/over/about sth)** matutar (sobre alguma coisa)

brook /brʊk/ *s* regato

broom /bruːm/ *s* **1** vassoura ➲ *Ver ilustração em* BRUSH **2** (*Bot*) giesta

broomstick /ˈbruːmstɪk/ *s* cabo de vassoura

broth /brɒθ/ *s* [*não-contável*] caldo

⚷ **brother** /ˈbrʌðə(r)/ *s* **1** irmão: *Does she have any brothers or sisters?* Ela tem irmãos? ◇ *Brother Luke* o Irmão Luke **2** (*fig*) companheiro, camarada **brotherhood** *s* [*v sing ou pl*] **1** irmandade **2** confraria

brother-in-law /ˈbrʌðər ɪn lɔː/ *s* (*pl* **brothers-in-law**) cunhado

brotherly /ˈbrʌðəli/ *adj* fraternal

brought *pt, pp de* BRING

B

brow /braʊ/ *s* **1** (*Anat*) testa ❶ A palavra mais comum é **forehead**. **2** *Ver* EYEBROW **3** (*colina*) cume

brown /braʊn/ *adjetivo, substantivo, verbo*
▸ *adj* (**browner**, **-est**) **1** castanho **2** (*pele*) moreno, trigueiro **3** (*urso*) pardo **4** *brown bread/rice* pão/arroz integral ◇ *brown paper* papel de embrulho ◇ *brown sugar* açúcar amarelo/mascavado
▸ *s* castanho
▸ *vt* acastanhar, dourar

brownie /ˈbraʊni/ *s* **1** bolo de chocolate **2 Brownie** espécie de escuteira, membro das jovens da Girl Guides

browse /braʊz/ **1** *vt, vi* (*loja*) dar uma vista de olhos (a) **2** *vi* ~ **(through sth)** (*revista, etc.*) ler (alguma coisa) por alto, folhear alguma coisa **3** *vi* (*gado*) pastar

browser /ˈbraʊzə(r)/ *s* (*Informát*) navegador

bruise /bruːz/ *substantivo, verbo*
▸ *s* **1** contusão, nódoa negra **2** (*fruta*) contusão
▸ **1** *vt, vi* ~ **(yourself)** (*pessoa*) ferir(-se) **2** *vt* (*fruta*) pisar **bruising** *s* [*não-contável*]: *He had a lot of bruising.* Ele tinha muitas contusões.

brushes

brush /brʌʃ/ *substantivo, verbo*
▸ *s* **1** escova **2** basculho **3** pincel **4** broxa **5** escovadela **6** ~ **with sb/sth** (*fig*) desavença com alguém/alguma coisa
▸ **1** *vt* escovar: *to brush your hair/teeth* escovar o cabelo/os dentes **2** *vt* varrer **3** *vt, vi* ~ **(against/past/by) sb/sth** roçar alguém/alguma coisa PHR V **brush sb/sth aside** não ligar importância a alguém/alguma coisa ◆ **brush sth up; brush up on sth** refrescar os conhecimentos de alguma coisa (*língua, etc.*)

brusque /bruːsk; *USA* brʌsk/ *adj* (*comportamento, voz*) brusco

Brussels sprout (*tb* **sprout**) *s* couve de Bruxelas

brutal /ˈbruːtl/ *adj* brutal **brutality** /bruːˈtæləti/ *s* (*pl* **brutalities**) brutalidade

brute /bruːt/ *substantivo, adjetivo*
▸ *s* **1** besta **2** bruto
▸ *adj* [*só antes de substantivo*] bruto **brutish** *adj* brutal

bubble /ˈbʌbl/ *substantivo, verbo*
▸ *s* **1** bolha **2** *to blow bubbles* fazer bolas (de sabão)
▸ *vi* **1** borbulhar **2** borborejar

bubble bath *s* espuma para banho

bubblegum /ˈbʌblgʌm/ (*tb* **gum**) *s* [*não-contável*] pastilha elástica (*que faz balões*)

bubbly /ˈbʌbli/ *adj* **1** borbulhante, efervescente **2** (*pessoa*) buliçoso

buck /bʌk/ *substantivo, verbo*
▸ *s* **1** (*esp USA, coloq*) dólar: *He's making big bucks.* Está a fazer um dinheirão. **2** macho (*de veado, coelho*) ➲ *Ver notas em* VEADO *e* COELHO LOC **make a fast/quick buck** (*coloq, freq pej*) ganhar dinheiro rapidamente ◆ **the buck stops here** eu sou o último responsável
▸ *vi* dar pinotes LOC **buck the trend** ir contra a corrente PHR V **buck sb up** (*GB, coloq*) animar alguém

bucket /ˈbʌkɪt/ *s* balde LOC *Ver* DROP, KICK

buckle /ˈbʌkl/ *substantivo, verbo*
▸ *s* fivela
▸ **1** *vt* ~ **sth (on/up)** afivelar alguma coisa **2** *vt, vi* (*metal*) deformar(-se) **3** *vi* (*pernas*) dobrar-se

bud /bʌd/ *s* **1** rebento **2** (*flor*) botão

Buddhism /ˈbʊdɪzəm/ *s* budismo **Buddhist** *adj, s* budista

budding /ˈbʌdɪŋ/ *adj* [*só antes de substantivo*] em botão

buddy /ˈbʌdi/ *s* (*pl* **buddies**) (*coloq*) camarada, grande amigo ❶ Emprega-se sobretudo entre os rapazes e usa-se muito nos Estados Unidos.

budge /bʌdʒ/ **1** *vt, vi* mover(-se) **2** *vi* (*opinião*) ceder

budgerigar /ˈbʌdʒərɪgɑː(r)/ (*GB coloq* **budgie** /ˈbʌdʒi/) *s* periquito

budget /ˈbʌdʒɪt/ *substantivo, verbo*
▸ *s* **1** orçamento: *a budget deficit* um défice orçamental **2** (*Pol*) orçamento do Estado
▸ **1** *vt* ~ **sth (for sth)** alocar alguma coisa (para alguma coisa) **2** *vi* ~ **(for sth)** (*gastos*) planear (para alguma coisa) **budgetary** /ˈbʌdʒɪtəri; *USA* -teri/ *adj* orçamental

buff /bʌf/ *substantivo, adjetivo*
▸ *s* entusiasta: *a film buff* um apaixonado pelo cinema
▸ *adj, s* cor de camurça

buffalo /ˈbʌfələʊ/ *s* (*pl* **buffalo** *ou* **buffaloes**) **1** búfalo **2** (*USA*) bisonte

buffer /ˈbʌfə(r)/ *s* **1** amortecedor: *a buffer zone* uma zona-tampão **2** (*tb* **old buffer**) (*GB, coloq*) pessoa antiquada, bota-de-elástico

buffet[1] /ˈbʊfeɪ; *USA* bəˈfeɪ/ *s* **1** cafetaria: *buffet car* vagão-restaurante **2** bufete

buffet[2] /ˈbʌfɪt/ *vt* dar abanões

bug /bʌg/ *substantivo, verbo*
▸ *s* **1** percevejo, bicho **2** (*coloq*) vírus, infeção **3** (*coloq*) (*Informát*) erro num programa, bug **4** (*coloq*) microfone escondido
▸ *vt* (**-gg-**) **1** pôr um microfone escondido em **2** escutar (por meio de um microfone escondido) **3** (*esp USA, coloq*) chatear

buggy /ˈbʌgi/ *s* (*pl* **buggies**) **1** todo-o-terreno **2** carrinho de bebé

build /bɪld/ *vt* (*pt, pp* **built** /bɪlt/) **1** construir **2** criar, produzir PHR V **build sth in; build sth into sth 1** incorporar alguma coisa (em alguma coisa) **2** (*móvel*) embutir alguma coisa (em alguma coisa) ◆ **build on sth** desenvolver alguma coisa partindo de uma determinada base ◆ **build up 1** intensificar-se **2** acumular(-se) ◆ **build sb/sth up** contar maravilhas de alguém/alguma coisa ◆ **build sth up 1** (*coleção*) acumular alguma coisa **2** (*negócio*) desenvolver alguma coisa *Ver tb* WELL BUILT

builder /ˈbɪldə(r)/ *s* trabalhador, -ora da construção civil

building /ˈbɪldɪŋ/ *s* **1** edifício, prédio **2** construção

building site *s* **1** terreno (*para construção*) **2** (*construção*) obra

building society *s* (*GB*) sociedade de crédito imobiliário

build-up /ˈbɪld ʌp/ *s* **1** aumento gradual **2** acumulação **3** ~ **(to sth)** preparação (para alguma coisa) **4** propaganda

built *pt, pp de* BUILD

built-in /ˌbɪlt ˈɪn/ *adj* **1** embutido **2** incorporado

built-up /ˌbɪlt ˈʌp/ *adj* edificado: *built-up areas* zonas urbanizadas

bulb /bʌlb/ *s* **1** (*Bot*) bolbo **2** (*tb* **light bulb**) lâmpada

bulge /bʌldʒ/ *substantivo, verbo*
▸ *s* **1** saliência, bojo **2** aumento (transitório)
▸ *vi* **1** ~ **(with sth)** estar abarrotado (de alguma coisa) **2** abaular

bulimia /buˈlɪmiə/ *s* bulimia **bulimic** *adj, s* bulímico, -a

bulk /bʌlk/ *s* **1** volume: *bulk buying* compra por atacado **2** corpulência **3 the** ~ **(of sth)** a maior parte (de alguma coisa) LOC **in bulk 1** por atacado **2** a granel **bulky** *adj* (**bulkier, -iest**) corpulento

bull /bʊl/ *s* **1** touro **2** *Ver* BULLSEYE

bulldoze /ˈbʊldəʊz/ *vt* **1** terraplanar, nivelar **2** derrubar **bulldozer** *s* buldózer

bullet /ˈbʊlɪt/ *s* bala

bulletin /ˈbʊlətɪn/ *s* **1** (*declaração*) comunicado, comunicação **2** boletim: *news bulletin* boletim noticioso ◇ *bulletin board* quadro de avisos

bulletproof /ˈbʊlɪtpruːf/ *adj* à prova de balas

bullfight /ˈbʊlfaɪt/ *s* tourada **bullfighter** *s* toureiro, -a **bullfighting** *s* toureio

bullion /ˈbʊliən/ *s* [*não-contável*] ouro/prata (*em barras*)

bullring /ˈbʊlrɪŋ/ *s* praça de touros

bullseye /ˈbʊlzaɪ/ (*tb* **bull**) *s* centro do alvo

bully /ˈbʊli/ *substantivo, verbo*
▸ *s* (*pl* **bullies**) mandão, -ona
▸ *vt* (*pt, pp* **bullied**) implicar com, intimidar **bullying** *s* [*não-contável*] comportamento agressivo (*esp na escola*)

bum /bʌm/ *substantivo, verbo*
▸ *s* (*coloq*) **1** (*GB*) rabo **2** (*USA*) vadio, -a
▸ *vt* (**-mm-**) ~ **sth (off sb)** (*coloq*) arranjar alguma coisa (a alguém) PHR V **bum around** (*coloq*) vadiar

bumblebee /ˈbʌmblbiː/ *s* abelhão

bump /bʌmp/ *verbo, substantivo*
▸ **1** *vt* ~ **sth (against/on sth)** bater com alguma coisa (contra/em alguma coisa) **2** *vi* ~ **against/into sb/sth** dar com alguém/alguma coisa PHR V **bump into sb** (*coloq*) encontrar-se com alguém (por acaso) ◆ **bump sb off** (*coloq*) assassinar alguém
▸ *s* **1** pancada **2** solavanco **3** (*Anat*) galo **4** *a road with a lot of bumps in it* uma estrada cheia de altos e baixos

bumper /ˈbʌmpə(r)/ *substantivo, adjetivo*
▸ *s* pára-choques: *bumper car* carro de choques
▸ *adj* [*só antes de substantivo*] abundante, gigantesco

bumpy /ˈbʌmpi/ *adj* (**bumpier, -iest**) **1** (*superfície*) irregular **2** (*estrada*) com altos e baixos, com buracos **3** (*viagem*) aos altos e baixos, aos solavancos

bun /bʌn/ *s* **1** arrufada **2** pãozinho ➲ *Ver ilustração em* PÃO **3** (*cabelo*) rolo

bunch /bʌntʃ/ *substantivo, verbo*
▸ *s* **1** (*uvas, bananas*) cacho **2** (*flores*) ramo **3** (*ervas, chaves*) molho **4** [*sing*] (*coloq*) grupo: *They're a great bunch of kids.* São um grupo de miúdos fantástico. **5** [*sing*] **a ~ of sth** (*esp USA, coloq*) um monte (de alguma coisa): *I have a whole bunch of stuff to do.* Tenho um monte de coisas para fazer.
▸ *vt, vi* agrupar(-se)

bundle /ˈbʌndl/ *substantivo, verbo*
▸ *s* **1** (*roupa*) trouxa **2** (*lenha*) feixe **3** (*papéis, notas*) maço
▸ *v* PHR V **bundle (sb) up** agasalhar alguém, agasalhar-se ◆ **bundle sth together/up** empacotar alguma coisa

bung /bʌŋ/ *substantivo, verbo*
▸ *s* batoque, tampão
▸ *vt* (*GB, coloq*) meter, pôr

bungalow /ˈbʌŋgələʊ/ *s* bangaló

bungle /ˈbʌŋgl/ *vt* estragar, fazer mal

bunk /bʌŋk/ *s* beliche LOC **do a bunk** (*GB, coloq*) pirar-se, pôr-se a andor

bunny /ˈbʌni/ *s* (*pl* **bunnies**) (*tb* **bunny rabbit**) coelhinho ➲ *Ver nota em* COELHO

buoy /bɔɪ; *USA* ˈbu:i/ *substantivo, verbo*
▸ *s* boia
▸ *vt* **~ sb (up)** animar alguém

buoyant /ˈbɔɪənt; *USA* ˈbu:jənt/ *adj* (*Econ*) com tendência para a alta

burble /ˈbɜ:bl/ *vi* **1** (*regato*) murmurar **2 ~ (on) (about sth)** falar com muitos rodeios (sobre alguma coisa)

burden /ˈbɜ:dn/ *substantivo, verbo*
▸ *s* **1** carga **2** (*formal*) peso
▸ *vt* **1** carregar **2** (*fig*) sobrecarregar, oprimir

bureau /ˈbjʊərəʊ/ *s* (*pl* **bureaux** *ou* **bureaus** /-rəʊz/) **1** (*GB*) secretária, escrivaninha **2** (*USA*) cómoda **3** (*esp USA*) (*Pol*) departamento (do governo) **4** agência: *employment bureau* agência de emprego

bureaucracy /bjʊəˈrɒkrəsi/ *s* (*pl* **bureaucracies**) burocracia **bureaucrat** /ˈbjʊərəkræt/ *s* burocrata **bureaucratic** /ˌbjʊərəˈkrætɪk/ *adj* burocrático

burger /ˈbɜ:gə(r)/ *s* (*coloq*) hambúrguer
ℹ Usa-se muito a palavra **burger** em palavras compostas como *cheeseburger* hambúrguer com queijo.

burglar /ˈbɜ:glə(r)/ *s* ladrão, ladrona, gatuno, -a: *burglar alarm* alarme (anti-roubo) ➲ *Ver nota em* THIEF **burglary** *s* (*pl* **burglaries**) roubo (*numa casa*) ➲ *Ver nota em* THEFT **burgle** /ˈbɜ:gl/ (*USA* **burglarize** /ˈbɜ:gləraɪz/) *vt* assaltar (*uma casa*) ➲ *Ver nota em* ROB

burgundy /ˈbɜ:gəndi/ *s* **1 Burgundy** (*pl* **Burgundies**) vinho de Borgonha **2** (*cor*) vinho (tinto)

burial /ˈberiəl/ *s* enterro

burly /ˈbɜ:li/ *adj* corpulento

burn /bɜ:n/ *verbo, substantivo*
▸ (*pt, pp* **burnt** /bɜ:nt/ *ou* **burned**) ➲ *Ver nota em* DREAM **1** *vt, vi* queimar(-se): *to be badly burnt* sofrer graves queimaduras **2** *vi* arder: *a burning building* um prédio em chamas **3** *vi* (*luz*): *He left the lamp burning.* Deixou o candeeiro aceso. **5** *vt*: *The boiler burns oil.* A caldeira funciona com petróleo. LOC **be burning to do sth** estar ansioso por fazer alguma coisa
▸ *s* queimadura

burner /ˈbɜ:nə(r)/ *s* bico de gás (*fogão*)

burning /ˈbɜ:nɪŋ/ *adj* **1** ardente **2** (*vergonha*) grande **3** (*tema*) quente, candente

burnt /bɜ:nt/ *adj* queimado *Ver tb* BURN

burp /bɜ:p/ *verbo, substantivo*
▸ (*coloq*) **1** *vi* arrotar **2** *vt* (*bebé*) fazer arrotar
▸ *s* (*coloq*) arroto

burrow /ˈbʌrəʊ; *USA* ˈbɜ:rəʊ/ *substantivo, verbo*
▸ *s* toca
▸ *vt* escavar

burst /bɜ:st/ *verbo, substantivo*
▸ (*pt, pp* **burst**) **1** *vt, vi* rebentar(-se) **2** *vt, vi* explodir **3** *vt*: *The river burst its banks.* O rio extravasou. LOC **be bursting (with sth)** estar cheio (de alguma coisa) ◆ **be bursting to do sth** estar morto por fazer alguma coisa ◆ **burst open** abrir-se de repente ◆ **burst out laughing** desatar a rir PHR V **burst in; burst into sth** irromper em alguma coisa (*sala, edifício, etc.*) ◆ **burst into sth**: *to burst into tears/flames* desatar a chorar/arder ◆ **burst out** sair de repente
▸ *s* **1** (*ira, etc.*) de palmas **2** (*disparos*) rajada **3** (*aplausos*) salva

bury /ˈberi/ *vt* (*pt, pp* **buried**) **1** enterrar **2** sepultar **3** (*faca, etc.*) cravar **4** *She buried her face in her hands.* Escondeu a cara nas mãos.

bus /bʌs/ *s* (*pl* **buses**, *USA tb* **busses**) autocarro: *bus conductor/driver* cobrador/motorista de autocarro ◇ *bus stop* paragem (de autocarro)

bush /bʊʃ/ *s* **1** arbusto: *a rose bush* uma roseira **2** (*tb* **the bush**) o mato LOC *Ver* BEAT **bushy** *adj* **1** (*barba, cauda*) peludo **2** (*planta*) frondoso

busily /ˈbɪzɪli/ *adv* atarefadamente

business /ˈbɪznəs/ *s* **1** [*não-contável*] negócio: *business trip* viagem de negócios ◇ *business card* cartão de visita (duma pessoa de negócios) ◇ *business studies* curso de gestão e administração de empresas **2** negócio, empresa **3** [*não-contável*] assunto: *It's none of your business!* Tu não tens nada a ver com isso! **4** [*não-contável*] (*numa reunião*): *any other business* outros assuntos *Ver tb* SHOW BUSINESS LOC **be in business** (*coloq*) estar pronto ◆ **business before pleasure** (*ditado*) primeiro a obrigação depois a devoção ◆ **do business with sb** fazer negócios com alguém ◆ **get down to business** meter mãos à obra ◆ **go out of business** ir à falência ◆ **have no business doing sth** não ter direito de fazer alguma coisa ◆ **on business** em negócios *Ver tb* BIG, MEAN, MIND

businesslike /ˈbɪznəslaɪk/ *adj* **1** formal **2** metódico

businessman /ˈbɪznəsmən/ *s* (*pl* **-men** /-mən/) homem de negócios

businesswoman /ˈbɪznɪswʊmən/ *s* (*pl* **-women** /-wɪmɪn/) mulher de negócios

busk /bʌsk/ *vi* tocar música na rua (*para ganhar dinheiro*) **busker** *s* músico, -a de rua

bust /bʌst/ *verbo, substantivo, adjetivo*
▸ *vt, vi* (*pt, pp* **bust** *ou* **busted**) (*coloq*) partir(-se), quebrar(-se) ➲ *Ver nota em* DREAM
▸ *s* **1** (*escultura*) busto **2** (*Anat*) peito
▸ *adj* (*coloq*) **1** (*GB*) avariado, estragado **2** falido LOC **go bust** (*coloq*) ir à falência

bustle /ˈbʌsl/ *verbo, substantivo*
▸ *vi* ~ **(about/around)** andar numa azáfama
▸ *s* bulício, tumulto **bustling** *adj* buliçoso

busy /ˈbɪzi/ *adjetivo, verbo*
▸ *adj* (**busier, -iest**) **1** ~ **(with sth/sb)** ocupado (com alguma coisa/alguém) **2** (*sítio*) com muito movimento **3** (*temporada*) de muita atividade **4** (*programa*) apertado **5** (*USA*) (*telefone*) impedido: *The line's busy.* Está impedido.
▸ *vt* ~ **yourself with sth**; ~ **yourself doing sth** ocupar-se com alguma coisa, ocupar-se a fazer alguma coisa

busybody /ˈbɪzibɒdi/ *s* (*pl* **busybodies**) coscuvilheiro, -a, intrometido, -a

but /bʌt, bət/ *conjunção, preposição*
▸ *conj* **1** mas: *Not only him but me too.* Não só ele, mas eu também. **2** senão: *What could I do but cry?* Que podia fazer eu, senão chorar? LOC **but for sb/sth** se não fosse alguém/alguma coisa ◆ **we can but hope, try, etc.** só nos resta esperar, experimentar, etc.
▸ *prep* exceto: *nobody but you* só tu

butcher /ˈbʊtʃə(r)/ *substantivo, verbo*
▸ *s* **1** cortador, -ora (*de talho*) **2** **butcher's** talho ➲ *Ver nota em* TALHO
▸ *vt* **1** (*animal*) matar **2** (*pessoa*) matar brutalmente

butler /ˈbʌtlə(r)/ *s* mordomo

butt /bʌt/ *substantivo, verbo*
▸ *s* **1** cabo, coronha **2** (*cigarro*) ponta **3** cisterna **4** (*esp USA, coloq*) rabo LOC **be the butt of sth** ser o alvo de alguma coisa
▸ *vt* dar uma cabeçada em PHR V **butt in (on sb/sth)** (*coloq*) interromper (alguém/alguma coisa)

butter /ˈbʌtə(r)/ *substantivo, verbo*
▸ *s* manteiga
▸ *vt* barrar/untar com manteiga

buttercup /ˈbʌtəkʌp/ *s* (*Bot*) botão-de-ouro

butterfly /ˈbʌtəflaɪ/ *s* (*pl* **butterflies**) borboleta LOC **have butterflies (in your stomach)** sentir-se nervoso

buttock /ˈbʌtək/ *s* nádega

button /ˈbʌtn/ *substantivo, verbo*
▸ *s* botão *Ver tb* BELLY BUTTON
▸ *vt, vi* ~ **(sth) (up)** abotoar alguma coisa, abotoar-se

buttonhole /ˈbʌtnhəʊl/ *s* casa do botão, botoeira

buy /baɪ/ *verbo, substantivo*
▸ *vt* (*pt, pp* **bought** /bɔːt/) **1** ~ **sb sth**; ~ **sth (for sb)** comprar alguma coisa (para alguém): *He bought his girlfriend a present.* Comprou uma prenda para a namorada. ◇ *I bought one for myself for £10.* Comprei um para mim por dez libras. ➲ *Ver nota em* GIVE **2** ~ **sth from sb** comprar alguma coisa a/de alguém
▸ *s* compra: *a good buy* uma boa compra

buyer /ˈbaɪə(r)/ *s* comprador, -ora

buzz /bʌz/ *substantivo, verbo*
▸ *s* **1** (*tb* **buzzing**) zumbido **2** [*sing*] (*vozes*) murmúrio **3** [*sing*] (*coloq*): *I get a real buzz out of flying.* Adoro a sensação de andar de avião. LOC **give sb a buzz** (*coloq*) dar uma telefonadela a alguém
▸ *vi* zumbir PHR V **buzz off!** (*coloq*) sai daqui!, fora daqui!

buzzard /ˈbʌzəd/ *s* milhafre

buzzer /ˈbʌzə(r)/ *s* campainha (*com zumbido*)

buzzword /ˈbʌzwɜːd/ *s* palavra que está na moda (*esp nos jornais, etc.*)

by /baɪ/ *preposição, advérbio* ❶ Para os usos de **by** em PHRASAL VERBS, ver as entradas para os verbos correspondentes, p ex. **get by** em GET.
▸ *prep* **1** por: *by post* pelo correio ◇ *ten multiplied by six* dez (multiplicado) por seis ◇ *designed by Wren* esboçado/elaborado por Wren **2** ao lado de, junto a: *Sit by me.* Senta-te ao meu lado. ◇ *to have/keep sth by you* ter alguma coisa à mão **3** antes de, até: *to be home by ten o'clock* estar em casa antes das dez **4** de: *by day/night* de dia/noite ◇ *by birth/*

profession de nascimento/profissão ◇ *a novel by Steinbeck* um romance de Steinbeck **5** de: *to go by boat/car/bicycle* ir de barco/carro/bicicleta ◇ *two by two* dois a dois **6** em: *by my watch* no meu relógio **7** com: *to pay by cheque* pagar com um cheque **8** a: *little by little* a pouco e pouco **9** à base de: *by working hard* à custa de muito trabalho **10 by doing sth** fazendo alguma coisa: *Let me begin by saying...* Permitam-me que comece por dizer...
▸ *adv* LOC **go, drive, run, etc. by** passar por (de carro, a correr, etc.) ◆ **keep/put sth by** guardar alguma coisa para mais tarde *Ver tb* LARGE

bye /baɪ/ (*tb* **bye-bye** /ˌbaɪ 'baɪ, 'baɪ baɪ/) *interj* (*coloq*) adeus!, (t)chau!

by-election /'baɪ ɪlekʃn/ *s* (*GB*): *She won the by-election.* Ganhou as eleições parciais.

bygone /'baɪgɒn; *USA* -gɔːn/ *adj* passado

by-law /'baɪ lɔː/ *s* lei autárquica/camarária

bypass /'baɪpɑːs; *USA* -pæs/ *substantivo, verbo*
▸ *s* circunvalação, circular
▸ *vt* **1** evitar **2** desviar-se de

by-product /'baɪ prɒdʌkt/ *s* **1** subproduto **2** (*fig*) consequência

bystander /'baɪstændə(r)/ *s* curioso, -a, espetador, -ora: *seen by bystanders* visto pelos espetadores

C c

C, c /siː/ *s* (*pl* **Cs, C's, c's**) **1** C, c ➲ *Ver nota em* A, A **2** (*Mús*) dó

cab /kæb/ *s* **1** táxi **2** cabina (*de um camião, comboio*)

cabbage /'kæbɪdʒ/ *s* couve

cabin /'kæbɪn/ *s* **1** (*Náut*) camarote **2** (*Aeronáut*) cabina (de passageiros) **3** cabana

cabinet /'kæbɪnət/ *s* **1** armário: *bathroom cabinet* armário de casa de banho ◇ *drinks cabinet* móvel-bar ◇ *display cabinet* cristaleira **2 the Cabinet** [*v sing ou pl*] o Conselho de Ministros: *a cabinet meeting* uma reunião ministerial

cable /'keɪbl/ *s* **1** fio (elétrico) **2** cabo: *cable TV* televisão por cabo

cable car *s* teleférico

cackle /'kækl/ *verbo, substantivo*
▸ *vi* **1** (*galinha*) cacarejar **2** (*pessoa*) rir às gargalhadas
▸ *s* **1** cacarejo **2** gargalhada desagradável

cactus /'kæktəs/ *s* (*pl* **cactuses** *ou* **cacti** /'kæktaɪ/) cato

cadet /kə'det/ *s* cadete

Caesarean (*USA* **cesarean**) /sɪ'zeəriən/ (*tb* **Caesarean section**) *s* cesariana

cafe (*tb* **café**) /'kæfeɪ; *USA* kæ'feɪ/ *s* snack-bar

cafeteria /ˌkæfə'tɪəriə/ *s* refeitório, cafetaria

cafetière /ˌkæfə'tjeə(r)/ *s* cafeteira de êmbolo

caffeine /'kæfiːn/ *s* cafeína: *caffeine free* sem cafeína

cage /keɪdʒ/ *substantivo, verbo*
▸ *s* jaula
▸ *vt* enjaular

cagey /'keɪdʒi/ *adj* (**cagier, -iest**) ~ **(about sth)** (*coloq*) reservado (em relação a alguma coisa): *He's very cagey about his family.* Ele evita falar da família.

cake /keɪk/ *s* bolo: *birthday cake* bolo de aniversário LOC **have your cake and eat it (too)** (*coloq*): *You can't have your cake and eat it.* Não se pode ter tudo. *Ver tb* PIECE

caked /keɪkt/ *adj* ~ **in/with sth** coberto de alguma coisa: *caked in/with mud* cheio de lama

calamity /kə'læməti/ *s* (*pl* **calamities**) calamidade

calculate /'kælkjuleɪt/ *vt* **1** calcular **2** avaliar LOC **be calculated to do sth** ser concebido para fazer alguma coisa **calculating** *adj* calculista

calculation /ˌkælkju'leɪʃn/ *s* cálculo

calculator /'kælkjuleɪtə(r)/ *s* calculadora

caldron (*USA*) = CAULDRON

calendar /'kælɪndə(r)/ *s* calendário: *calendar month* mês (civil)

calf /kɑːf; *USA* kæf/ *s* (*pl* **calves** /kɑːvz; *USA* kævz/) **1** bezerro, vitelo ➲ *Ver nota em* CARNE **2** cria (*de foca, etc.*) **3** barriga da perna

calibre (*USA* **caliber**) /'kælɪbə(r)/ *s* calibre

call /kɔːl/ *verbo, substantivo*
▸ **1** *vt* chamar: *What's your dog called?* Como é que se chama o teu cão? **2** *vi* ~ **(out) (to sb) (for sth)** gritar (por alguém) (pedindo alguma coisa): *I thought I heard somebody calling.* Pareceu-me ouvir alguém gritar. ◇ *She called to her father for help.* Gritou para que o pai a ajudasse. **3** *vt* ~ **sth (out)** gritar alguma coisa, chamar (aos gritos): *Why didn't you come when I called (out) your name?* Porque é que não vieste quando te chamei? **4** *vt, vi* (*pessoa, lugar*) telefonar (a/para): *Can you call me a taxi?* Podes chamar-me um táxi? **5** *vt* (*despertar*) chamar: *Please call me at seven o'clock.* Chama-me às sete, se faz favor. **6** *vi* ~ **(in/**

round) (on sb); ~ **(in/round) (at…)** visitar (alguém), passar (por…): *Let's call (in) on John/at John's house.* Passemos por casa do John. ◇ *He was out when I called (round) (to see him).* Quando passei por casa dele não estava. ◇ *Will you call in at the supermarket for some eggs?* Podes passar pelo supermercado e comprar ovos? **7** *vi* ~ **at…** (*comboio*) efetuar paragem em… **8** *vt* (*reunião, eleições*) convocar LOC **call it a day** (*coloq*) terminar por hoje: *Let's call it a day.* Amanhã também é dia! *Ver tb* QUESTION

PHR V **call (sb) back** telefonar de novo (a alguém) ◆ **call by** (*GB, coloq*) passar (por…): *Could you call by on your way home?* Podes passar por aqui quando voltares para casa? ◆ **call for sb** ir buscar alguém: *I'll call for you at seven o'clock.* Irei buscar-te às sete. ◆ **call for sth** exigir alguma coisa: *The situation calls for prompt action.* A situação exige uma intervenção imediata. ◆ **call sth off** cancelar, abandonar alguma coisa ◆ **call sb out** chamar alguém: *to call out the troops/the fire brigade* chamar o exército/os bombeiros ◆ **call sb up** **1** (*esp USA*) telefonar a alguém **2** (*GB*) chamar alguém (para cumprir a tropa)

▸ *s* **1** (*tb* **phone call**) chamada (telefónica), telefonema: *to give sb a call* telefonar a alguém **2** grito, chamada **3** visita **4** (*de ave*) canto **5** [*não-contável*] ~ **for sth**: *There isn't much call for such things.* A procura deste tipo de coisas é pouca. LOC **(be) on call** (estar) de serviço *Ver tb* CLOSE[1]

call centre (*USA* **call center**) *s* central de atendimento ao cliente, call center

caller /ˈkɔːlə(r)/ *s* **1** pessoa que telefona **2** visita

callous /ˈkæləs/ *adj* insensível, cruel

🔑 **calm** /kɑːm/ *adjetivo, substantivo, verbo*

▸ *adj* (**calmer**, **-est**) calmo

▸ *s* calma

▸ *vt* acalmar PHR V **calm down** acalmar(-se): *Just calm down a bit!* Acalma-te um pouco! ◆ **calm sb down** acalmar alguém

calorie /ˈkæləri/ *s* caloria

calves *pl de* CALF

came *pt de* COME

camel /ˈkæml/ *s* camelo

🔑 **camera** /ˈkæmərə/ *s* máquina fotográfica: *television/video camera* câmara de televisão/vídeo

camouflage /ˈkæməflɑːʒ/ *substantivo, verbo*

▸ *s* camuflagem

▸ *vt* camuflar

🔑 **camp** /kæmp/ *substantivo, verbo*

▸ *s* campo: *concentration camp* campo de concentração

▸ *vi* acampar: *to go camping* fazer campismo

A palavra inglesa **camping** nunca significa um local onde é permitido acampar. Para traduzir a palavra portuguesa *camping*, diz-se **campsite** (ou **campground** nos Estados Unidos).

🔑 **campaign** /kæmˈpeɪn/ *substantivo, verbo*

▸ *s* campanha

▸ *vi* ~ **(for/against sb/sth)** fazer campanha (a favor de/contra alguém/alguma coisa)

campaigner *s* militante

camper /ˈkæmpə(r)/ *s* **1** (*pessoa*) campista **2** (*GB*) (*tb* **camper van**) autocaravana **3** (*USA*) rulote

campsite /ˈkæmpsaɪt/ (*USA* **campground** /ˈkæmpgraʊnd/) *s* parque de campismo, camping

campus /ˈkæmpəs/ *s* (*pl* **campuses**) cidade universitária, campus

🔑 **can**[1] /kən, kæn/ *v modal* (*neg* **cannot** /ˈkænɒt/ *ou* **can't** /kɑːnt; *USA* kænt/, *pt* **could** /kəd, kʊd/, *neg* **could not** *ou* **couldn't** /ˈkʊdnt/)

Can é um verbo modal, sempre seguido do infinitivo sem **to**. As orações interrogativas e negativas constroem-se sem o auxiliar **do**. Só se conjuga no presente: *I can't swim.* Não sei nadar. e no passado, que também tem um valor condicional: *He couldn't do it.* Não consegui fazê-lo. ◇ *Could you come?* Poderias vir? Quando queremos utilizar outras formas verbais, temos de usar **be able to**: *Will you be able to come?* Poderás vir? ◇ *I'd like to be able to go.* Gostaria de poder ir.

- **possibilidade** poder: *We can catch a bus from here.* Podemos apanhar um autocarro aqui. ◇ *She can be very forgetful.* Por vezes é um pouco esquecida.
- **conhecimentos, habilidades** saber: *They can't read or write.* Não sabem ler nem escrever. ◇ *Can you swim?* Sabes nadar? ◇ *He couldn't answer the question.* Não soube responder à pergunta.
- **autorização** poder: *Can I open the window?* Posso abrir a janela? ◇ *You can't go swimming today.* Hoje não podes ir nadar. ➲ *Ver nota em* MAY
- **ofertas, sugestões, pedidos** poder: *Can I help?* Posso ajudar? ◇ *We can eat in a restaurant, if you want.* Podemos comer num restaurante, se quiseres. ◇ *Could you help me with*

this box? Podia ajudar-me com esta caixa? ➲ *Ver nota em* MUST

C

- **com verbos de percepção**: *You can see it everywhere.* Vê-se por todo o lado. ◇ *She could hear them clearly.* Ouvia-os perfeitamente. ◇ *I can smell something burning.* Cheira-me a queimado. ◇ *She could still taste the garlic.* Ainda tinha a boca a saber a alho.
- **incredulidade, perplexidade**: *I can't believe it.* Não posso acreditar. ◇ *Whatever can they be doing?* O que é que podem estar a fazer? ◇ *Where can she have put it?* Onde é que ela o terá posto?

can[2] /kæn/ *substantivo, verbo*
▸ *s* lata: *a can of sardines* uma lata de sardinhas ◇ *a petrol can* uma lata de gasolina ◇ *can-opener* abre-latas ➲ *Ver ilustração em* CONTAINER *e nota em* LATA; *Ver tb* WATERING CAN **LOC** *Ver* CARRY
▸ *vt* (**-nn-**) enlatar

canal /kə'næl/ *s* **1** canal **2** tubo: *the alimentary canal* o tubo digestivo

canary /kə'neəri/ *s* (*pl* **canaries**) canário

cancel /'kænsl/ *vt* (**-ll-**, *USA* **-l-**) **1** (*voo, pedido, férias*) cancelar **2** (*contrato*) anular **PHR V** **cancel out** anular-se ◆ **cancel sth out** invalidar alguma coisa **cancellation** (*USA* **cancelation**) *s* cancelamento

Cancer /'kænsə(r)/ *s* Caranguejo, Câncer ➲ *Ver exemplos em* AQUARIUS

cancer /'kænsə(r)/ *s* [*não-contável*] cancro

candid /'kændɪd/ *adj* franco

candidacy /'kændɪdəsi/ *s* candidatura

candidate /'kændɪdət, -deɪt/ *s* **1** candidato, -a **2** pessoa que se propõe a exame

candle /'kændl/ *s* **1** vela **2** (*Relig*) círio

candlelight /'kændllaɪt/ *s* luz de vela

candlestick /'kændlstɪk/ *s* castiçal

candy /'kændi/ *s* **1** [*não-contável*] doces **2** (*pl* **candies**) (*USA*) rebuçado (*caramelo, bombom, etc.*)

cane /keɪn/ *s* **1** cana **2** vergasta **3** **the cane** [*sing*] a régua, a vergasta (*instrumento de castigo corporal*)

canister /'kænɪstə(r)/ *s* **1** lata (*de café, chá, bolachas*) **2** botija

cannabis /'kænəbɪs/ *s* marijuana

canned /kænd/ *adj* enlatado, de lata

cannibal /'kænɪbl/ *s* canibal

cannon /'kænən/ *s* (*pl* **cannon** *ou* **cannons**) canhão (*Mil*)

cannot *Ver* CAN[1]

canoe /kə'nu:/ *s* canoa **canoeing** *s* canoagem

canopy /'kænəpi/ *s* (*pl* **canopies**) **1** toldo, coberta **2** dossel **3** (*fig*) abóbada

canteen /kæn'ti:n/ *s* cantina

canter /'kæntə(r)/ *verbo, substantivo*
▸ *vi* cavalgar a meio-galope
▸ *s* meio-galope

canvas /'kænvəs/ *s* **1** lona **2** (*Arte*) tela

canvass /'kænvəs/ **1** *vt, vi* ~ **(sb) (for sth)** pedir apoio (a alguém) (para alguma coisa) **2** *vi* (*Pol*) fazer campanha: *to canvass for/on behalf of sb* fazer campanha por alguém ◇ *to go out canvassing (for votes)* ir angariar votos **3** *vt* (*opinião*) sondar

canyon /'kænjən/ *s* canhão (*Geol*)

cap /kæp/ *substantivo, verbo*
▸ *s* **1** boné **2** gorro **3** touca **4** tampa **5** ~ **(on sth)** (*gastos*) limite (em alguma coisa)
▸ *vt* (**-pp-**) superar **LOC** **to cap it all** (*coloq*) para cúmulo

capability /ˌkeɪpə'bɪləti/ *s* (*pl* **capabilities**) **1** capacidade, aptidão **2** potencial

capable /'keɪpəbl/ *adj* capaz

capacity /kə'pæsəti/ *s* (*pl* **capacities**) capacidade: *filled to capacity* lotado/com a lotação esgotada ◇ *at full capacity* com o máximo de rendimento **LOC** **in your capacity as sth** na (sua) qualidade de alguma coisa

cape /keɪp/ *s* **1** capa **2** (*Geog*) cabo

caper /'keɪpə(r)/ *verbo, substantivo*
▸ *vi* (*formal*) cabriolar
▸ *s* **1** (*coloq*) partida, travessura **2** alcaparra

capillary /kə'pɪləri; *USA* 'kæpəleri/ *s* (*pl* **capillaries**) vaso capilar

capital /'kæpɪtl/ *adjetivo, substantivo*
▸ *adj* **1** capital: *capital punishment* pena capital/de morte **2** maiúsculo
▸ *s* **1** capital: *capital gains* mais-valia ◇ *capital goods* bens de capital **2** (*tb* **capital city**) capital **3** (*tb* **capital letter**) maiúscula **4** (*Arquit*) capitel **LOC** **make capital (out) of sth** tirar proveito de alguma coisa **capitalism** *s* capitalismo **capitalist** *adj, s* capitalista

capitalize, -ise /'kæpɪtəlaɪz/ *vt* (*Fin*) converter em capital, capitalizar **PHR V** **capitalize on sth** aproveitar-se de alguma coisa, tirar proveito de alguma coisa

capitulate /kə'pɪtʃuleɪt/ *vi* ~ **(to sb/sth)** capitular (perante alguém/alguma coisa)

capricious /kə'prɪʃəs/ *adj* (*formal*) caprichoso

Capricorn /'kæprɪkɔ:n/ *s* Capricórnio ➲ *Ver exemplos em* AQUARIUS

capsize /kæp'saɪz; *USA* 'kæpsaɪz/ *vt, vi* virar(-se) (*barcos, etc.*)

capsule /ˈkæpsjuːl; *USA* ˈkæpsl/ *s* cápsula

captain /ˈkæptɪn/ *substantivo, verbo*
▸ *s* capitão, -ã
▸ *vt* capitanear, ser o capitão de **captaincy** /ˈkæptənsi/ *s* capitania

caption /ˈkæpʃn/ *s* **1** título **2** (*Cinema, TV, Fot*) legenda

captivate /ˈkæptɪveɪt/ *vt* cativar **captivating** *adj* cativante, sedutor

captive /ˈkæptɪv/ *adjetivo, substantivo*
▸ *adj* cativo LOC **hold/take sb captive** manter alguém preso/aprisionar alguém
▸ *s* preso, -a, cativo, -a **captivity** /kæpˈtɪvəti/ *s* cativeiro

captor /ˈkæptə(r)/ *s* captor, -ora

capture /ˈkæptʃə(r)/ *verbo, substantivo*
▸ *vt* **1** (*Mil, etc.*) capturar **2** (*Arte, interesse, etc.*) captar **3** (*fig*): *She captured his heart.* Ela conquistou o seu coração.
▸ *s* captura, tomada

car /kɑː(r)/ *s* **1** carro, automóvel: *by car* de carro ◇ *car accident* acidente de carro ◇ *car bomb* carro-bomba **2** (*Caminho-de-ferro*) vagão, carruagem: *dining car* vagão-restaurante

caramel /ˈkærəmel/ *s* **1** caramelo (líquido) **2** cor de café-com-leite

carat (*USA* **karat**) /ˈkærət/ *s* quilate

caravan /ˈkærəvæn/ *s* **1** rulote: *caravan site* parque de caravanismo **2** carroça **3** caravana (*de camelos, veículos, etc.*)

carbohydrate /ˌkɑːbəʊˈhaɪdreɪt/ *s* hidrato de carbono

carbon /ˈkɑːbən/ *s* **1** carbono: *carbon dioxide/monoxide* dióxido/monóxido de carbono ◇ *carbon dating* datação por carbono **2** *carbon paper* papel químico

carbon copy *s* (*pl* **carbon copies**) **1** cópia em papel químico **2** (*fig*) réplica: *She's a carbon copy of her sister.* É a carinha da irmã.

carburettor (*USA* **carburetor**) /ˌkɑːbəˈretə(r); *USA* ˈkɑːrbəreɪtər/ *s* carburador

carcass (*tb* **carcase**) /ˈkɑːkəs/ *s* carcaça

card /kɑːd/ *s* **1** cartão: *membership card* cartão de sócio *Ver tb* BOARDING CARD, SCRATCH CARD, SMART CARD **2** ficha: *card index* ficheiro **3** (*de identidade, etc.*) bilhete **4** (*tb* **playing card**) carta (*de jogar*) **5** [*não-contável*] cartolina LOC **get your cards/give sb their cards** (*GB, coloq*) ser despedido/despedir alguém ◆ **on the cards** (*USA* **in the cards**) (*coloq*) provável ◆ **play your cards right** jogar bem as cartas/trunfos que se tem *Ver tb* LAY

cardboard /ˈkɑːdbɔːd/ *s* cartão

cardholder /ˈkɑːdhəʊldə(r)/ *s* possuidor, -ora de cartão (de banco)

cardiac /ˈkɑːdiæk/ *adj* cardíaco

cardigan /ˈkɑːdɪgən/ *s* casaco (*de malha*)

cardinal /ˈkɑːdɪnl/ *adjetivo, substantivo*
▸ *adj* **1** (*pecado, etc.*) capital **2** (*formal*) (*regra, etc.*) fundamental
▸ *s* (*Relig*) cardeal

care /keə(r)/ *substantivo, verbo*
▸ *s* **1** ~ **(over sth/in doing sth)** cuidado (com alguma coisa/a fazer alguma coisa) **2** atenção: *medical/health care* assistência médica **3** preocupação: *free from care* livre de preocupações LOC **care of sb** (*abrev* **c/o**) (*correio*) ao cuidado de alguém ◆ **take care 1** ter cuidado **2 take care!** (*coloq*) cuida-te! ◆ **take care of sb/sth 1** cuidar de alguém/alguma coisa **2** tomar conta de alguém/alguma coisa ◆ **take care of yourself** cuidar de si próprio ◆ **take sb into care; put sb in care** entregar alguém (esp uma criança) aos cuidados da Assistência Social ◆ **that takes care of that** assunto/problema resolvido
▸ *vi* **1** ~ **(about sth)** importar-se (com alguma coisa): *I don't care what she thinks.* Não me importa o que ela pensa. ◇ *See if I care.* Estou-me nas tintas! **2** ~ **to do sth** desejar fazer alguma coisa: *If you would care to wait a minute.* Se não se importa de esperar um minuto. LOC **for all I, you, etc. care** pelo que me, te, etc. importa ◆ **I, you, etc. couldn't care less** pouco me, te, etc. importa, é-me, é-te, etc. indiferente PHR V **care for sb 1** cuidar de alguém **2** gostar de alguém ◆ **not care for sb/sth** (*formal*) não gostar de alguém/alguma coisa

career /kəˈrɪə(r)/ *substantivo, verbo*
▸ *s* (*atividade profissional*) carreira: *career prospects* perspetivas profissionais
▸ *vi* ir a toda a velocidade

carefree /ˈkeəfriː/ *adj* despreocupado, livre de preocupações

careful /ˈkeəfl/ *adj* **1** *to be careful (about/of/with sth)* ter cuidado (com alguma coisa) **2** (*exame, avaliação, etc.*) cuidadoso

carefully /ˈkeəfəli/ *adv* com cuidado, cuidadosamente: *to listen/think carefully* ouvir com atenção/pensar bem LOC *Ver* TREAD

careless /ˈkeələs/ *adj* **1** ~ **(about/with sth)** descuidado, negligente (com alguma coisa): *to be careless about/with sth* não se preocupar com alguma coisa **2** imprudente

carer /ˈkeərə(r)/ (*USA* **caregiver** /ˈkeəgɪvə(r)/) *s* pessoa que cuida de um idoso ou doente

C

caress /kə'res/ *substantivo, verbo*
▸ *s* carícia
▸ *vt* acariciar

caretaker /'keəteɪkə(r)/ *substantivo, adjetivo*
▸ *s* porteiro, -a, guarda
▸ *adj* interino: *caretaker government* governo de transição

cargo /'kɑːgəʊ/ *s* (*pl* **cargoes**, *USA tb* **cargos**) **1** carga **2** carregamento

cargo pants *s* [*pl*] calças cargo ➲ *Ver notas em* CALÇAS *e* PAIR

caricature /'kærɪkətjʊə(r)/ *substantivo, verbo*
▸ *s* caricatura
▸ *vt* caricaturar

caring /'keərɪŋ/ *adj* carinhoso: *a caring image* uma imagem de quem se preocupa (com os outros)

carnation /kɑː'neɪʃn/ *s* cravo

carnival /'kɑːnɪvl/ *s* carnaval

carnivore /'kɑːnɪvɔː(r)/ *s* carnívoro **carnivorous** /kɑː'nɪvərəs/ *adj* carnívoro

carol /'kærəl/ *s* cântico de Natal

car park *s* parque de estacionamento

carpenter /'kɑːpəntə(r)/ *s* **1** carpinteiro, -a **2** (*USA*) marceneiro, -a, montador, -ora **carpentry** *s* carpintaria

⚷ **carpet** /'kɑːpɪt/ *substantivo, verbo*
▸ *s* alcatifa, tapete
▸ *vt* alcatifar **carpeting** *s* [*não-contável*] alcatifa

carriage /'kærɪdʒ/ *s* **1** carruagem **2** (*Caminho-de-ferro*) carruagem, vagão **carriageway** /'kærɪdʒweɪ/ *s* faixa de rodagem *Ver tb* DUAL CARRIAGEWAY

carrier /'kæriə(r)/ *s* **1** portador, -ora *Ver tb* LETTER CARRIER **2** transportador, -ora *Ver tb* PEOPLE CARRIER

carrier bag (*tb* **carrier**) *s* saco (*de plástico/papel*)

⚷ **carrot** /'kærət/ *s* **1** cenoura **2** (*prémio*) incentivo

⚷ **carry** /'kæri/ (*pt, pp* **carried**) **1** *vt* levar, transportar: *to carry a gun* estar armado ➲ *Ver nota em* WEAR **2** *vt* suportar **3** *vt* (*por votação*) aprovar **4** *vt* ~ **yourself**: *She carries herself well.* Move-se com muita elegância. **5** *vi* ouvir-se: *Her voice carries well.* Tem uma voz muito sonora. **LOC** **be/get carried away** entusiasmar-se: *Don't get carried away.* Não te excites. ◆ **carry the can (for sth)** (*GB, coloq*) pagar as favas (por alguma coisa) ◆ **carry weight** ter grande peso
PHR V **carry sth off 1** sair-se bem em alguma coisa, realizar alguma coisa **2** (*prémio, etc.*) ganhar alguma coisa ◆ **carry on (with sth/doing sth); carry sth on** continuar (com alguma coisa/a fazer alguma coisa): *to carry on a conversation* manter uma conversa ◆ **carry sth out 1** (*promessa, ordem, etc.*) cumprir alguma coisa **2** (*plano, investigação, etc.*) levar a cabo alguma coisa ◆ **carry sth through** levar a cabo alguma coisa (*com êxito*)

cart /kɑːt/ *substantivo, verbo*
▸ *s* **1** carroça **2** (*USA*) carrinho (*das compras, etc.*)
▸ *vt* acarretar **PHR V** **cart sth about/around** (*coloq*) carregar com alguma coisa ◆ **cart sb/sth off/away** (*coloq*) arrebatar alguém/alguma coisa

carton /'kɑːtn/ *s* **1** (*de leite, sumo, etc.*) pacote **2** (*de iogurte, etc.*) copo ➲ *Ver ilustração em* CONTAINER

cartoon /kɑː'tuːn/ *s* **1** caricatura, cartoon **2** tira cómica **3** desenhos animados **cartoonist** *s* caricaturista, cartoonista

cartridge /'kɑːtrɪdʒ/ *s* **1** (*de arma*) cartucho **2** (*de caneta, impressora, etc.*) carga, recarga **3** (*de máquina fotográfica*) rolo

carve /kɑːv/ **1** *vt, vi* esculpir: *carved out of/from/in marble* esculpido em mármore **2** *vt, vi* (*madeira*) talhar **3** *vt* (*iniciais, etc.*) gravar **4** *vt, vi* (*carne*) trinchar **PHR V** **carve sth out (for yourself)** construir alguma coisa (*carreira, percurso pessoal*) ◆ **carve sth up** (*pej*) repartir alguma coisa (*empresa, terra, etc.*) **carving** *s* escultura, talha

cascade /kæ'skeɪd/ *s* cascada

⚷ **case** /keɪs/ *s* **1** (*Med, Gram, situação*) caso: *It's a case of…* Trata-se de… **2** argumento(s): *to make (out) a case for sth* apresentar argumentos convincentes para alguma coisa ◇ *There is a case for…* Há razões (suficientes) para… **3** (*Jur*) causa: *the case for the defence/prosecution* a defesa/a acusação **4** estojo **5** caixote (*para embalagem*) **6** caixa (*de vinho*) **7** mala ➲ *Ver ilustração em* LUGGAGE **LOC** **in any case** de qualquer modo ◆ **in case** caso: *You'd better take the keys in case I'm out.* É melhor levares as chaves caso eu não esteja em casa. ◆ **(just) in case** pelo sim, pelo não, por precaução *Ver tb* BORDERLINE

⚷ **cash** /kæʃ/ *substantivo, verbo*
▸ *s* [*não-contável*] dinheiro: *to pay (in) cash* pagar em dinheiro/numerário ◇ *to be short of cash* ter pouco dinheiro ◇ *cash price* preço a pronto pagamento ◇ *cash card* cartão multibanco ◇ *cash flow* fluxo de caixa ◇ *cash desk* caixa **LOC** **cash down; cash up front** pago no ato (de compra) ◆ **cash on delivery** (*abrev* **COD**) envio à cobrança ◆ **hard cash** (*USA* **cold cash**) numerário
▸ *vt* levantar, descontar (*cheque, vale, etc.*)
PHR V **cash in (on sth)** (*pej*) aproveitar-se (de

alguma coisa) ◆ **cash sth in** resgatar alguma coisa (*títulos, apólice de seguros, etc.*)

cashier /kæˈʃɪə(r)/ *s* caixa (*pessoa*)

cash machine (*tb* **cash dispenser**, **Cashpoint**®) /ˈkæʃpɔɪnt/) *s* (caixa) multibanco

cashmere /ˈkæʃmɪə(r), ˌkæʃˈmɪə(r)/ *s* caxemira

casino /kəˈsiːnəʊ/ *s* (*pl* **casinos**) casino

cask /kɑːsk; *USA* kæsk/ *s* barril

casket /ˈkɑːskɪt; *USA* ˈkæs-/ *s* **1** (*GB*) cofre (*para joias, etc.*) **2** (*USA*) caixão

casserole /ˈkæsərəʊl/ *s* **1** (*tb* **casserole dish**) caçarola ➲ *Ver ilustração em* POT **2** estufado

cassette /kəˈset/ *s* cassete: *cassette player/recorder* leitor de cassetes/gravador

🔑 **cast** /kɑːst; *USA* kæst/ *verbo, substantivo*

▸ *vt* (*pt, pp* **cast**) **1** (*Teat*): *to cast sb as Othello* dar/atribuir o papel de Otelo a alguém **2** (*formal*) atirar, jogar **3** (*olhar*) lançar: *cast an eye over sth* ddar uma vista de olhos a alguma coisa **4** (*sombra*) projetar **5** (*voto*): *to cast your vote* votar LOC **cast a spell on sb/sth** enfeitiçar alguém/alguma coisa *Ver tb* CAUTION, DOUBT PHR V **cast sth/sb aside**; **cast sth off** pôr alguma coisa/alguém de parte, desfazer-se de alguma coisa/alguém

▸ *s* **1** [*v sing ou pl*] (*Teat*) elenco **2** (*Arte*) molde

castaway /ˈkɑːstəweɪ; *USA* ˈkæst-/ *s* náufrago, -a

caste /kɑːst; *USA* kæst/ *s* casta: *caste system* sistema de castas

cast iron *s* ferro fundido

cast-iron /ˌkɑːst ˈaɪən; *USA* ˌkæst/ *adj* **1** de ferro fundido **2** (*constituição*) de ferro **3** (*álibi*) sólido

🔑 **castle** /ˈkɑːsl; *USA* ˈkæsl/ *s* **1** castelo **2** (*Xadrez*) torre

castrate /kæˈstreɪt; *USA* ˈkæstreɪt/ *vt* castrar **castration** *s* castração

casual /ˈkæʒuəl/ *adj* **1** superficial: *a casual acquaintance* um conhecido ◇ *a casual glance* uma olhadela **2** (*comentário*) sem importância **3** (*comportamento*) descontraído, informal: *casual sex* sexo ocasional **4** (*roupa*) informal **5** (*trabalho*) ocasional: *casual worker* trabalhador temporário **6** (*encontro*) casual **casually** *adv* **1** informalmente **2** despreocupadamente **3** temporariamente **4** casualmente

casualty /ˈkæʒuəlti/ *s* (*pl* **casualties**) vítima, baixa

🔑 **cat** /kæt/ *s* **1** gato: *cat food* comida para gatos ➲ *Ver nota em* GATO **2** felino: *big cat* felino selvagem LOC *Ver* LET

catalogue (*USA tb* **catalog**) /ˈkætəlɒɡ; *USA* -lɔːɡ/ *substantivo, verbo*

▸ *s* **1** catálogo **2** (*fig*): *a catalogue of disasters* uma série de desastres

▸ *vt* catalogar **cataloguing** *s* catalogação

catalyst /ˈkætəlɪst/ *s* catalisador

catapult /ˈkætəpʌlt/ *substantivo, verbo*

▸ *s* fisga

▸ *vt* catapultar

cataract /ˈkætərækt/ *s* catarata (*Geog, Med*)

catarrh /kəˈtɑː(r)/ *s* catarro

catastrophe /kəˈtæstrəfi/ *s* catástrofe **catastrophic** /ˌkætəˈstrɒfɪk/ *adj* catastrófico

🔑 **catch** /kætʃ/ *verbo, substantivo*

▸ (*pt, pp* **caught** /kɔːt/) **1** *vt, vi* apanhar: *Here, catch!* Apanha! **2** *vt* pegar, agarrar **3** *vt* surpreender **4** *vt* ir ver: *I'll catch you later.* Vejo-te mais logo. **5** *vt* ~ **sth (in/on sth)** prender alguma coisa (a/em alguma coisa): *He caught his finger in the door.* Entalou o dedo na porta. **6** *vt* (*Med*) apanhar, pegar **7** *vt* ouvir, entender **8** *vi* (*fogo*) pegar LOC **catch it** (*coloq*): *You'll catch it!* Vais apanhar! ◆ **catch sight/a glimpse of sb/sth** avistar alguém/alguma coisa ℹ Para outras expressões com **catch**, ver as entradas para o substantivo, adjetivo, etc., p. ex. **catch fire** em FIRE.

PHR V **catch at sth** agarrar-se a alguma coisa ◆ **catch on** (*coloq*) (*moda, ideia*) pegar ◆ **catch on (to sth)** (*coloq*) perceber (alguma coisa) ◆ **catch sb out 1** apanhar alguém em falta **2** apanhar alguém de surpresa ◆ **be/get caught up in sth** estar/ficar envolvido em alguma coisa ◆ **catch up (on sth)** pôr-se em dia (em relação a alguma coisa) ◆ **catch up (with sb)**; **catch sb up** apanhar alguém: *I caught up with them at the bus stop.* Alcancei-os na paragem.

▸ *s* **1** receção, ato de apanhar (*esp uma bola*) **2** captura **3** (*peixe*) pesca **4** fecho, trinco **5** [*sing*] (*antiq*): *He's a good catch.* É um bom partido. LOC **(a) catch-22/a catch-22 situation** (*coloq*) uma armadilha: *It's catch-22.* Preso por ter cão, preso por não ter cão.

catching /ˈkætʃɪŋ/ *adj* contagioso

catchment area /ˈkætʃmənt eəriə/ *s* área (*abrangida por escola, hospital, etc.*)

catchphrase /ˈkætʃfreɪz/ *s* slogan (*de pessoa famosa*)

catchy /ˈkætʃi/ *adj* (**catchier**, **-iest**) (*coloq*) que entra/fica no ouvido

catechism /ˈkætəkɪzəm/ *s* catecismo

categorical /ˌkætəˈɡɒrɪkl; *USA* -ˈɡɔːr-/ *adj* categórico **categorically** /-kli/ *adv* categoricamente

C

categorize, -ise /ˈkætəɡəraɪz/ *vt* classificar

category /ˈkætəɡəri; *USA* -ɡɔːri/ *s* (*pl* **categories**) categoria

cater /ˈkeɪtə(r)/ *vi* ~ **(for sb/sth)** abastecer de alguma coisa (alguém/alguma coisa): *to cater for a party* fornecer a comida para uma festa PHR V **cater for/to sb/sth** atender a/satisfazer alguém/alguma coisa **catering** *s* catering, restauração: *the catering industry* a indústria de catering

caterpillar /ˈkætəpɪlə(r)/ *s* lagarta

cathedral /kəˈθiːdrəl/ *s* catedral

Catholic /ˈkæθlɪk/ *adj, s* católico, -a **Catholicism** /kəˈθɒləsɪzəm/ *s* catolicismo

cattle /ˈkætl/ *s* [*pl*] gado

caught *pt, pp de* CATCH

cauldron (*USA tb* **caldron**) /ˈkɔːldrən/ *s* caldeirão

cauliflower /ˈkɒlɪflaʊə(r); *USA* ˈkɔːli-/ *s* couve-flor

cause /kɔːz/ *verbo, substantivo*
- ▸ *vt* causar
- ▸ *s* **1** ~ **(of sth)** causa (de alguma coisa) **2** [*não-contável*] ~ **(for sth)** motivo, razão (de/para alguma coisa): *cause for complaint/to complain* razão de queixa LOC *Ver* ROOT

causeway /ˈkɔːzweɪ/ *s* caminho elevado

caustic /ˈkɔːstɪk/ *adj* **1** cáustico **2** (*comentário, etc.*) mordaz

caution /ˈkɔːʃn/ *verbo, substantivo*
- ▸ **1** *vt, vi* ~ **(sb) against sth** alertar (alguém) contra alguma coisa **2** *vt* advertir
- ▸ *s* **1** cuidado, cautela: *to exercise extreme caution* ter muito cuidado **2** advertência LOC **throw/cast caution to the wind(s)** fiar-se na Virgem (e não correr) **cautionary** /ˈkɔːʃənəri; *USA* -neri/ *adj* **1** admonitório **2** exemplar: *a cautionary tale* uma história exemplar

cautious /ˈkɔːʃəs/ *adj* ~ **(about sb/sth)** cuidadoso (com alguém/alguma coisa): *a cautious driver* um automobilista prudente **cautiously** *adv* cautelosamente

cavalry /ˈkævlri/ *s* [*v sing ou pl*] cavalaria

cave /keɪv/ *substantivo, verbo*
- ▸ *s* gruta: *cave painting* pintura rupestre
- ▸ *v* PHR V **cave in 1** desabar **2** (*fig*) ceder

cavern /ˈkævən/ *s* caverna **cavernous** *adj* (*formal*) cavernoso

cavity /ˈkævəti/ *s* (*pl* **cavities**) **1** cavidade **2** cárie

CCTV /ˌsiː siː tiː ˈviː/ *abrev de* **closed-circuit television** circuito interno de televisão

CD /ˌsiː ˈdiː/ *s* (*abrev de* **compact disc**) CD

CD-ROM (*USA* **CD/ROM**) /ˌsiː diː ˈrɒm/ *s* (*abrev de* **compact disc read-only memory**) CD-ROM

cease /siːs/ *vt, vi* (*formal*) cessar, terminar: *to cease to do sth* deixar de fazer alguma coisa

ceasefire /ˈsiːsfaɪə(r)/ *s* cessar-fogo

ceaseless /ˈsiːsləs/ *adj* (*formal*) incessante

cede /siːd/ *vt* (*formal*) ceder

ceiling /ˈsiːlɪŋ/ *s* teto

celebrate /ˈselɪbreɪt/ **1** *vt, vi* celebrar, festejar **2** (*Relig*) *vt* celebrar **3** *vt* (*formal*) exaltar **celebrated** *adj* célebre

celebration /ˌselɪˈbreɪʃn/ *s* celebração: *in celebration of sth* para celebrar alguma coisa

celebratory /ˌseləˈbreɪtəri; *USA* ˈseləbrətɔːri/ *adj* comemorativo, festivo

celebrity /səˈlebrəti/ *s* (*pl* **celebrities**) celebridade

celery /ˈseləri/ *s* aipo

cell /sel/ *s* **1** cela **2** (*Anat, Pol, Eletrón*) célula **3** (*esp USA, coloq*) telemóvel

cellar /ˈselə(r)/ *s* cave *Ver tb* SALT CELLAR

cellist /ˈtʃelɪst/ *s* violoncelista

cello /ˈtʃeləʊ/ *s* (*pl* **cellos**) violoncelo

cellphone /ˈselfəʊn/ (*tb* **cellular phone**) *s* (*esp USA*) telemóvel

cellular /ˈseljələ(r)/ *adj* celular

Celsius /ˈselsiəs/ *adj* (*abrev* **C**) centígrado ➲ *Ver nota em* CENTÍGRADO

cement /sɪˈment/ *substantivo, verbo*
- ▸ *s* cimento
- ▸ *vt* (*lit e fig*) cimentar

cemetery /ˈsemətri; *USA* -teri/ *s* (*pl* **cemeteries**) cemitério ➲ *Comparar com* CHURCHYARD, GRAVEYARD

censor /ˈsensə(r)/ *substantivo, verbo*
- ▸ *s* censor
- ▸ *vt* censurar **censorship** *s* [*não-contável*] censura

censure /ˈsenʃə(r)/ *verbo, substantivo*
- ▸ *vt* (*formal*) censurar
- ▸ *s* (*formal*) censura (*reprimenda*)

census /ˈsensəs/ *s* (*pl* **censuses**) censo

cent /sent/ *s* cêntimo

centenary /senˈtiːnəri; *USA* -ˈten-/ *s* (*pl* **centenaries**) (*tb esp USA* **centennial** /senˈteniəl/) centenário

center (*USA*) = CENTRE

centimetre (*USA* **centimeter**) /ˈsentɪmiːtə(r)/ *s* (*abrev* **cm**) centímetro ➲ *Ver pág. 713*

centipede /ˈsentɪpiːd/ *s* centopeia

central /ˈsentrəl/ *adj* **1** central: *central London* o centro de Londres ◇ *central heating* aquecimento central **2** principal **centrally** *adv* centralmente

centralization, -isation /ˌsentrəlaɪˈzeɪʃn; *USA* -ləˈz-/ *s* centralização

centralize, -ise /ˈsentrəlaɪz/ *vt* centralizar

centre (*USA* **center**) /ˈsentə(r)/ *substantivo, verbo*
▸ *s* **1** centro: *the town centre* o centro da cidade ◇ *a financial centre* um centro financeiro **2 the centre** [*v sing ou pl*] (*Pol*) o centro: *a centre party* um partido centrista/do centro **3** (*Râguebi*) avançado
▸ *vt, vi* centrar(-se) PHR V **centre (sth) (a)round/on sb/sth** centrar alguma coisa, centrar-se em torno de alguém/alguma coisa

centre forward (*USA* **center forward**) *s* (*Futebol*) ponta-de-lança

centre half (*tb* **centre back**) (*USA* **center half/back**) *s* (*Futebol*) defesa central

century /ˈsentʃəri/ *s* (*pl* **centuries**) **1** século **2** (*Críquete*) cem runs

cereal /ˈsɪəriəl/ *s* cereal, cereais: *a bowl of cereal* uma taça de cereais

cerebral /ˈserəbrəl; *USA* səˈriːbrəl/ *adj* cerebral

ceremonial /ˌserɪˈməʊniəl/ *adj, s* cerimonial

ceremony /ˈserəməni; *USA* -məʊni/ *s* (*pl* **ceremonies**) cerimónia

certain /ˈsɜːtn/ *adjetivo, pronome*
▸ *adj* **1** certo: *That's far from certain.* Isso ainda não foi confirmado. ◇ *It is certain that he'll be elected./He's certain to be elected.* Será eleito de certeza. ◇ *to a certain extent* até certo ponto **2** certo, tal: *a certain Mr Brown* um certo Sr. Brown LOC **for certain** ao certo ◆ **make certain (that...)** assegurar-se (de que...) ◆ **make certain of (doing) sth** assegurar-se de (fazer) alguma coisa
▸ *pron* ~ **of...** (*formal*): *certain of those present* alguns dos presentes

certainly /ˈsɜːtnli/ *adv* **1** sem dúvida **2** (*como resposta*) com certeza: *Certainly not!* Com certeza que não!

certainty /ˈsɜːtnti/ *s* (*pl* **certainties**) certeza

certificate /səˈtɪfɪkət/ *s* **1** certificado: *doctor's certificate* atestado médico **2** (*de nascimento, casamento, etc.*) certidão

certification /ˌsɜːtɪfɪˈkeɪʃn/ *s* certificação

certify /ˈsɜːtɪfaɪ/ *vt* (*pt, pp* **-fied**) **1** confirmar **2** (*tb* **certify insane**): *He was certified (insane).* Foi declarado incapacitado mentalmente.

cesarean (*USA*) = CAESAREAN

chain /tʃeɪn/ *substantivo, verbo*
▸ *s* **1** corrente, cadeia: *chain reaction* reação em cadeia ◇ *chain mail* cota de malha **2** (*Geog*) cordilheira LOC **in chains** acorrentado
▸ *vt* ~ **sb/sth (up)** acorrentar alguém/alguma coisa

chainsaw /ˈtʃeɪnsɔː/ *s* motoserra

chain-smoke /ˈtʃeɪn sməʊk/ *vt, vi* fumar (cigarros) sem parar

chair /tʃeə(r)/ *substantivo, verbo*
▸ *s* **1** cadeira: *Pull up a chair.* Senta-te./Puxa uma cadeira. ◇ *easy chair* poltrona **2 the chair** [*sing*] (*em reunião*) a presidência, o presidente, a presidenta **3 the (electric) chair** a cadeira elétrica **4** cátedra
▸ *vt* presidir a (*reunião*)

chairman /ˈtʃeəmən/ *s* (*pl* **-men** /-mən/) presidente ❶ É preferível utilizar o termo **chairperson**, que serve tanto para um homem como uma mulher.

chairperson /ˈtʃeəpɜːsn/ *s* presidente, -a

chairwoman /ˈtʃeəwʊmən/ *s* (*pl* **-women** /-wɪmɪn/) presidenta ➲ *Ver nota em* CHAIRMAN

chalet /ˈʃæleɪ; *USA* ʃæˈleɪ/ *s* chalé

chalk /tʃɔːk/ *substantivo, verbo*
▸ *s* [*não-contável*] **1** (*Geol*) greda branca **2** giz: *a piece/stick of chalk* um giz
▸ *v* PHR V **chalk up sth** (*coloq*) somar alguma coisa (*vitórias, etc.*)

chalkboard /ˈtʃɔːkbɔːd/ *s* (*esp USA*) quadro preto

challenge /ˈtʃælɪndʒ/ *substantivo, verbo*
▸ *s* desafio: *to issue a challenge to sb* desafiar alguém
▸ *vt* **1** ~ **sb (to sth/to do sth)** desafiar alguém (para alguma coisa/a fazer alguma coisa) **2** (*direito, etc.*) questionar **3** (*trabalho, etc.*) estimular **4** (*polícia, etc.*) parar **challenger** *s* **1** (*Desp*) pretendente ao título **2** desafiante **challenging** *adj* estimulante, exigente

chamber /ˈtʃeɪmbə(r)/ *s* câmara: *chamber music* música de câmara ◇ *chamber of commerce* câmara de comércio

champagne /ʃæmˈpeɪn/ *s* champanhe

champion /ˈtʃæmpiən/ *substantivo, verbo*
▸ *s* **1** (*Desp, etc.*) campeão: *the defending/reigning champion* o atual campeão **2** defensor, -ora (*de uma causa*)
▸ *vt* defender **championship** *s* campeonato: *world championship* campeonato do mundo

chance /tʃɑːns; *USA* tʃæns/ *substantivo, verbo*
▸ *s* **1** acaso **2** casualidade: *a chance meeting* um encontro casual **3** hipótese, probabilidade **4** oportunidade, chance **5** risco LOC **by**

C

(any) chance por acaso ◆ **no chance** (*coloq*) nem pensar ◆ **on the (off) chance (that...)** por via das dúvidas, para a eventualidade de que...: *to do sth on the off chance* fazer alguma coisa por via das dúvidas ◆ **take a chance (on sth)** correr o risco (de alguma coisa) ◆ **take chances** correr riscos ◆ **the chances are (that)...** (*coloq*) o mais provável é que... *Ver tb* STAND
▸ *vt* ~ **doing sth** correr o risco de fazer alguma coisa LOC **chance your arm** (*GB, coloq*) correr o risco PHR V **chance on/upon sb/sth** (*formal*) encontrar alguém/alguma coisa por acaso

chancellor /ˈtʃɑːnsələ(r); *USA* ˈtʃæns-/ *s* **1** chanceler **2** (*GB*): *Chancellor of the Exchequer* Ministro das Finanças **3** (*universidade*) reitor honorário, reitora honorária

chandelier /ˌʃændəˈlɪə(r)/ *s* lustre, candelabro

⚷ **change** /tʃeɪndʒ/ *verbo, substantivo*
▸ **1** *vt, vi* mudar: *to change (your clothes)* mudar de roupa **2** *vt, vi* ~ **(sb/sth) (into sth)** transformar alguém/alguma coisa, transformar-se (em alguma coisa) **3** *vt* ~ **sth (for sth)**; ~ **sth (into sth)** (*dinheiro*) trocar alguma coisa (por alguma coisa) **4** *vi* ~ **from sth into sth** mudar de alguma coisa para alguma coisa LOC **change hands** mudar de mãos/dono ◆ **change your mind** mudar de ideias/opinião ◆ **change your tune** (*coloq*) mudar de opinião/atitude *Ver tb* CHOP, PLACE PHR V **change back into sth** **1** (*roupa*) voltar a vestir alguma coisa **2** voltar a ser alguma coisa ◆ **change into sth** **1** (*roupa*) pôr alguma coisa **2** transformar-se em alguma coisa ◆ **change over (from sth) (to sth)** mudar (de alguma coisa) (para alguma coisa)
▸ *s* **1** mudança: *a change of socks* um par de meias limpas **2** transbordo, mudança **3** [*não-contável*] trocados: *loose change* dinheiro miúdo **4** troco (*dinheiro*) LOC **a change for the better/worse** uma mudança para melhor/pior ◆ **a change of heart** uma mudança de atitude ◆ **for a change** para variar ◆ **make a change** fazer o caso mudar de figura: *It certainly makes a change to go out for dinner from time to time.* Sem dúvida que é bom, para variar, ir jantar fora de vez em quando.

changeable /ˈtʃeɪndʒəbl/ *adj* instável

changeover /ˈtʃeɪndʒəʊvə(r)/ *s* mudança (*p.ex. de um sistema político a outro*)

changing room *s* vestiário

⚷ **channel** /ˈtʃænl/ *substantivo, verbo*
▸ *s* **1** (*TV, via de comunicação, de navegação*) canal **2** (*Rádio*) banda
▸ *vt* (**-ll-**, *USA tb* **-l-**) **1** ~ **sth (into sth)** canalizar alguma coisa (para alguma coisa) **2** acanalar

chant /tʃɑːnt; *USA* tʃænt/ *substantivo, verbo*
▸ *s* **1** (*Relig*) cântico **2** (*multidão*) canto, canção
▸ *vt, vi* cantar, entoar

chaos /ˈkeɪɒs/ *s* [*não-contável*] caos: *to cause chaos* provocar o caos **chaotic** /keɪˈɒtɪk/ *adj* caótico

chap /tʃæp/ *s* (*GB, coloq*) tipo: *He's a good chap.* É um tipo porreiro.

chapel /ˈtʃæpl/ *s* capela

chaplain /ˈtʃæplɪn/ *s* capelão

chapped /tʃæpt/ *adj* (*pele, lábios*) gretado

⚷ **chapter** /ˈtʃæptə(r)/ *s* **1** capítulo **2** época, período

char /tʃɑː(r)/ *vt, vi* (**-rr-**) carbonizar(-se)

⚷ **character** /ˈkærəktə(r)/ *s* **1** carácter: *character references* informações/referências pessoais ◇ *character assassination* difamação **2** (*coloq*) tipo: *What a character!* (Mas) que tipo! **3** (*Liter*) personagem: *the main character* o protagonista **4** (*formal*) reputação LOC **in/out of character** típico/pouco típico (de alguém)

⚷ **characteristic** /ˌkærəktəˈrɪstɪk/ *adjetivo, substantivo*
▸ *adj* característico
▸ *s* traço, característica **characteristically** /-kli/ *adv*: *His answer was characteristically frank.* Respondeu com a franqueza que lhe é habitual.

characterization, -isation /ˌkærəktəraɪˈzeɪʃn/ *s* descrição, caracterização

characterize, -ise /ˈkærəktəraɪz/ *vt* (*formal*) **1** caracterizar: *It is characterized by...* Caracteriza-se por... **2** ~ **sb/sth as sth** descrever alguém/alguma coisa como alguma coisa

charade /ʃəˈrɑːd; *USA* ʃəˈreɪd/ *s* farsa

charcoal /ˈtʃɑːkəʊl/ *s* **1** carvão (vegetal) **2** (*Arte*) (lápis de) carvão **3** (*tb* **charcoal grey**) cinzento-escuro

⚷ **charge** /tʃɑːdʒ/ *substantivo, verbo*
▸ *s* **1** ~ **(for sth)** taxa (por alguma coisa): *Is there a charge?* Vai ser cobrada uma taxa? ◇ *free of charge* grátis **2** acusação: *to bring/press charges against sb* apresentar queixa contra alguém **3** (*Mil*) carga **4** (*Desp*) ataque **5** (*animais*) investida **6** carga (*elétrica ou de uma arma*) LOC **have charge of sth** ter a cargo alguma coisa: *Her ex-husband has charge of the children.* O ex-marido tem com a custódia dos filhos. ◆ **in charge (of sb/sth)** encarregado (de alguém/alguma coisa): *Who's in charge here?* Quem é que manda aqui? ◆ **in/under sb's charge** ao cuidado/sob a responsabilidade de alguém: *to leave a child in a friend's charge* deixar uma criança aos cuidados de um

amigo ◆ **take charge (of sth)** assumir o comando/a direção (de alguma coisa) *Ver tb* REVERSE

▸ **1** *vt, vi* cobrar, levar: *I was charged £50 for dinner.* Cobraram-me 50 libras pelo jantar. **2** *vt* ~ **sth (to sth)** pôr alguma coisa na conta (de alguma coisa) **3** *vt* ~ **sb (with sth)** acusar alguém (de alguma coisa) **4** *vt, vi* ~ **sb/sth**; ~ **(at sb/sth)** (*Mil, Desp, animal*) investir (contra alguém/alguma coisa): *The children charged down/up the stairs.* Os miúdos investiram escadas abaixo/acima. **5** *vt* (*pistola, pilha, bateria*) carregar **6** *vt* ~ **sb (with sth)** (*formal*) encarregar alguém (de alguma coisa)

chargeable /ˈtʃɑːdʒəbl/ *adj* **1** imputável, taxável **2** ~ **to sb/sth** (*pagamento*) a pagar por alguém/alguma coisa

charger /ˈtʃɑːdʒə(r)/ *s* (*Eletrón*) carregador

chariot /ˈtʃæriət/ *s* quadriga, carro triunfal

charisma /kəˈrɪzmə/ *s* carisma **charismatic** /ˌkærɪzˈmætɪk/ *adj* carismático

charitable /ˈtʃærətəbl/ *adj* **1** caridoso **2** bondoso **3** (*instituição*) beneficiente, de caridade

🔑 **charity** /ˈtʃærəti/ *s* **1** (*pl* **charities**) (*organismo*) instituição de caridade: *for charity* com fins beneficientes ◇ *charity shop* loja de caridade **2** caridade **3** (*formal*) compreensão

charm /tʃɑːm/ *substantivo, verbo*

▸ *s* **1** charme, encanto **2** amuleto: *a charm bracelet* pulseira de berloques **3** feitiço **LOC** *Ver* WORK

▸ *vt* **1** encantar **2** *a charmed life* uma vida afortunada **PHR V** **charm sth out of sb** conseguir alguma coisa de alguém usando charme **charming** *adj* encantador

🔑 **chart** /tʃɑːt/ *substantivo, verbo*

▸ *s* **1** carta de navegação **2** gráfico: *flow chart* organigrama *Ver tb* BAR CHART **3 the charts** [*pl*] (*Mús*) o top (musical)

▸ *vt* traçar: *to chart the course/the progress of sth* traçar um gráfico da trajetória/do progresso de alguma coisa

charter /ˈtʃɑːtə(r)/ *substantivo, verbo*

▸ *s* **1** carta: *royal charter* alvará real **2** frete: *a charter flight* um voo charter ◇ *a charter plane/boat* um avião/barco fretado

▸ *vt* **1** conceder um alvará a **2** (*avião*) fretar **chartered** *adj* qualificado: *chartered accountant* técnico de contas/contabilidade

🔑 **chase** /tʃeɪs/ *verbo, substantivo*

▸ **1** *vt, vi* ~ **(after) sb/sth** perseguir alguém/alguma coisa: *He's always chasing (after) women.* Passa o tempo a correr atrás de mulheres. **2** *vt* lutar por **PHR V** **chase about, around, etc.** (*coloq*) correr de um lado para o outro ◆ **chase sb/sth away, off, out, etc.** afugentar alguém/alguma coisa ◆ **chase sb up** contactar alguém (*para lembrá-lo de fazer alguma coisa*) ◆ **chase sth up** averiguar o que se passou com alguma coisa

▸ *s* **1** perseguição **2** (*animais*) caça

chasm /ˈkæzəm/ *s* (*formal*) abismo

chassis /ˈʃæsi/ *s* (*pl* **chassis** /-siz/) chassis

chastened /ˈtʃeɪsnd/ *adj* (*formal*) **1** castigado **2** (*tom*) submisso **chastening** *adj* que serve de lição

chastity /ˈtʃæstəti/ *s* castidade

🔑 **chat** /tʃæt/ *substantivo, verbo*

▸ *s* conversa: *chat show* programa de entrevistas ◇ *chat room* sala de chat

▸ *vi* (**-tt-**) ~ **(to/with sb) (about sth/sb)** conversar (com alguém) (sobre alguma coisa/alguém) **PHR V** **chat sb up** (*GB, coloq*) dar trela/conversa a alguém

chatter /ˈtʃætə(r)/ *verbo, substantivo*

▸ *vi* **1** ~ **(away/on)** tagarelar **2** (*macaco*) guinchar **3** (*pássaro*) chilrear **4** (*dentes*) bater

▸ *s* [*não-contável*] tagarelice

chatty /ˈtʃæti/ *adj* (**chattier**, **-iest**) (*esp GB, coloq*) **1** (*pessoa*) conversador **2** (*carta, etc.*) informal

chauffeur /ˈʃəʊfə(r); *USA* ʃəʊˈfɜːr/ *substantivo, verbo*

▸ *s* motorista

▸ *vt* ~ **sb (around)** fazer de motorista de alguém

chauvinism /ˈʃəʊvɪnɪzəm/ *s* chauvinismo

chauvinist /ˈʃəʊvɪnɪst/ *substantivo, adjetivo*

▸ *s* chauvinista

▸ *adj* (*tb* **chauvinistic** /ˌʃəʊvɪˈnɪstɪk/) chauvinista

🔑 **cheap** /tʃiːp/ *adjetivo, advérbio*

▸ *adj* (**cheaper**, **-est**) **1** barato *Ver tb* DIRT CHEAP **2** económico **3** reles **4** (*comentário, piada, etc.*) de mau gosto **5** (*USA, coloq, pej*) sovina **LOC** **cheap at the price** que vale bem o preço ◆ **on the cheap** (muito) em conta

▸ *adv* (*comp* **cheaper**) (*coloq*) barato **LOC** **be going cheap** estar à venda por um baixo preço ◆ **sth does not come cheap**: *Success doesn't come cheap.* O êxito não se consegue facilmente. **cheapen** *vt* ~ **yourself** rebaixar-se

🔑 **cheaply** /ˈtʃiːpli/ *adv* barato, a baixo preço

🔑 **cheat** /tʃiːt/ *verbo, substantivo*

▸ **1** *vi* fazer batota **2** *vi* (*na escola*) copiar **3** *vt* enganar **PHR V** **cheat sb (out) of sth** defraudar alguém de alguma coisa ◆ **cheat on sb** enganar alguém (*sendo-lhe infiel*)

▸ *s* **1** (*USA tb* **cheater**) batoteiro **2** [*sing*] batotice, trapaça

C

check /tʃek/ *verbo, substantivo*
▸ **1** *vt, vi* ~ **(sth) (for sth)** verificar (alguma coisa) (à procura de alguma coisa), rever alguma coisa (à procura de alguma coisa): *Check for any mistakes.* Verifica se há erros. *Ver tb* DOUBLE-CHECK **2** *vt, vi* confirmar **3** *vt* conter **4** (*USA*) *vt* assinalar (com sinal de visto) PHR V **check in 1** (*hotel*) assinar o registo **2** (*aeroporto*) fazer o check-in ◆ **check into sth...** (*hotel, hospital*) assinar o registo em... ◆ **check sth in** fazer o check-in de alguma coisa ◆ **check sb/sth off** assinalar alguém/alguma coisa (*numa lista com um sinal de visto*) ◆ **check out (of...)** pagar a conta e sair (*de um hotel*) ◆ **check sb/sth out 1** investigar alguém/alguma coisa **2** (*coloq*) olhar bem para alguém/alguma coisa ◆ **check (up) on sb/sth** informar-se sobre alguém/alguma coisa
▸ *s* **1** verificação, revisão **2** investigação **3** (*USA*) = CHEQUE **4** (*USA*) conta **5** xeque **6** (*USA*) (*tb* **check mark**) (*marca*) sinal (de visto) ➲ *Ver ilustração em* TICK *Ver tb* REALITY CHECK LOC **hold/keep sth in check** conter/controlar alguma coisa

checkbook (*USA*) = CHEQUEBOOK

checked /tʃekt/ (*tb* **check**) *adj* de quadrados/xadrez

checkers /ˈtʃekəz/ *s* [*não-contável*] (*USA*) (jogo de) damas

check-in /ˈtʃek ɪn/ *s* check-in

checklist /ˈtʃeklɪst/ *s* lista (de verificação)

checkmate /ˈtʃekmeɪt/ *s* xeque-mate

checkout /ˈtʃekaʊt/ *s* **1** caixa (*em loja*) **2** ato de pagar a conta e abandonar um hotel

checkpoint /ˈtʃekpɔɪnt/ *s* posto de controlo

check-up /ˈtʃek ʌp/ *s* **1** check-up, exame (*médico*) **2** verificação, revisão

cheek /tʃiːk/ *s* **1** face, bochecha **2** (*fig*) descaramento: *What (a) cheek!* Que descaramento! LOC *Ver* TONGUE **cheeky** *adj* (**cheekier, -iest**) (*GB, coloq*) descarado

cheer /tʃɪə(r)/ *verbo, substantivo*
▸ **1** *vt, vi* aclamar, aplaudir **2** *vt* animar, alegrar: *to be cheered by sth* animar-se com alguma coisa PHR V **cheer sb on** encorajar alguém ◆ **cheer up** animar-se: *Cheer up!* Anima-te! ◆ **cheer sb/sth up** animar alguém/alguma coisa
▸ *s* aplauso, viva: *Three cheers for...* Três vivas para...!

cheerful /ˈtʃɪəfl/ *adj* **1** alegre **2** agradável, animador

cheering /ˈtʃɪərɪŋ/ *s* [*não-contável*] aplausos, vivas

cheerio /ˌtʃɪəriˈəʊ/ *interj* (*GB, coloq*) adeus!, (t)chau!

cheers /tʃɪəz/ *interj* **1** saúde! **2** (*GB, coloq*) adeus!, (t)chau! **3** (*GB, coloq*) obrigado!

cheery /ˈtʃɪəri/ *adj* (**cheerier, -iest**) (*coloq*) alegre

cheese /tʃiːz/ *s* queijo: *Would you like some cheese?* Queres queijo? ◇ *a wide variety of cheeses* uma grande variedade de queijos LOC *Ver* BIG

cheesecake /ˈtʃiːzkeɪk/ *s* tarte de queijo

cheetah /ˈtʃiːtə/ *s* chita

chef /ʃef/ *s* chefe de cozinha

chemical /ˈkemɪkl/ *adjetivo, substantivo*
▸ *adj* químico
▸ *s* (produto) químico

chemist /ˈkemɪst/ *s* **1** farmacêutico, -a **2 chemist's** farmácia ➲ *Ver nota em* PHARMACY **3** químico, -a

chemistry /ˈkemɪstri/ *s* química

cheque (*USA* **check**) /tʃek/ *s* cheque: *by cheque* com cheque

chequebook (*USA* **checkbook**) /ˈtʃekbʊk/ *s* livro de cheques

cherish /ˈtʃerɪʃ/ *vt* (*formal*) **1** (*liberdade, tradições, etc.*) dar valor a **2** (*pessoa*) amar, acarinhar **3** (*esperança*) acalentar **4** (*recordação*) guardar com carinho

cherry /ˈtʃeri/ *s* (*pl* **cherries**) **1** cereja **2** (*tb* **cherry tree**) (*árvore*) cerejeira: *cherry blossom* flor de cerejeira **3** (*tb* **cherry red**) (*cor*) vermelho-cereja

chess /tʃes/ *s* xadrez

chessboard /ˈtʃesbɔːd/ *s* tabuleiro de xadrez

chest /tʃest/ *s* **1** baú, arca: *chest of drawers* cómoda **2** peito (*tórax*) LOC **get sth off your chest** desabafar

chestnut /ˈtʃesnʌt/ *s* **1** castanha **2** (*árvore, madeira*) castanheiro **3** (*cor*) castanho **4 old chestnut** (*coloq*) anedota já velha

chew /tʃuː/ *vt* ~ **sth (up)** mastigar alguma coisa PHR V **chew sth over** (*coloq*) ruminar alguma coisa

chewing gum (*tb* **gum**) *s* [*não-contável*] pastilha elástica

chick /tʃɪk/ *s* pintainho, pinto

chicken /ˈtʃɪkɪn/ *substantivo, adjetivo, verbo*
▸ *s* **1** (*carne*) frango **2** (*ave*) galinha
▸ *adj* (*coloq*) medricas
▸ *v* PHR V **chicken out (of sth)** (*coloq*) acobardar-se (de alguma coisa)

chickenpox /ˈtʃɪkɪnpɒks/ *s* [*não-contável*] varicela

chickpea /ˈtʃɪkpiː/ *s* grão-de-bico

chief /tʃiːf/ *substantivo, adjetivo*
▸ *s* chefe
▸ *adj* principal **chiefly** *adv* **1** sobretudo **2** principalmente

chieftain /ˈtʃiːftən/ *s* chefe (*de tribo ou clã*)

child /tʃaɪld/ *s* (*pl* **children** /ˈtʃɪldrən/) **1** criança: *children's clothes/television* roupa para crianças/programação infantil ◇ *child benefit* abono de família **2** filho, -a: *an only child* filho único **3** (*fig*) produto: *She's a child of the 90s.* Ela é um produto dos anos 90. LOC **be child's play** (*coloq*) ser jogo de crianças, ser uma coisa fácil de fazer

childbirth /ˈtʃaɪldbɜːθ/ *s* parto

childcare /ˈtʃaɪldkeə(r)/ *s* [*não-contável*] puericultura: *childcare provision* assistência médica e social à infância

childhood /ˈtʃaɪldhʊd/ *s* infância

childish /ˈtʃaɪldɪʃ/ *adj* **1** infantil **2** (*pej*) imaturo: *to be childish* portar-se como uma criança

childless /ˈtʃaɪldləs/ *adj* sem filhos

childlike /ˈtʃaɪldlaɪk/ *adj* infantil

childminder /ˈtʃaɪldmaɪndə(r)/ *s* pessoa que toma conta de crianças em casa ➲ *Comparar com* BABYSITTER *em* BABYSIT, NANNY

chill /tʃɪl/ *substantivo, verbo*
▸ *s* **1** frio **2** resfriamento: *to catch/get a chill* apanhar um resfriamento **3** [*sing*] calafrio
▸ **1** *vt* gelar: *to be chilled to the bone* estar gelado até aos ossos **2** *vt, vi* (*alimentos*) esfriar(-se), refrigerar: *frozen and chilled foods* alimentos congelados e refrigerados **3** *vi* (*coloq*) descansar

chilli (*USA* **chili**) /ˈtʃɪli/ *s* (*pl* **chillies/chilies**) **1** (*USA tb* **chili pepper**) malagueta **2** pimentão

chilling /ˈtʃɪlɪŋ/ *adj* arrepiante

chilly /ˈtʃɪli/ *adj* frio ➲ *Ver nota em* FRIO

chime /tʃaɪm/ *substantivo, verbo*
▸ *s* **1** carrilhão **2** badalada
▸ *vi* repicar PHR V **chime in (with sth)** interromper, intrometer-se (dizendo alguma coisa)

chimney /ˈtʃɪmni/ *s* (*pl* **chimneys**) chaminé: *chimney sweep* limpa-chaminés

chimpanzee /ˌtʃɪmpænˈziː/ (*coloq* **chimp**) *s* chimpanzé

chin /tʃɪn/ *s* queixo LOC **keep your chin up** (*esp GB, coloq*) fazer das tripas coração

china /ˈtʃaɪnə/ *s* **1** porcelana **2** louça de porcelana

chink /tʃɪŋk/ *s* fenda, abertura LOC **a chink in sb's armour** o ponto fraco de alguém

chip /tʃɪp/ *substantivo, verbo*
▸ *s* **1** pedaço **2** (*madeira*) lasca **3** falha (*causada por um golpe*) **4** (*GB*) batata frita **5** (*USA*) batata frita (*de pacote*) ➲ *Ver ilustração em* BATATA **6** (*casino*) ficha **7** (*Eletrón*) chip LOC **a chip off the old block** (*coloq*) tal pai, tal filho ◆ **have a chip on your shoulder** (*coloq*) estar ressentido
▸ *vt, vi* lascar(-se), rachar(-se) PHR V **chip away at sth** minar alguma coisa (*corroer a pouco e pouco*) ◆ **chip in (with sth)** (*coloq*) **1** (*comentário*) intrometer-se (dizendo alguma coisa) **2** (*dinheiro*) contribuir (com alguma coisa)
chippings *s* [*pl*] **1** cascalho **2** (*tb* **wood chippings**) cavacos

chirp /tʃɜːp/ *substantivo, verbo*
▸ *s* **1** chilreio **2** (*grilo*) canto, cricri
▸ *vi* **1** gorjear **2** (*grilo*) cantar

chirpy /ˈtʃɜːpi/ *adj* (*coloq*) alegre

chisel /ˈtʃɪzl/ *substantivo, verbo*
▸ *s* cinzel, escopro
▸ *vt* (**-ll-**, *USA tb* **-l-**) **1** cinzelar: *finely chiselled features* feições delicadas **2** (*com cinzel*) esculpir

chivalry /ˈʃɪvəlri/ *s* **1** cavalaria **2** cavalheirismo

chives /tʃaɪvz/ *s* [*pl*] cebolinho

chloride /ˈklɔːraɪd/ *s* cloreto

chlorine /ˈklɔːriːn/ *s* cloro

chock-a-block /ˌtʃɒk ə ˈblɒk/ *adj* ~ **(with sth/sb)** (*GB, coloq*) cheiíssimo (de alguma coisa/alguém)

chock-full /ˌtʃɒk ˈfʊl/ *adj* ~ **(of sth/sb)** (*coloq*) apinhado (de alguma coisa/alguém)

chocolate /ˈtʃɒklət/ *s* **1** chocolate: *milk/plain chocolate* chocolate de/sem leite **2** chocolate, bombom **3** cor de chocolate

choice /tʃɔɪs/ *substantivo, adjetivo*
▸ *s* **1** ~ **(between A and B)** escolha (entre A e B): *to make a choice* escolher **2** seleção **3** possibilidade: *If I had the choice...* Se eu pudesse escolher... LOC **have no choice** não ter alternativa ◆ **by/out of choice** de livre vontade
▸ *adj* (**choicer, -est**) [*só antes de substantivo*] **1** de melhor qualidade **2** seleto

choir /ˈkwaɪə(r)/ *s* [*v sing ou pl*] coro: *choir boy* menino de coro

choke /tʃəʊk/ **1** *vi* ~ **(on sth)** engasgar-se (com alguma coisa): *to choke to death* morrer asfixiado **2** *vt* sufocar, estrangular **3** *vt* ~ **sth (up) (with sth)** entupir, obstruir, tapar alguma coisa (com alguma coisa) PHR V **choke sth back** (*lágrimas, ira*) conter alguma coisa

C

cholera /ˈkɒlərə/ *s* cólera

cholesterol /kəˈlestərɒl; *USA* -rɔːl/ *s* colesterol

choose /tʃuːz/ (*pt* **chose** /tʃəʊz/, *pp* **chosen** /ˈtʃəʊzn/) **1** *vi* ~ **between A and/or B** selecionar, escolher entre A e B **2** *vt* ~ **A from B** selecionar, escolher A de B **3** *vt* ~ **sb/sth (as sth)** selecionar, escolher alguém/alguma coisa (como alguma coisa) **4** *vt, vi* ~ **(to do sth)** resolver (fazer alguma coisa) **5** *vi*: *whenever I choose* quando me apetecer LOC *Ver* PICK **choosy** *adj* (**choosier**, **-iest**) (*coloq*) melindroso, difícil de contentar

chop /tʃɒp/ *verbo, substantivo*
▸ *vt, vi* (**-pp-**) **1** ~ **sth (up) (into sth)** cortar alguma coisa (em alguma coisa): *to chop sth in two* partir alguma coisa ao meio **2** ~ **sth (up) (into sth)** (*Cozinha*) picar alguma coisa, cortar alguma coisa em pedaços: *chopping board* tábua de cortar **3** (*coloq*) reduzir LOC **chop and change** (*GB, coloq*) ser volúvel PHR V **chop sth down** cortar alguma coisa ◆ **chop sth off (sth)** cortar alguma coisa (de alguma coisa) (*com machado*)
▸ *s* **1** machadada **2** golpe **3** (*carne*) costeleta

chopper /ˈtʃɒpə(r)/ *s* **1** machadinha **2** (*carne*) cutelo **3** (*coloq*) helicóptero

choppy /ˈtʃɒpi/ *adj* (**choppier**, **-iest**) picado (*mar*)

chopsticks /ˈtʃɒpstɪks/ *s* [*pl*] pauzinhos (*chineses*)

choral /ˈkɔːrəl/ *adj* coral (*de coro*)

chord /kɔːd/ *s* acorde

chore /tʃɔː(r)/ *s* trabalho (*de rotina*): *household chores* tarefas domésticas

choreographer /ˌkɒriˈɒgrəfə(r); *USA* ˌkɔːri-/ *s* coreógrafo, -a

choreography /ˌkɒriˈɒgrəfi; *USA* ˌkɔːri-/ *s* coreografia

chorus /ˈkɔːrəs/ *substantivo, verbo*
▸ *s* [*v sing ou pl*] **1** (*Mús, Teat*) coro: *chorus girl* corista **2** estribilho LOC **in chorus** em coro
▸ *vt* cantar/dizer em coro

chose, chosen *pt, pp de* CHOOSE

Christ /kraɪst/ *s* Cristo

christen /ˈkrɪsn/ *vt* batizar (com o nome de) **christening** *s* batismo, batizado

Christian /ˈkrɪstʃən/ *adj, s* cristão, cristã **Christianity** /ˌkrɪstiˈænəti/ *s* cristianismo, cristandade

Christian name *s* nome (de batismo)

Christmas /ˈkrɪsməs/ *s* Natal: *Christmas Day* Dia de Natal ◇ *Christmas Eve* véspera de Natal ◇ *Merry/Happy Christmas!* Feliz Natal! ➲ *Ver nota em* NATAL

Christmas pudding *s* pudim de frutos secos que se come quente no dia de Natal

chrome /krəʊm/ *s* cromo

chromium /ˈkrəʊmiəm/ *s* crómio: *chromium-plating/plated* cromagem/cromado

chromosome /ˈkrəʊməsəʊm/ *s* cromossoma

chronic /ˈkrɒnɪk/ *adj* **1** crónico **2** (*mentiroso, alcoólico, etc.*) inveterado

chronicle /ˈkrɒnɪkl/ *substantivo, verbo*
▸ *s* crónica
▸ *vt* (*formal*) escrever crónicas sobre

chrysalis /ˈkrɪsəlɪs/ *s* (*pl* **chrysalises**) crisálida

chubby /ˈtʃʌbi/ *adj* (**chubbier**, **-iest**) rechonchudo ➲ *Ver nota em* GORDO

chuck /tʃʌk/ *vt* (*coloq*) **1** atirar **2** ~ **sth (in/up)** deixar alguma coisa PHR V **chuck sth away/out** deitar alguma coisa fora ◆ **chuck sb out** pôr alguém na rua

chuckle /ˈtʃʌkl/ *verbo, substantivo*
▸ *vi* rir-se para si mesmo
▸ *s* risadinha

chum /tʃʌm/ *s* (*antiq, coloq*) amigalhaço, -a

chunk /tʃʌŋk/ *s* pedaço **chunky** *adj* (**chunkier**, **-iest**) atarracado

church /tʃɜːtʃ/ *s* igreja: *to go to church* ir à igreja ◇ *church hall* salão paroquial ➲ *Ver nota em* SCHOOL

churchyard /ˈtʃɜːtʃjɑːd/ *s* cemitério (*em torno de uma igreja*) ➲ *Comparar com* CEMETERY

churn /tʃɜːn/ **1** *vt* ~ **sth (up)** (*água, barro*) agitar alguma coisa **2** *vi* (*águas*) agitar-se **3** *vi* (*estômago*) dar volta PHR V **churn sth out** (*coloq, freq pej*) fabricar alguma coisa aos montes (*livros, etc.*)

chute /ʃuːt/ *s* **1** calha (*para mercadorias ou despejos*) **2** (*piscina*) escorrega

cider /ˈsaɪdə(r)/ *s* sidra

cigar /sɪˈgɑː(r)/ *s* charuto

cigarette /ˌsɪgəˈret; *USA* ˈsɪgəret/ *s* cigarro: *cigarette butt/end* ponta de cigarro

cinder /ˈsɪndə(r)/ *s* [*ger pl*] cinza

cinema /ˈsɪnəmə/ *s* cinema

cinnamon /ˈsɪnəmən/ *s* canela

circle /ˈsɜːkl/ *substantivo, verbo*
▸ *s* **1** círculo, circunferência: *to stand in a circle* formar um círculo ◇ *the circumference of a circle* o perímetro dum círculo **2** (*Teat*) balcão (*primeiro piso*) *Ver tb* DRESS CIRCLE, TRAFFIC CIRCLE

LOC go round in circles não fazer progresso, andar às voltas *Ver tb* FULL, VICIOUS
▸ **1** *vt, vi* dar uma volta/voltas (a) **2** *vt* rodear **3** *vt* desenhar um círculo em volta de

circuit /ˈsɜːkɪt/ *s* **1** circuito **2** volta **3** pista **4** (*Eletrón*) circuito *Ver tb* SHORT CIRCUIT

circular /ˈsɜːkjələ(r)/ *adjetivo, substantivo*
▸ *adj* redondo, circular
▸ *s* circular

circulate /ˈsɜːkjəleɪt/ *vt, vi* (fazer) circular

circulation /ˌsɜːkjəˈleɪʃn/ *s* **1** circulação **2** (*jornal, etc.*) tiragem

circumcise /ˈsɜːkəmsaɪz/ *vt* circuncidar **circumcision** /ˌsɜːkəmˈsɪʒn/ *s* circuncisão

circumference /səˈkʌmfərəns/ *s* circunferência: *the circumference of the earth* a circunferência da Terra ◇ *the circumference of a circle* o perímetro dum círculo

circumstance /ˈsɜːkəmstəns, -stɑːns, -stæns/ *s* **1** circunstância **2 circumstances** [*pl*] situação: *the economic circumstances* a situação económica **LOC in/under no circumstances** de modo nenhum, nunca ◆ **in/under the circumstances** dadas as circunstâncias, neste caso

circus /ˈsɜːkəs/ *s* (*pl* **circuses**) circo

cistern /ˈsɪstən/ *s* **1** autoclismo **2** depósito

cite /saɪt/ *vt* (*formal*) **1** citar **2** (*USA*) (*Mil*) mencionar

citizen /ˈsɪtɪzn/ *s* cidadão, -ã *Ver tb* SENIOR CITIZEN **citizenship** *s* cidadania

citrus /ˈsɪtrəs/ *adj* cítrico: *citrus fruit(s)* citrinos

city /ˈsɪti/ *s* (*pl* **cities**) **1** cidade (*grande ou importante*): *city centre* centro da cidade **2 the City** a City (*centro financeiro de Londres*)

city hall *s* (*USA*) câmara municipal

civic /ˈsɪvɪk/ *adj* **1** municipal: *civic centre* centro municipal **2** cívico

civil /ˈsɪvl/ *adj* **1** civil: *civil law* código/direito civil ◇ *civil rights/liberties* direitos/liberdades do cidadão ◇ *civil strife* dissenção social **2** delicado, atencioso

civilian /səˈvɪliən/ *s* civil

civilization, -isation /ˌsɪvəlaɪˈzeɪʃn; *USA* -ləˈz-/ *s* civilização

civilized, -ised /ˈsɪvəlaɪzd/ *adj* civilizado, requintado

civil servant *s* funcionário, -a (do Estado)

the civil service *s* [*sing*] a Administração Pública

clad /klæd/ *adj* ~ **(in sth)** (*formal*) vestido (de alguma coisa)

claim /kleɪm/ *verbo, substantivo*
▸ *vt* **1** *vt* afirmar, declarar **2** reclamar, requerer **3** (*atenção*) merecer **4** (*formal*) causar (*mortes, etc.*)
▸ *s* **1** ~ **(for sth)** reclamação, requerimento, pedido (de alguma coisa) **2** ~ **(against sb/sth)** reclamação, demanda (contra alguém/alguma coisa) **3** ~ **(on/to sth)** direito (sobre/a alguma coisa) **4** afirmação, pretensão **LOC** *Ver* LAY, STAKE **claimant** *s* requerente

clam /klæm/ *substantivo, verbo*
▸ *s* amêijoa
▸ *v* **(-mm-) PHR V clam up** (*coloq*) não abrir o bico

clamber /ˈklæmbə(r)/ *vi* trepar (*com dificuldade*)

clammy /ˈklæmi/ *adj* suarento, pegajoso

clamour (*USA* **clamor**) /ˈklæmə(r)/ *substantivo, verbo*
▸ *s* clamor, gritaria
▸ *vi* **1** clamar **2** ~ **for sth** (*formal*) pedir alguma coisa em voz alta

clamp /klæmp/ *substantivo, verbo*
▸ *s* **1** torno **2** grampo **3** calço **4** (*tb* **wheel clamp**) bloqueador
▸ *vt* **1** segurar **2** pôr o calço **PHR V clamp down on sb/sth** apertar os cordéis a alguém/alguma coisa

clampdown /ˈklæmpdaʊn/ *s* ~ **(on sth)** restrição (de alguma coisa), medidas drásticas (contra alguma coisa)

clan /klæn/ *s* [*v sing ou pl*] clã

clandestine /klænˈdestɪn, ˈklændəstaɪn/ *adj* (*formal*) clandestino

clang /klæŋ/ *substantivo, verbo*
▸ *s* tinido (*metálico*)
▸ *vi* retinir

clank /klæŋk/ *vi* produzir um ruído metálico (*cadeias metálicas, máquinas*)

clap /klæp/ *verbo, substantivo*
▸ **(-pp-) 1** *vt, vi* aplaudir **2** *vt*: *to clap your hands (together)* bater palmas ◇ *to clap sb on the back* dar uma palmada nas costas a alguém
▸ *s* **1** aplauso **2** *a clap of thunder* o ribombar do trovão **clapping** *s* [*não-contável*] aplausos

clarification /ˌklærəfɪˈkeɪʃn/ *s* clarificação

clarify /ˈklærəfaɪ/ *vt* (*pt, pp* **-fied**) clarificar

clarinet /ˌklærəˈnet/ *s* clarinete

clarity /ˈklærəti/ *s* lucidez, claridade

clash /klæʃ/ *verbo, substantivo*
▸ *vi* **1** *vi* ~ **(with sb)** ter um confronto (com alguém) **2** ~ **(with sb) (over sth)** discordar (de alguém) (sobre alguma coisa) **3** (*datas*) coin-

cidir **4** (*cores*) destoar **5** (fazer) chocar (*com ruído*)
▸ *s* **1** confronto **2** ~ **(over sth)** divergência (de/por alguma coisa): *a clash of interests* um conflito de interesses **3** estrondo

clasp /klɑːsp; *USA* klæsp/ *substantivo, verbo*
▸ *s* fivela, fecho
▸ *vt* apertar (*com as mãos/os braços*)

class /klɑːs; *USA* klæs/ *substantivo, verbo, adjetivo*
▸ *s* **1** classe: *They're in class.* Estão na aula. ◇ *class struggle/system* luta/sistema de classes *Ver tb* MIDDLE CLASS, WORKING CLASS **2** categoria: *They're not in the same class.* Não têm comparação. *Ver tb* FIRST CLASS, SECOND CLASS LOC **in a class of your, its, etc. own** fora de série
▸ *vt* ~ **sb/sth (as sth)** classificar alguém/alguma coisa (como alguma coisa)
▸ *adj* (*coloq*) com muita categoria

classic /ˈklæsɪk/ *adjetivo, substantivo*
▸ *adj* clássico, típico: *It was a classic case.* Foi um caso típico.
▸ *s* clássico

classical /ˈklæsɪkl/ *adj* clássico (*arte, literatura, etc.*)

classification /ˌklæsɪfɪˈkeɪʃn/ *s* **1** classificação **2** categoria

classified /ˈklæsɪfaɪd/ *adj* **1** classificado: *classified ads* anúncios classificados **2** confidencial

classify /ˈklæsɪfaɪ/ *vt* (*pt, pp* **-fied**) classificar

classmate /ˈklɑːsmeɪt; *USA* ˈklæs-/ *s* colega de turma

classroom /ˈklɑːsruːm, -rʊm; *USA* ˈklæs-/ *s* sala de aula, classe

classy /ˈklɑːsi; *USA* ˈklæsi/ *adj* (**classier, -iest**) (*coloq*) com muita categoria

clatter /ˈklætə(r)/ *substantivo, verbo*
▸ *s* (*tb* **clattering**) **1** estrépito **2** (*comboio*) triquetraque
▸ **1** *vt, vi* fazer barulho (*com pratos, etc.*) **2** *vi* (*comboio*) estralejar

clause /klɔːz/ *s* **1** (*Gram*) proposição **2** (*Jur*) cláusula

claw /klɔː/ *substantivo, verbo*
▸ *s* **1** garra **2** (*gato*) unha **3** (*caranguejo*) pinça
▸ *vt* arranhar

clay /kleɪ/ *s* **1** argila, barro **2** (*Ténis*) terra batida

clean /kliːn/ *adjetivo, verbo*
▸ *adj* (**cleaner, -est**) **1** limpo: *to wipe sth clean* limpar alguma coisa **2** (*papel, etc.*) em branco, limpo LOC **make a clean break (with sth)** cortar por completo (com alguma coisa)
▸ *vt, vi* limpar PHR V **clean sth from/off sth** limpar alguma coisa de alguma coisa ◆ **clean sb out** (*coloq*) deixar alguém sem um tostão ◆ **clean sth out** limpar bem alguma coisa ◆ **clean (sth) up** limpar (alguma coisa): *to clean up your image* aperfeiçoar a sua própria imagem

clean-cut /ˌkliːn ˈkʌt/ *adj* (*rapaz*) bem apresentado

cleaner /ˈkliːnə(r)/ *s* **1** empregado, -a de limpeza **2** **cleaner's** tinturaria ➲ *Ver nota em* TALHO *Ver tb* VACUUM CLEANER

cleaning /ˈkliːnɪŋ/ *s* limpeza (*atividade*)

cleanliness /ˈklenlinəs/ *s* asseio (*qualidade*)

cleanly /ˈkliːnli/ *adv* com limpeza

cleanse /klenz/ *vt* **1** limpar **2** ~ **sb (of/from sth)** (*formal*) purificar alguém (de alguma coisa)

cleanser *s* **1** produto de limpeza **2** (*para a cara*) creme de limpeza

clean-shaven /ˌkliːn ˈʃeɪvn/ *adj* sem barba nem bigode

clean-up /ˈkliːn ʌp/ *s* limpeza

clear /klɪə(r)/ *adjetivo, verbo, advérbio*
▸ *adj* (**clearer, -est**) **1** claro: *Are you quite clear about what the job involves?* Sabes exatamente o que o trabalho implica? **2** (*tempo, céu, consciência*) limpo **3** (*vidro, água*) transparente **4** (*estrada*) desimpedido **5** (*receção*) perfeito **6** (*consciência*) tranquilo **7** livre: *to keep next weekend clear* deixar livre o fim de semana que vem ◇ *clear of debt* livre de dívidas LOC **(as) clear as day/mud** claro como água/nada claro ◆ **in the clear** (*coloq*) **1** livre de suspeita **2** fora de perigo ◆ **make sth clear (to sb)** deixar bem claro alguma coisa (a alguém) *Ver tb* CRYSTAL
▸ **1** *vt* ~ **sth (of sth)**; ~ **sth (from/off sth)** remover alguma coisa (de alguma coisa): *to clear the table* levantar a mesa **2** *vi* desobstruir **3** *vt* (*pessoas*) desalojar **4** *vt* (*tubagem*) desentupir **5** *vi* (*tempo, céu*) desanuviar **6** *vi* (*água*) aclarar **7** *vt* (*dúvida*) esclarecer **8** *vt* ~ **sb (of sth)** absolver alguém (de alguma coisa): *to clear your name* limpar o teu nome **9** *vt* (*obstáculo*) passar sem tocar LOC **clear the air** desanuviar a atmosfera PHR V **clear (sth) away/up** arrumar (alguma coisa) ◆ **clear off** (*coloq*) pirar-se, ir-se embora ◆ **clear (sth) out** arrumar alguma coisa: *I found the letters when I was clearing out.* Encontrei as cartas quando estava a fazer arrumações. ◆ **clear up** (*tempo*) desanuviar ◆ **clear sth up** deixar alguma coisa bem clara
▸ *adv* **1** ~ **(of sth)** afastado (de alguma coisa): *Stand clear of the train doors.* Mantenha-se afastado das portas do comboio. **2** claramente **3** completamente LOC **keep/stay/steer clear (of sb/sth)** manter-se afastado (de alguém/alguma coisa)

clearance /ˈklɪərəns/ *s* **1** limpeza, despejo: *a clearance sale* uma liquidação **2** espaço livre, folga **3** autorização

clear-cut /ˌklɪə ˈkʌt/ *adj* bem definido

clear-headed /ˌklɪə ˈhedɪd/ *adj* de mente lúcida

clearing /ˈklɪərɪŋ/ *s* clareira (*de bosque*)

clearly /ˈklɪəli/ *adv* claramente

clear-sighted /ˌklɪə ˈsaɪtɪd/ *adj* lúcido, clarividente

cleavage /ˈkli:vɪdʒ/ *s* decote

clef /klef/ *s* (*Mús*) clave

clench /klentʃ/ *vt* cerrar (*punhos, dentes*)

clergy /ˈklɜ:dʒi/ *s* [*pl*] clero

clergyman /ˈklɜ:dʒimən/ *s* (*pl* **-men** /-mən/) **1** clérigo **2** sacerdote anglicano ➲ *Ver nota em* PRIEST

clerical /ˈklerɪkl/ *adj* **1** de escritório: *clerical staff* pessoal administrativo **2** (*Relig*) eclesiástico

clerk /klɑ:k; *USA* klɜ:rk/ *s* **1** empregado, -a de escritório **2** (*câmara municipal*) secretário, -a **3** (*tribunal*) escrivão, -ã **4** (*tb* **desk clerk**) (*USA*) rececionista **5** (*USA*) (*numa loja*) empregado, -a

clever /ˈklevə(r)/ *adj* (**cleverer**, **-est**) **1** esperto **2** hábil: *to be clever at sth* ter jeito para alguma coisa **3** engenhoso **4** (*GB, coloq, pej*) espertalhão: *Don't get clever with me!* Não te armes em esperto comigo! **cleverness** *s* inteligência, habilidade, astúcia

cliché (*tb* **cliche**) /ˈkli:ʃeɪ; *USA* kli:ˈʃeɪ/ *s* cliché

click /klɪk/ *verbo, substantivo*
▸ **1** *vt, vi*: *to click your heels* bater os calcanhares ◇ *to click your fingers* dar estalos com os dedos ◇ *to click open/shut* abrir-se/fechar-se com um estalido **2** *vi* (*máquina fotográfica, etc.*) fazer clique **3** *vt, vi* ~ **(on) sth** (*Informát*) clicar (em alguma coisa) *Ver tb* DOUBLE-CLICK **4** *vi* (*coloq*) (*ficar amigos*) dar-se logo bem **5** *vi* (*coloq*): *Suddenly it clicked. I realized my mistake.* De repente, fez-se luz. Apercebi-me do meu erro. PHR V **click through (to sth)** (*Internet*) abrir um link (para alguma coisa)
▸ *s* **1** crepitação **2** estalido **3** (*Informát*) clique **4** ruído de tacões

client /ˈklaɪənt/ *s* cliente

clientele /ˌkli:ənˈtel; *USA* ˌklaɪənˈtel/ *s* clientela

cliff /klɪf/ *s* falésia, penhasco

climate /ˈklaɪmət/ *s* clima: *the economic climate* o clima económico

climax /ˈklaɪmæks/ *s* clímax

climb /klaɪm/ *verbo, substantivo*
▸ *vt, vi* **1** escalar **2** subir (a): *The road climbs steeply.* A estrada é muito íngreme. **3** trepar (por) LOC **go climbing** fazer alpinismo *Ver tb* BANDWAGON PHR V **climb down** dar a mão à palmatória, ceder ◆ **climb out of sth** **1** (*cama*) levantar-se de alguma coisa **2** (*carro, etc.*) sair de alguma coisa ◆ **climb (up) on to sth** subir a alguma coisa ◆ **climb up sth** subir a alguma coisa, trepar por alguma coisa
▸ *s* escalada, subida **climber** *s* alpinista **climbing** *s* alpinismo: *to go climbing* praticar alpinismo

clinch /klɪntʃ/ *vt* **1** (*negócio, etc.*) fechar **2** (*partida, etc.*) ganhar **3** (*vitória, etc.*) conseguir: *That clinched it.* Isso foi decisivo.

cling /klɪŋ/ *vi* (*pt, pp* **clung** /klʌŋ/) ~ **(on) to sb/sth** pegar-se a alguém/alguma coisa: *to cling to each other* agarrar-se um ao outro **clinging** (*tb* **clingy**) *adj* **1** (*roupa*) apertado, justo **2** (*pej*) (*pessoa*) agarrado a outra pessoa

cling film *s* película transparente (*para embalar alimentos*)

clinic /ˈklɪnɪk/ *s* clínica

clinical /ˈklɪnɪkl/ *adj* **1** clínico **2** (*pej*) frio, sem emoção

clink /klɪŋk/ **1** *vi* tinir **2** *vt*: *They clinked glasses.* Fizeram um brinde.

clip /klɪp/ *substantivo, verbo*
▸ *s* **1** clipe: *paper clip* clipe ◇ *hair clip* gancho **2** (*joia*) alfinete (de peito)
▸ *vt* (**-pp-**) **1** cortar **2** ~ **sth (on) to sth** prender alguma coisa a alguma coisa (com um clipe) PHR V **clip sth together** juntar alguma coisa (com um clipe)

clipboard /ˈklɪpbɔ:d/ *s* prancheta

clique /kli:k/ *s* (*freq pej*) camarilha, panelinha

cloak /kləʊk/ *substantivo, verbo*
▸ *s* capa
▸ *vt* (*formal*) cobrir: *cloaked in secrecy* rodeado de grande segredo

cloakroom /ˈkləʊkru:m, -rʊm/ *s* **1** vestiário **2** lavabo ➲ *Ver nota em* TOILET

clock /klɒk/ *substantivo, verbo*
▸ *s* **1** relógio (*de parede ou de mesa*) ➲ *Ver ilustração em* RELÓGIO **2 the clock** [*sing*] (*esp GB, coloq*) o conta-quilómetros LOC **(a)round the clock** (durante) vinte e quatro horas ◆ **put/turn the clock back** voltar atrás/ao passado
▸ *vt* cronometrar PHR V **clock in/on** marcar o ponto (*à chegada ao trabalho*) ◆ **clock off/out** marcar o ponto (*à saída do trabalho*) ◆ **clock up sth** registar alguma coisa: *My car has clocked*

C

up 50000 miles. O meu carro fez 50.000 milhas.

clockwise /ˈklɒkwaɪz/ *adv, adj* no sentido dos ponteiros do relógio

clockwork /ˈklɒkwɜːk/ *s* mecanismo LOC **like clockwork** como um relógio, com regularidade, de vento em popa

clog /klɒg/ *substantivo, verbo*
▸ *s* tamanco
▸ *vt, vi* ~ **(sth) (up)** obstruir alguma coisa, obstruir-se, entupir alguma coisa, entupir-se

cloister /ˈklɔɪstə(r)/ *s* claustro

clone /kləʊn/ *substantivo, verbo*
▸ *s* clone
▸ *vt* clonar **cloning** *s* clonagem

close¹ /kləʊs/ *adjetivo, advérbio*
▸ *adj* **(closer, -est) 1** ~ **(to sth)** perto (de alguma coisa), ao lado (de alguma coisa), ao pé de alguma coisa: *close to tears* quase a chorar **2** ~ **(to sb)** unido (a alguém): *a close friend* um amigo íntimo **3** (*parente*) próximo **4** (*vínculos, etc.*) estreito **5** (*vigilância*) rigoroso **6** (*exame*) minucioso **7** (*Desp, partida*) renhido **8** (*tempo*) abafado, sufocante LOC **it/that was a close call/shave** (*coloq*) foi/escapou por um triz ◆ **keep a close eye/watch on sb/sth** manter alguém/alguma coisa sob vigilância apertada
▸ *adv* **(closer, -est)** (*tb* **close by**) perto: *to get close/closer to sth* aproximar-se de alguma coisa LOC **close on/to** quase ◆ **close together** juntos

close² /kləʊz/ *verbo, substantivo*
▸ *vt, vi* **1** fechar(-se) **2** (*reunião, etc.*) encerrar LOC **close your mind to sth** não querer saber nada de alguma coisa PHR V **close down 1** (*empresa*) encerrar **2** (*emissora*) fechar a emissão ◆ **close sth down** fechar alguma coisa (*empresa, etc.*) ◆ **close in 1** (*nevoeiro, noite*) adensar **2** (*dias*) ficar mais pequenos ◆ **close in (on sb/sth)** (*inimigo*) apertar o cerco (de alguém/alguma coisa)
▸ *s* [*sing*] (*formal*) fim: *towards the close of sth* ao fim de alguma coisa LOC **bring sth to a close** concluir alguma coisa ◆ **come/draw to a close** chegar ao fim

closed /kləʊzd/ *adj* fechado: *a closed door* uma porta fechada *Ver tb* CLOSE²

close-knit /ˌkləʊs ˈnɪt/ *adj* muito unido (*comunidade, etc.*)

closely /ˈkləʊsli/ *adv* **1** de perto **2** atentamente **3** (*examinar*) minuciosamente

closeness /ˈkləʊsnəs/ *s* **1** proximidade **2** intimidade

closet /ˈklɒzɪt/ *s* (*USA*) guarda-fatos

close-up /ˈkləʊs ʌp/ *s* grande plano

closing /ˈkləʊzɪŋ/ *adj* **1** final **2** (*data*) limite **3** *closing time* hora de fecho

closure /ˈkləʊʒə(r)/ (*tb* **closing**) *s* fecho, encerramento

clot /klɒt/ *s* **1** coágulo **2** (*GB, antiq, coloq*) imbecil, parvo, -a

cloth /klɒθ; *USA* klɔːθ/ *s* (*pl* **cloths** /klɒθs; *USA* klɔːðz/) **1** tecido, pano ➲ *Ver nota em* PANO **2** trapo: *floor cloth* pano para o chão

clothe /kləʊð/ *vt* ~ **sb/yourself (in sth)** (*formal*) vestir alguém/vestir-se (de alguma coisa)

clothes /kləʊðz, kləʊz/ *s* [*pl*] roupa: *clothes line* corda para estender a roupa *Ver tb* PLAIN CLOTHES

clothes peg (*USA* **clothespin** /ˈkləʊðzpɪn, ˈkləʊz-/) *s* mola (*de roupa*)

clothing /ˈkləʊðɪŋ/ *s* roupa: *the clothing industry* a indústria têxtil

cloud /klaʊd/ *substantivo, verbo*
▸ *s* nuvem
▸ **1** *vt* (*juízo*) turvar **2** *vt* (*assunto*) complicar **3** *vi* ~ **(over)** (*formal*) (*semblante*) tornar-se sombrio PHR V **cloud over** nublar-se **cloudless** *adj* sem nuvens **cloudy** *adj* nublado

clout /klaʊt/ *substantivo, verbo*
▸ *s* **1** [*não-contável*] influência **2** (*coloq*) pancada
▸ *vt* (*coloq*) dar um sopapo a

clove /kləʊv/ *s* **1** cravo-da-índia (*especiaria*) **2 clove of garlic** dente de alho

clover /ˈkləʊvə(r)/ *s* trevo

clown /klaʊn/ *s* palhaço, -a

club /klʌb/ *substantivo, verbo*
▸ *s* **1** clube **2** clube noturno **3** cacete **4** *Ver* GOLF CLUB (1) **5 clubs** [*pl*] (*em baralho de cartas*) paus ➲ *Ver nota em* BARALHO
▸ **(-bb-) 1** *vt* bater com um pau: *to club sb to death* matar alguém à paulada **2** *vi* **go clubbing** (*GB, coloq*) ir à discoteca PHR V **club together (to do sth)** juntar-se e contribuir com dinheiro (para fazer alguma coisa)

clue /kluː/ *s* **1** ~ **(to sth)** pista (de alguma coisa) **2** indício **3** (*palavras cruzadas*) definição LOC **not have a clue** (*coloq*) **1** não ter a mínima ideia **2** não saber nada, não ter aptidão

clump /klʌmp/ *s* grupo (*plantas, etc.*)

clumsy /ˈklʌmzi/ *adj* **(clumsier, -iest) 1** desajeitado, desastrado **2** tosco

clung *pt, pp de* CLING

cluster /ˈklʌstə(r)/ *substantivo, verbo*
▸ *s* aglomerado
▸ *vi* ~ **(together)** agrupar-se

clutch /klʌtʃ/ *verbo, substantivo*
▸ *vt* **1** apertar, estreitar **2** agarrar PHR V **clutch at sth/sb** (tentar) agarrar alguma coisa/alguém
▸ *s* **1** embraiagem **2 clutches** [*pl*] (*coloq*) garras

clutter /ˈklʌtə(r)/ *substantivo, verbo*
▸ *s* (*pej*) desordem, confusão
▸ *vt* ~ **sth (up)** (*pej*) atravancar alguma coisa

coach /kəʊtʃ/ *substantivo, verbo*
▸ *s* **1** camioneta **2** (*Caminho-de-ferro*) carruagem, vagão **3** coche **4** treinador, -ora **5** explicador, -ora
▸ *vt* **1** ~ **sb (for sth)** (*Desp*) treinar alguém (para alguma coisa): *to coach a swimmer for the Olympics* treinar uma nadadora para os Jogos Olímpicos **2** ~ **sb (in sth)** dar explicações (de alguma coisa) a alguém **coaching** *s* treino, preparação

coal /kəʊl/ *s* **1** carvão: *coal mine* mina de carvão **2** pedaço de carvão: *hot/live coals* brasas

coalfield /ˈkəʊlfiːld/ *s* **1** jazigo de carvão **2** [*ger pl*] região carbonífera

coalition /ˌkəʊəˈlɪʃn/ *s* [*v sing ou pl*] aliança, coligação

coarse /kɔːs/ *adj* (**coarser**, **-est**) **1** (*areia, etc.*) grosso **2** (*tecido, mãos*) áspero **3** ordinário **4** (*linguagem, pessoa, anedota*) grosseiro

coast /kəʊst/ *substantivo, verbo*
▸ *s* costa
▸ *vi* **1** (*carro, etc.*) ir em ponto morto **2** (*bicicleta*) ir sem pedalar **coastal** *adj* costeiro

coastguard /ˈkəʊstgɑːd/ *s* guarda-costeiro

coastline /ˈkəʊstlaɪn/ *s* litoral, linha da costa

coat /kəʊt/ *substantivo, verbo*
▸ *s* **1** casaco, casacão: *white coat* bata (branca) **2** (*animal*) pelo, lã **3** (*pintura*) demão
▸ *vt* ~ **sth (with/in sth)** cobrir, revestir alguma coisa (de alguma coisa)

coating /ˈkəʊtɪŋ/ *s* cobertura, demão, camada

coax /kəʊks/ *vt* ~ **sb into/out of (doing) sth**; ~ **sb to do sth** persuadir alguém a fazer/não fazer alguma coisa PHR V **coax sth out of/from sb** tirar alguma coisa de alguém

cobbles /ˈkɒblz/ (*tb* **cobblestones** /ˈkɒblstəʊnz/) *s* pedra arredondada (*de calçada*)

cobweb /ˈkɒbweb/ *s* teia de aranha

cocaine /kəʊˈkeɪn/ *s* cocaína

cock /kɒk/ *s* **1** galo **2** (*ave*) macho

cockney /ˈkɒkni/ *adjetivo, substantivo*
▸ *adj* do leste de Londres
▸ *s* **1** (*pl* **cockneys**) pessoa natural do leste de Londres **2** dialeto das mesmas

cockpit /ˈkɒkpɪt/ *s* cabina do piloto

cocktail /ˈkɒkteɪl/ *s* **1** cocktail **2** (*de fruta*) salada **3** (*fig*) mistura

cocoa /ˈkəʊkəʊ/ *s* **1** cacau **2** (*bebida*) chocolate

coconut /ˈkəʊkənʌt/ *s* coco

cocoon /kəˈkuːn/ *s* **1** (*larva*) casulo **2** (*fig*) cobertura de proteção

cod /kɒd/ *s* (*pl* **cod**) bacalhau (fresco)

code /kəʊd/ *s* código: *code name* nome de guerra ◇ *dialling/area code* indicativo

coercion /kəʊˈɜːʃn; *USA* -ʒn/ *s* (*formal*) coerção

coffee /ˈkɒfi; *USA* ˈkɔːfi/ *s* **1** café: *coffee bar/shop* café **2** cor de café

coffin /ˈkɒfɪn; *USA* ˈkɔːfɪn/ *s* caixão

cog /kɒg/ *s* **1** roda dentada **2** (*de roda dentada*) dente

cogent /ˈkəʊdʒənt/ *adj* (*formal*) convincente

coherent /kəʊˈhɪərənt/ *adj* **1** coerente **2** (*fala*) intelegível

coil /kɔɪl/ *substantivo, verbo*
▸ *s* **1** rolo **2** (*serpente*) anel **3** (*contracetivo*) DIU
▸ *vt, vi* ~ **(sth) (up) (around sth)** enrolar alguma coisa, enrolar-se, enroscar alguma coisa, enroscar-se (em alguma coisa)

coin /kɔɪn/ *substantivo, verbo*
▸ *s* moeda
▸ *vt* cunhar

coincide /ˌkəʊɪnˈsaɪd/ *vi* ~ **(with sth)** coincidir (com alguma coisa)

coincidence /kəʊˈɪnsɪdəns/ *s* coincidência

coke /kəʊk/ *s* **1 Coke**® Coca-Cola® **2** (*coloq*) coca **3** coque (*carvão*)

colander /ˈkʌləndə(r)/ *s* escorredor

cold /kəʊld/ *adjetivo, substantivo*
▸ *adj* (**colder**, **-est**) frio ➲ *Ver nota em* FRIO
LOC **be cold 1** (*pessoa*) ter frio, estar com frio **2** (*tempo, objeto*) estar frio **3** (*lugares, períodos de tempo*) ser frio ◆ **get cold 1** arrefecer **2** apanhar frio ◆ **get/have cold feet** (*coloq*) sentir medo *Ver tb* CASH
▸ *s* **1** frio **2** constipação: *to catch (a) cold* apanhar uma constipação

cold-blooded /ˌkəʊld ˈblʌdɪd/ *adj* **1** (*Biol*) de sangue frio **2** insensível

collaboration /kəˌlæbəˈreɪʃn/ *s* **1** colaboração **2** colaboracionismo

collapse /kəˈlæps/ *verbo, substantivo*
▸ *vi* **1** desmoronar-se, ruir **2** ter um colapso, desmaiar **3** (*coloq*) deixar-se cair: *When I get home, I collapse on the sofa.* Quando chego a casa, deixo-me cair no sofá. **4** (*negócio, etc.*)

C

falir **5** (*valor*) cair abruptamente **6** (*móvel, etc.*) partir
▸ *s* **1** colapso **2** queda **3** (*Med*) colapso

collar /ˈkɒlə(r)/ *s* **1** gola **2** (*camisa*) colarinho **3** (*cão*) coleira *Ver tb* BLUE-COLLAR, WHITE-COLLAR

collateral /kəˈlætərəl/ *s* [*não-contável*] garantia

colleague /ˈkɒliːg/ *s* colega

collect /kəˈlekt/ *verbo, adjetivo, advérbio*
▸ **1** *vt* recolher **2** *vt* ~ **sth (up/together)** juntar, reunir alguma coisa: *collected works* obras completas **3** *vt* (*fundos*) angariar **4** *vt* (*impostos*) cobrar **5** *vt* (*selos, moedas, etc.*) colecionar **6** *vi* (*multidão*) reunir-se, juntar-se **7** *vi* (*poeira, água*) acumular-se **8** *vt* ir buscar
▸ *adj, adv* (*USA*) a cobrar no destino: *to call collect* fazer uma chamada a pagar no destino

collection /kəˈlekʃn/ *s* **1** coleção **2** recolha **3** (*na igreja, etc.*) coleta **4** grupo

collective /kəˈlektɪv/ *adj, s* coletivo

collector /kəˈlektə(r)/ *s* colecionador, -ora

college /ˈkɒlɪdʒ/ *s* **1** estabelecimento de ensino superior *Ver tb* TECHNICAL COLLEGE **2** (*GB*) colégio universitário

Algumas universidades britânicas tradicionais, como Oxford e Cambridge, dividem-se em instituições chamadas **colleges**: *a college tour of Oxford* um tour pelos colégios de Oxford.

3 (*USA*) universidade, faculdade

collide /kəˈlaɪd/ *vi* ~ **(with sth/sb)** colidir, chocar (com alguma coisa/alguém)

collision /kəˈlɪʒn/ *s* colisão, choque

colloquial /kəˈləʊkwiəl/ *adj* coloquial

colon /ˈkəʊlən/ *s* **1** dois pontos ➲ *Ver pág. 315* **2** (*Anat*) cólon

colonel /ˈkɜːnl/ *s* coronel

colonial /kəˈləʊniəl/ *adj* colonial

colony /ˈkɒləni/ *s* (*pl* **colonies**) colónia

colossal /kəˈlɒsl/ *adj* colossal

colour (*USA* color) /ˈkʌlə(r)/ *substantivo, verbo*
▸ *s* **1** cor **2 colours** [*pl*] (*equipa, partido, etc.*) cores LOC **be/feel off colour** (*GB, coloq*) estar maldisposto
▸ **1** *vt* colorir, pintar **2** *vi* ~ **(at sth)** corar (devido a alguma coisa) **3** *vt* (*afetar*) influenciar **4** *vt* (*julgamento*) turvar PHR V **colour sth in** colorir alguma coisa

colour-blind (*USA* color-blind) /ˈkʌlə blaɪnd/ *adj* daltónico

coloured (*USA* colored) /ˈkʌləd/ *adj* **1** colorido: *cream-coloured* (de cor) creme **2** (*antiq ou pej*) (*pessoa*) de cor

colourful (*USA* colorful) /ˈkʌləfl/ *adj* **1** colorido, atraente **2** (*pessoa, vida*) animado

colouring (*USA* coloring) /ˈkʌlərɪŋ/ *s* **1** coloração **2** tez **3** corante

colourless (*USA* colorless) /ˈkʌləlәs/ *adj* **1** incolor, sem cor **2** (*figura*) cinzento **3** (*estilo*) desinteressante

colt /kəʊlt/ *s* potro ➲ *Ver nota em* POTRO

column /ˈkɒləm/ *s* coluna

coma /ˈkəʊmə/ *s* coma

comb /kəʊm/ *substantivo, verbo*
▸ *s* pente
▸ **1** *vt* pentear **2** *vt, vi* ~ **(through) sth (for sb/sth)** passar alguma coisa a pente fino (à procura de alguém/alguma coisa)

combat /ˈkɒmbæt/ *substantivo, verbo*
▸ *s* [*não-contável*] combate
▸ *vt* (**-t-** *ou* **-tt-**) combater, lutar contra

combination /ˌkɒmbɪˈneɪʃn/ *s* combinação

combine /kəmˈbaɪn/ **1** *vt, vi* combinar(-se) **2** *vi* ~ **with sth** (*Econ*) unir-se a alguma coisa **3** *vt* (*qualidades*) reunir

come /kʌm/ *vi* (*pt* **came** /keɪm/, *pp* **come**) **1** vir: *to come running* vir a correr ➲ *Ver nota em* IR **2** chegar **3** percorrer **4** (*posição*) ser: *to come first* ser o primeiro **5** (*resultar*): *It came as a surprise.* Foi uma surpresa. ◇ *to come undone* desatar-se **6** ~ **to/into sth**: *to come to a halt* parar ◇ *to come into a fortune* herdar uma fortuna **7** (*coloq*) (*no sentido sexual*) vir-se
LOC **come off it!** (*coloq*) não me venhas com essa! ◆ **come to nothing; not come to anything** dar em nada, não dar em nada ◆ **come what may** aconteça o que acontecer ◆ **when it comes to (doing) sth** quando se trata de (fazer) alguma coisa ❶ Para outras expressões com **come**, ver as entradas para o substantivo, adjetivo, etc., p. ex. **come of age** em AGE.
PHR V **come about (that...)** ocorrer, acontecer (que...)
come across sb/sth encontrar alguém/alguma coisa
come along 1 aparecer, surgir **2** vir também: *Come along!* Vamos lá! **3** fazer progressos
come apart desfazer-se
come away (from sth) despegar-se (de alguma coisa) ◆ **come away with sth** vir-se embora com alguma coisa: *We came away with the impression that she was lying.* Viemo-nos embora com a impressão de que ela estava a mentir.
come back voltar

come by sth **1** (*adquirir*) conseguir alguma coisa **2** (*receber*) adquirir alguma coisa
come down **1** (*preços, temperatura, etc.*) baixar **2** cair, desmoronar-se ◆ **come down with sth** apanhar alguma coisa
come forward apresentar-se, prontificar-se
come from… ser de…: *Where do you come from?* De onde és?
come in **1** entrar: *Come in!* Entre! **2** chegar ◆ **come in for sth** (*crítica, etc.*) receber alguma coisa
come off **1** (*nódoa*) sair **2** (*peça*): *Does it come off?* Pode-se tirar? **3** (*coloq*) (*plano*) ter êxito, resultar ◆ **come off (sth)** soltar-se (de alguma coisa)
come on **1** *Come on!* Vá lá! **2** fazer progressos **3** (*ator, jogador, etc.*) entrar em cena, em campo, etc.
come out **1** sair **2** manifestar-se **3** declarar-se homossexual ◆ **come out with sth** sair-se com alguma coisa (*dito, ideia, etc.*)
come over (to…) (*tb* **come round (to…)**) vir (a/para…) ◆ **come over sb** tomar conta de alguém: *I can't think what came over me.* Não sei o que me deu.
come round (*tb* **come to**) voltar a si
come through (sth) sobreviver (a alguma coisa)
come to sth **1** ascender a alguma coisa **2** chegar a alguma coisa
come up **1** (*planta, sol*) nascer **2** (*tema*) surgir ◆ **come up against sth** deparar-se com alguma coisa ◆ **come up to sb** aproximar-se de alguém, abordar alguém

comeback /ˈkʌmbæk/ *s*: *to make/stage a comeback* regressar à ribalta

comedian /kəˈmiːdiən/ *s* comediante, humorista

comedy /ˈkɒmədi/ *s* (*pl* **comedies**) **1** comédia **2** humor

comet /ˈkɒmɪt; USA ˈkɒmət/ *s* cometa

comfort /ˈkʌmfət/ *substantivo, verbo*
▸ *s* **1** conforto, bem-estar **2** consolo **3** [*ger pl*] comodidade
▸ *vt* consolar

comfortable /ˈkʌmftəbl, -fət-/ *adj* **1** confortável, cómodo **2** (*vitória*) fácil **3** amplo: *a comfortable majority* uma maioria confortável

comfortably /ˈkʌmftəbli, -fət-/ *adv* (*ganhar, etc.*) confortavelmente LOC **be comfortably off** viver bem

comforter /ˈkʌmfətə(r)/ *s* (*USA*) edredão

comic /ˈkɒmɪk/ *adjetivo, substantivo*
▸ *adj* cómico
▸ *s* **1** (*USA tb* **comic book**) livro de banda desenhada **2** cómico, -a

coming /ˈkʌmɪŋ/ *substantivo, adjetivo*
▸ *s* **1** [*sing*] chegada **2** (*Relig*) advento
▸ *adj* [*só antes de substantivo*] próximo

comma /ˈkɒmə/ *s* vírgula *Ver tb* INVERTED COMMAS ➲ *Ver pág. 315*

command /kəˈmɑːnd; USA -ˈmænd/ *verbo, substantivo*
▸ **1** *vt* ordenar **2** *vt, vi* comandar **3** *vt* (*formal*) (*recursos*) dispor de **4** *vt* (*formal*) (*vista*) ter **5** *vt* (*respeito*) infundir **6** *vt* (*atenção*) chamar
▸ *s* **1** ordem **2** (*Informát*) comando **3** (*língua*) domínio **commander** *s* **1** (*Mil*) comandante **2** chefe

commemorate /kəˈmeməreɪt/ *vt* comemorar

commence /kəˈmens/ *vt, vi* (*formal*) começar

commend /kəˈmend/ *vt* **1** ~ **sb (for/on sth)** elogiar alguém (por alguma coisa) **2** ~ **sb to sb** (*formal*) recomendar alguém a alguém **commendable** *adj* (*formal*) louvável

comment /ˈkɒment/ *substantivo, verbo*
▸ *s* comentário: *No comment.* Sem comentários. ◇ *I have no comment to make on this matter.* Não tenho nada a dizer sobre este assunto.
▸ *vi* **1** ~ **(on sth)** comentar (alguma coisa) **2** ~ **(that…)** afirmar (que…)

commentary /ˈkɒməntri; USA -teri/ *s* (*pl* **commentaries**) **1** (*Desp*) relato, comentário **2** (*texto*) comentário, crítica

commentator /ˈkɒmenteɪtə(r)/ *s* comentador, -ora

commerce /ˈkɒmɜːs/ *s* comércio ❶ A palavra mais comum é **trade**.

commercial /kəˈmɜːʃl/ *adjetivo, substantivo*
▸ *adj* comercial
▸ *s* anúncio (*em rádio, televisão*)

commission /kəˈmɪʃn/ *substantivo, verbo*
▸ *s* **1** (*percentagem, organismo*) comissão **2** encargo, encomenda
▸ *vt* encarregar, encomendar

commissioner /kəˈmɪʃənə(r)/ *s* comissário, -a

commit /kəˈmɪt/ (**-tt-**) **1** *vt* cometer: *to commit suicide* suicidar-se **2** *vt, vi* ~ **(yourself) (to sth/to doing sth)** comprometer-se (a alguma coisa/a fazer alguma coisa) **3** *vt* ~ **yourself (to sth)** definir-se (em relação a alguma coisa) **4** *vt*: *to commit sth to memory* memorizar alguma coisa

commitment /kəˈmɪtmənt/ *s* **1** ~ **(to sb/sth)**; ~ **(to do sth)** compromisso (para com alguém/alguma coisa), compromisso (de fazer alguma coisa) **2** dedicação

C

committee /kəˈmɪti/ *s* [*v sing ou pl*] comité, comissão ➲ *Ver nota em* JÚRI

commodity /kəˈmɒdəti/ *s* (*pl* **commodities**) **1** produto **2** (*Fin*) mercadoria

common /ˈkɒmən/ *adjetivo, substantivo*
▸ *adj* **1** comum, vulgar **2** ~ **(to sb/sth)** comum (a alguém/alguma coisa): *common sense* senso comum **3** (*GB, pej*) ordinário, grosseiro ➲ *Comparar com* ORDINARY
▸ *s* **1** (*tb* **common land**) terreno comunitário **2 the Commons** *Ver* THE HOUSE OF COMMONS LOC **in common** em comum

commonly /ˈkɒmənli/ *adv* geralmente

commonplace /ˈkɒmənpleɪs/ *adj* comum, vulgar

commotion /kəˈməʊʃn/ *s* agitação

communal /kəˈmjuːnl, ˈkɒmjənl/ *adj* comunal

commune /ˈkɒmjuːn/ *s* [*v sing ou pl*] comuna

communicate /kəˈmjuːnɪkeɪt/ *vt, vi* comunicar(-se)

communication /kəˌmjuːnɪˈkeɪʃn/ *s* comunicação

communion /kəˈmjuːniən/ (*tb* **Holy Communion**) *s* comunhão

communiqué /kəˈmjuːnɪkeɪ; *USA* kəˌmjuːnəˈkeɪ/ *s* comunicado

communism /ˈkɒmjunɪzəm/ *s* comunismo **communist** *adj, s* comunista

community /kəˈmjuːnəti/ *s* (*pl* **communities**) [*v sing ou pl*] comunidade: *community centre* centro social

commute /kəˈmjuːt/ *vi* deslocar-se diariamente de casa para o emprego (noutra localidade) **commuter** *s* pessoa que diariamente tem de deslocar-se de casa para o emprego

compact *adjetivo, substantivo*
▸ *adj* /kəmˈpækt, ˈkɒmpækt/ compacto
▸ *s* /ˈkɒmpækt/ (*maquilhagem*) pó compacto

compact disc *s* (*abrev* **CD**) disco compacto

companion /kəmˈpæniən/ *s* companheiro, -a **companionship** *s* companhia

company /ˈkʌmpəni/ *s* (*pl* **companies**) **1** (*abrev* **Co.**) [*v sing ou pl*] (*Econ*) empresa, companhia **2** companhia LOC **keep sb company** fazer companhia a alguém *Ver tb* PART

comparable /ˈkɒmpərəbl/ *adj* ~ **(to/with sb/sth)** comparável (a alguém/alguma coisa)

comparative /kəmˈpærətɪv/ *adj* **1** comparativo **2** comparado: *comparative literature* literatura comparada **3** relativo

compare /kəmˈpeə(r)/ **1** *vt* ~ **sb/sth with/to sth** comparar alguém/alguma coisa a/com alguma coisa **2** *vi* ~ **(with/to sb/sth)** comparar-se (com alguém/alguma coisa)

comparison /kəmˈpærɪsn/ *s* comparação LOC **there's no comparison** não há comparação, nem se comparam

compartment /kəmˈpɑːtmənt/ *s* compartimento

compass /ˈkʌmpəs/ *s* **1** bússola **2** (*tb* **compasses** [*pl*]) compasso

compassion /kəmˈpæʃn/ *s* compaixão **compassionate** *adj* compassivo

compatible /kəmˈpætəbl/ *adj* compatível

compel /kəmˈpel/ *vt* (-ll-) (*formal*) **1** obrigar **2** forçar **compelling** *adj* **1** irresistível **2** (*motivo*) de força maior **3** (*argumento*) convincente

compensate /ˈkɒmpenseɪt/ **1** *vi* ~ **(for sth)** compensar (alguma coisa) **2** *vt* ~ **sb (for sth)** indemnizar alguém (por alguma coisa) **compensation** *s* **1** compensação **2** indemnização

compete /kəmˈpiːt/ *vi* **1** ~ **(with/against sb) (for sth)** competir (com alguém) (por alguma coisa) **2** ~ **(in sth)** (*Desp*) participar (em alguma coisa)

competence /ˈkɒmpɪtəns/ *s* competência

competent /ˈkɒmpɪtənt/ *adj* competente

competition /ˌkɒmpəˈtɪʃn/ *s* **1** competição, concurso **2** ~ **(between/with sb) (for sth)** concorrência (entre/com alguém) (por alguma coisa) **3 the competition** [*v sing ou pl*] a concorrência

competitive /kəmˈpetətɪv/ *adj* competitivo

competitor /kəmˈpetɪtə(r)/ *s* competidor, -ora, participante de um concurso

compile /kəmˈpaɪl/ *vt* compilar

complacency /kəmˈpleɪsnsi/ *s* ~ **(about sb/sth)** (*freq pej*) satisfação (com alguém/alguma coisa) **complacent** *adj* (*freq pej*) satisfeito consigo mesmo

complain /kəmˈpleɪn/ *vi* ~ **(to sb) (about sth/that...)** queixar-se (a alguém) (de alguma coisa/de que...)

complaint /kəmˈpleɪnt/ *s* **1** queixa, reclamação **2** (*Med*) doença

complement /ˈkɒmplɪmənt/ *substantivo, verbo*
▸ *s* **1** ~ **(to sth)** complemento (a alguma coisa) **2** quantidade total, totalidade
▸ *vt* complementar ➲ *Comparar com* COMPLIMENT **complementary** /ˌkɒmplɪˈmentri/ *adj* ~ **(to sth)** complementar (a alguma coisa)

complete /kəmˈpliːt/ *verbo, adjetivo*
▸ *vt* **1** completar **2** terminar **3** (*impresso*) preencher

▸ *adj* **1** completo **2** total **3** terminado **4** ~ **with sth**: *The book, complete with CD, costs 25 euros.* O livro, incluindo o CD, custa 25 euros.

🔑 **completely** /kəm'pli:tli/ *adv* completamente, totalmente

completion /kəm'pli:ʃn/ *s* **1** conclusão **2** formalização dum contrato de venda (*esp duma casa*)

🔑 **complex** *adjetivo, substantivo*
▸ *adj* /'kɒmpleks; *USA* kəm'pleks/ complexo, complicado
▸ *s* /'kɒmpleks/ complexo

complexion /kəm'plekʃn/ *s* **1** tez, pele da face **2** (*fig*) cariz, aspeto

compliance /kəm'plaɪəns/ *s* obediência: *in compliance with the law* em conformidade com a lei

🔑 **complicate** /'kɒmplɪkeɪt/ *vt* complicar

🔑 **complicated** /'kɒmplɪkeɪtɪd/ *adj* complicado

complication /ˌkɒmplɪ'keɪʃn/ *s* complicação

compliment *substantivo, verbo*
▸ *s* /'kɒmplɪmənt/ **1** elogio: *to pay sb a compliment* fazer um elogio a alguém ➲ *Comparar com* COMPLEMENT **2 compliments** [*pl*] (*formal*) felicitações, cumprimentos: *with the compliments of the manager* com bons votos do gerente
▸ *vt* /'kɒmplɪment/ ~ **sb (on sth)** felicitar alguém (por alguma coisa) ➲ *Comparar com* COMPLEMENT **complimentary** /ˌkɒmplɪ'mentri/ *adj* **1** elogioso, favorável **2** (*bilhete, etc.*) grátis, oferecido

comply /kəm'plaɪ/ *vi* (*pt, pp* **complied**) ~ **(with sth)** obedecer (a alguma coisa): *You must comply with the rules.* Tens de seguir as regras.

component /kəm'pəʊnənt/ *substantivo, adjetivo*
▸ *s* **1** componente **2** (*Mec*) peça
▸ *adj*: *component parts* partes componentes

compose /kəm'pəʊz/ *vt* **1** (*Mús*) compor **2** (*texto*) redigir, escrever **3** (*formal*) (*pensamentos*) pôr em ordem **4** ~ **yourself** (*formal*) acalmar-se **composed** *adj* **1 be composed of sth** ser composto por alguma coisa **2** calmo, sereno **composer** *s* compositor, -ora

composition /ˌkɒmpə'zɪʃn/ *s* **1** composição **2** (*colégio*) redação

compost /'kɒmpɒst; *USA* -pəʊst/ *s* adubo

composure /kəm'pəʊʒə(r)/ *s* calma

compound *substantivo, adjetivo, verbo*
▸ *s* /'kɒmpaʊnd/ **1** composto **2** recinto
▸ *adj* /'kɒmpaʊnd/ composto
▸ *vt* /kəm'paʊnd/ agravar

comprehend /ˌkɒmprɪ'hend/ *vt* compreender ℹ A palavra mais comum é **understand**. **comprehensible** *adj* ~ **(to sb)** (*formal*) compreensível (para alguém) **comprehension** *s* compreensão

comprehensive /ˌkɒmprɪ'hensɪv/ *adj* global, completo

comprehensive school *s* (*GB*) escola secundária

compress /kəm'pres/ *vt* **1** comprimir **2** (*argumento, tempo*) condensar **compression** *s* compressão

comprise /kəm'praɪz/ *vt* **1** consistir em **2** formar, integrar

compromise /'kɒmprəmaɪz/ *substantivo, verbo*
▸ *s* acordo
▸ **1** *vi* ~ **(on sth)** chegar a um acordo (sobre alguma coisa) **2** *vt* comprometer **compromising** *adj* comprometedor

compulsion /kəm'pʌlʃn/ *s* ~ **(to do sth)** **1** obrigação (de fazer alguma coisa) **2** impulso, desejo irresistível (de fazer alguma coisa)

compulsive /kəm'pʌlsɪv/ *adj* **1** compulsivo **2** (*jogador*) inveterado **3** (*romance, etc.*) absorvente

compulsory /kəm'pʌlsəri/ *adj* **1** obrigatório **2** (*despedimento*) forçoso

compulsory purchase *s* expropriação

🔑 **computer** /kəm'pju:tə(r)/ *s* computador: *computer programmer* programador de computadores ◇ *to be computer-literate* saber usar computadores ➲ *Ver nota e ilustração em* COMPUTADOR **computerize, -ise** *vt* computarizar **computing** (*tb* **computer science**) *s* informática

comrade /'kɒmreɪd; *USA* -ræd/ *s* **1** (*Pol*) camarada **2** companheiro, -a

con /kɒn/ *substantivo, verbo*
▸ *s* (*coloq*) intrujice, conto do vigário: *con artist/man* intrujão LOC *Ver* PRO
▸ *vt* (**-nn-**) (*coloq*) **1** ~ **sb (out of sth)** burlar alguém (em alguma coisa) **2** ~ **sb (into doing sth)** induzir alguém (a fazer alguma coisa)

conceal /kən'si:l/ *vt* (*formal*) **1** ocultar **2** (*alegria*) dissimular

concede /kən'si:d/ *vt* **1** admitir **2** conceder **3** (*golo*) conceder

conceit /kən'si:t/ *s* vaidade **conceited** *adj* vaidoso

conceivable /kən'si:vəbl/ *adj* concebível **conceivably** *adv* possivelmente

C

conceive /kən'siːv/ *vt, vi* **1** conceber **2** ~ **(of) sth** imaginar alguma coisa

concentrate /'kɒnsntreɪt/ *vt, vi* concentrar(-se)

concentration /ˌkɒnsn'treɪʃn/ *s* concentração

concept /'kɒnsept/ *s* conceito

conception /kən'sepʃn/ *s* **1** conceção **2** ideia

concern /kən'sɜːn/ *verbo, substantivo*
▸ *vt* **1** dizer respeito a: *as far as I'm concerned* no que me diz respeito/quanto a mim **2** referir-se a **3** ~ **yourself with/about sth** interessar-se por alguma coisa **4** preocupar
▸ *s* **1** preocupação **2** interesse **3** empresa, negócio LOC *Ver* GOING

concerned /kən'sɜːnd/ *adj* preocupado LOC **be concerned with sth** tratar de alguma coisa

concerning /kən'sɜːnɪŋ/ *prep* (*formal*) **1** a respeito de **2** no que se refere a

concert /'kɒnsət/ *s* concerto: *concert hall* auditório

concerted /kən'sɜːtɪd/ *adj* **1** (*ataque*) coordenado **2** (*ação, esforço*) conjunto

concerto /kən'tʃɜːtəʊ/ *s* (*pl* **concertos**) concerto (*peça de música*)

concession /kən'seʃn/ *s* **1** concessão **2** (*Fin*) isenção, redução

conciliation /kənˌsɪli'eɪʃn/ *s* conciliação **conciliatory** /kən'sɪliətəri; *USA* -tɔːri/ *adj* conciliatório

concise /kən'saɪs/ *adj* conciso

conclude /kən'kluːd/ **1** *vt* ~ **(that...)** chegar à conclusão (de que...) **2** *vt, vi* (*formal*) concluir **3** *vt* (*acordo*) firmar

conclusion /kən'kluːʒn/ *s* conclusão LOC *Ver* JUMP

conclusive /kən'kluːsɪv/ *adj* concludente, determinante

concoct /kən'kɒkt/ *vt* **1** preparar **2** (*pretexto*) inventar **3** (*plano, intriga*) tramar **concoction** *s* mixórdia, mistura

concord /'kɒŋkɔːd/ *s* (*formal*) concórdia, harmonia

concourse /'kɒŋkɔːs/ *s* átrio, vestíbulo

concrete /'kɒŋkriːt/ *adjetivo, substantivo*
▸ *adj* **1** de betão (armado) **2** concreto
▸ *s* betão

concur /kən'kɜː(r)/ *vi* (**-rr-**) ~ **(with sb) (in sth)** (*formal*) estar de acordo, concordar (com alguém) (em alguma coisa) **concurrent** /kən'kʌrənt; *USA* -'kɜːr-/ *adj* simultâneo **concurrently** *adv* ao mesmo tempo

concussion /kən'kʌʃn/ *s* concussão

condemn /kən'dem/ *vt* **1** ~ **sb/sth (for/as sth)** condenar alguém/alguma coisa (por alguma coisa) **2** ~ **sb (to sth)** condenar alguém (a alguma coisa) **3** (*prédio*) condenar, considerar impróprio para habitação **condemnation** /ˌkɒndəm'neɪʃn/ *s* condenação

condensation /ˌkɒnden'seɪʃn/ *s* condensação

condense /kən'dens/ **1** *vt, vi* ~ **(sth) (into sth)** condensar alguma coisa, condensar-se (em alguma coisa) **2** *vt* ~ **sth (into sth)** resumir alguma coisa (em alguma coisa)

condescend /ˌkɒndɪ'send/ *vi* ~ **to do sth** dignar-se fazer alguma coisa **condescending** *adj* condescendente

condition /kən'dɪʃn/ *substantivo, verbo*
▸ *s* **1** estado, condições **2** *to be out of condition* não estar em condição **3** (*Med*) problema: *a heart condition* problemas cardíacos **4** (*contrato*) estipulação, requisito **5** **conditions** [*pl*] circunstâncias, condições LOC **on condition (that...)** com a condição de que... ◆ **on one condition** com uma condição ◆ **on/under no condition** (*formal*) de maneira nenhuma *Ver tb* MINT
▸ *vt* condicionar, determinar **conditional** *adj* condicional: *to be conditional on/upon sth* depender de alguma coisa **conditioner** *s* amaciador

condo /'kɒndəʊ/ *s* (*pl* **condos**) (*USA, coloq*) condomínio

condolence /kən'dəʊləns/ *s* [*ger pl*] condolência: *to give/send your condolences* dar os pêsames

condom /'kɒndɒm; *USA* -dəm/ *s* preservativo

condominium /ˌkɒndə'mɪniəm/ *s* (*esp USA*) condomínio

condone /kən'dəʊn/ *vt* admitir, desculpar

conducive /kən'djuːsɪv; *USA* -'duːs-/ *adj* ~ **to sth** propício para alguma coisa

conduct *substantivo, verbo*
▸ *s* /'kɒndʌkt/ **1** conduta **2** ~ **of sth** direção de alguma coisa
▸ *vt* /kən'dʌkt/ **1** (*investigação, experiência, etc.*) levar a cabo **2** (*orquestra*) dirigir **3** guiar **4** ~ **yourself** (*formal*) comportar-se **5** (*Eletrón*) transmitir

conductor /kən'dʌktə(r)/ *s* **1** (*Mús*) maestro, regente **2** (*autocarro*) cobrador, -ora **3** (*Caminho-de-ferro*) revisor, guarda-freio **4** (*Fís*) condutor

cone /kəʊn/ *s* **1** cone **2** (*Bot*) pinha

confectionery /kən'fekʃənəri; *USA* -neri/ *s* [*não-contável*] doces, confeitaria

confederation /kənˌfedə'reɪʃn/ *s* confederação

confer /kən'fɜː(r)/ (-rr-) (*formal*) **1** *vi* deliberar **2** *vi* ~ **with sb** consultar alguém **3** *vt* ~ **sth (on/upon sb)** (*título honorífico, etc.*) outorgar alguma coisa (a alguém)

conference /'kɒnfərəns/ *s* **1** congresso: *conference hall* sala de conferências **2** (*discussão*) reunião

confess /kən'fes/ *vt, vi* confessar(-se): *to confess (to) sth* confessar alguma coisa **confession** *s* confissão

confide /kən'faɪd/ *vt* ~ **sth to sb** confiar alguma coisa a alguém (*segredos, etc.*) PHR V **confide in sb** contar segredos a alguém

confidence /'kɒnfɪdəns/ *s* **1** ~ **(in sb/sth)** confiança (em alguém/alguma coisa) **2** (*formal*) confidência **3** *confidence trick* conto do vigário LOC **take sb into your confidence** contar um segredo a alguém *Ver tb* BREACH, STRICT, VOTE

confident /'kɒnfɪdənt/ *adj* **1** seguro (de si), autoconfiante **2** ~ **of sth/that...**: *to be confident of sth* depositar confiança em alguma coisa ◇ *to be confident that...* estar seguro/convencido de que...

confidential /ˌkɒnfɪ'denʃl/ *adj* **1** confidencial **2** (*tom, etc.*) íntimo

confidently /'kɒnfɪdəntli/ *adv* com toda a confiança

confine /kən'faɪn/ *vt* **1** confinar: *to be confined to bed* ter de ficar de cama **2** limitar

confined /kən'faɪnd/ *adj* (*espaço*) limitado

confinement /kən'faɪnmənt/ *s* limitação *Ver tb* SOLITARY CONFINEMENT

confines /'kɒnfaɪnz/ *s* [*pl*] (*formal*) limites

confirm /kən'fɜːm/ *vt* confirmar

confirmation /ˌkɒnfə'meɪʃn/ *s* confirmação

confirmed /kən'fɜːmd/ *adj* inveterado

confiscate /'kɒnfɪskeɪt/ *vt* confiscar

conflict *substantivo, verbo*
▸ *s* /'kɒnflɪkt/ conflito
▸ *vi* /kən'flɪkt/ ~ **(with sth)** opor-se (a alguma coisa) **conflicting** /kən'flɪktɪŋ/ *adj* discrepante, divergente: *conflicting evidence* provas contraditórias

conform /kən'fɔːm/ *vi* **1** ~ **to sth** obedecer a alguma coisa **2** seguir as regras **3** ~ **to/with sth** estar de acordo com alguma coisa **conformist** *s* conformista **conformity** *s* (*formal*) conformidade: *in conformity with the law* em conformidade com a lei

confront /kən'frʌnt/ *vt* fazer frente a, afrontar: *They confronted him with the facts.* Fizeram-no enfrentar os factos. **confrontation** *s* confronto

confuse /kən'fjuːz/ *vt* **1** confundir **2** (*pessoa*) atrapalhar **3** (*assunto*) complicar

confused /kən'fjuːzd/ *adj* **1** confuso **2** (*pessoa*) atrapalhado, confuso: *to get confused* confundir-se/atrapalhar-se

confusing /kən'fjuːzɪŋ/ *adj* confuso (*que confunde*)

confusion /kən'fjuːʒn/ *s* confusão

congeal /kən'dʒiːl/ *vi* coagular(-se)

congenial /kən'dʒiːniəl/ *adj* **1** ~ **(to sb)** agradável (para alguém) **2** ~ **(to sth)** (*formal*) propício (para alguma coisa)

congenital /kən'dʒenɪtl/ *adj* congénito

congested /kən'dʒestɪd/ *adj* ~ **(with sth)** congestionado (com/de alguma coisa) **congestion** *s* congestionamento, congestão: *congestion charge* portagem urbana

conglomerate /kən'glɒmərət/ *s* conglomerado (*empresas*)

congratulate /kən'grætʃuleɪt/ *vt* ~ **sb (on sth)** felicitar alguém (por alguma coisa) **congratulation** *s* felicitação LOC **congratulations!** parabéns!

congregate /'kɒŋgrɪgeɪt/ *vi* congregar-se **congregation** *s* [*v sing ou pl*] congregação (*na igreja*)

congress /'kɒŋgres; *USA* -grəs/ *s* [*v sing ou pl*] congresso

> O Congresso americano é formado por duas câmaras: o Senado (**the Senate**) e a Câmara dos Deputados (**the House of Representatives**). No Senado há dois representantes por estado, e na Câmara dos Deputados o número de representantes de um estado depende da sua população.

congressional /kən'greʃənl/ *adj* de congresso

conical /'kɒnɪkl/ *adj* cónico

conifer /'kɒnɪfə(r)/ *s* conífera

conjecture /kən'dʒektʃə(r)/ *s* (*formal*) **1** conjetura **2** [*não-contável*] conjeturas

conjunction /kən'dʒʌŋkʃn/ *s* (*Gram*) conjunção LOC **in conjunction with sth/sb** juntamente com alguma coisa/alguém

conjure /'kʌndʒə(r)/ *vi* fazer truques de magia PHR V **conjure sth up** **1** fazer aparecer alguma coisa por arte mágica **2** (*imagem*) evocar alguma coisa **3** (*espírito*) invocar **conjuror** (*tb* **conjurer**) *s* prestidigitador, -ora

C

connect /kə'nekt/ **1** *vt, vi* (*Eletrón, etc.*) ligar(-se) **2** *vt, vi* (*quartos*) ligar, comunicar **3** *vt* ~ **sb/sth (with sb/sth)** relacionar alguém/alguma coisa (com alguém/alguma coisa) **4** *vt* ligar por parentesco: *connected by marriage* parente por afinidade **5** *vt* ~ **sb (with sb)** (*por telefone*) pôr alguém em linha (com alguém) **6** *vi* ~ **(with sth)** (*Transporte*) ter ligação (com alguma coisa)

connection /kə'nekʃn/ *s* **1** conexão **2** relação **3** (*Transporte*) ligação LOC **have connections** ter cunhas ◆ **in connection with sb/sth** relativamente a

connoisseur /ˌkɒnə'sɜː(r)/ *s* conhecedor, -ora, apreciador, -ora

conquer /'kɒŋkə(r)/ *vt* **1** conquistar **2** vencer, derrotar **conqueror** *s* **1** conquistador, -ora **2** vencedor, -ora

conquest /'kɒŋkwest/ *s* conquista

conscience /'kɒnʃəns/ *s* consciência (*moral*) LOC **have sth on your conscience** ter alguma coisa na consciência

conscientious /ˌkɒnʃi'enʃəs/ *adj* consciencioso: *conscientious objector* objetor de consciência

conscious /'kɒnʃəs/ *adj* **1** consciente **2** (*esforço, decisão*) deliberado **consciously** *adv* conscientemente **consciousness** *s* **1** conhecimento **2** ~ **(of sth)** consciência (de alguma coisa)

conscript /'kɒnskrɪpt/ *s* recruta **conscription** /kən'skrɪpʃn/ *s* recrutamento militar (*obrigatório*)

consecrate /'kɒnsɪkreɪt/ *vt* consagrar

consecutive /kən'sekjətɪv/ *adj* consecutivo

consent /kən'sent/ *verbo, substantivo*
- *vi* ~ **(to sth)** consentir (em fazer alguma coisa)
- *s* consentimento LOC *Ver* AGE

consequence /'kɒnsɪkwəns; *USA* -səkwens/ *s* **1** consequência: *as a/in consequence of sth* em consequência de alguma coisa **2** (*formal*) importância

consequently /'kɒnsɪkwəntli; *USA* -səkwentli/ *adv* consequentemente

conservation /ˌkɒnsə'veɪʃn/ *s* conservação, preservação: *conservation area* zona protegida

conservative /kən'sɜːvətɪv/ *adjetivo, substantivo*
- *adj* **1** conservador **2 Conservative** (*GB*) (*Pol*) conservador
- *s* conservador, -ora

conservatory /kən'sɜːvətri; *USA* -tɔːri/ *s* (*pl* **conservatories**) **1** (*GB*) estufa contígua a uma casa **2** (*USA*) (*GB* **conservatoire** /kən'sɜːvətwɑː(r)/) (*Mús*) conservatório

conserve /kən'sɜːv/ *vt* **1** conservar **2** (*energia, forças*) poupar **3** (*natureza*) proteger

consider /kən'sɪdə(r)/ *vt* **1** considerar: *to consider doing sth* pensar em fazer alguma coisa **2** tomar em consideração

considerable /kən'sɪdərəbl/ *adj* (*formal*) considerável

considerably /kən'sɪdərəbli/ *adv* (*formal*) consideravelmente, muito

considerate /kən'sɪdərət/ *adj* ~ **(towards sb)** atencioso (para com alguém)

consideration /kənˌsɪdə'reɪʃn/ *s* **1** (*formal*) consideração: *It is under consideration.* Está em apreciação. **2** fator LOC **take sth into consideration** tomar alguma coisa em consideração

considering /kən'sɪdərɪŋ/ *prep, conj* tomando em consideração

consign /kən'saɪn/ *vt* ~ **sb/sth to sth** entregar alguém/alguma coisa a alguma coisa: *consigned to oblivion* legado ao esquecimento **consignment** *s* **1** remessa **2** consignação

consist /kən'sɪst/ *v* PHR V **consist in sth** (*formal*) consistir em alguma coisa ◆ **consist of sth** consistir em alguma coisa, ser formado por alguma coisa

consistency /kən'sɪstənsi/ *s* **1** (*pl* **consistencies**) consistência **2** (*atitude*) constância

consistent /kən'sɪstənt/ *adj* **1** consistente **2** (*pessoa*) coerente **3** ~ **with sth** em concordância com alguma coisa **consistently** *adv* **1** constantemente **2** (*agir*) coerentemente

consolation /ˌkɒnsə'leɪʃn/ *s* consolação, consolo

console[1] /kən'səʊl/ *vt* consolar

console[2] /'kɒnsəʊl/ *s* consola (*jogos*)

consolidate /kən'sɒlɪdeɪt/ *vt, vi* consolidar(-se)

consonant /'kɒnsənənt/ *s* consoante

consortium /kən'sɔːtiəm/ *s* (*pl* **consortiums** *ou* **consortia** /-tiə/) consórcio

conspicuous /kən'spɪkjuəs/ *adj* **1** conspícuo, que dá nas vistas: *to make yourself conspicuous* dar nas vistas **2** visível LOC **be conspicuous by your absence** brilhar pela (sua) ausência **conspicuously** *adv* visivelmente

conspiracy /kən'spɪrəsi/ *s* (*pl* **conspiracies**) conspiração **conspiratorial** /kənˌspɪrə'tɔːriəl/ *adj* conspirador

conspire /kən'spaɪə(r)/ *vi* conspirar

constable /ˈkʌnstəbl; *USA* ˈkɒn-/ *s* (agente da) polícia

constant /ˈkɒnstənt/ *adjetivo, substantivo*
▸ *adj* **1** constante, contínuo **2** (*amigo, seguidor, etc.*) fiel
▸ *s* constante

constantly /ˈkɒnstəntli/ *adv* constantemente

constipated /ˈkɒnstɪpeɪtɪd/ *adj* preso dos intestinos, com prisão de ventre

constipation /ˌkɒnstɪˈpeɪʃn/ *s* prisão de ventre

constituency /kənˈstɪtjuənsi; *USA* -tʃu-/ *s* (*pl* **constituencies**) **1** círculo eleitoral ➲ *Ver nota em* PARLIAMENT **2** eleitorado

constituent /kənˈstɪtjuənt; *USA* -tʃu-/ *s* **1** (*Pol*) eleitor, -ora **2** componente

constitute /ˈkɒnstɪtjuːt; *USA* -stətuːt/ *vt* (*formal*) constituir

constitution /ˌkɒnstɪˈtjuːʃn; *USA* -stəˈtuːʃn/ *s* constituição **constitutional** *adj* constitucional

constraint /kənˈstreɪnt/ *s* **1** coacção **2** limitação

constrict /kənˈstrɪkt/ *vt* **1** apertar **2** limitar

construct /kənˈstrʌkt/ *vt* construir ❶ A palavra mais comum é **build**.

construction /kənˈstrʌkʃn/ *s* construção: *construction worker* trabalhador da construção civil

construe /kənˈstruː/ *vt* (*formal*) interpretar

consul /ˈkɒnsl/ *s* cônsul

consulate /ˈkɒnsjələt; *USA* -səl-/ *s* consulado

consult /kənˈsʌlt/ *vt, vi* consultar: *consulting room* consultório

consultancy /kənˈsʌltənsi/ *s* **1** (*pl* **consultancies**) empresa de consultoria **2** [*não-contável*] consultadoria

consultant /kənˈsʌltənt/ *s* **1** consultor, -ora **2** (*Med*) especialista

consultation /ˌkɒnslˈteɪʃn/ *s* consulta

consume /kənˈsjuːm; *USA* -ˈsuːm/ *vt* consumir: *He was consumed with envy.* Estava morto de inveja.

consumer /kənˈsjuːmə(r); *USA* -ˈsuː-/ *s* consumidor, -ora

consumer durables *s* [*pl*] bens de consumo duradouros

consumerism /kənˈsjuːmərɪzəm; *USA* -ˈsuː-/ *s* consumismo

consummate[1] /kənˈsʌmət, ˈkɒnsəmət/ *adj* (*formal*) **1** consumado **2** (*habilidade, etc.*) perfeito

consummate[2] /ˈkɒnsəmeɪt/ *vt* (*formal*) **1** completar **2** (*casamento*) consumar

consumption /kənˈsʌmpʃn/ *s* consumo

contact /ˈkɒntækt/ *substantivo, verbo*
▸ *s* contacto: *contact lenses* lentes de contacto LOC **get in/make contact (with sb)** pôr-se em contacto (com alguém)
▸ *vt* contactar

contagious /kənˈteɪdʒəs/ *adj* contagioso

contain /kənˈteɪn/ *vt* conter: *to contain yourself* conter-se

container /kənˈteɪnə(r)/ *s* **1** recipiente **2** contentor: *container lorry/ship* camião/navio porta-contentores ➲ *Ver ilustração em pág. 396*

contaminate /kənˈtæmɪneɪt/ *vt* contaminar

contemplate /ˈkɒntəmpleɪt/ **1** *vt, vi* meditar (sobre) **2** *vt* contemplar: *to contemplate doing sth* contemplar a possibilidade de/considerar fazer alguma coisa

contemporary /kənˈtemprəri; *USA* -pəreri/ *adjetivo, substantivo*
▸ *adj* **1** contemporâneo **2** da época
▸ *s* (*pl* **contemporaries**) contemporâneo, -a

contempt /kənˈtempt/ *s* **1** desprezo **2** (*tb* **contempt of court**) desacato (à autoridade do tribunal) LOC **beneath contempt** desprezível, indigno de atenção ◆ **hold sb/sth in contempt** desprezar alguém/alguma coisa **contemptible** *adj* (*formal*) desprezível **contemptuous** *adj* desdenhoso

contend /kənˈtend/ **1** *vt* (*formal*) afirmar **2** *vi* ~ **(for sth)** competir, lutar (por alguma coisa) PHR V **contend with sth** enfrentar alguma coisa **contender** *s* contendedor, -ora

content[1] /ˈkɒntent/ (*tb* **contents** [*pl*]) *s* conteúdo: *table of contents* índice (de matérias)

content[2] /kənˈtent/ *adjetivo, verbo*
▸ *adj* ~ **(with sth/to do sth)** contente (com alguma/por fazer alguma coisa), satisfeito (com alguma coisa)
▸ *vt* ~ **yourself with sth** contentar-se com alguma coisa **contented** *adj* satisfeito

contention /kənˈtenʃn/ *s* (*formal*) disputa, discórdia LOC **in/out of contention (for sth)** na/fora da corrida (a alguma coisa): *the teams in contention for the title* as equipas na luta pelo título *Ver tb* BONE

contentious /kənˈtenʃəs/ *adj* (*formal*) **1** polémico **2** brigão

contentment /kənˈtentmənt/ *s* contentamento, satisfação

contest *substantivo, verbo*
▸ *s* /ˈkɒntest/ **1** concurso, competição **2** ~ **(for sth)** competição, luta (por alguma coisa)

▸ *vt* /kən'test/ **1** (*prémio, eleição, etc.*) disputar **2** (*decisão*) contestar **3** (*afirmação*) refutar **contestant** /kən'testənt/ *s* concorrente

context /'kɒntekst/ *s* contexto

continent /'kɒntɪnənt/ *s* **1** (*Geog*) continente **2 the Continent** (*GB*) a Europa (Continental) **continental** /ˌkɒntɪ'nentl/ *adj* continental

contingency /kən'tɪndʒənsi/ *s* (*pl* **contingencies**) **1** eventualidade **2** contingência: *contingency plan* plano de emergência

contingent /kən'tɪndʒənt/ *s* [*v sing ou pl*] **1** (*Mil*) contingente **2** representação

continual /kən'tɪnjuəl/ *adj* [*só antes de substantivo*] contínuo **continually** *adv* continuamente

Continual ou **continuous? Continual** e **continually** empregam-se para descrever ações que se repetem sucessivamente e que frequentemente têm um carácter negativo: *His continual phone calls started to annoy her.* Os seus constantes telefonemas começaram a aborrecê-la. **Continuous** e **continuously** utilizam-se para descrever ações ininterruptas: *There has been a continuous improvement in his work.* O seu traballo tem vindo a melhorar gradualmente. ◇ *It has rained continuously for three days.* Não para de chover há três dias.

continuation /kənˌtɪnju'eɪʃn/ *s* continuação

continue /kən'tɪnju:/ *vt, vi* continuar: *to continue doing sth/to do sth* continuar a fazer alguma coisa ◇ *To be continued...* Continua...

continued *adj* contínuo **continuing** *adj* continuado

continuity /ˌkɒntɪ'nju:əti; *USA* -tə'nu:-/ *s* continuidade

continuous /kən'tɪnjuəs/ *adj* constante, contínuo ➲ *Ver nota em* CONTINUAL

continuously /kən'tɪnjuəsli/ *adv* continuamente, sem parar

contort /kən'tɔ:t/ **1** *vt* contorcer **2** *vi* contorcer-se, retorcer-se

contour /'kɒntʊə(r)/ *s* contorno

contraband /'kɒntrəbænd/ *s* contrabando

contraception /ˌkɒntrə'sepʃn/ *s* contraceção **contraceptive** *adj, s* contracetivo

contract *substantivo, verbo*

▸ *s* /'kɒntrækt/ contrato LOC **under contract (to sb/sth)** a contrato (de alguém/alguma coisa)

▸ /kən'trækt/ **1** *vt* (*trabalhador*) contratar **2** *vt* (*doença, casamento, dívidas*) contrair **3** *vi* contrair-se

contraction /kən'trækʃn/ *s* contração

contractor /kən'træktə(r)/ *s* contratador, -ora

contradict /ˌkɒntrə'dɪkt/ *vt* contradizer **contradiction** *s* contradição **contradictory** *adj* contraditório

contrary /'kɒntrəri; *USA* -treri/ *adjetivo, substantivo*

▸ *adj* **1** ~ **to sth** contra alguma coisa, contrário a alguma coisa: *Contrary to popular belief...* Contrário à crença popular... **2** contrário

▸ *s* **the contrary** [*sing*] o contrário LOC **on the contrary** pelo contrário

container

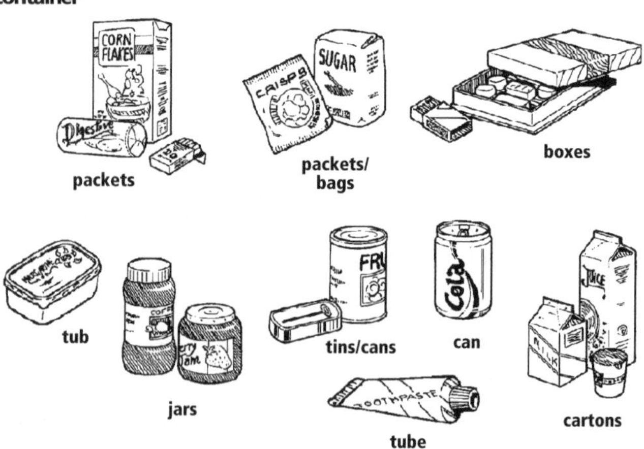

contrast *verbo, substantivo*
▸ *vt, vi* /kən'trɑːst; *USA* -'træst/ ~ **(A and/with B)**; ~ **(with sth)** contrastar A com B, contrastar (com alguma coisa)
▸ *s* /'kɒntrɑːst; *USA* -træst/ contraste

contribute /kən'trɪbjuːt, 'kɒntrɪbjuːt/ **1** *vt, vi* contribuir **2** *vt, vi* ~ **(sth) to sth** (*artigo*) escrever (alguma coisa) para alguma coisa **3** *vi* ~ **to sth** (*debate*) contribuir para alguma coisa, participar em alguma coisa

contribution /ˌkɒntrɪ'bjuːʃn/ *s* ~ **(to sth)** **1** contribuição, contributo (para alguma coisa) **2** (*publicação*) artigo (para alguma coisa)

contributor /kən'trɪbjətə(r)/ *s* **1** contribuinte **2** (*publicação*) colaborador, -ora

contributory /kən'trɪbjətəri; *USA* -tɔːri/ *adj* **1** que contribui **2** (*plano de reforma*) contributivo

control /kən'trəʊl/ *substantivo, verbo*
▸ *s* **1** controlo, comando, direção: *to be in control of sth* ter o controlo de alguma coisa / ter alguma coisa sob controlo ◇ *Her car went out of control.* Perdeu o controlo do carro. **2 controls** [*pl*] comandos LOC **be out of control** **1** estar fora de controlo **2** (*pessoa*) ser incontrolável
▸ *vt* (**-ll-**) **1** controlar **2** ~ **yourself** controlar-se **3** (*gastos, inflação, etc.*) conter **4** (*lei*) regular **5** (*carro, etc.*) deter o controlo de

controversial /ˌkɒntrə'vɜːʃl/ *adj* controverso, polémico

controversy /'kɒntrəvɜːsi, kən'trɒvəsi/ *s* (*pl* **controversies**) ~ **(over/about/surrounding sth)** controvérsia (sobre alguma coisa)

convene /kən'viːn/ (*formal*) **1** *vt* convocar **2** *vi* reunir-se

convenience /kən'viːniəns/ *s* **1** [*não-contável*] conveniência **2** (*pl* **conveniences**) comodidade **3 conveniences** [*pl*]: *public conveniences* casas de banho públicas

convenience store *s* (*esp USA*) loja de conveniência

convenient /kən'viːniənt/ *adj* **1** *if it's convenient (for you)* se te der jeito **2** (*momento*) oportuno **3** prático **4** (*acessível*) à mão **5** ~ **for sth** perto de alguma coisa **conveniently** *adv* convenientemente

convent /'kɒnvənt; *USA* -vent/ *s* convento

convention /kən'venʃn/ *s* **1** congresso **2** convenção **3** (*acordo*) convénio

conventional /kən'venʃənl/ *adj* convencional LOC **conventional wisdom** sabedoria popular

converge /kən'vɜːdʒ/ *vi* **1** convergir **2** ~ **(on sth)** (*pessoas*) acorrer (a alguma coisa) **convergence** *s* convergência

conversant /kən'vɜːsnt/ *adj* ~ **with sth** (*formal*) versado em alguma coisa: *to become conversant with sth* familiarizar-se com alguma coisa

conversation /ˌkɒnvə'seɪʃn/ *s* conversa: *to make conversation* entabular conversa

converse¹ /kən'vɜːs/ *vi* (*formal*) conversar

converse² /'kɒnvɜːs/ *s* **the converse** [*sing*] o inverso **conversely** /'kɒnvɜːsli/ *adv* (*formal*) inversamente

conversion /kən'vɜːʃn; *USA* -ʒn/ *s* ~ **(from sth) (into/to sth)** conversão (de alguma coisa) (em alguma coisa)

convert *verbo, substantivo*
▸ *vt, vi* /kən'vɜːt/ **1** ~ **(sth) (from sth) (into/to sth)** converter alguma coisa, converter-se (de alguma coisa) (em alguma coisa): *The sofa converts (in)to a bed.* O sofá converte-se em cama. **2** ~ **(sb) (from sth) (to sth)** (*Relig*) converter alguém, converter-se (de alguma coisa) (a alguma coisa)
▸ *s* /'kɒnvɜːt/ ~ **(to sth)** convertido, -a (a alguma coisa)

convertible /kən'vɜːtəbl/ *adjetivo, substantivo*
▸ *adj* ~ **(into/to sth)** convertível (em alguma coisa)
▸ *s* descapotável

convey /kən'veɪ/ *vt* **1** (*formal*) transportar **2** (*ideia, agradecimento*) comunicar **3** (*cumprimentos*) transmitir

conveyor belt /kən'veɪə belt/ (*tb* **conveyor**) *s* correia transportadora

convict *substantivo, verbo*
▸ *s* /'kɒnvɪkt/ condenado, -a: *an escaped convict* um (preso) evadido
▸ *vt* /kən'vɪkt/ ~ **sb (of sth)** declarar alguém culpado (de alguma coisa) **conviction** /kən'vɪkʃn/ *s* **1** ~ **(for sth)** condenação (por alguma coisa) **2** ~ **(that...)** convicção (de que...): *to lack conviction* não ser convincente

convince /kən'vɪns/ *vt* ~ **sb/yourself (of sth)** convencer alguém, convencer-se (de alguma coisa) **convinced** *adj* convencido **convincing** *adj* convincente

convulse /kən'vʌls/ *vt, vi* convulsar(-se): *convulsed with laughter* morto de riso **convulsion** *s* [*ger pl*] convulsão

cook /kʊk/ *verbo, substantivo*
▸ **1** *vi* (*pessoa*) cozinhar, fazer o comer **2** *vi* (*comida*) cozer **3** *vt* preparar: *The potatoes*

aren't cooked. As batatas ainda não estão cozidas. LOC **cook the books** (*coloq*) falsificar os livros de contabilidade PHR V **cook sth up** (*coloq*) inventar alguma coisa (*desculpa, etc.*)
▸ *s* cozinheiro, -a

cookbook /ˈkʊkbʊk/ (*tb* **cookery book**) *s* livro de receitas

⚷ **cooker** /ˈkʊkə(r)/ *s* fogão

cookery /ˈkʊkəri/ *s* [*não-contável*] cozinha: *oriental cookery* a cozinha oriental

⚷ **cookie** /ˈkʊki/ *s* (*pl* **cookies**) **1** (*esp USA*) bolacha **2** (*Informát*) cookie

⚷ **cooking** /ˈkʊkɪŋ/ *s* [*não-contável*] cozinha: *French cooking* a cozinha francesa ◇ *to do the cooking* cozinhar ◇ *cooking apple* maçã reineta

⚷ **cool** /kuːl/ *adjetivo, verbo, substantivo*
▸ *adj* (**cooler, -est**) **1** fresco ➲ *Ver nota em* FRIO **2** (*coloq*) calmo, impassível **3** ~ **(about sth)**; ~ **(towards sb)** indiferente (a alguma coisa), indiferente (para com alguém) **4** (*acolhimento*) frio **5** (*coloq*) fixe: *What a cool car!* Que carro mais fixe! ◇ *'I'll meet you at three.' 'Cool!'* —Encontramo-nos às três. —Porreiro! LOC **keep/stay cool** não perder a calma: *Keep cool!* Tem calma!
▸ *vt, vi* arrefecer PHR V **cool (sb) down/off** **1** refrescar-se, refrescar alguém **2** acalmar-se, acalmar alguém
▸ *s* **the cool** [*sing*] o fresco LOC **keep/lose your cool** (*coloq*) manter/perder a calma

cooperate /kəʊˈɒpəreɪt/ (*tb* **co-operate**) *vi* **1** ~ **(with sb) (in/on sth)** cooperar (com alguém) (emalgumacoisa) **2** colaborar **cooperation** (*tb* **co-operation**) *s* **1** cooperação **2** colaboração

cooperative /kəʊˈɒpərətɪv/ (*tb* **co-operative**) *adjetivo, substantivo*
▸ *adj* **1** cooperativo **2** colaborador
▸ *s* (*coloq* **co-op** /ˈkəʊ ɒp/) cooperativa

coordinate /kəʊˈɔːdɪneɪt/ *vt* coordenar

cop /kɒp/ *s* (*coloq*) polícia, chui

⚷ **cope** /kəʊp/ *vi* ~ **(with sth)** aguentar (alguma coisa), fazer frente (a alguma coisa): *I can't cope.* Não aguento (mais).

copious /ˈkəʊpiəs/ *adj* copioso, abundante

copper /ˈkɒpə(r)/ *s* **1** cobre **2** (*GB, coloq*) polícia, chui

⚷ **copy** /ˈkɒpi/ *substantivo, verbo*
▸ *s* (*pl* **copies**) **1** cópia **2** (*livro, etc.*) exemplar **3** (*revista, etc.*) número **4** texto (*para imprimir*)
▸ *vt* (*pt, pp* **copied**) **1** ~ **sth (down/out) (into/onto sth)** copiar alguma coisa (para alguma coisa) **2** fotocopiar **3** copiar, imitar

copyright /ˈkɒpiraɪt/ *substantivo, adjetivo*
▸ *s* direitos de autor
▸ *adj* registado, protegido por direitos de autor

coral /ˈkɒrəl; *USA* ˈkɔːrəl/ *substantivo, adjetivo*
▸ *s* (*Zool*) coral
▸ *adj* de coral, coralino

cord /kɔːd/ *s* **1** cordão **2** (*USA*) fio (*de eletrodoméstico, etc.*) **3** **cords** [*pl*] calças de bombazina ➲ *Ver notas em* CALÇAS *e* PAIR **4** bombazina

cordless /ˈkɔːdləs/ *adj* (*telefone*) sem fio

cordon /ˈkɔːdn/ *substantivo, verbo*
▸ *s* cordão
▸ *v* PHR V **cordon sth off** isolar alguma coisa (*com um cordão*)

corduroy /ˈkɔːdərɔɪ/ *s* bombazina

⚷ **core** /kɔː(r)/ *s* **1** (*fruta*) coração **2** (*fig*) centro, núcleo: *a hard core* um núcleo duro LOC **to the core** até à medula

coriander /ˌkɒriˈændə(r); *USA* ˌkɔːr-/ *s* [*não-contável*] coentros

cork /kɔːk/ *s* **1** cortiça **2** rolha

corkscrew /ˈkɔːkskruː/ *s* saca-rolhas

corn /kɔːn/ *s* **1** (*GB*) cereal **2** (*USA*) milho ➲ *Ver nota em* MAIZE **3** calo

⚷ **corner** /ˈkɔːnə(r)/ *substantivo, verbo*
▸ *s* **1** canto **2** esquina **3** (*Futebol*) (*tb* **corner kick**) (pontapé de) canto LOC **(just) (a)round the corner** ao virar da esquina
▸ **1** *vt* encurralar **2** *vi* dar uma curva (*de carro, etc.*) **3** *vt* monopolizar: *to corner the market in sth* monopolizar o mercado de alguma coisa

cornerstone /ˈkɔːnəstəʊn/ *s* pedra angular

cornflour /ˈkɔːnflaʊə(r)/ (*USA* **cornstarch** /ˈkɔːnstɑːtʃ/) *s* amido de milho, maisena®

corn on the cob /ˌkɔːn ɒn ðə ˈkɒb/ *s* [*não-contável*] maçaroca de milho cozinhada

corny /ˈkɔːni/ *adj* (**cornier, -iest**) (*coloq*) **1** (*história, etc.*) batido **2** piroso

corollary /kəˈrɒləri; *USA* ˈkɔːrəleri/ *s* ~ **(of/to sth)** (*formal*) corolário (de alguma coisa)

coronation /ˌkɒrəˈneɪʃn; *USA* ˌkɔːr-/ *s* coroação

coroner /ˈkɒrənə(r); *USA* ˈkɔːr-/ *s* magistrado, -a (*encarregado de investigar casos de morte suspeitos*)

corporal /ˈkɔːpərəl/ *s* (*Mil*) cabo

corporal punishment *s* [*não-contável*] castigos corporais

corporate /ˈkɔːpərət/ *adj* **1** corporativo **2** colectivo

corporation /ˌkɔːpəˈreɪʃn/ *s* [*v sing ou pl*] **1** corporação **2** câmara (municipal)

corps /kɔː(r)/ *s* (*pl* **corps** /kɔːz/) [*v sing ou pl*] corpo (*diplomático, Mil, etc.*)

corpse /kɔːps/ *s* cadáver

correct /kəˈrekt/ *adjetivo, verbo*
▸ *adj* correto: *Would I be correct in saying…?* Estou certo ao dizer que…?
▸ *vt* corrigir

correlation /ˌkɒrəˈleɪʃn; *USA* ˌkɔːr-/ *s* correlação

correspond /ˌkɒrəˈspɒnd; *USA* ˌkɔːr-/ *vi* **1** ~ **(to/with sth)** coincidir (com alguma coisa) **2** ~ **(to sth)** corresponder (a alguma coisa) **3** ~ **(with sb)** (*formal*) corresponder-se (com alguém) **correspondence** *s* correspondência **correspondent** *s* correspondente **corresponding** *adj* correspondente

corridor /ˈkɒrɪdɔː(r); *USA* ˈkɔːr-/ *s* corredor

corrosion /kəˈrəʊʒn/ *s* corrosão

corrugated /ˈkɒrəgeɪtɪd; *USA* ˈkɔːr-/ *adj* ondulado

corrupt /kəˈrʌpt/ *adjetivo, verbo*
▸ *adj* **1** corrupto, desonesto **2** depravado
▸ *vt* corromper, subornar **corruption** *s* corrupção

cosmetic /kɒzˈmetɪk/ *adjetivo, substantivo*
▸ *adj* cosmético: *cosmetic surgery* cirurgia plástica
▸ *s* **cosmetics** [*pl*] cosméticos

cosmopolitan /ˌkɒzməˈpɒlɪtən/ *adj, s* cosmopolita

cost /kɒst; *USA* kɔːst/ *verbo, substantivo*
▸ *vt* **1** (*pt, pp* **cost**) custar, valer **2** (*pt, pp* **costed**) (*Econ*) orçar LOC **cost a bomb** (*GB, coloq*) custar um dinheirão
▸ *s* **1** custo, preço: *whatever the cost* custe o que custar **2 costs** [*pl*] custos **3 costs** [*pl*] (*Jur*) custas LOC **at all cost(s); at any cost** a todo o custo *Ver tb* COUNT

cost-effective /ˌkɒst ɪˈfektɪv; *USA* ˌkɔːst/ *adj* rentável

costly /ˈkɒstli; *USA* ˈkɔːstli/ *adj* (**costlier, -iest**) caro

costume /ˈkɒstjuːm; *USA* -tuːm/ *s* **1** traje **2** (*Teat*) guarda-roupa

cosy (*USA* **cozy**) /ˈkəʊzi/ *adj* (**cosier, -iest**) **1** acolhedor, aconchegado **2** confortável: *I felt warm and cosy sitting by the fire.* Senti-me quente e confortável, sentado à lareira.

cot /kɒt/ *s* **1** (*GB*) berço **2** (*USA*) cama de campanha

cottage /ˈkɒtɪdʒ/ *s* casa de campo (*de pequenas dimensões*)

cotton /ˈkɒtn/ *s* **1** algodão **2** linha (*de coser*)

cotton wool (*USA* **cotton**) *s* [*não-contável*] algodão (hidrófilo)

couch /kaʊtʃ/ *substantivo, verbo*
▸ *s* divã, sofá
▸ *vt* ~ **sth (in sth)** (*formal*) exprimir alguma coisa (em alguma coisa)

couchette /kuːˈʃet/ *s* cama (*em cabine de comboio*)

couch potato *s* (*pl* **couch potatoes**) (*coloq, pej*) teledependente

cough /kɒf; *USA* kɔːf/ *verbo, substantivo*
▸ **1** *vi* tossir **2** *vt* ~ **sth (up)** cuspir alguma coisa: *to cough (up) blood* deitar sangue pela boca PHR V **cough (sth) up** (*coloq*) desembolsar (alguma coisa)
▸ *s* tosse

could *pt de* CAN²

council /ˈkaʊnsl/ *s* [*v sing ou pl*] conselho, câmara (municipal): *council flat/house* habitação social **councillor** (*USA tb* **councilor**) *s* vereador, -ora

counsel /ˈkaʊnsl/ *substantivo, verbo*
▸ *s* **1** (*formal*) conselho (*recomendação*) ❶ Neste sentido a palavra mais comum é **advice**. **2** advogado, -a ➲ *Ver nota em* ADVOGADO
▸ *vt* (**-ll-**, *USA* **-l-**) aconselhar **counselling** (*USA* **counseling**) *s* assessoria, orientação **counsellor** (*USA tb* **counselor**) *s* **1** consultor, -ora, conselheiro, -a **2** (*USA, Irl*) advogado, -a

count /kaʊnt/ *verbo, substantivo*
▸ **1** *vt, vi* ~ **(sth) (up)** contar (alguma coisa) **2** *vi* ~ **(as sth)** contar (como alguma coisa) **3** *vi* ~ **(for sth)** contar, importar (para alguma coisa) **4** *vt* considerar: *to count yourself lucky* considerar-se com sorte LOC **count the cost (of sth)** sofrer as consequências (de alguma coisa) PHR V **count down** fazer a contagem decrescente ◆ **count sb in/out** contar/não contar com alguém ◆ **count on sb/sth** contar com alguém/alguma coisa ◆ **count towards sth** contar para alguma coisa
▸ *s* **1** conta **2** conde

countdown /ˈkaʊntdaʊn/ *s* ~ **(to sth)** contagem decrescente (para alguma coisa)

countenance /ˈkaʊntənəns/ *vt* (*formal*) aceitar, tolerar

counter /ˈkaʊntə(r)/ *verbo, substantivo, advérbio*
▸ **1** *vt, vi* ~ **(sb/sth) (with sth)** ripostar (a alguém/alguma coisa), contra-atacar (alguém/alguma coisa) (com alguma coisa) **2** *vt* (*ataque, etc.*) responder a, prevenir
▸ *s* **1** (*jogo*) ficha **2** contador **3** balcão **4** (*USA*) bancada (*na cozinha*)
▸ *adv* ~ **to sth** contrariamente a alguma coisa

C

counteract /ˌkaʊntər'ækt/ *vt* neutralizar

counter-attack /'kaʊntər ətæk/ *substantivo, verbo*
▸ *s* contra-ataque
▸ *vt, vi* contra-atacar

counterfeit /'kaʊntəfɪt/ *adj* falso

counterpart /'kaʊntəpɑːt/ *s* **1** homólogo, -a **2** equivalente

counterproductive /ˌkaʊntəprə'dʌktɪv/ *adj* contraproducente

countess /'kaʊntəs, -es/ *s* condessa

countless /'kaʊntləs/ *adj* inúmero

⚷ **country** /'kʌntri/ *s* (*pl* **countries**) **1** país **2 the country** [*sing*] o campo: *country life* a vida rural/no campo **3** área, terra

countryman /'kʌntrimən/ *s* (*pl* **-men** /-mən/) compatriota

⚷ **countryside** /'kʌntrisaɪd/ *s* [*não-contável*] **1** campo **2** paisagem

countrywoman /'kʌntriwʊmən/ *s* (*pl* **-women** /-wɪmɪn/) compatriota

⚷ **county** /'kaʊnti/ *s* (*pl* **counties**) condado

coup /kuː/ *s* (*pl* **coups** /kuːz/) **1** (*tb* coup d'état /kuː deɪ'tɑː/) (*pl* **coups d'état** /kuː deɪ'tɑː/) golpe (de Estado) **2** êxito

⚷ **couple** /'kʌpl/ *substantivo, verbo*
▸ *s* **1** casal (*de namorados, etc.*): *a married couple* um casal **2** par ➲ *Comparar com* PAIR LOC **a couple of** um par de, uns quantos/umas quantas
▸ *vt* **1** ligar, associar, acompanhar: *coupled with sth* junto com alguma coisa **2** atrelar, engatar

coupon /'kuːpɒn/ *s* cupão, vale

⚷ **courage** /'kʌrɪdʒ; *USA* 'kɜːr-/ *s* coragem LOC *Ver* DUTCH, PLUCK **courageous** /kə'reɪdʒəs/ *adj* corajoso

courgette /kʊə'ʒet/ *s* courgette

courier /'kʊriə(r)/ *s* **1** mensageiro, -a **2** guia turístico, -a (*pessoa*)

⚷ **course** /kɔːs/ *s* **1** curso, decurso **2** (*barco, avião, etc.*) rota, curso: *to be on/off course* seguir a rota certa/errada **3** ~ **(in/on sth)** (*Educ*) curso (de alguma coisa) **4** ~ **of sth** (*Med*) tratamento, receita de alguma coisa: *The doctor prescribed me a course of injections.* O médico receitou-me uma série de injeções. **5** (*golfe*) campo **6** (*corridas*) pista **7** (*comida*) prato LOC **a course of action** uma linha de ação ◆ **in/over the course of sth** no decurso de/durante alguma coisa ◆ **of course** claro *Ver tb* DUE, MATTER, MIDDLE

⚷ **court** /kɔːt/ *substantivo, verbo*
▸ *s* **1** tribunal: *court case* processo judicial ◇ *court order* ordem do tribunal/judicial *Ver tb* HIGH COURT **2** (*Desp*) campo **3** corte (*de um monarca*) LOC **go to court (over sth)** ir a tribunal (por alguma coisa) ◆ **take sb to court** processar alguém
▸ *vt* **1** cortejar **2** (*formal*) (*perigo, etc.*) expor-se a, desafiar

courteous /'kɜːtiəs/ *adj* cortês

courtesy /'kɜːtəsi/ *s* (*pl* **courtesies**) cortesia LOC **(by) courtesy of sb/sth** por gentileza de alguém/alguma coisa

court martial *s* (*pl* **courts martial**) conselho de guerra

courtship /'kɔːtʃɪp/ *s* namoro

courtyard /'kɔːtjɑːd/ *s* pátio

⚷ **cousin** /'kʌzn/ (*tb* first cousin) *s* primo (direito), prima (direita)

cove /kəʊv/ *s* enseada

covenant /'kʌvənənt/ *s* convénio, pacto

⚷ **cover** /'kʌvə(r)/ *verbo, substantivo*
▸ *vt* **1** ~ **sth (up/over) (with sth)** cobrir alguma coisa (com alguma coisa) **2** *vt* ~ **sb/sth in/with sth** cobrir alguém/alguma coisa de alguma coisa **3** *vt* (*panela, cara*) tapar **4** (*abranger*) cobrir: *Do the rules cover a case like this?* As regras aplicam-se a um caso destes? **5** (*gastos*) cobrir **6** (*timidez, etc.*) disfarçar **7** *vt* percorrer: *We covered 300 km a day.* Percorremos 300 km por dia. PHR V **cover for sb** substituir alguém (*no trabalho*) ◆ **cover sth up** (*pej*) encobrir alguma coisa ◆ **cover up for sb** encobrir alguém
▸ *s* **1** coberta **2** (*livro, revista*) capa **3** abrigo **4 the covers** [*pl*] as mantas **5** ~ **(for sth)** (*fig*) cobertura (para alguma coisa) **6** falsa identidade **7** (*Mil*) cobertura **8** ~ **(for sb)** substituição (de alguém) **9** ~ **(against sth)** seguro (contra alguma coisa) **10** (*tb* cover version) nova versão (*de música*) LOC **from cover to cover** do princípio ao fim ◆ **take cover (from sth)** abrigar-se (de alguma coisa) ◆ **under cover of sth** sob a capa/o disfarce de alguma coisa *Ver tb* DIVE

coverage /'kʌvərɪdʒ/ *s* cobertura

coveralls /'kʌvərɔːlz/ *s* [*pl*] (*USA*) fato-macaco ➲ *Ver notas em* CALÇAS *e* PAIR *e ilustração em* OVERALLS

⚷ **covering** /'kʌvərɪŋ/ *s* **1** envólucro **2** capa **3** *covering letter* carta de apresentação

covert /'kʌvət, 'kəʊvɜːt/ *adj* (*formal*) **1** secreto, dissimulado **2** (*olhar*) furtivo **3** (*ameaça*) velado

cover-up /'kʌvər ʌp/ *s* encobrimento

covet /ˈkʌvət/ *vt* (*formal*) cobiçar

cow /kaʊ/ *s* vaca ➲ *Ver nota em* CARNE

coward /ˈkaʊəd/ *s* cobarde **cowardice** /ˈkaʊədɪs/ *s* [*não-contável*] cobardia **cowardly** *adj* cobarde

cowboy /ˈkaʊbɔɪ/ *s* **1** vaqueiro, cowboy **2** (*GB, coloq, pej*) troca-tintas (*pedreiro, canalizador, etc.*)

coy /kɔɪ/ *adj* **1** (que pretende ser) tímido e inocente **2** ~ **(about sth)** reservado (quanto a alguma coisa)

cozy (*USA*) = COSY

crab /kræb/ *s* caranguejo

crack /kræk/ *verbo, substantivo*

▸ **1** *vt, vi* rachar(-se), estalar: *a cracked cup* uma chávena rachada **2** *vt, vi* ~ **(sth) (open)** abrir alguma coisa, abrir-se: *to crack a safe (open)* forçar um cofre **3** *vt* (*noz*) partir, descascar **4** *vt* ~ **sth (on/against sth)** bater com alguma coisa (em alguma coisa) **5** *vt, vi* estalar: *to crack a whip* estalar um chicote **6** *vi* colapsar **7** *vt* (*problema*) resolver **8** *vt* (*código*) decifrar **9** *vi* (*voz*) alterar: *a voice cracking with emotion* uma voz alterada pela emoção **10** *vt* (*coloq*) (*piada*) contar LOC **get cracking** (*esp GB, coloq*) pôr mãos à obra PHR V **crack down (on sb/sth)** tomar medidas enérgicas (contra alguém/alguma coisa) ◆ **crack up** (*coloq*) ter um esgotamento (*físico ou mental*)

▸ *s* **1** ~ **(in sth)** racha, fenda (em alguma coisa) **2** ~ **(in sth)** (*fig*) falha (em alguma coisa) **3** frincha, abertura **4** estalo, estalido LOC **the crack of dawn** (*coloq*) o romper da aurora

crackdown /ˈkrækdaʊn/ *s* ~ **(on sb/sth)** medidas enérgicas (contra alguém/alguma coisa)

cracker /ˈkrækə(r)/ *s* **1** bolacha de água e sal **2** (*tb* **Christmas cracker**)

Nas festas de Natal, um **cracker**, ou **Christmas cracker**, é um tubo de cartão com um presente, um chapéu de papel e uma adivinha ou anedota dentro. Quando puxado pelos dois extremos, dá um estalo.

crackle /ˈkrækl/ *verbo, substantivo*

▸ *vi* crepitar

▸ *s* (*tb* **crackling**) crepitação

cradle /ˈkreɪdl/ *substantivo, verbo*

▸ *s* (*lit e fig*) berço

▸ *vt* embalar

craft /krɑːft; *USA* kræft/ *substantivo, verbo*

▸ *s* **1** artesanato: *a craft fair* uma feira de artesanato **2** [*sing*] (*destreza*) ofício, arte **3** (*pl* **craft**) embarcação

▸ *vt* fabricar artesanalmente

craftsman /ˈkrɑːftsmən; *USA* ˈkræfts-/ *s* (*pl* **-men** /-mən/) artesão, artífice **craftsmanship** *s* **1** perícia **2** arte

craftswoman /ˈkrɑːftswʊmən; *USA* ˈkræfts-/ *s* (*pl* **-women** /-wɪmɪn/) artesã

crafty /ˈkrɑːfti; *USA* ˈkræfti/ *adj* (**craftier**, **-iest**) (*freq pej*) astuto, ladino

crag /kræg/ *s* penhasco **craggy** *adj* escarpado

cram /kræm/ **1** *vt* ~ **A into B** abarrotar, encher B de/com A, meter A em B (*à força*): *The bus was crammed with people.* O autocarro estava a abarrotar de gente. **2** *vi* ~ **into sth** enfiar-se em alguma coisa, abarrotar alguma coisa **3** *vi* empinar

cramp /kræmp/ *substantivo, verbo*

▸ *s* **1** [*não-contável*] (*muscular*) cãibra **2** **cramps** (*tb* **stomach cramps**) [*pl*] dores de estômago fortes

▸ *vt* (*movimento, desenvolvimento, etc.*) restringir, tolher **cramped** *adj* **1** (*espaço*) exíguo **2** (*pessoa*) encolhido

cranberry /ˈkrænbəri; *USA* -beri/ *s* (*pl* **cranberries**) arando

crane /kreɪn/ *s* **1** (*Mec*) grua, guindaste **2** (*ave*) grou

crank /kræŋk/ *s* **1** (*Mec*) manivela **2** (*pej*) ave rara, maníaco, -a **3** (*USA*) irascível

crash /kræʃ/ *substantivo, verbo, adjetivo*

▸ *s* **1** estrondo **2** acidente, colisão: *crash helmet* capacete (protetor) **3** (*Econ*) falência **4** (*bolsa*) queda **5** (*Informát*) avaria

▸ **1** *vt, vi* ~ **(sth) (into sth)** (*veículo*) chocar (com alguma coisa) (contra alguma coisa): *He crashed into a lamp post.* Chocou contra um poste. ◇ *He crashed his car last Monday.* Bateu com o carro na segunda-feira passada. **2** *vi* embater: *He sent the glasses crashing to the floor.* Ele atirou os óculos, fazendo-os embater contra o chão. ◇ *A brick crashed through the window.* Atiraram um tijolo contra a janela. **3** *vt, vi* (*Informát*) avariar **4** *vi* ~ **(out)** (*coloq*) apagar

▸ *adj* **1** (*curso*) intensivo **2** (*dieta*) rigoroso

crash landing *s* aterragem forçada

crass /kræs/ *adj* **1** crasso **2** estúpido, idiota

crate /kreɪt/ *s* **1** caixote **2** grade (*para garrafas*)

crater /ˈkreɪtə(r)/ *s* cratera

crave /kreɪv/ *vt* ansiar por **craving** *s* ~ **(for sth)** ânsia, desejo (de alguma coisa)

crawl /krɔːl/ *verbo, substantivo*

▸ *vi* **1** gatinhar, rastejar **2** (*trânsito*) arrastar-se (a passo de caracol) **3** ~ **(to sb)** (*coloq, pej*) dar

graxa (a alguém) LOC **be crawling with sth** (*coloq*) estar repleto/coberto de alguma coisa
▸ *s* **1** [*sing*] passo de caracol **2** (*Natação*) crawl

crayon /ˈkreɪən/ *s* lápis de cor/cera

craze /kreɪz/ *s* ~ **(for sth)** moda, febre (de alguma coisa)

crazy /ˈkreɪzi/ *adj* (**crazier**, **-iest**) (*coloq*) **1** ~ **(about sb/sth)** doido (por alguém/alguma coisa) **2** louco: *That noise is driving me crazy.* Aquele barulho está a enlouquecer-me. **3** (*ideia*) disparatado, maluco LOC **like crazy** (*coloq*) como um louco

creak /kri:k/ *vi* ranger, chiar

cream /kri:m/ *substantivo, verbo*
▸ *s* **1** nata(s): *cream cheese* queijo para barrar **2** (*Med, cosméticos*) creme **3** (*cor*) creme **4 the ~ of sth** a fina-flor de alguma coisa
▸ *vt* bater até tornar cremoso PHR V **cream sb/sth off** selecionar o melhor de alguém/alguma coisa **creamy** *adj* (**creamier**, **-iest**) cremoso

crease /kri:s/ *substantivo, verbo*
▸ *s* **1** ruga, vinco **2** (*calças*) vinco
▸ *vt, vi* engelhar(-se)

create /kriˈeɪt/ *vt* criar, produzir: *to create a fuss* armar uma cena/um escândalo **creation** *s* criação **creative** *adj* criativo **creator** *s* criador, -ora

creature /ˈkri:tʃə(r)/ *s* criatura: *living creatures* seres vivos ◇ *a creature of habit* um animal de hábitos ◇ *creature comforts* necessidades básicas

crèche (*tb* **creche**) /kreʃ/ *s* **1** (*GB*) creche, infantário **2** (*USA*) manjedoura

credentials /krəˈdenʃlz/ *s* [*pl*] **1** credenciais **2** (*para um trabalho*) habilitações

credibility /ˌkredəˈbɪləti/ *s* credibilidade

credible /ˈkredəbl/ *adj* crível, verosímil

credit /ˈkredɪt/ *substantivo, verbo*
▸ *s* **1** crédito: *on credit* a crédito ◇ *credit card* cartão de crédito **2** saldo positivo: *to be in credit* ter saldo positivo **3** (*contabilidade*) haver **4** mérito: *to give sb credit for sth* reconhecer o mérito de alguém por alguma coisa **5 credits** [*pl*] (*Cinema, TV*) créditos LOC **be a credit to sb/sth** ser um motivo de orgulho para alguém/alguma coisa ◆ **do sb credit**; **do credit to sb** honrar alguém
▸ *vt* **1** ~ **sb/sth with sth** atribuir o mérito de alguma coisa a alguém/alguma coisa **2** (*Fin*) creditar **3** crer **creditable** *adj* (*formal*) louvável **creditor** *s* credor, -ora

creditworthy /ˈkredɪtwɜ:ði/ *adj* solvente

creed /kri:d/ *s* credo

creek /kri:k/ *s* **1** (*GB*) cala, enseada estreita **2** (*esp USA*) riacho LOC **be up the creek (without a paddle)** (*coloq*) estar no mato sem cachorro

creep /kri:p/ *verbo, substantivo*
▸ *vi* (*pt, pp* **crept**) **1** mover-se furtivamente: *to creep up on sb* aproximar-se furtivamente de alguém/apanhar alguém desprevenido **2** (*fig*): *A feeling of drowsiness crept over him.* Uma sensação de torpor invadiu-o. **3** (*planta*) trepar
▸ *s* (*coloq*) **1** sacana **2** graxista LOC **give sb the creeps** (*coloq*) dar arrepios a alguém **creepy** *adj* (**creepier**, **-iest**) (*coloq*) arrepiante

cremation /krəˈmeɪʃn/ *s* cremação

crematorium /ˌkreməˈtɔ:riəm/ *s* (*pl* **crematoria** /-riə/ *ou* **crematoriums**) crematório

crematory /ˈkri:mətɔ:ri, ˈkrem-/ *s* (*pl* **crematories**) (*USA*) crematório

crept *pt, pp de* CREEP

crescendo /krəˈʃendəʊ/ *s* (*pl* **crescendos**) **1** (*Mús*) crescendo **2** (*fig*) ponto alto

crescent /ˈkresnt/ *s* **1** crescente: *a crescent moon* o quarto crescente **2** rua em semicírculo

cress /kres/ *s* agrião-de-jardim

crest /krest/ *s* **1** crista **2** (*colina*) cume **3** (*Heráldica*) timbre do brasão

crestfallen /ˈkrestfɔ:lən/ *adj* cabisbaixo

crevice /ˈkrevɪs/ *s* fenda (*em rocha*)

crew /kru:/ *s* [*v sing ou pl*] tripulação: *cabin crew* pessoal de bordo ➲ *Ver nota em* JÚRI

crew cut *s* corte à escovinha

crew neck *s* decote redondo

crib /krɪb/ *substantivo, verbo*
▸ *s* **1** manjedoura **2** (*USA*) berço **3** (*coloq*) (*plágio*) cópia
▸ *vt, vi* (**-bb-**) copiar

cricket /ˈkrɪkɪt/ *s* **1** (*Desp*) críquete **2** (*Zool*) grilo **cricketer** *s* jogador, -ora de críquete

crime /kraɪm/ *s* **1** crime, delito **2** criminalidade

criminal /ˈkrɪmɪnl/ *adjetivo, substantivo*
▸ *adj* **1** criminoso, delinquente: *a criminal record* registo criminal ◇ *criminal damage* perdas e danos (provocados por ação criminosa) **2** (*direito*) penal **3** imoral
▸ *s* criminoso, -a, delinquente

crimson /ˈkrɪmzn/ *adj* carmesim

cringe /krɪndʒ/ *vi* **1** encolher-se (*com medo*) **2** (*fig*) morrer de vergonha

cripple /ˈkrɪpl/ *verbo, substantivo*
▸ *vt* **1** estropiar, aleijar **2** (*fig*) prejudicar seriamente

▸ *s* (*antiq ou ofen*) aleijado, -a **crippling** *adj* **1** (*doença*) devastador **2** (*dívida*) tremendo

crisis /'kraɪsɪs/ *s* (*pl* **crises** /-si:z/) crise

crisp /krɪsp/ *adjetivo, substantivo*
▸ *adj* (**crisper, -est**) **1** (*tb* **crispy** /'krɪspi/) estaladiço **2** (*verduras, etc.*) fresco **3** *a crisp new ten pound note* uma nota de dez libras novinha em folha ◇ *a crisp white shirt* uma camisa branca acabada de comprar **4** (*tempo*) seco e frio **5** (*maneira*) brusco
▸ *s* batata frita (*de pacote*) ➲ *Ver ilustração em* BATATA *e comparar com* CHIP **crisply** *adv* secamente

crispbread /'krɪspbred/ *s* tosta (*salgada e fina*)

criterion /kraɪ'tɪəriən/ *s* (*pl* **criteria** /-riə/) critério

critic /'krɪtɪk/ *s* **1** criticador, -ora **2** (*Cinema, Liter, Teat*) crítico, -a

critical /'krɪtɪkl/ *adj* **1** crítico: *to be critical of sb/sth* criticar alguém/alguma coisa ◇ *critical acclaim* o aplauso da crítica **2** (*momento*) crítico, crucial **critically** /-kli/ *adv* **1** criticamente, de forma crítica **2** *critically ill* gravemente doente

criticism /'krɪtɪsɪzəm/ *s* **1** crítica **2** [*não-contável*] críticas: *He can't take criticism.* Não suporta que o critiquem. **3** [*não-contável*] crítica: *literary criticism* crítica literária

criticize, -ise /'krɪtɪsaɪz/ *vt* criticar

critique /krɪ'ti:k/ *s* análise crítica

croak /krəʊk/ *verbo, substantivo*
▸ *vi* **1** coaxar **2** (*pessoa*) falar com voz rouca
▸ *s* coaxo

crochet /'krəʊʃeɪ; *USA* krəʊ'ʃeɪ/ *s* croché

crockery /'krɒkəri/ *s* [*não-contável*] loiça

crocodile /'krɒkədaɪl/ *s* crocodilo

crocus /'krəʊkəs/ *s* (*pl* **crocuses**) açafrão, croco

croissant /'krwæsɒ̃; *USA* krwɑ'sɑ̃; krə'sɒnt/ *s* croissant ➲ *Ver ilustração em* PÃO

crony /'krəʊni/ *s* (*pl* **cronies**) (*freq pej*) compincha

crook /krʊk/ *s* (*coloq*) vigarista

crooked /'krʊkɪd/ *adj* **1** torto, torcido **2** (*caminho*) tortuoso **3** (*pessoa*) desonesto

crop /krɒp/ *substantivo, verbo*
▸ *s* **1** colheita **2** cultura **3** [*sing*] **a ~ of sth** uma quantidade, um grupo de alguma coisa
▸ *vt* (**-pp-**) **1** (*cabelo*) cortar rente **2** (*animais*) comer as pontas de, pastar **3** (*Fot*) (re)cortar **PHR V** **crop up** surgir, aparecer

crop top *s* top (*que mostra a barriga*)

croquet /'krəʊkeɪ; *USA* krəʊ'keɪ/ *s* croquet

cross /krɒs; *USA* krɔ:s/ *substantivo, verbo, adjetivo*
▸ *s* **1** cruz ➲ *Ver ilustração em* TICK **2** ~ **(between A and B)** cruzamento (de A com B)
▸ **1** *vt, vi* atravessar: *Shall we cross over?* Atravessamos para o outro lado? **2** *vt, vi* ~ **(each other/one another)** cruzar-se (um com o outro) **3** *vt* ~ **A with/and B** (*Zool, Bot*) cruzar A com B **4** *vt* contrariar **5** *vt, vi* (*Futebol*) cruzar **6** *vt* ~ **yourself** benzer-se **LOC** **cross your fingers (for me)** faz figas (por mim) ◆ **cross your mind** passar pela cabeça, ocorrer a alguém *Ver tb* DOT **PHR V** **cross sth off/out/through** riscar alguma coisa: *to cross sb off the list* riscar alguém da lista
▸ *adj* (**crosser, -est**) zangado: *to get cross* zangar-se

crossbar /'krɒsbɑ:(r); *USA* 'krɔ:s-/ *s* (*Futebol, de bicicleta*) barra

crossbow /'krɒsbəʊ; *USA* 'krɔ:s-/ *s* besta (*arma*)

cross-country /ˌkrɒs 'kʌntri; *USA* ˌkrɔ:s/ *adj, adv* de/a corta-mato: *cross-country race* corrida de corta-mato

cross-examine /ˌkrɒs ɪg'zæmɪn; *USA* ˌkrɔ:s/ *vt* interrogar

cross-eyed /ˌkrɒs 'aɪd; *USA* ˌkrɔ:s/ *adj* vesgo

crossfire /'krɒsfaɪə(r); *USA* 'krɔ:s-/ *s* fogo cruzado **LOC** **get caught in the crossfire** ser apanhado no fogo cruzado

crossing /'krɒsɪŋ; *USA* 'krɔ:sɪŋ/ *s* **1** (*viagem*) travessia **2** (*estrada*) cruzamento **3** *border crossing* fronteira *Ver tb* LEVEL CROSSING, ZEBRA CROSSING

cross-legged

cross-legged with her legs crossed

cross-legged /ˌkrɒs 'legd, 'legɪd; *USA* ˌkrɔ:s/ *adj, adv* com as pernas cruzadas

crossly /'krɒsli; *USA* 'krɔ:sli/ *adv* de mau humor, irritadamente: *'What did you expect?' she said crossly.* —O que é que esperavas?, disse zangada.

crossover /'krɒsəʊvə(r); *USA* 'krɔːs-/ *s* passagem: *a jazz-pop crossover* uma mistura de jazz e pop

cross purposes *s* [*pl*] LOC **at cross purposes**: *We're (talking) at cross purposes.* Há aqui um mal-entendido.

cross reference *s* nota remissiva

crossroads /'krɒsrəʊdz; *USA* 'krɔːs-/ *s* **1** cruzamento, encruzilhada **2** (*fig*) momento decisivo/crítico

cross section *s* **1** corte transversal **2** grupo representativo

crosswalk /'krɒswɔːk; *USA* 'krɔːs-/ *s* (*USA*) passadeira (para peões)

crossword /'krɒswɜːd; *USA* 'krɔːs-/ (*tb* **crossword puzzle**) *s* palavras cruzadas

crotch /krɒtʃ/ *s* entrepernas

crouch /kraʊtʃ/ *vi* agachar-se, aninhar-se, acocorar-se

crow /krəʊ/ *substantivo, verbo*
- ▸ *s* corvo LOC **as the crow flies** em linha reta
- ▸ *vi* **1** cantar **2** ~ **(about/over sth)** vangloriar-se (de alguma coisa)

crowbar /'krəʊbɑː(r)/ *s* pé-de-cabra, alavanca

crowd /kraʊd/ *substantivo, verbo*
- ▸ *s* **1** [*v sing ou pl*] multidão: *crowds of people* uma multidão de gente **2** [*v sing ou pl*] (*espetadores*) público **3** [*v sing ou pl*] (*coloq, freq pej*) malta, grupo (de amigos) **4 the crowd** [*sing*] (*freq pej*) as massas LOC *Ver* FOLLOW
- ▸ *vt* (*espaço*) abarrotar PHR V **crowd (a)round (sb/sth)** reunir-se (em torno de alguém/alguma coisa) ◆ **crowd (sb/sth) in**; **crowd (sb/sth) into/onto sth** amontoar alguém/alguma coisa, entrar a monte (em alguma coisa)

crowded /'kraʊdɪd/ *adj* **1** a abarrotar (de gente) **2** (*fig*) repleto

crown /kraʊn/ *substantivo, verbo*
- ▸ *s* **1** coroa: *crown prince* príncipe herdeiro **2 the Crown** (*GB*) (*Jur*) a Coroa **3** (*cabeça*) cocuruto **4** (*chapéu*) copa **5** (*colina*) cume **6** (*dente*) coroa
- ▸ *vt* coroar

crucial /'kruːʃl/ *adj* ~ **(to/for sb/sth)** crucial (para alguém/alguma coisa)

crucifix /'kruːsəfɪks/ *s* crucifixo

crucify /'kruːsɪfaɪ/ *vt* (*pt, pp* **-fied**) crucificar

crude /kruːd/ *adjetivo, substantivo*
- ▸ *adj* (**cruder, -est**) **1** bruto **2** grosseiro
- ▸ *s* (*tb* **crude oil**) petróleo bruto

cruel /'kruːəl/ *adj* (**crueller, -est**) ~ **(to sb/sth)** cruel (com alguém/alguma coisa) **cruelty** *s* (*pl* **cruelties**) crueldade

cruise /kruːz/ *verbo, substantivo*
- ▸ *vi* **1** fazer um cruzeiro **2** (*avião, carro*) voar/circular (à velocidade de cruzeiro)
- ▸ *s* cruzeiro (*viagem*) **cruiser** *s* **1** (*barco*) cruzador **2** (*tb* **cabin cruiser**) lancha com camarotes

crumb /krʌm/ *s* migalha

crumble /'krʌmbl/ **1** *vi* ~ **(away)** desmoronar-se, ruir **2** *vt* desfazer **3** *vt, vi* (*Cozinha*) esmigalhar-(se) **crumbly** *adj* friável, que facilmente se desfaz

crumple /'krʌmpl/ *vt, vi* ~ **(sth) (up)** amarrotar alguma coisa, amarrotar-se

crunch /krʌntʃ/ *verbo, substantivo*
- ▸ *vt, vi* **1** ~ **(on) sth** mastigar alguma coisa (*ruidosamente*) **2** (fazer) ranger
- ▸ *s* rangido **crunchy** *adj* estaladiço

crusade /kruː'seɪd/ *s* cruzada **crusader** *s* **1** (*Hist*) cruzado **2** defensor, -ora

crush /krʌʃ/ *verbo, substantivo*
- ▸ *vt* **1** esmagar: *to be crushed to death* morrer esmagado **2** ~ **sth (up)** (*rocha, etc.*) triturar alguma coisa: *crushed ice* gelo picado **3** (*alho, etc.*) esmagar **4** (*fruta*) espremer **5** moer **6** (*roupa*) amarrotar, engelhar **7** (*ânimo*) destruir
- ▸ *s* **1** (*multidão*) aperto **2** ~ **(on sb)** paixoneta (por alguém): *I had a crush on my teacher.* Estava apaixonado pela professora. **crushing** *adj* esmagador (*derrota, golpe*)

crust /krʌst/ *s* côdea, crosta ➲ *Ver ilustração em* PÃO **crusty** *adj* com uma côdea/crosta estaladiça

crutch /krʌtʃ/ *s* muleta

crux /krʌks/ *s* ponto crucial (*da questão*)

cry /kraɪ/ *verbo, substantivo*
- ▸ (*pt, pp* **cried**) **1** *vi* ~ **(about/over sb/sth)** chorar (por alguém/alguma coisa): *to cry for joy* chorar de alegria **2** *vt, vi* ~ **(out) (sth)** gritar (alguma coisa) LOC **cry your eyes/heart out** desfazer-se em lágrimas ◆ **it's/there's no use crying over spilt milk** o que não tem remédio remediado está PHR V **cry off** (*GB, coloq*) voltar atrás ◆ **cry out for sth** necessitar muito de alguma coisa
- ▸ *s* (*pl* **cries**) **1** grito **2** choro: *to have a (good) cry* chorar à vontade

crybaby /'kraɪbeɪbi/ *s* (*pl* **crybabies**) (*coloq, pej*) choramingas

crying /'kraɪɪŋ/ *adj* LOC **a crying shame** (*coloq*) uma vergonha

crypt /krɪpt/ *s* cripta

cryptic /'krɪptɪk/ *adj* críptico, enigmático

crystal /ˈkrɪstl/ *s* cristal ❶ Quando **crystal** se refere a vidro, indica que é de qualidade muito alta. Para o cristal de qualidade normal, diz-se **glass**. LOC **crystal clear** **1** cristalino **2** (*significado*) claro como a água

cub /kʌb/ *s* **1** (*leão, tigre, raposa, etc.*) cria **2** ursinho **3 Cub** (*USA* **Cub Scout**) lobito

cube /kjuːb/ *s* quadradinho: *sugar cube* cubo de açúcar **cubic** *adj* cúbico

cubicle /ˈkjuːbɪkl/ *s* **1** cubículo **2** cabine de provas **3** (*piscina*) vestiário **4** (*lavabos*) casa de banho

cuckoo /ˈkʊkuː/ *s* (*pl* **cuckoos**) cuco

cucumber /ˈkjuːkʌmbə(r)/ *s* pepino

cuddle /ˈkʌdl/ *verbo, substantivo*
▸ *vt, vi* abraçar(-se) PHR V **cuddle up (to/against sb)** aconchegar-se (a alguém)
▸ *s* abraço **cuddly** *adj* (*coloq*) fofo: *cuddly toy* boneco de peluche

cue /kjuː/ *substantivo, verbo*
▸ *s* **1** ~ **(for sth/to do sth)** sinal, sugestão (para alguma coisa/fazer alguma coisa) **2** (*Teat*) deixa: *He missed his cue.* Não pegou a sua deixa. **3** taco (*de bilhar*) LOC **(right) on cue** no momento preciso ◆ **take your cue from sb/sth** seguir o exemplo de alguém/alguma coisa
▸ *vt* **1** fazer sinal a **2** (*Teat*) dar a deixa a

cuff /kʌf/ *substantivo, verbo*
▸ *s* **1** (*roupa*) punho **2** palmada LOC **off the cuff** de improviso
▸ *vt* dar uma palmada em/a

cufflink /ˈkʌflɪŋk/ *s* botão de punho

cuisine /kwɪˈziːn/ *s* cozinha (*arte de cozinhar*)

cul-de-sac /ˈkʌl də sæk/ *s* (*pl* **cul-de-sacs** *ou* **culs-de-sac**) rua sem saída

cull /kʌl/ *vt* matar seletivamente (*para controlo do número de animais*) PHR V **cull sth from sth** selecionar alguma coisa de alguma coisa

culminate /ˈkʌlmɪneɪt/ *vi* ~ **(in sth)** (*formal*) culminar (em alguma coisa) **culmination** *s* (*formal*) auge

culottes /kjuːˈlɒts; *USA* kuː-/ *s* [*pl*] saia-calça ➲ *Ver notas em* CALÇAS *e* PAIR

culprit /ˈkʌlprɪt/ *s* culpado, -a

cult /kʌlt/ *substantivo, adjetivo*
▸ *s* **1** ~ **(of sb/sth)** culto (de alguém/alguma coisa) **2** moda
▸ *adj* de culto: *a cult figure/movie* uma figura/um filme de culto

cultivate /ˈkʌltɪveɪt/ *vt* (*lit e fig*) cultivar **cultivated** *adj* **1** (*pessoa*) culto **2** cultivado **cultivation** *s* [*não-contável*] cultivo

🔑 **cultural** /ˈkʌltʃərəl/ *adj* cultural

🔑 **culture** /ˈkʌltʃə(r)/ *s* cultura: *culture shock* choque cultural **cultured** *adj* **1** (*pessoa*) culto **2** (*célula, bactéria, etc.*) cultivado: *cultured pearl* pérola de cultivo

cum /kʌm/ *prep*: *a kitchen-cum-dining room* uma cozinha-sala-de-jantar

cumbersome /ˈkʌmbəsəm/ *adj* **1** pesado **2** incómodo

cumulative /ˈkjuːmjələtɪv; *USA* -leɪtɪv/ *adj* cumulativo, acumulado

cunning /ˈkʌnɪŋ/ *adjetivo, substantivo*
▸ *adj* **1** (*pej*) (*pessoa*) astuto **2** (*aparelho, ação*) engenhoso
▸ *s* [*não-contável*] astúcia, manha **cunningly** *adv* engenhosamente

cup

cup and saucer **mug**

🔑 **cup** /kʌp/ *substantivo, verbo*
▸ *s* **1** chávena: *paper cup* copo de papel **2** (*prémio*) taça LOC **not be sb's cup of tea** (*esp GB, coloq*) não ser do tipo de alguém
▸ *vt* (**-pp-**) (*mãos*) pôr em concha, fazer uma concha com: *She cupped a hand over the receiver.* Cobriu o telefone com a mão. ◇ *to cup your chin/face in your hands* apoiar o queixo/a cara nas mãos

🔑 **cupboard** /ˈkʌbəd/ *s* armário ❶ **Wardrobe** é um armário para pendurar a roupa.

cupful /ˈkʌpfʊl/ *s* chávena (*quantidade*)

curate /ˈkjʊərət/ *s* (*igreja anglicana*) coadjutor, -ora (*do pároco*)

curative /ˈkjʊərətɪv/ *adj* (*formal*) curativo

curator /kjʊəˈreɪtə(r)/ *s* conservador, -ora (*de museu*)

🔑 **curb** /kɜːb/ *substantivo, verbo*
▸ *s* **1** ~ **(on sth)** travão (em alguma coisa) **2** (*USA*) = KERB
▸ *vt* travar

curd /kɜːd/ *s* coalho: *curd cheese* requeijão

curdle /ˈkɜːdl/ *vt, vi* (*leite, etc.*) coalhar

🔑 **cure** /kjʊə(r)/ *verbo, substantivo*
▸ *vt* curar
▸ *s* cura

curfew /ˈkɜːfjuː/ *s* toque de recolher

C

curiosity /ˌkjʊəriˈɒsəti/ *s* (*pl* **curiosities**) curiosidade

curious /ˈkjʊəriəs/ *adj* ~ **(about sth)** curioso (em relação a alguma coisa): *I'm curious to know what happened.* Estou curioso para saber o que aconteceu.... ❶ No sentido de "estranho", *curioso* traduz-se geralmente por **odd** ou **strange**. No sentido de "intrometido", dizemos **nosy** ou **inquisitive**.

curl /kɜːl/ *substantivo, verbo*
▸ *s* **1** caracol (*de cabelo*) **2** (*fumo*) espiral
▸ **1** *vt, vi* encaracolar **2** *vi*: *The smoke curled upwards.* O fumo subia em espiral. PHR V **curl up 1** encaracolar **2** enroscar-se, deitar-se/sentar-se enroscado

curly /ˈkɜːli/ *adj* (**curlier, -iest**) encaracolado

currant /ˈkʌrənt; *USA* ˈkɜːr-/ *s* **1** corinto **2** groselha

currency /ˈkʌrənsi; *USA* ˈkɜːr-/ *s* (*pl* **currencies**) **1** moeda: *foreign/hard currency* divisa estrangeira/forte **2** aceitação: *to gain currency* espalhar-se

current /ˈkʌrənt; *USA* ˈkɜːr-/ *substantivo, adjetivo*
▸ *s* corrente
▸ *adj* **1** atual: *current affairs* (temas da) atualidade ◇ *current account* conta corrente **2** comum

currently /ˈkʌrəntli; *USA* ˈkɜːr-/ *adv* atualmente ➲ *Comparar com* ACTUALLY

curriculum /kəˈrɪkjələm/ *s* (*pl* **curricula** /-lə/ *ou* **curriculums**) programa de estudos

curry /ˈkʌri; *USA* ˈkɜːri/ *substantivo, verbo*
▸ *s* (*pl* **curries**) caril
▸ *vt* (*pt, pp* **curried**) LOC **curry favour (with sb)** (*pej*) procurar agradar (a alguém)

curse /kɜːs/ *substantivo, verbo*
▸ *s* **1** palavrão **2** praga **3** maldição
▸ *vt, vi* maldizer LOC **be cursed with sth** ser amaldiçoado com alguma coisa

cursor /ˈkɜːsə(r)/ *s* (*Informát*) cursor

cursory /ˈkɜːsəri/ *adj* (*freq pej*) rápido, superficial

curt /kɜːt/ *adj* (*maneira de falar*) brusco

curtail /kɜːˈteɪl/ *vt* (*formal*) **1** (*férias, discurso*) interromper, abreviar **2** (*despesas*) reduzir **curtailment** *s* (*formal*) **1** (*poder*) redução **2** interrupção

curtain /ˈkɜːtn/ *s* **1** cortina: *to draw the curtains* abrir/fechar as cortinas **2** (*Teat*) pano LOC **be curtains (for sb)** (*coloq*) ser o fim (para alguém)

curtsy (*tb* **curtsey**) /ˈkɜːtsi/ *verbo, substantivo*
▸ *vi* (*pt, pp* **curtsied** *ou* **curtseyed**) fazer uma vénia ❶ Usa-se **curtsy** somente para mulheres. Para os homens, diz-se **bow**.
▸ *s* (*pl* **curtsies** *ou* **curtseys**) vénia

curve /kɜːv/ *substantivo, verbo*
▸ *s* curva
▸ *vi* fazer uma curva

curved /kɜːvd/ *adj* **1** curvo **2** em curva, arqueado

cushion /ˈkʊʃn/ *substantivo, verbo*
▸ *s* **1** almofada (*de sofá e poltrona*) **2** (*fig*) (margem de) proteção
▸ *vt* **1** amortecer **2** ~ **sb/sth (against/from sth)** (*fig*) proteger alguém/alguma coisa (de alguma coisa)

cushy /ˈkʊʃi/ *adj* (**cushier, -iest**) (*coloq, freq pej*) confortável: *What a cushy job!* Que tacho!

custard /ˈkʌstəd/ *s* [*não-contável*] creme de leite e ovos

custodian /kʌˈstəʊdiən/ *s* **1** guardião, -ã **2** (*museu, etc.*) conservador, -ora **3** (*USA*) porteiro, -a, guarda

custody /ˈkʌstədi/ *s* **1** custódia: *in custody* sob custódia **2** *to remand sb in custody* ordenar a prisão preventiva de alguém

custom /ˈkʌstəm/ *s* **1** costume **2** (*GB, formal*) freguesia, clientela **customary** /ˈkʌstəməri; *USA* -meri/ *adj* habitual: *It is customary to...* É costume...

customer /ˈkʌstəmə(r)/ *s* cliente

customize, -ise /ˈkʌstəmaɪz/ *vt* personalizar

customs /ˈkʌstəmz/ *s* [*pl*] **1** (*tb* **Customs**) alfândega **2** (*tb* **customs duty**) direitos alfandegários

cut /kʌt/ *verbo, substantivo*
▸ (*pt, pp* **cut** *part pres* **cutting**) **1** *vt, vi* cortar: *to cut sth in half* cortar alguma coisa ao meio **2** *vt* (*pedra preciosa, vidro*) lapidar: *cut glass* vidro lapidado **3** *vt* cortar, reduzir **4** *vt* (*preço*) baixar **5** *vt* (*fig*) ferir LOC **cut it/that out!** (*coloq*) pára com isso! ◆ **cut it/things fine** (*coloq*) deixar alguma coisa para o último momento ◆ **cut sb/sth short** interromper alguém/alguma coisa
PHR V **cut across sth 1** ultrapassar alguma coisa: *The drug problem cuts across all social classes.* O problema da droga atinge todas as classes sociais. **2** atalhar por alguma coisa
cut back (on sth) cortar em alguma coisa ◆ **cut sth back 1** (*tb* **cut back on sth**) reduzir alguma coisa **2** podar alguma coisa
cut down (on sth) reduzir alguma coisa: *to cut down on smoking* fumar menos ◆ **cut sth down 1** derrubar alguma coisa **2** reduzir alguma coisa

cut in (on sb/sth) 1 interromper (alguém/alguma coisa) **2** (*carro*) meter-se (à frente de alguém/alguma coisa)
cut sb off 1 (*telefone*): *I've been cut off.* Caiu a linha. **2** deserdar alguém ◆ **cut sth off 1** cortar alguma coisa: *to cut 20 seconds off the record* melhorar o recorde em 20 segundos **2** (*povoação*) isolar alguma coisa: *to be cut off* ficar isolado
be cut out to be sth; be cut out for sth (*coloq*) estar talhado para alguma coisa, ter estofo para alguma coisa ◆ **cut out** (*motor*) desligar ◆ **cut sth out 1** cortar alguma coisa **2** (*informação*) omitir alguma coisa **3** cortar em alguma coisa, deixar de fazer alguma coisa: *to cut out sweets* deixar de comer doces
cut through sth atalhar por alguma coisa
cut sth up cortar alguma coisa (em pedaços)
▸ *s* **1** corte, golpe **2** redução, corte, baixa **3** (*carne, roupa*) corte **4** (*lucro*) parte *Ver tb* SHORT CUT LOC **a cut above sb/sth** muito melhor do que alguém/alguma coisa

cutback /ˈkʌtbæk/ *s* corte, redução

cute /kjuːt/ *adj* (**cuter**, **-est**) (*coloq*) **1** giro, bonito **2** (*esp USA, coloq*) esperto

cutlery /ˈkʌtləri/ *s* [*não-contável*] talheres

cutlet /ˈkʌtlət/ *s* costeleta

cut-off /ˈkʌt ɒf; *USA* ɔːf/ (*tb* **cut-off point**) *s* limite

cut-price /ˌkʌt ˈpraɪs/ (*USA* **cut-rate** /ˌkʌt ˈreɪt/) *adj* a preço reduzido

cut-throat /ˈkʌt θrəʊt/ *adj* impiedoso

cutting /ˈkʌtɪŋ/ *substantivo, adjetivo*
▸ *s* **1** (*jornal*) recorte **2** (*Bot*) estaca
▸ *adj* (*comentário*) mordaz, sarcástico

CV /ˌsiː ˈviː/ *s* (*abrev de* **curriculum vitae**) currículo

cyanide /ˈsaɪənaɪd/ *s* cianeto

cycle /ˈsaɪkl/ *substantivo, verbo*
▸ *s* **1** bicicleta **2** ciclo **3** (*obras*) série
▸ *vi* andar de bicicleta: *to go cycling* ir andar de bicicleta

cyclic /ˈsaɪklɪk, ˈsɪklɪk/ (*tb* **cyclical**) *adj* cíclico

cycling /ˈsaɪklɪŋ/ *s* ciclismo

cyclist /ˈsaɪklɪst/ *s* ciclista

cyclone /ˈsaɪkləʊn/ *s* ciclone

cylinder /ˈsɪlɪndə(r)/ *s* **1** cilindro **2** (*gás*) botija **cylindrical** /səˈlɪndrɪkl/ *adj* cilíndrico

cymbal /ˈsɪmbl/ *s* prato (*música*)

cynic /ˈsɪnɪk/ *s* pessoa que desconfia de tudo e de todos **cynical** *adj* **1** maldoso, desconfiado **2** sem escrúpulos **cynicism** *s* **1** desconfiança **2** falta de escrúpulos

cypress /ˈsaɪprəs/ *s* cipreste

cyst /sɪst/ *s* quisto

cystic fibrosis /ˌsɪstɪk faɪˈbrəʊsɪs/ *s* [*não-contável*] fibrose quística

D d

D, d /diː/ *s* (*pl* **Ds, D's, d's**) **1** D, d ➲ *Ver nota em* A, A **2** (*Mús*) ré

dab /dæb/ *verbo, substantivo*
▸ *vt, vi* (**-bb-**) ~ **(at) sth** tocar em alguma coisa levemente PHR V **dab sth on (sth)** aplicar um pouco de alguma coisa (em alguma coisa)
▸ *s* pequena quantidade

dad /dæd/ *s* (*coloq*) pai, papá

daddy /ˈdædi/ *s* (*pl* **daddies**) (*coloq*) pai, papá

daffodil /ˈdæfədɪl/ *s* narciso

daft /dɑːft; *USA* dæft/ *adj* (**dafter**, **-est**) (*GB, coloq*) tolo, maluco

dagger /ˈdægə(r)/ *s* punhal, adaga

daily /ˈdeɪli/ *adjetivo, advérbio, substantivo*
▸ *adj* diário, quotidiano
▸ *adv* diariamente, quotidianamente
▸ *s* (*pl* **dailies**) (*jornal*) diário

dairy /ˈdeəri/ *substantivo, adjetivo*
▸ *s* (*pl* **dairies**) leitaria
▸ *adj* lácteo, leiteiro: *dairy farm* quinta de gado leiteiro ◇ *dairy farming* indústria leiteira ◇ *dairy products/produce* laticínios

daisy /ˈdeɪzi/ *s* (*pl* **daisies**) margarida

dale /deɪl/ *s* vale

dam /dæm/ *substantivo, verbo*
▸ *s* barragem
▸ *vt* construir uma barragem em

damage /ˈdæmɪdʒ/ *verbo, substantivo*
▸ *vt* **1** danificar **2** prejudicar **3** estragar
▸ *s* **1** [*não-contável*] dano **2 damages** [*pl*] perdas e danos **damaging** *adj* prejudicial

Dame /deɪm/ *s* (*GB*) título aristocrático concedido a mulheres

damn /dæm/ *interjeição, adjetivo, verbo, substantivo*
▸ *interj* (*coloq*) bolas!
▸ *adj* (*tb* **damned** /dæmd/) (*coloq*) maldito
▸ *vt* condenar
▸ *s* LOC **not give a damn (about sb/sth)** (*coloq*) estar-se nas tintas (para alguém/alguma coisa): *She doesn't give a damn about it.* Está-se nas tintas para isso. **damnation** /dæmˈneɪʃn/ *s* condenação **damning** /ˈdæmɪŋ/ *adj* comprometedor (*críticas, provas*)

D

damp /dæmp/ *adjetivo, substantivo, verbo*
- *adj* (**damper**, **-est**) húmido ➲ *Ver nota em* MOIST
- *s* humidade
- *vt* (*tb* **dampen** /'dæmpən/) molhar PHR V **damp sth down** amortecer, abafar alguma coisa

dance /dɑ:ns; *USA* dæns/ *verbo, substantivo*
- *vt, vi* dançar
- *s* **1** dança **2** baile

dancer /'dɑ:nsə(r); *USA* 'dæn-/ *s* dançarino, -a

dancing /'dɑ:nsɪŋ; *USA* 'dæn-/ *s* dança

dandelion /'dændɪlaɪən/ *s* dente-de-leão

dandruff /'dændrʌf/ *s* caspa

danger /'deɪndʒə(r)/ *s* perigo LOC **be in danger of sth** correr o perigo de alguma coisa: *They're in danger of losing their jobs.* Arriscam-se a ficar sem emprego.

dangerous /'deɪndʒərəs/ *adj* perigoso: *dangerous substances* substâncias perigosas

dangle /'dæŋgl/ *vi* estar pendurado

dank /dæŋk/ *adj* frio e húmido

dare /deə(r)/ **1** *v modal, vi* (*neg* **dare not** *ou* **daren't** /deənt/ *ou* **don't/doesn't dare** *pt* **dared not** *ou* **didn't dare**) [*em frases negativas e em perguntas*] atrever-se a

> Quando **dare** funciona como verbo modal é seguido do infinitivo sem **to**, e as orações negativas e interrogativas e o passado constroem-se sem o auxiliar **do**: *Nobody dared speak.* Ninguém se atreveu a falar. ◇ *I daren't ask my boss for a day off.* Não me atrevo a pedir um dia de folga ao meu patrão.

2 *vt* ~ **sb (to do sth)** desafiar alguém (a fazer alguma coisa) LOC **don't you dare** (*coloq*) não te atrevas: *Don't you dare tell her!* Nem penses em dizer-lhe! ◆ **how dare you, etc.** como te atreves, etc. ◆ **I dare say...**: *I dare say she'll be home by now.* Com certeza que já estará em casa.

daring /'deərɪŋ/ *substantivo, adjetivo*
- *s* coragem, ousadia
- *adj* corajoso, ousado

dark /dɑ:k/ *adjetivo, substantivo*
- *adj* (**darker**, **-est**) **1** escuro: *dark green* verde-escuro ◇ *to get/grow dark* escurecer **2** (*pessoa, tez*) moreno **3** secreto **4** sombrio: *These are dark days.* São tempos difíceis, os que correm. **5** (*chocolate*) negro LOC **a dark horse** uma pessoa com talentos ocultos
- *s* **the dark** [*sing*] a escuridão LOC **before/after dark** antes/depois do anoitecer

darken /'dɑ:kən/ *vt, vi* escurecer

dark glasses *s* [*pl*] óculos escuros

darkly /'dɑ:kli/ *adv* **1** misteriosamente **2** sombriamente

darkness /'dɑ:knəs/ *s* escuridão, trevas: *in darkness* às escuras

darkroom /'dɑ:kru:m, -rʊm/ *s* câmara escura

darling /'dɑ:lɪŋ/ *s* querido, -a: *Hello, darling!* Olá, querido!

dart /dɑ:t/ *substantivo, verbo*
- *s* dardo: *to play darts* jogar dardos
- *vi* precipitar-se PHR V **dart away/off** sair disparado

dash /dæʃ/ *substantivo, verbo*
- *s* **1** ~ **(of sth)** pitada, gotas (de alguma coisa) **2** travessão ➲ *Ver pág. 315* **3** corrida (*curta e rápida*) LOC **make a dash for sth** correr para alguma coisa
- *vi* **1** despachar-se: *I must dash.* Preciso de me despachar. **2** *vi* correr: *He dashed across the room.* Atravessou a sala a correr. ◇ *I dashed upstairs.* Subi as escadas a correr. LOC **dash sb's hopes** destruir as esperanças de alguém PHR V **dash sth off** escrever/ desenhar alguma coisa à pressa

dashboard /'dæʃbɔ:d/ *s* painel de instrumentos

data /'deɪtə, 'dɑ:tə; *USA* 'dætə/ *s* **1** (*Informát*) dados **2** [*não-contável*] informação

database /'deɪtəbeɪs; *USA* 'dætə-/ (*tb* **databank** /'deɪtəbæŋk; *USA* 'dætə-/) *s* base de dados

date /deɪt/ *substantivo, verbo*
- *s* **1** data: *What date is it today?* Que dia é hoje? **2** época **3** (*coloq*) encontro: *I've got a date with Lucy tomorrow night.* Amanhã vou sair com a Lucy. **4** tâmara *Ver tb* OUT OF DATE, UP TO DATE LOC **to date** até à data
- **1** *vt* datar **2** *vt, vi* (*esp USA*) namorar (com): *Are you dating at the moment?* De momento namoras com alguém? **dated** *adj* **1** antiquado **2** desatualizado

datebook /'deɪtbʊk/ *s* (*USA*) agenda

daughter /'dɔ:tə(r)/ *s* filha

daughter-in-law /'dɔ:tər ɪn lɔ:/ *s* (*pl* **daughters-in-law**) nora

daunting /'dɔ:ntɪŋ/ *adj* intimidante: *a daunting task* uma tarefa intimidante

dawn /dɔ:n/ *substantivo, verbo*
- *s* madrugada, aurora: *from dawn till dusk* de sol a sol LOC *Ver* CRACK
- *vi* amanhecer

day /deɪ/ *s* **1** dia: *all day* todo o dia ◇ *by day* de dia **2** (*de trabalho, etc.*) jornada **3 days** [*pl*] tempo(s) *Ver tb* OFF DAY LOC **day after day** dia após dia ◆ **day by day** dia a dia ◆ **day in, day out** todos os dias sem exceção ◆ **from day to day**;

from one day to the next de dia para dia, de um dia para o outro ◆ **one/some day; one of these days** um/algum dia, um dia destes ◆ **the day after tomorrow** depois de amanhã ◆ **the day before yesterday** anteontem ◆ **these days** (*coloq*) hoje em dia ◆ **to this day** até hoje *Ver tb* BETTER, CALL, CLEAR, EARLY, PRESENT

daydream /ˈdeɪdriːm/ *substantivo, verbo*
▸ *s* sonho, fantasia
▸ *vi* sonhar acordado

daylight /ˈdeɪlaɪt/ *s* luz do dia: *in daylight* à luz do dia LOC *Ver* BROAD

day off *s* (*pl* **days off**) dia livre/de folga ➲ *Comparar com* OFF DAY

day return *s* bilhete de ida e volta para o mesmo dia

daytime /ˈdeɪtaɪm/ *s* dia (*entre o nascer o o por-do-sol*): *in the daytime* durante o dia/de dia

day-to-day /ˌdeɪ tə ˈdeɪ/ *adj* diário

day trip *s* excursão (de um dia)

daze /deɪz/ *s* LOC **in a daze** aturdido **dazed** *adj* aturdido

dazzle /ˈdæzl/ *vt* **1** ofuscar **2** deslumbrar

⚷ **dead** /ded/ *adjetivo, advérbio, substantivo*
▸ *adj* **1** morto **2** (*folhas*) seco **3** (*braço, etc.*) dormente **4** (*bateria*) descarregado **5** (*telefone*): *The line's gone dead.* O telefone não tem linha.
▸ *adv* (*coloq*) completamente: *You're dead right.* Tens toda a razão. LOC *Ver* DROP, FLOG
▸ *s* LOC **in the/at dead of night** pela calada da noite **deaden** *vt* **1** (*som*) abafar **2** (*dor*) aliviar

dead end *s* (*lit e fig*) beco sem saída

dead heat *s* empate

deadline /ˈdedlaɪn/ *s* data limite, prazo de entrega

deadlock /ˈdedlɒk/ *s* impasse

deadly /ˈdedli/ *adj* (**deadlier**, **-iest**) mortal

⚷ **deaf** /def/ *adjetivo, substantivo*
▸ *adj* (**deafer**, **-est**) surdo: *deaf and dumb* surdo-mudo ➲ *Ver nota em* SURDO
▸ *s* **the deaf** [*pl*] os surdos **deafen** *vt* ensurdecer **deafening** *adj* ensurdecedor **deafness** *s* surdez

⚷ **deal** /diːl/ *substantivo, verbo*
▸ *s* **1** acordo: *It's a deal!* Combinado! **2** negócio LOC **a good/great deal** muito: *It's a good/great deal warmer today.* Hoje está muito mais calor.
▸ *vt, vi* (*pt, pp* **dealt** /delt/) (*murro, cartas*) dar ➲ *Ver nota em* BARALHO PHR V **deal in sth 1** negociar em alguma coisa **2** (*drogas, armas*) traficar alguma coisa ◆ **deal with sb 1** lidar com alguém **2** castigar alguém **3** (*atender*) ocupar-se de alguém ◆ **deal with sth 1** (*problema*) resolver alguma coisa **2** (*situação*) lidar com alguma coisa **3** (*tema*) tratar de alguma coisa

dealer /ˈdiːlə(r)/ *s* **1** vendedor, -ora, negociante **2** (*de drogas, armas*) traficante **3** (*em jogo de cartas*) jogador, -ora que dá as cartas

dealing /ˈdiːlɪŋ/ *s* (*drogas, armas*) tráfico LOC **have dealings with sb/sth** ter contacto com alguém/alguma coisa

dealt *pt, pp de* DEAL

dean /diːn/ *s* **1** decano, -a **2** (*universidade*) diretor, -ora (*de departamento, etc.*)

⚷ **dear** /dɪə(r)/ *adjetivo, interjeição, substantivo*
▸ *adj* (**dearer**, **-est**) **1** querido **2** (*em carta*): *Dear Sir* Caro Senhor/Ex.mo Senhor ◇ *Dear Jason,...* Querido Jason,... **3** caro
▸ *interj* LOC **oh dear!** valha-me/-nos Deus!
▸ *s* querido, -a **dearly** *adv* muito

⚷ **death** /deθ/ *s* morte: *death penalty/sentence* pena de morte/condenação à morte ◇ *death certificate* atestado de óbito ◇ *to beat sb to death* matar alguém a pancada LOC **catch your death (of cold)** (*antiq, coloq*) apanhar uma pneumonia ◆ **put sb to death** executar alguém *Ver tb* MATTER **deathly** *adj, adv* de morte: *deathly cold/pale* frio/pálido como um morto

debase /dɪˈbeɪs/ *vt* desvalorizar, rebaixar

debatable /dɪˈbeɪtəbl/ *adj* discutível

⚷ **debate** /dɪˈbeɪt/ *substantivo, verbo*
▸ *s* debate
▸ *vt, vi* debater

debit /ˈdebɪt/ *substantivo, verbo*
▸ *s* débito *Ver tb* DIRECT DEBIT
▸ *vt* debitar

debris /ˈdebriː, ˈdeɪ-; *USA* dəˈbriː/ *s* [*não-contável*] destroços

⚷ **debt** /det/ *s* dívida LOC **be in debt** estar endividado: *She's 5000 pounds in debt.* Ela tem uma dívida de 5.000 libras. **debtor** /ˈdetə(r)/ *s* devedor, -ora

⚷ **decade** /ˈdekeɪd, dɪˈkeɪd/ *s* década

decadence /ˈdekədəns/ *s* decadência

decadent /ˈdekədənt/ *adj* decadente

decaf® /ˈdiːkæf/ *s* (*coloq*) (café) descafeinado

decaffeinated /ˌdiːˈkæfɪneɪtɪd/ *adj* descafeinado

⚷ **decay** /dɪˈkeɪ/ *verbo, substantivo*
▸ *vi* **1** (*dentes*) cariar **2** decompor-se **3** degradar-se
▸ *s* [*não-contável*] **1** decomposição **2** (*tb* **tooth decay**) cárie

D

deceased /dɪ'si:st/ *adjetivo, substantivo*
▸ *adj* (*formal*) falecido
▸ *s* **the deceased** (*pl* **the deceased**) (*formal*) o falecido, a falecida

D

deceit /dɪ'si:t/ *s* **1** fraude, falsidade **2** engano **deceitful** *adj* **1** mentiroso **2** enganador

deceive /dɪ'si:v/ *vt* enganar

⚷ **December** /dɪ'sembə(r)/ *s* (*abrev* **Dec.**) dezembro ➲ *Ver nota e exemplos em* JANUARY

decency /'di:snsi/ *s* decência, decoro

decent /'di:snt/ *adj* **1** decente, correto **2** adequado, aceitável

deception /dɪ'sepʃn/ *s* engano

deceptive /dɪ'septɪv/ *adj* enganador

⚷ **decide** /dɪ'saɪd/ **1** *vi* ~ **(against sth)** decidir-se (contra alguma coisa) **2** *vi* ~ **on sb/sth** optar por alguém/alguma coisa **3** *vt* decidir, determinar **decided** *adj* **1** (*claro*) nítido, definido **2** ~ **(about sth)** decidido, resolvido (em relação a alguma coisa)

decimal /'desɪml/ *adj, s* decimal: *decimal point* vírgula decimal

decipher /dɪ'saɪfə(r)/ *vt* decifrar

⚷ **decision** /dɪ'sɪʒn/ *s* ~ **(on/about sth)** decisão (sobre alguma coisa): *decision-making* tomada de decisões

decisive /dɪ'saɪsɪv/ *adj* **1** decisivo **2** decidido

deck /dek/ *s* **1** (*Náut*) convés **2** (*autocarro*) andar **3** (*esp USA*) (*cartas*) baralho **4** terraço de madeira (*atrás de uma casa*)

deckchair /'dektʃeə(r)/ *s* cadeira de praia

declaration /ˌdeklə'reɪʃn/ *s* declaração

⚷ **declare** /dɪ'kleə(r)/ *vt* declarar PHR V **declare for/against sb/sth** (*GB, formal*) pronunciar-se a favor/contra alguém/alguma coisa

⚷ **decline** /dɪ'klaɪn/ *verbo, substantivo*
▸ **1** *vt* recusar **2** *vi* ~ **to do sth** (*formal*) recusar-se a fazer alguma coisa **3** *vt, vi* declinar
▸ *s* **1** declinação **2** declínio, decadência

decompose /ˌdi:kəm'pəʊz/ *vi* decompor-se, apodrecer

decor /'deɪkɔ:(r); *USA* deɪ'kɔ:r/ *s* [*não-contável*] decoração

⚷ **decorate** /'dekəreɪt/ *vt* **1** ~ **sth (with sth)** decorar alguma coisa (com alguma coisa) **2** ~ **sb (for sth)** condecorar alguém (por alguma coisa)

⚷ **decoration** /ˌdekə'reɪʃn/ *s* **1** decoração **2** adorno **3** condecoração

⚷ **decorative** /'dekərətɪv; *USA* -reɪtɪv/ *adj* decorativo

decoy /'di:kɔɪ/ *s* chamariz

⚷ **decrease** *verbo, substantivo*
▸ /dɪ'kri:s/ **1** *vi* diminuir **2** *vt* reduzir
▸ *s* /'di:kri:s/ ~ **(in/of sth)** descida, redução (em/de alguma coisa)

decree /dɪ'kri:/ *substantivo, verbo*
▸ *s* decreto
▸ *vt* (*pt, pp* **decreed**) decretar

decrepit /dɪ'krepɪt/ *adj* decrépito

dedicate /'dedɪkeɪt/ *vt* dedicar, consagrar **dedication** *s* **1** dedicação **2** dedicatória

deduce /dɪ'dju:s; *USA* dɪ'du:s/ *vt* (*formal*) deduzir (*teoria, conclusão, etc.*)

deduct /dɪ'dʌkt/ *vt* deduzir (*impostos, gastos, etc.*) **deduction** *s* dedução

deed /di:d/ *s* **1** (*formal*) ato, obra **2** (*formal*) feito **3** (*Jur*) escritura

deem /di:m/ *vt* (*formal*) considerar

⚷ **deep** /di:p/ *adjetivo, advérbio*
▸ *adj* (**deeper, -est**) **1** profundo: *to take a deep breath* respirar fundo **2** de profundidade: *This pool is only one metre deep.* Esta piscina só tem um metro de profundidade. **3** (*voz, som, etc.*) grave **4** (*cor*) carregado **5** ~ **in sth** absorto, imerso em alguma coisa
▸ *adv* (**deeper, -est**) muito fundo: *Don't go in too deep!* Não vás para muito longe! LOC **deep down** no fundo ◆ **go/run deep** (*atitudes, crenças*) estar muito arreigado

deepen /'di:pən/ *vt, vi* aprofundar(-se), aumentar

deep freeze *s Ver* FREEZER

deep-fry /ˌdi:p 'fraɪ/ *vt* (*pt, pp* **deep-fried**) fritar com muito óleo

⚷ **deeply** /'di:pli/ *adv* profundamente, tremendamente

deer /dɪə(r)/ *s* (*pl* **deer**) veado ➲ *Ver nota em* VEADO

default /dɪ'fɔ:lt, 'di:fɔ:lt/ *substantivo, verbo*
▸ *s* **1** incumprimento **2** revelia **3** (*Informát*) valor assumido automaticamente: *default option* opção automática LOC **by default 1** por não comparência: *They won by default.* Ganharam por não comparência da outra equipa. **2** por omissão
▸ *vi* ~ **(on sth)** não pagar (alguma coisa)

⚷ **defeat** /dɪ'fi:t/ *verbo, substantivo*
▸ *vt* **1** derrotar **2** (*formal*) confundir
▸ *s* derrota: *to admit/accept defeat* dar-se por vencido

defect[1] /'di:fekt, dɪ'fekt/ *s* defeito ➲ *Ver nota em* MISTAKE

defect[2] /dɪ'fekt/ *vi* **1** ~ **(from sth)** desertar (de alguma coisa) **2** ~ **to sth** passar para alguma coisa

defection /dɪ'fekʃn/ *s* **1** deserção **2** exílio

defective /dɪ'fektɪv/ *adj* defeituoso, imperfeito

defector /dɪ'fektə(r)/ *s* desertor, -ora

defence (*USA* **defense**) /dɪ'fens/ *s* **1** ~ **(against sth)** defesa (contra alguma coisa) **2 the defence** [*v sing ou pl*] (*em tribunal*) a defesa **defenceless** (*USA* **defenseless**) *adj* indefeso

defend /dɪ'fend/ *vt* ~ **sb/sth (against/from sb/sth)** defender, proteger alguém/alguma coisa (de alguém/alguma coisa) **defendant** /dɪ'fendənt/ *s* acusado, -a, arguido, -a **defender** /dɪ'fendə(r)/ *s* **1** (*Desp*) defesa **2** ~ **(of sth)** defensor, -ora (de alguma coisa)

defensive /dɪ'fensɪv/ *adjetivo, substantivo*
- *adj* ~ **(about sth)** defensivo (em relação a alguma coisa)
- *s* LOC **put sb/be on the defensive** deixar alguém/estar na defensiva

defer /dɪ'fɜ:(r)/ *vt* **(-rr-)** adiar PHR V **defer to sb/sth** (*formal*) acatar (*opinião, decisão, etc.*) **deference** /'defərəns/ *s* deferência, respeito LOC **out of/in deference to sb/sth** por respeito a alguém/alguma coisa

defiance /dɪ'faɪəns/ *s* desafio, desrespeito **defiant** *adj* provocador: *a defiant look* um olhar de desafio

deficiency /dɪ'fɪʃnsi/ *s* (*pl* **deficiencies**) deficiência **deficient** *adj* ~ **(in sth)** deficiente (em alguma coisa)

define /dɪ'faɪn/ *vt* ~ **sth (as sth)** definir alguma coisa (como alguma coisa)

definite /'defɪnət/ *adj* **1** definitivo, concreto **2** ~ **(about sth/that...)** seguro (de alguma coisa/de que...) **3** definido: *definite article* artigo definido

definitely /'defɪnətli/ *adv* **1** sem dúvida alguma: *Definitely not!* Nem pensar! **2** definitivamente

definition /ˌdefɪ'nɪʃn/ *s* definição

definitive /dɪ'fɪnətɪv/ *adj* definitivo, decisivo

deflate /dɪ'fleɪt, ˌdi:-/ *vt, vi* esvaziar

deflect /dɪ'flekt/ *vt* desviar

deforestation /ˌdi:ˌfɒrɪ'steɪʃn; *USA* -fɔ:r-/ *s* desflorestação

deform /dɪ'fɔ:m/ *vt* deformar **deformed** *adj* disforme **deformity** *s* (*pl* **deformities**) deformidade

defrost /ˌdi:'frɒst; *USA* -'frɔ:st/ *vt* descongelar

deft /deft/ *adj* hábil

defunct /dɪ'fʌŋkt/ *adj* (*formal*) extinto, obsoleto

defuse /ˌdi:'fju:z/ *vt* **1** (*bomba*) desactivar **2** (*tensão*) reduzir **3** (*crise*) minorar

defy /dɪ'faɪ/ *vt* (*pt, pp* **defied**) **1** desafiar **2** ~ **sb to do sth** desafiar alguém a fazer alguma coisa

degenerate /dɪ'dʒenəreɪt/ *vi* ~ **(into sth)** degenerar (em alguma coisa) **degeneration** *s* degeneração

degradation /ˌdegrə'deɪʃn/ *s* degradação

degrade /dɪ'greɪd/ *vt* rebaixar, degradar

degree /dɪ'gri:/ *s* **1** grau **2** diploma: *a university degree* uma licenciatura ◇ *to choose a degree course* escolher um curso universitário LOC **by degrees** pouco a pouco

deity /'deɪəti, 'di:əti/ *s* (*pl* **deities**) divindade

dejected /dɪ'dʒektɪd/ *adj* abatido

delay /dɪ'leɪ/ *verbo, substantivo*
- **1** *vt* atrasar: *The train was delayed.* O comboio atrasou. **2** *vi* atrasar, adiar: *Buy now – don't delay!* Não perca tempo – compre já! **3** *vt* adiar: *delaying tactics* tentativas de ganhar tempo ◇ *delayed action* ação retardada
- *s* atraso

delegate *substantivo, verbo*
- *s* /'delɪgət/ delegado, -a
- *vt* /'delɪgeɪt/ ~ **sth (to sb)** delegar alguma coisa (a alguém) **delegation** *s* [*v sing ou pl*] delegação

delete /dɪ'li:t/ *vt* apagar, rasurar **deletion** *s* eliminação, rasura

deliberate *adjetivo, verbo*
- *adj* /dɪ'lɪbərət/ deliberado, intencional
- *vi* /dɪ'lɪbəreɪt/ deliberar

deliberately /dɪ'lɪbərətli/ *adv* intencionalmente, de propósito

deliberation /dɪˌlɪbə'reɪʃn/ *s* [*ger pl*] deliberação

delicacy /'delɪkəsi/ *s* (*pl* **delicacies**) **1** delicadeza **2** iguaria

delicate /'delɪkət/ *adj* delicado: *a delicate colour* uma cor delicada ◇ *delicate china* porcelana fina

delicatessen /ˌdelɪkə'tesn/ (*tb* **deli** /'deli/) *s* charcutaria

delicious /dɪ'lɪʃəs/ *adj* delicioso

delight /dɪ'laɪt/ *substantivo, verbo*
- *s* deleite, delícia: *the delights of travelling* o prazer de viajar LOC **take delight in (doing) sth** **1** deleitar-se com alguma coisa/em fazer alguma coisa **2** (*pej*) comprazer-se com alguma coisa/em fazer alguma coisa
- *vt* encantar PHR V **delight in sth/doing sth** comprazer-se com alguma coisa/em fazer alguma coisa

delighted /dɪ'laɪtɪd/ *adj* **1** ~ **(by/at/with sth)** muito satisfeito (com alguma coisa) **2** ~ **(to do**

sth/that...) muito satisfeito (por fazer alguma coisa/por...)

delightful /dɪ'laɪtfl/ *adj* encantador

delinquency /dɪ'lɪŋkwənsi/ *s* delinquência

D

delinquent /dɪ'lɪŋkwənt/ *adj, s* delinquente

delirious /dɪ'lɪriəs/ *adj* delirante: *delirious with joy* louco de alegria **delirium** *s* delírio

deliver /dɪ'lɪvə(r)/ **1** *vt* (*correio, géneros*) distribuir, entregar **2** *vt* (*recado*) dar **3** *vt* (*discurso, palestra, sermão*) proferir **4** *vt* ~ **a baby** (*Med*) ajudar uma mulher a dar à luz: *The baby was delivered by Caesarean.* O bebé nasceu de cesariana. **5** *vt* (*murro, golpe*) dar, desferir **6** *vt, vi* ~ **(on sth)** cumprir (com) alguma coisa: *If you can't deliver better sales figures, you're fired.* Se não conseguires cumprir a melhoria dos resultados de vendas, vais ser despedido.

delivery /dɪ'lɪvəri/ *s* (*pl* **deliveries**) **1** distribuição **2** entrega **3** parto LOC *Ver* CASH

delta /'deltə/ *s* delta

delude /dɪ'lu:d/ *vt* ~ **sb/yourself (into doing sth)** iludir alguém, iludir-se a si mesmo (a fazer alguma coisa)

deluge /'delju:dʒ/ *substantivo, verbo*
- *s* [*ger sing*] **1** enxurrada **2** (*fig*) avalanche
- *vt* ~ **sb/sth (with sth)** inundar alguém/alguma coisa (com alguma coisa)

delusion /dɪ'lu:ʒn/ *s* ilusão, alucinação

de luxe /ˌdə 'lʌks, 'lʊks/ *adj* de luxo

demand /dɪ'mɑ:nd; *USA* dɪ'mænd/ *substantivo, verbo*
- *s* **1** ~ **(for sth/that...)** exigência (de alguma coisa/de que...) **2** ~ **(of sth)**; ~ **(on sb)** exigência (de alguma coisa), exigência (a alguém) **2** ~ **(for sth/sb)** procura (de alguma coisa/alguém) LOC **in demand** procurado ◆ **on demand** por solicitação *Ver tb* SUPPLY
- *vt* **1** exigir **2** requerer **demanding** *adj* **1** (*pessoa*) exigente **2** (*trabalho*) puxado

demise /dɪ'maɪz/ *s* [*sing*] **1** (*negócio, ideia, etc.*) fracasso **2** (*formal ou hum*) falecimento

demo /'deməʊ/ *s* (*pl* **demos**) (*coloq*) **1** (*esp GB*) manifestação **2** (*Mús*) demo

democracy /dɪ'mɒkrəsi/ *s* (*pl* **democracies**) democracia **democrat** /'deməkræt/ *s* democrata **democratic** /ˌdemə'krætɪk/ *adj* democrático

demographic /ˌdemə'græfɪk/ *adj* demográfico

demolish /dɪ'mɒlɪʃ/ *vt* demolir **demolition** /ˌdemə'lɪʃn/ *s* demolição

demon /'di:mən/ *s* demónio **demonic** /dɪ'mɒnɪk/ *adj* demoníaco

demonstrate /'demənstreɪt/ **1** *vt* provar, comprovar **2** *vi* ~ **(against/in favour of sb/sth)** manifestar-se (contra/a favor de alguém/alguma coisa) **demonstration** *s* **1** ~ **(against/in favour of sb/sth)** manifestação (contra/a favor de alguém/alguma coisa) **2** demonstração

demonstrative /dɪ'mɒnstrətɪv/ *adj* **1** expansivo **2** (*Gram*) demonstrativo

demonstrator /'demənstreɪtə(r)/ *s* manifestante

demoralize, -ise /dɪ'mɒrəlaɪz; *USA* -'mɔ:r-/ *vt* desmoralizar

demure /dɪ'mjʊə(r)/ *adj* recatado

den /den/ *s* covil

denial /dɪ'naɪəl/ *s* **1** ~ **(of sth/that...)** desmentido (de alguma coisa/de que...) **2** ~ **of sth** recusa, negação de alguma coisa

denim /'denɪm/ *s* ganga

denomination /dɪˌnɒmɪ'neɪʃn/ *s* confissão religiosa

denounce /dɪ'naʊns/ *vt* ~ **sb/sth (as sth)** denunciar alguém/alguma coisa (como sendo alguma coisa): *He was denounced to the police (as a terrorist).* Foi denunciado à polícia (como sendo um terrorista).

dense /dens/ *adj* (**denser, -est**) denso **density** *s* (*pl* **densities**) densidade

dent /dent/ *substantivo, verbo*
- *s* amolgadela, mossa
- *vt* amolgar

dental /'dentl/ *adj* dentário: *dental floss* fio dental

dentist /'dentɪst/ *s* dentista

denunciation /dɪˌnʌnsi'eɪʃn/ *s* denúncia

deny /dɪ'naɪ/ *vt* (*pt, pp* **denied**) **1** negar **2** (*rumor, etc.*) desmentir

deodorant /di'əʊdərənt/ *s* desodorizante

depart /dɪ'pɑ:t/ *vi* ~ **(for...) (from...)** (*formal*) partir (para...) (de...)

department /dɪ'pɑ:tmənt/ *s* (*abrev* **Dept**) **1** departamento, secção **2** ministério **departmental** /ˌdi:pɑ:t'mentl/ *adj* departamental

department store *s* grande armazém

departure /dɪ'pɑ:tʃə(r)/ *s* **1** ~ **(from...)** partida (de...) **2** (*de avião, comboio*) saída

depend /dɪ'pend/ *vi* LOC **that depends; it (all) depends** depende PHR V **depend on/upon sb/sth** **1** contar com alguém/alguma coisa **2** confiar em alguém/alguma coisa ◆ **depend on/upon sb/sth (for sth)** depender de alguém/alguma coisa (para alguma coisa) **dependable** *adj* de confiança

dependant (*tb esp USA* **dependent**) /dɪˈpendənt/ *s* pessoa ao cargo de outra

dependence /dɪˈpendəns/ *s* ~ **(on/upon sb/sth)** dependência (de alguém/alguma coisa)

dependent /dɪˈpendənt/ *adj* **1 be ~ on/upon sb/sth** depender de alguém/alguma coisa **2** (*pessoa*) dependente

depict /dɪˈpɪkt/ *vt* representar

depleted /dɪˈpliːtɪd/ *adj* depauperado

deplore /dɪˈplɔː(r)/ *vt* (*formal*) **1** condenar **2** lamentar

deploy /dɪˈplɔɪ/ *vt* (*Mil*) dispor (em formação)

deport /dɪˈpɔːt/ *vt* deportar **deportation** /ˌdiːpɔːˈteɪʃn/ *s* deportação

depose /dɪˈpəʊz/ *vt* destituir, depor

deposit /dɪˈpɒzɪt/ *verbo, substantivo*
▸ *vt* **1** (*dinheiro*) depositar **2 ~ sth (in sth/with sb)** (*bens*) deixar alguma coisa (em alguma coisa/ao cuidado de alguém)
▸ *s* **1 ~ (on sth)** sinal, quantia inicial (para alguma coisa): *to put down a deposit on a house* pagar o sinal de uma casa **2** (*aluguer*) sinal **3** (*Fin*) depósito: *deposit account* conta a prazo **4** entrada, depósito: *safety deposit box* cofre **5** depósito, sedimento

depot /ˈdepəʊ; *USA* ˈdiːpəʊ/ *s* **1** depósito, armazém **2** (*GB*) (*para veículos*) garagem **3** (*USA*) estação (*de caminhos-de-ferro ou autocarros*)

depress /dɪˈpres/ *vt* deprimir **depressed** *adj* deprimido **depressing** *adj* deprimente **depression** *s* depressão

deprivation /ˌdeprɪˈveɪʃn/ *s* pobreza, privação

deprive /dɪˈpraɪv/ *vt* ~ **sb/sth of sth** privar alguém/alguma coisa de alguma coisa **deprived** *adj* necessitado

depth /depθ/ *s* profundidade LOC **in depth** a fundo, em profundidade ◆ **out of your depth** perdido: *He felt out of his depth in his new job.* Ele sentia-se perdido no novo emprego.

deputation /ˌdepjuˈteɪʃn/ *s* [*v sing ou pl*] delegação

deputize, -ise /ˈdepjutaɪz/ *vi* ~ **(for sb)** representar alguém

deputy /ˈdepjuti/ *s* (*pl* **deputies**) **1** substituto, -a, delegado, -a: *deputy chairman* vice-presidente **2** (*Pol*) deputado, -a ❶ A tradução mais comum de *deputado* em contexto político é **MP (Member of Parliament)** na Grã-Bretanha e **congressman** ou **congresswoman** nos Estados Unidos.

deranged /dɪˈreɪndʒd/ *adj* transtornado, louco

derby /ˈdɑːbi; *USA* ˈdɜːrbi/ *s* **1** (*GB*) (*Desp*) derby **2** (*USA*) chapéu de coco

deregulation /ˌdiːreɡjuˈleɪʃn/ *s* desregulamentação (*vendas, serviços, etc.*)

derelict /ˈderəlɪkt/ *adj* abandonado (*edifício*)

deride /dɪˈraɪd/ *vt* (*formal*) ridicularizar, troçar de

derision /dɪˈrɪʒn/ *s* troça **derisive** /dɪˈraɪsɪv/ *adj* trocista **derisory** /dɪˈraɪsəri/ *adj* (*formal*) irrisório

derivation /ˌderɪˈveɪʃn/ *s* derivação **derivative** /dɪˈrɪvətɪv/ *s* derivado

derive /dɪˈraɪv/ **1** *vt* ~ **sth from sth** (*formal*) obter, extrair alguma coisa de alguma coisa: *to derive comfort from sth* consolar-se com alguma coisa **2** *vt, vi* **be derived from sth**; ~ **from sth** derivar de alguma coisa

derogatory /dɪˈrɒɡətri; *USA* -tɔːri/ *adj* depreciativo

descend /dɪˈsend/ *vt, vi* (*formal*) descer (de) **descendant** *s* descendente

descent /dɪˈsent/ *s* **1** descida **2** descendência

describe /dɪˈskraɪb/ *vt* ~ **sb/sth (as sth)** descrever alguém/alguma coisa (como alguma coisa)

description /dɪˈskrɪpʃn/ *s* descrição

desert *substantivo, verbo*
▸ *s* /ˈdezət/ deserto
▸ /dɪˈzɜːt/ **1** *vt* abandonar **2** *vi* (*Mil*) desertar

deserted /dɪˈzɜːtɪd/ *adj* deserto

deserter /dɪˈzɜːtə(r)/ *s* desertor, -ora

desertification /dɪˌzɜːtɪfɪˈkeɪʃn/ *s* desertificação

deserve /dɪˈzɜːv/ *vt* merecer LOC *Ver* RICHLY *em* RICH **deserving** *adj* (*formal*) digno

design /dɪˈzaɪn/ *substantivo, verbo*
▸ *s* **1 ~ (for/of sth)** desenho (de alguma coisa) **2** (*artístico*) design **3** (*motivos*) padrão **4** (*peça de vestuário*) modelo
▸ *vt* desenhar

designate /ˈdezɪɡneɪt/ *vt* **1 ~ sb/sth (as) sth** designar alguém/alguma coisa para alguma coisa **2 ~ sb (as) sth** nomear alguém (como/para) alguma coisa

designer /dɪˈzaɪnə(r)/ *s* **1** desenhador, -ora **2** estilista **3** designer

desirable /dɪˈzaɪərəbl/ *adj* desejável

desire /dɪˈzaɪə(r)/ *substantivo, verbo*
▸ *s* **1 ~ (for sb/sth)** desejo (por alguém/de alguma coisa) **2 ~ (to do sth)** desejo (de fazer alguma coisa): *He had no desire to see her.* Não tinha nenhuma vontade de a ver.

D

▸ *vt* desejar

🔑 **desk** /desk/ *s* secretária (*móvel*)

desktop /ˈdesktɒp/ *adj*: *a desktop computer* um computador pessoal ◇ *desktop publishing* edição eletrónica

D

desolate /ˈdesələt/ *adj* **1** (*paisagem*) desolado, deserto **2** (*futuro*) desolador **desolation** *s* (*formal*) desolação

despair /dɪˈspeə(r)/ *verbo, substantivo*
▸ *vi* **1** ~ **(of sth/doing sth)** perder a esperança (de alguma coisa/fazer alguma coisa) **2** ~ **of sb** desesperar com alguém
▸ *s* desespero **despairing** *adj* desesperado

despatch = DISPATCH

🔑 **desperate** /ˈdespərət/ *adj* desesperado

despicable /dɪˈspɪkəbl/ *adj* (*formal*) desprezível

despise /dɪˈspaɪz/ *vt* desprezar

🔑 **despite** /dɪˈspaɪt/ *prep* apesar de

despondent /dɪˈspɒndənt/ *adj* desanimado, abatido

despot /ˈdespɒt/ *s* déspota

dessert /dɪˈzɜːt/ *s* sobremesa

dessertspoon /dɪˈzɜːtspuːn/ *s* **1** colher de sobremesa **2** (*tb* **dessertspoonful**) colher de sobremesa (*medida*)

destination /ˌdestɪˈneɪʃn/ *s* destino (*de avião, barco, etc.*)

destined /ˈdestɪnd/ *adj* ~ **(for sth/to do sth)** (*formal*) destinado (a alguma coisa/a fazer alguma coisa): *It was destined to fail.* Estava condenado a fracassar.

destiny /ˈdestəni/ *s* (*pl* **destinies**) destino (*fado*)

destitute /ˈdestɪtjuːt; *USA* -tuːt/ *adj* indigente

🔑 **destroy** /dɪˈstrɔɪ/ *vt* destruir **destroyer** *s* contratorpedeiro

🔑 **destruction** /dɪˈstrʌkʃn/ *s* destruição **destructive** *adj* destrutivo

detach /dɪˈtætʃ/ **1** *vt* ~ **sth (from sth)** arrancar alguma coisa (de alguma coisa) **2** *vi* ~ **(from sth)** soltar-se (de alguma coisa) **detachable** *adj* separável

detached /dɪˈtætʃt/ *adj* **1** imparcial **2** indiferente **3** (*casa*) não unido a outra casa: *detached house* vivenda ➲ *Comparar com* SEMI-DETACHED

detachment /dɪˈtætʃmənt/ *s* **1** imparcialidade **2** indiferença **3** (*Mil*) destacamento

🔑 **detail** /ˈdiːteɪl; *USA* dɪˈteɪl/ *substantivo, verbo*
▸ *s* pormenor, detalhe LOC **go into detail(s)** entrar em pormenores ◆ **in detail** com todos os pormenores, pormenorizadamente
▸ *vt* pormenorizar

🔑 **detailed** /ˈdiːteɪld; *USA* dɪˈteɪld/ *adj* pormenorizado

detain /dɪˈteɪn/ *vt* deter **detainee** /ˌdiːteɪˈniː/ *s* detido, -a

detect /dɪˈtekt/ *vt* detetar **detectable** *adj* detetável **detection** *s* deteção: *to escape detection* passar despercebido

detective /dɪˈtektɪv/ *s* detetive, investigador, -ora policial: *detective story* romance policial

detention /dɪˈtenʃn/ *s* detenção: *detention centre* centro de detenção

deter /dɪˈtɜː(r)/ *vt* **(-rr-)** ~ **sb (from doing sth)** dissuadir alguém (de fazer alguma coisa)

detergent /dɪˈtɜːdʒənt/ *s* detergente

deteriorate /dɪˈtɪəriəreɪt/ *vi* deteriorar, piorar **deterioration** *s* deterioração

🔑 **determination** /dɪˌtɜːmɪˈneɪʃn/ *s* determinação

🔑 **determine** /dɪˈtɜːmɪn/ *vt* (*formal*) determinar, decidir: *to determine the cause of an accident* determinar a causa de um acidente ◇ *determining factor* fator determinante

🔑 **determined** /dɪˈtɜːmɪnd/ *adj* ~ **(to do sth)** decidido (a fazer alguma coisa)

determiner /dɪˈtɜːmɪnə(r)/ *s* (*Gram*) determinante

deterrent /dɪˈterənt; *USA* -ˈtɜːr-/ *s* **1** impedimento **2** argumento dissuasivo **3** (*Mil*) força dissuasiva: *nuclear deterrent* força nuclear dissuasiva

detest /dɪˈtest/ *vt* detestar

detonate /ˈdetəneɪt/ *vt, vi* detonar

detour /ˈdiːtʊə(r)/ *s* desvio: *We had to make a detour to avoid the area.* Tivemos de fazer um desvio para evitar a zona.

detract /dɪˈtrækt/ *vi* ~ **from sth** minimizar o mérito de alguma coisa: *The incident detracted from our enjoyment of the evening.* O incidente quase que estragou a nossa noite.

detriment /ˈdetrɪmənt/ *s* LOC **to the detriment of sb/sth** (*formal*) em detrimento de alguém/alguma coisa **detrimental** /ˌdetrɪˈmentl/ *adj* ~ **(to sb/sth)** prejudicial (para alguém/alguma coisa)

devaluation /ˌdiːˌvæljuˈeɪʃn/ *s* desvalorização

devalue /ˌdiːˈvæljuː/ *vt, vi* desvalorizar(-se)

devastate /ˈdevəsteɪt/ *vt* **1** devastar, assolar **2** (*pessoa*) arrasar **devastating** *adj* **1** devastador **2** arrasador **devastation** *s* devastação

develop /dɪˈveləp/ **1** *vt, vi* desenvolver(-se) **2** *vt* (*plano, estratégia*) elaborar **3** *vt* (*terreno*) urbanizar, construir em **4** *vt* (*Fot*) revelar **developed** *adj* desenvolvido **developer** *s* **1** promotor imobiliário, promotora imobiliária **2** *software developers* programadores **developing** *adj* em (vias de) desenvolvimento

development /dɪˈveləpmənt/ *s* **1** desenvolvimento, evolução: *development area* área de desenvolvimento ◇ *There has been a new development.* A situação mudou. **2** (*de terrenos*) urbanização **3** complexo (*comercial, habitacional*)

deviant /ˈdiːviənt/ *adj, s* **1** aberrante **2** (*sexual*) pervertido

deviate /ˈdiːvieɪt/ *vi* ~ **(from sth)** desviar-se (de alguma coisa) **deviation** *s* ~ **(from sth)** desvio (de alguma coisa)

device /dɪˈvaɪs/ *s* **1** dispositivo, aparato, mecanismo: *explosive/nuclear device* engenho explosivo/nuclear **2** (*plano*) esquema, estratagema LOC *Ver* LEAVE

devil /ˈdevl/ *s* diabo, demónio: *You lucky devil!* Tens uma sorte do diabo!

devious /ˈdiːviəs/ *adj* **1** tortuoso, intrincado **2** (*método, pessoa*) escuso, desonesto

devise /dɪˈvaɪz/ *vt* conceber, inventar

devoid /dɪˈvɔɪd/ *adj* ~ **of sth** desprovido, destituído de alguma coisa

devolution /ˌdiːvəˈluːʃn; *USA* ˌdev-/ *s* **1** descentralização **2** (*poderes*) delegação

devote /dɪˈvəʊt/ *v* PHR V **devote sth to sth** **1** dedicar alguma coisa a alguma coisa **2** (*recursos*) destinar alguma coisa a alguma coisa ◆ **devote yourself to sb/sth** dedicar-se a alguém/alguma coisa

devoted /dɪˈvəʊtɪd/ *adj* ~ **(to sb/sth)** dedicado, devotado (a alguém/alguma coisa): *They're devoted to each other.* Vivem um para o outro.

devotee /ˌdevəˈtiː/ *s* seguidor, -ora

devotion /dɪˈvəʊʃn/ *s* ~ **(to sb/sth)** devoção (a alguém/alguma coisa)

devour /dɪˈvaʊə(r)/ *vt* devorar

devout /dɪˈvaʊt/ *adj* **1** devoto, piedoso **2** (*esperança, desejo*) sincero **devoutly** *adv* **1** piedosamente, com devoção **2** sinceramente

dew /djuː; *USA* duː/ *s* orvalho

dexterity /dekˈsterəti/ *s* destreza

diabetes /ˌdaɪəˈbiːtiːz/ *s* [*não-contável*] diabetes **diabetic** /ˌdaɪəˈbetɪk/ *adj, s* diabético, -a

diabolical /ˌdaɪəˈbɒlɪkl/ *adj* (*esp GB, coloq*) diabólico

diagnose /ˈdaɪəgnəʊz; *USA* ˌdaɪəgˈnəʊs/ *vt* diagnosticar: *She was diagnosed with cancer.* Diagnosticaram-lhe cancro. ◇ *He was diagnosed as having acute appendicitis.* Foi-lhe diagnosticada uma apendicite aguda. **diagnosis** /ˌdaɪəgˈnəʊsɪs/ *s* (*pl* **diagnoses** /-siːz/) diagnóstico **diagnostic** /ˌdaɪəgˈnɒstɪk/ *adj* diagnóstico

diagonal /daɪˈægənl/ *adj, s* diagonal **diagonally** *adv* diagonalmente

diagram /ˈdaɪəgræm/ *s* diagrama

dial /ˈdaɪəl/ *substantivo, verbo*
▸ *s* **1** mostrador **2** (*telefone*) disco
▸ *vt* (**-ll-**, *USA* **-l-**) marcar: *to dial the wrong number* marcar o número errado

dialect /ˈdaɪəlekt/ *s* dialeto

dialling code *s* indicativo

dialling tone (*USA* **dial tone**) *s* sinal de marcar

dialogue (*USA tb* **dialog**) /ˈdaɪəlɒg/ *s* diálogo

diameter /daɪˈæmɪtə(r)/ *s* diâmetro: *It is 15 cm in diameter.* Tem 15 cm de diâmetro.

diamond /ˈdaɪəmənd/ *s* **1** diamante **2** losango **3** *diamond jubilee* sexagésimo aniversário ◇ *diamond wedding* bodas de diamante **4 diamonds** [*pl*] (*em baralho de cartas*) ouros ➲ *Ver nota em* BARALHO

diaper /ˈdaɪəpər; *USA* ˈdaɪpər/ *s* (*USA*) fralda

diaphragm /ˈdaɪəfræm/ *s* diafragma

diarrhoea (*USA* **diarrhea**) /ˌdaɪəˈrɪə; *USA* -ˈriːə/ *s* [*não-contável*] diarreia

diary /ˈdaɪəri/ *s* (*pl* **diaries**) **1** diário **2** agenda

dice /daɪs/ *substantivo, verbo*
▸ *s* (*pl* **dice**) dado: *to roll/throw the dice* lançar os dados ◇ *to play dice* jogar dados
▸ *vt* cortar em cubos

dictate /dɪkˈteɪt; *USA* ˈdɪkteɪt/ *vt, vi* ~ **(sth) (to sb)** ditar (alguma coisa) (a alguém) PHR V **dictate to sb** dar ordens a alguém de forma autoritária: *You can't dictate to your children how to run their lives.* Não podes dizer aos teus filhos como devem viver a sua vida. **dictation** *s* ditado

dictator /dɪkˈteɪtə(r); *USA* ˈdɪkteɪtər/ *s* (*pej*) ditador, -ora **dictatorship** *s* ditadura

dictionary /ˈdɪkʃənri; *USA* -neri/ *s* (*pl* **dictionaries**) dicionário

did /dɪd/ *pt de* DO

didactic /daɪˈdæktɪk/ *adj* (*formal*) didático

didn't /'dɪdnt/ = DID NOT *Ver* DO

die /daɪ/ *vi* (*pt, pp* **died** *part pres* **dying**) morrer: *to die of/from sth* morrer de alguma coisa LOC **be dying for sth/to do sth** (*coloq*) estar morto por alguma coisa/por fazer alguma coisa PHR V **die away 1** definhar, ir morrendo aos poucos **2** (*ruído*) ir diminuindo ◆ **die down 1** apagar-se, diminuir **2** (*vento*) amainar ◆ **die off** morrer um atrás do outro ◆ **die out 1** (*animais, plantas, etc.*) extinguir-se **2** (*tradições*) desaparecer

diesel /'di:zl/ *s* **1** diesel: *diesel fuel/oil* gasóleo **2** carro a gasóleo

diet /'daɪət/ *substantivo, verbo*
▸ *s* dieta LOC **be/go on a diet** estar de/fazer dieta ➲ *Ver nota em* LOW-CALORIE
▸ *vi* estar de/fazer dieta **dietary** /'daɪətəri; *USA* -teri/ *adj* **1** dietético **2** alimentar: *dietary requirements* necessidades alimentares

differ /'dɪfə(r)/ *vi* **1** ~ **(from sb/sth)** ser diferente (de alguém/alguma coisa) **2** ~ **(with sb) (about/on sth)** discordar (de alguém) (sobre/em alguma coisa)

difference /'dɪfrəns/ *s* diferença: *to make up the difference (in price)* cobrir a diferença (de preço) ◇ *a difference of opinion* uma divergência LOC **it makes all the difference** muda tudo ◆ **it makes no difference** dá no mesmo, tanto faz ◆ **what difference does it make?** que diferença é que isso faz?

different /'dɪfrənt/ *adj* ~ **(from/to/than sb/sth)** diferente, distinto (de alguém/alguma coisa) ❶ **Different from sb/sth** só se usa na Grã-Bretanha, e **different than sb/sth** nos Estados Unidos.

differentiate /ˌdɪfə'renʃieɪt/ **1** *vt* ~ **A from B** diferenciar, distinguir A de B **2** *vi* ~ **between A and B** diferenciar, distinguir entre A e B **differentiation** *s* diferenciação

differently /'dɪfrəntli/ *adv* diferentemente, de maneira diferente

difficult /'dɪfɪkəlt/ *adj* difícil

difficulty /'dɪfɪkəlti/ *s* (*pl* **difficulties**) **1** dificuldade: *with great difficulty* com grande dificuldade **2** (*situação difícil*) apuro, aperto: *to get/run into difficulties* meter-se em apuros/dificuldades ◇ *to make difficulties for sb* criar dificuldades a alguém

diffidence /'dɪfɪdəns/ *s* insegurança

diffident /'dɪfɪdənt/ *adj* inseguro

dig /dɪg/ *verbo, substantivo*
▸ *vt, vi* (*pt, pp* **dug** /dʌg/, *part pres* **digging**) cavar: *to dig for sth* escavar à procura de alguma coisa LOC **dig your heels in** fazer finca-pé PHR V **dig in; dig into sth** (*coloq*) (*comida*) atacar (alguma coisa) ◆ **dig (sth) into sth** cravar alguma coisa, cravar-se em alguma coisa: *The back of the chair was digging into his back.* O encosto da cadeira estava a cravar-se nas costas dele. ◆ **dig sb/sth out** desenterrar alguém/alguma coisa ◆ **dig sth up 1** (*planta*) arrancar alguma coisa da terra **2** (*objeto oculto, factos*) desenterrar alguma coisa **3** (*rua, etc.*) levantar alguma coisa
▸ *s* **1** escavação **2** *to have a dig at sb* provocar verbalmente alguém

digest *substantivo, verbo*
▸ *s* /'daɪdʒest/ **1** resumo **2** compilação
▸ *vt, vi* /daɪ'dʒest, dɪ-/ digerir

digestion /daɪ'dʒestʃən, dɪ-/ *s* digestão

digger /'dɪgə(r)/ *s* escavadora

digit /'dɪdʒɪt/ *s* dígito

digital /'dɪdʒɪtl/ *adj* digital: *digital camera/TV* câmara/televisão digital

dignified /'dɪgnɪfaɪd/ *adj* digno

dignitary /'dɪgnɪtəri; *USA* -teri/ *s* (*pl* **dignitaries**) dignatário, -a

dignity /'dɪgnəti/ *s* dignidade

digression /daɪ'greʃn/ *s* digressão

dike = DYKE

dilapidated /dɪ'læpɪdeɪtɪd/ *adj* **1** em mau estado **2** (*veículo*) a cair aos bocados

dilemma /dɪ'lemə, daɪ-/ *s* dilema

dilute /daɪ'lu:t/ *vt* **1** diluir **2** (*fig*) suavizar, atenuar

dim /dɪm/ *adjetivo, verbo*
▸ *adj* (**dimmer, -est**) **1** (*luz*) fraco, ténue **2** (*lugar*) escuro **3** (*recordação, ideia*) vago **4** (*perspetiva*) pouco prometedor, sombrio **5** (*vista*) fraco **6** (*esp GB, coloq*) (*pessoa*) burro
▸ (**-mm-**) **1** *vt* (*luz*) baixar **2** *vi* (*luz*) ir enfraquecendo pouco a pouco **3** *vt, vi* (*fig*) obscurecer, extinguir(-se)

dime /daɪm/ *s* (*Can, USA*) moeda de 10 cêntimos

dimension /daɪ'menʃn, dɪ-/ *s* dimensão

diminish /dɪ'mɪnɪʃ/ *vt, vi* diminuir

diminutive /dɪ'mɪnjətɪv/ *adjetivo, substantivo*
▸ *adj* (*formal*) diminuto
▸ *adj, s* diminutivo

dimly /'dɪmli/ *adv* **1** (*iluminar*) fracamente **2** (*recordar*) vagamente **3** (*ver*) indistintamente

dimple /'dɪmpl/ *s* covinha

din /dɪn/ *s* [*sing*] **1** (*de gente*) barulheira **2** (*de máquinas*) ruído

dine /daɪn/ *vi* ~ **(on sth)** (*formal*) jantar, almoçar (alguma coisa) PHR V **dine out** jantar/almoçar fora **diner** *s* **1** comensal **2** (*USA*) snack-bar (*à beira da estrada*)

dinghy /'dɪŋi, 'dɪŋgi/ *s* (*pl* **dinghies**) **1** barco, bote **2** (*insuflável*) barco de borracha

dingy /'dɪndʒi/ *adj* (**dingier**, **-iest**) **1** (*deprimente*) sombrio **2** sujo

dining room *s* sala de jantar

dinner /'dɪnə(r)/ *s* **1** [*não-contável*] jantar, almoço: *dinner time* hora do jantar ◇ *to have dinner* jantar/almoçar ❶ **Dinner** utiliza-se para se referir à principal refeição do dia. **2** banquete ➲ *Ver nota em* NATAL **3** (*tb* **dinner party**) (*entre amigos*) jantar

dinner jacket *s* smoking

dinosaur /'daɪnəsɔ:(r)/ *s* dinossauro

diocese /'daɪəsɪs/ *s* (*pl* **dioceses** /'daɪəsi:z/) diocese

dioxide /daɪ'ɒksaɪd/ *s* dióxido

dip /dɪp/ *verbo, substantivo*
▸ (**-pp-**) **1** *vt* ~ **sth (in/into sth)** mergulhar, molhar, embeber alguma coisa (em alguma coisa) **2** *vi* descer **3** *vt* baixar: *to dip the headlights (of a car)* baixar as luzes (dum carro)
▸ *s* **1** (*coloq*) mergulho: *to go for a dip in the sea* ir dar um mergulho no mar **2** (*Geog*) depressão **3** declive **4** (*preços, etc.*) descida **5** (*Cozinha*) molho (*para molhar petiscos*)

diploma /dɪ'pləʊmə/ *s* diploma

diplomacy /dɪ'pləʊməsi/ *s* diplomacia **diplomat** /'dɪpləmæt/ *s* diplomata **diplomatic** /ˌdɪplə'mætɪk/ *adj* (*lit e fig*) diplomático **diplomatically** /-kli/ *adv* diplomaticamente, com diplomacia

dire /'daɪə(r)/ *adj* (**direr**, **-est**) **1** (*formal*) horrível, extremo **2** (*GB, coloq*) terrível

direct /də'rekt, dɪ-, daɪ-/ *verbo, adjetivo, advérbio*
▸ *vt* dirigir: *Could you direct me to...?* Podia-me indicar o caminho para...?
▸ *adj* **1** direto **2** franco **3** *That's the direct opposite of what I said.* O que eu disse foi exatamente o contrário.
▸ *adv* **1** diretamente: *The train goes direct to London.* O comboio segue diretamente para Londres. **2** em pessoa

direct debit *s* ordem de pagamento (*por transferência bancária*)

direction /də'rekʃn, dɪ-, daɪ-/ *s* **1** direção, sentido **2** **directions** [*pl*] instruções: *to ask (sb) for directions* perguntar o caminho (a alguém)

directive /də'rektɪv, dɪ-, daɪ-/ *s* diretiva

directly /də'rektli, dɪ-, daɪ-/ *adv* **1** diretamente: *directly opposite (sth)* mesmo em frente (de alguma coisa) **2** imediatamente

directness /də'rektnəs, dɪ-, daɪ-/ *s* franqueza

director /də'rektə(r), dɪ-, daɪ-/ *s* **1** diretor, -ora *Ver tb* MANAGING DIRECTOR **2** (*Cinema*) realizador, -ora

directorate /də'rektərət, dɪ-, daɪ-/ *s* **1** direção **2** direção-geral

directory /də'rektəri, dɪ-, daɪ-/ *s* (*pl* **directories**) diretório, lista (*telefónica, etc.*): *directory enquiries* serviço informativo nacional

dirt /dɜ:t/ *s* [*não-contável*] **1** sujidade, porcaria **2** terra **3** (*coloq*) podres LOC *Ver* TREAT

dirt cheap *adj* (*coloq*) ao preço da uva mijona: *It was dirt cheap.* Foi uma pechincha.

dirty /'dɜ:ti/ *adjetivo, verbo*
▸ *adj* (**dirtier**, **-iest**) **1** sujo **2** (*anedota, livro*) porco, indecente **3** (*coloq*) sujo: *dirty trick* golpe sujo **4** *dirty word* palavrão
▸ *vt, vi* (*pt, pp* **dirtied**) sujar(-se)

disability /ˌdɪsə'bɪləti/ *s* (*pl* **disabilities**) **1** incapacidade **2** (*Med*) deficiência

disabled /dɪs'eɪbld/ *adjetivo, substantivo*
▸ *adj* deficiente
▸ *s* **the disabled** [*pl*] os deficientes ➲ *Ver nota em* DEFICIENTE

disadvantage /ˌdɪsəd'vɑ:ntɪdʒ; *USA* -'væn-/ *s* desvantagem LOC **be/put sb at a disadvantage** estar/deixar alguém em desvantagem **disadvantaged** *adj* prejudicado **disadvantageous** /ˌdɪsædvæn'teɪdʒəs/ *adj* (*formal*) desvantajoso

disagree /ˌdɪsə'gri:/ *vi* (*pt, pp* **disagreed**) ~ **(with sb/sth) (about/on sth)** discordar (de alguém/alguma coisa) (sobre/em alguma coisa): *He disagreed with her on how to spend the money.* Não concordei com ela relativamente à forma de gastar o dinheiro. PHR V **disagree with sb** (*comida, clima*) não cair bem a alguém **disagreeable** *adj* (*formal*) desagradável

disagreement /ˌdɪsə'gri:mənt/ *s* **1** desacordo **2** divergência

disappear /ˌdɪsə'pɪə(r)/ *vi* desaparecer: *It disappeared into the bushes.* Desapareceu por entre os arbustos. **disappearance** *s* desaparecimento

disappoint /ˌdɪsə'pɔɪnt/ *vt* dececionar, desapontar

disappointed /ˌdɪsə'pɔɪntɪd/ *adj* **1** ~ **(at/by sth)** dececionado, desapontado (com alguma coisa) **2** ~ **(in/with sb/sth)** dececionado (com alguém/alguma coisa): *I'm disappointed in you.* Estou dececionado contigo.

disappointing /ˌdɪsəˈpɔɪntɪŋ/ *adj* decepcionante
disappointment /ˌdɪsəˈpɔɪntmənt/ *s* deceção
disapproval /ˌdɪsəˈpruːvl/ *s* reprovação
disapprove /ˌdɪsəˈpruːv/ *vi* **1** ~ **(of sth)** desaprovar (alguma coisa) **2** ~ **(of sb)** não aprovar (alguém)
disapproving /ˌdɪsəˈpruːvɪŋ/ *adj* reprovador
disarm /dɪsˈɑːm/ *vt, vi* desarmar(-se) **disarmament** *s* desarmamento
disassociate = DISSOCIATE
disaster /dɪˈzɑːstə(r); *USA* -ˈzæs-/ *s* desastre **disastrous** *adj* desastroso, catastrófico
disband /dɪsˈbænd/ *vt, vi* (*grupo*) dissolver(-se), desfazer-se
disbelief /ˌdɪsbɪˈliːf/ *s* incredulidade
disc /dɪsk/ *s* disco
discard /dɪˈskɑːd/ *vt* deitar fora, desfazer-se de
discern /dɪˈsɜːn/ *vt* (*formal*) **1** descobrir **2** distinguir **discernible** *adj* perceptível
discharge *verbo, substantivo*
▸ *vt* /dɪsˈtʃɑːdʒ/ **1** (*resíduos*) despejar **2** (*Mil*) licenciar **3** (*Med, doente*) dar alta a **4** (*formal*) (*dever*) desempenhar
▸ *s* /ˈdɪstʃɑːdʒ/ **1** (*de eletricidade, carregamento, artilharia*) descarga **2** (*resíduo*) despejo **3** (*Mil*) licenciamento **4** (*Jur*): *conditional discharge* liberdade condicional **5** (*Med*) supuração **6** (*doente*) alta
disciple /dɪˈsaɪpl/ *s* discípulo, -a
disciplinary /ˈdɪsəplɪnəri, ˌdɪsəˈplɪnəri; *USA* ˈdɪsəpləneri/ *adj* disciplinar
discipline /ˈdɪsəplɪn/ *substantivo, verbo*
▸ *s* disciplina
▸ *vt* disciplinar
disc jockey *s* (*pl* **disc jockeys**) (*abrev* **DJ**) disc(o)-jockey
disclose /dɪsˈkləʊz/ *vt* revelar **disclosure** /dɪsˈkləʊʒə(r)/ *s* (*formal*) revelação (*de um segredo*)
disco /ˈdɪskəʊ/ *s* (*pl* **discos**) discoteca
discolour (*USA* **discolor**) /dɪsˈkʌlə(r)/ *vt, vi* descolorar(-se), debotar
discomfort /dɪsˈkʌmfət/ *s* [*não-contável*] **1** desconforto **2** mal-estar
disconcerted /ˌdɪskənˈsɜːtɪd/ *adj* desconcertado **disconcerting** *adj* desconcertante
disconnect /ˌdɪskəˈnekt/ *vt* **1** desligar **2** (*luz*) cortar **disconnected** *adj* desconexo, incoerente
discontent /ˌdɪskənˈtent/ (*tb* **discontentment**) *s* ~ **(at/with/over sth)** descontentamento (com alguma coisa) **discontented** *adj* descontente
discontinue /ˌdɪskənˈtɪnjuː/ *vt* suspender, descontinuar
discord /ˈdɪskɔːd/ *s* **1** (*formal*) discórdia **2** (*Mús*) dissonância **discordant** /dɪsˈkɔːdənt/ *adj* **1** (*formal*) (*opiniões*) discordante **2** (*nota*) dissonante
discount *verbo, substantivo*
▸ *vt* /dɪsˈkaʊnt; *USA* ˈdɪskaʊnt/ **1** (*formal*) descartar, ignorar **2** (*Com*) baixar, reduzir
▸ *s* /ˈdɪskaʊnt/ desconto LOC **at a discount** com desconto
discourage /dɪsˈkʌrɪdʒ; *USA* -ˈkɜːr-/ *vt* **1** desencorajar **2** desaconselhar **3** ~ **sb from doing sth** dissuadir alguém de fazer alguma coisa **discouraging** *adj* desanimador
discover /dɪsˈkʌvə(r)/ *vt* descobrir
discovery /dɪˈskʌvəri/ *s* (*pl* **discoveries**) descoberta, descobrimento
discredit /dɪsˈkredɪt/ *vt* desacreditar
discreet /dɪˈskriːt/ *adj* discreto
discrepancy /dɪsˈkrepənsi/ *s* (*pl* **discrepancies**) discrepância
discretion /dɪˈskreʃn/ *s* **1** discrição **2** arbítrio LOC **at sb's discretion** ao critério de alguém
discriminate /dɪˈskrɪmɪneɪt/ *vi* **1** ~ **(between A and B)** distinguir (entre A e B) **2** ~ **against sb** discriminar alguém **3** ~ **in favour of sb** favorecer alguém **discriminating** *adj* perspicaz **discrimination** *s* **1** discriminação **2** discernimento, bom senso
discuss /dɪˈskʌs/ *vt* ~ **sth (with sb)** discutir, debater alguma coisa (com alguém)
discussion /dɪˈskʌʃn/ *s* discussão, debate ➲ *Comparar com* ARGUMENT, ROW²
disdain /dɪsˈdeɪn/ *s* desdém, desprezo
disease /dɪˈziːz/ *s* doença, mal

Em geral, **disease** usa-se com doenças específicas como *heart disease, Parkinson's disease*, etc., ao passo que **illness** se refere à doença como estado ou ao período de tempo durante o qual se está doente. ➲ *Ver tb exemplos em* ILLNESS

diseased *adj* doente
disembark /ˌdɪsɪmˈbɑːk/ *vi* ~ **(from sth)** desembarcar (de alguma coisa) (*barcos e aviões*)
disenchanted /ˌdɪsɪnˈtʃɑːntɪd; *USA* -ˈtʃænt-/ *adj* ~ **(with sb/sth)** desencantado, desiludido (com alguém/alguma coisa)

disentangle /ˌdɪsɪn'tæŋgl/ *vt* **1** desembaraçar **2** ~ **sth/sb (from sth)** libertar alguma coisa/alguém (de alguma coisa)

disfigure /dɪs'fɪgə(r); *USA* -gjər/ *vt* desfigurar

disgrace /dɪs'greɪs/ *verbo, substantivo*
▸ *vt* desonrar: *to disgrace yourself* cair na desonra
▸ *s* **1** vergonha, desonra **2** [*sing*] **a ~ (to sb/sth)** uma vergonha (de alguém/alguma coisa) LOC **in disgrace (with sb)** em desgraça (perante alguém) **disgraceful** *adj* vergonhoso

disgruntled /dɪs'grʌntld/ *adj* ~ **(at sb/sth)** irritado (com alguém/alguma coisa)

disguise /dɪs'gaɪz/ *verbo, substantivo*
▸ *vt* **1** ~ **sb/yourself (as sb/sth)** disfarçar alguém, disfarçar-se (de alguém/alguma coisa) **2** (*voz*) disfarçar **3** (*emoção*) esconder
▸ *s* disfarce LOC **in disguise** disfarçado *Ver tb* BLESSING

disgust /dɪs'gʌst/ *substantivo, verbo*
▸ *s* nojo, repugnância
▸ *vt* enojar

disgusting /dɪs'gʌstɪŋ/ *adj* **1** nojento **2** repugnante

dish /dɪʃ/ *substantivo, verbo*
▸ *s* **1** (*comida*) prato: *the national dish* o prato típico nacional **2** (*para servir*) travessa **3 the dishes** [*pl*] a loiça: *to wash/do the dishes* lavar a loiça
▸ *v* PHR V **dish sth out 1** (*coloq*) distribuir alguma coisa (às mãos cheias) **2** (*comida*) servir alguma coisa ◆ **dish (sth) up** servir (alguma coisa)

disheartened /dɪs'hɑːtnd/ *adj* desanimado, desalentado **disheartening** *adj* desalentador

dishevelled (*USA* **disheveled**) /dɪ'ʃevld/ *adj* **1** (*cabelo*) despenteado **2** (*roupa, aparência*) desalinhado, em desalinho

dishonest /dɪs'ɒnɪst/ *adj* desonesto **dishonesty** *s* desonestidade

dishonour (*USA* **dishonor**) /dɪs'ɒnə(r)/ *substantivo, verbo*
▸ *s* (*formal*) desonra
▸ *vt* (*formal*) desonrar **dishonourable** (*USA* **dishonorable**) *adj* desonroso

dishwasher /'dɪʃwɒʃə(r); *USA* -wɔːʃ-/ *s* máquina de lavar loiça

disillusion /ˌdɪsɪ'luːʒn/ *substantivo, verbo*
▸ *s* (*tb* **disillusionment**) desilusão, desapontamento
▸ *vt* desiludir, desapontar

disinfect /ˌdɪsɪn'fekt/ *vt* desinfetar **disinfectant** *s* desinfetante

disintegrate /dɪs'ɪntɪgreɪt/ *vt, vi* desintegrar(-se), desfazer(-se) **disintegration** *s* desintegração

disinterested /dɪs'ɪntrəstɪd, -trestɪd/ *adj* desinteressado

disjointed /dɪs'dʒɔɪntɪd/ *adj* desconexo

disk /dɪsk/ *s* disco

disk drive *s* unidade de disco ➲ *Ver ilustração em* COMPUTADOR

dislike /dɪs'laɪk/ *verbo, substantivo*
▸ *vt* não gostar de, antipatizar com
▸ *s* ~ **(of/for sb/sth)** antipatia (por alguém/alguma coisa), aversão (a alguém/alguma coisa) LOC **take a dislike to sb/sth** antipatizar com alguém/alguma coisa, ganhar aversão a alguém/alguma coisa

dislocate /'dɪsləkeɪt; *USA* -ləʊk-; dɪs'ləʊkeɪt/ *vt* deslocar **dislocation** *s* deslocação

dislodge /dɪs'lɒdʒ/ *vt* ~ **sth/sb (from sth)** desalojar, retirar alguma coisa/alguém (de alguma coisa)

disloyal /dɪs'lɔɪəl/ *adj* ~ **(to sb/sth)** desleal (com alguém/alguma coisa) **disloyalty** *s* deslealdade

dismal /'dɪzməl/ *adj* **1** triste **2** (*coloq*) sombrio

dismantle /dɪs'mæntl/ *vt* **1** desarmar, desmontar **2** (*edifício, organização, navio*) desmantelar

dismay /dɪs'meɪ/ *substantivo, verbo*
▸ *s* consternação
▸ *vt* consternar

dismember /dɪs'membə(r)/ *vt* desmembrar

dismiss /dɪs'mɪs/ *vt* **1** ~ **sb (from sth)** despedir, demitir alguém (de alguma coisa) **2** ~ **sb/sth (as sth)** descartar, rejeitar alguém/alguma coisa (por ser alguma coisa) **dismissal** *s* **1** despedimento, demissão (*não voluntário*) **2** rejeição **dismissive** *adj* desdenhoso

dismount /dɪs'maʊnt/ *vi* ~ **(from sth)** desmontar, apear-se (de alguma coisa)

disobedience /ˌdɪsə'biːdiəns/ *s* desobediência

disobedient /ˌdɪsə'biːdiənt/ *adj* desobediente

disobey /ˌdɪsə'beɪ/ *vt, vi* desobedecer (a)

disorder /dɪs'ɔːdə(r)/ *s* **1** desordem: *in disorder* desordenado/em desordem **2** distúrbio: *eating disorders* distúrbios alimentares **disorderly** *adj* **1** desordenado **2** indisciplinado, desordeiro LOC *Ver* DRUNK

disorganized, -ised /dɪs'ɔːgənaɪzd/ *adj* desorganizado

D

disorientate /dɪs'ɔːriənteɪt/ (*tb* **disorient** /dɪs'ɔːriənt/) *vt* desorientar

disown /dɪs'əʊn/ *vt* renegar, repudiar

dispatch (*tb* **despatch**) /dɪ'spætʃ/ *verbo, substantivo*
▸ *vt* (*formal*) despachar, enviar
▸ *s* **1** (*formal*) envio, expedição **2** (*Jornal*) comunicado

dispel /dɪ'spel/ *vt* (**-ll-**) dissipar

dispense /dɪ'spens/ *vt* distribuir PHR V **dispense with sb/sth** prescindir de alguém/alguma coisa

dispersal /dɪ'spɜːsl/ (*tb*) *s* (*formal*) dispersão

disperse /dɪ'spɜːs/ *vt, vi* dispersar(-se)

displace /dɪs'pleɪs/ *vt* **1** afastar **2** substituir

display /dɪ'spleɪ/ *verbo, substantivo*
▸ *vt* **1** expor, exibir **2** (*emoção, etc.*) mostrar, revelar **3** (*Informát*) visualizar
▸ *s* **1** exposição, exibição **2** (*em loja*) montra **3** demonstração **3** (*Informát*) visualização (*de informação*) ecrã LOC **on display** exposto

disposable /dɪ'spəʊzəbl/ *adj* **1** descartável **2** (*Fin*) disponível

disposal /dɪ'spəʊzl/ *s* despejo, disposição LOC **at your/sb's disposal** à sua disposição/à disposição de alguém

disposed /dɪ'spəʊzd/ *adj* (*formal*) disposto LOC **be ill-disposed/well disposed towards sb/sth** não estar/estar inclinado para alguém/alguma coisa

disposition /ˌdɪspə'zɪʃn/ *s* disposição, maneira de ser

disproportionate /ˌdɪsprə'pɔːʃənət/ *adj* desproporcionado

disprove /ˌdɪs'pruːv/ *vt* refutar (*teoria, alegação*)

dispute *substantivo, verbo*
▸ *s* /dɪ'spjuːt, 'dɪspjuːt/ **1** discussão **2** disputa, conflito LOC **in dispute 1** em questão **2** (*Jur*) em litígio
▸ *vt* /dɪ'spjuːt/ **1** discutir, contestar **2** disputar

disqualify /dɪs'kwɒlɪfaɪ/ *vt* (*pt, pp* **-fied**) desclassificar, desqualificar: *to disqualify sb from doing sth* impedir alguém de fazer alguma coisa ◇ *He was disqualified from driving.* Apreenderam-lhe a carta.

disregard /ˌdɪsrɪ'gɑːd/ *verbo, substantivo*
▸ *vt* não fazer caso de (*conselho, erro*)
▸ *s* ~ **(for/of sb/sth)** indiferença (por alguém/perante alguma coisa)

disreputable /dɪs'repjətəbl/ *adj* **1** com má reputação/fama **2** (*método, aparência*) pouco respeitável

disrepute /ˌdɪsrɪ'pjuːt/ *s* desprestígio

disrespect /ˌdɪsrɪ'spekt/ *s* desrespeito, falta de respeito

disrupt /dɪs'rʌpt/ *vt* desestabilizar, perturbar **disruption** *s* distúrbio, desestabilização **disruptive** *adj* desestabilizador, perturbador

dissatisfaction /ˌdɪsˌsætɪs'fækʃn/ *s* ~ **(with/at sb/sth)** descontentamento, insatisfação (com alguém/alguma coisa)

dissatisfied /dɪs'sætɪsfaɪd, dɪ'sæt-/ *adj* ~ **(with sb/sth)** descontente, insatisfeito (com alguém/alguma coisa)

dissent /dɪ'sent/ *s* desacordo **dissenting** *adj* discordante, contrário

dissertation /ˌdɪsə'teɪʃn/ *s* ~ **(on sth)** tese (sobre alguma coisa)

dissident /'dɪsɪdənt/ *adj, s* dissidente

dissimilar /dɪ'sɪmɪlə(r)/ *adj* ~ **(from/to sb/sth)** diferente (de alguém/alguma coisa)

dissociate /dɪ'səʊʃieɪt, -'səʊs-/ (*tb* **disassociate** /ˌdɪsə'səʊʃieɪt, -'səʊs-/) *vt* **1** ~ **yourself/sb from sb/sth** desassociar-se, desassociar alguém de alguém/alguma coisa **2** (*formal*) dissociar

dissolve /dɪ'zɒlv/ **1** *vt, vi* dissolver(-se) **2** *vi* desvanecer-se

dissuade /dɪ'sweɪd/ *vt* ~ **sb (from sth/doing sth)** dissuadir alguém (de alguma coisa/fazer alguma coisa)

distance /'dɪstəns/ *substantivo, verbo*
▸ *s* distância: *from/at a distance* à distância ◇ *a distance runner* corredor de fundo *Ver tb* LONG DISTANCE LOC **in the distance** ao longe
▸ *vt* ~ **yourself/sb (from sb/sth)** distanciar-se, distanciar alguém (de alguém/alguma coisa)

distant /'dɪstənt/ *adj* **1** distante, longínquo **2** (*parente*) afastado

distaste /dɪs'teɪst/ *s* ~ **(for sb/sth)** aversão (a alguém/alguma coisa) **distasteful** *adj* de mau gosto, desagradável

distil (*USA tb* **distill**) /dɪ'stɪl/ *vt* (**-ll-**) destilar **distillery** *s* (*pl* **distilleries**) destilaria

distinct /dɪ'stɪŋkt/ *adj* **1** distinto, claro **2** ~ **(from sth)** distinto (de alguma coisa): *as distinct from sth* por oposição a alguma coisa **distinction** *s* **1** diferença **2** distinção, honra **distinctive** *adj* distintivo

distinguish /dɪ'stɪŋgwɪʃ/ **1** *vt* ~ **A (from B)** distinguir A (de B) **2** *vt, vi* ~ **(between) A and B** distinguir A e B **3** *vt* ~ **yourself (as sth)** distinguir-se (como alguma coisa)

distort /dɪ'stɔːt/ *vt* **1** deformar, distorcer **2** (*fig*) deturpar **distortion** *s* **1** deformação **2** distorção

distract /dɪ'strækt/ *vt* ~ **sb (from sth)** distrair alguém (de alguma coisa) **distracted** *adj* distraído **distraction** *s* distração: *to drive sb to distraction* deixar alguém louco

distraught /dɪ'strɔːt/ *adj* consternado, fora de si

distress /dɪ'stres/ *s* **1** aflição **2** dor **3** perigo: *a distress signal* um sinal de perigo **distressed** *adj* aflito, angustiado **distressing** *adj* doloroso, penoso

distribute /dɪ'strɪbjuːt, 'dɪstrɪbjuːt/ *vt* ~ **sth (to/among sb/sth)** distribuir alguma coisa (por/entre alguém/alguma coisa)

distribution /ˌdɪstrɪ'bjuːʃn/ *s* distribuição

distributor /dɪ'strɪbjətə(r)/ *s* distribuidor, -ora

district /'dɪstrɪkt/ *s* **1** distrito, região **2** zona

distrust /dɪs'trʌst/ *substantivo, verbo*
- *s* desconfiança
- *vt* desconfiar de **distrustful** *adj* desconfiado

disturb /dɪ'stɜːb/ *vt* **1** incomodar, interromper: *I'm sorry to disturb you.* Desculpa incomodar-te. ➲ *Comparar com* BOTHER, MOLEST **2** (*papéis, etc.*) mexer **3** (*silêncio, sono*) perturbar LOC **disturb the peace** perturbar a ordem e a paz ◆ **do not disturb** não incomodar **disturbance** *s* **1** perturbação: *to cause a disturbance* perturbar a ordem **2** distúrbio **disturbed** *adj* perturbado

disturbing /dɪ'stɜːbɪŋ/ *adj* inquietante

disuse /dɪs'juːs/ *s* desuso: *to fall into disuse* cair em desuso **disused** /dɪs'juːzd/ *adj* abandonado

ditch /dɪtʃ/ *substantivo, verbo*
- *s* valeta
- *vt* (*coloq*) deixar, desfazer-se de

dither /'dɪðə(r)/ *vi* ~ **(over sth)** hesitar (sobre alguma coisa)

ditto /'dɪtəʊ/ *s* idem ❶ **Ditto** é a designação dada ao símbolo (") que se utiliza para evitar repetições numa lista.

dive /daɪv/ *verbo, substantivo*
- *vi* (*pp* **dived**, *USA tb* **dove** /dəʊv/, *pp* **dived**) **1** ~ **(from/off sth) (into sth)** mergulhar, atirar-se (de alguma coisa) (para alguma coisa) **2** ~ **(down) (for sth)** mergulhar (à procura de alguma coisa) **3** (*avião*) descer em voo picado **4** (*submarino*) submergir **5** ~ **into/under sth** enfiar(-se) em/dentro de/debaixo de alguma coisa LOC **dive for cover** procurar abrigo precipitadamente
- *s* mergulho **diver** *s* mergulhador, -ora

diverge /daɪ'vɜːdʒ/ *vi* (*formal*) **1** ~ **(from sth)** (*linhas, estradas*) divergir (de alguma coisa) **2** (*opiniões*) diferir **divergence** *s* (*formal*) divergência **divergent** *adj* (*formal*) divergente

diverse /daɪ'vɜːs/ *adj* diverso

diversification /daɪˌvɜːsɪfɪ'keɪʃn/ *s* diversificação

diversify /daɪ'vɜːsɪfaɪ/ *vt, vi* (*pt, pp* **-fied**) diversificar(-se)

diversion /daɪ'vɜːʃn; *USA* -ʒn/ *s* desvio (*devido a obras na estrada, etc.*)

diversity /daɪ'vɜːsəti/ *s* diversidade

divert /daɪ'vɜːt/ *vt* ~ **sb/sth (from sth) (to sth)** desviar alguém/alguma coisa (de alguma coisa) (para alguma coisa)

divide /dɪ'vaɪd/ **1** *vt, vi* ~ **(sth) (up) (into sth)** dividir alguma coisa, dividir-se (em alguma coisa) **2** *vt* ~ **sth (up/out) (between/among sb)** dividir, repartir alguma coisa (entre alguém) **3** *vt* ~ **sth (between A and B)** dividir, repartir alguma coisa (entre A e B) **4** *vt* separar **5** *vt* ~ **sth by sth** (*Mat*) dividir alguma coisa por alguma coisa **divided** *adj* dividido

dividend /'dɪvɪdend/ *s* dividendo

divine /dɪ'vaɪn/ *adj* divino

diving /'daɪvɪŋ/ *s* (*Desp*) mergulho

diving board *s* prancha de saltos

division /dɪ'vɪʒn/ *s* **1** divisão **2** secção, departamento (*numa empresa*) **divisional** *adj* divisionário

divorce /dɪ'vɔːs/ *substantivo, verbo*
- *s* divórcio
- *vt, vi* divorciar-se (de): *to get divorced* divorciar-se **divorcee** /dɪˌvɔː'siː; *USA* dɪˌvɔː'seɪ/ *s* divorciado, -a ❶ Nos Estados Unidos, um homem divorciado diz-se **divorcé** e uma mulher **divorcée**. Ambas as formas se pronunciam /dɪˌvɔː'seɪ/.

divulge /daɪ'vʌldʒ/ *vt* (*formal*) divulgar (*um segredo*)

DIY /ˌdiː aɪ 'waɪ/ *s* (*abrev de* **do-it-yourself**) bricolagem, faça você mesmo

dizziness /'dɪzinəs/ *s* tontura, vertigem

dizzy /'dɪzi/ *adj* tonto, zonzo

DJ /'diː dʒeɪ/ *abrev de* **disc jockey**

DNA /ˌdiː en 'eɪ/ *s* ADN

do /duː/ *verbo, substantivo*
- *vt, vi* fazer ❶ Usamos **do** quando falamos de uma atividade sem dizermos exatamente de que se trata, como por exemplo, quando é acompanhado de palavras como *something, nothing, anything, everything*, etc.: *What are you*

doing this evening? O que é que vais fazer esta tarde? ◇ *Are you doing anything tomorrow?* Tens alguma coisa planeada para amanhã? ◇ *We'll do what we can to help you.* Faremos o que pudermos para ajudar-te. ◇ *What does she want to do?* O que é que ela quer fazer? ◇ *I've got nothing to do.* Não tenho nada que fazer. ◇ *What can I do for you?* Em que posso ajudá-lo? ◇ *I have a number of things to do today.* Tenho várias coisas para fazer hoje. ◇ *Do as you please.* Faz como entenderes. ◇ *Do as you're told!* Faz o que te mandam!

- **do + the, my, etc. + -ing** *vt* (*obrigações e passatempos*) fazer: *to do the washing-up* lavar a loiça ◇ *to do the ironing* passar a ferro ◇ *to do the/your shopping* fazer as compras ➲ *Ver nota em* DESPORTO
- **do + (the, my, etc.) + substantivo** *vt*: *to do your homework* fazer o trabalho de casa ◇ *to do a test/an exam* fazer um teste/exame ◇ *to do an English course* tirar um curso de Inglês ◇ *to do business* fazer negócio ◇ *to do your duty* cumprir o seu dever ◇ *to do your job* fazer o seu serviço ◇ *to do the housework* realizar as tarefas domésticas ◇ *to do your hair/to have your hair done* arranjar o cabelo/ir ao cabeleireiro
- **outros usos 1** *vt*: *to do your best* fazer o melhor possível ◇ *to do good* praticar o bem ◇ *to do sb a favour* fazer um favor a alguém **2** *vi* ser suficiente, servir: *Will £10 do?* Dez libras chegam? ◇ *All right, a pencil will do.* Não faz mal, um lápis serve. **3** *vi* calhar bem: *Will next Friday do?* Sexta-feira calha-te bem? **4** *vi* ir: *She's doing well at school.* Vai muito bem na escola. ◇ *How's the business doing?* Como é que vai o negócio? ◇ *He did badly in the exam.* Correu-lhe mal o exame. **5** *vt* (*distância*) percorrer: *How many miles did you do during your tour?* Quantos quilómetros percorreram na vossa digressão? LOC **be/have to do with sb/sth** ter a ver com alguém/alguma coisa: *What's it got to do with you?* O que é que tu tens a ver com isso? ◇ *She won't have anything to do with him.* Não quer nada com ele. ◆ **could do with sth** (*coloq*): *I could do with a good night's sleep.* Fazia-me bem dormir toda a noite. ◇ *We could do with a holiday.* Sabia-nos bem umas férias. ◆ **it/that will never do/won't do**: *It (simply) won't do.* Não pode ser. ◇ *It would never do to...* Não estaria certo... ◆ **that does it!** (*coloq*) acabou-se! ◆ **that's done it** (*GB, coloq*) agora é que foram elas! ◆ **that will do!** já chega!

ⓘ Para outras expressões com **do**, ver as entradas para o substantivo, adjetivo, etc., p. ex. **do your bit** em BIT.

PHR V **do away with sth** (*coloq*) descartar-se/livrar-se de alguma coisa, abolir alguma coisa

do sth up 1 abotoar alguma coisa **2** apertar, atar alguma coisa **3** fechar alguma coisa **4** embrulhar alguma coisa **5** renovar alguma coisa

do without (sb/sth) passar sem alguém/alguma coisa ➲ *Ver tb exemplos em* MAKE *1*

▸ *v aux* ⓘ Em português, **do** não se traduz.

- **frases interrogativas e negativas**: *Does she speak French?* Ela fala francês? ◇ *Did you go home?* Foste a casa? ◇ *She didn't go to Paris.* Ela não foi a Paris. ◇ *He doesn't want to come with us.* Não quer vir connosco.
- **question tags 1** [*frases afirmativas*] **do** + **n't** + sujeito (pronome pessoal)?: *John lives here, doesn't he?* O John vive aqui, não é verdade? **2** [*frases negativas*] **do** + sujeito (pronome pessoal)?: *Mary doesn't know, does she?* A Mary não sabe, pois não? **3** [*frases afirmativas*] **do** + sujeito (pronome pessoal)?: *So you told them, did you?* Quer dizer que lhes contaste, não é verdade?
- **em frases afirmativas com um uso enfático**: *He does look tired.* Tem ar de estar realmente cansado. ◇ *Well, I did warn you.* Eu bem que te avisei. ◇ *Oh, do be quiet!* Cala-te, por favor!
- **para evitar repetições**: *He drives better than he did a year ago.* Conduz melhor agora do que há um ano atrás. ◇ *She knows more than he does.* Ela sabe mais do que ele. ◇ *'Who won?' 'I did.'* —Quem ganhou? — Eu. ◇ *'He smokes.' 'So do I.'* —Ele fuma. —Eu também. ◇ *Peter didn't go and neither did I.* O Peter não foi e eu também não. ◇ *You didn't know her, but I did.* Tu não a conhecias mas eu sim.

▸ *s* (*pl* **dos** *ou* **do's** /du:z/) (*GB, coloq*) festa LOC **do's and don'ts** (*coloq*) regras

do

present simple

afirmativa	negativa *formas contraídas*
I do	I don't
you **do**	you **don't**
he/she/it **does**	he/she/it **doesn't**
we **do**	we **don't**
you **do**	you **don't**
they **do**	they **don't**
forma -ing	**doing**
past simple	**did**
particípio passado	**done**

docile /ˈdəʊsaɪl; *USA* ˈdɒsl/ *adj* dócil

dock /dɒk/ *substantivo, verbo*

▸ *s* **1** doca **2 docks** [*pl*] docas **3** (*Jur*) banco dos réus

▸ **1** *vt, vi* (*Náut*) atracar **2** *vt, vi* (*Astronáutica*) acoplar **3** *vt* **~ sth (from/off sth)** (*ordenado*) descontar, deduzir alguma coisa (de alguma coisa)

doctor /ˈdɒktə(r)/ *substantivo, verbo*
▸ *s* (*abrev* **Dr**) **1** médico, -a **2 doctor's** consultório **3 ~ (of sth)** (*título*) doutor, -ora (em alguma coisa)
▸ *vt* **1** falsificar **2** (*alimentos*) adulterar

doctorate /ˈdɒktərət/ *s* doutoramento

doctrine /ˈdɒktrɪn/ *s* doutrina

document *substantivo, verbo*
▸ *s* /ˈdɒkjumənt/ documento
▸ *vt* /ˈdɒkjument/ documentar

documentary /ˌdɒkjuˈmentri/ *adj, s* (*pl* **documentaries**) documentário

dodge /dɒdʒ/ **1** *vt* esquivar-se a, evitar: *to dodge awkward questions* esquivar-se a perguntas embaraçosas ◇ *He ran across the road, dodging the traffic.* Atravessou a estrada a correr, esquivando-se ao trânsito. **2** *vi* desviar-se: *She dodged round the corner.* Virou a esquina e desapareceu. **3** *vt* (*perseguidor*) escapar a

dodgy /ˈdɒdʒi/ *adj* (**dodgier**, **-iest**) (*GB, coloq*) **1** duvidoso, suspeito: *Sounds a bit dodgy to me.* Não me cheira muito bem. **2** defeituoso: *a dodgy wheel* uma roda com problemas **3** (*situação*) difícil

doe /dəʊ/ *s* corça, coelha, fêmea de lebre ➲ *Ver notas em* VEADO *e* COELHO

does /dʌz/ *Ver* DO

doesn't /ˈdʌznt/ = DOES NOT *Ver* DO

dog /dɒg; *USA* dɔːg/ *substantivo, verbo*
▸ *s* cão, cachorro ➲ *Ver nota em* CÃO
▸ *vt* (**-gg-**) ir no encalço de: *He was dogged by misfortune.* A má sorte perseguia-o.

dogged /ˈdɒgɪd; *USA* ˈdɔːgɪd/ *adj* tenaz **doggedly** *adv* tenazmente

doggy (*tb* **doggie**) /ˈdɒgi; *USA* ˈdɔːgi/ *s* (*pl* **doggies**) (*coloq*) cachorrito

dogsbody /ˈdɒgzbɒdi; *USA* ˈdɔːgz-/ *s* (*pl* **dogsbodies**) (*GB, coloq*) pau para toda a obra

do-it-yourself /ˌduː ɪt jəˈself/ *s Ver* DIY

the dole /dəʊl/ *s* (*GB, coloq*) subsídio de desemprego: *to be/go on the dole* estar/ficar no desemprego

doll /dɒl/ *s* boneca

dollar /ˈdɒlə(r)/ *s* dólar: *a dollar bill* uma nota de dólar ➲ *Ver pág. 714*

dolly /ˈdɒli/ *s* (*pl* **dollies**) boneca

dolphin /ˈdɒlfɪn/ *s* golfinho

domain /dəˈmeɪn; *USA* dəʊ-/ *s* **1** domínio: *outside my domain* fora do meu campo **2** propriedade **3** (*Informát*) domínio

dome /dəʊm/ *s* cúpula **domed** *adj* abobadado

domestic /dəˈmestɪk/ *adj* **1** doméstico **2** interno: *domestic production* produção nacional ◇ *domestic flights* voos domésticos **domesticated** *adj* **1** domesticado **2** caseiro

dominance /ˈdɒmɪnəns/ *s* domínio

dominant /ˈdɒmɪnənt/ *adj* dominante

dominate /ˈdɒmɪneɪt/ *vt, vi* dominar **domination** *s* domínio

domineering /ˌdɒmɪˈnɪərɪŋ; *USA* -məˈn-/ *adj* (*pej*) autoritário

dominion /dəˈmɪniən/ *s* (*formal*) domínio

domino /ˈdɒmɪnəʊ/ *s* **1** (*pl* **dominoes**) (pedra de) dominó **2 dominoes** [*não-contável*] dominó: *to play dominoes* jogar dominó

donate /dəʊˈneɪt; *USA* ˈdəʊneɪt/ *vt* doar **donation** *s* **1** donativo **2** [*não-contável*] doação

done /dʌn/ *adj* **1** acabado **2** (*comida*) pronto *Ver tb* DO

donkey /ˈdɒŋki; *USA* ˈdɔːŋ-/ *s* (*pl* **donkeys**) burro

donor /ˈdəʊnə(r)/ *s* doador, -ora

don't /dəʊnt/ = DO NOT *Ver* DO

donut (*esp USA*) = DOUGHNUT

doodle /ˈduːdl/ *verbo, substantivo*
▸ *vi* rabiscar
▸ *s* rabisco

doom /duːm/ *s* [*não-contável*] perdição: *to send a man to his doom* mandar um homem ao encontro da morte LOC **doom and gloom** pessimismo **doomed** *adj* condenado: *doomed to failure* condenado ao fracasso

door /dɔː(r)/ *s* **1** porta *Ver tb* FRONT DOOR, SLIDING DOOR **2** entrada *Ver tb* NEXT DOOR LOC **(from) door to door** de porta em porta: *a door-to-door salesman* um vendedor de porta em porta ◆ **out of doors** ao ar livre

doorbell /ˈdɔːbel/ *s* campainha da porta

doorknob /ˈdɔːnɒb/ *s* maçaneta

doormat /ˈdɔːmæt/ *s* capacho

doorstep /ˈdɔːstep/ *s* degrau da entrada LOC **on the/your doorstep** ao pé da porta

doorway /ˈdɔːweɪ/ *s* vão da entrada, entrada

dope /dəʊp/ *substantivo, verbo*
▸ *s* **1** (*coloq*) droga (*esp marijuana*) **2** *dope test* controlo antidoping **3** (*coloq*) imbecil
▸ *vt* dopar

dormant /ˈdɔːmənt/ *adj* inativo

D

dormitory /'dɔːmətri; *USA* -tɔːri/ *s* (*pl* **dormitories**) (*coloq* **dorm**) **1** dormitório **2** (*USA*) residência universitária

dosage /'dəʊsɪdʒ/ *s* dosagem

dose /dəʊs/ *s* (*Med*) dose

dot /dɒt/ *substantivo, verbo*
▸ *s* ponto LOC **on the dot** (*coloq*) em ponto: *to leave at five o'clock on the dot* sair às cinco em ponto
▸ *vt* (**-tt-**) pôr um ponto em LOC **dot your i's and cross your t's** dar os últimos retoques

dote /dəʊt/ *vi* ~ **on sb/sth** babar-se por alguém/alguma coisa **doting** *adj* babado

double /'dʌbl/ *adjetivo, advérbio, substantivo, verbo*
▸ *adj* duplo: *double figures* número de dois algarismos ◇ *double bed* cama de casal
▸ *adv*: *She earns double what he does.* Ganha o dobro dele. ◇ *to see double* ver a dobrar ◇ *bent double* curvado ◇ *to fold a blanket double* dobrar um cobertor ao meio
▸ *s* **1** dobro **2** duplo **3 doubles** [*não-contável*] pares: *mixed doubles* pares mistos
▸ **1** *vt, vi* duplicar **2** *vt* ~ **sth (over)** dobrar alguma coisa (ao meio) **3** *vi* ~ **(up) as sth** fazer de alguma coisa PHR V **double back** voltar para trás ◆ **double (sb) up/over**: *to be doubled up with laughter* escangalhar-se a rir ◇ *to double over/up with pain* torcer-se de dor

double-barrelled (*USA* **double-barreled**) /ˌdʌbl 'bærəld/ *adj* **1** (*espingarda*) de dois canos **2** (*apelido*) composto

double bass (*tb* **bass**) *s* contrabaixo

double-breasted /ˌdʌbl 'brestɪd/ *adj* de trespasse: *double-breasted jacket* jaquetão

double-check /ˌdʌbl 'tʃek/ *vt* verificar de novo

double-click /ˌdʌbl 'klɪk/ *vi, vt* ~ **(sth/on sth)** (*Informát*) clicar duas vezes (em alguma coisa)

double-cross /ˌdʌbl 'krɒs; *USA* 'krɔːs/ *vt* atraiçoar

double-decker /ˌdʌbl 'dekə(r)/ (*tb* **double-decker bus**) *s* autocarro de dois andares

double-edged /ˌdʌbl 'edʒd/ *adj* de dois gumes

double-glazed /ˌdʌbl 'gleɪzd/ *adj* com vidro duplo

double glazing *s* envidraçamento duplo

doubly /'dʌbli/ *adv* duplamente: *to make doubly sure of sth* voltar a assegurar-se de alguma coisa

doubt /daʊt/ *substantivo, verbo*
▸ *s* ~ **(as to/about sth)** dúvida (sobre alguma coisa) LOC **be in doubt** (*tempo, futuro, etc.*) ser incerto ◆ **beyond (any) doubt** sem sombra de dúvida ◆ **cast/throw doubt on sth** pôr em dúvida alguma coisa ◆ **no doubt**; **without (a) doubt** sem dúvida *Ver tb* BENEFIT
▸ *vt, vi* duvidar (de) **doubter** *s* céptico, -a

doubtful /'daʊtfl/ *adj* **1** duvidoso, incerto: *to be doubtful about (doing) sth* estar em dúvida quanto a (fazer) alguma coisa **2** (*tempo, futuro, etc.*) incerto **3** (*gosto, honestidade, etc.*) duvidoso **doubtfully** *adv* sem convicção

doubtless /'daʊtləs/ *adv* sem dúvida

dough /dəʊ/ *s* massa

doughnut (*tb esp USA* **donut**) /'dəʊnʌt/ *s* **1** (*com buraco*) donut **2** (*sem buraco*) bola de Berlim

dour /daʊə(r), dʊə(r)/ *adj* severo, austero

douse /daʊs/ (*tb* **dowse** /daʊz/) *vt* ~ **sb/sth (in/with sth)** molhar alguém/alguma coisa (com alguma coisa)

dove[1] /dʌv/ *s* pomba: *turtle dove* rola

dove[2] /dəʊv/ (*USA*) *pt de* DIVE

dowdy /'daʊdi/ *adj* **1** (*roupa*) sem graça **2** (*pessoa*) vestido sem graça

down /daʊn/ *advérbio, preposição, adjetivo, substantivo* ℹ Para os usos de **down** em PHRASAL VERBS, ver as entradas para os verbos correspondentes, p.ex. **back down** em BACK.
▸ *adv* **1** abaixo: *face down* de barriga para baixo **2** baixo: *The rate of inflation is down this month.* A taxa de inflação baixou este mês. ◇ *to be £50 down* ter 50 libras a menos **3** *Ten down, five to go.* Já lá vão dez, faltam cinco. LOC **be down to sb** (*coloq*) ser da responsabilidade de alguém ◆ **be down to sb/sth** (*coloq*) dever-se a alguém/alguma coisa: *It's all down to luck.* É tudo uma questão de sorte. ◆ **down under** (*coloq*) na/à Austrália e/ou Nova Zelândia ◆ **down with sb/sth!** abaixo alguém/alguma coisa!
▸ *prep* abaixo: *down the hill* encosta abaixo ◇ *He ran his eyes down the list.* Passou uma vista de olhos pela lista abaixo. ◇ *down the corridor on the right* no corredor à direita
▸ *adj* **1** (*coloq*) abatido: *I'm (feeling) a bit down at the moment.* De momento, ando um pouco em baixo. **2** (*Informát*): *The system's down.* O sistema foi-se abaixo.
▸ *s* penugem LOC *Ver* UP

down-and-out /'daʊn ən aʊt/ *s* vagabundo, -a

downcast /'daʊnkɑːst; *USA* -kæst/ *adj* cabisbaixo

downfall /ˈdaʊnfɔːl/ *s* [*sing*] queda, ruína: *Drink will be your downfall.* A bebida será a tua ruína.

downgrade /ˌdaʊnˈɡreɪd/ *vt* ~ **sb/sth (from sth) (to sth)** despromover alguém/alguma coisa (de alguma coisa) (a alguma coisa)

downhearted /ˌdaʊnˈhɑːtɪd/ *adj* desanimado

downhill /ˌdaʊnˈhɪl/ *adv, adj* encosta abaixo, a descer LOC **be (all) downhill; be downhill all the way** (*coloq*) **1** (*tb* **go downhill**) ir de mal a pior **2** ser sempre a descer

download *verbo, substantivo*
- *vt* /ˌdaʊnˈləʊd/ descarregar, fazer o download de
- *s* /ˈdaʊnləʊd/ download **downloadable** *adj* descarregável

downmarket /ˌdaʊnˈmɑːkɪt/ (*USA* **downscale** /ˌdaʊnˈskeɪl/) *adj* (*pej*) para as massas

downpour /ˈdaʊnpɔː(r)/ *s* chuvada

downright /ˈdaʊnraɪt/ *adjetivo, advérbio*
- *adj* [*só antes de substantivo*] completo: *downright stupidity* pura estupidez
- *adv* simplesmente, completamente

the downs /daʊnz/ *s* [*pl*] as colinas

downside /ˈdaʊnsaɪd/ *s* [*sing*] inconveniente, desvantagem

Down's syndrome *s* síndrome de Down

⚷ **downstairs** /ˌdaʊnˈsteəz/ *advérbio, adjetivo, substantivo*
- *adv* **1** no andar de baixo **2** escadas abaixo: *She fell downstairs.* Caiu pelas escadas abaixo.
- *adj* (no/do andar) de baixo
- *s* [*sing*] rés-do-chão

downstream /ˌdaʊnˈstriːm/ *adv* rio abaixo

down-to-earth /ˌdaʊn tu ˈɜːθ/ *adj* prático, com os pés bem assentes

downtown /ˌdaʊnˈtaʊn/ *adv* (*esp USA*) ao/no centro (*da cidade*)

downtrodden /ˈdaʊntrɒdn/ *adj* oprimido

downturn /ˈdaʊntɜːn/ *s* declínio: *a downturn in sales* uma descida nas vendas

⚷ **downward** /ˈdaʊnwəd/ *adj* para baixo: *a downward trend* uma tendência para a baixa

⚷ **downwards** /ˈdaʊnwədz/ (*tb esp USA* **downward**) *adv* para baixo

downy /ˈdaʊni/ *adj* felpudo

dowry /ˈdaʊri/ *s* (*pl* **dowries**) dote

dowse = DOUSE

doze /dəʊz/ *verbo, substantivo*
- *vi* dormitar PHR V **doze off** adormecer
- *s* [*sing*] soneca, sono leve

⚷ **dozen** /ˈdʌzn/ *s* **1** (*abrev* **doz.**) (*pl* **dozen**) dúzia: *two dozen eggs* duas dúzias de ovos **2 dozens** [*pl*]: *There were dozens of people.* Havia dezenas de pessoas.

dozy /ˈdəʊzi/ *adj* (*esp GB, coloq*) sonolento

drab /dræb/ *adj* (**drabber, -est**) monótono: *drab clothes* roupa de cores tristes ◇ *a drab room* um quarto sombrio

⚷ **draft** /drɑːft; *USA* dræft/ *substantivo, adjetivo, verbo*
- *s* **1** rascunho: *a draft bill* um projeto de lei **2** (*Fin*) ordem de pagamento, letra de câmbio **3 the draft** (*USA*) recrutamento **4** (*USA*) = DRAUGHT
- *adj* (*USA*) = DRAUGHT
- *vt* **1** fazer um rascunho de **2** ~ **sb/sth (in)** destacar alguém/alguma coisa **3** (*USA*) (*Mil*) recrutar para o serviço militar

draftsman, draftswoman (*USA*) = DRAUGHTSMAN, DRAUGHTSWOMAN

drafty (*USA*) = DRAUGHTY

⚷ **drag** /dræɡ/ *verbo, substantivo*
- (**-gg-**) **1** *vt, vi* arrastar (-se) **2** *vi* (*tempo*) passar lentamente **3** *vt* (*Náut*) dragar PHR V **drag on** (*pej*) demorar uma eternidade: *How long is this meeting going to drag on?* Por quanto tempo é que esta reunião se vai arrastar?
- *s* (*coloq*) **1 a drag** [*sing*] (*pessoa, coisa*) um chato, uma chatice **2** *a man (dressed) in drag* um homem vestido de mulher

dragon /ˈdræɡən/ *s* dragão

dragonfly /ˈdræɡənflaɪ/ *s* (*pl* **dragonflies**) libelinha

drain /dreɪn/ *substantivo, verbo*
- *s* **1** cano de esgoto **2** esgoto LOC **be a drain on sth** consumir, exaurir alguma coisa
- **1** *vt, vi* (*pratos, legumes, etc.*) escorrer **2** *vt* drenar **3** *vi* (*terreno, lago, etc.*) escoar

drainage /ˈdreɪnɪdʒ/ *s* drenagem

drained /dreɪnd/ *adj* esgotado: *She felt drained of all energy.* Ela sentia-se completamente esgotada.

draining board (*USA* **drainboard** /ˈdreɪnbɔːd/) *s* escorredor

drainpipe /ˈdreɪnpaɪp/ *s* cano de esgoto

⚷ **drama** /ˈdrɑːmə/ *s* **1** obra dramática **2** drama: *drama school* escola de artes dramáticas ◇ *drama student* estudante de arte dramática

⚷ **dramatic** /drəˈmætɪk/ *adj* dramático **dramatically** /-kli/ *adv* dramaticamente, de modo impressionante

dramatist /'dræmətɪst/ *s* dramaturgo, -a **dramatization, -isation** *s* dramatização **dramatize, -ise** *vt, vi* dramatizar

drank *pt de* DRINK

D

drape /dreɪp/ *vt* **1** ~ **sth across/(a)round/over sth** (*tecido*) colgar alguma coisa sobre alguma coisa **2** ~ **sb/sth in/with sth** cobrir alguém/alguma coisa com alguma coisa, envolver alguém/alguma coisa em alguma coisa

drastic /'dræstɪk/ *adj* **1** drástico **2** grave **drastically** /-kli/ *adv* drasticamente

draught (*USA* **draft**) /drɑːft; *USA* dræft/ *substantivo, adjetivo*
▸ *s* corrente (*de ar*) LOC **on draught** de barril
▸ *adj* (*cerveja, etc.*) de barril

draughts /drɑːfts; *USA* dræfts/ *s* [*não-contável*] damas (*jogo*)

draughtsman (*USA* **draftsman**) /'drɑːftsmən; *USA* 'dræfts-/ *s* (*pl* **-men** /-mən/) projetista

draughtswoman (*USA* **draftswoman**) /'drɑːftswʊmən; *USA* 'dræfts-/ *s* (*pl* **-women** /-wɪmɪn/) projetista

draughty (*USA* **drafty**) /'drɑːfti; *USA* 'dræfti/ *adj* (**draughtier, -iest**) com correntes (*de ar*)

draw /drɔː/ *verbo, substantivo*
▸ (*pt* **drew** /druː/, *pp* **drawn** /drɔːn/) **1** *vt, vi* desenhar, traçar **2** *vt, vi* mover(-se): *The train drew into the station.* O comboio entrou na estação. ◇ *to draw level with sb* alcançar alguém ◇ *to draw near* aproximar-se **3** *vt* (*cortinas*) correr, abrir **4** *vt*: *to draw conclusions* tirar conclusões ◇ *to draw a distinction* fazer uma distinção ◇ *to draw an analogy/a parallel* estabelecer uma analogia/um paralelo ◇ *to draw comfort from sb/sth* achar consolo em alguém/alguma coisa ◇ *to draw inspiration from sth* inspirar-se em alguma coisa **5** *vt* (*salário, pensão*) receber **6** *vt* provocar, causar **7** *vt* ~ **sb (to sb/sth)** atrair alguém (para alguém/alguma coisa) **8** *vi* (*Desp*) empatar LOC **draw the line** estabelecer um limite *Ver tb* CLOSE²
PHR V **draw back** retroceder, retirar-se ◆ **draw sth back** retirar, abrir alguma coisa ◆ **draw in 1** (*dias*) ficar mais pequenos, encurtar(-se) **2** (*comboio*) entrar na estação ◆ **draw on/upon sth** fazer uso de alguma coisa ◆ **draw up** parar ◆ **draw sth up 1** redigir alguma coisa **2** (*cadeira*) puxar alguma coisa
▸ *s* **1** (*USA tb* **drawing**) sorteio **2** empate

drawback /'drɔːbæk/ *s* ~ **(of/to sth)** inconveniente, desvantagem (de alguma coisa)

drawer /drɔː(r)/ *s* gaveta

drawing /'drɔːɪŋ/ *s* desenho *Ver tb* LINE DRAWING

drawing pin *s* pionés ➲ *Ver ilustração em* PIN

drawing room *s* (*formal ou antiq*) salão, sala de estar

drawl /drɔːl/ *s* fala arrastada

drawn /drɔːn/ *adj* abatido, emaciado *Ver tb* DRAW

dread /dred/ *substantivo, verbo*
▸ *s* temor
▸ *vt* ter horror a: *I dread to think what will happen.* Horroriza-me pensar no que acontecerá. **dreadful** *adj* **1** horrível, péssimo: *I feel dreadful.* Sinto-me muito mal. ◇ *I feel dreadful about what happened.* Estou envergonhado com o que aconteceu. ◇ *How dreadful!* Que horror! **2** terrível, horrendo **dreadfully** *adv* **1** muito: *I'm dreadfully sorry.* Sinto muitíssimo. **2** terrivelmente

dreadlocks /'dredlɒks/ (*coloq* **dreads**) *s* [*pl*] rastas

dream /driːm/ *substantivo, verbo*
▸ *s* sonho: *to have a dream about sb/sth* sonhar com alguém/alguma coisa ◇ *to live in a dream world* viver num mundo de sonhos ◇ *It's my dream house.* É a minha casa de sonho.
▸ (*pt, pp* **dreamt** /dremt/ *ou* **dreamed**)

> Alguns verbos possuem tanto formas regulares como irregulares para o passado e particípio passado: **dream**: **dreamed/dreamt**, **spoil**: **spoiled/spoilt**, etc. No inglês britânico preferem-se as formas irregulares (**dreamt**, **spoilt**, etc.), enquanto que no inglês americano se empregam as formas regulares (**dreamed**, **spoiled**, etc.). Entretanto, quando o particípio funciona como adjetivo usa-se sempre a forma irregular: *a spoilt child* uma criança amimada.

1 *vt, vi* ~ **(of/about sb/sth/doing sth)** sonhar (com alguém/alguma coisa/em fazer alguma coisa): *I dreamt (that) I could fly.* Sonhei que podia voar. ◇ *She dreamt of being famous one day.* Ela sonhava vir a ser famosa um dia. **2** *vt* imaginar: *I never dreamt (that) I'd see you again.* Nunca imaginei que voltaria a ver-te. **dreamer** *s* sonhador, -ora

dreamily /'driːmɪli/ *adv* distraidamente

dreamy /'driːmi/ *adj* (**dreamier, -iest**) **1** sonhador, distraído **2** vago

dreary /'drɪəri/ *adj* (**drearier, -iest**) **1** deprimente **2** aborrecido

dredge /dredʒ/ *vt, vi* dragar **dredger** *s* draga

drench /drentʃ/ *vt* encharcar: *to get drenched to the skin/drenched through* encharcar-se até aos ossos ◇ *(absolutely) drenched* todo ensopado

dress /dres/ *substantivo, verbo*
▸ *s* **1** vestido **2** [*não-contável*] roupa: *to have no dress sense* não saber vestir-se *Ver tb* FANCY DRESS
▸ **1** *vt, vi* vestir(-se): *He was dressed as a woman.* Estava vestido de mulher ◇ *to dress smartly/in black* vestir-se bem/de preto
ⓘ Quando nos referimos simplesmente à ação de vestir-se dizemos **get dressed**. **2** *vt* (*ferida*) pensar **3** *vt* (*salada*) temperar
PHR V **dress (sb) up (as sb/sth)** disfarçar-se, disfarçar alguém (de alguém/alguma coisa) ◆ **dress (sb) up (in sth)** disfarçar-se, disfarçar alguém (com alguma coisa) ◆ **dress sth up** disfarçar alguma coisa ◆ **dress up** vestir a melhor roupa que se tem, ir bem-posto

dress circle *s* (*Teat*) balcão

dresser /'dresə(r)/ *s* **1** (*GB*) aparador **2** (*USA*) cómoda

dressing /'dresɪŋ/ *s* **1** penso **2** tempero

dressing gown *s* roupão

dressing room *s* vestiário, camarim

dressing table *s* toucador

dressmaking /'dresmeɪkɪŋ/ *s* costura

drew *pt de* DRAW

dribble /'drɪbl/ **1** *vi* babar-se **2** *vt, vi* (*Futebol*) driblar

dried *pt, pp de* DRY

drier = DRYER

drift /drɪft/ *verbo, substantivo*
▸ *vi* **1** flutuar, ir à deriva **2** (*areia, neve*) amontoar-se **3** andar à deriva: *to drift into (doing) sth* fazer alguma coisa à deriva
▸ *s* **1** [*sing*] ideia geral **2** *snow drifts* montões de neve **3** *the population drift from rural areas* o êxodo rural ◇ *the drift towards war* a deriva em direção à guerra **drifter** *s* pessoa sem rumo

drill /drɪl/ *substantivo, verbo*
▸ *s* **1** broca, berbequim: *a dentist's drill* uma broca de dentista **2** [*não-contável*] (*Mil*) instrução **3** exercício **4** treino de rotina: *fire drill* simulacro de incêndio
▸ **1** *vt, vi* furar, perfurar **2** *vt* instruir

drily (*tb* **drily**) /'draɪli/ *adv* em tom seco

drink /drɪŋk/ *substantivo, verbo*
▸ *s* bebida: *a drink of water* um copo de água ◇ *to go for a drink* ir ao bar (tomar alguma coisa) ◇ *a soft drink* um refrigerante
▸ *vt, vi* (*pt* **drank** /dræŋk/, *pp* **drunk** /drʌŋk/) beber: *Don't drink and drive.* Se conduzir, não beba. LOC **drink sb's health** beber à saúde de alguém PHR V **drink (a toast) to sb/sth** beber à saúde de alguém/alguma coisa ◆ **drink sth in** embevecer-se em alguma coisa ◆ **drink sth up** beber alguma coisa (depressa) **drinker** *s* bebedor, -ora **drinking** *s* beber, alcoolismo

drink-driving /ˌdrɪŋk 'draɪvɪŋ/ *s* condução com álcool

drinking water *s* água potável

drip /drɪp/ *verbo, substantivo*
▸ *vi* (-**pp**-) gotejar, pingar LOC **be dripping with sth** **1** (*água*) estar encharcado de alguma coisa **2** (*suor*) estar banhado em alguma coisa
▸ *s* **1** gota **2** [*sing*] gotejar **3** (*Med*) conta-gotas, gotímetro: *to be on a drip* estar a/com soro

drive /draɪv/ *verbo, substantivo*
▸ (*pt* **drove** /drəʊv/, *pp* **driven** /'drɪvn/) **1** *vt, vi* guiar: *Can you drive?* Sabes guiar? **2** *vi* ir de carro: *Did you drive?* Vieste de carro? **3** *vt* levar (de carro) **4** *vt*: *to drive sb crazy* dar volta ao juízo a alguém ◇ *to drive sb to drink* levar alguém à bebida **5** *vt* conduzir: *to drive cattle* conduzir gado **6** *vt* ~ **sth into/through sth** introduzir, enfiar alguma coisa em alguma coisa LOC **be driving at sth**: *What are you driving at?* O que é que queres dizer? ◆ **drive a hard bargain** fazer um negócio duro
PHR V **drive away/off** ir-se embora no carro ◆ **drive sb/sth away/off** afugentar alguém/alguma coisa
▸ *s* **1** volta, viagem (*de carro, etc.*): *to go for a drive* dar um passeio de carro **2** (*tb* **driveway** /'draɪvweɪ/) entrada para carros (*numa moradia*) **3** campanha **4** motivação, energia **5** (*Desp*) golpe direto, drive **6** (*Mec*) mecanismo de transmissão: *four-wheel drive* tração nas quatro rodas ◇ *a left-hand drive car* um carro com o volante à esquerda **7** (*Informát*): *disk drive* unidade de disco

drive-in /'draɪv ɪn/ *s* (*esp USA*) lugar ao ar livre, sobretudo cinemas, restaurantes, etc. onde servem os clientes sem estes terem de sair do carro

driver /'draɪvə(r)/ *s* motorista: *train/lorry driver* maquinista/camionista LOC *Ver* SEAT

driving licence (*USA* **driver's license**) *s* carta de condução

driving school *s* escola de condução

driving test *s* exame de condução

drizzle /'drɪzl/ *substantivo, verbo*
▸ *s* chuvisco
▸ *vi* chuviscar

drone /drəʊn/ *verbo, substantivo*
▸ *vi* zumbir PHR V **drone on (about sth)** falar (sobre alguma coisa) em voz monótona
▸ *s* zumbido

D

drool /druːl/ *vi* babar-se: *to drool over sb/sth* babar-se todo por alguém/alguma coisa

droop /druːp/ *vi* **1** pender **2** (*flor*) murchar **3** (*ânimo*) descair **droopy** *adj* **1** descaído **2** (*flor*) murcho

drop

She's **dropped** her book. He's **spilt** his milk.

drop /drɒp/ *verbo, substantivo*
▸ (**-pp-**) **1** *vi* cair: *He dropped to his knees.* Caiu de joelhos. **2** *vt* deixar cair: *She dropped her book.* Ela deixou cair o livro. ◇ *to drop a bomb* lançar uma bomba ◇ *to drop anchor* lançar ferro

Quando se trata de um líquido, utiliza-se **spill**: *She spilled coffee on her skirt.* Ela derramou café na saia.

3 *vi* cair desmaiado: *I feel ready to drop.* Estou estafado. ◇ *to work till you drop* matar-se a trabalhar **4** *vt, vi* diminuir, cair: *to drop prices* reduzir preços **5** *vt* ~ **sb/sth (off)** (*passageiro, encomenda*) deixar alguém/alguma coisa **6** *vt* omitir: *He's been dropped from the team.* Foi excluído da equipa. **7** *vt* (*amigos*) cortar relações com **8** *vt* (*hábito, atitude*) deixar: *Can we drop the subject?* Podemos deixar o assunto? ◇ *Drop everything!* Deixa tudo! LOC **drop (sb) a hint** dar a entender (a alguém) ◆ **drop dead** (*coloq*) cair morto: *Drop dead!* Vai para o Diabo! ◆ **drop sb a line** (*coloq*) escrever umas linhas a alguém *Ver tb* LET PHR V **drop back/behind** ficar para trás, atrasar-se ◆ **drop by/in/round**; **drop in on sb** passar por casa (de alguém): *Why don't you drop by?* Por que não passas lá por casa? ◇ *They dropped in for breakfast.* Passaram por aqui para tomar o pequeno-almoço. ◇ *Drop round some time.* Aparece por cá um dia destes. ◆ **drop off** (*GB, coloq*) adormecer ◆ **drop out (of sth)** retirar-se (de alguma coisa): *to drop out (of university)* abandonar os estudos ◇ *to drop out (of society)* tornar-se marginal (da sociedade)
▸ *s* **1** gota: *Would you like a drop of wine?* Apetece-te um bocadinho de vinho? ◇ *eye drops* colírios **2** descida, queda: *a drop in prices/temperature* uma descida de preços/temperatura ◇ *a sheer drop* uma descida a pique LOC **at the drop of a hat** sem mais nem menos ◆ **be (only) a drop in the ocean** (*USA* **be (only) a drop in the bucket**) ser (só) uma gota no oceano

drop-down menu /ˌdrɑp daʊn ˈmenjuː/ *s* (*Informát*) menu de escolha

dropout /ˈdrɒpaʊt/ *s* **1** estudante que abandona os estudos **2** marginal

droppings /ˈdrɒpɪŋz/ *s* [*pl*] excremento (*de animais*)

drought /draʊt/ *s* seca

drove *pt de* DRIVE

drown /draʊn/ *vt, vi* afogar(-se) PHR V **drown sb/sth out** abafar alguém/alguma coisa: *His words were drowned out by the music.* A música abafava as palavras dele.

drowsy /ˈdraʊzi/ *adj* (**drowsier**, **-iest**) sonolento: *This drug can make you drowsy.* Este medicamento pode produzir sonolência.

drudgery /ˈdrʌdʒəri/ *s* [*não-contável*] trabalho penoso

drug /drʌg/ *substantivo, verbo*
▸ *s* **1** droga: *to be on/take drugs* consumir drogas ◇ *hard/soft drugs* drogas duras/leves **2** (*Med*) fármaco, medicamento: *drug company* empresa farmacêutica
▸ *vt* (**-gg-**) drogar

drugstore /ˈdrʌgstɔː(r)/ *s* (*USA*) drogaria, farmácia que também vende comestíveis, jornais, etc. ➲ *Comparar com* CHEMIST, PHARMACY

drum /drʌm/ *substantivo, verbo*
▸ *s* **1** (*Mús*) tambor, bateria: *to play the drums* tocar bateria **2** tambor, bidão
▸ (**-mm-**) **1** *vi* tocar tambor **2** *vt, vi* ~ **(sth) on sth** tamborilar (com alguma coisa) em alguma coisa PHR V **drum sth into sb/into sb's head** meter alguma coisa à força na cabeça de alguém ◆ **drum sb out (of sth)** expulsar alguém (de alguma coisa) ◆ **drum sth up** angariar alguma coisa (*apoio, clientes, etc.*): *to drum up interest in sth* fomentar o interesse em alguma coisa **drummer** *s* baterista

drumstick /ˈdrʌmstɪk/ *s* **1** (*Mús*) baqueta **2** (*Cozinha*) perna (*de galinha, etc.*)

drunk /drʌŋk/ *adjetivo, substantivo*
▸ *adj* bêbado: *drunk with joy* ébrio de alegria LOC **drunk and disorderly**: *to be charged with being drunk and disorderly* ser acusado de estar embriagado e ser desordeiro ◆ **get drunk** embebedar-se
▸ *s* (*antiq* **drunkard** /ˈdrʌŋkəd/) bêbado, -a *Ver tb* DRINK

drunken /'drʌŋkən/ *adj* [*só antes de substantivo*] bêbado: *a drunken driver* um condutor embriagado **drunkenness** *s* embriaguez

dry /draɪ/ *adjetivo, verbo, substantivo*
▸ *adj* (**drier, -est**) **1** seco: *dry white wine* vinho branco seco ◇ *Tonight will be dry.* Esta noite não vai chover. *Ver tb* BONE DRY **2** árido **3** (*humor*) irónico LOC **run dry** secar *Ver tb* HIGH, HOME
▸ *vt, vi* (*pt, pp* **dried**) secar: *He dried his eyes.* Enxugou as lágrimas. PHR V **dry (sth) out** secar (alguma coisa) ◆ **dry up 1** (*rio, etc.*) secar-se **2** (*bens, etc.*) esgotar ◆ **dry (sth) up** secar (alguma coisa) (*pratos, etc.*)
▸ *s* LOC **in the dry** a coberto

dry-clean /ˌdraɪ 'kli:n/ *vt* limpar a seco **dry-cleaner's** *s* tinturaria ➲ *Ver nota em* TALHO **dry-cleaning** *s* limpeza a seco

dryer (*tb* **drier**) /'draɪə(r)/ *s* secador *Ver tb* TUMBLE DRYER

dry land *s* terra firme

dryly = DRYLY

dryness /'draɪnəs/ *s* **1** secura **2** aridez **3** (*humor*) ironia

dual /'dju:əl; *USA* 'du:əl/ *adj* duplo

dual carriageway *s* via rápida (*de duas faixas*)

dub /dʌb/ *vt* (**-bb-**) dobrar: *dubbed into English* dobrado em inglês **dubbing** *s* dobragem

dubious /'dju:biəs; *USA* 'du:-/ *adj* **1 be ~ (about sth)** ter dúvidas (acerca de alguma coisa) **2** (*pej*) (*comportamento*) dúbio **3** (*plano, etc.*) duvidoso **dubiously** *adv* de um modo duvidoso

duchess /'dʌtʃəs/ *s* duquesa

duck /dʌk/ *substantivo, verbo*
▸ *s* pato ➲ *Ver nota em* PATO
▸ **1** *vi* baixar-se, baixar a cabeça: *He ducked behind a rock.* Escondeu-se atrás duma rocha. **2** *vt* desviar-se de (*rapidamente*) **3** *vt, vi* **~ (out of) sth** (*responsabilidade*) esquivar-se de alguma coisa

duct /dʌkt/ *s* tubo

dud /dʌd/ *adjetivo, substantivo*
▸ *adj* [*só antes de substantivo*] **1** defeituoso, sem cobertura **2** inútil
▸ *s* (*coloq*): *This battery is a dud.* Esta pilha é defeituosa.

dude /du:d, dju:d/ *s* (*esp USA, calão*) tipo

due /dju:; *USA* du:/ *adjetivo, substantivo, advérbio*
▸ *adj* **1 ~ to sth/sb** devido a alguma coisa/alguém: *The project had to be abandoned due to a lack of funding.* O projeto teve de ser abandonado devido a falta de financiamento. ◇ *It's all due to her efforts.* É tudo graças ao esforço dela. **2** *the money due to them* o dinheiro que se lhes deve ◇ *Our thanks are due to...* Estamos agradecidos a... ◇ *Payment is due on the fifth.* O pagamento vence no dia cinco. **3** *The bus is due (in) at five o'clock.* O autocarro chega às cinco. ◇ *She's due to arrive soon.* Ela deve chegar daqui a pouco. ◇ *She's due back on Thursday.* Ela deve voltar na quinta-feira. **4 ~ (for) sth**: *I reckon I'm due (for) a holiday.* Eu acho que mereço umas férias. **5** (*formal*) devido: *with all due respect* com o devido respeito LOC **in due course** na devida altura
▸ *s* **1 your/sb's ~**: *It was no more than his due.* Nao foi mais do que merecido. ◇ *to give sb their due* ser justo com alguém **2 dues** [*pl*] cota
▸ *adv*: *due south* diretamente para o sul

duel /'dju:əl; *USA* 'du:əl/ *s* duelo

duet /dju'et; *USA* du:'et/ *s* dueto

duffel bag /'dʌfl bæg/ *s* **1** (*GB*) saco de marinheiro **2** (*USA*) saco de viagem ➲ *Ver ilustração em* LUGGAGE

dug *pt, pp de* DIG

duke /dju:k; *USA* du:k/ *s* duque

dull /dʌl/ *adj* (**duller, -est**) **1** aborrecido, insípido **2** (*cor*) desmaiado **3** (*superfície*) sem lustre **4** (*luz*) sombrio: *a dull glow* uma luz amortecida **5** (*tempo*) encoberto **6** (*dor, ruído*) surdo **7** (*gume*) embotado **dully** *adv* apaticamente

duly /'dju:li; *USA* 'du:li/ *adv* **1** (*formal*) devidamente **2** no devido tempo

dumb /dʌm/ *adj* (**dumber, -est**) **1** (*antiq*) mudo: *to be deaf and dumb* ser surdo-mudo **2** (*esp USA, coloq*) estúpido

dumbfounded /dʌm'faʊndɪd/ (*tb* **dumbstruck** /'dʌmstrʌk/) *adj* embasbacado

dumbly /'dʌmli/ *adv* sem falar

dummy /'dʌmi/ *substantivo, adjetivo*
▸ *s* (*pl* **dummies**) **1** manequim **2** imitação **3** chupeta **4** (*USA, coloq*) imbecil
▸ *adj* postiço: *dummy run* ensaio

dump /dʌmp/ *verbo, substantivo*
▸ **1** *vt, vi* despejar, deitar fora: *No dumping.* É proibido despejar lixo. ◇ *dumping ground* lixeira **2** *vt* desfazer-se de **3** *vt* (*coloq*) (*namorado, etc.*) abandonar
▸ *s* **1** lixeira **2** (*Mil*) depósito (de munições, etc.) **3** (*coloq, pej*) chiqueiro: *Your room is a dump.* O teu quarto é uma lixeira.

dumpling /'dʌmplɪŋ/ *s* bola de uma massa especial que se come com guisados, esp na Grã-Bretanha

dumps /dʌmps/ *s* [*pl*] LOC **be (down) in the dumps** (*coloq*) estar deprimido

dune /dju:n; *USA* du:n/ (*tb* **sand dune**) *s* duna

dung /dʌŋ/ *s* esterco

dungarees /ˌdʌŋgəˈri:z/ *s* [*pl*] jardineiras (*macacão calças com peitilho*)

dungeon /ˈdʌndʒən/ *s* masmorra

duo /ˈdju:əʊ; *USA* ˈdu:əʊ/ *s* (*pl* **duos**) dueto

dupe /dju:p; *USA* du:p/ *vt* ~ **sb (into doing sth)** enganar alguém (para fazer alguma coisa)

duplex /ˈdju:pleks; *USA* ˈdu:-/ *s* (*esp USA*) **1** casa geminada (*de um lado*) **2** apartamento com dois andares

duplicate *verbo, adjetivo, substantivo*
▸ *vt* /ˈdju:plɪkeɪt; *USA* ˈdu:-/ duplicar
▸ *adj, s* /ˈdju:plɪkət; *USA* ˈdu:-/ duplicado

durability /ˌdjʊərəˈbɪləti; *USA* ˌdʊər-/ *s* durabilidade

durable /ˈdjʊərəbl; *USA* ˈdʊər-/ *adj* duradouro *Ver tb* CONSUMER DURABLES

duration /djuˈreɪʃn; *USA* du-/ *s* duração LOC **for the duration** (*coloq*) até ao fim de qualquer coisa

duress /djuˈres; *USA* du-/ *s* LOC **do sth under duress** (*formal*) fazer alguma coisa sob coacção

🔑 **during** /ˈdjʊərɪŋ; *USA* ˈdʊər-/ *prep* durante: *during the meal* durante a refeição ➲ *Ver exemplos em* FOR 3 *e nota em* DURANTE

dusk /dʌsk/ *s* crepúsculo: *at dusk* ao anoitecer

dusky /ˈdʌski/ *adj* (*formal*) escuro

🔑 **dust** /dʌst/ *substantivo, verbo*
▸ *s* pó, poeira: *gold dust* ouro em pó
▸ **1** *vt, vi* limpar o pó (de) **2** *vt* ~ **sth (with sth)** polvilhar alguma coisa (com alguma coisa) PHR V **dust sb/sth down/off** sacudir o pó de alguém/alguma coisa

dustbin /ˈdʌstbɪn/ *s* caixote do lixo ➲ *Ver ilustração em* BIN

duster /ˈdʌstə(r)/ *s* pano do pó: *feather duster* espanador

dustman /ˈdʌstmən/ *s* (*pl* **-men** /-mən/) homem do lixo

dustpan /ˈdʌstpæn/ *s* pá de lixo ➲ *Ver ilustração em* BRUSH

dusty /ˈdʌsti/ *adj* (**dustier, -iest**) poeirento

Dutch /dʌtʃ/ *adj* neerlandês LOC **Dutch courage** (*GB, coloq*) valentia adquirida com bebidas alcoólicas ◆ **go Dutch (with sb)** pagar a meias (com alguém)

dutiful /ˈdju:tɪfl; *USA* ˈdu:-/ *adj* obediente, consciencioso **dutifully** *adv* obedientemente, em cumprimento dos deveres

🔑 **duty** /ˈdju:ti; *USA* ˈdu:ti/ *s* (*pl* **duties**) **1** dever, obrigação: *to do your duty (by sb)* cumprir o seu dever (para com alguém) **2** função: *the duties of the president* as funções do presidente ◇ *duty officer* oficial de servico **3** ~ **(on sth)** direitos (sobre alguma coisa) LOC **be on/off duty** estar/não estar de serviço

duty-free /ˌdju:ti ˈfri:; *USA* ˌdu:ti/ *adj* isento de taxas

duvet /ˈdu:veɪ/ *s* edredão

🔑 **DVD** /ˌdi: vi: ˈdi:/ *s* (*abrev de* **digital video/versatile disc**) DVD

dwarf /dwɔ:f/ *substantivo, verbo*
▸ *s* (*pl* **dwarfs** *ou* **dwarves** /dwɔ:vz/) anão, anã
▸ *vt* empequenecer: *a house dwarfed by skyscrapers* uma casa empequenecida por arranha-céus

dwell /dwel/ *vi* (*pt, pp* **dwelt** /dwelt/ *ou* **dwelled**) (*formal*) habitar PHR V **dwell on/upon sth** **1** insistir em alguma coisa, alongar-se sobre alguma coisa **2** matutar em alguma coisa **dwelling** *s* (*formal*) residência, casa

dwindle /ˈdwɪndl/ *vi* diminuir, reduzir: *to dwindle (away) (to nothing)* ficar reduzido (a nada)

dye /daɪ/ *verbo, substantivo*
▸ *vt, vi* (*3ª pess sing pres* **dyes** *pt, pp* **dyed** *part pres* **dyeing**) tingir(-se): *to dye sth blue* tingir alguma coisa de azul
▸ *s* tinta (*para o cabelo, a roupa, etc.*)

🔑 **dying** /ˈdaɪɪŋ/ *adj* **1** (*pessoa*) moribundo, agonizante **2** (*palavras, momentos, etc.*) último: *her dying wish* o seu último desejo

dyke (*tb* **dike**) /daɪk/ *s* **1** dique **2** conduta

dynamic /daɪˈnæmɪk/ *adj* dinâmico

dynamics /daɪˈnæmɪks/ *s* **1** [*pl*] dinâmica **2** [*não-contável*] (*Ciência*) dinâmica

dynamism /ˈdaɪnəmɪzəm/ *s* dinamismo

dynamite /ˈdaɪnəmaɪt/ *substantivo, verbo*
▸ *s* (*lit e fig*) dinamite
▸ *vt* dinamitar

dynamo /ˈdaɪnəməʊ/ *s* (*pl* **dynamos**) dínamo

dynasty /ˈdɪnəsti; *USA* ˈdaɪ-/ *s* (*pl* **dynasties**) dinastia

dysentery /ˈdɪsəntri; *USA* -teri/ *s* disenteria

dyslexia /dɪsˈleksiə/ *s* dislexia **dyslexic** *adj, s* disléxico, -a

dystrophy /ˈdɪstrəfi/ *s* distrofia

E e

E, e /iː/ *s* (*pl* **Es, E's, e's**) **1** E, e ➲ *Ver nota em* A, A **2** (*Mús*) mi

e- /iː/ *pref* ❶ O prefixo **e-** é utilizado para formar palavras que são relacionadas com a comunicação eletrónica, por Internet: *e-commerce* comércio eletrónico ◇ *e-pal* amigo, -a por e-mail.

⚷ **each** /iːtʃ/ *adjetivo, pronome, advérbio*
▸ *adj* cada: *a ring on each finger* um anel em cada dedo

> **Each** traduz-se quase sempre por "cada (um)" e **every** por "todo(s)". Uma exceção importante é quando se exprime a repetição de alguma coisa a intervalos fixos de tempo: *The Olympics are held every four years.* Os Jogos Olímpicos celebram-se de quatro em quatro anos. ➲ *Ver tb nota em* EVERY

▸ *pron, adv* cada um (*de dois ou mais*): *each for himself* cada um por si ◇ *We have two each.* Temos dois cada um.

⚷ **each other** *pron* um ao outro (*mutuamente*)

> É cada vez maior a tendência para usar **each other** e **one another** indistintamente, ainda que **each other** seja muito mais frequente. Pode-se dizer tanto: *They looked at each other.* como *They looked at one another.* Olharam uns para os outros.

eager /ˈiːɡə(r)/ *adj* ~ **(for sth/to do sth)** ansioso (por alguma coisa), ansioso (por fazer alguma coisa): *eager to please* ansioso por agradar **eagerly** *adv* com impaciência/grande vontade **eagerness** *s* ânsia

eagle /ˈiːɡl/ *s* águia

⚷ **ear** /ɪə(r)/ *s* **1** orelha **2** ouvido: *to have an ear/a good ear for sth* ter bom ouvido para alguma coisa **3** espiga (*de milho, etc.*) LOC **be all ears** (*coloq*) ser todo ouvidos ◆ **be up to your ears in sth** estar afogado em alguma coisa ◆ **play it by ear** (*coloq*) improvisar ◆ **play (sth) by ear** tocar (alguma coisa) de ouvido *Ver tb* PRICK

earache /ˈɪəreɪk/ *s* dor de ouvidos

eardrum /ˈɪədrʌm/ *s* tímpano

earl /ɜːl/ *s* conde

⚷ **early** /ˈɜːli/ *adjetivo, advérbio*
▸ *adj* (**earlier, -iest**) **1** cedo: *in the early afternoon* ao começo da tarde **2** primeiro: *my earliest memories* as minhas primeiras recordações ◇ *at an early age* quando ainda novo ◇ *He's in his early twenties.* Ele tem vinte e poucos anos. **3** antecipado **4** (*morte*) prematuro LOC **it's early days (yet)** é cedo de mais ◆ **the early bird catches the worm** (*ditado*) Deus ajuda a quem madruga ◆ **the early hours** a madrugada *Ver tb* NIGHT
▸ *adv* (**earlier, -iest**) **1** cedo **2** com antecedência **3** prematuramente **4** em princípios de: *early last week* em princípios da semana passada LOC **as early as...**: *as early as 1988* já em 1988 ◆ **at the earliest** não antes ◆ **early on** pouco depois de começar: *earlier on* anteriormente

earmark /ˈɪəmɑːk/ *vt* destinar

⚷ **earn** /ɜːn/ *vt* **1** (*dinheiro*) ganhar: *to earn a living* ganhar a vida **2** (*juros, dividendos*) render **3** merecer

earnest /ˈɜːrnɪst/ *adj* **1** (*carácter*) sério **2** (*desejo, etc.*) fervoroso LOC **in earnest** **1** deveras **2** a sério: *She was in deadly earnest.* Ela estava a falar a sério. **earnestly** *adv* com fervor, seriamente **earnestness** *s* fervor, seriedade

earnings /ˈɜːnɪŋz/ *s* [*pl*] ganhos

earphones /ˈɪəfəʊnz/ *s* [*pl*] auscultadores

earring /ˈɪərɪŋ/ *s* brinco

earshot /ˈɪəʃɒt/ *s* LOC **out of/within earshot** fora do/ao alcance da voz

⚷ **earth** /ɜːθ/ *substantivo, verbo*
▸ *s* **1 the Earth** (*planeta*) a Terra **2** (*Geol*) terra **3** (*Eletrón*) terra LOC **charge, cost, pay, etc. the earth** (*GB, coloq*) cobrar, custar, pagar, etc. um dinheirão ◆ **come back/down to earth (with a bang/bump)** (*coloq*) cair das nuvens ◆ **how, why, where, who, etc. on earth/in the world** (*coloq*) como, por que, onde, quem, etc. diabo?: *What on earth are you doing?* Que diabo estás a fazer?
▸ *vt* (*Eletrón*) ligar à terra

earthly /ˈɜːθli/ *adj* **1** (*formal*) terrestre **2** provável: *You haven't an earthly (chance) of winning.* Não tens quaisquer hipóteses de ganhar. ❶ Neste sentido costuma-se usar em frases negativas ou interrogativas.

earthquake /ˈɜːθkweɪk/ *s* terramoto

⚷ **ease** /iːz/ *substantivo, verbo*
▸ *s* **1** facilidade **2** desafogo **3** alívio LOC **(be/feel) at (your) ease** (estar/sentir-se) à vontade *Ver tb* ILL, MIND
▸ **1** *vt, vi* (*dor*) aliviar(-se) **2** *vt, vi* (*tensão*) reduzir (-se) **3** *vi* (*trânsito*) diminuir **4** *vt* (*situação*) acalmar **5** *vt* (*restrição*) afrouxar, abrandar LOC **ease sb's mind** tranquilizar o espírito de alguém PHR V **ease (sb/sth) across, along, etc. sth** mover (alguém/alguma coisa) cuidadosamente através de/ao longo de, etc. alguma coisa ◆ **ease off/up** abrandar

easel /ˈi:zl/ *s* cavalete (*de pintor*)

easily /ˈi:zəli/ *adv* **1** facilmente **2** muito provavelmente **3** sem dúvida: *It's easily the best.* É sem dúvida o melhor.

east /i:st/ *substantivo, adjetivo, advérbio*
▸ *s* (*tb* East) (*abrev* **E**) **1** este, leste: *Norwich is in the East of England.* Norwich fica no leste da Inglaterra. **2 the East** o Oriente *Ver tb* MIDDLE EAST
▸ *adj* (do) leste, oriental: *east winds* ventos do leste
▸ *adv* a/para leste: *They headed east.* Dirigiram-se para leste.

eastbound /ˈi:stbaʊnd/ *adj* em/com direção a leste

Easter /ˈi:stə(r)/ *s* Páscoa: *Easter egg* ovo de Páscoa

eastern (*tb* Eastern) /ˈi:stən/ *adj* (do) leste, oriental

eastwards /ˈi:stwədz/ (*tb* eastward) *adv* para (o) leste

easy /ˈi:zi/ *adjetivo, advérbio*
▸ *adj* (**easier, -iest**) **1** fácil **2** tranquilo: *My mind is easier now.* Estou mais tranquilo agora. LOC **I'm easy** (*GB, coloq*) para mim, tanto faz
▸ *adv* (**easier, -iest**) LOC **easier said than done** mais fácil dizer do que fazer ◆ **go easy on sb** (*coloq*) ir com calma com alguém ◆ **go easy on/with sth** (*coloq*) ser moderado com alguma coisa ◆ **take it easy!** (*coloq*) calma! ◆ **take it/things easy** fazer as coisas com calma *Ver tb* FREE

easy-going /ˌi:zi ˈgəʊɪŋ/ *adj* sossegado: *She's very easygoing.* É de trato afável.

eat /i:t/ *vt, vi* (*pt* **ate** /et, eɪt; *USA* eɪt/, *pp* **eaten** /ˈi:tn/) comer LOC **eat out of sb's hand** estar submetido a alguém: *She had him eating out of her hand.* Ela tinha-o totalmente dominado. ◆ **eat your words** engolir o que se disse ◆ **what's eating him, you, etc.?** (*coloq*) o que é que o, te, etc. está a afligir? *Ver tb* CAKE
PHR V **eat away at sth; eat sth away** **1** corroer alguma coisa **2** causar a erosão de alguma coisa **3** (*fig*) consumir alguma coisa ◆ **eat into sth** **1** corroer, desgastar alguma coisa **2** (*fig*) gastar gradualmente alguma coisa (*reservas*) ◆ **eat out** comer fora ◆ **eat (sth) up** comer tudo ◆ **eat sth up** (*fig*) devorar alguma coisa: *This car eats up petrol!* Este carro bebe muita gasolina! ◆ **be eaten up with sth** estar consumido por alguma coisa **eater** *s*: *He's a big eater.* Ele come muito.

eavesdrop /ˈi:vzdrɒp/ *vi* (**-pp-**) ~ (**on sb/sth**) escutar às escondidas (alguém/alguma coisa)

ebb /eb/ *verbo, substantivo*
▸ *vi* **1** (*formal*) (*maré*) baixar **2** ~ (**away**) (*fig*) definhar
▸ *s* **the ebb** [*sing*] o refluxo LOC **the ebb and flow (of sth)** os altos e baixos (de alguma coisa)

ebony /ˈebəni/ *s* ébano

echo /ˈekəʊ/ *substantivo, verbo*
▸ *s* (*pl* **echoes**) eco, ressonância
▸ **1** *vi* ~ (**to/with sth**) ressoar (com alguma coisa) **2** *vt* ~ **sth (back)** ecoar alguma coisa: *The tunnel echoed back their words.* O túnel ecoou-lhes as palavras.

eco-friendly /ˌi:kəʊ ˈfrendli/ *adj* ecológico, amigo do ambiente

ecological /ˌi:kəˈlɒdʒɪkl/ *adj* ecológico **ecologically** /-kli/ *adv* ecologicamente

ecologist /iˈkɒlədʒɪst/ *s* ecologista

ecology /iˈkɒlədʒi/ *s* ecologia

economic /ˌi:kəˈnɒmɪk, ˌekə-/ *adj* **1** (*desenvolvimento, crescimento, política*) económico ➲ *Comparar com* ECONOMICAL **2** rentável

economical /ˌi:kəˈnɒmɪkl, ˌekə-/ *adj* (*combustível, aparelho, estilo*) económico ❶ Ao contrário de **economic**, **economical** pode ser qualificado por palavras como *more, less, very,* etc.: *a more economical car* um carro mais económico. LOC **be economical with the truth** dizer as verdades a meias

economically /ˌi:kəˈnɒmɪkli/ *adv* economicamente

economics /ˌi:kəˈnɒmɪks, ˌekə-/ *s* **1** economia: *the economics of the project* o aspeto económico do projeto **2** [*não-contável*] (*Educ*) económicas **economist** /ɪˈkɒnəmɪst/ *s* economista

economize, -ise /ɪˈkɒnəmaɪz/ *vi* economizar: *to economize on petrol* poupar gasolina

economy /ɪˈkɒnəmi/ *s* (*pl* **economies**) economia: *to make economies* economizar ◇ *economy size* embalagem económica

ecosystem /ˈi:kəʊsɪstəm/ *s* ecossistema

ecstasy /ˈekstəsi/ *s* (*pl* **ecstasies**) **1** êxtase: *to be in/go into ecstasy/ecstasies (over sth)* extasiar-se (com alguma coisa) **2 Ecstasy** (*abrev* **E**) pastilha(s) **ecstatic** /ɪkˈstætɪk/ *adj* extático

edge /edʒ/ *substantivo, verbo*
▸ *s* **1** gume (*de faca, etc.*) **2** borda: *on the edge of town* no extremo da cidade **3** [*sing*] ~ (**over sb/sth**) vantagem (sobre alguém/alguma coisa) LOC **be on edge** estar nervoso ◆ **take the edge off sth** suavizar, reduzir alguma coisa
▸ **1** *vt, vi* ~ (**your way**) **along, away, etc.** avançar, afastar-se, etc. a pouco e pouco: *I edged slowly towards the door.* Fui-me aproximando a

pouco e pouco da porta. **2** *vt* ~ **sth (with/in sth)** orlar alguma coisa (com alguma coisa)

edgy /'edʒi/ *adj* (*coloq*) nervoso

edible /'edəbl/ *adj* comestível

edit /'edɪt/ *vt* **1** (*livro, etc.*) preparar para publicação **2** (*texto*) editar

edition /ɪ'dɪʃn/ *s* edição

editor /'edɪtə(r)/ *s* diretor, -ora (*de jornal, etc.*): *the sports editor* o redator da Secção Desportiva

educate /'edʒukeɪt/ *vt* educar (*academicamente*): *He was educated abroad.* Estudou no estrangeiro. ➲ *Comparar com* BRING SB UP *em* BRING

educated /'edʒukeɪtɪd/ *adj* instruído, culto LOC **an educated guess** uma conjetura com fundamento

education /ˌedʒu'keɪʃn/ *s* **1** educação, ensino **2** pedagogia **educational** *adj* educativo, educacional, docente

eel /i:l/ *s* enguia

eerie /'ɪəri/ *adj* misterioso, arrepiante

effect /ɪ'fekt/ *substantivo, verbo*
▸ *s* efeito: *It had no effect on her.* Não lhe fez nenhum efeito. *Ver tb* SIDE EFFECT LOC **for effect** para causar sensação ◆ **in effect** com efeito, na realidade ◆ **take effect 1** fazer efeito **2** (*tb* **come into effect**) entrar em vigor ◆ **to no effect** inutilmente ◆ **to this/that effect** com este propósito *Ver tb* WORD
▸ *vt* (*formal*) efectuar (*uma cura, uma mudança*)

effective /ɪ'fektɪv/ *adj* **1** (*sistema, medicamento, etc.*) eficaz **2** que produz muito efeito

effectively /ɪ'fektɪvli/ *adv* **1** eficazmente **2** com efeito

effectiveness /ɪ'fektɪvnəs/ *s* eficácia

effeminate /ɪ'femɪnət/ *adj* efeminado

efficiency /ɪ'fɪʃnsi/ *s* eficiência

efficient /ɪ'fɪʃnt/ *adj* **1** (*pessoa*) competente **2** (*máquina, sistema, etc.*) eficaz **efficiently** *adv* eficientemente

effort /'efət/ *s* **1** esforço: *to make an effort* esforçar-se/fazer um esforço **2** tentativa

e.g. /ˌi: 'dʒi:/ *abrev* por exemplo

egg /eg/ *substantivo, verbo*
▸ *s* **1** ovo **2** óvulo LOC **put all your eggs in one basket** arriscar tudo de uma vez
▸ *v* PHR V **egg sb on** provocar, incitar alguém

eggplant /'egplɑ:nt; *USA* -plænt/ *s* (*USA*) beringela

eggshell /'egʃel/ *s* casca de ovo

ego /'i:gəʊ, 'egəʊ/ *s* (*pl* **egos**) ego, o eu: *to boost sb's ego* reforçar o amor-próprio de alguém

eight /eɪt/ *adj, pron, s* oito ➲ *Ver exemplos em* FIVE

eighteen /ˌeɪ'ti:n/ *adj, pron, s* dezoito ➲ *Ver exemplos em* FIVE **eighteenth 1** *adj, adv, pron* décimo oitavo **2** *s* décima oitava parte ➲ *Ver exemplos em* FIFTH

eighth /eɪtθ/ **1** *adj, adv, pron* oitavo **2** *s* oitava parte, oitavo ➲ *Ver exemplos em* FIFTH

eightieth /'eɪtiəθ/ **1** *adj, adv, pron* octogésimo **2** *s* octogésima parte ➲ *Ver exemplos em* FIFTH

eighty /'eɪti/ *adj, pron, s* oitenta ➲ *Ver exemplos em* FIFTY, FIVE

either /'aɪðə(r), 'i:ðə(r)/ *adjetivo, pronome, advérbio*
▸ *adj* **1** qualquer um dos dois: *Either kind of flour will do.* Qualquer dos dois tipos de farinha serve. ◇ *either way...* de ambas maneiras **2** ambos: *on either side of the road* de ambos os lados da rua **3** [*em frases negativas*] nem um nem outro
▸ *pron* **1** qualquer, um ou outro **2** [*em frases negativas*] nenhum: *I don't want either of them.* Não quero nenhum dos dois. ➲ *Ver nota em* NENHUM
▸ *adv* **1** [*em frases negativas*] também não: *'I'm not going.' 'I'm not either.'* —Não vou. —Eu também não. **2 either...or...** ou...ou..., nem... nem... ➲ *Comparar com* ALSO *e* TOO *e ver nota em* NEITHER

eject /i'dʒekt/ **1** *vt* (*formal*) expulsar **2** *vt* ejectar **3** *vi* expelir

elaborate *adjetivo, verbo*
▸ *adj* /ɪ'læbərət/ complicado, intrincado
▸ *vi* /ɪ'læbəreɪt/ ~ **(on sth)** entrar em pormenores (sobre alguma coisa)

elapse /ɪ'læps/ *vi* (*formal*) (*tempo*) passar, decorrer

elastic /ɪ'læstɪk/ *adjetivo, substantivo*
▸ *adj* **1** elástico **2** flexível
▸ *s* elástico (*material*)

elastic band *s* (fita) elástico

elated /i'leɪtɪd/ *adj* exultante

elbow /'elbəʊ/ *s* cotovelo

elder /'eldə(r)/ *adj, s* (o) mais velho: *Pitt the Elder* Pitt o Velho

Os comparativos mais normais de **old** são **older** e **oldest**: *He is older than me.* É mais velho do que eu. ◇ *the oldest building in the city* o edifício mais antigo da cidade. Quando se comparam as idades de pessoas, sobretudo dos membros duma família, **elder** e **eldest** são usados com muita frequência como adjetivos e como pronomes: *my eldest brother* o meu irmão mais velho ◇ *the elder of the two brothers* o mais velho dos dois

E

irmãos. Note-se que **elder** e **eldest** não podem ser usados com **than** e, como adjetivos, só podem preceder o substantivo.

elderly /'eldəli/ *adjetivo, substantivo*
▸ *adj* de idade avançada
▸ *s* **the elderly** [*pl*] as pessoas de idade

eldest /'eldɪst/ *adj, pron* mais velho ➲ *Ver nota em* ELDER

elect /ɪ'lekt/ *vt* eleger

election /ɪ'lekʃn/ *s* eleição *Ver tb* GENERAL ELECTION

electoral /ɪ'lektərəl/ *adj* eleitoral

electorate /ɪ'lektərət/ *s* [*v sing ou pl*] eleitorado

electric /ɪ'lektrɪk/ *adj* **1** elétrico **2** (*ambiente*) eletrizante

electrical /ɪ'lektrɪkl/ *adj* elétrico ➲ *Ver nota em* ELÉTRICO

electrician /ɪ,lek'trɪʃn/ *s* eletricista

electricity /ɪ,lek'trɪsəti/ *s* eletricidade: *to switch off the electricity* cortar a corrente elétrica

electrification /ɪ,lektrɪfɪ'keɪʃn/ *s* eletrificação

electrify /ɪ'lektrɪfaɪ/ *vt* (*pt, pp* **-fied**) **1** eletrificar **2** (*fig*) eletrizar

electrocute /ɪ'lektrəkju:t/ *vt* eletrocutar

electrode /ɪ'lektrəʊd/ *s* elétrodo

electron /ɪ'lektrɒn/ *s* eletrão

electronic /ɪ,lek'trɒnɪk/ *adj* eletrónico

electronics /ɪ,lek'trɒnɪks/ *s* [*não-contável*] eletrónica

elegance /'elɪgəns/ *s* elegância

elegant /'elɪgənt/ *adj* elegante

element /'elɪmənt/ *s* elemento

elementary /,elɪ'mentri/ *adj* elementar: *elementary school* escola primária

elephant /'elɪfənt/ *s* elefante

elevator /'elɪveɪtə(r)/ *s* (*USA*) elevador

eleven /ɪ'levn/ *adj, pron, s* onze ➲ *Ver exemplos em* FIVE **eleventh 1** *adj, adv, pron* décimo primeiro **2** *s* décima primeira parte ➲ *Ver exemplos em* FIFTH

elicit /ɪ'lɪsɪt/ *vt* (*formal*) obter (*esp com dificuldade*)

eligible /'elɪdʒəbl/ *adj*: *to be eligible for sth* ter direito a alguma coisa ◇ *to be eligible to do sth* ter os requisitos para fazer alguma coisa ◇ *an eligible bachelor* um solteiro desejável

eliminate /ɪ'lɪmɪneɪt/ *vt* **1** eliminar **2** (*doença, pobreza, etc.*) erradicar

elk /elk/ *s* alce

elm /elm/ (*tb* **elm tree**) *s* olmo

elope /ɪ'ləʊp/ *vi* fugir com o/a amante para se casar

eloquent /'eləkwənt/ *adj* eloquente

else /els/ *adv* ❶ Utiliza-se com pronomes indefinidos, interrogativos ou negativos e com advérbios: *Did you see anyone else?* Viste mais alguém? ◇ *anybody else* qualquer outra pessoa ◇ *everyone/everything else* todos os de mais /tudo de mais ◇ *It must have been someone else.* Deve ter sido outra pessoa. ◇ *nobody else* mais ninguém ◇ *Anything else?* Mais alguma coisa? ◇ *somewhere else* a/em (qualquer) outra parte ◇ *What else?* Que mais?

elsewhere /,els'weə(r)/ *adv* em/a outra parte

elude /i'lu:d/ *vt* **1** eludir, evitar **2** *Her name eludes me.* O nome dela escapa-me. **elusive** *adj* inapreensível: *an elusive word* uma palavra difícil de lembrar

emaciated /ɪ'meɪʃieɪtɪd, ɪ'meɪs-/ *adj* emaciado

email /'i:meɪl/ (*tb* **e-mail**) *substantivo, verbo*
▸ *s* correio eletrónico: *My email address is sjones@oup.com.* O meu e-mail/endereço de correio eletrónico é sjones@oup.com. ❶ Pronuncia-se "sjones at oup dot com".
▸ *vt* **1** ~ **sb sth**; ~ **sth (to sb)** enviar alguma coisa (a alguém) por correio eletrónico **2** ~ **sb** enviar um correio eletrónico a alguém: *As soon as she found out, she emailed me.* Assim que soube, enviou-me uma mensagem por correio eletrónico.

emanate /'eməneɪt/ *vi* ~ **from sth** (*formal*) emanar, proceder de alguma coisa

emancipation /ɪ,mænsɪ'peɪʃn/ *s* emancipação

embankment /ɪm'bæŋkmənt/ *s* dique, riba

embargo /ɪm'bɑ:gəʊ/ *s* (*pl* **embargoes**) ~ **(on sth)** proibição, embargo (a alguma coisa)

embark /ɪm'bɑ:k/ *vt, vi* embarcar PHR V **embark on/upon sth** empreender alguma coisa

embarrass /ɪm'bærəs/ *vt* envergonhar, atrapalhar: *to be embarrassed at/about sth* estar envergonhado com alguma coisa

embarrassing /ɪm'bærəsɪŋ/ *adj* embaraçoso

embarrassment /ɪm'bærəsmənt/ *s* **1** vergonha **2** ~ **(to/for sb)** constrangimento (para alguém) **3** (*pessoa ou coisa que incomoda*) estorvo

embassy /'embəsi/ *s* (*pl* **embassies**) embaixada

embedded /ɪm'bedɪd/ *adj* **1** encaixado, embotido **2** (*dentes, espada*) cravado, fincado

ember /'embə(r)/ *s [ger pl]* brasa

embezzlement /ɪm'bezlmənt/ *s* desfalque

embittered /ɪm'bɪtəd/ *adj* amargurado

embodiment /ɪm'bɒdimənt/ *s* (*formal*) personificação

embody /ɪm'bɒdi/ *vt* (*pt, pp* **-died**) encarnar

embrace /ɪm'breɪs/ *verbo, substantivo*
▸ (*formal*) **1** *vt, vi* abraçar(-se) **2** *vt* (*oferta, oportunidade*) agarrar
▸ *s* (*formal*) abraço

embroider /ɪm'brɔɪdə(r)/ *vt, vi* bordar **embroidery** *s [não-contável]* bordado

embryo /'embriəʊ/ *s* (*pl* **embryos**) embrião

emerald /'emərəld/ *s* esmeralda

⚷ **emerge** /i'mɜːdʒ/ *vi* ~ **(from sth)** emergir, surgir (de alguma coisa): *It emerged that...* Veio a lume que... **emergence** *s* aparecimento

⚷ **emergency** /i'mɜːdʒənsi/ *s* (*pl* **emergencies**) emergência: *emergency exit* saída de emergência

emergency room *s* (*abrev* **ER**) (*USA*) urgências

emigrant /'emɪgrənt/ *s* emigrante

emigrate /'emɪgreɪt/ *vi* emigrar **emigration** *s* emigração

eminent /'emɪnənt/ *adj* eminente

emission /i'mɪʃn/ *s* emissão, emanação

emit /i'mɪt/ *vt* (**-tt-**) **1** (*calor, sons, etc.*) emitir **2** (*cheiros, vapores*) exalar

emoticon /ɪ'məʊtɪkɒn/ *s* (*Informát*) emoticon

⚷ **emotion** /ɪ'məʊʃn/ *s* emoção

⚷ **emotional** /ɪ'məʊʃənl/ *adj* emocional, emotivo, comovente: *to get emotional* emocionar-se

emotive /i'məʊtɪv/ *adj* emotivo

empathy /'empəθi/ *s* empatia

emperor /'empərə(r)/ *s* imperador

⚷ **emphasis** /'emfəsɪs/ *s* (*pl* **emphases** /-siːz/) ~ **(on sth)** ênfase (em alguma coisa)

⚷ **emphasize, -ise** /'emfəsaɪz/ *vt* dar ênfase a, realçar

emphatic /ɪm'fætɪk/ *adj* categórico, enfático

⚷ **empire** /'empaɪə(r)/ *s* império

⚷ **employ** /ɪm'plɔɪ/ *vt* **1** empregar **2** (*formal*) utilizar

⚷ **employee** /ɪm'plɔɪiː/ *s* empregado, -a

⚷ **employer** /ɪm'plɔɪə(r)/ *s* patrão, -oa

⚷ **employment** /ɪm'plɔɪmənt/ *s* emprego, trabalho ➲ *Ver nota em* WORK

empress /'emprəs/ *s* imperatriz

emptiness /'emptinəs/ *s* **1** vazio **2** (*fig*) futilidade

⚷ **empty** /'empti/ *adjetivo, verbo*
▸ *adj* **1** vazio **2** vão, inútil
▸ (*pt, pp* **emptied**) **1** *vt* ~ **sth (out) (onto/into sth)** esvaziar, vazar alguma coisa (para alguma coisa) **2** *vi* esvaziar-se, ficar vazio **3** *vt* (*sala, edifício*) desocupar

empty-handed /ˌempti 'hændɪd/ *adj* de mãos vazias

⚷ **enable** /ɪ'neɪbl/ *vt* ~ **sb to do sth** permitir que alguém faça alguma coisa

enact /ɪ'nækt/ *vt* (*formal*) **1** (*Jur*) decretar **2** (*formal*) (*Teat*) representar

enamel /ɪ'næml/ *s* esmalte

enchanting /ɪn'tʃɑːntɪŋ; *USA* -'tʃænt-/ *adj* encantador

encircle /ɪn'sɜːkl/ *vt* (*formal*) rodear, cercar

enclose /ɪn'kləʊz/ *vt* **1** ~ **sth (in/with sth)** cercar alguma coisa (com alguma coisa) **2** remeter junto: *I enclose.../Please find enclosed...* Junto envio... **enclosure** /ɪn'kləʊʒə(r)/ *s* **1** cercado **2** coisa que se envia (juntamente com uma carta), anexo

encore /'ɒŋkɔː(r)/ *interjeição, substantivo*
▸ *interj* bis!
▸ *s* repetição, bis

⚷ **encounter** /ɪn'kaʊntə(r)/ *verbo, substantivo*
▸ *vt* encontrar-se inesperadamente com
▸ *s* encontro

⚷ **encourage** /ɪn'kʌrɪdʒ; *USA* -'kɜːr-/ *vt* **1** ~ **sb (in sth/to do sth)** encorajar alguém (em alguma coisa/a fazer alguma coisa) **2** fomentar, estimular

⚷ **encouragement** /ɪn'kʌrɪdʒmənt; *USA* -'kɜːr-/ *s* ~ **(to sb) (to do sth)** estímulo (para alguém) (para fazer alguma coisa)

encouraging /ɪn'kʌrɪdʒɪŋ; *USA* -'kɜːr-/ *adj* encorajante, animador

encyclopedia (*tb* **encyclopaedia**) /ɪnˌsaɪklə'piːdiə/ *s* enciclopédia

⚷ **end** /end/ *substantivo, verbo*
▸ *s* **1** (*tempo*) fim: *at the end of...* ao fim de/em fins de... ◇ *from beginning to end* do princípio ao fim **2** (*espaço*) fim, extremidade: *from end to end* de ponta a ponta **3** (*fio, pau, etc.*) ponta **4** *the east end of town* a zona leste da cidade **5** objetivo, fim **6** (*Desp*) campo, lado *Ver tb* DEAD END **LOC be at an end** estar terminado ◆ **be at the end of your tether** (*USA* **be at the end of your rope**) não aguentar mais ◆ **in the end** no fim ➲ *Ver nota em pág. 134* ◆ **on end 1** de pé **2** *for days on end* dias a fio *Ver tb* LOOSE, MEANS, ODDS, WIT

▸ *vt, vi* terminar, acabar PHR V **end in sth 1** terminar em alguma coisa **2** (*resultado*) acabar em alguma coisa: *Their argument ended in tears.* A discussão deles acabou em lágrimas. ◆ **end up (as sth/doing sth)** acabar (por ser/fazer alguma coisa) ◆ **end up (in...)** ir parar (a...) (*lugar*)

E

endanger /ɪn'deɪndʒə(r)/ *vt* pôr em perigo: *endangered species* espécies ameaçadas de extinção

endear /ɪn'dɪə(r)/ *vt* ~ **sb/yourself to sb** cativar alguém, fazer-se estimar por alguém, granjear a simpatia de alguém **endearing** *adj* afetuoso, cativante

endeavour (*USA* **endeavor**) /ɪn'devə(r)/ *substantivo, verbo*
▸ *s* (*formal*) esforço
▸ *vi* ~ **to do sth** (*formal*) esforçar-se por fazer alguma coisa

ending /'endɪŋ/ *s* fim

endless /'endləs/ *adj* **1** interminável, sem fim: *endless possibilities* infinitas possibilidades **2** (*paciência*) inesgotável

endorse /ɪn'dɔːs/ *vt* aprovar **endorsement** *s* **1** aprovação **2** endosso **3** (*na carta de condução*) nota de sanção

endow /ɪn'daʊ/ *vt* dotar (*a instituição, etc.*) PHR V **be endowed with sth** ser dotado de alguma coisa **endowment** *s* dotação (*dinheiro*)

endurance /ɪn'djʊərəns; *USA* -'dʊər-/ *s* resistência

endure /ɪn'djʊə(r); *USA* -'dʊər/ **1** *vt* suportar, aguentar ❶ Em frases negativas é mais corrente dizer **can't bear** ou **can't stand**. **2** *vi* (*formal*) perdurar **enduring** *adj* duradouro

enemy /'enəmi/ *s* (*pl* **enemies**) inimigo

energetic /ˌenə'dʒetɪk/ *adj* enérgico

energy /'enədʒi/ *s* (*pl* **energies**) energia

enforce /ɪn'fɔːs/ *vt* fazer cumprir (*lei*) **enforcement** *s* aplicação (*da lei*)

engage /ɪn'geɪdʒ/ **1** *vt* (*formal*) (*atenção*) chamar **2** *vt* (*formal*) (*tempo, pensamentos*) ocupar **3** *vt* ~ **sb (as sth)** (*formal*) contratar alguém (como alguma coisa) **4** *vi* ~ **with sth/sb** lidar com alguma coisa/alguém (*tentando compreender*) PHR V **engage in sth** dedicar-se a alguma coisa, envolver-se em alguma coisa ◆ **engage sb in sth** envolver alguém em alguma coisa

engaged /ɪn'geɪdʒd/ *adj* **1** ~ **in/on sth** (*formal*) ocupado, comprometido com alguma coisa **2** ~ **(to sb)** noivo (de alguém): *to be engaged to sb* ficar noivo de alguém ◇ *to get engaged* comprometer-se **3** (*telefone*) impedido: *The line is engaged.* Está impedido.

engagement /ɪn'geɪdʒmənt/ *s* **1** ~ **(to sb)** noivado (com alguém) **2** (*período*) namoro **3** encontro marcado, compromisso

engaging /ɪn'geɪdʒɪŋ/ *adj* atraente, noivado

engine /'endʒɪn/ *s* **1** motor: *The engine is overheating.* O motor do carro está a aquecer de mais.

Empregamos a palavra **engine** para nos referirmos ao motor de um veículo e **motor** para nos referirmos ao dos eletrodomésticos. A palavra **engine** refere-se normalmente a um motor a gasolina, enquanto que a palavra **motor** se refere a um motor elétrico.

2 locomotiva: *engine driver* maquinista *Ver tb* FIRE ENGINE, SEARCH ENGINE

engineer /ˌendʒɪ'nɪə(r)/ *substantivo, verbo*
▸ *s* **1** engenheiro, -a **2** (*telefone, manutenção, etc.*) técnico, -a **3** (*USA*) maquinista
▸ *vt* **1** (*coloq, freq pej*) maquinar **2** construir

engineering /ˌendʒɪ'nɪərɪŋ/ *s* engenharia

engrave /ɪn'greɪv/ *vt* ~ **B on A**; ~ **A with B** gravar B em A **engraving** *s* gravura

engrossed /ɪn'grəʊst/ *adj* absorto

enhance /ɪn'hɑːns; *USA* -'hæns/ *vt* **1** aumentar, melhorar **2** (*aspeto*) realçar

enjoy /ɪn'dʒɔɪ/ **1** *vt* gozar de: *Enjoy your meal!* Bom proveito! **2** *vt* ~ **doing sth** gostar de fazer alguma coisa **3** *vt* ~ **yourself** divertir-se: *Enjoy yourself!* Diverte-te! **4** *vi* **enjoy!** (*coloq*) espero que gostes!

enjoyable /ɪn'dʒɔɪəbl/ *adj* agradável, divertido ➲ *Ver nota em* FUN

enjoyment /ɪn'dʒɔɪmənt/ *s* satisfação, prazer: *He spoiled my enjoyment of the film.* Estragou-me o filme.

enlarge /ɪn'lɑːdʒ/ *vt* ampliar **enlargement** *s* ampliação

enlighten /ɪn'laɪtn/ *vt* ~ **sb (as to/about sth)** (*formal*) esclarecer (alguma coisa) a alguém **enlightened** *adj* **1** (*pessoa*) culto **2** (*política*) inteligente **enlightenment** *s* **1** esclarecimento **2 the Enlightenment** o Século das Luzes

enlist /ɪn'lɪst/ **1** *vt* ~ **sb/sth (in/as sth)** recrutar alguém/alguma coisa (para/como alguma coisa) **2** *vt, vi* ~ **(sb) (in/into/for sth)** (*Mil*) alistar alguém, alistar-se (em/para alguma coisa)

enmity /'enməti/ *s* (*pl* **enmities**) inimizade

enormous /ɪ'nɔːməs/ *adj* enorme **enormously** *adv* enormemente: *I enjoyed it enormously.* Gostei imenso.

enough /ɪ'nʌf/ *adj, pron, adv* suficiente, bastante: *Is that enough food for ten?* A comida chega para dez? ◇ *That's enough!* Já chega! ◇ *I've saved up enough to go on holiday.* Juntei o suficiente para ir de férias. ◇ *Is it near enough to go on foot?* É suficientemente perto para ir a pé?

Note-se que **enough** aparece sempre depois do adjetivo e **too** antes: *You're not old enough./You're too young.* És novo de mais. Quando **enough** é usado depois de um adjetivo positivo como *nice* ou *happy*, expressa que o entusiasmo é relativo: *He's pleasant enough, but not much fun.* Ele até é agradável, mas não é muito divertido.

LOC **curiously, funnily, oddly, etc. enough** é curioso, estranho, etc. que ◆ **have had enough (of sb/sth)** estar farto (de alguém/alguma coisa) *Ver tb* FAIR, SURE

enquire (*tb esp USA* **inquire**) /ɪn'kwaɪə(r)/ (*formal*) **1** *vt* perguntar **2** *vi* ~ **(about sb/sth)** pedir informações (sobre alguém/alguma coisa) **enquiring** (*tb esp USA* **inquiring**) *adj* **1** (*mente*) espírito **2** (*olhar*) inquisitivo

enquiry (*tb esp USA* **inquiry**) /ɪn'kwaɪəri; *USA* 'ɪnkwəri/ *s* (*pl* **enquiries**) **1** pergunta, pedido de informação **2** inquérito **3 enquiries** [*pl*] informações

enrage /ɪn'reɪdʒ/ *vt* enfurecer

enrich /ɪn'rɪtʃ/ *vt* enriquecer

enrol (*USA* **enroll**) /ɪn'rəʊl/ *vt, vi* (**-ll-**) inscrever(-se), matricular(-se) **enrolment** (*USA* **enrollment**) *s* inscrição, matrícula

ensure (*tb esp USA* **insure**) /ɪn'ʃʊə(r), ɪn'ʃɔː(r)/ *vt* assegurar, garantir

entangle /ɪn'tæŋgl/ *vt* ~ **sb/sth (in/with sth)** enredar alguém/alguma coisa (em alguma coisa) **entanglement** *s* enredo, embrulhada

enter /'entə(r)/ **1** *vt, vi* entrar (em): *The thought never entered my head.* A ideia nem me passou pela cabeça. **2** *vt, vi* ~ **(sth/for sth)** inscrever-se (em alguma coisa) **3** *vt* (*escola, universidade*) matricular-se em **4** *vt* (*sociedade*) entrar em **5** *vt* ~ **sth (in/into/onto sth)** registar, digitar alguma coisa (em alguma coisa): *Enter your password here.* Introduza aqui a sua palavra-passe. LOC *Ver* NAME PHR V **enter into sth** (*formal*) **1** (*negociações*) entrar em alguma coisa **2** (*acordo*) chegar a alguma coisa **3** ter que ver com alguma coisa: *What he wants doesn't enter into it.* O que ele quer não tem nada a ver com o assunto.

enterprise /'entəpraɪz/ *s* **1** (*atividade*) empresa **2** espírito empreendedor **enterprising** *adj* empreendedor, iniciativa

entertain /ˌentə'teɪn/ **1** *vt, vi* receber (convidados) **2** *vt, vi* (*divertir*) entreter **3** *vt* (*formal*) (*ideia*) alimentar

entertainer /ˌentə'teɪnə(r)/ *s* artista de variedades

entertaining /ˌentə'teɪnɪŋ/ *adj* divertido

entertainment /ˌentə'teɪnmənt/ *s* divertimento

enthralling /ɪn'θrɔːlɪŋ/ *adj* fascinante

enthusiasm /ɪn'θjuːziæzəm; *USA* -'θuː-/ *s* ~ **(for sth)** entusiasmo (por alguma coisa) **enthusiast** *s* entusiasta

enthusiastic /ɪnˌθjuːzi'æstɪk; *USA* -ˌθuː-/ *adj* ~ **(about sth)** entusiástico (em relação a alguma coisa)

entice /ɪn'taɪs/ *vt* seduzir

entire /ɪn'taɪə(r)/ *adj* [*só antes de substantivo*] inteiro, todo

entirely /ɪn'taɪəli/ *adv* totalmente, inteiramente

entirety /ɪn'taɪərəti/ *s* [*sing*] **the ~ of sth** (*formal*) a totalidade de alguma coisa

entitle /ɪn'taɪtl/ *vt* **1** ~ **sb to (do) sth** dar direito a alguém a (fazer) alguma coisa **2** (*livro, etc.*) intitular **entitlement** *s* (*formal*) direito

entity /'entəti/ *s* (*pl* **entities**) (*formal*) entidade

entrance /'entrəns/ *s* **1** ~ **(to/of sth)** entrada (de alguma coisa) **2** ~ **(to sth)** entrada, admissão (em alguma coisa): *They were refused entrance.* Foi-lhes recusada a admissão.

entrant /'entrənt/ *s* ~ **(to sth) 1** participante (em alguma coisa) **2** (*exame, etc.*) candidato, -a, inscrito, -a (em alguma coisa)

entrepreneur /ˌɒntrəprə'nɜː(r)/ *s* empresário, -a

entrust /ɪn'trʌst/ *vt* ~ **sth to sb**; ~ **sb with sth** confiar alguma coisa a alguém

entry /'entri/ *s* (*pl* **entries**) **1** ~ **(into/to sth)** entrada, admissão (em alguma coisa): *No entry.* Entrada proibida. **2** (*agenda*) apontamento, anotação **3** (*dicionário*) entrada

Entryphone® /'entrifəʊn/ *s* vídeoporteiro

enunciate /ɪ'nʌnsieɪt/ *vt, vi* articular

envelop /ɪn'veləp/ *vt* ~ **sb/sth (in sth)** (*formal*) envolver alguém/alguma coisa (em alguma coisa)

envelope /'envələʊp, 'ɒn-/ *s* envelope

enviable /'enviəbl/ *adj* invejável

envious /'enviəs/ *adj* invejoso: *to be envious of sb* ter inveja de/invejar alguém

environment /ɪn'vaɪrənmənt/ *s* **1** ambiente **2 the environment** o meio ambiente

E

environmental /ɪnˌvaɪrən'mentl/ *adj* ambiental

environmentalist /ɪnˌvaɪrən'mentəlɪst/ *s* ambientalista

envisage /ɪn'vɪzɪdʒ/ (*tb esp USA* **envision** /ɪn'vɪʒn/) *vt* **1** prever **2** imaginar

envoy /'envɔɪ/ *s* enviado, -a

envy /'envi/ *substantivo, verbo*
▸ *s* inveja
▸ *vt* (*pt, pp* **envied**) invejar

enzyme /'enzaɪm/ *s* enzima

ephemeral /ɪ'femərəl/ *adj* (*formal*) efémero

epic /'epɪk/ *substantivo, adjetivo*
▸ *s* epopeia
▸ *adj* épico

epidemic /ˌepɪ'demɪk/ *s* epidemia

epilepsy /'epɪlepsi/ *s* epilepsia **epileptic** /ˌepɪ'leptɪk/ *adj, s* epilético, -a

episode /'epɪsəʊd/ *s* episódio

epitaph /'epɪtɑːf; *USA* -tæf/ *s* epitáfio

epitome /ɪ'pɪtəmi/ *s* LOC **be the epitome of sth** ser a mais pura expressão de alguma coisa

epoch /'iːpɒk; *USA* 'epək/ *s* (*formal*) época

equal /'iːkwəl/ *adjetivo, substantivo, verbo*
▸ *adj, s* igual: *equal opportunities* igualdade de oportunidades LOC **be on equal terms (with sb)** estar em igualdade de circunstâncias (com alguém)
▸ *vt* (**-ll-**, *USA* **-l-**) **1** ser igual a **2** (*Mat*): *13 plus 29 equals 42.* 13 mais 29 são 42. **equality** /ɪ'kwɒləti/ *s* igualdade **equalize, -ise 1** *vt* igualar **2** *vt, vi* (*Futebol*) empatar

equally /'iːkwəli/ *adv* **1** igualmente **2** em partes iguais

equate /i'kweɪt/ *vt* ~ **sth (with sth)** equiparar alguma coisa (a alguma coisa)

equation /ɪ'kweɪʒn/ *s* equação

equator /ɪ'kweɪtə(r)/ *s* equador

equilibrium /ˌiːkwɪ'lɪbriəm, ˌek-/ *s* equilíbrio

equinox /'iːkwɪnɒks, 'ek-/ *s* equinócio

equip /ɪ'kwɪp/ *vt* (**-pp-**) ~ **sb/sth (with sth) (for sth)** equipar alguém/alguma coisa (com alguma coisa) (para alguma coisa)

equipment /ɪ'kwɪpmənt/ *s* [*não-contável*] equipamento

equitable /'ekwɪtəbl/ *adj* (*formal*) equitativo, justo

equivalent /ɪ'kwɪvələnt/ *adj, s* ~ **(to sth)** equivalente (a alguma coisa)

era /'ɪərə; *USA* 'eərə/ *s* era

eradicate /ɪ'rædɪkeɪt/ *vt* erradicar

erase /ɪ'reɪz; *USA* ɪ'reɪs/ *vt* ~ **sth (from sth)** apagar alguma coisa (de alguma coisa) ❶ Para os traços feitos a lápis é mais comum a expressão **rub sth out**. **eraser** *s* (*USA*) borracha (*de apagar*)

erect /ɪ'rekt/ *verbo, adjetivo*
▸ *vt* (*formal*) erigir
▸ *adj* **1** (*formal*) erguido **2** (*pénis*) ereto **erection** *s* ereção

erode /ɪ'rəʊd/ **1** *vt* corroer **2** *vi* desgastar

erotic /ɪ'rɒtɪk/ *adj* erótico

errand /'erənd/ *s* recado: *to run errands for sb* fazer recados a alguém

erratic /ɪ'rætɪk/ *adj* (*freq pej*) irregular

error /'erə(r)/ *s* erro: *to make an error* cometer um erro ◇ *The letter was sent to you in error.* A carta foi-lhe enviada por engano. ➲ *Ver nota em* MISTAKE LOC *Ver* TRIAL

erupt /ɪ'rʌpt/ *vi* **1** (*vulcão*) entrar em erupção **2** (*violência*) explodir

escalate /'eskəleɪt/ *vt, vi* **1** aumentar **2** intensificar(-se) **escalation** *s* escalada

escalator /'eskəleɪtə(r)/ *s* escada rolante

escapade /ˌeskə'peɪd, 'eskəpeɪd/ *s* aventura

escape /ɪ'skeɪp/ *verbo, substantivo*
▸ **1** *vi* ~ **(from sb/sth)** escapar (a alguém/alguma coisa) **2** *vt, vi* salvar-se (de): *They escaped unharmed.* Escaparam ilesos. **3** *vi* (*gás, líquido*) escapar-se LOC **escape (sb's) notice** passar despercebido (a alguém)
▸ *s* ~ **(from sth)** fuga (de alguma coisa): *to make your escape* fugir *Ver tb* FIRE ESCAPE LOC *Ver* NARROW

escort *substantivo, verbo*
▸ *s* /'eskɔːt/ **1** [*v sing ou pl*] escolta **2** (*formal*) acompanhante
▸ *vt* /ɪ'skɔːt/ **1** acompanhar **2** escoltar

Eskimo /'eskɪməʊ/ *s* (*pl* **Eskimo** *ou* **Eskimos**) esquimó ➲ *Ver nota em* ESQUIMÓ

especially /ɪ'speʃəli/ *adv* sobretudo, especialmente ➲ *Ver nota em* SPECIALLY

espionage /'espiənɑːʒ/ *s* espionagem

essay /'eseɪ/ *s* **1** (*Liter*) ensaio **2** (*escola*) redação, composição **3** (*universidade*) trabalho escrito

essence /'esns/ *s* essência

essential /ɪ'senʃl/ *adj* **1** ~ **(to/for sth)** essencial, imprescindível (para alguma coisa) **2** fundamental

essentially /ɪ'senʃəli/ *adv* basicamente

establish /ɪ'stæblɪʃ/ *vt* **1** estabelecer **2** determinar **established** *adj* **1** (*negócio*) sólido **2** (*religião*) oficial **establishment**

s **1** (*formal*) instituição **2 the Establishment** [*v sing ou pl*] (*freq pej*) o 'establishment', o sistema **3** estabelecimento

estate /ɪ'steɪt/ *s* **1** herdade **2** (*bens*) herança **3** urbanização

estate agent *s* agente imobiliário

esteem /ɪ'stiːm/ *s* LOC **hold sb/sth in high, low, etc. esteem** ter grande/pouca admiração por alguém/alguma coisa

esthetic (*USA*) = AESTHETIC

estimate *substantivo, verbo*
▸ *s* /'estɪmət/ **1** estimativa **2** avaliação **3** (*cálculo prévio*) orçamento
▸ *vt* /'estɪmeɪt/ calcular

estimation /ˌestɪ'meɪʃn/ *s* (*formal*) opinião

estranged /ɪ'streɪndʒd/ *adj* LOC **be estranged from sb** (*formal*) **1** estar desligado de alguém **2** estar separado de alguém

estuary /'estʃuəri; *USA* -eri/ *s* (*pl* **estuaries**) estuário

etc. /ˌet 'setərə/ *abrev* etc.

etching /etʃɪŋ/ *s* (*gravura*) água-forte

eternal /ɪ'tɜːnl/ *adj* eterno **eternity** *s* eternidade

ether /'iːθə(r)/ *s* éter

ethereal /i'θɪəriəl/ *adj* (*formal*) etéreo

ethic /'eθɪk/ *s* [*sing*] ética: *the work ethic* a ética de trabalho **ethical** *adj* ético

ethics /'eθɪks/ *s* **1** [*pl*] (*princípios morais*) ética **2** [*não-contável*] (*Filosofia*) ética

ethnic /'eθnɪk/ *adj* étnico

ethos /'iːθɒs/ *s* [*sing*] (*formal*) valores

etiquette /'etɪket, -kət/ *s* etiqueta (*maneiras*)

EU /ˌiː 'juː/ *abrev de* **European Union** União Europeia

euro /'jʊərəʊ/ *s* (*pl* **euros** *ou* **euro**) euro

Eurozone /'jʊərəʊzəʊn/ *s* zona euro

euthanasia /ˌjuːθə'neɪziə; *USA* -'neɪʒə/ *s* eutanásia

evacuate /ɪ'vækjueɪt/ *vt* evacuar **evacuee** /ɪˌvækju'iː/ *s* evacuado, -a

evade /ɪ'veɪd/ *vt* **1** evitar **2** fugir a

evaluate /ɪ'væljueɪt/ *vt* avaliar

evaporate /ɪ'væpəreɪt/ *vt, vi* evaporar(-se) **evaporation** *s* evaporação

evasion /ɪ'veɪʒn/ *s* evasão **evasive** /ɪ'veɪsɪv/ *adj* evasivo

eve /iːv/ *s* LOC **on the eve of sth 1** na véspera de alguma coisa **2** (*fig*) em vésperas de alguma coisa

even /'iːvn/ *advérbio, adjetivo, verbo*
▸ *adv* **1** [*uso enfático*] mesmo: *He didn't even open the letter.* Nem sequer abriu a carta. **2** [*antes de adjetivo ou advérbio comparativo*] ainda LOC **even if/though** mesmo que, apesar de que ◆ **even so** ainda assim, não obstante
▸ *adj* **1** (*superfície*) plano, liso **2** (*cor*) uniforme **3** (*temperatura*) constante **4** (*competição, pontuação*) igual **5** (*número*) par ➲ *Comparar com* ODD LOC **be/get even (with sb)** (*coloq*) pagar na mesma moeda (a alguém)
▸ *v* PHR V **even out** estabilizar, nivelar-se ◆ **even sth out** repartir alguma coisa uniformemente ◆ **even sth up** nivelar alguma coisa

evening /'iːvnɪŋ/ *s* **1** tarde, noite: *tomorrow evening* amanhã à tarde/noite ◇ *evening classes* aulas noturnas ◇ *evening dress* traje de cerimónia ◇ *the evening meal* o jantar ◇ *an evening paper* um vespertino ➲ *Ver notas em* MORNING *e* TARDE **2** fim da tarde, tardinha LOC **good evening** boa tarde, boa noite ➲ *Ver nota em* NOITE

evenly /'iːvənli/ *adv* **1** de modo uniforme **2** (*repartir, etc.*) em partes iguais

event /ɪ'vent/ *s* **1** acontecimento **2** (*Desp*) prova LOC **in any event**; **at all events** em todo o caso ◆ **in the event** no fim de contas ◆ **in the event of sth** em caso de alguma coisa **eventful** *adj* memorável

eventual /ɪ'ventʃuəl/ *adj* final

eventually /ɪ'ventʃuəli/ *adv* finalmente

ever /'evə(r)/ *adv* nunca: *more than ever* mais do que nunca ◇ *for ever (and ever)* para sempre ◇ *Has it ever happened before?* Já aconteceu alguma vez? ➲ *Ver notas em* ALWAYS *e* NUNCA LOC **ever since** desde então ◆ **how ever** como: *How ever did she do it?* Como é que ela fez? *Ver tb* HOWEVER

evergreen /'evəgriːn/ *adj, s* (árvore/arbusto) de folha perene

every /'evri/ *adj* cada, todos (os): *every (single) time* cada vez ◇ *every 10 minutes* cada 10 minutos/de 10 em 10 minutos

> Utilizamos **every** para nos referirmos a todos os elementos de um grupo em conjunto: *Every player was on top form.* Todos os jogadores estavam em plena forma. Usa-se **each** para nos referirmos individualmente a cada um deles: *The Queen shook hands with each player after the game.* A Rainha apertou a mão a cada um dos jogadores depois da partida. ➲ *Ver tb nota em* EACH

E

LOC every last...; every single... até ao último... ◆ **every now and again/then** de vez em quando ◆ **every other**: *every other week* semana sim, semana não ◆ **every so often** uma vez por outra

everyday /'evrideɪ/ *adj* quotidiano, de todos os dias: *for everyday use* para uso diário ◇ *in everyday use* de uso corrente ❶ Só se usa **everyday** antes de um substantivo. Não se deve confundir com a expressão **every day** que significa "todos os dias".

⚷ **everyone** /'evriwʌn/ (*tb* **everybody** /'evribɒdi/) *pron* todos, toda a gente

> **Everyone**, **anyone** e **someone** são seguidos do o verbo no singular, contudo frequentemente são seguidos por um pronome plural, exceto na linguagem formal: *Someone has left their coat behind.* Alguém se esqueceu do casaco.

⚷ **everything** /'evriθɪŋ/ *pron* tudo

⚷ **everywhere** /'evriweə(r)/ *adv* (em/a/por) toda a parte

evict /ɪ'vɪkt/ *vt* ~ **sb (from sth)** despejar alguém (de alguma coisa)

⚷ **evidence** /'evɪdəns/ *s* [*não-contável*] **1** ~ **(of/for sth)** provas (de/para alguma coisa): *insufficient evidence* falta de provas **2** (*em tribunal*) testemunho, depoimento **evident** *adj* ~ **(to sb) (that...)** evidente (para alguém) (que...) **evidently** *adv* evidentemente

⚷ **evil** /'i:vl/ *adjetivo, substantivo*
▸ *adj* mau
▸ *s* (*formal*) mal

evocative /ɪ'vɒkətɪv/ *adj* evocativo

evoke /ɪ'vəʊk/ *vt* (*formal*) evocar

evolution /ˌi:və'lu:ʃn, ˌev-/ *s* evolução

evolve /i'vɒlv/ *vi* evoluir

ewe /ju:/ *s* ovelha

ex /eks/ *s* (*pl* **exes**) (*coloq*) ex (*marido, namorada, etc.*)

⚷ **exact** /ɪg'zækt/ *adj* exato

exacting /ɪg'zæktɪŋ/ *adj* exigente

⚷ **exactly** /ɪg'zæktli/ *adv* **1** exatamente **2** exato

⚷ **exaggerate** /ɪg'zædʒəreɪt/ *vt* exagerar

⚷ **exaggerated** /ɪg'zædʒəreɪtɪd/ *adj* exagerado

⚷ **exam** /ɪg'zæm/ *s* exame: *to sit an exam* fazer um exame

⚷ **examination** /ɪgˌzæmɪ'neɪʃn/ *s* **1** (*formal*) exame **2** análise **3** (*Jur*) interrogatório

⚷ **examine** /ɪg'zæmɪn/ *vt* **1** examinar **2** (*Jur*) interrogar

⚷ **example** /ɪg'zɑ:mpl; *USA* -'zæmpl/ *s* exemplo **LOC for example** (*abrev* **e.g.**) por exemplo ◆ **set a good/bad example (to sb)** ser um bom/mau exemplo (para alguém)

exasperate /ɪg'zɑ:spəreɪt; *USA* -'zæs-/ *vt* exasperar **exasperation** *s* exasperação

excavate /'ekskəveɪt/ *vt, vi* escavar

exceed /ɪk'si:d/ *vt* **1** exceder, ultrapassar **2** (*poder, responsabilidade, etc.*) exceder-se em **exceedingly** *adv* (*formal*) extremamente

excel /ɪk'sel/ *vi* (-**ll**-) ~ **(in/at sth)** distinguir-se (em alguma coisa)

excellence /'eksələns/ *s* excelência

⚷ **excellent** /'eksələnt/ *adj* excelente

⚷ **except** /ɪk'sept/ *preposição, conjunção*
▸ *prep* ~ **(for) sb/sth** exceto alguém/alguma coisa
▸ *conj* ~ **that...** exceto que...

⚷ **exception** /ɪk'sepʃn/ *s* exceção: *to make an exception* abrir uma excepção **LOC take exception to sth** fazer uma objeção a alguma coisa

exceptional /ɪk'sepʃənl/ *adj* excecional

excerpt /'eksɜ:pt/ *s* ~ **(from sth)** (*livro, filme, etc.*) excerto (de alguma coisa)

excess /ɪk'ses/ *s* excesso **excessive** *adj* excessivo

⚷ **exchange** /ɪks'tʃeɪndʒ/ *substantivo, verbo*
▸ *s* **1** troca, intercâmbio **2** *exchange rate* taxa de câmbio *Ver tb* PART EXCHANGE
▸ *vt* **1** ~ **A for B** trocar A por B **2** ~ **sth (with sb)** trocar alguma coisa (com alguém)

the Exchequer /ɪks'tʃekə(r)/ *s* (*GB*) Ministério das Finanças

excitable /ɪk'saɪtəbl/ *adj* excitável

⚷ **excite** /ɪk'saɪt/ *vt* excitar

⚷ **excited** /ɪk'saɪtɪd/ *adj* ~ **(about/at/by sth)** excitado, entusiasmado (com alguma coisa)

⚷ **excitement** /ɪk'saɪtmənt/ *s* entusiasmo

⚷ **exciting** /ɪk'saɪtɪŋ/ *adj* emocionante

exclaim /ɪk'skleɪm/ *vt, vi* exclamar

exclamation /ˌekskləˈmeɪʃn/ *s* exclamação

exclamation mark (*USA* **exclamation point**) *s* ponto de exclamação ➲ *Ver pág. 315*

⚷ **exclude** /ɪk'sklu:d/ *vt* ~ **sb/sth (from sth)** excluir alguém/alguma coisa (de alguma coisa) **exclusion** *s* ~ **(of sb/sth) (from sth)** exclusão (de alguém/alguma coisa) (de alguma coisa)

exclusive /ɪk'sklu:sɪv/ *adj* **1** exclusivo **2** ~ **of sb/sth** sem incluir alguém/alguma coisa

excursion /ɪk'skɜ:ʃn; *USA* -ʒn/ *s* excursão

⚷ **excuse** *substantivo, verbo*
▸ *s* /ɪk'skju:s/ ~ **(for sth/doing sth)** desculpa (por/para alguma coisa/fazer alguma coisa)

▸ *vt* /ɪk'skju:z/ **1** ~ **sb/sth (for sth/doing sth)** desculpar alguém/alguma coisa (por alguma coisa/por fazer alguma coisa) **2** ~ **sb (from sth)** dispensar alguém (de alguma coisa)

Diz-se **excuse me** quando se quer interromper ou chamar a atenção de alguém: *Excuse me, sir!* Perdão!/Faz favor! Dizemos **sorry** quando temos de pedir desculpa por algo que fizemos: *I'm sorry I'm late.* Peço desculpa por ter chegado tarde. ◇ *Did I hit you? I'm sorry!* Bati-te? Desculpa!
Em inglês americano usa-se **excuse me** em vez de **sorry**. ➲ *Ver tb nota em* SORRY

execute /'eksɪkju:t/ *vt* executar **execution** *s* execução **executioner** *s* carrasco

🔑 **executive** /ɪg'zekjətɪv/ *adj, s* executivo, -a

exempt /ɪg'zempt/ *adjetivo, verbo*
▸ *adj* ~ **(from sth)** isento (de alguma coisa)
▸ *vt* ~ **sb/sth (from sth)** isentar alguém/alguma coisa (de alguma coisa) **exemption** *s* isenção

🔑 **exercise** /'eksəsaɪz/ *substantivo, verbo*
▸ *s* exercício
▸ **1** *vi* fazer exercício **2** *vt* (*formal*) (*direito, poder*) exercer

exert /ɪg'zɜ:t/ *vt* **1** exercer **2** ~ **yourself** esforçar-se **exertion** *s* esforço

exhaust /ɪg'zɔ:st/ *substantivo, verbo*
▸ *s* **1** [*não-contável*] (*tb* **exhaust fumes** [*pl*]) fumo dos escapes **2** (*tb* **exhaust pipe**) (tubo de) escape
▸ *vt* esgotar **exhausted** *adj* exausto **exhausting** *adj* esgotante **exhaustion** *s* esgotamento **exhaustive** *adj* exaustivo

🔑 **exhibit** /ɪg'zɪbɪt/ *substantivo, verbo*
▸ *s* **1** objeto exposto **2** (*USA*) exposição
▸ **1** *vt, vi* expor, exibir **2** *vt* (*formal*) manifestar

🔑 **exhibition** /ˌeksɪ'bɪʃn/ *s* exposição

exhilarating /ɪg'zɪləreɪtɪŋ/ *adj* excitante, emocionante **exhilaration** *s* euforia

exile /'eksaɪl, 'egzaɪl/ *substantivo, verbo*
▸ *s* **1** exílio **2** (*pessoa*) exilado, -a
▸ *vt* exilar

🔑 **exist** /ɪg'zɪst/ *vi* **1** existir **2** ~ **(on sth)** viver (à base de alguma coisa)

🔑 **existence** /ɪg'zɪstəns/ *s* existência

existing /ɪg'zɪstɪŋ/ *adj* existente

🔑 **exit** /'eksɪt/ *s* saída

exotic /ɪg'zɒtɪk/ *adj* exótico

🔑 **expand** /ɪk'spænd/ *vt, vi* **1** (*metal, etc.*) dilatar(-se) **2** (*negócio*) expandir(-se)
PHR V **expand on sth** elaborar, explicar melhor alguma coisa

expanse /ɪk'spæns/ *s* ~ **(of sth)** extensão (de alguma coisa)

expansion /ɪk'spænʃn/ *s* **1** expansão **2** desenvolvimento

expansive /ɪk'spænsɪv/ *adj* expansivo

expatriate /ˌeks'pætriət; *USA* -'peɪt-/ *s* expatriado, -a

🔑 **expect** /ɪk'spekt/ *vt* **1** ~ **sth (from/of sb/sth)** esperar alguma coisa (de alguém/alguma coisa) ➲ *Ver nota em* ESPERAR **2** (*esp GB, coloq*) supor **expectancy** *s* expectativa: *There was an air of expectancy in the crowd.* Havia um ar de expectativa na multidão. ➲ *Ver tb* LIFE EXPECTANCY *e comparar com* EXPECTATION **expectant** *adj* **1** expectante **2** *expectant mothers* futuras mães

🔑 **expectation** /ˌekspek'teɪʃn/ *s* ~ **(of sth)** expectativa (de alguma coisa): *to fall short of sb's expectations* ficar aquém das expectativas de alguém ➲ *Comparar com* EXPECTANCY *em* EXPECT LOC **against/contrary to (all) expectation(s)** contra todas as expectivas

expedition /ˌekspə'dɪʃn/ *s* expedição

expel /ɪk'spel/ *vt* (**-ll-**) ~ **sb/sth (from sth)** expulsar alguém/alguma coisa (de alguma coisa)

expend /ɪk'spend/ *vt* ~ **sth (in/on sb/sth/doing sth)** (*formal*) despender alguma coisa (em alguém/alguma coisa/a fazer alguma coisa)

expendable /ɪk'spendəbl/ *adj* (*formal*) **1** (*coisa*) dispensável **2** (*pessoa*) prescindível

expenditure /ɪk'spendɪtʃə(r)/ *s* gasto(s)

🔑 **expense** /ɪk'spens/ *s* despesa(s), custos

🔑 **expensive** /ɪk'spensɪv/ *adj* caro

🔑 **experience** /ɪk'spɪəriəns/ *substantivo, verbo*
▸ *s* experiência
▸ *vt* **1** (*dor, sentimento, etc.*) sentir **2** (*dificuldades, mau bocado*) passar por

🔑 **experienced** /ɪk'spɪəriənst/ *adj* experiente

🔑 **experiment** /ɪk'sperɪmənt/ *substantivo, verbo*
▸ *s* experiência
▸ *vi* ~ **(on sb/sth)**; ~ **(with sth)** fazer experiências (em alguém/alguma coisa), experimentar (em alguma coisa)

🔑 **expert** /'ekspɜ:t/ *adj, s* ~ **(at/in/on sth/doing sth)** especialista, perito, -a (em alguma coisa/fazer alguma coisa) **expertise** /ˌekspɜ:'ti:z/ *s* [*não-contável*] perícia, conhecimento especializado

expire /ɪk'spaɪə(r)/ *vi* (*prazo, etc.*) terminar, caducar: *My passport's expired.* O meu passaporte caducou. **expiry** (*USA* **expiration** /ˌekspə'reɪʃn/) *s* vencimento, fim do prazo: *expiry date* (data de) validade

🔑 **explain** /ɪk'spleɪn/ *vt* ~ **sth (to sb)** explicar alguma coisa (a alguém): *Explain this to me.* Explica-me isto.

🔑 **explanation** /ˌeksplə'neɪʃn/ *s* ~ **(for sth)** explicação (para alguma coisa)

explanatory /ɪk'splænətri; *USA* -tɔːri/ *adj* explicativo

explicit /ɪk'splɪsɪt/ *adj* explícito

🔑 **explode** /ɪk'spləʊd/ *vt, vi* explodir

exploit *verbo, substantivo*
▸ *vt* /ɪk'splɔɪt/ explorar (*pessoas, recursos*)
▸ *s* /'eksplɔɪt/ proeza, façanha **exploitation** /ˌeksplɔɪ'teɪʃn/ *s* exploração (*de pessoas, etc.*)

exploration /ˌeksplə'reɪʃn/ *s* exploração (*para descobrir*)

🔑 **explore** /ɪk'splɔː(r)/ *vt, vi* explorar **explorer** *s* explorador, -ora

🔑 **explosion** /ɪk'spləʊʒn/ *s* explosão **explosive** /ɪk'spləʊsɪv/ *adj, s* explosivo

🔑 **export** *verbo, substantivo*
▸ *vt, vi* /ɪk'spɔːt/ exportar
▸ *s* /'ekspɔːt/ (artigo de) exportação

🔑 **expose** /ɪk'spəʊz/ *vt* **1** ~ **sb/sth/yourself (to sth)** expor alguém/alguma coisa, expor-se (a alguma coisa) **2** (*culpado*) desmascarar **3** (*ignorância, fraqueza*) revelar **exposed** *adj* desprotegido **exposure** /ɪk'spəʊʒə(r)/ *s* **1** ~ **(to sth)** exposição (a alguma coisa): *to die of exposure* morrer de frio **2** (*verdade oculta*) divulgação

🔑 **express** /ɪk'spres/ *verbo, adjetivo, advérbio, substantivo*
▸ *vt* ~ **sth (to sb)** exprimir alguma coisa (a alguém): *to express yourself* exprimir-se
▸ *adj* **1** (*Caminho-de-ferro, autocarro, etc.*) rápido, expresso **2** (*entrega*) urgente **3** (*formal*) (*desejo*) expresso
▸ *adv* pelo serviço de envio urgente
▸ *s* **1** (*tb* **express train**) rápido, expresso **2** serviço expresso

🔑 **expression** /ɪk'spreʃn/ *s* **1** expressão **2** mostra, expressão: *as an expression of his gratitude* como mostra da sua gratidão **3** expressividade

expressive /ɪk'spresɪv/ *adj* expressivo

expressly /ɪk'spresli/ *adv* (*formal*) expressamente

expressway /ɪk'spresweɪ/ *s* (*USA*) via rápida

expulsion /ɪk'spʌlʃn/ *s* expulsão

exquisite /ɪk'skwɪzɪt, 'ekskwɪzɪt/ *adj* fino

🔑 **extend** /ɪk'stend/ **1** *vt* estender, ampliar **2** *vi* estender-se: *to extend as far as sth* chegar até alguma coisa **3** *vt* (*estadia, vida*) prolongar **4** *vt* (*prazo, crédito*) prorrogar **5** *vt* (*mão*) estender **6** *vt* (*formal*) (*boas-vindas*) dar

🔑 **extension** /ɪk'stenʃn/ *s* **1** extensão **2** ~ **(to sth)** ampliação, anexo (de alguma coisa): *to build an extension to sth* fazer obras de ampliação a alguma coisa **3** (*período*) prolongamento **4** (*prazo*) prorrogação

🔑 **extensive** /ɪk'stensɪv/ *adj* **1** extenso **2** (*danos*) avultado **3** (*conhecimento*) vasto **4** (*uso*) frequente **extensively** *adv* **1** extensamente: *She has travelled extensively.* Ela é muito viajada. **2** (*usar*) frequentemente

🔑 **extent** /ɪk'stent/ *s* extensão: *the full extent of the losses* o balanço geral das perdas LOC **to a large/great extent** em grande parte ◆ **to a lesser extent** em menor grau ◆ **to some/a certain extent** até certo ponto ◆ **to what extent** até que ponto

exterior /ɪk'stɪəriə(r)/ *adjetivo, substantivo*
▸ *adj* exterior
▸ *s* **1** exterior **2** (*pessoa*) aparência

exterminate /ɪk'stɜːmɪneɪt/ *vt* exterminar

external /ɪk'stɜːnl/ *adj* externo, exterior **externally** *adv* exteriormente

extinct /ɪk'stɪŋkt/ *adj* extinto: *to become extinct* extinguir-se

extinguish /ɪk'stɪŋgwɪʃ/ *vt* extinguir, apagar
ℹ A expressão mais comum é **put sth out**. **extinguisher** (*tb* **fire extinguisher**) *s* extintor (de incêndios)

extort /ɪk'stɔːt/ *vt* ~ **sth (from sb)** **1** (*dinheiro*) extorquir alguma coisa (a alguém) **2** (*confissão*) arrancar alguma coisa (a alguém) **extortion** *s* extorsão

extortionate /ɪk'stɔːʃənət/ *adj* **1** (*preço*) exorbitante **2** (*exigência*) excessivo

🔑 **extra** /'ekstrə/ *adjetivo, advérbio, substantivo*
▸ *adj* **1** adicional, extra: *extra charge* taxa suplementar ◇ *Wine is extra.* O vinho não está incluído. **2** mais: *They paid me an extra £50.* Pagaram-me mais 50 libras. **3** (*Desp*): *extra time* prolongamento
▸ *adv* ainda mais, extra: *to pay extra* pagar um suplemento
▸ *s* **1** extra **2** (*preço*) suplemento **3** (*Cinema*) extra

extract *verbo, substantivo*
▸ *vt* /ɪk'strækt/ **1** ~ **sth (from sth)** extrair alguma coisa (de alguma coisa) **2** ~ **sth (from sb/sth)** arrancar alguma coisa (a alguém/de alguma coisa)
▸ *s* /'ekstrækt/ **1** extrato **2** (*texto, música, etc.*) trecho

extradition /ˌekstrə'dɪʃn/ *s* extradição

🔑 **extraordinary** /ɪk'strɔːdnri; *USA* -dəneri/ *adj* extraordinário

extra time *s* [*não-contável*] (*Desp*) prolongamento

extravagance /ɪk'strævəgəns/ *s* extravagância

extravagant /ɪk'strævəgənt/ *adj* **1** extravagante **2** exagerado

extreme /ɪk'stri:m/ *adj, s* extremo: *with extreme care* com extremo cuidado ◇ *extreme sports* desportos radicais

extremely /ɪk'stri:mli/ *adv* extremamente

extremist /ɪk'stri:mɪst/ *s* extremista

extremity /ɪk'streməti/ *s* (*pl* **extremities**) extremidade

extricate /'ekstrɪkeɪt/ *vt* ~ **sb/sth/yourself (from sth)** (*formal*) libertar alguém/alguma coisa, libertar-se (de alguma coisa)

extrovert /'ekstrəvɜ:t/ *s* extrovertido, -a

exuberant /ɪg'zju:bərənt; *USA* -'zu:-/ *adj* exuberante

exude /ɪg'zju:d; *USA* -'zu:d/ **1** *vt, vi* exsudar **2** *vt* (*fig*) respirar

eye /aɪ/ *substantivo, verbo*
▸ *s* **1** olho: *to have sharp eyes* ter boa vista ◇ *at eye level* ao nível dos olhos **2** (*agulha*) buraco *Ver tb* PRIVATE EYE LOC **before/in front of sb's (very) eyes** mesmo diante do nariz de alguém ◆ **be up to your eyes in sth** estar afogado em alguma coisa ◆ **catch sb's eye** chamar a atenção de alguém ◆ **have your eye on sth** trazer alguma coisa debaixo de olho ◆ **in the eyes of sb/in sb's eyes** aos olhos de alguém ◆ **in the eyes of the law, world, etc.** aos olhos da lei, do mundo, etc. ◆ **in your mind's eye** na sua mente ◆ **keep an eye on sb/sth** vigiar, olhar por alguém/alguma coisa ◆ **not see eye to eye with sb (on sth)** não estar inteiramente de acordo com alguém (em relação a alguma coisa) *Ver tb* BAT, BLIND, CLOSE[1], CRY, MEET, NAKED, TEAR[2]
▸ *vt* (*pt, pp* **eyed** *part pres* **eyeing**) olhar (para)

eyeball /'aɪbɔ:l/ *s* globo ocular

eyebrow /'aɪbraʊ/ (*tb* **brow**) *s* sobrancelha LOC *Ver* RAISE

eye-catching /'aɪ kætʃɪŋ/ *adj* vistoso

eyelash /'aɪlæʃ/ *s* pestana

eyelid /'aɪlɪd/ *s* pálpebra LOC *Ver* BAT

eyeshadow /'aɪʃædəʊ/ *s* sombra para os olhos

eyesight /'aɪsaɪt/ *s* vista

eyewitness /'aɪwɪtnəs/ *s* testemunha ocular

F f

F, f /ef/ *s* (*pl* **Fs, F's, f's**) **1** F, f ➲ *Ver nota em* A, A **2** (*Mús*) fá

fable /'feɪbl/ *s* fábula

fabric /'fæbrɪk/ *s* **1** tecido, pano ➲ *Ver nota em* PANO **2** [*sing*] **the ~ (of sth)** (*formal*) o tecido (de alguma coisa)

fabulous /'fæbjələs/ *adj* **1** (*coloq*) fabuloso **2** (*formal*) lendário

facade /fə'sɑ:d/ *s* (*lit e fig*) fachada

face /feɪs/ *substantivo, verbo*
▸ *s* **1** cara, rosto: *to wash your face* lavar a cara ◇ *face down(wards)/up(wards)* virado para baixo/para cima **2** lado: *the south face of Everest* o lado sul do Evereste ◇ *a rock face* uma parede de rocha **3** mostrador (*de relógio*) **4** faceta LOC **face to face** cara a cara: *to come face to face with sb/sth* dar de caras com alguém/alguma coisa ◆ **in the face of sth** **1** apesar de alguma coisa **2** face a alguma coisa ◆ **pull/make faces/a face (at sb)** fazer caretas/uma careta (a alguém) ◆ **on the face of it** (*coloq*) aparentemente ◆ **to sb's face** na cara (de alguém) ➲ *Comparar com* BEHIND SB'S BACK *em* BACK *Ver tb* BRAVE, SAVE, STRAIGHT
▸ *vt* **1** virar-se para: *They sat down facing each other.* Sentaram-se frente a frente. **2** dar para: *a house facing the park* uma casa virada para o parque **3** enfrentar **4** (*situação*) encarar: *to face (the) facts* encarar os factos ◇ *Let's face it.* Sejamos realistas. **5** (*sentença, multa*) arriscar-se a **6** revestir LOC *Ver* LET[1]
PHR V **face up to sth** encarar alguma coisa

faceless /'feɪsləs/ *adj* anónimo

facelift /'feɪslɪft/ *s* **1** lifting (*facial*) **2** (*de edifício, etc.*) renovação

facet /'fæsɪt/ *s* faceta

facetious /fə'si:ʃəs/ *adj* (*pej*) (*comentário*) jocoso

face value *s* valor nominal LOC **take sth at face value** levar alguma coisa à letra

facial /'feɪʃl/ *adjetivo, substantivo*
▸ *adj* facial
▸ *s* limpeza de pele

facile /'fæsaɪl; *USA* 'fæsl/ *adj* (*pej*) simplista

facilitate /fə'sɪlɪteɪt/ *vt* (*formal*) facilitar

facility /fə'sɪləti/ *s* **1 facilities** [*pl*]: *sports/banking facilities* instalações desportivas/

serviços bancários **2** [*sing*] ~ **(for sth)** facilidade (com alguma coisa)

fact /fækt/ *s* fato: *the fact that...* o fato de... LOC **facts and figures** (*coloq*) pormenores ◆ **in fact** de facto ◆ **the facts of life** de onde vêm os bebés, a sexualidade *Ver tb* ACTUAL, MATTER, POINT

F

factor /ˈfæktə(r)/ *s* fator

factory /ˈfæktri, -təri/ *s* (*pl* **factories**) fábrica: *a shoe factory* uma fábrica de sapatos ◇ *factory workers* operários fabris

factual /ˈfæktʃuəl/ *adj* baseado em factos

faculty /ˈfæklti/ *s* (*pl* **faculties**) **1** faculdade: *Arts Faculty* Faculdade de Letras **2** (*USA*) corpo docente (*duma universidade*)

fad /fæd/ *s* moda (passageira)

fade /feɪd/ *vt, vi* **1** descolorar **2** (*pano*) desbotar PHR V **fade away** ir desaparecendo a pouco e pouco

fag /fæg/ *s* **1** (*GB, coloq*) cigarro **2** (*USA, calão, ofen*) maricas **3** [*sing*] (*GB, coloq*) trabalho cansativo, seca

Fahrenheit /ˈfærənhaɪt/ *adj* (*abrev* **F**) Fahrenheit ➲ *Ver nota em* CENTÍGRADO

fail /feɪl/ *verbo, substantivo*
▸ **1** *vi* ~ **(in sth)** falhar (em alguma coisa): *to fail in your duty* faltar ao seu dever **2** *vi* ~ **to do sth**: *They failed to notice anything unusual.* Não notaram nada fora do vulgar. ◇ *The letter failed to arrive.* A carta não chegou. **3** *vt, vi* (*exame, etc.*) reprovar **4** *vi* (*forças, motor, colheita, etc.*) falhar **5** *vi* (*saúde*) deteriorar-se **6** *vi* (*negócio*) falir
▸ *s* negativa, reprovação LOC **without fail** sem falta

failing /ˈfeɪlɪŋ/ *substantivo, preposição*
▸ *s* **1** fraqueza **2** defeito
▸ *prep* à falta de: *failing this* senão/se isto não for possível

failure /ˈfeɪljə(r)/ *s* **1** fracasso **2** falha: *heart failure* paragem cardíaca ◇ *engine failure* avaria do motor **3** ~ **to do sth**: *His failure to answer puzzled her.* Ela estranhou que ele não lhe respondesse.

faint /feɪnt/ *adjetivo, verbo*
▸ *adj* (**fainter, -est**) **1** (*som*) indistinto **2** (*rasto, esperança*) leve **3** (*parecença*) ligeiro **4** tonto: *to feel faint* sentir-se prestes a desmaiar
▸ *vi* desmaiar

faintly /ˈfeɪntli/ *adv* **1** debilmente **2** ligeiramente

fair /feə(r)/ *adjetivo, advérbio, substantivo*
▸ *adj* (**fairer, -est**) **1** ~ **(to/on sb)** justo (com alguém) **2** bastante grande: *It's a fair size.* É bastante grande. **3** bastante bom: *There's a fair chance that we might win.* Há uma boa hipótese de podermos vir a ganhar. **4** (*cabelo*) louro ➲ *Ver nota em* LOURO **5** (*tempo*) bom LOC **fair enough** (*esp GB, coloq*) tudo bem ◆ **fair game** presa fácil ◆ **fair play** jogo limpo ◆ **(more than) your fair share of sth**: *We had more than our fair share of rain.* Choveu mais do que devia ter chovido.
▸ *adv* LOC **fair and square 1** merecidamente **2** claramente
▸ *s* **1** feira de diversões **2** feira: *trade fair* feira industrial

fair-haired /ˌfeə ˈheəd/ *adj* louro ➲ *Ver nota em* LOURO

fairly /ˈfeəli/ *adv* **1** [*antes de adjetivo ou advérbio*] relativamente: *It's fairly easy.* É relativamente fácil. ◇ *It's fairly good.* Não está mau. ◇ *fairly quickly* relativamente depressa

> Os advérbios **fairly**, **quite**, **rather** e **pretty** modificam a intensidade dos adjetivos que acompanham, e podem significar *relativamente, bastante, razoavelmente* ou *um pouco*. **Fairly** é o grau mais baixo de intensidade, e pode ter conotações negativas. Nos Estados Unidos, **quite** e **rather** não se usam normalmente desta maneira. ➲ *Ver tb nota em* RATHER

2 justamente, equitativamente

fair-trade /ˌfeə ˈtreɪd/ *adj* de comércio justo: *fair-trade products* produtos de comércio justo

fairy /ˈfeəri/ *s* (*pl* **fairies**) fada: *fairy tale* conto de fadas ◇ *fairy godmother* fada madrinha

faith /feɪθ/ *s* ~ **(in sb/sth)** fé (em alguém/alguma coisa) LOC **in bad/good faith** de má/boa fé ◆ **put your faith in sb/sth** confiar em alguém/alguma coisa *Ver tb* BREACH

faithful /ˈfeɪθfl/ *adj* fiel

faithfully /ˈfeɪθfəli/ *adv* fielmente LOC *Ver* YOURS

fake /feɪk/ *substantivo, adjetivo, verbo*
▸ *s* imitação
▸ *adj* (*pej*) falso
▸ **1** *vt* (*assinatura, documento*) falsificar **2** *vt, vi* fingir

falcon /ˈfɔːlkən; *USA* ˈfæl-/ *s* falcão

fall /fɔːl/ *verbo, substantivo*
▸ *vi* (*pt* **fell** /fel/, *pp* **fallen** /ˈfɔːlən/) **1** cair **2** (*preço, temperatura*) baixar

LOC **fall in love (with sb)** apaixonar-se (por alguém) ◆ **fall short of sth** ficar aquém de alguma coisa ◆ **fall victim to sth** ser vítima de alguma coisa *Ver tb* FOOT
PHR V **fall apart** desfazer-se
fall back recuar ◆ **fall back on sb/sth** recorrer a alguém/alguma coisa
fall behind (sb/sth) ficar para trás (em relação a alguém/alguma coisa) ◆ **fall behind with sth** atrasar-se em alguma coisa (*pagamento, etc.*)
fall down **1** (*pessoa, objeto*) cair **2** (*plano*) falhar
fall for sb (*coloq*) apaixonar-se, ficar caidinho por alguém ◆ **fall for sth** (*coloq*) acreditar, cair em alguma coisa: *I'm not falling for that!* Nessa não caio eu!
fall off **1** cair: *The doorknob fell off.* A maçaneta da porta caiu/desprendeu-se. **2** baixar, diminuir
fall on/upon sb recair sobre alguém
fall out (with sb) zangar-se (com alguém)
fall over cair ◆ **fall over sb/sth** tropeçar em alguém/alguma coisa
fall through falhar
▸ *s* **1** queda: *a fall of snow* uma queda de neve/um nevão **2** diminuição **3** (*USA*) outono **4 falls** [*pl*] (*Geog*) catarata

fallen /ˈfɔːlən/ *adj* caído *Ver tb* FALL

⚷ **false** /fɔːls/ *adj* **1** falso **2** (*dentadura*) postiço **LOC** **a false alarm** um falso alarme ◆ **a false move** um passo em falso ◆ **a false start** **1** (*Desp*) uma falsa partida **2** uma tentativa abortada

falsify /ˈfɔːlsɪfaɪ/ *vt* (*pt, pp* **-fied**) falsificar

falter /ˈfɔːltə(r)/ *vi* **1** (*pessoa, coragem, etc.*) vacilar **2** (*economia*) oscilar **3** (*voz*) tremer

⚷ **fame** /feɪm/ *s* fama

⚷ **familiar** /fəˈmɪliə(r)/ *adj* **1** ~ **(to sb)** (*conhecido*) familiar (a alguém) **2** ~ **with sb/sth** familiarizado com alguém/alguma coisa **familiarity** /fəˌmɪliˈærəti/ *s* [*não-contável*] **1** ~ **with sth** conhecimentos de alguma coisa **2** familiaridade

⚷ **family** /ˈfæməli/ *s* (*pl* **families**) [*v sing ou pl*] família: *family man* chefe de família ◇ *family tree* árvore genealógica ◇ *family name* apelido ➲ *Ver nota em* FAMÍLIA **LOC** **run in the family** ser de família (*uma característica*)

famine /ˈfæmɪn/ *s* fome ➲ *Ver nota em* FOME

⚷ **famous** /ˈfeɪməs/ *adj* ~ **(for/as sth)** famoso (por/como alguma coisa)

⚷ **fan** /fæn/ *substantivo, verbo*
▸ *s* **1** fã, adepto, -a: *fan club* clube de fãs **2** leque **3** ventoinha
▸ *vt* (**-nn-**) **1** abanar (*com leque*) **2** (*formal*) (*conflito, fogo*) atiçar **PHR V** **fan out** espalhar-se em forma de leque

fanatic /fəˈnætɪk/ *s* fanático, -a **fanatical** *adj* fanático

fanciful /ˈfænsɪfl/ *adj* (*pej*) (*ideia*) extravagante

⚷ **fancy** /ˈfænsi/ *verbo, substantivo, adjetivo*
▸ *vt* (*pt, pp* **fancied**) **1** (*GB, coloq*) apetecer **2** (*GB, coloq*) gostar: *I don't fancy him.* Não gosto dele. **3** ~ **yourself** (*GB, coloq, pej*) achar-se muito bom **4** ~ **yourself (as) sth** achar-se alguma coisa **5** (*formal*) imaginar **LOC** **fancy (that)!** (*GB, antiq*) quem diria!
▸ *s* **1** capricho **2** fantasia **LOC** **catch/take sb's fancy** agradar a alguém: *whatever takes your fancy* o que te agradar ◆ **take a fancy to sb/sth** enamorar-se de alguém/alguma coisa
▸ *adj* fora do normal: *nothing fancy* nada extravagante

fancy dress *s* [*não-contável*] traje de fantasia

fantastic /fænˈtæstɪk/ *adj* fantástico

fantasy /ˈfæntəsi/ *s* (*pl* **fantasies**) fantasia

FAQ /ˌef eɪ ˈkjuː/ *abrev de* **frequently asked questions** perguntas mais frequentes

⚷ **far** /fɑː(r)/ *advérbio, adjetivo*
▸ *adv* (*comp* **farther** /ˈfɑːðə(r)/ *ou* **further** /ˈfɜːðə(r)/, *superl* **farthest** /ˈfɑːðɪst/ *ou* **furthest** /ˈfɜːðɪst/)
1 longe: *Is it far?* É longe? ◇ *How far is it?* A que distância fica?

> Neste sentido usa-se em frases negativas ou interrogativas. Em frases afirmativas é muito mais frequente dizer **a long way**: *Porto is a long way from Lisbon.* O Porto fica a uma grande distância de Lisboa.

2 [*com comparativo ou preposição*] muito mais: *It's far easier for him.* É muito mais fácil para ele. ◇ *far above/beyond sth* muito mais acima/longe de alguma coisa *Ver tb* FARTHER, FURTHER, FURTHEST **LOC** **as far as** até ◆ **as far as; in so far as** na medida em que: *as far as I know* que eu saiba ◆ **as/so far as sb/sth is concerned** no que diz respeito a alguém/alguma coisa ◆ **be far from (doing) sth** estar longe de (fazer) alguma coisa ◆ **by far** de longe ◆ **far and wide** por todo o lado ◆ **far away** muito longe ◆ **far from it** (*coloq*) longe disso ◆ **go too far** ir longe demais ◆ **so far** **1** até agora **2** até certo ponto *Ver tb* AFIELD, FEW
▸ *adj* (*comp* **farther** /ˈfɑːðə(r)/ *ou* **further** /ˈfɜːðə(r)/, *superl* **farthest** /ˈfɑːðɪst/ *ou* **furthest** /ˈfɜːðɪst/)
1 mais distante: *the far end* o outro extremo **2** oposto: *on the far bank* na margem oposta

faraway /ˈfɑːrəweɪ/ *adj* **1** longínquo **2** (*ar, expressão*) distante

fare /feə(r)/ *substantivo, verbo*
▸ *s* tarifa, preço do bilhete

▸ *vi* ~ **well, badly, etc.** sair-se bem, mal, etc.

farewell /ˌfeə'wel/ *interjeição, substantivo*
▸ *interj* (*antiq ou formal*) adeus!
▸ *s* despedida: *farewell party* festa de despedida LOC **bid/say farewell to sb/sth** despedir-se de alguém/alguma coisa

farm /fɑːm/ *substantivo, verbo*
▸ *s* quinta: *farm workers* trabalhadores rurais
▸ **1** *vt, vi* cultivar **2** *vt* criar

farmer /'fɑːmə(r)/ *s* agricultor, -ora

farmhouse /'fɑːmhaʊs/ *s* casa (*de quinta*)

farming /'fɑːmɪŋ/ *s* agricultura, criação de gado: *fish farming* piscicultura

farmland /'fɑːmlænd/ *s* [*não-contável*] terra de cultivo

farmyard /'fɑːmjɑːd/ *s* pátio (*de quinta*)

far-sighted /ˌfɑː 'saɪtɪd/ *adj* **1** com visão de futuro **2** (*esp USA*) hipermétrope

fart /fɑːt/ *substantivo, verbo*
▸ *s* (*coloq*) peido
▸ *vi* (*coloq*) peidar-se

farther /'fɑːðə(r)/ *adj, adv* (*comp de* **far**) mais longe: *I can swim farther than you.* Consigo nadar mais longe do que tu. ➲ *Ver nota em* FURTHER

farthest *adv, adj* (*superl de* **far**) = FURTHEST

fascinate /'fæsɪneɪt/ *vt* fascinar **fascinating** *adj* fascinante

fascism /'fæʃɪzəm/ *s* fascismo **fascist** *adj, s* fascista

fashion /'fæʃn/ *substantivo, verbo*
▸ *s* **1** moda: *to have no fashion sense* não ter gosto nenhum a vestir-se **2** [*sing*] (*formal*) maneira LOC **be/go out of fashion** estar fora/passar de moda ◆ **be in/come into fashion** estar na/tornar-se moda
▸ *vt* moldar, fazer

fashionable /'fæʃnəbl/ *adj* (que está) na moda

fast /fɑːst; *USA* fæst/ *adjetivo, advérbio, verbo, substantivo*
▸ *adj* (**faster, -est**) **1** rápido, veloz ➲ *Ver nota em* RÁPIDO **2** (*relógio*) adiantado **3** (*cor*) que não debota LOC *Ver* BUCK
▸ *adv* **1** (**faster, -est**) rápido, rapidamente **2** *fast asleep* a dormir profundamente/ferrado no sono LOC **hold fast to sth** (*formal*) agarrar-se a alguma coisa (*ideia, crença, etc.*) *Ver tb* STAND
▸ *vi* jejuar
▸ *s* jejum

fasten /'fɑːsn; *USA* 'fæsn/ **1** *vt* ~ **sth (up)** apertar alguma coisa **2** *vt* ~ **sth (down)** prender alguma coisa **3** *vt* ~ **A to B**; ~ **A and B (together)** afixar A em B, unir A e B: *to fasten sth (together)* unir/atar alguma coisa **4** *vi* fechar, apertar

fastidious /fæ'stɪdiəs/ *adj* meticuloso, rigoroso

fat /fæt/ *adjetivo, substantivo*
▸ *adj* (**fatter, -est**) gordo: *You're getting fat.* Estás a ficar gordo. ➲ *Ver nota em* GORDO
▸ *s* **1** gordura **2** banha

fatal /'feɪtl/ *adj* **1** fatal **2** fatídico **fatality** /fə'tæləti/ *s* (*pl* **fatalities**) vítima (mortal)

fate /feɪt/ *s* destino, sorte LOC *Ver* QUIRK, TEMPT **fated** *adj* predestinado **fateful** *adj* fatídico

father /'fɑːðə(r)/ *substantivo, verbo*
▸ *s* pai: *Father Christmas* Pai Natal ➲ *Ver nota em* NATAL LOC **like father, like son** tal pai, tal filho
▸ *vt* gerar

father-in-law /'fɑːðər ɪn lɔː/ *s* (*pl* **fathers-in-law**) sogro

fatigue /fə'tiːg/ *s* fadiga, cansaço

fatten /'fætn/ *vt* engordar **fattening** *adj* que engorda: *Butter is very fattening.* A manteiga engorda muito.

fatty /'fæti/ *adj* **1** (**fattier, -iest**) (*alimento*) gordo **2** (*Med*) adiposo

faucet /'fɔːsɪt/ *s* (*USA*) torneira

fault /fɔːlt/ *substantivo, verbo*
▸ *s* **1** falha, defeito ➲ *Ver nota em* MISTAKE **2** culpa: *Whose fault is it?* De quem é a culpa? **3** (*Ténis*) falta **4** (*Geol*) falha LOC **be at fault** ter a culpa *Ver tb* FIND
▸ *vt* criticar: *He can't be faulted.* É irrepreensível.

faultless /'fɔːltləs/ *adj* sem uma falha, perfeito

faulty /'fɔːlti/ *adj* defeituoso

fauna /'fɔːnə/ *s* [*não-contável*] fauna

fave /feɪv/ *adj, s* (*coloq*) favorito, -a: *That song's one of my faves.* Aquela música é uma das minhas favoritas.

favour (*USA* **favor**) /'feɪvə(r)/ *substantivo, verbo*
▸ *s* favor: *to ask a favour of sb* pedir um favor a alguém ◇ *Can you do me a favour?* Podes fazer-me um favor? LOC **in favour (of sb/sth)** a favor (de alguém/alguma coisa) *Ver tb* CURRY
▸ *vt* **1** favorecer **2** preferir, defender (*uma ideia*)

favourable (*USA* **favorable**) /'feɪvərəbl/ *adj* **1** favorável **2** ~ **(to/for sb/sth)** a favor (de alguém/alguma coisa)

favourite (*USA* **favorite**) /'feɪvərɪt/ *adj, s* favorito, -a

fawn /fɔːn/ *adjetivo, substantivo*
▸ *adj, s* bege

▸ *s* enho ➲ *Ver nota em* VEADO

fax /fæks/ *substantivo, verbo*
▸ *s* fax
▸ *vt* **1** ~ **sb** enviar um fax a alguém **2** ~ **sth (to sb)** mandar alguma coisa por fax (a alguém)

⚷ **fear** /fɪə(r)/ *verbo, substantivo*
▸ *vt* temer: *I fear so.* Temo que sim.
▸ *s* ~ **(of sb/sth)** medo, temor (de alguém/alguma coisa): *to shake with fear* tremer de medo LOC **for fear of (doing) sth** com medo de (fazer) alguma coisa ◆ **for fear (that)...** com medo que... ◆ **in fear of sb/sth** com medo de alguém/alguma coisa

fearful /ˈfɪəfl/ *adj* (*formal*) **1 be ~ (of sth); be ~ for sb** temer (alguma coisa/por alguém): *She was fearful that she would fail.* Ela temia reprovar. **2** medonho, terrível

fearless /ˈfɪələs/ *adj* destemido

fearsome /ˈfɪəsəm/ *adj* (*formal*) medonho

feasibility /ˌfiːzəˈbɪləti/ *s* viabilidade

feasible /ˈfiːzəbl/ *adj* viável

feast /fiːst/ *substantivo, verbo*
▸ *s* (*formal*) **1** festim **2** (*Relig*) festa
▸ *vi* ~ **(on sth)** banquetear-se (com alguma coisa)

feat /fiːt/ *s* feito, façanha

⚷ **feather** /ˈfeðə(r)/ *s* pena (*de ave*)

⚷ **feature** /ˈfiːtʃə(r)/ *substantivo, verbo*
▸ *s* **1** característica **2** ~ **(on sb/sth)** (*TV, revista, etc.*) reportagem especial (sobre alguém/alguma coisa) **3 features** [*pl*] traços
▸ *vt* apresentar (como atração/característica principal): *featuring Brad Pitt* com Brad Pitt **featureless** *adj* sem nenhum traço característico

⚷ **February** /ˈfebruəri; *USA* -eri/ *s* (*abrev* **Feb.**) fevereiro ➲ *Ver nota e exemplos em* JANUARY

fed *pt, pp de* FEED

⚷ **federal** /ˈfedərəl/ *adj* federal

federation /ˌfedəˈreɪʃn/ *s* federação

fed up *adj* ~ **(with sb/sth)** (*coloq*) farto (de alguém/alguma coisa)

⚷ **fee** /fiː/ *s* **1** honorários **2** quota (*de clube*) **3** *school fees* propinas

feeble /ˈfiːbl/ *adj* (**feebler**, **-est**) fraco: *a feeble excuse/joke* uma desculpa/piada fraca

⚷ **feed** /fiːd/ *verbo, substantivo*
▸ (*pt, pp* **fed** /fed/) **1** *vi* ~ **(on sth)** alimentar-se, viver (de alguma coisa) **2** *vt* alimentar, dar de comer a **3** *vt* (*dados, etc.*) fornecer
▸ *s* [*não-contável*] **1** comida **2** ração

feedback /ˈfiːdbæk/ *s* [*não-contável*] reação, comentário

⚷ **feel** /fiːl/ *verbo, substantivo*
▸ (*pt, pp* **felt** /felt/) **1** *vt* sentir, tocar: *She felt the water.* Verificou a temperatura da água. ◇ *He feels the cold a lot.* É muito friorento. **2** *vi* sentir-se: *I felt like a fool.* Senti-me um idiota. ◇ *to feel sick/sad* sentir-se doente/triste ◇ *to feel cold/hungry* ter/sentir frio/fome **3** *vi* (*coisa*) parecer: *It feels like leather.* Parece ser pele. **4** *vt, vi* (*pensar*) achar (de): *How do you feel about him?* O que é que achas dele? **5** *vi* ~ **(about/around) (for sth)** apalpar (à procura de alguma coisa) LOC **feel as if/as though...; feel like...**: *I feel as if I'm going to be sick.* Acho que vou vomitar. ◆ **feel free (to do sth)** estar à vontade (para fazer alguma coisa) ◆ **feel good** sentir-se bem ◆ **feel like (doing) sth**: *I felt like hitting him.* Apeteceu-me bater-lhe. ◆ **feel your way** avançar às apalpadelas/com cuidado ◆ **not feel yourself** não sentir-se bem *Ver tb* COLOUR, DRAIN, EASE, SORRY PHR V **feel for sb** sentir pena de alguém ◆ **feel up to (doing) sth** sentir-se capaz de (fazer) alguma coisa
▸ *s* [*sing*]: *Let me have a feel.* Deixa-me tocar. LOC **get the feel of sth/of doing sth** familiarizar-se com alguma coisa ◆ **have a feel for sth** ter jeito para alguma coisa

⚷ **feeling** /ˈfiːlɪŋ/ *s* **1** ~ **(of sth)** sensação (de alguma coisa): *I've got a feeling that...* Tenho a sensação de que... **2** opinião **3 feelings** [*pl*] sentimentos **4** sensibilidade: *to lose all feeling* perder toda a sensibilidade LOC **bad/ill feeling** ressentimento, rancor *Ver tb* MIXED

feet *pl de* FOOT

fell /fel/ *vt* **1** derrubar **2** (*árvore*) abater *Ver tb* FALL

⚷ **fellow** /ˈfeləʊ/ *substantivo, adjetivo*
▸ *s* **1** companheiro, -a **2** (*esp GB, coloq*) tipo: *He's a nice fellow.* É um tipo porreiro.
▸ *adj* [*só antes de substantivo*]: *fellow passenger* companheiro de viagem ◇ *fellow countryman* compatriota ◇ *fellow Portuguese* compatriotas portugueses

fellowship /ˈfeləʊʃɪp/ *s* **1** companheirismo **2** parceria **3** bolsa

felt /felt/ *s* feltro *Ver tb* FEEL

⚷ **female** /ˈfiːmeɪl/ *adjetivo, substantivo*
▸ *adj* **1** feminino

Female e **male** aplicam-se às características físicas da mulher e do homem: *the female figure* a silhueta feminina ◇ *The male voice is deeper than the female.* A voz do homem é mais profunda que a da mulher.
Feminine e **masculine** aplicam-se às qualidades que se consideram típicas de uma

F

mulher ou de um homem: *That haircut makes you look more masculine.* Esse corte de cabelo faz-te parecer mais masculina. **Female** e **male** também especificam o sexo de pessoas ou animais: *a female friend, a male colleague; a female rabbit, a male eagle, etc.*

2 fêmea **3** da mulher: *female equality* igualdade da mulher
▸ *s* fêmea

feminine /'femənɪn/ *adj, s* feminino (*próprio da mulher*) ➲ *Ver nota em* FEMALE

feminism /'femənɪzəm/ *s* feminismo **feminist** *s* feminista

fence /fens/ *substantivo, verbo*
▸ *s* **1** vedação, cerca **2** rede (*de arame*) LOC *Ver* SIT
▸ **1** *vt* vedar **2** *vi* praticar esgrima **fencing** *s* esgrima

fend /fend/ *v* PHR V **fend for yourself** defender-se ◆ **fend sth/sb off** defender-se de alguma coisa/alguém

fender /'fendə(r)/ *s* (*USA*) guarda-lamas

ferment *verbo, substantivo*
▸ *vt, vi* /fə'ment/ fermentar
▸ *s* /'fɜ:ment/ (*formal*) ebulição, agitação (*política*)

fern /fɜ:n/ *s* feto (*Bot*)

ferocious /fə'rəʊʃəs/ *adj* feroz

ferocity /fə'rɒsəti/ *s* ferocidade

ferry /'feri/ *substantivo, verbo*
▸ *s* (*pl* **ferries**) **1** ferry(-boat): *car ferry* ferry para carros **2** barco (*de travessia*)
▸ *vt* (*pt, pp* **ferried**) transportar

fertile /'fɜ:taɪl; *USA* 'fɜ:rtl/ *adj* (*lit e fig*) fértil

fertility /fə'tɪləti/ *s* fertilidade

fertilization, -isation /ˌfɜ:təlaɪ'zeɪʃn; *USA* -lə'z-/ *s* fertilização

fertilize, -ise /'fɜ:təlaɪz/ *vt* **1** fertilizar **2** adubar **fertilizer, -iser** *s* **1** fertilizante **2** adubo

fervent /'fɜ:vənt/ *adj* fervoroso

fester /'festə(r)/ *vi* **1** infetar **2** (*ressentimento, etc.*) inflamar-se

festival /'festɪvl/ *s* **1** (*de arte, cinema, etc.*) festival **2** (*Relig*) festa **festive** *adj* **1** festivo **2** natalício: *the festive season* a época natalícia

fetch /fetʃ/ *vt* **1** trazer **2** ir buscar ➲ *Ver ilustração em* TAKE **3** alcançar (*preço*)

fête (*tb* **fete**) /feɪt/ *s* quermesse: *the village fête* a quermesse da aldeia ➲ *Comparar com* BAZAAR

fetus = FOETUS

feud /fju:d/ *substantivo, verbo*
▸ *s* rixa (*entre duas pessoas ou grupos rivais*)
▸ *vi* ~ **(with sb)** ter uma rixa (com alguém)

feudal /'fju:dl/ *adj* feudal **feudalism** *s* feudalismo

fever /'fi:və(r)/ *s* (*lit e fig*) febre **feverish** *adj* febril

few /fju:/ *adj, pron* **1** (**fewer, -est**) poucos: *every few minutes* de poucos em poucos minutos ◇ *fewer than six* menos de seis ➲ *Ver nota em* LESS **2 a few** uns tantos, alguns

Few ou **a few**? **Few** tem um sentido negativo e equivale a "pouco". **A few** tem um sentido mais positivo, equivale a "uns tantos", "alguns". Comparar as seguintes orações: *Few people turned up.* Veio pouca gente. ◇ *I've invited a few friends for dinner.* Convidei alguns amigos meus para jantar. ➲ *Ver tb nota em* POUCO

LOC **a good few**; **quite a few**; **not a few** um bom número (de), bastantes ◆ **few and far between** escassos *Ver tb* PRECIOUS

fiancé (*fem* **fiancée**) /fi'ɒnseɪ; *USA* ˌfi:ɑ:n'seɪ/ *s* noivo, -a

fib /fɪb/ *substantivo, verbo*
▸ *s* (*coloq*) mentira
▸ *vi* (**-bb-**) (*coloq*) contar mentiras

fibre (*USA* **fiber**) /'faɪbə(r)/ *s* fibra **fibrous** *adj* fibroso

fickle /'fɪkl/ *adj* **1** (*pessoa*) volúvel **2** (*tempo*) instável

fiction /'fɪkʃn/ *s* ficção *Ver tb* SCIENCE FICTION

fiddle /'fɪdl/ *verbo, substantivo*
▸ **1** *vi* ~ **(about/around) with sth** brincar com alguma coisa **2** *vt* (*coloq*) (*gastos, etc.*) falsear PHR V **fiddle around** perder tempo
▸ *s* (*coloq*) **1** rabeca, violino **2** trapaça LOC *Ver* FIT **fiddler** *s* violinista

fiddly /'fɪdli/ *adj* (*GB, coloq*) complicado

fidelity /fɪ'deləti/ *s* fidelidade ❶ A palavra mais comum é **faithfulness**.

field /fi:ld/ *s* (*lit e fig*) campo *Ver tb* PLAYING FIELD, TRACK AND FIELD

field hockey *s* (*USA*) hóquei (em campo)

fiend /fi:nd/ *s* **1** demónio **2** (*coloq*) entusiasta **fiendish** *adj* diabólico: *a fiendish problem* um problema dos diabos

fierce /fɪəs/ *adj* (**fiercer, -est**) **1** (*animal*) feroz **2** (*oposição*) forte

fifteen /ˌfɪf'ti:n/ *adj, pron, s* quinze ➲ *Ver exemplos em* FIVE **fifteenth** **1** *adj, adv, pron* décimo quinto **2** *s* décima quinta parte ➲ *Ver exemplos em* FIFTH

🔑 **fifth** (*abrev* **5th**) /fɪfθ/ *adjetivo, advérbio, pronome, substantivo*

▸ *adj, adv, pron* quinto: *We live on the fifth floor.* Vivemos no quinto andar. ◇ *It's his fifth birthday today.* Faz cinco anos hoje. ◇ *She came fifth in the world championships.* Ficou em quinto no campeonato do mundo. ◇ *the fifth to arrive* o quinto a chegar ◇ *I was fifth on the list.* Era a quinta da lista. ◇ *I've had four cups of coffee already, so this is my fifth.* Já tomei quatro chávenas de café, esta é a quinta.

▸ *s* **1** quinta parte, quinto: *three fifths* três quintos **2 the fifth** o dia cinco: *They'll be arriving on the fifth of March.* Chegam no dia cinco de março. **3** (*tb* **fifth gear**) quinta: *to change into fifth* meter a quinta

A abreviatura dos números ordinais forma--se escrevendo o número em algarismos seguido das duas últimas letras da palavra: *1st, 2nd, 3rd, 20th*, etc. ➲ *Para mais informação sobre números, datas, etc., ver págs. 710-715.*

🔑 **fifty** /'fɪfti/ *adj, pron, s* cinquenta: *the fifties* os anos cinquenta ◇ *to be in your fifties* ter cinquenta e picos (anos) ➲ *Ver exemplos em* FIVE **LOC fifty-fifty** (*coloq*) em duas partes iguais: *She has a fifty-fifty chance of winning.* Ela tem 50% de hipóteses de ganhar. ◇ *Let's split this fifty-fifty.* Vamos dividir isto a meias. **fiftieth** **1** *adj, adv, pron* quinquagésimo **2** *s* quinquagésima parte ➲ *Ver exemplos em* FIFTH *e págs. xxx-xxx.*

fig /fɪg/ *s* **1** figo **2** (*tb* **fig tree**) figueira

🔑 **fight** /faɪt/ *verbo, substantivo*

▸ (*pt, pp* **fought** /fɔːt/) **1** *vt, vi* lutar (contra): *They fought (against/with) the Germans.* Lutaram contra os alemães. **2** *vt, vi* ~ **(sb/with sb) (about/over sth)** brigar (com alguém) (por alguma coisa): *It's not worth fighting about.* Não vale a pena brigar por isso. **3** *vt* (*corrupção, droga, etc.*) combater, lutar contra **LOC fight a battle (against sth)** travar uma batalha (contra alguma coisa) ◆ **fight it out**: *They must fight it out between them.* Eles que se entendam. ◆ **fight tooth and nail** defender-se com unhas e dentes ◆ **fight your way across, through, etc. sth** abrir caminho através, por entre, etc. alguma coisa **PHR V fight back** contra-atacar, defender-se ◆ **fight for sth** lutar por alguma coisa ◆ **fight sb/sth off** repelir alguém/alguma coisa

▸ *s* **1** ~ **(for/against sb/sth)** luta (por/contra alguém/alguma coisa): *A fight broke out in the pub.* Armou-se uma briga no bar. **2** ~ **(to do sth)** luta (por fazer alguma coisa) **3** combate

Quando se trata de um conflito continuado (normalmente em situações de guerra), usa-se **fighting**: *There has been heavy/fierce fighting in the capital.* O combate na capital tem sido intenso/encarniçado.

LOC give up without a fight desistir sem lutar ◆ **put up a good/poor fight** dar luta/dar pouca luta *Ver tb* PICK

fighter /'faɪtə(r)/ *s* **1** lutador, -ora, combatente **2** caça (*avião*)

🔑 **figure** /'fɪgə(r); *USA* 'fɪgjər/ *substantivo, verbo*

▸ *s* **1** número, algarismo **2** quantidade, cifra **3** (*pessoa*) figura: *a key figure* uma figura--chave **4** corpo, figura: *to have a good figure* ter um bom corpo **5** silhueta **LOC put a figure on sth** sugerir um preço/número para alguma coisa *Ver tb* FACT

▸ **1** *vi* ~ **(in/among/on sth)** figurar (em/entre alguma coisa) **2** *vt* (*esp USA, coloq*) pensar: *It's what I figured.* É o que eu pensava. **LOC it/that figures** compreende-se **PHR V figure sb/sth out** entender alguém/alguma coisa ◆ **figure sth out** calcular alguma coisa

🔑 **file** /faɪl/ *substantivo, verbo*

▸ *s* **1** dossier **2** arquivo: *to be on file* estar arquivado **3** (*Informát*) ficheiro **4** lima **5** fila: *in single file* em fila indiana **LOC** *Ver* RANK

▸ **1** *vt* ~ **sth (away)** arquivar alguma coisa **2** *vt* (*requerimento, apelo*) fazer **3** *vt* limar **4** *vi* ~ **in, out, etc.** entrar, sair, etc. em fila: *to file past sth* desfilar diante de alguma coisa

🔑 **fill** /fɪl/ **1** *vt, vi* ~ **(sth) (with sth)** encher alguma coisa, encher-se (de alguma coisa) **2** *vt* (*greta*) tapar **3** *vt* (*dente*) chumbar **4** *vt* (*cargo*) ocupar **LOC** *Ver* BILL **PHR V fill in (for sb)** substituir (alguém) ◆ **fill sb in (on sth)** pôr alguém a par (de alguma coisa) ◆ **fill sth in/out** preencher alguma coisa (*formulário, etc.*)

fillet (*USA tb* **filet**) /'fɪlɪt; *USA* fɪ'leɪ/ *s* filete

filling /'fɪlɪŋ/ *substantivo, adjetivo*

▸ *s* **1** recheio **2** (*dente*) chumbo

▸ *adj* (*comida*) que satisfaz

🔑 **film** /fɪlm/ *substantivo, verbo*

▸ *s* **1** filme: *film star* estrela de cinema ◇ *film-maker* cineasta ◇ *film-making* cinematografia **2** película

▸ *vt* filmar **filming** *s* filmagem

filter /'fɪltə(r)/ *substantivo, verbo*

▸ *s* filtro

▸ **1** *vt* filtrar **2** *vi* infiltrar-se

filth /fɪlθ/ *s* **1** sujidade **2** obscenidade **3** porcaria (*revistas, etc.*)

filthy /'fɪlθi/ *adj* (**filthier, -iest**) **1** sujo **2** (*costume, etc.*) nojento **3** obsceno **4** (*esp GB, coloq*)

F

horroroso: *a filthy temper* cólera (mau humor)

fin /fɪn/ *s* barbatana

final /ˈfaɪnl/ *substantivo, adjetivo*

▸ *s* **1** final: *the men's final(s)* a final masculina **2 finals** *[pl]* exames finais

▸ *adj* **1** último, final **2** definitivo LOC *Ver* ANALYSIS, STRAW **finalist** *s* finalista

F

finally /ˈfaɪnəli/ *adv* **1** por último **2** finalmente **3** por fim

finance /ˈfaɪnæns, fəˈnæns/ *substantivo, verbo*

▸ *s* finanças: *finance company* empresa financeira ◇ *the Minister of Finance* o ministro das Finanças

▸ *vt* financiar

financial /faɪˈnænʃl, fəˈnæ-/ *adj* financeiro, económico: *the financial year* o ano fiscal

find /faɪnd/ *vt* (*pt, pp* **found** /faʊnd/) **1** encontrar, achar **2** procurar: *They came here to find work.* Vieram à procura de emprego. **3** (*formal*) (*Jur*): *to find sb guilty* declarar alguém culpado LOC **find fault (with sb/sth)** pôr defeitos (a alguém/em alguma coisa) ◆ **find your feet** acostumar-se ◆ **find your way** encontrar o caminho *Ver tb* BEARING, MATCH, NOWHERE PHR V **find (sth) out** descobrir (alguma coisa) ◆ **find sb out** apanhar alguém (*que está a fazer alguma coisa errada*) **finding** *s* **1** *[ger pl]* descoberta **2** (*Jur*) veredicto

fine /faɪn/ *adjetivo, advérbio, substantivo, verbo*

▸ *adj* (**finer, -est**) **1** excelente **2** (*pessoa*) bem: *I'm fine.* Estou bem. ◇ *You're a fine one to talk!* Olha quem fala! **3** (*seda, pó, etc.*) fino **4** (*traços*) delicado **5** (*tempo*) bom: *a fine day* um dia de sol **6** (*diferença*) subtil LOC *Ver* CUT, PRINT

▸ *adv* (*coloq*) bem: *That suits me fine.* Para mim está bem.

▸ *s* multa

▸ *vt* ~ **sb (for sth/doing sth)** multar alguém (por alguma coisa/fazer alguma coisa)

fine art *s* (*tb* **the fine arts** *[pl]*) belas artes

finger /ˈfɪŋgə(r)/ *s* dedo (*da mão*): *little finger* (dedo) mindinho ◇ *forefinger/first finger* (dedo) indicador ◇ *middle finger* (dedo) médio ◇ *ring finger* (dedo) anular *Ver tb* THUMB ➲ *Comparar com* TOE LOC **put your finger on sth** identificar alguma coisa com precisão, precisar alguma coisa *Ver tb* CROSS, WORK

fingernail /ˈfɪŋgəneɪl/ *s* unha (*da mão*)

fingerprint /ˈfɪŋgəprɪnt/ *s* impressão digital

fingertip /ˈfɪŋgətɪp/ *s* ponta do dedo LOC **have sth at your fingertips** saber alguma coisa na ponta da unha

finish /ˈfɪnɪʃ/ *verbo, substantivo*

▸ **1** *vt, vi* ~ **(sth/doing sth)** terminar (alguma coisa/de fazer alguma coisa) **2** *vt* ~ **sth (off/up)** (*comida, bebida*) acabar alguma coisa PHR V **finish up**: *He could finish up dead.* Pode acabar morto.

▸ *s* **1** fim, final **2** meta **3** acabamento

finishing line (*USA* **finish line**) *s* (linha da) meta

fir /fɜː(r)/ (*tb* **fir tree**) *s* abeto

fire /ˈfaɪə(r)/ *substantivo, verbo*

▸ *s* **1** fogo **2** incêndio **3** aquecedor **4** *[não-contável]* disparos LOC **be/come under fire** **1** estar/cair sob o fogo inimigo **2** (*fig*) ser objeto de críticas ◆ **catch fire** pegar fogo, incendiar-se ◆ **on fire** em chamas: *to be on fire* estar a arder ◆ **set fire to sth**; **set sth on fire** pôr fogo a alguma coisa *Ver tb* FRYING PAN

▸ **1** *vt, vi* disparar: *to fire at sb* disparar contra alguém **2** *vt* (*insultos, perguntas, etc.*) lançar **3** *vt* despedir (*do trabalho*) **4** *vt* (*imaginação*) estimular

firearm /ˈfaɪərɑːm/ *s [ger pl]* (*formal*) arma de fogo

fire brigade (*USA* **fire department**) *s [v sing ou pl]* corporação de bombeiros

fire engine *s* carro de bombeiros

fire escape *s* saída de incêndios

firefighter /ˈfaɪəfaɪtə(r)/ *s* bombeiro, -a

fireman /ˈfaɪəmən/ *s* (*pl* **-men** /-mən/) bombeiro ➲ *Ver nota em* POLÍCIA

fireplace /ˈfaɪəpleɪs/ *s* lareira

fire station *s* quartel dos bombeiros

firewall /ˈfaɪəwɔːl/ *s* (*Informát*) firewall (*proteção de segurança*)

firewood /ˈfaɪəwʊd/ *s* lenha

firework /ˈfaɪəwɜːk/ *s* fogo de artifício

firing /ˈfaɪərɪŋ/ *s* tiroteio: *firing line* linha de fogo ◇ *firing squad* pelotão de fuzilamento

firm /fɜːm/ *substantivo, adjetivo, advérbio*

▸ *s [v sing ou pl]* empresa

▸ *adj* (**firmer, -est**) firme LOC **a firm hand** mão firme ◆ **be on firm ground** conhecer o terreno que pisa *Ver tb* BELIEVER *em* BELIEVE

▸ *adv* LOC **hold firm to sth** (*formal*) manter-se firme em alguma coisa *Ver tb* STAND

first (*abrev* **1st**) /fɜːst/ *adjetivo, advérbio, pronome, substantivo*

▸ *adj* primeiro: *the first night* a estreia LOC **at first hand** em primeira mão ◆ **first things first** primeiro o que interessa *Ver tb* THING

▸ *adv* **1** primeiro **2** pela primeira vez: *I first came to Oxford in 2005.* A primeira vez que vim a Oxford foi em 2005. **3** em primeiro lugar **4** antes: *Finish your dinner first.* Pri-

meiro, acaba de jantar. **LOC at first** no princípio/início ◆ **come first 1** (*Desp, competição*) chegar em primeiro lugar: *to come first in the race* ganhar a corrida **2** (*prioridade*) vir em primeiro lugar ◆ **first and foremost** principalmente ◆ **first come, first served** por ordem de chegada ◆ **first of all 1** no início **2** em primeiro lugar, antes de mais ◆ **put sb/sth first** pôr alguém/alguma coisa primeiro *Ver tb* HEAD
▸ *pron* o primeiro, a primeira, os primeiros, as primeiras
▸ *s* **1 the first** o dia um **2** (*tb* **first gear**) (*mudança*) primeira ➲ *Ver exemplos em* FIFTH **LOC from first to last** do princípio ao fim ◆ **from the (very) first** desde o primeiro momento

first aid *s* [*não-contável*] primeiros socorros: *first-aid kit* estojo de primeiros socorros

first class *substantivo, advérbio*
▸ *s* **1** primeira (classe) **2** correio azul
▸ *adv* em primeira (classe): *to travel first class* viajar em primeira ◇ *to send sth first class* enviar alguma coisa por correio azul

first-class /ˌfɜːst ˈklɑːs; *USA* ˈklæs/ *adj* de primeira (classe): *a first-class ticket* um bilhete de primeira ◇ *a first-class stamp* um selo para correio azul ➲ *Ver nota em* STAMP

first-hand /ˌfɜːst ˈhænd/ *adj, adv* em primeira mão

firstly /ˈfɜːstli/ *adv* em primeiro lugar

first name *s* nome (próprio), primeiro nome

first-rate /ˌfɜːst ˈreɪt/ *adj* excelente, de primeira (categoria)

fish /fɪʃ/ *s* peixe: *fish and chips* peixe frito com batatas fritas

Fish como substantivo contável tem duas formas para o plural: **fish** e **fishes**. **Fish** é a forma mais comum. **Fishes** é uma forma antiquada, técnica ou literária.

LOC like a fish out of water fora do seu elemento *Ver tb* BIG

fisherman /ˈfɪʃəmən/ *s* (*pl* **-men** /-mən/) pescador

fishing /ˈfɪʃɪŋ/ *s* pesca: *to go fishing* ir à pesca ◇ *fishing rod* cana de pesca

fishmonger /ˈfɪʃmʌŋgə(r)/ *s* **1** peixeiro, -a **2 fishmonger's** peixaria ➲ *Ver nota em* TALHO

fishy /ˈfɪʃi/ *adj* (**fishier, -iest**) **1** (*cheiro, sabor*) a peixe **2** (*coloq*) suspeito, estranho: *There's something fishy going on.* Aqui há gato.

fist /fɪst/ *s* punho **fistful** *s* punhado

fit /fɪt/ *verbo, adjetivo, substantivo*
▸ (*pt, pp* **fitted**, *USA* **fit** *part pres* **fitting**) **1** *vi* ~ **(in)**; ~ **(into sth)** caber (em alguma coisa): *It doesn't fit in/into the box.* Não cabe na caixa. **2** *vt, vi* servir (a): *These shoes don't fit (me).* Estes sapatos não me servem. **3** *vt* ~ **sth with sth** equipar alguma coisa com alguma coisa **4** *vt* ~ **sth on/onto sth** encaixar alguma coisa em alguma coisa **5** *vt* condizer com: *to fit a description* condizer com a descrição **LOC fit (sb) like a glove** assentar (a alguém) como uma luva *Ver tb* BILL **PHR V fit in (with sb/sth)** encaixar (com alguém/em alguma coisa) ◆ **fit sb/sth in; fit sb/sth in/into sth** arranjar tempo/espaço para alguém/alguma coisa (em alguma coisa)
▸ *adj* (**fitter, -est**) **1** em forma: *to keep fit* manter-se em forma **2** ~ **(for sb/sth)**; ~ **(to do sth)** apto, adequado (para alguém/alguma coisa), em condições (para fazer alguma coisa): *a meal fit for a king* uma refeição digna de um rei **3** ~ **to do sth** (*GB, coloq*) pronto (para fazer alguma coisa) **4** (*GB, coloq*) sexy **LOC (as) fit as a fiddle** são/rijo que nem um pêro
▸ *s* **1** ataque (*de riso, tosse, etc.*): *She'll have/throw a fit!* Vai dar-lhe um ataque! **2 be a good, tight, etc.** ~ (*roupas*) ficar à medida, apertado, etc.

fitness /ˈfɪtnəs/ *s* forma (física)

fitted /ˈfɪtɪd/ *adj* **1** (*armário*) embutido, encastrado: *a fitted kitchen* uma cozinha com móveis encastrados **2** *fitted carpet* alcatifa *Ver tb* FIT

fitting /ˈfɪtɪŋ/ *adjetivo, substantivo*
▸ *adj* (*formal*) apropriado
▸ *s* **1** [*ger pl*] peça, acessório **2** (*vestido*) prova: *fitting room* cabina de provas

five /faɪv/ *adj, pron, s* cinco: *page five* página (número) cinco ◇ *chapter five* capítulo quinto ◇ *five past nine* nove e cinco ◇ *on 5 May* no dia 5 de maio ◇ *all five of them* os cinco ◇ *There were five of us.* Éramos cinco. ➲ *Ver págs. xxx-xxx*
fiver *s* (*GB, coloq*) (nota de) cinco libras

fix /fɪks/ *verbo, substantivo*
▸ *vt* **1** fixar **2** reparar **3** estabelecer **4** ~ **sth (up) (for sb)** organizar alguma coisa (para alguém) **5** ~ **sth (for sb)**; ~ **sb sth** (*esp USA*) (*comida*) preparar alguma coisa (para alguém) **6** (*coloq*) combinar **7** (*coloq*) ajustar contas com **PHR V fix on sb/sth** decidir-se por alguém/alguma coisa ◆ **fix sb up (with sth)** (*coloq*) arranjar alguma coisa para alguém ◆ **fix sth up 1** arranjar alguma coisa **2** reparar alguma coisa
▸ *s* **1** (*coloq*) solução fácil ou temporária **2** [*sing*] (*coloq*) (*droga*) dose **3** [*sing*] alhada: *to be in/get yourself into a fix* estar/meter-se numa alhada

fixed /fɪkst/ *adj* fixo **LOC (of) no fixed abode/address** sem domicílio fixo *Ver tb* FIX

fixture /ˈfɪkstʃə(r)/ *s* **1** equipamento doméstico fixo (*loiça sanitária, armários encastrados, etc.*) **2** encontro (desportivo) **3** (*coloq*): *She became a permanent fixture in our house.* Tornou-se parte da mobília lá em casa.

fizz /fɪz/ *vi* **1** borbulhar **2** silvar

fizzy /ˈfɪzi/ *adj* com gás, gasoso

flabby /ˈflæbi/ *adj* (*coloq, pej*) balofo

flag /flæg/ *substantivo, verbo*
▸ *s* **1** bandeira **2** bandeirinha (*de pôr ao peito, vendida para fins benficientes*)
▸ *vi* (**-gg-**) fraquejar

flagrant /ˈfleɪgrənt/ *adj* flagrante

flair /fleə(r)/ *s* **1** [*sing*] ~ **for sth** talento para alguma coisa **2** [*não-contável*] estilo

flake /fleɪk/ *substantivo, verbo*
▸ *s* floco
▸ *vi* ~ **(off) 1** descascar-se **2** (*pele*) cair

flamboyant /flæmˈbɔɪənt/ *adj* **1** (*pessoa*) extravagante **2** (*vestido, etc.*) vistoso

flame /fleɪm/ *s* chama

flammable /ˈflæməbl/ *adj* inflamável ➲ *Ver nota em* INFLAMMABLE

flan /flæn/ *s* tarte ➲ *Ver nota em* PIE ❶ O *pudim flan* ou *flã* português traduz-se por **crème caramel** em inglês.

flank /flæŋk/ *substantivo, verbo*
▸ *s* **1** (*pessoa*) ilharga **2** (*Mil, Desp, animal*) flanco
▸ *vt* **be flanked by sb/sth** ser flanqueado por alguém/alguma coisa: *She left the courtroom flanked by guards.* Ela abandonou a sala de audiências flanqueada por guardas.

flannel /ˈflænl/ *s* **1** flanela **2** luva de banho

flap /flæp/ *substantivo, verbo*
▸ *s* **1** (*envelope*) dobra **2** (*bolso*) portinhola **3** bater (*de asas, etc.*)
▸ (**-pp-**) **1** *vt, vi* agitar-se **2** *vt* (*asas*) bater

flare /fleə(r)/ *verbo, substantivo*
▸ *vi* **1** chamejar **2** ~ **(up)** (*fig*) explodir: *Tempers flared.* Os ânimos aqueceram. PHR V **flare up 1** (*fogo*) inflamar-se (bruscamente) **2** (*problema*) reaparecer **3** (*conflito*) rebentar **4** (*pessoa*) irritar-se
▸ *s* **1** foguete de sinalização **2** clarão **3 flares** [*pl*] calças à boca de sino

flash /flæʃ/ *verbo, substantivo*
▸ **1** *vi* cintilar, brilhar: *It flashed on and off.* Acendia e apagava. **2** *vt* ~ **sth (at sb)** apontar alguma coisa (a alguém) (*luz*): *to flash your headlights* fazer sinais de luzes **3** *vt* mostrar rapidamente **4** *vi* ~ **by, past, etc.** passar a grande velocidade/como um tiro
▸ *s* **1** raio: *a flash of lightning* um relâmpago **2** ~ **of sth** (*fig*) clarão de alguma coisa: *a flash of genius* um lampejo de génio LOC **a flash in the pan**: *It was no flash in the pan.* Não foi mero fogo de palha. ◆ **in/like a flash** num abrir e fechar de olhos

flashlight /ˈflæʃlaɪt/ *s* (*esp USA*) lanterna

flashy /ˈflæʃi/ *adj* (**flashier, -iest**) (*coloq, freq pej*) vistoso, que dá nas vistas

flask /flɑːsk; *USA* flæsk/ *s* **1** termo **2** (*licores*) cantil

flat /flæt/ *adjetivo, advérbio, substantivo*
▸ *adj* (**flatter, -est**) **1** plano, liso, raso **2** (*pneu*) vazio, em baixo **3** (*bateria*) descarregado **4** (*bebida*) que perdeu o gás **5** (*Mús*) desafinado **6** (*comércio*) estagnado
▸ *adv* **1** (*comp* **flatter**): *to lie down flat* deitar-se (completamente) **2** (*USA* **flat out**) claramente: *She told me flat she would not speak to me again.* Ela disse-me sem rodeios que não voltaria a falar comigo. ◇ *They turned my offer down flat.* Eles recusaram claramente a minha oferta. LOC **flat out** (*coloq*) até não poder mais (*trabalhar, correr, etc.*) ◆ **in ten seconds, etc. flat** (*coloq*) em apenas dez segundos, etc.
▸ *s* **1** apartamento **2 the ~ of sth** a parte plana de alguma coisa: *the flat of your hand* a palma da mão **3** [*ger pl*] (*Geog*): *mud flats* terrenos alagadiços **4** (*Mús*) bemol **5** (*esp USA*) furo

flatly /ˈflætli/ *adv* categoricamente (*dizer, recusar, negar*)

flatmate /ˈflætmeɪt/ *s* companheiro, -a de apartamento

flatten /ˈflætn/ **1** *vt* ~ **sth (out)** nivelar, alisar alguma coisa **2** *vt* amassar, arrasar **3** *vi* ~ **(out)** (*paisagem*) tornar-se plano

flatter /ˈflætə(r)/ *vt* **1** lisonjear, gabar: *I was flattered by your invitation.* O seu convite lisonjeou-me. **2** (*roupa, etc.*) favorecer **3** ~ **yourself (that)** ter ilusões (de que) **flattering** *adj* **1** lisonjeador **2** favorecedor

flaunt /flɔːnt/ *vt* (*pej*) exibir

flavour (*USA* **flavor**) /ˈfleɪvə(r)/ *substantivo, verbo*
▸ *s* sabor, gosto
▸ *vt* temperar, condimentar

flaw /flɔː/ *s* **1** (*objetos*) defeito **2** (*plano, personalidade*) falha, defeito **flawed** *adj* imperfeito **flawless** *adj* perfeito

flea /fliː/ *s* pulga: *flea market* feira da ladra

fleck /flek/ *s* ~ **(of sth)** pinta (de alguma coisa) (*pó, cor*)

flee /fliː/ (*pt, pp* **fled** /fled/) **1** *vi* fugir, escapar **2** *vt* abandonar, fugir de

fleece /fliːs/ *s* **1** lã de carneiro **2** polar, casaco forrado

fleet /fliːt/ *s* [*v sing ou pl*] frota (*de carros, pesqueira*)

flesh /fleʃ/ *s* **1** carne **2** (*de fruta*) polpa LOC **flesh and blood** carne e osso ◆ **in the flesh** em carne e osso/em pessoa ◆ **your (own) flesh and blood** o seu próprio sangue

flew *pt de* FLY

flex /fleks/ *substantivo, verbo*
▸ *s* fio (*de eletrodoméstico, etc.*)
▸ *vt* flexionar

flexible /ˈfleksəbl/ *adj* flexível

flick /flɪk/ *verbo, substantivo*
▸ **1** *vt* ~ **sth (away, off, etc.)** sacudir alguma coisa (com os dedos): *She flicked the dust off her lapel.* Ela sacudiu o pó da lapela. ◇ *Please don't flick ash on the carpet.* Por favor, não sacudas a cinza do cigarro para cima da carpete. **2** *vt* ~ **sb with sth; sth (at sb)** atirar alguma coisa (a alguém) **3** *vt, vi* mover(-se) rapidamente PHR V **flick through sth** folhear alguma coisa
▸ *s* **1** piparote **2** puxão: *a flick of the wrist* um safanão

flicker /ˈflɪkə(r)/ *verbo, substantivo*
▸ *vi* bruxulear: *a flickering light* uma luz bruxuleante
▸ *s* **1** (*luz*) bruxuleio **2** (*fig*) ponta: *a flicker of emotion* uma ponta de emoção

flier = FLYER

flight /flaɪt/ *s* **1** voo **2** fuga **3** (*escadas*) lanço LOC **take flight** pôr-se em fuga

flight attendant *s* assistente de bordo

flimsy /ˈflɪmzi/ *adj* (**flimsier**, **-iest**) **1** (*objetos*) frágil **2** (*tecido*) fino **3** (*desculpa*) fraco

flinch /flɪntʃ/ *vi* **1** encolher-se **2** ~ **from (doing) sth** fugir a (fazer) alguma coisa

fling /flɪŋ/ *verbo, substantivo*
▸ *vt* (*pt, pp* **flung** /flʌŋ/) **1** ~ **sth (at sth)** atirar, lançar alguma coisa (a alguma coisa): *She flung her arms around him.* Abraçou-se a ele. **2** dar um empurrão a: *He flung open the door.* Abriu a porta com um empurrão.
▸ *s* (*coloq*) **1** farra **2** caso (amoroso)

flint /flɪnt/ *s* **1** sílex **2** pedra (*de isqueiro*)

flip /flɪp/ (**-pp-**) **1** *vt* atirar: *to flip a coin* atirar uma moeda ao ar **2** *vt, vi* ~ **(sth) (over)** virar (alguma coisa) **3** *vi* ~ **(out)** (*coloq*) ir aos arames

flip-flop /ˈflɪp flɒp/ *s* chinelo de dedo

flippant /ˈflɪpənt/ *adj* leviano

flirt /flɜːt/ *verbo, substantivo*
▸ *vi* namoriscar
▸ *s* namorador, -ora: *He's a terrible flirt.* É um namorador.

flit /flɪt/ *vi* (**-tt-**) esvoaçar

float /fləʊt/ *verbo, substantivo*
▸ **1** *vi* flutuar **2** *vi* (*nadador*) boiar **3** *vt* (*barco*) pôr a flutuar **4** *vt* (*projeto, ideia*) propor
▸ *s* **1** boia **2** flutuador **3** (*carnaval*) carro alegórico

flock /flɒk/ *substantivo, verbo*
▸ *s* **1** rebanho (*de ovelhas, pessoas*) ➲ *Comparar com* HERD **2** bando (*de aves*)
▸ *vi* **1** ~ **(together)** agrupar-se **2** ~ **to sth** afluir (em grande número) a alguma coisa

flog /flɒg/ *vt* (**-gg-**) **1** chicotear **2** ~ **sth (off) (to sb)** (*GB, coloq*) vender alguma coisa (a alguém) LOC **flog a dead horse** (*GB, coloq*) malhar em ferro frio

flood /flʌd/ *substantivo, verbo*
▸ *s* **1** cheia, inundação **2** **the Flood** (*Relig*) o Dilúvio **3** (*fig*) torrente, avalanche
▸ **1** *vt, vi* inundar(-se) **2** *vi* (*rio*) transbordar PHR V **flood in; flood into sth** espalhar-se (por alguma coisa), invadir alguma coisa

flooding /ˈflʌdɪŋ/ *s* [*não-contável*] inundação, inundações

floodlight /ˈflʌdlaɪt/ *substantivo, verbo*
▸ *s* holofote
▸ *vt* (*pt, pp* **floodlit** /-lɪt/) iluminar com holofotes

floor /flɔː(r)/ *substantivo, verbo*
▸ *s* **1** chão: *on the floor* no chão **2** andar

> Na Grã-Bretanha, o andar térreo chama-se **ground floor**, o primeiro andar **first floor**, etc. Nos Estados Unidos, o andar térreo pode ser tanto **ground floor** ou **first floor**, e o primeiro andar chama-se **second floor**.

3 (*mar, vale*) fundo
▸ *vt* **1** (*adversário*) derrubar **2** (*fig*) embatucar

floorboard /ˈflɔːbɔːd/ *s* tábua (*do soalho*)

flop /flɒp/ *verbo, substantivo*
▸ *vi* (**-pp-**) **1** cair **2** (*coloq*) (*obra, negócio*) ser um fiasco
▸ *s* fiasco

floppy /ˈflɒpi/ *adj* (**floppier**, **-iest**) **1** mole, flexível **2** (*orelhas*) tombado

floppy disk (*tb* **floppy**) *s* disquete

flora /ˈflɔːrə/ *s* [*não-contável*] flora

floral /ˈflɔːrəl/ *adj* **1** floral: *floral tribute* coroa de flores **2** florido, às flores

florist /ˈflɒrɪst; *USA* ˈflɔː-/ *s* **1** florista **2** **florist's** florista (*loja*) ➲ *Ver nota em* TALHO

flounder /ˈflaʊndə(r)/ *vi* **1** hesitar **2** balbuciar **3** mover-se com dificuldade

🔑 **flour** /ˈflaʊə(r)/ *s* farinha

flourish /ˈflʌrɪʃ; *USA* ˈflɜːr-/ *verbo, substantivo*
▸ *vi* prosperar, florescer
▸ *s* floreio: *to do sth with a flourish* fazer alguma coisa com gestos floreados

🔑 **flow** /fləʊ/ *substantivo, verbo*
▸ *s* **1** fluxo **2** caudal **3** circulação **4** alimentação LOC **go with the flow** (*coloq*) deixar-se levar
▸ *vi* **1** fluir: *to flow into the sea* desaguar no mar ◇ *Letters of complaint flowed in.* As cartas de reclamação chegaram em grande número. **2** circular LOC *Ver* EBB PHR V **flow in/out** (*maré*) subir/descer

🔑 **flower** /ˈflaʊə(r)/ *substantivo, verbo*
▸ *s* flor ➲ *Comparar com* BLOSSOM
▸ *vi* florescer

flower bed *s* canteiro (de flores)

flowering /ˈflaʊərɪŋ/ *substantivo, adjetivo*
▸ *s* florescimento
▸ *adj* que dá flor (*planta*)

flowerpot /ˈflaʊəpɒt/ *s* vaso

flown *pp de* FLY

🔑 **flu** /fluː/ *s* [*não-contável*] gripe

fluctuate /ˈflʌktʃueɪt/ *vi* flutuar, variar

fluent /ˈfluːənt/ *adj* fluente: *She's fluent in Russian.* Fala russo fluentemente. ◇ *She speaks fluent French.* Domina o francês.

fluff /flʌf/ *s* **1** pelo: *a piece of fluff* um bocado de cotão **2** penugem **fluffy** *adj* (**fluffier, -iest**) **1** (*animal*) peludo **2** (*comida*) fofo, leve

fluid /ˈfluːɪd/ *adjetivo, substantivo*
▸ *adj* **1** fluído, líquido **2** (*formal*) (*estilo, movimento*) fluído, solto **3** (*formal*) (*situação*) variável, instável **4** (*formal*) (*plano*) flexível
▸ *s* fluído, líquido

fluke /fluːk/ *s* (*coloq*) golpe de sorte

flung *pt, pp de* FLING

flurry /ˈflʌri/ *s* (*pl* **flurries**) **1** ~ (**of sth**) (*atividade, emoção*) lufada, onda (de alguma coisa) **2** rajada: *a flurry of snow* uma nevada

flush /flʌʃ/ *substantivo, verbo*
▸ *s* rubor: *hot flushes* calores
▸ **1** *vi* corar **2** *vt, vi* descarregar: *to flush the toilet* puxar o autoclismo

fluster /ˈflʌstə(r)/ *vt* atrapalhar: *to get flustered* enervar-se

flute /fluːt/ *s* flauta

flutter /ˈflʌtə(r)/ *verbo, substantivo*
▸ **1** *vi* (*pássaro, etc.*) esvoaçar, adejar **2** *vt, vi* (*asas*) bater, adejar **3** *vi* (*cortina, bandeira, etc.*) esvoaçar **4** *vt* (*objeto*) agitar
▸ *s* **1** (*asas*) batimento **2** (*pestanas*) pestanejo **3** *all of a/in a flutter* nervoso/alterado

🔑 **fly** /flaɪ/ *verbo, substantivo*
▸ (*pt* **flew** /fluː/, *pp* **flown** /fləʊn/) **1** *vi* voar: *to fly away/off* sair a voar **2** *vi* (*pessoa*) andar/viajar de avião: *to fly in/out/back* chegar/partir/regressar (de avião) **3** *vt* (*avião*) pilotar **4** *vt* (*passageiros, mercadorias*) transportar (de avião) **5** *vi* ir depressa: *I must fly.* Tenho de correr. **6** *vi* (*repentinamente*): *The wheel flew off.* A roda foi pelos ares. ◇ *The door flew open.* A porta escancarou-se. **7** *vt, vi* (*bandeira*) hastear **8** *vt* (*papagaio*) lançar LOC **fly high** ter grandes ambições *Ver tb* CROW, LET, TANGENT PHR V **fly at sb** atirar-se a alguém
▸ *s* (*pl* **flies**) **1** mosca **2** (*tb* **flies** [*pl*]) braguilha

flyer (*tb* **flier**) /ˈflaɪə(r)/ *s* folheto de propaganda

🔑 **flying** /ˈflaɪɪŋ/ *substantivo, adjetivo*
▸ *s* voar: *flying lessons* aulas de voo
▸ *adj* voador

flying saucer *s* disco voador

flying start *s* LOC **get off to a flying start** começar muito bem

flyover /ˈflaɪəʊvə(r)/ *s* viaduto

foal /fəʊl/ *s* potro, -a ➲ *Ver nota em* POTRO

foam /fəʊm/ *substantivo, verbo*
▸ *s* **1** espuma **2** (*tb* **foam rubber**) esponja (artificial), borracha esponjosa
▸ *vi* espumar

🔑 **focus** /ˈfəʊkəs/ *substantivo, verbo*
▸ *s* (*pl* **focuses** *ou* **foci** /ˈfəʊsaɪ/) foco LOC **be in focus/out of focus** estar focado/desfocado
▸ *vt, vi* (**-s-** *ou* **-ss-**) ~ (**sth**) (**on sth/sb**) **1** focar alguma coisa (em alguma coisa/alguém): *It took a while for her eyes to focus in the dark.* Levou algum tempo até os olhos dela se terem ajustado à escuridão. **2** concentrar alguma coisa, concentrar-se (em alguma coisa/alguém) (*energia, atenção, etc.*): *to focus your attention/mind on sth* concentrar-se em alguma coisa

fodder /ˈfɒdə(r)/ *s* forragem

foetus (*tb* **fetus**) /ˈfiːtəs/ *s* (*pl* **foetuses/fetuses**) feto

fog /fɒg; *USA* fɔːg/ *substantivo, verbo*
▸ *s* nevoeiro ➲ *Comparar com* HAZE, MIST
▸ *vt, vi* (**-gg-**) ~ (**sth**) (**up**) embaciar alguma coisa, embaciar-se

foggy /ˈfɒgi; *USA* ˈfɔːgi/ *adj* (**foggier, -iest**): *a foggy day* um dia de nevoeiro

foil /fɔɪl/ *substantivo, verbo*
▸ *s* folha: *aluminium foil* folha de alumínio
▸ *vt* frustrar

fold /fəʊld/ *verbo, substantivo*
▸ **1** *vt, vi* ~ **(sth) (back, down, over, etc.)** dobrar alguma coisa, dobrar-se **2** *vi* (*empresa*) falir **3** *vi* (*peça de teatro*) sair de cartaz LOC **fold your arms** cruzar os braços
▸ *s* **1** dobra **2** curral

folder /ˈfəʊldə(r)/ *s* (*Informát, para documentos, etc.*) pasta

folding /ˈfəʊldɪŋ/ *adj* [*só antes de substantivo*] dobrável, desdobrável: *a folding table/bed* uma mesa/cama de abrir

folk /fəʊk/ *substantivo, adjetivo*
▸ *s* **1** (*tb esp USA* **folks** [*pl*]) gente: *country folk* pessoas do campo **2** **folks** [*pl*] (*coloq*) malta **3** **folks** [*pl*] (*esp USA, coloq*) família
▸ *adj* [*só antes de substantivo*] folclórico, popular

folklore /ˈfəʊklɔː(r)/ *s* folclore

follow /ˈfɒləʊ/ **1** *vt, vi* seguir **2** *vt, vi* (*explicação*) entender **3** *vi* ~ **(from sth)** resultar, ser uma consequência (de alguma coisa) LOC **as follows** da seguinte forma: *The results are as follows…* Os resultados são os seguintes… ◆ **follow the crowd** ir na onda PHR V **follow on** vir a seguir ◆ **follow sth through** levar alguma coisa até ao fim ◆ **follow sth up** **1** dar seguimento a alguma coisa: *Follow up your phone call with an email.* Dê seguimento à sua chamada com um email. **2** investigar alguma coisa

follower /ˈfɒləʊə(r)/ *s* seguidor, -ora

following /ˈfɒləʊɪŋ/ *adjetivo, substantivo, preposição*
▸ *adj* seguinte
▸ *s* **1** [*ger sing*] seguidores, séquito **2** **the following** [*v sing ou pl*] o seguinte
▸ *prep* após: *following the burglary* após o roubo

follow-up /ˈfɒləʊ ʌp/ *s* continuação

fond /fɒnd/ *adj* (**fonder**, **-est**) **1** **be ~ of sb** gostar de alguém **2** **be ~ of (doing) sth** gostar de (fazer) alguma coisa **3** [*só antes de substantivo*] carinhoso: *fond memories* lembranças queridas ◇ *a fond smile* um sorriso carinhoso **4** (*esperança*) vão

fondle /ˈfɒndl/ *vt* acariciar

food /fuːd/ *s* comida, alimento LOC **food for thought** alguma coisa em que pensar

food processor *s* robot de cozinha

foodstuffs /ˈfuːdstʌfs/ *s* [*pl*] géneros alimentícios

fool /fuːl/ *substantivo, verbo*
▸ *s* idiota, parvo LOC **act/play the fool** armar-se em parvo ◆ **be no/nobody's fool** não se deixar enganar por ninguém ◆ **make a fool of sb** expor alguém ao ridículo ◆ **make a fool of yourself** fazer figura de urso
▸ *vt* ~ **sb (into doing sth)** enganar alguém (a fazer alguma coisa) PHR V **fool about/around** **1** perder tempo **2** brincar: *Stop fooling about with that knife!* Para de brincar com a faca!

foolish /ˈfuːlɪʃ/ *adj* **1** tolo **2** ridículo

foolproof /ˈfuːlpruːf/ *adj* infalível

foot /fʊt/ *substantivo, verbo*
▸ *s* **1** (*pl* **feet** /fiːt/) pé: *at the foot of the stairs* ao fundo das escadas **2** (*pl* **feet** *ou* **foot**) (*abrev* **ft**) (*unidade de longitude*) pé (*30,48 centímetros*) ➲ *Ver pág. 713* LOC **fall/land on your feet** sair-se bem ◆ **on foot** a pé ◆ **put your feet up** descansar ◆ **put your foot down** ser firme ◆ **put your foot in it/your mouth** meter a pata (na poça) *Ver tb* COLD, FIND, SWEEP
▸ *vt* LOC **foot the bill (for sth)** pagar as despesas (de alguma coisa)

football /ˈfʊtbɔːl/ *s* **1** futebol ➲ *Ver nota em* FUTEBOL **2** bola (de futebol) **3** (*USA*) futebol americano **footballer** *s* futebolista

footing /ˈfʊtɪŋ/ *s* [*sing*] **1** equilíbrio: *to lose your footing* perder o equilíbrio **2** situação: *on an equal footing* em pé de igualdade

footnote /ˈfʊtnəʊt/ *s* nota de rodapé

footpath /ˈfʊtpɑːθ; *USA* -pæθ/ *s* carreiro, caminho: *public footpath* caminho público

footprint /ˈfʊtprɪnt/ *s* [*ger pl*] pegada

footstep /ˈfʊtstep/ *s* passo, passada

footwear /ˈfʊtweə(r)/ *s* [*não-contável*] calçado

for /fə(r), fɔː(r)/ *preposição, conjunção*
▸ *prep* ❶ Para os usos de **for** em PHRASAL VERBS, ver as entradas para os verbos correspondentes, p. ex. **look for sb/sth** em LOOK. **1** para: *a letter for you* uma carta para ti ◇ *What's it for?* Para que é que serve? ◇ *the train for Glasgow* o comboio para Glasgow ◇ *It's time for supper.* Está na hora de jantar. **2** por: *What can I do for you?* O que é que posso fazer por si? ◇ *for her own good* para o seu próprio bem ◇ *to fight for your country* lutar pelo seu país **3** (*em expressões de tempo*) durante, desde há: *They are going for a month.* Vão por um mês. ◇ *How long are you here for?* Quanto tempo é que vais estar aqui? ◇ *I haven't seen him for two days.* Há dois dias que não o vejo.

For ou **since**? Quando **for** se traduz por "há" ou "desde há" pode-se confundir com **since** ("desde"). Ambos os termos são utilizados para exprimir o tempo que durou a ação do verbo, todavia **for** especifica a duração da ação e **since** o começo da dita ação: *I've been living here for three months.* Há três meses que vivo aqui. ◇ *I've been living here since August.* Vivo aqui desde agosto. De notar que em ambos casos se usa o *present perfect* ou o *past perfect*, nunca o presente. ➲ *Ver tb nota em* AGO

F

4 [*com infinitivo*]: *There's no need for you to go.* Não é necessário ires. ◇ *It's impossible for me to do it.* É-me impossível fazê-lo. **5** (*outros usos*): *I for Irene* I de Irene ◇ *for miles and miles* milhas e milhas ◇ *What does he do for a job?* O que é que ele faz? LOC **be for/against sth** ser a favor/contra alguma coisa ◆ **be for it** (*tb* **be in for it/sth**) (*coloq*): *He's for it now!* Agora é que ele vai ver como são elas! ◇ *He's in for a surprise!* Vai ter uma surpresa! ◆ **for all 1** apesar de: *for all his wealth* apesar de toda a sua riqueza **2** *for all I know* tanto quanto sei
▸ *conj* (*formal ou antiq*) visto que

forbid /fə'bɪd/ *vt* (*pt* **forbade** /fə'bæd, fə'beɪd/, *pp* **forbidden** /fə'bɪdn/) ~ **sb from doing sth**; ~ **sb to do sth** proibir alguém de fazer alguma coisa: *They forbade them from entering.* Proibiram-lhes de entrar. ◇ *It is forbidden to smoke.* É proibido fumar. **forbidding** *adj* ameaçador, severo

⚷ **force** /fɔ:s/ *substantivo, verbo*
▸ *s* força: *the armed forces* as forças armadas LOC **by force** à força ◆ **in force** em vigor: *to be in/come into force* estar/entrar em vigor
▸ *vt* ~ **sb/sth (to do sth)**; ~ **sb/sth (into sth/doing sth)** forçar, obrigar alguém/alguma coisa (a fazer alguma coisa) PHR V **force sth on sb** impor alguma coisa a alguém

forcible /'fɔ:səbl/ *adj* à/pela força, forçado **forcibly** *adv* **1** à força **2** energeticamente

ford /fɔ:d/ *substantivo, verbo*
▸ *s* vau
▸ *vt* passar a vau

fore /fɔ:(r)/ *adjetivo, substantivo*
▸ *adj* (*formal*) dianteiro, anterior
▸ *s* proa LOC **be at/come to the fore** destacar-se

forearm /'fɔ:rɑ:m/ *s* antebraço

⚷ **forecast** /'fɔ:kɑ:st; *USA* -kæst/ *verbo, substantivo*
▸ *vt* (*pt, pp* **forecast** *ou* **forecasted**) prever
▸ *s* previsão

forefinger /'fɔ:fɪŋgə(r)/ *s* (dedo) indicador

forefront /'fɔ:frʌnt/ *s* LOC **at/in/to the forefront of sth** na vanguarda de alguma coisa

foreground /'fɔ:graʊnd/ *s* primeiro plano

forehead /'fɔ:hed, 'fɒrɪd; *USA* 'fɔ:red/ *s* (*Anat*) testa

⚷ **foreign** /'fɒrən; *USA* 'fɔ:rən/ *adj* **1** estrangeiro **2** externo: *Foreign Office/Secretary* Ministério/Ministro dos Negócios Estrangeiros ◇ *foreign exchange* divisas **3** ~ **to sb/sth** (*formal*) alheio a alguém/alguma coisa

foreigner /'fɒrənə(r); *USA* 'fɔ:r-/ *s* estrangeiro, -a

foremost /'fɔ:məʊst/ *adjetivo, advérbio*
▸ *adj* mais importante
▸ *adv* LOC *Ver* FIRST

forerunner /'fɔ:rʌnə(r)/ *s* precursor, -ora

foresee /fɔ:'si:/ *vt* (*pt* **foresaw** /-'sɔ:/, *pp* **foreseen** /-'si:n/) prever **foreseeable** *adj* previsível LOC **for/in the foreseeable future** num futuro próximo

foresight /'fɔ:saɪt/ *s* previsão

⚷ **forest** /'fɒrɪst; *USA* 'fɔ:r-/ *s* floresta

foretell /fɔ:'tel/ *vt* (*pt, pp* **foretold** /-'təʊld/) (*formal*) predizer

⚷ **forever** /fə'revə(r)/ *adv* **1** (*tb* **for ever**) para sempre **2** (*tb* **for ever**) (*coloq*) uma eternidade: *It takes her forever to get changed.* Ela demora uma eternidade a mudar de roupa. **3** [*uso enfático com tempos contínuos*] (*coloq*) sempre

foreword /'fɔ:wɜ:d/ *s* prefácio

forgave *pt de* FORGIVE

forge /fɔ:dʒ/ *substantivo, verbo*
▸ *s* forja
▸ *vt* **1** (*metal, amizade*) forjar **2** (*dinheiro, etc.*) falsificar PHR V **forge ahead 1** (*avançar*) ir em frente **2** (*ir na dianteira*) ir à frente

forgery /'fɔ:dʒəri/ *s* (*pl* **forgeries**) falsificação

⚷ **forget** /fə'get/ (*pt* **forgot** /fə'gɒt/, *pp* **forgotten** /fə'gɒtn/) **1** *vt, vi* ~ **(sth/to do sth)** esquecer-se (de alguma coisa/fazer alguma coisa): *He forgot to pay me.* Esqueceu-se de me pagar. **2** *vt* deixar de pensar em, esquecer LOC **not forgetting...** não esquecendo... PHR V **forget about sb/sth 1** esquecer-se de alguém/alguma coisa **2** esquecer alguém/alguma coisa **forgetful** *adj* **1** esquecido **2** distraído

⚷ **forgive** /fə'gɪv/ *vt* (*pt* **forgave** /fə'geɪv/, *pp* **forgiven** /fə'gɪvn/) ~ **sb (for sth/doing sth)** perdoar alguém (por alguma coisa/fazer alguma coisa): *Forgive me for interrupting.* Desculpe interromper. **forgiveness** *s* perdão: *to ask (for) forgiveness (for sth)* pedir perdão (por alguma coisa) **forgiving** *adj* clemente

⚷ **fork** /fɔ:k/ *substantivo, verbo*
▸ *s* **1** garfo **2** (*Agric*) forquilha **3** bifurcação
▸ *vi* **1** (*caminho, rio*) bifurcar **2** (*pessoa*): *to fork left* seguir pela/virar à esquerda PHR V **fork out (sth) (for/on sth)** (*coloq*) desembolsar alguma coisa (para alguma coisa)

form /fɔːm/ *substantivo, verbo*
▸ *s* **1** forma: *in the form of sth* em forma de alguma coisa **2** formulário: *application form* formulário de candidatura ◇ *tax form* impresso do IRS **3** norma: *as a matter of form* por norma **4** (*Educ*) ano: *in the first form* no primeiro ano *Ver tb* SIXTH FORM LOC **be in/on form** estar em forma ◆ **be off/out of form** não estar em forma *Ver tb* SHAPE
▸ **1** *vt* formar, constituir: *to form an idea (of sb/sth)* formar uma ideia (de/sobre alguém/alguma coisa) **2** *vi* formar-se

formal /'fɔːml/ *adj* **1** (*atitude, etc.*) formal, cerimonioso **2** (*jantar, roupa, etc.*) de cerimónia **3** (*declaração, etc.*) oficial **4** (*educação*) convencional

formality /fɔː'mæləti/ *s* (*pl* **formalities**) **1** formalidade, cerimónia **2** [*ger pl*] trâmite: *legal formalities* trâmites legais

formally /'fɔːməli/ *adv* **1** oficialmente **2** formalmente

format /'fɔːmæt/ *substantivo, verbo*
▸ *s* formato
▸ *vt* (**-tt-**) formatar

formation /fɔː'meɪʃn/ *s* formação

former /'fɔːmə(r)/ *adjetivo, pronome*
▸ *adj* **1** antigo: *the former champion* o ex-campeão **2** anterior: *in former times* noutros tempos **3** primeiro: *the former option* a primeira opção
▸ *pron* **the former** o/a anterior ❶ Usa-se **the former** para se referir ao primeiro de dois elementos mencionados: *The former was much better than the latter.* A anterior era muito melhor do que esta. ➲ *Comparar com* LATTER

formerly /'fɔːməli/ *adv* **1** anteriormente **2** antigamente

formidable /'fɔːmɪdəbl, fə'mɪdəbl/ *adj* **1** extraordinário, incrível **2** (*tarefa*) tremendo

formula /'fɔːmjələ/ *s* (*pl* **formulas** *ou em uso científico* **formulae** /-liː/) fórmula

forsake /fə'seɪk/ *vt* (*pt* **forsook** /fə'sʊk/, *pp* **forsaken** /fə'seɪkən/) (*formal*) **1** renunciar a **2** abandonar

fort /fɔːt/ *s* forte, fortaleza

forth /fɔːθ/ *adv* (*formal*): *from that day forth* daquele dia em diante LOC *Ver* BACK, SO

forthcoming /ˌfɔːθ'kʌmɪŋ/ *adj* **1** vindouro, próximo: *the forthcoming election* as próximas eleições **2** [*nunca antes de substantivo*] disponível: *No offer was forthcoming.* Não houve nenhuma oferta. **3** [*nunca antes de substantivo*] (*pessoa*) prestável

forthright /'fɔːθraɪt/ *adj* **1** (*pessoa*) direto **2** (*opinião*) franco

fortieth *Ver* FORTY

fortification /ˌfɔːtɪfɪ'keɪʃn/ *s* fortalecimento

fortify /'fɔːtɪfaɪ/ *vt* (*pt, pp* **fortified**) **1** fortificar **2** (*pessoa*) fortalecer

fortnight /'fɔːtnaɪt/ *s* quinzena, duas semanas: *a fortnight today* de hoje a quinze dias

fortnightly /'fɔːtnaɪtli/ *adjetivo, advérbio*
▸ *adj* quinzenal
▸ *adv* de quinze em quinze dias, quinzenalmente

fortress /'fɔːtrəs/ *s* fortaleza

fortunate /'fɔːtʃənət/ *adj* afortunado: *to be fortunate* ter sorte **fortunately** *adv* felizmente

fortune /'fɔːtʃuːn/ *s* **1** fortuna: *to be worth a (small) fortune* valer uma fortuna **2** sorte: *fortune-teller* vidente

forty /'fɔːti/ *adj, pron, s* quarenta ➲ *Ver exemplos em* FIFTY, FIVE **fortieth** **1** *adj, pron* quadragésimo **2** *s* quadragésima parte ➲ *Ver exemplos em* FIFTH

forward /'fɔːwəd/ *adjetivo, advérbio, verbo, substantivo*
▸ *adj* **1** em frente **2** dianteiro: *a forward position* uma posição avançada **3** para o futuro: *forward planning* planificação para o futuro **4** atrevido, descarado
▸ *adv* **1** (*tb* **forwards**) para a frente, adiante: *to go forward* avançar **2** para a frente: *from that day forward* daquele dia em diante LOC *Ver* BACKWARDS
▸ *vt* **~ sth (to sb); ~ (sb) sth** remeter alguma coisa (para alguém): *please forward* remeter por favor ◇ *forwarding address* nova direção (para onde deve ser remetido o correio)
▸ *s* (*Desp*) avançado, -a

fossil /'fɒsl/ *s* fóssil: *fossil fuels* combustíveis fósseis

foster /'fɒstə(r)/ *vt* **1** alimentar **2** acolher

fought *pt, pp de* FIGHT

foul /faʊl/ *adjetivo, substantivo, verbo*
▸ *adj* **1** (*linguagem, água, etc.*) sujo **2** (*comida, cheiro, sabor*) nojento **3** (*carácter, génio, tempo*) horrível
▸ *s* (*Desp*) falta
▸ *vt* (*Desp*) cometer uma falta contra PHR V **foul sth up** (*coloq*) estragar alguma coisa

foul play *s* [*não-contável*] crime

found /faʊnd/ *vt* **1** fundar **2** **~ sth (on sth)** fundamentar alguma coisa (em alguma coisa): *founded on fact* com base em factos reais *Ver tb* FIND

foundation /faʊn'deɪʃn/ *s* **1** fundação **2 foundations** [*pl*] alicerces **3** fundamento **4** (*tb* **foundation cream**) (creme de) base

founder /'faʊndə(r)/ *s* fundador, -ora

fountain /'faʊntən; *USA* -tn/ *s* repuxo, fontanário

fountain pen *s* caneta de tinta permanente

F

four /fɔ:(r)/ *adj, pron, s* quatro ➲ *Ver exemplos em* FIVE LOC *Ver* ALL

four-by-four /ˌfɔ: baɪ 'fɔ:(r)/ *s* (*abrev* **4x4**) (veículo) todo-o-terreno

fourteen /ˌfɔ:'ti:n/ *adj, pron, s* catorze ➲ *Ver exemplos em* FIVE **fourteenth 1** *adj, adv, pron* décimo quarto **2** *s* décima quarta parte ➲ *Ver exemplos em* FIFTH

fourth (*abrev* **4th**) /fɔ:θ/ *adjetivo, advérbio, pronome, substantivo*
- ▸ *adj, adv* quarto
- ▸ *pron* o quarto, a quarta, os quartos, as quartas
- ▸ *s* **1 the fourth** o dia quatro **2** (*tb* **fourth gear**) quarta ➲ *Ver exemplos em* FIFTH ❶ Para falar de proporções, "um quarto" diz-se **a quarter**: *We ate a quarter of the cake each.* Comemos um quarto do bolo cada.

the Fourth of July *s Ver* INDEPENDENCE DAY

fowl /faʊl/ *s* (*pl* **fowl** *ou* **fowls**) ave (*de capoeira*)

fox /fɒks/ *s* raposa

foyer /'fɔɪeɪ; *USA* 'fɔɪər/ *s* vestíbulo

fraction /'frækʃn/ *s* fração

fracture /'fræktʃə(r)/ *substantivo, verbo*
- ▸ *s* fratura
- ▸ *vt, vi* fraturar(-se)

fragile /'frædʒaɪl; *USA* -dʒl/ *adj* frágil, delicado

fragment *substantivo, verbo*
- ▸ *s* /'frægmənt/ fragmento, pedaço
- ▸ *vt, vi* /fræg'ment/ fragmentar(-se)

fragrance /'freɪgrəns/ *s* fragrância, aroma, perfume ➲ *Ver nota em* SMELL *n*

fragrant /'freɪgrənt/ *adj* aromático, perfumado

frail /freɪl/ *adj* frágil, débil ❶ Aplica-se sobretudo a pessoas idosas ou doentes.

frame /freɪm/ *substantivo, verbo*
- ▸ *s* **1** caixilho, moldura **2** (*óculos, cama, tenda*) armação **3** (*bicicleta*) quadro LOC **frame of mind** estado de espírito
- ▸ *vt* **1** emoldurar **2** (*pergunta, etc.*) formular **3** ~ **sb (for sth)** (*coloq*) incriminar falsamente alguém (por alguma coisa)

framework /'freɪmwɜ:k/ *s* **1** armação, estrutura **2** moldura, conjuntura

frank /fræŋk/ *adj* franco, sincero

frantic /'fræntɪk/ *adj* **1** frenético **2** desesperado

fraternal /frə'tɜ:nl/ *adj* fraternal

fraternity /frə'tɜ:nəti/ *s* (*pl* **fraternities**) **1** irmandade, confraria, sociedade **2** (*formal*) fraternidade

fraud /frɔ:d/ *s* **1** (*delito*) fraude **2** (*pessoa*) impostor, -ora

fraught /frɔ:t/ *adj* **1** ~ **with sth** cheio, carregado de alguma coisa **2** tenso, preocupante

fray /freɪ/ *vt, vi* desfiar(-se), puir(-se)

freak /fri:k/ *s* **1** (*coloq*) fanático, -a: *a fitness freak* um fanático do fitness **2** (*pej*) aberração

freckle /'frekl/ *s* sarda **freckled** *adj* sardento

free /fri:/ *adjetivo, advérbio, verbo*
- ▸ *adj* (**freer** /'fri:ə(r)/, **-est** /'fri:ɪst/) **1** livre: *free will* livre arbítrio ◇ *free speech* liberdade de expressão ◇ *to set sb free* pôr alguém em liberdade ◇ *to be free of/from sb/sth* livrar-se de alguém/alguma coisa **2** (*por atar*) solto, livre **3** grátis, gratuito: *admission free* entrada livre ◇ *free of charge* grátis/de graça **4** (*freq pej*) atrevido: *to be too free (with sb)* tomar liberdade (com alguém) LOC **free and easy** descontraído, informal ◆ **get, have, etc. a free hand** ter pulso livre/carta branca ◆ **of your own free will** por sua própria vontade *Ver tb* FEEL, WORK
- ▸ *adv* grátis, de graça
- ▸ *vt* (*pt, pp* **freed**) **1** ~ **sb/sth (from sth)** libertar alguém/alguma coisa (de alguma coisa) **2** ~ **sb/sth of/from sth** livrar alguém/alguma coisa de alguma coisa **3** ~ **sb/sth (from sth)** soltar alguém/alguma coisa (de alguma coisa)

freedom /'fri:dəm/ *s* **1** ~ **(to do sth)** liberdade (para fazer alguma coisa): *freedom of speech* liberdade de expressão **2** ~ **from sth** imunidade contra alguma coisa

freely /'fri:li/ *adv* **1** livremente, copiosamente **2** generosamente

free-range /ˌfri: 'reɪndʒ/ *adj* (*galinhas, etc.*) do campo: *free-range eggs* ovos caseiros ➲ *Comparar com* BATTERY (2)

freeway /'fri:weɪ/ *s* (*USA*) autoestrada

freeze /fri:z/ *verbo, substantivo*
- ▸ (*pt* **froze** /frəʊz/, *pp* **frozen** /'frəʊzn/) **1** *vt, vi* congelar, gelar: *freezing point* ponto de congelação ◇ *I'm freezing!* Estou morto de frio! **2** *vt* (*comida, preços, salários, etc.*) congelar **3** *vi* estacar: *Freeze!* Quieto!
- ▸ *s* **1** queda de geada **2** (*de salários, preços, etc.*) congelação

freezer /'fri:zə(r)/ (*tb* **deep freeze**) *s* congelador

freight /freɪt/ *s* carga

French fry *s Ver* FRY

French window (*tb esp USA* **French door**) *s* porta envidraçada (*que dá para um jardim, uma varanda, etc.*)

frenzied /'frenzid/ *adj* frenético, enlouquecido

frenzy /'frenzi/ *s* [*ger sing*] frenesim

frequency /'fri:kwənsi/ *s* (*pl* **frequencies**) frequência

frequent *adjetivo, verbo*
- *adj* /'fri:kwənt/ frequente
- *vt* /fri'kwent/ (*formal*) frequentar

frequently /'fri:kwəntli/ *adv* com frequência, frequentemente ➲ *Ver nota em* ALWAYS

fresh /freʃ/ *adj* (**fresher, -est**) **1** (*alimentos, ar, tempo*) fresco **2** novo, outro: *to make a fresh start* recomeçar de novo **3** recente **4** (*água*) doce

freshen /'freʃn/ **1** *vt* ~ **sth (up)** avivar alguma coisa **2** *vi* (*vento*) refrescar PHR V **freshen (yourself) up** refrescar-se

freshly /'freʃli/ *adv* recém: *freshly baked* recém-saído do forno

freshness /'freʃnəs/ *s* **1** frescura **2** novidade

freshwater /'freʃwɔ:tə(r)/ *adj* de água doce

fret /fret/ *vi* (**-tt-**) ~ **(about/over sth)** preocupar-se, ralar-se (com alguma coisa)

friction /'frɪkʃn/ *s* **1** fricção, atrito **2** atrito, desavença

Friday /'fraɪdeɪ, -di/ *s* (*abrev* **Fri.**) sexta-feira ➲ *Ver exemplos em* MONDAY LOC **Good Friday** Sexta-feira Santa

fridge /frɪdʒ/ *s* frigorífico: *fridge-freezer* frigorífico de duas portas

fried /fraɪd/ *adj* frito *Ver tb* FRY

friend /frend/ *s* ~ **(of/to sb/sth)** amigo, -a (de alguém/alguma coisa) LOC **be/make friends (with sb)** ser/tornar-se amigo (de alguém) ◆ **have friends in high places** ter cunha ◆ **make friends** fazer amigos

friendliness /'frendlinəs/ *s* simpatia, amabilidade

friendly /'frendli/ *adj* (**friendlier, -iest**) **1** ~ **(to/towards sb)** (*pessoa*) simpático, amável (com alguém) ❶ De notar que **sympathetic** traduz-se por *compreensivo*. **2 be/become ~ with sb** ser/tornar-se amigo de alguém **3** (*relação, conselho, jogo*) amigável **4** (*gesto, palavra*) amável **5** (*ambiente, lugar*) acolhedor

friendship /'frendʃɪp/ *s* amizade

fright /fraɪt/ *s* susto: *to give sb/get a fright* pregar um susto a alguém/apanhar um susto

frighten /'fraɪtn/ *vt* assustar, meter medo a

frightened /'fraɪtnd/ *adj* assustado: *to be frightened (of sb/sth)* ter medo (de alguém/alguma coisa) LOC *Ver* WIT

frightening /'fraɪtnɪŋ/ *adj* assustador, alarmante

frightful /'fraɪtfl/ *adj* (*esp GB, antiq*) **1** (*coloq*) tremendo: *a frightful mess* uma tremenda confusão **2** terrível, horroroso **frightfully** *adv* (*esp GB, antiq*): *I'm frightfully sorry.* Peço imensa desculpa.

frigid /'frɪdʒɪd/ *adj* frígido

frill /frɪl/ *s* **1** (*Costura, folho*) **2 frills** [*pl*] luxos: *a no-frills airline* uma companhia aérea de baixo custo

fringe /frɪndʒ/ *substantivo, verbo*
- *s* **1** franja **2** (*fig*) margem
- *vt* LOC **be fringed by/with sth** estar ladeado por alguma coisa

frisk /frɪsk/ **1** *vt* revistar **2** *vi* ~ **(around)** cabriolar **frisky** *adj* vivo, brincalhão

frivolity /frɪ'vɒləti/ *s* (*pl* **frivolities**) frivolidade

frivolous /'frɪvələs/ *adj* (*pej*) frívolo

fro /frəʊ/ *adv* LOC **to and fro** de um lado para o outro

frock /frɒk/ *s* (*esp GB, antiq*) vestido

frog /frɒg; *USA* frɔ:g/ *s* **1** rã **2 Frog** (*coloq, ofen*) francês, -esa

from /frəm, frɒm/ *prep* ❶ Para os usos de **from** em PHRASAL VERBS, ver as entradas para os verbos correspondentes, p. ex. **hear from sb** em HEAR. **1** de (*procedência*): *from Lisbon to London* de Lisboa a Londres ◇ *I'm from New Zealand.* Sou da Nova Zelândia. ◇ *from bad to worse* de mal a pior ◇ *the train from Oporto* o comboio procedente do Porto ◇ *a present from a friend* um presente de um amigo ◇ *to take sth away from sb* tirar alguma coisa a alguém **2** (*tempo, posição*) de, desde: *from time to time* de vez em quando ◇ *from yesterday* desde ontem ◇ *from April* a partir de abril ◇ *from above/below* de cima/baixo ➲ *Ver nota em* SINCE **3** por: *from choice* por escolha própria ◇ *from what I can gather* pelo que eu estou a entender **4** entre: *to choose from...* escolher entre... **5** com, de: *Wine is made from grapes.* O vinho é feito de uvas. **6** (*Mat*): *13 from 34 leaves 21.* 34 menos 13 dá 21. LOC **from... on**: *from now on* de agora em diante ◇ *from then on* desde então

front /frʌnt/ *substantivo, adjetivo*
- *s* **1 the ~ (of sth)** a frente, a (parte) dianteira (de alguma coisa): *If you can't see the board, sit at the front.* Se não vês o quadro, senta-te à

F

frente. ◇ *The number is shown on the front of the bus.* O autocarro tem o número à frente. **2** [*ger sing*] (*Mil*) frente de combate **3** [*sing*] fachada: *a front for sth* uma fachada para alguma coisa **4** área: *on the financial front* na área económica LOC **in front** à frente: *the row in front* a fila da frente ◆ **in front of 1** à frente de **2** frente a ℹ De notar que **em frente** traduz-se por **opposite**. ➲ *Ver tb ilustração em* FRENTE **up front** (*coloq*) (*pagamento*) adiantado *Ver tb* BACK
▸ *adj* dianteiro, da frente (*roda, quarto, etc.*)

front

front door *s* porta da frente

frontier /ˈfrʌntɪə(r); *USA* frʌnˈtɪər/ *s* fronteira ➲ *Ver nota em* BORDER

front page *s* primeira página

frost /frɒst; *USA* frɔːst/ *substantivo, verbo*
▸ *s* **1** queda de geada **2** geada
▸ *vt, vi* ~ **(sth) (over/up)** cobrir alguma coisa, cobrir(-se) de geada **frosty** *adj* **1** de geada **2** coberto de geada

froth /frɒθ; *USA* frɔːθ/ *substantivo, verbo*
▸ *s* espuma (*de cerveja, batido, etc.*)
▸ *vi* espumar

frown /fraʊn/ *substantivo, verbo*
▸ *s* cenho
▸ *vi* franzir as sobrancelhas PHR V **frown on/upon sth** desaprovar alguma coisa

froze *pt de* FREEZE

⚷ **frozen** /ˈfrəʊzn/ *adj* **1** congelado **2** (*pessoa, parte do corpo*) gelado *Ver tb* FREEZE

⚷ **fruit** /fruːt/ *s* **1** [*ger não-contável*] fruta: *fruit and vegetables* fruta e verduras ◇ *tropical fruit(s)* frutos tropicais ◇ *fruit trees* árvores de fruto **2** fruto: *the fruit(s) of your labours* o(s) fruto (s) do seu trabalho

fruitful /ˈfruːtfl/ *adj* frutífero, proveitoso

fruition /fruˈɪʃn/ *s* (*formal*) realização: *to come to fruition* tornar-se realidade

fruitless /ˈfruːtləs/ *adj* infrutífero

fruit machine *s* slot-machine ℹ Na Grã-Bretanha, **slot machine** é normalmente uma máquina de venda, por exemplo, de chocolates ou refrigerantes.

frustrate /frʌˈstreɪt; *USA* ˈfrʌstreɪt/ *vt* frustrar, gorar **frustrating** *adj* frustrante **frustration** *s* frustração

⚷ **fry** /fraɪ/ *verbo, substantivo*
▸ *vt, vi* (*pt, pp* **fried** /fraɪd/) fritar(-se)
▸ *s* (*pl* **fries**) (*tb* **French fry**) (*esp USA*) batata frita (*em palitos*) ➲ *Ver ilustração em* BATATA

frying pan *s* frigideira, sertã ➲ *Ver ilustração em* POT LOC **out of the frying pan into the fire** de mal para pior

⚷ **fuel** /ˈfjuːəl/ *s* **1** combustível **2** carburante

fugitive /ˈfjuːdʒətɪv/ *adj, s* ~ **(from sb/sth)** fugitivo, -a (de alguém/alguma coisa)

fulfil (*USA* **fulfill**) /fʊlˈfɪl/ *vt* (**-ll-**) **1** (*promessa, tarefa*) cumprir **2** (*função, papel*) desempenhar **3** (*desejo, requisito*) satisfazer

⚷ **full** /fʊl/ *adjetivo, advérbio*
▸ *adj* (**fuller, -est**) **1** ~ **(of sth)** cheio (de alguma coisa) **2** (*hotel, instruções, nome*) completo **3** ~ **(up)** cheio: *I'm full up.* Estou cheio. **4** ~ **of sth** entusiasmado com alguma coisa **5** (*debate, investigação*) aprofundado **6** (*sentido*) lato **7** (*apoio, extensão*) total **8** (*roupa*) largo: *a full skirt* uma saia rodada LOC **(at) full blast** ao máximo ◆ **(at) full speed** a toda a velocidade ◆ **come full circle** voltar à estaca zero ◆ **full of yourself** (*pej*): *You're very full of yourself.* És um convencido! ◆ **in full** pormenorizadamente, na íntegra ◆ **in full swing** em plena atividade ◆ **to the full/fullest** ao máximo
▸ *adv* **1** *full in the face* em cheio na cara **2** muito: *You know full well that...* Sabes muito bem que...

full-length /ˌfʊl ˈleŋθ/ *adj* **1** (*espelho, retrato*) de corpo inteiro **2** (*roupa*) comprido

full stop *s* ponto final ➲ *Ver pág. 315*

full-time /ˌfʊl ˈtaɪm/ *adj, adv* a tempo inteiro

⚷ **fully** /ˈfʊli/ *adv* **1** completamente **2** inteiramente **3** (*formal*) pelo menos: *fully two hours* pelo menos duas horas LOC *Ver* BOOK

fumble /ˈfʌmbl/ *vi* **1** ~ **(at/with/in sth)** mexer/segurar de forma desastrada (em alguma coisa): *He fumbled with the keys.* Ele deu voltas atrapalhadamente às chaves. ◇ *She fumbled and dropped the books.* Ela mexeu nos livros e deixou-os cair. **2** ~ **(around) for sth** andar à procura de alguma coisa (*às apalpadelas*)

fume /fjuːm/ *vi* deitar fumo (*de raiva*)

fumes /fju:mz/ *s* [*pl*] fumo: *poisonous fumes* gases tóxicos

fun /fʌn/ *substantivo, adjetivo*
▸ *s* [*não-contável*] diversão: *to have fun* divertir-se ◇ *The party was great fun.* A festa foi uma animação. ◇ *to take the fun out of sth* tirar a graça a alguma coisa LOC **make fun of sb/sth; poke fun at sb/sth** troçar de alguém/alguma coisa
▸ *adj* divertido, engraçado

Fun ou **funny**?
Fun utiliza-se com o verbo **be** para dizer que alguém ou alguma coisa proporciona entretenimento ou é divertido. Tem o mesmo significado que **enjoyable**, apesar de ser mais coloquial: *Aerobics is more fun than jogging.* Fazer aeróbica é mais divertido do que correr.
Funny utiliza-se para falar de alguma coisa que faz rir porque é engraçado: *a funny joke/clown* uma piada engraçada/um palhaço engraçado. Quando a leitura de um livro é prazerosa, o que se diz é: *The book was great fun.*, ao passo que, se a leitura causa riso, o que se diz é: *The book was very funny.* **Funny** pode também significar *estranho, esquisito*: *The car was making a funny noise.* O carro estava a fazer um barulho estranho.

function /'fʌŋkʃn/ *substantivo, verbo*
▸ *s* **1** função **2** cerimónia
▸ *vi* **1** funcionar **2** ~ **as sth** servir de alguma coisa, funcionar como alguma coisa

fund /fʌnd/ *substantivo, verbo*
▸ *s* **1** fundo (*dinheiro*) **2 funds** [*pl*] fundos
▸ *vt* financiar, subsidiar

fundamental /ˌfʌndə'mentl/ *adjetivo, substantivo*
▸ *adj* ~ **(to sth)** fundamental (para alguma coisa)
▸ *s* [*ger pl*] fundamento

fundamentalism /ˌfʌndə'mentəlɪzəm/ *s* fundamentalismo **fundamentalist** *adj, s* fundamentalista

funeral /'fju:nərəl/ *s* **1** funeral, enterro: *funeral parlour* agência funerária **2** cortejo fúnebre

funfair /'fʌnfeə(r)/ *s* feira de diversões

fungus /'fʌŋgəs/ *s* (*pl* **fungi** /-gi:, -gaɪ, -dʒaɪ/) fungo

funnel /'fʌnl/ *substantivo, verbo*
▸ *s* **1** funil **2** (*de um barco*) chaminé
▸ *vt* (**-ll-**, *USA* **-l-**) canalizar

funny /'fʌni/ *adj* (**funnier, -iest**) **1** engraçado, divertido ➲ *Ver nota em* FUN **2** estranho, esquisito

fur /fɜ:(r)/ *s* **1** pelo (*de animal*) **2** pele: *a fur coat* um casaco de pele

furious /'fjʊəriəs/ *adj* **1** ~ **(at sb/sth)**; ~ **(with sb)** furioso (com alguma coisa), furioso (com alguém) **2** (*esforço, luta, tempestade*) violento **3** (*discussão*) acalorado **furiously** *adv* violentamente, furiosamente

furnace /'fɜ:nɪs/ *s* fornalha

furnish /'fɜ:nɪʃ/ *vt* **1** mobilar: *a furnished flat* um apartamento mobilado **2** ~ **sb/sth with sth** (*formal*) fornecer alguma coisa a alguém/alguma coisa **furnishings** *s* [*pl*] mobiliário

furniture /'fɜ:nɪtʃə(r)/ *s* [*não-contável*] mobília, móveis: *a piece of furniture* um móvel

furrow /'fʌrəʊ; *USA* 'fɜ:rəʊ/ *s* sulco

furry /'fɜ:ri/ *adj* **1** peludo **2** de peluche

further /'fɜ:ðə(r)/ *advérbio, adjetivo*
▸ *adv* **1** (*tb* **farther**) mais longe: *How much further is it to Oxford?* Quanto é que falta para chegarmos a Oxford?

Farther ou **further**? Ambos são comparativos de **far**, contudo, só são sinónimos quando nos referimos a distâncias: *Which is further/farther?* Qual é que é mais longe?

2 mais: *to hear nothing further* não ter mais notícias **3** (*formal*) além do mais: *Further to my letter...* Em aditamento à minha carta...
LOC *Ver* AFIELD
▸ *adj* **1** (*tb* **farther**) mais longe: *Which is further?* Qual é que é mais longe? **2** mais: *until further notice* até novo aviso/nova ordem ◇ *for further details/information...* para mais detalhes/informação...

further education *s* (*abrev* **FE**) ensino profissional

furthermore /ˌfɜ:ðə'mɔ:(r)/ *adv* (*formal*) além do mais

furthest /'fɜ:ðɪst/ *adv, adj* (*superl de* **far**) mais longe/distante: *the furthest corner of Europe* o ponto mais distante da Europa

fury /'fjʊəri/ *s* fúria, raiva

fuse /fju:z/ *substantivo, verbo*
▸ *s* **1** fusível **2** rastilho **3** (*USA tb* **fuze**) espoleta
▸ *vt, vi* ~ **(sth) (together)** fundir (alguma coisa)

fusion /'fju:ʒn/ *s* fusão

fuss /fʌs/ *substantivo, verbo*
▸ *s* [*não-contável*] excitação, agitação, barulho
LOC **make a fuss of/over sb** cobrir alguém de atenções ◆ **make, raise, etc. a fuss (about/over sth)** armar um escândalo (por alguma coisa)
▸ *vi* **1** ~ **(around)** empatar: *Stop fussing around and find something useful to do!* Deixa de

empatar, e arranja qualquer coisa útil para fazer! **2** ~ **(about sth)** preocupar-se demasiado (com alguma coisa) (*ninharias*)
PHR V **fuss over sb** cobrir alguém de atenções

fussy /'fʌsi/ *adj* (**fussier**, **-iest**) **1** esquisito, picuinhas **2** ~ **(about sth)** exigente (em relação a alguma coisa)

futile /'fju:taɪl; *USA* -tl/ *adj* inútil

future /'fju:tʃə(r)/ *substantivo, adjetivo*
▸ *s* futuro: *in the near future* num futuro próximo LOC **in (the) future** de futuro, de hoje em diante *Ver tb* FORESEE
▸ *adj* futuro

fuze (*USA*) = FUSE *n* (3)

fuzzy /'fʌzi/ *adj* **1** fofo, macio **2** (*cabelo*) frisado, crespo **3** pouco nítido **4** (*ideias*) confuso

G g

G, g /dʒi:/ *s* (*pl* **Gs**, **G's**, **g's**) **1** G, g ➲ *Ver nota em* A, A **2** (*Mús*) sol

gable /'geɪbl/ *s* empena, outão

gadget /'gædʒɪt/ *s* engenhoca, dispositivo

Gaelic /'gælɪk, 'geɪ-/ *adj, s* gaélico (*língua falada na Irlanda e Escócia*)

gag /gæg/ *substantivo, verbo*
▸ *s* **1** mordaça **2** (*coloq*) gag, piada
▸ *vt* (**-gg-**) (*lit e fig*) amordaçar

gage (*USA*) = GAUGE

gaiety /'geɪəti/ *s* alegria

gain /geɪn/ *verbo, substantivo*
▸ **1** *vt* conseguir, ganhar: *to gain control* tomar o comando ◇ *to gain the impression that...* ficar com a impressão de que... **2** *vt* aumentar, subir, ganhar: *to gain two kilos* engordar dois quilos ◇ *to gain speed* ganhar velocidade **3** *vi* ~ **by/from (doing) sth** lucrar com alguma coisa/fazendo alguma coisa **4** *vt, vi* (*relógio*) adiantar PHR V **gain on sb/sth** ganhar terreno a alguém/alguma coisa, aproximar-se de alguém/alguma coisa
▸ *s* **1** ganho, lucro **2** aumento, subida

gait /geɪt/ *s* [*sing*] (*formal*) (maneira de) andar

galaxy /'gæləksi/ *s* (*pl* **galaxies**) galáxia

gale /geɪl/ *s* rajada de vento, vento forte

gallant /'gælənt/ *adj* **1** (*antiq ou formal*) valente **2** galante **gallantry** *s* **1** (*antiq ou formal*) valentia **2** galanteio

gallery /'gæləri/ *s* (*pl* **galleries**) **1** (*tb* **art gallery**) museu ➲ *Ver nota em* MUSEU **2** (*Teat, loja*) galeria

galley /'gæli/ *s* (*pl* **galleys**) **1** cozinha (*em avião ou barco*) **2** (*Náut*) galera

gallon /'gælən/ *s* (*abrev* **gal.**) galão (*medida de capacidade*) ➲ *Ver pág. 712*

gallop /'gæləp/ *verbo, substantivo*
▸ *vt, vi* (fazer) galopar
▸ *s* galope

the gallows /'gæləʊz/ *s* a forca

gamble /'gæmbl/ *verbo, substantivo*
▸ *vt, vi* (*dinheiro*) jogar PHR V **gamble on (doing) sth** confiar em (fazer) alguma coisa
▸ *s* [*sing*] aposta LOC **be a gamble** ser arriscado ◆ **take a gamble (on sth)** arriscar-se (a alguma coisa) (*com expectativa de sucesso*) **gambler** *s* jogador, -ora

gambling /'gæmblɪŋ/ *s* jogo

game /geɪm/ *substantivo, adjetivo*
▸ *s* **1** jogo: *game show* concurso televisivo **2** encontro (desportivo) **3** (*Xadrez, Ténis, etc.*) partida **4** [*não-contável*] caça LOC *Ver* FAIR, MUG
▸ *adj*: *Are you game?* Alinhas?

gammon /'gæmən/ *s* [*não-contável*] paio york, fiambre da perna

gang /gæŋ/ *substantivo, verbo*
▸ *s* **1** [*v sing ou pl*] bando, quadrilha **2** (*coloq*) grupo (*de amigos, etc.*)
▸ *v* PHR V **gang up (on/against sb)** (*coloq*) aliar-se (contra alguém)

gangster /'gæŋstə(r)/ *s* gângster

gangway /'gæŋweɪ/ *s* **1** prancha **2** coxia

gaol = JAIL

gap /gæp/ *s* **1** abertura, brecha **2** espaço **3** (*tempo*) intervalo **4** (*entre grupos sociais, etc.*) divisão **5** (*deficiência*) lacuna, vazio LOC *Ver* BRIDGE

gape /geɪp/ *vi* **1** ~ **(at sb/sth)** olhar de boca aberta (para alguém/alguma coisa) **2** abrir-se: *to gape open* jazer aberto **gaping** *adj* enorme: *a gaping hole* um buraco enorme

gap year *s* intervalo nos estudos

> Muitos jovens na Grã-Bretanha interrompem os seus estudos por um ano, entre o fim do secundário e o início da faculdade, para viajar e/ou arranjar um emprego e ganhar dinheiro.

garage /'gærɑ:ʒ, -rɑ:dʒ, -rɪdʒ; *USA* gə'rɑ:ʒ; -'rɑ:dʒ/ *s* **1** garagem **2** oficina **3** estação de serviço

garbage /'gɑ:bɪdʒ/ *s* [*não-contável*] **1** (*esp USA*) lixo: *garbage can* caixote do lixo

garage /ˈgærɑːʒ, -rɑːdʒ, -rɪdʒ; *USA* gəˈrɑːʒ; -ˈrɑːdʒ/ *s* **1** garagem **2** oficina **3** estação de serviço

garbage /ˈgɑːbɪdʒ/ *s* [*não-contável*] **1** (*esp USA*) lixo: *garbage can* caixote do lixo

> No inglês britânico usa-se **rubbish** para *lixo* e **dustbin** para *caixote do lixo*, enquanto que **garbage** (e também **trash**) é usado somente em sentido figurativo. ➲ *Ver tb ilustração em* BIN

2 (*coloq*) (*fig*) disparates

garbled /ˈgɑːbld/ *adj* confuso

garden /ˈgɑːdn/ *substantivo, verbo*
- *s* jardim
- *vi* jardinar **gardener** *s* jardineiro, -a **gardening** *s* jardinagem

gargle /ˈgɑːgl/ *vi* gargarejar

garish /ˈgeərɪʃ/ *adj* berrante

garland /ˈgɑːlənd/ *s* grinalda

garlic /ˈgɑːlɪk/ *s* [*não-contável*] alho: *clove of garlic* dente de alho

garment /ˈgɑːmənt/ *s* (*formal*) peça de roupa

garnish /ˈgɑːnɪʃ/ *verbo, substantivo*
- *vt* guarnecer, decorar (*prato de comida*)
- *s* guarnição, decoração (*de um prato*)

garrison /ˈgærɪsn/ *s* [*v sing ou pl*] guarnição (*militar*)

garter /ˈgɑːtə(r)/ *s* liga

gas /gæs/ *substantivo, verbo*
- *s* **1** (*pl* **gases**) gás: *gas mask* máscara antigás **2** (*USA*) gasolina: *gas pedal* acelerador **3** [*não-contável*] (*USA*) gases (*intestinais*)
- *vt* (**-ss-**) gasear

gash /gæʃ/ *s* golpe (fundo)

gasoline /ˈgæsəliːn/ *s* (*USA*) gasolina

gasp /gɑːsp; *USA* gæsp/ *verbo, substantivo*
- **1** *vi* ofegar **2** *vi* arfar: *He stood at the top of the stairs gasping.* Estava ao cimo das escadas quase sem fôlego. ◇ *to gasp for air* tentar respirar **3** *vt* ~ **sth (out)** dizer alguma coisa ofegando
- *s* fôlego, grito sufocado

gas station *s* (*USA*) posto de gasolina

gate /geɪt/ *s* porta, portão, cancela

gatecrash /ˈgeɪtkræʃ/ *vt, vi* entrar sem ser convidado (em)

gateway /ˈgeɪtweɪ/ *s* **1** entrada, porta **2** ~ **to sth** (*fig*) passaporte para alguma coisa

gather /ˈgæðə(r)/ **1** *vi* acumular-se, reunir-se **2** *vi* (*multidão*) juntar-se **3** *vt* ~ **sb/sth (together)** reunir, juntar alguém/alguma coisa **4** *vt* (*flores, fruta*) colher, apanhar **5** *vt* deduzir, concluir **6** *vt* ~ **sth (in)** (*Costura*) franzir alguma coisa **7** *vt* (*velocidade*) ganhar PHR V **gather (a)round** aproximar-se ◆ **gather (a)round sb/sth** juntar-se em volta de alguém/alguma coisa ◆ **gather sth up** recolher alguma coisa **gathering** *s* reunião

gaudy /ˈgɔːdi/ *adj* (**gaudier**, **-iest**) (*pej*) berrante

gauge (*USA tb* **gage**) /geɪdʒ/ *substantivo, verbo*
- *s* **1** indicador **2** medida-padrão **3** (*Caminho-de-ferro*) bitola, largura da via
- *vt* **1** medir, calibrar **2** calcular

gaunt /gɔːnt/ *adj* macilento

gauze /gɔːz/ *s* gaze

gave *pt de* GIVE

gay /geɪ/ *adj, s* gay, homossexual

gaze /geɪz/ *verbo, substantivo*
- *vi* ~ **(at sb/sth)** olhar (fixamente) (para alguém/alguma coisa): *They gazed into each other's eyes.* Olharam-se nos olhos. LOC *Ver* SPACE
- *s* [*sing*] olhar fixo

GCSE /ˌdʒiː siː es ˈiː/ *s* (*abrev de* **General Certificate of Secondary Education**)

> Os **GCSEs** são exames que os estudantes de dezasseis anos fazem na Grã-Bretanha para finalizar a escolaridade obrigatória e a primeira fase do ensino secundário. ➲ *Ver tb nota em* A LEVEL

gear /gɪə(r)/ *substantivo, verbo*
- *s* **1** equipamento: *camping gear* material de campismo **2** (*automóvel*) mudança, velocidade: *gear lever* alavanca das mudanças ◇ *to change gear* mudar de velocidade ◇ *out of gear* em ponto morto **3** (*Mec*) engrenagem
- *v* PHR V **gear sth to/towards sth** adaptar alguma coisa a alguma coisa, orientar alguma coisa para alguma coisa ◆ **gear (sb/sth) up (for sth/to do sth)** preparar-se, preparar alguém/alguma coisa (para alguma coisa/fazer alguma coisa)

gearbox /ˈgɪəbɒks/ *s* caixa de velocidades

gear lever (*tb* **gearstick** /ˈgɪəstɪk/) (*USA* **gear shift**) *s* manete das mudanças

geek /giːk/ *s* (*coloq*) obcecado, -a pela informática, nerd (*cromo*)

geese *pl de* GOOSE

gem /dʒem/ *s* **1** pedra preciosa **2** (*fig*) joia

Gemini /ˈdʒemɪnaɪ/ *s* Gémeos ➲ *Ver exemplos em* AQUARIUS

gender /ˈdʒendə(r)/ *s* **1** sexo **2** (*Gram*) género

gene /dʒiːn/ *s* gene

general /ˈdʒenrəl/ *adjetivo, substantivo*
▸ *adj* geral: *as a general rule* regra geral ◇ *the general public* o público em geral/o grande público LOC **in general** em geral
▸ *s* general

general election *s* eleições legislativas

generalization, -isation /ˌdʒenrəlaɪˈzeɪʃn; *USA* -ləˈz-/ *s* generalização

generalize, -ise /ˈdʒenrəlaɪz/ *vi* ~ **(about sth)** generalizar (sobre alguma coisa)

generally /ˈdʒenrəli/ *adv* geralmente, em geral: *generally speaking…* em termos gerais…

general practice *s* clínica geral

general practitioner *s Ver* GP

general-purpose /ˌdʒenrəl ˈpɜːpəs/ *adj* de/para uso geral

generate /ˈdʒenəreɪt/ *vt* gerar

generation /ˌdʒenəˈreɪʃn/ *s* geração: *the older/younger generation* a geração mais velha/nova ◇ *the generation gap* o conflito de gerações

generator /ˈdʒenəreɪtə(r)/ *s* gerador

generosity /ˌdʒenəˈrɒsəti/ *s* generosidade

generous /ˈdʒenərəs/ *adj* generoso: *a generous helping* uma dose generosa

genetic /dʒəˈnetɪk/ *adj* genético

genetically modified *adj* (*abrev* **GM**) modificado geneticamente

genetics /dʒəˈnetɪks/ *s* [*não-contável*] genética

genial /ˈdʒiːniəl/ *adj* **1** (*pessoa*) bem--humorado **2** (*sorriso, etc.*) amável

genie /ˈdʒiːni/ *s* (*pl* **genies** *ou* **genii** /ˈdʒiːniaɪ/) génio (*de lâmpada*)

genital /ˈdʒenɪtl/ *adj* genital **genitals** (*tb* **genitalia** /ˌdʒenɪˈteɪliə/) *s* [*pl*] (*formal*) órgãos genitais

genius /ˈdʒiːniəs/ *s* (*pl* **geniuses**) génio: *to have a genius for sth* ter queda/talento para alguma coisa

genocide /ˈdʒenəsaɪd/ *s* genocídio

gent /dʒent/ *s* (*GB*) **1** (*antiq ou hum*) cavalheiro **2 the Gents** [*sing*] (*coloq*) casa de banho dos homens

genteel /dʒenˈtiːl/ *adj* (*freq pej*) fino, afetado **gentility** /dʒenˈtɪləti/ *s* (*formal*) fineza

gentle /ˈdʒentl/ *adj* (**gentler** /ˈdʒentlə(r)/, **-est** /ˈdʒentlɪst/) **1** (*pessoa, carácter*) gentil, amável **2** (*brisa, carícia, exercício*) suave **3** (*descida, toque*) ligeiro: *Be gentle with it.* Tem cuidado com ele. **4** (*animal*) manso

gentleman /ˈdʒentlmən/ *s* (*pl* **-men** /-mən/) cavalheiro

gentleness /ˈdʒentlnəs/ *s* **1** gentileza **2** suavidade **3** mansidão **4** cuidado

gently /ˈdʒentli/ *adv* **1** suavemente **2** (*fritar*) em fogo lento **3** (*persuadir*) pouco a pouco

genuine /ˈdʒenjuɪn/ *adj* **1** (*quadro, etc.*) genuíno **2** (*pessoa*) sincero

geographer /dʒiˈɒgrəfə(r)/ *s* geógrafo, -a

geographical /ˌdʒiːəˈgræfɪkl/ *adj* geográfico

geography /dʒiˈɒgrəfi/ *s* geografia

geological /ˌdʒiːəˈlɒdʒɪkl/ *adj* geológico

geologist /dʒiˈɒlədʒɪst/ *s* geólogo, -a

geology /dʒiˈɒlədʒi/ *s* geologia

geometric /dʒɪəˈmetrɪk/ (*tb* **geometrical**) *adj* geométrico

geometry /dʒiˈɒmətri/ *s* geometria

geriatric /ˌdʒeriˈætrɪk/ *adj, s* geriátrico, -a

germ /dʒɜːm/ *s* germe, micróbio

German shepherd *s* (*esp USA*) pastor alemão

gesture /ˈdʒestʃə(r)/ *s* gesto: *a gesture of friendship* um gesto de amizade

get /get/ (*pt* **got** /gɒt/, *pp* **got**, *USA* **gotten** /ˈgɒtn/, *part pres* **getting**)
- **get + substantivo/pronome** *vt* receber, obter, apanhar: *to get a shock* apanhar um susto ◇ *to get a letter* receber uma carta ◇ *How much did you get for your car?* Quanto é que te deram pelo carro? ◇ *She gets bad headaches.* Sofre de fortes dores de cabeça. ◇ *I didn't get the joke.* Não entendi a piada.
- **get + objeto + infinitivo ou -ing** *vt* fazer, conseguir que alguém/alguma coisa faça alguma coisa: *to get the car to start* conseguir que o carro pegue/arranque ◇ *to get him talking* fazê-lo falar
- **get sth done** *vt* (*com atividades que queremos que sejam realizadas por outra pessoa para nós*): *to get your hair cut* mandar cortar o cabelo ◇ *You should get your watch repaired.* Devias mandar arranjar o relógio.
- **get + objeto + adjetivo** *vt*: *to get sth right* acertar alguma coisa ◇ *to get the children ready for school* preparar as crianças para irem para a escola ◇ *to get (yourself) ready* preparar-se
- **get + adjetivo** *vi* tornar-se, fazer-se: *to get wet* molhar-se ◇ *It's getting late.* Está a fazer-se tarde. ◇ *to get better* melhorar/recuperar ◇ *to get fed up with sth* fartar-se de alguma coisa
- **get + particípio** *vi*: *to get used to sth* habituar--se a alguma coisa ◇ *to get lost* perder-se

Algumas combinações frequentes de **get + particípio** traduzem-se por verbos pronominais: *to get bored* aborrecer-se ◇ *to get divorced* divorciar-se ◇ *to get dressed* vestir-se ◇ *to get drunk* embebedar-se ◇ *to get married* casar-se. Para os conjugar, juntamos a forma correspondente a **get**: *She soon got used to it.* Habituou-se depressa. ◇ *I'm getting dressed.* Estou-me a vestir. ◇ *We'll get married in the summer.* Casamo-nos este verão.
Get + particípio utiliza-se também para exprimir ações que ocorrem ou se realizam de forma acidental, inesperada ou repentina: *I got caught in a heavy rainstorm.* Fui apanhado por uma tempestade. ◇ *Simon got hit by a ball.* O Simon levou uma bolada.

• **outros usos 1** *vi* ~ **to do sth** chegar a fazer alguma coisa: *to get to know sb* (chegar a) conhecer alguém **2** *vt* **have got sth** ter alguma coisa *Ver tb* HAVE **3** *vt* **have got to do sth** ter de fazer alguma coisa *Ver tb* HAVE **4** *vi* ~ **to...** (*movimento*) chegar a...: *How do you get to Springfield?* Como é que chegaste a Springfield? ◇ *Where have they got to?* Onde é que se meteram? LOC **be getting on** (*coloq*) **1** (*pessoa*) estar a ficar velho **2** (*hora*) estar a ficar tarde ◆ **get away from it all** (*coloq*) fugir a tudo e a todos ◆ **get (sb) nowhere; not get (sb) anywhere** (*coloq*) não levar (ninguém) a lado algum/nenhum ◆ **get there** chegar lá: *It's hard work but we're getting there.* Dá trabalho mas estamos quase a chegar lá. ◆ **what are you, is he, etc. getting at?** (*coloq*) o que é que queres, quer, etc. dizer com isso?, o que é que tu estás, ele está, etc. a insinuar? ❶ Para outras expressões com **get**, ver as entradas para o substantivo, adjetivo, etc., p.ex. **get the hang of sth** em HANG.
PHR V **get about** *Ver* GET AROUND
get sth across (to sb) fazer que alguém entenda alguma coisa
get ahead (of sb) passar à frente (de alguém)
get along *Ver* GET ON
get around 1 (*pessoa, animal*) sair, mexer-se **2** (*boato, notícia*) espalhar-se, correr
get at sb (*coloq*) criticar alguém
get away (from...) ir-se embora, sair (de...) ◆ **get away with (doing) sth** escapar sem ser castigado por (fazer) alguma coisa
get back regressar ◆ **get sth back** recuperar alguma coisa ◆ **get back at sb** (*coloq*) vingar-se de alguém
get behind (with sth) atrasar-se (com/em alguma coisa)
get by (on/in/with sth) (conseguir) safar-se (com/em alguma coisa)

get down baixar ◆ **get sb down** (*coloq*) deprimir alguém ◆ **get down to (doing) sth** começar alguma coisa/a fazer alguma coisa
get in; get into sth 1 chegar (a algum lugar) **2** (*veículo*) subir (para alguma coisa) **3** (*colégio, universidade*) ser aceite (em alguma coisa) **4** ser eleito (para alguma coisa) ◆ **get sth in** colher alguma coisa ◆ **get into sth 1** (*profissão, problema*) entrar em alguma coisa **2** (*roupa*) caber em alguma coisa **3** (*hábito*) adquirir alguma coisa: *How did she get into drugs?* Como é que ela se tornou viciada em drogas? **4** (*coloq*) interessar-se por alguma coisa
get off (sth) 1 sair (do trabalho com autorização) **2** (*veículo*) descer (de alguma coisa) ◆ **get sth off (sth)** tirar alguma coisa (de alguma coisa) ◆ **get off with sb** (*GB, coloq*) envolver-se, curtir com alguém
get on 1 sair-se: *How did you get on?* Como é que foi? **2** dar-se bem (*na vida*) **3** arranjar-se, virar-se ◆ **get on; get onto sth** subir (para alguma coisa) ◆ **get sth on** vestir alguma coisa ◆ **get on to sth** passar a (discutir) alguma coisa ◆ **get on with sb; get on (together)** dar-se bem (com alguém) ◆ **get on with sth** continuar com alguma coisa: *Get on with your work!* Continuem a trabalhar!
get out (of sth) 1 sair (de alguma coisa): *Get out (of here)!* Rua!/Fora daqui! **2** (*veículo*) descer (de alguma coisa) ◆ **get out of (doing) sth** livrar-se de (fazer) alguma coisa ◆ **get sth out of sb/sth** extrair alguma coisa de alguém/alguma coisa
get over sth 1 superar alguma coisa **2** esquecer alguma coisa **3** recuperar-se de alguma coisa
get round *Ver* GET AROUND ◆ **get round sb** convencer alguém ◆ **get round to sth** arranjar tempo para alguma coisa
get through (to sb) 1 fazer-se entender (por alguém) **2** (*por telefone*) contactar alguém ◆ **get through sth 1** (*dinheiro*) gastar alguma coisa **2** (*comida*) comer alguma coisa **3** (*tarefa*) terminar alguma coisa
get together (with sb) reunir-se (com alguém) ◆ **get sb/sth together** reunir alguém/alguma coisa
get up levantar-se ◆ **get sb up** acordar alguém ◆ **get up to sth 1** alcançar alguma coisa **2** meter-se em alguma coisa (*problema, etc.*)

getaway /ˈgetəweɪ/ *s* fuga: *getaway car* carro de fuga

ghastly /ˈgɑːstli; *USA* ˈgæstli/ *adj* (**ghastlier, -iest**) horrível: *the whole ghastly business* a terrível questão

gherkin /ˈgɜːkɪn/ *s* pepino em conserva

G

ghetto /ˈgetəʊ/ *s* (*pl* **ghettos** *ou* **ghettoes**) gueto

ghost /gəʊst/ *s* fantasma: *a ghost story* uma história de fantasmas LOC **give up the ghost** entregar a alma a Deus **ghostly** *adj* fantasmagórico

giant /ˈdʒaɪənt/ *s* gigante

gibberish /ˈdʒɪbərɪʃ/ *s* [*não-contável*] (*coloq*) disparates

giddy /ˈgɪdi/ *adj* (**giddier**, **-iest**) tonto: *The dancing made her giddy.* A dança deixou-a tonta.

gift /gɪft/ *s* **1** presente **2** ~ **(for sth)** dom (para alguma coisa) **3** (*coloq*): *At that price it's a gift!* Por aquele preço é dado! ◇ *The goal was an absolute gift.* O golo foi mesmo dado. LOC *Ver* LOOK **gifted** *adj* dotado

gift token (*tb* **gift voucher**) (*USA* **gift certificate**) *s* cheque-prenda

gift wrap *s* [*não-contável*] papel de embrulho

gift-wrap /ˈgɪft ræp/ *vt* (**-pp-**) embrulhar com papel de embrulho

gig /gɪg/ *s* (*coloq*) atuação (*de jazz, pop, etc.*)

gigantic /dʒaɪˈgæntɪk/ *adj* gigantesco

giggle /ˈgɪgl/ *verbo, substantivo*
▸ *vi* ~ **(at/about sb/sth)** rir-se (de alguém/alguma coisa)
▸ *s* **1** risada **2** (*GB, coloq*) risota: *I only did it for a giggle.* Fi-lo apenas por brincadeira. **3 the giggles** [*pl*] (*coloq*): *a fit of the giggles* um ataque de riso

gilded /ˈgɪldɪd/ (*tb* **gilt** /gɪlt/) *adj* dourado

gimmick /ˈgɪmɪk/ *s* (*freq pej*) truque (*publicitário ou promocional*)

gin /dʒɪn/ *s* gim: *a gin and tonic* um gim tónico

ginger /ˈdʒɪndʒə(r)/ *substantivo, adjetivo*
▸ *s* gengibre
▸ *adj* cor-de-cenoura: *ginger hair* cabelo ruivo ◇ *a ginger cat* um gato amarelo

gingerly /ˈdʒɪndʒəli/ *adv* cautelosamente, cuidadosamente

Gipsy = GYPSY

giraffe /dʒəˈrɑːf; *USA* -ˈræf/ *s* girafa

girl /gɜːl/ *s* rapariga, menina

girlfriend /ˈgɜːlfrend/ *s* **1** namorada **2** (*esp USA*) amiga

gist /dʒɪst/ *s* LOC **get the gist of sth** captar a ideia geral de alguma coisa

give /gɪv/ *verbo, substantivo*
▸ (*pt* **gave** /geɪv/, *pp* **given** /ˈgɪvn/) **1** *vt* ~ **sb sth**; ~ **sth (to sb)** dar alguma coisa (a alguém): *It gave us rather a shock.* Pregou-nos um susto.

> Alguns verbos como **give**, **buy**, **send**, **take**, etc. têm dois complementos, um direto e um indireto. O complemento indireto só pode ser uma pessoa e vem antes do complemento direto: *Give* **me** *the book.* ◇ *I bought* **her** *a present.* Quando o complemento indireto vem depois do complemento direto, usamos uma preposição, normalmente **to** ou **for**: *Give the book* **to me**. ◇ *I bought a present* **for her**.

2 *vi* ~ **(to sth)** dar dinheiro (para alguma coisa) **3** *vi* ceder **4** *vt* (*tempo, reflexão*) dedicar **5** *vt* (*doença*) pegar: *You've given me your cold.* Pegaste-me a constipação. **6** *vt* conceder: *I'll give you that.* Nisso tens razão. **7** *vt* dar: *to give a lecture* dar uma conferência LOC **don't give me that!** (*coloq*) pensas que nasci ontem ou quê? ◆ **give or take sth**: *an hour and a half, give or take a few minutes* uma hora e meia, mais minuto menos minuto ❶ Para outras expressões com **give**, ver as entradas para o substantivo, adjetivo, etc., p. ex. **give rise to sth** em RISE.

PHR V **give sb away** atraiçoar alguém ◆ **give sth away 1** oferecer alguma coisa **2** revelar alguma coisa ◆ **give (sb) back sth**; **give sth back (to sb)** devolver alguma coisa (a alguém) ◆ **give in (to sb/sth)** ceder (perante alguém/a alguma coisa) ◆ **give sth in** entregar alguma coisa (*trabalho escolar, etc.*) ◆ **give sth out** distribuir alguma coisa ◆ **give up** abandonar, render-se ◆ **give sth up**; **give up doing sth** deixar alguma coisa, deixar de fazer alguma coisa: *to give up smoking* deixar de fumar ◇ *to give up hope* perder a esperança
▸ *s* LOC **give and take** dar e receber, toma lá dá cá

given /ˈgɪvn/ *adjetivo, preposição*
▸ *adj* determinado
▸ *prep* tendo em conta: *given the circumstances* dadas as circunstâncias *Ver tb* GIVE

given name *s* (*esp USA*) nome (próprio)

glacier /ˈglæsiə(r); *USA* ˈgleɪʃər/ *s* glaciar

glad /glæd/ *adj* **1 be ~ (about sth/to do sth)** alegrar-se (por alguma coisa/de fazer alguma coisa): *I'm glad (that) you could come.* Estou muito contente por teres vindo. **2 be ~ to do sth** ter muito gosto em fazer alguma coisa: *'Can you help?' 'I'd be glad to.'* —Pode ajudar-me? —Com todo o prazer. **3 be ~ of sth** agradecer alguma coisa

> **Glad** e **pleased** utilizam-se quando nos queremos referir a uma circunstância ou feito concretos: *Are you glad/pleased about getting the job?* Estás contente por teres conseguido o emprego? **Happy** descreve um

estado mental e pode preceder o substantivo que acompanha: *Are you happy in your new job?* Estás contente com o teu novo emprego? ◇ *a happy occasion* uma ocasião feliz ◇ *happy memories* recordações boas.

gladly /'glædli/ *adv* com todo o prazer

glamorous /'glæmərəs/ *adj* **1** (*pessoa*) charmoso **2** (*trabalho*) atrativo

glamour (*USA* **glamor**) /'glæmə(r)/ *s* charme

glance /glɑ:ns; *USA* glæns/ *verbo, substantivo*
▸ *vi* ~ **at/down/over/through sth** dar uma vista de olhos a alguma coisa
▸ *s* olhadela, vista de olhos: *to take a glance at sth* dar uma olhadela a alguma coisa LOC **at a glance** à primeira vista

gland /glænd/ *s* glândula

glare /gleə(r)/ *verbo, substantivo*
▸ *vi* ~ **at sb/sth** lançar olhares furiosos a alguém/alguma coisa
▸ *s* **1** luz intensa **2** olhar furioso **glaring** *adj* **1** (*erro*) flagrante **2** (*luz*) ofuscante **3** (*expressão*) furioso **glaringly** *adv*: *glaringly obvious* extremamente óbvio

glass /glɑ:s; *USA* glæs/ *s* **1** [*não-contável*] vidro: *broken glass* vidros partidos ◇ *a pane of glass* uma vidraça **2** copo: *a glass of water* um copo de água **3** **glasses** [*pl*] óculos: *I need a new pair of glasses.* Preciso de uns óculos novos. *Ver tb* DARK GLASSES ➲ *Ver nota em* PAIR LOC *Ver* RAISE

glaze /gleɪz/ *substantivo, verbo*
▸ *s* **1** (*cerâmica*) vidrado **2** (*Cozinha*) brilho
▸ *vt* **1** ~ **(over)** (*olhos*) revirar (*de sono, tédio, etc.*) **2** (*cerâmica*) vidrar **3** (*Cozinha*) pincelar (*com gema de ovo, etc.*) *Ver tb* DOUBLE GLAZING **glazed** *adj* **1** (*olhos*) vidrado, inexpressivo **2** (*cerâmica*) vidrado

gleam /gli:m/ *verbo, substantivo*
▸ *vi* **1** brilhar **2** luzir, reluzir
▸ *s* brilho **gleaming** *adj* brilhante

glean /gli:n/ *vt* obter (*informação*)

glee /gli:/ *s* contentamento, alegria **gleeful** *adj* alegre **gleefully** *adv* alegremente

glen /glen/ *s* (*esp na Escócia e Irlanda*) vale (estreito)

glide /glaɪd/ *verbo, substantivo*
▸ *vi* **1** deslizar **2** (*no ar*) planar
▸ *s* delizamento **glider** *s* planador

glimmer /'glɪmə(r)/ *s* **1** luz ténua **2** ~ **(of sth)** (*fig*) centelha (de alguma coisa): *a glimmer of hope* um raio de esperança

glimpse /glɪmps/ *verbo, substantivo*
▸ *vt* ver de relance
▸ *s* vislumbre, visão momentânea LOC *Ver* CATCH

glint /glɪnt/ *verbo, substantivo*
▸ *vi* **1** cintilar **2** (*olhos*) brilhar
▸ *s* **1** reflexo **2** (*olhos*) brilho

glisten /'glɪsn/ *vi* brilhar (*esp superfície molhada*)

glitter /'glɪtə(r)/ *verbo, substantivo*
▸ *vi* reluzir
▸ *s* **1** brilho **2** (*fig*) esplendor

gloat /gləʊt/ *vi* ~ **(about/at/over sth)** regozijar-se (com alguma coisa), vangloriar-se (de alguma coisa)

global /'gləʊbl/ *adj* **1** mundial: *global warming* aquecimento global **2** (*visão, soma, etc.*) global

globalization, -isation /ˌgləʊbəlaɪ'zeɪʃn; *USA* -lə'z-/ *s* globalização

globe /gləʊb/ *s* **1** globo **2** **the globe** [*sing*] o globo (terrestre)

gloom /glu:m/ *s* **1** tristeza **2** pessimismo **3** (*formal*) penumbra LOC *Ver* DOOM **gloomy** *adj* (**gloomier, -iest**) **1** (*lugar*) sombrio **2** (*dia*) cinzento **3** (*prognóstico*) pouco animador **4** (*aspeto, voz, etc.*) triste **5** (*carácter*) melancólico

glorious /'glɔ:riəs/ *adj* **1** (*formal*) glorioso **2** magnífico

glory /'glɔ:ri/ *substantivo, verbo*
▸ *s* **1** glória **2** esplendor
▸ *v* (*pt, pp* **gloried**) PHR V **glory in sth** **1** vangloriar-se de alguma coisa **2** orgulhar-se de alguma coisa

gloss /glɒs/ *substantivo, verbo*
▸ *s* **1** brilho (*de superfície*) **2** (*tb* **gloss paint**) tinta brilhante ➲ *Comparar com* MATT **3** (*fig*) fachada **4** ~ **(on sth)** glosa (de alguma coisa)
▸ *v* PHR V **gloss over sth** tentar ignorar alguma coisa

glossary /'glɒsəri/ *s* (*pl* **glossaries**) glossário

glossy /'glɒsi/ *adj* (**glossier, -iest**) **1** brilhante **2** (*revista, fotografia*) em papel couché

glove /glʌv/ *s* luva LOC *Ver* FIT²

glow /gləʊ/ *verbo, substantivo*
▸ *vi* **1** luzir **2** brilhar **3** (*cara*) arder **4** ~ **(with sth)** (*saúde, satisfação, etc.*) resplandecer (de alguma coisa)
▸ *s* [*sing*] **1** luz ténue **2** rubor **3** (sentimento de) satisfação

glucose /'glu:kəʊs, -kəʊz/ *s* glucose

glue /glu:/ *substantivo, verbo*
▸ *s* cola
▸ *vt* (*pt, pp* **glued** *part pres* **gluing**) colar

G

glutton /ˈglʌtn/ *s* **1** (*pej*) glutão, -ona **2** ~ **for sth** (*fig*) amante de alguma coisa: *to be a glutton for punishment* fazer-se de mártir

GM /ˌdʒiː ˈem/ *abrev Ver* GENETICALLY MODIFIED

gnarled /nɑːld/ *adj* nodoso

gnaw /nɔː/ *vt, vi* ~ **(at/on) sth** roer alguma coisa PHR V **gnaw at sb** atormentar alguém

gnome /nəʊm/ *s* anão

G

go /gəʊ/ *verbo, substantivo*

▸ *vi* (*3ª pess sing pres* **goes** /gəʊz/, *pt* **went** /went/, *pp* **gone** /gɒn; *USA* gɔːn/) **1** ir: *I went to bed at ten o'clock.* Fui para a cama às dez. ◇ *to go home* ir para casa

Been usa-se como particípio passado de **go** para exprimir que alguém foi a determinado lugar e voltou: *Have you ever been to London?* Já foste alguma vez a Londres? **Gone** implica que essa pessoa ainda não regressou: *John's gone to Peru. He'll be back in May.* O John foi ao Peru. Volta em maio. ➲ *Ver tb nota em* IR

2 ir-se embora, partir **3** (*comboio, etc.*) sair, partir **4** **go + -ing** ir: *to go fishing/swimming/camping* ir pescar/nadar/acampar ➲ *Ver nota em* DESPORTO **5** **go for a + substantivo** ir: *to go for a walk* ir dar um passeio (a pé) **6** (*progresso*) ir, correr: *How's it going?* Como é que vão as coisas? ◇ *All went well.* Correu tudo bem. **7** (*máquina*) funcionar **8** **go + adjetivo** ficar: *to go mad/blind/pale* ficar louco/ficar cego/empalidecer **9** fazer (*emitir um som*): *Cats go 'miaow'.* Os gatos fazem "miau". **10** desaparecer, passar: *My headache's gone.* Já me passou a dor de cabeça. ◇ *Is it all gone?* Já desapareceu tudo? **11** ir-se, gastar-se: *The bulb has gone.* A lâmpada fundiu-se. **12** (*tempo*) passar **13** ~ **(in/into sth)** caber (em alguma coisa) LOC **be going to do sth**: *We're going to buy a house.* Vamos comprar uma casa. ◇ *He's going to fall!* Vai cair! ❶ Para outras expressões com **go**, ver as entradas para o substantivo, adjetivo, etc., p. ex. **go astray** em ASTRAY.

PHR V **go about** *Ver* GO AROUND (3) ◆ **go about sth**: *How should I go about telling him?* Como é que eu lhe devia dizer?

go ahead (with sth) ir para a frente (com alguma coisa)

go along with sth/sb concordar com alguma coisa/alguém

go around **1** girar, andar às voltas **2** (*quantidade*) chegar: *There isn't enough food to go around.* Não há comida que chegue para todos. **3** [*com adjetivo ou -ing*] andar: *to go around naked* andar nu **4** (*boato*) circular

go away **1** ir-se embora **2** (*nódoa, cheiro*) desaparecer, sair

go back regressar ◆ **go back on sth** faltar a alguma coisa (*promessa, etc.*)

go by passar: *as time goes by* com o tempo ◆ **go by sth** seguir alguma coisa (*regra, etc.*)

go down **1** baixar **2** (*barco*) afundar-se **3** (*sol*) pôr-se ◆ **go down (with sb)** (*filme, obra*) ser recebido (por alguém): *The film went down well with the critics.* O filme foi bem recebido pela crítica. ◆ **go down with sth** apanhar alguma coisa (*doença*)

go for sb atacar alguém ◆ **go for sb/sth** **1** valer para alguém/alguma coisa: *That goes for you too.* O mesmo se aplica a ti. **2** ir buscar alguém/alguma coisa **3** ter inclinação por alguém/alguma coisa: *She always goes for tall men.* Ela prefere homens altos.

go in **1** entrar **2** (*sol*) esconder-se (atrás de uma nuvem) ◆ **go in for sth** interessar-se por alguma coisa (*hobby, etc.*) ◆ **go into sth** **1** dedicar-se a alguma coisa (*profissão*) **2** investigar alguma coisa: *to go into (the) details* entrar em pormenores **3** (*veículo*) chocar contra alguma coisa

go off **1** ir-se embora, partir **2** (*arma*) disparar **3** (*bomba*) explodir **4** (*alarme*) soar **5** (*luz, eletricidade*) apagar-se **6** (*alimentos*) estragar-se **7** (*acontecimento*) desenrolar-se: *It went off well.* Correu tudo bem. ◆ **go off sb/sth** (*GB, coloq*) perder o interesse por alguém/alguma coisa ◆ **go off with sth** levar alguma coisa (*que não lhe pertence*)

go on **1** continuar, durar **2** suceder: *What's going on here?* O que é que se passa aqui? **3** (*luz, etc.*) acender-se ◆ **go on (about sb/sth)** não parar de falar (de alguém/alguma coisa) ◆ **go on (with sth/doing sth)** continuar (com alguma coisa/a fazer alguma coisa)

go out **1** sair **2** (*luz, fogo*) apagar-se

go over sth *Ver* GO THROUGH STH (1, 2) ◆ **go over to sth** passar, mudar para alguma coisa (*opinião, partido*)

go round *Ver* GO AROUND

go through ser aprovado (*lei, etc.*) ◆ **go through sth** **1** examinar, revistar alguma coisa **2** (*lição, etc.*) rever alguma coisa **3** sofrer alguma coisa, passar por alguma coisa ◆ **go through with sth** levar alguma coisa a cabo, seguir para a frente com alguma coisa

go together combinar, condizer

go under **1** submergir **2** (*coloq*) falir

go up **1** subir **2** (*edifício*) erguer-se **3** rebentar, explodir

go with sth condizer, combinar com alguma coisa

go without passar privações ◆ **go without (sth)** passar sem alguma coisa
▸ *s* (*pl* **goes** /gəʊz/) **1** vez: *Whose go is it?* De quem é que é a vez? *Ver* TURN **2** [*não-contável*] (*coloq*) genica LOC **be on the go** (*coloq*) não parar ◆ **have a go (at sth/doing sth)** (*coloq*) tentar, experimentar (alguma coisa/fazer alguma coisa)

goad /gəʊd/ *vt* ~ **sb (into sth/doing sth)** instigar alguém (a alguma coisa/fazer alguma coisa)

go-ahead /'gəʊ əhed/ *substantivo, adjetivo*
▸ *s* **the go-ahead** [*sing*] luz verde
▸ *adj* empreendedor

goal /gəʊl/ *s* **1** baliza **2** golo **3** (*fig*) objetivo

goalkeeper /'gəʊlki:pə(r)/ (*coloq* **goalie** /'gəʊli:/) *s* guarda-redes

goalpost /'gəʊlpəʊst/ *s* poste da baliza

goat /gəʊt/ *s* cabra

goatee /gəʊ'ti:/ *s* pera (*barba*)

gobble /'gɒbl/ *vt* ~ **sth (up/down)** engolir alguma coisa

go-between /'gəʊ bɪtwi:n/ *s* intermediário, -a

god /gɒd/ *s* **1** deus **2 God** [*sing*] Deus LOC *Ver* KNOW

godchild /'gɒdtʃaɪld/ *s* (*pl* **-children** /-tʃɪldrən/) afilhado, -a

god-daughter /'gɒd dɔ:tə(r)/ *s* afilhada

goddess /'gɒdes, -əs/ *s* deusa

godfather /'gɒdfɑ:ðə(r)/ *s* padrinho

godmother /'gɒdmʌðə(r)/ *s* madrinha

godparent /'gɒdpeərənt/ *s* **1** padrinho, madrinha **2 godparents** [*pl*] padrinhos

godsend /'gɒdsend/ *s* dádiva do céu

godson /'gɒdsʌn/ *s* afilhado

goggles /'gɒglz/ *s* [*pl*] óculos protetores

going /'gəʊɪŋ/ *substantivo, adjetivo*
▸ *s* **1** [*sing*] (*formal*) (*ida*) partida **2** [*não-contável*]: *Good going!* Muito bem! ◇ *That was good going.* Foi muito rápido. ◇ *The path was rough going.* O caminho estava em muito mau estado. LOC **get out, etc. while the going is good** sair, etc. enquanto se pode
▸ *adj* LOC **a going concern** um negócio estabelecido/em marcha ◆ **the going rate (for sth)** a tarifa em vigor (para alguma coisa)

gold /gəʊld/ *s* ouro: *a gold bracelet* uma pulseira de ouro ◇ *gold dust* ouro em pó LOC **(as) good as gold** como um anjinho

golden /'gəʊldən/ *adj* **1** de ouro **2** (*cor, fig*) dourado LOC *Ver* WEDDING

goldfish /'gəʊldfɪʃ/ *s* (*pl* **goldfish**) peixe-dourado

golf /gɒlf/ *s* golfe: *golf course* campo de golfe

golf club *s* **1** (*tb* **club**) taco de golfe **2** clube de golfe

golfer /'gɒlfə(r)/ *s* golfista

gone /gɒn; *USA* gɔ:n/ *prep* (*GB, coloq*): *It was gone midnight.* Já passava da meia noite. *Ver tb* GO

gonna /'gənə, 'gɒnə; *USA* 'gɔ:nə/ (*coloq*) = GOING TO *em* GO ℹ Esta forma não é considerada gramaticalmente correta.

G

good /gʊd/ *adjetivo, substantivo*
▸ *adj* (*comp* **better** /'betə(r)/, *superl* **best** /best/) **1** bom: *good nature* bondade ◇ *Vegetables are good for you.* A hortaliça faz bem à saúde. **2** *to be good at sth* ter jeito para alguma coisa **3** ~ **to sb** bom para alguém, amável com alguém LOC **as good as** praticamente ◆ **good for you, her, etc.!** (*coloq*) muito bem! ℹ Para outras expressões com **good**, ver as entradas para o substantivo, adjetivo, etc., p. ex. **a good many** em MANY.
▸ *s* **1** bem **2 the good** [*pl*] os bons LOC **be no good; not be any/much good 1** não valer nada: *This gadget isn't much good.* Esta engenhoca não vale nada. ◇ *It's no good trying to talk me out of leaving.* Não vale a pena tentares convencer-me a não me ir embora. **2** não ser bom ◆ **do sb good** fazer bem a alguém ◆ **for good** para sempre

goodbye /ˌgʊd'baɪ/ *interj, s* adeus: *to say goodbye* despedir-se ℹ Outras palavras mais informais são: **bye**, **cheerio**, e **cheers**.

good-humoured (*USA* **good-humored**) /ˌgʊd 'hju:məd/ *adj* bem-humorado

good-looking /ˌgʊd 'lʊkɪŋ/ *adj* bonito

good-natured /ˌgʊd 'neɪtʃəd/ *adj* **1** amigável **2** bondoso

goodness /'gʊdnəs/ *substantivo, interjeição*
▸ *s* **1** bondade **2** valor nutritivo
▸ *interj* (*coloq*) credo! LOC *Ver* KNOW

goods /gʊdz/ *s* [*pl*] **1** bens **2** artigos, produtos, mercadoria

goodwill /ˌgʊd'wɪl/ *s* boa vontade

goose /gu:s/ *s* (*pl* **geese** /gi:s/) ganso, -a

gooseberry /'gʊzbəri; *USA* 'gu:sberi/ *s* (*pl* **gooseberries**) groselha-espim

goose pimples (*tb esp USA* **goosebumps** /'gu:sbʌmps/) *s* [*pl*] pele de galinha

gorge /gɔ:dʒ/ *s* garganta, desfiladeiro

gorgeous /'gɔ:dʒəs/ *adj* **1** (*coloq*) lindo **2** magnífico

gorilla /gə'rɪlə/ *s* gorila

gory /ˈgɔːri/ *adj* **1** (*coloq*) sangrento **2** (*formal*) ensanguentado

go-slow /ˌgəʊ ˈsləʊ/ *s* greve de zelo

gospel /ˈgɒspl/ *s* evangelho

gossip /ˈgɒsɪp/ *substantivo, verbo*
▸ *s* **1** [*não-contável*] (*pej*) mexericos: *the gossip columns* as colunas sociais **2** fofoca **3** (*pej*) mexeriqueiro, -a
▸ *vi* ~ **(about sb/sth)** mexericar (sobre alguém/alguma coisa)

got *pt, pp de* GET

Gothic /ˈgɒθɪk/ *adj* gótico

gotta /ˈgɒtə/ (*coloq*) = GOT TO *Ver* HAVE (3)
🛈 Esta forma não é considerada gramaticalmente correta.

gotten (*USA*) *pp de* GET

gouge /gaʊdʒ/ *vt* fazer (*buraco*) PHR V **gouge sth out (of sth)** escavar alguma coisa (de alguma coisa)

🔑 **govern** /ˈgʌvn; *USA* ˈgʌvərn/ **1** *vt, vi* governar **2** *vt* (*ação, negócio*) reger, dirigir

governing /ˈgʌvənɪŋ/ *adj* **1** (*partido*) governante **2** (*organismo*) diretivo

🔑 **government** /ˈgʌvənmənt/ *s* [*v sing ou pl*] governo ➲ *Ver nota em* JÚRI LOC **in government** no governo **governmental** /ˌgʌvnˈmentl; *USA* ˌgʌvərn-/ *adj* governamental

🔑 **governor** /ˈgʌvənə(r)/ *s* **1** governador, -ora **2** diretor, -ora

gown /gaʊn/ *s* **1** vestido (comprido) **2** (*Educ, Jur*) toga **3** (*Med*) bata *Ver tb* DRESSING GOWN

GP /ˌdʒiː ˈpiː/ *s* (*abrev de* **general practitioner**) médico, -a de família

🔑 **grab** /græb/ *verbo, substantivo*
▸ (**-bb-**) **1** *vt* agarrar **2** *vi* ~ **at/for sb/sth** tentar agarrar alguém/alguma coisa **3** *vt* ~ **sth (from sb/sth)** arrancar alguma coisa (a alguém/alguma coisa) **4** *vt* (*atenção*) captar
▸ *s* LOC **make a grab at/for sth** tentar agarrar alguma coisa

grace /greɪs/ *substantivo, verbo*
▸ *s* **1** graça, elegância **2** prorrogação: *five days' grace* um prazo de tolerância de cinco dias **3** *to say grace* dar graças (antes da refeição)
▸ *vt* (*formal*) **1** decorar **2** ~ **sb/sth (with sth)** honrar alguém/alguma coisa (com alguma coisa) **graceful** *adj* gracioso, elegante

gracious /ˈgreɪʃəs/ *adj* **1** amável **2** elegante, gracioso

🔑 **grade** /greɪd/ *substantivo, verbo*
▸ *s* **1** grau, categoria **2** (*Educ, exame, exercícios, etc.*) nota ➲ *Ver nota em* A, A **3** (*USA*) (*Educ*) ano (de escolaridade) LOC **make the grade** (*coloq*) ter êxito
▸ *vt* classificar

gradient /ˈgreɪdiənt/ (*USA tb* **grade**) *s* (*Geog*) declive

grading /ˈgreɪdɪŋ/ *s* classificação

🔑 **gradual** /ˈgrædʒuəl/ *adj* **1** gradual **2** (*descida*) suave

🔑 **gradually** /ˈgrædʒuəli/ *adv* gradualmente, pouco a pouco

graduate *substantivo, verbo*
▸ *s* /ˈgrædʒuət/ **1** ~ **(in sth)** licenciado, -a (em alguma coisa) **2** (*USA*) pessoa que terminou o ensino secundário
▸ /ˈgrædʒueɪt/ **1** *vi* ~ **(in sth)**; ~ **(from...)** licenciar-se (em alguma coisa), licenciar-se (em...) **2** *vi* ~ **(from...)** (*USA*) formar-se (em...) **3** *vt* graduar **graduation** *s* **1** graduação **2** formatura, licenciatura **3** (*cerimónia*) entrega dos diplomas

graffiti /grəˈfiːti/ *s* [*não-contável*] grafiti(s)

graft /grɑːft; *USA* græft/ *substantivo, verbo*
▸ *s* (*Bot, Med*) enxerto
▸ *vt* ~ **sth (onto/to sth)** enxertar alguma coisa (em alguma coisa)

🔑 **grain** /greɪn/ *s* **1** [*não-contável*] cereais **2** grão **3** veio (*de madeira*)

🔑 **gram** (*tb* **gramme**) /græm/ *s* (*abrev* **g**, **gm**) grama ➲ *Ver pág. 712*

🔑 **grammar** /ˈgræmə(r)/ *s* gramática

grammar school *s* **1** (*GB*) escola secundária tradicional para alunos dos 11 aos 18 anos **2** (*USA, antiq*) escola primária

grammatical /grəˈmætɪkl/ *adj* **1** gramatical **2** (gramaticalmente) correto

gramme = GRAM

🔑 **grand** /grænd/ *adjetivo, substantivo*
▸ *adj* (**grander**, **-est**) **1** esplêndido, magnífico, grandioso **2** **Grand** (*títulos*) Grão **3** (*coloq*) bestial **4** *grand piano* piano de cauda
▸ *s* (*pl* **grand**) (*coloq*) mil dólares/libras

grandad (*tb* **granddad**) /ˈgrændæd/ *s* (*coloq*) avô

🔑 **grandchild** /ˈgræntʃaɪld/ *s* (*pl* **-children** /-tʃɪldrən/) neto, -a

🔑 **granddaughter** /ˈgrændɔːtə(r)/ *s* neta

grandeur /ˈgrændʒə(r)/ *s* grandiosidade, grandeza

🔑 **grandfather** /ˈgrænfɑːðə(r)/ *s* avô

grandma /ˈgrænmɑː/ *s* (*coloq*) avó

🔑 **grandmother** /ˈgrænmʌðə(r)/ *s* avó

grandpa /ˈgrænpɑː/ *s* (*coloq*) avô

grandparent /ˈgrænpeərənt/ *s* avó, avô

Grand Prix /ˌgrɒ̃ ˈpriː/ *s* (*pl* **Grands Prix** /ˌgrɒ̃ ˈpriː/) Grande Prémio

grandson /ˈgrænsʌn/ *s* neto

grandstand /ˈgrænstænd/ *s* (*Desp*) tribuna (principal)

granite /ˈgrænɪt/ *s* granito

granny /ˈgræni/ *s* (*pl* **grannies**) (*coloq*) avó

grant /grɑːnt; *USA* grænt/ *verbo, substantivo*
- *vt* ~ **sth (to sb)** conceder alguma coisa (a alguém) LOC **take sb/sth for granted** não dar o devido valor a alguém, considerar alguma coisa como certa
- *s* **1** subsídio **2** (*Educ*) bolsa

grape /greɪp/ *s* uva

grapefruit /ˈgreɪpfruːt/ *s* (*pl* **grapefruit** *ou* **grapefruits**) toranja

grapevine /ˈgreɪpvaɪn/ *s* videira LOC **on/through the grapevine**: *to hear sth on the grapevine* ficar a saber de alguma coisa através de um boato

graph /grɑːf; *USA* græf/ *s* gráfico: *graph paper* papel quadriculado

graphic /ˈgræfɪk/ *adj* gráfico

graphics /ˈgræfɪks/ *s* [*pl*]: *computer graphics* gráficos por computador

grapple /ˈgræpl/ *vi* ~ **(with sb/sth)** (*lit e fig*) lutar (com alguém/alguma coisa)

grasp /grɑːsp; *USA* græsp/ *verbo, substantivo*
- *vt* **1** agarrar **2** (*oportunidade*) aproveitar **3** compreender
- *s* **1** ato de agarrar, aperto **2** alcance: *within/beyond the grasp of sb* ao alcance de/fora do alcance de alguém **3** conhecimento **grasping** *adj* (*pej*) ganancioso

grass /grɑːs; *USA* græs/ *s* erva, relva

grasshopper /ˈgrɑːshɒpə(r); *USA* ˈgræs-/ *s* gafanhoto

grassland /ˈgrɑːslænd; *USA* ˈgræs-/ *s* [*não-contável*] (*tb* **grasslands** [*pl*]) pastagens, pradaria

grass roots *s* [*pl*] povo, base(s)

grassy /ˈgrɑːsi; *USA* ˈgræsi/ *adj* coberto de erva

grate /greɪt/ *verbo, substantivo*
- **1** *vt* ralar **2** *vi* chiar **3** *vi* ~ **(on/with sb)** (*fig*) irritar alguém
- *s* grelha (*de lareira*)

grateful /ˈgreɪtfl/ *adj* ~ **(to sb) (for sth)** agradecido, grato (a alguém) (por alguma coisa)

grater /ˈgreɪtə(r)/ *s* ralador

gratitude /ˈgrætɪtjuːd; *USA* -tuːd/ *s* ~ **(to sb) (for sth)** gratidão (a alguém) (por alguma coisa)

grave /greɪv/ *adjetivo, substantivo*
- *adj* (**graver, -est**) (*formal*) grave, sério ❶ A palavra mais comum é **serious**.
- *s* sepultura, cova

gravel /ˈgrævl/ *s* gravilha, cascalho

graveyard /ˈgreɪvjɑːd/ *s* cemitério (*em torno de uma igreja*) ➲ *Comparar com* CEMETERY

gravity /ˈgrævəti/ *s* **1** (*Fís*) gravidade **2** (*formal*) gravidade, seriedade ❶ A palavra mais comum é **seriousness**.

gravy /ˈgreɪvi/ *s* molho (*feito com o suco da carne*)

gray (*USA*) = GREY

graze /greɪz/ *verbo, substantivo*
- **1** *vi* pastar **2** *vt* ~ **sth (against/on sth)** (*perna, etc.*) esfolar alguma coisa (contra/em alguma coisa) **3** *vt* roçar
- *s* esfoladela

grease /griːs/ *substantivo, verbo*
- *s* **1** gordura **2** (*Mec*) massa, lubrificante
- *vt* **1** (*máquina, etc.*) lubrificar **2** (*Cozinha*) untar **greasy** *adj* (**greasier, -iest**) **1** (*pej*) gorduroso **2** (*cabelo, pele*) oleoso

great /greɪt/ *adjetivo, substantivo*
- *adj* (**greater, -est**) **1** grande: *in great detail* com todos os pormenores ◇ *the world's greatest tennis player* o maior tenista do mundo ◇ *We're great friends.* Somos grandes amigos. ◇ *I'm not a great reader.* Não gosto muito de ler. **2** (*coloq*) estupendo: *We had a great time.* Divertimo-nos imenso. ◇ *It's great to see you!* Que bom ver-te! **3** (*coloq*) muito: *a great big dog* um cão enorme **4** (*distância*) longo, grande **5** (*idade*) avançado **6** (*cuidado*) extremo, muito **7** ~ **at sth** muito bom em alguma coisa **8** **great-** (*relação de parentesco*): *my great-grandmother* a minha bisavó ◇ *her great-grandson* o seu bisneto LOC **great minds think alike** (*coloq, hum*) os grandes espíritos sempre se encontram *Ver tb* BELIEVER *em* BELIEVE, DEAL, EXTENT, MANY, PAIN
- *s* [*ger pl*] (*coloq*): *one of the all-time greats* uma das grandes figuras de sempre

great-grandfather /ˌgreɪt ˈgrænfɑːðə(r)/ *s* bisavô

great-grandmother /ˌgreɪt ˈgrænmʌðə(r)/ *s* bisavó

greatly /ˈgreɪtli/ *adv* (*formal*) muito: *greatly exaggerated* extremamente exagerado ◇ *It varies greatly.* Varia bastante.

greatness /ˈgreɪtnəs/ *s* grandeza

greed /griːd/ *s* **1** ~ **(for sth)** ganância (de/por alguma coisa) **2** gula **greedily** *adv* **1** gananciosamente **2** vorazmente **greedy** *adj* (**greedier**, **-iest**) **1** ~ **(for sth)** ganancioso (de/por alguma coisa) **2** glutão

green /gri:n/ *adjetivo, substantivo*
▸ *adj* (**greener**, **-est**) verde
▸ *s* **1** verde **2** **greens** [*pl*] verduras **3** relvado **greenery** *s* [*não-contável*] verde, folhagem

greengrocer /ˈgri:ngrəʊsə(r)/ *s* **1** vendedor, -ora de legumes **2** **greengrocer's** loja de fruta e legumes ➲ *Ver nota em* TALHO

greenhouse /ˈgri:nhaʊs/ *s* estufa: *greenhouse effect* efeito de estufa

greet /gri:t/ *vt* **1** saudar, cumprimentar: *He greeted me with a smile.* Recebeu-me com um sorriso. **2** ~ **sb/sth with sth** receber alguém/alguma coisa com alguma coisa **greeting** *s* saudação, cumprimento

grenade /grəˈneɪd/ *s* granada (*de mão*)

grew *pt de* GROW

grey (*USA* **gray**) /greɪ/ *adjetivo, substantivo*
▸ *adj* **1** cinzento **2** (*cabelo*) grisalho: *to go/turn grey* ficar grisalho ◇ *grey-haired* grisalho
▸ *s* (*pl* **greys**) cinzento

greyhound /ˈgreɪhaʊnd/ *s* galgo

grid /grɪd/ *s* **1** grade **2** (*de eletricidade, gás*) rede **3** (*mapa*) quadrícula **4** (*tb* **starting grid**) (*em corridas de automóveis*) grelha de partida

grief /gri:f/ *s* ~ **(over/at sth)** dor, desgosto (por alguma coisa) LOC **come to grief** (*esp GB, coloq*) **1** fracassar, dar em mal **2** ter um acidente

grievance /ˈgri:vns/ *s* ~ **(against sb)** **1** (motivo de) queixa (contra alguém) **2** (*de trabalhadores*) reivindicação (contra alguém)

grieve /gri:v/ **1** *vi* ~ **(for/over sb/sth)** sentir (muito) a perda (de alguém/alguma coisa) **2** *vi* ~ **at/over sth** lamentar alguma coisa **3** *vt* (*formal*) custar, magoar

grill /grɪl/ *substantivo, verbo*
▸ *s* **1** grelha **2** (*prato*) grelhado
▸ **1** *vt, vi* grelhar **2** *vt* ~ **sb (about sth)** (*coloq*) fazer um interrogatório cerrado a alguém (sobre alguma coisa)

grim /grɪm/ *adj* (**grimmer**, **-est**) **1** (*pessoa*) severo, carrancudo **2** (*lugar*) sombrio, lúgubre **3** deprimente

grimace /grɪˈmeɪs; *USA* ˈgrɪməs/ *substantivo, verbo*
▸ *s* careta
▸ *vi* ~ **(at sb/sth)** fazer caretas (a alguém/alguma coisa)

grime /graɪm/ *s* sujidade **grimy** *adj* (**grimier**, **-iest**) sebento

grin /grɪn/ *verbo, substantivo*
▸ *vi* (**-nn-**) ~ **(at sb/sth)** rir-se (para alguém/de alguma coisa) LOC **grin and bear it** aguentar de cara alegre
▸ *s* sorriso rasgado

grind /graɪnd/ *verbo, substantivo*
▸ *vt* (*pt, pp* **ground** /graʊnd/) **1** moer, triturar **2** afiar **3** (*dentes*) ranger **4** (*USA*) (*carne*) picar LOC **grind to a halt; come to a grinding halt** **1** imobilizar-se lenta e ruidosamente **2** (*processo*) parar gradualmente *Ver tb* AXE
▸ *s* [*sing*] (*coloq*): *the daily grind* a labuta diária

grip /grɪp/ *verbo, substantivo*
▸ (**-pp-**) **1** *vt, vi* agarrar, agarrar-se a **2** *vt* (*atenção*) captar
▸ *s* **1** ~ **(on sb/sth)** aperto (sobre alguém/alguma coisa): *He lost his grip on the rope and fell.* Não agarrou bem a corda e caiu. **2** ~ **(on sb/sth)** (*fig*) domínio, controlo, pressão (sobre alguém/alguma coisa) **3** punho, pega LOC **come/get to grips with sth** (*fig*) enfrentar alguma coisa **gripping** *adj* apaixonante, fascinante

grit /grɪt/ *substantivo, verbo*
▸ *s* **1** saibro, areia **2** coragem, determinação
▸ *vt* (**-tt-**) ensaibrar LOC **grit your teeth** **1** cerrar os dentes **2** (*fig*) fazer das tripas coração

groan /grəʊn/ *verbo, substantivo*
▸ *vi* **1** ~ **(at/with sth)** gemer (de/com alguma coisa) **2** (*móveis, etc.*) ranger
▸ *s* **1** gemido **2** rangido

grocer /ˈgrəʊsə(r)/ *s* **1** merceeiro, -a **2** **grocer's** mercearia ➲ *Ver nota em* TALHO

grocery /ˈgrəʊsəri/ *s* **1** (*tb esp USA* **grocery store**) mercearia **2** **groceries** [*pl*] artigos de mercearia

groggy /ˈgrɒgi/ *adj* (*coloq*) tonto, zonzo

groin /grɔɪn/ *s* virilha: *a groin injury* uma lesão na virilha

groom /gru:m/ *substantivo, verbo*
▸ *s* **1** moço de estrebaria **2** *Ver* BRIDEGROOM
▸ *vt* **1** (*cavalo*) tratar de **2** (*cabelo*) arranjar **3** ~ **sb (for/as sth)** preparar alguém (para alguma coisa)

groove /gru:v/ *s* ranhura, sulco, calha

grope /grəʊp/ *vi* **1** ~ **(around) for sth** procurar alguma coisa às apalpadelas **2** andar às apalpadelas

gross /grəʊs/ *adjetivo, verbo*
▸ *adj* (**grosser**, **-est**) **1** (*total, peso*) bruto **2** (*formal ou Jur*) grave **3** (*injustiça*) flagrante **4** (*erro*) crasso **5** (*coloq*) nojento: *That's gross!* Que nojo! **6** grosseiro **7** repulsivamente gordo
▸ *vt* arrecadar, ganhar (*no total*) **grossly** *adv* extremamente

grotesque /grəʊˈtesk/ *adj* grotesco

ground /graʊnd/ *substantivo, adjetivo, verbo*
▸ *s* **1** chão, terra, terreno **2** campo (*de jogos*) **3 grounds** [*pl*] jardins (*em torno de grandes edifícios*) **4** [*ger pl*] motivo, razão **5 grounds** [*pl*] borra, sedimento **6** (*USA*) (*Eletrón*) terra
LOC **get (sth) off the ground** arrancar (com alguma coisa) com êxito (*negócio, etc.*) ◆ **give/lose ground (to sb/sth)** ceder/perder terreno (face a alguém/alguma coisa) ◆ **on the ground** (*fig*) no chão ◆ **to the ground** (*destruir*) completamente *Ver tb* FIRM, MIDDLE, THIN
▸ *adj* **1** moído **2** (*USA*) (*carne*) picado
▸ *vt* **1** (*avião*) impedir que levante voo **2** (*coloq*) proibir de sair **3** (*USA*) (*Eletrón*) ligar à terra *Ver tb* GRIND

ground floor *s* rés-do-chão ➲ *Ver nota em* FLOOR

ground-floor /ˌgraʊnd ˈflɔː(r)/ *adj* do/no rés-do-chão

Groundhog Day /ˈgraʊndhɒg deɪ; *USA* -hɔːg/ *s* Dia da Marmota

Em 2 de fevereiro, nos Estados Unidos, há uma festa para ver a marmota sair do seu buraco. A lenda diz que, se a marmota não vir a sua própria sombra, a primavera chegará mais cedo. Mas se a vir, haverá mais seis semanas de inverno.

grounding /ˈgraʊndɪŋ/ *s* [*sing*] ~ **(in sth)** conhecimentos básicos (de alguma coisa)

groundless /ˈgraʊndləs/ *adj* infundado

group /gruːp/ *substantivo, verbo*
▸ *s* [*v sing ou pl*] grupo
▸ *vt, vi* ~ **(sb/sth) (together)** agrupar alguém/alguma coisa, agrupar-se **grouping** *s* agrupamento

grouse /graʊs/ *s* (*pl* **grouse**) lagópode

grove /grəʊv/ *s* mata: *an olive grove* um olival

grovel /ˈgrɒvl/ *vi* (**-ll-**, *USA* **-l-**) ~ **(to sb)** (*pej*) humilhar-se (perante alguém) **grovelling** (*USA* **groveling**) *adj* servil

grow /grəʊ/ (*pt* **grew** /gruː/, *pp* **grown** /grəʊn/) **1** *vi* crescer **2** *vt* (*cabelo, barba*) deixar crescer **3** *vt* cultivar **4** *vi* [*com adjetivo*] tornar-se: *to grow old/rich* envelhecer/enriquecer **5** *vi* ~ **to do sth** passar a fazer alguma coisa: *He grew to rely on her.* Ele passou a confiar nela.
PHR V **grow into sth** transformar-se em alguma coisa ◆ **grow on sb** começar de gostar de alguém/alguma coisa cada vez mais: *That music is growing on me.* Cada vez gosto mais daquela música. ◆ **grow up 1** crescer: *when I grow up* quando eu for crescido ◇ *Oh, grow up!* Não sejas criança! **2** desenvolver-se **growing** *adj* que está a crescer

growl /graʊl/ *verbo, substantivo*
▸ *vi* rosnar
▸ *s* rosnadela

grown /grəʊn/ *adj* adulto: *a grown man* um adulto *Ver tb* GROW

grown-up *adjetivo, substantivo*
▸ *adj* /ˌgrəʊn ˈʌp/ adulto
▸ *s* /ˈgrəʊn ʌp/ adulto, -a

growth /grəʊθ/ *s* **1** crescimento **2** ~ **(in/of sth)** aumento (de alguma coisa) **3** tumor **4** [*não-contável*] rebentos

grub /grʌb/ *s* **1** larva **2** (*coloq*) comida

grubby /ˈgrʌbi/ *adj* (**grubbier**, **-iest**) sujo, porco

grudge /grʌdʒ/ *verbo, substantivo*
▸ *vt* **1** fazer/dar de má vontade: *I grudge having to pay so much tax.* É de má vontade que tenho de pagar tantos impostos. **2** invejar
▸ *s* ressentimento: *to bear sb a grudge/have a grudge against sb* ter alguma coisa contra alguém **grudgingly** *adv* de má vontade

gruelling (*USA* **grueling**) /ˈgruːəlɪŋ/ *adj* extenuante

gruesome /ˈgruːsəm/ *adj* arrepiante, horrível

gruff /grʌf/ *adj* **1** (*voz*) áspero **2** (*comportamento*) rude

grumble /ˈgrʌmbl/ *verbo, substantivo*
▸ *vi* ~ **(about/at sb/sth)** resmungar, queixar-se (de alguém/alguma coisa)
▸ *s* queixa

grumpy /ˈgrʌmpi/ *adj* (**grumpier**, **-iest**) (*coloq*) rabugento

grunt /grʌnt/ *verbo, substantivo*
▸ *vi* grunhir
▸ *s* grunhido

guarantee /ˌgærənˈtiː/ *substantivo, verbo*
▸ *s* ~ **(of sth/that...)** garantia (de alguma coisa/de que...)
▸ *vt* **1** garantir **2** (*empréstimo*) ser fiador de

guard /gɑːd/ *verbo, substantivo*
▸ *vt* **1** proteger, guardar **2** (*prisioneiro*) vigiar
PHR V **guard against sth** prevenir(se) contra alguma coisa
▸ *s* **1** guarda, vigilância: *to be on guard* estar de guarda ◇ *guard dog* cão de guarda **2** guarda, sentinela **3** [*v sing ou pl*] (*grupo de soldados*) guarda **4** (*máquina*) dispositivo de proteção
LOC **be off/on your guard** estar desprevenido/alerta **guarded** *adj* cauteloso

guardian /ˈgɑːdiən/ *s* **1** guardião, -ã: *guardian angel* anjo-da-guarda **2** tutor, -ora

guerrilla (*tb* **guerilla**) /gəˈrɪlə/ *s* guerrilheiro, -a: *guerrilla war(fare)* guerrilha

guess /ges/ *verbo, substantivo*
▸ *vt, vi* **1** adivinhar **2** ~ **(at) sth** conjeturar alguma coisa **3 I guess** (*esp USA, coloq*) suponho: *I guess so/not.* Suponho que sim/não.
▸ *s* suposição, conjetura: *to have/make a guess (at sth)* tentar adivinhar (alguma coisa) LOC **it's anyone's guess** (*coloq*) ninguém sabe *Ver tb* EDUCATED, HAZARD

guesswork /'geswɜːk/ *s* [*não-contável*] conjeturas

guest /gest/ *s* **1** convidado, -a **2** hóspede: *guest house* pensão

guidance /'gaɪdns/ *s* ~ **(on sth)** orientação (sobre alguma coisa)

guide /gaɪd/ *substantivo, verbo*
▸ *s* **1** (*pessoa*) guia **2** (*tb* **guidebook** /'gaɪdbʊk/) guia (turístico) (*livro*) **3 Guide** (*tb* **Girl Guide**) escuteira
▸ *vt* guiar, orientar: *to guide sb to sth* levar alguém até alguma coisa **guided** *adj* guiado

guideline /'gaɪdlaɪn/ *s* diretriz

guilt /gɪlt/ *s* culpa

guilty /'gɪlti/ *adj* (**guiltier**, **-iest**) culpado LOC *Ver* PLEAD

guinea pig /'gɪni pɪg/ *s* **1** porquinho-da--índia **2** (*fig*) cobaia

guise /gaɪz/ *s* (falsa) aparência, disfarce

guitar /gɪ'tɑː(r)/ *s* guitarra, viola: *electric guitar* guitarra elétrica **guitarist** *s* guitarrista

gulf /gʌlf/ *s* **1** (*Geog*) golfo **2 the Gulf** [*sing*] o Golfo Pérsico **3** (*fig*) abismo LOC *Ver* BRIDGE

gull /gʌl/ *s* gaivota

gullible /'gʌləbl/ *adj* crédulo

gulp /gʌlp/ *verbo, substantivo*
▸ **1** *vt* ~ **sth (down)** engolir alguma coisa **2** *vi* engolir em seco
▸ *s* trago

gum /gʌm/ *s* **1** (*Anat*) gengiva **2** goma, cola **3** *Ver* BUBBLEGUM, CHEWING GUM

gun /gʌn/ *substantivo, verbo*
▸ *s* **1** arma (*de fogo*) **2** espingarda *Ver tb* MACHINE GUN
▸ *v* (**-nn-**) PHR V **gun sb down** balear alguém

gunfire /'gʌnfaɪə(r)/ *s* [*não-contável*] tiros

gunman /'gʌnmən/ *s* (*pl* **-men** /-mən/) homem armado

gunpoint /'gʌnpɔɪnt/ *s* LOC **at gunpoint** sob ameaça de pistola

gunpowder /'gʌnpaʊdə(r)/ *s* pólvora

gunshot /'gʌnʃɒt/ *s* disparo

gurgle /'gɜːgl/ *vi* gorgolejar

gush /gʌʃ/ *vi* **1** ~ **(out of/from sth)** jorrar (de alguma coisa) **2** ~ **(over sth/sb)** (*pej*) falar/escrever efusivamente (de/sobre alguma coisa/alguém)

gust /gʌst/ *s* rajada (*de vento*)

gusto /'gʌstəʊ/ *s* entusiasmo

gut /gʌt/ *substantivo, verbo, adjetivo*
▸ *s* **1** intestino **2 guts** [*pl*] tripas **3** (*coloq*) barriga **4 guts** [*pl*] (*coloq*) (*fig*) coragem
▸ *vt* (**-tt-**) **1** estripar **2** (*prédio, etc.*) destruir por dentro
▸ *adj* [*só antes de substantivo*] visceral: *a gut reaction/feeling* uma reação visceral/um instinto

gutter /'gʌtə(r)/ *s* **1** sarjeta: *the gutter press* a imprensa sensacionalista **2** caleira

guy /gaɪ/ *s* (*coloq*) **1** tipo **2 guys** [*pl*] (*esp USA*) ❶ Utiliza-se quando nos dirigimos a um grupo de pessoas, homens ou mulheres: *Hi guys!* Oi pessoal! ◇ *Are you guys coming or not?* Vocês vêm ou não?

guzzle /'gʌzl/ *vt* (*coloq, freq pej*) **1** (*comida*) devorar **2** (*bebida*) emborcar

gym /dʒɪm/ *s* **1** ginásio **2** (*coloq*) educação física

gymnasium /dʒɪm'neɪziəm/ *s* (*pl* **gymnasiums** *ou* **gymnasia** /-ziə/) (*formal*) ginásio

gymnast /'dʒɪmnæst/ *s* ginasta

gymnastics /dʒɪm'næstɪks/ *s* [*não-contável*] ginástica

gynaecologist (*USA* **gynecologist**) /ˌgaɪnə'kɒlədʒɪst/ *s* ginecologista

Gypsy /'dʒɪpsi/ (*tb* **Gipsy**) *s* (*pl* **Gypsies/Gipsies**) cigano, -a

H h

H, h /eɪtʃ/ *s* (*pl* **Hs**, **H's**, **h's**) H, h ➲ *Ver nota em* A, A

habit /'hæbɪt/ *s* **1** hábito, costume **2** (*Relig*) hábito

habitation /ˌhæbɪ'teɪʃn/ *s* habitação: *not fit for human habitation* impróprio para habitação

habitual /hə'bɪtʃuəl/ *adj* habitual

hack /hæk/ *vt, vi* **1** ~ **(at) sth** dar golpes (em alguma coisa) (*com alguma coisa cortante*) **2** ~ **(into) sth** (*Informát*) conseguir acesso (a alguma coisa) ilegalmente **hacker** *s* pirata (informático) **hacking** *s* acesso ilegal

had /həd, hæd/ *pt, pp de* HAVE

hadn't /'hædnt/ = HAD NOT *Ver* HAVE

haemoglobin (*USA* **hemoglobin**) /ˌhiːmə'gləʊbɪn/ *s* hemoglobina

haemorrhage (*USA* **hemorrhage**) /'hemərɪdʒ/ *s* hemorragia

haggard /'hægəd/ *adj* macilento

haggle /'hægl/ *vi* ~ **(over sth)** regatear (por alguma coisa)

hail /heɪl/ *substantivo, verbo*
▸ *s* **1** [*não-contável*] granizo **2** [*sing*] **a ~ of sth** (*fig*) uma chuva de alguma coisa
▸ **1** *vt* ~ **sb/sth (as) sth** aclamar alguém/alguma coisa como alguma coisa **2** *vt* chamar (*para atrair a atenção*) **3** *vi* granizar

hailstone /'heɪlstəʊn/ *s* pedra (*de granizo*)

hailstorm /'heɪlstɔːm/ *s* granizada

hair /heə(r)/ *s* **1** cabelo **2** pelo **3 -haired**: *a fair-haired/dark-haired girl* uma rapariga de cabelo claro/escuro

hairband /'heəbænd/ *s* fita de cabelo, bandolete

hairbrush /'heəbrʌʃ/ *s* escova (*para o cabelo*) ➲ *Ver ilustração em* BRUSH

haircut /'heəkʌt/ *s* corte de cabelo: *to have/get a haircut* cortar o cabelo

hairdo /'heəduː/ *s* (*pl* **hairdos**) (*antiq, coloq*) penteado (*de mulher*)

hairdresser /'heədresə(r)/ *s* **1** cabeleireiro, -a **2 hairdresser's** salão de cabeleireiro ➲ *Ver nota em* TALHO **hairdressing** *s* arte de arranjar o cabelo

hairdryer (*tb* **hairdrier**) /'heədraɪə(r)/ *s* secador (*de cabelo*)

hairpin /'heəpɪn/ *s* gancho (*de cabelo*): *hairpin bend* curva muito apertada

hairstyle /'heəstaɪl/ *s* penteado

hairy /'heəri/ *adj* (**hairier, -iest**) peludo, cabeludo

half /hɑːf; *USA* hæf/ *substantivo, adjetivo, pronome, advérbio*
▸ *s* (*pl* **halves** /hɑːvz; *USA* hævz/) parte, meio: *the second half of the book* a segunda metade do livro ◇ *two and a half hours* duas horas e meia ◇ *Two halves make a whole.* Duas metades fazem um todo. LOC **break, etc. sth in half** partir, etc. alguma coisa ao meio ◆ **go half and half/go halves (with sb)** pagar a meias (com alguém) *Ver tb* MIND
▸ *adj, pron* metade, meio: *half the team* metade da equipa ◇ *to cut sth by half* reduzir alguma coisa a metade ◇ *half an hour* meia hora LOC **half (past) one, two, etc.** uma, duas, etc. e meia ❶ Em linguagem coloquial também se diz **half one, half two**, etc.
▸ *adv* a meio, a meias: *The job is only half done.* O trabalho só está meio feito. ◇ *half built* meio construído

half-brother /'hɑːf brʌðə(r); *USA* 'hæf/ *s* meio-irmão (*irmão por parte de pai/mãe*) ➲ *Ver nota em* MEIO-IRMÃO

half-hearted /ˌhɑːf 'hɑːtɪd; *USA* ˌhæf/ *adj* pouco entusiasta **half-heartedly** *adv* sem grande entusiasmo

half-sister /'hɑːf sɪstə(r); *USA* 'hæf/ *s* meia-irmã (*irmã por parte de pai/mãe*) ➲ *Ver nota em* MEIO-IRMÃO

half-term /ˌhɑːf 'tɜːm; *USA* ˌhæf/ *s* (*GB*) férias escolares de uma semana a meio de cada período

half-time /ˌhɑːf 'taɪm; *USA* ˌhæf/ *s* (*Desp*) intervalo

halfway /ˌhɑːf'weɪ; *USA* ˌhæf-/ *adj, adv* a meio caminho, a meio: *halfway between London and Glasgow* a meio caminho entre Londres e Glasgow

hall /hɔːl/ *s* **1** (*tb* **hallway**) vestíbulo, entrada **2** (*USA tb* **hallway**) corredor **3** (*de concertos ou reuniões*) sala **4** (*tb* **hall of residence**) residência universitária *Ver tb* CITY HALL, TOWN HALL

hallmark /'hɔːlmɑːk/ *s* **1** (*de metais preciosos*) marca do contraste **2** (*fig*) cunho, selo

Halloween (*tb* **Hallowe'en**) /ˌhæləʊ'iːn/ *s*

> **Halloween** (31 de outubro) é a véspera do dia de Todos-os-Santos e, segundo a tradição, é a noite dos fantasmas e das bruxas. Muitas pessoas esvaziam uma abóbora, dão-lhe a forma de uma cara e colocam uma vela no seu interior. As crianças disfarçam-se e vão de casa em casa pedindo doces ou dinheiro. Quando lhes abrem a porta dizem **trick or treat** ("ou nos dás alguma coisa ou pregamos-te uma partida").

hallucination /həˌluːsɪ'neɪʃn/ *s* alucinação

hallway /'hɔːlweɪ/ *s Ver* HALL (1, 2)

halo /'heɪləʊ/ *s* (*pl* **haloes** *ou* **halos**) halo, auréola

halt /hɔːlt, hɒlt/ *verbo, substantivo*
▸ *vt, vi* parar: *Halt!* Alto!
▸ *s* paragem LOC *Ver* GRIND

halting /'hɔːltɪŋ, 'hɒlt-/ *adj* hesitante

halve /hɑːv; *USA* hæv/ *vt* **1** dividir ao meio **2** reduzir a metade

halves *pl de* HALF

ham /hæm/ *s* fiambre, presunto

hamburger /'hæmbɜːgə(r)/ *s* hambúrguer

hamlet /'hæmlət/ *s* aldeola, casal

hammer /'hæmə(r)/ *substantivo, verbo*
▸ *s* martelo
▸ **1** *vt* martelar **2** *vt, vi* ~ **(at/on) sth** bater insistentemente (em alguma coisa) **3** *vt* (*coloq*) (*fig*) arrasar: *We were hammered by United.* O United arrasou-nos.

hammock /'hæmək/ *s* rede (*de dormir*)

hamper /'hæmpə(r)/ *substantivo, verbo*
▸ *s* cabaz, cesto (*de piquenique, Natal*)
▸ *vt* dificultar

hamster /'hæmstə(r)/ *s* hámster

H

hand /hænd/ *substantivo, verbo*
▸ *s* **1** mão **2 a hand** [*sing*] (*coloq*) uma ajuda: *to give/lend sb a hand* dar uma ajuda/uma mão a alguém **3** (*relógio, etc.*) ponteiro ➲ *Ver ilustração em* RELÓGIO **4** trabalhador, -ora **5** (*Náut*) tripulante **6** (*jogo de cartas*) mão LOC **by hand** à mão: *made by hand* feito à mão ◇ *delivered by hand* entregue por mão própria/em mão ◆ **(close/near) at hand** perto/à mão: *He lives close at hand.* Mora muito perto. ◆ **hand in hand** **1** de mãos dadas **2** (*fig*) a par ◆ **hands up!** mãos ao ar! ◆ **hold hands (with sb)** dar a mão (a alguém) ◆ **in hand** **1** disponível, em reserva **2** sob controlo **3** entre mãos ◆ **on hand** disponível ◆ **on (the) one hand... on the other (hand)...** por um lado... por outro... ◆ **out of hand** **1** fora de controlo **2** sem pensar (duas vezes) ◆ **to hand** à mão ❶ Para outras expressões com **hand**, ver as entradas para o substantivo, adjetivo, etc., p. ex. **at first hand** em FIRST.
▸ *vt* ~ **sb sth**; ~ **sth (to sb)** passar alguma coisa (a alguém) ➲ *Ver nota em* GIVE PHR V **hand sth back (to sb)** devolver alguma coisa (a alguém) ◆ **hand sth in** entregar alguma coisa (*trabalho escolar, etc.*) ◆ **hand sth out** repartir alguma coisa ◆ **hand (sth) over (to sb)** passar o poder/a responsabilidade (a alguém): *She resigned and handed over to the assistant manager.* Ela demitiu-se e passou o cargo ao diretor-adjunto.

handbag /'hændbæg/ *s* carteira (de mão)

handbook /'hændbʊk/ *s* manual, guia

handbrake /'hændbreɪk/ *s* travão de mão

handcuff /'hændkʌf/ *vt* algemar

handcuffs /'hændkʌfs/ *s* [*pl*] algemas

handful /'hændfʊl/ *s* (*lit e fig*) mão-cheia, punhado: *a handful of students* uma mão-cheia de estudantes LOC **be a (real) handful** (*coloq*) ser levado da breca

handicap /'hændikæp/ *substantivo, verbo*
▸ *s* **1** (*Med*) deficiência (*física ou mental*) **2** (*Desp*) desvantagem
▸ *vt* (**-pp-**) prejudicar **handicapped** *adj* deficiente ➲ *Ver nota em* DEFICIENTE

handicrafts /'hændikrɑːfts; *USA* -kræfts/ *s* [*pl*] artesanato

handkerchief /'hæŋkətʃɪf, -tʃiːf/ *s* (*pl* **handkerchiefs** *ou* **handkerchieves** /-tʃiːvz/) lenço (*da mão*)

handle

handle /'hændl/ *substantivo, verbo*
▸ *s* **1** cabo **2** puxador **3** asa
▸ *vt* **1** manejar **2** (*máquina*) operar **3** (*gente*) lidar com **4** suportar

handlebar /'hændlbɑː(r)/ *s* [*ger pl*] guiador

handmade /ˌhænd'meɪd/ *adj* feito à mão

> Em inglês podem-se formar adjetivos compostos para todo o tipo de trabalho manual: p. ex. **hand-built** (*construído à mão*), **hand-knitted** (*tricotado à mão*), **hand-painted** (*pintado à mão*), etc.

handout /'hændaʊt/ *s* **1** (*freq pej*) donativo **2** prospeto **3** comunicado (*escrito*) **4** (*Educ*) folha (*de exercícios, etc.*)

handshake /'hændʃeɪk/ *s* aperto de mão

handsome /'hænsəm/ *adj* **1** bonito ❶ Aplica-se sobretudo a homens. **2** (*presente, etc.*) generoso

handstand /'hændstænd/ *s* pino: *to do a handstand* fazer o pino

handwriting /'hændraɪtɪŋ/ *s* [*não-contável*] **1** escrita **2** letra

handwritten /ˌhænd'rɪtn/ *adj* escrito à mão

handy /'hændi/ *adj* (**handier**, **-iest**) (*coloq*) **1** prático **2** à mão **3** habilidoso

hang /hæŋ/ *verbo, substantivo*
▸ (*pt, pp* **hung** /hʌŋ/) **1** *vt* pendurar **2** *vi* estar pendurado **3** *vi* (*roupa, cabelo, etc.*) cair **4** *vt, vi*

(*pt, pp* **hanged**) enforcar(-se) **5** *vi* ~ **(above/over sb/sth)** pairar (sobre alguém/alguma coisa) PHR V **hang about/around** (*GB, coloq*) esperar (*sem fazer nada*) ◆ **hang on** (*coloq*) **1** segurar (firme), aguardar **2** (*coloq*) esperar: *Hang on a minute!* Espera (lá)! ◆ **hang out** (*coloq*) passar o tempo ◆ **hang sth out** estender alguma coisa (*roupa no estendal*) ◆ **hang up (on sb)** (*coloq*) desligar o telefone (*na cara de alguém*)
▸ *s* LOC **get the hang of sth** (*coloq*) apanhar o jeito de alguma coisa

hangar /'hæŋə(r)/ *s* hangar

hanger /'hæŋə(r)/ (*tb* **clothes hanger, coat hanger**) *s* cabide

hang-glider /'hæŋ glaɪdə(r)/ *s* asa-delta **hang-gliding** *s* voo em asa-delta

hangman /'hæŋmən/ *s* **1** (*pl* **-men** /-mən/) carrasco (*da forca*) **2** (*jogo*) a forca

hangover /'hæŋəʊvə(r)/ *s* ressaca

hang-up /'hæŋ ʌp/ *s* ~ **(about sth)** (*coloq*) trauma, complexo (com alguma coisa)

haphazard /hæp'hæzəd/ *adj* ao acaso, de qualquer maneira

happen /'hæpən/ *vi* acontecer: *whatever happens* aconteça o que acontecer ◇ *if you happen to go into town* se por acaso fores ao centro da cidade **happening** *s* acontecimento

happily /'hæpɪli/ *adv* felizmente

happiness /'hæpinəs/ *s* felicidade

happy /'hæpi/ *adj* (**happier, -iest**) **1** feliz: *a happy marriage/memory/child* um casamento/uma lembrança/criança feliz **2** contente, satisfeito: *Are you happy in your work?* Estás contente com o teu emprego? ➲ *Ver nota em* GLAD LOC **a/the happy medium** um/o meio-termo

harass /'hærəs, hə'ræs/ *vt* assediar **harassment** *s* assédio: *sexual harassment* assédio sexual

harbour (*USA* **harbor**) /'hɑːbə(r)/ *substantivo, verbo*
▸ *s* porto
▸ *vt* **1** proteger, abrigar **2** (*suspeitas, dúvidas, etc.*) alimentar

hard /hɑːd/ *adjetivo, advérbio*
▸ *adj* (**harder, -est**) **1** duro **2** difícil: *It's hard to tell.* É difícil dizer. ◇ *It's hard for me to say no.* Custa-me dizer que não. ◇ *hard to please* difícil de agradar **3** custoso, esgotante **4** (*pessoa*): *a hard worker* uma pessoa trabalhadora ◇ *to be hard at work* trabalhar incansavelmente **5** (*tratamento, comentário*) duro, severo **6** (*bebida*) com elevado teor alcoólico LOC **be hard on sb/sth 1** ser severo com alguém **2** ser uma injustiça para alguém ◆ **give sb a hard time** fazer alguém passar um mau bocado ◆ **hard luck** azar ◆ **take a hard line (on/over sth)** adoptar uma linha dura (em relação a alguma coisa) ◆ **the hard way** pela via mais difícil *Ver tb* CASH, DRIVE
▸ *adv* (**harder, -est**) **1** muito, com força: *She hit her head hard.* Bateu com a cabeça com muita força. ◇ *to try hard* fazer um grande esforço ◇ *It's raining hard.* Está a chover a potes. **2** (*pensar*) bem **3** (*olhar*) fixamente LOC **be hard put to do sth** ter dificuldade em fazer alguma coisa ◆ **be hard up** (*coloq*) estar teso, estar sem dinheiro

hardback /'hɑːdbæk/ *s* livro encadernado: *hardback edition* edição encadernada

hard disk *s* (*Informát*) disco duro/rígido

harden /'hɑːdn/ *vt, vi* endurecer: *a hardened criminal* um criminoso calejado **hardening** *s* endurecimento

hardly /'hɑːdli/ *adv* **1** mal: *I hardly know her.* Mal a conheço. **2** dificilmente: *He's hardly the world's best cook.* Está longe de ser o melhor cozinheiro do mundo. ◇ *It's hardly surprising.* Não é surpresa nenhuma. **3** *hardly anyone/ever* quase ninguém/nunca

hardship /'hɑːdʃɪp/ *s* dificuldades

hardware /'hɑːdweə(r)/ *s* **1** ferragens: *hardware store* loja de ferragens **2** (*Mil*) armamento **3** (*Informát*) hardware

hard-working /ˌhɑːd 'wɜːkɪŋ/ *adj* trabalhador

hardy /'hɑːdi/ *adj* (**hardier, -iest**) **1** robusto **2** (*Bot*) resistente

hare /heə(r)/ *s* lebre

harm /hɑːm/ *substantivo, verbo*
▸ *s* mal: *He meant no harm.* Não fez por mal. ◇ *There's no harm in asking.* Não se perde nada em perguntar. ◇ *(There's) no harm done.* Não faz mal. LOC **do more harm than good** fazer mais mal do que bem ◆ **out of harm's way** a salvo
▸ *vt* **1** (*pessoa*) fazer mal a **2** (*coisa*) prejudicar

harmful /'hɑːmfl/ *adj* prejudicial

harmless /'hɑːmləs/ *adj* inofensivo, inócuo

harmonica /hɑː'mɒnɪkə/ *s* harmónica

harmony /'hɑːməni/ *s* (*pl* **harmonies**) harmonia

harness /'hɑːnɪs/ *substantivo, verbo*
▸ *s* arreios
▸ *vt* **1** (*cavalo*) arrear **2** (*recursos, etc.*) aproveitar

harp /hɑːp/ *substantivo, verbo*
▸ *s* harpa
▸ *v* PHR V **harp on (about) sth** (*pej*) não parar de falar de alguma coisa

harsh /hɑːʃ/ *adj* (**harsher**, **-est**) **1** (*castigo, professor, etc.*) severo **2** (*textura, voz*) áspero **3** (*clima*) rigoroso **4** (*cor, luz*) forte **5** (*ruído, etc.*) estridente **harshly** *adv* asperamente, severamente

harvest /ˈhɑːvɪst/ *substantivo, verbo*
▸ *s* colheita
▸ *vt* colher

has /həz, hæz/ *Ver* HAVE

hasn't /ˈhæznt/ = HAS NOT *Ver* HAVE

hassle /ˈhæsl/ *substantivo, verbo*
▸ *s* (*coloq*) **1** (*complicação*) chatice, maçada: *It's a lot of hassle.* É uma grande maçada. **2** aborrecimentos: *Don't give me any hassle!* Não me aborreças!
▸ *vt* (*coloq*) aborrecer

haste /heɪst/ *s* (*formal*) pressa LOC **in haste** à pressa **hasten** /ˈheɪsn/ **1** *vi* apressar-se **2** *vt* (*formal*) acelerar **hastily** *adv* precipitadamente **hasty** *adj* (**hastier**, **-iest**) precipitado

hat /hæt/ *s* chapéu *Ver tb* TOP HAT LOC *Ver* DROP

hatch /hætʃ/ *substantivo, verbo*
▸ *s* **1** alçapão **2** passa-pratos **3** escotilha
▸ **1** *vi* ~ **(out)** sair da casca do ovo **2** *vi* (*ovo*) abrir-se **3** *vt* chocar **4** *vt* ~ **sth (up)** tramar alguma coisa

hatchback /ˈhætʃbæk/ *s* carro de três ou cinco portas

hate /heɪt/ *verbo, substantivo*
▸ *vt* **1** odiar **2** lamentar: *I hate to bother you, but...* Não te quero maçar, mas...
▸ *s* **1** ódio **2** (*coloq*): *one of my pet hates* uma das minhas aversões **hateful** *adj* odioso

hatred /ˈheɪtrɪd/ *s* ~ **(for/of sth)** ódio (a/de alguma coisa)

hat-trick /ˈhæt trɪk/ *s* (*Desp*): *to score a hat trick* marcar três golos no jogo

haul /hɔːl/ *verbo, substantivo*
▸ *vt* arrastar
▸ *s* **1** distância: *long-haul flights* voos de longa distância **2** saque: *a haul of weapons/a drugs haul* um carregamento de armas/drogas **3** apanha (*de peixes*)

haunt /hɔːnt/ *verbo, substantivo*
▸ *vt* **1** (*fantasma*) assombrar **2** (*lugar*) frequentar **3** (*medo, lembrança*) perseguir
▸ *s* lugar favorito **haunted** *adj* (*casa, etc.*) assombrado

have /həv, hæv/ *verbo*
▸ *vt* **1** (*tb* **have got**) ter: *She's got a new car.* Ela tem um carro novo. ◇ *to have flu/a headache* ter gripe/dor de cabeça ➲ *Ver nota em* TER **2** ~ **(got) sth to do** ter alguma coisa que fazer: *I've got a bus to catch.* Tenho de apanhar o autocarro. **3** ~ **(got) to do sth** ter de fazer alguma coisa: *I've got to go to the bank.* Tenho de ir ao banco. ◇ *Did you have to pay a fine?* Tiveste de pagar uma multa? ◇ *It has to be done.* Precisa ser feito. **4** (*tb* **have got**) ter: *Have you got any money on you?* Tens dinheiro (contigo)? ❶ Nos Estados Unidos **have got** é normalmente usado em perguntas ou em orações negativas. **5** tomar: *to have a bath* tomar um banho ◇ *to have a cup of coffee* tomar um café ◇ *to have breakfast/lunch/dinner* tomar o pequeno-almoço/almoçar/jantar ❶ De notar que a estrutura **have + substantivo** equivale com frequência em português a apenas um verbo: *to have a wash* lavar-se. **6** ~ **sth done** fazer/mandar fazer alguma coisa: *to have your hair cut* cortar o cabelo ◇ *to have a dress made* mandar fazer um vestido ◇ *She had her bag stolen.* Roubaram-lhe a carteira. **7** consentir: *I won't have it!* Não consinto isso! LOC **have had it** (*coloq*) **1** *The TV has had it.* Esta televisão já deu o que tinha a dar. **2** estar farto: *I've had it (up to here) with him!* Estou farto dele (até à ponta dos cabelos)! ◆ **have it (that...)**: *Rumour has it that...* Dizem os boatos que... ◇ *As luck would have it...* Quis a sorte que... ◆ **have (sth) to do with sb/sth** ter (alguma coisa) a ver com alguém/alguma coisa: *It has nothing to do with me.* Não tem nada a ver comigo. ❶ Para outras expressões com **have**, ver as entradas para o

have

present simple			past simple
afirmativa		negativa	
	formas contraídas	*formas contraídas*	*formas contraídas*
I **have**	I**'ve**	I **haven't**	I**'d**
you **have**	you**'ve**	you **haven't**	you**'d**
he/she/it **has**	he**'s**/she**'s**/it**'s**	he/she/it **hasn't**	he**'d**/she**'d**/it**'d**
we **have**	we**'ve**	we **haven't**	we**'d**
you **have**	you**'ve**	you **haven't**	you**'d**
they **have**	they**'ve**	they **haven't**	they**'d**

forma -ing **having** *past simple* **had** *particípio passado* **had** substantivo, adjetivo, etc., p.ex. **have a sweet tooth** em SWEET. PHR V **have sth back** receber alguma coisa de volta: *Let me have it back soon.* Devolve-mo sem demora. ◆ **have sb on** (*coloq*) gozar com alguém: *You're having me on!* Estás a gozar comigo! ◆ **have (got) sth on** **1** (*roupa*) vestir alguma coisa: *He's got a tie on today.* Hoje está de gravata. **2** (*equipamento*) ter alguma coisa ligada **3** estar ocupado com alguma coisa: *I've got a lot on.* Não tenho mãos a medir. ◇ *Have you got anything on tonight?* Tens planos para hoje à noite?

▸ *v aux*

Como auxiliar do *present perfect*, o verbo **have** geralmente não tem tradução em português e a expressão verbal pode ser traduzida ou no passado ou no presente, conforme o caso: *I've lived here since last year.* Moro aqui desde o ano passado. ◇ *'I've finished my work.' 'So have I.'* —Já acabei o meu trabalho. —Eu também. ◇ *He's gone home, hasn't he?* Ele já foi para casa, não foi? ◇ *'Have you seen that?' 'Yes, I have./No, I haven't.'* —Viste-o? —Vi, sim./Não, não vi.

haven /ˈheɪvn/ *s* refúgio

haven't /ˈhævnt/ = HAVE NOT *Ver* HAVE

havoc /ˈhævək/ *s* devastação LOC **play/wreak havoc with sth** provocar estragos em alguma coisa

hawk /hɔːk/ *s* falcão

hay /heɪ/ *s* feno: *hay fever* febre-dos-fenos

hazard /ˈhæzəd/ *substantivo, verbo*

▸ *s* perigo, risco: *a health hazard* um perigo para a saúde

▸ *vt* LOC **hazard a guess** dar uma opinião sem ter a certeza: *I don't know where he is but I could hazard a guess.* Não sei onde ele está mas faço ideia. **hazardous** *adj* perigoso, arriscado

haze /heɪz/ *s* névoa ➲ *Comparar com* FOG, MIST

hazel /ˈheɪzl/ *substantivo, adjetivo*

▸ *s* aveleira

▸ *adj* cor-de-mel

hazelnut /ˈheɪzlnʌt/ *s* avelã

hazy /ˈheɪzi/ *adj* (**hazier**, **-iest**) **1** enevoado **2** (*ideia, etc.*) vago **3** (*pessoa*) confuso

⚷ **he** /hiː/ *pronome, substantivo*

▸ *pron* ele: *He's in Paris.* Está em Paris.

❶ O pronome pessoal não se pode omitir em inglês. ➲ *Comparar com* HIM

▸ *s* [*sing*]: *Is it a he or a she?* É macho ou fêmea?

⚷ **head** /hed/ *substantivo, verbo*

▸ *s* **1** cabeça: *It never entered my head.* Nunca me passou pela cabeça. ◇ *to have a good head for business* ter queda para os negócios

2 chefe: *the heads of government* os chefes de governo **3** (*tb* **head teacher**) diretor, -ora (*duma escola*) **4** cabeceira: *the head of the table* a cabeceira da mesa LOC **a/per head** por cabeça: *ten pounds a head* dez libras por cabeça ◆ **be/go over sb's head** ser muito difícil de compreender: *The lecture went over my head.* Não percebi nada da conferência. ◆ **go to your head** subir à cabeça a alguém: *The wine went to his head.* O vinho subiu-lhe à cabeça. ◆ **head first** de cabeça ◆ **heads or tails?** cara ou coroa? ◆ **not make head nor/or tail of sth** não entender nada de alguma coisa: *I can't make head nor tail of it.* Não entendo nada. *Ver tb* HIT, IDEA, SHAKE, TOP

▸ *vt* **1** encabeçar **2** (*Futebol*) cabecear PHR V **be heading/headed for sth** ir a caminho de alguma coisa

⚷ **headache** /ˈhedeɪk/ *s* dor de cabeça

heading /ˈhedɪŋ/ *s* cabeçalho

headlight /ˈhedlaɪt/ (*tb* **headlamp** /ˈhedlæmp/) *s* farol

headline /ˈhedlaɪn/ *s* título (*de jornais, etc.*)

headmaster /hedˈmɑːstə(r); *USA* -ˈmæs-/ *s* diretor (*duma escola*)

headmistress /ˌhedˈmɪstrəs/ *s* diretora (*duma escola*)

head office *s* sede (*duma empresa*)

head-on /ˌhed ˈɒn; *USA* ˈɔːn/ *adj, adv* de frente: *a head-on collision* uma colisão frontal

headphones /ˈhedfəʊnz/ *s* [*pl*] auscultadores

headquarters /ˌhedˈkwɔːtəz/ *s* (*abrev* **HQ**) [*v sing ou pl*] **1** sede **2** quartel-general

headscarf /ˈhedskɑːf/ *s* (*pl* **headscarves** /-skɑːvz/) lenço (de cabeça)

head start *s* [*sing*] vantagem: *You had a head start over me.* Tinhas vantagem sobre mim.

headway /ˈhedweɪ/ *s* LOC **make headway** avançar

⚷ **heal** /hiːl/ **1** *vi* sarar, cicatrizar **2** *vt* (*antiq ou formal*) (*pessoa*) curar

⚷ **health** /helθ/ *s* saúde: *health centre* centro de saúde ◇ *health care* assistência médica *Ver tb* ILL HEALTH LOC *Ver* DRINK

⚷ **healthy** /ˈhelθi/ *adj* (**healthier**, **-iest**) **1** são **2** saudável (*estilo de vida, etc.*)

heap /hiːp/ *substantivo, verbo*

▸ *s* monte

▸ *vt* ~ **sth (up)** amontoar alguma coisa

⚷ **hear** /hɪə(r)/ (*pt, pp* **heard** /hɜːd/) **1** *vt, vi* ouvir: *I heard someone laughing.* Ouvi alguém rir-se. ◇ *I couldn't hear a thing.* Não ouvia nada.

H

➲ *Ver nota em* OUVIR **2** *vt* ouvir, prestar atenção a **3** *vi* ~ **(about sth/sb)** ficar a saber de alguma coisa/alguém **4** *vt* (*provas, causa, etc.*) julgar PHR V **hear (sth) from sb** ter notícias de alguém ◆ **hear (sth) of sb/sth** ouvir falar de alguém/alguma coisa

hearing /ˈhɪərɪŋ/ *s* **1** (*tb* **sense of hearing**) audição **2** (*Jur*) julgamento, audiência

heart /hɑːt/ *s* **1** coração: *heart attack/failure* ataque cardíaco/paragem cardíaca **2** [*sing*] **the ~ of sth** o cerne, o coração de alguma coisa: *the heart of the matter* o cerne da questão **3 hearts** [*pl*] (*em baralho de cartas*) copas ➲ *Ver nota em* BARALHO LOC **at heart** no fundo ◆ **by heart** de cor ◆ **set your heart on sth; have your heart set on sth** desejar alguma coisa ardentemente ◆ **take heart** animar-se ◆ **take sth to heart** ficar sentido com alguma coisa ◆ **your heart sinks**: *When I saw the queue my heart sank.* Quando vi a fila caiu-me o coração aos pés. *Ver tb* CHANGE, CRY

heartbeat /ˈhɑːtbiːt/ *s* pulsação, batida do coração

heartbreak /ˈhɑːtbreɪk/ *s* desgosto **heartbreaking** *adj* que quebra o coração **heartbroken** /ˈhɑːtbrəʊkən/ *adj* desgostoso, com o coração despedaçado

hearten /ˈhɑːtn/ *vt* animar **heartening** *adj* animador

heartfelt /ˈhɑːtfelt/ *adj* sincero

hearth /hɑːθ/ *s* **1** lareira **2** (*formal*) (*fig*) lar

heartless /ˈhɑːtləs/ *adj* desumano, cruel

hearty /ˈhɑːti/ *adj* (**heartier, -iest**) **1** (*receção, felicitações*) caloroso **2** (*pessoa*) jovial (*às vezes em excesso*) **3** (*refeição*) substancial

heat /hiːt/ *substantivo, verbo*
▸ *s* **1** calor **2** (*Desp*) eliminatória *Ver tb* DEAD HEAT LOC **be on heat** (*USA* **be in heat**) estar com o cio
▸ *vt, vi* ~ **(sth) (up)** aquecer alguma coisa, aquecer-se **heated** *adj* **1** aquecido: *a heated pool* uma piscina com água aquecida ◇ *centrally heated* com aquecimento central **2** (*discussão*) aceso **3** (*pessoa*) exaltado **heater** *s* aquecedor

heath /hiːθ/ *s* charneca

heathen /ˈhiːðn/ *s* pagão, -ã

heather /ˈheðə(r)/ *s* urze

heating /ˈhiːtɪŋ/ *s* aquecimento

heatwave /ˈhiːtweɪv/ *s* onda de calor

heave /hiːv/ *verbo, substantivo*
▸ **1** *vt* levantar, arrastar (*com esforço*) **2** *vi* ~ **(at/on sth)** puxar (alguma coisa) com esforço **3** *vt* atirar (*alguma coisa pesada*)
▸ *s* puxão, empurrão

heaven (*tb* **Heaven**) /ˈhevn/ *s* (*Relig*) céu
ℹ De notar que **heaven** não é acompanhado por artigo. LOC *Ver* KNOW

heavenly /ˈhevnli/ *adj* **1** (*Relig*) celestial **2** (*Astron*) celeste **3** (*coloq*) divino

heavily /ˈhevɪli/ *adv* **1** muito: *heavily loaded* muito carregado ◇ *to rain heavily* chover intensamente **2** pesadamente

heavy /ˈhevi/ *adj* (**heavier, -iest**) **1** pesado: *How heavy is it?* Quanto pesa? **2** intenso: *heavy traffic* trânsito intenso ◇ *heavy rain* chuva intensa ◇ *to be a heavy drinker/sleeper* beber/dormir muito LOC **with a heavy hand** com mão dura *Ver tb* TOLL

heavyweight /ˈheviweɪt/ *s* **1** peso-pesado **2** (*fig*) autoridade

heckle /ˈhekl/ *vt, vi* interromper (um orador) (*com apartes, risos, etc.*)

hectare /ˈhekteə(r)/ *s* (*abrev* **ha**) hectare

hectic /ˈhektɪk/ *adj* agitado, frenético

he'd /hiːd/ **1** = HE HAD *Ver* HAVE **2** = HE WOULD *Ver* WOULD

hedge /hedʒ/ *substantivo, verbo*
▸ *s* sebe
▸ *vi* esquivar-se (*a uma resposta*)

hedgehog /ˈhedʒhɒg; *USA* -hɔːg/ *s* ouriço(-cacheiro)

heed /hiːd/ *verbo, substantivo*
▸ *vt* (*formal*) prestar atenção a
▸ *s* LOC **take heed (of sth)** (*formal*) fazer caso (de alguma coisa)

heel /hiːl/ *s* **1** calcanhar **2** salto, tacão LOC *Ver* DIG

hefty /ˈhefti/ *adj* (**heftier, -iest**) **1** corpulento **2** (*objeto*) pesado **3** (*golpe*) valente **4** (*quantidade*) considerável

height /haɪt/ *s* **1** altura **2** estatura **3** (*Geog*) altitude **4** (*fig*) cume, auge: *at/in the height of summer* em pleno verão ◇ *the height of fashion* a última moda

heighten /ˈhaɪtn/ *vt, vi* intensificar(-se), aumentar

heir /eə(r)/ *s* ~ **(to sth)** herdeiro (de alguma coisa)

heiress /ˈeərəs/ *s* herdeira ➲ *Ver nota em* HERDEIRO

held *pt, pp de* HOLD

helicopter /ˈhelɪkɒptə(r)/ *s* helicóptero

hell (*tb* **Hell**) /hel/ *s* inferno: *to go to hell* ir para o inferno ❶ De notar que **hell** não leva artigo em inglês. LOC **a/one hell of a...** (*coloq*): *I got a hell of a shock.* Apanhei um susto dos diabos. ◆ **like hell** (*coloq*): *to work like hell* fartar-se de trabalhar **hellish** *adj* (*esp GB, coloq*) infernal

he'll /hi:l/ = HE WILL *Ver* WILL

hello (*tb* **hullo**) /hə'ləʊ/ *interj, s* (*pl* **hellos**) **1** olá: *Say hello for me.* Dá-lhe os meus cumprimentos. ➲ *Ver nota em* OLÁ **2** (*ao atender o telefone*) estou, sim?, está lá?

helm /helm/ *s* leme

helmet /'helmɪt/ *s* capacete

help /help/ *verbo, substantivo*

▸ **1** *vt, vi* ajudar: *How can I help you?* Em que posso ajudá-lo? ◇ *Help!* Socorro! **2** *vt* ~ **yourself (to sth)** servir-se (de alguma coisa) LOC **can/could not help sth**: *I couldn't help laughing.* Não pude deixar de rir. ◇ *He can't help it.* É a sua maneira de ser. ◇ *It can't be helped.* Não há remédio. ◆ **give/lend (sb) a helping hand** dar uma mão (a alguém) PHR V **help (sb) out** ajudar (alguém)

▸ *s* [*não-contável*] **1** ajuda: *It wasn't much help.* Não ajudou muito. **2** assistência

helper /'helpə(r)/ *s* ajudante

helpful /'helpfl/ *adj* **1** prestável **2** atencioso **3** (*conselho, etc.*) útil

helping /'helpɪŋ/ *s* porção (*de comida*)

helpless /'helpləs/ *adj* **1** indefeso **2** desamparado **3** incapaz

helpline /'helplaɪn/ *s* linha telefónica de ajuda

helter-skelter /ˌheltə 'skeltə(r)/ *substantivo, adjetivo*

▸ *s* escorrega (*em espiral*)

▸ *adj* precipitado

hem /hem/ *substantivo, verbo*

▸ *s* bainha

▸ *vt* (**-mm-**) fazer a bainha a PHR V **hem sb/sth in** **1** encurralar alguém/alguma coisa **2** (*fig*) restringir alguém/alguma coisa

hemisphere /'hemɪsfɪə(r)/ *s* hemisfério

hemo- (*USA*) = HAEMO-

hen /hen/ *s* galinha

hence /hens/ *adv* (*formal*) **1** (*tempo*): *three years hence* daqui a três anos **2** (*por esta razão*) assim, por isso

henceforth /ˌhens'fɔ:θ/ *adv* (*formal*) de agora em diante, doravante

hen party (*tb* **hen night**) *s* despedida de solteira

hepatitis /ˌhepə'taɪtɪs/ *s* [*não-contável*] hepatite

her /hə(r), ɜ:(r), ə(r), hɜ:(r)/ *pronome, adjetivo*

▸ *pron* **1** [*como complemento direto*] a: *I saw her.* Vi-a. ◇ *I asked her to come.* Pedi-lhe para vir. **2** [*como complemento indireto*] lhe, a ela: *I gave her the book.* Eu dei-lhe o livro. **3** [*depois de preposição ou do verbo* **be**] ela: *I think of her often.* Penso nela muitas vezes. ◇ *She took it with her.* Levou-o com ela. ◇ *It wasn't her.* Não foi ela. ➲ *Comparar com* SHE

▸ *adj* seu(s), sua(s), dela: *her book(s)* o(s) livro(s) dela ➲ *Comparar com* HERS *e ver nota em* MY

herald /'herəld/ *substantivo, verbo*

▸ *s* arauto

▸ *vt* (*formal*) anunciar (*chegada, começo*)

heraldry /'herəldri/ *s* heráldica

herb /hɜ:b; *USA* ɜ:rb/ *s* erva aromática **herbal** *adj* (à base) de ervas: *herbal tea* tisana

herd /hɜ:d/ *substantivo, verbo*

▸ *s* **1** (*de vacas, elefantes, etc.*) manada **2** (*de cabras, ovelhas*) rebanho **3** (*de porcos*) vara ➲ *Comparar com* FLOCK

▸ *vt* conduzir (em rebanho): *The prisoners were herded into the compound like cattle.* Os prisioneiros foram conduzidos para o recinto como gado.

here /hɪə(r)/ *advérbio, interjeição*

▸ *adv* aqui: *I live a mile from here.* Moro a uma milha de aqui. ◇ *Please sign here.* Assine aqui, se faz favor.

> Nas orações que começam por **here**, coloca-se o verbo depois do sujeito, se este é um pronome: *Here they are, at last!* Aqui estão eles, por fim! ◇ *Here it is, on the table.* Aqui está, em cima da mesa., e antes se é um substantivo: *Here comes the bus.* Lá vem o autocarro.

LOC **be here** estar aqui/chegar: *They'll be here any minute.* Estão quase a chegar. ◆ **here and there** por aqui e por ali ◆ **here you are** aqui tem

▸ *interj* **1** olha! **2** (*oferecendo alguma coisa*) toma! **3** (*resposta*) presente!

hereditary /hə'redɪtri; *USA* -teri/ *adj* hereditário

heresy /'herəsi/ *s* (*pl* **heresies**) heresia

heritage /'herɪtɪdʒ/ *s* património

hermit /'hɜ:mɪt/ *s* eremita

hero /'hɪərəʊ/ *s* (*pl* **heroes**) herói: *sporting heroes* as vedetas do mundo do desporto **heroic** /hə'rəʊɪk/ *adj* heroico

heroin /'herəʊɪn/ *s* heroína (*droga*)

heroine /'herəʊɪn/ *s* heroína (*pessoa*)

H

heroism /ˈherəʊɪzəm/ *s* heroísmo

herring /ˈherɪŋ/ *s* (*pl* **herring** *ou* **herrings**) arenque LOC *Ver* RED

⚷ **hers** /hɜːz/ *pron* seu(s), sua(s), dela: *a friend of hers* um amigo dela ◇ *Where are hers?* Onde estão os dela? ➲ *Comparar com* HER

⚷ **herself** /hɜːˈself, həˈself/ *pron* **1** [*uso reflexivo*] se, si (mesma/própria): *She bought herself a book.* Ela comprou um livro para si mesma. **2** [*depois de preposição*] si (mesma/própria): *'I'm free', she said to herself.* —Sou livre, disse para si mesma. **3** [*uso enfático*] ela mesma/própria: *She told me the news herself.* Ela própria me deu a notícia. LOC **(all) by herself** (completamente) sozinha

he's /hiːz/ **1** = HE IS *Ver* BE **2** = HE HAS *Ver* HAVE

hesitant /ˈhezɪtənt/ *adj* hesitante: *to be hesitant about doing sth* hesitar em fazer alguma coisa

⚷ **hesitate** /ˈhezɪteɪt/ *vi* **1** ~ **(about/over sth)** hesitar (em relação a alguma coisa): *I didn't hesitate for a moment about taking the job.* Nem hesitei um segundo em aceitar o emprego. ◇ *Don't hesitate to call.* Não hesites em me telefonar. **2** vacilar **hesitation** *s* hesitação

heterogeneous /ˌhetərəˈdʒiːniəs/ *adj* (*formal*) heterogéneo

heterosexual /ˌhetərəˈsekʃuəl/ *adj, s* heterossexual

hexagon /ˈheksəgən; *USA* -gɒn/ *s* hexágono

hey /heɪ/ *interj* (*coloq*) ei! (*para chamar a atenção*)

heyday /ˈheɪdeɪ/ *s* época áurea, auge

⚷ **hi** /haɪ/ *interj* (*coloq*) olá! ➲ *Ver nota em* OLÁ

hibernate /ˈhaɪbəneɪt/ *vi* hibernar **hibernation** *s* hibernação

hiccup (*tb* **hiccough**) /ˈhɪkʌp/ *s* **1** soluço: *I've got (the) hiccups.* Estou com soluços. **2** (*coloq*) pequeno problema

⚷ **hide** /haɪd/ *verbo, substantivo*
▸ (*pt* **hid** /hɪd/, *pp* **hidden** /ˈhɪdn/) **1** *vt* ~ **sth (from sb)** ocultar alguma coisa (a alguém): *The trees hid the house from view.* As árvores ocultavam a casa. **2** *vi* ~ **(from sb)** esconder-se (de alguém): *The child was hiding under the bed.* A criança estava escondida debaixo da cama.
▸ *s* pele (*de animal*)

hide-and-seek /ˌhaɪd ən ˈsiːk/ *s* escondidas: *to play hide-and-seek* brincar às escondidas

hideous /ˈhɪdiəs/ *adj* horrível, hediondo

hiding /ˈhaɪdɪŋ/ *s* **1** *in hiding* escondido ◇ *to go into/come out of hiding* esconder-se/sair do esconderijo **2** (*esp GB, coloq*) sova, tareia

hierarchy /ˈhaɪərɑːki/ *s* (*pl* **hierarchies**) hierarquia

hieroglyphics /ˌhaɪərəˈglɪfɪks/ *s* [*pl*] hieróglifos

hi-fi /ˈhaɪ faɪ/ *adj, s* aparelhagem (de alta fidelidade)

⚷ **high** /haɪ/ *adjetivo, advérbio, substantivo*
▸ *adj* (**higher**, **-est**) **1** (*preço, teto, velocidade, etc.*) alto

> **High**, tal como o seu antónimo, **low**, combina-se por vezes a um substantivo para criar adjetivos como **high-speed** (*de alta velocidade*), **high-fibre** (*com alto teor de fibra*), **high-risk** (*de alto risco*), etc. ➲ *Ver tb nota em* ALTO

2 *to have a high opinion of sb* ter grande apreço por alguém ◇ *high hopes* grandes esperanças **3** (*ideais, lucros, etc.*) elevado: *to set high standards* estabelecer níveis elevados ◇ *I have it on the highest authority.* Sei-o de fonte fidedigna. ◇ *She has friends in high places.* Tem amigos muito influentes. **4** *the high point of the evening* o momento alto da noite ◇ *the high life* a alta roda **5** (*som*) agudo **6** *in high summer* em pleno verão ◇ *high season* temporada alta **7** ~ **(on sth)** (*coloq*) intoxicado (por alguma coisa) (*drogas, álcool*) **8** (*vento*) forte LOC **be X metres, feet, etc. high** medir X metros, pés, etc. de altura: *The wall is six feet high.* A parede mede seis pés de altura. ◇ *How high is it?* Quanto mede (de altura)? ◆ **high and dry** entalado: *to leave sb high and dry* deixar alguém entalado *Ver tb* FLY, PROFILE
▸ *adv* (**higher**, **-est**) alto
▸ *s* ponto alto

highbrow /ˈhaɪbraʊ/ *adj* (*freq pej*) culto, intelectual

high-class /ˌhaɪ ˈklɑːs; *USA* ˈklæs/ *adj* de alta categoria

High Court *s* Supremo Tribunal (de Justiça)

higher education *s* ensino superior

high five *s* (*esp USA*): *Way to go! Give me a high five!* Boa! Dá cá mais cinco!

the high jump *s* salto em altura

highland /ˈhaɪlənd/ *adjetivo, substantivo*
▸ *adj* montanhoso
▸ *s* [*ger pl*] região montanhosa

high-level /ˌhaɪ ˈlevl/ *adj* de alto nível

⚷ **highlight** /ˈhaɪlaɪt/ *substantivo, verbo*
▸ *s* **1** ponto alto **2** **highlights** [*pl*] (*no cabelo*) madeixas, reflexos
▸ *vt* destacar, (fazer) ressaltar

highlighter /ˈhaɪlaɪtə(r)/ (*tb* **highlighter pen**) *s* marcador (*caneta*)

⚿ **highly** /ˈhaɪli/ *adv* **1** muito, extremamente: *highly unlikely* muito improvável **2** *to think/speak highly of sb* admirar muito alguém/falar muito bem de alguém

highly strung (*USA* **high-strung** /ˌhaɪ ˈstrʌŋ/) *adj* muito nervoso

Highness /ˈhaɪnəs/ *s* Alteza: *your/his/her Royal Highness* Sua Alteza Real

high-pitched /ˌhaɪ ˈpɪtʃd/ *adj* (*som*) agudo

high-powered /ˌhaɪ ˈpaʊəd/ *adj* **1** (*carro*) potente **2** (*pessoa*) enérgico, dinâmico **3** (*cargo*) de grande responsabilidade

high pressure *s* [*não-contável*] (*Meteor*) altas pressões

high-pressure /ˌhaɪ ˈpreʃə(r)/ *adj* que causa stress: *high-pressure sales techniques* técnicas de venda agressivas

high-ranking /ˌhaɪ ˈræŋkɪŋ/ *adj* de alta patente

high-rise /ˈhaɪ raɪz/ *adjetivo, substantivo*
▸ *adj* (*prédio*) de muitos andares
▸ *s* torre, prédio (*de muitos andares*)

high school *s* (*esp USA*) escola secundária

high street *s* rua principal

high-tech (*tb* **hi-tech**) /ˌhaɪ ˈtek/ *adj* (*coloq*) **1** (*mobiliário, decoração*) extremamente moderno **2** (*indústria*) de ponta

⚿ **highway** /ˈhaɪweɪ/ *s* **1** (*esp USA*) autoestrada **2** (*GB, formal*) estrada: *Highway Code* Código da Estrada

hijack /ˈhaɪdʒæk/ *verbo, substantivo*
▸ *vt* **1** sequestrar, desviar (*esp avião*) **2** (*fig*) (*pej*) monopolizar
▸ *s* (*tb* **hijacking**) sequestro, desvio **hijacker** *s* sequestrador, -ora (*esp de avião*)

hike /haɪk/ *substantivo, verbo*
▸ *s* caminhada, excursão a pé
▸ *vi* fazer uma excursão a pé: *to go hiking* ir fazer uma caminhada **hiker** *s* caminhante **hiking** *s* caminhada (*atividade*)

hilarious /hɪˈleəriəs/ *adj* divertidíssimo

⚿ **hill** /hɪl/ *s* **1** colina, monte **2** ladeira, encosta

hillside /ˈhɪlsaɪd/ *s* encosta, vertente

hilly /ˈhɪli/ *adj* acidentado (*região*)

hilt /hɪlt/ *s* punho (*de espada, etc.*) LOC **(up) to the hilt 1** até ao pescoço **2** (*apoiar*) incondicionalmente

⚿ **him** /hɪm/ *pron* **1** [*como complemento direto*] o: *I saw him.* Vi-o. **2** [*como complemento indireto*] lhe, a ele: *Give it to him.* Dá-lho. **3** [*depois de preposição ou do verbo* **be**] ele: *He always has it with him.* Ele trá-lo sempre com ele. ◇ *It must be him.* Deve ser ele. ➲ *Comparar com* HE

⚿ **himself** /hɪmˈself/ *pron* **1** [*uso reflexivo*] se, si (mesmo/próprio): *He bought himself a book.* Ele comprou um livro para si mesmo. **2** [*depois de preposição*] si (mesmo/próprio): *'I tried', he said to himself.* —Fiz um esforço, disse para si mesmo. **3** [*uso enfático*] ele mesmo/próprio: *He said so himself.* Ele próprio o disse. LOC **(all) by himself** (completamente) sozinho

hinder /ˈhɪndə(r)/ *vt* prejudicar, dificultar: *It seriously hindered him in his work.* Prejudicou-o seriamente no trabalho. ◇ *Our progress was hindered by bad weather.* O mau tempo dificultou o nosso trabalho.

hindrance /ˈhɪndrəns/ *s* ~ **(to sth/sb)** obstáculo (para alguma coisa/alguém)

hindsight /ˈhaɪndsaɪt/ *s*: *with the benefit of hindsight/in hindsight* a posteriori

Hindu /ˈhɪnduː, ˌhɪnˈduː/ *adj, s* hindu **Hinduism** /ˈhɪnduːɪzəm/ *s* hinduísmo

hinge /hɪndʒ/ *substantivo, verbo*
▸ *s* dobradiça, gonzo
▸ *v* PHR V **hinge on sth** depender de alguma coisa

hint /hɪnt/ *substantivo, verbo*
▸ *s* **1** dica, alusão **2** ponta LOC *Ver* DROP
▸ *vi* **1** ~ **at sth** referir-se indiretamente a alguma coisa **2** ~ **(to sb) that…** insinuar (a alguém) que…

⚿ **hip** /hɪp/ *substantivo, adjetivo*
▸ *s* (*Anat*) anca
▸ *adj* (**hipper, -est**) muito na moda

hippo /ˈhɪpəʊ/ *s* (*pl* **hippos**) (*coloq*) hipopótamo

hippopotamus /ˌhɪpəˈpɒtəməs/ *s* (*pl* **hippopotamuses** /-məsɪz/ *ou* **hippopotami** /-maɪ/) hipopótamo

⚿ **hire** /ˈhaɪə(r)/ *verbo, substantivo*
▸ *vt* **1** alugar ➲ *Ver nota em* ALUGAR **2** (*pessoa*) contratar
▸ *s* aluguer: *Bicycles for hire.* Alugam-se bicicletas. ◇ *hire purchase* compra a prestações

⚿ **his** /hɪz/ *adj, pron* seu(s), sua(s), dele: *his bag(s)* o(s) saco(s) dele ◇ *a friend of his* um amigo dele ◇ *He lent me his.* Emprestou-me o dele. ➲ *Ver nota em* MY

hiss /hɪs/ *verbo, substantivo*
▸ **1** *vi* ~ **(at sb/sth)** silvar (a alguém/alguma coisa) **2** *vt, vi* assobiar, vaiar
▸ *s* **1** silvo **2** assobio

historian /hɪˈstɔːriən/ *s* historiador, -ora

H

historic /hɪˈstɒrɪk; *USA* -ˈstɔːr-/ *adj* histórico (*de importância histórica*)

historical /hɪˈstɒrɪkl; *USA* -ˈstɔːr-/ *adj* histórico (*relativo à história*)

history /ˈhɪstri/ *s* (*pl* **histories**) **1** história **2** (*Med*) historial

hit /hɪt/ *verbo, substantivo*
▸ *vt* (*pt, pp* **hit** *part pres* **hitting**) **1** bater em: *to hit a nail* martelar um prego **2** atingir: *He's been hit in the leg by a bullet.* Foi atingido na perna por uma bala. **3** bater contra **4** ~ **sth (on/against sth)** bater com alguma coisa (em/contra alguma coisa): *I hit my knee against the table.* Bati com o joelho na mesa. **5** afetar: *Rural areas have been worst hit by the strike.* As zonas rurais foram as mais afetadas pela greve. LOC **hit it off (with sb)** (*coloq*): *Pete and Sue hit it off immediately.* O Pete e a Sue deram-se logo bem. ◆ **hit the nail on the head** pôr o dedo na ferida *Ver tb* HOME, PATCH
PHR V **hit back (at sb/sth)** responder à altura (a alguém/alguma coisa) ◆ **hit out (at sb/sth)** atacar (alguém/alguma coisa)
▸ *s* **1** pancada **2** êxito (*música, filme, etc.*)

hit-and-run /ˌhɪt ən ˈrʌn/ *adj*: *a hit-and-run driver* um condutor que atropela alguém e se põe em fuga

hitch /hɪtʃ/ *verbo, substantivo*
▸ **1** *vt, vi*: *to hitch (a ride)* ir à boleia ◇ *Can I hitch a lift with you as far as the station?* Dás-me uma boleia até à estação? **2** *vt* ~ **sth (up)** arregaçar alguma coisa (*calças, saia, etc.*)
▸ *s* dificuldade, problema: *without a hitch* sem dificuldades

hitchhike /ˈhɪtʃhaɪk/ *vi* ir à boleia **hitchhiker** *s* pessoa que viaja à boleia

hi-tech = HIGH-TECH

hive /haɪv/ *s* colmeia

hoard /hɔːd/ *substantivo, verbo*
▸ *s* **1** tesouro **2** reserva
▸ *vt* açambarcar

hoarding /ˈhɔːdɪŋ/ *s* outdoor, placard

hoarse /hɔːs/ *adj* rouco

hoax /həʊks/ *s* partida de mau gosto: *a hoax bomb warning* um aviso de bomba falso

hob /hɒb/ *s* placa (*de fogão*)

hobby /ˈhɒbi/ *s* (*pl* **hobbies**) passatempo, hobby

hockey /ˈhɒki/ *s* **1** (*GB*) hóquei (em campo) **2** (*USA*) hóquei sobre o gelo

hoe /həʊ/ *s* sacho, enxada

hog /hɒg; *USA* hɔːg/ *substantivo, verbo*
▸ *s* porco
▸ *vt* (**-gg-**) monopolizar

Hogmanay /ˈhɒgməneɪ/ *s* véspera de Ano Novo (*na Escócia*)

hoist /hɔɪst/ *vt* içar, levantar

hold /həʊld/ *verbo, substantivo*
▸ (*pt, pp* **held** /held/) **1** *vt* segurar, prender na mão: *to hold hands* dar as mãos **2** *vt* agarrar-se a **3** *vt, vi* (*peso*) aguentar **4** *vt* (*criminoso, refém, etc.*) reter, manter detido **5** *vt* (*opinião*) sustentar **6** *vt* ter espaço para: *It won't hold you all.* Não vai haver espaço para vocês todos. **7** *vt* (*posto, cargo*) ocupar **8** *vt* (*conversa*) manter **9** *vt* (*reunião, eleições*) convocar, realizar **10** *vt* (*possuir*) ter **11** *vt* (*formal*) considerar **12** *vi* (*oferta, acordo*) ser válido **13** *vt* (*título, recorde*) ter, ostentar **14** *vi* (*ao telefone*) esperar
LOC **hold it!** (*coloq*) espera! ❶ Para outras expressões com **hold**, ver as entradas para o substantivo, adjetivo, etc., p. ex. **hold your breath** em BREATH.
PHR V **hold sth against sb** ter alguma coisa contra alguém
hold sb/sth back conter alguém/alguma coisa ◆ **hold sth back** reter, esconder alguma coisa
hold sb/sth down segurar alguém/alguma coisa
hold forth discursar
hold on (*coloq*) esperar ◆ **hold on (to sb/sth)**; **hold onto sb/sth** agarrar-se (a alguém/alguma coisa) ◆ **hold sth on** segurar alguma coisa
hold out 1 (*provisões, etc.*) durar **2** (*pessoa*) aguentar
hold sb/sth up atrasar alguém/alguma coisa: *I got held up in traffic.* Fiquei preso no trânsito. ◆ **hold sth up** assaltar alguma coisa (*banco, etc.*)
hold with sth estar de acordo com alguma coisa
▸ *s* **1** *to keep a firm hold of sth* segurar alguma coisa com força **2** (*judo, etc.*) chave **3** ~ **(on/over sb/sth)** influência (sobre alguém/alguma coisa) **4** (*barco, avião*) porão LOC **catch, get, grab, take, etc. (a) hold of sb/sth** agarrar(-se a) alguém/alguma coisa ◆ **get hold of sb** contactar alguém ◆ **get hold of sth** conseguir, encontrar alguma coisa

holdall /ˈhəʊldɔːl/ *s* saco de viagem ➲ *Ver ilustração em* LUGGAGE

holder /ˈhəʊldə(r)/ *s* **1** titular (*de uma conta, etc.*) **2** possuidor, -ora (*de um passaporte, etc.*) **3** detentor, -ora (*de um recorde, etc.*) **4** suporte

hold-up /ˈhəʊld ʌp/ *s* **1** atraso **2** (*trânsito*) engarrafamento **3** assalto

hole /həʊl/ *s* **1** buraco **2** furo **3** toca **4** (*coloq, pej*) pocilga LOC *Ver* PICK

holiday /'hɒlədeɪ, -di/ *substantivo, verbo*
▸ *s* **1** dia de folga **2** férias: *to be/go on holiday* estar/ir de férias **3** feriado: *a public/bank holiday* um feriado
▸ *vi* passar férias

holidaymaker /'hɒlədeɪmeɪkə(r)/ *s* pessoa que está de férias, turista

holiness /'həʊlinəs/ *s* santidade

hollow /'hɒləʊ/ *adjetivo, substantivo, verbo*
▸ *adj* **1** oco **2** (*cara, olhos*) encovado **3** (*som*) surdo **4** (*fig*) falso
▸ *s* **1** buraco **2** cova **3** (*terreno*) depressão
▸ *v* PHR V **hollow sth out** escavar (o interior de) alguma coisa

holly /'hɒli/ *s* (*pl* **hollies**) azevinho

holocaust /'hɒləkɔːst/ *s* holocausto

holy /'həʊli/ *adj* (**holier, -iest**) **1** santo **2** sagrado **3** bendito

homage /'hɒmɪdʒ/ *s* [*não-contável*] (*formal*) homenagem: *to pay homage to sb/sth* prestar homenagem a alguém/alguma coisa

home /həʊm/ *substantivo, adjetivo, advérbio*
▸ *s* **1** casa, lar **2** (*de idosos, etc.*) lar **3** (*fig*) terra natal **4** (*Zool*) habitat **5** (*corrida*) meta LOC **at home 1** em casa **2** à vontade **3** na sua terra (natal)
▸ *adj* [*só antes de substantivo*] **1** familiar: *home life/comforts* a vida familiar/o conforto do lar **2** (*comida, vídeos etc.*) caseiro **3** (*não estrangeiro*) nacional: *the Home Office* o Ministério da Administração Interna **4** (*aldeia, país*) natal **5** (*Desp*) da casa
▸ *adv* **1** a/em/para casa: *to go home* ir para casa **2** (*cravar, pregar, etc.*) bem fundo LOC **bring sth home to sb** fazer com que alguém compreenda alguma coisa ◆ **hit/strike home** pôr o dedo na ferida ◆ **home and dry** (*USA* **home free**) a salvo

homeland /'həʊmlænd/ *s* terra natal, pátria

homeless /'həʊmləs/ *adjetivo, substantivo*
▸ *adj* sem casa
▸ *s* **the homeless** [*pl*] os sem-abrigo

homely /'həʊmli/ *adj* (**homelier, -iest**) **1** (*GB*) (*USA* **homey** /'həʊmi/) (*ambiente, lugar*) acolhedor **2** (*GB*) simples **3** (*USA, pej*) feio

home-made /ˌhəʊm 'meɪd/ *adj* caseiro

home page *s* (*Internet*) página inicial

Home Secretary *s* (*GB*) ministro, -a da Administração Interna

homesick /'həʊmsɪk/ *adj* saudoso: *to be/feel homesick* ter saudades de casa

homework /'həʊmwɜːk/ *s* [*não-contável*] (*escola*) trabalho de casa, deveres

homicidal /ˌhɒmɪ'saɪdl/ *adj* homicida

homicide /'hɒmɪsaɪd/ *s* homicídio ➲ *Comparar com* MANSLAUGHTER, MURDER

homogeneous /ˌhɒmə'dʒiːniəs/ *adj* homogéneo

homosexual /ˌhəʊmə'sekʃuəl, ˌhɒm-/ *adj, s* homossexual **homosexuality** /ˌhəʊməsekʃu'æləti, ˌhɒm-/ *s* homossexualidade

honest /'ɒnɪst/ *adj* **1** (*pessoa*) honesto **2** (*afirmação*) sincero, honesto **3** (*salário*) justo

honestly /'ɒnɪstli/ *adv* **1** honestamente **2** [*uso enfático*] a sério, de verdade: *Honestly!* Francamente!

honesty /'ɒnəsti/ *s* **1** honestidade **2** franqueza

honey /'hʌni/ *s* **1** mel **2** (*coloq*) (*forma de tratamento*) querido, -a

honeymoon /'hʌnimuːn/ *s* (*lit e fig*) lua-de-mel

honk /hɒŋk/ **1** *vi* ~ **(at sb/sth)** buzinar, apitar (a alguém/alguma coisa) **2** *vt* (*buzina*) tocar

honorary /'ɒnərəri; *USA* 'ɒnəreri/ *adj* **1** honorífico **2** (*título universitário*) honorífico **3** (*não remunerado*) honorário

honour (*USA* **honor**) /'ɒnə(r)/ *substantivo, verbo*
▸ *s* **1** honra **2** (*título*) condecoração **3 honours** [*pl*] distinção (*académica*): *(first class) honours degree* licenciatura (com a nota mais alta) **4 His/Her/Your Honour** sua Senhoria LOC **in honour of sb/sth; in sb's/sth's honour** em honra de alguém/alguma coisa
▸ *vt* **1** ~ **sb/sth (with sth)** honrar alguém/alguma coisa (com alguma coisa) **2** ~ **sb/sth (with sth)** condecorar alguém/alguma coisa (com alguma coisa) **3** (*compromisso, dívida*) honrar

honourable (*USA* **honorable**) /'ɒnərəbl/ *adj* **1** honrado **2** honroso

hood /hʊd/ *s* **1** capuz **2** (*esp GB*) (*carro*) capota **3** (*USA*) capot

hoof /huːf/ *s* (*pl* **hoofs** *ou* **hooves** /huːvz/) casco

hook /hʊk/ *substantivo, verbo*
▸ *s* **1** gancho **2** (*pesca*) anzol LOC **get/let sb off the hook** (*coloq*) tirar alguém de apuros, perdoar alguém ◆ **off the hook** (*telefone*) desligado
▸ *vt, vi* enganchar(-se) LOC **be/get hooked (on sth)** (*coloq*) estar viciado/viciar-se (em alguma coisa)

hooligan /'huːlɪɡən/ *s* hooligan **hooliganism** *s* hooliganismo

hoop /huːp/ *s* argola

hooray (*tb* **hurrah, hurray**) /hu'reɪ/ *interj* ~ **(for sb/sth)** viva! (alguém/alguma coisa)

hoot /huːt/ *substantivo, verbo*
▸ *s* **1** (*carro*) buzinada **2** (*mocho*) pio

H

▸ **1** *vi* ~ **(at sb/sth)** (*carro*) buzinar, apitar (a alguém/alguma coisa) **2** *vt* (*buzina*) tocar **3** *vi* (*mocho*) piar

Hoover® /ˈhuːvə(r)/ *substantivo, verbo*
▸ *s* aspirador
▸ *vt, vi* **hoover** aspirar

hooves *pl de* HOOF

hop /hɒp/ *verbo, substantivo*
▸ *vi* (**-pp-**) **1** (*pessoa*) saltar ao pé-coxinho **2** (*animal*) saltitar
▸ *s* **1** salto **2 hops** [*pl*] (*Bot*) lúpulo

H

hope /həʊp/ *substantivo, verbo*
▸ *s* **1** ~ **(of/for sth)** esperança (de/para alguma coisa) **2** ~ **(of doing sth/that...)** esperança (de fazer alguma coisa/de que...) LOC *Ver* DASH
▸ *vt, vi* ~ **(for sth/to do sth)** esperar (alguma coisa/fazer alguma coisa): *I hope not/so.* Espero que não/sim. ◇ *We're hoping for a white Christmas.* Esperamos ter um Natal com neve. ➲ *Ver nota em* ESPERAR LOC **I should hope not!** (*coloq*) não faltava mais nada! ◆ **I should hope so!** (*coloq*) espero bem que sim!

hopeful /ˈhəʊpfl/ *adj* **1** (*pessoa*) esperançoso, confiante: *to be hopeful that...* ter esperança que... **2** (*situação*) prometedor, animador **hopefully** *adv* **1** otimisticamente, esperançosamente **2** com um pouco de sorte

hopeless /ˈhəʊpləs/ *adj* **1** inútil: *It's a hopeless case.* É um caso perdido. **2** (*tarefa*) impossível **hopelessly** *adv* [*uso enfático*] desesperadamente, completamente: *to be hopelessly lost* estar irremediavelmente perdido

horde /hɔːd/ *s* (*freq pej*) hoste: *hordes of people* montes de gente

horizon /həˈraɪzn/ *s* **1 the horizon** [*sing*] o horizonte **2 horizons** [*pl*] (*fig*) horizontes

horizontal /ˌhɒrɪˈzɒntl; *USA* ˌhɔːrəˈz-/ *adj, s* horizontal

hormone /ˈhɔːməʊn/ *s* hormona

horn /hɔːn/ *s* **1** corno, chifre **2** (*Mús*) trompa **3** (*carro, etc.*) buzina

horoscope /ˈhɒrəskəʊp; *USA* ˈhɔːr-/ *s* horóscopo

horrendous /hɒˈrendəs/ *adj* **1** horrendo **2** (*excessivo*) terrível

horrible /ˈhɒrəbl; *USA* ˈhɔːr-/ *adj* horrível

horrid /ˈhɒrɪd; *USA* ˈhɔːrɪd/ *adj* horrível, horroroso

horrific /həˈrɪfɪk/ *adj* horrífico, horroroso

horrify /ˈhɒrɪfaɪ; *USA* ˈhɔːr-/ *vt* (*pt, pp* **-fied**) horrorizar **horrifying** *adj* horroroso, horrífico

horror /ˈhɒrə(r); *USA* ˈhɔːr-/ *s* horror: *horror film* filme de terror

horse /hɔːs/ *s* cavalo LOC *Ver* DARK, FLOG, LOOK

horseman /ˈhɔːsmən/ *s* (*pl* **-men** /-mən/) cavaleiro

horsepower /ˈhɔːspaʊə(r)/ *s* (*pl* **horsepower**) (*abrev* **h.p.**) cavalo-vapor

horse riding (*USA* **horseback riding**) *s* equitação

horseshoe /ˈhɔːsʃuː/ *s* ferradura

horsewoman /ˈhɔːswʊmən/ *s* (*pl* **-women**) /-wɪmɪn/ amazona

horticultural /ˌhɔːtɪˈkʌltʃərəl/ *adj* hortícola

horticulture /ˈhɔːtɪkʌltʃə(r)/ *s* horticultura

hose /həʊz/ (*tb* **hosepipe** /ˈhəʊzpaɪp/) *s* mangueira

hospice /ˈhɒspɪs/ *s* hospital (*para doentes incuráveis*)

hospitable /hɒˈspɪtəbl, ˈhɒspɪtəbl/ *adj* hospitaleiro

hospital /ˈhɒspɪtl/ *s* hospital ➲ *Ver nota em* SCHOOL

hospitality /ˌhɒspɪˈtæləti/ *s* hospitalidade

host /həʊst/ *substantivo, verbo*
▸ *s* **1** anfitrião, -ã **2** (*TV*) apresentador, -ora **3** ~ **of sb/sth** multidão, monte de alguém/alguma coisa: *a host of admirers* um monte de admiradores **4 the Host** (*Relig*) a hóstia
▸ *vt*: *Beijing hosted the 2008 Olympic Games.* Os Jogos Olímpicos de 2008 tiveram lugar em Pequim.

hostage /ˈhɒstɪdʒ/ *s* refém

hostel /ˈhɒstl/ *s* pousada: *youth hostel* pousada de juventude

hostess /ˈhəʊstəs, -es/ *s* **1** anfitriã **2** acompanhante (*em clube de diversão noturna*) **3** (*TV*) apresentadora *Ver tb* AIR HOSTESS

hostile /ˈhɒstaɪl; *USA* -tl/ *adj* **1** hostil **2** (*território*) inimigo

hostility /hɒˈstɪləti/ *s* hostilidade

hot /hɒt/ *adj* (**hotter, -est**) **1** (*água, comida, objeto*) quente *Ver tb* PIPING HOT ➲ *Ver nota em* QUENTE **2** (*dia, etc.*) de calor: *in hot weather* quando está calor **3** (*sabor*) picante **4** (*coloq*) (*novo, badalado*) na moda **5** (*coloq*) (*pessoa*) sexy LOC **be hot 1** (*pessoa*) ter calor **2** (*tempo*): *It's very hot.* Está muito calor. **3** (*lugares, períodos de tempo*) ser quente

hot cross bun *s* pão doce com passas tradicional da Páscoa

hot-desking /ˌhɒt ˈdeskɪŋ/ *s* [*não-contável*] sistema em que os funcionários usam a mesa que estiver disponível, em vez de ter a sua própria

hot dog *s* cachorro-quente ➲ *Ver ilustração em* PÃO

🔑 **hotel** /həʊ'tel/ *s* hotel

hotly /'hɒtli/ *adv* ardentemente, energeticamente

hound /haʊnd/ *substantivo, verbo*
▸ *s* cão de caça
▸ *vt* perseguir

🔑 **hour** /'aʊə(r)/ *s* **1** (*abrev* **hr, hr.**) hora: *half an hour* meia hora **2 hours** [*pl*] horário: *office/opening hours* horário de atendimento/abertura **3** [*ger sing*] momento LOC **after hours** depois do horário de trabalho/de abertura ◆ **on the hour** à hora exata: *The bus leaves every hour on the hour.* Sai um autocarro a todas as horas. *Ver tb* EARLY **hourly** *adv, adj* de hora a hora, por hora

🔑 **house** *substantivo, verbo*
▸ *s* /haʊs/ (*pl* **houses** /'haʊzɪz/) **1** casa **2** (*Teat*) sala de espetáculos: *There was a full house.* Esgotaram a lotação. LOC **on the house** por conta/cortesia da casa *Ver tb* MOVE
▸ *vt* /haʊz/ alojar

🔑 **household** /'haʊshəʊld/ *s* agregado familiar: *a large household* uma casa com muita gente ◇ *household chores* tarefas domésticas **householder** *s* dono, -a da casa

housekeeper /'haʊski:pə(r)/ *s* governanta **housekeeping** *s* [*não-contável*] **1** lida da casa **2** despesas domésticas

the House of Commons (*tb* **the Commons**) *s* [*v sing ou pl*] a Câmara dos Comuns ➲ *Ver nota em* PARLIAMENT

housemate /'haʊsmeɪt/ *s* companheiro, -a de casa

the House of Lords (*tb* **the Lords**) *s* [*v sing ou pl*] a Câmara dos Lordes ➲ *Ver nota em* PARLIAMENT

the Houses of Parliament *s* [*pl*] o Parlamento (britânico) ➲ *Ver nota em* PARLIAMENT

house-warming /'haʊs wɔ:mɪŋ/ *s* festa de inauguração (*duma casa*)

housewife /'haʊswaɪf/ *s* (*pl* **housewives** /-waɪvz/) dona de casa, doméstica

housework /'haʊswɜ:k/ *s* [*não-contável*] lida da casa

🔑 **housing** /'haʊzɪŋ/ *s* [*não-contável*] habitação, alojamento

housing estate (*tb esp USA* **housing development**) *s* urbanização

hover /'hɒvə(r); *USA* 'hʌvər/ *vi* **1** (*ave*) pairar **2** (*objeto*) ficar suspenso (no ar) **3** (*pessoa*) rondar

🔑 **how** /haʊ/ *adv* **1** como: *How are you?* Como estás? ◇ *How can that be?* Como é que isso pode ser? ◇ *Tell me how to spell it.* Diz-me como é que se escreve. ◇ *How is your job?* Como é que vai o trabalho? **2** [*antes de adjetivo ou advérbio*]: *How old are you?* Quantos anos tens? ◇ *How fast were you going?* A que velocidade ias? **3** (*para expressar surpresa*) que...!: *How cold it is!* Que frio que está! ◇ *How you've grown!* Como cresceste! **4** como: *I dress how I like.* Visto-me como quero. LOC **how about...?** *Ver* ABOUT ◆ **how come...?** como é que...? ◆ **how do you do?** muito prazer

> **How do you do?** usa-se em apresentações formais, e responde-se *how do you do?* Pelo contrário **how are you?** usa-se em situações informais, e responde-se conforme cada um se sinta: *fine, very well, not too well, etc.* ➲ *Ver tb nota em* OLÁ

how many? quantos?: *How many letters did you write?* Quantas cartas escreveste? ◆ **how much?** quanto?: *How much is it?* Quanto custa?

🔑 **however** /haʊ'evə(r)/ *adv* **1** por muito que: *however strong you are* por muito forte que sejas ◇ *however hard he tries* por muito que tente **2** contudo **3** como: *however you like* como queiras

howl /haʊl/ *substantivo, verbo*
▸ *s* **1** uivo **2** grito
▸ *vi* **1** uivar **2** gritar

HQ /ˌeɪtʃ 'kju/ *abrev Ver* HEADQUARTERS

hub /hʌb/ *s* **1** (*roda*) cubo **2** ~ **(of sth)** (*fig*) centro (de alguma coisa)

hubbub /'hʌbʌb/ *s* burburinho, algazarra

huddle /'hʌdl/ *verbo, substantivo*
▸ *vi* ~ **(up)** **1** encolher-se **2** apinhar-se
▸ *s* **1** (*pessoas, animais*) grupo **2** (*coisas*) monte

huff /hʌf/ *s* LOC **in a huff** (*coloq*) zangado

hug /hʌg/ *substantivo, verbo*
▸ *s* abraço: *to give sb a hug* dar um abraço a alguém
▸ *vt* (**-gg-**) abraçar

🔑 **huge** /hju:dʒ/ *adj* enorme

hull /hʌl/ *s* casco (*de um barco*)

hullo = HELLO

hum /hʌm/ *substantivo, verbo*
▸ *s* **1** zumbido **2** (*vozes*) murmúrio
▸ (**-mm-**) **1** *vi* zumbir **2** *vt, vi* cantarolar **3** *vi* bulir: *to hum with activity* vibrar de atividade

🔑 **human** /'hju:mən/ *adj, s* humano: *human beings* seres humanos ◇ *human rights* direitos humanos ◇ *human nature* a natureza humana ◇ *the human race* o género humano

H

humane /hjuːˈmeɪn/ *adj* humano (*compassivo*)

humanitarian /hjuːˌmænɪˈteəriən/ *adj* humanitário

humanity /hjuːˈmænəti/ *s* **1** humanidade **2 humanities** [*pl*] humanidades

humble /ˈhʌmbl/ *adjetivo, verbo*
▸ *adj* (**humbler**, **-est**) humilde
▸ *vt* **1** dar uma lição de humildade a **2** *to humble yourself* ser humilde

humid /ˈhjuːmɪd/ *adj* húmido **humidity** /hjuːˈmɪdəti/ *s* humidade ❶ **Humid** e **humidity** apenas se aplicam à humidade atmosférica. ➲ *Ver tb nota em* MOIST

humiliate /hjuːˈmɪlieɪt/ *vt* humilhar **humiliating** *adj* humilhante, vergonhoso **humiliation** *s* humilhação

humility /hjuːˈmɪləti/ *s* humildade

hummingbird /ˈhʌmɪŋbɜːd/ *s* colibri

🔑 **humorous** /ˈhjuːmərəs/ *adj* humorístico, cómico

🔑 **humour** (*USA* **humor**) /ˈhjuːmə(r)/ *substantivo, verbo*
▸ *s* **1** humor **2** (*comicidade*) graça
▸ *vt* fazer a vontade de

hump /hʌmp/ *s* **1** (*terreno*) lomba **2** (*camelo*) bossa **3** (*pessoa*) corcunda, marreca

hunch /hʌntʃ/ *substantivo, verbo*
▸ *s* palpite, pressentimento
▸ *vt, vi* curvar(-se): *to hunch your shoulders* curvar os ombros

🔑 **hundred** /ˈhʌndrəd/ *adj, pron, s* cem, cento ➲ *Ver exemplos em* FIVE **hundredth 1** *adj, pron* centésimo **2** *s* centésima parte ➲ *Ver exemplos em* FIFTH

hung *pt, pp de* HANG

hunger /ˈhʌŋgə(r)/ *substantivo, verbo*
▸ *s* fome ➲ *Ver nota em* FOME
▸ *v* PHR V **hunger for/after sth** (*formal*) ansiar por alguma coisa, ter sede de alguma coisa

🔑 **hungry** /ˈhʌŋgri/ *adj* (**hungrier**, **-iest**) esfomeado: *I'm hungry.* Tenho fome.

hunk /hʌŋk/ *s* **1** (bom) pedaço, naco **2** (*coloq*) (*homem*) pão

🔑 **hunt** /hʌnt/ *verbo, substantivo*
▸ *vt, vi* **1** caçar **2** ~ **(for) sb/sth** procurar alguém/alguma coisa
▸ *s* **1** caça, caçada **2** busca **hunter** *s* caçador, -ora

🔑 **hunting** /ˈhʌntɪŋ/ *s* caça

hurdle /ˈhɜːdl/ *s* **1** (*Desp*) barreira **2** (*fig*) obstáculo

hurl /hɜːl/ *vt* **1** atirar, arremessar **2** (*insultos, etc.*) proferir

hurrah, hurray = HOORAY

hurricane /ˈhʌrɪkən; *USA* ˈhɜːrəkən; -keɪn/ *s* furacão

hurried /ˈhʌrid; *USA* ˈhɜːrid/ *adj* apressado, rápido

🔑 **hurry** /ˈhʌri; *USA* ˈhɜːri/ *verbo, substantivo*
▸ *vt, vi* (*pt, pp* **hurried**) apressar(-se), despachar(-se) PHR V **hurry up** (*coloq*) apressar-se, despachar-se
▸ *s* pressa LOC **be in a hurry** estar com/ter pressa

🔑 **hurt** /hɜːt/ (*pt, pp* **hurt**) **1** *vt* magoar, ferir: *to get hurt* magoar-se **2** *vi* doer: *My leg hurts.* Dói-me a perna. **3** *vt* (*emocionalmente*) magoar, ofender **4** *vt* (*interesses, reputação, etc.*) prejudicar, manchar **hurtful** *adj* que magoa, cruel, prejudicial

hurtle /ˈhɜːtl/ *vi* precipitar-se

🔑 **husband** /ˈhʌzbənd/ *s* marido

hush /hʌʃ/ *substantivo, verbo*
▸ *s* [*sing*] silêncio
▸ *v* PHR V **hush sth up** abafar alguma coisa (*escândalo, etc.*)

husky /ˈhʌski/ *adjetivo, substantivo*
▸ *adj* (**huskier**, **-iest**) rouco
▸ *s* (*pl* **huskies**) cão esquimó

hustle /ˈhʌsl/ *verbo, substantivo*
▸ *vt* **1** empurrar **2** (*esp USA, coloq*) (*vender ilegalmente*) tentar empurrar
▸ *s* LOC **hustle and bustle** bulício

hut /hʌt/ *s* cabana, barraca

hybrid /ˈhaɪbrɪd/ *adj, s* híbrido

hydrant /ˈhaɪdrənt/ *s* boca-de-incêndio

hydraulic /haɪˈdrɔːlɪk, -ˈdrɒl-/ *adj* hidráulico

hydroelectric /ˌhaɪdrəʊɪˈlektrɪk/ *adj* hidroelétrico

hydrogen /ˈhaɪdrədʒən/ *s* hidrogénio

hyena (*tb* **hyaena**) /haɪˈiːnə/ *s* hiena

hygiene /ˈhaɪdʒiːn/ *s* higiene **hygienic** /haɪˈdʒiːnɪk; *USA* -ˈdʒen-/ *adj* higiénico

hymn /hɪm/ *s* hino

hype /haɪp/ *substantivo, verbo*
▸ *s* [*não-contável*] (*coloq, pej*) propaganda (exagerada)
▸ *vt* ~ **sth (up)** (*coloq, pej*) promover alguma coisa de forma exagerada

hypermarket /ˈhaɪpəmɑːkɪt/ *s* hipermercado

hyphen /ˈhaɪfn/ *s* hífen, traço de união ➲ *Ver pág. 315*

hypnosis /hɪpˈnəʊsɪs/ *s* hipnose

hypnotic /hɪp'nɒtɪk/ *adj* hipnótico
hypnotism /'hɪpnətɪzəm/ *s* hipnotismo
hypnotist *s* hipnotizador, -ora
hypnotize, -ise /'hɪpnətaɪz/ *vt* hipnotizar
hypochondriac /ˌhaɪpə'kɒndriæk/ *s* hipocondríaco, -a
hypocrisy /hɪ'pɒkrəsi/ *s* (*pl* **hypocrisies**) hipocrisia
hypocrite /'hɪpəkrɪt/ *s* hipócrita **hypocritical** /ˌhɪpə'krɪtɪkl/ *adj* hipócrita
hypothesis /haɪ'pɒθəsɪs/ *s* (*pl* **hypotheses** /-siːz/) hipótese
hypothetical /ˌhaɪpə'θetɪkl/ *adj* hipotético
hysteria /hɪ'stɪəriə/ *s* histeria
hysterical /hɪ'sterɪkl/ *adj* **1** (*riso, etc.*) histérico **2** (*coloq*) de morrer a rir, hilariante
hysterics /hɪ'sterɪks/ *s* [*pl*] **1** crise de histeria **2** (*coloq*) ataque de riso

I i

I, i /aɪ/ *s* (*pl* **Is, I's, i's**) I, i ➲ *Ver nota em* A, A
I /aɪ/ *pron* eu: *I am 15 (years old).* Tenho quinze anos. ℹ O pronome pessoal não se pode omitir em inglês. ➲ *Comparar com* ME
ice /aɪs/ *substantivo, verbo*
▸ *s* [*não-contável*] gelo: *ice cube* cubo de gelo
▸ *vt* cobrir com glacé
iceberg /'aɪsbɜːg/ *s* icebergue
ice cream *s* gelado
ice hockey *s* hóquei sobre o gelo
ice lolly /ˌaɪs 'lɒli/ *s* (*pl* **ice lollies**) gelado (de pau)
ice rink (*tb* rink) *s* rinque de patinagem
ice skate (*tb* skate) *s* patim de lâmina
ice-skate /'aɪs skeɪt/ *vi* patinar no gelo **ice skating** *s* patinagem no gelo
icicle /'aɪsɪkl/ *s* sincelo, pingente de gelo
icing /'aɪsɪŋ/ *s* glacé: *icing sugar* açúcar glacé
icon /'aɪkɒn/ *s* (*Informát, Relig*) ícone
ICT /ˌaɪ siː 'tiː/ *s* (*abrev de* **Information and Communication Technology**) (*Educ*) Tecnologias da Informação e Comunicação
icy /'aɪsi/ *adj* **1** gelado: *icy roads* estradas cobertas de gelo **2** (*voz, atitude, etc.*) frio
ID /ˌaɪ 'diː/ *s* (bilhete de) identidade, BI: *ID card* bilhete de identidade

I'd /aɪd/ **1** = I HAD *Ver* HAVE **2** = I WOULD *Ver* WOULD
idea /aɪ'dɪə; *USA* -'diːə/ *s* ideia: *What an idea!* Mas que ideia! LOC **get/have the idea that...** ter a impressão de que... ◆ **get the idea** perceber ◆ **give sb ideas; put ideas into sb's head** meter ideias na cabeça de alguém ◆ **have no idea** não fazer a mínima ideia
ideal /aɪ'diːəl/ *adj, s* ideal
idealism /aɪ'diːəlɪzəm/ *s* idealismo **idealist** *s* idealista **idealistic** /ˌaɪdiə'lɪstɪk/ *adj* idealista
idealize, -ise /aɪ'diːəlaɪz/ *vt* idealizar
ideally /aɪ'diːəli/ *adv* idealmente: *Ideally, they should all help.* O ideal seria que todos ajudassem. ◇ *to be ideally suited to sth* ser perfeito para alguma coisa
identical /aɪ'dentɪkl/ *adj* ~ **(to/with sb/sth)** idêntico (a alguém/alguma coisa)
identification /aɪˌdentɪfɪ'keɪʃn/ *s* identificação: *identification papers* documentos de identificação ◇ *identification parade* identificação
identify /aɪ'dentɪfaɪ/ *vt* (*pt, pp* **-fied**) identificar PHR V **identify with sb/sth** identificar-se com alguém/alguma coisa
identity /aɪ'dentəti/ *s* (*pl* **identities**) identidade: *a case of mistaken identity* um caso de troca de identidades
ideology /ˌaɪdi'ɒlədʒi/ *s* (*pl* **ideologies**) ideologia
idiom /'ɪdiəm/ *s* expressão idiomática
idiosyncrasy /ˌɪdiə'sɪŋkrəsi/ *s* (*pl* **idiosyncrasies**) idiossincrasia
idiot /'ɪdiət/ *s* (*coloq*) idiota, pateta **idiotic** /ˌɪdi'ɒtɪk/ *adj* idiota
idle /'aɪdl/ *adj* **1** preguiçoso **2** ocioso **3** (*máquina*) parado **4** vão, inútil **idleness** *s* ociosidade, preguiça
idol /'aɪdl/ *s* ídolo **idolize, -ise** *vt* idolatrar
idyllic /ɪ'dɪlɪk; *USA* aɪ'd-/ *adj* idílico
i.e. /ˌaɪ 'iː/ *abrev* i.e., isto é
if /ɪf/ *conj* **1** se: *If he were here...* Se ele aqui estivesse... **2** quando, sempre que: *if in doubt* em caso de dúvida **3** (*tb* even if) mesmo que LOC **if I were you** se eu fosse a ti, no teu lugar ◆ **if only** se ao menos: *If only I had known!* Se eu soubesse! ◆ **if so** se assim for
iffy /'ɪfi/ *adj* (*coloq*) **1** duvidoso **2** incerto
igloo /'ɪgluː/ *s* (*pl* **igloos**) iglu
ignite /ɪg'naɪt/ *vt, vi* inflamar(-se), acender(-se) **ignition** /ɪg'nɪʃn/ *s* **1** inflamação **2** (*Mec*) ignição

ignominious /ˌɪgnəˈmɪniəs/ *adj* (*formal*) vergonhoso

ignorance /ˈɪgnərəns/ *s* ignorância

ignorant /ˈɪgnərənt/ *adj* ignorante: *to be ignorant about/of sth* ignorar alguma coisa

🔑 **ignore** /ɪgˈnɔː(r)/ *vt* **1** ignorar, não fazer caso de **2** passar por cima

🔑 **ill** /ɪl/ *adjetivo, advérbio, substantivo*

▸ *adj* **1** doente: *to fall/be taken ill* ficar doente ◇ *to feel ill* sentir-se mal ➲ *Ver nota em* DOENTE **2** mau

▸ *adv* mal: *to speak ill of sb* dizer mal de alguém

Emprega-se muito em expressões compostas, p. ex. **ill-fated** (*azarado*), **ill-equipped** (*mal--equipado*), **ill-advised** (*imprudente, pouco aconselhável*).

LOC **ill at ease** pouco à vontade, incomodado *Ver tb* BODE, FEELING

▸ *s* (*formal*) mal, desgraça

I'll /aɪl/ **1** = I SHALL *Ver* SHALL **2** = I WILL *Ver* WILL

🔑 **illegal** /ɪˈliːgl/ *adj* ilegal

illegible /ɪˈledʒəbl/ *adj* ilegível

illegitimate /ˌɪləˈdʒɪtəmət/ *adj* ilegítimo

ill health *s* falta de saúde

illicit /ɪˈlɪsɪt/ *adj* ilícito

illiterate /ɪˈlɪtərət/ *adj* **1** analfabeto **2** ignorante

🔑 **illness** /ˈɪlnəs/ *s* doença: *mental illness* doença mental ◇ *absences due to illness* faltas por motivo de doença ➲ *Ver nota em* DISEASE

illogical /ɪˈlɒdʒɪkl/ *adj* ilógico

ill-treatment /ˌɪl ˈtriːtmənt/ *s* [*não-contável*] maus-tratos

illuminate /ɪˈluːmɪneɪt/ *vt* iluminar **illuminating** *adj* esclarecedor

illumination /ɪˌluːmɪˈneɪʃn/ *s* **1** iluminação **2 illuminations** [*pl*] luminárias

illusion /ɪˈluːʒn/ *s* ilusão LOC **be under the illusion (that...)** enganar-se a si mesmo (quanto/em relação a...): *She's under the illusion that she'll get the job.* Ela engana-se a si mesma quanto a conseguir o emprego.

illusory /ɪˈluːsəri/ *adj* (*formal*) ilusório

🔑 **illustrate** /ˈɪləstreɪt/ *vt* ilustrar **illustration** *s* **1** ilustração **2** exemplo

illustrious /ɪˈlʌstriəs/ *adj* (*formal*) ilustre

I'm /aɪm/ = I AM *Ver* BE

🔑 **image** /ˈɪmɪdʒ/ *s* imagem **imagery** *s* [*não--contável*] imagens

🔑 **imaginary** /ɪˈmædʒɪnəri; *USA* -neri/ *adj* imaginário

🔑 **imagination** /ɪˌmædʒɪˈneɪʃn/ *s* imaginação **imaginative** /ɪˈmædʒɪnətɪv/ *adj* imaginativo

🔑 **imagine** /ɪˈmædʒɪn/ *vt, vi* imaginar

imbalance /ɪmˈbæləns/ *s* desequilíbrio

imbecile /ˈɪmbəsiːl; *USA* -sl/ *s* imbecil

imitate /ˈɪmɪteɪt/ *vt* imitar

imitation /ˌɪmɪˈteɪʃn/ *s* **1** cópia, reprodução **2** (*ação ou efeito*) imitação

immaculate /ɪˈmækjələt/ *adj* **1** imaculado **2** (*roupa*) impecável

immaterial /ˌɪməˈtɪəriəl/ *adj* irrelevante

immature /ˌɪməˈtjʊə(r), -ˈtʃʊə(r); *USA* -ˈtʊər/ *adj* imaturo

immeasurable /ɪˈmeʒərəbl/ *adj* (*formal*) incomensurável

🔑 **immediate** /ɪˈmiːdiət/ *adj* **1** imediato: *to take immediate action* atuar imediatamente **2** (*família, parentes*) mais próximo **3** (*necessidade, etc.*) a mais urgente

🔑 **immediately** /ɪˈmiːdiətli/ *advérbio, conjunção*

▸ *adv* **1** imediatamente **2** diretamente

▸ *conj* assim que, logo que: *immediately I saw her* assim que a vi

immense /ɪˈmens/ *adj* imenso

immerse /ɪˈmɜːs/ *vt* (*lit e fig*) mergulhar **immersion** *s* imersão

immigrant /ˈɪmɪgrənt/ *adj, s* imigrante

immigration /ˌɪmɪˈgreɪʃn/ *s* imigração

imminent /ˈɪmɪnənt/ *adj* iminente

immobile /ɪˈməʊbaɪl; *USA* -bl/ *adj* imóvel

immobilize, -ise /ɪˈməʊbəlaɪz/ *vt* imobilizar

🔑 **immoral** /ɪˈmɒrəl; *USA* ɪˈmɔːrəl/ *adj* imoral

immortal /ɪˈmɔːtl/ *adj* **1** (*alma, vida*) imortal **2** (*fama*) eterno **immortality** /ˌɪmɔːˈtæləti/ *s* imortalidade

immovable /ɪˈmuːvəbl/ *adj* **1** (*objeto*) imóvel, fixo **2** (*pessoa, atitude*) inflexível

immune /ɪˈmjuːn/ *adj* ~ **(to sth)** imune (a alguma coisa): *immune system/deficiency* sistema imunológico/imunodeficiência **immunity** *s* imunidade

immunization, -isation /ˌɪmjunaɪˈzeɪʃn; *USA* -nəˈz-/ *s* imunização

immunize, -ise /ˈɪmjunaɪz/ *vt* ~ **sb/sth (against sth)** imunizar alguém/alguma coisa (contra alguma coisa)

🔑 **impact** /ˈɪmpækt/ *s* **1** impacto **2** (*carro*) embate

impair /ɪmˈpeə(r)/ *vt* (*formal*) enfraquecer, diminuir: *impaired vision* vista fraca **impairment** *s* deficiência

impart /ɪm'pɑ:t/ *vt* (*formal*) **1** conferir, conceder **2** ~ **sth (to sb)** transmitir, comunicar alguma coisa (a alguém)

impartial /ɪm'pɑ:ʃl/ *adj* imparcial

impasse /'æmpɑ:s; *USA* 'ɪmpæs/ *s* impasse

impassioned /ɪm'pæʃnd/ *adj* apaixonado

impassive /ɪm'pæsɪv/ *adj* impassível

impatience /ɪm'peɪʃns/ *s* impaciência

🔑 **impatient** /ɪm'peɪʃnt/ *adj* impaciente: *to get impatient* impacientar-se

impeccable /ɪm'pekəbl/ *adj* impecável

impede /ɪm'pi:d/ *vt* (*formal*) impedir, dificultar

impediment /ɪm'pedɪmənt/ *s* **1** ~ **(to sth)** impedimento (para alguma coisa) **2** (*fala*) defeito

impel /ɪm'pel/ *vt* (**-ll-**) impelir

impending /ɪm'pendɪŋ/ *adj* [*só antes de substantivo*] iminente

impenetrable /ɪm'penɪtrəbl/ *adj* impenetrável

imperative /ɪm'perətɪv/ *adjetivo, substantivo*
▸ *adj* **1** (*essencial*) urgente, imprescindível **2** (*tom de voz*) imperativo, autoritário
▸ *s* imperativo

imperceptible /ˌɪmpə'septəbl/ *adj* imperceptível

imperfect /ɪm'pɜ:fɪkt/ *adj, s* imperfeito

imperial /ɪm'pɪəriəl/ *adj* imperial **imperialism** *s* imperialismo

impersonal /ɪm'pɜ:sənl/ *adj* impessoal

impersonate /ɪm'pɜ:səneɪt/ *vt* **1** imitar **2** fazer-se passar por

impertinent /ɪm'pɜ:tɪnənt; *USA* -'pɜ:rtn-/ *adj* impertinente

impetus /'ɪmpɪtəs/ *s* impulso, ímpeto

implausible /ɪm'plɔ:zəbl/ *adj* implausível

implement *substantivo, verbo*
▸ *s* /'ɪmplɪmənt/ ferramenta
▸ *vt* /'ɪmplɪment/ **1** implementar **2** (*decisão*) pôr em prática **3** (*lei*) aplicar **implementation** *s* **1** implementação, execução **2** (*lei*) aplicação

implicate /'ɪmplɪkeɪt/ *vt* ~ **sb (in sth)** implicar alguém (em alguma coisa)

🔑 **implication** /ˌɪmplɪ'keɪʃn/ *s* **1** ~ **(for/of sb/sth)** implicação (para/de alguém/alguma coisa) **2** envolvimento (*em crime*)

implicit /ɪm'plɪsɪt/ *adj* **1** ~ **(in sth)** implícito (em alguma coisa) **2** absoluto

implore /ɪm'plɔ:(r)/ *vt* (*formal*) implorar, suplicar

🔑 **imply** /ɪm'plaɪ/ *vt* (*pt, pp* **implied**) **1** dar a entender, insinuar **2** sugerir **3** implicar

impolite /ˌɪmpə'laɪt/ *adj* mal-educado

🔑 **import** *verbo, substantivo*
▸ *vt* /ɪm'pɔ:t/ importar
▸ *s* /'ɪmpɔ:t/ (artigo de) importação

🔑 **importance** /ɪm'pɔ:tns/ *s* importância

🔑 **important** /ɪm'pɔ:tnt/ *adj* importante: *vitally important* extremamente importante

🔑 **impose** /ɪm'pəʊz/ **1** *vt* ~ **sth (on sb/sth)** impor alguma coisa (a alguém/alguma coisa) **2** *vi* ~ **(on sb/sth)** abusar (da hospitalidade) (de alguém/alguma coisa) **imposing** *adj* imponente

imposition /ˌɪmpə'zɪʃn/ *s* **1** [*não-contável*] imposição (*restrição, etc.*) **2** incómodo

impossibility /ɪmˌpɒsə'bɪləti/ *s* impossibilidade

🔑 **impossible** /ɪm'pɒsəbl/ *adjetivo, substantivo*
▸ *adj* **1** impossível **2** intolerável
▸ *s* **the impossible** [*sing*] o impossível

impotence /'ɪmpətəns/ *s* impotência **impotent** *adj* impotente

impoverished /ɪm'pɒvərɪʃt/ *adj* empobrecido

impractical /ɪm'præktɪkl/ *adj* pouco prático

🔑 **impress** /ɪm'pres/ **1** *vt, vi* impressionar, causar boa impressão (a) **2** *vt* ~ **sth on/upon sb** (*formal*) inculcar, imprimir alguma coisa em alguém

🔑 **impression** /ɪm'preʃn/ *s* **1** impressão: *to be under the impression that...* ter a impressão de que... ◇ *to make a good impression on sb* causar boa impressão a alguém **2** imitação (*de pessoa*)

🔑 **impressive** /ɪm'presɪv/ *adj* impressionante

imprison /ɪm'prɪzn/ *vt* prender **imprisonment** *s* prisão: *life imprisonment* prisão perpétua

improbable /ɪm'prɒbəbl/ *adj* improvável, pouco provável

impromptu /ɪm'prɒmptju:; *USA* -tu:/ *adj* improvisado

improper /ɪm'prɒpə(r)/ *adj* **1** incorreto, indevido **2** (*transação*) ilegal **3** (*formal*) impróprio

🔑 **improve** /ɪm'pru:v/ *vt, vi* melhorar PHR V **improve on/upon sth** melhorar alguma coisa

🔑 **improvement** /ɪm'pru:vmənt/ *s* **1** ~ **(in/on sth)** melhoria (de alguma coisa): *to be an improvement on sth* ser uma melhoria relativamente a alguma coisa **2** reforma

improvise /'ɪmprəvaɪz/ *vt, vi* improvisar

impulse /'ɪmpʌls/ *s* impulso LOC **on impulse** sem pensar

impulsive /ɪm'pʌlsɪv/ *adj* impulsivo

🔑 **in** /ɪn/ *preposição, advérbio, adjetivo, substantivo*
ℹ Para os usos de **in** em PHRASAL VERBS, ver as entradas para os verbos correspondentes, p.ex. **go in** em GO.
▸ *prep* **1** em: *in here/there* aqui/ali (dentro) **2** [*depois de superlativo*] de: *the best shops in town* as melhores lojas da cidade **3** (*tempo*): *in the morning/daytime* de manhã/dia ◇ *ten in the morning* dez da manhã **4** *I'll see you in two days (time).* Vejo-te daqui a dois dias. ◇ *He did it in two days.* Fê-lo em dois dias. **5** *one in ten people* uma em cada dez pessoas ◇ *5p in the pound* cinco pence por libra **6** (*descrição, método*): *the girl in glasses* a rapariga de óculos ◇ *covered in mud* coberto de lama ◇ *Speak in English!* Fala inglês! **7** + **ing**: *In saying that, you're contradicting yourself.* Ao dizeres isso estás a contradizer-te. LOC **in that** (*formal*) dado que
▸ *adv* **1 be in** estar (*em casa*): *Is anyone in?* Está alguém em casa? **2 be/get in** ter chegado, chegar: *The train gets in at six.* O comboio chega às seis. ◇ *Applications must be in by...* O prazo de entrega das candidaturas é até... LOC **be/get in on sth** (*coloq*) participar em alguma coisa ◆ **be in for it/sth** *Ver* BE FOR IT *em* FOR ◆ **have (got) it in for sb** (*coloq*) embirrar com alguém: *The teacher's got it in for me.* O professor tomou-me de ponta.
▸ *adj* (*coloq*) na moda
▸ *s* LOC **the ins and outs (of sth)** os pormenores (de alguma coisa)

🔑 **inability** /ˌɪnə'bɪləti/ *s* ~ **(to do sth)** incapacidade (de fazer alguma coisa)

inaccessible /ˌɪnæk'sesəbl/ *adj* ~ **(to sb)** **1** inacessível (a/para alguém) **2** incompreensível (para alguém)

inaccurate /ɪn'ækjərət/ *adj* incorreto, inexato

inaction /ɪn'ækʃn/ *s* (*freq pej*) inação

inadequate /ɪn'ædɪkwət/ *adj* **1** insuficiente **2** incapaz

inadvertently /ˌɪnəd'vɜːtəntli/ *adv* inadvertidamente, sem querer

inappropriate /ˌɪnə'prəʊpriət/ *adj* ~ **(to/for sb/sth)** pouco apropriado, impróprio (para alguém/alguma coisa)

inaugural /ɪ'nɔːgjərəl/ *adj* **1** inaugural **2** (*discurso*) de abertura

inaugurate /ɪ'nɔːgjəreɪt/ *vt* **1** ~ **sb (as sth)** investir, empossar alguém (como alguma coisa) **2** inaugurar

incapable /ɪn'keɪpəbl/ *adj* **1** ~ **of (doing) sth** incapaz de (fazer) alguma coisa **2** incompetente

incapacity /ˌɪnkə'pæsəti/ *s* ~ **(to do sth)** (*formal*) incapacidade (para fazer alguma coisa)

incense /'ɪnsens/ *s* incenso

incensed /ɪn'senst/ *adj* ~ **(by/at sth)** furioso (com alguma coisa)

incentive /ɪn'sentɪv/ *s* ~ **(to do sth)** incentivo, estímulo (para fazer alguma coisa)

incessant /ɪn'sesnt/ *adj* (*freq pej*) incessante **incessantly** *adv* incessantemente, sem parar

incest /'ɪnsest/ *s* incesto

🔑 **inch** /ɪntʃ/ *s* (*abrev* **in.**) polegada (*25,4 milímetros*) ➲ *Ver pág. 713* LOC **not give an inch** não ceder nem um milímetro

incidence /'ɪnsɪdəns/ *s* ~ **of sth** (*formal*) incidência, frequência, percentagem de alguma coisa

🔑 **incident** /'ɪnsɪdənt/ *s* incidente, episódio: *without incident* sem incidentes

incidental /ˌɪnsɪ'dentl/ *adj* **1** ~ **(to sth)** secundário (a alguma coisa) **2** (*custos, vantagem, etc.*) adicional **incidentally** *adv* **1** a propósito **2** por acaso

incisive /ɪn'saɪsɪv/ *adj* **1** (*comentário*) incisivo **2** (*espírito*) penetrante, perspicaz

incite /ɪn'saɪt/ *vt* ~ **sb (to sth)** incitar alguém (a alguma coisa)

inclination /ˌɪnklɪ'neɪʃn/ *s* **1** ~ **(towards/for sth)**; ~ **(to do sth)** tendência para alguma coisa/fazer alguma coisa **2** ~ **to do sth** desejo de fazer alguma coisa **3** inclinação, tendência

incline *verbo, substantivo*
▸ *vt, vi* /ɪn'klaɪn/ (*formal*) inclinar(-se)
▸ *s* /'ɪnklaɪn/ (*formal*) declive

inclined /ɪn'klaɪnd/ *adj* **1 be ~ (to do sth)** (*vontade*) sentir-se inclinado a fazer alguma coisa, estar disposto (a fazer alguma coisa) **2 be ~ to do sth** (*propensidade*) ter tendência para fazer alguma coisa

🔑 **include** /ɪn'kluːd/ *vt* incluir

🔑 **including** /ɪn'kluːdɪŋ/ *prep* (*abrev* **incl.**) incluindo, inclusive

inclusion /ɪn'kluːʒn/ *s* inclusão

inclusive /ɪn'kluːsɪv/ *adj* **1** incluído: *The fully inclusive fare for the trip is £52.* O custo total, com todas as despesas incluídas, é 52 libras. ◇ *to be inclusive of sth* incluir alguma coisa **2 from... to... inclusive** de... a... inclusive

incoherent /ˌɪnkəʊ'hɪərənt/ *adj* incoerente

🔑 **income** /'ɪnkʌm, -kəm/ *s* rendimento: *income tax* imposto sobre o rendimento

incoming /ˈɪnkʌmɪŋ/ *adj* **1** (*governo, presidente*) futuro, novo **2** (*avião, comboio*) que efectua a sua chegada **3** (*maré*) enchente

incompetent /ɪnˈkɒmpɪtənt/ *adj, s* incompetente

incomplete /ˌɪnkəmˈpliːt/ *adj* incompleto

incomprehensible /ɪnˌkɒmprɪˈhensəbl/ *adj* incompreensível

inconceivable /ˌɪnkənˈsiːvəbl/ *adj* inconcebível

inconclusive /ˌɪnkənˈkluːsɪv/ *adj* inconclusivo: *The meeting was inconclusive.* Não se chegou a conclusão alguma na reunião.

incongruous /ɪnˈkɒŋgruəs/ *adj* incongruente

inconsiderate /ˌɪnkənˈsɪdərət/ *adj* (*pej*) sem consideração

inconsistent /ˌɪnkənˈsɪstənt/ *adj* inconsistente

inconspicuous /ˌɪnkənˈspɪkjuəs/ *adj* **1** impercetível **2** que não dá nas vistas: *to make yourself inconspicuous* tentar passar despercebido

inconvenience /ˌɪnkənˈviːniəns/ *substantivo, verbo*
▸ *s* **1** [*não-contável*] inconveniência **2** incómodo
▸ *vt* incomodar

inconvenient /ˌɪnkənˈviːniənt/ *adj* **1** inconveniente, incómodo **2** (*momento*) inoportuno

incorporate /ɪnˈkɔːpəreɪt/ *vt* **1** ~ **sth (in/into sth)** incorporar, incluir alguma coisa (em alguma coisa) **2** (*Com*) constituir uma sociedade anónima: *incorporated company* sociedade anónima

incorrect /ˌɪnkəˈrekt/ *adj* incorreto

🔑 **increase** *verbo, substantivo*
▸ *vt, vi* /ɪnˈkriːs/ aumentar
▸ *s* /ˈɪŋkriːs/ ~ **(in sth)** aumento (de alguma coisa)
LOC **on the increase** (*coloq*) a aumentar

increasing /ɪnˈkriːsɪŋ/ *adj* crescente

🔑 **increasingly** /ɪnˈkriːsɪŋli/ *adv* cada vez mais

incredible /ɪnˈkredəbl/ *adj* incrível

indecisive /ˌɪndɪˈsaɪsɪv/ *adj* **1** indeciso **2** não concludente

🔑 **indeed** /ɪnˈdiːd/ *adv* (*formal*) **1** (*comentário, resposta ou reconhecimento*) de verdade: *Did you indeed?* De verdade? **2** [*uso enfático*] certamente, realmente: *Thank you very much indeed!* Muitíssimo obrigado! **3** de facto

indefensible /ˌɪndɪˈfensəbl/ *adj* inaceitável, indefensível

indefinite /ɪnˈdefɪnət/ *adj* **1** indefinido: *indefinite article* artigo indefinido **2** vago

indefinitely *adv* **1** indefinidamente **2** por tempo indefinido

indelible /ɪnˈdeləbl/ *adj* indelével

indemnity /ɪnˈdemnəti/ *s* (*pl* **indemnities**) (*formal ou Jur*) **1** indemnização **2** garantia

🔑 **independence** /ˌɪndɪˈpendəns/ *s* independência

Independence Day (*tb* **the Fourth of July**) *s* Dia da Independência

> **Independence Day** é um feriado comemorado em 4 de julho nos Estados Unidos. As festividades incluem fogo de artifício e paradas.

🔑 **independent** /ˌɪndɪˈpendənt/ *adj* **1** independente **2** (*escola*) privado ➲ *Ver nota em* ESCOLA

in-depth /ˌɪn ˈdepθ/ *adj* pormenorizado

indescribable /ˌɪndɪˈskraɪbəbl/ *adj* indescritível

🔑 **index** /ˈɪndeks/ *s* **1** (*pl* **indexes**) (*livro, dedo*) índice: *index finger* dedo indicador **2** (*pl* **indexes**) (*tb* **card index**) ficha (*de ficheiro*) **3** (*pl* **indexes** *ou* **indices** /ˈɪndɪsiːz/) expoente: *the retail price index* o índice de preços no consumidor ◇ *index-linked* dependente do índice do custo de vida

🔑 **indicate** /ˈɪndɪkeɪt/ **1** *vt* indicar **2** *vi* ligar o pisca-pisca

🔑 **indication** /ˌɪndɪˈkeɪʃn/ *s* **1** indicação **2** indício, sinal

indicative /ɪnˈdɪkətɪv/ *adj, s* indicativo

indicator /ˈɪndɪkeɪtə(r)/ *s* **1** indicador **2** (*carro*) pisca-pisca

indices *pl de* INDEX (3)

indictment /ɪnˈdaɪtmənt/ *s* **1** ~ **(of/on sb/sth)** crítica (a alguém/alguma coisa) **2** (*esp USA*) requisitório **3** (*esp USA*) acusação

indifference /ɪnˈdɪfrəns/ *s* indiferença

indifferent /ɪnˈdɪfrənt/ *adj* **1** indiferente **2** (*qualidade*) medíocre

indigenous /ɪnˈdɪdʒənəs/ *adj* (*formal*) indígena

indigestion /ˌɪndɪˈdʒestʃən/ *s* [*não-contável*] indigestão

indignant /ɪnˈdɪgnənt/ *adj* ~ **(at/about sth)** indignado (com alguma coisa)

indignation /ˌɪndɪgˈneɪʃn/ *s* indignação

indignity /ɪnˈdɪgnəti/ *s* (*pl* **indignities**) indignidade

🔑 **indirect** /ˌɪndəˈrekt, -daɪˈr-/ *adj* indireto

indirectly /ˌɪndəˈrektli, -daɪˈr-/ *adv* indiretamente

indiscreet /ˌɪndɪˈskriːt/ *adj* indiscreto

indiscretion /ˌɪndɪˈskreʃn/ *s* **1** indiscrição **2** deslize

indiscriminate /ˌɪndɪˈskrɪmɪnət/ *adj* indiscriminado

indispensable /ˌɪndɪˈspensəbl/ *adj* indespensável

indisputable /ˌɪndɪˈspjuːtəbl/ *adj* incontestável

indistinct /ˌɪndɪˈstɪŋkt/ *adj* indistinto (*pouco claro*)

individual /ˌɪndɪˈvɪdʒuəl/ *adjetivo, substantivo*
▸ *adj* **1** individual **2** particular **3** próprio
▸ *s* indivíduo

individualism /ˌɪndɪˈvɪdʒuəlɪzəm/ *s* individualismo

individually /ˌɪndɪˈvɪdʒuəli/ *adv* individualmente

indoctrination /ɪnˌdɒktrɪˈneɪʃn/ *s* doutrinação

indoor /ˈɪndɔː(r)/ *adj* interior: *indoor (swimming) pool* piscina coberta ◇ *indoor activities* atividades em recinto fechado

indoors /ˌɪnˈdɔːz/ *adv* lá dentro: *to stay/go indoors* ficar em casa/ir para dentro

induce /ɪnˈdjuːs; *USA* -ˈduːs/ *vt* **1** ~ **sb to do sth** (*formal*) induzir alguém a fazer alguma coisa **2** (*formal*) provocar **3** (*Med*) induzir (o parto de)

induction /ɪnˈdʌkʃn/ *s* investidura: *an induction course* um curso introdutório

indulge /ɪnˈdʌldʒ/ **1** *vt, vi* ~ **yourself (with sth)**; ~ **in sth** permitir-se alguma coisa **2** *vt* (*capricho*) satisfazer PHR V **indulge in sth** entregar-se a alguma coisa

indulgence /ɪnˈdʌldʒəns/ *s* **1** (*freq pej*) luxo, prazer **2** (*formal*) indulgência **indulgent** *adj* indulgente

industrial /ɪnˈdʌstriəl/ *adj* **1** industrial: *industrial estate* parque industrial **2** laboral: *industrial unrest* agitação operária **industrialist** *s* industrial (*pessoa*)

industrialization, -isation /ɪnˌdʌstriəlaɪˈzeɪʃn; *USA* -ləˈz-/ *s* industrialização

industrialize, -ise /ɪnˈdʌstriəlaɪz/ *vt* industrializar

industrious /ɪnˈdʌstriəs/ *adj* trabalhador

industry /ˈɪndəstri/ *s* **1** (*pl* **industries**) indústria **2** (*formal*) aplicação ao trabalho

inedible /ɪnˈedəbl/ *adj* não comestível

ineffective /ˌɪnɪˈfektɪv/ *adj* **1** ineficaz **2** (*pessoa*) ineficiente

inefficiency /ˌɪnɪˈfɪʃnsi/ *s* **1** ineficiência **2** incompetência

inefficient /ˌɪnɪˈfɪʃnt/ *adj* **1** ineficiente **2** incompetente

ineligible /ɪnˈelɪdʒəbl/ *adj* **be ~ (for sth/to do sth)** não ter direito (a alguma coisa/fazer alguma coisa)

inept /ɪˈnept/ *adj* inepto, incapaz

inequality /ˌɪnɪˈkwɒləti/ *s* (*pl* **inequalities**) desigualdade

inert /ɪˈnɜːt/ *adj* inerte

inertia /ɪˈnɜːʃə/ *s* inércia

inescapable /ˌɪnɪˈskeɪpəbl/ *adj* inevitável

inevitable /ɪnˈevɪtəbl/ *adj* inevitável

inevitably /ɪnˈevɪtəbli/ *adv* inevitavelmente

inexcusable /ˌɪnɪkˈskjuːzəbl/ *adj* imperdoável

inexhaustible /ˌɪnɪɡˈzɔːstəbl/ *adj* inesgotável

inexpensive /ˌɪnɪkˈspensɪv/ *adj* barato

inexperience /ˌɪnɪkˈspɪəriəns/ *s* inexperiência **inexperienced** *adj* inexperiente: *inexperienced in business* pouco experiente nos negócios

inexplicable /ˌɪnɪkˈsplɪkəbl/ *adj* inexplicável

infallibility /ɪnˌfæləˈbɪləti/ *s* infalibilidade

infallible /ɪnˈfæləbl/ *adj* infalível

infamous /ˈɪnfəməs/ *adj* (*formal*) infame

infancy /ˈɪnfənsi/ *s* **1** infância: *in infancy* em criança **2** (*fig*): *It was still in its infancy.* Ainda estava no seu período inicial.

infant /ˈɪnfənt/ *substantivo, adjetivo*
▸ *s* criança pequena: *infant mortality rate* taxa de mortalidade infantil ◇ *infant school* primeiros dois anos da escola primária ❶ **Baby**, **toddler**, e **child** são termos mais comuns.
▸ *adj* (*indústria, etc.*) emergente

infantile /ˈɪnfəntaɪl/ *adj* (*pej*) infantil

infantry /ˈɪnfəntri/ *s* [*v sing ou pl*] infantaria

infatuated /ɪnˈfætʃueɪtɪd/ *adj* ~ **(with sb/sth)** apaixonado (por alguém/alguma coisa) **infatuation** *s* ~ **(with/for sb/sth)** paixão (por alguém/alguma coisa)

infect /ɪnˈfekt/ *vt* ~ **sb/sth (with sth)** **1** infetar alguém/alguma coisa (com alguma coisa) **2** (*fig*) contagiar alguém/alguma coisa (com alguma coisa)

infection /ɪnˈfekʃn/ *s* infeção

infectious /ɪnˈfekʃəs/ *adj* infecioso

infer /ɪn'fɜː(r)/ *vt* (**-rr-**) **1** deduzir **2** insinuar **inference** /'ɪnfərəns/ *s* conclusão: *by inference* por dedução

inferior /ɪn'fɪəriə(r)/ *adj, s* ~ **(to sb/sth)** inferior (a alguém/alguma coisa) **inferiority** /ɪnˌfɪəri'ɒrəti; *USA* -'ɔːr-/ *s* inferioridade: *inferiority complex* complexo de inferioridade

infertile /ɪn'fɜːtaɪl; *USA* -tl/ *adj* estéril **infertility** /ˌɪnfɜː'tɪləti/ *s* esterilidade

infest /ɪn'fest/ *vt* infestar **infestation** *s* praga

infidelity /ˌɪnfɪ'deləti/ *s* (*pl* **infidelities**) infidelidade

infiltrate /'ɪnfɪltreɪt/ *vt, vi* infiltrar(-se)

infinite /'ɪnfɪnət/ *adj* infinito **infinitely** *adv* infinitamente

infinitive /ɪn'fɪnətɪv/ *s* infinitivo

infinity /ɪn'fɪnəti/ *s* **1** infinidade **2** infinito

infirm /ɪn'fɜːm/ *adj* fraco

infirmary /ɪn'fɜːməri/ *s* (*pl* **infirmaries**) hospital, enfermaria

infirmity /ɪn'fɜːməti/ *s* (*pl* **infirmities**) **1** fraqueza **2** enfermidade

inflamed /ɪn'fleɪmd/ *adj* **1** (*Med*) inflamado **2** (*ânimos, etc.*) atiçado

inflammable /ɪn'flæməbl/ *adj* inflamável
🛈 De notar que **inflammable** e **flammable** são sinónimos.

inflammation /ˌɪnflə'meɪʃn/ *s* inflamação

inflatable /ɪn'fleɪtəbl/ *adj* insuflável

inflate /ɪn'fleɪt/ *vt, vi* encher(-se) de ar, insuflar

inflation /ɪn'fleɪʃn/ *s* inflação

inflexible /ɪn'fleksəbl/ *adj* inflexível

inflict /ɪn'flɪkt/ *vt* ~ **sth (on sb)** **1** (*sofrimento, derrota*) infligir alguma coisa (a alguém) **2** (*dano*) causar alguma coisa (a alguém) PHR V **inflict yourself/sb on sb** (*ger hum*) impor-se/impor alguém a alguém

🔑 **influence** /'ɪnfluəns/ *substantivo, verbo*
▸ *s* **1** ~ **(on/over sb/sth)** influência (em/sobre alguém/alguma coisa) **2** [*não-contável*] cunha
▸ *vt* **1** influir em **2** influenciar

influential /ˌɪnflu'enʃl/ *adj* influente

influenza /ˌɪnflu'enzə/ *s* (*formal*) gripe

influx /'ɪnflʌks/ *s* afluência

infomercial /ˌɪnfəʊ'mɜːʃl/ *s* (*esp USA*) anúncio de televisão muito informativo que não parece ser publicidade

🔑 **inform** /ɪn'fɔːm/ *vt* ~ **sb (of/about sth)** informar alguém (de alguma coisa) PHR V **inform on sb** denunciar alguém

🔑 **informal** /ɪn'fɔːml/ *adj* **1** (*conversa, reunião, etc.*) informal, não oficial **2** (*pessoa, tom*) informal **3** (*vestir*) sem cerimónia

informant /ɪn'fɔːmənt/ *s Ver* INFORMER

🔑 **information** /ˌɪnfə'meɪʃn/ *s* [*não-contável*] ~ **(on/about sb/sth)** informação (sobre alguém/alguma coisa): *I need some information on...* Necessito de informação sobre... ◇ *a piece of information* um dado ➲ *Ver nota em* CONSELHO

information technology *s* (*abrev* **IT**) informática

informative /ɪn'fɔːmətɪv/ *adj* informativo

informer /ɪn'fɔːmə(r)/ (*tb* **informant**) *s* informador, -ora, delator, -ora

infrastructure /'ɪnfrəstrʌktʃə(r)/ *s* infra-estrutura

infrequent /ɪn'friːkwənt/ *adj* pouco frequente

infringe /ɪn'frɪndʒ/ *vt* infringir, violar

infuriate /ɪn'fjʊərieɪt/ *vt* enfurecer **infuriating** *adj* enfurecedor, extremamente irritante

ingenious /ɪn'dʒiːniəs/ *adj* engenhoso

ingenuity /ˌɪndʒə'njuːəti; *USA* -'nuː-/ *s* engenho, hablidade

ingrained /ɪn'greɪnd/ *adj* arraigado

🔑 **ingredient** /ɪn'griːdiənt/ *s* ingrediente

inhabit /ɪn'hæbɪt/ *vt* viver em

inhabitant /ɪn'hæbɪtənt/ *s* habitante

inhale /ɪn'heɪl/ **1** *vi* inspirar **2** *vi* (*fumador*) engolir o fumo **3** *vt* inalar **inhaler** *s* inalador

inherent /ɪn'hɪərənt, -'her-/ *adj* ~ **(in sb/sth)** inerente (a alguém/alguma coisa) **inherently** *adv* inerentemente

inherit /ɪn'herɪt/ *vt* herdar **inheritance** *s* herança

inhibit /ɪn'hɪbɪt/ *vt* **1** ~ **sb (from doing sth)** impedir alguém (de fazer alguma coisa) **2** (*processo, etc.*) dificultar **inhibited** *adj* inibido **inhibition** /ˌɪnhɪ'bɪʃn, ˌɪnɪ'b-/ *s* inibição

inhospitable /ˌɪnhɒ'spɪtəbl/ *adj* **1** (*lugar*) inóspito **2** (*pessoa*) pouco hospitaleiro

inhuman /ɪn'hjuːmən/ *adj* desumano, cruel

🔑 **initial** /ɪ'nɪʃl/ *adjetivo, substantivo, verbo*
▸ *adj, s* inicial
▸ *vt* (**-ll-**, *USA* **-l-**) rubricar com as iniciais

🔑 **initially** /ɪ'nɪʃəli/ *adv* inicialmente, no início

initiate /ɪ'nɪʃieɪt/ *vt* **1** (*formal*) iniciar **2** (*formal*) (*processo, etc.*) abrir **3** ~ **sb (into sth)** iniciar alguém (em alguma coisa) **initiation** *s* iniciação

🔑 **initiative** /ɪ'nɪʃətɪv/ *s* iniciativa

inject /ɪn'dʒekt/ *vt* injectar **injection** *s* injeção

injure /'ɪndʒə(r)/ *vt* ferir, lesionar: *Five people were injured in the crash.* Cinco pessoas ficaram feridas no acidente. ➲ *Ver nota em* FERIMENTO

injured /'ɪndʒəd/ *adj* **1** ferido, lesionado **2** (*tom*) ofendido

injury /'ɪndʒəri/ *s* (*pl* **injuries**) **1** ferimento, lesão: *injury time* período de desconto ➲ *Ver nota em* FERIMENTO **2** (*fig*) dano

injustice /ɪn'dʒʌstɪs/ *s* injustiça

ink /ɪŋk/ *s* tinta

inkling /'ɪŋklɪŋ/ *s* [*sing*] ~ **(of sth/that...)** ideia, suspeita (de alguma coisa/de que...)

inland *adjetivo, advérbio*
▸ *adj* /'ɪnlænd/ interior
▸ *adv* /ˌɪn'lænd/ para o interior

the Inland Revenue *s* (*GB*) o Fisco, a Direção Geral de Contribuições e Impostos

in-laws /'ɪn lɔːz/ *s* [*pl*] (*coloq*) sogros

inlet /'ɪnlet/ *s* **1** braço (de mar), enseada **2** entrada (*de ar, gasolina, etc.*)

in-line skate /ˌɪn laɪn 'skeɪt/ *s* patim em linha

inmate /'ɪnmeɪt/ *s* **1** (*em prisão*) preso, -a **2** (*em hospital psiquiátrico*) internado, -a

inn /ɪn/ *s* **1** (*GB, antiq*) taberna **2** (*USA*) estalagem

innate /ɪ'neɪt/ *adj* inato

inner /'ɪnə(r)/ *adj* **1** interior: *the inner city* os bairros do centro da cidade **2** íntimo

innermost /'ɪnəməʊst/ *adj* **1** mais profundo/íntimo **2** mais recôndito

innocence /'ɪnəsns/ *s* inocência

innocent /'ɪnəsnt/ *adj* inocente

innocuous /ɪ'nɒkjuəs/ *adj* (*formal*) **1** (*comentário*) inofensivo **2** (*substância*) inócuo

innovate /'ɪnəveɪt/ *vi* inovar **innovation** *s* inovação **innovative** /'ɪnəveɪtɪv, -vət-/ *adj* inovador

innuendo /ˌɪnju'endəʊ/ *s* (*pl* **innuendoes** *ou* **innuendos**) (*pej*) insinuação

innumerable /ɪ'njuːmərəbl; *USA* ɪ'nuː-/ *adj* inumerável

inoculate /ɪ'nɒkjuleɪt/ *vt* vacinar **inoculation** *s* vacinação

input /'ɪnpʊt/ *s* **1** contribuição **2** (*Informát*) entrada

inquest /'ɪŋkwest/ *s* ~ **(on/into sth)** investigação (judicial) (sobre alguma coisa)

inquire, inquiry (*esp USA*) = ENQUIRE, ENQUIRY

inquisition /ˌɪnkwɪ'zɪʃn/ *s* **1** (*formal ou hum*) interrogatório **2 the Inquisition** (*Hist*) a Inquisição

inquisitive /ɪn'kwɪzətɪv/ *adj* curioso

insane /ɪn'seɪn/ *adj* louco

insanity /ɪn'sænəti/ *s* loucura, demência

insatiable /ɪn'seɪʃəbl/ *adj* insaciável

inscribe /ɪn'skraɪb/ *vt* ~ **sth (in/on sth)** gravar alguma coisa (em alguma coisa): *a plaque inscribed with a quotation from Dante* uma placa com uma citação de Dante inscrita

inscription /ɪn'skrɪpʃn/ *s* **1** (*em pedra, etc.*) inscrição **2** (*em livro*) dedicatória

insect /'ɪnsekt/ *s* inseto

insecticide /ɪn'sektɪsaɪd/ *s* inseticida

insecure /ˌɪnsɪ'kjʊə(r)/ *adj* inseguro **insecurity** *s* insegurança

insensitive /ɪn'sensətɪv/ *adj* ~ **(to sth)** **1** insensível (a alguma coisa) **2** imune (a alguma coisa) **insensitivity** /ɪnˌsensə'tɪvəti/ *s* insensibilidade

inseparable /ɪn'seprəbl/ *adj* inseparável

insert /ɪn'sɜːt/ *vt* introduzir

inside /ˌɪn'saɪd/ *preposição, advérbio, substantivo, adjetivo*
▸ *prep* (*tb esp USA* **inside of**) dentro de: *Is there anything inside the box?* Está alguma coisa dentro da caixa?
▸ *adv* para dentro: *Let's go inside.* Vamos para dentro. ◇ *Pete's inside.* O Pete está lá dentro.
▸ *s* **1** interior: *The door was locked from the inside.* A porta estava fechada por dentro. **2 insides** [*pl*] (*coloq*) tripas LOC **inside out** do avesso: *You've got your jumper on inside out.* Tens a camisola do avesso. ➲ *Ver ilustração em* CONTRÁRIO *e locução em* KNOW
▸ *adj* [*só antes de substantivo*] **1** interior, interno: *the inside pocket* o bolso interior **2** interno: *inside information* informação confidencial

insider /ɪn'saɪdə(r)/ *s* alguém de dentro (*de empresa, grupo*)

insight /'ɪnsaɪt/ *s* **1** perspicácia, discernimento **2** ~ **(into sth)** ideia, perspetiva (de alguma coisa)

insignificance /ˌɪnsɪg'nɪfɪkəns/ *s* insignificância

insignificant /ˌɪnsɪg'nɪfɪkənt/ *adj* insignificante

insincere /ˌɪnsɪn'sɪə(r)/ *adj* falso **insincerity** /ˌɪnsɪn'serəti/ *s* insinceridade

insinuate /ɪn'sɪnjueɪt/ *vt* insinuar **insinuation** *s* insinuação

🔑 **insist** /ɪn'sɪst/ *vi* ~ **(on sth/doing sth)** insistir (em alguma coisa/fazer alguma coisa): *She always insists on a room to herself.* Insiste sempre num quarto só para ela.

insistence /ɪn'sɪstəns/ *s* insistência **insistent** *adj* insistente

insolence /'ɪnsələns/ *s* insolência

insolent /'ɪnsələnt/ *adj* insolente

insomnia /ɪn'sɒmniə/ *s* insónia

inspect /ɪn'spekt/ *vt* **1** inspecionar **2** (*bagagem*) revistar **inspection** *s* inspeção

inspector /ɪn'spektə(r)/ *s* **1** inspetor, -ora **2** (*de bilhetes*) revisor, -ora

inspiration /ˌɪnspə'reɪʃn/ *s* inspiração

inspire /ɪn'spaɪə(r)/ *vt* **1** inspirar **2** ~ **sb (with sth)**; ~ **sth (in sb)** (*entusiasmo, etc.*) inspirar, infundir alguma coisa (a/em alguém): *His remarks didn't inspire us with confidence.* Os seus comentários não nos inspiraram confiança.

instability /ˌɪnstə'bɪləti/ *s* instabilidade

🔑 **install** /ɪn'stɔːl/ *vt* instalar

installation /ˌɪnstə'leɪʃn/ *s* instalação

instalment (*tb esp USA* **installment**) /ɪn'stɔːlmənt/ *s* **1** (*publicação*) fascículo **2** (*televisão*) episódio **3** (*pagamento*) prestação: *to pay in instalments* pagar a prestações

🔑 **instance** /'ɪnstəns/ *s* caso LOC **for instance** por exemplo

instant /'ɪnstənt/ *substantivo, adjetivo*
- ▸ *s* instante
- ▸ *adj* **1** imediato **2** *instant coffee* café solúvel

instantaneous /ˌɪnstən'teɪniəs/ *adj* instantâneo

instantly /'ɪnstəntli/ *adv* imediatamente, instantaneamente

🔑 **instead** /ɪn'sted/ *adv* em vez disso

🔑 **instead of** *prep* em vez de

instigate /'ɪnstɪgeɪt/ *vt* instigar **instigation** *s* instigação

instil (*USA* **instill**) /ɪn'stɪl/ *vt* (**-ll-**) ~ **sth (in/into sb)** infundir alguma coisa (em alguém)

instinct /'ɪnstɪŋkt/ *s* instinto **instinctive** /ɪn'stɪŋktɪv/ *adj* instintivo

🔑 **institute** /'ɪnstɪtjuːt; *USA* -tuːt/ *substantivo, verbo*
- ▸ *s* instituto, centro
- ▸ *vt* (*formal*) iniciar (*investigação*)

🔑 **institution** /ˌɪnstɪ'tjuːʃn; *USA* -'tuːʃn/ *s* instituição **institutional** *adj* institucional

instruct /ɪn'strʌkt/ *vt* (*formal*) **1** instruir, dar instruções a **2** ~ **sb (in sth)** ensinar (alguma coisa) a alguém

🔑 **instruction** /ɪn'strʌkʃn/ *s* **1 instructions** [*pl*] ~ **(to do sth)** instruções (para fazer alguma coisa) **2** ~ **(in sth)** (*formal*) formação (em alguma coisa)

instructive /ɪn'strʌktɪv/ *adj* instrutivo

instructor /ɪn'strʌktə(r)/ *s* instrutor, -ora

🔑 **instrument** /'ɪnstrəmənt/ *s* instrumento

instrumental /ˌɪnstrə'mentl/ *adj* **1 be ~ in sth/doing sth** ter um papel decisivo em alguma coisa **2** (*Mús*) instrumental

insufficient /ˌɪnsə'fɪʃnt/ *adj* insuficiente

insular /'ɪnsjələ(r); *USA* -səl-/ *adj* curto das ideias

insulate /'ɪnsjuleɪt; *USA* -səl-/ *vt* isolar **insulation** *s* isolação

🔑 **insult** *substantivo, verbo*
- ▸ *s* /'ɪnsʌlt/ insulto
- ▸ *vt* /ɪn'sʌlt/ insultar

🔑 **insulting** /ɪn'sʌltɪŋ/ *adj* ~ **(to sb/sth)** insultante (para alguém/alguma coisa)

🔑 **insurance** /ɪn'ʃʊərəns, -'ʃɔːr-/ *s* [*não-contável*] seguro: *insurance company/policy* companhia/apólice de seguros

insure /ɪn'ʃʊə(r), -'ʃɔː(r)/ *vt* **1** ~ **sb/sth (against sth)** segurar alguém/alguma coisa (contra alguma coisa): *to insure sth for £5000* fazer um seguro de 5.000 libras para alguma coisa **2** (*esp USA*) = ENSURE

intake /'ɪnteɪk/ *s* **1** (*pessoas*) número admitido: *We have an annual intake of 20.* Admitimos 20 por ano. **2** (*comida, etc.*) ingestão

integral /'ɪntɪgrəl, ɪn'tegrəl/ *adj* **1** ~ **(to sth)** essencial (de alguma coisa): *an integral part of sth* parte essencial de alguma coisa **2** (*sistema*) integrado

integrate /'ɪntɪgreɪt/ *vt, vi* integrar(-se) **integration** *s* integração

integrity /ɪn'tegrəti/ *s* integridade

intellectual /ˌɪntə'lektʃuəl/ *adj, s* intelectual **intellectually** *adv* intelectualmente

🔑 **intelligence** /ɪn'telɪdʒəns/ *s* inteligência

🔑 **intelligent** /ɪn'telɪdʒənt/ *adj* inteligente **intelligently** *adv* inteligentemente

🔑 **intend** /ɪn'tend/ *vt* **1** ~ **to do sth** pensar, pretender fazer alguma coisa **2** ~ **sb to do sth**: *I intend you to take over.* A minha intenção é que venhas a substituir-me. ◇ *You weren't intended to hear that remark.* Não era suposto ouvires esse comentário. **3** ~ **sth as sth**: *It was intended as a joke.* Era suposto ser uma brincadeira.

intended /ɪn'tendɪd/ *adj* **1** pretendido **2** ~ **for sb/sth**; ~ **as sth** destinado a alguém/alguma coisa, destinado como alguma coisa: *It is intended for Sally.* É para a Sally. ◇ *They're not intended for eating/to be eaten.* Não são para comer.

intense /ɪn'tens/ *adj* **1** intenso **2** (*emoções*) forte, intenso **3** (*pessoa*) nervoso, sério: *She's so intense about everything.* Ela leva tudo tão a sério. **intensely** *adv* intensamente

intensify /ɪn'tensɪfaɪ/ *vt, vi* (*pt, pp* **-fied**) intensificar(-se)

intensity /ɪn'tensəti/ *s* intensidade

intensive /ɪn'tensɪv/ *adj* intensivo: *intensive care* cuidados intensivos

intent /ɪn'tent/ *adjetivo, substantivo*
▸ *adj* **1** (*concentrado*) atento **2** ~ **on/upon doing sth** (*formal*) decidido a fazer alguma coisa **3** ~ **on/upon sth** absorto em alguma coisa
▸ *s* LOC **to all intents and purposes** para efeitos práticos

intention /ɪn'tenʃn/ *s* intenção: *to have the intention of doing sth* ter a intenção de fazer alguma coisa ◇ *I have no intention of doing it.* Não tenho a mínima intenção de o fazer. **intentional** *adj* intencional **intentionally** *adv* intencionalmente

intently /ɪn'tentli/ *adv* atentamente

interact /ˌɪntər'ækt/ *vi* **1** (*pessoas*) relacionar-se entre si **2** (*coisas*) influenciar-se mutuamente **interaction** *s* **1** relação (*entre pessoas*) **2** interação

interactive /ˌɪntər'æktɪv/ *adj* interativo

intercept /ˌɪntə'sept/ *vt* intercetar

interchange *verbo, substantivo*
▸ *vt* /ˌɪntə'tʃeɪndʒ/ trocar
▸ *s* /'ɪntətʃeɪndʒ/ troca **interchangeable** /ˌɪntə'tʃeɪndʒəbl/ *adj* permutável

interconnect /ˌɪntəkə'nekt/ **1** *vt, vi* interligar(-se): *to be interconnected with sth* estar interligado a alguma coisa **2** *vi* (*quartos*) comunicar entre si **interconnection** *s* ligação

intercourse /'ɪntəkɔːs/ *s* [*não-contável*] relações sexuais, coito

interest /'ɪntrəst, -trest/ *substantivo, verbo*
▸ *s* **1** ~ **(in sth)** interesse (por alguma coisa): *It is of no interest to me.* Não me interessa. **2** afeição: *her main interest in life* o que mais lhe interessa na vida **3** [*não-contável*] (*Fin*) juros *Ver tb* VESTED INTEREST LOC **in sb's interest(s)** no interesse de alguém ◆ **in the interest(s) of sth** por razões de alguma coisa: *in the interest(s) of safety* por razões de segurança
▸ *vt* ~ **sb/yourself (in sth)** interessar alguém, interessar-se (em alguma coisa)

interested /'ɪntrəstɪd, -trest-/ *adj* interessado: *to be interested in sth* estar interessado em alguma coisa ➲ *Ver nota em* BORING

interesting /'ɪntrəstɪŋ, -trest-/ *adj* interessante ➲ *Ver nota em* BORING **interestingly** *adv* curiosamente

interface /'ɪntəfeɪs/ *s* (*Informát*) interface

interfere /ˌɪntə'fɪə(r)/ *vi* ~ **(in sth)** interferir, intrometer-se (em alguma coisa) PHR V **interfere with sth 1** interferir com alguma coisa, dificultar alguma coisa **2** mexer em alguma coisa **interference** *s* [*não-contável*] **1** ~ **(in sth)** interferência, intromissão (em alguma coisa) **2** (*Rádio*) interferências **interfering** *adj* intrometido

interim /'ɪntərɪm/ *adjetivo, substantivo*
▸ *adj* [*só antes de substantivo*] provisório
▸ *s* LOC **in the interim** entretanto

interior /ɪn'tɪəriə(r)/ *adj, s* interior

interlude /'ɪntəluːd/ *s* intervalo

intermediate /ˌɪntə'miːdiət/ *adj* intermédio

intermission /ˌɪntə'mɪʃn/ *s* (*esp USA*) intervalo

intern /ɪn'tɜːn/ *vt* internar

internal /ɪn'tɜːnl/ *adj* interno, interior: *internal affairs/injuries* assuntos internos/lesões internas **internally** *adv* internamente

international /ˌɪntə'næʃnəl/ *adjetivo, substantivo*
▸ *adj* internacional
▸ *s* (*Desp*) **1** jogo internacional **2** (jogador) internacional **internationally** *adv* internacionalmente

Internet /'ɪntənet/ *s* **the Internet** a Internet: *to look for sth on the Internet* procurar alguma coisa na Internet ◇ *Internet access* acesso à Internet ➲ *Ver ilustração e nota em pág. 159*

interpret /ɪn'tɜːprɪt/ *vt* **1** interpretar **2** traduzir

> **Interpret** utiliza-se para a tradução oral, e **translate** para a tradução escrita.

interpretation /ɪnˌtɜːprɪ'teɪʃn/ *s* interpretação

interpreter /ɪn'tɜːprɪtə(r)/ *s* intérprete ➲ *Comparar com* TRANSLATOR

interrelated /ˌɪntərɪ'leɪtɪd/ *adj* correlacionado

interrogate /ɪn'terəgeɪt/ *vt* interrogar **interrogation** *s* **1** interrogação **2** (*de polícia*) interrogatório

interrogative /ˌɪntəˈrɒgətɪv/ *adj, s* interrogativo

interrogator /ɪnˈterəgeɪtə(r)/ *s* interrogador, -ora

interrupt /ˌɪntəˈrʌpt/ *vt, vi* interromper: *I'm sorry to interrupt, but there's a phone call for you.* Desculpe interromper, mas é chamado ao telefone.

interruption /ˌɪntəˈrʌpʃn/ *s* interrupção

intersect /ˌɪntəˈsekt/ *vi* intersectar-se, cruzar--se **intersection** *s* intersecção, cruzamento

interspersed /ˌɪntəˈspɜːst/ *adj* ~ **with sth** intercalado com alguma coisa

interstate /ˈɪntəsteɪt/ *s* (*USA*) autoestrada

intertwine /ˌɪntəˈtwaɪn/ *vt, vi* entrelaçar(-se)

interval /ˈɪntəvl/ *s* intervalo

intervene /ˌɪntəˈviːn/ *vi* (*formal*) **1** ~ **(in sth)** intervir (em alguma coisa) **2** interpor-se **3** (*formal*) (*tempo*) transcorrer **intervening** *adj* intermédio

intervention /ˌɪntəˈvenʃn/ *s* intervenção

interview /ˈɪntəvjuː/ *substantivo, verbo*
- *s* entrevista
- *vt* entrevistar

interviewee /ˌɪntəvjuːˈiː/ *s* entrevistado, -a

interviewer /ˈɪntəvjuːə(r)/ *s* entrevistador, -ora

interweave /ˌɪntəˈwiːv/ *vt, vi* (*pt* **-wove** /-ˈwəʊv/, *pp* **-woven** /-ˈwəʊvn/) entretecer(-se)

intestine /ɪnˈtestɪn/ *s* intestino: *small/large intestine* intestino delgado/grosso

intimacy /ˈɪntɪməsi/ *s* intimidade

intimate /ˈɪntɪmət/ *adj* **1** (*amigo, restaurante, etc.*) íntimo **2** (*amizade*) forte **3** (*conhecimento*) profundo

intimidate /ɪnˈtɪmɪdeɪt/ *vt* ~ **sb (into doing sth)** intimidar alguém (a fazer alguma coisa) **intimidation** *s* intimidação

into /ˈɪntə, ˈɪntu, ˈɪntuː/ *prep* ❶ Para os usos de **into** em **phrasal verbs**, ver as entradas para os verbos correspondentes, p. ex. **look into sth** em LOOK. **1** (*direção*) em, dentro: *to come into a room* entrar numa sala ◇ *He put it into the box.* Pô-lo dentro de uma caixa. **2** para: *to get into a car* entrar para um carro ◇ *She went into town.* Foi ao centro. ◇ *to translate into Spanish* traduzir para espanhol **3** (*tempo, distância*): *long into the night* pela noite dentro ◇ *far into the distance* à distância **4** (*Mat*): *12 into 144 goes 12 times.* 144 a dividir por 12 dá 12 LOC **be into sth** (*coloq*): *She's into motorbikes.* Gosta muito de motos.

intolerable /ɪnˈtɒlərəbl/ *adj* intolerável, insuportável

intolerance /ɪnˈtɒlərəns/ *s* intolerância, intransigência

intolerant /ɪnˈtɒlərənt/ *adj* intolerante

intonation /ˌɪntəˈneɪʃn/ *s* entoação, inflexão

intoxicated /ɪnˈtɒksɪkeɪtɪd/ *adj* (*formal*) (*lit e fig*) embriagado

intoxication /ɪnˌtɒksɪˈkeɪʃn/ *s* embriaguez

intrepid /ɪnˈtrepɪd/ *adj* (*formal*) intrépido, arrojado

intricate /ˈɪntrɪkət/ *adj* intrincado, complexo

intrigue *verbo, substantivo*
- *vt* /ɪnˈtriːg/ intrigar
- *s* /ˈɪntriːg, ɪnˈtriːg/ intriga **intriguing** /ɪnˈtriːgɪŋ/ *adj* intrigante, fascinante

intrinsic /ɪnˈtrɪnsɪk, -zɪk/ *adj* intrínseco

introduce /ˌɪntrəˈdjuːs; *USA* -ˈduːs/ *vt* **1** ~ **sb/sth (to sb)** apresentar alguém/alguma coisa (a alguém) ➲ *Ver nota em* APRESENTAR **2** ~ **sb to sth**; ~ **sth to sb** iniciar alguém em alguma coisa **3** (*produto, reforma, etc.*) introduzir

introduction /ˌɪntrəˈdʌkʃn/ *s* **1** [*não-contável*] introdução (*produto, reforma, etc.*) **2** apresentação **3** ~ **(to sth)** introdução (de alguma coisa) **4** [*sing*] ~ **(to sth)** iniciação (em alguma coisa)

introductory /ˌɪntrəˈdʌktəri/ *adj* **1** (*capítulo, curso*) introdutório **2** (*oferta*) inicial

introvert /ˈɪntrəvɜːt/ *s* introvertido, -a

intrude /ɪnˈtruːd/ *vi* **1** ~ **(into/on/upon sth)** intrometer-se, imiscuir-se (em alguma coisa) **2** ~ **(on/upon sb)** incomodar (alguém) **intruder** *s* intruso, -a

intrusion /ɪnˈtruːʒn/ *s* **1** ~ **(into/on/upon sth)** invasão (de alguma coisa) **2** intromissão

intrusive /ɪnˈtruːsɪv/ *adj* importuno

intuition /ˌɪntjuˈɪʃn; *USA* -tu-/ *s* intuição

intuitive /ɪnˈtjuːɪtɪv; *USA* -ˈtuː-/ *adj* intuitivo

Inuit /ˈɪnjuɪt, ˈɪnuɪt/ *s* **the Inuit** [*pl*] os inuit, os esquimós ➲ *Ver nota em* ESQUIMÓ

inundate /ˈɪnʌndeɪt/ *vt* ~ **sb/sth (with sth)** inundar alguém/alguma coisa (com alguma coisa): *We were inundated with applications.* Recebemos imensas candidaturas.

invade /ɪnˈveɪd/ *vt, vi* invadir **invader** *s* invasor, -ora

invalid *substantivo, adjetivo*
- *s* /ˈɪnvəlɪd/ inválido, -a
- *adj* /ɪnˈvælɪd/ não válido

invalidate /ɪnˈvælɪdeɪt/ *vt* anular, invalidar

invaluable /ɪnˈvæljuəbl/ *adj* inestimável ➲ *Comparar com* VALUABLE

invariably /ɪn'veəriəbli/ *adv* invariavelmente

invasion /ɪn'veɪʒn/ *s* invasão

invent /ɪn'vent/ *vt* inventar

invention /ɪn'venʃn/ *s* **1** invenção **2** invento

inventive /ɪn'ventɪv/ *adj* **1** imaginativo **2** (*capacidade*) inventivo **inventiveness** *s* (capacidade) inventiva

inventor /ɪn'ventə(r)/ *s* inventor, -ora

inventory /'ɪnvəntri; *USA* -tɔːri/ *s* (*pl* **inventories**) inventário

invert /ɪn'vɜːt/ *vt* (*formal*) inverter

invertebrate /ɪn'vɜːtɪbrət/ *s* invertebrado

inverted commas *s* [*pl*] aspas: *in inverted commas* entre aspas

invest /ɪn'vest/ *vt, vi* ~ **(sth) (in sth)** investir (alguma coisa) (em alguma coisa)

investigate /ɪn'vestɪgeɪt/ *vt, vi* investigar

investigation /ɪn,vestɪ'geɪʃn/ *s* ~ **(into sth)** investigação (de alguma coisa)

investigative /ɪn'vestɪgətɪv; *USA* -geɪtɪv/ *adj*: *investigative journalism* jornalismo de investigação

investigator /ɪn'vestɪgeɪtə(r)/ *s* investigador, -ora

investment /ɪn'vestmənt/ *s* ~ **(in sth)** investimento (em alguma coisa)

investor /ɪn'vestə(r)/ *s* investidor, -ora

invigorating /ɪn'vɪgəreɪtɪŋ/ *adj* revigorante

invincible /ɪn'vɪnsəbl/ *adj* invencível

invisible /ɪn'vɪzəbl/ *adj* invisível

invitation /,ɪnvɪ'teɪʃn/ *s* convite

invite *verbo, substantivo*
▸ *vt* /ɪn'vaɪt/ **1** ~ **sb (to/for sth)** convidar alguém (para alguma coisa) **2** (*sugestões, comentários*) pedir, solicitar **3** pedir (*problemas, etc.*): *to invite trouble* procurar problemas PHR V **invite sb back 1** convidar alguém a vir a sua casa **2** convidar (por sua vez) alguém para vir a sua casa (*para retribuir um convite prévio*) ◆ **invite sb in** convidar alguém para entrar ◆ **invite sb out** convidar alguém para sair ◆ **invite sb (a) round/over** convidar alguém para vir a sua casa
▸ *s* /'ɪnvaɪt/ (*coloq*) convite **inviting** /ɪn'vaɪtɪŋ/ *adj* **1** convidativo, tentador **2** (*comida*) apetitoso

invoice /'ɪnvɔɪs/ *substantivo, verbo*
▸ *s* ~ **(for sth)** fatura (de alguma coisa)
▸ *vt* ~ **sb (for sth)** passar uma fatura (de alguma coisa) a alguém

involuntary /ɪn'vɒləntri; *USA* -teri/ *adj* involuntário

involve /ɪn'vɒlv/ *vt* **1** supor, implicar: *The job involves me/my living in London.* O trabalho requere que viva em Londres. **2** ~ **sb in sth** envolver alguém em alguma coisa **3** ~ **sb in sth** envolver, meter alguém em alguma coisa: *Don't involve me in your problems.* Não me metas nos teus problemas. **4** ~ **sb in sth** implicar alguém em alguma coisa (*esp crime*)

involved /ɪn'vɒlvd/ *adj* **1** envolvido: *to be/get involved in sth* estar envolvido/envolver-se em alguma coisa ◇ *He doesn't want to get involved.* Ele não se quer envolver. **2 be/get ~ (with sb)** (*relação emocional*) estar envolvido/envolver-se (com alguém), andar metido/meter-se (com alguém) **3** complicado

involvement /ɪn'vɒlvmənt/ *s* **1** ~ **(in/with sth)** envolvimento (em alguma coisa) **2** ~ **(with sb)** envolvimento, relação (com alguém)

inward /'ɪnwəd/ *adjetivo, advérbio*
▸ *adj* **1** [*só antes de substantivo*] (*pensamentos, etc.*) íntimo: *to give an inward sigh* suspirar no íntimo **2** (*direção*) para dentro
▸ *adv* (*tb* **inwards**) para dentro **inwardly** *adv* **1** no íntimo **2** (*suspirar, sorrir, etc.*) de si para si

IQ /,aɪ 'kjuː/ *s* (*abrev de* **intelligence quotient**) quociente de inteligência: *She's got an IQ of 120.* Tem um QI de 120.

iris /'aɪrɪs/ *s* **1** (*Anat*) íris **2** (*Bot*) lírio

Irish /'aɪrɪʃ/ *adj, s* irlandês

iron /'aɪən/ *substantivo, verbo*
▸ *s* **1** (*metal*) ferro *Ver tb* CAST IRON, WROUGHT IRON **2** (*para roupa*) ferro (de passar)
▸ *vt, vi* passar a ferro PHR V **iron sth out 1** (*amarrotado*) passar a ferro alguma coisa **2** (*problemas, etc.*) resolver alguma coisa

ironic /aɪ'rɒnɪk/ *adj* irónico: *It's ironic that we only won the last match.* É muito irónico termos apenas ganho o último jogo. ◇ *He gave an ironic smile.* Sorriu ironicamente. **ironically** /-kli/ *adv* ironicamente, com ironia

ironing /'aɪənɪŋ/ *s* **1** *to do the ironing* passar (a roupa) a ferro ◇ *ironing board* tábua de passar a ferro **2** roupa para passar (a ferro), roupa passada (a ferro)

irony /'aɪrəni/ *s* (*pl* **ironies**) ironia

irrational /ɪ'ræʃənl/ *adj* irracional **irrationality** /ɪræʃə'næləti/ *s* irracionalidade **irrationally** *adv* irracionalmente

irrelevance /ɪ'reləvəns/ *s* irrelevância: *The students complained about the irrelevance of the curriculum to their own life.* Os estudantes queixaram-se de que o programa não tem nada a ver com a sua vida.

irrelevant /ɪ'reləvənt/ *adj* irrelevante: *irrelevant remarks* comentários que não vêm ao caso

irresistible /ˌɪrɪ'zɪstəbl/ *adj* irresistível **irresistibly** *adv* irresistivelmente

irrespective of /ˌɪrɪ'spektɪv əv/ *prep* (*formal*) independentemente de

irresponsibility /ˌɪrɪˌspɒnsə'bɪləti/ *s* irresponsabilidade

irresponsible /ˌɪrɪ'spɒnsəbl/ *adj* irresponsável: *It was irresponsible of you.* Foi uma irresponsabilidade da tua parte. **irresponsibly** *adv* irresponsavelmente

irrigation /ˌɪrɪ'geɪʃn/ *s* rega, irrigação

irritability /ˌɪrɪtə'bɪləti/ *s* irritabilidade

irritable /'ɪrɪtəbl/ *adj* irritável **irritably** *adv* irritadamente

irritate /'ɪrɪteɪt/ *vt* irritar: *He's easily irritated.* Irrita-se muito facilmente.

irritating /'ɪrɪteɪtɪŋ/ *adj* irritante: *How irritating!* Que irritante!

irritation /ˌɪrɪ'teɪʃn/ *s* irritação

is /ɪz/ *Ver* BE

Islam /'ɪzlɑːm, ɪz'lɑːm/ *s* Islão

Islamic /ɪz'læmɪk/ *adj* islâmico

island /'aɪlənd/ *s* (*abrev* **I, I., Is.**) ilha: *a desert island* uma ilha deserta **islander** *s* ilhéu, -oa

isle /aɪl/ *s* (*abrev* **I, I., Is.**) ilha ❶ Usa-se sobretudo em nomes de lugares, p. ex. *the Isle of Man*.

isn't /'ɪznt/ = IS NOT *Ver* BE

isolate /'aɪsəleɪt/ *vt* ~ **sb/sth (from sb/sth)** isolar alguém/alguma coisa (de alguém/alguma coisa) **isolated** *adj* isolado

isolation /ˌaɪsə'leɪʃn/ *s* isolação LOC **in isolation (from sb/sth)** isolado (de alguém/alguma coisa): *Looked at in isolation...* Analisado fora de contexto...

ISP /ˌaɪ es 'piː/ *abrev de* **Internet Service Provider** Provedor de Serviços de Internet

issue /'ɪʃuː, 'ɪsjuː/ *substantivo, verbo*
▸ *s* **1** questão, tema **2** problema: *Let's not make an issue of it.* Não levantemos problemas. **3** emissão, fornecimento **4** (*de uma revista, etc.*) número
▸ **1** *vt* ~ **sth (to sb)** distribuir alguma coisa (a alguém) **2** *vt* ~ **sb with sth** fornecer alguma coisa a alguém **3** *vt* (*visto, etc.*) passar **4** *vt* publicar **5** *vt* (*selos, etc.*) emitir **6** *vt* (*apelo*) fazer

IT /ˌaɪ 'tiː/ *s* (*abrev de* **information technology**) Tecnologia da Informação

it /ɪt/ *pron*

• **como sujeito e objeto** ❶ **It** substitui um animal ou uma coisa. Também se pode utilizar para nos referirmos a um bebé. **1** [*como sujeito*] ele, ela: *Where is it?* Onde é que está? ◇ *The baby is crying, I think it's hungry.* O bebé está a chorar, deve ter fome. ◇ *Who is it?* Quem é? ◇ *It's me.* Sou eu. ❶ O pronome pessoal não se pode omitir em inglês. **2** [*como complemento direto*] o, a: *Did you buy it?* Compraste-o? ◇ *Give it to me.* Dá-mo. **3** [*como complemento indireto*] lhe: *Give it some milk.* Dá-lhe um pouco de leite. **4** [*depois de preposição*]: *That box is heavy. What's inside it?* Essa caixa é muito pesada. O que é que tem dentro?

• **frases impessoais**

Em muitos casos **it** carece de significado, e utiliza-se como sujeito gramatical para construir orações que em português são impessoais. Normalmente não se traduz.

1 (*de tempo, distância e tempo atmosférico*): *It's ten past twelve.* É meio-dia e dez. ◇ *It's May 12.* É no dia 12 de maio. ◇ *It's two miles to the beach.* A praia está a duas milhas. ◇ *It's a long time since they left.* Há muito tempo que se foram embora. ◇ *It's raining.* Está a chover. ◇ *It's hot.* Está calor. **2** [*noutras construções*]: *Does it matter what colour the hat is?* Importa de que cor o chapéu é? ◇ *I'll come at seven if it's convenient.* Virei às sete se não for inconveniente. ◇ *It's Jim who's the clever one, not his brother.* O Jim é que é o esperto, não o irmão. LOC **that's it 1** é isso mesmo: *That's just it.* Aí é que está o problema. **2** já chega **3** é assim **4** é tudo ◆ **this is it 1** agora é que é **2** é isso

italics /ɪ'tælɪks/ *s* [*pl*] itálico

itch /ɪtʃ/ *substantivo, verbo*
▸ *s* comichão
▸ *vi* **1** fazer comichão, ter comichão: *My leg itches.* Tenho comichão na perna. **2** ~ **for sth/to do sth** (*coloq*) estar morto por alguma coisa/fazer alguma coisa **itchy** *adj* que faz comichão: *My skin is itchy.* Tenho comichão na pele.

it'd /'ɪtəd/ **1** = IT HAD *Ver* HAVE **2** = IT WOULD *Ver* WOULD

item /'aɪtəm/ *s* **1** artigo **2** (*tb* **news item**) notícia LOC **be an item** (*coloq*) andar enrolado

itinerary /aɪ'tɪnərəri; *USA* -reri/ *s* (*pl* **itineraries**) itinerário

it'll /'ɪtl/ = IT WILL *Ver* WILL

its /ɪts/ *adj* seu(s), sua(s), dele, dela: *The table isn't in its place.* A mesa não está no (seu) sítio habitual. ❶ Utiliza-se para se referir a coisas, animais ou bebés. ➲ *Ver tb nota em* MY

it's /ɪts/ **1** = IT IS *Ver* BE **2** = IT HAS *Ver* HAVE ➲ *Comparar com* ITS

itself /ɪt'self/ *pron* **1** [*uso reflexivo*] se: *The cat was washing itself.* O gato estava a lavar-se. **2** [*uso enfático*] ele mesmo, ela mesma, si mesmo,-a **3** *She is kindness itself.* É a bondade em pessoa. LOC **(all) by itself** (completamente) sozinho, automaticamente ◆ **in itself** em si

I've /aɪv/ = I HAVE *Ver* HAVE

ivory /'aɪvəri/ *s* marfim

ivy /'aɪvi/ *s* (*pl* **ivies**) hera

J j

J, j /dʒeɪ/ *s* (*pl* **Js, J's, j's**) J, j ➲ *Ver nota em* A, A

jab /dʒæb/ *verbo, substantivo*
▸ *vt, vi* (**-bb-**) espetar, dar um golpe rápido (em): *She jabbed at a potato with her fork.* Tentou espetar a batata com o garfo. ◇ *to jab sb in the ribs* espetar o dedo nas costelas de alguém ◇ *He jabbed his finger at the door.* Ele apontou o dedo para a porta. PHR V **jab sth into sb/sth** espetar alguma coisa em alguém/alguma coisa
▸ *s* **1** pancada, murro **2** espetadela **3** (*GB, coloq*) injeção

jack /dʒæk/ *s* **1** (*Mec*) macaco **2** (*baralho de cartas*) valete *Ver tb* UNION JACK

jackal /'dʒækl/ *s* chacal

jackdaw /'dʒækdɔː/ *s* gralha-de-nuca--cinzenta

jacket /'dʒækɪt/ *s* **1** casaco *Ver tb* DINNER JACKET, LIFE JACKET **2** blusão **3** (*de um livro*) sobrecapa

jacket potato *s* (*pl* **jacket potatoes**) batata assada (*com pele*)

jackpot /'dʒækpɒt/ *s* jackpot

jade /dʒeɪd/ *s* jade

jaded /'dʒeɪdɪd/ *adj* estafado, sem entusiasmo

jagged /'dʒægɪd/ *adj* **1** (*metal*) dentado **2** (*relevo*) irregular, recortado

jaguar /'dʒægjuə(r)/ *s* jaguar

jail (*tb* **gaol**) /dʒeɪl/ *s* prisão, penitenciária

jam /dʒæm/ *substantivo, verbo*
▸ *s* **1** doce, compota ➲ *Comparar com* MARMALADE **2** aperto: *traffic jam* engarrafamento LOC **be in a jam** (*coloq*) estar numa alhada
▸ (**-mm-**) **1** *vt* ~ **sth into, under, etc. sth** entalar alguma coisa em, debaixo de, etc. alguma coisa: *He jammed the flowers into a vase.* Enfiou as flores numa jarra. **2** *vt, vi* apinhar(-se): *The three of them were jammed into a phone booth.* Estavam os três enfiados na cabine telefónica. **3** *vt, vi* ~ **(sth) (up)** encravar (alguma coisa) **4** *vt, vi* bloquear **5** *vt* (*Rádio*) interferir com, causar interferências em

jangle /'dʒæŋgl/ **1** *vt* chocalhar **2** *vt, vi* (fazer) soar de maneira estridente

January /'dʒænjuəri; *USA* -eri/ *s* (*abrev* **Jan.**) janeiro: *They are getting married this January/in January.* Casam em janeiro. ◇ *on January 1st* no dia 1 de janeiro ◇ *every January* todos os meses de janeiro ◇ *next January* janeiro próximo/que vem ❶ Os nomes dos meses em inglês escrevem-se com maiúscula.

jar /dʒɑː(r)/ *substantivo, verbo*
▸ *s* **1** frasco ➲ *Ver ilustração em* CONTAINER **2** pote
▸ (**-rr-**) **1** *vt, vi* ~ **(sth) (on sth)** (fazer) tremer (alguma coisa), bater (em alguma coisa) (com alguma coisa) **2** *vi* ~ **(on sb/sth)** irritar (alguém/alguma coisa) **3** *vi* ~ **(with sth)** destoar (de alguma coisa)

jargon /'dʒɑːgən/ *s* jargão (profissional)

jasmine /'dʒæzmɪn/ *s* jasmim

jaundice /'dʒɔːndɪs/ *s* icterícia **jaundiced** *adj* despeitado

javelin /'dʒævlɪn/ *s* dardo (*para lançamento do dardo*)

jaw /dʒɔː/ *s* **1** [*ger pl*] (*pessoa*) maxilar **2** **jaws** [*pl*] (*animal*) mandíbula

jazz /dʒæz/ *substantivo, verbo*
▸ *s* jazz
▸ *v* PHR V **jazz sth up** (*coloq*) animar alguma coisa **jazzy** *adj* (*coloq*) vistoso

jealous /'dʒeləs/ *adj* **1** ciumento: *He's very jealous of her male friends.* Tem muitos ciúmes dos seus amigos homens. **2** invejoso: *I'm very jealous of your new car.* Que inveja que tenho do teu carro novo. **jealousy** *s* [*ger não contável*] (*pl* **jealousies**) ciúmes, inveja

jeans /dʒiːnz/ *s* [*pl*] calças de ganga ➲ *Ver notas em* CALÇAS *e* PAIR

Jeep® /dʒiːp/ *s* jipe, todo-o-terreno

jeer /dʒɪə(r)/ *verbo, substantivo*
▸ *vt, vi* ~ **(sb/at sb)** **1** troçar (de alguém) **2** vaiar (alguém)
▸ *s* troça, vaia

jelly /'dʒeli/ *s* (*pl* **jellies**) **1** (*USA* **Jell-O**®) gelatina (*de sabores*) **2** geleia

jellyfish /ˈdʒelifɪʃ/ *s* (*pl* **jellyfish**) alforreca

jeopardize, -ise /ˈdʒepədaɪz/ *vt* pôr em perigo

jeopardy /ˈdʒepədi/ *s* LOC **in jeopardy** em perigo

jerk /dʒɜːk/ *verbo, substantivo*
▸ **1** *vt* (*corda, etc.*) dar um puxão/puxões a, sacudir **2** *vi* (*comboio, carro*) dar um solavanco/solavancos
▸ *s* **1** solavanco, sacão **2** (*coloq*) idiota

Jesus /ˈdʒiːzəs/ (*tb* **Jesus Christ**) *s* Jesus Cristo

jet /dʒet/ *s* **1** (avião a) jato **2** (*de água, gás*) jato **3** azeviche: *jet black* negro-azeviche

jet lag *s* jet lag (*diferença de fuso horário*)

Jet Ski® /ˈdʒet skiː/ *s* (*pl* **Jet Skis**) jet ski®, mota de água

jet-skiing /ˈdʒet skiːɪŋ/ *s* praticar jet ski

jetty /ˈdʒeti/ *s* (*pl* **jetties**) embarcadouro, cais

Jew /dʒuː/ *s* judeu, -ia

jewel /ˈdʒuːəl/ *s* **1** joia **2** pedra preciosa **jeweller** (*USA* **jeweler**) *s* **1** joalheiro, -a **2** **jeweller's** (*USA* **jewelry store**) joalharia ➲ *Ver nota em* TALHO

🔑**jewellery** (*USA* **jewelry**) /ˈdʒuːəlri/ *s* [*não-contável*] joias: *jewellery box/case* porta-joias

Jewish /ˈdʒuːɪʃ/ *adj* judaico

jigsaw /ˈdʒɪgsɔː/ (*tb* **jigsaw puzzle**) *s* puzzle

jingle /ˈdʒɪŋgl/ *substantivo, verbo*
▸ *s* **1** [*sing*] tinido **2** jingle publicitário
▸ *vt, vi* tilintar

jinx /dʒɪŋks/ *substantivo, verbo*
▸ *s* [*sing*] ~ **(on sb/sth)** mau-olhado (em alguém/alguma coisa)
▸ *vt* azarar

🔑**job** /dʒɒb/ *s* **1** (posto de) trabalho, emprego ➲ *Ver nota em* WORK **2** tarefa **3** dever, responsabilidade LOC **a good job** (*coloq*): *It's a good job you've come.* Ainda bem que vieste. ◆ **do the job** (*coloq*) chegar ◆ **out of a job** desempregado

jobcentre /ˈdʒɒbsentə(r)/ *s* centro de emprego

jobless /ˈdʒɒbləs/ *adj* desempregado

jockey /ˈdʒɒki/ *s* (*pl* **jockeys**) jóquei *Ver tb* DISC JOCKEY

jog /dʒɒg/ *verbo, substantivo*
▸ (**-gg-**) **1** *vi* (*tb* **go jogging**) fazer jogging **2** *vt* empurrar (ligeiramente) LOC **jog sb's memory** refrescar a memória a alguém
▸ *s* [*sing*] **1** *to go for a jog* ir fazer jogging **2** empurrãozinho

jogger /ˈdʒɒgə(r)/ *s* pessoa que faz jogging

jogging /ˈdʒɒgɪŋ/ *s* jogging

🔑**join** /dʒɔɪn/ *verbo, substantivo*
▸ **1** *vt* ~ **sth to/onto sth**; ~ **A and B (together)** juntar, unir alguma coisa a alguma coisa, juntar, unir A com B **2** *vi* ~ **(together/up)** juntar-se, unir-se **3** *vt* reunir-se a **4** *vt, vi* (*clube, etc.*) tornar(-se) sócio (de), entrar (para) **5** *vt, vi* (*empresa*) unir(-se) (a) **6** *vt* (*organização internacional*) entrar (para), aderir (a) PHR V **join in (sth)** participar em (alguma coisa) ◆ **join up (with sb)** juntar-se (com alguém), unir-se (a alguém)
▸ *s* **1** junta **2** costura

joiner /ˈdʒɔɪnə(r)/ *s* marceneiro, -a, montador, -ora

🔑**joint** /dʒɔɪnt/ *adjetivo, substantivo*
▸ *adj* conjunto, mútuo, colectivo
▸ *s* **1** (*Anat*) articulação **2** junta, junção **3** corte (de carne) **4** (*coloq*) tasca, boîte **5** (*coloq*) charro **jointed** *adj* articulado

🔑**joke** /dʒəʊk/ *substantivo, verbo*
▸ *s* **1** piada, anedota: *to tell a joke* contar uma piada/anedota **2** brincadeira: *to play a joke on sb* pregar uma partida a alguém **3** [*sing*] (*coloq*) anedota: *The new law on dogs is a joke.* A nova legislação relativamente aos cães é uma anedota.
▸ *vi* ~ **(with sb) (about sth)** brincar (com alguém) (sobre/acerca de alguma coisa) LOC **joking apart/aside** fora de brincadeira

joker /ˈdʒəʊkə(r)/ *s* **1** brincalhão, -ona **2** (*coloq*) tolo, -a **3** (*cartas*) jóquer

jolly /ˈdʒɒli/ *adjetivo, advérbio*
▸ *adj* (**jollier, -iest**) alegre, jovial
▸ *adv* (*GB, antiq, coloq*) muito

jolt /dʒəʊlt/ *verbo, substantivo*
▸ **1** *vi* dar um solavanco/solavancos **2** *vt* fazer dar um pulo
▸ *s* **1** solavanco **2** susto

jostle /ˈdʒɒsl/ *vt, vi* empurrar(-se), acotovelar(-se)

jot /dʒɒt/ *v* (**-tt-**) PHR V **jot sth down** anotar alguma coisa

journal /ˈdʒɜːnl/ *s* **1** revista, jornal (*especializado*) **2** diário

journalism /ˈdʒɜːnəlɪzəm/ *s* jornalismo

🔑**journalist** /ˈdʒɜːnəlɪst/ *s* jornalista

🔑**journey** /ˈdʒɜːni/ *s* (*pl* **journeys**) viagem, trajeto ➲ *Ver nota em* VIAGEM

🔑**joy** /dʒɔɪ/ *s* **1** alegria: *to jump for joy* pular de alegria **2** encanto LOC *Ver* PRIDE **joyful** *adj* alegre **joyfully** *adv* alegremente

joyrider /ˈdʒɔɪraɪdə(r)/ *s* pessoa que conduz um carro roubado **joyriding** *s* passear em carro roubado

joystick /'dʒɔɪstɪk/ *s* (*Aeronáut, Informát*) manípulo

jubilant /'dʒu:bɪlənt/ *adj* exultante

jubilation /ˌdʒu:bɪ'leɪʃn/ *s* exultação

jubilee /'dʒu:bɪli:/ *s* jubileu, aniversário

Judaism /'dʒu:deɪɪzəm; *USA* -dəɪzəm/ *s* judaismo

judge /dʒʌdʒ/ *substantivo, verbo*
▸ *s* **1** juiz, -íza **2** (*em competição*) juiz, -íza, árbitro **3** conhecedor, -ora: *to be a good judge of sth* ser um bom avaliador de alguma coisa
▸ *vt, vi* julgar, considerar, calcular: *judging by/from...* a julgar por...

judgement (*tb esp USA* **judgment**) /'dʒʌdʒmənt/ *s* julgamento: *to use your own judgement* atuar segundo o seu próprio entender

judicious /dʒu'dɪʃəs/ *adj* (*formal*) judicioso **judiciously** *adv* judiciosamente

judo /'dʒu:dəʊ/ *s* judo

jug /dʒʌg/ *s* **1** (*GB*) jarra **2** (*USA*) garrafão

juggle /'dʒʌgl/ **1** *vi* ~ **(with sth)** fazer malabarismos (com alguma coisa) **2** *vt* ~ **sth (with sth)** conciliar alguma coisa (com alguma coisa): *She juggles home, career and children.* Tenta conciliar tudo: o lar, a carreira e os filhos. **juggler** *s* malabarista **juggling** *s* malabarismo

juice /dʒu:s/ *s* sumo, suco **juicy** *adj* (**juicier**, **-iest**) **1** sumarento, suculento **2** (*coloq*) (*história, etc.*) escabroso

July /dʒu'laɪ/ *s* (*abrev* **Jul.**) julho ➲ *Ver nota e exemplos em* JANUARY

jumble /'dʒʌmbl/ *verbo, substantivo*
▸ *vt* ~ **sth (together/up)** misturar alguma coisa
▸ *s* **1** [*sing*] ~ **(of sth)** amontoado (de alguma coisa) **2** [*não-contável*] (*GB*) seleção de roupa usada: *jumble sale* venda com fins beneficientes de objetos e roupa usados

jumbo /'dʒʌmbəʊ/ *adj* (*coloq*) gigante

jump /dʒʌmp/ *verbo, substantivo*
▸ **1** *vt, vi* saltar: *to jump up and down* pular ◇ *to jump up* levantar-se de um salto **2** *vi* pular de susto: *It made me jump.* Fez-me pular com o susto. **3** *vi* dar um pulo, aumentar LOC **jump the queue** (*USA* **jump the line**) dar o golpe/passar à frente numa fila ◆ **jump to conclusions** tirar conclusões precipitadas *Ver tb* BANDWAGON PHR V **jump at sth** aproveitar com grande entusiasmo alguma coisa
▸ *s* **1** salto *Ver tb* HIGH JUMP, LONG JUMP **2** alta (*de preços, etc.*)

jumper /'dʒʌmpə(r)/ *s* **1** (*GB*) camisola ➲ *Ver nota em* SWEATER **2** (*USA*) vestido sem mangas **3** saltador, -ora

jumpy /'dʒʌmpi/ *adj* (*coloq*) nervoso

junction /'dʒʌŋkʃn/ *s* **1** (*estrada*) cruzamento **2** (*autoestrada*) nó **3** (*Caminho-de-ferro*) entroncamento

June /dʒu:n/ *s* (*abrev* **Jun.**) junho ➲ *Ver nota e exemplos em* JANUARY

jungle /'dʒʌŋgl/ *s* selva

junior /'dʒu:niə(r)/ *adjetivo, substantivo*
▸ *adj* **1** subalterno **2** (*abrev* **Jnr.**, **Jr.**) júnior **3** *junior school* escola primária
▸ *s* **1** subalterno, -a **2** aluno, -a da escola primária LOC **be two, etc. years sb's junior**; **be sb's junior (by two, etc. years)** ser (dois, etc. anos) mais novo do que alguém

junk /dʒʌŋk/ *s* [*não-contável*] **1** tralha **2** velharias

junk food (*tb* **junk**) *s* [*não-contável*] (*coloq, pej*) comida rápida com pouco valor nutritivo

junkie /'dʒʌŋki/ *s* (*coloq*) drogado, -a

junk mail *s* (*pej*) papelada (*publicitária enviada pelo correio*)

Jupiter /'dʒu:pɪtə(r)/ *s* Júpiter

juror /'dʒʊərə(r)/ *s* jurado, -a

jury /'dʒʊəri/ *s* (*pl* **juries**) [*v sing ou pl*] júri ➲ *Ver nota em* JÚRI

just /dʒʌst/ *advérbio, adjetivo*
▸ *adv* **1** precisamente, exatamente: *It's just what I need.* É exatamente o que eu preciso. ◇ *It's just as I thought.* É tal como eu pensava. ◇ *That's just it!* É isso mesmo! ◇ *just here* aqui mesmo **2** ~ **as** mesmo quando: *She arrived just as we were leaving.* Chegou justamente quando estávamos para sair. **3** ~ **as... as...** tão...como...: *She's just as clever as her mother.* É tão esperta como a mãe. **4 have ~ done sth** acabar de fazer alguma coisa: *She's just left.* Acaba de sair. ◇ *We had just arrived when...* Tínhamos acabado de chegar quando... ◇ *Just married.* Recém-casados. **5 (only)** ~ por pouco: *I can (only) just reach the shelf.* Quase não chego à prateleira. **6** ~ **over/under**: *It's just over/under a kilo.* Tem um pouco mais/menos de um quilo. **7** agora mesmo: *I'm just going.* Vou agora mesmo. **8 be ~ about/going to do sth** estar a ponto de fazer alguma coisa: *I was just about/going to phone you.* Estava mesmo para te telefonar. **9** apenas: *It's just one of those things.* É uma daquelas coisas. **10** só: *I waited an hour just to see you.* Esperei uma hora só para te ver. ◇ *just for fun* só por brincadeira **11** *Just let me say something!* Deixa-me apenas dizer uma coisa! LOC **it's just as well (that...)** ainda bem/

menos mal (que...) ◆ **just about** (*coloq*) quase: *I know just about everyone.* Conheço quase toda a gente. ◆ **just like** **1** tal como: *It was just like old times.* Foi tal como nos bons velhos tempos. **2** típico de: *It's just like her to be late.* É mesmo típico dela chegar atrasada. ◆ **just like that** sem mais nem menos ◆ **just now** **1** neste momento **2** agora mesmo
▸ *adj* **1** justo **2** merecido

justice /ˈdʒʌstɪs/ *s* **1** justiça **2** (*tb* **Justice**) juiz, -íza: *Justice of the Peace* juiz de paz LOC **bring sb to justice** levar alguém a tribunal ◆ **do justice to sb/sth; do sb/sth justice** fazer justiça a alguém/alguma coisa: *We couldn't do justice to her cooking.* Impossível de fazer justiça aos seus cozinhados. ◆ **do yourself justice**: *He didn't do himself justice in the exam.* Podia ter feito muito melhor no exame. *Ver tb* MISCARRIAGE

justifiable /ˈdʒʌstɪfaɪəbl, ˌdʒʌstɪˈfaɪəbl/ *adj* justificado **justifiably** *adv* justificadamante: *She was justifiably angry.* Estava zangada e com razão.

justify /ˈdʒʌstɪfaɪ/ *vt* (*pt, pp* **-fied**) justificar

justly /ˈdʒʌstli/ *adv* justamente, com razão

jut /dʒʌt/ *v* (**-tt-**) ~ **(out) (from/into/over sth)** sobressair (de/em/sobre alguma coisa)

juvenile /ˈdʒuːvənaɪl; *USA* -vənl/ *adjetivo, substantivo*
▸ *adj* **1** (*formal ou Jur*) juvenil **2** (*pej*) pueril
▸ *s* (*formal ou Jur*) menor

juxtapose /ˌdʒʌkstəˈpəʊz/ *vt* (*formal*) justapor **juxtaposition** /ˌdʒʌkstəpəˈzɪʃn/ *s* justaposição

K k

K, k /keɪ/ *s* (*pl* **Ks, K's, k's**) K, k ➲ *Ver nota em* A, A

kaleidoscope /kəˈlaɪdəskəʊp/ *s* caleidoscópio

kangaroo /ˌkæŋɡəˈruː/ *s* (*pl* **kangaroos**) canguru

karat (*USA*) = CARATE

karate /kəˈrɑːti/ *s* karaté

kayak /ˈkaɪæk/ *s* caiaque **kayaking** *s* andar de caiaque

kebab /kɪˈbæb/ *s* espetada

keel /kiːl/ *substantivo, verbo*
▸ *s* quilha
▸ *v* PHR V **keel over** cair

keen /kiːn/ *adj* (**keener, -est**) **1** entusiasta **2 be ~ (to do sth/on doing sth)** estar desejoso, ter vontade (de fazer alguma coisa) **3 be ~ on sb/sth/doing sth** (*GB, coloq*) gostar de alguém/alguma coisa/fazer alguma coisa **4** (*interesse*) grande **5** (*olfato, ouvido*) apurado **6** (*inteligência*) vivo **keenly** *adv* **1** com entusiasmo **2** (*sentir*) profundamente

keep /kiːp/ *verbo, substantivo*
▸ (*pt, pp* **kept** /kept/) **1** *vi* conservar-se, ficar: *to keep warm* manter-se quente ◇ *Keep still!* Está quieto! ◇ *Keep quiet!* Cala-te! **2** *vi* ~ **(on) doing sth** continuar a fazer alguma coisa, não parar de fazer alguma coisa: *He keeps interrupting me.* Está sempre a interromper-me. **3** *vt* [*com adjetivo, advérbio ou -ing*] manter, ter: *to keep sb waiting* deixar alguém à espera ◇ *to keep sb amused/happy* manter alguém entretido/feliz ◇ *Don't keep us in suspense.* Não nos deixes em suspense. **4** *vt* reter, atrasar: *What kept you?* Por que é que te atrasaste? **5** *vt* guardar, ter: *Will you keep my place in the queue?* Guarda-me o lugar na fila? ◇ *to keep a secret* guardar um segredo **6** *vt* (*não devolver*) ficar com: *Keep the change.* Fique com o troco. **7** *vt* (*negócio*) ter, ser proprietário de **8** *vt* (*animais*) criar, ter **9** *vi* (*alimentos*) conservar-se, durar **10** *vt* (*diário*) ter **11** *vt* (*registo, contas*) manter **12** *vt* (*família, pessoa*) sustentar **13** *vt* (*encontro*) não faltar a **14** *vt* (*promessa*) cumprir ❶ Para expressões com **keep**, ver as entradas para o substantivo, adjetivo, etc., p. ex. **keep your word** em WORD.

PHR V **keep away (from sb/sth)** manter-se afastado (de alguém/alguma coisa) ◆ **keep sb/sth away (from sb/sth)** manter alguém/alguma coisa afastado (de alguém/alguma coisa)

keep sth down **1** manter alguma coisa baixa **2** não vomitar alguma coisa: *I can't keep any food down.* Não aguento comida nenhuma no estômago.

keep sb from sth/doing sth impedir/não deixar alguém fazer alguma coisa ◆ **keep sth (back) from sb** esconder alguma coisa de alguém ◆ **keep (yourself) from sth** evitar fazer alguma coisa

keep off (sth) não tocar (em alguma coisa), não se aproximar (de alguma coisa): *Keep off the grass.* Proibido pisar a relva. ◆ **keep sb/sth off (sb/sth)** não deixar alguém/alguma coisa aproximar-se (de alguém/alguma coisa): *Keep your hands off me!* Não me toques!

keep on (at sb) (about sb/sth) não parar de apoquentar (alguém) (com alguém/alguma coisa)

keep out (of sth) não entrar (em alguma coisa): *Keep Out!* Proibida a entrada! ◆ **keep sb/sth**

out (of sth) não deixar alguém/alguma coisa entrar (em alguma coisa)
keep sth to yourself guardar alguma coisa para si ◆ **keep (yourself) to yourself** ser muito reservado
keep up (with sb/sth) acompanhar (alguém/alguma coisa) (*seguir o ritmo*) ◆ **keep sth up** continuar com alguma coisa: *Keep it up!* Continua!
▸ *s* [*não-contável*] manutenção

keeper /ˈkiːpə(r)/ *s* **1** (*em museu, etc.*) conservador, -ora **2** (*zoo*) guarda **3** (*GB, coloq*) guarda-redes

keeping /ˈkiːpɪŋ/ *s* LOC **in/out of keeping (with sth)** de acordo/em desacordo (com alguma coisa) ◆ **in sb's keeping** ao cuidado de alguém

kennel /ˈkenl/ *s* **1** (*tb* **kennels** [*pl*]) canil **2** casota (*do cão*)

kept *pt, pp de* KEEP

kerb (*USA* **curb**) /kɜːb/ *s* borda do passeio

ketchup /ˈketʃəp/ *s* ketchup

kettle /ˈketl/ *s* chaleira

key /kiː/ *substantivo, adjetivo, verbo*
▸ *s* (*pl* **keys**) **1** chave: *the car keys* as chaves do carro ◇ *key ring* porta-chaves **2** (*Mús*) clave **3** tecla **4** ~ **(to sth)** chave (para alguma coisa): *Exercise is the key (to good health).* Exercício fisíco é essencial (para a saúde). **5** (*de exercícios*) respostas **6** (*em mapas, tabelas, etc.*) legenda
▸ *adj* chave, essencial
▸ *vt* ~ **sth (in)**; ~ **sth (into sth)** teclar, digitar alguma coisa (em alguma coisa)

keyboard /ˈkiːbɔːd/ *s* teclado ➲ *Ver ilustração em* COMPUTADOR

keyhole /ˈkiːhəʊl/ *s* buraco da fechadura

keypad /ˈkiːpæd/ *s* teclado (*numérico*)

khaki /ˈkɑːki/ *adj, s* caqui

kick /kɪk/ *verbo, substantivo*
▸ **1** *vt* dar um pontapé em **2** *vt* (*bola*) chutar **3** *vi* (*pessoa*) espernear **4** *vi* (*animal*) escoicear **5** *vt* ~ **yourself** (*fig*) (*coloq*) passar-se LOC **kick the bucket** (*coloq*) esticar o pernil *Ver tb* ALIVE
PHR V **kick off** dar o pontapé de saída ◆ **kick sb out (of sth)** (*coloq*) expulsar alguém (de alguma coisa)
▸ *s* **1** pontapé, patada **2** (*coloq*): *to do sth for kicks* fazer alguma coisa por mera diversão ◇ *He gets a kick out of driving fast cars.* Ele diverte-se a conduzir carros de corrida.

kickboxing /ˈkɪkbɒksɪŋ/ *s* kickboxing

kick-off /ˈkɪk ɒf; *USA* ɔːf/ *s* pontapé de saída

kid /kɪd/ *substantivo, verbo, adjetivo*
▸ *s* **1** (*coloq*) garoto, -a: *How are your wife and the kids?* Como é que estão a tua mulher e os teus miúdos? **2** (*Zool*) cabrito **3** (*pele*) pelica
▸ (**-dd-**) **1** *vt, vi* (*coloq*) estar na brincadeira (com): *Are you kidding?* Estás a brincar? **2** *vt* ~ **yourself** iludir-se
▸ *adj* (*esp USA, coloq*): *his kid sister* a sua irmã nova

kidnap /ˈkɪdnæp/ *vt* (**-pp-**, *USA tb* **-p-**) raptar **kidnapper** *s* raptor, -ora **kidnapping** *s* rapto

kidney /ˈkɪdni/ *s* (*pl* **kidneys**) rim

kill /kɪl/ *verbo, substantivo*
▸ *vt, vi* matar: *Smoking kills.* Fumar mata. ◇ *She was killed in a car crash.* Morreu num acidente de carro. LOC **kill time** matar tempo ◆ **kill two birds with one stone** matar dois coelhos de uma cajadada PHR V **kill sb/sth off** matar, exterminar alguém/alguma coisa
▸ *s* LOC **go/move in for the kill** entrar a matar
killer *s* assassino, -a

killing /ˈkɪlɪŋ/ *s* assassinato LOC **make a killing** (*coloq*) fazer um dinheirão

kiln /kɪln/ *s* fornalha

kilogram /ˈkɪləgræm/ (*tb* **kilogramme**, **kilo** /ˈkiːləʊ/ [*pl* **kilos**]) *s* (*abrev* **kg**) quilo(grama) ➲ *Ver pág. 712*

kilometre (*USA* **kilometer**) /ˈkɪləmiːtə(r), kɪˈlɒmɪtə(r)/ *s* (*abrev* **k, km**) quilómetro ➲ *Ver pág. 713*

kilt /kɪlt/ *s* saia escocesa, kilt

kin /kɪn/ *s* [*pl*] (*antiq ou formal*) família *Ver tb* NEXT OF KIN

kind /kaɪnd/ *adjetivo, substantivo*
▸ *adj* (**kinder, -est**) amável: *to be kind to animals* tratar bem os animais
▸ *s* tipo, género: *the best of its kind* o melhor dentro do género LOC **in kind 1** em espécie **2** (*formal*) (*fig*) com a mesma moeda ◆ **kind of** (*coloq*) um pouco: *kind of scared* um pouco assustado *Ver tb* NOTHING

kindly /ˈkaɪndli/ *advérbio, adjetivo*
▸ *adv* **1** amavelmente **2** (*formal*): *Kindly leave me alone!* Por favor deixe-me em paz! LOC **not take kindly to sth/sb** não gostar de alguma coisa/alguém
▸ *adj* (*antiq ou formal*) amável

kindness /ˈkaɪndnəs/ *s* **1** amabilidade, bondade **2** favor

king /kɪŋ/ *s* rei

kingdom /ˈkɪŋdəm/ *s* reino

kingfisher /ˈkɪŋfɪʃə(r)/ *s* guarda-rios, martim-pescador

kiosk /ˈkiːɒsk/ *s* **1** quiosque **2** (*GB, antiq*) (*telefone*) cabina

kipper /ˈkɪpə(r)/ *s* arenque fumado

kiss /kɪs/ *verbo, substantivo*
▸ *vt, vi* beijar(-se)
▸ *s* beijo LOC **the kiss of life** a respiração boca a boca

kit /kɪt/ *s* **1** equipamento: *first-aid kit* kit de primeiros socorros **2** kit (*para montar*)

kitchen /ˈkɪtʃɪn/ *s* cozinha

kite /kaɪt/ *s* papagaio (*brinquedo*)

kitten /ˈkɪtn/ *s* gatinho ➲ *Ver nota em* GATO

kitty /ˈkɪti/ *s* (*pl* **kitties**) (*coloq*) fundo comum, vaquinha

kiwi /ˈkiːwiː/ *s* (*pl* **kiwis**) **1** (*tb* **kiwi fruit**) (*fruta*) kiwi **2** **Kiwi** (*coloq*) neozelandês, -esa **3** (*ave*) kiwi

knack /næk/ *s* jeito: *to get the knack of sth* apanhar o jeito a alguma coisa

knead /niːd/ *vt* amassar (*barro, massa de pão*)

knee /niː/ *s* joelho LOC **be/go (down) on your knees** estar/pôr-se de joelhos

kneecap /ˈniːkæp/ *s* rótula

kneel /niːl/ *vi* (*pt, pp* **knelt** /nelt/, *USA tb* **kneeled**) ~ **(down)** ajoelhar-se ➲ *Ver nota em* DREAM

knew *pt de* KNOW

knickers /ˈnɪkəz/ *s* [*pl*] cuecas (*de senhora ou criança*): *a pair of knickers* umas cuecas ➲ *Ver notas em* CUECA *e* PAIR

knife /naɪf/ *substantivo, verbo*
▸ *s* (*pl* **knives** /naɪvz/) faca
▸ *vt* esfaquear

knight /naɪt/ *substantivo, verbo*
▸ *s* **1** cavaleiro **2** (*Xadrez*) cavalo
▸ *vt* atribuir o título de Sir a, armar cavaleiro
knighthood *s* título de cavaleiro/Sir

knit /nɪt/ (*pt, pp* **knitted** *part pres* **knitting**) **1** *vt* tricotar **2** *vi* fazer malha *Ver tb* CLOSE-KNIT

knitting /ˈnɪtɪŋ/ *s* [*não-contável*] malha: *knitting needle* agulha de fazer malha

knitwear /ˈnɪtweə(r)/ *s* [*não-contável*] roupa de malha

knob /nɒb/ *s* **1** (*de porta, gaveta*) maçaneta **2** (*de rádio, televisor*) botão (*que gira*)

knock /nɒk/ *verbo, substantivo*
▸ **1** *vt, vi* ~ **(sth) (against/on sth)** bater com alguma coisa (em alguma coisa): *to knock your head on the ceiling* bater com a cabeça no teto **2** *vi* ~ **(at/on sth)** (*porta, etc.*) bater (a alguma coisa) **3** *vt*: *The blow knocked me flat.* O murro deixou-me estendido no chão. ◇ *She knocked my drink flying.* Ela fez a minha bebida voar com um encontrão. **4** *vt* (*coloq*) criticar, botar abaixo LOC **knock on wood** (*USA*) lagarto! lagarto! lagarto! PHR V **knock sb down/over** atropelar, derrubar alguém ◆ **knock sth down** demolir alguma coisa ◆ **knock off (sth)** (*coloq*): *to knock off (work)* acabar o trabalho ◆ **knock sb/sth off (sth)** derrubar alguém/alguma coisa, fazer cair alguém/alguma coisa (de alguma coisa) ◆ **knock sth off (sth)** descontar alguma coisa (de alguma coisa): *The shopkeeper knocked £5 off.* O lojista fez um desconto decinco 5 libras. ◆ **knock sb out 1** (*Boxe*) deixar alguém K.O. **2** deixar alguém inconsciente **3** (*coloq*) deixar alguém boquiaberto
▸ *s* **1** pancada: *There was a knock at the door.* Alguém bateu à porta. **2** golpe

knockout /ˈnɒkaʊt/ *substantivo, adjetivo*
▸ *s* (*abrev* **KO**) K.O.
▸ *adj*: *knockout competition* competição por eliminatórias

knot /nɒt/ *substantivo, verbo*
▸ *s* **1** nó **2** grupo (*de pessoas*)
▸ *vt* **(-tt-)** dar um nó em

know /nəʊ/ *verbo, substantivo*
▸ (*pt* **knew** /njuː; *USA* nuː/, *pp* **known** /nəʊn/) **1** *vt, vi* ~ **(sth/how to do sth)** saber (alguma coisa/fazer alguma coisa): *to know how to swim* saber nadar ◇ *Let me know if…* Avisa-me se… **2** *vt* conhecer: *to get to know sb* (chegar a) conhecer alguém **3** *vt*: *I've never known anyone eat as much as she does.* Nunca conheci ninguém que coma tanto como ela. ◇ *He has been known to sit there all day.* Já aconteceu ele ficar ali sentado o dia inteiro. LOC **for all I, you, they, etc. know** tanto quanto sei, sabes, sabem, etc. ◆ **God/goodness/Heaven knows** (*coloq*) só Deus sabe ◆ **know best** saber o que fazer ◆ **know better**: *You ought to know better!* Parece mentira que tenhas feito uma coisa dessas! ◇ *I should have known better.* Devia ter previsto isto/o que aconteceu. ◆ **know sb/sth inside out; know sb/sth like the back of your hand** conhecer alguém/alguma coisa como a palma

K

da mão ◆ **you never know** (*coloq*) nunca se sabe *Ver tb* ANSWER, ROPE PHR V **know of sb/sth** saber de alguém/alguma coisa: *Not that I know of.* Que eu saiba, não.
▸ *s* LOC **be in the know** (*coloq*) saber o que se passa

know-all /ˈnəʊ ɔːl/ (*tb esp USA* **know-it-all** /ˈnəʊ ɪt ɔːl/) *s* (*coloq, pej*) sabe-tudo

knowing /ˈnəʊɪŋ/ *adj* (*olhar, etc.*) cúmplice **knowingly** *adv* conscientemente

knowledge /ˈnɒlɪdʒ/ *s* [*não-contável*] **1** conhecimento(s): *not to my knowledge* que eu saiba, não **2** saber LOC **in the knowledge that...** sabendo que... **knowledgeable** *adj* ~ **(about sth)** conhecedor (de alguma coisa)

known *pp de* KNOW *Ver tb* WELL KNOWN

knuckle /ˈnʌkl/ *substantivo, verbo*
▸ *s* nó do dedo
▸ *v* PHR V **knuckle down (to sth)** (*coloq*) pôr mãos à obra (em alguma coisa) ◆ **knuckle under** (*coloq*) ceder

Koran /kəˈrɑːn/ *s* Corão

L l

L, l /el/ *s* (*pl* **Ls, L's, l's**) L, l ➲ *Ver nota em* A, A

label /ˈleɪbl/ *substantivo, verbo*
▸ *s* etiqueta
▸ *vt* (**-ll-**, *USA* **-l-**) **1** etiquetar, pôr etiqueta em **2** ~ **sb/sth (as) sth** (*fig*) rotular alguém/alguma coisa de alguma coisa

laboratory /ləˈbɒrətri; *USA* ˈlæbrətɔːri/ *s* (*pl* **laboratories**) (*coloq* **lab** /læb/) laboratório

laborious /ləˈbɔːriəs/ *adj* laborioso

labour (*USA* **labor**) /ˈleɪbə(r)/ *substantivo, verbo*
▸ *s* [*não-contável*] **1** trabalho **2** mão-de-obra: *parts and labour* as partes e a mão-de-obra ◇ *labour relations* relações laborais **3** parto: *to go into labour* iniciar o trabalho de parto **4 Labour** (*tb* **the Labour Party**) [*v sing ou pl*] (*GB*) o Partido Trabalhista
▸ *vi* esforçar-se

laboured (*USA* **labored**) /ˈleɪbəd/ *adj* **1** (*estilo*) forçado **2** (*respiração*) difícil

labourer (*USA* **laborer**) /ˈleɪbərə(r)/ *s* trabalhador, -ora

labyrinth /ˈlæbərɪnθ/ *s* labirinto

lace /leɪs/ *substantivo, verbo*
▸ *s* **1** renda **2** atacador (*de sapato*)
▸ *vt* atar (*com um laço*)

lack /læk/ *verbo, substantivo*
▸ *vt* carecer de LOC **be lacking** faltar ◆ **be lacking in sth** carecer de alguma coisa
▸ *s* [*não-contável*] falta, carência

lacquer /ˈlækə(r)/ *s* laca

lacy /ˈleɪsi/ *adj* miúdo, rendado

lad /læd/ *s* (*GB, antiq ou coloq*) rapaz

ladder /ˈlædə(r)/ *s* **1** escada (de mão), escadote **2** [*ger sing*] escalão (*social, profissional, etc.*) **3** foguete, malha (caída)

laden /ˈleɪdn/ *adj* ~ **(with sth)** carregado (de alguma coisa)

ladle /ˈleɪdl/ *s* concha (*de cozinha*)

lady /ˈleɪdi/ *s* (*pl* **ladies**) **1** senhora: *Ladies and gentlemen...* Senhoras e senhores... **2** dama **3 Lady** Lady (*como título honorífico*) **4 Ladies** [*sing*] (*USA* **ladies' room**) casa de banho das senhoras

ladybird /ˈleɪdibɜːd/ (*USA* **ladybug** /ˈleɪdibʌg/) *s* joaninha

lag /læg/ *verbo, substantivo*
▸ *v* (**-gg-**) PHR V **lag behind (sb/sth)** ficar para trás (em relação a alguém/alguma coisa)
▸ *s* (*tb* **time lag**) atraso *Ver tb* JET LAG

lager /ˈlɑːgə(r)/ *s* cerveja (loira)

lagoon /ləˈguːn/ *s* **1** lagoa **2** laguna

laid *pt, pp de* LAY

laid-back /ˌleɪd ˈbæk/ *adj* (*coloq*) descontraído

lain *pp de* LIE²

lake /leɪk/ *s* lago

lamb /læm/ *s* cordeiro ➲ *Ver nota em* CARNE

lame /leɪm/ *adj* **1** coxo **2** (*desculpa, etc.*) pouco convincente

lament /ləˈment/ *vt, vi* (*formal*) lamentar(-se)

lamp /læmp/ *s* **1** candeeiro **2** lâmpada

lamp post *s* poste de iluminação (pública)

lampshade /ˈlæmpʃeɪd/ *s* quebra-luz, abajur

land /lænd/ *substantivo, verbo*
▸ *s* **1** [*não-contável*] terra: *by land* por terra ◇ *on dry land* em terra firme **2** [*não-contável*] terra(s): *arable land* terra de cultivo ◇ *a plot of land* um terreno **3 the land** [*sing*] o campo: *to work on the land* dedicar-se à agricultura **4** país: *the finest in the land* o melhor do país
▸ **1** *vi* aterrar **2** *vt, vi* (*avião, pássaro*) pousar **3** *vt, vi* desembarcar **4** *vi* cair: *The ball landed in the water.* A bola caiu na água. **5** *vt* (*coloq*) conseguir, obter LOC *Ver* FOOT PHR V **land sb/yourself with sth** (*coloq*) impingir alguma coisa a alguém/a si mesmo: *I got landed with the washing-up.* Deixaram a loiça para eu lavar.

landfill /ˈlændfɪl/ *s* aterro sanitário

landing /'lændɪŋ/ *s* **1** aterragem *Ver tb* CRASH LANDING **2** desembarque **3** (*escadas*) patamar

landlady /'lændleɪdi/ *s* (*pl* **landladies**) **1** senhoria **2** dona (*dum pub ou duma pensão*)

landline /'lændlaɪn/ *s* telefone fixo

landlord /'lændlɔ:d/ *s* **1** senhorio **2** dono (*dum pub ou duma pensão*)

landmark /'lændmɑ:k/ *s* **1** ponto de referência **2** ~ **(in sth)** (*fig*) marco (em alguma coisa)

landowner /'lændəʊnə(r)/ *s* proprietário, -a rural

landscape /'lændskeɪp/ *s* paisagem ➲ *Ver nota em* SCENERY

landslide /'lændslaɪd/ *s* **1** desabamento (*de terras*) **2** (*tb* **landslide victory**) vitória esmagadora (*em eleições*)

lane /leɪn/ *s* **1** ruela **2** beco **3** faixa: *slow/fast lane* faixa mais à direita/esquerda **4** (*Desp*) pista

language /'læŋgwɪdʒ/ *s* **1** língua, idioma **2** linguagem: *to use bad language* dizer palavrões *Ver tb* SIGN LANGUAGE

lantern /'læntən/ *s* lanterna

lap /læp/ *substantivo, verbo*
▸ *s* **1** colo **2** (*Desp*) volta
▸ *vi* **(-pp-)** (*água*) marulhar PHR V **lap sth up** **1** (*animais*) beber alguma coisa sofregamente **2** (*coloq*) deliciar-se com alguma coisa

lapel /lə'pel/ *s* lapela

lapse /læps/ *substantivo, verbo*
▸ *s* **1** erro, lapso **2** ~ **(into sth)** recaída (em alguma coisa) **3** (*de tempo*) lapso, período: *after a lapse of six years* ao cabo de seis anos
▸ *vi* **1** (*contrato, acordo, etc.*) caducar **2** acabar-se pouco a pouco PHR V **lapse into sth** entrar em alguma coisa (*estado*): *to lapse into silence* ficar calado

laptop /'læptɒp/ *s* computador portátil

larder /'lɑ:də(r)/ *s* despensa

large /lɑ:dʒ/ *adj* **(larger, -est)** **1** grande: *small, medium or large* pequeno, médio ou grande ◇ *to a large extent* em grande parte ➲ *Ver nota em* BIG **2** extenso, amplo LOC **at large** **1** em liberdade **2** em geral: *the world at large* o mundo inteiro ◆ **by and large** no geral

largely /'lɑ:dʒli/ *adv* em grande parte

large-scale /'lɑ:dʒ skeɪl/ *adj* em grande escala

lark /lɑ:k/ *s* cotovia

laser /'leɪzə(r)/ *s* laser: *laser printer* impressora laser

lash /læʃ/ *verbo, substantivo*
▸ *vt* **1** chicotear **2** (*cauda*) abanar PHR V **lash out (at/against sb/sth)** atacar alguém/alguma coisa
▸ *s* **1** chicotada **2** pestana

lass /læs/ (*tb* **lassie** /'læsi/) *s* (*esp na Escócia e no Norte da Inglaterra*) moça

last /lɑ:st; *USA* læst/ *adjetivo, advérbio, substantivo, verbo*
▸ *adj* **1** último ➲ *Ver nota em* ÚLTIMO **2** passado: *last month* o mês passado ◇ *last night* ontem à noite ◇ *the night before last* há duas noites LOC **as a last resort**; **in the last resort** como último recurso ◆ **have the last laugh** ser o último a rir ◆ **the last word (in sth)** a última palavra (em alguma coisa) *Ver tb* ANALYSIS, EVERY, FIRST, STRAW, THING
▸ *adv* **1** último: *He came last.* Chegou em último lugar. **2** a última vez LOC **last but not least** por último, mas nem por isso menos importante
▸ *s* **the last** (*pl* **the last**) **1** ~ **(of sth)** o último/a última (de alguma coisa) **2** o/a anterior LOC **at (long) last** finalmente ◆ **last but one**; **next/second to last** penúltimo
▸ **1** *vt, vi* ~ **(for) hours, days, etc.** durar horas e horas, dias e dias, etc. **2** *vi* perdurar

lasting /'lɑ:stɪŋ; *USA* 'læstɪŋ/ *adj* duradouro

lastly /'lɑ:stli; *USA* 'læstli/ *adv* por último

latch /lætʃ/ *substantivo, verbo*
▸ *s* trinco
▸ *v* PHR V **latch on (to sth)** (*coloq*) perceber (alguma coisa) (*explicação, etc.*)

late /leɪt/ *adjetivo, advérbio*
▸ *adj* **(later, -est)** **1** tarde, atrasado: *to be late* chegar tarde ◇ *My flight was an hour late.* O meu voo atrasou-se uma hora. **2** *in the late 19th century* em fins do século XIX ◇ *She's in her late twenties.* Anda aí pelos trinta. **3 latest** último, mais recente ➲ *Ver nota em* ÚLTIMO **4** [*só antes de substantivo*] falecido: *the late Mr Brown* o (já) falecido Sr Brown LOC **at the latest** o mais tardar *Ver tb* NIGHT
▸ *adv* (*comp* **later**) tarde: *He arrived half an hour late.* Chegou com meia hora de atraso. LOC **later on** mais tarde *Ver tb* BETTER, SOON

lately /'leɪtli/ *adv* ultimamente

lather /'lɑ:ðə(r); *USA* 'læð-/ *s* espuma (*de sabão*)

latitude /'lætɪtju:d; *USA* -tu:d/ *s* latitude

latter /'lætə(r)/ *adjetivo, pronome*
▸ *adj* segundo, último
▸ *pron* **the latter** este último, esta última
❶ Usa-se **the latter** para se referir ao último de dois elementos mencionados: *The latter was not as good as the former.* O último não foi tão bom quanto o primeiro. ➲ *Comparar com* FORMER

L

laugh /lɑːf; *USA* læf/ *verbo, substantivo*
▸ *vi* rir(-se) LOC *Ver* BURST PHR V **laugh at sb/sth** rir-se de alguém/alguma coisa
▸ *s* **1** riso, gargalhada **2 a laugh** [*sing*] (*coloq*) coisa/pessoa de chorar a rir: *What a laugh!* Mas que anedota! LOC **have a (good) laugh (about sth)** rir-se (muito) (de alguma coisa) *Ver tb* LAST **laughable** *adj* ridículo

laughter /ˈlɑːftə(r); *USA* ˈlæf-/ *s* [*não-contável*] riso(s): *to roar with laughter* rir a bandeiras despregadas

launch /lɔːntʃ/ *verbo, substantivo*
▸ *vt* lançar PHR V **launch (yourself) into sth** (*discurso, etc.*) lançar-se em alguma coisa (*com entusiasmo*)
▸ *s* **1** lançamento **2** lancha

launder /ˈlɔːndə(r)/ *vt* (*dinheiro*) lavar: *money laundering* lavagem de dinheiro

launderette /lɔːnˈdret/ (*USA* **Laundromat**® /ˈlɔːndrəmæt/) *s* lavandaria automática (*onde se pode lavar a roupa à máquina*) ➲ *Comparar com* LAUNDRY

laundry /ˈlɔːndri/ *s* **1** [*não-contável*] roupa para lavar: *to do the laundry* lavar a roupa ❶ Usa-se mais a palavra **washing** para se referir a "roupa para lavar". **2** (*pl* **laundries**) lavandaria: *laundry service* serviço de lavandaria ➲ *Comparar com* LAUNDERETTE

lava /ˈlɑːvə/ *s* lava

lavatory /ˈlævətri; *USA* -tɔːri/ *s* (*pl* **lavatories**) (*antiq ou formal*) retrete ➲ *Ver nota em* TOILET

lavender /ˈlævəndə(r)/ *s* alfazema

lavish /ˈlævɪʃ/ *adj* **1** extravagante **2** ~ **(with/in sth)** generoso (com alguma coisa)

law /lɔː/ *s* **1** (*tb* **the law**) lei: *against the law* contra a lei **2** (*curso universitário*) direito LOC **law and order** ordem pública **lawful** *adj* (*formal*) legal, legítimo

lawn /lɔːn/ *s* relvado

lawnmower /ˈlɔːnməʊə(r)/ *s* máquina de cortar relva

lawsuit /ˈlɔːsuːt, -sjuːt/ *s* processo judicial

lawyer /ˈlɔːjə(r)/ *s* advogado, -a ➲ *Ver nota em* ADVOGADO

lay /leɪ/ *verbo, adjetivo*
▸ *vt* (*pt, pp* **laid** /leɪd/) ➲ *Ver nota em* LIE¹ **1** colocar, pôr **2** (*canos, cabos, etc.*) instalar **3** estender **4** (*ovos*) pôr LOC **lay claim to sth** reclamar alguma coisa ◆ **lay your cards on the table** pôr as cartas na mesa *Ver tb* BLAME PHR V **lay sth aside** (*formal*) pôr alguma coisa de lado ◆ **lay sth down 1** pousar alguma coisa (*sobre a mesa, o chão, etc.*) **2** (*armas*) depor alguma coisa **3** (*regra, princípio, etc.*) estabelecer alguma coisa ◆ **lay sb off** despedir alguém (*por excesso de pessoal*) ◆ **lay sth on** (*GB, coloq*) fornecer alguma coisa ◆ **lay sth out 1** (*mapa, tela, etc.*) abrir, desenrolar alguma coisa **2** (*jardim, cidade, etc.*) planificar alguma coisa: *well laid out* bem planificado **3** (*argumento*) expor alguma coisa *Ver tb* LIE¹
▸ *adj* [*só antes de substantivo*] leigo

layabout /ˈleɪəbaʊt/ *s* (*GB, freq pej, coloq*) mandrião, -ona

lay-by /ˈleɪ baɪ/ *s* (*pl* **lay-bys**) berma, área de descanso

layer /ˈleɪə(r)/ *s* **1** camada **2** (*Geol*) estrato **layered** *adj* em camadas

lay-off /ˈleɪ ɒf; *USA* ɔːf/ *s* despedimento (*por excesso de pessoal*)

layout /ˈleɪaʊt/ *s* (*colocação*) disposição

laze /leɪz/ *vi* ~ **(about/around)** descansar, relaxar

lazy /ˈleɪzi/ *adj* (**lazier**, **-iest**) preguiçoso

lead¹ /liːd/ *verbo, substantivo*
▸ (*pt, pp* **led** /led/) **1** *vt* levar, guiar **2** *vi* ~ **from/to sth** (*caminho, porta, etc.*) levar de/a alguma coisa, ir ter a alguma coisa: *This door leads into the garden.* Esta porta vai ter ao jardim. ◇ *This road leads back to town.* Esta estrada vai ter à cidade outra vez. **3** *vt* ~ **sb (to sth/to do sth)** levar alguém (a alguma coisa/fazer alguma coisa) **4** *vi* ~ **to sth** dar lugar a alguma coisa **5** *vt* (*vida*) levar **6** *vi* ir na frente **7** *vt* encabeçar **8** *vi* (*jogo de cartas*) sair, ser o primeiro a jogar LOC **lead sb to believe (that)...** levar alguém a acreditar (que)... ◆ **lead the way (to sth)** mostrar o caminho (até alguma coisa) PHR V **lead up to sth 1** preceder a alguma coisa **2** conduzir a alguma coisa
▸ *s* **1** [*sing*] (*competição*) vantagem: *to be in/take the lead* ir à frente/tomar a liderança **2** iniciativa, exemplo: *If we take the lead, others will follow.* Se tomarmos a iniciativa, outros nos seguirão. **3** (*indício*) pista **4** (*Teat*) papel principal **5** (*Mús*): *lead singer/guitarist* vocalista/guitarrista principal **6** (*de cão, etc.*) trela **7** (*Eletrón*) cabo, fio

lead² /led/ *s* chumbo **leaded** *adj* com chumbo

leader /ˈliːdə(r)/ *s* líder, dirigente

leadership /ˈliːdəʃɪp/ *s* **1** liderança **2** [*v sing ou pl*] (*pessoas que dirigem*) chefia

leading /ˈliːdɪŋ/ *adj* principal

leaf /liːf/ *substantivo, verbo*
▸ *s* (*pl* **leaves** /liːvz/) folha LOC **take a leaf from/out of sb's book** seguir o exemplo de alguém *Ver tb* NEW
▸ *v* PHR V **leaf through sth** folhear alguma coisa rapidamente

leaflet /ˈliːflət/ *s* folheto

leafy /ˈliːfi/ *adj* frondoso: *leafy vegetables* hortaliça

🔑 **league** /liːg/ *s* **1** (*aliança*) liga **2** (*coloq*) (*categoria*) classe: *I'm not in her league.* Não estou à altura dela. LOC **in league (with sb)** combinado em segredo (com alguém)

leak /liːk/ *verbo, substantivo*
▸ **1** *vi* (*recipiente*) pingar, verter **2** *vi* (*gás, líquido*) sair, escapar: *Water was leaking through the ceiling.* Estava a pingar água pelo telhado. **3** *vt* deixar escapar **4** *vt* ~ **sth (to sb)** deixar escapar alguma coisa (para alguém): *The news was leaked to the press.* Houve uma fuga de informação para a imprensa.
▸ *s* **1** buraco, fenda **2** fuga **3** (*fig*) fuga de informação

lean

She's **leaning against** a tree. He's **leaning out of** a window.

🔑 **lean** /liːn/ *verbo, adjetivo*
▸ (*pt, pp* **leaned** *ou* **leant** /lent/) ➲ *Ver nota em* DREAM **1** *vi* inclinar-se: *to lean back/forward* encostar-se para trás/inclinar-se para a frente ◇ *to lean out of the window* debruçar-se da janela **2** *vt, vi* ~ **(sth) against/on sth** apoiar alguma coisa, apoiar-se contra/em alguma coisa
▸ *adj* (**leaner, -est**) magro ➲ *Ver nota em* MAGRO **leaning** *s* ~ **(towards sth)** inclinação, tendência (para alguma coisa)

leap /liːp/ *verbo, substantivo*
▸ *vi* (*pt, pp* **leapt** /lept/ *ou* **leaped**) ➲ *Ver nota em* DREAM **1** saltar, pular **2** (*coração*) dar um pulo
▸ *s* salto, pulo

leap year *s* ano bissexto

🔑 **learn** /lɜːn/ *vt, vi* (*pt, pp* **learnt** /lɜːnt/ *ou* **learned**) ➲ *Ver nota em* DREAM **1** aprender **2** ~ **(of/about) sth** ficar a saber (de) alguma coisa LOC **learn your lesson** aprender a lição *Ver tb* ROPE **learner** *s* aprendiz, -iza, principiante, estudante: *learners of English* estudantes de Inglês ◇ *to be a slow learner* ter dificuldade em aprender **learning** *s* **1** (*ação*) aprendizagem: *students with learning disabilities* estudantes com necessidades especiais **2** (*conhecimentos*) erudição, saber

lease /liːs/ *substantivo, verbo*
▸ *s* contrato de arrendamento/aluguer LOC **a (new) lease of life** (*USA* **a (new) lease on life**) uma vida nova
▸ *vt* ~ **sth (to/from sb)** arrendar, alugar alguma coisa (a alguém) (*proprietário ou inquilino*)

leash /liːʃ/ *s* (*esp USA*) trela

🔑 **least** /liːst/ *pronome, advérbio, adjetivo*
▸ *pron, adv* menos: *It's the least I can do.* É o mínimo que eu posso fazer. ◇ *when I least expected it* quando menos esperava LOC **at least** pelo menos ◆ **not in the least** de modo algum: *I'm not in the least angry.* Não estou nada zangado. ◆ **not least** especialmente *Ver tb* LAST
▸ *adj* menor

🔑 **leather** /ˈleðə(r)/ *s* couro, cabedal, pele

🔑 **leave** /liːv/ *verbo, substantivo*
▸ (*pt, pp* **left** /left/) **1** *vt* deixar: *Leave it to me.* Deixa isso comigo. **2** *vt, vi* ir (de), sair (de) **3** *vt* **be left** restar: *You've only got two days left.* Só te restam dois dias. LOC **leave sb to their own devices/to themselves** deixar alguém entregue a si próprio *Ver tb* ALONE PHR V **leave sb/sth behind** deixar alguém/alguma coisa para trás, esquecer-se de alguém/alguma coisa ◆ **leave sb/sth out (of sth)** deixar alguém/alguma coisa de fora (de alguma coisa): *I felt left out.* Senti-me excluído. ◆ **be left over (from sth)** sobrar: *Is there any food left over?* Sobrou alguma comida?
▸ *s* licença (*férias*) LOC **on leave** de licença: *to be on sick leave* estar de licença por motivo de doença

leaves *pl de* LEAF

🔑 **lecture** /ˈlektʃə(r)/ *substantivo, verbo*
▸ *s* **1** conferência: *to give a lecture* dar uma conferência **2** (*repreensão*) sermão
▸ **1** *vi* ~ **(in/on sth)** dar aulas, dar uma conferência/aula (sobre alguma coisa) **2** *vt* ~ **sb (about/on sth)** dar um sermão a alguém (por/sobre alguma coisa) **lecturer** *s* **1** ~ **(in sth)** professor, -ora (de alguma coisa) (*em universidade*) **2** conferencista

lecture theatre (*USA* **lecture theater**) *s* anfiteatro (*sala de aula*)

led *pt, pp de* LEAD¹

ledge /ledʒ/ *s* **1** borda: *window ledge* peitoril **2** (*Geog*) saliência rochosa

leek /liːk/ *s* alho-francês

🔑 **left** /left/ *adjetivo, advérbio, substantivo*
▸ *adj* esquerdo

L

▸ *adv* à esquerda: *Turn/Go left.* Vire à esquerda.
▸ *s* **1** esquerda: *on the left* à esquerda **2 the Left** [*v sing ou pl*] (*Pol*) a esquerda *Ver tb* LEAVE

left-hand /ˈleft hænd/ *adj* [*só antes de substantivo*] esquerdo, à esquerda: *on the left-hand side* do lado esquerdo

left-handed /ˌleft ˈhændɪd/ *adj* canhoto

left-luggage office /ˌleft ˈlʌɡɪdʒ ɒfɪs; *USA* ɔːfɪs/ *s* depósito de bagagem

leftover /ˈleftəʊvə(r)/ *adj* a mais: *leftover food* o resto da comida **leftovers** *s* [*pl*] restos (*de comida*)

left wing *s* (*Pol*) esquerda

left-wing /ˌleft ˈwɪŋ/ *adj* de esquerda

leg /leg/ *s* **1** perna, pernil ➲ *Ver nota em* ARM **2** (*de animal*) pata **3** (*carne*) perna LOC **not have a leg to stand on** (*coloq*) não ter argumentos para se defender *Ver tb* PULL, STRETCH

legacy /ˈlegəsi/ *s* (*pl* **legacies**) **1** legado **2** (*fig*) herança

legal /ˈliːgl/ *adj* jurídico, legal: *to take legal action against sb* instaurar um processo contra alguém **legality** /liːˈgæləti/ *s* (*pl* **legalities**) legalidade **legalization, -isation** /ˌliːgəlaɪˈzeɪʃn; *USA* -ləˈz-/ *s* legalização **legalize, -ise** *vt* legalizar

legend /ˈledʒənd/ *s* lenda **legendary** /ˈledʒəndri; *USA* -deri/ *adj* lendário

leggings /ˈlegɪŋz/ *s* [*pl*] calças de malha (justas)

legible /ˈledʒəbl/ *adj* legível

legion /ˈliːdʒən/ *s* legião

legislate /ˈledʒɪsleɪt/ *vi* ~ **(for/against sth)** legislar (a favor de/contra alguma coisa) **legislation** *s* legislação **legislative** /ˈledʒɪslətɪv; *USA* -leɪtɪv/ *adj* (*formal*) legislativo **legislature** /ˈledʒɪsleɪtʒə(r)/ *s* (*formal*) assembleia legislativa

legitimacy /lɪˈdʒɪtɪməsi/ *s* (*formal*) legitimidade

legitimate /lɪˈdʒɪtɪmət/ *adj* **1** legítimo, lícito **2** justo, válido

leisure /ˈleʒə(r); *USA* ˈliːʒər/ *s* lazer, ócio: *leisure time* tempo livre LOC **at your leisure** (*formal*) quando tiveres vagar

leisure centre *s* centro de lazer

leisurely /ˈleʒəli; *USA* ˈliːʒərli/ *adjetivo, advérbio*
▸ *adj* descontraído, calmo
▸ *adv* descontraidamente, com calma

lemon /ˈlemən/ *s* limão

lemonade /ˌleməˈneɪd/ *s* **1** gasosa **2** limonada

lend /lend/ *vt* (*pt, pp* **lent** /lent/) ~ **sb sth**; ~ **sth (to sb)** emprestar alguma coisa (a alguém) ➲ *Ver nota em* GIVE *e ilustração em* BORROW LOC *Ver* HELP

length /leŋθ/ *s* **1** comprimento: *20 metres in length* 20 metros de comprimento **2** duração: *for some length of time* durante algum tempo LOC **at length** em detalhe ◆ **go to any, some, great, etc. lengths (to do sth)** fazer tudo e mais alguma coisa (para fazer alguma coisa) **lengthen** *vt, vi* alongar(-se), prolongar(-se) **lengthy** *adj* (**lengthier**, **-iest**) demorado, longo

lenient /ˈliːniənt/ *adj* **1** compassivo **2** (*tratamento*) clemente

lens /lenz/ *s* (*pl* **lenses**) **1** (*máquina fotográfica*) objetiva *Ver tb* ZOOM LENS **2** lente: *contact lenses* lentes de contacto

Lent /lent/ *s* Quaresma

lent *pt, pp de* LEND

lentil /ˈlentl/ *s* lentilha

Leo /ˈliːəʊ/ *s* (*pl* **Leos**) Leão ➲ *Ver exemplos em* AQUARIUS

leopard /ˈlepəd/ *s* leopardo

leotard /ˈliːətɑːd/ *s* fato de ginástica/ballet

lesbian /ˈlezbiən/ *s* lésbica

less /les/ *adj, adv, pron* ~ **(than...)** menos (do que/de...): *I have less than you.* Tenho menos que tu. ◇ *less often* com menos frequência ➲ *Ver nota em* POUCO LOC **less and less** cada vez menos *Ver tb* MORE **lessen** **1** *vi* diminuir **2** *vt* reduzir **lesser** *adj* [*só antes de substantivo*] menor LOC *Ver* EXTENT

lesson /ˈlesn/ *s* **1** aula: *four English lessons a week* quatro aulas de Inglês por semana **2** lição LOC *Ver* LEARN, TEACH

let /let/ *vt* (*pt, pp* **let** *part pres* **letting**) **1** *vt* deixar, permitir: *to let sb do sth* deixar alguém fazer alguma coisa ◇ *My dad won't let me have a TV in my bedroom.* O meu pai não me deixa ter uma televisão no quarto. ➲ *Ver nota em* ALLOW **2 let's** ❶ **Let us** + infinitivo sem **to** é usado para fazer sugestões. Com exceção do registo formal, normalmente utiliza-se a contração **let's**: *Let's go!* Vamos! A forma negativa é **let's not**: *Let's not argue.* Não discutamos. **3** ~ **sth (out) (to sb)** arrendar, alugar alguma coisa (a alguém): *Flat to let.* Arrenda-se apartamento. ➲ *Ver nota em* ALUGAR LOC **let alone** muito menos/quanto mais: *I can't afford new clothes, let alone a holiday.* Não tenho dinheiro para comprar roupa nova, quanto mais para umas férias. ◆ **let fly at sb/sth** atacar alguém/alguma coisa ◆ **let fly with sth** reagir, disparar com alguma coisa ◆ **let off steam**

(*coloq*) desabafar ◆ **let sb/sth go; let go of sb/sth** largar alguém/alguma coisa ◆ **let sb know sth** informar alguém de alguma coisa ◆ **let sb/sth loose** soltar alguém/alguma coisa ◆ **let's face it** (*coloq*) admitamos ◆ **let slip sth** deixar escapar alguma coisa: *I let it slip that I was married.* Disse sem querer que era casado. ◆ **let's say** digamos ◆ **let the cat out of the bag** dar com a língua nos dentes ◆ **let the matter drop/rest** deixar o assunto em paz ◆ **let yourself go** descontrair-se *Ver tb* HOOK, LIGHTLY PHR V **let sb down** desapontar alguém ◆ **let sb in/out** deixar alguém entrar/sair ◆ **let sb off (sth)** perdoar (alguma coisa) a alguém ◆ **let sth off** **1** (*arma*) disparar alguma coisa **2** (*fogo de artifício*) lançar alguma coisa

lethal /ˈliːθl/ *adj* letal

lethargic /ləˈθɑːdʒɪk/ *adj* letárgico

lethargy /ˈleθədʒi/ *s* letargia

let's /lets/ = LET US *Ver* LET

letter /ˈletə(r)/ *s* **1** letra **2** carta: *to post a letter* pôr uma carta no correio LOC **to the letter** à letra

letter box

postbox **letter box** (*USA* **mail slot**) **mailboxes** (*USA*)

letter box *s* **1** caixa de correio **2** marco do correio

letter carrier *s* (*USA*) carteiro, -a

lettuce /ˈletɪs/ *s* alface

leukaemia (*USA* **leukemia**) /luːˈkiːmiə/ *s* leucemia

level /ˈlevl/ *substantivo, adjetivo, verbo*
▸ *s* nível: *1000 metres above sea level* 1.000 metros acima do nível do mar ◇ *noise levels* níveis de ruído ◇ *high-/low-level negotiations* negociações ao mais alto nível/a baixo nível
▸ *adj* **1** plano **2** ~ **(with sb/sth)** ao mesmo nível (de alguém/alguma coisa) LOC *Ver* BEST
▸ *vt* (**-ll-**, *USA* **-l-**) nivelar PHR V **level sth against/at sb/sth** dirigir alguma coisa a alguém/alguma coisa (*críticas, etc.*) ◆ **level off/out** estabilizar(-se)

level crossing *s* passagem de nível

lever /ˈliːvə(r); *USA* ˈlevər/ *s* alavanca **leverage** /ˈliːvərɪdʒ; *USA* ˈlev-/ *s* **1** (*formal*) influência **2** pressão, potência de alavanca

levy /ˈlevi/ *verbo, substantivo*
▸ *vt* (*pt, pp* **levied**) cobrar (*impostos, etc.*)
▸ *s* (*pl* **levies**) imposto

liability /ˌlaɪəˈbɪləti/ *s* (*pl* **liabilities**) **1** [*não-contável*] ~ **(for sth)** responsabilidade (por alguma coisa) **2** (*coloq*) desvantagem, risco: *The MP's comments have made him a liability for the party.* Os comentários do deputado fizeram dele um fardo para o partido.

liable /ˈlaɪəbl/ *adj* [*nunca antes de substantivo*] **1** responsável: *to be liable for sth* ser responsável por alguma coisa **2 be ~ to do sth** estar sujeito a fazer alguma coisa **3 ~ to sth** propenso a alguma coisa **4 ~ to sth** sujeito a alguma coisa

liaise /liˈeɪz/ *vi* ~ **(with sb)** cooperar (com alguém)

liaison /liˈeɪzn; *USA* -zɑːn; ˈlɪəzɑːn/ *s* **1** relação **2** caso (amoroso)

liar /ˈlaɪə(r)/ *s* mentiroso, -a

libel /ˈlaɪbl/ *s* calúnia, difamação

liberal /ˈlɪbərəl/ *adjetivo, substantivo*
▸ *adj* **1** liberal: *the Liberal Democrats* o Partido Democrata Liberal **2** livre
▸ *s* (*Pol*) liberal

liberate /ˈlɪbəreɪt/ *vt* ~ **sb/sth (from sth)** libertar alguém/alguma coisa (de alguma coisa) **liberated** *adj* liberado **liberation** *s* liberação

liberty /ˈlɪbəti/ *s* (*pl* **liberties**) liberdade
ℹ A palavra mais comum é **freedom**. LOC **take liberties with sth/sb** tomar liberdades com alguma coisa/alguém

Libra /ˈliːbrə/ *s* Balança ➲ *Ver exemplos em* AQUARIUS

librarian /laɪˈbreəriən/ *s* bibliotecário, -a

library /ˈlaɪbrəri, ˈlaɪbri; *USA* -breri/ *s* (*pl* **libraries**) biblioteca

lice *pl de* LOUSE

licence (*USA* **license**) /ˈlaɪsns/ *s* **1** licença: *a driving licence* uma carta de condução **2** (*formal*) autorização, licença *Ver tb* OFF-LICENCE

license plate *s* (*USA*) chapa de matrícula

lick /lɪk/ *verbo, substantivo*
▸ *vt* lamber
▸ *s* lambidela

licorice (*esp USA*) = LIQUORICE

lid /lɪd/ *s* **1** tampa ➲ *Ver ilustração em* POT **2** pálpebra

lie[1] /laɪ/ *vi* (*pt* **lay** /leɪ/, *pp* **lain** /leɪn/, *part pres* **lying**) **1** deitar-se, jazer **2** estar, jazer: *The problem lies in...* O problema está em... ◇ *the life that lay ahead of him* a vida que o aguardava

L

3 estender-se PHR V **lie about/around 1** passar o tempo sem fazer nada **2** estar espalhado: *Don't leave all your clothes lying around.* Não deixes a roupa espalhada por aí. ◆ **lie back** recostar-se ◆ **lie down** deitar-se ◆ **lie in** (*coloq*) ficar na cama

Compara os verbos **lie** e **lay**. O verbo **lie (lay, lain, lying)** é intransitivo e significa *deitar-se*: *I was feeling ill, so I lay down on the bed for a while.* Sentia-me mal, por isso deitei-me um bocado. É importante não confundi-lo com **lie (lied, lied, lying)**, que significa *mentir*. **Lay (laid, laid, laying)**, por seu lado, é transitivo e tem o significado de "pôr sobre": *She laid her dress on the bed to keep it neat.* Pôs o vestido sobre a cama para que não se amarrotasse.

lie² /laɪ/ *verbo, substantivo*
▸ *vi* (*pt, pp* **lied** *part pres* **lying**) ~ **(to sb) (about sth)** mentir (a alguém) (sobre alguma coisa)
▸ *s* mentira: *to tell lies* dizer mentiras

lieutenant /lefˈtenənt; *USA* luːˈt-/ *s* tenente

life /laɪf/ *s* (*pl* **lives** /laɪvz/) **1** vida: *a friend for life* um amigo para toda a vida ◇ *late in life* com uma idade avançada ◇ *home life* a vida familiar *Ver tb* LONG-LIFE **2** (*tb* **life sentence**, **life imprisonment**) prisão perpétua *Ver tb* STILL LIFE LOC **bring sb/sth to life** animar alguém/alguma coisa ◆ **come to life** animar-se ◆ **get a life** (*coloq*) mexer-se: *Stop complaining and get a life!* Deixa-te de queixas e mexe-te! ◆ **take your (own) life** suicidar-se ❶ Para outras expressões com **life**, ver as entradas para o substantivo, adjetivo, etc., p. ex. **true to life** em TRUE.

lifebelt /ˈlaɪfbelt/ (*tb* **lifebuoy** /ˈlaɪfbɔɪ; *USA* -buːi/) *s* boia de salvação

lifeboat /ˈlaɪfbəʊt/ *s* barco salva-vidas

life expectancy *s* esperança de vida

lifeguard /ˈlaɪfɡɑːd/ *s* banheiro, -a, nadador-salvador, nadadora-salvadora

life jacket (*USA tb* **life vest**) *s* colete salva-vidas

lifelike /ˈlaɪflaɪk/ *adj* realista

lifelong /ˈlaɪflɒŋ; *USA* -lɔːŋ/ *adj* de toda a vida

lifestyle /ˈlaɪfstaɪl/ *s* estilo de vida

lifetime /ˈlaɪftaɪm/ *s* vida LOC **the chance, etc. of a lifetime** uma oportunidade, etc. única

lift /lɪft/ *verbo, substantivo*
▸ **1** *vt* ~ **sb/sth (up)** levantar alguém/alguma coisa **2** *vt* (*sanção*) levantar **3** *vi* (*névoa, nuvens*) dispersar PHR V **lift off** descolar (*esp nave espacial*)
▸ *s* **1** elevador **2** boleia: *to give sb a lift* dar uma boleia a alguém **3** [*sing*] impulso

lift-off /ˈlɪft ɒf; *USA* ɔːf/ *s* descolagem (*de nave espacial*)

light /laɪt/ *substantivo, adjetivo, advérbio, verbo*
▸ *s* **1** luz: *to turn on/off the light* acender/apagar a luz **2 (traffic) lights** [*pl*] semáforo **3 a light** [*sing*]: *Have you got a light?* Tens lume? LOC **come to light** vir à luz ◆ **in the light of sth** considerando alguma coisa ◆ **set light to sth** pôr fogo a alguma coisa
▸ *adj* (**lighter**, **-est**) **1** (*quarto*) com muita luz **2** (*cor, tom*) claro **3** leve: *two kilos lighter* dois quilos a menos **4** (*chuva, vento*) fraco
▸ *adv*: *to travel light* viajar com pouca bagagem
▸ (*pt, pp* **lit** /lɪt/ *ou* **lighted**) **1** *vt, vi* acender(-se) **2** *vt* iluminar ❶ Geralmente usa-se **lighted** como adjetivo antes de um substantivo: *a lighted candle* uma vela acesa, e **lit** como verbo: *He lit the candle.* Acendeu a vela. PHR V **light (sth) up 1** iluminar alguma coisa, iluminar-se **2** (*coloq*) (*cigarro*) acender alguma coisa **3** (*cara, olhos*) iluminar alguma coisa, iluminar-se

light bulb *s Ver* BULB (2)

lighten /ˈlaɪtn/ *vt, vi* **1** iluminar(-se) **2** aliviar **3** alegrar(-se)

lighter /ˈlaɪtə(r)/ *s* isqueiro

light-headed /ˌlaɪt ˈhedɪd/ *adj* tonto

light-hearted /ˌlaɪt ˈhɑːtɪd/ *adj* **1** despreocupado **2** (*comentário*) leviano

lighthouse /ˈlaɪthaʊs/ *s* farol

lighting /ˈlaɪtɪŋ/ *s* iluminação: *street lighting* iluminação pública

lightly /ˈlaɪtli/ *adv* **1** levemente, suavemente, ligeiramente **2** agilmente **3** despreocupadamente LOC **get off/be let off lightly** (*coloq*) não ser muito castigo

lightness /ˈlaɪtnəs/ *s* **1** claridade **2** leveza **3** suavidade **4** agilidade

lightning /ˈlaɪtnɪŋ/ *s* [*não-contável*] relâmpago, raio: *a lightning trip* uma visita de médico

lightweight /ˈlaɪtweɪt/ *adjetivo, substantivo*
▸ *adj* **1** leve **2** (*pej*) ligeiro
▸ *s* **1** (*Boxe*) peso-leve **2** (*coloq, pej*) medíocre

like /laɪk/ *verbo, preposição, conjunção*
▸ *vt* gostar de: *Do you like fish?* Gostas de peixe? ◇ *I like swimming.* Gosto de nadar. ◇ *Would you like (to have) a drink?* Queres tomar uma bebida? ➲ *Ver nota em* GOSTAR LOC **if you like** se quiseres
▸ *prep* **1** como: *He cried like a child.* Chorou como uma criança. ◇ *He acted like our leader.* Portou-se como se fosse o nosso líder. ◇ *It's*

like baking a cake. É como fazer um bolo. ◇ *to look/be like sb* ser parecido com/ser como alguém ◇ *What's she like?* Como é que ela é? **2** (*exemplo*) como, tal como: *European countries like Spain, France, etc.* países europeus (tais) como a Espanha, a França, etc. ➲ *Comparar com* AS LOC *Ver* JUST
▸ *conj* (*coloq*) **1** como: *It didn't end quite like I expected it to.* Não acabou exatamente como eu esperava. **2** como se: *She acts like nothing had happened.* Ela age como se não tivesse acontecido nada. *Ver tb* AS IF/THOUGH *em* AS

likeable (*tb* **likable**) /ˈlaɪkəbl/ *adj* simpático

likelihood /ˈlaɪklihʊd/ *s* [*sing*] probabilidade

likely /ˈlaɪkli/ *adjetivo, advérbio*
▸ *adj* (**likelier, -iest**) **1** provável: *It isn't likely to rain.* Não é provável que chova. ◇ *She's very likely to call me/It's very likely that she'll call me.* É muito provável que ela me telefone. **2** apropriado
▸ *adv* LOC **not likely!** (*coloq*) nem pensar!

liken /ˈlaɪkən/ *vt* ~ **sth/sb to sth/sb** (*formal*) comparar alguma coisa/alguém com alguma coisa/alguém

likeness /ˈlaɪknəs/ *s* semelhança: *a family likeness* um ar de família

likewise /ˈlaɪkwaɪz/ *adv* (*formal*) **1** do mesmo modo, igualmente: *to do likewise* fazer o mesmo **2** também

liking /ˈlaɪkɪŋ/ *s* LOC **take a liking to sb** simpatizar com alguém ◆ **to sb's liking** (*formal*) ao gosto de alguém

lilac /ˈlaɪlək/ *s* (*Bot, cor*) lilás

lily /ˈlɪli/ *s* (*pl* **lilies**) lírio: *water lily* nenúfar

limb /lɪm/ *s* (*Anat*) membro LOC *Ver* RISK

lime /laɪm/ *s* **1** lima **2** limeira **3** (*tb* **lime green**) (*cor*) verde-lima **4** cal

limelight /ˈlaɪmlaɪt/ *s* [*sing*]: *to be in the limelight* ser o centro das atenções/calcário

limestone /ˈlaɪmstəʊn/ *s* [*não-contável*] pedra calcária

limit /ˈlɪmɪt/ *substantivo, verbo*
▸ *s* limite: *the speed limit* o limite de velocidade LOC **within limits** até (um) certo ponto
▸ *vt* ~ **sb/sth (to sth)** limitar alguém/alguma coisa (a alguma coisa) **limitation** *s* limitação

limited /ˈlɪmɪtɪd/ *adj* limitado

limiting /ˈlɪmɪtɪŋ/ *adj* restritivo

limitless /ˈlɪmɪtləs/ *adj* sem limites

limo /ˈlɪməʊ/ *s* (*pl* **limos**) (*coloq*) limusina

limousine /ˈlɪməziːn, ˌlɪməˈziːn/ *s* limusina

limp /lɪmp/ *adjetivo, verbo, substantivo*
▸ *adj* **1** mole, fraco **2** frouxo
▸ *vi* coxear
▸ *s* coxeio: *to have a limp* coxear

line /laɪn/ *substantivo, verbo*
▸ *s* **1** linha, traço *Ver tb* FINISHING LINE **2** fila **3** corda: *a clothes line* uma corda para estender a roupa ◇ *a fishing line* uma linha de pesca **4** linha (telefónica): *The line is engaged.* A linha está ocupada. ◇ *Could you hold the line, please?* Por favor, não desligue. **5 lines** [*pl*] (*Teat*): *to learn your lines* aprender o papel **6** [*sing*]: *the official line* a postura oficial LOC **along/on the same, etc. lines** do mesmo, etc. estilo ◆ **in line/out of line with sth** de acordo com/diferente de alguma coisa *Ver tb* DRAW, DROP, HARD, JUMP, OVERSTEP, TOE
▸ *vt* **1** ~ **sth (with sth)** forrar, revestir alguma coisa (com alguma coisa) **2** alinhar PHR V **line up** pôr-se em fila **lined** *adj* **1** forrado, revestido **2** (*papel*) pautado, com linhas **3** (*rosto*) enrugado

line drawing *s* desenho a lápis ou à pena

linen /ˈlɪnɪn/ *s* **1** linho **2** roupa (branca) de cama/mesa

liner /ˈlaɪnə(r)/ *s* transatlântico

linger /ˈlɪŋgə(r)/ *vi* **1** ~ **(on)** (*pessoa*) ficar (para trás): *She lingered on after everyone had left.* Ela ainda ficou depois de os outros se irem embora. **2** (*dúvida, cheiro, memória*) permanecer, persistir

linguist /ˈlɪŋgwɪst/ *s* **1** poliglota **2** linguista **linguistic** /lɪŋˈgwɪstɪk/ *adj* linguístico

linguistics /lɪŋˈgwɪstɪks/ *s* [*não-contável*] linguística

lining /ˈlaɪnɪŋ/ *s* **1** forro **2** revestimento

link /lɪŋk/ *substantivo, verbo*
▸ *s* **1** ligação, relação, vínculo: *satellite link* via satélite **2** laço **3** anel, elo **4** (*Informát*) link, hiperligação
▸ *vt* **1** unir: *to link arms* dar o braço **2** relacionar PHR V **link up (with sb/sth)** unir-se (a alguém/alguma coisa)

lion /ˈlaɪən/ *s* leão: *lion tamer* domador de leões ◇ *lion cub* cria de leão **lioness** /ˈlaɪənes/ *s* leoa

lip /lɪp/ *s* lábio

lip-read /ˈlɪp riːd/ *vi* (*pt, pp* **lip-read** /-red/) ler os lábios

lipstick /ˈlɪpstɪk/ *s* bâton

liqueur /lɪˈkjʊə(r); *USA* -ˈkɜːr/ *s* licor

liquid /ˈlɪkwɪd/ *s, adj* líquido **liquidize, -ise** *vt* liquidificar **liquidizer, -iser** *s* liquidificador

liquor /ˈlɪkə(r)/ *s* [*não-contável*] **1** (*esp USA*) licor **2** (*GB, formal*) álcool

liquorice (*USA* **licorice**) /ˈlɪkərɪʃ, -rɪs/ *s* alcaçuz

lisp /lɪsp/ *substantivo, verbo*
▸ *s* ceceio
▸ *vt, vi* cecear

L

list /lɪst/ *substantivo, verbo*
▸ *s* lista: *to make a list* fazer uma lista *Ver tb* MAILING LIST, WAITING LIST
▸ *vt* **1** enumerar, fazer uma lista de **2** catalogar

listen /ˈlɪsn/ *vi* **1** ~ **(to sb/sth)** ouvir, escutar (alguém/alguma coisa) **2** ~ **to sb/sth** fazer caso de alguém/alguma coisa PHR V **listen (out) for sth** estar atento a alguma coisa **listener** *s* **1** (*Rádio*) ouvinte **2** *a good listener* uma pessoa que sabe ouvir

listings /ˈlɪstɪŋz/ *s* [*pl*] roteiro (*de filmes, espetáculos, etc.*): *listings magazine* revista com programação cultural

lit *pt, pp de* LIGHT

liter (*USA*) = LITRE

literacy /ˈlɪtərəsi/ *s* capacidade de ler e escrever, alfabetismo

literal /ˈlɪtərəl/ *adj* literal **literally** *adv* literalmente

literary /ˈlɪtərəri; *USA* -reri/ *adj* literário

literate /ˈlɪtərət/ *adj* alfabetizado, que sabe ler e escrever: *Are you computer literate?* Tens conhecimentos de informática?

literature /ˈlɪtrətʃə(r); *USA* -tʃʊər/ *s* [*não-contável*] **1** literatura **2** ~ **(on sth)** folhetos, brochuras (sobre alguma coisa)

litre (*USA* **liter**) /ˈliːtə(r)/ *s* (*abrev* **l**) litro ➲ *Ver pág. 712*

litter /ˈlɪtə(r)/ *substantivo, verbo*
▸ *s* **1** lixo (*papel, etc. na rua*): *litter bin* caixote do lixo ➲ *Ver ilustração em* BIN **2** (*Zool*) ninhada
▸ *vt* estar espalhado por: *Newspapers littered the floor.* Havia jornais espalhados pelo chão.

little /ˈlɪtl/ *adjetivo, pronome, advérbio*
▸ *adj* ❶ O comparativo **littler** e o superlativo **littlest** são pouco frequentes; normalmente usa-se **smaller** e **smallest**. ➲ *Ver tb nota em* SMALL **1** pequeno: *When I was little...* Quando era pequeno... ◇ *my little brother* o meu irmão mais novo ◇ *little finger* mindinho ◇ *Poor little thing!* Coitadinho! **2** pouco: *to wait a little while* esperar um pouco ➲ *Ver nota em* LESS

> **Little** ou **a little**? **Little** tem um sentido negativo e equivale a "pouco": *I have little hope.* Tenho poucas esperanças. **A little** tem um sentido muito mais positivo, equivale a "um pouco de": *You should always carry a little money with you.* Deves sempre levar um pouco de dinheiro contigo. ➲ *Ver tb nota em* POUCO

LOC *Ver* PRECIOUS
▸ *pron* pouco: *I only want a little.* Só quero um pouco. ◇ *There was little anyone could do.* Não havia nada a fazer.
▸ *adv* pouco: *little more than an hour ago* há pouco mais de uma hora LOC **little by little** pouco a pouco, a pouco e pouco ◆ **little or nothing** quase nada *Ver tb* AVAIL

live¹ /lɪv/ *vi* **1** viver: *Where do you live?* Onde moras? **2** (*fig*) sobreviver PHR V **live for sth/sb** viver para alguma coisa/alguém ◆ **live on** continuar a viver ◆ **live on sth** viver de alguma coisa ◆ **live through sth** sobreviver a alguma coisa ◆ **live up to sth** estar à altura de alguma coisa (*situação, expectativa, etc.*) ◆ **live with sth** aceitar alguma coisa

live² /laɪv/ *adjetivo, advérbio*
▸ *adj* **1** vivo **2** (*TV*) em direto **3** (*gravação*) ao vivo **4** (*Eletrón*) eletrificado **5** (*bomba*) ativado
▸ *adv* em direto

livelihood /ˈlaɪvlihʊd/ *s* sustento, meio de subsistência

lively /ˈlaɪvli/ *adj* (**livelier, -iest**) **1** (*pessoa*) alegre, cheio de vida **2** (*conversação, festa*) animado **3** (*imaginação*) vivo

liver /ˈlɪvə(r)/ *s* fígado

lives *pl de* LIFE

livestock /ˈlaɪvstɒk/ *s* gado

living /ˈlɪvɪŋ/ *substantivo, adjetivo*
▸ *s* vida: *to earn/make a living* ganhar a vida ◇ *What do you do for a living?* O que é que faz? ◇ *cost/standard of living* custo/nível de vida
▸ *adj* [*só antes de substantivo*] vivo: *living creatures* seres vivos ➲ *Comparar com* ALIVE LOC **in/within living memory** de que há memória

living room *s* sala de estar

lizard /ˈlɪzəd/ *s* lagarto

load /ləʊd/ *substantivo, verbo*
▸ *s* **1** carga **2** (*tb* **loads** [*pl*]) ~ **(of sth)** (*coloq*) montes (de alguma coisa) LOC **a load of (old) rubbish, etc.** (*coloq*): *What a load of rubbish!* Que grande disparate!
▸ **1** *vt, vi* ~ **(sth) (up) (with sth)** carregar alguma coisa, carregar-se (com/de alguma coisa) **2** *vt* ~ **sth (into/onto sth)** carregar alguma coisa (com/de alguma coisa): *The sacks were loaded onto the lorry.* Carregaram o camião com os sacos. **3** *vt* ~ **sb/sth (down)** sobrecarregar alguém/alguma coisa **loaded** *adj* ~ **(with sth)** carregado (com/de alguma coisa) LOC **a loaded question** uma pergunta com segundas intenções

loaf /ləʊf/ *s* (*pl* **loaves** /ləʊvz/) pão (*de forma, redondo, etc.*): *a loaf of bread* um pão ➲ *Ver ilustração em* PÃO

loan /ləʊn/ *substantivo, verbo*
▸ *s* empréstimo
▸ *vt* ~ **sb sth**; ~ **sth (to sb)** emprestar alguma coisa (a alguém) ➲ *Ver nota em* GIVE *e ilustração em* BORROW

loathe /ləʊð/ *vt* detestar, abominar **loathing** *s* aversão

loaves *pl de* LOAF

lobby /ˈlɒbi/ *substantivo, verbo*
▸ *s* (*pl* **lobbies**) **1** vestíbulo **2** [*v sing ou pl*] (*Pol*) grupo de pressão
▸ *vt, vi* (*pt, pp* **lobbied**) ~ **(sb) (for/against sth)** pressionar (alguém) (para apoiar/se opor a alguma coisa)

lobster /ˈlɒbstə(r)/ *s* lavagante, lagosta

local /ˈləʊkl/ *adjetivo, substantivo*
▸ *adj* **1** local, da zona: *local authority* autarquia **2** (*Med*) localizado: *local anaesthetic* anestesia local
▸ *s* habitante

locally /ˈləʊkəli/ *adv* na área/região

locate /ləʊˈkeɪt; *USA* ˈləʊkeɪt/ *vt* **1** localizar **2** situar

location /ləʊˈkeɪʃn/ *s* **1** lugar **2** localização **3** (*pessoa*) paradeiro LOC **on location** (*Cinema*): *to be filmed/shot on location* ser rodado no exterior

loch /lɒk, lɒx/ *s* (*Escócia*) lago

lock /lɒk/ *substantivo, verbo*
▸ *s* **1** fechadura **2** (*bicicleta*) cadeado **3** (*canal*) comporta **4** (*cabelo*) madeixa
▸ *vt, vi* **1** fechar (com chave) **2** (*volante, etc.*) emperrar PHR V **lock sth away/up** guardar alguma coisa fechada à chave ◆ **lock sb in/out** trancar alguém (dentro)/do lado de fora ◆ **lock sb up** (*coloq*) prender alguém

locker /ˈlɒkə(r)/ *s* cacifo: *locker room* vestiário

lodge /lɒdʒ/ *substantivo, verbo*
▸ *s* **1** casa do guarda **2** pavilhão de caça **3** portaria
▸ **1** *vt* ~ **sth (with sb)** (*queixa, pedido formal*) apresentar alguma coisa (a alguém) **2** *vt, vi* ~ **(sth) in sth** alojar alguma coisa, alojar-se em alguma coisa **lodger** *s* hóspede **lodging** *s* **1** alojamento: *board and lodging* alojamento e comida **2 lodgings** [*pl*] quarto alugado

loft /lɒft; *USA* lɔːft/ *s* **1** sótão, águas-furtadas **2** apartamento (*remodelado a partir de uma antiga fábrica, etc.*)

log /lɒg; *USA* lɔːg/ *substantivo, verbo*
▸ *s* **1** tronco **2** acha **3** diário de voo/bordo
▸ *vt* (**-gg-**) registar PHR V **log in/on**; **log into/onto sth** (*Informát*) aceder a alguma coisa, fazer log in ◆ **log off**; **log out (of sth)** (*Informát*) terminar, fazer log off (de alguma coisa)

logic /ˈlɒdʒɪk/ *s* lógica

logical /ˈlɒdʒɪkl/ *adj* lógico

logo /ˈləʊgəʊ/ *s* (*pl* **logos**) logótipo

lollipop /ˈlɒlipɒp/ *s* chupa-chupa

lollipop lady *s* (*pl* **lollipop ladies**) (*GB, coloq*)

Uma **lollipop lady** (ou **lollipop man,** se é um homem) é uma pessoa que ajuda as crianças a atravessar as ruas, especialmente à entrada e saída das escolas. Chama-se assim, porque normalmente tem um sinal em forma de chupa-chupa redondo com as palavras *Stop! Children Crossing* para parar o trânsito.

lolly /ˈlɒli/ *s* (*pl* **lollies**) (*GB, coloq*) chupa-chupa *Ver tb* ICE LOLLY

loneliness /ˈləʊnlinəs/ *s* solidão

lonely /ˈləʊnli/ *adj* (**lonelier, -iest**) **1** só: *to feel lonely* sentir-se só ➲ *Ver nota em* ALONE **2** solitário **loner** *s* solitário, -a

long /lɒŋ; *USA* lɔːŋ/ *adjetivo, advérbio, verbo*
▸ *adj* (**longer** /ˈlɒŋgə(r); *USA* ˈlɔːŋ-/, **-est** /ˈlɒŋgɪst; *USA* ˈlɔːŋ-/) **1** (*longitude*) longo, comprido: *It's two metres long.* Mede dois metros de comprimento. **2** (*tempo*): *a long time ago* há muito tempo ◇ *How long are the holidays?* Quanto tempo duram as férias? LOC **a long way (away)** a uma grande distância: *It's a long way (away) from here.* Fica muito longe daqui. ◆ **at the longest** no máximo ◆ **in the long run** a longo prazo *Ver tb* TERM
▸ *adv* (**longer** /ˈlɒŋgə(r); *USA* ˈlɔːŋ-/, **-est** /ˈlɒŋgɪst; *USA* ˈlɔːŋ-/) **1** muito (tempo): *long ago* há muito tempo ◇ *long before/after* muito antes/depois ◇ *Stay as long as you like.* Fica o tempo que quiseres. **2** todo: *the whole night long* toda a noite ◇ *all day long* o dia inteiro LOC **as/so long as** desde que ◆ **for long** muito tempo ◆ **no longer**; **not any longer**: *I can't stay any longer.* Não posso ficar mais tempo.
▸ *vi* **1** ~ **for sth/to do sth** ansiar por alguma coisa/fazer alguma coisa **2** ~ **for sb to do sth** desejar que alguém faça alguma coisa

long distance *adv*: *to phone long distance* fazer uma chamada interurbana

long-distance /ˌlɒŋ ˈdɪstəns; *USA* ˌlɔːŋ/ *adj* de longa distância: *a long-distance runner* um corredor de fundo

longing /ˈlɒŋɪŋ; *USA* ˈlɔːŋɪŋ/ *s* **1** ânsia, desejo **2** saudade

longitude /ˈlɒŋgɪtjuːd, ˈlɒndʒɪ-; *USA* ˈlɒndʒətuːd/ *s* (*Geog*) longitude

long jump *s* salto em comprimento

long-life /ˌlɒŋ 'laɪf; *USA* ˌlɔːŋ/ *adj* de longa duração

long-range /'lɒŋ reɪndʒ; *USA* 'lɔːŋ/ *adj* **1** a longo prazo **2** de longo alcance

long-sighted /ˌlɒŋ 'saɪtɪd; *USA* ˌlɔːŋ/ *adj* hipermétrope

long-standing /ˌlɒŋ 'stændɪŋ; *USA* ˌlɔːŋ/ *adj* de há muito (tempo), de longa data

long-suffering /ˌlɒŋ 'sʌfərɪŋ; *USA* ˌlɔːŋ/ *adj* paciente, resignado

long-term /ˌlɒŋ 'tɜːm; *USA* ˌlɔːŋ/ *adj* a longo prazo: *the long-term risks* os riscos a longo prazo

loo /luː/ *s* (*pl* **loos**) (*GB, coloq*) casa de banho ➲ *Ver nota em* TOILET

look /lʊk/ *verbo, substantivo*

▸ *vi* **1** olhar: *She looked out of the window.* Olhou pela janela. **2** parecer: *You look tired.* Pareces cansada. ◇ *That photo doesn't look like her.* Não parece ela nessa fotografia. **3** dar para: *The hotel looks out over the river.* O hotel tem vista para o rio. ◇ *The house looks east.* A casa tem orientação a leste. LOC **don't look a gift horse in the mouth** (*ditado*) a cavalo dado não se olha o dente ◆ **look on the bright side** ver o lado bom das coisas ◆ **look sb up and down** olhar alguém de cima a baixo ◆ **look your age** parecer ter a idade que se tem ◆ **not look yourself** parecer abatido/cansado *Ver tb* SPACE

PHR V **look after sb/sth/yourself** cuidar de alguém/alguma coisa, cuidar de si

look ahead (to sth) fazer uma previsão, antecipar alguma coisa: *Looking ahead a few years, there will be a shortage of doctors.* Se olharmos para daqui por uns anos, vai haver falta de médicos.

look around 1 virar-se, olhar para trás **2** ver quais são as possibilidades ◆ **look around sth** dar uma vista de olhos a alguma coisa

look at sb/sth olhar para alguém/alguma coisa ◆ **look at sth 1** examinar alguma coisa **2** considerar alguma coisa

look back (on sth) pensar em alguma coisa (*no passado*)

look down on sb/sth desprezar alguém/alguma coisa

look for sb/sth procurar alguém/alguma coisa

look forward to sth/doing sth esperar alguma coisa/fazer alguma coisa ansiosamente

look into sth investigar alguma coisa

look on olhar, assistir

look out: *Look out!* Cuidado! ◆ **look out for sb/sth** estar atento a alguém/alguma coisa

look sth over examinar alguma coisa

look round *Ver* LOOK AROUND

look up 1 levantar os olhos **2** (*coloq*) melhorar ◆ **look sth up** procurar alguma coisa (*num dicionário ou num livro*) ◆ **look up to sb** admirar alguém

▸ *s* **1** olhadela, vista de olhos: *to have/take a look at sth* dar uma olhadela a alguma coisa **2** *to have a look for sth* procurar alguma coisa **3** aspeto, ar **4** [*sing*] moda, visual **5 looks** [*pl*] físico: *good looks* beleza

lookout /'lʊkaʊt/ *s* vigia LOC **be on the lookout/keep a lookout (for sb/sth)** estar atento (a alguém/alguma coisa)

loom /luːm/ *substantivo, verbo*

▸ *s* tear

▸ *vi* **1** ~ **(up)** surgir **2** (*fig*) ameaçar

loony /'luːni/ *adj, s* (*pl* **loonies**) (*coloq*) maluco, -a

loop /luːp/ *substantivo, verbo*

▸ *s* **1** curva, volta **2** laçada (*com nó*) LOC **in/out of the loop** (*coloq*) incluído no/excluído do grupo de decisão

▸ **1** *vt*: *She looped the strap over her shoulder.* Ela passou a alça por cima do ombro. **2** *vi* dar voltas

loophole /'luːphəʊl/ *s* lacuna: *a legal loophole* um vazio legal

loose /luːs/ *adjetivo, substantivo*

▸ *adj* (**looser, -est**) **1** solto: *loose change* dinheiro trocado **2** frouxo, desligado: *a loose tooth* um dente a abanar ◇ *The screw has come loose.* O parafuso desapertou-se. **3** (*vestido*) folgado, largo **4** (*antiq*) (*moral*) dissoluto LOC **be at a loose end** não ter nada que fazer *Ver tb* LET, WORK

▸ *s* LOC **be on the loose** andar à solta

loosely /'luːsli/ *adv* **1** sem apertar **2** livremente, aproximadamente

loosen /'luːsn/ **1** *vt, vi* desprender(-se), soltar(-se), desatar(-se) **2** *vt* (*controlo*) abrandar PHR V **loosen up** relaxar, descontrair

loot /luːt/ *substantivo, verbo*

▸ *s* saque

▸ *vt, vi* saquear **looting** *s* pilhagem

lop /lɒp/ *vt* (**-pp-**) podar, derramar PHR V **lop sth off (sth)** desbastar, cortar alguma coisa (de alguma coisa)

lopsided /ˌlɒp'saɪdɪd/ *adj* **1** torto **2** (*fig*) desequilibrado

lord /lɔːd/ *s* **1** senhor **2 the Lord** o Senhor: *the Lord's Prayer* o Pai-Nosso **3 Lord** (*GB*) (*título*) lorde **4 the Lords** *Ver* THE HOUSE OF LORDS

lordship *s* LOC **your/his Lordship** Vossa/Sua Excelência

lorry /'lɒri; *USA* 'lɔːri/ *s* (*pl* **lorries**) camião

🔑 **lose** /luːz/ (*pt, pp* **lost** /lɒst; *USA* lɔːst/) **1** *vt, vi* perder: *He lost his title to the Russian.* Perdeu o título a favor do russo. **2** *vt* ~ **sb sth** fazer perder alguma coisa a alguém: *It lost us the game.* Fez-nos perder o jogo. **3** *vt, vi* (*relógio*) atrasar ℹ Para expressões com **lose**, ver as entradas para o substantivo, adjetivo, etc., p. ex. **lose your way** em WAY. PHR V **lose out (on sth)** (*coloq*) ficar a perder (em alguma coisa) ◆ **lose out to sb/sth** (*coloq*) ficar a perder para alguém/alguma coisa **loser** *s* perdedor, -ora, vencido, -a

🔑 **loss** /lɒs; *USA* lɔːs/ *s* perda LOC **be at a loss** não saber o que dizer

🔑 **lost** /lɒst; *USA* lɔːst/ *adj* perdido: *to get lost* perder-se LOC **get lost!** (*coloq*) vai à fava!, vai passear! *Ver tb* LOSE

lost property (*USA* **lost and found**) *s* [*não-contável*] perdidos e achados

🔑 **lot** /lɒt/ *pronome, adjetivo, advérbio, substantivo*
▸ *pron, adj* **a lot (of)** (*coloq* **lots**) muito(s): *He spends a lot on clothes.* Gasta muito em roupa. ◇ *lots of people* imensas pessoas ◇ *What a lot of presents!* Tantos presentes! ➲ *Ver nota em* MANY LOC **see a lot of sb** ver alguém muitas vezes
▸ *adv* **a lot** (*coloq* **lots**) muito: *It's a lot colder today.* Hoje está muito mais frio. ◇ *Thanks a lot.* Muito obrigado.
▸ *s* **1 the (whole) lot** tudo, todos: *That's the lot!* É tudo! **2** grupo: *What do you lot want?* O que é que vocês querem? ◇ *I don't go out with that lot.* Não saio com eles. **3** lote (*quantidade*) **4** sorte (*destino*)

lotion /ˈləʊʃn/ *s* loção

lottery /ˈlɒtəri/ *s* (*pl* **lotteries**) lotaria

🔑 **loud** /laʊd/ *adjetivo, advérbio*
▸ *adj* (**louder, -est**) **1** (*som*) alto **2** (*grito*) forte **3** (*cor*) berrante
▸ *adv* (**louder, -est**) alto: *Speak louder.* Fala mais alto. LOC **out loud** em voz alta

loudspeaker /laʊdˈspiːkə(r)/ *s* altifalante

lounge /laʊndʒ/ *verbo, substantivo*
▸ *vi* ~ **(about/around)** não fazer nada
▸ *s* **1** sala de espera: *departure lounge* sala de embarque **2** salão **3** sala de estar

louse /laʊs/ *s* (*pl* **lice** /laɪs/) piolho

lousy /ˈlaʊzi/ *adj* (**lousier, -iest**) (*coloq*) terrível

lout /laʊt/ *s* bruto

lovable /ˈlʌvəbl/ *adj* adorável

🔑 **love** /lʌv/ *substantivo, verbo*
▸ *s* **1** amor: *love story/song* história/canção de amor ◇ *her love life* a sua vida amorosa ℹ De notar que com pessoas diz-se **love for sb** e com coisas **love of sth**. **2** (*Desp*) zero LOC **be in love (with sb)** estar apaixonado (por alguém) ◆ **give/send sb your love** dar/enviar lembranças a alguém ◆ **(lots of) love (from...)** beijos/um abraço (de) (*em carta, etc.*) ◆ **make love (to sb)** fazer amor (com alguém) *Ver tb* FALL
▸ *vt* **1** amar: *Do you love me?* Amas-me? **2** adorar: *She loves horses.* Adora cavalos. ◇ *I'd love to come.* Gostaria imenso de ir.

🔑 **lovely** /ˈlʌvli/ *adj* (**lovelier, -iest**) **1** lindo **2** adorável **3** muito agradável: *We had a lovely time.* Foi extremamente agradável.

lovemaking /ˈlʌvmeɪkɪŋ/ *s* [*não-contável*] relações sexuais

🔑 **lover** /ˈlʌvə(r)/ *s* amante: *art lovers* os amantes da arte

loving /ˈlʌvɪŋ/ *adj* carinhoso **lovingly** *adv* carinhosamente

🔑 **low** /ləʊ/ *adjetivo, advérbio, substantivo*
▸ *adj* (**lower, -est**) **1** baixo: *low pressure/temperatures* pressão baixa/temperaturas baixas ◇ *the lower middle classes* a classe média baixa ◇ *lower lip* lábio inferior ◇ *lower case* minúscula ➲ *Comparar com* UPPER **2** (*voz, som*) grave **3** em baixo, abatido LOC *Ver* PROFILE
▸ *adv* (**lower, -est**) baixo: *to shoot low* disparar para baixo LOC *Ver* STOOP
▸ *s* mínimo: *The government's popularity has hit a new low.* A popularidade do governo atingiu um novo mínimo.

low-alcohol /ˌləʊ ˈælkəhɒl; *USA* -hɔːl/ *adj* de baixo teor alcoólico

low-calorie /ˌləʊ ˈkæləri/ (*coloq* **low-cal** /ˌləʊ ˈkæl/) *adj* de baixas calorias

Low-calorie é o termo geral quando nos queremos referir aos produtos de baixas calorias ou "light". Para bebidas, usa-se **diet**: *diet drinks* bebidas de baixas calorias.

low-cost /ˌləʊ ˈkɒst; *USA* ˈkɔːst/ *adj* barato

lower /ˈləʊə(r)/ *adjetivo, verbo*
▸ *adj Ver* LOW
▸ *vt, vi* baixar(-se) LOC **lower yourself (by doing sth)** rebaixar-se (a fazer alguma coisa)

low-fat /ˌləʊ ˈfæt/ *adj* magro, com baixo teor de gordura: *low-fat yogurt* iogurte magro

low-key /ˌləʊ ˈkiː/ *adj* discreto

lowland /ˈləʊlənd/ *adjetivo, substantivo*
▸ *adj* da planície
▸ *s* **lowlands** [*pl*] terras baixas

🔑 **loyal** /ˈlɔɪəl/ *adj* ~ **(to sb/sth)** leal (a alguém/alguma coisa) **loyalist** *s* partidário, -a do regime **loyalty** *s* (*pl* **loyalties**) lealdade

Ltd *abrev de* **Limited** Limitada (*abrev* Lda.)

L

luck /lʌk/ *s* sorte: *a stroke of luck* um golpe de sorte LOC **be in/out of luck** estar com/sem sorte ◆ **no such luck** quem dera *Ver tb* HARD, PUSH

luckily /ˈlʌkɪli/ *adv* por sorte

lucky /ˈlʌki/ *adj* (**luckier, -iest**) **1** (*pessoa*) com sorte, sortudo **2** *It's lucky she's still here.* Que sorte que ela ainda está aqui. ◇ *a lucky number* um número de sorte

ludicrous /ˈluːdɪkrəs/ *adj* ridículo

luggage

trunk **briefcase** **holdall** (*USA* **duffel bag**)

backpack (*tb* **rucksack**) **suitcase** (*tb* **case**)

luggage /ˈlʌɡɪdʒ/ *s* [*não-contável*] bagagem: *hand luggage* bagagem de mão

luggage rack *s* porta-bagagem (*em comboio*)

lukewarm /ˌluːkˈwɔːm/ *adj* (*freq pej*) morno

lull /lʌl/ *verbo, substantivo*
- *vt* **1** acalmar **2** embalar
- *s* acalmia

lullaby /ˈlʌləbaɪ/ *s* (*pl* **lullabies**) canção de embalar

lumber /ˈlʌmbə(r)/ **1** *vi* mover-se pesadamente **2** *vt* ~ **sb with sb/sth** (*coloq*) sobrecarregar alguém com alguém/alguma coisa **lumbering** *adj* pesado

lump /lʌmp/ *substantivo, verbo*
- *s* **1** pedaço: *sugar lump* torrão de açúcar **2** grumo **3** (*Med*) caroço
- *vt* ~ **A and B together** juntar A e B indiscriminadamente

lump sum *s* quantia global

lumpy /ˈlʌmpi/ *adj* **1** (*molho, etc.*) grumoso **2** (*colchão*) cheio de altos e baixos

lunacy /ˈluːnəsi/ *s* [*não-contável*] loucura

lunatic /ˈluːnətɪk/ *s* louco

lunch /lʌntʃ/ *substantivo, verbo*
- *s* almoço: *to have lunch* almoçar ◇ *the lunch hour* a hora de almoço *Ver tb* PACKED LUNCH
- *vi* (*formal*) almoçar

lunchtime /ˈlʌntʃtaɪm/ *s* a hora de almoço

lung /lʌŋ/ *s* pulmão

lurch /lɜːtʃ/ *substantivo, verbo*
- *s* sacudida
- *vi* **1** cambalear **2** (*coração*) dar um pulo (*de expectativa, susto*)

lure /lʊə(r), ljʊə(r)/ *substantivo, verbo*
- *s* atração
- *vt* (*pej*) atrair (*em troca de uma recompensa*)

lurid /ˈlʊərɪd, ˈljʊər-/ *adj* (*pej*) **1** (*cor*) garrido **2** (*descrição, história*) chocante

lurk /lɜːk/ *vi* estar à espreita (escondido)

luscious /ˈlʌʃəs/ *adj* (*comida*) apetitoso

lush /lʌʃ/ *adj* (*vegetação*) luxuriante

lust /lʌst/ *substantivo, verbo*
- *s* **1** luxúria **2** ~ **for sth** sede de alguma coisa
- *vi* ~ **after/for sb/sth** desejar alguém, cobiçar alguma coisa

luxurious /lʌɡˈʒʊəriəs/ *adj* luxuoso

luxury /ˈlʌkʃəri/ *s* (*pl* **luxuries**) luxo: *a luxury hotel* um hotel de luxo

lying *Ver* LIE[1,2]

lyrical /ˈlɪrɪkl/ *adj* lírico

lyrics /ˈlɪrɪks/ *s* [*pl*] letra (*de uma canção*)

M m

M, m /em/ *s* (*pl* **Ms, M's, m's**) M, m ➲ *Ver nota em* A, A

mac (*tb* **mack**) /mæk/ *s* gabardina

macabre /məˈkɑːbrə/ *adj* macabro

macaroni /ˌmækəˈrəʊni/ *s* [*não-contável*] macarrão

machine /məˈʃiːn/ *s* máquina

machine gun *s* metralhadora

machinery /məˈʃiːnəri/ *s* maquinaria

mackerel /ˈmækrəl/ *s* (*pl* **mackerel**) cavala

mad /mæd/ *adj* (**madder, -est**) **1** ~ **(about sb/sth)** doido (por alguém/alguma coisa): *to be/go mad* estar/ficar doido **2** ~ **(at/with sb)** (*esp USA, coloq*) furioso (com alguém) LOC **like mad** (*coloq*) como um louco

madam /ˈmædəm/ *s* [*sing*] (*formal*) senhora

maddening /ˈmædnɪŋ/ *adj* exasperante

made *pt, pp de* MAKE

madly /ˈmædli/ *adv* loucamente: *to be madly in love with sb* estar perdidamente apaixonado por alguém

madness /ˈmædnəs/ *s* [*não-contável*] loucura

magazine /ˌmægəˈziːn; *USA* ˈmægəziːn/ (*coloq* **mag** /mæg/) *s* revista

maggot /ˈmægət/ *s* larva

magic /ˈmædʒɪk/ *substantivo, adjetivo*
▸ *s* (*lit e fig*) magia LOC **like magic** como que por magia/por artes mágicas
▸ *adj* mágico **magical** *adj* mágico **magician** /məˈdʒɪʃn/ *s* mágico, -a

magistrate /ˈmædʒɪstreɪt/ *s* magistrado, -a, juiz, juíza de comarca: *the magistrates' court* o tribunal de comarca

magnet /ˈmægnət/ *s* íman **magnetic** /mægˈnetɪk/ *adj* magnético: *magnetic field* campo magnético **magnetism** /ˈmægnətɪzəm/ *s* magnetismo **magnetize, -ise** *vt* magnetizar

magnification /ˌmægnɪfɪˈkeɪʃn/ *s* ampliação

magnificent /mægˈnɪfɪsnt/ *adj* magnífico **magnificence** *s* magnificência

magnify /ˈmægnɪfaɪ/ *vt* (*pt, pp* **-fied**) ampliar

magnifying glass *s* lupa

magnitude /ˈmægnɪtjuːd; *USA* -tuːd/ *s* (*formal*) magnitude

magpie /ˈmægpaɪ/ *s* pega (*ave*)

mahogany /məˈhɒgəni/ *s* mogno

maid /meɪd/ *s* **1** criada **2** (*tb* **maiden** /ˈmeɪdn/) (*antiq*) donzela

maiden name *s* apelido de solteira
🛈 Nos países de expressão inglesa, muitas mulheres adoptam o apelido do marido quando casam.

mail /meɪl/ *substantivo, verbo*
▸ *s* [*não-contável*] (*esp USA*) correio

A palavra **post** continua a ser mais comum que **mail** em inglês britânico, apesar de que **mail** é cada vez mais usado, especialmente em compostos como **email** e **junk mail**.

▸ *vt* **1** ~ **sth (to sb)**; ~ **(sb) sth** enviar pelo correio alguma coisa (a alguém) **2** ~ **sb (sth)** escrever a alguém, enviar alguma coisa por email (a alguém)

mailbox /ˈmeɪlbɒks/ *s* (*USA*) **1** caixa do correio **2** marco de correio ➲ *Ver ilustração em* LETTER BOX

mailing list *s* mailing

mailman /ˈmeɪlmæn/ *s* (*pl* **-men** /-men/) (*USA*) carteiro 🛈 É preferível utilizar o termo **mail carrier**, que serve tanto para um homem como para uma mulher.

mail order *s* venda por correspondência

mail slot *s* (*USA*) caixa de correio ➲ *Ver ilustração em* LETTER BOX

maim /meɪm/ *vt* mutilar

main /meɪn/ *adjetivo, substantivo*
▸ *adj* principal: *main course* prato principal ◇ *the main thing* o principal ◇ *the main character* o protagonista
▸ *s* **1** canalização: *gas main* cano do gás **2 the mains** [*pl*] a rede LOC **in the main** no geral

mainland /ˈmeɪnlænd/ *s* terra firme, continente: *mainland Europe* Europa continental

mainly /ˈmeɪnli/ *adv* principalmente

mainstream /ˈmeɪnstriːm/ *substantivo, adjetivo*
▸ *s* **the mainstream** [*sing*] a corrente principal
▸ *adj* dominante, convencional: *mainstream education* educação convencional ◇ *mainstream political parties* os partidos políticos maioritários

maintain /meɪnˈteɪn/ *vt* **1** manter **2** conservar: *well-maintained* bem cuidado **3** insistir em

maintenance /ˈmeɪntənəns/ *s* **1** manutenção **2** (*Jur*) pensão de alimentos

maisonette /ˌmeɪzəˈnet/ *s* apartamento com dois andares

maize /meɪz/ *s* milho 🛈 Quando se trata de milho cozido dizemos **sweetcorn**. ➲ *Comparar com* CORN

majestic /məˈdʒestɪk/ *adj* majestoso

majesty /ˈmædʒəsti/ *s* (*pl* **majesties**) **1** grandiosidade **2 His/Her/Your Majesty** Sua/Vossa Majestade

major /ˈmeɪdʒə(r)/ *adjetivo, substantivo*
▸ *adj* **1** muito importante: *to make major changes* realizar mudanças profundas ◇ *a major road/problem* uma estrada principal/um grande problema **2** (*Mús*) maior
▸ *s* major

majority /məˈdʒɒrəti; *USA* -ˈdʒɔːr-/ *s* (*pl* **majorities**) [*v sing ou pl*] maioria: *The majority was/were in favour.* A maioria foi a favor. ◇ *majority rule* governo maioritário

Na Grã-Bretanha, a forma mais comum de traduzir "a maioria das pessoas, dos meus amigos, etc." é *most people, most of my friends, etc.* Esta expressão é seguida de verbo no plural: *Most of my friends go to the same school as me.* A maioria dos meus amigos anda na mesma escola que eu.

make /meɪk/ *verbo, substantivo*
▸ *vt* (*pt, pp* **made** /meɪd/) **1** (*causar, criar, levar a cabo, propor*): *to make a noise/hole/list* fazer um barulho/um buraco/uma lista ◇ *to make a*

M

comment fazer um comentário ◇ *to make a mistake* cometer um erro ◇ *to make an excuse* arranjar uma desculpa ◇ *to make an impression (on sb)* impressionar (alguém) ◇ *to make a note of sth* anotar alguma coisa ◇ *to make an improvement/change* melhorar/mudar ◇ *to make an effort* fazer um esforço ◇ *to make a phone call* fazer uma chamada/telefonema ◇ *to make a visit/trip* fazer uma visita/viagem ◇ *to make a decision* tomar uma decisão ◇ *to make an offer/a promise* fazer uma oferta/promessa ◇ *to make plans* fazer planos **2** ~ **sth (from/out of sth)** fazer alguma coisa (com/de alguma coisa): *He made a meringue from egg whites.* Fez um merengue com claras de ovo. ◇ *What's it made (out) of?* É feito de quê? ◇ *made in Japan* fabricado no Japão **3** ~ **sth (for sb)** fazer alguma coisa (para alguém): *She makes films for children.* Faz filmes para crianças. ◇ *I'll make you something to eat/a cup of coffee.* Preparo-te alguma coisa para comer/uma chávena de café. **4** ~ **sth into sth** converter alguma coisa em alguma coisa, fazer de alguma coisa alguma coisa: *We can make this room into a bedroom.* Podemos converter esta sala num quarto. **5** ~ **sb/sth + adjetivo ou substantivo**: *He made me angry.* Fez-me zangar. ◇ *That will only make things worse.* Isso só vai piorar as coisas. ◇ *He made my life hell.* Fez a minha vida num inferno. **6** ~ **sb/sth do sth** fazer alguém/alguma coisa fazer alguma coisa

O infinitivo do verbo que vem depois de **make** é sem **to**, exceto na passiva: *I can't make him do it.* Não posso obrigá-lo a fazê--lo. ◇ *You've made her feel guilty.* Fizeste-a sentir-se culpada. ◇ *He was made to wait at the police station.* Fizeram-no esperar na esquadra.

7 ~ **sb sth** fazer de alguém alguma coisa: *to make sb king* fazer alguém rei **8** ser: *He'll make a good teacher.* Será um bom professor. **9** (*dinheiro*) fazer: *She makes lots of money.* Ganha uma fortuna. **10** (*coloq*) (*conseguir, chegar a*): *We're not going to make the deadline.* Não vamos conseguir cumprir o prazo.
LOC **make do with sth** arranjar-se com alguma coisa ◆ **make it 1** triunfar **2** chegar à hora marcada/estar presente no dia marcado: *We made it just in time.* Chegámos mesmo a horas. ◇ *Can you make it (to the party)?* Dá para vires (à festa)? ◆ **make the most of sth** aproveitar o melhor possível alguma coisa ❶ Para outras expressões com **make**, ver as entradas para o substantivo, adjetivo, etc., p. ex. **make love** em LOVE.
PHR V **be made for sb; be made for each other** ser feito para alguém, serem feitos um para o outro ◆ **make for sth 1** dirigir-se a alguma coisa: *to make for home* dirigir-se a casa **2** contribuir para (melhorar) alguma coisa: *Constant arguing doesn't make for a happy marriage.* Discussões constantes não contribuem para um casamento feliz.
make sth of sb/sth pensar alguma coisa de alguém/alguma coisa: *What do you make of it all?* O que é que achas de tudo isto?
make off (with sth) fugir (com alguma coisa)
make out (with sb) (*USA, coloq*) envolver-se com alguém, curtir (com alguém) ◆ **make sb/sth out 1** distinguir alguém/alguma coisa: *to make out sb's handwriting* perceber a letra de alguém **2** entender alguém/alguma coisa ◆ **make sb/sth out (to be sth)** fazer alguém/alguma coisa parecer (ser alguma coisa): *He's not as rich as people make out.* Ele não é tão rico como as pessoas fazem parecer. ◆ **make sth out** escrever alguma coisa (*formulário, etc.*): *to make out a cheque for £10* passar um cheque no valor de dez libras
make up (with sb) fazer as pazes (com alguém) ◆ **make (yourself/sb) up** maquilhar-se, maquilhar alguém ◆ **make sth up 1** formar alguma coisa: *the groups that make up our society* os grupos que compõem a nossa sociedade **2** inventar alguma coisa: *to make up an excuse* inventar uma desculpa ◆ **make up for sth** compensar alguma coisa
▸ *s* marca (*de eletrodomésticos, carros, etc.*) ➲ *Comparar com* BRAND

makeover /ˈmeɪkəʊvə(r)/ *s* **1** embelezamento **2** (*de casa, etc.*) reconstrução

maker /ˈmeɪkə(r)/ *s* fabricante

makeshift /ˈmeɪkʃɪft/ *adj* improvisado, provisório

🔑 **make-up** /ˈmeɪk ʌp/ *s* [*não-contável*] **1** maquilhagem **2** constituição **3** carácter

making /ˈmeɪkɪŋ/ *s* fabrico LOC **be the making of sb** ser a chave do êxito de alguém ◆ **have the makings of sth** ter qualidades para se tornar alguma coisa

🔑 **male** /meɪl/ *adjetivo, substantivo*
▸ *adj* **1** masculino ➲ *Ver nota em* FEMALE **2** macho
▸ *s* macho, varão

malice /ˈmælɪs/ *s* maldade, más intenções

malicious /məˈlɪʃəs/ *adj* maldoso, mal--intencionado

malignant /məˈlɪgnənt/ *adj* maligno

🔑 **mall** /mɔːl, mæl/ (*tb* **shopping mall**) *s* centro comercial, shopping (center)

malnutrition /ˌmælnjuːˈtrɪʃn; *USA* -nuː-/ *s* subnutrição

malt /mɔːlt/ *s* malte

mammal /ˈmæml/ *s* mamífero

mammoth /ˈmæməθ/ *substantivo, adjetivo*
▸ *s* mamute
▸ *adj* colossal

man /mæn/ *substantivo, verbo*
▸ *s* (*pl* **men** /men/) homem: *a man's shirt* uma camisa de homem ◇ *a young man* um jovem

> **Man** e **mankind** utilizam-se com o significado genérico de "todos os homens e mulheres". Contudo, muitos consideram este uso discriminatório, e preferem utilizar palavras como **humanity** ou **the human race** [*sing*], ou **humans, human beings** ou **people** [*pl*].

LOC the man (and/or woman) in/on the street o cidadão comum *Ver tb* ODD
▸ *vt* (**-nn-**) **1** (*escritório*) dotar de pessoal **2** (*nave*) tripular

manage /ˈmænɪdʒ/ **1** *vt, vi* ~ **(sth/to do sth)** conseguir alguma coisa/fazer alguma coisa: *Can you manage all of it?* Podes com isso tudo? ◇ *Can you manage six o'clock?* Podes vir às seis? ◇ *I couldn't manage another mouthful.* Não consigo comer nem mais uma colherada. **2** *vi* ~ **(with/on/without sb/sth)** arranjar-se (com/sem alguém/alguma coisa): *I can't manage on £50 a week.* Cinquenta libras por semana não chegam para eu viver. **3** *vt* (*empresa*) gerir **4** *vt* (*propriedades*) administrar **manageable** *adj* **1** controlável **2** (*pessoa, animal*) fácil de controlar, dócil

management /ˈmænɪdʒmənt/ *s* direção, administração: *a management committee* uma comissão diretiva/um conselho administrativo ◇ *management consultant* assessor de direção

manager /ˈmænɪdʒə(r)/ *s* **1** diretor, -ora, gerente **2** (*de uma propriedade*) administrador, -ora **3** (*Teat*) empresário, -a **4** (*Desp*) treinador, -ora **manageress** /ˌmænɪdʒəˈres/ *s* administradora, gerente **managerial** /ˌmænəˈdʒɪəriəl/ *adj* diretivo, administrativo, de direção

managing director *s* diretor, -ora geral

mandate /ˈmændeɪt/ *s* ~ **(for sth/to do sth)** mandato (para alguma coisa/fazer alguma coisa) **mandatory** /ˈmændətəri; *USA* -tɔːri/ *adj* (*formal*) obrigatório

mane /meɪn/ *s* **1** (*cavalo*) crina **2** (*leão*) juba

maneuver (*USA*) = MANOEUVRE

manfully /ˈmænfəli/ *adv* corajosamente

mangetout /ˌmɑːnʒˈtuː/ *s* ervilha torta

mangle /ˈmæŋgl/ *vt* mutilar, amassar

mango /ˈmæŋgəʊ/ *s* (*pl* **mangoes**) manga

manhood /ˈmænhʊd/ *s* **1** idade adulta **2** virilidade

mania /ˈmeɪniə/ *s* mania **maniac** /ˈmeɪniæk/ *adj, s* maníaco, -a: *to drive like a maniac* conduzir como um doido

manic /ˈmænɪk/ *adj* **1** (*coloq*) frenético **2** maníaco

manicure /ˈmænɪkjʊə(r)/ *s* manicure: *to have a manicure* fazer as mãos

manifest /ˈmænɪfest/ *vt* (*formal*) manifestar, mostrar: *to manifest itself* manifestar-se **manifestation** *s* (*formal*) manifestação **manifestly** *adv* (*formal*) manifestamente

manifesto /ˌmænɪˈfestəʊ/ *s* (*pl* **manifestos**) manifesto

manifold /ˈmænɪfəʊld/ *adj* (*formal*) variado

manipulate /məˈnɪpjuleɪt/ *vt* manipular, manobrar **manipulation** *s* manipulação **manipulative** /məˈnɪpjələtɪv; *USA* -leɪtɪv/ *adj* manipulador

mankind /mænˈkaɪnd/ *s* humanidade ➲ *Ver nota em* MAN

manly /ˈmænli/ *adj* viril, másculo

man-made /ˌmæn ˈmeɪd/ *adj* artificial, sintético

manned /mænd/ *adj* (*barco, nave*) tripulado

manner /ˈmænə(r)/ *s* **1** [*sing*] (*formal*) maneira, forma **2** [*sing*] atitude **3 manners** [*pl*] maneiras, modos: *good/bad manners* boa educação/falta de educação ◇ *It's bad manners to stare.* É falta de educação olhar fixamente para as pessoas. ◇ *He has no manners.* Não tem maneiras nenhumas.

mannerism /ˈmænərɪzəm/ *s* tique

manoeuvre (*USA* **maneuver**) /məˈnuːvə(r)/ *substantivo, verbo*
▸ *s* manobra
▸ *vt, vi* manobrar

manor /ˈmænə(r)/ *s* **1** (*tb* **manor house**) solar, casa solarenga **2** (*território*) feudo

manpower /ˈmænpaʊə(r)/ *s* mão-de-obra

mansion /ˈmænʃn/ *s* mansão

manslaughter /ˈmænslɔːtə(r)/ *s* homicídio involuntário ➲ *Comparar com* HOMICIDE, MURDER

mantelpiece /ˈmæntlpiːs/ (*USA* **mantel** /ˈmæntl/) *s* prateleira da lareira

manual /ˈmænjuəl/ *adj, s* manual: *manual labour* trabalho braçal ◇ *a training manual* um

M

manual de instruções **manually** *adv* manualmente

manufacture /ˌmænjuˈfæktʃə(r)/ *vt* **1** manufaturar **2** (*provas*) fabricar

manufacturer /ˌmænjuˈfæktʃərə(r)/ *s* fabricante

manufacturing /ˌmænjuˈfæktʃərɪŋ/ *s* [*não-contável*] indústria fabril

manure /məˈnjʊə(r); *USA* məˈnʊər/ *s* estrume

manuscript /ˈmænjuskrɪpt/ *s* manuscrito

many /ˈmeni/ *adj, pron* **1** muito(s), muita(s): *Many people would disagree.* Muitos discordariam. ◇ *I haven't got many left.* Não me restam muitos. ◇ *In many ways, I regret it.* Por várias razões, lamento-o.

> *Muito* traduz-se segundo o substantivo que acompanha ou substitui. Em frases afirmativas usamos **a lot (of)** ou **lots of**: *She's got a lot of money.* Tem muito dinheiro. ◇ *Lots of people are poor.* Muita gente é pobre. Em frases negativas e interrogativas usamos **many** ou **a lot of** quando o substantivo é contável: *There aren't many women taxi drivers.* Não há muitas taxistas. E usamos **much** ou **a lot of** quando o substantivo é não-contável: *I haven't eaten much (food).* Não comi muito. ➲ *Ver tb* MUITO

2 ~ **a sth** (*formal*): *Many a politician has been ruined by scandal.* Muitos políticos têm sido arruinados por escândalos. ◇ *many a time* muitas vezes LOC **a good/great many** muitos *Ver tb* AS, HOW, SO, TOO

map /mæp/ *substantivo, verbo*
▸ *s* **1** mapa **2** carta LOC **put sb/sth on the map** dar a conhecer alguém/alguma coisa
▸ *vt* (**-pp-**) fazer um mapa de PHR V **map sth out** planear alguma coisa

maple /ˈmeɪpl/ *s* ácer, bordo

marathon /ˈmærəθən; *USA* -θɒn/ *s* maratona: *to run a marathon* participar numa maratona ◇ *The interview was a real marathon.* A entrevista foi uma verdadeira maratona.

marble /ˈmɑːbl/ *s* **1** mármore: *a marble statue* uma estátua de mármore **2** berlinde

March /mɑːtʃ/ *s* (*abrev* **Mar.**) março ➲ *Ver nota e exemplos em* JANUARY

march /mɑːtʃ/ *verbo, substantivo*
▸ *vi* **1** marchar, caminhar decididamente **2** manifestar-se: *The students marched on Parliament.* Os estudantes manifestaram-se frente ao Parlamento. PHR V **march sb away/off** levar alguém (consigo) à força ◆ **march in** entrar (sem pedir licença) ◆ **march past (sb)** desfilar (perante alguém) ◆ **march up/over to sb** dirigir-se a alguém (resolutamente)
▸ *s* marcha LOC **on the march** em marcha

marcher /ˈmɑːtʃə(r)/ *s* manifestante

mare /ˈmeə(r)/ *s* égua

margarine /ˌmɑːdʒəˈriːn; *USA* ˈmɑːrdʒərɪn/ (*GB coloq* **marge** /mɑːdʒ/) *s* margarina

margin /ˈmɑːdʒɪn/ *s* margem: *margin of error* margem de erro **marginal** *adj* marginal (*interesse, diferença*) **marginally** *adv* ligeiramente

marina /məˈriːnə/ *s* marina

marine /məˈriːn/ *adjetivo, substantivo*
▸ *adj* **1** marinho **2** marítimo
▸ *s* fuzileiro naval

marital /ˈmærɪtl/ *adj* conjugal: *marital status* estado civil

maritime /ˈmærɪtaɪm/ *adj* marítimo

mark /mɑːk/ *substantivo, verbo*
▸ *s* **1** marca **2** sinal: *punctuation marks* sinais de pontuação *Ver tb* QUESTION MARK **3** (*Educ*) nota: *to get a good/poor mark* ter uma boa/má nota ➲ *Ver nota em* A, A LOC **be off the mark** enganar-se ◆ **be up to the mark** estar à altura ◆ **make your/a mark (on sth)** alcançar a fama (em alguma coisa) ◆ **on your marks, (get) set, go!** aos seus lugares, preparados, partida! *Ver tb* OVERSTEP
▸ **1** *vt* marcar **2** *vt* assinalar **3** *vt, vi* manchar, deixar mancha **4** *vt* (*exames*) corrigir **5** *vt* (*Desp*) fazer a marcação a LOC **mark time 1** (*Mil*) marcar passo **2** (*fig*) fazer tempo PHR V **mark sth up/down** subir/baixar o preço de alguma coisa

marked /mɑːkt/ *adj* sensível (*diferença, melhoria, etc.*) **markedly** /ˈmɑːkɪdli/ *adv* (*formal*) sensivelmente, de forma evidente

marker /ˈmɑːkə(r)/ *s* **1** marca: *marker buoy* boia de sinalização **2** (*tb* **marker pen**) marcador

market /ˈmɑːkɪt/ *substantivo, verbo*
▸ *s* mercado LOC **in the market for sth** interessado em comprar alguma coisa ◆ **on the market** no mercado: *to put sth on the market* pôr alguma coisa à venda
▸ *vt* **1** vender **2** ~ **sth (to sb)** dirigir alguma coisa (a alguém) (*novo produto, etc.*) **marketable** *adj* comerciável

marketing /ˈmɑːkɪtɪŋ/ *s* marketing

marketplace /ˈmɑːkɪtpleɪs/ *s* **1 the marketplace** [*sing*] (*Econ*) o mercado **2** (*tb* **market square**) praça (do mercado)

market research *s* [*não-contável*] pesquisa de mercado

marmalade /ˈmɑːməleɪd/ *s* doce de laranja (*ou outros citrinos*) ➲ *Comparar com* JAM

maroon /mə'ru:n/ *adjetivo, substantivo, verbo*
▸ *adj, s* grená
▸ *vt* abandonar (*em ilha deserta, etc.*)

marquee /mɑ:'ki:/ *s* tenda grande

marriage /'mærɪdʒ/ *s* (*instituição, cerimónia*) casamento ➲ *Ver nota em* CASAMENTO

married /'mærid/ *adj* ~ **(to sb)** casado (com alguém): *to get married* casar-se ◇ *a married couple* um casal

marrow /'mærəʊ/ *s* **1** *Ver* BONE MARROW **2** abobrinha

marry /'mæri/ *vt, vi* (*pt, pp* **married**) casar(-se) *Ver tb* MARRIED

Mars /mɑ:z/ *s* Marte

marsh /mɑ:ʃ/ *s* pântano

marshal /'mɑ:ʃl/ *substantivo, verbo*
▸ *s* **1** marechal **2** (*USA*) xerife
▸ *vt* (**-ll-**, *USA* **-l-**) (*formal*) **1** (*tropas*) formar **2** (*ideias, dados*) ordenar

marshy /'mɑ:ʃi/ *adj* pantanoso

martial /'mɑ:ʃl/ *adj* (*formal*) marcial

Martian /'mɑ:ʃn/ *adj, s* marciano, -a

martyr /'mɑ:tə(r)/ *s* mártir **martyrdom** /'mɑ:tədəm/ *s* martírio

marvel /'mɑ:vl/ *substantivo, verbo*
▸ *s* maravilha, prodígio
▸ *vi* (**-ll-**, *USA* **-l-**) ~ **(at sth)** maravilhar-se (com alguma coisa) **marvellous** (*USA* **marvelous**) *adj* maravilhoso, excelente: *We had a marvellous time.* Passámos um tempo maravilhoso. ◇ *(That's) marvellous!* Fantástico!

Marxism /'mɑ:ksɪzəm/ *s* marxismo **Marxist** *adj, s* marxista

marzipan /'mɑ:zɪpæn, ˌmɑ:zɪ'pæn/ *s* maçapão

mascara /mæ'skɑ:rə; *USA* -'skærə/ *s* rímel

mascot /'mæskət; *USA* -skɑ:t/ *s* mascote

masculine /'mæskjəlɪn/ *adj, s* masculino (*próprio do homem*) ➲ *Ver nota em* FEMALE **masculinity** /ˌmæskju'lɪnəti/ *s* masculinidade

mash /mæʃ/ *substantivo, verbo*
▸ *s* (*esp GB, coloq*) puré (de batata)
▸ *vt* **1** ~ **sth (up)** desfazer alguma coisa **2** fazer puré: *mashed potatoes* puré de batata

mask /mɑ:sk; *USA* mæsk/ *substantivo, verbo*
▸ *s* máscara, mascarilha
▸ *vt* disfarçar **masked** *adj* **1** mascarado **2** (*assaltante*) encapuçado

mason /'meɪsn/ *s* **1** pedreiro **2 Mason** maçon, mação **Masonic** /mə'sɒnɪk/ *adj* maçónico

masonry /'meɪsənri/ *s* alvenaria

masquerade /ˌmæske'reɪd, ˌmɑ:sk-/ *substantivo, verbo*
▸ *s* mascarada, farsa
▸ *vi* ~ **as sth** fazer-se passar por alguma coisa, disfarçar-se de alguma coisa

mass /mæs/ *substantivo, adjetivo, verbo*
▸ *s* **1** ~ **(of sth)** massa (de alguma coisa) **2 masses (of sth)** [*pl*] (*coloq*) um monte, grande quantidade (de alguma coisa): *masses of letters* montes de cartas **3** (*tb* **Mass**) (*Relig, Mús*) missa **4 the masses** [*pl*] as massas LOC **be a mass of sth** estar coberto de alguma coisa ◆ **the (great) mass of...** a (grande) maioria de...
▸ *adj* [*só antes de substantivo*] de massa: *mass media* meios de comunicação de massa ◇ *mass hysteria* histeria colectiva ◇ *a mass grave* uma vala comum
▸ *vt, vi* **1** amontoar(-se), reunir(-se) **2** (*Mil*) formar, reunir(-se)

massacre /'mæsəkə(r)/ *substantivo, verbo*
▸ *s* massacre
▸ *vt* massacrar

massage /'mæsɑ:ʒ; *USA* mə'sɑ:ʒ/ *substantivo, verbo*
▸ *s* massagem
▸ *vt* massajar

massive /'mæsɪv/ *adj* **1** enorme, monumental **2** maciço, sólido **massively** *adv* enormemente

mass-produce /ˌmæs prə'dju:s; *USA* -'du:s/ *vt* fabricar em série

mass production *s* fabrico em série

mast /mɑ:st; *USA* mæst/ *s* **1** (*barco*) mastro **2** (*televisão*) torre

master /'mɑ:stə(r); *USA* 'mæs-/ *substantivo, verbo, adjetivo*
▸ *s* **1** amo, dono, senhor **2** mestre **3** (*cópia*) original
▸ *vt* **1** dominar **2** controlar
▸ *adj*: *master bedroom* quarto principal ◇ *a master plan* um plano infalível **masterful** *adj* **1** imperioso **2** (*tb* **masterly** /'mɑ:stəli; *USA* 'mæs-/) magistral

mastermind /'mɑ:stəmaɪnd; *USA* 'mæs-/ *substantivo, verbo*
▸ *s* cérebro
▸ *vt* planear, dirigir

masterpiece /'mɑ:stəpi:s; *USA* 'mæs-/ *s* obra-prima

master's /'mɑ:stəz/ (*tb* **master's degree**) *s* mestrado

master's degree (*tb* **master's**) *s* mestrado

mastery /'mɑ:stəri; *USA* 'mæs-/ *s* **1** ~ **(of sth)** mestria (de alguma coisa) **2** ~ **(of/over sb/sth)** supremacia (sobre alguém/alguma coisa)

M

masturbate /ˈmæstəbeɪt/ *vt, vi* masturbar(-se) **masturbation** *s* masturbação

mat /mæt/ *s* **1** esteira, tapete **2** colchão **3** base para pratos, individual **4** emaranhado

match /mætʃ/ *substantivo, verbo*
▸ *s* **1** (*Desp*) jogo, encontro **2** fósforo **3** [*sing*] ~ **(for sb/sth)** parceiro ideal (para alguém/alguma coisa): *The curtains and carpet are a good match.* As cortinas e a carpete combinam bem. LOC **be a match/no match for sb** estar/não estar à altura de alguém: *I was no match for him at tennis.* Eu não chegava para ele em ténis. ◆ **find/meet your match** encontrar alguém capaz de nos fazer frente
▸ **1** *vt, vi* condizer, combinar com: *That blouse doesn't match your skirt.* Essa blusa não combina bem com a sua saia. **2** *vt, vi* (*fazer conjunto*) condizer (com): *As a couple, they're not very well matched.* Enquanto casal, eles não são muito compatíveis. **3** *vt* igualar PHR V **match up (with sth)** coincidir (com alguma coisa) ◆ **match sth up (with sth)** juntar alguma coisa (a alguma coisa) ◆ **match up to sb/sth** equiparar-se a alguém/alguma coisa

matchbox /ˈmætʃbɒks/ *s* caixa de fósforos

matching /ˈmætʃɪŋ/ *adj* [*só antes de substantivo*] que faz conjunto: *matching shoes and handbag* um conjunto de mala e sapatos

mate /meɪt/ *substantivo, verbo*
▸ *s* **1** (*GB, coloq*) amigo, -a, companheiro, -a **2** ajudante **3** (*Náut*) imediato **4** (*Zool*) macho, fêmea **5** (*Xadrez*) xeque-mate
▸ *vt, vi* acasalar (com)

material /məˈtɪəriəl/ *substantivo, adjetivo*
▸ *s* **1** material: *raw materials* matérias primas **2** tecido ➲ *Ver nota em* PANO
▸ *adj* material

materialism /məˈtɪəriəlɪzəm/ *s* materialismo **materialist** *s* materialista **materialistic** *adj* materialista

materialize, -ise /məˈtɪəriəlaɪz/ *vi* concretizar-se

materially /məˈtɪəriəli/ *adv* substancialmente

maternal /məˈtɜːnl/ *adj* **1** maternal **2** (*familiares*) materno

maternity /məˈtɜːnəti/ *s* maternidade

mathematical /ˌmæθəˈmætɪkl/ *adj* matemático **mathematician** /ˌmæθəməˈtɪʃn/ *s* matemático, -a

mathematics /ˌmæθəˈmætɪks/ (*coloq* **maths** /mæθs/) (*USA coloq* **math**) *s* [*não-contável*] matemática

matinée /ˈmætɪneɪ; *USA* ˌmætnˈeɪ/ *s* matinée

mating /ˈmeɪtɪŋ/ *s* acasalamento: *mating season* época de acasalamento

matrimonial /ˌmætrɪˈməʊniəl/ *adj* (*formal*) matrimonial

matrimony /ˈmætrɪməni; *USA* -məʊni/ *s* (*formal*) matrimónio

matt (*USA* **matte**) /mæt/ *adj* mate ➲ *Comparar com* GLOSS

matted /ˈmætɪd/ *adj* eriçado, emaranhado

matter /ˈmætə(r)/ *substantivo, verbo*
▸ *s* **1** assunto: *I have nothing further to say on the matter.* Não tenho mais nada a dizer sobre o assunto. *Ver tb* SUBJECT MATTER **2** (*Fís*) matéria **3** material: *printed matter* impressos LOC **a matter of hours, minutes, days, etc.** coisa de horas, minutos, dias, etc. ◆ **a matter of life and death** um caso de vida ou de morte ◆ **a matter of opinion** uma questão de opinião ◆ **as a matter of course** por costume ◆ **as a matter of fact** na verdade ◆ **(be) a matter of...** (ser) uma questão de... ◆ **be the matter (with sb/sth)** passar-se (com alguém/alguma coisa): *What's the matter with him?* O que é que se passa com ele? ◇ *Is anything the matter?* Passa-se alguma coisa? ◇ *What's the matter with my dress?* O que é que se passa com o meu vestido? ◆ **for that matter** também: *He doesn't like seeing you upset — and neither do I for that matter.* Ele não gosta de te ver infeliz e eu também não. ◆ **no matter who, what, where, when, etc.**: *no matter what he says* diga o que ele disser ◇ *no matter how rich he is* por muito rico que seja ◇ *no matter what* aconteça o que acontecer ◆ **take matters into your own hands** atuar por conta própria *Ver tb* LET, WORSE
▸ *vi* ~ **(to sb)** importar (para alguém): *It doesn't matter.* Não interessa.

matter-of-fact /ˌmætər əv ˈfækt/ *adj* **1** (*pessoa*) impassível **2** (*estilo*) prosaico

mattress /ˈmætrəs/ *s* colchão

mature /məˈtʃʊə(r), -ˈtjʊə(r); *USA* -ˈtʊər/ *adjetivo, verbo*
▸ *adj* **1** maduro **2** (*Com*) vencido
▸ **1** *vi* amadurecer **2** *vt, vi* amadurecer **3** *vi* (*Com*) vencer **maturity** *s* maturidade

maul /mɔːl/ *vt* **1** maltratar **2** (*fera*) ferir gravemente

mausoleum /ˌmɔːsəˈliːəm/ *s* mausoléu

mauve /məʊv/ *adj, s* lilás

maverick /ˈmævərɪk/ *adj, s* irreverente: *to be a maverick* ter ideias muito própias

maxim /ˈmæksɪm/ *s* máxima, ditado

maximize, -ise /ˈmæksɪmaɪz/ *vt* maximizar

maximum /ˈmæksɪməm/ *adj, s* (*pl* **maxima** /ˈmæksɪmə/) (*abrev* **max**) máximo

May /meɪ/ *s* maio ➲ *Ver nota e exemplos em* JANUARY

may /meɪ/ *v modal* (*pp* **might** /maɪt/, *neg* **might not** *ou* **mightn't** /ˈmaɪtnt/)

May é um verbo modal seguido de um infinitivo sem **to**, cujas orações interrogativas e negativas se constroem sem o auxiliar **do**. Só tem duas formas: presente, **may**, e passado, **might**.

1 (*licença*) poder: *You may come if you wish.* Podes vir se quiseres. ◇ *May I go to the toilet?* Posso ir à casa de banho? ◇ *You may as well go home.* Mais vale voltares para casa.

Para pedir licença, **may** considera-se mais cortês que **can**, apesar de que **can** é muito mais comum: *Can I come in?* Posso entrar? ◇ *May I get down from the table?* Posso levantar-me da mesa? ◇ *I'll take a seat, if I may.* Se me dá licença, sento-me. No passado usa-se mais **could** do que **might**: *She asked me if she could come in.* Perguntou-me se podia entrar.

2 (*possibilidade*) poder ser (que): *They may not come.* Pode ser que não venham. ➲ *Ver nota em* PODER[1] LOC **be that as it may** (*formal*) seja como for

maybe /ˈmeɪbi/ *adv* talvez

mayhem /ˈmeɪhem/ *s* [*não-contável*] caos

mayonnaise /ˌmeɪəˈneɪz; *USA* ˈmeɪəneɪz/ *s* maionese

mayor /meə(r); *USA* ˈmeɪər/ *s* presidente da câmara **mayoress** /meəˈres; *USA* ˈmeɪərəs/ *s* **1** presidenta da câmara **2** esposa do presidente da câmara

maze /meɪz/ *s* labirinto

me /mi:/ *pron* **1** [*como objeto*] me: *Don't hit me.* Não me batas. ◇ *Tell me all about it.* Conta-me tudo. **2** [*depois de preposição*] mim: *as for me* quanto a mim ◇ *Come with me.* Vem comigo. **3** [*sozinho ou depois do verbo* **be**] eu: *Hello, it's me.* Olá, sou eu. ➲ *Comparar com* I

meadow /ˈmedəʊ/ *s* prado

meagre (*USA* **meager**) /ˈmi:gə(r)/ *adj* magro, escasso

meal /mi:l/ *s* refeição LOC **make a meal of sth** (*coloq*) fazer alguma coisa com uma atenção ou esforço exagerado *Ver tb* SQUARE

mean /mi:n/ *verbo, adjetivo*

▸ *vt* (*pt, pp* **meant** /ment/) **1** querer dizer, significar: *Do you know what I mean?* Entendes o que estou a dizer? ◇ *What does 'tutu' mean?* O que é que "tutu" quer dizer? **2** ~ **sth (to sb)** significar alguma coisa (para alguém): *You know how much Anita means to me.* Sabes o que a Anita significa para mim. ◇ *That name doesn't mean anything to me.* Esse nome não me diz nada. **3** implicar: *His new job means him travelling more.* O seu novo emprego implica que tenha de viajar mais. **4** pretender: *I didn't mean to.* Não era a minha intenção. ◇ *I meant to wash the car today.* Era para lavar o carro hoje. **5** falar a sério: *I'm never coming back. I mean it!* Nunca mais vou voltar. Estou a falar a sério! ◇ *She meant it as a joke.* Não estava a falar a sério. LOC **be meant for each other** serem feitos um para o outro ◆ **be meant to be/do sth** ser considerado alguma coisa, ser suposto fazer alguma coisa: *This restaurant is meant to be excellent.* Este restaurante é considerado excelente. ◇ *Is this meant to happen?* Isto tem de acontecer? ◆ **I mean** (*coloq*) quero dizer: *It's very warm, isn't it? I mean, for this time of year.* Está calor, não está? Quero dizer, para esta época do ano. ◇ *We went there on Tuesday, I mean Thursday.* Fomos na terça, digo quinta. ◆ **mean business** (*coloq*) não estar para brincadeiras ◆ **mean well** ter boas intenções

▸ *adj* (**meaner, -est**) **1** sovina **2** ~ **(to sb)** mesquinho (com alguém) **3** [*só antes de substantivo*] médio

meander /miˈændə(r)/ *vi* **1** (*rio*) serpentear **2** (*pessoa*) deambular **3** (*conversa*) divagar

meaning /ˈmi:nɪŋ/ *s* significado *Ver tb* WELL MEANING **meaningful** *adj* **1** (*relação, discussão*) sério **2** (*olhar, pausa*) expressivo **meaningless** *adj* sem sentido

means /mi:nz/ *s* **1** (*pl* **means**) ~ **(of sth/doing sth)** meio, maneira (de alguma coisa/de fazer alguma coisa) **2** [*pl*] recursos (*financeiros*) LOC **a means to an end** um meio para atingir um fim ◆ **by all means** claro que sim ◆ **by means of sth** (*formal*) com o auxílio de alguma coisa *Ver tb* WAY

meant *pt, pp de* MEAN

meantime /ˈmi:ntaɪm/ *n* LOC **in the meantime** entretanto

meanwhile /ˈmi:nwaɪl/ *adv* entretanto

measles /ˈmi:zlz/ *s* [*não-contável*] sarampo *Ver tb* GERMAN MEASLES

measurable /ˈmeʒərəbl/ *adj* **1** mensurável **2** significativo

measure /ˈmeʒə(r)/ *verbo, substantivo*

▸ *vt* medir PHR V **measure (sb/sth) up** medir alguém/alguma coisa: *The tailor measured me up for a suit.* O alfaiate tirou-me as medidas

M

para um fato. ◆ **measure up (to sth)** estar à altura (de alguma coisa)
▸ *s* **1** medida: *weights and measures* pesos e medidas ◇ *to take measures to do sth* tomar medidas para fazer alguma coisa **2** [*sing*] ~ **of sth** amostra de alguma coisa: *a/some measure of knowledge/success* um/um certo grau de conhecimento/êxito **3** [*sing*] **a ~ of sth** um sinal de alguma coisa: *It is a measure of how bad the situation is.* É um sinal de quão má é a situação. **4** (*USA*) (*Mús*) compasso *Ver tb* TAPE MEASURE LOC **for good measure** como extra ◆ **made to measure** feito por medida

measured /ˈmeʒəd/ *adj* **1** (*linguagem*) cuidado **2** (*passos*) pausado

⚷ **measurement** /ˈmeʒəmənt/ *s* **1** medição **2** medida

measuring tape *s* fita métrica

⚷ **meat** /miːt/ *s* carne

meatball /ˈmiːtbɔːl/ *s* almôndega

meaty /ˈmiːti/ *adj* (**meatier, -iest**) **1** carnudo **2** (*livro, etc.*) substancial

mechanic /məˈkænɪk/ *s* mecânico, -a **mechanical** *adj* mecânico **mechanically** /-kli/ *adv* mecanicamente: *I'm not mechanically minded.* Não percebo nada de máquinas.

mechanics /məˈkænɪks/ *s* **1** [*não-contável*] mecânica (*ciência*) **2** [*pl*] **the ~ (of sth)** (*fig*) a mecânica, o funcionamento (de alguma coisa)

mechanism /ˈmekənɪzəm/ *s* mecanismo

medal /ˈmedl/ *s* medalha

medallion /məˈdæliən/ *s* medalhão

medallist (*USA* **medalist**) /ˈmedəlɪst/ *s* vencedor, -ora da medalha

meddle /ˈmedl/ *vi* **1** ~ **(in/with sth)** (*pej*) meter-se (em alguma coisa) **2** ~ **(with sth)** mexer em alguma coisa

⚷ **media** /ˈmiːdiə/ *s* **1** **the media** [*pl*] os meios de comunicação: *media coverage* cobertura mediática ◇ *media studies* curso de jornalismo ❶ A palavra **media** pode utilizar-se com o verbo no singular ou no plural: *The media was/were accused of influencing the decision.* Os média foram acusados de influenciar na decisão. **2** *pl de* MEDIUM (1)

mediaeval = MEDIEVAL

mediate /ˈmiːdieɪt/ *vi* mediar **mediation** *s* mediação **mediator** *s* mediador, -ora

medic /ˈmedɪk/ *s* (*esp GB, coloq*) **1** estudante de medicina **2** médico, -a

⚷ **medical** /ˈmedɪkl/ *adjetivo, substantivo*
▸ *adj* **1** médico: *medical student* estudante de medicina **2** clínico
▸ *s* exame médico de aptidão

medication /ˌmedɪˈkeɪʃn/ *s* medicação

medicinal /məˈdɪsɪnl/ *adj* medicinal

⚷ **medicine** /ˈmedsn; *USA* ˈmedɪsn/ *s* **1** medicina **2** medicamento, remédio

medieval (*tb* **mediaeval**) /ˌmediˈiːvl; *USA* ˌmiːd-/ *adj* medieval

mediocre /ˌmiːdiˈəʊkə(r)/ *adj* medíocre **mediocrity** /ˌmiːdiˈɒkrəti/ *s* **1** mediocridade **2** (*pl* **mediocrities**) (*pessoa*) medíocre

meditate /ˈmedɪteɪt/ *vi* ~ **(on sth)** meditar (sobre alguma coisa) **meditation** *s* meditação

⚷ **medium** /ˈmiːdiəm/ *adjetivo, substantivo*
▸ *adj* médio: *I'm medium.* Visto o tamanho médio. ◇ *medium-sized* de tamanho médio
▸ *s* **1** (*pl* **media** *ou* **mediums**) meio *Ver tb* MEDIA **2** (*pl* **mediums**) médium LOC *Ver* HAPPY

medley /ˈmedli/ *s* (*pl* **medleys**) coletânea

meek /miːk/ *adj* (**meeker, -est**) dócil **meekly** *adv* docilmente

⚷ **meet** /miːt/ (*pt, pp* **met** /met/) **1** *vt, vi* encontrar(-se): *What time shall we meet?* A que horas nos encontramos? ◇ *Will you meet me at the station?* Vens esperar-me à estação? ◇ *Our eyes met across the table.* Os nossos olhares cruzaram-se por cima da mesa. **2** *vi* reunir-se **3** *vt, vi* conhecer(-se): *I'd like you to meet…* Gostaria de lhe apresentar… **4** *vt, vi* enfrentar(-se) (*numa competição*) **5** *vt* (*requisito*) satisfazer: *They failed to meet payments on their loan.* Não pagaram as letras do empréstimo. LOC **meet sb's eye** olhar alguém nos olhos ◆ **nice/pleased to meet you** prazer em conhecê-lo *Ver tb* MATCH PHR V **meet up (with sb)** encontrar-se (com alguém) ◆ **meet with sb** (*esp USA*) reunir-se com alguém

⚷ **meeting** /ˈmiːtɪŋ/ *s* **1** reunião: *Annual General Meeting* assembleia geral (anual) **2** encontro: *meeting place* local de encontro **3** (*USA* **meet**) (*Desp*) competição

mega /ˈmegə/ *adj, adv* (*coloq*) mega: *a mega hit* um mega sucesso ◇ *to be mega rich* ser super rico

megaphone /ˈmegəfəʊn/ *s* megafone

melancholy /ˈmelənkəli, -kɒli/ *substantivo, adjetivo*
▸ *s* (*formal*) melancolia
▸ *adj* **1** (*pessoa*) melancólico **2** (*coisa*) triste

melee /ˈmeleɪ; *USA* ˈmeɪleɪ/ *s* confusão

M

mellow /'meləʊ/ *adjetivo, verbo*
▸ *adj* (**mellower, -est**) **1** (*cor, sabor*) suave **2** (*som*) doce **3** (*atitude*) sereno, maduro **4** (*coloq*) alegre (*devido a bebida*)
▸ *vt, vi* (*pessoa*) suavizar

melodic /mə'lɒdɪk/ *adj* melódico

melodious /mə'ləʊdiəs/ *adj* melodioso

melodrama /'melədrɑːmə/ *s* melodrama **melodramatic** /ˌmelədrə'mætɪk/ *adj* melodramático

melody /'melədi/ *s* (*pl* **melodies**) melodia

melon /'melən/ *s* melão

melt /melt/ *vt, vi* **1** derreter(-se): *melting point* ponto de fusão **2** dissolver(-se) **3** (*fig*) suavizar LOC **melt in the mouth** derreter-se na boca PHR V **melt away** dissolver-se, derreter-se ◆ **melt sth down** derreter alguma coisa

melting pot *s* amálgama (*de raças, culturas, etc.*) LOC **in the melting pot** em transformação

member /'membə(r)/ *s* **1** membro: *a member of the audience* um membro do público/espetador ◇ *Member of Parliament* deputado, -a **2** sócio, -a (*de um clube*) **3** (*Anat*) membro

membership /'membəʃɪp/ *s* **1** [*não-contável*] filiação: *to apply for membership* candidatar-se a sócio ◇ *membership card* cartão de sócio **2** (número de) membros/sócios

membrane /'membreɪn/ *s* membrana

memento /mə'mentəʊ/ *s* (*pl* **mementoes** *ou* **mementos**) recordação (*objeto*)

memo /'meməʊ/ *s* (*pl* **memos**) circular, memorando: *an inter-office memo* uma circular interna

memoirs /'memwɑːz/ *s* [*pl*] memórias

memorabilia /ˌmemərə'bɪliə/ *s* [*pl*] peças de colecionador

memorable /'memərəbl/ *adj* memorável

memorandum /ˌmemə'rændəm/ *s* (*pl* **memoranda** /-də/) (*formal*) circular, memorando

memorial /mə'mɔːriəl/ *s* ~ **(to sb/sth)** monumento comemorativo (de alguém/alguma coisa)

memorize, -ise /'meməraɪz/ *vt* memorizar

memory /'meməri/ *s* (*pl* **memories**) **1** memória: *to recite a poem from memory* declamar um poema de memória **2** recordação LOC **in memory of sb; to the memory of sb** em memória de alguém *Ver tb* JOG, LIVING, REFRESH

men *pl de* MAN

menace /'menəs/ *substantivo, verbo*
▸ *s* **1** ~ **(to sb/sth)** ameaça (para alguém/alguma coisa) **2** (*coloq*) (*pessoa ou coisa importuna*) chato
▸ *vt* (*formal*) ameaçar **menacing** *adj* ameaçador

mend /mend/ *verbo, substantivo*
▸ **1** *vt* reparar **2** *vi* sarar LOC **mend your ways** emendar-se
▸ *s* remendo LOC **on the mend** (*coloq*) a melhorar

meningitis /ˌmenɪn'dʒaɪtɪs/ *s* [*não-contável*] meningite

menopause /'menəpɔːz/ *s* menopausa

menstrual /'menstruəl/ *adj* menstrual

menstruation /ˌmenstru'eɪʃn/ *s* menstruação

menswear /'menzweə(r)/ *s* [*não-contável*] roupa para homem

mental /'mentl/ *adj* **1** mental: *mental hospital* hospital psiquiátrico **2** (*GB, calão*) doido da cabeça

mentality /men'tæləti/ *s* (*pl* **mentalities**) mentalidade

mentally /'mentəli/ *adv* mentalmente: *mentally ill/disturbed* mentalmente doente/perturbado

mention /'menʃn/ *verbo, substantivo*
▸ *vt* mencionar, referir, falar de: *worth mentioning* digno de menção LOC **don't mention it** não tem de quê ◆ **not to mention...** para não falar de...
▸ *s* menção, alusão

mentor /'mentɔː(r)/ *s* mentor, -ora

menu /'menjuː/ *s* **1** ementa, lista **2** (*Informát*) menu

meow (*USA*) = MIAOW

MEP /ˌem iː 'piː/ *s* (*abrev de* **Member of the European Parliament**) eurodeputado, -a

mercantile /'mɜːkəntaɪl; *USA* -tiːl/ *adj* mercantil

mercenary /'mɜːsənəri; *USA* -neri/ *substantivo, adjetivo*
▸ *s* (*pl* **mercenaries**) mercenário, -a
▸ *adj* **1** mercenário **2** (*fig*) interesseiro

merchandise /'mɜːtʃəndaɪs, -daɪz/ *s* [*não-contável*] mercadoria(s) **merchandising** *s* comercialização, promoção

merchant /'mɜːtʃənt/ *substantivo, adjetivo*
▸ *s* **1** comerciante **2** (*Hist*) mercador
▸ *adj* [*só antes de substantivo*]: *merchant bank* banco comercial ◇ *merchant navy* marinha mercante

merciful /'mɜːsɪfl/ *adj* **1** misericordioso, piedoso **2** (*êxito*) feliz **mercifully** *adv* **1** misericordiosamente, piedosamente **2** felizmente

merciless /'mɜːsɪləs/ *adj* impiedoso

Mercury /'mɜːkjəri/ *s* Mercúrio

M

mercury /ˈmɜːkjəri/ *s* mercúrio

mercy /ˈmɜːsi/ *s* **1** [*não-contável*] compaixão, misericórdia: *to have mercy on sb* ter compaixão de alguém ◇ *mercy killing* eutanásia **2** (*pl* **mercies**) (*coloq*) milagre: *It's a mercy that...* Que sorte que... LOC **at the mercy of sb/sth** à mercê de alguém/alguma coisa

⚷ **mere** /mɪə(r)/ *adj* mero, simples: *mere coincidence* pura coincidência ◇ *the mere thought of him* só de pensar nele ◇ *He's a mere child.* É apenas uma criança. LOC **the merest...** o mínimo...: *The merest glimpse was enough.* Uma simples olhadela foi o suficiente.

⚷ **merely** /ˈmɪəli/ *adv* só, apenas

merge /mɜːdʒ/ *vt, vi* ~ **(sth) (with/into sth)** **1** (*Com*) fundir alguma coisa, fundir(-se) (com alguma coisa): *Three small companies merged into one large one.* Três empresas pequenas uniram-se e formaram uma grande. **2** (*fig*) misturar alguma coisa, misturar(-se) (com alguma coisa): *Past and present merge in Oxford.* Em Oxford o passado e o presente fundem-se. **merger** *s* fusão de empresas

meringue /məˈræŋ/ *s* merengue

merit /ˈmerɪt/ *substantivo, verbo*
▸ *s* mérito: *to judge sth on its merits* julgar alguma coisa pelos seus méritos
▸ *vt* (*formal*) merecer, ser digno de

mermaid /ˈmɜːmeɪd/ *s* sereia

merriment /ˈmerimənt/ *s* (*formal*) alegria, divertimento

merry /ˈmeri/ *adj* (**merrier**, **-iest**) **1** alegre: *Merry Christmas!* Feliz Natal! **2** (*esp GB, coloq*) alegre, tocado (*devido a bebida*)

merry-go-round /ˈmeri gəʊ raʊnd/ *s* carrossel

mesh /meʃ/ *s* malha (de rede): *wire mesh* malha de arame

mesmerize, -ise /ˈmezməraɪz/ *vt* fascinar

⚷ **mess** /mes/ *substantivo, verbo*
▸ *s* **1** confusão: *This kitchen's a mess!* Esta cozinha está uma porcaria! **2** confusão: *to make a mess of sth* fazer uma confusão em/estragar alguma coisa **3** [*sing*] (*pessoa*) desordenado, -a **4** (*coloq*) (*excremento*) porcaria **5** (*tb esp USA* **mess hall**) (*Mil*) messe
▸ *vt* (*esp USA, coloq*) desordenar PHR V **mess about/around** **1** armar-se em parvo **2** passar o tempo ◆ **mess sb about/around** mostrar falta de consideração para com alguém ◆ **mess about/around with sb** andar envolvido com alguém ◆ **mess about/around with sth** mexer em alguma coisa ◆ **mess sb up** (*coloq*) traumatizar alguém ◆ **mess sth up** **1** sujar, desordenar alguma coisa: *Don't mess up my hair!* Não me despenteies! **2** (*tb* **mess up**) estragar alguma coisa: *I've really messed up this time.* Desta vez fiz asneira da grossa. ◆ **mess with sb/sth** meter-se com alguém/alguma coisa

⚷ **message** /ˈmesɪdʒ/ *s* **1** recado **2** mensagem *Ver tb* TEXT MESSAGE LOC **get the message** (*coloq*) entender

message board *s* painel de mensagens (*num site web*)

messenger /ˈmesɪndʒə(r)/ *s* mensageiro, -a

Messiah (*tb* **messiah**) /məˈsaɪə/ *s* Messias

messy /ˈmesi/ *adj* (**messier**, **-iest**) **1** sujo **2** desordenado, de pernas para o ar **3** (*fig*) complicado

met *pt, pp de* MEET

metabolism /məˈtæbəlɪzəm/ *s* metabolismo

⚷ **metal** /ˈmetl/ *s* metal: *metalwork* trabalho com metal **metallic** /məˈtælɪk/ *adj* metálico

metamorphosis /ˌmetəˈmɔːfəsɪs/ *s* (*pl* **metamorphoses** /-siːz/) (*formal*) metamorfose

metaphor /ˈmetəfə(r), -fɔː(r)/ *s* metáfora **metaphorical** /ˌmetəˈfɒrɪkl; *USA* -ˈfɔːr-/ *adj* metafórico

metaphysical /ˌmetəˈfɪzɪkl/ *adj* metafísico

metaphysics /ˌmetəˈfɪzɪks/ *s* [*não-contável*] metafísica

meteor /ˈmiːtiə(r), -iɔː(r)/ *s* meteoro **meteoric** /ˌmiːtiˈɒrɪk; *USA* -ˈɔːr-/ *adj* meteórico

meteorite /ˈmiːtiəraɪt/ *s* meteorito

meteorology /ˌmiːtiəˈrɒlədʒi/ *s* meteorologia **meteorological** /ˌmiːtiərəˈlɒdʒɪkl/ *adj* meteorológico

meter /ˈmiːtə(r)/ *substantivo, verbo*
▸ *s* **1** contador **2** (*USA*) = METRE
▸ *vt* medir

methane /ˈmiːθeɪn; *USA* ˈmeθ-/ *s* metano

⚷ **method** /ˈmeθəd/ *s* método: *a method of payment* um método de pagamento **methodical** /məˈθɒdɪkl/ *adj* metódico

Methodist /ˈmeθədɪst/ *adj, s* metodista

methodology /ˌmeθəˈdɒlədʒi/ *s* (*pl* **methodologies**) metodologia

methylated spirit /ˌmeθəleɪtɪd ˈspɪrɪt/ (*GB coloq* **meths** /meθs/) *s* álcool desnaturado

meticulous /məˈtɪkjələs/ *adj* meticuloso

⚷ **metre** (*USA* **meter**) /ˈmiːtə(r)/ *s* (*abrev* **m**) metro ➲ *Ver pág. 713* **metric** /ˈmetrɪk/ *adj* métrico: *the metric system* o sistema métrico

metropolis /məˈtrɒpəlɪs/ *s* metrópole **metropolitan** /ˌmetrəˈpɒlɪtən/ *adj* metropolitano

miaow (*USA* **meow**) /mi'aʊ/ *interjeição, substantivo, verbo*
▸ *interj* miau
▸ *s* mio
▸ *vi* miar ➲ *Ver nota em* GATO

mice *pl de* MOUSE

mickey /'mɪki/ *s* LOC **take the mickey (out of sb)** (*GB, coloq*) gozar (com alguém)

microbe /'maɪkrəʊb/ *s* micróbio

microchip /'maɪkrəʊtʃɪp/ *s* (micro)chip

microcosm /'maɪkrəʊkɒzəm/ *s* microcosmos

micro-organism /ˌmaɪkrəʊ 'ɔːgənɪzəm/ *s* microrganismo

microphone /'maɪkrəfəʊn/ *s* microfone

microscope /'maɪkrəskəʊp/ *s* microscópio
microscopic /ˌmaɪkrə'skɒpɪk/ *adj* microscópico

microwave /'maɪkrəweɪv/ *substantivo, verbo*
▸ *s* (*formal* **microwave oven**) (forno) micro-ondas
▸ *vt* aquecer/cozinhar no micro-ondas

mid- /mɪd/ *pref* a meio de: *mid-morning* a meio da manhã ◇ *in mid-July* em meados de julho ◇ *in mid-sentence* a meio da frase

mid-air /ˌmɪd 'eə(r)/ *s* no ar: *in mid-air* no ar ◇ *to leave sth in mid-air* deixar alguma coisa por resolver

midday /ˌmɪd'deɪ/ *s* meio-dia

middle /'mɪdl/ *substantivo, adjetivo*
▸ *s* **1 the middle** [*sing*] o meio, o centro: *in the middle of the night* a meio da noite **2** (*coloq*) cintura LOC **be in the middle of sth/doing sth** estar a meio de alguma coisa/estar ocupado a fazer alguma coisa: *They were in the middle of dinner when I called.* Estavam a meio do jantar quando telefonei. ◆ **in the middle of nowhere** (*coloq*) no fim do mundo
▸ *adj* central, médio: *middle finger* dedo médio ◇ *middle management* executivos de nível intermédio LOC **(steer, take, etc.) a middle course** (encontrar) um meio termo ◆ **the middle ground** terreno neutro

middle age *s* meia-idade

middle-aged /ˌmɪdl 'eɪdʒd/ *adj* de meia-idade

middle class *s* [*v sing ou pl*] (*tb* **middle classes** [*pl*]) classe média

middle-class /ˌmɪdl 'klɑːs; *USA* 'klæs/ *adj* da classe média

the Middle East *s* [*sing*] o Médio Oriente

middleman /'mɪdlmæn/ *s* (*pl* **-men** /-men/) intermediário, -a

middle name *s* segundo nome ❶ Nos países de expressão inglesa, é comum ter-se um segundo nome para além do nome e do apelido.

middle-of-the-road /ˌmɪdl əv ðə 'rəʊd/ *adj* moderado

midfield /ˌmɪd'fiːld, 'mɪdfiːld/ *s* meio-campo
midfielder /mɪd'fiːldə(r)/ (*tb* **midfield player**) *s* médio (*jogador*)

midge /mɪdʒ/ *s* mosquito

midget /'mɪdʒɪt/ *s* (*ofen*) anão, -ã

Midlands /'mɪdləndz/ *s* [*v sing ou pl*] os condados centrais de Inglaterra

midlife /mɪd'laɪf/ *s*: *midlife crisis* crise dos quarenta

midnight /'mɪdnaɪt/ *s* meia-noite

midriff /'mɪdrɪf/ *s* diafragma

midst /mɪdst/ *s* (*formal*) meio LOC **in our, their, etc. midst** (*formal*) entre nós, eles, etc. ◆ **in the midst of sth** no meio de alguma coisa

midsummer /ˌmɪd'sʌmə(r)/ *s* pleno verão, período em torno do solstício de verão (*21 de junho*): *Midsummer('s) Day* dia de São João (24 de junho)

midway /ˌmɪd'weɪ/ *adv* ~ **(between… and…)** a meio caminho (entre… e…)

midweek /ˌmɪd'wiːk/ *substantivo, advérbio*
▸ *s* o meio da semana
▸ *adv* a meio da semana

midwife /'mɪdwaɪf/ *s* (*pl* **midwives** /-waɪvz/) parteira

midwinter /ˌmɪd'wɪntə(r)/ *s* pleno inverno, período em torno do solstício de inverno (*21 de dezembro*)

miffed /mɪft/ *adj* (*coloq*) zangado

might¹ /maɪt/ *v modal* (*neg* **might not** *ou* **mightn't** /'maɪtnt/)

Might é um verbo modal seguido de um infinitivo sem **to**, cujas orações interrogativas e negativas se constroem sem o auxiliar **do**.

1 *pt de* MAY **2** (*possibilidade*) poder ser (que): *They might not come.* Pode ser que não venham. ◇ *I might be able to.* Talvez eu possa. **3** (*formal*): *Might I make a suggestion?* Posso fazer uma sugestão? ◇ *And who might she be?* E quem será ela? **4** *You might at least offer to help!* Podias ao menos oferecer-te para ajudar! ◇ *You might have told me!* Podias me ter dito! ➲ *Ver notas em* MAY *e* PODER¹

might² /maɪt/ *s* [*não-contável*] (*formal*) força, poder: *with all their might* com todas as forças ◇ *military might* poder militar

mighty /'maɪti/ *adj* (**mightier, -iest**) **1** poderoso, potente **2** tremendo, enorme

M

migraine /ˈmi:greɪn, ˈmaɪ-/ *s* enxaqueca

migrant /ˈmaɪgrənt/ *s* **1** (*pessoa*) migrante **2** (*ave, animal*) ave/animal migratório

migrate /maɪˈgreɪt; *USA* ˈmaɪgreɪt/ *vi* migrar **migration** *s* migração **migratory** /ˈmaɪgrətri, maɪˈgreɪtəri; *USA* ˈmaɪgrətɔ:ri/ *adj* migratório

mike /maɪk/ *s* (*coloq*) microfone

mild /maɪld/ *adj* (**milder, -est**) **1** (*sabor, etc.*) suave **2** (*clima*) temperado: *a mild winter* um inverno suave **3** (*doença, castigo*) leve **4** ligeiro **5** (*carácter*) meigo

mildew /ˈmɪldju:; *USA* ˈmɪldu:/ *s* míldio

mildly /ˈmaɪldli/ *adv* ligeiramente, um pouco: *mildly surprised* um pouco surpreendido LOC **to put it mildly** para não dizer coisa pior

mild-mannered /ˌmaɪld ˈmænəd/ *adj* meigo, brando

mile /maɪl/ *s* **1** milha ➲ *Ver pág. 713* **2 the mile** [*sing*] corrida de uma milha **3 miles** (*coloq*): *He's miles better.* Ele é muito melhor. LOC **be miles away** (*coloq*) estar com a cabeça na lua ◆ **miles from anywhere** no fim do mundo ◆ **see, tell, smell, etc. sth a mile off** (*coloq*) ver, notar, cheirar, etc. alguma coisa a milhas **mileage** /ˈmaɪlɪdʒ/ *s* **1** distância em milhas, quilometragem **2** (*coloq*) vantagem: *to get a lot of mileage out of sth* tirar muito partido de alguma coisa

milestone /ˈmaɪlstəʊn/ *s* **1** marco miliário (*na estrada*) **2** (*acontecimento*) marco histórico

milieu /mi:ˈljɜ:/ *s* (*pl* **milieux** *ou* **milieus** /-ˈljɜ:z/) (*formal*) meio social

militant /ˈmɪlɪtənt/ *adj, s* militante

military /ˈmɪlətri; *USA* -teri/ *adjetivo, substantivo*
▸ *adj* militar
▸ *s* **the military** [*v sing ou pl*] os militares, o exército

militia /məˈlɪʃə/ *s* [*v sing ou pl*] milícia **militiaman** *s* (*pl* **-men** /-mən/) miliciano

milk /mɪlk/ *substantivo, verbo*
▸ *s* leite: *milk products* lacticínios LOC *Ver* CRY
▸ *vt* **1** ordenhar **2** (*pej*) extorquir: *to milk sb of their money* sugar o dinheiro de alguém

milkman /ˈmɪlkmən/ *s* (*pl* **-men** /-mən/) leiteiro

milkshake /ˈmɪlkʃeɪk/ (*tb* **shake**) *s* batido

milky /ˈmɪlki/ *adj* **1** (*chá, café*) com muito leite **2** leitoso

mill /mɪl/ *substantivo, verbo*
▸ *s* **1** moinho **2** fábrica: *steel mill* fábrica siderúrgica
▸ *vt* moer PHR V **mill about/around** andar às voltas (em grupo)

millennium /mɪˈleniəm/ *s* (*pl* **millennia** /-niə/ *ou* **millenniums**) milénio

miller /ˈmɪlə(r)/ *s* moleiro, -a

millet /ˈmɪlɪt/ *s* milho-miúdo

milligram (*tb* **milligramme**) /ˈmɪligræm/ *s* (*abrev* **mg**) miligrama ➲ *Ver pág. 712*

millimetre (*USA* **millimeter**) /ˈmɪlimi:tə(r)/ *s* (*abrev* **mm**) milímetro ➲ *Ver pág. 713*

million /ˈmɪljən/ *adj, s* milhão

> Para nos referirmos a dois, três, etc. milhões, dizemos **two, three, etc. million** sem "s": *four million euros*. A forma **millions** significa *muito(s)*: *The company is worth millions.* A empresa vale milhões. ◇ *I have millions of things to do.* Tenho milhões de coisas para fazer. O mesmo se aplica às palavras **hundred, thousand** e **billion**.

LOC **one, etc. in a million** uma raridade

millionaire /ˌmɪljəˈneə(r)/ *s* milionário, -a

millionth /ˈmɪljənθ/ **1** *adj, pron* milionésimo **2** *s* milionésima parte ➲ *Ver exemplos em* FIFTH

milometer /maɪˈlɒmɪtə(r)/ *s* conta--quilómetros

mime /maɪm/ *substantivo, verbo*
▸ *s* mímica: *a mime artist* um mímico
▸ **1** *vi* fazer mímica **2** *vt* imitar

mimic /ˈmɪmɪk/ *verbo, substantivo*
▸ *vt* (*pt, pp* **mimicked** *part pres* **mimicking**) imitar
▸ *s* imitador, -ora **mimicry** /ˈmɪmɪkri/ *s* [*não-contável*] imitação

mince /mɪns/ *verbo, substantivo*
▸ *vt* picar (*carne*) LOC **not mince (your) words** não estar com rodeios, não ter papas na língua
▸ *s* carne picada

mincemeat /ˈmɪnsmi:t/ *s* recheio de frutos secos LOC **make mincemeat of sb** (*coloq*) dar conta de alguém

mince pie (*USA* **mincemeat pie**) *s* empada natalícia recheada com frutos secos

mind /maɪnd/ *substantivo, verbo*
▸ *s* **1** (*intelecto*) mente, cérebro **2** espírito **3** pensamento: *My mind was on other things.* Estava a pensar noutras coisas. **4** juízo: *to be sound in mind and body* estar em pleno uso das suas faculdades LOC **be in two minds about (doing) sth** estar indeciso quanto a (fazer) alguma coisa ◆ **be on your mind**: *What's on your mind?* O que é que te preocupa? ◆ **be out of your mind** estar louco ◆ **come/spring to mind** vir à ideia ◆ **go out of/lose your mind** perder o juízo ◆ **have a good mind to do sth**; **have half a mind to do sth** estar a pensar fazer alguma coisa ◆ **have a mind of your own** ter opinião própria ◆ **have sb/sth in mind (for sth)** ter

alguém/alguma coisa em mente (para alguma coisa) ◆ **keep your mind on sth** concentrar-se em alguma coisa ◆ **make up your mind** decidir-se ◆ **put/set sb's mind at ease/rest** tirar um peso da consciência/tirar um peso de cima de alguém, tranquilizar alguém ◆ **put/set/turn your mind to sth**; **set your mind on sth** empenhar-se de corpo e alma em alguma coisa ◆ **take your mind off sth** distrair-se de alguma coisa (*para deixar de pensar numa determinada coisa*) ◆ **to my mind** no meu entender ❶ Para outras expressões com **mind**, ver as entradas para o substantivo, adjetivo, etc., p.ex. **cross your mind** em CROSS.
▸ **1** *vt, vi* importar-se: *Would you mind going tomorrow?* Importas-te de ir amanhã? ◇ *I don't mind.* Não me importa. ◇ *Do you mind if I smoke?* Incomoda-se que fume? ◇ *I wouldn't mind a drink.* Apetece-me uma bebida. **2** *vt* preocupar-se com: *Don't mind him.* Não faças caso dele. **3** *vt* tomar conta de **4** *vt, vi* ter cuidado (com): *Mind your head!* Cuidado com a cabeça! LOC **do you mind?** (*irón*) importas-te? ◆ **mind you**; **mind** (*coloq*) para dizer a verdade ◆ **mind your own business** (*coloq*) meter-se na sua vida ◆ **never mind** esquece, não faz mal ◆ **never you mind** (*coloq*) não perguntes PHR V **mind out (for sb/sth)** ter cuidado (com alguém/alguma coisa)

mind-blowing /ˈmaɪnd bləʊɪŋ/ *adj* (*coloq*) espetacular

mind-boggling /ˈmaɪnd bɒglɪŋ/ *adj* (*coloq*) desconcertante

minder /ˈmaɪndə(r)/ *s* pessoa que toma conta de alguém ou alguma coisa, guarda-costas

mindful /ˈmaɪndfl/ *adj* (*formal*) consciente

mindless /ˈmaɪndləs/ *adj* **1** (*trabalho*) mecânico, aborrecido **2** (*violência, crime*) absurdo, sem sentido

🔑 **mine** /maɪn/ *pronome, substantivo, verbo*
▸ *pron* meu(s), minha(s): *a friend of mine* um amigo meu ◇ *Where's mine?* Onde é que está a minha? ➲ *Comparar com* MY
▸ *s* mina: *mine worker* mineiro
▸ **1** *vt* extrair (*minerais*) **2** *vt, vi* minar **3** colocar minas (explosivas) em

minefield /ˈmaɪnfiːld/ *s* **1** campo minado **2** (*fig*) terreno perigoso

miner /ˈmaɪnə(r)/ *s* mineiro, -a

🔑 **mineral** /ˈmɪnərəl/ *s* mineral: *mineral water* água mineral

mingle /ˈmɪŋgl/ **1** *vi* conversar com as pessoas (*em festa, reunião, etc.*): *The president mingled with his guests.* O presidente juntou-se aos convidados. **2** *vt, vi* misturar(-se)

miniature /ˈmɪnətʃə(r); *USA* -tʃʊər/ *s* miniatura

minibus /ˈmɪnibʌs/ *s* (*pl* **minibuses**) carrinha (*para transporte de passageiros*)

minicab /ˈmɪnikæb/ *s* radiotáxi

minidisc /ˈmɪnɪdɪsk/ *s* minidisc

minimal /ˈmɪnɪməl/ *adj* mínimo

minimize, -ise /ˈmɪnɪmaɪz/ *vt* minimizar

🔑 **minimum** /ˈmɪnɪməm/ *adj, s* (*pl* **minima** /-mə/) (*abrev* **min.**) mínimo: *with a minimum of effort* com o mínimo de esforço ◇ *There is a minimum charge of…* A despesa mínima é de…

mining /ˈmaɪnɪŋ/ *s* extração de minério: *the mining industry* a indústria mineira

miniskirt /ˈmɪniskɜːt/ *s* minissaia

🔑 **minister** /ˈmɪnɪstə(r)/ *substantivo, verbo*
▸ *s* **1** ~ **(for/of sth)** ministro, -a (de alguma coisa) ➲ *Ver nota em* MINISTRO **2** pastor (*protestante*) ➲ *Ver nota em* PRIEST
▸ *vi* ~ **to sb/sth** (*formal*) atender a alguém/alguma coisa **ministerial** /ˌmɪnɪˈstɪəriəl/ *adj* ministerial

🔑 **ministry** /ˈmɪnɪstri/ *s* (*pl* **ministries**) **1** (*Pol*) ministério **2 the ministry** [*sing*] o clero (*protestante*): *to enter/go into the ministry* tornar-se pastor/sacerdote

minivan /ˈmɪnivæn/ *s* (*USA*) carrinha (*monovolume*)

mink /mɪŋk/ *s* (*pele*) vison, pele de marta

🔑 **minor** /ˈmaɪnə(r)/ *adjetivo, substantivo*
▸ *adj* **1** secundário, de pouca importância: *minor repairs* pequenas reparações ◇ *minor injuries* ferimentos leves **2** (*Mús*) menor
▸ *s* menor (de idade)

🔑 **minority** /maɪˈnɒrəti; *USA* -ˈnɔːr-/ *s* (*pl* **minorities**) [*v sing ou pl*] minoria: *a minority vote* um voto minoritário LOC **be in a/the minority** estar em minoria

mint /mɪnt/ *substantivo, verbo*
▸ *s* **1** hortelã **2** doce de menta **3** Casa da Moeda: *the Royal Mint* a Casa da Moeda **4 a mint** [*sing*] (*coloq*) dinheirão LOC **in mint condition** em perfeitas condições
▸ *vt* cunhar (*moeda*)

minus /ˈmaɪnəs/ *preposição, adjetivo, substantivo*
▸ *prep* **1** menos **2** (*temperatura*) abaixo de zero: *minus five* cinco graus abaixo de zero **3** (*coloq*) sem: *I'm minus my car today.* Estou sem carro hoje.
▸ *adj* (*Educ*) menos: *B minus (B-)* bom menos
▸ *s* (*pl* **minuses**) **1** (*tb* **minus sign**) sinal de menos **2** (*coloq*) desvantagem: *the pluses and*

M

minuses of sth os prós e os contra de alguma coisa

minute[1] /'mɪnɪt/ *s* **1** (*abrev* **min.**) minuto: *the minute hand* o ponteiro dos minutos **2** [*sing*] (*coloq*) minuto, momento: *Wait a minute!/Just a minute!* Espera um minuto! **3** [*sing*] instante: *at that very minute* naquele preciso instante **4 the minutes** [*pl*] ata (*de uma reunião*) LOC **(at) any minute (now)** a qualquer instante ◆ **not for a/one minute** nem por um segundo ◆ **the minute (that)...** logo que...

minute[2] /maɪ'nju:t; *USA* -'nu:t/ *adj* (**minutest**) **1** diminuto **2** minucioso **minutely** *adv* minuciosamente

miracle /'mɪrəkl/ *s* milagre: *a miracle cure* uma cura milagrosa LOC **perform/work miracles** (*coloq*) fazer milagres **miraculous** /mɪ'rækjələs/ *adj* milagroso: *He had a miraculous escape.* Escapou ileso por milagre.

mirage /'mɪrɑ:ʒ, mɪ'rɑ:ʒ; *USA* mə'rɑ:ʒ/ *s* miragem

mirror /'mɪrə(r)/ *substantivo, verbo*
▸ *s* **1** espelho: *mirror image* réplica exata/imagem invertida **2** (*em carro*) retrovisor
▸ *vt* refletir

mirth /mɜ:θ/ *s* [*não-contável*] (*formal*) **1** riso, risada **2** alegria

misadventure /ˌmɪsəd'ventʃə(r)/ *s* **1** (*formal*) desgraça **2** (*Jur*): *death by misadventure* morte acidental

misbehave /ˌmɪsbɪ'heɪv/ *vi* portar-se mal **misbehaviour** (*USA* **misbehavior**) *s* mau comportamento

miscalculation /ˌmɪskælkju'leɪʃn/ *s* erro de cálculo, engano

miscarriage /'mɪskærɪdʒ, ˌmɪs'k-/ *s* (*Med*) aborto (*involuntário*) ➲ *Comparar com* ABORTION LOC **miscarriage of justice** erro judiciário

miscellaneous /ˌmɪsə'leɪniəs/ *adj* variado: *miscellaneous expenditure* gastos vários

mischief /'mɪstʃɪf/ *s* [*não-contável*] **1** travessura, diabrura: *to keep out of mischief* não fazer travessuras **2** (*formal*) dano **mischievous** /'mɪstʃɪvəs/ *adj* **1** (*criança*) travesso **2** (*sorriso*) malicioso

misconceived /ˌmɪskən'si:vd/ *adj* mal planeado/pensado: *a misconceived project* um projeto mal planeado

misconception /ˌmɪskən'sepʃn/ *s* ideia errada: *It is a popular misconception that...* É comum crer erradamente que...

misconduct /ˌmɪs'kɒndʌkt/ *s* (*formal*) **1** (*Jur*) conduta imprópria: *professional misconduct* má conduta profissional **2** (*Com*) má gestão

miser /'maɪzə(r)/ *s* avarento, -a

miserable /'mɪzrəbl/ *adj* **1** triste, infeliz **2** desgraçado, miserável **3** miserável: *miserable weather* tempo horroroso ◇ *I had a miserable time.* Não me diverti nada. **miserably** *adv* **1** tristemente **2** miseravelmente: *Their efforts failed miserably.* Todos os seus esforços falharam.

miserly /'maɪzəli/ *adj* (*pej*) **1** avarento **2** mísero

misery /'mɪzəri/ *s* (*pl* **miseries**) **1** tristeza, sofrimento: *a life of misery* uma vida de cão **2** miséria **3** (*GB, coloq*) desmancha-prazeres LOC **put sb out of their misery** (*coloq*) acabar com o sofrimento de alguém

misfortune /ˌmɪs'fɔ:tʃu:n/ *s* azar, infelicidade

misgiving /ˌmɪs'gɪvɪŋ/ *s* [*ger pl*] dúvida, receio

misguided /ˌmɪs'gaɪdɪd/ *adj* errado: *misguided generosity* generosidade mal aconselhada

mishap /'mɪshæp/ *s* **1** incidente **2** percalço, contratempo

misinform /ˌmɪsɪn'fɔ:m/ *vt* ~ **sb (about sth)** informar mal alguém (sobre alguma coisa)

misinterpret /ˌmɪsɪn'tɜ:rprɪt/ *vt* interpretar mal **misinterpretation** *s* interpretação errada

misjudge /ˌmɪs'dʒʌdʒ/ *vt* **1** julgar mal **2** calcular mal

mislay /ˌmɪs'leɪ/ *vt* (*pt, pp* **mislaid**) perder, extraviar: *I seem to have mislaid my passport.* Não sei onde é que pus o passaporte.

mislead /ˌmɪs'li:d/ *vt* (*pt, pp* **misled** /-'led/) ~ **sb (about sth)** induzir alguém em erro (a respeito de alguma coisa): *Don't be misled by...* Não te deixes enganar por... **misleading** *adj* enganador

mismanagement /ˌmɪs'mænɪdʒmənt/ *s* má gestão

misogynist /mɪ'sɒdʒɪnɪst/ *s* misógino

misplaced /ˌmɪs'pleɪst/ *adj* **1** inadequado, fora do lugar **2** (*afeto, confiança*) indevido

misprint /'mɪsprɪnt/ *s* gralha (*erro de impressão*)

misread /ˌmɪs'ri:d/ *vt* (*pt, pp* **misread** /-'red/) **1** ler mal **2** interpretar mal

misrepresent /ˌmɪsˌreprɪ'zent/ *vt* deturpar, desvirtuar

Miss /mɪs/ *s* menina, senhora (*solteira*) ➲ *Ver nota em* MENINA

miss /mɪs/ *verbo, substantivo*
▸ **1** *vt, vi* falhar, não acertar: *to miss your footing* tropeçar **2** *vt* não chegar a horas a **3** *vt* não ver, não compreender: *You can't miss it.* É muito fácil de ver. ◇ *to miss the point of sth* não compreender o significado de alguma coisa ◇ *I missed what you said.* Não ouvi o que disseste. **4** *vt* sentir falta/saudades de **5** *vt* evitar: *to narrowly miss (hitting) sth* não bater em alguma coisa por pouco LOC **not miss much**; **not miss a trick** (*pessoa vivaça*) (*coloq*) não perder grande coisa PHR V **miss out (on sth)** perder a oportunidade (de alguma coisa) ♦ **miss sb/sth out** esquecer-se de alguém/alguma coisa
▸ *s* tentativa falhada, tiro errado LOC **give sth a miss** (*esp GB, coloq*) passar sem alguma coisa

missile /ˈmɪsaɪl; *USA* ˈmɪsl/ *s* **1** projétil **2** (*Mil*) míssil

missing /ˈmɪsɪŋ/ *adj* **1** perdido **2** que falta: *He has a tooth missing.* Falta-lhe um dente. **3** desaparecido: *missing persons* desaparecidos

mission /ˈmɪʃn/ *s* missão

missionary /ˈmɪʃənri; *USA* -neri/ *s* (*pl* **missionaries**) missionário, -a

mist /mɪst/ *substantivo, verbo*
▸ *s* **1** neblina, bruma ➲ *Comparar com* FOG, HAZE **2** (*fig*) névoa: *lost in the mists of time* perdido nas brumas do tempo
▸ *vt, vi* ~ **(sth) (up)**; ~ **over** embaciar alguma coisa, embaciar-se

mistake /mɪˈsteɪk/ *substantivo, verbo*
▸ *s* erro, engano: *to make a mistake* enganar-se

As palavras **mistake**, **error**, **fault** e **defect** estão todas relacionadas. **Mistake** é mais comum do que **error**. Contudo, em algumas construções só se pode usar **error**: *human error* erro humano ◇ *an error of judgement* um erro de julgamento.

Fault indica a culpa de uma pessoa: *It's all your fault.* A culpa é toda tua. Também pode indicar uma imperfeição: *an electrical fault* uma falha elétrica ◇ *He has many faults.* Tem muitos defeitos. **Defect** é uma imperfeição mais grave.

LOC **by mistake** por engano
▸ *vt* (*pt* **mistook** /mɪˈstʊk/, *pp* **mistaken** /mɪˈsteɪkən/) enganar-se em: *I mistook your meaning/what you meant.* Compreendi mal o que disseste. ◇ *There's no mistaking her.* Não há como confundi-la com outra pessoa. PHR V **mistake sb/sth for sb/sth** confundir alguém/alguma coisa com alguém/alguma coisa **mistakenly** *adv* erradamente, por engano

mistaken /mɪˈsteɪkən/ *adj* ~ **(about sb/sth)** enganado (a respeito de alguém/alguma coisa): *if I'm not mistaken* se não me engano

mister /ˈmɪstə(r)/ *s* (*abrev* **Mr**) senhor

mistletoe /ˈmɪsltəʊ, ˈmɪzl-/ *s* (*Bot*) visco

mistreat /ˌmɪsˈtriːt/ *vt* maltratar

mistress /ˈmɪstrəs/ *s* **1** amante **2** senhora **3** (*de animal, situação*) dona **4** (*esp GB, antiq*) professora

mistrust /ˌmɪsˈtrʌst/ *verbo, substantivo*
▸ *vt* desconfiar de
▸ *s* desconfiança

misty /ˈmɪsti/ *adj* **1** (*tempo*) enevoado **2** (*fig*) indistinto

misunderstand /ˌmɪsʌndəˈstænd/ *vt, vi* (*pt, pp* **misunderstood** /ˌmɪsʌndəˈstʊd/) compreender mal **misunderstanding** *s* **1** mal-entendido **2** desavença

misuse *substantivo, verbo*
▸ *s* /ˌmɪsˈjuːs/ **1** abuso **2** (*palavra*) uso indevido **3** (*de fundos*) desvio
▸ *vt* /ˌmɪsˈjuːz/ **1** abusar de **2** (*palavra*) empregar incorretamente **3** (*fundos*) desviar

mitigate /ˈmɪtɪgeɪt/ *vt* (*formal*) mitigar, atenuar

mitten /ˈmɪtn/ *s* luva (*com separação apenas para o polegar*)

mix /mɪks/ *verbo, substantivo*
▸ **1** *vt, vi* misturar(-se): *She mixed a drink for me.* Ela preparou-me uma bebida. **2** *vi* ~ **(with sb)** dar-se (com alguém): *She mixes well with other children.* Dá-se bem com as outras crianças. LOC **be/get mixed up in sth** estar envolvido/envolver-se em alguma coisa PHR V **mix sth in (with sth)**; **mix sth into sth** juntar alguma coisa (a alguma coisa) ♦ **mix sb/sth up (with sb/sth)** confundir alguém/alguma coisa (com alguém/alguma coisa)
▸ *s* **1** mistura **2** (*Cozinha*) preparado

mixed /mɪkst/ *adj* **1** misto **2** sortido **3** (*receção*) desigual **4** (*tempo*) instável LOC **have mixed feelings (about sb/sth)** ter sentimentos contraditórios (em relação a alguém/alguma coisa)

mixed-up /ˌmɪkst ˈʌp/ *adj* (*coloq*) desequilibrado, confuso: *a mixed-up kid* um miúdo com problemas

mixer /ˈmɪksə(r)/ *s* **1** batedeira **2** bebida não--alcoólica utilizada para fazer cocktails LOC **be a good/bad mixer** ser muito/pouco sociável

mixture /ˈmɪkstʃə(r)/ *s* **1** mistura **2** combinação

mix-up /ˈmɪks ʌp/ *s* (*coloq*) confusão

moan /məʊn/ *verbo, substantivo*

▸ **1** *vt, vi* gemer, dizer gemendo **2** *vi* ~ **(on) (about sth)**; ~ **(on) (at sb)** (*coloq*) queixar-se (de alguma coisa), queixar-se (de alguém)

▸ *s* **1** gemido **2** (*coloq*) queixa

moat /məʊt/ *s* fosso (*de castelo*)

mob /mɒb/ *substantivo, verbo*

▸ *s* **1** [*v sing ou pl*] populaça **2** (*coloq*) bando (*de amigos*) **3 the Mob** [*sing*] (*coloq*) a Máfia

▸ *vt* (**-bb-**) assediar

⚷ **mobile** /ˈməʊbaɪl; *USA* -bl/ *adjetivo, substantivo*

▸ *adj* **1** móvel: *a mobile workforce* uma força de trabalho móvel ◇ *mobile library* biblioteca ambulante ◇ *mobile home* autocaravana **2** (*rosto*) expressivo

▸ *s* **1** (*tb* **mobile phone**) telemóvel **2** móbile **mobility** /məʊˈbɪləti/ *s* mobilidade

mobilize, -ise /ˈməʊbəlaɪz/ **1** *vt, vi* (*Mil*) mobilizar(-se) **2** *vt* organizar

M

mock /mɒk/ *verbo, adjetivo, substantivo*

▸ *vt, vi* troçar de: *a mocking smile* um sorriso trocista

▸ *adj* [*só antes de substantivo*] **1** fictício: *mock battle* combate simulado **2** falso, de imitação

▸ *s* (*GB, coloq*) (*Educ*) teste formativo **mockery** *s* **1** [*não-contável*] troça **2** [*sing*] ~ **(of sth)** paródia (de alguma coisa) LOC **make a mockery of sth** ridicularizar alguma coisa

mode /məʊd/ *s* **1** meio (*de transporte, produção*) **2** forma, modo (*de pensar*)

⚷ **model** /ˈmɒdl/ *substantivo, verbo*

▸ *s* modelo: *scale model* maqueta ◇ *model car* carro em miniatura

▸ (**-ll-**, *USA* **-l-**) **1** *vi* fazer passagem de modelos, ser modelo **2** *vt* usar na passerelle: *The dress is being modelled by the designer's daughter.* A filha do desenhador usou o vestido no desfile. **3** *vt* fazer um modelo de PHR V **model yourself/sth on sb/sth** basear-se/basear alguma coisa em alguém/alguma coisa, tomar alguém/alguma coisa como modelo **modelling** (*USA* **modeling**) *s* **1** modelagem **2** profissão de modelo

modem /ˈməʊdem/ *s* modem

moderate *adjetivo, substantivo, verbo*

▸ *adj* /ˈmɒdərət/ **1** moderado: *Cook over a moderate heat.* Cozinhar em lume moderado. **2** regular, médio

▸ *s* /ˈmɒdərət/ moderado, -a

▸ *vt, vi* /ˈmɒdəreɪt/ moderar(-se): *a moderating influence* uma influência moderadora **moderation** *s* moderação LOC **in moderation** com moderação

moderator /ˈmɒdəreɪtə(r)/ *s* **1** mediador, -ora **2** moderador, -ora

⚷ **modern** /ˈmɒdn/ *adj* moderno: *to study modern languages* estudar línguas (vivas) **modernity** /məˈdɜːnəti/ *s* modernidade **modernize, -ise** /ˈmɒdənaɪz/ *vt, vi* modernizar(-se)

modest /ˈmɒdɪst/ *adj* **1** ~ **(about sth)** modesto (em relação a alguma coisa) **2** pequeno, moderado **3** (*quantia, preço*) módico **4** recatado **modesty** *s* modéstia

modify /ˈmɒdɪfaɪ/ *vt* (*pt, pp* **-fied**) modificar *Ver tb* GENETICALLY MODIFIED ℹ A palavra mais comum é **change**.

modular /ˈmɒdjələ(r); *USA* -dʒəl-/ *adj* modular

module /ˈmɒdjuːl; *USA* -dʒuːl/ *s* módulo

mogul /ˈməʊgl/ *s* magnata

moist /mɔɪst/ *adj* húmido: *a rich, moist fruit cake* um bolo de frutas saboroso e húmido ◇ *in order to keep your skin soft and moist* para manter a pele macia e hidratada

> Tanto **moist** como **damp** se traduzem por *húmido*. **Damp** é o termo mais frequente e pode ter um matiz negativo: *damp walls* paredes com humidade ◇ *Use a damp cloth.* Use um pano húmido. ◇ *cold, damp, rainy weather* tempo frio, húmido e chuvoso.

moisten /ˈmɔɪsn/ *vt, vi* humedecer(-se)

moisture /ˈmɔɪstʃə(r)/ *s* humidade **moisturize, -ise** *vt* hidratar **moisturizer, -iser** *s* creme hidratante

molar /ˈməʊlə(r)/ *s* (*Anat*) molar

mold, moldy (*USA*) = MOULD, MOULDY

mole /məʊl/ *s* **1** sinal (*na pele*) **2** toupeira

molecular /məˈlekjələ(r)/ *adj* molecular

molecule /ˈmɒlɪkjuːl/ *s* molécula

molest /məˈlest/ *vt* abusar sexualmente de ➲ *Comparar com* BOTHER, DISTURB

mollify /ˈmɒlɪfaɪ/ *vt* (*pt, pp* **-fied**) (*formal*) acalmar, apaziguar

molten /ˈməʊltən/ *adj* fundido

⚷ **mom** /mɒm/ *s* (*USA, coloq*) mãe

⚷ **moment** /ˈməʊmənt/ *s* momento, instante: *One moment/Just a moment/Wait a moment.* Um momento/Só um momento/Espere um momento. ◇ *I'll only be/I won't be a moment.* Não vou demorar. LOC **at a moment's notice** quase de imediato, ao primeiro aviso ◆ **(at) any moment (now)** a qualquer momento ◆ **at the moment** de momento, por agora ◆ **for the moment/present** de momento, por agora ◆ **not for a/one moment** nem por um segundo ◆ **the moment of truth** o momento/a hora da verdade ◆ **the moment (that...)** logo que... *Ver tb* SPUR

momentarily /'məʊməntrəli; *USA* ˌməʊmən'terəli/ *adv* momentaneamente

momentary /'məʊməntri; *USA* -teri/ *adj* momentâneo

momentous /mə'mentəs; *USA* məʊ'm-/ *adj* muito importante

momentum /mə'mentəm, məʊ'm-/ *s* **1** ímpeto, impulso **2** (*Fís*) velocidade (adquirida): *to gain/gather momentum* ganhar velocidade

mommy /'mɒmi/ *s* (*pl* **mommies**) (*USA, coloq*) mamã

monarch /'mɒnək/ *s* monarca **monarchy** *s* (*pl* **monarchies**) monarquia

monastery /'mɒnəstri; *USA* -teri/ *s* (*pl* **monasteries**) mosteiro

monastic /mə'næstɪk/ *adj* monástico

Monday /'mʌndeɪ, -di/ *s* (*abrev* **Mon.**) segunda-feira ❶ Os dias da semana em inglês escrevem-se com maiúscula: *every Monday* todas as segundas-feiras ◇ *last/next Monday* segunda passada/que vem ◇ *the Monday before last/after next* segunda-feira faz quinze dias/daqui a quinze dias ◇ *Monday morning/evening* segunda de manhã/tarde ◇ *Monday week/a week on Monday* Não a segunda que vem, mas a próxima. ◇ *I'll see you (on) Monday.* Vemo-nos segunda-feira. ◇ *We usually play badminton on Mondays/on a Monday.* Normalmente jogamos badminton às segundas/à segunda. ◇ *The museum is open Monday to Friday.* O museu está aberto de segunda a sexta. ◇ *Did you read the article about Italy in Monday's paper?* Leste o artigo sobre a Itália no jornal de segunda?

monetary /'mʌnɪtri; *USA* -teri/ *adj* monetário

money /'mʌni/ *s* [*não-contável*] dinheiro: *to spend/save money* gastar/poupar dinheiro ◇ *to earn/make money* ganhar dinheiro ◇ *money worries* problemas de dinheiro LOC **get your money's worth** compensar o dinheiro gasto, fazer uma boa compra *Ver tb* ROLL

monitor /'mɒnɪtə(r)/ *substantivo, verbo*
- *s* **1** (*TV, Informát*) ecrã ➲ *Ver ilustração em* COMPUTADOR **2** (*eleições*) observador, -ora
- *vt* **1** controlar, observar **2** (*Rádio*) escutar **monitoring** *s* controlo, supervisão

monk /mʌŋk/ *s* monge

monkey /'mʌŋki/ *s* (*pl* **monkeys**) **1** macaco **2** (*coloq*) (*criança*) diabrete

monogamous /mə'nɒgəməs/ *adj* monógamo

monogamy /mə'nɒgəmi/ *s* monogamia

monolithic /ˌmɒnə'lɪθɪk/ *adj* (*lit e fig*) monolítico

monologue (*USA tb* **monolog**) /'mɒnəlɒg; *USA* -lɔːg/ *s* monólogo

monopolize, -ise /mə'nɒpəlaɪz/ *vt* monopolizar

monopoly /mə'nɒpəli/ *s* (*pl* **monopolies**) monopólio

monoxide /mɒ'nɒksaɪd/ *s* monóxido

monsoon /ˌmɒn'suːn/ *s* monção, época das monções

monster /'mɒnstə(r)/ *s* monstro

monstrosity /mɒn'strɒsəti/ *s* (*pl* **monstrosities**) monstruosidade

monstrous /'mɒnstrəs/ *adj* monstruoso

month /mʌnθ/ *s* mês: *£14 a month* 14 libras por mês ◇ *I haven't seen her for months.* Há meses que não a vejo.

monthly /'mʌnθli/ *adjetivo, advérbio, substantivo*
- *adj* mensal
- *adv* mensalmente
- *s* (*pl* **monthlies**) publicação mensal

monument /'mɒnjumənt/ *s* monumento **monumental** /ˌmɒnju'mentl/ *adj* **1** monumental **2** excecional **3** (*negativo*) tremendo

moo /muː/ *vi* (*pt, pp* **mooed** *part pres* **mooing**) mugir

mood /muːd/ *s* **1** humor: *to be in a good/bad mood* estar de bom/mau humor **2** mau humor: *He's in a mood.* Está de mau humor. **3** ambiente **4** (*Gram*) modo LOC **be in the/in no mood to do sth/for (doing) sth** ter/não ter vontade de (fazer) alguma coisa **moody** *adj* (**moodier, -iest**) **1** temperamental **2** mal-humorado

moon /muːn/ *substantivo, verbo*
- *s* lua LOC **over the moon** (*esp GB, coloq*) louco de contentamento *Ver tb* ONCE
- *v* PHR V **moon about/around** (*GB, coloq*) andar de um lado para o outro distraidamente

moonlight /'muːnlaɪt/ *substantivo, verbo*
- *s* luar
- *vi* (*pt, pp* **moonlighted**) (*coloq*) ter um gancho/biscate **moonlit** /'muːnlɪt/ *adj* iluminado pela lua

moor /mʊə(r), mɔː(r)/ *substantivo, verbo*
- *s* (*tb* **moorland** /'mʊələnd, 'mɔː-/) charneca
- *vt, vi* ~ **(sth) (to sth)** (*Náut*) amarrar (alguma coisa) (a alguma coisa) **mooring** *s* **1 moorings** [*pl*] amarras **2** amarradouro, ancoradouro

Moorish /'mɔːrɪʃ, 'mʊər-/ *adj* mourisco

mop /mɒp/ *substantivo, verbo*
- *s* **1** esfregona **2** (*cabelo*) trunfa

▸ *vt* (**-pp-**) **1** limpar, lavar **2** (*lágrimas*) enxugar
PHR V **mop sth up** limpar alguma coisa

mope /məʊp/ *vi* estar/andar em baixo/abatido
PHR V **mope about/around** (*pej*) andar deprimido

moped /ˈməʊped/ *s* (bicicleta) motorizada

moral /ˈmɒrəl; *USA* ˈmɔːrəl/ *substantivo, adjetivo*
▸ *s* **1 morals** [*pl*] moralidade **2** moral
▸ *adj* moral: *a moral tale* uma história didática

morale /məˈrɑːl; *USA* -ˈræl/ *s* moral, ânimo: *to raise sb's morale* levantar o moral de alguém

moralistic /ˌmɒrəˈlɪstɪk; *USA* ˌmɔːr-/ *adj* (*freq pej*) moralista

morality /məˈræləti/ *s* moral, moralidade: *standards of morality* valores morais

moralize, -ise /ˈmɒrəlaɪz; *USA* ˈmɔːr-/ *vi* (*freq pej*) dar lições de moral

morally /ˈmɒrəli; *USA* ˈmɔːr-/ *adv* moralmente: *to behave morally* portar-se de forma honrada

M

morbid /ˈmɔːbɪd/ *adj* **1** mórbido **2** (*Med*) patológico

more /mɔː(r)/ *adjetivo, pronome, advérbio*
▸ *adj, pron* mais: *more than £50* mais de 50 libras ◇ *more money than sense* mais dinheiro do que juízo ◇ *more food than could be eaten* mais comida do que seria possível comer ◇ *You've had more to drink than me/than I have.* Bebeste mais do que eu. ◇ *I'll take three more.* Vou levar mais três. ◇ *I hope we'll see more of you.* Espero que nos vejamos mais vezes.
▸ *adv* **1** mais ❶ Usa-se para formar comparativos de *adjetivos* e *advérbios* com duas ou mais sílabas.: *more quickly* mais depressa ◇ *more expensive* mais caro **2** mais: *once more* uma vez mais ◇ *It's more of a hindrance than a help.* Estorva mais do que ajuda. ◇ *even more so* ainda mais ◇ *That's more like it!* Assim, sim!
LOC **be more than happy, glad, willing, etc. to do sth** ter todo o gosto em fazer alguma coisa ◆ **more and more** cada vez mais, mais e mais ◆ **more or less** mais ou menos: *more or less finished* mais ou menos acabado ◆ **the more, less, etc...., the more, less, etc....** quanto mais, menos, etc...., mais, menos, etc....: *The more she thought about it, the more depressed she became.* Quanto mais pensava naquilo, mais deprimida ficava. ◆ **what is more** além do mais, para além disso *Ver tb* ALL

moreover /mɔːrˈəʊvə(r)/ *adv* (*formal*) além do mais, além disso

morgue /mɔːɡ/ *s* morgue

morning /ˈmɔːnɪŋ/ *s* **1** manhã: *on Sunday morning* domingo de manhã ◇ *tomorrow morning* amanhã de manhã ◇ *on the morning of the wedding* na manhã do dia do casamento ◇ *the morning papers* os jornais matutinos **2** manhã, madrugada: *in the early hours of Sunday morning* domingo de madrugada/de manhã cedo ◇ *at three in the morning* às três da manhã LOC **good morning!** bom dia! ❶ Familiarmente, diz-se muitas vezes simplesmente **morning!** em vez de **good morning!** ◆ **in the morning 1** de manhã: *eleven o'clock in the morning* onze da manhã **2** (*do dia seguinte*) amanhã de manhã: *I'll call her in the morning.* Telefono-lhe amanhã de manhã.

Utilizamos a preposição **in** com **morning**, **afternoon** e **evening** para nos referirmos a determinado momento do dia: *at three o'clock in the afternoon* às três da tarde. Utilizamos **on** para fazer referência a um ponto no calendário: *on a cool May morning* numa fria manhã de maio ◇ *on Monday afternoon* segunda-feira à tarde ◇ *on the morning of the 4th of September* no dia 4 de setembro pela manhã. No entanto, quando combinado com **tomorrow**, **this**, **that** e **yesterday** não se usa preposição: *They'll leave this evening.* Partem esta tarde. ◇ *I saw her yesterday morning.* Vi-a ontem de manhã.

moron /ˈmɔːrɒn/ *s* (*coloq, ofen*) imbecil

morose /məˈrəʊs/ *adj* taciturno **morosely** *adv* taciturnamente

morphine /ˈmɔːfiːn/ *s* morfina

morsel /ˈmɔːsl/ *s* pedaço (*de comida*)

mortal /ˈmɔːtl/ *adj, s* mortal **mortality** /mɔːˈtæləti/ *s* mortalidade

mortar /ˈmɔːtə(r)/ *s* **1** argamassa **2** (*arma*) morteiro **3** almofariz

mortgage /ˈmɔːɡɪdʒ/ *substantivo, verbo*
▸ *s* hipoteca: *mortgage (re)payment* pagamento da hipoteca
▸ *vt* hipotecar

mortician /mɔːˈtɪʃn/ *s* agente funerário

mortify /ˈmɔːtɪfaɪ/ *vt* (*pt, pp* **-fied**) mortificar

mortuary /ˈmɔːtʃəri; *USA* -tʃueri/ *s* (*pl* **mortuaries**) casa/capela mortuária

mosaic /məʊˈzeɪɪk/ *s* mosaico

Moslem *adj, s* = MUSLIM

mosque /mɒsk/ *s* mesquita

mosquito /məsˈkiːtəʊ, mɒs-/ *s* (*pl* **mosquitoes** *ou* **mosquitos**) mosquito: *mosquito net* mosquiteiro

moss /mɒs; *USA* mɔːs/ *s* musgo

most /məʊst/ *adjetivo, pronome, advérbio*
▸ *adj* **1** mais, a maior parte de: *Who got (the) most votes?* Quem conseguiu mais votos?

◊ *We spent most time in Rome.* Passámos a maior parte do tempo em Roma. **2** a maioria de: *most days* quase todos os dias
▸ *pron* **1** *I ate (the) most.* Fui eu o que mais comeu. ◊ *the most I could offer you* o máximo que lhe poderia oferecer **2** ~ **(of sb/sth)** a maioria (de alguém/alguma coisa): *Most of you know.* A maioria de vocês sabe. ◊ *most of the day* quase todo o dia

Most é o superlativo de **much** e de **many** e usa-se com substantivos não-contáveis ou no plural: *Who's got the most time?* Quem tem mais tempo? ◊ *most children* a maioria das crianças. No entanto, quando precede pronomes, ou quando o substantivo que se lhe segue é acompanhado de **the** ou de um adjetivo possessivo ou demonstrativo, usa-se **most of**: *most of my friends* a maioria dos meus amigos ◊ *most of us* a maioria de nós ◊ *most of these books* a maioria destes livros.

▸ *adv* **1** mais ❶ Usa-se para formar o superlativo de locuções adverbiais, adjetivos e advérbios com duas ou mais sílabas: *This is the most interesting book I've read for a long time.* Este é o livro mais interessante que li nos últimos tempos. ◊ *What upset me (the) most was that...* O que mais me doeu foi... ◊ *most of all* sobretudo. **2** muito: *most likely* muito provável LOC **at (the) most** quando muito, no máximo

⚷ **mostly** /ˈməʊstli/ *adv* principalmente, em geral

moth /mɒθ; *USA* mɔːθ/ *s* traça

⚷ **mother** /ˈmʌðə(r)/ *substantivo, verbo*
▸ *s* mãe
▸ *vt* **1** criar (como mãe) **2** mimar **motherhood** *s* maternidade (*estado*)

mother-in-law /ˈmʌðər ɪn lɔː/ *s* (*pl* **mothers-in-law**) sogra

motherly /ˈmʌðəli/ *adj* maternal

mother-to-be /ˌmʌðə tə ˈbiː/ *s* (*pl* **mothers-to-be**) futura mãe

mother tongue *s* língua materna

motif /məʊˈtiːf/ *s* **1** motivo, adorno **2** tema

⚷ **motion** /ˈməʊʃn/ *substantivo, verbo*
▸ *s* **1** movimento: *motion picture* filme (de cinema) **2** (*em reunião*) moção LOC **go through the motions (of doing sth)** fazer alguma coisa automaticamente/para cumprir formalidades ◆ **put/set sth in motion** pôr alguma coisa em movimento/funcionamento *Ver tb* SLOW
▸ *vt, vi* ~ **to sb (to do sth)**; ~ **(for) sb to do sth** fazer sinais, indicar por gestos a alguém (para que faça alguma coisa): *to motion sb in* fazer sinal a alguém para entrar **motionless** *adj* imóvel

motivate /ˈməʊtɪveɪt/ *vt* motivar **motivation** *s* motivação

motive /ˈməʊtɪv/ *s* ~ **(for sth)** motivo (para alguma coisa): *He had an ulterior motive.* Tinha segundas intenções. ❶ A tradução mais comum de *motivo* é **reason**.

motocross /ˈməʊtəʊkrɒs; *USA* -krɔːs/ *s* motocross

⚷ **motor** /ˈməʊtə(r)/ *s* **1** motor ➲ *Ver nota em* ENGINE **2** (*GB, antiq ou hum*) carro

⚷ **motorbike** /ˈməʊtəbaɪk/ *s* moto, mota

motorboat /ˈməʊtəbəʊt/ *s* barco a motor

motor car *s* (*GB, formal*) carro

⚷ **motorcycle** /ˈməʊtəsaɪkl/ *s* mota **motorcycling** *s* (*Desp*) motociclismo **motorcyclist** *s* motociclista

motorhome /ˈməʊtəhəʊm/ *s* autocaravana

motoring /ˈməʊtərɪŋ/ *s* automobilismo: *motoring offences* infrações de trânsito

motorist /ˈməʊtərɪst/ *s* automobilista

motorized, -ised /ˈməʊtəraɪzd/ *adj* [*só antes de substantivo*] motorizado

motor racing *s* (*Desp*) automobilismo

motorway /ˈməʊtəweɪ/ *s* autoestrada

mottled /ˈmɒtld/ *adj* sarapintado

motto /ˈmɒtəʊ/ *s* (*pl* **mottoes** *ou* **mottos**) lema

mould (*USA* **mold**) /məʊld/ *substantivo, verbo*
▸ *s* **1** molde **2** bolor
▸ *vt, vi* moldar(-se) **mouldy** (*USA* **moldy**) *adj* bolorento: *to go mouldy* tornar-se/ficar bolorento

mound /maʊnd/ *s* **1** montículo **2** monte (*de areia, arroz, etc.*)

⚷ **mount** /maʊnt/ *substantivo, verbo*
▸ *s* **1 Mount** (*abrev* **Mt**) (*Geog*) monte **2** suporte, moldura **3** (*de quadro*) passe-partout
▸ **1** *vt* (*cavalo*) montar **2** *vt* (*fotografia*) emoldurar **3** *vt* (*quadro*) encaixilhar **4** *vt* organizar, montar **5** *vt* instalar **6** *vi* elevar-se, aumentar PHR V **mount up** aumentar

⚷ **mountain** /ˈmaʊntən; *USA* ˈmaʊntn/ *s* **1** montanha: *mountain range* cordilheira **2 the mountains** [*pl*] (*em contraste com a praia*) a montanha **3 a** ~ **of sth** (*tb* **mountains** [*pl*]) (*coloq*) um monte de alguma coisa

mountain bike *s* bicicleta de montanha **mountain biking** *s* fazer BTT

mountaineer /ˌmaʊntəˈnɪə(r); *USA* -tnˈɪər/ *s* alpinista **mountaineering** *s* alpinismo

mountainous /ˈmaʊntənəs; *USA* ˈmaʊntnəs/ *adj* montanhoso

M

mountainside /ˈmaʊntənsaɪd/ *s* encosta da montanha

mounting /ˈmaʊntɪŋ/ *adj* [*só antes de substantivo*] crescente

mourn /mɔːn/ **1** *vi* estar de luto **2** *vt, vi* ~ **sb/for sb** chorar a morte de alguém **3** *vt, vi* ~ **(sth/for sth)** lamentar alguma coisa, lamentar-se **mourner** *s* pessoa que acompanha um enterro **mournful** *adj* triste, pesaroso **mourning** *s* luto: *in mourning* de luto

⚷ **mouse** /maʊs/ *s* **1** (*pl* **mice** /maɪs/) rato **2** (*pl* **mice** /maɪs/ *ou* **mouses**) (*Informát*) rato: *mouse mat* tapete do rato ➲ *Ver ilustração em* COMPUTADOR

mousse /muːs/ *s* mousse

moustache (*USA* **mustache**) /məˈstɑːʃ; *USA* ˈmʌstæʃ/ *s* bigode

⚷ **mouth** /maʊθ/ *s* (*pl* **mouths** /maʊðz/) **1** boca **2** foz (*de rio*) LOC *Ver* FOOT, LOOK, MELT **mouthful** *s* **1** bocado **2** (*líquido*) gole

mouth organ *s* harmónica

mouthpiece /ˈmaʊθpiːs/ *s* **1** (*Mús*) bocal, boquilha **2** bocal (*de telefone*) **3** ~ **(of/for sb)** porta-voz (de alguém)

mouthwash /ˈmaʊθwɒʃ; *USA* -wɔːʃ/ *s* colutório

movable (*tb* **moveable**) /ˈmuːvəbl/ *adj* móvel

⚷ **move** /muːv/ *verbo, substantivo*

▸ **1** *vt, vi* mover(-se): *Don't move!* Não te mexas! ◇ *It's your turn to move.* É a tua vez. **2** *vt, vi* mudar(-se), mudar de sítio: *I'm going to move the car before they give me a ticket.* Vou mudar o carro de sítio antes que me ponham uma multa. ◇ *He has been moved to London.* Foi transferido para Londres. ◇ *They sold the house and moved to Scotland.* Venderam a casa e foram viver para a Escócia. **3** *vt* comover **4** *vt* ~ **sb (to do sth)** (*formal*) levar alguém (a fazer alguma coisa) LOC **get (sth) moving** (*coloq*) pôr-se/por alguma coisa a andar ◆ **move house** mudar de casa *Ver tb* KILL PHR V **move about/around** mover-se (de um lado para o outro) ◆ **move (sth) away** afastar-se, afastar alguma coisa ◆ **move forward** avançar ◆ **move in; move into sth** instalar-se (em alguma coisa) (*numa nova casa*) ◆ **move on (to sth)** mudar (para alguma coisa) (*de assunto, atividade, etc.*) ◆ **move out** mudar-se: *They had to move out.* Tiveram de se mudar.

▸ *s* **1** movimento **2** (*de casa, trabalho*) mudança **3** (*Xadrez, etc.*) jogada, vez **4** passo LOC **get a move on** (*coloq*) pôr-se a andar ◆ **make a move** (*GB, coloq*) **1** agir **2** ir-se embora *Ver tb* FALSE

⚷ **movement** /ˈmuːvmənt/ *s* **1** movimento **2** ~ **(towards/away from sth)** tendência (para alguma coisa/para distanciar-se de alguma coisa) **3** (*Mec*) mecanismo

⚷ **movie** /ˈmuːvi/ *s* (*esp USA*) filme (*cinematográfico*): *to go to the movies* ir ao cinema ◇ *movie stars* estrelas de cinema

⚷ **movie theater** *s* (*USA*) cinema (*lugar*)

⚷ **moving** /ˈmuːvɪŋ/ *adj* **1** móvel **2** comovente

mow /məʊ/ *vt* (*pt* **mowed** *pp* **mown** /məʊn/ *ou* **mowed**) ceifar, cortar PHR V **mow sb down** ceifar (a vida de) alguém **mower** *s* máquina de cortar relva

MP /ˌem ˈpiː/ *s* (*abrev de* **Member of Parliament**) (*GB*) deputado, -a

MP3 /ˌem piː ˈθriː/ *s* MP3

⚷ **Mr** /ˈmɪstə(r)/ *abrev* senhor (*abrev* Sr.)

⚷ **Mrs** /ˈmɪsɪz/ *abrev* senhora (*abrev* Sra.)

⚷ **Ms** /mɪz, məz/ *abrev* senhora (*abrev* Sra.)

MSP /ˌem es ˈpiː/ *s* (*abrev de* **Member of the Scottish Parliament**) deputado, -a no parlamento escocês

⚷ **much** /mʌtʃ/ *adj, pron, adv* muito: *much-needed* muito necessário ◇ *so much traffic* tanto trânsito ◇ *too much* demasiado ◇ *much too cold* demasiado frio ◇ *How much is it?* Quanto é? ◇ *as much as you can* tudo o que puderes ◇ *for much of the day* a maior parte do dia ◇ *Much to her surprise...* Para grande surpresa sua... ➲ *Ver nota em* MANY LOC **much as** por mais que ◆ **much the same** praticamente igual ◆ **not much of a...**: *He's not much of an actor.* Não é grande ator. *Ver tb* AS, HOW, SO, TOO

muck /mʌk/ *substantivo, verbo*

▸ *s* **1** esterco **2** (*esp GB, coloq*) porcaria

▸ *v* PHR V **muck about/around** (*GB, coloq*) mandriar ◆ **muck sth up** (*esp GB, coloq*) **1** estragar alguma coisa **2** sujar alguma coisa **mucky** *adj* (*esp GB, coloq*) sujo

mucus /ˈmjuːkəs/ *s* [*não-contável*] muco

⚷ **mud** /mʌd/ *s* lama, barro LOC *Ver* CLEAR

muddle /ˈmʌdl/ *verbo, substantivo*

▸ *vt* **1** ~ **sth (up)** baralhar alguma coisa **2** ~ **sb (up)** fazer confusão com alguém **3** ~ **sth (up)**; ~ **A (up) with B** confundir alguma coisa, confundir A com B

▸ *s* **1** desordem **2** ~ **(about/over sth)** confusão (com alguma coisa): *to get (yourself) into a muddle* meter-se numa confusão **muddled** *adj* confuso

muddy /ˈmʌdi/ *adj* (**muddier, -iest**) **1** enlameado: *muddy footprints* pegadas de lama **2** (*fig*) turvo, pouco claro

mudguard /ˈmʌdgɑːd/ *s* para-lamas

muffin /ˈmʌfɪn/ *s* **1** tipo de pãozinho redondo e achatado **2** espécie de queque

muffled /ˈmʌfld/ *adj* **1** (*grito*) abafado **2** (*voz*) indistinto

mug /mʌg/ *substantivo, verbo*
▸ *s* **1** caneca ➲ *Ver ilustração em* CUP **2** (*calão*) cara **3** (*coloq*) (*pessoa*) trouxa LOC **a mug's game** (*esp GB, pej*) uma perda de tempo
▸ *vt* (**-gg-**) roubar (*com violência*) **mugger** *s* ladrão, ladrona **mugging** *s* roubo (*com violência*)

muggy /ˈmʌgi/ *adj* abafado (*tempo*)

mulberry /ˈmʌlbəri; *USA* -beri/ *s* (*pl* **mulberries**) **1** (*tb* **mulberry tree**, **mulberry bush**) amoreira **2** amora **3** (*cor*) morado

mule /mju:l/ *s* **1** mula **2** chinelo

mull /mʌl/ *v* PHR V **mull sth over** pensar em alguma coisa

multicoloured (*USA* **multicolored**) /ˌmʌltiˈkʌləd/ *adj* multicolor

multinational /ˌmʌltiˈnæʃnəl/ *adj, s* multinacional

multiple /ˈmʌltɪpl/ *adj, s* múltiplo

multiple-choice /ˌmʌltɪpl ˈtʃɔɪs/ *adj* de escolha múltipla

multiple sclerosis /ˌmʌltɪpl skləˈrəʊsɪs/ *s* (*abrev* **MS**) [*não-contável*] esclerose múltipla

multiplex /ˈmʌltɪpleks/ *s* complexo com várias salas de cinema

multiplication /ˌmʌltɪplɪˈkeɪʃn/ *s* multiplicação: *multiplication table* tabuada ◇ *multiplication sign* sinal de multiplicar

multiply /ˈmʌltɪplaɪ/ *vt, vi* (*pt, pp* **-plied**) multiplicar(-se)

multi-purpose /ˌmʌlti ˈpɜ:pəs/ *adj* multiusos

multi-storey /ˌmʌlti ˈstɔ:ri/ *adj* de vários andares: *multi-storey car park* parque de estacionamento com vários andares

multitasking /ˌmʌltiˈtɑ:skɪŋ; *USA* -ˈtæsk-/ *s* capacidade de desempenhar várias tarefas ao mesmo tempo

multitude /ˈmʌltɪtju:d; *USA* -tu:d/ *s* (*formal*) multidão

mum /mʌm/ *s* (*coloq*) mãe

mumble /ˈmʌmbl/ *vt, vi* murmurar, resmungar: *Don't mumble!* Fala claro!

mummy /ˈmʌmi/ *s* (*pl* **mummies**) **1** (*coloq*) mamã **2** múmia

mumps /mʌmps/ *s* [*não-contável*] papeira

munch /mʌntʃ/ *vt, vi* ~ **(sth/on sth)** mastigar (alguma coisa) (*esp ruidosamente*)

mundane /mʌnˈdeɪn/ *adj* (*freq pej*) comum, mundano

municipal /mju:ˈnɪsɪpl/ *adj* municipal

munitions /mju:ˈnɪʃnz/ *s* [*pl*] munições

mural /ˈmjʊərəl/ *s* (pintura) mural

murder /ˈmɜ:də(r)/ *substantivo, verbo*
▸ *s* **1** assassínio, homicídio ➲ *Comparar com* MANSLAUGHTER, HOMICIDE **2** (*coloq*) um pesadelo: *The traffic was murder today.* O trânsito hoje estava um inferno. LOC **get away with murder** (*coloq*) fazer o que lhe apetece (sem ser castigado)
▸ *vt* assassinar, matar ➲ *Ver nota em* ASSASSINAR **murderer** *s* assassino, -a **murderous** *adj* **1** homicida **2** (*muito desagradável*) assassino: *a murderous look* um olhar fulminante

murky /ˈmɜ:ki/ *adj* (**murkier**, **-iest**) **1** (*água, assunto, carácter, etc.*) turvo **2** (*dia, noite, etc.*) lúgubre, sombrio

murmur /ˈmɜ:mə(r)/ *substantivo, verbo*
▸ *s* murmúrio LOC **without a murmur** sem um pio
▸ *vt, vi* murmurar

muscle /ˈmʌsl/ *substantivo, verbo*
▸ *s* **1** músculo: *muscle injury* lesão muscular ◇ *Don't move a muscle!* Não te mexas! **2** (*fig*) força
▸ *v* PHR V **muscle in (on sb/sth)** (*coloq, pej*) imiscuir-se, intrometer-se (em alguma coisa) **muscular** /ˈmʌskjələ(r)/ *adj* **1** muscular **2** musculoso

muse /mju:z/ *substantivo, verbo*
▸ *s* musa
▸ **1** *vi* ~ **(about/over/on sth)** meditar, refletir (sobre alguma coisa) **2** *vt*: *'How interesting,' he mused.* —Que interessante, disse pensativo.

museum /mjuˈzi:əm/ *s* museu ➲ *Ver nota em* MUSEU

mushroom /ˈmʌʃrʊm, -ru:m/ *substantivo, verbo*
▸ *s* cogumelo
▸ *vi* crescer rapidamente

mushy /ˈmʌʃi/ *adj* (**mushier**, **-iest**) **1** mole **2** (*coloq, pej*) sentimental, piegas

music /ˈmju:zɪk/ *s* **1** música: *a piece of music* uma peça musical **2** (*texto*) partitura

musical /ˈmju:zɪkl/ *adjetivo, substantivo*
▸ *adj* musical: *to be musical* ter talento para a música
▸ *s* (comédia) musical

musician /mjuˈzɪʃn/ *s* músico, -a **musicianship** *s* mestria musical

musk /mʌsk/ *s* almíscar

Muslim (*tb* **Moslem**) /ˈmʊzlɪm; *USA* ˈmʌzləm/ *adj, s* muçulmano, -a

M

muslin /'mʌzlɪn/ *s* musselina

mussel /'mʌsl/ *s* mexilhão

⚷ **must** *verbo, substantivo*

▸ *v modal* /məst, mʌst/ (*neg* **must not** *ou* **mustn't** /'mʌsnt/)

Must é um verbo modal seguido de um infinitivo sem **to**, e as orações interrogativas e negativas constroem-se sem o auxiliar **do**: *Must you go?* Tens mesmo de ir embora? ◇ *We mustn't tell her.* Não lhe devemos dizer. **Must** só se usa no presente: *I must leave early.* Tenho de sair cedo. Quando necessitamos de outros tempos, utilizamos **have to**: *He'll have to come tomorrow.* Terá de vir amanhã. ◇ *We had to eat quickly.* Tivemos de comer rapidamente.

- **obrigação e proibição** dever, ter de: *'Must you go so soon?' 'Yes, I must.'* —Tens de ir tão cedo? —Sim, tenho.

Must emprega-se para dar ordens ou para obrigar alguém ou obrigar-nos a nos próprios a seguir determinado comportamento: *The children must be back by four.* As crianças têm de estar aqui às quatro. ◇ *I must stop smoking.* Tenho de deixar de fumar. Quando as ordens são dadas por um agente externo, p. ex. por uma lei, uma regra, etc., usamos **have to**: *The doctor says I have to stop smoking.* O médico disse-me que tenho de deixar de fumar. ◇ *You have to send it off before Tuesday.* Tens de enviá-lo antes de segunda. Na negativa, **must not** ou **mustn't** exprimem uma proibição: *You mustn't open other people's post.* Não deves abrir as cartas dos outros. Contudo, **haven't got to** ou **don't have to** exprimem que não é necessário alguma coisa, quer dizer, que há uma ausência de obrigação: *You don't have to go if you don't want to.* Não tens de ir se não quiseres. ➲ *Comparar com* SHOULD

- **sugestão, recomendação, conselho** ter de: *You must come to lunch one day.* Tens de vir cá almoçar um dia. ❶ Na maioria dos casos, para fazer sugestões e dar conselhos usa-se **ought to** ou **should**.
- **probabilidade, conclusões** dever: *You must be hungry.* Deves estar com fome. ◇ *You must be Mr Smith.* Deve ser o Sr. Smith. LOC **if I, you, etc. must** se não houver outro remédio

▸ *s* /mʌst/ (*coloq*): *It's a must.* É imprescindível. ◇ *His new book is a must.* Não podes deixar de ler o último livro dele.

mustache (*USA*) = MOUSTACHE

mustard /'mʌstəd/ *s* (*Cozinha, cor*) mostarda

muster /'mʌstə(r)/ *vt* ~ **sth (up)** reunir alguma coisa: *to muster (up) enthusiasm* ganhar entusiasmo ◇ *to muster a smile* conseguir sorrir

musty /'mʌsti/ *adj* bafiento: *to smell musty* cheirar a bafio

mutant /'mju:tənt/ *adj, s* mutante

mutate /mju:'teɪt; *USA* 'mju:teɪt/ *vi* ~ **(into sth)** **1** transformar-se (em alguma coisa) **2** sofrer mutação (para alguma coisa) **mutation** *s* mutação

mute /mju:t/ *adjetivo, substantivo, verbo*

▸ *adj* mudo

▸ *s* (*Mús*) surdina

▸ *vt* **1** amortecer, abafar **2** (*Mús*) surdinar **muted** *adj* **1** (*som*) abafado **2** (*cor*) apagado **3** (*crítica*) velado **4** (*Mús*) em surdina

mutilate /'mju:tɪleɪt/ *vt* mutilar

mutinous /'mju:tənəs/ *adj* (*fig*) rebelde

mutiny /'mju:təni/ *s* (*pl* **mutinies**) motim

mutter /'mʌtə(r)/ **1** *vt, vi* ~ **(sth) (to sb) (about sth)** dizer entre dentes, murmurar (alguma coisa) (a alguém) (sobre alguma coisa) **2** *vi* ~ **(about sth)** resmungar (sobre alguma coisa)

mutton /'mʌtn/ *s* (carne de) borrego ➲ *Ver nota em* CARNE

mutual /'mju:tʃuəl/ *adj* **1** mútuo **2** comum: *a mutual friend* um amigo comum **mutually** *adv* mutuamente: *mutually beneficial* benéfico para ambas as partes

muzzle /'mʌzl/ *substantivo, verbo*

▸ *s* **1** focinho **2** açaime **3** (*de arma de fogo*) boca

▸ *vt* açaimar

⚷ **my** /maɪ/ *adj* meu(s), minha(s): *It was my fault.* A culpa foi minha. ◇ *My God!* Meu Deus! ❶ Em inglês usa-se o possessivo antes das partes do corpo e peças de roupa: *My feet are cold.* Tenho os pés frios. ➲ *Comparar com* MINE

myopia /maɪ'əʊpiə/ *s* miopia **myopic** /maɪ'ɒpɪk/ *adj* míope

⚷ **myself** /maɪ'self/ *pron* **1** [*uso reflexivo*] me: *I cut myself.* Cortei-me. ◇ *I said to myself...* Disse para mim... **2** [*uso enfático*] eu próprio, -a: *I will do it myself.* Eu próprio o farei. LOC **(all) by myself** (completamente) sozinho

⚷ **mysterious** /mɪ'stɪəriəs/ *adj* misterioso

⚷ **mystery** /'mɪstri/ *s* (*pl* **mysteries**) **1** mistério: *It's a mystery to me.* É (um) mistério para mim. **2** *mystery tour* viagem surpresa ◇ *the mystery assailant* o agressor anónimo **3** obra de teatro, romance, etc. de mistério

mystic /'mɪstɪk/ *substantivo, adjetivo*

▸ *s* místico, -a

▸ *adj* (*tb* **mystical**) místico **mysticism** /ˈmɪstɪsɪzəm/ *s* misticismo, mística

mystification /ˌmɪstɪfɪˈkeɪʃn/ *s* **1** perplexidade **2** confusão deliberada

mystify /ˈmɪstɪfaɪ/ *vt* (*pt, pp* **-fied**) deixar perplexo, mistificar **mystifying** *adj* desconcertante

mystique /mɪˈstiːk/ *s* (ar de) mistério

myth /mɪθ/ *s* mito **mythical** *adj* mítico

mythological /ˌmɪθəˈlɒdʒɪkl/ *adj* mitológico

mythology /mɪˈθɒlədʒi/ *s* (*pl* **mythologies**) mitologia

N n

N, n /en/ *s* (*pl* **Ns, N's, n's**) N, n ➲ *Ver nota em* A, A

naff /næf/ *adj* (*GB, coloq*) piroso

nag /næg/ *vt, vi* (**-gg-**) ~ **(at) sb 1** refilar com alguém: *She's always nagging (at) me to get my hair cut.* Ela está sempre a chatear-me para eu cortar o cabelo. **2** (*dor, suspeita*) moer alguém **nagging** *adj* **1** (*dor, suspeita*) persistente **2** (*pessoa*) chato

🔑 **nail** /neɪl/ *substantivo, verbo*

▸ *s* **1** unha: *nail varnish/polish* verniz para as unhas ◇ *nail file/brush* lima/escova para as unhas ➲ *Ver ilustração em* BRUSH **2** prego LOC *Ver* FIGHT, HIT, TOUGH

▸ *vt* ~ **sth to sth** pregar alguma coisa a/em alguma coisa PHR V **nail sb down (to sth)** fazer com que alguém dê uma resposta concreta (sobre alguma coisa), conseguir que alguém se comprometa

naive (*tb* **naïve**) /naɪˈiːv/ *adj* ingénuo

🔑 **naked** /ˈneɪkɪd/ *adj* **1** nu: *stark naked* nu em pelota

> *Nu* traduz-se de três formas em inglês: **bare**, **naked** e **nude**. Usa-se **bare** para se referir a partes do corpo: *bare arms*, **naked** refere-se geralmente a todo o corpo: *a naked body*, e **nude** usa-se para se falar de nus artísticos e eróticos: *a nude figure*.

2 (*chama, lâmpada*) descoberto **3** puro: *naked aggression* pura agressão ◇ *the naked truth* a verdade nua e crua LOC **with the naked eye** a olho nu, à vista desarmada

🔑 **name** /neɪm/ *substantivo, verbo*

▸ *s* **1** nome: *What's your name?* Como te chamas? ◇ *first/Christian name* nome (próprio/de batismo) **2** apelido **3** fama: *to make a name for yourself* ganhar reputação **4** figura, personagem LOC **by name** de nome ◆ **by the name of...** (*formal*) chamado... ◆ **enter your name (for sth); put your name down (for sth)** inscrever-se (em alguma coisa) ◆ **in the name of sb/sth; in sb/sth's name** em nome de alguém/alguma coisa

▸ *vt* **1** ~ **sb/sth sth** chamar alguma coisa a alguém/alguma coisa **2** ~ **sb/sth (after sb)**; (*USA*) ~ **sb/sth (for sb)** dar a alguém/alguma coisa o nome de alguém, dar nome a alguém/alguma coisa **3** identificar **4** (*data, preço*) fixar LOC **you name it** o que quer que imagine: *You name it, she makes it.* O que quer que queiras, ela fá-lo.

nameless /ˈneɪmləs/ *adj* anónimo, sem nome

namely /ˈneɪmli/ *adv* nomeadamente

namesake /ˈneɪmseɪk/ *s* homónimo

nanny /ˈnæni/ *s* (*pl* **nannies**) ama ➲ *Comparar com* BABYSITTER *em* BABYSIT, CHILDMINDER

nap /næp/ *s* soneca: *to have/take a nap* dormir uma soneca

nape /neɪp/ *s* ~ **(of sb's neck)** nuca

napkin /ˈnæpkɪn/ (*tb* **table napkin**) *s* guardanapo

nappy /ˈnæpi/ *s* (*pl* **nappies**) fralda

narcotic /nɑːˈkɒtɪk/ *adj, s* narcótico

narrate /nəˈreɪt; *USA* ˈnæreɪt/ *vt* narrar

narrative /ˈnærətɪv/ *substantivo, adjetivo*

▸ *s* **1** relato **2** narrativa

▸ *adj* narrativo

narrator /nəˈreɪtə(r)/ *s* narrador, -ora

🔑 **narrow** /ˈnærəʊ/ *adjetivo, verbo*

▸ *adj* (**narrower, -est**) **1** estreito **2** limitado **3** (*vantagem, maioria*) insignificante LOC **have a narrow escape** escapar por um triz

▸ *vt, vi* estreitar(-se) PHR V **narrow sth down (to sth)** reduzir alguma coisa (a alguma coisa) **narrowly** *adv*: *He narrowly escaped drowning.* Por pouco não se afogou.

narrow-minded /ˌnærəʊ ˈmaɪndɪd/ *adj* (*pej*) tacanho, intolerante

nasal /ˈneɪzl/ *adj* **1** nasal **2** (*voz*) fanhoso

nasty /ˈnɑːsti; *USA* ˈnæs-/ *adj* (**nastier, -iest**) **1** desagradável **2** (*cheiro*) repugnante **3** (*pessoa*) mau: *to be nasty to sb* ser mau para (com) alguém **4** (*situação, crime*) feio **5** grave, perigoso: *I had a nasty fall.* Dei uma queda horrível.

🔑 **nation** /ˈneɪʃn/ *s* nação

🔑 **national** /ˈnæʃnəl/ *adjetivo, substantivo*

▸ *adj* nacional: *national service* serviço militar

▸ *s* natural (*de um país*)

National Health Service *s* (*abrev* **NHS**) Serviço Nacional de Saúde (*na Grã-Bretanha*)

National Insurance *s* (*GB*) Segurança Social: *National Insurance contributions* contribuições para a Segurança Social

nationalism /ˈnæʃnəlɪzəm/ *s* nacionalismo **nationalist** *adj*, *s* nacionalista

nationality /ˌnæʃəˈnæləti/ *s* (*pl* **nationalities**) nacionalidade

nationalize, -ise /ˈnæʃnəlaɪz/ *vt* nacionalizar

nationally /ˈnæʃnəli/ *adv* nacionalmente, à escala nacional

nationwide /ˌneɪʃnˈwaɪd/ *adj*, *adv* em todo o território nacional, à escala nacional

native /ˈneɪtɪv/ *substantivo, adjetivo*

▸ *s* **1** natural, nativo, -a **2** (*antiq*, *freq pej*) indígena **3** [*traduz-se por adjetivo*] originário: *The koala is a native of Australia.* O coala é originário da Austrália.

▸ *adj* **1** natal: *native land* terra natal **2** indígena, nativo **3** ~ **to...** originário de... **4** *native speaker* falante nativo ◇ *native language/tongue* língua materna **5** inato

Native American *adj*, *s* índio americano, índia americana

⚷ **natural** /ˈnætʃrəl/ *adj* **1** natural **2** nato

naturalist /ˈnætʃrəlɪst/ *s* naturalista

⚷ **naturally** /ˈnætʃrəli/ *adv* **1** naturalmente, com naturalidade **2** claro, evidentemente

⚷ **nature** /ˈneɪtʃə(r)/ *s* **1** (*tb* **Nature**) natureza: *nature reserve* reserva natural **2** carácter, natureza: *good nature* boa natureza ◇ *It's not in my nature to...* Não sou pessoa para... **3** [*sing*] tipo, natureza LOC **in the nature of sth** semelhante a alguma coisa

naughty /ˈnɔːti/ *adj* (**naughtier**, **-iest**) **1** travesso: *to be naughty* ser traquinas **2** (*coloq*) (*anedota*) picante

nausea /ˈnɔːziə, -siə/ *s* enjoo, náusea

nauseating /ˈnɔːzieɪtɪŋ/ *adj* nauseabundo

nautical /ˈnɔːtɪkl/ *adj* náutico

naval /ˈneɪvl/ *adj* naval

nave /neɪv/ *s* nave (*de igreja*)

navel /ˈneɪvl/ *s* umbigo

navigate /ˈnævɪgeɪt/ **1** *vt*, *vi* navegar (por) **2** *vi* (*viajando de carro*) dar direções: *I'll drive and you can navigate.* Eu guio e tu podes ser o co-piloto. **3** *vt* (*barco*) governar **navigation** *s* navegação **navigator** *s* navegador, -ora

⚷ **navy** /ˈneɪvi/ *s* **1** (*pl* **navies**) marinha, frota **2 the navy, the Navy** [*sing*] a Marinha **3** (*tb* **navy blue**) azul-marinho

Nazi /ˈnɑːtsi/ *s* (*pl* **Nazis**) nazi

⚷ **near** /nɪə(r)/ *adjetivo, advérbio, preposição, verbo*

▸ *adj* (**nearer**, **-est**) próximo: *Which town is nearer?* Que cidade fica mais perto? ◇ *in the near future* num futuro próximo ◇ *to get nearer* aproximar-se

> De notar que antes de substantivos se usa o adjetivo **nearby** em vez de **near**: *a nearby village* uma aldeia próxima. Contudo, quando queremos utilizar outras formas do adjetivo, como o superlativo, temos de utilizar **near**: *the nearest shop* a loja mais próxima.

▸ *adv* (**nearer**, **-est**) perto: *I live quite near.* Moro bastante perto. ◇ *We are getting near to Christmas.* Estamos a chegar ao Natal.

> De notar que *I live nearby* é mais corrente do que *I live near*, mas **nearby** não costuma ser modificado por **quite**, **very**, etc.: *I live quite near.*

LOC **be nowhere near; not be anywhere near** não ser/estar de nenhuma maneira perto (de): *It's nowhere near the colour I'm looking for.* Não se parece nada com a cor de que estou à procura. *Ver tb* HAND

▸ *prep* perto de: *I live near the station.* Moro perto da estação. ◇ *Is there a bank near here?* Há um banco perto de aqui? ◇ *near the beginning* quase no princípio

▸ *vt*, *vi* aproximar(-se)

⚷ **nearby** /ˌnɪəˈbaɪ/ *adjetivo, advérbio*

▸ *adj* próximo

▸ *adv* perto: *She lives nearby.* Ela mora perto. ➲ *Ver nota em* NEAR

⚷ **nearly** /ˈnɪəli/ *adv* quase: *He nearly won.* Ele quase ganhou. ➲ *Ver nota em* QUASE LOC **not nearly** de nenhuma maneira, longe de: *We aren't nearly ready for the inspection.* Não estamos minimamente preparados para a inspeção.

nearsighted /ˌnɪəˈsaɪtɪd/ *adj* (*esp USA*) míope

⚷ **neat** /niːt/ *adj* (**neater**, **-est**) **1** bem-posto, bem--apessoado **2** (*aparência*) arrumado, arranjado **3** (*letra*) nítido **4** (*USA, coloq*) estupendo **5** (*bebida alcoólica*) puro, sem água

⚷ **neatly** /ˈniːtli/ *adv* **1** cuidadosamente, organizadamente **2** perfeitamente

⚷ **necessarily** /ˌnesəˈserəli, ˈnesəsərəli/ *adv* forçosamente, necessariamente

⚷ **necessary** /ˈnesəsəri; *USA* -seri/ *adj* **1** necessário: *Is it necessary for us to meet/necessary that we meet?* É necessário que nos reunamos? ◇ *if necessary* se for necessário **2** inevitável

necessitate /nəˈsesɪteɪt/ *vt* (*formal*) requerer, exigir

necessity /nəˈsesəti/ *s* (*pl* **necessities**) **1** necessidade **2** artigo de primeira necessidade

neck /nek/ *s* **1** pescoço: *to break your neck* partir o pescoço **2** (*de roupa*) colarinho LOC **be up to your neck in sth** ter alguma coisa até ao pescoço ◆ **neck and neck (with sb/sth)** a par (com alguém/alguma coisa) *Ver tb* BREATHE, PAIN, RISK, SCRUFF, WRING

necklace /ˈnekləs/ *s* colar

neckline /ˈneklaɪn/ *s* decote

nectarine /ˈnektəriːn/ *s* nectarina

need /niːd/ *verbo, substantivo*

▸ *vt* **1** precisar de: *Do you need any help?* Precisas de ajuda? ◇ *It needs painting.* Precisa de ser pintado. **2** ~ **to do sth** (*obrigação*) ter de fazer alguma coisa: *Do we really need to leave so early?* Temos mesmo que sair tão cedo? ❶ Neste sentido pode-se usar o verbo modal, mas é mais formal: *Need we really leave so early?*

▸ *v modal* (*neg* **need not** *ou* **needn't** /ˈniːdnt/) (*obrigação*) ter de: *Need I explain it again?* Tenho de explicar outra vez? ◇ *You needn't have come.* Não era preciso vires.

Quando **need** é um verbo modal, é seguido de um infinitivo sem **to** e constroem-se as orações interrogativas e negativas sem o auxiliar **do**.

▸ *s* ~ **(for sth)** necessidade (de alguma coisa) LOC **be in need of sth** precisar de alguma coisa ◆ **if need be** se for preciso

needle /ˈniːdl/ *s* agulha LOC *Ver* PIN

needless /ˈniːdləs/ *adj* desnecessário LOC **needless to say** escusado será dizer

needlework /ˈniːdlwɜːk/ *s* [*não-contável*] costura, bordado

needy /ˈniːdi/ *adj* (**needier, -iest**) necessitado

negative /ˈnegətɪv/ *adj, s* negativo

neglect /nɪˈglekt/ *verbo, substantivo*

▸ *vt* **1** negligenciar, não prestar atenção a **2** ~ **to do sth** (*formal*) esquecer-se de fazer alguma coisa

▸ *s* abandono

negligence /ˈneglɪdʒəns/ *s* (*formal*) negligência

negligent /ˈneglɪdʒənt/ *adj* (*formal*) negligente

negligible /ˈneglɪdʒəbl/ *adj* insignificante

negotiate /nɪˈgəʊʃieɪt/ **1** *vt, vi* ~ **(sth) (with sb)**; ~ **for/about sth** negociar (alguma coisa) (com alguém) **2** *vt* (*obstáculo*) transpor **negotiation** *s* negociação

neigh /neɪ/ *verbo, substantivo*

▸ *vi* relinchar

▸ *s* relincho

neighbour (*USA* **neighbor**) /ˈneɪbə(r)/ *s* **1** vizinho, -a **2** (*formal*) próximo

neighbourhood (*USA* **neighborhood**) /ˈneɪbəhʊd/ *s* **1** bairro, zona **2** (*pessoas*) vizinhança

neighbouring (*USA* **neighboring**) /ˈneɪbərɪŋ/ *adj* vizinho

neither /ˈnaɪðə(r), ˈniː-/ *adjetivo, pronome, advérbio*

▸ *adj, pron* nem um nem outro, nenhum ➲ *Ver nota em* NENHUM

▸ *adv* **1** também não, nem

Quando **neither** significa "também não", pode ser substituído por **nor**. Utiliza-se com ambas as palavras a seguinte estrutura: **neither/nor + v aux/v modal + sujeito**: *'I didn't go.' 'Neither/Nor did I.'* —Eu não fui. —Eu também não. ◇ *I can't swim and neither/nor can my brother.* Eu não sei nadar e o meu irmão também não.
Either pode significar "também não", mas requer um verbo na negativa e a sua posição na frase é diferente: *I don't like it, and I can't afford it either.* Não gosto, e também não tenho dinheiro para o comprar. ◇ *My sister didn't go either.* A minha irmã também não foi. ◇ *'I haven't seen that film.' 'I haven't either.'* —Não vi esse filme. —Eu também não.

2 neither...nor nem...nem

neon /ˈniːɒn/ *s* néon

nephew /ˈnefjuː, ˈnev-/ *s* sobrinho: *I've got two nephews and one niece.* Tenho dois sobrinhos e uma sobrinha.

Neptune /ˈneptjuːn; *USA* -tuːn/ *s* Neptuno

nerd /nɜːd/ *s* (*coloq, pej*) **1** ridículo: *I feel like a nerd in these shoes.* Sinto-me ridículo com estes sapatos. **2** cromo, obcecado, -a pela informática

nerve /nɜːv/ *s* **1** nervo: *nerve cells* células nervosas **2** coragem: *to lose your nerve* perder a coragem **3** (*pej, coloq*) descaramento: *You've got a nerve!* Tens cá um descaramento! LOC **get on sb's nerves** (*coloq*) meter nervos a alguém

nerve-racking /ˈnɜːv rækɪŋ/ *adj* angustiante

N

nervous /ˈnɜːvəs/ *adj* ~ **(about/of sth/doing sth)** nervoso (com alguma coisa/a ideia de fazer alguma coisa): *nervous breakdown* esgotamento nervoso **nervousness** *s* nervosismo

nest /nest/ *s* (*lit e fig*) ninho

nestle /ˈnesl/ **1** *vi* aninhar-se **2** *vt, vi* ~ **(sth) against/on sb/sth** encostar alguma coisa, encostar-se em/a alguém/alguma coisa **3** *vi* (*povoação*) estar situado

net /net/ *substantivo, adjetivo*
▸ *s* **1** rede **2** [*não-contável*] tule: *net curtains* cortinas de rede **3 the Net** (*coloq*) a Web: *to surf the Net* navegar na rede
▸ *adj* (*tb* **nett**) **1** (*peso, salário*) líquido **2** (*resultado*) final

netball /ˈnetbɔːl/ *s* jogo parecido com o basquetebol normalmente apenas jogado por mulheres

netiquette /ˈnetɪket/ *s* [*não-contável*] (*coloq*) regras de comportamento da Internet

netting /ˈnetɪŋ/ *s* [*não-contável*] rede: *wire netting* rede (metálica)

N

nettle /ˈnetl/ *s* urtiga

network /ˈnetwɜːk/ *substantivo, verbo*
▸ *s* **1** rede **2** (*TV, Rádio*) cadeia
▸ **1** *vt* (*Informát*) ligar em rede **2** *vt* (*TV, Rádio*) restransmitir **3** *vi* fazer (uma rede de) contactos **networking** *s* [*não-contável*] rede social, redes sociais: *social networking sites like Facebook* sites de redes sociais como o Facebook

neurotic /njʊəˈrɒtɪk; *USA* nʊ-/ *adj, s* neurótico, -a

neutral /ˈnjuːtrəl; *USA* ˈnuː-/ *adjetivo, substantivo*
▸ *adj* neutro
▸ *s* (*carro*) ponto morto

never /ˈnevə(r)/ *adv* **1** nunca **2** *That will never do.* Isso é totalmente inaceitável. LOC **well, I never (did)!** (*antiq*) não me digas! ➲ *Ver notas em* ALWAYS *e* NUNCA

nevertheless /ˌnevəðəˈles/ *adv* contudo, não obstante

new /njuː; *USA* nuː/ *adj* (**newer, -est**) **1** novo: *What's new?* Então, novidades? **2** outro: *a new job* outro/um novo emprego **3** ~ **(to sth)** novo (em alguma coisa) LOC **(as) good as new** como novo ◆ **turn over a new leaf** começar uma vida nova

newcomer /ˈnjuːkʌmə(r); *USA* ˈnuː-/ *s* recém-chegado, -a

newly /ˈnjuːli; *USA* ˈnuːli/ *adv* recentemente: *the newly-weds* os recém-casados

newness /ˈnjuːnəs; *USA* ˈnuː-/ *s* novidade

news /njuːz; *USA* nuːz/ *s* **1** [*não-contável*] notícia(s): *The news is not good.* As notícias não são boas. ◇ *a piece of news* uma notícia ◇ *Have you got any news?* Tens notícias? ◇ *It's news to me.* Eu não sabia disso. ➲ *Ver nota em* CONSELHO **2 the news** [*sing*] o noticiário, o telejornal LOC *Ver* BREAK

newsagent /ˈnjuːzeɪdʒənt; *USA* ˈnuːz-/ (*USA* **newsdealer** /ˈnjuːzdiːlə(r); *USA* ˈnuːz-/) *s* vendedor, -ora de jornais: *the newsagent's* o quiosque (de jornais) ➲ *Ver nota em* CORREIO

newsflash /ˈnjuːzflæʃ; *USA* ˈnuːz-/ *s* (*TV, Rádio*) notícia de última hora

newsletter /ˈnjuːzletə(r); *USA* ˈnuːz-/ *s* publicação interna em clubes, organizações, etc.

newspaper /ˈnjuːzpeɪpə(r); *USA* ˈnuːz-/ *s* jornal

newsreader /ˈnjuːzriːdə(r); *USA* ˈnuːz-/ (*USA* **newscaster** /ˈnjuːzkɑːstə(r); *USA* ˈnuːzkæstər/) *s* apresentador, -ora (*do noticiário*)

news-stand /ˈnjuːz stænd; *USA* ˈnuːz/ *s* banca de jornais

new year (*tb* **New Year**) *s* ano novo: *New Year's Day/Eve* dia/véspera de Ano Novo

next /nekst/ *adjetivo, advérbio, substantivo*
▸ *adj* **1** próximo, seguinte: *(the) next time you see her* a próxima vez que a vires ◇ *(the) next day* no dia seguinte ◇ *next month/Monday* o mês/segunda-feira que vem **2** (*contíguo*) a seguir, do lado LOC **next best** segundo melhor: *the next best solution* a segunda melhor solução ◇ *It's not ideal, but it's the next best thing.* Não é ideal, mas é o melhor que há. ◆ **the next few days, months, etc.** os próximos dias, meses, etc. *Ver tb* DAY
▸ *adv* **1** depois, em seguida: *What did they do next?* O que é que fizeram depois? ◇ *What shall we do next?* Que fazemos agora? **2** *when we next meet* a próxima vez que nos encontrarmos **3** (*comparação*): *the next oldest* o segundo mais velho a seguir LOC *Ver* LAST
▸ *s* **the next** [*sing*] o/a seguinte, o próximo, a próxima: *Who's next?* Quem é que se segue?

next door *adv* ao/do lado: *They live next door.* Moram ao lado. ◇ *the room next door* o quarto do lado

next-door /ˌnekst ˈdɔː(r)/ *adj*: *the next-door neighbour* o vizinho do lado

next of kin *s* (*pl* **next of kin**) parente(s) mais próximo(s)

next to *prep* **1** (*situação*) ao lado de, junto de **2** (*ordem*) depois de **3** quase: *next to nothing* quase nada ◇ *next to last* penúltimo

NGO /ˌen dʒiː ˈəʊ/ *abrev de* **non-governmental organization** ONG ➲ *Ver nota em* ONG

NHS /ˌen eɪtʃ 'es/ *abrev de* **National Health Service** sistema público de saúde (*na Grã-Bretanha*)

nibble /'nɪbl/ *vt, vi* ~ **(at) sth** mordiscar alguma coisa

nice /naɪs/ *adj* (**nicer, -est**) **1** agradável: *It smells nice.* Cheira bem. ◇ *to have a nice time* divertir-se **2** bonito: *You look nice.* Estás bonito. **3** ~ **(to sb)** simpático, amável (com alguém) ❶ De notar **sympathetic** se traduz por *compreensivo.* **4** (*tempo*) bom LOC **nice and...** (*coloq*) bem...: *nice and warm* bem quentinho *Ver tb* MEET

nicely /'naɪsli/ *adv* **1** bem **2** amavelmente

niche /niːʃ, nɪtʃ/ *s* (*lit e fig*) nicho

nick /nɪk/ *substantivo, verbo*
▸ *s* **1** entalhe, corte (*pequeno*) **2 the nick** [*sing*] (*GB, coloq*) a cadeia LOC **in the nick of time** (*coloq*) mesmo a tempo
▸ *vt* **1** cortar **2** ~ **sth (from sb/sth)** (*GB, coloq*) roubar, fanar alguma coisa (a alguém/alguma coisa)

nickel /'nɪkl/ *s* **1** níquel **2** (*Can, USA*) moeda de 5 cêntimos de um dólar ➲ *Ver pág. 714*

nickname /'nɪkneɪm/ *substantivo, verbo*
▸ *s* alcunha
▸ *vt* alcunhar

nicotine /'nɪkətiːn/ *s* nicotina

niece /niːs/ *s* sobrinha

night /naɪt/ *s* **1** noite: *at/by night* à/de noite ◇ *ten o'clock at night* dez horas da noite ◇ *the night before last* há duas noites ◇ *night shift* turno da noite ◇ *night school* escola noturna **2** (*Teat*) sessão: *first/opening night* estreia LOC **good night** boa noite (*usa-se como fórmula de despedida*) ➲ *Ver nota em* NOITE ◆ **have an early/a late night** deitar-se cedo/tarde *Ver tb* DEAD

nightclub /'naɪtklʌb/ *s* clube noturno, discoteca

nightdress /'naɪtdres/ (*coloq* **nightie** /'naɪti/) (*USA* **nightgown** /'naɪtgaʊn/) *s* camisa de noite

nightfall /'naɪtfɔːl/ *s* (*formal*) anoitecer

nightingale /'naɪtɪŋgeɪl/ *s* rouxinol

nightlife /'naɪtlaɪf/ *s* vida noturna

nightly /'naɪtli/ *advérbio, adjetivo*
▸ *adv* todas as noites
▸ *adj* **1** noturno **2** (*regular*) de todas as noites

nightmare /'naɪtmeə(r)/ *s* (*lit e fig*) pesadelo **nightmarish** *adj* de pesadelo, arrepiante

night-time /'naɪt taɪm/ *s* [*não-contável*] noite

nil /nɪl/ *s* **1** (*esp GB*) (*Desp*) zero **2** nada

nimble /'nɪmbl/ *adj* (**nimbler, -est**) **1** ágil **2** (*mente*) esperto

nine /naɪn/ *adj, pron, s* nove ➲ *Ver exemplos em* FIVE

nineteen /ˌnaɪn'tiːn/ *adj, pron, s* dezanove ➲ *Ver exemplos em* FIVE **nineteenth 1** *adj, adv, pron* décimo nono **2** *s* décima nona parte ➲ *Ver exemplos em* FIFTH

ninety /'naɪnti/ *adj, pron, s* noventa ➲ *Ver exemplos em* FIFTY, FIVE **ninetieth 1** *adj, adv, pron* nonagésimo **2** *s* nonagésima parte ➲ *Ver exemplos em* FIFTH

ninth /naɪnθ/ **1** *adj, adv, pron* nono **2** *s* nona parte, nono ➲ *Ver exemplos em* FIFTH

nip /nɪp/ (**-pp-**) **1** *vt* beliscar **2** *vi* ~ **down, out, etc.** (*GB, coloq*) descer, sair, etc. por um instante

nipple /'nɪpl/ *s* mamilo, bico de peito

nitrogen /'naɪtrədʒən/ *s* nitrogénio, azoto

no /nəʊ/ *interjeição, adjetivo, advérbio*
▸ *interj* não
▸ *adj* **1** nenhum: *No two people think alike.* Não há duas pessoas que pensem do mesmo modo. ➲ *Ver nota em* NENHUM **2** (*proibição*): *No smoking.* É proibido fumar. **3** (*para dar ênfase a uma negação*): *She's no fool.* Ela não é nenhuma parva. ◇ *It's no joke.* Não é para rir.
▸ *adv* [*antes de adjetivo comparativo e advérbio*] não: *His car is no bigger/more expensive than mine.* O carro dele não é maior/mais caro do que o meu.

nobility /nəʊ'bɪləti/ *s* nobreza

noble /'nəʊbl/ *adj, s* (**nobler, -est**) nobre

nobody /'nəʊbədi/ *pronome, substantivo*
▸ *pron Ver* NO ONE
▸ *s* (*pl* **nobodies**) joão-ninguém

nocturnal /nɒk'tɜːnl/ *adj* noturno

nod /nɒd/ *verbo, substantivo*
▸ (**-dd-**) **1** *vt, vi* assentir com a cabeça: *He nodded (his head) in agreement.* Acenou que sim com a cabeça. **2** *vi* ~ **(to/at sb)** saudar (alguém) com a cabeça **3** *vi* fazer um sinal com a cabeça **4** *vi* cabecear PHR V **nod off** (*coloq*) dormitar, adormecer
▸ *s* aceno de cabeça LOC **give sb the nod** dar autorização a alguém

noise /nɔɪz/ *s* barulho LOC **make a noise (about sth)** (*coloq*) fazer barulho (por alguma coisa) *Ver tb* BIG

noisily /'nɔɪzɪli/ *adv* ruidosamente

noisy /'nɔɪzi/ *adj* (**noisier, -iest**) **1** ruidoso **2** barulhento

nomad /'nəʊmæd/ *s* nómada **nomadic** /nəʊ'mædɪk/ *adj* nómada

N

nominal /'nɒmɪnl/ *adj* nominal **nominally** *adv* teoricamente, de nome

nominate /'nɒmɪneɪt/ *vt* **1** ~ **sb (as/for sth)** nomear alguém (alguma coisa/para alguma coisa) **2** ~ **sth (as sth)** estabelecer, designar alguma coisa (como alguma coisa) **nomination** *s* nomeação

nominee /ˌnɒmɪ'ni:/ *s* candidato, -a, pessoa nomeada

none /nʌn/ *pronome, advérbio*
▸ *pron* **1** nenhum, -a, nenhuns, nenhumas: *None (of them) is/are alive now.* Nenhum deles ainda é vivo.

> A forma plural é mais comum no inglês falado. Quando se refere a duas pessoas ou coisas, usamos **neither** em vez de **none**: *Neither of my parents lives nearby.* Nenhum dos meus pais mora perto daqui. ➲ *Ver tb nota em* NENHUM

2 [*com substantivos ou pronomes não-contáveis*] nada: *'Is there any bread left?' 'No, none.'* —Resta algum pão? —Não, não resta nada. **3** (*formal*) ninguém: *and none more so than…* e ninguém mais do que… LOC **none but** (*formal*) só ◆ **none other than** nem mais nem menos do que
▸ *adv* **1** [*com* **the** + *comparativo*]: *I'm none the wiser.* Não aprendi nada. ◇ *He's none the worse for it.* Não lhe aconteceu nada. **2** [*com* **too** + *adjetivo ou advérbio*]: *The room is none too clean.* O quarto não está lá muito limpo.

nonetheless /ˌnʌnðə'les/ *adv* (*formal*) contudo, não obstante

non-existent /ˌnɒn ɪg'zɪstənt/ *adj* inexistente

non-fiction /ˌnɒn 'fɪkʃn/ *s* literatura não ficcional

nonsense /'nɒnsns; *USA* -sens/ *s* [*não-contável*] **1** disparates **2** tolices **nonsensical** /nɒn'sensɪkl/ *adj* absurdo

non-smoker /ˌnɒn 'sməʊkə(r)/ *s* não-fumador, -ora **non-smoking** *adj*: *non-smoking area* área de não-fumadores

non-stop /ˌnɒn 'stɒp/ *adjetivo, advérbio*
▸ *adj* **1** (*voo*) direto **2** constante, ininterrupto
▸ *adv* **1** diretamente, sem fazer escala **2** sem parar (*falar, trabalhar, etc.*)

noodle /'nu:dl/ *s* massa longa e fina

noon /nu:n/ *s* meio-dia: *at noon* ao meio-dia ◇ *twelve noon* às doze horas

no one (*tb* **nobody**) *pron* ninguém

> Em inglês, não se podem usar duas negativas na mesma frase. Como as expressões **no one**, **nothing**, e **nowhere** são negativas, o verbo tem de estar sempre na afirmativa: *No one saw him.* Ninguém o viu. ◇ *She said nothing.* Ela não disse nada. ◇ *Nothing happened.* Não aconteceu nada. Quando o verbo está na negativa, temos de usar **anyone**, **anything** e **anywhere**: *I didn't see anyone.* Não vi ninguém. ◇ *She didn't say anything.* Ela não disse nada. **No one** é seguido de verbo no singular, porém costuma ser seguido de **they**, **them**, ou **their**, que são formas de plural: *No one else came, did they?* Ninguém veio, não é?

noose /nu:s/ *s* nó corredio, laço

nor /nɔ:(r)/ *conj, adv* nem: *Nor do I.* Nem eu.

norm /nɔ:m/ *s* norma

normal /'nɔ:ml/ *adjetivo, substantivo*
▸ *adj* normal
▸ *s* normalidade: *Things are back to normal.* As coisas já voltaram à normalidade.

normally /'nɔ:məli/ *adv* normalmente ➲ *Ver nota em* ALWAYS

north /nɔ:θ/ *substantivo, adjetivo, advérbio*
▸ *s* (*tb* **North**) (*abrev* **N**) norte: *Leeds is in the north of England.* Leeds fica no norte da Inglaterra.
▸ *adj* (do) norte: *north winds* ventos do norte
▸ *adv* a/para norte: *We are going north on Tuesday.* Seguiremos para norte na terça-feira.

northbound /'nɔ:θbaʊnd/ *adj* em/com direção a norte

north-east /ˌnɔ:θ 'i:st/ *substantivo, adjetivo, advérbio*
▸ *s* (*abrev* **NE**) nordeste
▸ *adj* (do) nordeste
▸ *adv* para (o) nordeste **north-eastern** *adj* (do) nordeste

northern (*tb* **Northern**) /'nɔ:ðən/ *adj* (do) norte: *She has a northern accent.* Ela tem sotaque do norte. ◇ *the northern hemisphere* o hemisfério norte **northerner** *s* pessoa do norte

northwards /'nɔ:θwədz/ (*tb* **northward**) *adv* para (o) norte

north-west /ˌnɔ:θ 'west/ *substantivo, adjetivo, advérbio*
▸ *s* (*abrev* **NW**) noroeste
▸ *adj* (do) noroeste
▸ *adv* para (o) noroeste **north-western** *adj* (do) noroeste

nose /nəʊz/ *substantivo, verbo*
▸ *s* **1** nariz **2** [*sing*] **a ~ for sth** faro para alguma coisa LOC *Ver* BLOW, POKE
▸ *v* PHR V **nose about/around** (*coloq*) farejar

nosebleed /ˈnəʊzbliːd/ *s* sangramento do nariz

nostalgia /nɒˈstældʒə, nəˈs-/ *s* nostalgia, saudades **nostalgic** *adj* nostálgico

nostril /ˈnɒstrəl/ *s* **1** narina **2 nostrils** [*pl*] (*de animal*) ventas

nosy (*tb* **nosey**) /ˈnəʊzi/ *adj* (*coloq, pej*) curioso, bisbilhoteiro

not /nɒt/ *adv* não: *I hope not.* Espero que não. ◇ *I'm afraid not.* Infelizmente não. ◇ *Certainly not!* Está claro que não! ◇ *Not any more.* Já não. ◇ *Not even...* Nem sequer...

Usa-se **not** para a forma negativa dos verbos auxiliares e modais (**be**, **do**, **have**, **can**, **must**, etc.) e muitas vezes usa-se contraído (**-n't**): *She is not/isn't going* ◇ *We did not/didn't go.* ◇ *I must not/mustn't go.* A forma não-contracta (**not**) tem um uso mais formal ou enfático e usa-se para a forma negativa dos verbos subordinados: *He warned me not to be late.* Avisou-me que não chegasse tarde. ◇ *I expect not.* Suponho que não. ➲ *Comparar com* NO

LOC **not all that...** não muito...: *The film wasn't all that good.* O filme não foi grande coisa ◆ **not as... as all that**: *They're not as rich as all that.* Não são assim tão ricos. ◆ **not at all 1** (*resposta*) não tem de quê, de nada **2** de maneira nenhuma ◆ **not that...** não é que...: *It's not that I mind...* Não é que me importe...

notably /ˈnəʊtəbli/ *adv* especialmente

notch /nɒtʃ/ *substantivo, verbo*
▸ *s* **1** corte **2** grau (*em escala*)
▸ *v* PHR V **notch sth up** (*coloq*) conseguir alguma coisa

note /nəʊt/ *substantivo, verbo*
▸ *s* **1** (*Mús, registo, de dinheiro*) nota: *to make a note (of sth)* tomar nota (de alguma coisa) ◇ *to take notes* tirar apontamentos **2** (*piano, etc.*) tecla **3** [*sing*] tom: *an optimistic note* um tom otimista
▸ *vt* notar, observar PHR V **note sth down** anotar alguma coisa

notebook /ˈnəʊtbʊk/ *s* **1** caderno **2** computador portátil (*de pequenas dimensões*)

noted /ˈnəʊtɪd/ *adj* ~ (**for/as sth**) célebre (por alguma coisa/por ser alguma coisa)

notepad /ˈnəʊtpæd/ *s* **1** bloco de notas **2** palmtop, computador de bolso

notepaper /ˈnəʊtpeɪpə(r)/ *s* papel de carta

noteworthy /ˈnəʊtwɜːði/ *adj* digno de nota

nothing /ˈnʌθɪŋ/ *pron* **1** nada ➲ *Ver nota em* NO ONE **2** zero LOC **be/have nothing to do with sb/sth** não ter nada a ver com alguém/alguma coisa ◆ **for nothing 1** grátis, de graça **2** em vão, para nada ◆ **nothing much** nada de mais: *I've done nothing much all day.* Não fiz grande coisa o dia todo. ◆ **nothing of the kind/sort** nada disso

notice /ˈnəʊtɪs/ *substantivo, verbo*
▸ *s* **1** aviso, cartaz **2** aviso: *until further notice* até novo aviso ◇ *to give one month's notice* avisar com um mês de antecedência **3** carta de demissão LOC **take no notice/not take any notice (of sb/sth)** não fazer caso (de alguém/alguma coisa) *Ver tb* ESCAPE, MOMENT
▸ *vt* **1** dar-se conta de **2** reparar em, notar

noticeable /ˈnəʊtɪsəbl/ *adj* visível

noticeboard /ˈnəʊtɪsbɔːd/ *s* quadro de anúncios

notify /ˈnəʊtɪfaɪ/ *vt* (*pt, pp* **-fied**) ~ **sb (of sth)** (*formal*) notificar alguém (de alguma coisa)

notion /ˈnəʊʃn/ *s* ~ **(of sth/that...)** noção, ideia (de alguma coisa/de que...): *without any notion of what he would do* sem a mínima ideia do que ia fazer

notorious /nəʊˈtɔːriəs/ *adj* ~ **(for/as sth)** (*pej*) conhecido (por alguma coisa/por ser alguma coisa)

notwithstanding /ˌnɒtwɪθˈstændɪŋ/ *preposição, advérbio*
▸ *prep* (*formal*) apesar de
▸ *adv* (*formal*) não obstante

nought /nɔːt/ *s* zero

noughts and crosses *s* [*não-contável*] jogo do galo

noun /naʊn/ *s* substantivo, nome

nourish /ˈnʌrɪʃ; *USA* ˈnɜːrɪʃ/ *vt* **1** nutrir **2** (*formal*) (*fig*) alimentar **nourishing** *adj* nutritivo

novel /ˈnɒvl/ *adjetivo, substantivo*
▸ *adj* original
▸ *s* romance **novelist** *s* romancista

novelty /ˈnɒvlti/ *s* (*pl* **novelties**) novidade

November /nəʊˈvembə(r)/ *s* (*abrev* **Nov.**) novembro ➲ *Ver nota e exemplos em* JANUARY

novice /ˈnɒvɪs/ *s* novato, -a, principiante

now /naʊ/ *advérbio, conjunção*
▸ *adv* **1** agora: *by now* já ◇ *right now* agora mesmo **2** ora bem LOC **(every) now and again/then** de vez em quando
▸ *conj* ~ **(that...)** agora que..., já que...

nowadays /ˈnaʊədeɪz/ *adv* hoje em dia

nowhere /ˈnəʊweə(r)/ *adv* em nenhuma parte: *There's nowhere to park.* Não há sítio nenhum para estacionar. ➲ *Ver nota em* NO ONE LOC **be nowhere to be found/seen** não estar

N

em parte nenhuma ◆ **get/go nowhere; get sb nowhere** não chegar/não levar alguém a lado nenhum *Ver tb* MIDDLE, NEAR

nozzle /'nɒzl/ *s* bocal, agulheta

nuance /'nju:ɑ:ns; *USA* 'nu:-/ *s* matiz, nuance

nuclear /'nju:kliə(r); *USA* 'nu:-/ *adj* nuclear: *nuclear power/waste* energia nuclear/resíduos nucleares

nucleus /'nju:kliəs; *USA* 'nu:-/ *s* (*pl* **nuclei** /-kliaɪ/) núcleo

nude /nju:d; *USA* nu:d/ *adjetivo, substantivo*
▸ *adj* nu (*artístico ou erótico*) ➲ *Ver nota em* NAKED
▸ *s* nu (artístico) LOC **in the nude** nu

nudge /nʌdʒ/ *vt* **1** dar um toque ligeiro com o cotovelo em **2** empurrar aos poucos

nudity /'nju:dəti; *USA* 'nu:d-/ *s* nudez

nuisance /'nju:sns; *USA* 'nu:-/ *s* **1** aborrecimento, chatice **2** (*pessoa*) chato, -a: *Stop making a nuisance of yourself.* Para de ser chato. ◇ *I don't want to be a nuisance.* Não quero incomodar.

null /nʌl/ *adj* LOC **null and void** nulo, sem qualquer efeito legal

numb /nʌm/ *adjetivo, verbo*
▸ *adj* dormente, entorpecido (*parte do corpo*): *numb with shock* atónito (com o choque)
▸ *vt* **1** entorpecer **2** (*fig*) paralisar

number /'nʌmbə(r)/ *substantivo, verbo*
▸ *s* (*abrev* **No.**) número *Ver tb* REGISTRATION NUMBER LOC **a number of...** vários...
▸ *vt* **1** numerar **2** elevar-se a: *We numbered 20 in all.* Ao todo, chegávamos a 20.

number plate *s* chapa de matrícula

numerical /nju:'merɪkl; *USA* nu:-/ *adj* numérico

numerous /'nju:mərəs; *USA* 'nu:-/ *adj* (*formal*) numeroso

nun /nʌn/ *s* freira

nurse /nɜ:s/ *substantivo, verbo*
▸ *s* enfermeiro, -a
▸ **1** *vt* cuidar de (*um doente*) **2** *vt* (*formal*) (*sentimentos*) alimentar **3** *vt, vi* amamentar **4** *vt* embalar

nursery /'nɜ:səri/ *s* (*pl* **nurseries**) **1** creche **2** *nursery school* jardim de infância/infantário ◇ *nursery education* educação pré-escolar **3** quarto das crianças **4** viveiro (*para plantas*)

nursery rhyme *s* poema/canção infantil

nursing /'nɜ:sɪŋ/ *s* **1** enfermagem: *nursing home* lar da terceira idade **2** cuidado (*de doentes*)

nurture /'nɜ:tʃə(r)/ *vt* (*formal*) **1** (*desenvolvimento*) fomentar **2** (*ideia, desejo*) alimentar **3** (*criança*) criar, educar

nut /nʌt/ *s* **1** fruto seco (*como a noz, a avelã, etc.*) **2** porca (de parafuso) **3** (*tb* **nutcase** /'nʌtkeɪs/, **nutter**) (*coloq, pej*) doido, -a **4** (*coloq*) fanático, -a: *He's a real fitness nut.* Ele é um verdadeiro fanático de fitness.

nutcracker /'nʌtkrækə(r)/ (*tb* **nutcrackers** [*pl*]) *s* quebra-nozes

nutmeg /'nʌtmeg/ *s* noz-moscada

nutrient /'nju:triənt; *USA* 'nu:-/ *s* nutriente

nutrition /nju'trɪʃn; *USA* nu-/ *s* nutrição **nutritional** *adj* nutritivo **nutritious** *adj* nutritivo

nuts /nʌts/ *adj* (*coloq*) **1** maluco **2** ~ **about sb/sth** doido por alguém/alguma coisa

nutshell /'nʌtʃel/ *s* casca (*de noz*) LOC **(put sth) in a nutshell** (dizer alguma coisa) em poucas palavras

nutter /'nʌtə(r)/ *s Ver* NUT (3)

nutty /'nʌti/ *adj* **1** *a nutty flavour* um sabor a nozes **2** (*coloq*) doido

NVQ /ˌen vi: 'kju:/ *s* (*abrev de* **National Vocational Qualification**) certificado de qualificação profissional

nylon /'naɪlɒn/ *s* nylon

nymph /nɪmf/ *s* ninfa

O, o /əʊ/ *s* (*pl* **Os, O's, o's**) **1** O, o ➲ *Ver nota em* A, A **2** zero

> Quando se indica o zero numa série de números, p. ex.01865, pronuncia-se como a letra **O**: /ˌəʊ wʌn eɪt sɪks 'faɪv/ .

oak /əʊk/ (*tb* **oak tree**) *s* carvalho

oar /ɔ:(r)/ *s* remo

oasis /əʊ'eɪsɪs/ *s* (*pl* **oases** /-si:z/) oásis

oath /əʊθ/ *s* (*pl* **oaths** /əʊðz/) **1** juramento **2** (*antiq*) praga LOC **on/under oath** sob juramento

oats /əʊts/ *s* [*pl*] (flocos de) aveia

obedience /ə'bi:diəns/ *s* obediência

obedient /ə'bi:diənt/ *adj* obediente

obese /əʊ'bi:s/ *adj* (*formal ou Med*) obeso **obesity** *s* obesidade

obey /ə'beɪ/ *vt, vi* obedecer

obituary /ə'bɪtʃuəri; *USA* əʊ'b-/ *s* (*pl* **obituaries**) obituário, necrologia

object *substantivo, verbo*
▸ *s* /'ɒbdʒɪkt/ **1** objeto **2** objetivo, fim **3** (*Gram*) complemento, objeto
▸ *vi* /əb'dʒekt/ ~ **(to sb/sth/doing sth)** opor-se, fazer uma objeção (a alguém/alguma coisa/fazer alguma coisa): *If he doesn't object...* Se ele não tiver nenhuma objeção...

objection /əb'dʒekʃn/ *s* ~ **(to sth/doing sth)** objeção (a alguma coisa/fazer alguma coisa): *to raise an objection to sth* levantar uma objeção a alguma coisa ◇ *I have no objection to her coming.* Não tenho qualquer objeção a que ela venha.

objective /əb'dʒektɪv/ *adj, s* objetivo: *to remain objective* manter a objetividade

obligation /ˌɒblɪ'geɪʃn/ *s* **1** obrigação **2** (*Com*) compromisso LOC **be under an/no obligation (to do sth)** ter/não ter a obrigação (de fazer alguma coisa)

obligatory /ə'blɪgətri; *USA* -tɔːri/ *adj* (*formal*) obrigatório

oblige /ə'blaɪdʒ/ *vt* **1** obrigar **2** ~ **sb (with sth/by doing sth)** obsequiar, fazer um favor a alguém (com alguma coisa/fazendo alguma coisa) **obliged** *adj* ~ **(to sb) (for sth/doing sth)** (*formal*) agradecido (a alguém) (por alguma coisa/fazer alguma coisa): *I'm much obliged to you for helping us.* Estou-lhe muito agradecido por nos ter ajudado. **obliging** *adj* atencioso, prestável

obliterate /ə'blɪtəreɪt/ *vt* destruir

oblivion /ə'blɪviən/ *s* esquecimento

oblivious /ə'blɪviəs/ *adj* ~ **(of/to sth)** não-consciente (de alguma coisa)

oblong /'ɒblɒŋ; *USA* -lɔːŋ/ *substantivo, adjetivo*
▸ *s* retângulo
▸ *adj* retangular

obnoxious /əb'nɒkʃəs/ *adj* ofensivo, detestável

oboe /'əʊbəʊ/ *s* oboé

obscene /əb'siːn/ *adj* obsceno

obscure /əb'skjʊə(r)/ *adjetivo, verbo*
▸ *adj* **1** obscuro **2** pouco conhecido
▸ *vt* obscurecer, ocultar

observant /əb'zɜːvənt/ *adj* observador

observation /ˌɒbzə'veɪʃn/ *s* observação

observatory /əb'zɜːvətri; *USA* -tɔːri/ *s* (*pl* **observatories**) observatório

observe /əb'zɜːv/ *vt* **1** observar **2** (*formal*) comentar **3** (*formal*) (*lei, etc.*) respeitar **4** (*formal*) (*festividade, aniversário*) celebrar **observer** *s* observador, -ora

obsess /əb'ses/ **1** *vt* obcecar: *to be/become obsessed by/with sth* estar/ficar obcecado com/por alguma coisa **2** *vi* ~ **(about sth)** estar obcecado (com alguma coisa) **obsession** *s* ~ **(with sb/sth)** obsessão (com alguém/alguma coisa) **obsessive** *adj* obsessivo

obsolete /'ɒbsəliːt/ *adj* obsoleto

obstacle /'ɒbstəkl/ *s* obstáculo

obstetrician /ˌɒbstə'trɪʃn/ *s* obstetra

obstinate /'ɒbstɪnət/ *adj* obstinado

obstruct /əb'strʌkt/ *vt* obstruir

obstruction /əb'strʌkʃn/ *s* obstrução

obtain /əb'teɪn/ *vt* (*formal*) obter **obtainable** *adj* que se pode obter, disponível

obvious /'ɒbviəs/ *adj* óbvio

obviously /'ɒbviəsli/ *adv* obviamente

occasion /ə'keɪʒn/ *s* **1** ocasião **2** acontecimento **3** oportunidade LOC **on the occasion of sth** (*formal*) por ocasião de alguma coisa

occasional /ə'keɪʒənl/ *adj* esporádico: *She reads the occasional book.* Lê um livro de vez em quando.

occasionally /ə'keɪʒnəli/ *adv* de vez em quando ➲ *Ver nota em* ALWAYS

occupant /'ɒkjəpənt/ *s* ocupante

occupation /ˌɒkju'peɪʃn/ *s* **1** ocupação **2** profissão ➲ *Ver nota em* WORK

occupational /ˌɒkju'peɪʃənl/ *adj* **1** profissional: *occupational hazards* ossos do ofício **2** (*terapia*) ocupacional

occupier /'ɒkjupaɪə(r)/ *s* (*formal*) ocupante

occupy /'ɒkjupaɪ/ *vt* (*pt, pp* **occupied**) **1** ocupar **2** ~ **sb/yourself (in doing sth/with sth)** ocupar alguém, ocupar-se (a fazer alguma coisa/com alguma coisa)

occur /ə'kɜː(r)/ *vi* (**-rr-**) **1** (*formal*) ocorrer, acontecer **2** existir PHR V **occur to sb** ocorrer a alguém (*ideia, pensamento*)

occurrence /ə'kʌrəns; *USA* ə'kɜːr-/ *s* **1** acontecimento **2** ocorrência **3** existência, aparecimento

ocean /'əʊʃn/ *s* oceano LOC *Ver* DROP

o'clock /ə'klɒk/ *adv*: *six o'clock* seis horas

A palavra **o'clock** pode ser omitida quando se fala de horas certas: *between five and six (o'clock)* entre as cinco e as seis (horas). Mas não se pode omitir quando acompanha outro substantivo: *the ten o'clock news* o jornal das dez.

O

October /ɒk'təʊbə(r)/ *s* (*abrev* **Oct.**) outubro ➲ *Ver nota e exemplos em* JANUARY

octopus /'ɒktəpəs/ *s* (*pl* **octopuses**) polvo

OD /ˌəʊ 'di:/ *vi* (*coloq*) *Ver* OVERDOSE

odd /ɒd/ *adj* **1** (**odder**, **-est**) estranho **2** (*número*) ímpar ➲ *Comparar com* EVEN **3** (*artigo de um par*) solto **4** (*sapato*) sem o par **5** de sobra, excedente **6** *thirty-odd* trinta e picos ◇ *twelve pounds odd* doze libras e picos **7 the odd** ocasional: *He has the odd beer.* Toma uma cerveja de vez em quando. LOC **be the odd man/one out** ser o único sem par, ser diferente: *Which is the odd one out?* Qual deles é diferente?

oddity /'ɒdəti/ *s* (*pl* **oddities**) **1** curiosidade (*coisa*) **2** (*pessoa*) fora do vulgar **3** (*tb* **oddness**) singularidade

odd jobs *s* [*pl*] biscates

oddly /'ɒdli/ *adv* estranhamente: *Oddly enough...* Por muito estranho que pareça...

odds /ɒdz/ *s* [*pl*] **1** probabilidades: *against (all) the odds* contra (todas) as probabilidades ◇ *The odds are that...* O mais provável é que... **2** apostas: *The odds are five to one on that horse.* As apostas naquele cavalo são de cinco para um. LOC **be at odds (with sb) (over/on sth)** estar mal (com alguém) (por alguma coisa) ◆ **it makes no odds** (*esp GB, coloq*) não faz diferença ◆ **odds and ends** (*coloq*) miudezas, ninharias

odometer /əʊ'dɒmɪtə(r)/ *s* (*USA*) conta-quilómetros

odour (*USA* **odor**) /'əʊdə(r)/ *s* (*formal*) odor, cheiro: *body odour* odor corporal ➲ *Ver nota em* SMELL *n*

of /əv, ɒv/ *prep* **1** de: *a girl of six* uma menina de seis anos ◇ *It's made of wood.* É de madeira. ◇ *two kilos of rice* dois quilos de arroz ◇ *It was very kind of him.* Foi muita amabilidade da sua parte. **2** (*com possessivos*) de: *a friend of John's* um amigo do John ◇ *a cousin of mine* um primo meu **3** (*com quantidades*): *There were five of us.* Éramos cinco. ◇ *most of all* acima de tudo ◇ *The six of us went.* Fomos nós seis. **4** (*datas e tempo*) de: *the first of March* o dia um de março **5** (*causa*) de: *What did she die of?* De que morreu?

off /ɒf; *USA* ɔ:f/ *advérbio, preposição, adjetivo*

ℹ Para os usos de **off** em PHRASAL VERBS, ver as entradas para os verbos correspondentes, p. ex. **go off** em GO.

▸ *adv* **1** (*distância*): *five miles off* a cinco milhas de distância ◇ *some way off* a certa distância ◇ *not far off* não muito longe **2** (*tirado*): *You left the lid off.* Não puseste a tampa. ◇ *with her shoes off* descalça **3** *I must be off.* Tenho de me ir embora. **4** *The meeting is off.* A reunião foi cancelada. **5** (*gás, eletricidade, aparelho*) desligado **6** (*lâmpada*) apagado **7** (*torneira*) fechado **8** *a day off* um dia de folga **9** *five per cent off* um desconto de cinco por cento *Ver tb* WELL OFF LOC **be off (for sth)** (*esp GB, coloq*): *How are you off for cash?* Como estás de dinheiro? ◆ **off and on** de quando em vez

▸ *prep* **1** de: *to fall off sth* cair de alguma coisa **2** *a street off the main road* uma rua lateral à rua principal **3** *off the coast* ao largo da costa **4** (*GB, coloq*) sem vontade de: *to be off your food* não ter apetite

▸ *adj* **1** (*alimento*) estragado **2** (*leite*) azedo

off day *s* (*coloq*) mau dia ➲ *Comparar com* DAY OFF

off-duty /ˌɒf 'dju:ti; *USA* ˌɔ:f 'du:ti/ *adj* fora de serviço

offence (*USA* **offense**) /ə'fens/ *s* **1** infração, delito **2** ofensa LOC **take offence (at sth)** ofender-se (com alguma coisa)

offend /ə'fend/ *vt* ofender: *to be offended* ofender-se **offender** *s* **1** infrator, -ora **2** delinquente

offensive /ə'fensɪv/ *adjetivo, substantivo*

▸ *adj* **1** ofensivo, insultante **2** (*formal*) (*cheiro, etc.*) repugnante

▸ *s* ofensiva

offer /'ɒfə(r); *USA* 'ɔ:f-/ *verbo, substantivo*

▸ *vt* ~ **sb sth**; ~ **sth (to sb)** oferecer alguma coisa (a alguém): *to offer to do sth* oferecer-se para fazer alguma coisa ➲ *Ver nota em* GIVE

▸ *s* oferta **offering** *s* **1** oferecimento **2** oferenda, oferta

offhand /ˌɒf'hænd; *USA* ˌɔ:f-/ *adjetivo, advérbio*

▸ *adj* (*pej*) brusco, seco

▸ *adv* de repente, sem pensar

office /'ɒfɪs; *USA* 'ɔ:fɪs/ *s* **1** escritório: *She's an office worker.* Ela trabalha num escritório. ◇ *office hours* horário de expediente *Ver tb* BOOKING OFFICE, BOX OFFICE, HEAD OFFICE, POST OFFICE, REGISTRY OFFICE **2** gabinete **3** (*USA*) consulta (*de médico, dentista, etc.*) **4** cargo: *to take office* assumir funções LOC **in office** no poder

officer /'ɒfɪsə(r); *USA* 'ɔ:f-/ *s* **1** (*exército*) oficial **2** (*governo*) funcionário, -a **3** (*tb* **police officer**) agente da polícia

official /ə'fɪʃl/ *adjetivo, substantivo*

▸ *adj* oficial

▸ *s* funcionário, -a

officially /ə'fɪʃəli/ *adv* oficialmente

off-licence /'ɒf laɪsns; *USA* 'ɔ:f/ *s* loja de bebidas alcoólicas

offline /ˌɒfˈlaɪn; *USA* ˌɔːf-/ *adj* (*Informát*) não ligado à Internet

off-peak /ˌɒf ˈpiːk; *USA* ˌɔːf/ *adj* **1** (*preço, tarifa*) de época baixa **2** (*período*) foras das horas de ponta

off-putting /ˈɒf pʊtɪŋ; *USA* ˈɔːf/ *adj* (*esp GB, coloq*) **1** desconcertante **2** (*pessoa*) desagradável

offset /ˈɒfset; *USA* ˈɔːf-/ *vt* (*pt, pp* **offset** *part pres* **offsetting**) equilibrar, compensar

offshore /ˌɒfˈʃɔː(r); *USA* ˌɔːf-/ *adj* **1** (*ilha*) ao largo da costa **2** (*brisa*) costeira **3** (*pesca*) costeiro

offside /ˌɒfˈsaɪd; *USA* ˌɔːf-/ *adj* (*Desp*) fora de jogo

offspring /ˈɒfsprɪŋ; *USA* ˈɔːf-/ *s* (*pl* **offspring**) (*formal ou hum*) **1** filho(s), descendência **2** filhote(s)

often /ˈɒfn, ˈɒftən; *USA* ˈɔːfn/ *adv* **1** muitas vezes, frequentemente: *How often do you see her?* Com que frequência a vês? **2** com frequência ➲ *Ver nota em* ALWAYS LOC *Ver* EVERY

oh /əʊ/ *interj* **1** oh!, ah! **2** *'Oh yes, I will!' 'Oh no you won't!'* —Ai vou, sim! —Ai não vais, não!

oil /ɔɪl/ *substantivo, verbo*
- *s* **1** petróleo: *oil well* poço de petróleo ◇ *oil tanker* petroleiro ◇ *oil rig* plataforma petrolífera **2** óleo, azeite **3** (*Arte*) óleo
- *vt* lubrificar

oilfield /ˈɔɪlfiːld/ *s* campo petrolífero

oily /ˈɔɪli/ *adj* (**oilier**, **-est**) **1** oleoso **2** gorduroso

ointment /ˈɔɪntmənt/ *s* pomada

OK (*tb* **okay**) /əʊˈkeɪ/ *interjeição, adjetivo, advérbio, substantivo, verbo*
- *interj* (*coloq*) muito bem!, está bem!
- *adj* (*coloq*) bom
- *adv* (*coloq*) bem
- *s* (*coloq*) consentimento, aprovação
- *vt* (*coloq*) aprovar

old /əʊld/ *adjetivo, substantivo*
- *adj* (**older**, **-est**) ➲ *Ver nota em* ELDER **1** velho: *old people* (os) idosos ◇ *the Old Testament* o Antigo Testamento **2** *How old are you?* Quantos anos tens? ◇ *She is two (years old).* Ela tem dois anos.

> Para dizer "tenho dez anos", dizemos *I am ten* ou *I am ten years old*. Contudo, para dizer "um rapaz de dez anos" dizemos *a boy of ten* ou *a ten-year-old boy.* ➲ *Ver tb nota em* YEAR

3 (*anterior*) antigo LOC **any old how** (*coloq*) de qualquer maneira *Ver tb* CHIP, TOUGH
- *s* **the old** [*pl*] os idosos

old age *s* velhice

old-fashioned /ˌəʊld ˈfæʃnd/ *adj* **1** antiquado **2** (*ideias, etc.*) tradicional

olive /ˈɒlɪv/ *substantivo, adjetivo*
- *s* **1** azeitona **2** (*tb* **olive tree**) oliveira: *olive oil* azeite de oliveira
- *adj* **1** (*tb* **olive green**) verde-azeitona **2** (*pele*) trigueiro, moreno

Olympic /əˈlɪmpɪk/ *adj* Olímpico: *the Olympic Games/the Olympics* os Jogos Olímpicos/as Olimpíadas

omelette (*USA tb* **omelet**) /ˈɒmlət/ *s* omelete

omen /ˈəʊmən/ *s* presságio

ominous /ˈɒmɪnəs/ *adj* agourento, ameaçador

omission /əˈmɪʃn/ *s* omissão

omit /əˈmɪt/ *vt* (**-tt-**) (*formal*) **1** omitir **2** ~ **to do sth** deixar de fazer alguma coisa

omnipotent /ɒmˈnɪpətənt/ *adj* (*formal*) omnipotente

on /ɒn; *USA* ɔːn/ *preposição, advérbio* ⓘ Para os usos de **on** em PHRASAL VERBS, ver as entradas para os verbos correspondentes, p. ex. **get on** em GET.
- *prep* **1** em, sobre: *on the table* na/sobre a mesa ◇ *on the wall* na parede **2** (*Transporte*): *to go on the train/bus* ir de comboio/autocarro ◇ *to go on foot* ir a pé **3** (*datas*): *on Sunday(s)* no/aos domingo(s) ◇ *on 3 May* no dia 3 de maio **4** [+ *-ing*]: *on arriving home* ao chegar a casa **5** (*acerca de*) sobre **6** (*consumo*): *to live on fruit/on £20 a week* viver de fruta/com 20 libras por semana ◇ *to be on drugs* estar a tomar drogas **7** *to speak on the telephone* falar ao telefone **8** (*atividade, estado, etc.*) de: *on holiday* de férias ◇ *to be on duty* estar de serviço
- *adv* **1** (*com o sentido de continuidade*): *to play on* continuar a tocar ◇ *further on* mais longe/mais adiante ◇ *from that day on* a partir daquele dia **2** (*roupa*) vestido: *I had my glasses on.* Tinha os óculos postos. **3** (*aparelho, etc.*) ligado, aceso **4** (*torneira*) aberto **5** programado: *When is the film on?* A que horas começa o filme? LOC **on and off** de quando em vez ◆ **on and on** sem parar

once /wʌns/ *advérbio, conjunção*
- *adv* uma vez: *once a week* uma vez por semana LOC **at once 1** imediatamente **2** ao mesmo tempo ◆ **(every) once in a while** de vez em quando, uma vez por outra ◆ **once again/more** outra vez/mais uma vez ◆ **once and for all** de uma vez por todas ◆ **once in a blue moon** (*coloq*) quando o rei faz anos ◆ **once or twice** uma ou duas vezes ◆ **once upon a time** era uma vez

▸ *conj* quando: *Once he'd gone*… Quando se foi embora…

oncoming /ˈɒnkʌmɪŋ; *USA* ˈɔːn-/ *adj* (*trânsito*) em direção contrária

one /wʌn/ *adjetivo, substantivo, pronome*

▸ *adj, s* **1** um, uma: *one morning* uma manhã ➲ *Ver exemplos em* FIVE

A palavra **one** nunca funciona como artigo indefinido (**a/an**), e quando precede um substantivo, indica quantidade: *I'm going with just one friend.* Eu vou só com um amigo. ◇ *I'm going with a friend, not with my family.* Eu vou com um amigo, e não com a minha família.

2 único: *the one way to succeed* a única maneira de triunfar **3** mesmo: *of one mind* da mesma opinião LOC **(all) in one** ao mesmo tempo, combinado ◆ **one by one** um a um ◆ **one or two** um ou dois

▸ *pron* **1** [*depois de adjetivo*]: *the little ones* os pequenos ◇ *I prefer this/that one.* Prefiro este/aquele. ◇ *Which one?* Qual? ◇ *another one* outro ◇ *It's better than the old one.* É melhor do que o antigo. **2 the one(s)** o(s), a(s): *the one at the end* o do fim **3** um, uma: *I need a pen. Have you got one?* Preciso de uma caneta. Tens uma? ◇ *one of her friends* um dos amigos dela ◇ *to tell one from the other* distinguir um do outro **4** (*formal*) [*como sujeito indeterminado*] uma pessoa: *One must be sure.* Uma pessoa tem de ter a certeza. ➲ *Ver nota em* YOU

one another *pron* um ao outro, uns aos outros ➲ *Ver nota em* EACH OTHER

one-off /ˌwʌn ˈɒf; *USA* ˈɔːf/ *adj, s* (caso) único

oneself /wʌnˈself/ *pron* **1** [*uso reflexivo*]: *to cut oneself* cortar-se **2** [*uso enfático*] si mesmo: *to do it oneself* fazê-lo sozinho

one-way /ˌwʌn ˈweɪ/ *adj* **1** (*rua*) de sentido único **2** (*bilhete*) de ida

ongoing /ˈɒŋgəʊɪŋ; *USA* ˈɔːn-/ *adj* em curso, atual

onion /ˈʌnjən/ *s* cebola *Ver tb* SPRING ONION

online /ˌɒnˈlaɪn; *USA* ˌɔːn-/ *adj, adv* (*Informát*) on-line, em linha

onlooker /ˈɒnlʊkə(r); *USA* ˈɔːn-/ *s* espetador, -ora

only /ˈəʊnli/ *advérbio, adjetivo, conjunção*

▸ *adv* apenas, só LOC **not only…but also…** não só… como também… ◆ **only just 1** *I've only just arrived.* Acabei de chegar. **2** *I can only just see.* Consigo ver um pouco, mas muito mal. ◇ *I only just caught the train.* Apanhei o comboio mesmo a tempo. *Ver tb* IF

▸ *adj* [*só antes de substantivo*] único: *He is an only child.* É filho único.

▸ *conj* (*coloq*) só que, mas

onset /ˈɒnset; *USA* ˈɔːn-/ *s* [*sing*] início, chegada

onslaught /ˈɒnslɔːt; *USA* ˈɔːn-/ *s* ~ **(on sb/sth)** investida (contra alguém/alguma coisa)

onto (*tb* **on to**) /ˈɒntə, ˈɒntuː; *USA* ˈɔːn-/ *prep* para: *to climb (up) onto sth* subir para cima de alguma coisa PHR V **be onto sb** (*coloq*) andar no encalço de alguém ◆ **be onto sth** ter descoberto alguma coisa importante

onward /ˈɒnwəd; *USA* ˈɔːn-/ *adjetivo, advérbio*

▸ *adj* (*formal*) para a frente: *your onward journey* a continuação da sua viagem

▸ *adv* (*tb* **onwards**) **1** em diante: *from then onwards* dali em diante **2** (*formal*) para a frente

ooze /uːz/ **1** *vi* ~ **from/out of sth**; ~ **out** verter, escorrer (de alguma coisa) **2** *vt, vi* ~ **(with) sth** soltar alguma coisa **3** *vt, vi* ~ **(with) sth** transpirar alguma coisa: *to ooze confidence* respirar confiança

opaque /əʊˈpeɪk/ *adj* opaco

open /ˈəʊpən/ *adjetivo, verbo, substantivo*

▸ *adj* **1** aberto: *Don't leave the door open.* Não deixes a porta aberta. **2** (*pessoa*) sincero, aberto: *to be open to sth* ser recetivo a alguma coisa **3** (*vista*) desafogado **4** público **5** (*fig*): *to leave sth open* deixar alguma coisa em aberto LOC **in the open air** ao ar livre *Ver tb* BURST, WIDE

▸ **1** *vt, vi* abrir(-se) **2** *vt, vi* (*edifício, exposição, etc.*) inaugurar(-se) **3** *vt* (*processo*) iniciar PHR V **open into/onto sth** dar acesso a alguma coisa ◆ **open sth out** abrir alguma coisa ◆ **open up** (*pessoa*) abrir-se ◆ **open (sth) up** abrir (alguma coisa), abrir-se: *Open up!* Abra(m)!

▸ *s* **the open** o ar livre LOC **bring sth (out) into the open** tornar alguma coisa pública ◆ **come (out) into the open** vir à luz

open-air /ˌəʊpən ˈeə(r)/ *adj* ao ar livre

opener /ˈəʊpnə(r)/ *s* abridor

opening /ˈəʊpnɪŋ/ *substantivo, adjetivo*

▸ *s* **1** abertura: *opening times/hours* horário de funcionamento **2** começo **3** inauguração **4** (*tb* **opening night**) (*Teat*) estreia **5** (*emprego*) vaga **6** oportunidade

▸ *adj* [*só antes de substantivo*] primeiro

openly /ˈəʊpənli/ *adv* abertamente

open-minded /ˌəʊpən ˈmaɪndɪd/ *adj* sem preconceitos, aberto

openness /ˈəʊpənnəs/ *s* franqueza

opera /ˈɒprə/ *s* ópera: *opera house* teatro de ópera *Ver tb* SOAP OPERA

operate /ˈɒpəreɪt/ **1** *vi* funcionar **2** *vt* (*máquina*) trabalhar com, manejar **3** *vt* (*ser-*

viço) oferecer **4** *vi* (*empresa*) operar **5** *vi* ~ **(on sb) (for sth)** (*Med*) operar (alguém) (a alguma coisa)

operating theatre (*USA* **operating room**) *s* sala de operações

operation /ˌɒpəˈreɪʃn/ *s* **1** operação: *rescue operation* operação de salvamento ◇ *I had an operation on my leg.* Fui operado à perna. **2** funcionamento LOC **be in/come into operation 1** estar/entrar em funcionamento **2** (*Jur*) estar/entrar em vigor **operational** *adj* **1** de funcionamento **2** operacional, em funcionamento

operative /ˈɒpərətɪv; *USA* -reɪt-/ *adjetivo, substantivo*
▸ *adj* **1** em funcionamento **2** (*Jur*) em vigor **3** (*Med*) operatório
▸ *s* (*formal*) operário, -a

operator /ˈɒpəreɪtə(r)/ *s* operador, -ora: *switchboard operator* telefonista ◇ *radio operator* radiotelegrafista

opinion /əˈpɪnjən/ *s* ~ **(of/about/on sb/sth)** opinião (de/sobre alguém/alguma coisa): *in my opinion* na minha opinião ◇ *public opinion* opinião pública LOC *Ver* MATTER

opponent /əˈpəʊnənt/ *s* **1** adversário, -a, rival **2** *to be an opponent of sth* ser contra alguma coisa

opportunity /ˌɒpəˈtjuːnəti; *USA* -ˈtuːn-/ *s* (*pl* **opportunities**) ~ **(to do sth)**; ~ **(for/of doing sth)** oportunidade (de fazer alguma coisa): *take the opportunity to do sth/of doing sth* aproveitar a oportunidade para fazer alguma coisa

oppose /əˈpəʊz/ *vt* **1** ~ **sth** opor-se a alguma coisa **2** ~ **sb** fazer frente a alguém

opposed /əˈpəʊzd/ *adj* contrário: *to be opposed to sth* ser contra alguma coisa LOC **as opposed to** (*formal*): *quality as opposed to quantity* qualidade em vez de quantidade

opposing /əˈpəʊzɪŋ/ *adj* contrário

opposite /ˈɒpəzɪt, -sɪt; *USA* -zət/ *adjetivo, advérbio, preposição, substantivo*
▸ *adj* **1** contrário: *the opposite sex* o sexo oposto **2** em frente: *the house opposite* a casa em frente
▸ *adv* em frente: *She was sitting opposite.* Estava sentada em frente.
▸ *prep* em frente de, frente a: *opposite each other* frente a frente
▸ *s* ~ **(of sth)** contrário (de alguma coisa)

opposition /ˌɒpəˈzɪʃn/ *s* **1** ~ **(to sb/sth)** oposição (a alguém/alguma coisa) **2 the Opposition** [*sing*] (*Pol*) a oposição

oppress /əˈpres/ *vt* **1** oprimir **2** angustiar **oppressed** *adj* oprimido **oppression** *s* opressão **oppressive** *adj* **1** opressivo **2** angustiante, sufocante

opt /ɒpt/ *vi* ~ **for sth/to do sth** optar por alguma coisa/fazer alguma coisa PHR V **opt out (of sth)** optar por não fazer alguma coisa, não participar (em alguma coisa)

optical /ˈɒptɪkl/ *adj* ótico: *optical illusion* ilusão de ótica

optician /ɒpˈtɪʃn/ *s* **1** oculista **2 optician's** (*loja*) ótica, oculista ➲ *Ver nota em* TALHO

optimism /ˈɒptɪmɪzəm/ *s* otimismo

optimist /ˈɒptɪmɪst/ *s* otimista **optimistic** /ˌɒptɪˈmɪstɪk/ *adj* ~ **(about sth)** otimista (quanto a alguma coisa)

optimum /ˈɒptɪməm/ (*tb* **optimal** /ˈɒptɪməl/) *adj* ideal, ótimo

option /ˈɒpʃn/ *s* opção **optional** *adj* opcional, facultativo

or /ɔː(r)/ *conj* **1** ou **2** (*de outro modo*) ou, senão **3** [*depois de negativa*] nem LOC **or so**: *an hour or so* mais ou menos uma hora *Ver tb* RATHER, WHETHER

oral /ˈɔːrəl/ *adjetivo, substantivo*
▸ *adj* **1** (*falado*) oral **2** (*Anat*) bucal, oral
▸ *s* (exame) oral

orange /ˈɒrɪndʒ; *USA* ˈɔːr-/ *substantivo, adjetivo*
▸ *s* **1** laranja **2** (*tb* **orange tree**) laranjeira **3** cor de laranja
▸ *adj* cor de laranja, alaranjado

orbit /ˈɔːbɪt/ *substantivo, verbo*
▸ *s* (*lit e fig*) órbita
▸ *vt, vi* ~ **(around) sth** gravitar (em torno de alguma coisa)

orchard /ˈɔːtʃəd/ *s* pomar

orchestra /ˈɔːkɪstrə/ *s* **1** [*v sing ou pl*] orquestra **2 the orchestra** [*sing*] (*USA*) (*no teatro*) a plateia

orchid /ˈɔːkɪd/ *s* orquídea

ordeal /ɔːˈdiːl/ *s* experiência traumática

order /ˈɔːdə(r)/ *substantivo, verbo*
▸ *s* **1** (*disposição, calma*) ordem: *in alphabetical order* por ordem alfabética **2** (*mandato*) ordem **3** (*Com*) pedido, encomenda: *to place an order for sth* encomendar alguma coisa *Ver tb* MAIL ORDER **4** [*v sing ou pl*] (*Mil, Relig*) ordem *Ver tb* STANDING ORDER LOC **in order 1** em ordem **2** (*formal*) (*aceitável*) permitido ◆ **in order that...** (*formal*) para que... ◆ **in order to do sth** para fazer alguma coisa ◆ **in running/working order** a funcionar, em bom estado: *in perfect working order* em perfeitas condições ◆ **out of order 1** avariado: *It's out of order.* Não funciona. **2** (*GB, coloq*) inadequado *Ver tb* LAW, PECK

O

▸ **1** *vt* ~ **sb to do sth** ordenar que alguém faça alguma coisa, mandar alguém fazer alguma coisa

Para se dizer a alguém que faça alguma coisa, pode-se utilizar os verbos **order** e **tell**. **Tell** é o verbo que se emprega com mais frequência. O significado é mais delicado e utiliza-se em situações do quotidiano: *She told him to put everything away.* Ela disse-lhe que deitasse tudo fora. **Order** tem um significado mais forte, e é utilizado por pessoas com uma posição de autoridade: *I'm not asking you, I'm ordering you.* Eu não lhe estou a pedir, estou a mandar. ◇ *He ordered his troops to retreat.* Ele ordenou que as tropas recuassem.

2 *vt* ~ **sth (from/for sb)** pedir, mandar vir alguma coisa (de/para alguém) **3** *vt, vi* ~ **(sth) (for sb)** (*comida, etc.*) pedir (alguma coisa) (para alguém) **4** *vt* (*formal*) ordenar, pôr em ordem, organizar PHR V **order sb about/around** dar ordens a alguém, mandar em alguém

orderly /'ɔːdəli/ *adj* **1** ordenado, metódico **2** disciplinado, ordeiro

⚷ **ordinary** /'ɔːdnri; *USA* -neri/ *adj* comum, normal: *ordinary people* gente comum ➲ *Comparar com* COMMON (3) LOC **out of the ordinary** fora do normal, extraordinário

ore /ɔː(r)/ *s* minério: *gold/iron ore* minério de ouro/ferro

oregano /ˌɒrɪ'gɑːnəʊ; *USA* ə'regənəʊ/ *s* orégão

⚷ **organ** /'ɔːgən/ *s* (*Anat, Mús*) órgão *Ver tb* MOUTH ORGAN

organic /ɔː'gænɪk/ *adj* orgânico

organism /'ɔːgənɪzəm/ *s* organismo

⚷ **organization, -isation** /ˌɔːgənaɪ'zeɪʃn; *USA* -nə'z-/ *s* organização **organizational, -isational** *adj* organizacional

⚷ **organize, -ise** /'ɔːgənaɪz/ **1** *vt, vi* organizar(-se): *to get yourself organized* organizar-se **2** *vt* (*pensamentos*) pôr em ordem **organizer, -iser** *s* organizador, -ora

orgy /'ɔːdʒi/ *s* (*pl* **orgies**) (*lit e fig*) orgia

orient /'ɔːriənt/ *verbo, substantivo*

▸ *vt* (*tb* **orientate** /'ɔːriənteɪt/) ~ **sb/sth (to/towards sb/sth)** orientar alguém/alguma coisa (para alguém/alguma coisa): *to orientate yourself* orientar-se

▸ *s* **the Orient** o Oriente **oriental** /ˌɔːri'entl/ *adj* oriental **orientation** *s* orientação

⚷ **origin** /'ɒrɪdʒɪn; *USA* 'ɔːr-/ *s* **1** origem **2** origens, ascendência (*de uma pessoa*)

⚷ **original** /ə'rɪdʒənl/ *adjetivo, substantivo*

▸ *adj* **1** original **2** primeiro, primordial

▸ *s* original LOC **in the original** na versão original **originality** /əˌrɪdʒə'næləti/ *s* originalidade

⚷ **originally** /ə'rɪdʒənəli/ *adv* no princípio, originariamente

originate /ə'rɪdʒɪneɪt/ (*formal*) **1** *vi* ~ **in sth** originar-se, ter origem em alguma coisa **2** *vi* ~ **from sth** vir de alguma coisa **3** *vt* dar origem a, criar

ornament /'ɔːnəmənt/ *s* peça de decoração, ornamento **ornamental** /ˌɔːnə'mentl/ *adj* ornamental, decorativo

ornate /ɔː'neɪt/ *adj* **1** ornamentado, ornado **2** (*linguagem, estilo*) floreado

orphan /'ɔːfn/ *substantivo, verbo*

▸ *s* órfão, -ã

▸ *vt*: *to be orphaned* ficar órfão **orphanage** /'ɔːfənɪdʒ/ *s* orfanato

orthodox /'ɔːθədɒks/ *adj* ortodoxo

ostrich /'ɒstrɪtʃ/ *s* avestruz

⚷ **other** /'ʌðə(r)/ *adjetivo, pronome*

▸ *adj* outro: *other books* outros livros ◇ *Have you got other plans?* Tens outros planos? ◇ *All their other children have left home.* Os seus outros filhos já saíram de casa. ◇ *That other car was better.* Aquele outro carro era melhor. ◇ *some other time* outro dia ➲ *Ver nota em* OUTRO LOC **the other day, morning, week, etc.** no outro dia, no outro dia de manhã, na outra semana, etc. *Ver tb* EVERY, WORD

▸ *pron* **1 others** [*pl*] outros, -as: *Others have said this before.* Outros já dizeram o mesmo antes. ◇ *Have you got any others?* Tens mais? **2 the other** o outro, a outra: *I'll keep one and she can have the other.* Eu fico com um e ela pode ficar com o outro. **3 the others** [*pl*] os outros, as outras: *This shirt is too small and the others are too big.* Esta camisa é demasiado pequena e as outras demasiado grandes. LOC **other than 1** exceto, para além de: *He never speaks to me other than to ask for something.* Nunca fala comigo a não ser para me pedir alguma coisa. **2** (*formal*): *I have never known him to behave other than selfishly.* Nunca soube que ele se comportasse de maneira que não fosse egoísta. ◆ **someone/something/somewhere or other** (*coloq*) alguém/alguma coisa/em algum lugar

⚷ **otherwise** /'ʌðəwaɪz/ *adv* **1** senão: *Shut the window, otherwise it will get cold.* Fecha a janela, senão vai ficar frio. **2** de resto **3** de outro modo: *mulled wine, otherwise known as glühwein* vinho quente, também conhecido como glühwein

otter /'ɒtə(r)/ *s* lontra

ouch /aʊtʃ/ *interj* ai!

⚿ **ought to** /'ɔːt tə, 'ɔːt tuː/ *v modal* (*neg* **ought not** *ou* **oughtn't** /'ɔːtnt/)

Ought to é um verbo modal, e as orações interrogativas e negativas constroem-se sem o auxiliar **do**.

1 (*sugestões e conselhos*): *You ought to do it.* Devias fazê-lo. ◇ *I ought to have gone.* Devia ter ido. ➲ *Comparar com* MUST **2** (*probabilidade*): *Five ought to be enough.* Cinco devem ser suficientes.

ounce /aʊns/ *s* (*abrev* **oz**) onça (*28,35 gramas*) ➲ *Ver pág. 712*

⚿ **our** /ɑː(r), 'aʊə(r)/ *adj* nosso(s), nossa(s): *Our house is in the centre.* A nossa casa é no centro. ➲ *Ver nota em* MY

⚿ **ours** /ɑːz, 'aʊəz/ *pron* nosso(s), nossa(s): *a friend of ours* uma amiga nossa ◇ *Where's ours?* Onde é que está o nosso?

⚿ **ourselves** /ɑː'selvz, ˌaʊə'selvz/ *pron* **1** [*uso reflexivo*] nos **2** [*uso enfático*] nós mesmos LOC **(all) by ourselves** (completamente) sozinhos

⚿ **out** /aʊt/ *advérbio, substantivo*
▸ *adv* ⓘ Para os usos de **out** em PHRASAL VERBS, ver as entradas para os verbos correspondentes, p.ex. **pick sth out** em PICK. **1** fora: *to be out* não estar (em casa) **2** *The sun is out.* Está sol. **3** fora de moda **4** (*possibilidade, etc.*) fora de hipótese **5** (*luz, etc.*) apagado **6** *to call out (loud)* chamar em voz alta **7** (*cálculo*) errado: *The bill is out by five pounds.* Enganaram-se em cinco libras na conta. **8** (*jogador*) eliminado **9** (*bola*) fora (*de campo*) *Ver tb* OUT OF LOC **be out for sth/to do sth** estar decidido a procurar/a fazer alguma coisa
▸ *s* LOC *Ver* IN

outage /'aʊtɪdʒ/ (*tb* **power outage**) *s* (*USA*) corte de energia

the outback /'aʊtbæk/ *s* [*sing*] o interior (*na Austrália*)

outbreak /'aʊtbreɪk/ *s* **1** surto, epidemia **2** (*guerra*) deflagração

outburst /'aʊtbɜːst/ *s* **1** (*emoção*) acesso: *an outburst of anger* um acesso de raiva **2** explosão

outcast /'aʊtkɑːst; *USA* -kæst/ *s* marginalizado, -a, pária

outcome /'aʊtkʌm/ *s* resultado

outcry /'aʊtkraɪ/ *s* (*pl* **outcries**) (clamor de) protesto

outdo /ˌaʊt'duː/ *vt* (*3ª pess sing pres* **outdoes** /-'dʌz/, *pt* **outdid** /-'dɪd/, *pp* **outdone** /-'dʌn/) superar

⚿ **outdoor** /'aʊtdɔː(r)/ *adj* ao ar livre: *outdoor swimming pool* piscina descoberta

⚿ **outdoors** /ˌaʊt'dɔːz/ *adv* ao ar livre, fora

⚿ **outer** /'aʊtə(r)/ *adj* [*só antes de substantivo*] externo, exterior

outfit /'aʊtfɪt/ *s* **1** (*roupa*) conjunto **2** equipamento

outgoing /'aʊtgəʊɪŋ/ *adj* **1** extrovertido **2** (*Pol*) cessante, demissionário **3** (*voo, chamada, etc.*) de saída

outgrow /ˌaʊt'grəʊ/ *vt* (*pt* **outgrew** /-'gruː/, *pp* **outgrown** /-'grəʊn/) **1** *He's outgrown his shoes.* Os sapatos já lhe estão pequenos. **2** (*hábito, etc.*) cansar-se de, abandonar

outing /'aʊtɪŋ/ *s* excursão, passeio

outlandish /aʊt'lændɪʃ/ *adj* (*freq pej*) estapafúrdio, estrambólico

outlaw /'aʊtlɔː/ *verbo, substantivo*
▸ *vt* declarar ilegal, proibir
▸ *s* foragido, -a

outlet /'aʊtlet/ *s* **1** ~ **(for sth)** descarga (de alguma coisa) **2** (*Econ*) ponto de venda **3** (*USA*) tomada (*em parede*) ➲ *Ver ilustração em* FICHA **4** saída, escoadouro

⚿ **outline** /'aʊtlaɪn/ *substantivo, verbo*
▸ *s* **1** contorno, perfil **2** linhas gerais, esboço
▸ *vt* **1** esboçar, contornar **2** delinear, descrever em linhas gerais

outlive /ˌaʊt'lɪv/ *vt* sobreviver a: *The machine had outlived its usefulness.* A máquina já não servia.

outlook /'aʊtlʊk/ *s* **1** ~ **(on sth)** ponto de vista (sobre alguma coisa) **2** ~ **(for sth)** perspetiva, previsão (para/de alguma coisa) **3** vista

outnumber /ˌaʊt'nʌmbə(r)/ *vt* superar em número

out of *prep* **1** fora de: *I want that dog out of the house.* Quero esse cão fora de casa. ◇ *to jump out of bed* saltar da cama **2** de: *to copy sth out of a book* copiar alguma coisa de um livro ◇ *eight out of every ten* oito em cada dez **3** (*causa*) por: *out of interest* por interesse **4** (*material*) de: *made out of plastic* (feito) de plástico **5** sem: *to be out of work* estar desempregado

out of date *adj* **1** fora de moda **2** desatualizado: *out-of-date ideas* ideias ultrapassadas **3** caducado ➲ *Ver nota em* WELL BEHAVED *e comparar com* UP TO DATE

outpost /'aʊtpəʊst/ *s* posto avançado

⚿ **output** /'aʊtpʊt/ *s* **1** produção **2** (*motor, etc.*) potência

O

outrage /'aʊtreɪdʒ/ *substantivo, verbo*
▸ *s* **1** [*não-contável*] escândalo **2** raiva, ira **3** atrocidade
▸ *vt* ultrajar **outrageous** /aʊt'reɪdʒəs/ *adj* **1** escandaloso, monstruoso **2** extravagante

outright /'aʊtraɪt/ *advérbio, adjetivo*
▸ *adv* **1** (*sem reservas*) abertamente, francamente **2** instantaneamente **3** completamente **4** (*vencer*) completamente
▸ *adj* [*só antes de substantivo*] **1** absoluto **2** franco **3** (*vencedor*) indiscutível **4** (*negativa, etc.*) categórico

outset /'aʊtset/ *s* LOC **at/from the outset (of sth)** no/desde o início (de alguma coisa)

outside *substantivo, preposição, advérbio, adjetivo*
▸ *s* /ˌaʊt'saɪd/ exterior: *on/from the outside* por/de fora
▸ *prep* /ˌaʊt'saɪd/ (*tb esp USA* **outside of**) fora de: *Wait outside the door.* Espera lá fora.
▸ *adv* /ˌaʊt'saɪd/ lá fora
▸ *adj* /'aʊtsaɪd/ [*só antes de substantivo*] **1** exterior, de fora **2** (*hipótese*) remoto

outsider /ˌaʊt'saɪdə(r)/ *s* **1** estranho, -a **2** (*pej*) intruso, -a **3** concorrente que não figura entre os favoritos

outskirts /'aʊtskɜːts/ *s* [*pl*] arredores

outspoken /aʊt'spəʊkən/ *adj* sincero, franco

outstanding /aʊt'stændɪŋ/ *adj* **1** notável, excecional **2** (*visível*) que dá nas vistas **3** (*pagamento, trabalho*) pendente

outstretched /ˌaʊt'stretʃt/ *adj* estendido, aberto

outward /'aʊtwərd/ *adjetivo, advérbio*
▸ *adj* [*só antes de substantivo*] **1** externo, exterior **2** (*viagem*) de ida
▸ *adv* (*tb* **outwards**) para fora **outwardly** *adv* por fora, aparentemente

outweigh /ˌaʊt'weɪ/ *vt* ter mais peso que, ser mais importante que

oval /'əʊvl/ *adj* oval

ovary /'əʊvəri/ *s* (*pl* **ovaries**) ovário

oven /'ʌvn/ *s* forno

over /'əʊvə(r)/ *advérbio, preposição* ❶ Para os usos de **over** em PHRASAL VERBS, ver as entradas para os verbos correspondentes, p. ex. **think sth over** em THINK.
▸ *adv* **1** *to knock sth over* virar/derrubar alguma coisa ◇ *to fall over* cair **2** *to turn sth over* virar alguma coisa **3** (*lugar*): *over here/there* aqui/ali ◇ *They came over to see us.* Vieram ver-nos. **4 left over** de sobra: *Is there any food left over?* Sobrou comida? **5** (*mais*): *children of five and over* crianças dos cinco anos em diante **6** terminado LOC **(all) over again** outra vez, de novo ◆ **over and done with** terminado ◆ **over and over (again)** vezes sem conta, repetidamente *Ver tb* ALL
▸ *prep* **1** sobre, em cima de: *clouds over the mountains* nuvens sobre as montanhas **2** no outro lado: *He lives over the road.* Vive do outro lado da rua. **3** mais de: *(for) over a month* durante mais de um mês **4** (*tempo*) durante, enquanto: *We'll discuss it over lunch.* Discutimos isso durante o almoço. **5** por causa de: *an argument over money* uma discussão por motivos de dinheiro **6** (*meio de comunicação*) por, a: *We heard it over the radio.* Soubemos disso pela rádio. ◇ *She wouldn't tell me over the phone.* Ela não queria dizer-me ao telefone. LOC **over and above** além de

over- /'əʊvə(r)/ *pref* **1** excessivamente: *over-ambitious* excessivamente ambicioso **2** (*idade*) com mais de: *the over-60s* as pessoas com mais de 60 anos

overall *adjetivo, advérbio, substantivo*
▸ *adj* /ˌəʊvər'ɔːl/ **1** total **2** (*geral*) global **3** (*vencedor*) absoluto
▸ *adv* /ˌəʊvər'ɔːl/ **1** no total **2** em geral
▸ *s* /'əʊvərɔːl/ bata

overalls

dungarees (*USA* **overalls**)

overalls (*USA* **coveralls**)

overalls /'əʊvərɔːlz/ *s* [*pl*] **1** (*GB*) fato-macaco **2** (*USA*) jardineiras (*calças com peitilho*) ➲ *Ver notas em* CALÇAS *e* PAIR

overbearing /ˌəʊvə'beərɪŋ/ *adj* (*pej*) autoritário

overboard /'əʊvəbɔːd/ *adv* borda fora, ao mar: *to fall overboard* cair borda fora LOC **go overboard** (*coloq*) ficar todo entusiasmado

overcame *pt de* OVERCOME

overcast /ˌəʊvə'kɑːst; *USA* -'kæst/ *adj* nublado, encoberto

overcharge /ˌəʊvə'tʃɑːdʒ/ *vt, vi* ~ **(sb) (for sth)** cobrar demasiado (a alguém) (por alguma coisa)

overcoat /'əʊvəkəʊt/ *s* sobretudo

🔑 **overcome** /ˌəʊvə'kʌm/ *vt* (*pt* **overcame** /-'keɪm/, *pp* **overcome**) **1** (*dificuldade, etc.*) vencer **2** (*adversário*) derrotar **3** apoderar-se de, invadir: *overcome by fumes/smoke* vencido pelos gases/pelo fumo ◇ *overcome with/by emotion* tomado pela emoção

overcrowded /ˌəʊvə'kraʊdɪd/ *adj* superlotado **overcrowding** *s* superlotação

overdo /ˌəʊvə'du:/ *vt* (*3ª pess sing pres* **overdoes** /-'dʌz/, *pt* **overdid** /-'dɪd/, *pp* **overdone** /-'dʌn/) **1** exagerar **2** cozer demasiado LOC **overdo it/things** passar dos limites

overdose /'əʊvədəʊs/ *substantivo, verbo*
▸ *s* overdose, dose excessiva
▸ *vi* (*coloq* **OD**) ~ **(on sth)** tomar uma overdose (de alguma coisa)

overdraft /'əʊvədrɑ:ft; *USA* -dræft/ *s* saldo negativo (*de conta bancária*)

overdrawn /ˌəʊvə'drɔ:n/ *adj* (*Fin*) com saldo negativo

overdue /ˌəʊvə'dju:; *USA* -'du:/ *adj* **1** atrasado **2** (*Fin*) em atraso

overestimate /ˌəʊvər'estɪmeɪt/ *vt* sobrestimar

overflow *verbo, substantivo*
▸ *vt, vi* /ˌəʊvə'fləʊ/ ~ **sth**; ~ **(with sth)** transbordar (de alguma coisa)
▸ *s* /'əʊvəfləʊ/ **1** trasbordo **2** excesso (*de gente, etc.*) **3** (*tb* **overflow pipe**) cano de descarga

overgrown /ˌəʊvə'grəʊn/ *adj* **1** ~ **(with sth)** (*jardim*) coberto (de alguma coisa) **2** (*pej*) demasiado crescido, grande

overhang /ˌəʊvə'hæŋ/ *vt, vi* (*pt, pp* **overhung** /-'hʌŋ/) pender (sobre) **overhanging** *adj* que se projeta (sobre): *overhanging trees* árvores que dão sombra

overhaul *verbo, substantivo*
▸ *vt* /ˌəʊvə'hɔ:l/ (*máquina, etc.*) fazer uma revisão de
▸ *s* /'əʊvəhɔ:l/ revisão

overhead *adjetivo, advérbio*
▸ *adj* /'əʊvəhed/ **1** elevado **2** (*cabo*) aéreo **3** (*luz*) de teto
▸ *adv* /ˌəʊvə'hed/ por cima da cabeça, em cima, por cima

overheads /'əʊvəhedz/ *s* [*pl*] (*Com*) despesas fixas

overhear /ˌəʊvə'hɪə(r)/ *vt* (*pt, pp* **overheard** /-'hɜ:d/) ouvir (*por acaso*)

overhung *pt, pp de* OVERHANG

overjoyed /ˌəʊvə'dʒɔɪd/ *adj* ~ **(at sth/to do sth)** contentíssimo, felicíssimo (com alguma coisa/por fazer alguma coisa)

overland /'əʊvəlænd/ *adjetivo, advérbio*
▸ *adj* terrestre
▸ *adv* por terra

overlap *verbo, substantivo*
▸ /ˌəʊvə'læp/ (**-pp-**) **1** *vt, vi* sobrepor(-se) **2** *vi* (*fig*) coincidir parcialmente
▸ *s* /'əʊvəlæp/ **1** sobreposição **2** (*fig*) coincidência

overleaf /ˌəʊvə'li:f/ *adv* no verso (*de página*)

overload *verbo, substantivo*
▸ *vt* /ˌəʊvə'ləʊd/ ~ **sb/sth (with sth)** sobrecarregar alguém/alguma coisa (com alguma coisa)
▸ *s* /'əʊvələʊd/ sobrecarga

overlook /ˌəʊvə'lʊk/ *vt* **1** não ver **2** (*perdoar*) deixar passar **3** dar para, ter vista para

overnight *advérbio, adjetivo*
▸ *adv* /ˌəʊvə'naɪt/ **1** durante a noite: *to travel overnight* viajar de noite **2** dum dia para o outro
▸ *adj* /'əʊvənaɪt/ **1** para a noite, noturno **2** (*êxito*) da noite para o dia

overpass /'əʊvəpɑ:s; *USA* -pæs/ *s* (*USA*) viaduto

overpower /ˌəʊvə'paʊə(r)/ *vt* dominar, vencer, esmagar **overpowering** *adj* esmagador, tremendo

overran *pt de* OVERRUN

overrate /ˌəʊvə'reɪt/ *vt* sobrestimar, exagerar o valor de

overreact /ˌəʊvəri'ækt/ *vi* exagerar (*reação*)

override /ˌəʊvə'raɪd/ *vt* (*pt* **overrode** /-'rəʊd/, *pp* **overridden** /-'rɪdn/) **1** (*decisão*) rejeitar **2** (*objeção*) refutar **3** (*Jur*) revogar ❶ Para os significados 1, 2 e 3, usa-se também o verbo **overrule** /ˌəʊve'ru:l/ . **4** prevalecer sobre **5** (*processo automático*) passar para o modo manual **overriding** /ˌəʊvə'raɪdɪŋ/ *adj* [*só antes de substantivo*] maior, principal

overrun /ˌəʊvə'rʌn/ (*pt* **overran** /-'ræn/, *pp* **overrun**) **1** *vt* invadir **2** *vt, vi* ultrapassar (o tempo/orçamento devido)

overseas /ˌəʊvə'si:z/ *adjetivo, advérbio*
▸ *adj* externo, estrangeiro: *overseas territories* territórios ultramarinos
▸ *adv* no/para o estrangeiro

oversee /ˌəʊvə'si:/ *vt* (*pt* **oversaw** /-'sɔ:/, *pp* **overseen** /-'si:n/) vigiar, supervisionar

overshadow /ˌəʊvə'ʃædəʊ/ *vt* **1** (*pessoa, feito*) ofuscar **2** (*entristecer*) ensombrecer, toldar

oversight /'əʊvəsaɪt/ *s* esquecimento, descuido

O

oversleep /ˌəʊvəˈsliːp/ *vi* (*pt, pp* **overslept** /-ˈslept/) acordar tarde, adormecer (*não despertar a tempo*)

overspend /ˌəʊvəˈspend/ (*pt, pp* **overspent** /-ˈspent/) **1** *vi* gastar demais **2** *vt* (*estimativa*) ultrapassar

overstate /ˌəʊvəˈsteɪt/ *vt* exagerar

overstep /ˌəʊvəˈstep/ *vt* (**-pp-**) exceder LOC **overstep the mark/line** ir longe demais

overt /əʊˈvɜːt, ˈəʊvɜːt/ *adj* (*formal*) manifesto, público

overtake /ˌəʊvəˈteɪk/ (*pt* **overtook** /-ˈtʊk/, *pp* **overtaken** /-ˈteɪkən/) **1** *vt, vi* (*carro*) ultrapassar **2** *vt* superar **3** *vt* surpreender

overthrow *verbo, substantivo*
▸ *vt* /ˌəʊvəˈθrəʊ/ (*pt* **overthrew** /-ˈθruː/, *pp* **overthrown** /-ˈθrəʊn/) depor
▸ *s* /ˈəʊvəθrəʊ/ deposição

overtime /ˈəʊvətaɪm/ *s* [*não-contável*] **1** horas extraordinárias **2** (*USA*) (*Desp*) prolongamento

overtone /ˈəʊvətəʊn/ *s* [*ger pl*] insinuação, referência

overtook *pt de* OVERTAKE

overture /ˈəʊvətʃʊə(r); *USA* -tʃər/ *s* (*Mús*) abertura LOC **make overtures (to sb)** fazer propostas (a alguém)

overturn /ˌəʊvəˈtɜːn/ **1** *vt, vi* virar(-se) **2** *vt, vi* (*carro*) capotar **3** *vt* (*decisão*) anular

overview /ˈəʊvəvjuː/ *s* perspetiva geral

overweight /ˌəʊvəˈweɪt/ *adj*: *to be overweight* ter excesso de peso/estar demasiado gordo ➲ *Ver nota em* GORDO

overwhelm /ˌəʊvəˈwelm/ *vt* **1** derrotar **2** sobrecarregar (*de trabalho, perguntas, etc.*) **3** (*emoção*) dominar, esmagar **overwhelming** *adj* esmagador

overwork /ˌəʊvəˈwɜːk/ **1** *vt* sobrecarregar com trabalho **2** *vi* trabalhar em excesso

⚷ **owe** /əʊ/ *vt* dever (a), estar em dívida (para com): *I owe my mother £3000.* Devo 3.000 libras à minha mãe.

owing to /ˈəʊɪŋ tuː/ *prep* devido a, por causa de

owl /aʊl/ *s* mocho, coruja

⚷ **own** /əʊn/ *adjetivo, pronome, verbo*
▸ *adj, pron* próprio: *It was my own idea.* A ideia foi minha. LOC **(all) on your own 1** (completamente) sozinho **2** sozinho, sem ajuda ◆ **get your own back (on sb)** (*coloq*) vingar-se (de alguém) ◆ **of your own** próprio: *a house of your own* casa própria *Ver tb* BACK
▸ *vt* possuir, ter, ser dono de PHR V **own up (to sth)** admitir, confessar alguma coisa

⚷ **owner** /ˈəʊnə(r)/ *s* dono, -a, proprietário, -a **ownership** *s* [*não-contável*] posse, propriedade

own goal *s* autogolo

ox /ɒks/ *s* (*pl* **oxen** /ˈɒksn/) boi

oxygen /ˈɒksɪdʒən/ *s* oxigénio

oyster /ˈɔɪstə(r)/ *s* ostra

ozone /ˈəʊzəʊn/ *s* ozono: *ozone layer* camada do ozono

P, p /piː/ *s* (*pl* **Ps, P's, p's**) P, p ➲ *Ver nota em* A, A

⚷ **pace** /peɪs/ *substantivo, verbo*
▸ *s* **1** passo **2** ritmo LOC **keep pace (with sb/sth) 1** acompanhar o passo (de alguém/alguma coisa) **2** manter-se ao corrente (de alguma coisa) ◆ **set the pace** ditar o ritmo (*no mercado, etc.*)
▸ *vt, vi* (*inquieto*) andar de um lado para o outro: *to pace up and down (a room)* andar de um lado para o outro (numa sala)

pacemaker /ˈpeɪsmeɪkə(r)/ *s* (*Med*) pacemaker

pacifier /ˈpæsɪfaɪə(r)/ *s* (*USA*) chupeta

pacify /ˈpæsɪfaɪ/ *vt* (*pt, pp* **-fied**) **1** (*receios, ira*) acalmar **2** (*região*) pacificar

⚷ **pack** /pæk/ *verbo, substantivo*
▸ **1** *vt* (*mala*) fazer **2** *vi* fazer as malas **3** *vt* embalar: *The pottery was packed in boxes.* A loiça foi empacotada em caixas. **4** *vt* ~ **sth in/with sth** embrulhar alguma coisa em alguma coisa **5** *vt* (*caixa*) encher **6** *vt* (*comida*) embalar, conservar **7** *vt* (*quarto*) encher LOC **pack your bags** (*coloq*) ir-se embora PHR V **pack sth in** (*coloq*) desistir de alguma coisa: *I've packed in my job.* Deixei o emprego. ◆ **pack into sth** apinhar-se em alguma coisa ◆ **pack sb/sth into sth** comprimir alguém/alguma coisa em alguma coisa ◆ **pack sth into sth** acumular alguma coisa em alguma coisa ◆ **pack up 1** fazer as malas **2** (*GB, coloq*) parar, avariar
▸ *s* **1** embalagem: *The pack contains ten envelopes and twenty sheets of writing paper.* A embalagem contém dez envelopes e vinte folhas de papel de carta. ➲ *Ver nota em* PARCEL **2** (*cigarros*) maço **3** mochila **4** carga (*de animal*) **5** [*v sing ou pl*] (*cães*) matilha **6** [*v sing ou pl*] (*lobos*) alcateia **7** (*cartas*) baralho

package /ˈpækɪdʒ/ *substantivo, verbo*
▸ *s* **1** pacote ➲ *Ver nota em* PARCEL **2** (*bagagem*) volume
▸ *vt* empacotar

package holiday (*tb* **package tour**) *s* viagem organizada (*com tudo incluído*)

packaging /ˈpækɪdʒɪŋ/ *s* [*não-contável*] embalagem

packed /pækt/ *adj* **1** apinhado **2** ~ **with sth** a abarrotar, cheio de alguma coisa

packed lunch *s* almoço (*que se leva para o trabalho ou escola*)

packet /ˈpækɪt/ *s* pacote ➲ *Ver ilustração em* CONTAINER *e nota em* PARCEL

packing /ˈpækɪŋ/ *s* **1** acto de arrumar os pertences/fazer as malas: *Have you finished your packing yet?* Já acabaste de fazer as malas? **2** embalagem, enchimento

pact /pækt/ *s* pacto

pad /pæd/ *substantivo, verbo*
▸ *s* **1** almofada: *shin/shoulder pad* caneleira/chumaço **2** toalhita de limpeza **3** (*papel*) bloco
▸ *vt* (**-dd-**) **1** acolchoar **2** ~ **about, along, around, etc. (sth)** caminhar (com passos leves) (por, etc. alguma coisa) PHR V **pad sth out** encher alguma coisa de palha (*livro, trabalho escrito, etc.*) **padding** *s* **1** acolchoado **2** (*fig*) palha

paddle /ˈpædl/ *substantivo, verbo*
▸ *s* **1** remo (*de canoa*) **2** (*USA*) (*Ténis de mesa*) raquete **3 a paddle** [*sing*] (*no rio ou no mar*) chapinhar: *to go for/have a paddle* ir molhar os pés/ir passear pela água LOC *Ver* CREEK
▸ **1** *vt* (*barco*) dirigir (remando) **2** *vi* remar **3** *vi* chapinhar, patinhar

paddock /ˈpædək/ *s* cercado (*para cavalos*)

padlock /ˈpædlɒk/ *s* cadeado

paediatrician (*USA* **pediatrician**) /ˌpiːdiəˈtrɪʃn/ *s* pediatra

pagan /ˈpeɪɡən/ *adj, s* pagão, -ã

page /peɪdʒ/ *substantivo, verbo*
▸ *s* (*abrev* **p.**) página *Ver tb* FRONT PAGE, HOME PAGE
▸ *vt* chamar (pelo altifalante)

pager /ˈpeɪdʒə(r)/ *s* pager, bip

paid /peɪd/ *adj* **1** (*empregado*) assalariado **2** (*trabalho*) remunerado LOC **put paid to sth** (*coloq*) pôr fim a alguma coisa *Ver tb* PAY

pain /peɪn/ *s* dor: *Is she in pain?* Tem dores? ◇ *I've got a pain in my back.* Doem-me as costas. LOC **a pain (in the neck)** (*coloq*) **1** (*pessoa*) um chato/uma chata **2** (*coisa*) uma chatice ◆ **be at/go to/take (great) pains to do sth** esforçar-se por fazer alguma coisa ◆ **take (great) pains with/over sth** esmerar-se em alguma coisa **pained** *adj* **1** angustiado, aflito **2** ofendido

painful /ˈpeɪnfl/ *adj* **1** doloroso: *to be painful* doer **2** dorido **3** (*dever*) penoso **4** (*decisão*) difícil **painfully** *adv* **1** penosamente **2** extremamente

painkiller /ˈpeɪnkɪlə(r)/ *s* analgésico

painless /ˈpeɪnləs/ *adj* **1** indolor, sem dor **2** (*procedimento*) fácil, sem dificuldades

painstaking /ˈpeɪnzteɪkɪŋ/ *adj* laborioso

paint /peɪnt/ *substantivo, verbo*
▸ *s* tinta
▸ *vt, vi* pintar

paintbrush /ˈpeɪntbrʌʃ/ *s* pincel, trincha ➲ *Ver ilustração em* BRUSH

painter /ˈpeɪntə(r)/ *s* pintor, -ora

painting /ˈpeɪntɪŋ/ *s* **1** pintura **2** quadro

paintwork /ˈpeɪntwɜːk/ *s* pintura (*superfície*)

pair /peə(r)/ *substantivo, verbo*
▸ *s* **1** par: *a pair of trousers* um par de calças/umas calças

> As palavras que designam objetos compostos por dois elementos (como, por exemplo, tenaz(es), tesoura(s), calça(s), etc.), levam o verbo no plural: *These scissors are blunt.* Esta tesoura não corta. Quando nos referimos a mais de um, utilizamos a palavra **pair**: *I've got two pairs of scissors.* Tenho duas tesouras. ➲ *Ver tb nota em* CALÇAS

2 [*v sing ou pl*] (*animais, equipa*) par, parelha: *the winning pair* o par vencedor ➲ *Comparar com* COUPLE
▸ *v* PHR V **pair off/up (with sb)** formar um par (com alguém) ◆ **pair sb off/up (with sb)** emparelhar alguém (com alguém)

pajamas (*USA*) = PYJAMAS

pal /pæl/ *s* (*coloq*) amigo, -a, companheiro, -a

palace /ˈpæləs/ *s* palácio

palate /ˈpælət/ *s* **1** palato **2** paladar

pale /peɪl/ *adjetivo, substantivo*
▸ *adj* (**paler, -est**) **1** pálido: *to go/turn pale* empalidecer **2** (*cor*) claro **3** (*luz*) ténue
▸ *s* LOC **beyond the pale** (*comportamento*) inaceitável

pallid /ˈpælɪd/ *adj* pálido

pallor /ˈpælə(r)/ *s* palidez

palm /pɑːm/ *substantivo, verbo*
▸ *s* **1** (*mão*) palma **2** (*tb* **palm tree**) palmeira LOC **have sb in the palm of your hand** ter alguém na palma da mão

P

▸ *v* PHR V **palm sb off with sth; palm sth off on sb** (*coloq*) impingir alguém/alguma coisa (a alguém)

paltry /ˈpɔːltri/ *adj* insignificante

pamper /ˈpæmpə(r)/ *vt* mimar

pamphlet /ˈpæmflət/ *s* **1** folheto **2** (*político*) panfleto

⚷ **pan** /pæn/ *s* termo genérico que abarca tachos, panelas e frigideiras ➲ *Ver ilustração em* POT LOC *Ver* FLASH

pancake /ˈpænkeɪk/ *s* panqueca ➲ *Ver nota em* TERÇA-FEIRA

panda /ˈpændə/ *s* panda

pander /ˈpændə(r)/ *v* PHR V **pander to sb/sth** (*pej*) fazer concessões a alguém/alguma coisa

pane /peɪn/ *s* vidro: *pane of glass* vidraça

⚷ **panel** /ˈpænl/ *s* **1** (*revestimento, de instrumentos*) painel **2** [*v sing ou pl*] (*TV, Rádio*) convidados **3** [*v sing ou pl*] júri, comissão **panelled** (*USA* **paneled**) *adj* apainelado **panelling** (*USA* **paneling**) *s* apainelamento: *oak panelling* painéis de carvalho

pang /pæŋ/ *s* pontada (*de fome, ciúme, etc.*)

panic /ˈpænɪk/ *substantivo, verbo*
▸ *s* pânico
▸ *vt, vi* (**-ck-**) apavorar, ficar apavorado, entrar em pânico

panic-stricken /ˈpænɪk strɪkən/ *adj* tomado pelo pânico, apavorado

pant /pænt/ *vi* arfar

panther /ˈpænθə(r)/ *s* **1** pantera **2** (*USA*) puma

panties /ˈpæntiz/ *s* [*pl*] cuecas (*de senhora ou criança*): *a pair of panties* um par de cuecas ➲ *Ver notas em* CUECA *e* PAIR

pantomime /ˈpæntəmaɪm/ *s* **1** (*GB*) representação teatral com música para o Natal, baseada em contos de fadas **2** (*fig*) situação ridícula

pantry /ˈpæntri/ *s* (*pl* **pantries**) despensa

⚷ **pants** /pænts/ *s* [*pl*] **1** (*GB*) cuecas **2** (*USA*) calças *Ver tb* CARGO PANTS ➲ *Ver notas em* CALÇAS *e* PAIR

pantyhose /ˈpæntihəʊz/ *s* [*pl*] (*USA*) collants ➲ *Ver notas em* CALÇAS *e* PAIR

⚷ **paper** /ˈpeɪpə(r)/ *substantivo, verbo*
▸ *s* **1** [*não-contável*] papel: *a piece of paper* um pedaço/uma folha de papel ◇ *writing paper* papel de carta **2** jornal **3 papers** [*pl*] papéis, papelada **4 papers** [*pl*] documentos **5** papel de parede **6** enunciado (de exame) **7** (*científico, académico*) artigo, trabalho, ensaio *Ver tb* WHITE PAPER LOC **on paper 1** por escrito **2** (*fig*) em teoria
▸ *vt* decorar com papel de parede

paperback /ˈpeɪpəbæk/ *s* livro brochado/de capa mole

paper boy *s* rapaz que entrega jornais

paper girl *s* rapariga que entrega jornais

paperwork /ˈpeɪpəwɜːk/ *s* [*não-contável*] **1** tarefas administrativas **2** papelada

par /pɑː(r)/ *s* LOC **below/under par** abaixo do esperado/da média ◆ **on a par with sb/sth** em pé de igualdade com alguém/alguma coisa

parable /ˈpærəbl/ *s* parábola (*conto*)

parachute /ˈpærəʃuːt/ *s* paraquedas **parachuting** *s* paraquedismo: *to go parachuting* fazer paraquedismo **parachutist** *s* paraquedista

parade /pəˈreɪd/ *substantivo, verbo*
▸ *s* **1** desfile **2** (*Mil*) parada
▸ **1** *vi* desfilar **2** *vi* (*Mil*) passar revista **3** *vi* pavonear-se **4** *vt* (*em público*) exibir **5** *vt* (*pej*) (*conhecimentos*) alardear, exibir

paradise /ˈpærədaɪs/ *s* paraíso

paradox /ˈpærədɒks/ *s* paradoxo

paraffin /ˈpærəfɪn/ *s* petróleo (de iluminação)

paragliding /ˈpærəglaɪdɪŋ/ *s* parapente

paragraph /ˈpærəgrɑːf; *USA* -græf/ *s* parágrafo

⚷ **parallel** /ˈpærəlel/ *adjetivo, substantivo*
▸ *adj* paralelo
▸ *s* **1** paralelo **2** paralela

the Paralympics /ˌpærəˈlɪmpɪks/ *s* [*pl*] Os Jogos Para(o)límpicos

paralyse (*USA* **paralyze**) /ˈpærəlaɪz/ *vt* paralisar **paralysed** (*USA* **paralyzed**) *adj* **1** paralisado **2** (*fig*) paralisado (*pelo medo, pela greve, etc.*)

paralysis /pəˈræləsɪs/ *s* **1** (*pl* **paralyses** /-siːz/) paralisia **2** [*não-contável*] (*fig*) paralisação

paramount /ˈpærəmaʊnt/ *adj* fundamental: *of paramount importance* de extrema importância

paranoid /ˈpærənɔɪd/ *adj* **1** paranoico **2** (*fig*) maníaco

paraphrase /ˈpærəfreɪz/ *vt* parafrasear

parasite /ˈpærəsaɪt/ *s* parasita

parcel /ˈpɑːsl/ *s* encomenda

Parcel (*USA* **package**) usa-se para nos referir-mos às encomendas enviadas pelo correio. Para falar das encomendas que se entregam em mão, utilizamos **package**. **Packet** (*USA* **pack**) é o termo que utilizamos para nos referirmos a uma embalagem que contém um produto para venda numa loja: *a packet of cigarettes/crisps* um maço de cigarros/um pacote de batatas fritas. **Pack** utiliza-se para falar de um conjunto de coisas diferentes que se vendem juntas: *The pack contains needles and thread.* O pacote contém agulhas e linha. ◇ *information pack* pacote informativo. ➲ *Ver tb ilustração em* CONTAINER

parched /pɑːtʃt/ *adj* **1** ressequido **2** (*coloq*) (*pessoa*) morto de sede

parchment /ˈpɑːtʃmənt/ *s* pergaminho

pardon /ˈpɑːdn/ *interjeição, substantivo, verbo*
▸ *interj* (*tb esp USA* **pardon me?**) como?, perdão! o que disse?
▸ *s* **1** (*Jur*) indulto, perdão **2** (*formal*) perdão
LOC *Ver* BEG
▸ *vt* perdoar **LOC** **pardon me!** desculpe!

parent /ˈpeərənt/ *s* mãe, pai: *my parents* os meus pais ◇ *parent company* empresa-mãe *Ver tb* SINGLE PARENT **parentage** /ˈpeərəntɪdʒ/ *s* **1** ascendência **2** pais **parental** /pəˈrentl/ *adj* dos pais **parenthood** /ˈpeərənthʊd/ *s* maternidade, paternidade

parenthesis /pəˈrenθəsɪs/ *s* (*pl* **parentheses** /-siːz/) parêntese

parents-in-law /ˈpeərənts ɪn lɔː/ *s* [*pl*] sogros

parish /ˈpærɪʃ/ *s* paróquia: *parish priest* pároco

park /pɑːk/ *substantivo, verbo*
▸ *s* **1** parque: *national/business park* parque nacional/industrial **2** (*USA*) campo de jogos *Ver tb* CAR PARK
▸ *vt, vi* estacionar

parking /ˈpɑːkɪŋ/ *s* estacionamento: *parking ticket/fine* multa por estacionamento indevido ◇ *There is free parking.* Há estacionamento gratuito. ◇ *parking meter* parquímetro

parking lot *s* (*USA*) parque de estacionamento

parkland /ˈpɑːklænd/ *s* [*não-contável*] zona verde, parque

parliament /ˈpɑːləmənt/ *s* [*v sing ou pl*] parlamento

O Parlamento Britânico está dividido em duas câmaras: a Câmara dos Comuns (**the House of Commons**) e a Câmara dos Lordes (**the House of Lords**). A Câmara dos Comuns é composta por 650 deputados (**MPs** ou **Members of Parliament**) eleitos pelos cidadãos britânicos. Cada um desses deputados representa um distrito eleitoral (**constituency**).

parliamentary /ˌpɑːləˈmentri/ *adj* parlamentar

parlour (*USA* **parlor**) /ˈpɑːlə(r)/ *s* (*esp USA*): *ice cream/beauty parlour* geladaria/salão de beleza

parody /ˈpærədi/ *s* (*pl* **parodies**) paródia

parole /pəˈrəʊl/ *s* liberdade condicional

parrot /ˈpærət/ *s* (*Zool*) papagaio

parsley /ˈpɑːsli/ *s* salsa

parsnip /ˈpɑːsnɪp/ *s* pastinaga, cherivia

part /pɑːt/ *substantivo, verbo*
▸ *s* **1** parte **2** peça (*de máquina*) **3** (*TV, livro, etc.*) episódio **4** (*Cinema, Teat*) papel **5** (*USA*) (*cabelo*) risco **6 parts** [*pl*] (*antiq, coloq*) partes: *She's not from these parts.* Não é destas partes. **LOC** **for my, his, their, etc. part** pela minha, sua, etc. parte ◆ **for the most part** em geral ◆ **on the part of sb**; **on sb's part**: *It was an error on my part.* Foi um erro da minha parte. ◆ **take part (in sth)** tomar parte (em alguma coisa) ◆ **take sb's part** tomar o partido de alguém ◆ **the best/better part of sth** a maior parte de alguma coisa: *for the best part of a year* a maior parte do ano
▸ **1** *vt, vi* separar(-se) **2** *vt, vi* afastar(-se) **3** *vt*: *to part your hair* fazer um risco no cabelo **LOC** **part company (with/from sb)** separar-se, despedir-se (de alguém) **PHR V** **part with sth** **1** renunciar a alguma coisa, separar-se de alguma coisa **2** (*dinheiro*) gastar alguma coisa

part exchange *s* retoma: *in part exchange* como parte do pagamento

partial /ˈpɑːrʃl/ *adj* **1** parcial **2** ~ **(to sb/sth)** (*antiq*) apreciador (de alguém/alguma coisa) **3** ~ **(towards sb/sth)** (*pej*) predisposto (a favorecer alguém/alguma coisa) **partially** *adv* parcialmente

participant /pɑːˈtɪsɪpənt/ *s* participante

participate /pɑːˈtɪsɪpeɪt/ *vi* ~ **(in sth)** participar (em alguma coisa) **participation** *s* participação

participle /pɑːˈtɪsɪpl/ *s* particípio

particle /ˈpɑːtɪkl/ *s* partícula

particular /pəˈtɪkjələ(r)/ *adjetivo, substantivo*
▸ *adj* **1** (*concreto*) em particular: *in this particular case* neste caso em particular **2** (*excecional*) especial **3** ~ **(about sth)** exigente (com/em alguma coisa), esquisito (com alguma coisa)
▸ *s* **particulars** [*pl*] (*formal*) pormenores

particularly /pəˈtɪkjələli/ *adv* **1** particularmente, especialmente **2** em particular

parting /ˈpɑːtɪŋ/ *s* **1** despedida **2** (*cabelo*) risco

P

partisan /ˌpɑːtɪˈzæn, ˈpɑːtɪzæn; *USA* ˈpɑːrtəzn/ *adjetivo, substantivo*
▸ *adj* parcial
▸ *s* **1** partidário, -a **2** (*Mil*) guerrilheiro, -a

partition /pɑːˈtɪʃn/ *s* **1** tabique, divisória **2** (*Pol*) divisão

⚷ **partly** /ˈpɑːtli/ *adv* em parte

⚷ **partner** /ˈpɑːtnə(r)/ *s* **1** (*em relação amorosa*) companheiro, -a **2** (*dança, desporto*) par **3** (*Com*) sócio, -a

⚷ **partnership** /ˈpɑːtnəʃɪp/ *s* **1** associação, parceria **2** (*Com*) sociedade

part of speech *s* classe gramatical

partridge /ˈpɑːtrɪdʒ/ *s* perdiz

part-time /ˌpɑːt ˈtaɪm/ *adj, adv* a tempo parcial

⚷ **party** /ˈpɑːti/ *s* (*pl* **parties**) **1** (*reunião*) festa: *to have a party* fazer uma festa *Ver tb* HEN PARTY **2** (*Pol*) partido **3** grupo **4** (*Jur*) parte *Ver tb* THIRD PARTY LOC **be (a) party to sth** (*formal*) tomar parte em alguma coisa

⚷ **pass** /pɑːs; *USA* pæs/ *verbo, substantivo*
▸ **1** *vt, vi* passar **2** *vt* (*barreira*) atravessar **3** *vt* (*limite*) ultrapassar **4** *vt, vi* (*esp USA*) (*carro*) ultrapassar **5** *vt* (*lei, exame*) aprovar (em) **6** *vi* acontecer, suceder
PHR V **pass sth around (sth)** circular alguma coisa (por alguma coisa)
pass as sb/sth *Ver* PASS FOR SB/STH
pass away falecer
pass by (sb/sth) passar ao lado (de alguém/alguma coisa) ◆ **pass sb/sth by** deixar alguém/alguma coisa de lado: *She feels life is passing her by.* Sente que a vida lhe está a passar ao lado.
pass for sb/sth passar por alguém/alguma coisa (*ser tomado por*)
pass sb/sth off as sb/sth fazer passar alguém/alguma coisa por alguém/alguma coisa
pass out desmaiar
pass sth round (sth) *Ver* PASS STH AROUND (STH)
pass sth up (*coloq*) deixar passar alguma coisa (*oportunidade*)
▸ *s* **1** (*exame*) aprovação **2** (*Desp, licença, autocarro, etc.*) passe **3** (*montanha*) desfiladeiro LOC **make a pass at sb** (*coloq*) atirar-se a alguém (*tentar conquistar*)

passable /ˈpɑːsəbl; *USA* ˈpæs-/ *adj* **1** aceitável **2** transitável

⚷ **passage** /ˈpæsɪdʒ/ *s* **1** (*tb* **passageway** /ˈpæsɪdʒweɪ/) passagem, corredor **2** (*extrato*) passagem, trecho **3** [*sing*] (*formal*): *the passage of time* o passar do tempo

⚷ **passenger** /ˈpæsɪndʒə(r)/ *s* passageiro, -a

passer-by /ˌpɑːsə ˈbaɪ; *USA* ˌpæsər/ *s* (*pl* **passers-by**) transeunte

⚷ **passing** /ˈpɑːsɪŋ; *USA* ˈpæs-/ *adjetivo, substantivo*
▸ *adj* **1** passageiro **2** (*referência*) vago: *He only made a passing reference to the problem.* Apenas mencionou o problema por alto. **3** (*trânsito*) de passagem
▸ *s* **1** passagem **2** (*formal*) falecimento LOC **in passing** de passagem

passion /ˈpæʃn/ *s* paixão **passionate** *adj* apaixonado, ardente

passive /ˈpæsɪv/ *adjetivo, substantivo*
▸ *adj* passivo: *passive smoking* tabagismo passivo
▸ *s* (*tb* **passive voice**) (voz) passiva

⚷ **passport** /ˈpɑːspɔːt; *USA* ˈpæs-/ *s* passaporte

password /ˈpɑːswɜːd; *USA* ˈpæs-/ *s* senha

⚷ **past** /pɑːst; *USA* pæst/ *adjetivo, substantivo, preposição, advérbio*
▸ *adj* **1** passado **2** antigo: *past students* antigos alunos **3** último: *the past few days* os últimos dias **4** (*tempo*) esgotado: *The time is past.* Esgotou-se o tempo.
▸ *s* **1** passado **2** (*tb* **past tense**) pretérito, passado
▸ *prep* **1** depois de, para lá de: *past midnight* depois da meia-noite ◇ *It's past five o'clock.* Já passa das cinco. ◇ *It's past your bedtime.* Já devias estar na cama. **2** (*hora*): *half past two* duas e meia **3** (*com verbos de movimento*): *to walk past sb/sth* passar junto a alguém/alguma coisa LOC **not put it past sb (to do sth)** achar alguém muito capaz (de fazer alguma coisa)
▸ *adv* ao lado, em frente: *to walk past* passar em frente

pasta /ˈpæstə; *USA* ˈpɑːstə/ *s* [*não-contável*] massa(s)

paste /peɪst/ *substantivo, verbo*
▸ *s* **1** pasta, massa **2** cola **3** paté
▸ *vt, vi* colar

pastime /ˈpɑːstaɪm; *USA* ˈpæs-/ *s* passatempo

pastor /ˈpɑːstə(r); *USA* ˈpæs-/ *s* pastor, -ora (*sacerdote*)

pastoral /ˈpɑːstərəl; *USA* ˈpæs-/ *adj* **1** pastoral, bucólico **2** *pastoral care* aconselhamento (de sacerdote/educador)

pastry /ˈpeɪstri/ *s* **1** [*não-contável*] massa (*de tarte, etc.*) **2** (*pl* **pastries**) pastel (*de massa folhada*)

pasture /ˈpɑːstʃə(r); *USA* ˈpæs-/ *s* pastagem

pat /pæt/ *verbo, substantivo*
▸ *vt* (**-tt-**) **1** dar palmadinhas em **2** acariciar

▸ *s* **1** palmadinha **2** carícia LOC **give sb a pat on the back (for sth)** felicitar alguém (por alguma coisa)

patch /pætʃ/ *substantivo, verbo*
▸ *s* **1** (*tecido*) remendo **2** (*cor*) mancha **3** (*nevoeiro, etc.*) zona **4** leira, pequeno pedaço de terra (*onde se cultivam vegetais, etc.*) **5** (*GB, coloq*) zona de trabalho LOC **go through/hit a bad patch** (*esp GB, coloq*) passar um mau bocado ◆ **not be a patch on sb/sth** (*esp GB, coloq*) não ter comparação com alguém/alguma coisa
▸ *vt* remendar PHR V **patch sth up 1** remendar alguma coisa **2** (*disputa*) resolver alguma coisa

patchwork /ˈpætʃwɜːk/ *s* (*lit e fig*) manta de retalhos

patchy /ˈpætʃi/ *adj* **1** irregular: *patchy rain/fog* chuviscos/zonas de nevoeiro **2** desigual **3** (*conhecimentos*) com lacunas

pâté /ˈpæteɪ; *USA* pɑːˈteɪ/ *s* patê

patent /ˈpætnt, ˈpeɪtnt/ *substantivo, verbo, adjetivo*
▸ *s* patente
▸ *vt* patentear
▸ *adj* **1** (*formal*) óbvio **2** (*Com*) patenteado **patently** *adv* claramente

paternal /pəˈtɜːnl/ *adj* **1** paternal **2** (*familiares*) paterno

paternity /pəˈtɜːnəti/ *s* paternidade

path /pɑːθ; *USA* pæθ/ (*tb* **pathway**) *s* **1** caminho, carreiro **2** passagem **3** trajetória **4** (*fig*) caminho

pathetic /pəˈθetɪk/ *adj* **1** patético, lamentável **2** (*coloq, pej*) inútil, incompetente

pathological /ˌpæθəˈlɒdʒɪkl/ *adj* patológico

pathology /pəˈθɒlədʒi/ *s* patologia

pathos /ˈpeɪθɒs/ *s* pathos

pathway /ˈpɑːθweɪ; *USA* ˈpæθ-/ *s Ver* PATH

patience /ˈpeɪʃns/ *s* [*não-contável*] **1** paciência **2** (*cartas*) paciência LOC *Ver* TRY

patient /ˈpeɪʃnt/ *substantivo, adjetivo*
▸ *s* paciente, doente
▸ *adj* paciente

patio /ˈpætiəʊ/ *s* (*pl* **patios**) **1** terraço **2** pátio

patriarch /ˈpeɪtriɑːk/ *s* patriarca

patriot /ˈpeɪtriət, ˈpæt-/ *s* patriota **patriotic** /ˌpeɪtriˈɒtɪk, ˌpæt-/ *adj* patriótico

patrol /pəˈtrəʊl/ *verbo, substantivo*
▸ *vt, vi* (**-ll-**) **1** patrulhar **2** (*guarda*) fazer a ronda (por)
▸ *s* patrulha

patron /ˈpeɪtrən/ *s* **1** patrocinador, -ora **2** mecenas **3** (*formal*) cliente **patronage** /ˈpeɪtrənɪdʒ/ *s* **1** patrocínio **2** (*clientes regulares*) clientela, freguesia

patronize, -ise /ˈpætrənaɪz; *USA* ˈpeɪt-/ *vt* **1** (*pej*) tratar de forma condescendente **2** (*formal*) frequentar (*estabelecimento*) **patronizing, -ising** *adj* (*pej*) condescendente

pattern /ˈpætn/ *s* **1** padrão **2** padrão (*de tecido, etc.*) **3** (*Costura, etc.*) molde **patterned** *adj* estampado

pause /pɔːz/ *substantivo, verbo*
▸ *s* pausa
▸ *vi* fazer uma pausa, parar

pave /peɪv/ *vt* pavimentar LOC **pave the way (for sb/sth)** preparar o terreno (para alguém/alguma coisa)

pavement /ˈpeɪvmənt/ *s* **1** (*GB*) passeio, calçada **2** (*USA*) pavimento

pavilion /pəˈvɪliən/ *s* pavilhão

paving /ˈpeɪvɪŋ/ *s* pavimento: *paving stone* laje

paw /pɔː/ *substantivo, verbo*
▸ *s* **1** pata **2** (*coloq*) mão
▸ *vt, vi* ~ **(at) sth 1** pôr as patas em alguma coisa **2** (*pessoa*) tocar com as mãos em alguma coisa

pawn /pɔːn/ *substantivo, verbo*
▸ *s* (*lit e fig*) peão
▸ *vt* empenhar

pay /peɪ/ *verbo, substantivo*
▸ (*pt, pp* **paid**) **1** *vt* ~ **sb sth (for sth)**; ~ **sth (to sb) (for sth)** pagar alguma coisa (a alguém) (por alguma coisa): *She paid him 50 euros for the picture.* Ela pagou-lhe 50 euros pelo quadro. ➲ *Ver nota em* GIVE **2** *vt, vi* ~ **(sb) (for sth)** pagar (alguma coisa) (a alguém): *Who paid for the ice creams?* Quem pagou os gelados? **3** *vi* ~ **for sth** (*ser castigado*) pagar por alguma coisa **4** *vi* ser rentável **5** *vi* valer a pena **6** *vt, vi* compensar LOC **pay attention (to sb/sth)** prestar atenção (a alguém/alguma coisa) ◆ **pay sb a compliment** fazer um elogio a alguém ◆ **pay sb/sth a visit** fazer uma visita a alguém/alguma coisa
PHR V **pay sb back (for sth)** vingar-se de alguém (por alguma coisa) ◆ **pay sb back (sth)**; **pay sth back (to sb)** pagar (alguma coisa) (a alguém) (*dinheiro, empréstimo*) ◆ **pay sth in**; **pay sth into sth** depositar alguma coisa (em alguma coisa) (*no banco*) ◆ **pay off** (*coloq*) compensar, valer a pena ◆ **pay sb off 1** pagar e despedir alguém **2** (*coloq*) subornar alguém ◆ **pay sth off** acabar de pagar alguma coisa ◆ **pay up** pagar por completo

P

▸ *s* [*não-contável*] salário: *a pay rise/increase* um aumento salarial ◇ *pay claim* reclamação salarial ◇ *pay packet* pacote salarial

payable /'peɪəbl/ *adj* devido, a pagar

pay-as-you-go /ˌpeɪ əz ju: 'gəʊ/ *adj* pré-pago

payday /'peɪdeɪ/ *s* dia de pagamento

⚷ **payment** /'peɪmənt/ *s* **1** pagamento **2** [*não-contável*]: *in/as payment for sth* como pagamento de alguma coisa

pay-off /'peɪ ɒf; *USA* ɔ:f/ *s* (*coloq*) **1** pagamento, suborno **2** recompensa

pay-per-view /ˌpeɪ pə 'vju:/ *s* (*abrev* **PPV**) (*TV*) sistema de pagamento por uso

payroll /'peɪrəʊl/ *s* folha de pagamentos

PC /ˌpi: 'si:/ *abrev* **1** (*abrev de* **personal computer**) (*pl* **PCs**) computador pessoal **2** (*abrev de* **police constable**) (*pl* **PCs**) (agente da) polícia **3** (*abrev de* **politically correct**) politicamente correto

PDA /ˌpi: di: 'eɪ/ *s* (*abrev de* **personal digital assistant**) PDA, agenda eletrónica

PE /ˌpi: 'i:/ *s* (*abrev de* **physical education**) educação física

pea /pi:/ *s* ervilha *Ver tb* SWEET PEA

P

⚷ **peace** /pi:s/ *s* **1** paz **2** tranquilidade: *peace of mind* paz de espírito LOC **at peace (with sb/sth)** em paz (com alguém/alguma coisa) ◆ **make (your) peace (with sb)** fazer as pazes (com alguém) ◆ **peace and quiet** paz e sossego *Ver tb* DISTURB

⚷ **peaceful** /'pi:sfl/ *adj* **1** pacífico **2** tranquilo, sossegado

peach /pi:tʃ/ *s* **1** pêssego **2** (*tb* **peach tree**) pessegueiro **3** cor-de-pêssego

peacock /'pi:kɒk/ *s* pavão

⚷ **peak** /pi:k/ *substantivo, adjetivo, verbo*

▸ *s* **1** (*montanha*) pico, cimo **2** auge **3** ponta **4** (*de boné*) pala

▸ *adj* [*só antes de substantivo*] máximo: *peak hours* horas de ponta ◇ *in peak condition* em ótimas condições

▸ *vi* atingir um máximo

peaked /pi:kt/ *adj* **1** em ponta **2** (*boné*) com pala

peal /pi:l/ *s* **1** (*sinos*) repicar **2** *peals of laughter* gargalhadas

peanut /'pi:nʌt/ *s* **1** amendoim **2** **peanuts** [*pl*] (*coloq*) uma miséria

pear /peə(r)/ *s* **1** pera **2** (*tb* **pear tree**) pereira

pearl /pɜ:l/ *s* **1** pérola **2** (*fig*) joia

peasant /'peznt/ *s* **1** camponês, -esa **2** (*coloq, pej*) campónio, -a

peat /pi:t/ *s* turfa

pebble /'pebl/ *s* seixo

peck /pek/ *verbo, substantivo*

▸ **1** *vt, vi* ~ **(sth/at sth)** bicar (alguma coisa) **2** *vt* (*coloq*) dar uma beijoca a LOC **a/the pecking order** (*coloq*) uma/a hierarquia

▸ *s* **1** bicada **2** (*coloq*) beijoca

peckish /'pekɪʃ/ *adj* (*GB, coloq*) com fome: *to be/feel peckish* ter vontade de comer alguma coisa

peculiar /pɪ'kju:liə(r)/ *adj* **1** estranho **2** especial **3** ~ **(to sb/sth)** característico, próprio (de alguém/alguma coisa) **peculiarity** /pɪˌkju:li'ærəti/ *s* (*pl* **peculiarities**) **1** particularidade **2** [*não-contável*] excentricidade **peculiarly** *adv* **1** especialmente **2** carateristicamente **3** de uma maneira estranha

pedal /'pedl/ *substantivo, verbo*

▸ *s* pedal

▸ *vi* (**-ll-**, *USA* **-l-**) pedalar

pedantic /pɪ'dæntɪk/ *adj* (*pej*) **1** picuinhas **2** pedante

pedestrian /pə'destriən/ *substantivo, adjetivo*

▸ *s* peão

▸ *adj* **1** *pedestrian precinct* zona pedonal ◇ *pedestrian crossing* passadeira (para peões) **2** (*pej*) prosaico

pediatrician (*USA*) = PAEDIATRICIAN

pedigree /'pedɪgri:/ *substantivo, adjetivo*

▸ *s* **1** (*animal*) pedigree **2** (*pessoa*) linhagem

▸ *adj* de raça

pee /pi:/ *verbo, substantivo*

▸ *vi* (*coloq*) fazer chichi

▸ *s* (*coloq*) chichi

peek /pi:k/ *vi* ~ **(at sb/sth)** espreitar (para alguém/alguma coisa) ❶ Implica uma olhadela rápida e muitas vezes furtiva.

peel /pi:l/ *verbo, substantivo*

▸ *vt, vi* descascar(-se) PHR V **peel (sth) away/off/back** **1** (*tinta*) descascar (alguma coisa) **2** (*papel de parede, etiqueta, etc.*) descolar alguma coisa, descolar-se **3** (*pele*) saltar (alguma coisa)

▸ *s* [*não-contável*] **1** pele (*de fruta*) **2** casca

Para cascas duras, como a da noz ou do ovo, usa-se **shell** em vez de **peel**. Para a casca do limão utiliza-se **rind** ou **peel**, ao passo que para a laranja só se usa **peel**. **Skin** utiliza-se para a casca da banana e para outros frutos com a pele mais fina, como o pêssego.

peep /pi:p/ *verbo, substantivo*

▸ *vi* **1** ~ **at sb/sth** espreitar alguém/alguma coisa ❶ Implica uma olhadela rápida e muitas

vezes cautelosa. **2** ~ **over, through, etc. sth**; ~ **out/through** aparecer (por cima de, por, etc. alguma coisa)
▸ *s* espreitadela: *to have/take a peep at sb/sth* espreitar alguém/alguma coisa

peer /pɪə(r)/ *verbo, substantivo*
▸ *vi* ~ **at sb/sth** fitar, olhar atentamente para alguém/alguma coisa: *to peer out of the window* espreitar pela janela ❶ Implica um olhar demorado que por vezes supõe esforço.
▸ *s* **1** igual **2** contemporâneo, -a: *peer group* grupo de iguais **3** (*GB*) nobre **peerage** /'pɪərɪdʒ/ *s* (*GB*) **1** [*sing*] os pares, a nobreza **2** título nobiliárquico

peeved /pi:vd/ *adj* ~ **(about sth)** (*coloq*) chateado, irritado (com alguma coisa)

peg /peg/ *substantivo, verbo*
▸ *s* **1** (*tb* **clothes peg**) mola (da roupa) **2** (*na parede*) cabide LOC **bring/take sb down a peg (or two)** baixar a crista a alguém
▸ *vt* (**-gg-**) **1** ~ **sth (out)** pendurar alguma coisa **2** ~ **sth to sth** prender alguma coisa a alguma coisa **3** (*preços, salário*) fixar (o nível de)

pejorative /pɪ'dʒɒrətɪv; *USA* -'dʒɔ:r-/ *adj* (*formal*) pejorativo

pelican /'pelɪkən/ *s* pelicano

pellet /'pelɪt/ *s* **1** (*papel, etc.*) bolinha **2** (grão de) chumbo **3** (*fertilizantes, etc.*) grânulo

pelt /pelt/ *substantivo, verbo*
▸ *s* pele (*de animal*)
▸ **1** *vt* ~ **sb with sth** atirar alguma coisa a alguém **2** *vi* ~ **down (with rain)** chover a cântaros **3** *vi* ~ **along, down, up, etc. (sth)** ir disparado (por alguma coisa): *They pelted down the hill.* Desceram disparados pela encosta abaixo.

pelvic /'pelvɪk/ *adj* pélvico

pelvis /'pelvɪs/ *s* pélvis, bacia

🔑 **pen** /pen/ *s* **1** caneta **2** cercado (*para animais*) **3** (*para ovelhas*) curral

penalize, -ise /'pi:nəlaɪz/ *vt* **1** penalizar, sancionar **2** prejudicar

penalty /'penəlti/ *s* (*pl* **penalties**) **1** (*castigo*) sanção **2** multa **3** desvantagem **4** (*Desp*) penalização **5** (*Futebol*) penalty: *penalty shootout* desempate por grande penalidade

pence /pens/ *s* (*abrev* **p**) pence ❶ É a forma do plural de **penny**, que é a centésima parte da libra. Com quantidades exatas, utiliza-se normalmente a abreviatura **p**: *It costs 50p.* Custa 50 pence. ➲ *Ver tb pág. 714*

🔑 **pencil** /'pensl/ *s* lápis: *pencil case* estojo (dos lápis)

pendant /'pendənt/ *s* pingente

pending /'pendɪŋ/ *adjetivo, preposição*
▸ *adj* (*formal*) pendente
▸ *prep* (*formal*) até

pendulum /'pendjələm; *USA* -dʒələm/ *s* pêndulo

penetrate /'penətreɪt/ **1** *vt, vi* ~ **(sth/into sth)** penetrar (em alguma coisa): *The company is trying to penetrate new markets.* A empresa está a tentar introduzir-se em novos mercados. **2** *vt, vi* ~ **(through) sth** atravessar alguma coisa **3** *vt* (*organização*) infiltrar-se em **penetrating** *adj* **1** perspicaz **2** (*olhar, som*) penetrante

penfriend /'penfrend/ *s* amigo, -a por correspondência

penguin /'peŋgwɪn/ *s* pinguim

penicillin /ˌpenɪ'sɪlɪn/ *s* penicilina

peninsula /pə'nɪnsjələ; *USA* -sələ/ *s* península

penis /'pi:nɪs/ *s* pénis

penknife /'pennaɪf/ *s* (*pl* **penknives** /-naɪvz/) canivete

penniless /'peniləs/ *adj* sem dinheiro

🔑 **penny** /'peni/ *s* **1** (*pl* **pence** /pens/) péni **2** (*pl* **pennies**) (*Can, USA*) cêntimo ➲ *Ver pág. 714* LOC **every penny**: *It was worth every penny.* Valeu bem o que custou.

🔑 **pension** /'penʃn/ *substantivo, verbo*
▸ *s* pensão, reforma
▸ *v* PHR V **pension sb off** reformar alguém **pensioner** *s* reformado, -a

penthouse /'penthaʊs/ *s* apartamento de luxo no último andar

pent-up /ˌpent 'ʌp/ *adj* **1** (*ira, etc.*) contido **2** (*desejo*) reprimido

penultimate /pen'ʌltɪmət/ *adj* penúltimo

🔑 **people** /'pi:pl/ *substantivo, verbo*
▸ *s* **1** [*pl*] gente: *People are saying that...* As pessoas dizem que... **2** pessoas: *ten people* dez pessoas ➲ *Ver nota em* PERSON **3 the people** [*pl*] (*público*) o povo **4** [*contável*] (*nação*) povo
▸ *vt* povoar

people carrier *s* carrinha (*monovolume*)

🔑 **pepper** /'pepə(r)/ *s* **1** pimenta **2** (*vegetal*) pimento

peppercorn /'pepəkɔ:n/ *s* grão de pimenta

peppermint /'pepəmɪnt/ *s* **1** hortelã-pimenta **2** doce de menta

🔑 **per** /pə(r)/ *prep* por: *per person* por pessoa ◇ *£60 per day* 60 libras por dia ◇ *per annum* por ano

perceive /pə'si:v/ *vt* (*formal*) **1** observar, notar **2** ~ **sth (as sth)** considerar alguma coisa (alguma coisa), interpretar alguma coisa (como alguma coisa)

P

per cent /pə 'sent/ (*tb esp USA* **percent**) *s, adj, adv* por cento **percentage** /pə'sentɪdʒ/ *s* percentagem: *percentage increase* aumento percentual

perceptible /pə'septəbl/ *adj* (*formal*) **1** perceptível **2** (*melhora, etc.*) sensível

perception /pə'sepʃn/ *s* (*formal*) **1** percepção **2** perspicácia **3** ponto de vista

perceptive /pə'septɪv/ *adj* perspicaz

perch /pɜːtʃ/ *verbo, substantivo*
- ▸ *vi* ~ **(on sth) 1** (*pássaro*) empoleirar-se (em alguma coisa) **2** (*pessoa, edifício*) encarrapitar-se (em alguma coisa)
- ▸ *s* **1** (*para pássaros*) poleiro **2** posição elevada **3** (*pl* **perch**) (*peixe*) perca

percussion /pə'kʌʃn/ *s* percussão

perennial /pə'reniəl/ *adj* perene

perfect *adjetivo, verbo*
- ▸ *adj* /'pɜːfɪkt/ **1** ~ **(for sb/sth)** perfeito (para alguém/alguma coisa) **2** [*só antes de substantivo*] completo: *a perfect stranger* uma pessoa totalmente desconhecida
- ▸ *vt* /pə'fekt/ aperfeiçoar

perfection /pə'fekʃn/ *s* perfeição LOC **to perfection** à perfeição **perfectionist** *s* perfeccionista

perfectly /'pɜːfɪktli/ *adv* **1** perfeitamente **2** completamente

perforate /'pɜːfəreɪt/ *vt* **1** perfurar **2** picotar **perforated** *adj* perfurado **perforation** *s* **1** perfuração **2** picotado

perform /pə'fɔːm/ **1** *vt* (*função, papel*) desempenhar **2** *vt* (*operação, trabalho*) realizar **3** *vt* (*compromisso*) cumprir **4** *vt* (*peça, dança, música*) representar, interpretar **5** *vi* atuar: *to perform on the flute* dar um recital de flauta LOC *Ver* MIRACLE

performance /pə'fɔːməns/ *s* **1** (*deveres*) cumprimento **2** (*estudante, empregado*) rendimento **3** (*empresa*) resultados **4** (*Mús*) atuação, interpretação **5** (*Teat*) representação: *the evening performance* a sessão da noite

performer /pə'fɔːmə(r)/ *s* **1** (*Mús*) intérprete **2** (*Teat*) ator, atriz **3** (*variedades*) artista

perfume /'pɜːfjuːm; *USA* pər'fjuːm/ *s* perfume ➲ *Ver nota em* SMELL *n*

perhaps /pə'hæps, præps/ *adv* talvez: *perhaps not* talvez não

peril /'perəl/ *s* (*formal*) perigo, risco

perimeter /pə'rɪmɪtə(r)/ *s* perímetro

period /'pɪəriəd/ *s* **1** período: *over a period of three years* durante três anos **2** época: *period dress* vestuário de época **3** (*Educ*) aula **4** (*Med*) período, menstruação **5** (*USA*) ponto final ➲ *Ver pág. 315*

periodic /ˌpɪəri'ɒdɪk/ (*tb* **periodical**) *adj* periódico

periodical /ˌpɪəri'ɒdɪkl/ *s* publicação periódica

perish /'perɪʃ/ *vi* (*formal*) falecer **perishable** *adj* perecível

perjury /'pɜːdʒəri/ *s* perjúrio, falso testemunho

perk /pɜːk/ *verbo, substantivo*
- ▸ *v* (*coloq*) PHR V **perk up 1** animar-se, sentir-se melhor **2** (*negócios, tempo*) melhorar
- ▸ *s* [*ger pl*] (*coloq*) regalia (*de emprego, etc.*)

perm /pɜːm/ *substantivo, verbo*
- ▸ *s* permanente (*de cabelo*)
- ▸ *vt*: *to have your hair permed* fazer uma permanente

permanent /'pɜːmənənt/ *adj* **1** permanente, fixo **2** (*dano*) irreparável, para sempre

permanently /'pɜːmənəntli/ *adv* permanentemente, para sempre

permissible /pə'mɪsəbl/ *adj* (*formal*) permitido, admissível

permission /pə'mɪʃn/ *s* ~ **(for sth/to do sth)** permissão, autorização (para alguma coisa/fazer alguma coisa)

permissive /pə'mɪsɪv/ *adj* permissivo

permit *verbo, substantivo*
- ▸ *vt, vi* /pə'mɪt/ **(-tt-)** (*formal*) permitir: *If time permits...* Se der tempo... ➲ *Ver nota em* ALLOW
- ▸ *s* /'pɜːmɪt/ **1** licença, autorização: *work permit* licença de trabalho **2** (*de entrada*) passe

perpendicular /ˌpɜːpən'dɪkjələ(r)/ *adj* **1** ~ **(to sth)** perpendicular (a alguma coisa) **2** (*rochedo*) a pique

perpetrate /'pɜːpətreɪt/ *vt* (*formal*) perpetrar

perpetual /pə'petʃuəl/ *adj* **1** perpétuo, contínuo **2** constante, interminável

perpetuate /pə'petʃueɪt/ *vt* (*formal*) perpetuar

perplexed /pə'plekst/ *adj* perplexo

persecute /'pɜːsɪkjuːt/ *vt* ~ **sb (for sth)** perseguir alguém (por alguma coisa) (*por questões de raça, religião, etc.*) **persecution** *s* perseguição

perseverance /ˌpɜːsɪ'vɪərəns/ *s* perseverança

persevere /ˌpɜːsɪ'vɪə(r)/ *vi* **1** ~ **(in/with sth)** perseverar (em alguma coisa) **2** ~ **(with sb)** insistir (com alguém)

persist /pə'sɪst/ *vi* **1** ~ **(in sth/in doing sth)** insistir (em alguma coisa/fazer alguma coisa) **2** ~ **with sth** continuar com alguma coisa

3 persistir **persistence** *s* **1** perseverança **2** persistência **persistent** *adj* **1** teimoso, obstinado **2** contínuo, persistente

🔑 **person** /ˈpɜːsn/ *s* pessoa ❶ O plural **persons** só se usa na linguagem formal. ➲ *Comparar com* PEOPLE LOC **in person** em pessoa

🔑 **personal** /ˈpɜːsənl/ *adj* pessoal: *personal assistant* assistente pessoal ◇ *personal column(s)* anúncios pessoais LOC **get personal** tomar um assunto como pessoal, começar a fazer críticas pessoais

🔑 **personality** /ˌpɜːsəˈnæləti/ *s* (*pl* **personalities**) personalidade

personalized, -ised /ˈpɜːsənəlaɪzd/ *adj* personalizado

🔑 **personally** /ˈpɜːsənəli/ *adv* pessoalmente: *to know sb personally* conhecer alguém pessoalmente LOC **take sth personally** levar alguma coisa a peito, ofender-se

personify /pəˈsɒnɪfaɪ/ *vt* (*pt, pp* **-fied**) personificar

personnel /ˌpɜːsəˈnel/ *s* [*v sing ou pl*] (departamento de) pessoal: *head of personnel* chefe de pessoal

perspective /pəˈspektɪv/ *s* perspetiva LOC **keep/put sth in perspective** manter/pôr alguma coisa em perspetiva

perspiration /ˌpɜːspəˈreɪʃn/ *s* suor, transpiração

perspire /pəˈspaɪə(r)/ *vi* (*formal*) transpirar ❶ A palavra mais comum é **sweat**.

🔑 **persuade** /pəˈsweɪd/ *vt* **1 ~ sb to do sth; ~ sb into sth/doing sth** persuadir alguém a fazer alguma coisa **2 ~ sb (of sth); ~ sb (that...)** convencer alguém (de alguma coisa/de que...) **persuasion** *s* **1** persuasão **2** crença, opinião **persuasive** *adj* **1** convincente **2** persuasivo

pertinent /ˈpɜːtɪnənt; *USA* -tnənt/ *adj* (*formal*) pertinente

perturb /pəˈtɜːb/ *vt* (*formal*) perturbar

pervade /pəˈveɪd/ *vt* (*formal*) **1** (*cheiro*) invadir **2** (*luz*) espalhar-se por **3** (*obra, livro*) percorrer **pervasive** *adj* generalizado

perverse /pəˈvɜːs/ *adj* **1** (*pessoa*) obstinado **2** (*decisão, comportamento*) caprichoso **3** (*prazer, desejo*) perverso **perversion** *s* **1** corrupção, deturpação **2** perversão

pervert *verbo, substantivo*
▸ *vt* /pəˈvɜːt/ **1** perverter **2** corromper
▸ *s* /ˈpɜːvɜːt/ pervertido, -a

pessimism /ˈpesɪmɪzəm/ *s* pessimismo

pessimist /ˈpesɪmɪst/ *s* pessimista **pessimistic** /ˌpesɪˈmɪstɪk/ *adj* pessimista

pest /pest/ *s* **1** inseto ou animal nocivo: *pest control* controlo de pragas **2** (*coloq*) (*fig*) peste

pester /ˈpestə(r)/ *vt* importunar

pesticide /ˈpestɪsaɪd/ *s* pesticida

🔑 **pet** /pet/ *substantivo, adjetivo, verbo*
▸ *s* **1** animal de estimação **2** (*freq pej*) preferido, -a
▸ *adj* **1** favorito **2** (*animal*) de estimação
▸ *vt* (*esp USA*) acariciar

petal /ˈpetl/ *s* pétala

peter /ˈpiːtə(r)/ *v* PHR V **peter out 1** esgotar-se pouco a pouco **2** (*conversa*) esgotar-se

petite /pəˈtiːt/ *adj* (*mulher*) pequena e magra ➲ *Ver nota em* MAGRO

petition /pəˈtɪʃn/ *s* petição

🔑 **petrol** /ˈpetrəl/ *s* gasolina

petroleum /pəˈtrəʊliəm/ *s* petróleo

petrol station *s* posto/bomba de gasolina

petticoat /ˈpetɪkəʊt/ *s* combinação

petty /ˈpeti/ *adj* **1** (*freq pej*) insignificante **2** (*freq pej*) (*pessoa, atitude*) mesquinho **3** *petty cash* fundo para pequenas despesas ◇ *petty expenses* despesas miúdas

pew /pjuː/ *s* banco (de igreja)

phantom /ˈfæntəm/ *s, adj* imaginário

pharmaceutical /ˌfɑːməˈsjuːtɪkl; *USA* -ˈsuː-/ *adj* farmacêutico

pharmacist /ˈfɑːməsɪst/ *s* farmacêutico, -a

pharmacy /ˈfɑːməsi/ *s* (*pl* **pharmacies**) farmácia ❶ As palavras mais comuns são **chemist's** em inglês britânico e **drugstore** em inglês americano.

🔑 **phase** /feɪz/ *substantivo, verbo*
▸ *s* fase, etapa
▸ *vt* fazer por etapas PHR V **phase sth in/out** introduzir/retirar alguma coisa por etapas

PhD (*tb esp USA* **Ph.D.**) /ˌpiː eɪtʃ ˈdiː/ *s* (*abrev de* **Doctor of Philosophy**) doutoramento

pheasant /ˈfeznt/ *s* faisão

phenomenal /fəˈnɒmɪnl/ *adj* fenomenal

phenomenon /fəˈnɒmɪnən/ *s* (*pl* **phenomena** /-ɪnə/) fenómeno

phew /fjuː/ *interj* ufa!

philanthropist /fɪˈlænθrəpɪst/ *s* filantropo, -a

philosopher /fəˈlɒsəfə(r)/ *s* filósofo, -a

philosophical /ˌfɪləˈsɒfɪkl/ *adj* filosófico

🔑 **philosophy** /fəˈlɒsəfi/ *s* (*pl* **philosophies**) filosofia

P

phlegm /flem/ *s* **1** fleuma **2** (*Med*) catarro
phlegmatic /fleg'mætɪk/ *adj* fleumático
phobia /'fəʊbiə/ *s* fobia
phone /fəʊn/ *s, v Ver* TELEPHONE
phonecard /'fəʊnkɑːd/ *s* credifone
phone-in /'fəʊn ɪn/ *s* programa de rádio ou televisão com a participação do público
phonetic /fə'netɪk/ *adj* fonético
phonetics /fə'netɪks/ *s* [*não-contável*] fonética
phoney (*tb esp USA* **phony**) /'fəʊni/ *adj* (**phonier, -iest**) (*coloq, pej*) falso
photo /'fəʊtəʊ/ *s* (*pl* **photos**) foto(grafia): *to take a photo* tirar uma foto
photocopier /'fəʊtəʊkɒpiə(r)/ *s* fotocopiadora
photocopy /'fəʊtəʊkɒpi/ *verbo, substantivo*
▸ *vt* (*pt, pp* **-pied**) fotocopiar
▸ *s* (*pl* **photocopies**) fotocópia
photogenic /ˌfəʊtəʊ'dʒenɪk/ *adj* fotogénico
photograph /'fəʊtəgrɑːf; *USA* -græf/ *substantivo, verbo*
▸ *s* fotografia
▸ **1** *vt* fotografar **2** *vi* ~ **well, badly, etc.** ser/não ser fotogénico
photographer /fə'tɒgrəfə(r)/ *s* fotógrafo, -a
photographic /ˌfəʊtə'græfɪk/ *adj* fotográfico
photography /fə'tɒgrəfi/ *s* fotografia (*arte*)
phrasal verb /ˌfreɪzl 'vɜːb/ *s* verbo cujo significado se altera dependendo da preposição ou partícula adverbial que o acompanha
➲ *Ver pág. 307*
phrase /freɪz/ *substantivo, verbo*
▸ *s* **1** ❶ Um **phrase** é um sintagma, um conjunto de palavras que não contém um verbo principal: *a bar of chocolate* uma barra de chocolate ◇ *running fast* correndo rapidamente. **2** locução, expressão: *phrase book* guia de conversação (para turistas no estrangeiro) LOC *Ver* TURN
▸ *vt* exprimir
physical /'fɪzɪkl/ *adjetivo, substantivo*
▸ *adj* físico: *physical fitness* boa forma física
▸ *s* exame médico de aptidão
physically /'fɪzɪkli/ *adv* fisicamente: *physically fit* em boa forma física ◇ *physically handicapped* deficiente físico
physician /fɪ'zɪʃn/ *s* (*esp USA, formal*) médico, -a
physicist /'fɪzɪsɪst/ *s* físico, -a
physics /'fɪzɪks/ *s* [*não-contável*] física
physiology /ˌfɪzi'ɒlədʒi/ *s* fisiologia
physiotherapist /ˌfɪziəʊ'θerəpɪst/ *s* fisioterapeuta
physiotherapy /ˌfɪziəʊ'θerəpi/ *s* fisioterapia
physique /fɪ'ziːk/ *s* físico (*aspeto*)
pianist /'pɪənɪst/ *s* pianista
piano /pi'ænəʊ/ *s* (*pl* **pianos**) piano: *piano stool* banco de piano
pick /pɪk/ *verbo, substantivo*
▸ *vt* **1** escolher **2** (*flor, fruta, etc.*) colher, apanhar **3** esgravatar: *to pick your teeth* palitar os dentes ◇ *to pick your nose* tirar macacos do nariz ◇ *to pick a hole (in sth)* fazer um buraco (em alguma coisa) **4** ~ **sth from/off sth** tirar, arrancar alguma coisa de alguma coisa **5** (*fechadura*) forçar LOC **pick a fight/quarrel (with sb)** procurar briga (com alguém), meter-se com alguém ◆ **pick and choose** ser exigente ◆ **pick holes in sth** pôr defeitos em alguma coisa ◆ **pick sb's brains** (*coloq*) crivar alguém de perguntas (*para aproveitar os seus conhecimentos*) ◆ **pick sb's pocket** roubar a carteira a alguém ◆ **pick up speed** ganhar velocidade *Ver tb* BONE
PHR V **pick at sth** comer alguma coisa com pouca vontade ◆ **pick on sb 1** implicar com alguém **2** escolher alguém (*para uma tarefa desagradável*) ◆ **pick sb/sth out 1** escolher alguém/alguma coisa **2** distinguir alguém/alguma coisa (*numa multidão, etc.*) ◆ **pick sth out 1** identificar alguma coisa **2** destacar, realçar alguma coisa ◆ **pick up 1** melhorar **2** (*vento*) soprar mais forte **3** (*coloq*) recomeçar, continuar ◆ **pick sb up 1** ir buscar alguém (*esp de carro*) **2** (*coloq*) engatar alguém: *He goes to clubs to pick up girls.* Ele vai às discotecas para engatar miúdas. **3** (*coloq*) (*polícia*) deter alguém ◆ **pick sb/sth up** levantar alguém/apanhar alguma coisa ◆ **pick sth up 1** aprender alguma coisa **2** (*doença, sotaque, costume*) apanhar alguma coisa **3** arrumar alguma coisa ◆ **pick yourself up** levantar-se
▸ *s* **1** [*sing*] (direito de) escolha: *Take your pick.* Escolhe o/a que quiseres. **2** [*sing*] **the ~ of sth** o melhor de alguma coisa **3** (*tb* **pickaxe** /'pɪkæks/) picareta
pickle /'pɪkl/ *s* **1** (*GB*) pickles **2** (*GB*) vinagre, salmoura **3** (*USA*) pepino em vinagre LOC **in a pickle** (*coloq*) em maus lençóis, numa situação difícil
pickpocket /'pɪkpɒkɪt/ *s* carteirista
picky /'pɪki/ *adj* (*coloq*) picuinhas
picnic /'pɪknɪk/ *s* piquenique
pictorial /pɪk'tɔːriəl/ *adj* **1** ilustrado **2** (*Arte*) pictórico

picture /ˈpɪktʃə(r)/ *substantivo, verbo*
▸ *s* **1** quadro **2** ilustração **3** foto(grafia): *to take a picture* tirar uma foto(grafia) **4** retrato **5** (*TV*) imagem **6** imagem, ideia **7** filme LOC **be/look a picture** estar lindo ◆ **get the picture** (*coloq*) estar a ver ◆ **put/keep sb in the picture** (*coloq*) pôr/manter alguém ao corrente
▸ *vt* **1** ~ **sb/sth (as sth)** imaginar alguém/alguma coisa (como alguma coisa) **2** ~ **sb/sth as sth** retratar alguém/alguma coisa como alguma coisa **3** retratar, fotografar

picturesque /ˌpɪktʃəˈresk/ *adj* pitoresco

pie /paɪ/ *s* **1** (*doce*) tarte: *apple pie* empada de maçã **2** (*salgado*) empada

Pie é uma torta ou uma empada de massa folhada ou tenra, coberta e com recheio doce ou salgado. **Tart** e **flan** usam-se para as tartes doces cuja base é também de massa folhada ou tenra, mas que não são cobertas.

piece /piːs/ *substantivo, verbo*
▸ *s* **1** pedaço **2** peça **3** bocado **4** (*de papel*) folha **5** *a piece of advice/news* um conselho/uma notícia ❶ **A piece of...** ou **pieces of...** usa--se com substantivos não-contáveis. ➲ *Ver tb nota em* CONSELHO **6** (*Mús*) peça **7** (*Jornal*) artigo **8** moeda LOC **be a piece of cake** (*coloq*) ser canja ◆ **in one piece** são e salvo ◆ **to pieces**: *to pull/tear sth to pieces* desfazer alguma coisa em pedaços ◇ *to take sth to pieces* desmontar alguma coisa ◇ *to fall to pieces* cair aos bocados ◇ *to smash sth to pieces* despedaçar alguma coisa ◇ *to go to pieces* desmoronar-se *Ver tb* BIT
▸ *v* PHR V **piece sth together 1** (*provas, dados, etc.*) juntar, reunir alguma coisa **2** (*passado*) reconstruir alguma coisa

piecemeal /ˈpiːsmiːl/ *advérbio, adjetivo*
▸ *adv* (*freq pej*) pouco a pouco
▸ *adj* (*freq pej*) gradual

pier /pɪə(r)/ *s* cais

pierce /pɪəs/ *vt* **1** (*bala, faca*) atravessar **2** perfurar: *to have your ears pierced* furar as orelhas **3** (*som, luz, etc.*) penetrar em

piercing /ˈpɪəsɪŋ/ *adjetivo, substantivo*
▸ *adj* **1** (*grito*) agudo **2** (*olhar, olhos*) penetrante
▸ *s* piercing

piety /ˈpaɪəti/ *s* piedade (*religiosa*)

pig /pɪg/ *s* **1** porco ➲ *Ver notas em* CARNE *e* PORCO **2** (*coloq, pej*) glutão, -ona: *You greedy pig!* Meu comilão!

pigeon /ˈpɪdʒɪn/ *s* pombo, -a

pigeonhole /ˈpɪdʒɪnhəʊl/ *s* escaninho

piglet /ˈpɪglət/ *s* leitão, porquito ➲ *Ver nota em* PORCO

pigment /ˈpɪgmənt/ *s* pigmento

pigsty /ˈpɪgstaɪ/ *s* (*pl* **pigsties**) (*lit e fig*) pocilga

pigtail /ˈpɪgteɪl/ *s* trança, puxo

pile /paɪl/ *substantivo, verbo*
▸ *s* **1** pilha **2** [*ger pl*] ~ **of sth** (*coloq*) uma pilha de alguma coisa: *He's got piles of money.* Tem montes de dinheiro.
▸ **1** *vt* ~ **sth (up)** empilhar, amontoar alguma coisa **2** *vt* apilhar: *to be piled (high) with sth* estar apilhado de alguma coisa **3** *vi* ~ **in, out, etc.** (*coloq*) entrar, sair, etc ao monte PHR V **pile up** acumular-se

pile-up /ˈpaɪl ʌp/ *s* (*trânsito*) choque em cadeia

pilgrim /ˈpɪlgrɪm/ *s* peregrino, -a

pilgrimage /ˈpɪlgrɪmɪdʒ/ *s* peregrinação

pill /pɪl/ *s* **1** pílula: *sleeping pill* comprimido para dormir **2 the pill** [*sing*] (*coloq*) (*anticoncetivo*) a pílula

pillar /ˈpɪlə(r)/ *s* pilar

pillow /ˈpɪləʊ/ *s* almofada (*de cama*)

pillowcase /ˈpɪləʊkeɪs/ *s* fronha

pilot /ˈpaɪlət/ *substantivo, adjetivo*
▸ *s* **1** piloto **2** (*TV*) programa piloto
▸ *adj* piloto (*experimental*)

pimple /ˈpɪmpl/ *s* borbulha (*na pele*) *Ver tb* GOOSE PIMPLES

pin /pɪn/ *substantivo, verbo*
▸ *s* **1** alfinete **2** (*esp USA*) alfinete de peito **3** cavilha *Ver tb* DRAWING PIN, ROLLING PIN, SAFETY PIN LOC **pins and needles** formigueiro
▸ *vt* (**-nn-**) **1** (*com alfinetes*) prender **2** (*pessoa, braços*) segurar PHR V **pin sb down 1** imobilizar alguém (*no chão*) **2** obrigar alguém a definir-se

pins

safety pin **pin** **drawing pins** (*USA* **thumbtacks**)

PIN /pɪn/ (*tb* **PIN number**) *s* (*abrev de* **personal identification number**) código pessoal (*de cartão multibanco ou de crédito*)

pinball /ˈpɪnbɔːl/ *s* flipper (*jogo eletrónico*)

pincer /ˈpɪnsə(r)/ *s* **1** (*Zool*) pinça **2 pincers** [*pl*] alicate ➲ *Ver nota em* PAIR

P

pinch /pɪntʃ/ *verbo, substantivo*
▸ **1** *vt* beliscar **2** *vt, vi* (*sapatos, etc.*) apertar **3** *vt* **~ sth (from sb/sth)** (*GB, coloq*) gamar alguma coisa (a alguém/alguma coisa)
▸ *s* **1** beliscão **2** (*sal, etc.*) pitada LOC **at a pinch** (*USA* **in a pinch**) em caso de necessidade, em último caso

pine /paɪn/ *substantivo, verbo*
▸ *s* (*tb* **pine tree**) pinheiro: *pine cone* pinha
▸ *vi* **1 ~ (away)** definhar, consumir-se (*de tristeza*) **2 ~ for sb/sth** suspirar por alguém/alguma coisa, sentir saudades de alguém/alguma coisa

pineapple /ˈpaɪnæpl/ *s* ananás

ping /pɪŋ/ *s* **1** som (metálico) **2** (*de bala*) silvo

ping-pong /ˈpɪŋ pɒŋ/ *s* (*GB, coloq*) pingue-pongue

pink /pɪŋk/ *adjetivo, substantivo*
▸ *adj* **1** (cor-de-)rosa **2** (*de vergonha, etc.*) corado
▸ *s* **1** (cor-de-)rosa **2** (*Bot*) cravelina, cravina

pinnacle /ˈpɪnəkl/ *s* **1 ~ of sth** auge, topo de alguma coisa **2** (*Arquit*) pináculo **3** (*de montanha*) pico

P

pinpoint /ˈpɪnpɔɪnt/ *vt* **1** localizar exatamente **2** precisar, definir

pint /paɪnt/ *s* **1** (*abrev* **pt**) quartilho (*0,568 litros*) ➲ *Ver pág. xxx* **2** *to go for/have a pint* ir tomar/beber uma cerveja

pin-up /ˈpɪn ʌp/ *s* retrato de pessoa atraente para pendurar na parede

pioneer /ˌpaɪəˈnɪə(r)/ *substantivo, verbo*
▸ *s* pioneiro, -a
▸ *vt* ser pioneiro em **pioneering** *adj* pioneiro

pious /ˈpaɪəs/ *adj* **1** piedoso, devoto **2** (*pej*) beato

pip /pɪp/ *s* caroço (*de laranja, maçã, etc.*)

pipe /paɪp/ *substantivo, verbo*
▸ *s* **1** cano, conduta **2 pipes** [*pl*] canos, canalização **3** cachimbo **4** (*Mús*) pífaro **5 pipes** *Ver* BAGPIPES
▸ *vt* canalizar PHR V **pipe down** (*coloq*) calar-se

pipeline /ˈpaɪplaɪn/ *s* conduta: *gas/oil pipeline* gasoduto/oleoduto LOC **be in the pipeline** **1** (*pedido*) estar encaminhado **2** (*mudança, proposta, etc.*) estar à bica

piping hot *adj* a ferver/escaldar

piracy /ˈpaɪrəsi/ *s* pirataria

pirate /ˈpaɪrət/ *substantivo, verbo*
▸ *s* pirata
▸ *vt* piratear

Pisces /ˈpaɪsiːz/ *s* Peixes ➲ *Ver exemplos em* AQUARIUS

pistol /ˈpɪstl/ *s* pistola: *water pistol* pistola de água

piston /ˈpɪstən/ *s* pistão

pit /pɪt/ *substantivo, verbo*
▸ *s* **1** fosso **2** mina (*de carvão*) **3** buraco (*à superfície*) **4 the pit** (*tb* **the pits** [*pl*]) (*em corridas de automóveis*) a box **5** (*esp GB*) (*Teat*) plateia **6** (*esp USA*) caroço (*de fruto*) LOC **be the pits** (*coloq*) ser péssimo
▸ *v* (**-tt-**) PHR V **pit sb/sth against sb/sth** opor alguém/alguma coisa a alguém/alguma coisa

pitch /pɪtʃ/ *substantivo, verbo*
▸ *s* **1** (*Desp*) campo **2** (*intensidade*) pico **3** (*Mús*) tom **4** (*propaganda*) mensagem **5** lugar de venda (*em mercado, rua*) **6** (*telhado*) inclinação **7** breu: *pitch-black* escuro como breu
▸ **1** *vt* lançar, atirar **2** *vi* cair **3** *vi* (*barco*) balouçar, arfar **4** *vt* **~ sth (at sth)** (*preços, exame, etc.*) nivelar alguma coisa (a alguma coisa) **5** *vt* (*tenda de campismo*) armar PHR V **pitch in** (*coloq*) deitar mãos à obra ◆ **pitch in (with sth)** ajudar (com alguma coisa), colaborar (em alguma coisa)

pitched battle *s* batalha campal

pitcher /ˈpɪtʃə(r)/ *s* **1** (*GB*) cântaro **2** (*USA*) jarro

pitfall /ˈpɪtfɔːl/ *s* armadilha

pith /pɪθ/ *s* parte branca da casca (*em laranja, etc.*)

pitiful /ˈpɪtɪfl/ *adj* **1** lastimoso, comovente **2** ridículo

pitiless /ˈpɪtiləs/ *adj* **1** impiedoso **2** (*fig*) implacável

pity /ˈpɪti/ *substantivo, verbo*
▸ *s* **1 ~ (for sb/sth)** pena, compaixão (de alguém/alguma coisa) **2 a pity** [*sing*] uma lástima, uma pena LOC **take pity on sb** ter pena de alguém
▸ *vt* (*pt, pp* **pitied**) compadecer-se de: *I pity you.* Dás-me pena.

pivot /ˈpɪvət/ *s* **1** eixo **2** (*fig*) pivô

pizza /ˈpiːtsə/ *s* piza, pizza

placard /ˈplækɑːd/ *s* cartaz

placate /pləˈkeɪt; *USA* ˈpleɪkeɪt/ *vt* aplacar, apaziguar

place /pleɪs/ *substantivo, verbo*
▸ *s* **1** lugar, sítio **2** (*numa superfície*) parte **3** (*assento, posição*) lugar **4** *It's not my place to...* Não me compete a mim... **5** [*sing*] casa LOC **all over the place** (*coloq*) **1** por todo o lado **2** em desordem ◆ **change/swap places (with sb)** (*lit e fig*) trocar de lugar (com alguém) ◆ **in place** **1** no lugar certo **2** preparado ◆ **in the first, second, etc. place** em primeiro, segundo,

etc. lugar ◆ **out of place 1** deslocado, fora do lugar **2** impróprio, inoportuno ◆ **take place** ter lugar, ocorrer *Ver tb* FRIEND
▸ *vt* **1** pôr, colocar **2** identificar **3** ~ **sth (with sb/sth)** (*pedido, aposta*) fazer alguma coisa (a/com alguém/alguma coisa): *to place an order for sth with sb* encomendar alguma coisa a alguém ◇ *to place a bet on sb/sth* apostar em alguém/alguma coisa **4** situar

placement /ˈpleɪsmənt/ (*tb* **work placement**) *s* estágio

plague /pleɪg/ *substantivo, verbo*
▸ *s* **1** [*não-contável*] (*tb* **the plague**) peste **2** ~ **of sth** praga de alguma coisa
▸ *vt* **1** assediar, importunar **2** atormentar

plaice /pleɪs/ *s* (*pl* **plaice**) solha

🔑 **plain** /pleɪn/ *adjetivo, advérbio, substantivo*
▸ *adj* (**plainer, -est**) **1** claro, simples **2** franco, direto **3** liso: *plain paper* papel liso **4** simples: *plain yoghurt* iogurte simples ◇ *plain flour* farinha sem fermento **5** (*chocolate*) negro **6** (*físico*) sem atrativos **LOC make sth plain (to sb)** deixar bem claro alguma coisa (a alguém)
▸ *adv* (*coloq*) simplesmente: *It's just plain stupid.* É simplesmente estúpido.
▸ *s* planície

plain clothes *s* [*pl*]: *officers in plain clothes* agentes à civil

plain-clothes /ˌpleɪn ˈkləʊðz, ˈkləʊz/ *adj* [*só antes de substantivo*] à civil: *a plain-clothes police officer* um polícia à paisana

plainly /ˈpleɪnli/ *adv* **1** claramente, com clareza **2** evidentemente

plaintiff /ˈpleɪntɪf/ *s* queixoso, -a, demandante

plait /plæt/ *s* trança

🔑 **plan** /plæn/ *substantivo, verbo*
▸ *s* **1** plano, programa **2** planta **3** esquema
▸ (**-nn-**) **1** *vt* planear, projetar: *What do you plan to do?* O que é que tencionas fazer? **2** *vi* fazer planos **PHR V plan on (doing) sth** planear (fazer) alguma coisa ◆ **plan sth out** planear alguma coisa

🔑 **plane** /pleɪn/ *s* **1** avião: *plane crash* acidente de aviação **2** plano **3** plaina

🔑 **planet** /ˈplænɪt/ *s* planeta

plank /plæŋk/ *s* **1** tábua, prancha **2** trave-mestra (*de política, etc.*)

planner /ˈplænə(r)/ *s* **1** (*tb* **town planner**) urbanista **2** autor, -ora do plano

🔑 **planning** /ˈplænɪŋ/ *s* **1** planificação: *planning permission* autorização para fazer obras **2** (*tb* **town planning**) urbanismo

🔑 **plant** /plɑːnt; *USA* plænt/ *substantivo, verbo*
▸ *s* **1** planta: *house plant* planta do interior da casa ◇ *plant pot* vaso (de flores) **2** (*Mec*) maquinaria, equipamento **3** fábrica: *nuclear power plant* central nuclear
▸ *vt* **1** plantar **2** (*jardim, campo*) cultivar, plantar **3** (*bomba, droga, objetos roubados, etc.*) colocar (*esp para incriminar alguém*) **4** (*dúvidas, etc.*) semear

plantation /plɑːnˈteɪʃn; *USA* plæn-/ *s* **1** (*herdade*) plantação **2** exploração florestal

plaque /plæk, plɑːk/ *s* **1** placa **2** placa (dentária)

plaster /ˈplɑːstə(r); *USA* ˈplæs-/ *substantivo, verbo*
▸ *s* **1** reboco, estuque **2** (*tb* **plaster of Paris**) gesso: *to put sth in plaster* engessar alguma coisa **3** penso rápido, adesivo
▸ *vt* **1** rebocar, estucar **2** engessar **3** (*fig*) encher, cobrir

🔑 **plastic** /ˈplæstɪk/ *s, adj* (de) plástico

plasticine® /ˈplæstəsiːn/ *s* plasticina

🔑 **plate** /pleɪt/ *s* **1** prato **2** (*metal*) placa, chapa: *plate glass* vidro laminado **3** baixela (*de ouro/prata*) **4** (*imprensa*) cliché, chapa *Ver tb* LICENSE PLATE, NUMBER PLATE

plateau /ˈplætəʊ; *USA* plæˈtəʊ/ *s* (*pl* **plateaux** *ou* **plateaus** /-təʊz/) planalto

🔑 **platform** /ˈplætfɔːm/ *s* **1** tribuna **2** plataforma, cais **3** (*Pol*) programa (político)

platinum /ˈplætɪnəm/ *s* platina

platoon /pləˈtuːn/ *s* (*Mil*) pelotão

plausible /ˈplɔːzəbl/ *adj* **1** plausível **2** (*pessoa*) convincente

🔑 **play** /pleɪ/ *verbo, substantivo*
▸ **1** *vt, vi* jogar, brincar ➲ *Ver nota em* DESPORTO **2** *vt* (*Desp*) jogar contra/com: *They're playing Arsenal tomorrow.* Amanhã defrontam o Arsenal. **3** *vt, vi* (*instrumento, música*) tocar: *to play the guitar* tocar viola **4** *vt* (*cartas*) jogar **5** *vt* (*CD, etc.*) pôr **6** *vt* (*pancada*) dar **7** *vt* (*partida*) pregar **8** *vt* (*papel dramático*) representar, fazer de **9** *vt, vi* (*cena, peça teatral*) representar (-se) **10** *vt* (*função, papel*) desempenhar **11** *vt* armar-se em: *to play the fool* armar-se em parvo ❶ Para expressões com **play**, ver as entradas para o substantivo, adjetivo, etc., p. ex. **play it by ear** em EAR. **PHR V play along (with sb)** ir no jogo (de alguém) ◆ **play sth down** minimizar alguma coisa ◆ **play A off against B** pôr A contra B ◆ **play (sb) up** (*esp GB, coloq*) dar problemas (a alguém)
▸ *s* **1** [*não-contável*] brincadeira: *children at play* crianças a brincar **2** (*Teat*) peça teatral **3**

P

(*movimento*) folga **4** (*de forças, personalidades, etc.*) interação *Ver tb* FOUL PLAY LOC **a play on words** um jogo de palavras, um trocadilho *Ver tb* CHILD, FAIR, FOOL

player /ˈpleɪə(r)/ *s* **1** jogador, -ora **2** (*Mús*) músico, -a **3** leitor: *DVD player* leitor de DVDs

playful /ˈpleɪfl/ *adj* **1** brincalhão **2** (*comentário*) jocoso

playground /ˈpleɪgraʊnd/ *s* **1** recreio (da escola) **2** parque infantil

playgroup /ˈpleɪgruːp/ *s* jardim-escola

playing card *s* carta (de jogar)

playing field *s* campo de jogos

play-off /ˈpleɪ ɒf; *USA* ɔːf/ *s* jogo de desempate

playtime /ˈpleɪtaɪm/ *s* recreio

playwright /ˈpleɪraɪt/ *s* dramaturgo, -a

plea /pliː/ *s* **1** ~ **(for sth)** (*formal*) súplica (por alguma coisa): *to make a plea for sth* suplicar alguma coisa **2** (*Jur*) alegação (da defesa): *plea of guilty/not guilty* declaração de culpa/inocência **3** (*Jur*) pretexto: *on a plea of ill health* alegando problemas de saúde

plead /pliːd/ (*pt, pp* **pleaded**, *USA tb* **pled** /pled/) **1** *vi* ~ **(with sb) (for sth)** suplicar, pedir (a alguém) (por alguma coisa) **2** *vi* ~ **for sb** (*Jur*) defender a causa de alguém **3** *vt* (*defesa*) alegar LOC **plead guilty/not guilty** declarar-se culpado/inocente

pleasant /ˈpleznt/ *adj* (**pleasanter**, **-est**) agradável

pleasantly /ˈplezntli/ *adv* **1** agradavelmente **2** com amabilidade

please /pliːz/ *interjeição, verbo*

▸ *interj* por favor: *Please do not smoke.* Por favor, não fumar. ◇ *Please come in.* Faça favor de entrar.

Normalmente usamos **please** em respostas afirmativas e **thank you** ou **thanks** (*mais coloq*) em negativas: *'Would you like another biscuit?' 'Yes, please/No, thank you.'* Estas palavras são utilizadas com maior frequência em inglês do que em português, e em geral considera-se pouco educado omiti-las: *Could you pass the salt, please?*

LOC **please do!** (se) faz favor!

▸ **1** *vt, vi* agradar (a) **2** *vt* dar prazer a **3** *vi*: *for as long as you please* o tempo que desejares ◇ *I'll do whatever I please.* Farei o que me apetecer. LOC **as you please** como queiras ◆ **please yourself!** Faz como entenderes!

pleased /pliːzd/ *adj* **1** contente ➲ *Ver nota em* GLAD **2** ~ **(with sb/sth)** satisfeito, contente (com alguém/alguma coisa) LOC **be pleased to do sth** ter todo o prazer em fazer alguma coisa: *I'd be pleased to come.* Teria imenso prazer em ir. *Ver tb* MEET

pleasing /ˈpliːzɪŋ/ *adj* agradável

pleasurable /ˈpleʒərəbl/ *adj* agradável

pleasure /ˈpleʒə(r)/ *s* prazer: *It gives me pleasure to...* Tenho o prazer de... LOC **my pleasure** não tem de quê ◆ **take pleasure in sth** ter prazer em alguma coisa, gostar de alguma coisa ◆ **with pleasure** com prazer *Ver tb* BUSINESS

pled (*USA*) *pt, pp de* PLEAD

pledge /pledʒ/ *substantivo, verbo*

▸ *s* promessa

▸ *vt* **1** ~ **sth (to sb/sth)** prometer (a alguém) alguma coisa **2** ~ **sb/yourself to sth** comprometer alguém, comprometer-se com alguma coisa/a fazer alguma coisa

plentiful /ˈplentɪfl/ *adj* abundante LOC *Ver* SUPPLY

plenty /ˈplenti/ *pronome, advérbio*

▸ *pron* **1** muito, de sobra: *plenty to do* imenso que fazer **2** bastante: *That's plenty, thank you.* Chega, obrigado.

▸ *adv* **1** ~ **big, long, etc. enough** (*coloq*) suficientemente grande, comprido, etc.: *plenty high enough* suficientemente alto **2** (*USA*) muito LOC **plenty more** **1** de sobra **2** muito mais: *There's room for plenty more (of them).* Há espaço para muito mais gente.

pliable /ˈplaɪəbl/ (*tb* **pliant** /ˈplaɪənt/) *adj* **1** flexível **2** influenciável

plied *pt, pp de* PLY

pliers /ˈplaɪəz/ *s* [*pl*] alicate: *a pair of pliers* um alicate ➲ *Ver nota em* PAIR

plight /plaɪt/ *s* **1** situação deplorável **2** crise

plod /plɒd/ *vi* (**-dd-**) caminhar com dificuldade PHR V **plod along/on (at sth)**; **plod through sth** trabalhar laboriosamente (em alguma coisa), avançar lentamente (com alguma coisa)

plonk /plɒŋk/ *vt* (*esp GB, coloq*) (*USA* **plunk** /plʌŋk/) PHR V **plonk sth/yourself down** deixar cair alguma coisa/deixar-se cair pesadamente

plot /plɒt/ *substantivo, verbo*

▸ *s* **1** (*livro, filme*) enredo **2** complot, conspiração **3** lote

▸ (**-tt-**) **1** *vi* conspirar **2** *vt* (*intriga*) urdir, tramar **3** *vt* (*rota, etc.*) traçar

plough (*USA* **plow**) /plaʊ/ *substantivo, verbo*

▸ *s* charrua, arado

▸ *vt, vi* lavrar, arar PHR V **plough sth back (in/into sth)** (*lucro*) reinvestir alguma coisa (em alguma coisa) ◆ **plough into sb/sth** chocar com alguém/alguma coisa ◆ **plough (your way) through sth** abrir caminho por entre alguma coisa

ploy /plɔɪ/ *s* estratagema

pluck /plʌk/ *verbo, substantivo*

▸ *vt* **1** arrancar **2** depenar **3** (*sobrancelhas*) depilar **4** (*corda de instrumento*) tanger LOC **pluck up courage (to do sth)** arranjar coragem (para fazer alguma coisa)

▸ *s* (*coloq*) coragem, força

🔑 **plug** /plʌg/ *substantivo, verbo*

▸ *s* **1** ficha (*macho*) **2** (*coloq*) tomada ➲ *Ver ilustração em* FICHA **3** tampão **4** (*tb* **spark plug**) vela (*de ignição*) **5** (*USA*) rolha, tampa **6** (*coloq*) publicidade: *He managed to get in a plug for his new book.* Ele conseguiu que incluíssem publicidade ao seu novo livro.

▸ *vt* (**-gg-**) **1** (*fuga, etc.*) vedar **2** (*ouvidos, etc.*) tapar **3** (*buraco*) encher **4** fazer publicidade a PHR V **plug sth in; plug sth into sth** ligar alguma coisa (a alguma coisa)

plum /plʌm/ *s* **1** ameixa **2** (*tb* **plum tree**) ameixoeira

plumage /ˈpluːmɪdʒ/ *s* plumagem

plumber /ˈplʌmə(r)/ *s* canalizador, -ora

plumbing *s* canalização

plummet /ˈplʌmɪt/ *vi* **1** cair a pique **2** (*fig*) despencar, baixar dramaticamente

plump /plʌmp/ *adjetivo, verbo*

▸ *adj* **1** roliço ➲ *Ver nota em* GORDO **2** fofo

▸ *v* PHR V **plump for sb/sth** (*coloq*) optar, decidir--se por alguém/alguma coisa

plunder /ˈplʌndə(r)/ *vt* saquear

plunge /plʌndʒ/ *verbo, substantivo*

▸ *vi* **1** cair a pique, baixar dramaticamente **2** mergulhar, precipitar-se PHR V **plunge sth in; plunge sth into sth** meter alguma coisa (em alguma coisa): *She plunged the knife into his chest.* Ela enfiou-lhe a faca no peito. ◆ **plunge sb/sth into sth** fazer cair alguém/alguma coisa em alguma coisa (*desespero, etc.*): *The news plunged them into deep depression.* A notícia fê-los mergulhar numa profunda depressão.

▸ *s* **1** mergulho **2** queda **3** (*preços*) descida LOC **take the plunge** (*coloq*) dar o passo decisivo

plunk (*USA*) = PLONK

plural /ˈplʊərəl/ *adj, s* plural

🔑 **plus** /plʌs/ *preposição, substantivo, adjetivo, conjunção*

▸ *prep* **1** (*Mat*) mais: *Five plus six equals eleven.* Cinco mais seis dá onze. **2** acrescido de: *plus the fact that...* acrescido do facto que...

▸ *s* **1** (*pl* **pluses**) (*coloq*) ponto a favor: *the pluses and minuses of sth* os prós e os contras de alguma coisa **2** (*tb* **plus sign**) sinal de mais

▸ *adj* **1** no mínimo: *£500 plus* 500 libras no mínimo ◇ *He must be forty plus.* Tem uns quarenta e picos. **2** (*Mat, Educ*) positivo

▸ *conj* além do mais

plush /plʌʃ/ *adj* (*coloq*) luxuoso, de luxo

plutonium /pluːˈtəʊniəm/ *s* plutónio

ply /plaɪ/ *vt* (*pt, pp* **plied** /plaɪd/) (*formal*) (*rota*) fazer carreira: *This ship plied between Brazil and Portugal.* Este barco fazia carreira entre o Brasil e Portugal. PHR V **ply sb with sth** **1** (*comida, bebida*) encher alguém de alguma coisa **2** (*perguntas*) crivar alguém de alguma coisa

plywood /ˈplaɪwʊd/ *s* contraplacado

🔑 **p.m.** (*USA tb* **P.M.**) /ˌpiː ˈem/ *abrev* da tarde/noite: *at 4.30 p.m.* às quatro e meia da tarde ◇ *at 11 p.m.* às onze da noite

> De notar que quando dizemos **a.m.** ou **p.m.** com as horas, não se pode usar **o'clock**: *Shall we meet at three o'clock/3 p.m.?* Encontramo-nos às três (da tarde)?

pneumatic /njuːˈmætɪk; *USA* nuː-/ *adj* pneumático: *pneumatic drill* broca pneumática

pneumonia /njuːˈməʊniə; *USA* nuː-/ *s* [*não--contável*] pneumonia

PO /ˌpiː ˈəʊ/ *abrev de* **Post Office**

poach /pəʊtʃ/ **1** *vt* cozer **2** *vt* (*ovo*) escalfar **3** *vt, vi* caçar/pescar furtivamente **4** *vt* ~ **sb/sth (from sb/sth)** roubar alguém/alguma coisa (a/de alguém/alguma coisa) (*empregados, ideias*)

poacher *s* caçador, -ora, pescador, -ora (*furtivo*)

🔑 **pocket** /ˈpɒkɪt/ *substantivo, verbo*

▸ *s* **1** algibeira, bolso: *pocket-sized* (tamanho) de bolso ◇ *pocket money* semanada **2** núcleo LOC **be out of pocket** perder dinheiro *Ver tb* PICK

▸ *vt* **1** meter no bolso **2** embolsar

pod /pɒd/ *s* vagem (*de ervilhas, etc.*)

podcast /ˈpɒdkɑːst; *USA* -kæst/ *s* podcast (*transmissão por Internet*)

podium /ˈpəʊdiəm/ *s* pódio

🔑 **poem** /ˈpəʊɪm/ *s* poema

poet /ˈpəʊɪt/ *s* poeta, poetisa

poetic /pəʊ'etɪk/ *adj* poético: *poetic justice* justiça divina

⚷ **poetry** /'pəʊətri/ *s* poesia

poignant /'pɔɪnjənt/ *adj* pungente

⚷ **point** /pɔɪnt/ *substantivo, verbo*

▸ *s* **1** ponto *Ver tb* STARTING POINT, TURNING POINT **2** ponta **3** (*Mat*) vírgula ❶ Em inglês emprega-se um ponto em vez de uma vírgula para marcar as décimos. ➲ *Ver pág. 711* **4** questão: *the point is...* a questão é... **5** sentido: *What's the point?* Para quê? ◇ *There's no point (in) shouting.* Não vale a pena gritar. ◇ *to miss the point* não perceber a questão **6** (*tb* power point) tomada LOC **be beside the point** não ter nada a ver (com o caso) ◆ **in point of fact** de facto ◆ **make a point of doing sth** fazer questão de fazer alguma coisa ◆ **make your point** deixar alguma coisa bem clara ◆ **on the point of (doing) sth** à beira de (fazer) alguma coisa ◆ **point of view** ponto de vista ◆ **take sb's point** compreender o ponto de vista de alguém ◆ **to the point** direto *Ver tb* PROVE, SORE, STRONG

▸ **1** *vi* ~ **(at/to/towards sb/sth)** apontar (para alguém/alguma coisa) **2** *vt* ~ **sth at sb** apontar alguma coisa a alguém: *to point your finger (at sb/sth)* apontar (para alguém/alguma coisa) **3** *vi* ~ **to sth** (*fig*) indicar alguma coisa PHR V **point sth out (to sb)** chamar a atenção (a alguém) para alguma coisa

point-blank /ˌpɔɪnt 'blæŋk/ *adjetivo, advérbio*

▸ *adj* **1** *at point-blank range* à queima-roupa **2** (*negativa*) categórico

▸ *adv* **1** à queima-roupa **2** (*fig*) de forma categórica

⚷ **pointed** /'pɔɪntɪd/ *adj* **1** afiado, pontiagudo **2** (*crítica*) intencional

pointer /'pɔɪntə(r)/ *s* **1** (*coloq*) dica **2** indicador **3** ponteiro **4** indicativo

pointless /'pɔɪntləs/ *adj* **1** sem sentido **2** inútil

poise /pɔɪz/ *s* **1** autocontrolo, presença **2** elegância **poised** *adj* **1** suspenso **2** seguro de si

⚷ **poison** /'pɔɪzn/ *substantivo, verbo*

▸ *s* veneno

▸ *vt* **1** envenenar **2** (*ambiente*) perverter **poisoning** *s* envenenamento: *food poisoning* intoxicação alimentar

⚷ **poisonous** /'pɔɪzənəs/ *adj* venenoso

poke /pəʊk/ **1** *vt* tocar (*com o dedo, etc.*): *to poke your finger into sth* meter o dedo em alguma coisa **2** *vi* ~ **out/through**; ~ **out of, through, etc. sth** aparecer/sair (por alguma coisa) LOC **poke your nose in** intrometer-se *Ver tb* FUN PHR V **poke about/around** (*coloq*) bisbilhotar

poker /'pəʊkə(r)/ *s* **1** atiçador **2** póquer (*jogo de cartas*)

poker-faced /'pəʊkə feɪst/ *adj* (*coloq*) impenetrável

poky /'pəʊki/ *adj* (*coloq*) apertado, minúsculo

polar /'pəʊlə(r)/ *adj* polar: *polar bear* urso polar

⚷ **pole** /pəʊl/ *s* **1** (*Geog, Fís*) polo **2** vara **3** (*telegráfico*) poste LOC **be poles apart** estar em extremos opostos

pole vault *s* salto à vara

⚷ **police** /pə'li:s/ *substantivo, verbo*

▸ *s* [*pl*] polícia: *police constable/officer* (agente da) polícia ◇ *police force* forças policiais ◇ *police state* estado policial ◇ *police station* esquadra (da polícia)

▸ *vt* policiar

policeman /pə'li:smən/ *s* (*pl* **-men** /-mən/) polícia ➲ *Ver nota em* POLÍCIA

policewoman /pə'li:swʊmən/ *s* (*pl* **-women** /-wɪmɪn/) mulher-polícia ➲ *Ver nota em* POLÍCIA

⚷ **policy** /'pɒləsi/ *s* (*pl* **policies**) **1** política **2** (*seguro*) apólice

polio /'pəʊliəʊ/ *s* [*não-contável*] paralisia infantil, pólio

⚷ **polish** /'pɒlɪʃ/ *verbo, substantivo*

▸ *vt* **1** dar lustro a, polir **2** (*sapatos*) engraxar **3** (*chão*) encerar **4** (*fig*) polir PHR V **polish sb off** (*coloq*) despachar alguém (para o outro mundo) ◆ **polish sth off** (*coloq*) **1** devorar alguma coisa **2** (*trabalho*) despachar alguma coisa

▸ *s* **1** lustro **2** brilho **3** (*móveis*) cera **4** (*sapatos*) graxa **5** (*unhas*) verniz **6** (*fig*) requinte **polished** *adj* **1** brilhante, polido **2** (*maneira, estilo*) refinado, polido **3** (*atuação*) impecável

⚷ **polite** /pə'laɪt/ *adj* **1** cortês **2** (*pessoa*) bem-educado **3** (*comportamento*) delicado

⚷ **political** /pə'lɪtɪkl/ *adj* político

⚷ **politician** /ˌpɒlə'tɪʃn/ *s* político, -a

⚷ **politics** /'pɒlətɪks/ *s* **1** [*não-contável, v sing ou pl*] política **2** [*pl*] convicções políticas **3** [*não-contável*] (*Educ*) ciência política

polka dot /'pəʊkə dɒt/ *s* às bolinhas (*padrão*)

poll /pəʊl/ *s* **1** (*tb* opinion poll) inquérito, sondagem **2** eleição **3** votação: *to take a poll on something* submeter alguma coisa a votação **4** **the polls** [*pl*] as urnas

pollen /'pɒlən/ *s* pólen

pollute /pə'lu:t/ *vt* **1** ~ **sth (with sth)** poluir alguma coisa (com alguma coisa) **2** (*fig*) corromper

pollution /pə'luːʃn/ *s* **1** poluição **2** (*fig*) corrupção

polo /'pəʊləʊ/ *s* (*Desp*) polo *Ver tb* WATER POLO

polo neck *s* (camisola de) gola alta

polyester /ˌpɒli'estə(r); *USA* ˌpɒliː'estər/ *s* poliéster

polystyrene /ˌpɒli'staɪriːn/ *s* esferovite

polythene /'pɒlɪθiːn/ (*USA* **polyethylene** /ˌpɒli'eθəliːn/) *s* polietileno

pomp /pɒmp/ *s* pompa

pompous /'pɒmpəs/ *adj* (*pej*) **1** pomposo **2** (*pessoa*) presunçoso

pond /pɒnd/ *s* pequeno lago

ponder /'pɒndə(r)/ *vt, vi* ~ **(about/on/over sth)** (*formal*) refletir (sobre alguma coisa)

pony /'pəʊni/ *s* (*pl* **ponies**) pónei: *pony trekking* excursão de pónei

ponytail /'pəʊniteɪl/ *s* rabo-de-cavalo

poo /puː/ (*USA* **poop** /puːp/) *s* cocó

poodle /'puːdl/ *s* caniche

pool /puːl/ *substantivo, verbo*
▸ *s* **1** (*tb* **swimming pool**) piscina **2** poça, charco **3** poço (*num rio*) **4** lago pequeno **5** (*luz*) foco **6** ~ **(of sth)** fundo comum (de alguma coisa) **7** [*não-contável*] bilhar americano ➲ *Ver nota em* BILHAR **8 the (football) pools** [*pl*] o Totobola®
▸ *vt* (*recursos, ideias, etc.*) reunir, juntar

poor /pɔː(r), pʊə(r)/ *adjetivo, substantivo*
▸ *adj* (**poorer, -est**) **1** pobre **2** mau: *in poor taste* de mau gosto **3** (*nível*) baixo LOC *Ver* FIGHT
▸ *s* **the poor** [*pl*] os pobres

poorly /'pɔːli, 'pʊəli/ *advérbio, adjetivo*
▸ *adv* **1** mal **2** insuficientemente
▸ *adj* (*GB, coloq*) doente

pop /pɒp/ *substantivo, verbo, advérbio*
▸ *s* **1** (*tb* **pop music**) música pop **2** (pequeno) estalido **3** (pequeno) estampido **4** (*coloq*) (*bebida*) gasosa **5** (*esp USA, coloq*) pai
▸ (**-pp-**) **1** *vi* dar um estalido **2** *vi* fazer pop! **3** *vt, vi* (*balão*) rebentar **4** *vt* (*rolha*) fazer saltar PHR V **pop across, back, down, out, etc.** (*GB, coloq*) dar um salto (*a determinado lugar*): *Could you pop down to the shops and buy some milk?* Importas-te de dar um salto à loja e comprar leite? ◆ **pop sth back, in, etc.** (*esp GB, coloq*) devolver, entregar, etc. alguma coisa (*rapidamente*) ◆ **pop in** (*GB, coloq*) visitar (*brevemente*) ◆ **pop out (of sth)** (*esp GB*) sair (de alguma coisa) (*repentinamente*) ◆ **pop up** (*coloq*) aparecer (*de repente*)
▸ *adv*: *to go pop* fazer pop!

popcorn /'pɒpkɔːn/ *s* [*não-contável*] pipocas

pope /pəʊp/ *s* papa

poplar /'pɒplə(r)/ *s* álamo, choupo

poppy /'pɒpi/ *s* (*pl* **poppies**) papoila

Popsicle® /'pɒpsɪkl/ *s* (*USA*) gelado (de pau)

popular /'pɒpjələ(r)/ *adj* **1** popular: *to be popular with sb* ser popular junto de alguém **2** em moda: *Polo necks are very popular this season.* Nesta temporada usam-se muito camisolas de gola alta. **3** (*crença*) generalizado **4** em massa: *the popular press* a imprensa sensacionalista **popularize, -ise** *vt* **1** popularizar **2** vulgarizar

popularity /ˌpɒpju'lærəti/ *s* popularidade

population /ˌpɒpju'leɪʃn/ *s* população: *population explosion* explosão demográfica

porcelain /'pɔːsəlɪn/ *s* [*não-contável*] porcelana

porch /pɔːtʃ/ *s* **1** átrio **2** (*USA*) alpendre

pore /pɔː(r)/ *substantivo, verbo*
▸ *s* poro
▸ *v* PHR V **pore over sth** estudar alguma coisa atentamente

pork /pɔːk/ *s* carne de porco ➲ *Ver nota em* CARNE

pornography /pɔː'nɒgrəfi/ (*coloq* **porn** /pɔːn/) *s* pornografia

porous /'pɔːrəs/ *adj* poroso

porpoise /'pɔːpəs/ *s* toninha

porridge /'pɒrɪdʒ; *USA* 'pɔːr-/ *s* [*não-contável*] (papas de) flocos de aveia

port /pɔːt/ *s* **1** porto **2** (vinho do) Porto **3** (*barco*) bombordo

portable /'pɔːtəbl/ *adj* portátil

porter /'pɔːtə(r)/ *s* **1** (*estação, hotel*) carregador, -ora **2** maqueiro, -a **3** porteiro, -a

porthole /'pɔːthəʊl/ *s* vigia

portion /'pɔːʃn/ *s* **1** porção **2** (*comida*) dose

portrait /'pɔːtreɪt, -trət/ *s* **1** retrato **2** descrição

portray /pɔː'treɪ/ *vt* **1** retratar **2** ~ **sb/sth (as sth)** representar alguém/alguma coisa (como alguma coisa) **portrayal** *s* representação

pose /pəʊz/ *verbo, substantivo*
▸ **1** *vi* posar **2** *vi* (*pej*) exibir-se **3** *vi* ~ **as sb** fazer-se passar por alguém **4** (*perigo, ameaça, etc.*) representar **5** *vt* (*dificuldade*) colocar **6** (*pergunta, questão*) colocar
▸ *s* **1** pose **2** (*pej*) pose

posh /pɒʃ/ *adj* (**posher, -est**) (*coloq*) **1** (*ambiente*) chique, de luxo **2** (*sotaque*) fino, afetado **3** (*GB, pej*) (*pessoa*) fino

P

position /pəˈzɪʃn/ *substantivo, verbo*
▸ *s* **1** posição **2** situação **3** ~ **(on sth)** (*opinião*) posição (relativamente a alguma coisa) **4** (*formal*) (*trabalho*) posto LOC **be in a/no position to do sth** estar/não estar em condições de fazer alguma coisa
▸ *vt* colocar, localizar

positive /ˈpɒzətɪv/ *adj* **1** positivo **2** definitivo, categórico **3** ~ **(about sth/that...)** seguro (de alguma coisa/de que...) **4** (*coloq*) total, autêntico: *a positive disgrace* uma autêntica vergonha **positively** *adv* **1** positivamente **2** com otimismo **3** categoricamente **4** absolutamente

possess /pəˈzes/ *vt* **1** (*formal*) possuir **2** (*formal*) (*emoção, etc.*) dominar **3** *What possessed you to do that?* O que é que te levou a fazer isso?

possession /pəˈzeʃn/ *s* **1** (*formal*) posse **2 possessions** [*pl*] bens LOC **be in possession of sth** (*formal*) ter em seu poder alguma coisa

possibility /ˌpɒsəˈbɪləti/ *s* (*pl* **possibilities**) **1** possibilidade: *within/beyond the bounds of possibility* na/fora da medida do possível **2 possibilities** [*pl*] potencial

possible /ˈpɒsəbl/ *adj* possível: *if possible* se for possível ◇ *as quickly as possible* o mais depressa possível LOC **make sth possible** tornar alguma coisa possível

possibly /ˈpɒsəbli/ *adv* possivelmente: *You can't possibly go.* Não podes ir de maneira nenhuma. ◇ *Could you possibly help me?* Será que me podias ajudar?

post /pəʊst/ *substantivo, verbo*
▸ *s* **1** correio ➲ *Ver nota em* MAIL **2** poste **3** (*trabalho*) posto
▸ *vt* **1** pôr, deitar no correio **2** (*em espaço público*) divulgar **3** colocar (*empregado*) **4** (*soldado*) destacar LOC **keep sb posted (about/on sth)** manter alguém informado (de alguma coisa)

postage /ˈpəʊstɪdʒ/ *s* franquia: *postage stamp* selo postal ◇ *postage and handling* porte de envio e taxa

postal /ˈpəʊstl/ *adj* postal: *postal vote* voto por correio

postbox /ˈpəʊstbɒks/ *s* marco de correio ➲ *Ver ilustração em* LETTER BOX

postcard /ˈpəʊstkɑːd/ *s* (cartão) postal

postcode /ˈpəʊstkəʊd/ *s* código postal

poster /ˈpəʊstə(r)/ *s* **1** (*anúncio*) cartaz **2** poster

posterity /pɒˈsterəti/ *s* posteridade

postgraduate /ˌpəʊstˈɡrædʒuət/ *adj, s* pós-graduado, -a

posthumous /ˈpɒstjʊməs; *USA* ˈpɒstʃəməs/ *adj* póstumo

postman /ˈpəʊstmən/ *s* (*pl* **-men** /-mən/) carteiro

postmark /ˈpəʊstmɑːk/ *s* carimbo dos correios

post-mortem /ˌpəʊst ˈmɔːtəm/ *s* autópsia

post office *s* (estação de) correios

postpone /pəˈspəʊn; *USA* pəʊˈs-/ *vt* adiar

postscript /ˈpəʊstskrɪpt/ *s* **1** (*abrev* **PS**) pós-escrito **2** (*fig*) nota (acrescentada)

posture /ˈpɒstʃə(r)/ *s* **1** postura **2** atitude

post-war /ˌpəʊst ˈwɔː(r)/ *adj* do pós-guerra

postwoman /ˈpəʊstwʊmən/ *s* (*pl* **-women** /-wɪmɪn/) mulher-carteiro

pots and pans

handle
lid

saucepan (*tb* **pot**)
frying pan
casserole
pressure cooker
steamer
wok

pot /pɒt/ *s* **1** panela: *pots and pans* tachos e panelas **2** recipiente: *a pot of jam* um frasco de doce ◇ *a pot of paint* uma lata de tinta ◇ *a pot of coffee* uma cafeteira de café **3** (*decorativo*) pote **4** (*planta*) vaso **5** (*coloq*) marijuana, erva *Ver tb* MELTING POT LOC **go to pot** (*coloq*) ir ao ar

potassium /pəˈtæsiəm/ *s* potássio

potato /pəˈteɪtəʊ/ *s* (*pl* **potatoes**) batata *Ver tb* COUCH POTATO

potency /ˈpəʊtnsi/ *s* potência

potent /ˈpəʊtnt/ *adj* potente, poderoso

potential /pəˈtenʃl/ *adj, s* potencial

potentially /pəˈtenʃəli/ *adv* potencialmente

pothole /ˈpɒthəʊl/ *s* **1** (*Geol*) gruta **2** (*em estrada*) buraco

potted /ˈpɒtɪd/ *adj* **1** (*planta*) de vaso **2** (*relato*) resumido **3** de conserva

potter /ˈpɒtə(r)/ *substantivo, verbo*
▸ *s* oleiro, -a, ceramista
▸ *v* PHR V **potter about/around** entreter-se a fazer uma coisa e outra

pottery /'pɒtəri/ *s* **1** (*objetos*) cerâmica **2** (*arte*) olaria

potty /'pɒti/ *adjetivo, substantivo*
▸ *adj* ~ **(about sb/sth)** (*GB, coloq*) louco (por alguém/alguma coisa)
▸ *s* (*pl* **potties**) (*coloq*) bacio, penico

pouch /paʊtʃ/ *s* bolsa (*tb Zool*)

poultry /'pəʊltri/ *s* [*não-contável*] aves (de criação)

pounce /paʊns/ *vi* ~ **(on sb/sth)** lançar-se, cair (sobre alguém/alguma coisa) PHR V **pounce on sth** atacar alguma coisa (*palavras, ações, etc.*)

pound /paʊnd/ *substantivo, verbo*
▸ *s* **1** (*dinheiro*) libra (£) ➲ *Ver pág. 714* **2** (*abrev* **lb**) libra (*0,454 quilogramas*) ➲ *Ver pág. 712*
▸ **1** *vi* ~ **(away) (at/against/on sth)** bater, martelar (em alguma coisa) **2** *vi* caminhar/correr pesadamente **3** *vi* ~ **(with sth)** bater, palpitar (de alguma coisa) (*medo, emoção, etc.*) **4** *vt* esmagar **5** *vt* espancar **pounding** *s* **1** (*coração, etc.*) batida, pancadas **2** (*ondas*) embate **3** sova

pour /pɔː(r)/ **1** *vi* correr **2** *vt* deitar **3** *vt* (*bebida*) servir **4** *vi* ~ **(with rain)** chover torrencialmente **5** *vi* ~ **in/out**; ~ **into/out of sth** entrar aos montes (em alguma coisa), sair em tropel (de alguma coisa) PHR V **pour sth out** **1** (*bebida*) servir alguma coisa **2** desabafar alguma coisa: *She poured out her troubles.* Contou-me todos os seus problemas.

pout /paʊt/ *vi* fazer beicinho

poverty /'pɒvəti/ *s* pobreza: *poverty-stricken* necessitado

powder /'paʊdə(r)/ *substantivo, verbo*
▸ *s* pó
▸ *vt* polvilhar: *to powder your face* empoar-se **powdered** *adj* em pó

power /'paʊə(r)/ *substantivo, verbo*
▸ *s* **1** poder: *power-sharing* partilha de poder **2** [*não-contável*] (*tb* **powers** [*pl*]) capacidade, poder **3** [*não-contável*] força **4** [*não-contável*] energia **5** (*eletricidade*) luz, corrente: *power cut* corte de energia ◇ *power station* central elétrica ◇ *power point* tomada (em parede) LOC **the powers that be** os mandachuvas
▸ *vt* alimentar, accionar

powerful /'paʊəfl/ *adj* **1** poderoso **2** (*máquina*) potente **3** (*braços, pancada, bebida*) forte **4** (*imagem, obra*) intenso

powerless /'paʊələs/ *adj* **1** impotente **2** ~ **to do sth** sem poderes para fazer alguma coisa

PR /ˌpiː 'ɑː(r)/ *s* (*abrev de* **public relations**) relações públicas

practicable /'præktɪkəbl/ *adj* (*formal*) viável

practical /'præktɪkl/ *adj* prático: *practical joke* partida

practically /'præktɪkli/ *adv* **1** praticamente **2** de forma prática

practice /'præktɪs/ *s* **1** prática **2** (*Desp*) treino **3** (*Med*) consultório *Ver tb* GENERAL PRACTICE **4** escritório (*de advocacia*) **5** (*profissão*) exercício LOC **be/get out of practice** estar destreinado, perder o treino

practise (*USA* **practice**) /'præktɪs/ **1** *vt, vi* praticar **2** *vi* (*Desp*) treinar **3** *vt, vi* ~ **(sth/as sth)** (*profissão*) exercer (a profissão) (de alguma coisa): *to practise as a lawyer* trabalhar como advogado **practised** (*USA* **practiced**) *adj* ~ **(in sth)** experiente (em alguma coisa)

practitioner /præk'tɪʃənə(r)/ *s* (*formal*) **1** praticante (*de uma habilidade ou arte*) **2** profissional (*médico, advogado, etc.*) *Ver tb* GENERAL PRACTITIONER

pragmatic /præg'mætɪk/ *adj* pragmático

praise /preɪz/ *verbo, substantivo*
▸ *vt* **1** elogiar **2** (*Relig*) louvar
▸ *s* [*não-contável*] **1** elogio(s) **2** (*Relig*) louvor

praiseworthy /'preɪzwɜːði/ *adj* (*formal*) louvável, digno de louvor

pram /præm/ *s* carrinho de bebé (*não desdobrável*)

prawn /prɔːn/ *s* camarão

pray /preɪ/ *vi* rezar, orar

prayer /preə(r)/ *s* oração, prece

preach /priːtʃ/ **1** *vt, vi* (*Relig*) pregar **2** *vi* ~ **(at/to sb)** (*pej*) dar sermões (a alguém) **3** *vt* exaltar (*modo de vida, etc.*) **preacher** *s* pregador, -ora

precarious /prɪ'keəriəs/ *adj* precário

precaution /prɪ'kɔːʃn/ *s* precaução **precautionary** /prɪ'kɔːʃənəri; *USA* -neri/ *adj* de precaução

precede /prɪ'siːd/ *vt* **1** preceder **2** (*discurso*) introduzir

precedence /'presɪdəns/ *s* precedência

precedent /'presɪdənt/ *s* precedente, prioridade

preceding /prɪ'siːdɪŋ/ *adj* **1** precedente **2** (*tempo*) anterior

precinct /'priːsɪŋkt/ *s* **1** (*GB*) zona: *pedestrian precinct* zona comercial para peões **2** (*USA*) distrito (*eleitoral, policial, etc.*) **3** [*ger pl*] recinto

precious /'preʃəs/ *adjetivo, advérbio*
▸ *adj* **1** precioso **2** querido
▸ *adv* (*coloq*) LOC **precious little/few** muito pouco/poucos

precipice /'presəpɪs/ *s* precipício

P

precise /prɪ'saɪs/ *adj* **1** preciso **2** (*explicação*) claro **3** (*pessoa*) meticuloso

precisely /prɪ'saɪsli/ *adv* **1** precisamente **2** (*hora*) em ponto **3** com precisão

precision /prɪ'sɪʒn/ *s* precisão

precocious /prɪ'kəʊʃəs/ *adj* precoce

preconceived /ˌpriːkən'siːvd/ *adj* preconcebido **preconception** /ˌpriːkən'sepʃn/ *s* ideia preconcebida

precondition /ˌpriːkən'dɪʃn/ *s* requisito, condição prévia

predator /'predətə(r)/ *s* predador **predatory** /'predətri; *USA* -tɔːri/ *adj* **1** (*animal*) predador **2** (*pessoa*) predatório

predecessor /'priːdɪsesə(r); *USA* 'predə-/ *s* antecessor, -ora

predicament /prɪ'dɪkəmənt/ *s* situação difícil, apuro

predict /prɪ'dɪkt/ *vt* **1** prever, predizer **2** prognosticar **predictable** *adj* previsível **prediction** *s* previsão, prognóstico

predominant /prɪ'dɒmɪnənt/ *adj* predominante **predominantly** *adv* predominantemente

pre-empt /pri 'empt/ *vt* antecipar-se a

preface /'prefəs/ *s* prefácio

prefer /prɪ'fɜː(r)/ *vt* (**-rr-**) preferir: *Would you prefer cake or biscuits?* Preferes bolo ou bolachas? ➲ *Ver nota em* PREFERIR **preferable** /'prefrəbl/ *adj* preferível **preferably** /'prefrəbli/ *adv* preferivelmente

preference /'prefrəns/ *s* preferência LOC **in preference to sb/sth** em vez de alguém/alguma coisa

preferential /ˌprefə'renʃl/ *adj* preferencial

prefix /'priːfɪks/ *s* prefixo

pregnancy /'pregnənsi/ *s* (*pl* **pregnancies**) gravidez

pregnant /'pregnənt/ *adj* **1** grávida **2** (*animal*) prenhe

prejudice /'predʒudɪs/ *substantivo, verbo*
▸ *s* **1** [*não-contável*] preconceito(s) **2** parcialidade LOC **without prejudice to sb/sth** (*Jur*) sem prejudicar alguém/alguma coisa
▸ *vt* **1** (*pessoa*) influenciar **2** (*decisão, resultado*) influir em **3** (*formal*) prejudicar **prejudiced** *adj* **1** intolerante **2** preconceituoso LOC **be prejudiced against sb/sth** ter preconceitos em relação a alguém/alguma coisa

preliminary /prɪ'lɪmɪnəri; *USA* -neri/ *adj, s* **1** preliminar **2** (*Desp*) eliminatório

prelude /'preljuːd/ *s* **1** (*Mús*) prelúdio **2** (*fig*) prólogo

premature /'premətjʊə(r); *USA* ˌpriːmə'tʊər/ *adj* prematuro

premier /'premiə(r); *USA* prɪ'mɪər/ *adjetivo, substantivo*
▸ *adj* principal
▸ *s* primeiro-ministro, primeira-ministra

premiere /'premɪeə(r); *USA* prɪ'mɪər/ *s* estreia

premises /'premɪsɪz/ *s* [*pl*] **1** edifício **2** (*loja, bar, etc.*) estabelecimento, local **3** (*empresa*) instalações

premium /'priːmiəm/ *s* (*seguros*) prémio LOC **be at a premium 1** escassear **2** ter um valor superior ao nominal

preoccupation /priˌɒkju'peɪʃn/ *s* ~ **(with sth)** preocupação (com alguma coisa) **preoccupied** *adj* ~ **(with sth) 1** preocupado (com alguma coisa) **2** distraído (com alguma coisa)

preparation /ˌprepə'reɪʃn/ *s* **1** preparação **2 preparations** [*pl*] preparativos

preparatory /prɪ'pærətri; *USA* -tɔːri/ *adj* (*formal*) preparatório

prepare /prɪ'peə(r)/ **1** *vi* ~ **for sth/to do sth** preparar-se para alguma coisa/fazer alguma coisa **2** *vt* preparar LOC **be prepared to do sth** estar disposto a fazer alguma coisa

preposition /ˌprepə'zɪʃn/ *s* (*Gram*) preposição

preposterous /prɪ'pɒstərəs/ *adj* (*formal*) absurdo

prerequisite /ˌpriː'rekwəzɪt/ *s* ~ **(for/of/to sth)** (*formal*) requisito, condição prévia (para alguma coisa)

prerogative /prɪ'rɒgətɪv/ *s* (*formal*) prerrogativa

preschool /'priːskuːl/ *s* (*esp USA*) jardim de infância, escola pré-primária

prescribe /prɪ'skraɪb/ *vt* **1** (*medicamento*) receitar **2** recomendar, prescrever

prescription /prɪ'skrɪpʃn/ *s* **1** receita (*para medicamento*) **2** (*ação*) prescrição

presence /'prezns/ *s* presença

present *adjetivo, substantivo, verbo*
▸ *adj* /'preznt/ **1** ~ **(at/in sth)** presente (em alguma coisa) **2** (*tempo*) atual **3** (*mês, ano*) corrente **4** (*Gram*) presente LOC **to the present day** até hoje
▸ *s* /'preznt/ **1** presente, prenda: *to give sb a present* dar um presente a alguém **2 the present** (*tempo*) o presente **3** (*tb* **present tense**) presente LOC **at present** de momento, atualmente ➲ *Comparar com* ACTUALLY ◆ **for the present** por enquanto *Ver tb* MOMENT

▸ *vt* /prɪ'zent/ **1** apresentar: *to present yourself* apresentar-se ❶ Ao apresentar-se uma pessoa a outra usa-se o verbo **introduce**: *Let me introduce you to Peter.* Deixe-me apresentá-lo ao Peter. **2** ~ **sb with sth**; ~ **sth (to sb)** apresentar alguma coisa (a alguém): *to present sb with a problem* pôr um problema a alguém **3** (*argumento*) expor **4** ~ **itself (to sb)** (*oportunidade*) apresentar-se (a alguém) **5** (*Teat*) representar

presentable /prɪ'zentəbl/ *adj* **1** apresentável **2** (*aparência*) arranjado: *to make yourself presentable* arranjar-se

⚷ **presentation** /ˌprezn'teɪʃn; *USA* ˌpri:zen-/ *s* **1** apresentação **2** (*prémio*) entrega **3** (*argumento*) exposição **4** (*Teat*) representação

present-day /ˌpreznt 'deɪ/ *adj* [*só antes de substantivo*] atual

presenter /prɪ'zentə(r)/ *s* apresentador, -ora

presently /'prezntli/ *adv* **1** (*GB*) [*futuro: geralmente no final da frase*] daqui a pouco: *I will follow on presently.* Vou lá ter daqui a pouco. **2** (*GB*) [*passado: geralmente no princípio da frase*] pouco depois, logo: *Presently he got up to go.* Pouco depois, levantou-se para se ir embora. **3** (*esp USA*) neste momento ➲ *Comparar com* ACTUALLY

preservation /ˌprezə'veɪʃn/ *s* conservação, preservação

preservative /prɪ'zɜ:vətɪv/ *adj, s* conservante

⚷ **preserve** /prɪ'zɜ:v/ *verbo, substantivo*

▸ *vt* **1** preservar **2** conservar (*comida, etc.*) **3** ~ **sb/sth (from sth)** proteger alguém/alguma coisa (de alguma coisa)

▸ *s* **1** [*sing*] ~ **(of sb)** reserva (de alguém): *the exclusive preserve of party members* a reserva exclusiva dos membros do partido **2** (*de caça, natural*) couto, reserva **3** [*ger pl*] fruta de conserva, compota

preside /prɪ'zaɪd/ *vi* ~ **(at/over sth)** presidir (a alguma coisa)

presidency /'prezɪdənsi/ *s* (*pl* **presidencies**) presidência

⚷ **president** /'prezɪdənt/ *s* presidente **presidential** /ˌprezɪ'denʃl/ *adj* presidencial

⚷ **press** /pres/ *substantivo, verbo*

▸ *s* **1** (*tb* **the Press**) [*v sing ou pl*] a imprensa: *press release/conference* comunicado/conferência de imprensa ◇ *press cuttings* recortes de jornal **2** prensa, espremedor **3** (*tb* **printing press**) prensa

▸ **1** *vt, vi* apertar **2** *vt* pressionar **3** *vi* ~ **(up) against sb** encostar-se a alguém: *She pressed up against me.* Ela apertou o corpo dela contra o meu. **4** *vt* ~ **sb (for sth/to do sth)**; ~ **sb (into sth/into doing sth)** pressionar alguém (para que faça alguma coisa) **5** *vt* passar a ferro **6** *vt* (*azeitonas, flores*) prensar **7** *vt* (*uvas*) pisar **LOC be pressed for time** ter muito pouco tempo **PHR V press ahead/on (with sth)** seguir adiante (com alguma coisa) ◆ **press for sth** pressionar para (que se faça) alguma coisa

pressing /'presɪŋ/ *adj* urgente, premente

press-up /'pres ʌp/ *s* flexão

⚷ **pressure** /'preʃə(r)/ *substantivo, verbo*

▸ *s* pressão: *blood pressure* pressão arterial ◇ *pressure group* grupo de pressão ◇ *pressure gauge* manómetro *Ver tb* HIGH PRESSURE **LOC put pressure on sb (to do sth)** pressionar alguém (para que faça alguma coisa)

▸ *vt Ver* PRESSURIZE

pressure cooker *s* panela de pressão ➲ *Ver ilustração em* POT

pressurize, -ise /'preʃəraɪz/ *vt* **1** (*tb* **pressure**) ~ **sb into sth/doing sth** pressionar alguém a alguma coisa/fazer alguma coisa **2** (*Fís*) pressurizar

prestige /pre'sti:ʒ/ *s* prestígio **prestigious** /pre'stɪdʒəs/ *adj* prestigioso

⚷ **presumably** /prɪ'zju:məbli; *USA* -'zu:m-/ *adv* provavelmente

presume /prɪ'zju:m; *USA* -'zu:m/ *vt* supor: *I presume so.* Suponho que sim.

presumption /prɪ'zʌmpʃn/ *s* **1** suposição **2** (*formal*) atrevimento

presumptuous /prɪ'zʌmptʃuəs/ *adj* atrevido, presunçoso

presuppose /ˌpri:sə'pəʊz/ *vt* (*formal*) pressupor

pretence (*USA* **pretense**) /prɪ'tens/ *s* **1** [*não-contável*] fingimento: *They abandoned all pretence of objectivity.* Abandonaram todas as pretensões de objetividade. **2** ~ **(to sth/doing sth)** (*formal*) pretensão (de alguma coisa/fazer alguma coisa)

⚷ **pretend** /prɪ'tend/ *verbo, adjetivo*

▸ **1** *vt, vi* fingir **2** *vi* ~ **to be sth** fingir ser alguma coisa: *They're pretending to be explorers.* Estão a fingir ser exploradores. **PHR V pretend to sth** ter pretensões de alguma coisa

▸ *adj* (*coloq*) **1** de brinquedo **2** fingido

pretentious /prɪ'tenʃəs/ *adj* pretensioso

pretext /'pri:tekst/ *s* pretexto

⚷ **pretty** /'prɪti/ *adjetivo, advérbio*

▸ *adj* (**prettier**, **-iest**) bonito **LOC not be a pretty sight** não ser nada agradável (de ver)

▸ *adv* bastante: *It's pretty cold today.* Hoje está bastante frio. ⊃ *Ver nota em* FAIRLY LOC **pretty much/well** mais ou menos

prevail /prɪ'veɪl/ *vi* (*formal*) **1** prevalecer **2** ~ **(against/over sb/sth)** triunfar (contra/sobre alguém/alguma coisa) **3** (*lei, condições*) imperar PHR V **prevail on/upon sb to do sth** (*formal*) convencer alguém a fazer alguma coisa **prevailing** *adj* **1** dominante, reinante **2** (*vento*) predominante

prevalence /'prevələns/ *s* (*formal*) **1** difusão **2** predomínio

prevalent /'prevələnt/ *adj* (*formal*) **1** geral **2** predominante

🔑 **prevent** /prɪ'vent/ *vt* **1** ~ **sb from doing sth** impedir alguém de fazer alguma coisa **2** evitar, prevenir

prevention /prɪ'venʃn/ *s* prevenção

preventive /prɪ'ventɪv/ *adj* preventivo

preview /'pri:vju:/ *s* **1** antestreia **2** (*programa televisivo, etc.*) previsão

🔑 **previous** /'pri:viəs/ *adj* anterior LOC **previous to (doing) sth** antes de (fazer) alguma coisa

🔑 **previously** /'pri:viəsli/ *adv* anteriormente

pre-war /ˌpri: 'wɔ:(r)/ *adj* anterior à guerra

prey /preɪ/ *substantivo, verbo*

▸ *s* [*não-contável*] (*lit e fig*) presa: *bird of prey* ave de rapina

▸ *vi* LOC **prey on sb's mind** atormentar alguém PHR V **prey on sb** explorar alguém ◆ **prey on sth** (*animal, ave de rapina*) caçar alguma coisa

🔑 **price** /praɪs/ *substantivo, verbo*

▸ *s* preço: *to go up/down in price* subir/baixar de preço ◇ *price tag* etiqueta do preço ⊃ *Ver ilustração em* ETIQUETA LOC **at any price** a qualquer preço ◆ **not at any price** por nada deste mundo *Ver tb* CHEAP

▸ *vt* **1** fixar o preço de **2** comparar os preços de **3** marcar o preço de **priceless** *adj* de valor incalculável

pricey /'praɪsi/ *adj* (**pricier**, **-iest**) (*coloq*) caro

prick /prɪk/ *verbo, substantivo*

▸ *vt* **1** picar **2** (*consciência*) morder LOC **prick up your ears** arrebitar as orelhas

▸ *s* **1** picadela **2** picada

prickly /'prɪkli/ *adj* **1** espinhoso **2** que pica **3** (*coloq*) irritável, difícil

🔑 **pride** /praɪd/ *substantivo, verbo*

▸ *s* **1** ~ **(in sth)** orgulho (de alguma coisa): *to take pride in sth* ter orgulho de alguma coisa **2** (*pej*) orgulho, soberba LOC **sb's pride and joy** o grande orgulho de alguém

▸ *vt* LOC **pride yourself on sth/doing sth** orgulhar-se de alguma coisa/fazer alguma coisa

pried *pt, pp de* PRY

🔑 **priest** /pri:st/ *s* sacerdote, padre **priesthood** *s* **1** sacerdócio **2** clero

> Em inglês usa-se a palavra **priest** para designar normalmente os sacerdotes católicos. Os sacerdotes anglicanos chamam-se **clergyman** ou **vicar**, e os das outras religiões protestantes, **minister**.

prig /prɪg/ *s* (*pej*) pedante **priggish** *adj* (*pej*) pedante

prim /prɪm/ *adj* (**primmer**, **-est**) (*pej*) **1** puritano **2** (*ar*) empertigado

primaeval = PRIMEVAL

🔑 **primarily** /praɪ'merəli, 'praɪmərəli/ *adv* principalmente, sobretudo

🔑 **primary** /'praɪməri; *USA* -meri/ *adjetivo, substantivo*

▸ *adj* **1** primário **2** primordial **3** principal

▸ *s* (*pl* **primaries**) (*tb* **primary election**) (*USA*) eleição primária

primary school *s* escola primária

prime /praɪm/ *adjetivo, substantivo, verbo*

▸ *adj* **1** principal **2** de primeira: *a prime example* um exemplo excelente

▸ *s* LOC **in your prime**; **in the prime of life** na primavera da vida

▸ *vt* **1** ~ **sb (for sth)** preparar alguém (para alguma coisa) **2** ~ **sb (with sth)** instruir alguém (com alguma coisa)

🔑 **prime minister** (*tb* **Prime Minister**) *s* (*abrev* **PM**) primeiro-ministro, primeira-ministra

primeval (*tb* **primaeval**) /praɪ'mi:vl/ *adj* primevo, primitivo

primitive /'prɪmətɪv/ *adj* primitivo

primrose /'prɪmrəʊz/ *s* **1** primavera (*flor*) **2** (*cor*) amarelo-pálido

🔑 **prince** /prɪns/ *s* príncipe

🔑 **princess** /ˌprɪn'ses/ *s* princesa

principal /'prɪnsəpl/ *adjetivo, substantivo*

▸ *adj* principal

▸ *s* **1** reitor, -ora (*de universidade*) **2** (*USA*) diretor, -ora (*de escola primária/secundária*)

🔑 **principle** /'prɪnsəpl/ *s* princípio: *as a matter of principle/on principle* por princípio ◇ *a woman of principle* uma mulher de princípios LOC **in principle** em princípio

🔑 **print** /prɪnt/ *verbo, substantivo*

▸ *vt* **1** imprimir **2** (*Jornal*) publicar **3** escrever em letra de imprensa **4** (*tecido*) estampar PHR V **print (sth) off/out** imprimir (alguma coisa)

▸ *s* **1** (*tipografia*) letra **2** *the print media* a imprensa **3** pegada, impressão digital **4** (*Arte*) gravura **5** (*Fot*) cópia, foto(grafia) **6** (tecido) estampado LOC **in print 1** (*livro*) à venda **2** publicado ◆ **out of print** esgotado ◆ **the small print** (*USA* **the fine print**) a letra pequena (*num contrato*)

printer /'prɪntə(r)/ *s* **1** (*máquina*) impressora ➲ *Ver ilustração em* COMPUTADOR **2** (*pessoa*) tipógrafo, -a **3 printer's** (*local*) tipografia ➲ *Ver nota em* TALHO

printing /'prɪntɪŋ/ *s* **1** impressão (*técnica*): *a printing error* uma gralha **2** (*livros, etc.*) edição, impressão

printout /'prɪntaʊt/ *s* cópia impressa (*esp Informát*)

prior /'praɪə(r)/ *adjetivo, preposição*
▸ *adj* prévio
▸ *prep* **prior to** (*formal*) **1** ~ **to doing sth** antes de fazer alguma coisa **2** ~ **to sth** anterior a alguma coisa

priority /praɪ'ɒrəti; *USA* -'ɔːr-/ *s* (*pl* **priorities**) ~ **(over sb/sth)** prioridade (sobre alguém/alguma coisa) LOC **get your priorities right** decidir quais são as suas prioridades

prise (*USA* **prize**) /praɪz/ (*tb* **pry**) *v* PHR V **prise sth apart, off, open, etc.** separar, tirar, abrir, etc. alguma coisa à força

prison /'prɪzn/ *s* prisão: *prison camp* campo de concentração

prisoner /'prɪznə(r)/ *s* **1** preso, -a **2** (*cativo*) prisioneiro, -a **3** detido, -a **4** (*no tribunal*) acusado, -a LOC **hold/take sb prisoner** manter alguém prisioneiro/capturar alguém

privacy /'prɪvəsi; *USA* 'praɪv-/ *s* privacidade

private /'praɪvət/ *adjetivo, substantivo*
▸ *adj* **1** privado: *private enterprise* empresa privada **2** (*de indivíduo*) particular **3** (*pessoa*) reservado **4** (*lugar*) privativo
▸ *s* **1** (*Mil*) soldado raso **2 privates** [*pl*] (*coloq*) partes (pudendas) LOC **in private** em privado

private eye *s* detetive privado

privately /'praɪvətli/ *adv* em privado

privatization, -isation /ˌpraɪvətaɪ'zeɪʃn; *USA* -tə'z-/ *s* privatização

privatize, -ise /'praɪvətaɪz/ *vt* privatizar

privilege /'prɪvəlɪdʒ/ *s* **1** privilégio **2** (*Jur*) imunidade **privileged** *adj* **1** privilegiado **2** (*informação*) confidencial

privy /'prɪvi/ *adj* LOC **be privy to sth** (*formal*) estar inteirado de alguma coisa (*assunto secreto*)

prize /praɪz/ *substantivo, adjetivo, verbo*
▸ *s* prémio

▸ *adj* **1** premiado **2** (*estudante, exemplar, etc.*) de primeira **3** (*idiota, erro*) total: *He's a prize idiot.* Ele é um perfeito idiota.
▸ *vt* **1** estimar **2** (*USA*) = PRISE

prizewinner /'praɪzwɪnə(r)/ *s* vencedor, -ora (do prémio) **prizewinning** *adj* vencedor de prémios

pro /prəʊ/ *adj, s* (*coloq*) profissional LOC **the pros and (the) cons** os prós e os contras

probability /ˌprɒbə'bɪləti/ *s* (*pl* **probabilities**) probabilidade LOC **in all probability** é muito provável (que)

probable /'prɒbəbl/ *adj* provável: *It seems probable that he'll arrive tomorrow.* Parece provável que chegue amanhã.

probably /'prɒbəbli/ *adv* provavelmente

Em inglês, costuma-se usar o advérbio nos casos em que, em português, se usaria "é provável que": *They will probably go.* É provável que vão.

probation /prə'beɪʃn; *USA* prəʊ-/ *s* **1** liberdade condicional **2** (*empregado*) período à experiência: *a three-month probation period* um período à experiência de três meses

probe /prəʊb/ *substantivo, verbo*
▸ *s* **1** ~ **(into sth)** investigação (a alguma coisa) **2** sonda
▸ **1** *vt* (*Med*) sondar **2** *vt, vi* ~ **(sth/into sth)** investigar (alguma coisa) **3** *vt, vi* explorar **4** *vt* ~ **sb about/on sth** sondar alguém sobre alguma coisa **probing** *adj* (*pergunta*) penetrante

problem /'prɒbləm/ *s* problema LOC **no problem** (*coloq*) **1** não há problema **2** não tem de quê *Ver tb* TEETHE **problematic** /ˌprɒblə'mætɪk/ (*tb* **problematical**) *adj* **1** problemático **2** duvidoso

procedure /prə'siːdʒə(r)/ *s* **1** procedimento **2** (*administração*) trâmite(s)

proceed /prə'siːd; *USA* prəʊ-/ *vi* **1** ~ **(with sth)** continuar, prosseguir (com alguma coisa) **2** proceder **3** ~ **to (do) sth** passar a (fazer) alguma coisa **4** (*formal*) avançar **proceedings** *s* [*pl*] (*formal*) **1** ato **2** (*Jur*) processo **3** (*reunião*) acta

proceeds /'prəʊsiːdz/ *s* [*pl*] ~ **(of/from sth)** lucros (de alguma coisa)

process /'prəʊses; *USA* 'prɒ-/ *substantivo, verbo*
▸ *s* **1** processo **2** método, procedimento LOC **be in the process of (doing) sth** estar a fazer alguma coisa ◆ **in the process** ao fazê-lo
▸ *vt* **1** (*alimento, matéria-prima*) tratar **2** (*Informát, requerimento*) processar **3** (*Fot*) revelar **processing** *s* **1** tratamento **2** (*Infor-*

P

mát) processamento: *word processing* processamento de texto **3** (*Fot*) revelação

procession /prəˈseʃn/ *s* procissão, desfile

processor /ˈprəʊsesə(r); *USA* ˈprɒ-/ *s* processador *Ver tb* FOOD PROCESSOR, WORD PROCESSOR

proclaim /prəˈkleɪm/ *vt* proclamar **proclamation** /ˌprɒkləˈmeɪʃn/ *s* proclamação

prod /prɒd/ *verbo, substantivo*
▸ *vt, vi* (**-dd-**) ~ **(at) sb/sth** picar, espetar alguém/alguma coisa
▸ *s* **1** picada, espetadela **2** (*fig*) apertão

prodigious /prəˈdɪdʒəs/ *adj* prodigioso

prodigy /ˈprɒdədʒi/ *s* (*pl* **prodigies**) prodígio

produce *verbo, substantivo*
▸ *vt* /prəˈdjuːs; *USA* -ˈduːs/ **1** produzir **2** (*cultivo*) dar **3** (*criação*) ter **4** ~ **sth (from/out of sth)** mostrar alguma coisa, tirar alguma coisa (de alguma coisa) **5** (*Cinema, TV*) produzir **6** (*Teat*) pôr em cena
▸ *s* /ˈprɒdjuːs; *USA* -duːs/ [*não-contável*] produtos (agrícolas): *Produce of France* produto da França ➲ *Ver nota em* PRODUCT

producer /prəˈdjuːsə(r); *USA* -ˈduːs-/ *s* **1** (*Cinema, TV, Agric, etc.*) produtor, -ora **2** (*Teat*) encenador, -ora

product /ˈprɒdʌkt/ *s* produto

Utiliza-se **product** para designar produtos industriais, ao passo que **produce** se usa para os produtos agrícolas.

production /prəˈdʌkʃn/ *s* produção: *production line* linha de produção

productive /prəˈdʌktɪv/ *adj* produtivo **productivity** /ˌprɒdʌkˈtɪvəti/ *s* produtividade

profess /prəˈfes/ *vt* (*formal*) **1** ~ **to be sth** alegar ser alguma coisa, declarar-se alguma coisa **2** ~ **(yourself) sth** declarar(-se) alguma coisa: *She still professes her innocence.* Ela continua a declarar-se inocente. **3** (*Relig*) professar **professed** *adj* (*formal*) **1** declarado **2** suposto, pretenso

profession /prəˈfeʃn/ *s* profissão ➲ *Ver nota em* WORK

professional /prəˈfeʃənl/ *adj, s* profissional

professor /prəˈfesə(r)/ *s* (*abrev* **Prof.**) **1** (*GB*) professor catedrático, professora catedrática **2** (*USA*) professor universitário, professora universitária

proficiency /prəˈfɪʃnsi/ *s* [*não-contável*] ~ **(in sth/doing sth)** competência (em alguma coisa/a fazer alguma coisa) **proficient** *adj* ~ **(in/at sth/doing sth)** competente (em alguma coisa/a fazer alguma coisa): *She's very proficient in/at swimming.* É uma nadadora muito competente.

profile /ˈprəʊfaɪl/ *s* perfil LOC **a high/low profile**: *The issue has had a high profile recently.* O assunto tem tido muita atenção ultimamente. ◇ *to keep a low profile* procurar passar despercebido

profit /ˈprɒfɪt/ *substantivo, verbo*
▸ *s* **1** lucro(s): *to make a profit of £20* ter um lucro de 20 libras ◇ *to sell at a profit* vender com lucro ◇ *to do sth for profit* fazer alguma coisa com fins lucrativos **2** (*formal*) (*fig*) benefício, proveito
▸ (*formal*) **1** *vi* ~ **by/from sth** tirar proveito de alguma coisa **2** *vt* beneficiar **profitable** *adj* **1** lucrativo **2** proveitoso

profit-making /ˈprɒfɪt meɪkɪŋ/ *adj* lucrativo

profound /prəˈfaʊnd/ *adj* profundo **profoundly** *adv* profundamente, extremamente

profusely /prəˈfjuːsli/ *adv* profusamente

profusion /prəˈfjuːʒn/ *s* (*formal*) profusão, abundância LOC **in profusion** em abundância

programme (*USA* **program**) /ˈprəʊɡræm/ *substantivo, verbo*
▸ *s* programa ❶ Na linguagem informática escreve-se **program**.
▸ *vt, vi* (**-mm-**) programar **programmer** (*tb* **computer programmer**) *s* programador, -ora **programming** *s* programação

progress *substantivo, verbo*
▸ *s* /ˈprəʊɡres; *USA* ˈprɒɡ-/ [*não-contável*] **1** progresso **2** (*movimento*) avanço: *to make progress* avançar LOC **in progress** (*formal*) em curso
▸ *vi* /prəˈɡres/ progredir, avançar

progressive /prəˈɡresɪv/ *adj* **1** progressivo **2** (*Pol*) progressista

prohibit /prəˈhɪbɪt; *USA* prəʊ-/ *vt* ~ **sth**; ~ **sb from doing sth** (*formal*) **1** proibir alguma coisa, proibir alguém de fazer alguma coisa **2** impedir alguma coisa, impedir alguém de fazer alguma coisa **prohibition** /ˌprəʊɪˈbɪʃn/ *s* proibição

project *substantivo, verbo*
▸ *s* /ˈprɒdʒekt/ projeto
▸ /prəˈdʒekt/ **1** *vt* projetar **2** *vi* sobressair **projection** /prəˈdʒekʃn/ *s* projeção **projector** /prəˈdʒektə(r)/ *s* projetor (*de cinema*): *overhead projector* retroprojetor

prolific /prəˈlɪfɪk/ *adj* prolífico

prologue /ˈprəʊlɒɡ; *USA* -lɔːɡ/ *s* ~ **(to sth)** prólogo (de alguma coisa)

prolong /prəˈlɒŋ; *USA* -ˈlɔːŋ/ *vt* prolongar

prom /prɒm/ *s* baile de finalistas

promenade /ˌprɒməˈnɑːd; *USA* -ˈneɪd/ *s* passeio (*à beira-mar*)

prominent /ˈprɒmɪnənt/ *adj* proeminente

promiscuous /prəˈmɪskjuəs/ *adj* promíscuo

promise /ˈprɒmɪs/ *substantivo, verbo*
▸ *s* **1** promessa: *to make/keep/break a promise* fazer/manter/quebrar uma promessa **2** [*não-contável*]: *to show promise* ser prometedor
▸ *vt, vi* prometer **promising** *adj* prometedor

promote /prəˈməʊt/ *vt* **1** promover **2** (*Com*) fazer promoção de **3** (*Desp*) subir de categoria: *They were promoted last season.* Subiram de divisão na época passada. **promoter** *s* promotor, -ora

promotion /prəˈməʊʃn/ *s* **1** promoção **2** (*Desp*) subida de categoria

prompt /prɒmpt/ *adjetivo, advérbio, verbo*
▸ *adj* **1** rápido: *They are always prompt in answering my emails.* São sempre muito rápidos a responder aos meus emails. **2** (*pessoa*) pontual, que não hesita
▸ *adv* em ponto
▸ **1** *vt* ~ **sb to do sth** incitar alguém a fazer alguma coisa **2** *vt* (*reação*) provocar **3** *vt, vi* (*Teat*) servir de ponto (a)

promptly /ˈprɒmptli/ *adv* **1** com prontidão **2** pontualmente **3** imediatamente

prone /prəʊn/ *adj* ~ **to sth/to do sth** propenso a alguma coisa/fazer alguma coisa: *accident-prone* predisposto a acidentes

pronoun /ˈprəʊnaʊn/ *s* pronome

pronounce /prəˈnaʊns/ *vt* **1** pronunciar **2** declarar **pronounced** *adj* **1** (*sotaque*) forte **2** (*melhora*) acentuado **3** (*movimento*) pronunciado

pronunciation /prəˌnʌnsiˈeɪʃn/ *s* pronúncia

proof /pruːf/ *s* [*não-contável*] prova(s)

prop /prɒp/ *substantivo, verbo*
▸ *s* **1** apoio **2** (*num edifício, etc.*) suporte
▸ *vt* (**-pp-**) ~ **sth/sb (up) (against sth)** apoiar alguma coisa/alguém (contra alguma coisa) PHR V **prop sth up 1** escorar alguma coisa **2** (*pej*) apoiar, suster alguma coisa

propaganda /ˌprɒpəˈgændə/ *s* propaganda
❶ Em inglês a palavra **propaganda** só é utilizada em sentido político.

propel /prəˈpel/ *vt* (**-ll-**) **1** impulsionar **2** (*Mec*) propulsar **propellant** *s* propulsor

propeller /prəˈpelə(r)/ *s* hélice

propensity /prəˈpensəti/ *s* (*pl* **propensities**) ~ **(for sth/to do sth)** (*formal*) propensão (para alguma coisa/fazer alguma coisa)

proper /ˈprɒpə(r)/ *adj* **1** devido **2** adequado **3** (*GB, coloq*) de verdade, verdadeiro **4** correto **5** decente **6** [*nunca antes de substantivo*]: *the city proper* a cidade propriamente dita

properly /ˈprɒpəli/ *adv* **1** bem **2** adequadamente **3** (*comportar-se*) devidamente

property /ˈprɒpəti/ *s* (*pl* **properties**) **1** [*não-contável*] bens: *personal property* bens móveis **2** propriedade

prophecy /ˈprɒfəsi/ *s* (*pl* **prophecies**) profecia

prophesy /ˈprɒfəsaɪ/ (*pt, pp* **-sied**) **1** *vt* predizer **2** *vi* profetizar

prophet /ˈprɒfɪt/ *s* profeta, -isa

proportion /prəˈpɔːʃn/ *s* proporção: *sense of proportion* sentido das proporções LOC **get/keep sth/things in proportion** ver/manter alguma coisa na sua justa medida ◆ **out of (all) proportion 1** desmesuradamente **2** desproporcionado **proportional** *adj* ~ **(to sth)** proporcional a alguma coisa, em proporção (a alguma coisa)

proposal /prəˈpəʊzl/ *s* proposta: *proposal (of marriage)* proposta de casamento

propose /prəˈpəʊz/ **1** *vt* (*formal*) (*sugestão*) propor **2** *vt* ~ **to do sth/doing sth** propor-se a fazer alguma coisa **3** *vt, vi*: *to propose (marriage) to sb* pedir a mão de alguém

proposition /ˌprɒpəˈzɪʃn/ *s* **1** proposição **2** proposta

proprietor /prəˈpraɪətə(r)/ *s* (*formal*) proprietário, -a

prose /prəʊz/ *s* prosa

prosecute /ˈprɒsɪkjuːt/ *vt* ~ **sb (for sth/doing sth)** processar alguém (por alguma coisa/fazer alguma coisa): *prosecuting lawyer* advogado de acusação **prosecution** *s* **1** ação judicial, processo judicial **2 the prosecution** [*v sing ou pl*] (*Jur*) a acusação **prosecutor** /ˈprɒsɪkjuːtə(r)/ *s* promotor, -ora de justiça

prospect /ˈprɒspekt/ *s* **1** ~ **(of sth/doing sth)** possibilidade, perspetiva (de alguma coisa/fazer alguma coisa) **2** perspetiva **3 prospects** [*pl*] ~ **(for/of sth)** perspetiva (para/de alguma coisa) **prospective** /prəˈspektɪv/ *adj* **1** potencial **2** futuro

prospectus /prəˈspektəs/ *s* (*pl* **prospectuses**) prospeto (*folheto promocional*)

prosper /ˈprɒspə(r)/ *vi* prosperar **prosperity** /prɒˈsperəti/ *s* prosperidade **prosperous** /ˈprɒspərəs/ *adj* próspero

prostitute /ˈprɒstɪtjuːt; *USA* -təuːt/ *s* **1** prostituta **2** (*tb* **male prostitute**) prostituto **prostitution** /ˌprɒstɪˈtjuːʃn; *USA* -təˈtuːʃn/ *s* prostituição

P

prostrate /'prɒstreɪt/ *adj* (*formal*) **1** prostrado **2** ~ **(with sth)** abatido (por alguma coisa)

protagonist /prə'tægənɪst/ *s* (*formal*) **1** protagonista ❶ Quando se fala de filmes, livros, etc., normalmente diz-se **main character**. **2** ~ **(of sth)** defensor, -ora (de alguma coisa)

⚷ **protect** /prə'tekt/ *vt* ~ **sb/sth (against/from sth)** proteger alguém/alguma coisa (contra/de alguma coisa)

⚷ **protection** /prə'tekʃn/ *s* ~ **(for/against sth)** proteção (de/para/contra alguma coisa)

protective /prə'tektɪv/ *adj* ~ **(of/towards sb/sth)** protetor (de/em relação a alguém/alguma coisa)

protein /'prəʊti:n/ *s* proteína

⚷ **protest** *substantivo, verbo*
▸ *s* /'prəʊtest/ protesto
▸ /prə'test/ **1** *vi* ~ **(about/at/against sth)** protestar (por/contra alguma coisa) **2** *vt* declarar

Protestant /'prɒtɪstənt/ *adj, s* protestante

protester /prə'testə(r)/ *s* manifestante

prototype /'prəʊtətaɪp/ *s* protótipo

protrude /prə'tru:d; *USA* prəʊ-/ *vi* ~ **(from sth)** (*formal*) sobressair (de alguma coisa): *protruding teeth* dentes salientes

⚷ **proud** /praʊd/ *adj* **(prouder, -est) 1** ~ **(of sb/sth)** orgulhoso (de alguém/alguma coisa) **2** ~ **(to do sth/that...)** orgulhoso (de fazer alguma coisa/de...) **3** (*pej*) arrogante

⚷ **proudly** /'praʊdli/ *adv* orgulhosamente

⚷ **prove** /pru:v/ (*pp* **proved**, *tb esp USA* **proven** /'pru:vn/) **1** *vt* ~ **sth (to sb)** provar, demonstrar alguma coisa (a alguém) **2** *vt, vi* ~ **(yourself) (to be) sth** revelar-se alguma coisa, revelar ser alguma coisa: *The task proved (to be) very difficult.* A tarefa revelou-se difícil. LOC **prove your point** provar que se tem razão

proverb /'prɒvɜ:b/ *s* provérbio **proverbial** /prə'vɜ:biəl/ *adj* **1** proverbial **2** conhecido de todos

⚷ **provide** /prə'vaɪd/ *vt* ~ **sb (with sth)**; ~ **sth (for sb)** prover alguém (de alguma coisa), fornecer alguma coisa (a alguém) PHR V **provide for sb** sustentar alguém: *He provided for his wife in his will.* No testamento, ele assegurou a subsistência da esposa. ◆ **provide for sth** (*formal*) **1** prevenir-se contra alguma coisa **2** (*lei, etc.*) estipular alguma coisa

⚷ **provided** /prə'vaɪdɪd/ (*tb* **providing**) *conj* ~ **(that...)** desde que

province /'prɒvɪns/ *s* **1** província **2 the provinces** [*pl*] as províncias **3** [*sing*] (*formal*) competência: *It's not my province.* Não é da minha competência. **provincial** /prə'vɪnʃl/ *adj* **1** provincial **2** (*pej*) provinciano, da província

provision /prə'vɪʒn/ *s* **1** provisão, fornecimento **2** *to make provision for sb* assegurar o futuro de alguém ◇ *to make provision against/for sth* precaver-se contra alguma coisa **3 provisions** [*pl*] víveres, provisões **4** (*Jur*) disposição, estipulação

provisional /prə'vɪʒənl/ *adj* provisório

proviso /prə'vaɪzəʊ/ *s* (*pl* **provisos**) condição

provocation /ˌprɒvə'keɪʃn/ *s* provocação **provocative** /prə'vɒkətɪv/ *adj* provocador, provocante

provoke /prə'vəʊk/ *vt* **1** provocar, causar **2** (*pessoa*) provocar **3** ~ **sb into sth/doing sth** levar, incitar alguém a alguma coisa/a fazer alguma coisa

prow /praʊ/ *s* proa

prowess /'praʊəs/ *s* (*formal*) **1** proeza **2** habilidade

prowl /praʊl/ *vt, vi* ~ **(about, around, etc.) (sth)** rondar (alguma coisa)

proximity /prɒk'sɪməti/ *s* (*formal*) proximidade

proxy /'prɒksi/ *s* (*pl* **proxies**) **1** procurador, -ora, representante **2** procuração: *by proxy* por procuração

prude /pru:d/ *s* (*pej*) puritano, -a

prudent /'pru:dnt/ *adj* prudente

prune /pru:n/ *substantivo, verbo*
▸ *s* ameixa seca
▸ *vt* **1** podar **2** (*gastos, pessoal, etc.*) cortar **pruning** *s* [*não-contável*] poda

pry /praɪ/ (*pt, pp* **pried** /praɪd/) **1** *vi* ~ **(into sth)** intrometer-se (em alguma coisa), bisbilhotar **2** *vt* (*esp USA*) *Ver* PRISE

PS /ˌpi: 'es/ *abrev de* **postscript** post scriptum, pós-escrito

psalm /sɑ:m/ *s* salmo

pseudonym /'sju:dənɪm; *USA* 'su:-/ *s* pseudônimo

psyche /'saɪki/ *s* psique

psychiatric /ˌsaɪki'ætrɪk/ *adj* psiquiátrico

psychiatrist /saɪ'kaɪətrɪst/ *s* psiquiatra

psychiatry /saɪ'kaɪətri/ *s* psiquiatria

psychic /'saɪkɪk/ *adj* **1** psíquico **2** (*pessoa*) mediúnico: *to be psychic* ter poderes mediúnicos

psychoanalysis /ˌsaɪkəʊə'næləsɪs/ *s* psicanálise

psychological /ˌsaɪkə'lɒdʒɪkl/ *adj* psicológico

psychologist /saɪˈkɒlədʒɪst/ *s* psicólogo, -a
psychology /saɪˈkɒlədʒi/ *s* psicologia
psychopath /ˈsaɪkəpæθ/ *s* psicopata
PTO /ˌpiː tiː ˈəʊ/ *abrev de* **please turn over** vire se faz favor (*abrev* v.s.f.f.)
pub /pʌb/ *s* (*GB*) bar

Na Grã-Bretanha, utiliza-se a palavra **pub** para se referir ao pub tradicional britânico. Hoje em dia existem muitos lugares que seguem padrões mais internacionais, e estes chamam-se **bars**.

puberty /ˈpjuːbəti/ *s* puberdade
pubic /ˈpjuːbɪk/ *adj* púbico: *pubic hair* pelos púbicos
public /ˈpʌblɪk/ *adjetivo, substantivo*
▸ *adj* público: *public convenience* casa de banho pública
▸ *s* **1 the public** [*v sing ou pl*] o público **2** público LOC **in public** em público
publication /ˌpʌblɪˈkeɪʃn/ *s* publicação
publicity /pʌbˈlɪsəti/ *s* publicidade: *publicity campaign* campanha publicitária
publicize, -ise /ˈpʌblɪsaɪz/ *vt* **1** dar a conhecer ao público, divulgar **2** fazer publicidade de, promover
publicly /ˈpʌblɪkli/ *adv* publicamente
public relations *s* (*abrev* **PR**) relações--públicas
public school *s* **1** (*GB*) escola privada **2** (*USA*) escola pública ➲ *Ver nota em* ESCOLA
publish /ˈpʌblɪʃ/ *vt* **1** publicar **2** dar a conhecer ao público **publisher** *s* **1** (*companhia*) editora **2** (*pessoa*) editor, -ora
publishing /ˈpʌblɪʃɪŋ/ *s* mundo editorial: *publishing house* editora
pudding /ˈpʊdɪŋ/ *s* **1** sobremesa ➲ *Ver nota em* NATAL **2** pudim (*bolo inglês*) **3** tarte de carne **4** *black pudding* morcela
puddle /ˈpʌdl/ *s* poça
puff /pʌf/ *verbo, substantivo*
▸ **1** *vt, vi* ~ **(at/on) sth** (*cachimbo, etc.*) fumar alguma coisa **2** *vt* (*fumo*) expelir às baforadas **3** *vi* (*coloq*) ofegar PHR V **puff sth out/up** encher alguma coisa (de ar) ◆ **puff up** inchar
▸ *s* **1** inalação, passa **2** (*de ar, fumo*) lufada, baforada **3** (*vapor*) jato **4** (*esp GB, coloq*) fôlego **puffed** (*tb* **puffed out**) *adj* (*coloq*) ofegante **puffy** *adj* (**puffier, -iest**) inchado (*esp cara*)
pull /pʊl/ *verbo, substantivo*
▸ **1** *vt* puxar, dar um puxão a ➲ *Ver ilustração em* PUSH **2** *vt, vi* ~ **(at/on) sth** puxar alguma coisa **3** *vt*: *to pull a muscle* distender um músculo **4** *vt* (*gatilho*) apertar **5** *vt* (*dente*) arrancar **6** (*pistola*) sacar de, puxar de LOC **pull sb's leg** (*coloq*) brincar/entrar com alguém ◆ **pull strings (for sb)** (*coloq*) meter uma cunha (por alguém), mexer os cordelinhos (por alguém) ◆ **pull your socks up** (*GB, coloq*) esforçar-se por melhorar ◆ **pull your weight** fazer a sua parte/empenhar-se *Ver tb* FACE
PHR V **pull sth apart 1** (*máquina*) desmontar alguma coisa **2** (*livro, etc.*) desfazer alguma coisa **3** (*dividir*) separar alguma coisa
pull sth down 1 baixar alguma coisa **2** (*edifício*) deitar abaixo, demolir alguma coisa
pull in (to sth); pull into sth 1 (*comboio*) chegar (a alguma coisa) **2** (*veículo*) estacionar (em alguma coisa), encostar (a alguma coisa)
pull sth off (*coloq*) conseguir alguma coisa
pull out (of sth) 1 retirar-se (de alguma coisa) **2** (*veículo*) sair/arrancar (de alguma coisa) ◆ **pull sb/sth out (of sth)** retirar alguém/alguma coisa (de alguma coisa) ◆ **pull sth out** arrancar alguma coisa
pull over (*carro, etc.*) encostar ◆ **pull sb/sth over** (*veículo*) mandar encostar alguém/alguma coisa
pull yourself together dominar-se, conter-se
pull up (*veículo*) parar ◆ **pull sth up 1** puxar alguma coisa **2** (*mangas*) arregaçar alguma coisa **3** (*planta*) arrancar alguma coisa
▸ *s* **1** ~ **(at/on sth)** puxão (a alguma coisa) **2 the ~ of sth** a atração, o apelo de alguma coisa
pull date *s* (*USA*) data limite de venda
pulley /ˈpʊli/ *s* (*pl* **pulleys**) roldana
pullover /ˈpʊləʊvə(r)/ *s* pulôver ➲ *Ver nota em* SWEATER
pulp /pʌlp/ *s* **1** polpa **2** (*de papel*) pasta
pulpit /ˈpʊlpɪt/ *s* púlpito
pulsate /pʌlˈseɪt; *USA* ˈpʌlseɪt/ (*tb* **pulse**) *vi* palpitar, latejar
pulse /pʌls/ *s* **1** (*Med*) pulso **2** ritmo **3** pulsação **4 pulses** [*pl*] leguminosas
pumice /ˈpʌmɪs/ (*tb* **pumice stone**) *s* pedra--pomes
pummel /ˈpʌml/ *vt* (**-ll-**, *USA* **-l-**) esmurrar
pump /pʌmp/ *substantivo, verbo*
▸ *s* **1** bomba: *petrol pump* bomba de gasolina **2** sapatilha
▸ **1** *vt* bombear **2** *vi* fluir em jato **3** *vt* mover rapidamente (*para cima e para baixo, para fora e para dentro*) **4** *vi* (*coração*) bater **5** *vt* ~ **sb (for sth)** (*coloq*) sondar alguém (para alguma coisa) PHR V **pump sth up** encher alguma coisa (*com bomba de ar*)
pumpkin /ˈpʌmpkɪn/ *s* abóbora

P

pun /pʌn/ *s* ~ **(on sth)** trocadilho (com alguma coisa)

🔑 **punch** /pʌntʃ/ *verbo, substantivo*
▸ *vt* **1** dar um soco em **2** perfurar, picar: *to punch a hole in sth* fazer um buraco em alguma coisa PHR V **punch in** (*USA*) marcar o ponto (*à chegada ao trabalho*) ◆ **punch out** (*USA*) marcar o ponto (*à saída do trabalho*)
▸ *s* **1** soco **2** punção **3** (*para bilhetes*) furador **4** (*bebida*) ponche

punchline /ˈpʌntʃlaɪn/ *s* frase-clímax (*numa piada*)

punch-up /ˈpʌntʃ ʌp/ *s* (*GB, coloq*) pancadaria

punctual /ˈpʌŋktʃuəl/ *adj* pontual ➲ *Ver nota em* PONTUAL **punctuality** /ˌpʌŋktʃuˈæləti/ *s* pontualidade

punctuate /ˈpʌŋktʃueɪt/ *vt* **1** (*Gram*) pontuar **2** ~ **sth (with sth)** interromper alguma coisa (com alguma coisa)

punctuation /ˌpʌŋktʃuˈeɪʃn/ *s* pontuação: *punctuation mark* sinal de pontuação

puncture /ˈpʌŋktʃə(r)/ *substantivo, verbo*
▸ *s* furo
▸ **1** *vt, vi* furar(-se) **2** *vt* (*Med*) perfurar

pundit /ˈpʌndɪt/ *s* autoridade

pungent /ˈpʌndʒənt/ *adj* **1** acre, intenso **2** penetrante, pungente **3** (*crítica, etc.*) mordaz

🔑 **punish** /ˈpʌnɪʃ/ *vt* punir, castigar

🔑 **punishment** /ˈpʌnɪʃmənt/ *s* ~ **(for sth)** castigo, punição (por alguma coisa) *Ver tb* CORPORAL PUNISHMENT

punitive /ˈpjuːnətɪv/ *adj* (*formal*) **1** punitivo **2** penalizador

punk /pʌŋk/ *substantivo, adjetivo*
▸ *s* **1** (*tb* **punk rock**) punk **2** (*esp USA, coloq*) desordeiro, -a
▸ *adj* punk

punt /pʌnt/ *s* (*GB*) barco de fundo chato empurrado à vara

punter /ˈpʌntə(r)/ *s* (*GB, coloq*) **1** jogador, -ora **2** cliente

pup /pʌp/ *s* **1** *Ver* PUPPY **2** filhote

🔑 **pupil** /ˈpjuːpl/ *s* **1** aluno, -a ℹ Hoje em dia a palavra **student** é muito mais comum, e para os alunos da escola primária utiliza-se a palavra **children**. **2** discípulo, -a **3** pupila (*do olho*)

puppet /ˈpʌpɪt/ *s* **1** marioneta **2** (*freq pej*) (*fig*) fantoche, boneco

puppy /ˈpʌpi/ (*pl* **puppies**) (*tb* **pup**) *s* cachorro ➲ *Ver nota em* CÃO

🔑 **purchase** /ˈpɜːtʃəs/ *substantivo, verbo*
▸ *s* (*formal*) compra, aquisição *Ver tb* COMPULSORY PURCHASE
▸ *vt* (*formal*) comprar **purchaser** *s* (*formal*) comprador, -ora

🔑 **pure** /pjʊə(r)/ *adj* (**purer**, **-est**) puro

purée /ˈpjʊəreɪ; *USA* pjʊəˈreɪ/ *s* puré: *tomato purée* concentrado de tomate

🔑 **purely** /ˈpjʊəli/ *adv* puramente, simplesmente

purge /pɜːdʒ/ *verbo, substantivo*
▸ *vt* ~ **sb/sth (of/from sth)** purgar alguém/alguma coisa (de alguma coisa)
▸ *s* (*Pol*) saneamento

purify /ˈpjʊərɪfaɪ/ *vt* (*pt, pp* **-fied**) purificar

puritan /ˈpjʊərɪtən/ *adj, s* puritano, -a **puritanical** /ˌpjʊərɪˈtænɪkl/ *adj* (*freq pej*) puritano

purity /ˈpjʊərəti/ *s* pureza

🔑 **purple** /ˈpɜːpl/ *adj, s* roxo

purport /pəˈpɔːt/ *vt* (*formal*): *It purports to be…* Pretende ser…

🔑 **purpose** /ˈpɜːpəs/ *s* **1** motivo, objetivo: *to do sth for the purpose of sth* fazer alguma coisa com a finalidade de alguma coisa ◇ *for this purpose* para este fim *Ver tb* CROSS PURPOSES **2** determinação: *to have a/no sense of purpose* ter/não ter um objetivo na vida LOC **on purpose** de propósito *Ver tb* INTENT **purposeful** *adj* decidido **purposely** *adv* intencionalmente

purpose-built /ˌpɜːpəs ˈbɪlt/ *adj* construído com um fim específico

purr /pɜː(r)/ *vi* ronronar ➲ *Ver nota em* GATO

purse /pɜːs/ *substantivo, verbo*
▸ *s* **1** porta-moedas **2** (*USA*) carteira (de mão)
▸ *vt*: *to purse your lips* franzir os lábios

🔑 **pursue** /pəˈsjuː; *USA* -ˈsuː/ *vt* (*formal*) **1** perseguir ℹ A palavra mais comum é **chase**. **2** (*conversa, plano, etc.*) continuar (com) **3** (*atividade, objetivo*) dedicar-se a

pursuit /pəˈsjuːt; *USA* -ˈsuːt/ *s* (*formal*) **1** ~ **of sth** busca de alguma coisa **2** [*ger pl*] atividade LOC **in pursuit (of sb/sth)** em perseguição (de alguém/alguma coisa) ◆ **in pursuit of sth** em busca de alguma coisa

🔑 **push** /pʊʃ/ *verbo, substantivo*
▸ **1** *vt, vi* empurrar: *to push past sb* passar por alguém aos empurrões **2** *vt* (*botão, etc.*) carregar (em), apertar **3** *vt* ~ **sb (into sth/doing sth)**; ~ **sb (to do sth)** (*coloq*) pressionar alguém (a alguma coisa/fazer alguma coisa) **4** *vt* (*coloq*) (*ideia, produto*) promover **5** *vt*: *to push wages up/down* aumentar/reduzir os salários LOC **be pushed for sth** (*coloq*) ter pouco de alguma coisa ◆ **push off!** (*GB, coloq*) pira-te! ◆ **push your luck**; **push it** (*coloq*) abusar (da sorte) PHR V **push ahead/forward (with sth)** seguir em

push
pull

frente (com alguma coisa) ◆ **push sb about/around** (*coloq*) mandar em alguém ◆ **push for sth** pressionar para alguma coisa ◆ **push in** meter-se à frente

▸ *s* empurrão LOC **get the push** (*GB, coloq*) ser despedido ◆ **give sb the push** (*GB, coloq*) despedir alguém

pushchair /'pʊʃtʃeə(r)/ *s* carrinho de bebé

push-up /'pʊʃ ʌp/ *s* (*esp USA*) flexão

pushy /'pʊʃi/ *adj* (**pushier, -iest**) (*coloq, pej*) insistente, agressivo

puss /pʊs/ *s* gatinho

pussy /'pʊsi/ *s* (*pl* **pussies**) (*coloq* **pussycat** /'pʊsikæt/) gatinho

put /pʊt/ *vt* (*pt, pp* **put** *part pres* **putting**) **1** pôr, colocar, meter: *Did you put sugar in my tea?* Puseste açúcar no meu chá? ◇ *Put them together.* Junta-os. ◇ *to put sb out of work* deixar alguém sem trabalho **2** dizer, exprimir **3** (*pergunta, sugestão*) fazer ❶ Para outras expressões com **put**, ver as entradas para o substantivo, adjetivo, etc., p. ex. **put sth right** em RIGHT.

PHR V **put sth across/over** exprimir alguma coisa ◆ **put yourself across/over** exprimir-se

put sth aside 1 pôr alguma coisa de parte **2** (*tb* **put sth by**) (*dinheiro*) poupar alguma coisa

put sth away guardar alguma coisa

put sth back 1 repor alguma coisa no lugar, guardar alguma coisa **2** (*protelar*) adiar alguma coisa **3** (*relógio*) atrasar alguma coisa

put sth by *Ver* PUT STH ASIDE (2)

put sb down (*coloq*) humilhar alguém, deitar alguém abaixo ◆ **put sth down 1** pousar alguma coisa **2** deixar, largar alguma coisa **3** (*escrever*) tomar nota de alguma coisa **4** (*rebelião*) reprimir alguma coisa **5** (*animal*) abater alguma coisa ◆ **put sth down to sth** atribuir alguma coisa a alguma coisa

put sth forward 1 (*proposta*) submeter alguma coisa **2** (*sugestão*) fazer alguma coisa **3** (*relógio*) adiantar alguma coisa

put sth in; put sth into sth 1 dedicar alguma coisa (a alguma coisa) **2** investir alguma coisa (em alguma coisa)

put sb off 1 adiar/cancelar um compromisso com alguém **2** distrair alguém ◆ **put sb off (sth/doing sth)** tirar a vontade a alguém (de alguma coisa/fazer alguma coisa) ◆ **put sth off 1** adiar alguma coisa **2** (*luz, etc.*) apagar alguma coisa

put sth on 1 (*roupa*) pôr, vestir alguma coisa **2** (*luz, etc.*) ligar, acender alguma coisa **3** *to put on weight* engordar ◇ *to put on two kilos* engordar dois quilos **4** (*peça de teatro*) montar alguma coisa **5** fingir alguma coisa

put sb out 1 dar trabalho a alguém **2 be put out** estar aborrecido, ser ofendido ◆ **put sth out 1** tirar alguma coisa **2** (*luz, fogo*) apagar alguma coisa **3** (*informação, etc.*) divulgar alguma coisa ◆ **put yourself out (for sb)** (*coloq*) incomodar-se (por alguém)

put sth over *Ver* PUT STH ACROSS/OVER

put sb through sth submeter alguém a alguma coisa ◆ **put sb through (to sb)** passar alguém (a alguém) (*por telefone*) ◆ **put sth through** levar a cabo alguma coisa (*plano, reforma, etc.*)

put sth to sb 1 sugerir, propor alguma coisa a alguém **2** perguntar alguma coisa a alguém

put sth together montar, preparar alguma coisa (*dispositivo, etc.*)

put sb up hospedar alguém ◆ **put sth up 1** (*mão*) levantar alguma coisa **2** (*edifício*) erguer, construir alguma coisa **3** (*letreiro, etc.*) afixar alguma coisa **4** (*preço*) subir alguma coisa ◆ **put up with sb/sth** aguentar alguém/alguma coisa

putrid /'pju:trɪd/ *adj* **1** podre, em decomposição **2** (*coloq*) (*cor, etc.*) nojento

putty /'pʌti/ *s* betume, massa para vidros

puzzle /'pʌzl/ *substantivo, verbo*

▸ *s* **1** quebra-cabeças: *crossword puzzle* palavras-cruzadas **2** mistério

▸ *vt* intrigar PHR V **puzzle sth out** resolver alguma coisa ◆ **puzzle over sth** matutar em alguma coisa **puzzled** *adj* perplexo

pygmy /'pɪgmi/ *s, adj* (*pl* **pygmies**) pigmeu, -eia: *pygmy horse* cavalo anão

pyjamas (*USA* **pajamas**) /pə'dʒɑ:məz; *USA* -'dʒæm-/ *s* [*pl*] pijama: *a pair of pyjamas* um pijama ❶ **Pyjama** usa-se no singular quando

P

vem antes de outro substantivo: *pyjama trousers* as calças do pijama. ➲ *Ver tb nota em* PAIR

pylon /ˈpaɪlən; *USA* -lɒn/ *s* poste de alta tensão

pyramid /ˈpɪrəmɪd/ *s* pirâmide

python /ˈpaɪθn; *USA* -θɒn/ *s* pitão

Q q

Q, q /kjuː/ *s* (*pl* **Qs, Q's, q's**) Q, q ➲ *Ver nota em* A, A

quack /kwæk/ *substantivo, verbo*
▸ *s* **1** grasnido **2** (*coloq, pej*) charlatão, -ona
▸ *vi* grasnar

quad bike /ˈkwɒd baɪk/ *s* quad, moto quatro

quadruple *adjetivo, verbo*
▸ *adj* /ˈkwɒdrʊpl; *USA* kwɒˈdruːpl/ quádruplo
▸ *vt, vi* /kwɒˈdruːpl/ quadruplicar

quagmire /ˈkwægmaɪə(r), ˈkwɒg-/ *s* (*lit e fig*) lamaçal

quail /kweɪl/ *s* codorniz

quaint /kweɪnt/ *adj* **1** (*ideia, costume, etc.*) curioso **2** (*lugar, edifício*) pitoresco

quake /kweɪk/ *verbo, substantivo*
▸ *vi* tremer
▸ *s* (*coloq*) terramoto

⚷ **qualification** /ˌkwɒlɪfɪˈkeɪʃn/ *s* **1** (*curso, etc.*) habilitação **2** requisito **3** modificação: *without qualification* sem restrições **4** qualificação

⚷ **qualified** /ˈkwɒlɪfaɪd/ *adj* **1** habilitado **2** qualificado, capaz **3** (*êxito, etc.*) limitado

⚷ **qualify** /ˈkwɒlɪfaɪ/ (*pt, pp* **-fied**) **1** *vt* ~ **sb (for sth/to do sth)** habilitar alguém (para alguma coisa/fazer alguma coisa), dar direito (de alguma coisa/fazer alguma coisa) a alguém **2** *vi* ~ **for sth/to do sth** ter direito a alguma coisa/fazer alguma coisa **3** *vi* ~ **(as sth)** obter o título (de alguma coisa) **4** *vi* ~ **(as sth)** ser considerado alguma coisa, contar (como alguma coisa): *He doesn't exactly qualify as our best writer.* Ele não é precisamente o nosso melhor escritor. **5** *vi* ~ **(for sth)** cumprir os requisitos (para alguma coisa) **6** *vi* ~ **(for sth)** (*Desp*) classificar-se (para alguma coisa) **7** *vt* (*declaração*) moderar **qualifying** *adj* eliminatório

⚷ **quality** /ˈkwɒləti/ *substantivo, adjetivo*
▸ *s* (*pl* **qualities**) **1** qualidade **2** categoria **3** característica
▸ *adj* [*só antes de substantivo*] de qualidade

qualm /kwɑːm, kwɔːm/ *s* escrúpulo

quandary /ˈkwɒndəri/ *s* LOC **be in a quandary** estar num dilema

quantify /ˈkwɒntɪfaɪ/ *vt* (*pt, pp* **-fied**) quantificar

⚷ **quantity** /ˈkwɒntəti/ *s* (*pl* **quantities**) quantidade

quarantine /ˈkwɒrəntiːn; *USA* ˈkwɔːr-/ *s* quarentena

quarrel /ˈkwɒrəl; *USA* ˈkwɔːrəl/ *substantivo, verbo*
▸ *s* **1** briga **2** queixa LOC *Ver* PICK
▸ *vi* (**-ll-**, *USA* **-l-**) ~ **(with sb) (about/over sth)** brigar (com alguém) (sobre/por alguma coisa)
quarrelsome *adj* conflituoso

quarry /ˈkwɒri; *USA* ˈkwɔːri/ *s* (*pl* **quarries**) **1** pedreira **2** [*sing*] presa (*numa caçada*)

quart /kwɔːt/ *s* (*abrev* **qt**) um quarto de um galão (= 1,14 litros) ➲ *Ver pág. 712*

⚷ **quarter** /ˈkwɔːtə(r)/ *s* **1** quarto, quarta parte: *It's (a) quarter to/past one.* É uma menos/e um quarto. ◇ *a quarter full* um quarto cheio ◇ *to cut sth into quarters* cortar alguma coisa em quartos **2** trimeste (*para pagamento de faturas, etc.*) **3** bairro **4** (*Can, USA*) vinte e cinco cêntimos ➲ *Ver pág. 714* **5 quarters** [*pl*] (*esp Mil*) quartel LOC **in/from all quarters** em/de todas as partes

quarter-final /ˌkwɔːtə ˈfaɪnəl/ *s* quartos-de -final

quarterly /ˈkwɔːtəli/ *adjetivo, advérbio, substantivo*
▸ *adj* trimestral
▸ *adv* trimestralmente
▸ *s* (*pl* **quarterlies**) revista trimestral

quartet /kwɔːˈtet/ *s* quarteto

quartz /kwɔːts/ *s* quartzo

quash /kwɒʃ; *USA* kwɔːʃ/ *vt* **1** (*sentença*) revogar **2** (*rebelião*) reprimir **3** (*rumor, suspeita, etc.*) pôr fim a

quay /kiː/ (*tb* **quayside** /ˈkiːsaɪd/) *s* cais

⚷ **queen** /kwiːn/ *s* **1** rainha **2** (*cartas*) dama

queer /kwɪə(r)/ *adjetivo, substantivo*
▸ *adj* (**queerer, -est**) **1** (*antiq*) esquisito **2** (*calão, ofen*) bicha
▸ *s* (*calão, ofen*) maricas

quell /kwel/ *vt* **1** (*revolta, etc.*) reprimir **2** (*medo, dúvidas, etc.*) dissipar

quench /kwentʃ/ *vt* **1** (*sede*) matar **2** (*fogo, paixão*) apagar

query /ˈkwɪəri/ *substantivo, verbo*
▸ *s* (*pl* **queries**) dúvida, pergunta: *Have you got any queries?* Alguma dúvida?

▸ *vt* (*pt, pp* **queried**) **1** questionar **2** perguntar

quest /kwest/ *s* (*formal*) busca

⚷ **question** /ˈkwestʃən/ *substantivo, verbo*
▸ *s* **1** pergunta: *to ask/answer a question* fazer/responder a uma pergunta **2** ~ **(of sth)** questão (de alguma coisa) LOC **bring/call/throw sth into question** questionar alguma coisa ◆ **out of the question** fora de questão *Ver tb* LOADED *em* LOAD
▸ *vt* **1** interrogar, fazer perguntas a **2** questionar **questionable** *adj* questionável

questioning /ˈkwesʃənɪŋ/ *substantivo, adjetivo*
▸ *s* interrogatório
▸ *adj* inquiridor

question mark *s* ponto de interrogação ➲ *Ver pág. 315*

questionnaire /ˌkwestʃəˈneə(r)/ *s* questionário

question tag *s* expressão interrogativa que se segue a uma afirmação, para confirmar a mensagem

queue /kjuː/ *substantivo, verbo*
▸ *s* fila (*de pessoas, etc.*) LOC *Ver* JUMP
▸ *vi* ~ **(up)** fazer fila

⚷ **quick** /kwɪk/ *adjetivo, advérbio*
▸ *adj* (**quicker, -est**) **1** rápido: *Be quick!* Despacha-te! ➲ *Ver nota em* RÁPIDO **2** (*pessoa, mente, etc.*) vivo, esperto LOC **be quick to do sth** não demorar muito a fazer alguma coisa *Ver tb* BUCK, TEMPER
▸ *adv* (**quicker, -est**) rápido, rapidamente

quicken /ˈkwɪkən/ *vt, vi* **1** acelerar **2** (*ritmo, interesse*) aumentar

⚷ **quickly** /ˈkwɪkli/ *adv* depressa, rapidamente

quid /kwɪd/ *s* (*pl* **quid**) (*GB, coloq*) libra: *It's five quid each.* São cinco libras cada um.

⚷ **quiet** /ˈkwaɪət/ *adjetivo, substantivo*
▸ *adj* (**quieter, -est**) **1** calado: *Be quiet!* Está calado! **2** silencioso **3** (*lugar, vida*) sossegado, calmo
▸ *s* **1** silêncio **2** sossego, calma LOC **on the quiet** em segredo *Ver tb* PEACE

quieten /ˈkwaɪətn/ (*tb esp USA* **quiet**) *vt, vi* ~ **(sb/sth) (down)** (*esp GB*) acalmar (alguém/alguma coisa)

⚷ **quietly** /ˈkwaɪətli/ *adv* **1** silenciosamente **2** calmamente **3** em voz baixa

quietness /ˈkwaɪətnəs/ *s* sossego, tranquilidade

quilt /kwɪlt/ (*tb* **continental quilt**) *s* edredão

quintet /kwɪnˈtet/ *s* quinteto

quirk /kwɜːk/ *s* peculiaridade (*de comportamento, etc.*) LOC **a quirk of fate** uma ironia do destino **quirky** *adj* esquisito

⚷ **quit** /kwɪt/ (*pt, pp* **quit** *ou* **quitted** *part pres* **quitting**) **1** *vt* (*coloq*) deixar **2** *vi* (*coloq*) (*trabalho, etc.*) demitir-se **3** *vt* ~ **sth/doing sth** (*esp USA, coloq*) deixar alguma coisa/de fazer alguma coisa **4** *vt, vi* ir-se embora (de) **5** *vt, vi* (*Informát*) sair (de)

⚷ **quite** /kwaɪt/ *adv* **1** bastante: *He played quite well.* Jogou bastante bem. ➲ *Ver nota em* FAIRLY **2** completamente, absolutamente: *quite empty/sure* completamente vazio/certo ◇ *She's quite right.* Ela tem toda a razão. **3** muito: *You'll be quite comfortable here.* Aqui vais ficar bastante confortável. LOC **not quite**: *These shoes don't quite fit.* Estes sapatos não me servem lá muito bem. ◇ *There's not quite enough bread for breakfast.* Quase não há pão que chegue para o pequeno-almoço. ◆ **quite a; quite some**: *It gave me quite a shock.* Deu-me cá um susto. ◆ **quite a few/lot** bastantes

quiver /ˈkwɪvə(r)/ *verbo, substantivo*
▸ *vi* tremer, estremecer
▸ *s* tremor, estremecimento

quiz /kwɪz/ *substantivo, verbo*
▸ *s* (*pl* **quizzes**) **1** concurso, prova (*de cultura geral*) **2** (*USA*) prova
▸ *vt* (**-zz-**) ~ **sb (about sb/sth)** interrogar alguém (sobre alguém/alguma coisa) **quizzical** *adj* curioso

quorum /ˈkwɔːrəm/ *s* [*sing*] quórum

quota /ˈkwəʊtə/ *s* **1** quota **2** quota-parte

quotation /kwəʊˈteɪʃn/ *s* **1** (*tb* **quote**) (*de um livro, etc.*) citação **2** (*tb* **quote**) orçamento, estimativa **3** (*Fin*) cotização

quotation marks (*tb* **quotes**) *s* [*pl*] aspas ➲ *Ver pág. 315*

⚷ **quote** /kwəʊt/ *verbo, substantivo*
▸ **1** *vt, vi* citar **2** *vt* fazer um orçamento de **3** *vt* cotar
▸ *s* (*coloq*) **1** *Ver* QUOTATION (1, 2) **2** **quotes** [*pl*] *Ver* QUOTATION MARKS

R r

R, r /ɑː(r)/ *s* (*pl* **Rs, R's, r's**) R, r ➲ *Ver nota em* A, A

rabbit /ˈræbɪt/ *s* coelho ➲ *Ver nota em* COELHO

rabid /ˈræbɪd/ *adj* **1** raivoso **2** (*pej*) (*pessoa*) fanático

rabies /ˈreɪbiːz/ *s* [*não-contável*] raiva (*doença*)

race /reɪs/ *substantivo, verbo*
▸ *s* **1** corrida *Ver tb* RAT RACE **2** raça: *race relations* relações inter-raciais
▸ **1** *vi, vt* ~ **(against) sb** fazer uma corrida com alguém **2** *vi* (*em corrida*) correr **3** *vi* correr a toda a velocidade **4** *vi* competir **5** *vi* (*pulso, coração*) bater muito rápido **6** *vt* (*cavalo, etc.*) competir com, montar (em corrida)

racecourse /ˈreɪskɔːs/ *s* hipódromo

racehorse /ˈreɪshɔːs/ *s* cavalo de corridas

racetrack /ˈreɪstræk/ *s* **1** autódromo **2** (*USA*) hipódromo

racial /ˈreɪʃl/ *adj* racial

racing /ˈreɪsɪŋ/ *s* corridas: *horse racing* corridas de cavalos ◇ *racing car/driver* carro/piloto de corridas *Ver tb* MOTOR RACING

racism /ˈreɪsɪzəm/ *s* racismo **racist** *adj, s* racista

rack /ræk/ *substantivo, verbo*
▸ *s* suporte: *plate rack* escorredor da louça ◇ *wine rack* garrafeira (para vinho) *Ver tb* LUGGAGE RACK, ROOF RACK
▸ *vt* LOC **rack your brain(s)** dar voltas aos miolos/à cabeça

racket /ˈrækɪt/ *s* **1** (*tb* **racquet**) raquete **2** [*sing*] (*coloq*) barulheira **3** (*coloq*) negociata

racy /ˈreɪsi/ *adj* (**racier**, **-iest**) **1** (*estilo*) vivo **2** (*anedota*) picante

R

radar /ˈreɪdɑː(r)/ *s* [*não-contável*] radar

radiance /ˈreɪdiəns/ *s* brilho

radiant /ˈreɪdiənt/ *adj* ~ **(with sth)** radiante (de/com/por alguma coisa): *radiant with joy* radiante de alegria

radiate /ˈreɪdieɪt/ **1** *vt, vi* (*luz, alegria*) irradiar **2** *vi* irradiar (*de um ponto central*)

radiation /ˌreɪdiˈeɪʃn/ *s* radiação: *radiation sickness* doença provocada por radiações radioactivas

radiator /ˈreɪdieɪtə(r)/ *s* radiador

radical /ˈrædɪkl/ *adj, s* radical

radio /ˈreɪdiəʊ/ *s* (*pl* **radios**) rádio: *radio station* emissora (de rádio)

radioactive /ˌreɪdiəʊˈæktɪv/ *adj* radioativo **radioactivity** /ˌreɪdiəʊækˈtɪvəti/ *s* radioatividade

radish /ˈrædɪʃ/ *s* rabanete

radius /ˈreɪdiəs/ *s* (*pl* **radii** /-diaɪ/) (*Geom*) raio

raffle /ˈræfl/ *s* rifa

raft /rɑːft; *USA* ræft/ *s* jangada: *life raft* (bote) salva-vidas

rafter /ˈrɑːftə(r); *USA* ˈræf-/ *s* viga (*de telhado*)

rafting /ˈrɑːftɪŋ; *USA* ˈræftɪŋ/ *s* rafting: *to go white-water rafting* fazer rafting

rag /ræg/ *s* **1** trapo **2** **rags** [*pl*] farrapos **3** (*coloq, freq pej*) jornaleco

rage /reɪdʒ/ *substantivo, verbo*
▸ *s* (*ira*) raiva: *to fly into a rage* ir aos arames/ficar furioso *Ver tb* ROAD RAGE LOC **be all the rage** (*coloq*) estar na moda, fazer furor
▸ *vi* **1** ~ **(at/about/against sth)** ficar furioso (com alguma coisa) **2** (*tempestade*) rugir **3** (*batalha*) continuar aceso **4** (*epidemia, fogo, etc.*) alastrar

ragged /ˈrægɪd/ *adj* **1** (*roupa*) roto **2** (*pessoa*) esfarrapado

raging /ˈreɪdʒɪŋ/ *adj* **1** (*dor, sede*) atroz **2** (*mar*) raivoso **3** (*tempestade*) violento

raid /reɪd/ *substantivo, verbo*
▸ *s* ~ **(on sth)** **1** ataque (contra alguma coisa) *Ver tb* AIR RAID **2** (*policial*) rusga (a alguma coisa) **3** (*roubo*) assalto (a alguma coisa)
▸ *vt* **1** (*polícia*) fazer uma rusga a **2** atacar **3** saquear **raider** *s* assaltante, saqueador, -ora

rail /reɪl/ *s* **1** corrimão **2** (*cortinas*) varão **3** carril (*de comboio*) **4** (*Caminho-de-ferro*): *rail strike* greve dos comboios ◇ *by rail* de comboio

railing /ˈreɪlɪŋ/ *s* [*ger pl*] grade

railway /ˈreɪlweɪ/ (*USA* **railroad** /ˈreɪlrəʊd/) *s* **1** caminhos-de-ferro, via-férrea: *railway station* estação dos caminhos-de-ferro **2** (*tb* **railway line/track**) linha do comboio

rain /reɪn/ *substantivo, verbo*
▸ *s* chuva: *It's pouring with rain.* Chove a cântaros. ◇ *a rain of arrows* uma chuva de setas
▸ *vi* chover: *It's raining hard.* Está a chover muito. PHR V **be rained off** (*USA* **be rained out**) ser cancelado/interrompido (*por causa da chuva*)

rainbow /ˈreɪnbəʊ/ *s* arco-íris

raincoat /ˈreɪnkəʊt/ *s* gabardina

rainfall /ˈreɪnfɔːl/ *s* [*não-contável*] precipitação (atmosférica)

rainforest /ˈreɪnfɒrɪst; *USA* -fɔːr-/ *s* floresta tropical

rainy /ˈreɪni/ *adj* (**rainier**, **-iest**) chuvoso

raise /reɪz/ *verbo, substantivo*
▸ *vt* **1** levantar **2** (*salários, preços, etc.*) aumentar, subir **3** (*fundos*) angariar: *to raise a loan* obter um empréstimo **4** (*nível*) melhorar **5** (*esperanças*) alimentar **6** (*alarme*) dar **7** (*questão*) levantar **8** (*filhos, animais*) criar **9** (*exército*) recrutar LOC **raise your eyebrows (at sth)** franzir o sobrolho (a alguma coisa) ◆ **raise your glass (to sb)** fazer um brinde (a alguém)
▸ *s* (*USA*) aumento (*salarial*)

raisin /ˈreɪzn/ *s* (uva) passa

rake /reɪk/ *substantivo, verbo*
▸ *s* ancinho
▸ *vt, vi* alisar/juntar com um ancinho LOC **rake in sth** (*coloq*) fazer alguma coisa (*dinheiro*) PHR V **rake sth up** (*coloq, pej*) desenterrar alguma coisa (*passado, etc.*)

rally /ˈræli/ *substantivo, verbo*
▸ *s* (*pl* **rallies**) **1** comício **2** (*Ténis, etc.*) troca de bolas **3** (*carros*) rali
▸ (*pt, pp* **rallied**) **1** *vi* ~ **(round/around)** juntar forças **2** *vt, vi* ~ **(sb/sth) (around/behind/to sb/sth)** reunir alguém/alguma coisa, reunir-se (em torno de/em apoio de alguém/alguma coisa) **3** *vi* restabelecer-se

ram /ræm/ *substantivo, verbo*
▸ *s* carneiro
▸ **(-mm-) 1** *vt, vi* ~ **(into) sth** chocar com alguma coisa **2** *vt* ~ **sth in, into, on, etc. sth** meter alguma coisa à força em alguma coisa **3** *vt* (*porta, etc.*) empurrar com força

ramble /ˈræmbl/ *verbo, substantivo*
▸ *vi* ~ **(on) (about sb/sth)** (*fig*) divagar (sobre alguém/alguma coisa)
▸ *s* excursão a pé **rambler** *s* caminhante **rambling** *adj* **1** labiríntico **2** (*discurso*) desconexo **3** (*Bot*) trepador: *rambling rose* rosa trepadeira

ramp /ræmp/ *s* **1** rampa **2** (*em estrada*) lomba

rampage *verbo, substantivo*
▸ *vi* /ræmˈpeɪdʒ, ˈræmpeɪdʒ/ causar violentos distúrbios
▸ *s* /ˈræmpeɪdʒ/ distúrbio LOC **be/go on the rampage** (estar a) causar violentos distúrbios

rampant /ˈræmpənt/ *adj* **1** desenfreado **2** (*plantas*) exuberante

ramshackle /ˈræmʃækl/ *adj* a cair aos bocados, em más condições

ran *pt de* RUN

ranch /rɑːntʃ; *USA* ræntʃ/ *s* rancho

ranch house *s* (*USA*) vivenda no estilo das casas de rancho

rancid /ˈrænsɪd/ *adj* rançoso

random /ˈrændəm/ *adjetivo, substantivo*
▸ *adj* ao acaso
▸ *s* LOC **at random** ao acaso

rang *pt de* RING²

⚷ **range** /reɪndʒ/ *substantivo, verbo*
▸ *s* **1** gama, leque **2** linha (*de produtos*) **3** escala **4** (*visão, som, arma*) alcance **5** (*montanhas*) cadeia, cordilheira **6** (*USA*) fogão
▸ **1** *vi* ~ **from sth to sth** estender-se, ir desde alguma coisa até alguma coisa **2** *vi* ~ **from sth to sth**; ~ **between sth and sth** (*número*) oscilar entre alguma coisa e alguma coisa **3** *vt* dispor **4** *vi* ~ **(over/through sth)** percorrer (alguma coisa)

⚷ **rank** /ræŋk/ *substantivo, verbo*
▸ *s* **1** (*Mil, hierarquia*) posto, cargo **2** categoria LOC **the rank and file 1** as bases (*de uma organização*) **2** (*Mil*) os soldados rasos
▸ *vt, vi* ~ **sb/sth (as sth)** classificar alguém/alguma coisa (como alguma coisa), considerar alguém/alguma coisa (alguma coisa): *He ranks among our top players.* Ele figura entre os nossos melhores jogadores.

ranking /ˈrænkɪŋ/ *s* ranking, classificação

ransack /ˈrænsæk/ *vt* **1** ~ **sth (for sth)** virar de pernas para o ar alguma coisa (à procura de alguma coisa) **2** pilhar

ransom /ˈrænsəm/ *s* resgate LOC **hold sb to ransom 1** fazer alguém refém **2** (*fig*) (*pej*) fazer chantagem com alguém

rant /rænt/ *verbo, substantivo*
▸ *vi* ~ **(on) (about sth)** (*pej*) barafustar (por alguma coisa) LOC **rant and rave** (*pej*) fazer um escarcéu
▸ *s* (*pej*) escarcéu

rap /ræp/ *substantivo, verbo*
▸ *s* **1** (*Mús*) rap **2** pancada seca
▸ **(-pp-) 1** *vt, vi* bater (a) **2** *vi* (*Mús*) cantar rap

rape /reɪp/ *verbo, substantivo*
▸ *vt* violar, estuprar ➲ *Ver nota em* VIOLATE
▸ *s* **1** violação, estupro **2** (*Bot*) colza

⚷ **rapid** /ˈræpɪd/ *adjetivo, substantivo*
▸ *adj* rápido
▸ *s* **rapids** [*pl*] rápidos

rapidity /rəˈpɪdəti/ *s* (*formal*) rapidez

⚷ **rapidly** /ˈræpɪdli/ *adv* rapidamente

rapist /ˈreɪpɪst/ *s* violador

rappel /ræˈpel/ *substantivo, verbo*
▸ *s* (*USA*) rapel
▸ *vi* (*USA*) fazer rapel

rapper /ˈræpə(r)/ *s* (*Mús*) rapper

rapport /ræˈpɔː(r)/ *s* relação

rapture /ˈræptʃə(r)/ *s* (*formal*) êxtase **rapturous** *adj* entusiástico

⚷ **rare** /reə(r)/ *adj* (**rarer, -est**) **1** raro: *a rare opportunity* uma oportunidade rara **2** (*carne*) malpassado ➲ *Ver nota em* MALPASSADO

⚷ **rarely** /ˈreəli/ *adv* raramente ➲ *Ver nota em* ALWAYS

rarity /ˈreərəti/ *s* (*pl* **rarities**) raridade

rash /ræʃ/ *substantivo, adjetivo*
▸ *s* brotoeja, irritação de pele

R

▸ *adj* precipitado, imprudente: *In a rash moment I promised her...* Num momento de irreflexão prometi-lhe...

raspberry /'rɑːzbəri; *USA* 'ræzberi/ *s* (*pl* **raspberries**) framboesa

rat /ræt/ *s* ratazana

⚷ **rate** /reɪt/ *substantivo, verbo*

▸ *s* **1** proporção: *at a rate of 50 a/per week* a uma média de 50 por semana ◇ *at a rate of 100 km an hour* a uma velocidade de 100km por hora **2** taxa, média: *birth/exchange/interest rate* taxa de natalidade/câmbio/juro **3** tarifa, preço: *an hourly rate of pay* um preço por hora *Ver tb* FIRST-RATE, SECOND-RATE LOC **at any rate** (*coloq*) pelo menos, de qualquer modo ◆ **at this/that rate** (*coloq*) por este andamento *Ver tb* GOING

▸ **1** *vt, vi* orçar, avaliar: *highly rated* tido em grande estima **2** *vt* considerar

⚷ **rather** /'rɑːðə(r); *USA* 'ræð-/ *adv* um pouco, bastante: *I rather suspect...* Suspeito que...

Rather com uma palavra com sentido positivo implica surpresa por parte do falante: *It was a rather nice present.* Foi um presente realmente bom. Também se utiliza quando queremos criticar alguma coisa: *This room looks rather untidy.* Esta sala está bastante desordenada. ➲ *Ver tb nota em* FAIRLY

R

LOC **or rather** ou melhor (dizendo) ◆ **rather do sth (than...)** preferir fazer alguma coisa (a...): *I'd rather walk than wait for the bus.* Prefiro ir a pé a esperar pelo autocarro. ◆ **rather than** em vez de: *I'll have a sandwich rather than a full meal.* Vou comer uma sanduíche em vez de uma refeição completa.

rating /'reɪtɪŋ/ *s* **1** valor: *a high/low popularity rating* um alto/baixo índice de popularidade **2 the ratings** [*pl*] (*TV*) os índices de audiência

ratio /'reɪʃiəʊ/ *s* (*pl* **ratios**) proporção: *The ratio of boys to girls in this class is three to one.* A proporção de rapazes e raparigas nesta turma é de três para uma.

ration /'ræʃn/ *substantivo, verbo*

▸ *s* **1** ração **2** porção

▸ *vt* racionar: *The villagers were rationed to ten litres of water a day.* Racionaram a água dos habitantes da aldeia em dez litros por dia.

rational /'ræʃnəl/ *adj* racional, razoável

rationale /ˌræʃə'nɑːl; *USA* -'næl/ *s* ~ **(behind/for/of sth)** (*formal*) razão (por detrás/para/de alguma coisa)

rationalization, -isation /ˌræʃnəlaɪ'zeɪʃn; *USA* -lə'z-/ *s* racionalização

rationalize, -ise /'ræʃnəlaɪz/ *vt* racionalizar

rationing /'ræʃənɪŋ/ *s* racionamento

the rat race *s* [*sing*] (*pej*) a competição desenfreada (da vida moderna)

rattle /'rætl/ *verbo, substantivo*

▸ **1** *vt, vi* chocalhar **2** *vi* ~ **along, off, past, etc.** (passar a) chocalhar **3** *vt* enervar PHR V **rattle sth off** matraquear alguma coisa

▸ *s* **1** (*som*) chocalhar **2** chocalho, guizo

ravage /'rævɪdʒ/ *vt* assolar

rave /reɪv/ *vi* **1** ~ **(about sb/sth)** dizer maravilhas de alguém/alguma coisa **2** ~ **(at sb)** disparatar (contra alguém) LOC *Ver* RANT

raven /'reɪvn/ *s* corvo

ravenous /'rævənəs/ *adj* faminto

⚷ **raw** /rɔː/ *adj* **1** cru **2** bruto: *raw silk* seda bruta ◇ *raw material* matéria-prima **3** (*ferida*) em carne viva

ray /reɪ/ *s* raio

razor /'reɪzə(r)/ *s* gilete: *electric razor* máquina de barbear ◇ *razor blade* lâmina de barbear

⚷ **reach** /riːtʃ/ *verbo, substantivo*

▸ **1** *vt* chegar a: *to reach an agreement* chegar a um acordo **2** *vt* alcançar **3** *vi* ~ **(out) for sth** estender a mão para agarrar alguma coisa **4** *vt* (*por telefone, televisão, etc.*) comunicar com PHR V **reach out to sb** tocar alguém (*através de palavras, gestos, etc.*)

▸ *s* alcance: *beyond/out of/within (sb's) reach* fora do alcance/ao alcance (de alguém) LOC **within (easy) reach (of sb/sth)** perto (de alguém/alguma coisa)

⚷ **react** /ri'ækt/ *vi* **1** ~ **(to sth/sb)** reagir (a alguma coisa/alguém) **2** ~ **against sb/sth** opor-se a alguém/alguma coisa

⚷ **reaction** /ri'ækʃn/ *s* ~ **(to sth/sb)** reação (a alguma coisa/alguém) **reactionary** /ri'ækʃnri; *USA* -neri/ *adj, s* (*pl* **reactionaries**) reacionário, -a

reactor /ri'æktə(r)/ (*tb* **nuclear reactor**) *s* reator nuclear

⚷ **read** /riːd/ (*pt, pp* **read** /red/) **1** *vt, vi* ~ **(about/of sth/sb)** ler (sobre alguma coisa/alguém) **2** *vt* ~ **sth (as sth)** interpretar alguma coisa (como alguma coisa) **3** *vt* (*placa, etc.*) dizer **4** *vt* (*contador, etc.*) marcar PHR V **read sth into sth** atribuir alguma coisa a alguma coisa: *Don't read too much into it.* Não dês muita importância a isso. ◆ **read on** continuar a ler ◆ **read sth out** ler alguma coisa em voz alta ◆ **read sth over/through** ler alguma coisa cuidadosamente **readable** *adj* **1** de leitura agradável **2** legível

⚷ **reader** /'riːdə(r)/ *s* **1** leitor, -ora **2** livro de leitura **readership** *s* [*não-contável*] (número de) leitores

readily /ˈredɪli/ *adv* **1** de boa vontade **2** facilmente

readiness /ˈredinəs/ *s* prontidão: *her readiness to help* a sua prontidão para ajudar ◇ *to do sth in readiness for sth* fazer alguma coisa como preparação para alguma coisa

reading /ˈriːdɪŋ/ *s* leitura: *reading glasses* óculos para ler

ready /ˈredi/ *adj* (**readier, -iest**) **1** ~ (**for sth/to do sth**) pronto, preparado (para alguma coisa/fazer alguma coisa) **2** ~ (**to do sth**) disposto (a fazer alguma coisa): *He's always ready to help his friends.* Está sempre disposto a ajudar os amigos. **3** ~ **to do sth** prestes a fazer alguma coisa **4** à mão LOC **get ready** preparar-se, arranjar-se

ready-made /ˌredi ˈmeɪd/ *adj* (já) feito: *ready-made curtains* cortinas já feitas ◇ *ready-made meals* refeições prontas a comer

real /ˈriːəl, rɪəl/ *adj* **1** real: *real life* a vida real **2** verdadeiro, autêntico: *That's not his real name.* Não é o seu nome verdadeiro. ◇ *The meal was a real disaster.* O jantar foi um verdadeiro desastre. LOC **get real** (*coloq*) vê lá se acordas!

real estate *s* [*não-contável*] (*esp USA*) bens imobiliários: *real estate agent* agente imobiliário

realism /ˈriːəlɪzəm, ˈrɪəl-/ *s* realismo **realist** *s* realista

realistic /ˌriːəˈlɪstɪk, ˌrɪə-/ *adj* realista

reality /riˈæləti/ *s* (*pl* **realities**) realidade: *reality TV* programas de televisão com acontecimentos e pessoas reais LOC **in reality** na realidade

reality check *s* (*coloq*) acordar para a realidade

realization, -isation /ˌriːəlaɪˈzeɪʃn, ˌrɪəl-; *USA* -ləˈz-/ *s* **1** consciência **2** (*de sonho, objetivo*) realização

realize, -ise /ˈriːəlaɪz, ˈrɪəl-/ **1** *vt, vi* aperceber-se (de): *Not realizing that...* Sem se dar conta de que... **2** *vt* (*plano, ambição*) realizar

really /ˈriːəli, ˈrɪəli/ *adv* **1** realmente: *I really mean that.* Estou a falar a sério. ◇ *Is it really true?* É mesmo verdade? **2** muito, realmente: *This is a really complex subject.* Este é um assunto muito complexo. **3** (*exprime surpresa, interesse, dúvida, etc.*): *Really?* A sério?

realm /relm/ *s* esfera (*fig*): *the realms of possibility* os limites do possível

reap /riːp/ *vt* **1** ceifar **2** colher

reappear /ˌriːəˈpɪə(r)/ *vi* reaparecer **reappearance** *s* reaparição

rear /rɪə(r)/ *substantivo, adjetivo, verbo*
▸ *s* **the rear** [*sing*] a (parte) traseira LOC **bring up the rear** ir em último lugar
▸ *adj* traseiro: *rear window* janela de trás
▸ **1** *vt* criar **2** *vi* ~ (**up**) (*cavalo*) empinar-se **3** *vi* erguer-se

rearrange /ˌriːəˈreɪndʒ/ *vt* **1** mudar **2** (*planos*) alterar

reason /ˈriːzn/ *substantivo, verbo*
▸ *s* **1** ~ (**for sth/doing sth**) razão, motivo (de/para alguma coisa/fazer alguma coisa) **2** ~ (**why.../that...**) razão, motivo (pela/pelo qual.../que...) **3** razão, bom senso LOC **in/within reason** dentro dos limites do razoável ◆ **make sb see reason** chamar alguém à razão *Ver tb* STAND
▸ *vi* raciocinar

reasonable /ˈriːznəbl/ *adj* **1** razoável, sensato **2** tolerável, regular

reasonably /ˈriːznəbli/ *adv* **1** bastante **2** com sensatez

reasoning /ˈriːzənɪŋ/ *s* raciocínio

reassurance /ˌriːəˈʃʊərəns, -ˈʃɔːr-/ *s* **1** consolo, reconforto **2** palavras tranquilizadoras: *We were given reassurances that the water was safe to drink.* Deram-nos garantias de que a água era segura para consumo.

reassure /ˌriːəˈʃʊə(r), -ˈʃɔː(r)/ *vt* tranquilizar **reassuring** *adj* tranquilizador, reconfortante

rebate /ˈriːbeɪt/ *s* **1** reembolso **2** dedução

rebel *substantivo, verbo*
▸ *s* /ˈrebl/ rebelde
▸ *vi* /rɪˈbel/ (**-ll-**) revoltar-se **rebellion** /rɪˈbeljən/ *s* rebelião **rebellious** /rɪˈbeljəs/ *adj* rebelde

rebirth /ˌriːˈbɜːθ/ *s* **1** renascimento **2** ressurgimento

reboot /ˌriːˈbuːt/ *vt, vi* (*Informát*) reiniciar

rebound *verbo, substantivo*
▸ *vi* /rɪˈbaʊnd/ **1** ~ (**from/off sth**) fazer ricochete (em alguma coisa) **2** ~ (**on sb**) (*formal*) repercutir-se (em alguém)
▸ *s* /ˈriːbaʊnd/ ressalto LOC **on the rebound** (*fig*) no ressalto

rebuff /rɪˈbʌf/ *substantivo, verbo*
▸ *s* **1** rejeição **2** recusa
▸ *vt* **1** rejeitar **2** recusar

rebuild /ˌriːˈbɪld/ *vt* (*pt, pp* **rebuilt** /ˌriːˈbɪlt/) reconstruir

rebuke /rɪˈbjuːk/ *verbo, substantivo*
▸ *vt* (*formal*) repreender
▸ *s* (*formal*) reprimenda

recall /rɪˈkɔːl/ *vt* **1** (*formal*) lembrar-se de **2** (*produto defeituoso*) pedir a devolução de

R

3 (*embaixador, etc.*) chamar de volta **4** (*parlamento*) convocar

recapture /ˌriːˈkæptʃə(r)/ *vt* **1** recapturar **2** (*emoção, etc.*) reviver, recriar

recede /rɪˈsiːd/ *vi* **1** retroceder **2** *receding hair/a receding hairline* entradas ◇ *receding chin* queixo metido para dentro

receipt /rɪˈsiːt/ *s* **1** ~ **(for sth)** (*formal*) recibo (de alguma coisa): *a receipt for your expenses* um recibo das suas despesas ◇ *to acknowledge receipt of sth* acusar a receção de alguma coisa **2 receipts** [*pl*] (*Com*) receitas

receive /rɪˈsiːv/ *vt* **1** receber **2** (*ferimento*) sofrer

receiver /rɪˈsiːvə(r)/ *s* **1** (*telefone*) auscultador: *to lift/pick up the receiver* levantar o auscultador **2** (*TV, Rádio*) recetor **3** destinatário, -a

recent /ˈriːsnt/ *adj* recente: *in recent years* nos últimos anos

recently /ˈriːsntli/ *adv* **1** recentemente: *until recently* até há muito pouco tempo **2** (*tb* **recently-**) recém-: *a recently-appointed director* uma diretora recém-nomeada

reception /rɪˈsepʃn/ *s* **1** receção: *reception desk* (balcão da) receção **2** acolhimento **3** (*tb* **wedding reception**) copo de água **receptionist** *s* rececionista

receptive /rɪˈseptɪv/ *adj* ~ **(to sth)** recetivo (a alguma coisa)

recess /rɪˈses, ˈriːses/ *s* **1** (*parlamento*) período de férias **2** descanso **3** (*USA*) (*em escola*) recreio, intervalo **4** nicho, vão **5** [*ger pl*] recanto

recession /rɪˈseʃn/ *s* recessão

recharge /ˌriːˈtʃɑːdʒ/ *vt* recarregar **rechargeable** *adj* recarregável

recipe /ˈresəpi/ *s* **1** ~ **(for sth)** (*Cozinha*) receita (de alguma coisa) **2** ~ **for sth** (*fig*) receita para/de alguma coisa

recipient /rɪˈsɪpiənt/ *s* (*formal*) **1** destinatário, -a **2** (*dinheiro, etc.*) beneficiário, -a

reciprocal /rɪˈsɪprəkl/ *adj* recíproco

reciprocate /rɪˈsɪprəkeɪt/ *vt, vi* corresponder, retribuir

recital /rɪˈsaɪtl/ *s* recital

recite /rɪˈsaɪt/ *vt* **1** recitar **2** enumerar

reckless /ˈrekləs/ *adj* **1** temerário, irresponsável **2** imprudente

reckon /ˈrekən/ *vt* **1** (*esp GB, coloq*) achar: *Joe reckons he won't come.* O Joe acha que ele não vem. **2 be reckoned to be sth** ser considerado alguma coisa **3** calcular PHR V **reckon on sth** contar com alguma coisa ◆ **reckon with sb/sth** ter em conta alguém/alguma coisa: *There's still your father to reckon with.* E ainda vais ter de lidar com o teu pai. **reckoning** *s* **1** cálculos: *by my reckoning* segundo os meus cálculos **2** juízo final

reclaim /rɪˈkleɪm/ *vt* **1** recuperar **2** (*materiais, etc.*) reciclar **reclamation** /ˌrekləˈmeɪʃn/ *s* recuperação

recline /rɪˈklaɪn/ *vt, vi* reclinar(-se), encostar (-se) **reclining** *adj* (*cadeira*) reclinável

recognition /ˌrekəgˈnɪʃn/ *s* reconhecimento: *in recognition of sth* em reconhecimento de alguma coisa ◇ *to have changed beyond recognition* estar irreconhecível

recognizable, -isable /ˈrekəgnaɪzəbl, ˌrekəgˈnaɪzəbl/ *adj* reconhecível

recognize, -ise /ˈrekəgnaɪz/ *vt* reconhecer

recoil /rɪˈkɔɪl/ *vi* **1** ~ **(from sb/sth)**; ~ **(at sth)** retrair-se (perante alguém/alguma coisa) **2** ~ **(from sth/doing sth)**; ~ **(at sth)** sentir aversão (a alguma coisa/fazer alguma coisa), recuar (perante alguma coisa/a ideia de fazer alguma coisa)

recollect /ˌrekəˈlekt/ *vt* (*formal*) recordar-se de **recollection** *s* (*formal*) recordação

recommend /ˌrekəˈmend/ *vt* recomendar **recommendation** *s* recomendação

recompense /ˈrekəmpens/ *verbo, substantivo*
▸ *vt* ~ **sb (for sth)** (*formal*) recompensar alguém (por alguma coisa)
▸ *s* (*formal*) recompensa

reconcile /ˈrekənsaɪl/ *vt* **1** ~ **sth (with sth)** conciliar alguma coisa (com alguma coisa) **2** ~ **sb (with sb)** reconciliar alguém (com alguém) **3** ~ **yourself (to sth)** resignar-se (com alguma coisa) **reconciliation** /ˌrekənsɪliˈeɪʃn/ *s* **1** [*não-contável*] conciliação **2** reconciliação

reconnaissance /rɪˈkɒnɪsns/ *s* (*Mil*) reconhecimento

reconsider /ˌriːkənˈsɪdə(r)/ *vt, vi* reconsiderar

reconstruct /ˌriːkənˈstrʌkt/ *vt* ~ **sth (from sth)** reconstruir alguma coisa (a partir de alguma coisa)

record *substantivo, verbo*
▸ *s* /ˈrekɔːd; *USA* ˈrekərd/ **1** registo: *to make/keep a record of sth* registar/manter um registo de alguma coisa ◇ *the coldest winter on record* o inverno mais frio de que há registo **2** historial: *a criminal record* um cadastro **3** disco: *a record company* uma casa discográfica **4** recorde: *to set/break a record* estabelecer/bater um recorde ◇ *record holder* recordista *Ver tb* TRACK RECORD LOC **put/set the record straight** esclarecer as coisas

▸ *vt* /rɪˈkɔːd/ **1** registar, anotar **2** ~ **(sth) (from sth) (on sth)** gravar (alguma coisa) (de alguma coisa) (em alguma coisa) **3** (*termómetro, etc.*) marcar

record-breaking /ˈrekɔːd breɪkɪŋ/ *adj* sem precedentes

recorder /rɪˈkɔːdə(r)/ *s* flauta, pífaro *Ver tb* TAPE RECORDER

recording /rɪˈkɔːdɪŋ/ *s* gravação

record player *s* gira-discos

recount /rɪˈkaʊnt/ *vt* ~ **sth (to sb)** (*formal*) relatar alguma coisa (a alguém)

recourse /rɪˈkɔːs/ *s* (*formal*) recurso LOC **have recourse to sth/sb** (*formal*) recorrer a alguma coisa/alguém

recover /rɪˈkʌvə(r)/ **1** *vt* recuperar: *to recover consciousness* voltar a si **2** *vi* ~ **(from sth)** restabelecer-se, recuperar (de alguma coisa)

recovery /rɪˈkʌvəri/ *s* (*pl* **recoveries**) **1** ~ **(from sth)** restabelecimento (de alguma coisa) **2** recuperação, resgate

recreation /ˌrekriˈeɪʃn/ *s* **1** (hora do) recreio: *recreation ground* campo de jogos **2** passatempo, distração

recruit /rɪˈkruːt/ *substantivo, verbo*
▸ *s* recruta
▸ *vt* recrutar **recruitment** *s* recrutamento

rectangle /ˈrektæŋgl/ *s* retângulo

recuperate /rɪˈkuːpəreɪt/ (*formal*) **1** *vi* ~ **(from sth)** recuperar, restabelecer-se (de alguma coisa) **2** *vt* recuperar

recur /rɪˈkɜː(r)/ *vi* (**-rr-**) repetir-se, reaparecer

recyclable /ˌriːˈsaɪkləbl/ *adj* reciclável

recycle /ˌriːˈsaɪkl/ *vt* reciclar **recycling** *s* reciclagem

red /red/ *adjetivo, substantivo*
▸ *adj* (**redder, -est**) **1** vermelho: *a red dress* um vestido vermelho **2** (*cabelo*) ruivo **3** (*rosto*) corado, vermelho **4** (*vinho*) tinto LOC **a red herring** uma pista falsa
▸ *s* vermelho LOC **be in the red** (*coloq*) estar no vermelho

redcurrant /ˈredkʌrənt, ˌredˈkʌrənt; *USA* -ˈkɜːr-/ *s* groselha

redeem /rɪˈdiːm/ *vt* **1** redimir: *to redeem yourself* redimir-se **2** compensar **3** (*dívida*) resgatar **4** (*cupão, voucher*) trocar

redemption /rɪˈdempʃn/ *s* **1** (*formal*) redenção **2** (*Fin*) resgate

redevelopment /ˌriːdɪˈveləpmənt/ *s* reurbanização, reedificação

red-handed /ˌred ˈhændɪd/ *adj* LOC **catch sb red-handed** apanhar alguém em flagrante

redhead /ˈredhed/ *s* (*pessoa*) ruivo, -a

redo /ˌriːˈduː/ *vt* (*3ª pess sing pres* **redoes** /-ˈdʌz/, *pt* **redid** /-ˈdɪd/, *pp* **redone** /-ˈdʌn/) refazer

red tape *s* [*não-contável*] (*pej*) burocracia

reduce /rɪˈdjuːs; *USA* -ˈduːs/ **1** *vt* ~ **sth (from sth) (to sth)** reduzir alguma coisa (de alguma coisa) (para alguma coisa) **2** *vt* ~ **sth (by sth)** reduzir, diminuir alguma coisa (em alguma coisa) **3** *vi* diminuir **4** *vt* ~ **sb/sth (from sth) to sth**: *The house was reduced to ashes.* A casa ficou reduzida a cinzas. ◇ *to reduce sb to tears* fazer alguém chorar **reduced** *adj* a preço reduzido

reduction /rɪˈdʌkʃn/ *s* **1** ~ **(in sth)** redução (de alguma coisa) **2** ~ **(of sth)** redução, desconto (de alguma coisa): *a reduction of 5%* uma redução de 5%

redundancy /rɪˈdʌndənsi/ *s* (*pl* **redundancies**) despedimento (*devido a encerramento da empresa ou redução do pessoal*): *redundancy pay* indemnização por despedimento

redundant /rɪˈdʌndənt/ *adj* **1** *to be made redundant* ser despedido (devido ao encerramento da empresa ou redução de pessoal) **2** supérfluo

reed /riːd/ *s* junco

reef /riːf/ *s* recife

reek /riːk/ *vi* ~ **(of sth)** (*pej*) tresandar (a alguma coisa)

reel /riːl/ *substantivo, verbo*
▸ *s* **1** carreto, molinete **2** (*filme*) rolo
▸ *vi* **1** cambalear **2** (*cabeça*) andar à roda PHR V **reel sth off** recitar alguma coisa (ininterruptamente)

re-enter /ˌriː ˈentə(r)/ *vt* voltar a entrar em **re-entry** *s* reentrada

refer /rɪˈfɜː(r)/ *v* (**-rr-**) PHR V **refer to sb/sth** referir-se, fazer referência a alguém/alguma coisa ◆ **refer sb/sth to sb/sth** remeter alguém/alguma coisa para alguém/alguma coisa

referee /ˌrefəˈriː/ *substantivo, verbo*
▸ *s* **1** (*Desp*) árbitro, -a: *assistant referee* fiscal de linha **2** mediador, -ora, árbitro, -a **3** (*USA* **reference**) (*para emprego*) pessoa que dá referências
▸ *vt, vi* arbitrar

reference /ˈrefrəns/ *s* referência *Ver tb* CROSS REFERENCE LOC **in/with reference to sth/sb** (*formal*) relativamente a alguma coisa/alguém

referendum /ˌrefəˈrendəm/ *s* (*pl* **referendums** *ou* **referenda** /-də/) referendo

refill *verbo, substantivo*
▸ *vt* /ˌriːˈfɪl/ voltar a encher
▸ *s* /ˈriːfɪl/ recarga, carga nova

R

refine /rɪ'faɪn/ *vt* **1** refinar **2** (*modelo, técnica, etc.*) aperfeiçoar **refinement** *s* **1** melhoria **2** (*Mec*) refinação **3** requinte **refinery** *s* (*pl* **refineries**) refinaria

reflect /rɪ'flekt/ **1** *vt* refletir **2** *vi* ~ **(on/upon sth)** refletir (sobre alguma coisa) LOC **reflect well, badly, etc. on sb/sth** afetar positivamente, negativamente, etc. a imagem de alguém/alguma coisa **reflection** (*tb* **reflexion**) *s* **1** reflexo **2** (*ato, pensamento*) reflexão LOC **be a reflection on sb/sth** ser um reflexo de alguém/alguma coisa ◆ **on reflection** pensando bem

reflex /'ri:fleks/ (*tb* **reflex action**) *s* reflexo

reform /rɪ'fɔ:m/ *verbo, substantivo*
▸ *vt, vi* reformar(-se)
▸ *s* reforma **reformation** /ˌrefə'meɪʃn/ *s* **1** (*formal*) reforma **2 the Reformation** a Reforma

refrain /rɪ'freɪn/ *verbo, substantivo*
▸ *vi* ~ **(from sth)** (*formal*) abster-se (de alguma coisa): *Please refrain from smoking.* Por favor, não fume.
▸ *s* refrão, estribilho

refresh /rɪ'freʃ/ *vt* refrescar LOC **refresh sb's memory (about sb/sth)** refrescar a memória de alguém (sobre alguém/alguma coisa) **refreshing** *adj* **1** refrescante **2** (*fig*) animador

refreshments /rɪ'freʃmәntz/ *s* [*pl*] refeição leve: *Refreshments will be served after the concert.* Depois do concerto será servida uma refeição leve. ❶ **Refreshment** usa-se no singular quando vem antes de outro substantivo: *There will be a refreshment stop.* Haverá uma paragem para tomar qualquer coisa.

refrigerate /rɪ'frɪdʒәreɪt/ *vt* refrigerar, pôr no frigorífico **refrigeration** *s* refrigeração

refrigerator /rɪ'frɪdʒәreɪtә(r)/ *s* frigorífico

refuge /'refju:dʒ/ *s* **1** ~ **(from sb/sth)** refúgio (de alguém/alguma coisa): *to take refuge* refugiar-se **2** (*Pol*) asilo

refugee /ˌrefju'dʒi:/ *s* refugiado, -a

refund *verbo, substantivo*
▸ *vt* /rɪ'fʌnd/ reembolsar, devolver
▸ *s* /'ri:fʌnd/ reembolso

refusal /rɪ'fju:zl/ *s* **1** recusa, rejeição **2** ~ **(to do sth)** recusa (a fazer alguma coisa)

refuse[1] /rɪ'fju:z/ **1** *vi* ~ **(to do sth)** recusar-se (a fazer alguma coisa) **2** *vt* recusar, rejeitar: *to refuse an offer* recusar uma oferta ◇ *to refuse sb entry (to sth)* não deixar entrar alguém (em alguma coisa)

refuse[2] /'refju:s/ *s* [*não-contável*] lixo, desperdícios

regain /rɪ'geɪn/ *vt* recuperar: *to regain consciousness* voltar a si

regal /'ri:gl/ *adj* real, régio

regard /rɪ'gɑ:d/ *verbo, substantivo*
▸ *vt* **1** ~ **sb/sth as sth** considerar alguém/alguma coisa alguma coisa **2** ~ **sb/sth (with sth)** (*formal*) olhar para alguém/alguma coisa (com alguma coisa) LOC **as regards sb/sth** (*formal*) no que respeita a alguém/alguma coisa
▸ *s* **1** ~ **to/for sb/sth** (*formal*) respeito a/por alguém/alguma coisa: *with no regard to/for speed limits* sem respeitar o limite de velocidade **2 regards** [*pl*] cumprimentos LOC **in this/that regard** (*formal*) neste/nesse aspeto ◆ **in/with regard to sb/sth** (*formal*) relativamente a alguém/alguma coisa

regarding /rɪ'gɑ:dɪŋ/ *prep* em relação a

regardless /rɪ'gɑ:dlәs/ *adv* apesar de tudo, aconteça o que acontecer

regardless of *prep* independentemente de, sem ter em conta

regime /reɪ'ʒi:m/ *s* regime (*governo, regras, etc.*)

regiment /'redʒɪmәnt/ *s* [*v sing ou pl*] regimento **regimented** /'redʒɪmentɪd/ *adj* (*pej*) excessivamente regulamentado

region /'ri:dʒәn/ *s* região LOC **in the region of sth** cerca de alguma coisa **regional** *adj* regional

register /'redʒɪstә(r)/ *verbo, substantivo*
▸ **1** *vt* ~ **sth (in sth)** registar alguma coisa (em alguma coisa) **2** *vi* ~ **(at/for/with sth)** inscrever-se, registar-se (em alguma coisa) **3** *vt* (*formal*) (*surpresa, etc.*) mostrar, revelar **4** *vt* (*valores, etc.*) registar **5** *vt* (*correio*) registar
▸ *s* **1** registo **2** (*em escola*) lista de alunos: *to call the register* fazer a chamada

registered post *s* correio registado: *to send sth by registered post* enviar alguma coisa por correio registado

registrar /ˌredʒɪ'strɑ:(r), 'redʒɪstrɑ:(r)/ *s* **1** funcionário, -a (*do registo civil, etc.*) **2** (*Educ*) funcionário, -a (*encarregado das matrículas e exames, etc.*)

registration /ˌredʒɪ'streɪʃn/ *s* **1** matrícula **2** inscrição **3** registo **4** chamada (*aula*) **5** (*tb* **registration number**) (número de) matrícula

registry office /'redʒɪstri ɒfɪs; *USA* 'ɔ:fɪs/ (*tb* **register office**) *s* (*GB*) registo civil

regret /rɪ'gret/ *verbo, substantivo*
▸ *vt* (**-tt-**) **1** arrepender-se de **2** (*formal*) lamentar
▸ *s* **1** ~ **(at/about sth)** pesar (por alguma coisa) **2** arrependimento **regretfully** *adv* com pesar, com pena **regrettable** *adj* lamentável **regrettably** *adv* lamentavelmente

regular /ˈregjələ(r)/ *adjetivo, substantivo*
▸ *adj* **1** regular: *to take regular exercise* fazer exercício com regularidade **2** habitual **3** (*esp USA*) de tamanho normal LOC **on a regular basis** com regularidade
▸ *s* cliente habitual **regularity** /ˌregjuˈlærəti/ *s* regularidade

regularly /ˈregjələli/ *adv* **1** regularmente **2** com regularidade

regulate /ˈregjuleɪt/ *vt* **1** regular **2** (*Jur*) regulamentar

regulation /ˌregjuˈleɪʃn/ *s* **1** [*ger pl*] norma: *safety regulations* normas de segurança **2** regulação

rehabilitate /ˌriːəˈbɪlɪteɪt/ *vt* reabilitar **rehabilitation** *s* reabilitação

rehearsal /rɪˈhɜːsl/ *s* ensaio: *a dress rehearsal* um ensaio geral

rehearse /rɪˈhɜːs/ *vt, vi* ~ **(sth/for sth)** ensaiar (alguma coisa/para alguma coisa)

reign /reɪn/ *substantivo, verbo*
▸ *s* reinado
▸ *vi* **1** reinar: *to reign over a country* reinar num país **2** *the reigning champion* o atual campeão

reimburse /ˌriːɪmˈbɜːs/ *vt* ~ **sb (for sth)** (*formal*) reembolsar alguém (por alguma coisa)

rein /reɪn/ *s* rédea

reindeer /ˈreɪndɪə(r)/ *s* (*pl* **reindeer**) rena

reinforce /ˌriːɪnˈfɔːs/ *vt* reforçar **reinforcement** *s* **1 reinforcements** [*pl*] (*Mil*) reforços **2** reforço, consolidação

reinstate /ˌriːɪnˈsteɪt/ *vt* ~ **sb/sth (in/as sth)** readmitir alguém/alguma coisa (em/como alguma coisa)

reject *verbo, substantivo*
▸ *vt* /rɪˈdʒekt/ rejeitar
▸ *s* /ˈriːdʒekt/ **1** (artigo de) refugo **2** rejeitado, -a, marginalizado, -a

rejection /rɪˈdʒekʃn/ *s* rejeição

rejoice /rɪˈdʒɔɪs/ *vi* ~ **(at/in/over sth)** (*formal*) alegrar-se, ficar extremamente contente (com alguma coisa)

rejoin /ˌriːˈdʒɔɪn/ *vt* **1** reincorporar-se a **2** voltar a juntar-se a

relapse *substantivo, verbo*
▸ *s* /rɪˈlæps, ˈriːlæps/ recaída
▸ *vi* /rɪˈlæps/ ~ **(into sth)** recair (em alguma coisa)

relate /rɪˈleɪt/ **1** *vt* ~ **sth to/with sth** relacionar alguma coisa com alguma coisa **2** *vt* ~ **sth (to sb)** (*formal*) relatar alguma coisa (a alguém) PHR V **relate to sth/sb 1** estar relacionado com alguma coisa/alguém **2** identificar-se com alguma coisa/alguém

related /rɪˈleɪtɪd/ *adj* **1** ~ **(to sth/sb)** relacionado (com alguma coisa/alguém) **2** ~ **(to sb)** parente (de alguém): *to be related by marriage* ser parente por afinidade

relation /rɪˈleɪʃn/ *s* **1** ~ **(to sth/between...)** relação (com alguma coisa/entre...) *Ver tb* PUBLIC RELATIONS **2** parente **3** parentesco: *What relation are you?* Qual é o vosso parentesco? ◇ *Is he any relation (to you)?* É da tua família? LOC **in/with relation to sth** (*formal*) com relação a alguma coisa *Ver tb* BEAR

relationship /rɪˈleɪʃnʃɪp/ *s* **1** ~ **(between A and B)**; ~ **(of A to/with B)** relação entre A e B **2** relação (*sentimental ou sexual*) **3** (relação de) parentesco

relative /ˈrelətɪv/ *substantivo, adjetivo*
▸ *s* parente
▸ *adj* relativo **relatively** *adv* relativamente

relax /rɪˈlæks/ **1** *vt, vi* relaxar, descon-trair(-se) **2** *vt* moderar **relaxation** /ˌriːlækˈseɪʃn/ *s* **1** relaxamento **2** descontração **3** passatempo

relaxed /rɪˈlækst/ *adj* descontraído, relaxado *Ver tb* RELAX

relaxing /rɪˈlæksɪŋ/ *adj* relaxante

relay *substantivo, verbo*
▸ *s* /ˈriːleɪ/ **1** (*tb* **relay race**) corrida de estafetas **2** turno (*grupo de pessoas, etc.*)
▸ *vt* /ˈriːleɪ, rɪˈleɪ/ (*pt, pp* **relayed**) (re)transmitir

release /rɪˈliːs/ *verbo, substantivo*
▸ *vt* **1** libertar **2** pôr em liberdade **3** soltar: *to release your grip on sb* soltar alguém **4** (*notícia*) dar (a conhecer) **5** (*livro, produto*) lançar **6** (*filme*) estrear
▸ *s* **1** libertação **2** lançamento (*de livro, etc.*) **3** (*filme*) estreia: *The film is on general release.* O filme estreou em todo o lado. **4** (*produto*) novidade

relegate /ˈrelɪgeɪt/ *vt* **1** relegar **2** (*Desp*): *to be relegated* descer de divisão **relegation** *s* **1** relegação **2** (*Desp*) descida de divisão

relent /rɪˈlent/ *vi* ceder **relentless** *adj* **1** implacável **2** (*ambição*) constante

relevance /ˈreləvəns/ *s* relevância

relevant /ˈreləvənt/ *adj* relevante

reliability /rɪˌlaɪəˈbɪləti/ *s* fiabilidade

reliable /rɪˈlaɪəbl/ *adj* **1** (*pessoa*) de confiança **2** (*método, sistema*) seguro **3** (*dados*) fidedigno **4** (*fonte*) fidedigno, seguro

reliance /rɪˈlaɪəns/ *s* ~ **on/upon sb/sth** dependência de alguém/alguma coisa, confiança em alguém/alguma coisa

relic /ˈrelɪk/ *s* relíquia

R

relief /rɪˈli:f/ *s* **1** alívio: *much to my relief* para grande alívio meu **2** ajuda, auxílio **3** (*pessoa*) substituto, -a **4** (*Arte, Geog*) relevo

relieve /rɪˈli:v/ *vt* **1** aliviar **2** ~ **yourself** fazer as necessidades **3** revezar PHR V **relieve sb of sth** tirar alguma coisa a alguém

religion /rɪˈlɪdʒən/ *s* religião

religious /rɪˈlɪdʒəs/ *adj* religioso

relinquish /rɪˈlɪŋkwɪʃ/ *vt* (*formal*) **1** ~ **sth (to sb)** renunciar a alguma coisa (a favor de alguém) **2** desistir de ❶ A expressão mais comum é **give sth up**.

relish /ˈrelɪʃ/ *substantivo, verbo*
▸ *s* **1** ~ **(for sth)** gosto (por alguma coisa) **2** tipo de molho para carne, queijo, etc.
▸ *vt* gostar de, apreciar

reluctance /rɪˈlʌktəns/ *s* relutância

reluctant /rɪˈlʌktənt/ *adj* ~ **(to do sth)** relutante (em fazer alguma coisa) **reluctantly** *adv* relutantemente, de má vontade

rely /rɪˈlaɪ/ *v* (*pt, pp* **relied**) PHR V **rely on/upon sb/sth 1** depender de alguém/alguma coisa **2** contar com alguém/alguma coisa, confiar em alguém/alguma coisa

remain /rɪˈmeɪn/ *vi* (*formal*) **1** (*continuar*) permanecer, continuar a ser **2** ficar ❶ A palavra mais comum é **stay**.

remainder /rɪˈmeɪndə(r)/ *s* [*sing*] (*Mat, etc.*) resto

remaining /rɪˈmeɪnɪŋ/ *adj* remanescente

remains /rɪˈmeɪnz/ *s* [*pl*] **1** restos **2** ruínas

remand /rɪˈmɑ:nd; *USA* -ˈmænd/ *verbo, substantivo*
▸ *vt*: *to remand sb in custody* ordenar a prisão preventiva de alguém ◇ *to remand sb on bail* pôr alguém em liberdade sob fiança
▸ *s* custódia LOC **on remand** sob prisão preventiva

remark /rɪˈmɑ:k/ *verbo, substantivo*
▸ *vt* comentar, observar PHR V **remark on/upon sth/sb** fazer um comentário sobre alguma coisa/alguém
▸ *s* comentário

remarkable /rɪˈmɑ:kəbl/ *adj* **1** extraordinário **2** ~ **(for sth)** notável (por alguma coisa)

remedial /rɪˈmi:diəl/ *adj* **1** (*ação, medidas*) corretivo, remediador **2** (*aulas*) de apoio pedagógico acrescido

remedy /ˈremədi/ *substantivo, verbo*
▸ *s* (*pl* **remedies**) remédio
▸ *vt* (*pt, pp* **-died**) remediar

remember /rɪˈmembə(r)/ *vt, vi* lembrar-se (de): *as far as I remember* que eu me lembre ◇ *Remember that we have visitors tonight.* Não te esqueças de que temos visitas esta noite. ◇ *Remember to phone your mother.* Não te esqueças de telefonar à tua mãe.

Remember varia de significado conforme é usado com o infinitivo ou com a forma em **-ing**. Quando é seguido do infinitivo, refere-se a uma ação que ainda não se realizou: *Remember to post that letter.* Não te esqueças de enviar aquela carta. Quando é seguido de uma forma em **-ing**, refere-se a uma ação que já teve lugar: *I remember posting that letter.* Lembro-me de ter enviado aquela carta.

➲ *Comparar com* REMIND PHR V **remember sb to sb** dar lembranças de alguém a alguém: *Remember me to Anna.* Dá lembranças minhas à Anna. **remembrance** /rɪˈmembrəns/ *s* **1** comemoração **2** recordação

Remembrance Sunday (*tb* Remembrance Day) *s*

Remembrance Sunday celebra-se na Grã-Bretanha, no domingo mais próximo do dia 11 de Novembro. Nesse dia presta-se homenagem a todos os que morreram na guerra, especialmente nas duas guerras mundiais. Usam-se papoilas de papel na lapela e celebram-se serviços religiosos.

remind /rɪˈmaɪnd/ *vt* ~ **sb (about/of sth)**; ~ **sb (to do sth)** lembrar alguém (de alguma coisa/de fazer alguma coisa): *Remind me to phone my mother.* Lembra-me de telefonar à minha mãe. ➲ *Comparar com* REMEMBER PHR V **remind sb of sb/sth** lembrar, recordar alguém de alguém/alguma coisa

A construção **remind sb of sb/sth** utiliza-se quando uma coisa ou uma pessoa fazem lembrar alguma coisa ou alguém: *Your brother reminds me of John.* O teu irmão faz-me lembrar o John. ◇ *That song reminds me of my first girlfriend.* Essa canção lembra-me a minha primeira namorada.

reminder *s* **1** lembrete (*coisa ou sinal*) **2** aviso

reminisce /ˌremɪˈnɪs/ *vi* ~ **(about sth/sb)** relembrar (alguma coisa/alguém)

reminiscence /ˌremɪˈnɪsns/ *s* reminiscência, evocação

reminiscent /ˌremɪˈnɪsnt/ *adj* ~ **of sb/sth** que faz lembrar alguém/alguma coisa, evocativo de alguém/alguma coisa

remnant /ˈremnənt/ *s* **1** resto **2** vestígio **3** retalho (*tecido*)

remorse /rɪˈmɔːs/ *s [não-contável]* ~ **(for sth)** remorso(s) (por alguma coisa) **remorseless** *adj* **1** sem piedade **2** implacável

remote /rɪˈməʊt/ *adjetivo, substantivo*
▸ *adj* **(remoter, -est) 1** remoto, afastado, distante **2** *(pessoa)* distante **3** *(possibilidade)* remoto
▸ *s (coloq) (tb* **remote control***)* controlo remoto **remotely** *adv* remotamente: *I'm not remotely interested.* Não estou nada interessado.

removable /rɪˈmuːvəbl/ *adj* removível

removal /rɪˈmuːvl/ *s* **1** remoção **2** mudança

remove /rɪˈmuːv/ *vt* **1** ~ **sth (from sth)** tirar alguma coisa (de alguma coisa): *to remove your coat* tirar o casaco ❶ É mais comum dizer-se **take sth off**, **take sth out**, etc. **2** *(obstáculos, dúvidas, etc.)* eliminar **3** ~ **sb (from sth)** remover, depor alguém (de alguma coisa)

the Renaissance /rɪˈneɪsns; *USA* ˈrenəsɑːns/ *s* o Renascimento

render /ˈrendə(r)/ *vt (formal)* **1** deixar, tornar: *She was rendered speechless.* Ficou estupefacta. **2** *(serviço, homenagem, etc.)* prestar **3** *(Mús, Arte)* interpretar

rendezvous /ˈrɒndɪvuː, -deɪ-/ *s (pl* **rendezvous** /-vuːz/*)* **1** encontro **2** ponto de encontro

renew /rɪˈnjuː; *USA* -ˈnuː/ *vt* **1** renovar **2** *(ataque, negociações)* retomar **3** *(relação pessoal)* reatar **4** reafirmar **renewable** *adj* renovável **renewal** *s* renovação

renounce /rɪˈnaʊns/ *vt (formal)* renunciar a: *He renounced his right to be king.* Renunciou ao direito ao trono.

renovate /ˈrenəveɪt/ *vt* restaurar **renovation** *s* restauro *(em edifícios, etc.)*

renowned /rɪˈnaʊnd/ *adj* ~ **(as/for sth)** célebre (como/por alguma coisa)

rent /rent/ *substantivo, verbo*
▸ *s* aluguer, renda **LOC for rent** *(esp USA)* aluga(m)-se, arrenda(m)-se ➲ *Ver nota em* ALUGAR
▸ *vt* **1** ~ **sth (from sb)** alugar, arrendar alguma coisa (de alguém): *I rent the garage from a neighbour.* Arrendo a garagem de um vizinho. **2** ~ **sth (out) (to sb)** alugar, arrendar alguma coisa (a alguém): *We rented out the house to some students.* Alugámos a casa a uns estudantes. **rental** *s* aluguer *(carros, DVDs, etc.)*

reorganize, -ise /ˌriˈɔːgənaɪz/ *vt, vi* reorganizar(-se)

rep /rep/ *s (coloq) Ver* REPRESENTATIVE

repair /rɪˈpeə(r)/ *verbo, substantivo*
▸ *vt* **1** reparar **2** remediar
▸ *s* reparação: *It's beyond repair.* Não tem conserto. **LOC in a good state of/in good repair** em bom estado (de conservação)

repay /rɪˈpeɪ/ *vt (pt, pp* **repaid***)* **1** *(dinheiro)* devolver **2** *(pessoa)* reembolsar **3** *(empréstimo, dívida)* pagar, amortizar **4** *(amabilidade, favor)* retribuir **repayment** *s* **1** reembolso, devolução **2** *(quantidade)* pagamento

repeat /rɪˈpiːt/ *verbo, substantivo*
▸ **1** *vt, vi* repetir(-se) **2** *vt (segredo, confidência)* contar
▸ *s* repetição

repeated /rɪˈpiːtɪd/ *adj* **1** repetido **2** reiterado

repeatedly /rɪˈpiːtɪdli/ *adv* repetidamente, em várias ocasiões

repel /rɪˈpel/ *vt* **(-ll-) 1** *(formal)* repelir **2** repugnar

repellent /rɪˈpelənt/ *adjetivo, substantivo*
▸ *adj* ~ **(to sb)** *(formal)* repugnante (para alguém)
▸ *s (tb* **insect repellent***)* repelente de insectos

repent /rɪˈpent/ *vt, vi* ~ **(of) sth** arrepender-se de alguma coisa **repentance** *s* arrependimento

repercussion /ˌriːpəˈkʌʃn/ *s [ger pl]* repercussão

repertoire /ˈrepətwɑː(r)/ *s* repertório *(de um músico, ator, etc.)*

repetition /ˌrepəˈtɪʃn/ *s* repetição **repetitive** /rɪˈpetətɪv/ *adj* repetitivo

replace /rɪˈpleɪs/ *vt* **1** ~ **sb/sth (with sb/sth)** substituir alguém/alguma coisa (por alguém/alguma coisa): *to replace a broken window* substituir o vidro partido de janela **2** repor, voltar a pôr no lugar **replacement** *s* **1** substituição **2** *(pessoa)* substituto, -a **3** *(peça)* substituto

replay /ˈriːpleɪ/ *s* **1** jogo de desempate **2** *(TV)* repetição: *instant replay* repetição (imediata)

reply /rɪˈplaɪ/ *verbo, substantivo*
▸ *vi (pt, pp* **replied***)* responder, replicar
▸ *s (pl* **replies***)* resposta, réplica

report /rɪˈpɔːt/ *verbo, substantivo*
▸ **1** *vt* informar sobre, relatar **2** *vi* ~ **(on sth)** *(TV, Rádio)* cobrir, noticiar alguma coisa, fazer reportagem (sobre alguma coisa) **3** *vt (crime, culpado)* denunciar **4** *vi* ~ **(for sth)** *(trabalho, etc.)* apresentar-se (a/para alguma coisa): *to report sick* informar que se vai faltar (ao trabalho, etc.) por doença **PHR V report to sb** ser responsável perante alguém
▸ *s* **1** relatório **2** notícia **3** *(Jornal)* reportagem **4** caderneta escolar **reportedly** *adv* supostamente **reporter** *s* repórter

R

represent /ˌreprɪˈzent/ *vt* **1** representar **2** descrever **representation** *s* representação

representative /ˌreprɪˈzentətɪv/ *adjetivo, substantivo*
▸ *adj* representativo
▸ *s* **1** representante: *sales representative* representante de vendas **2 Representative** (*abrev* **Rep.**) (*USA*) (*Pol*) deputado, -a ➲ *Ver nota em* CONGRESS

repress /rɪˈpres/ *vt* **1** reprimir **2** conter **repression** *s* repressão **repressive** *adj* repressivo

reprieve /rɪˈpriːv/ *s* **1** indulto **2** adiamento

reprimand /ˈreprɪmɑːnd; *USA* -mænd/ *verbo, substantivo*
▸ *vt* ~ **sb (for sth)** (*formal*) repreender a alguém (por alguma coisa)
▸ *s* (*formal*) reprimenda

reprisal /rɪˈpraɪzl/ *s* represália

reproach /rɪˈprəʊtʃ/ *verbo, substantivo*
▸ *vt* ~ **sb (for/with sth)** (*formal*) repreender alguém (por alguma coisa)
▸ *s* (*formal*) repreensão LOC **above/beyond reproach** irrepreensível

reproduce /ˌriːprəˈdjuːs; *USA* -ˈduːs/ *vt, vi* reproduzir(-se) **reproduction** /ˌriːprəˈdʌkʃn/ *s* reprodução **reproductive** *adj* reprodutor

reptile /ˈreptaɪl; *USA* -tl/ *s* réptil

republic /rɪˈpʌblɪk/ *s* república **republican** *adj, s* republicano

repugnant /rɪˈpʌgnənt/ *adj* (*formal*) repugnante

repulsive /rɪˈpʌlsɪv/ *adj* repulsivo

reputable /ˈrepjətəbl/ *adj* **1** (*pessoa*) com boa reputação, de confiança **2** (*empresa*) acreditado, de renome

reputation /ˌrepjuˈteɪʃn/ *s* ~ **(for sth/doing sth)** reputação, fama (de alguma coisa/fazer alguma coisa)

repute /rɪˈpjuːt/ *s* (*formal*) reputação, fama **reputed** *adj* suposto: *He is reputed to be…* Tem fama de ser…/Dizem que é… ◇ *She sold her house for a reputed £1 million.* Vendeu a casa por um milhão de libras, segundo consta. **reputedly** *adv* segundo se diz

request /rɪˈkwest/ *substantivo, verbo*
▸ *s* ~ **(for sth)** pedido (de alguma coisa): *to make a request for sth* pedir alguma coisa
▸ *vt* ~ **sth (from sb)** (*formal*) solicitar alguma coisa (a alguém): *We request that passengers remain seated.* Solicitamos aos senhores passageiros que permaneçam sentados.
ℹ A expressão mais comum é **ask for sth**.

require /rɪˈkwaɪə(r)/ *vt* (*formal*) **1** requerer **2** necessitar ℹ A palavra mais comum é **need**. **3** ~ **sb to do sth** exigir que alguém faça alguma coisa

requirement /rɪˈkwaɪəmənt/ *s* **1** necessidade **2** requisito

resat *pt, pp de* RESIT

rescue /ˈreskjuː/ *verbo, substantivo*
▸ *vt* ~ **sb/sth (from sb/sth)** resgatar, salvar alguém/alguma coisa (de alguém/alguma coisa)
▸ *s* salvamento, resgate: *rescue operation/team* operação/equipa de salvamento LOC **come/go to sb's rescue** vir/ir em socorro de alguém **rescuer** *s* salvador, -ora

research /rɪˈsɜːtʃ, ˈriːsɜːtʃ/ *substantivo, verbo*
▸ *s* [*não-contável*] ~ **(into/on sth/sb)** pesquisa (sobre alguma coisa/alguém)
▸ *vt, vi* ~ **(into/in/on) sth** pesquisar alguma coisa, fazer investigação sobre alguma coisa **researcher** *s* investigador, -ora

resemblance /rɪˈzembləns/ *s* parecença LOC *Ver* BEAR²

resemble /rɪˈzembl/ *vt* parecer(-se com)

resent /rɪˈzent/ *vt* ressentir-se com/de **resentful** *adj* **1** ~ **(of/at/about sth)** ressentido (com/por alguma coisa) **2** (*olhar, etc.*) de ressentimento **resentment** *s* ressentimento

reservation /ˌrezəˈveɪʃn/ *s* **1** reserva **2** (*dúvida*) reserva: *I have reservations on that subject.* Tenho algumas reservas quanto a essa questão.

reserve /rɪˈzɜːv/ *verbo, substantivo*
▸ *vt* **1** reservar **2** (*direito*) reservar-se
▸ *s* **1** reserva **2** (*área protegida*) reserva: *nature/game reserve* reserva natural/de caça **3 reserves** [*pl*] (*Mil*) (tropas da) reserva LOC **in reserve** de reserva **reserved** *adj* reservado

reservoir /ˈrezəvwɑː(r)/ *s* **1** reservatório, albufeira **2** (*formal*) (*fig*) repositório

reshuffle /ˈriːʃʌfl/ *s* remodelação: *cabinet reshuffle* reforma ministerial

reside /rɪˈzaɪd/ *vi* (*formal*) residir

residence /ˈrezɪdəns/ *s* (*formal*) residência, mansão: *hall of residence* residência universitária

resident /ˈrezɪdənt/ *substantivo, adjetivo*
▸ *s* **1** residente **2** (*hotel*) hóspede
▸ *adj* residente: *to be resident abroad* residir no estrangeiro **residential** /ˌrezɪˈdenʃl/ *adj* **1** (*zona*) residencial **2** (*curso, etc.*) com alojamento incluído

residue /ˈrezɪdjuː; *USA* -duː/ *s* resíduo

resign /rɪˈzaɪn/ **1** *vi* ~ **(from/as sth)** demitir-se (de alguma coisa) **2** *vt* renunciar a

PHR V **resign yourself to sth** resignar-se a/com alguma coisa **resignation** /ˌrezɪɡˈneɪʃn/ *s* **1** demissão **2** resignação

resilience /rɪˈzɪliəns/ *s* **1** elasticidade **2** resistência, capacidade de recuperação

resilient /rɪˈzɪliənt/ *adj* **1** (*material*) elástico **2** (*pessoa*) resistente

resist /rɪˈzɪst/ **1** *vt, vi* resistir (a): *I had to buy it, I couldn't resist it.* Tive de o comprar, não pude resistir. **2** *vt* (*pressão, reforma*) opor-se a, oferecer resistência a

resistance /rɪˈzɪstəns/ *s* ~ **(to sb/sth)** resistência (a alguém/alguma coisa): *He didn't put up/offer much resistance.* Não ofereceu grande resistência. ◇ *the body's resistance to diseases* a resistência do corpo às doenças **resistant** *adj* ~ **(to sth)** resistente (a alguma coisa)

resit *verbo, substantivo*
▸ *vt* /ˌriːˈsɪt/ (**-tt-**) (*pt, pp* **resat** /ˌriːˈsæt/) refazer (*exames, provas, etc.*)
▸ *s* /ˈriːsɪt/ exame/prova de recuperação

resolute /ˈrezəluːt/ *adj* resoluto, resolvido ❶ A palavra mais comum é **determined**. **resolutely** *adv* **1** com firmeza **2** resolutamente

resolution /ˌrezəˈluːʃn/ *s* **1** resolução **2** propósito: *New Year's resolutions* resoluções de Ano Novo

resolve /rɪˈzɒlv/ (*formal*) **1** *vt* (*disputa, crise, etc.*) resolver **2** *vi* ~ **to do sth** resolver fazer alguma coisa **3** *vi* decidir: *The senate resolved that...* O senado decidiu que...

resort /rɪˈzɔːt/ *substantivo, verbo*
▸ *s*: *a seaside/ski resort* uma estância balnear/de esqui LOC *Ver* LAST
▸ *v* PHR V **resort to sth** recorrer a alguma coisa: *to resort to violence* recorrer à violência

resounding /rɪˈzaʊndɪŋ/ *adj* retumbante: *a resounding success* um êxito retumbante

resource /rɪˈsɔːs, rɪˈzɔːs; *USA* ˈriːsɔːrs/ *s* recurso **resourceful** *adj* desembaraçado, engenhoso: *She is very resourceful.* É muito desembaraçada.

respect /rɪˈspekt/ *substantivo, verbo*
▸ *s* **1** ~ **(for sb/sth)** respeito, consideração (por alguém/alguma coisa) **2** aspeto: *in this respect* neste aspeto LOC **with respect to sth** (*formal*) no que respeita a alguma coisa
▸ *vt* ~ **sb/sth (for sth)** respeitar alguém/alguma coisa (por alguma coisa)

respectable /rɪˈspektəbl/ *adj* **1** respeitável, decente **2** (*resultado, quantidade*) considerável

respectful /rɪˈspektfl/ *adj* respeitoso

respective /rɪˈspektɪv/ *adj* respetivo: *They all got on with their respective jobs.* Cada um continuou com o respetivo trabalho.

respite /ˈrespaɪt; *USA* ˈrespɪt/ *s* **1** descanso, pausa **2** prolongamento (de prazo)

respond /rɪˈspɒnd/ *vi* **1** (*formal*) responder: *I wrote to them last week but they haven't responded.* Escrevi-lhes na semana passada mas não me responderam. ❶ Para *responder*, **answer** e **reply** são palavras mais comuns. **2** ~ **(to sth)** responder (a alguma coisa): *The patient is responding to treatment.* O doente está a responder bem ao tratamento.

response /rɪˈspɒns/ *s* ~ **(to sb/sth) 1** resposta (a alguém/alguma coisa): *In response to your inquiry...* Em resposta à sua pergunta... **2** reação (a alguém/alguma coisa)

responsibility /rɪˌspɒnsəˈbɪləti/ *s* (*pl* **responsibilities**) ~ **(for sth/sb)**; ~ **(to/towards sb)** responsabilidade (por alguma coisa/alguém), responsabilidade (perante alguém): *to take full responsibility for sth* assumir toda a responsabilidade por alguma coisa

responsible /rɪˈspɒnsəbl/ *adj* ~ **(for sb/sth/doing sth)**; ~ **(to sb/sth)** responsável (por alguém/alguma coisa/fazer alguma coisa), responsável (perante alguém/alguma coisa): *She's responsible for five patients.* Tem a seu cargo cinco doentes. ◇ *to act in a responsible way* portar-se de forma responsável

responsive /rɪˈspɒnsɪv/ *adj* **1** ~ **(to sth/sb)** sensível (a alguma coisa/alguém) **2** recetivo: *a responsive audience* um público recetivo

rest /rest/ *verbo, substantivo*
▸ **1** *vt, vi* descansar **2** *vt, vi* ~ **(sth) on/against sth** apoiar alguma coisa, apoiar-se contra alguma coisa **3** *vi* encerrar: *to let the matter rest* encerrar o assunto
▸ *s* **1** [*sing*] **the** ~ **(of sth)** o resto (de alguma coisa) **2 the rest** [*pl*] os/as restantes, os outros, as outras: *the rest of the players* os restantes jogadores **3** descanso: *to have a rest/get some rest* descansar LOC **at rest 1** em sossego, em paz **2** em repouso ◆ **come to rest** parar *Ver tb* MIND

restaurant /ˈrestrɒnt; *USA* -tərɒnt/ *s* restaurante

restful /ˈrestfl/ *adj* repousante, tranquilo

restless /ˈrestləs/ *adj* **1** inquieto, agitado: *to become/grow restless* ficar agitado **3** *to have a restless night* passar uma noite agitada

restoration /ˌrestəˈreɪʃn/ *s* **1** devolução **2** restauração **3** restabelecimento

restore /rɪˈstɔː(r)/ *vt* **1** (*ordem, paz*) restabelecer **2** ~ **sb/sth to sth** (*condição anterior*) devolver alguém/alguma coisa a alguma coisa **3** (*edifício, obra de arte*) restaurar **4** ~ **sth (to sb/sth)**

R

(*formal*) restituir alguma coisa (a alguém/ alguma coisa) **5** (*monarquia*) restaurar

restrain /rɪˈstreɪn/ *vt* **1** ~ **sb/sth (from sth/doing sth)** impedir alguém/alguma coisa (de fazer alguma coisa) **2** (*pessoa, inflação, etc.*) conter **3** ~ **yourself** conter-se **restrained** *adj* moderado, comedido

restraint /rɪˈstreɪnt/ *s* **1** [*ger pl*] ~ **(on sb/sth)** restrição (sobre alguém/alguma coisa) **2** moderação **3** comedimento

restrict /rɪˈstrɪkt/ *vt* restringir

restricted /rɪˈstrɪktɪd/ *adj* ~ **(to sth)** restrito (a alguma coisa)

restriction /rɪˈstrɪkʃn/ *s* restrição

restrictive /rɪˈstrɪktɪv/ *adj* restritivo, severo

restroom /ˈrestruːm, -rʊm/ *s* (*USA*) casa de banho (pública) ➲ *Ver nota em* TOILET

result /rɪˈzʌlt/ *substantivo, verbo*
- ▸ *s* resultado: *As a result of...* Em consequência de...
- ▸ *vi* ~ **(from sth)** ser o resultado (de alguma coisa) PHR V **result in sth** resultar em alguma coisa

resume /rɪˈzjuːm; *USA* -ˈzuːm/ (*formal*) *vt, vi* retomar **resumption** /rɪˈzʌmpʃn/ *s* (*formal*) retomada

resurgence /rɪˈsɜːdʒəns/ *s* ressurgimento

resurrect /ˌrezəˈrekt/ *vt* **1** ressuscitar **2** (*tradição, etc.*) recuperar **resurrection** *s* ressurreição

resuscitate /rɪˈsʌsɪteɪt/ *vt* reanimar **resuscitation** *s* reanimação

retail /ˈriːteɪl/ *substantivo, verbo*
- ▸ *s* venda a retalho: *retail price* preço de retalho
- ▸ *vt, vi* vender(-se) ao público **retailer** *s* retalhista

retain /rɪˈteɪn/ *vt* (*formal*) **1** ficar com **2** conservar **3** reter: *I find it difficult to retain so much new vocabulary.* Acho difícil guardar tanto vocabulário novo na memória.

retake *verbo, substantivo*
- ▸ *vt* /ˌriːˈteɪk/ (*pt* **retook** /ˌriːˈtʊk/, *pp* **retaken** /ˌriːˈteɪkən/) **1** recuperar o controle de **2** refazer (*exames, provas, etc.*)
- ▸ *s* /ˈriːteɪk/ exame/prova de recuperação

retaliate /rɪˈtælieɪt/ *vi* ~ **(against sb/sth)** retaliar (contra alguém/alguma coisa), vingar-se (de alguém/alguma coisa) **retaliation** *s* ~ **(against sb/sth)**; ~ **(for sth)** retaliação (contra alguém/alguma coisa), retaliação (por alguma coisa)

retarded /rɪˈtɑːdɪd/ *adj* (*antiq, ofen*) atrasado

retch /retʃ/ *vi* sentir vómitos

retention /rɪˈtenʃn/ *s* (*formal*) retenção, conservação

rethink /ˌriːˈθɪŋk/ *vt* (*pt, pp* **rethought** /ˌriːˈθɔːt/) reconsiderar, repensar

reticence /ˈretɪsns/ *s* (*formal*) reticência

reticent /ˈretɪsnt/ *adj* ~ **(about sth)** reticente (sobre alguma coisa)

retire /rɪˈtaɪə(r)/ *vi* **1** ~ **(from sth)** reformar(-se) (de alguma coisa) **2** (*formal*) ir dormir

retired /rɪˈtaɪəd/ *adj* reformado

retirement /rɪˈtaɪəmənt/ *s* reforma

retiring /rɪˈtaɪərɪŋ/ *adj* **1** retraído **2** prestes a reformar-se

retook *pt de* RETAKE

retort /rɪˈtɔːt/ *substantivo, verbo*
- ▸ *s* réplica
- ▸ *vt* replicar

retrace /rɪˈtreɪs/ *vt* refazer (*caminho*): *to retrace your steps* voltar pelo mesmo caminho

retract /rɪˈtrækt/ **1** *vt* (*formal*) (*declaração*) retratar-se de **2** *vt* (*formal*) (*promessa, etc.*) retirar **3** *vt, vi* (*garras, unhas, etc.*) encolher(-se)

retreat /rɪˈtriːt/ *verbo, substantivo*
- ▸ *vi* **1** bater em retirada **2** retirar-se
- ▸ *s* **1** retirada **2** retiro **3** refúgio

retrial /ˌriːˈtraɪəl, ˈriːtraɪəl/ *s* novo julgamento

retribution /ˌretrɪˈbjuːʃn/ *s* (*formal*) **1** castigo merecido **2** desforra, vingança

retrieval /rɪˈtriːvl/ *s* (*formal*) recuperação

retrieve /rɪˈtriːv/ *vt* **1** (*formal*) recuperar **2** (*Informát*) aceder **3** (*cão de caça*) ir buscar (*o animal morto*) **retriever** *s* perdigueiro

retrograde /ˈretrəgreɪd/ *adj* (*formal, pej*) retrógrado

retrospect /ˈretrəspekt/ *s* LOC **in retrospect** a posteriori, retrospetivamente

retrospective /ˌretrəˈspektɪv/ *adjetivo, substantivo*
- ▸ *adj* **1** retrospetivo **2** retroativo
- ▸ *s* retrospetiva

return /rɪˈtɜːn/ *verbo, substantivo*
- ▸ **1** *vi* regressar, voltar **2** *vt* devolver **3** *vi* (*sintoma*) reaparecer **4** *vt* (*formal*) declarar, pronunciar: *The jury returned a verdict of not guilty.* O júri pronunciou o veredicto de inocência. **5** *vt* (*Pol*) eleger
- ▸ *s* **1** regresso, volta: *on the return journey* na viagem de regresso ◇ *on my return* quando eu regressar **2** [*sing*] ~ **(to sth)** retorno (a alguma coisa) **3** reaparição **4** devolução **5** declaração: *(income) tax return* declaração do IRS

6 ~ **(on sth)** rendimento (de alguma coisa) **7** (*tb* **return ticket**) bilhete de ida e volta LOC **in return (for sth)** em troca (de alguma coisa)

returnable /rɪˈtɜːnəbl/ *adj* **1** (*formal*) (*dinheiro*) reembolsável **2** (*embalagem*) com retorno

reunion /riːˈjuːniən/ *s* reencontro, reunião (*social*)

reunite /ˌriːjuːˈnaɪt/ *vt, vi* **1** reunir(-se), reencontrar(-se) **2** reconciliar(-se)

reuse /ˌriːˈjuːz/ *vt* reutilizar **reusable** *adj* reutilizável

rev /rev/ *substantivo, verbo*
▸ *s* (*coloq*) rotação (*de motor*)
▸ *v* (**-vv-**) PHR V **rev (sth) up** acelerar (alguma coisa)

revaluation /ˌriːvæljuˈeɪʃn/ *s* reavaliação, revalorização

revalue /ˌriːˈvæljuː/ *vt* **1** (*propriedade, etc.*) reavaliar **2** (*moeda*) revalorizar

revamp *verbo, substantivo*
▸ *vt* /ˌriːˈvæmp/ modernizar
▸ *s* /ˈriːvæmp/ [*sing*] renovação

reveal /rɪˈviːl/ *vt* **1** (*segredos, dados, etc.*) revelar **2** mostrar **revealing** *adj* **1** revelador **2** (*roupa*) ousado

revel /ˈrevl/ *vi* (**-ll-**, *USA* **-l-**) PHR V **revel in sth** deliciar-se com alguma coisa

revelation /ˌrevəˈleɪʃn/ *s* revelação

revenge /rɪˈvendʒ/ *substantivo, verbo*
▸ *s* vingança LOC **take (your) revenge (on sb)** vingar-se (em/de alguém)
▸ *v* LOC **revenge yourself on sb; be revenged on sb** (*formal*) vingar-se em/de alguém

revenue /ˈrevənjuː; *USA* -nuː/ *s* [*não-contável*] receita(s): *a source of government revenue* uma fonte de receitas para o governo *Ver tb* INLAND REVENUE

reverberate /rɪˈvɜːbəreɪt/ *vi* **1** ecoar **2** (*formal*) (*fig*) repercutir-se **reverberation** *s* **1** [*ger pl*] reverberação **2 reverberations** [*pl*] (*fig*) repercussões

revere /rɪˈvɪə(r)/ *vt* (*formal*) venerar

reverence /ˈrevərəns/ *s* (*formal*) reverência (*veneração*)

reverend /ˈrevərənd/ *adj* (*abrev* **Rev.**) reverendo

reverent /ˈrevərənt/ *adj* (*formal*) reverente

reversal /rɪˈvɜːsl/ *s* **1** mudança (*de política, opinião, etc.*) **2** (*sorte, fortuna*) revés **3** (*Jur*) revogação **4** (*de papéis*) inversão

reverse /rɪˈvɜːs/ *substantivo, verbo*
▸ *s* **1 the reverse** [*sing*] o contrário: *quite the reverse* muito pelo contrário **2** reverso **3** (*folha de papel*) verso **4** (*tb* **reverse gear**) marcha-atrás
▸ **1** *vt* inverter **2** *vt, vi* fazer/ir marcha-atrás **3** *vt* (*decisão*) revogar LOC **reverse (the) charges** fazer uma chamada a pagar no destino

revert /rɪˈvɜːt/ *vi* **1** ~ **to sth** voltar a alguma coisa (*estado, assunto, etc. anterior*) **2** ~ **(to sb/sth)** (*propriedade, etc.*) reverter (para alguém/alguma coisa)

review /rɪˈvjuː/ *substantivo, verbo*
▸ *s* **1** revisão **2** relatório **3** crítica (*de livro, filme, etc.*)
▸ *vt* **1** rever **2** recapitular **3** (*Jornal*) escrever uma crítica de **reviewer** *s* crítico, -a

revise /rɪˈvaɪz/ **1** *vt* rever **2** *vt* modificar **3** *vt, vi* (*USA* **review**) rever (a matéria) (*para exame*): *to revise for a test* fazer a revisão para um teste

revision /rɪˈvɪʒn/ *s* **1** revisão **2** modificação **3** [*não-contável*] (*USA* **review**) revisão (*para exame*): *to do some revision* rever a matéria

revival /rɪˈvaɪvl/ *s* **1** renascimento **2** (*economia*) recuperação **3** (*moda*) ressurgimento **4** (*Teat*) reposição

revive /rɪˈvaɪv/ **1** *vt* (*doente*) reanimar **2** *vi* voltar a si **3** *vt* (*recordações*) reviver **4** *vt, vi* (*economia*) recuperar **5** *vt* (*costume, etc.*) reavivar **6** *vt* (*Teat*) repor (*uma peça*)

revoke /rɪˈvəʊk/ *vt* (*formal*) revogar

revolt /rɪˈvəʊlt/ *verbo, substantivo*
▸ **1** *vi* ~ **(against sb/sth)** revoltar-se (contra alguém/alguma coisa) **2** *vt* repugnar, dar nojo a: *The smell revolted him.* O cheiro dava-lhe nojo.
▸ *s* revolta, levantamento

revolting /rɪˈvəʊltɪŋ/ *adj* repugnante

revolution /ˌrevəˈluːʃn/ *s* revolução **revolutionary** /ˌrevəˈluːʃənəri; *USA* -neri/ *adj, s* (*pl* **revolutionaries**) revolucionário, -a **revolutionize, -ise** *vt* revolucionar

revolve /rɪˈvɒlv/ *vi* girar PHR V **revolve (a)round sb/sth** girar em torno de alguém/alguma coisa

revolver /rɪˈvɒlvə(r)/ *s* revólver

revulsion /rɪˈvʌlʃn/ *s* (*formal*) repugnância

reward /rɪˈwɔːd/ *substantivo, verbo*
▸ *s* recompensa
▸ *vt* ~ **sb (for sth)** recompensar alguém (por alguma coisa) **rewarding** *adj* gratificante

rewrite /ˌriːˈraɪt/ *vt* (*pt* **rewrote** /-ˈrəʊt/, *pp* **rewritten** /-ˈrɪtn/) reescrever

rhetoric /ˈretərɪk/ *s* (*formal*) retórica

R

rheumatism /ˈruːmətɪzəm/ *s* [*não-contável*] reumatismo

rhino /ˈraɪnəʊ/ *s* (*pl* **rhinos**) (*coloq*) rinoceronte

rhinoceros /raɪˈnɒsərəs/ *s* (*pl* **rhinoceros** *ou* **rhinoceroses**) rinoceronte

rhubarb /ˈruːbɑːb/ *s* ruibarbo

rhyme /raɪm/ *substantivo, verbo*
▸ *s* **1** rima **2** (*poema*) versos *Ver tb* NURSERY RHYME
▸ *vt, vi* ~ **(with sth)** rimar (com alguma coisa)

🔑 **rhythm** /ˈrɪðəm/ *s* ritmo

rib /rɪb/ *s* costela

ribbon /ˈrɪbən/ *s* fita LOC **cut, tear, etc. sth to ribbons** fazer alguma coisa em tiras

ribcage /ˈrɪbkeɪdʒ/ *s* caixa torácica

🔑 **rice** /raɪs/ *s* arroz: *brown rice* arroz integral ◇ *rice pudding* arroz-doce ◇ *rice field* arrozal

🔑 **rich** /rɪtʃ/ *adjetivo, substantivo*
▸ *adj* (**richer, -est**) **1** rico: *to become/get rich* enriquecer ◇ *to be rich in sth* ser rico em alguma coisa **2** sumptuoso **3** (*terra*) fértil **4** (*comida*) enjoativo, rico em açúcar ou gordura
▸ *s* **the rich** [*pl*] os ricos **riches** *s* [*pl*] riqueza(s) **richly** *adv* LOC **richly deserve sth** merecer bem alguma coisa

rickety /ˈrɪkəti/ *adj* **1** (*estrutura*) desconjuntado **2** (*móvel*) pouco firme

R

🔑 **rid** /rɪd/ *vt* (*pt, pp* **rid** *part pres* **ridding**) ~ **sb/sth of sb/sth** (*formal*) livrar alguém/alguma coisa de alguém/alguma coisa, eliminar alguma coisa de alguma coisa LOC **get rid of sb/sth** desfazer-se de alguém/alguma coisa

ridden /ˈrɪdn/ *adj* ~ **with sth** atormentado por alguma coisa, cheio de alguma coisa *Ver tb* RIDE

riddle /ˈrɪdl/ *substantivo, verbo*
▸ *s* **1** adivinha, charada **2** mistério, enigma
▸ *vt* crivar (*de balas*) LOC **be riddled with sth** estar repleto/cheio de alguma coisa (*desagradável*)

🔑 **ride** /raɪd/ *verbo, substantivo*
▸ (*pt* **rode** /rəʊd/, *pp* **ridden** /ˈrɪdn/) **1** *vt* (*cavalo*) montar a **2** *vi* montar a cavalo **3** *vt* (*bicicleta, etc.*) andar de: *I usually ride my bike to school.* Normalmente vou de bicicleta para a escola. **4** *vi* (*em veículo*) viajar, ir
▸ *s* **1** (*a cavalo*) passeio **2** (*em veículo*) passeio, volta: *to go for a ride* ir dar uma volta **3** (*USA*) boleia: *to give sb a ride* dar uma boleia a alguém **4** atração (*de parque de diversões*) LOC **take sb for a ride** (*coloq*) vender gato por lebre a alguém

🔑 **rider** /ˈraɪdə(r)/ *s* **1** cavaleiro, amazona **2** ciclista **3** motociclista

ridge /rɪdʒ/ *s* **1** (*montanha*) crista **2** (*telhado*) cumeeira

ridicule /ˈrɪdɪkjuːl/ *substantivo, verbo*
▸ *s* ridículo
▸ *vt* ridicularizar

🔑 **ridiculous** /rɪˈdɪkjələs/ *adj* ridículo, absurdo

🔑 **riding** /ˈraɪdɪŋ/ *s* equitação: *I like riding.* Gosto de montar a cavalo.

rife /raɪf/ *adj* (*pej*) **1** ~ **(with sth)** cheio (de alguma coisa) (*indesejável*) **2** generalizado

rifle /ˈraɪfl/ *s* espingarda

rift /rɪft/ *s* **1** desentendimento, desavença **2** (*Geog*) falha

rig /rɪg/ *verbo, substantivo*
▸ *vt* (**-gg-**) manipular PHR V **rig sth up** montar, armar alguma coisa (*de forma improvisada*)
▸ *s* **1** plataforma petrolífera **2** (*tb* **rigging** /ˈrɪgɪŋ/) cordame

🔑 **right** /raɪt/ *adjetivo, advérbio, substantivo, verbo, interjeição*
▸ *adj* **1** (*pé, mão*) direito **2** correto, certo: *You are quite right.* Tens toda a razão. ◇ *Are these figures right?* Estes números estão corretos? **3** adequado, correto: *Is this the right colour for the curtains?* Achas que é a cor adequada para as cortinas? **4** (*momento*) oportuno **5** justo: *It's not right to pay people so badly.* Não é justo pagar tão mal às pessoas. ◇ *He was right to do that.* Teve razão em agir como agiu. **6** (*GB, coloq, freq pej*) perfeito: *a right fool* um perfeito idiota *Ver tb* ALL RIGHT LOC **get sth right 1** acertar em alguma coisa, fazer alguma coisa bem **2** perceber bem alguma coisa ◆ **put/set sb/sth right** corrigir alguém/alguma coisa, esclarecer alguém/alguma coisa *Ver tb* CUE, PRIORITY, SIDE, TRACK
▸ *adv* **1** à direita: *to turn right* virar à direita **2** bem, corretamente: *Have I spelt your name right?* Escrevi bem o teu nome? **3** exatamente: *right beside you* mesmo ao teu lado **4** completamente: *right to the end* até ao fim **5** imediatamente: *I'll be right back.* Volto já. LOC **right away** imediatamente ◆ **right now** agora mesmo *Ver tb* SERVE
▸ *s* **1** direita: *on the right* à direita **2** bem: *right and wrong* o bem e o mal **3** ~ **(to sth/to do sth)** direito (a alguma coisa/fazer alguma coisa): *human rights* os direitos humanos **4 the Right** [*v sing ou pl*] (*Pol*) a direita LOC **be in the right** ter razão ◆ **by rights** por direito ◆ **in your own right** por mérito próprio
▸ *vt* **1** endireitar **2** corrigir
▸ *interj* **1** está bem **2 right?** certo?: *That's ten pounds each, right?* Cada um custa dez libras, certo?

righteous /ˈraɪtʃəs/ *adj* (*formal*) **1** (*pessoa*) reto, honrado **2** (*indignação*) justificado

rightful /ˈraɪtfl/ *adj* [*só antes de substantivo*] (*formal*) legítimo: *the rightful heir* o herdeiro legítimo

right-hand /ˈraɪt hænd/ *adj* [*só antes de substantivo*] direito, à direita: *on the right-hand side* à mão direita LOC **right-hand man** braço direito

right-handed /ˌraɪt ˈhændɪd/ *adj* destro

rightly /ˈraɪtli/ *adv* corretamente, justificadamente: *rightly or wrongly* com ou sem razão

right wing *s* (*Pol*) direita

right-wing /ˌraɪt ˈwɪŋ/ *adj* de direita

rigid /ˈrɪdʒɪd/ *adj* **1** rígido **2** (*atitude*) inflexível

rigorous /ˈrɪgərəs/ *adj* rigoroso

rigour (*USA* **rigor**) /ˈrɪgə(r)/ *s* rigor

rim /rɪm/ *s* **1** borda **2** (*óculos*) armação **3** jante

rind /raɪnd/ *s* **1** casca (*de queijo, limão*) ➲ *Ver nota em* PEEL **2** couro (*de bacon*)

ring¹ /rɪŋ/ *substantivo, verbo*
▸ *s* **1** anel **2** aro: *nose ring* piercing para o nariz **3** círculo **4** (*tb* **circus ring**) pista (*de circo*) **5** (*tb* **boxing ring**) ringue **6** *Ver* BULLRING
▸ *vt* (*pt, pp* **ringed**) **1** ~ **sb/sth (with sth)** rodear alguém/alguma coisa (de alguma coisa) **2** (*esp pássaro*) anilhar

ring² /rɪŋ/ *verbo, substantivo*
▸ (*pt* **rang** /ræŋ/, *pp* **rung** /rʌŋ/) **1** *vi* soar **2** *vt* (*campainha*) tocar **3** *vi* ~ **(for sb/sth)** tocar a campainha (para chamar alguém/pedir alguma coisa) **4** *vi* (*ouvidos*) zumbir **5** *vt, vi* ~ **(sb/sth) (up)** telefonar (a alguém/alguma coisa) LOC **ring a bell** (*coloq*) ser familiar: *His name rings a bell.* Este nome é-me familiar. PHR V **ring (sb) back** voltar a telefonar (a alguém) ◆ **ring off** desligar
▸ *s* **1** (*campainha*) toque **2** (*sinos*) repique **3** [*sing*] tinido LOC **give sb a ring** (*GB, coloq*) telefonar a alguém

ringleader /ˈrɪŋliːdə(r)/ *s* (*pej*) cabecilha

ring road *s* estrada de circunvalação

ringtone /ˈrɪŋtəʊn/ *s* toque (*esp de telemóvel*)

rink /rɪŋk/ *s* **1** *Ver* ICE RINK **2** *Ver* SKATING RINK

rinse /rɪns/ *verbo, substantivo*
▸ *vt* ~ **sth (out)** enxaguar alguma coisa
▸ *s* **1** lavadela: *I gave the glasses a rinse.* Dei uma lavadela aos copos. **2** enxaguamento

riot /ˈraɪət/ *substantivo, verbo*
▸ *s* distúrbio, motim: *riot police* polícia de choque LOC **run riot** desenfrear-se
▸ *vi* causar distúrbios, amotinar **rioter** *s* desordeiro, -a **rioting** *s* [*não-contável*] distúrbios

riotous *adj* **1** barulhento, tumultuoso (*festa*) **2** (*formal*) (*Jur*) desordeiro

rip /rɪp/ *verbo, substantivo*
▸ *vt, vi* (**-pp-**) rasgar(-se): *to rip sth open* abrir alguma coisa rasgando-a PHR V **rip sb off** (*coloq*) vigarizar alguém ◆ **rip sth off/out**; **rip sth out of sth** arrancar alguma coisa (de alguma coisa) ◆ **rip sth up** rasgar alguma coisa
▸ *s* rasgão

ripe /raɪp/ *adj* **1** (*fruta, queijo*) maduro **2** ~ **(for sth)** pronto (para alguma coisa): *The time is ripe for his return.* Já chegou a altura de ele regressar. **ripen** *vt, vi* amadurecer

rip-off /ˈrɪp ɒf; *USA* ɔːf/ *s* (*coloq*) vigarice, imitação (*pior que o original*)

ripple /ˈrɪpl/ *substantivo, verbo*
▸ *s* **1** ondulação leve, encrespamento **2** ~ **of sth** onda de alguma coisa (*de riso, interesse, etc.*)
▸ *vt, vi* ondular, encrespar(-se)

rise /raɪz/ *verbo, substantivo*
▸ *vi* (*pt* **rose** /rəʊz/, *pp* **risen** /ˈrɪzn/) **1** subir **2** ascender (*a uma situação superior*) **3** (*formal*) (*pessoa*) levantar-se ❶ Neste sentido, a expressão mais comum é **get up**. **4** (*voz*): *Her voice rose.* Ela levantou a voz. **5** (*sol*) nascer **6** (*lua*) surgir **7** ~ **(up) (against sb/sth)** (*formal*) revoltar-se (contra alguém/alguma coisa) **8** (*rio*) nascer **9** (*nível dum rio*) subir
▸ *s* **1** [*sing*] subida, elevação **2** ~ **(in sth)** (*quantidade*) subida, aumento (de alguma coisa) **3** encosta **4** aumento (*salarial*) LOC **give rise to sth** (*formal*) dar origem a alguma coisa

rising /ˈraɪzɪŋ/ *substantivo, adjetivo*
▸ *s* (*Pol*) levantamento
▸ *adj* **1** crescente **2** (*sol*) nascente

risk /rɪsk/ *substantivo, verbo*
▸ *s* ~ **(of sth/that...)** risco (de alguma coisa/de que...) LOC **at risk** em perigo ◆ **run the risk (of sth/doing sth)** correr o risco (de alguma coisa/fazer alguma coisa) ◆ **take a risk**; **take risks** arriscar-se
▸ *vt* **1** arriscar(-se a) **2** ~ **doing sth** expor-se, arriscar-se a fazer alguma coisa LOC **risk life and limb**; **risk your neck** arriscar o pescoço **risky** *adj* (**riskier, -iest**) arriscado

rite /raɪt/ *s* rito

ritual /ˈrɪtʃuəl/ *substantivo, adjetivo*
▸ *s* ritual, rito
▸ *adj* ritual

rival /ˈraɪvl/ *substantivo, adjetivo, verbo*
▸ *s* ~ **(to sb/sth) (for sth)** rival (de alguém/alguma coisa) (para/em alguma coisa)
▸ *adj* rival

R

▸ *vt* (**-ll-**, *USA tb* **-l-**) ~ **sb/sth (for/in sth)** competir com alguém/alguma coisa (em alguma coisa) **rivalry** *s* (*pl* **rivalries**) rivalidade

river /ˈrɪvə(r)/ *s* rio: *river bank* margem (do rio) ➲ *Ver nota em* RIO

riverside /ˈrɪvəsaɪd/ *s* beira (do rio)

rivet /ˈrɪvɪt/ *vt* **1** rebitar **2** (*atrair*) fascinar: *to be riveted by sth* ficar fascinado por alguma coisa **riveting** *adj* fascinante

road /rəʊd/ *s* **1** (*entre cidades*) estrada: *across/over the road* do outro lado da estrada ◇ *road sign* sinal de trânsito ◇ *road safety* segurança nas estradas ◇ *road accident* acidente de viação **2 Road** (*abrev* **Rd**) (*em nomes de ruas*) rua

De notar que quando **road, street, avenue**, etc. surgem depois do nome da rua, escrevem-se com letra maiúscula: *Banbury Road* Rua Banbury. ➲ *Ver tb nota em* RUA

Ver tb RING ROAD LOC **by road** de carro, por estrada ◆ **on the road 1** a viajar **2** (*Mús, Teat, etc.*) em tournée ◆ **on the road to sth** a caminho de alguma coisa

roadblock /ˈrəʊdblɒk/ *s* barreira (policial)

road rage *s* violência no trânsito

roadside /ˈrəʊdsaɪd/ *s* [*sing*] beira/berma da estrada: *roadside café* café à beira da estrada

roadway /ˈrəʊdweɪ/ *s* faixa de rodagem (*de estrada*)

roadworks /ˈrəʊdwɜːks/ *s* [*pl*] (*USA* **roadwork** [*não-contável*]) obras: *There were roadworks on the motorway.* Havia obras na autoestrada.

roam /rəʊm/ *vt, vi* vaguear (por)

roar /rɔː(r)/ *verbo, substantivo*

▸ **1** *vi* (*leão, etc.*) rugir **2** *vi* bramir, bramar: *to roar with laughter* rir-se às gargalhadas **3** *vt* dizer a gritar

▸ *s* **1** (*leão, etc.*) rugido **2** estrondo: *roars of laughter* gargalhadas **roaring** *adj* LOC **do a roaring trade (in sth)** fazer um negócio da China (em alguma coisa)

roast /rəʊst/ *verbo, adjetivo, substantivo*

▸ **1** *vt, vi* (*carne, batatas, etc.*) assar **2** *vt, vi* (*café, etc.*) torrar **3** *vi* (*coloq*) (*pessoa*) queimar-se, tostar-se

▸ *adj, s* assado: *roast beef* carne de vaca assada/rosbife

rob /rɒb/ *vt* (**-bb-**) ~ **sb/sth (of sth)** roubar (alguma coisa) a alguém/alguma coisa

Os verbos **rob, steal** e **burgle** significam "roubar". Utiliza-se **rob** com complementos de pessoa ou lugar: *He robbed me (of all my money).* Roubou-me (o dinheiro todo). Usa-se **steal** quando mencionamos o objeto roubado (de um lugar ou a uma pessoa): *He stole all my money (from me).* Roubou-me o dinheiro todo. **Burgle** (*USA* **burglarize**) refere-se a roubos em casas particulares ou em lojas, normalmente quando os donos estão fora: *The house has been burgled.* A casa foi assaltada.

robber *s* **1** ladrão, ladra **2** (*tb* **bank robber**) assaltante (*de banco*) ➲ *Ver nota em* THIEF

robbery *s* (*pl* **robberies**) **1** roubo **2** (*violento*) assalto ➲ *Ver nota em* THEFT

robe /rəʊb/ *s* **1** (*de cerimónia*) manto, toga **2** *Ver* BATHROBE

robin /ˈrɒbɪn/ *s* pintarroxo

robot /ˈrəʊbɒt/ *s* autómato, robot

robust /rəʊˈbʌst/ *adj* robusto, enérgico

rock /rɒk/ *substantivo, verbo*

▸ *s* **1** rocha: *rock climbing* escalada **2** (*USA*) pedra **3** (*tb* **rock music**) (música) rock LOC **on the rocks 1** em crise **2** (*bebida*) com gelo

▸ **1** *vt, vi* baloiçar: *rocking chair* cadeira de baloiço **2** *vt* (*bebé*) embalar **3** *vi* estremecer, abalar

rock bottom *s* (*coloq*) fundo: *The marriage had reached rock bottom.* O casamento tinha batido no fundo.

rock-bottom /ˌrɒk ˈbɒtəm/ *adj* (*coloq*) muito baixo: *rock-bottom prices* preços muito baixos

rocket /ˈrɒkɪt/ *substantivo, verbo*

▸ *s* foguete

▸ *vi* (*preços, desemprego, etc.*) disparar

rocky /ˈrɒki/ *adj* (**rockier**, **-iest**) **1** rochoso **2** (*situação*) instável

rod /rɒd/ *s* **1** vareta **2** (*tb* **fishing rod**) cana de pesca

rode *pt de* RIDE

rodent /ˈrəʊdnt/ *s* roedor

roe /ˈrəʊ/ *s* ova (*de peixe*)

rogue /rəʊg/ *s* **1** (*hum*) patife **2** (*antiq*) velhaco

role /rəʊl/ *s* papel: *role model* modelo (a imitar)

role-play /ˈrəʊl pleɪ/ *s* role-play (*atividade em que se interpreta diferentes papéis*)

roll /rəʊl/ *substantivo, verbo*

▸ *s* **1** rolo **2** (*tb* **bread roll**) pãozinho *Ver tb* SAUSAGE ROLL ➲ *Ver ilustração em* PÃO **3** (*de barco*) balanço **4** registo, lista de nomes

▸ **1** *vt, vi* (fazer) rolar **2** *vt, vi* dar voltas (em) **3** *vt, vi* ~ **(sth) (up)** enrolar alguma coisa, enrolar(-se) **4** *vt, vi* ~ **(sth/sb/yourself) (up)** embrulhar alguma coisa/alguém, embrulhar-se, enrolar alguma coisa/alguém, enrolar-se **5** *vt* (*massa*) alisar com um rolo **6** *vt* (*cigarro*) enrolar **7** *vt, vi* balançar LOC **be rolling in it/money** (*coloq*) nadar em dinheiro *Ver tb* BALL PHR V **roll in** (*coloq*) chegar em grandes quantidades ◆ **roll sth out** desenrolar alguma coisa ◆ **roll over** virar-se ◆ **roll up** (*coloq*) chegar, aparecer

roller /'rəʊlə(r)/ *s* rolo

Rollerblade® /'rəʊləbleɪd/ *substantivo, verbo*
▸ *s* patim em linha
▸ *vi* **Rollerblade** patinar

roller-coaster /'rəʊlə kəʊstə(r)/ *s* montanha russa

roller skate (*tb* **skate**) *substantivo, verbo*
▸ *s* patim de rodas
▸ *vi* patinar (sobre rodas) **roller skating** *s* patinagem (sobre rodas)

rolling /'rəʊlɪŋ/ *adj* (*paisagem*) ondulante

rolling pin *s* rolo (*de cozinha*)

romance /rəʊ'mæns, 'rəʊmæns/ *s* **1** romance, namoro: *a holiday romance* um namoro de férias **2** romantismo: *the romance of foreign lands* o romantismo de paragens estrangeiras **3** novela de amor

romantic /rəʊ'mæntɪk/ *adj* romântico

romp /rɒmp/ *vi* ~ **(about/around)** brincar alegremente

roof /ru:f/ *s* **1** telhado **2** (*carro, etc.*) tejadilho **roofing** *s* [*não-contável*] material para telhados

roof rack *s* porta-bagagens (*no teto dos veículos*)

rooftop /'ru:ftɒp/ *s* **1** açoteia **2** telhado

rook /rʊk/ *s* **1** (*ave*) gralha **2** (*Xadrez*) torre

room /ru:m, rʊm/ *s* **1** quarto, sala, divisão *Ver tb* CHANGING ROOM, DINING ROOM, DRAWING ROOM, DRESSING ROOM, LIVING ROOM, SITTING ROOM **2** espaço: *Is there room for me?* Há espaço para mim? ◇ *room to breathe* espaço para respirar **3** *There's no room for doubt.* Não há a menor dúvida. ◇ *There's room for improvement.* Podia ser melhor.

room-mate /'ru:m meɪt, 'rʊm/ *s* **1** (*GB*) companheiro, -a de quarto **2** (*USA*) companheiro, -a de apartamento

room service *s* serviço de quartos

room temperature *s* temperatura ambiente

roomy /'ru:mi/ *adj* (**roomier, -iest**) espaçoso

roost /ru:st/ *substantivo, verbo*
▸ *s* poleiro (*para aves*)
▸ *vi* empoleirar-se

rooster /'ru:stə(r)/ *s* (*esp USA*) galo

root /ru:t/ *substantivo, verbo*
▸ *s* **1** raiz **2** origem: *the root cause of the problem* a causa fundamental do problema *Ver tb* GRASS ROOTS, SQUARE ROOT LOC **put down roots** criar raizes
▸ *vi* ~ **(about/around) (for sth)** vasculhar (alguma coisa) (*à procura de alguma coisa*) PHR V **root for sb/sth** (*coloq*) apoiar alguém/alguma coisa ◆ **root sth out 1** extirpar alguma coisa, arrancar alguma coisa pela raiz **2** descobrir, encontrar alguma coisa

rope /rəʊp/ *substantivo, verbo*
▸ *s* corda: *rope ladder* escada de corda LOC **show sb/know/learn the ropes** (*coloq*) mostrar a alguém/saber/aprender os truques do ofício *Ver tb* END
▸ *v* PHR V **rope sb in (to do sth); rope sb into sth** (*coloq*) convencer alguém (a fazer alguma coisa) ◆ **rope sth off** separar alguma coisa com cordas

rosary /'rəʊzəri/ *s* (*pl* **rosaries**) rosário, terço (*oração e contas*)

rose /rəʊz/ *s* rosa *Ver tb* RISE

rosé /'rəʊzeɪ; *USA* rəʊ'zeɪ/ *s* (vinho) rosé

rosemary /'rəʊzməri; *USA* -meri/ *s* rosmaninho

rosette /rəʊ'zet/ *s* roseta

rosy /'rəʊzi/ *adj* (**rosier, -iest**) **1** róseo **2** (*futuro, imagem, etc.*) prometedor

rot /rɒt/ *vt, vi* (**-tt-**) apodrecer

rota /'rəʊtə/ *s* (*pl* **rotas**) escala de serviço (*de turnos*)

rotary /'rəʊtəri/ *s* (*pl* **rotaries**) (*USA*) rotunda

rotate /rəʊ'teɪt; *USA* 'rəʊteɪt/ *vt, vi* **1** (fazer) rodar **2** alternar **rotation** *s* **1** rotação **2** alternação LOC **in rotation** por turnos

rotten /'rɒtn/ *adj* **1** podre **2** (*coloq*) horrível **3** (*coloq*) corrupto

rough /rʌf/ *adjetivo, advérbio, substantivo, verbo*
▸ *adj* (**rougher, -est**) **1** (*superfície*) áspero **2** (*cálculo*) aproximado **3** (*comportamento, bairro, etc.*) violento **4** (*tratamento*) brusco, duro **5** (*mar*) bravo, encrespado **6** maldisposto: *I feel a bit rough.* Sinto-me maldisposto. LOC **be rough (on sb)** (*coloq*) ser duro (para alguém)
▸ *adv* duro
▸ *s* LOC **in rough** em rascunho
▸ *vt* LOC **rough it** (*coloq*) passar dificuldades

roughly /'rʌfli/ *adv* **1** bruscamente **2** aproximadamente

roulette /ru:'let/ *s* roleta

round /raʊnd/ *adjetivo, advérbio, preposição, substantivo, verbo* ❶ Para os usos de **round** em

R

PHRASAL VERBS, ver as entradas para os verbos correspondentes, p. ex. **get round sb** em GET.
▸ *adj* (**rounder**, **-est**) redondo
▸ *adv*: *all year round* durante todo o ano ◇ *a shorter way round* um caminho mais curto ◇ *round the clock* noite e dia sem parar ◇ *round at Maria's* em casa da Maria *Ver tb* AROUND **LOC round about 1** em redor: *the houses round about* as casas em redor **2** aproximadamente
▸ *prep* **1** à volta de: *She wrapped the towel round her waist.* Ela enrolou a toalha à volta da cintura. ◇ *to sail round the world* navegar à volta do mundo ◇ *just round the corner* mesmo ao virar da esquina **2** por: *to show sb round the house* mostrar a casa a alguém *Ver tb* AROUND
▸ *s* **1** ronda: *a round of talks* uma série de conversações **2** circuito (*do carteiro*) **3** visitas (*do médico*) **4** rodada (*de bebidas*): *It's my round.* Eu pago esta rodada. **5** (*Desp*) eliminatória **6** (*Boxe*) assalto **7** *a round of applause* uma salva de palmas **8** tiro, descarga
▸ *vt* (*uma esquina*) dobrar **PHR V round sth off** acabar alguma coisa ◆ **round sb/sth up** juntar alguém/alguma coisa: *to round up cattle* reunir o gado ◆ **round sth up/down** arredondar alguma coisa para mais/menos (*número, preço, etc.*)

roundabout /ˈraʊndəbaʊt/ *adjetivo, substantivo*
▸ *adj* indireto: *in a roundabout way* de forma indireta/com rodeios
▸ *s* **1** rotunda **2** carrossel

round trip *s* viagem de ida e volta

round-trip /ˌraʊnd ˈtrɪp/ *adj* (*USA*): *a round-trip ticket* um bilhete de ida e volta

rouse /raʊz/ *vt* **1** (*formal*) despertar **2** (*formal*) provocar **3** ~ **sb/yourself (to do sth)** animar alguém, animar-se (a fazer alguma coisa) **rousing** *adj* **1** (*discurso*) acalorado, exaltador **2** (*aplauso*) caloroso

rout /raʊt/ *substantivo, verbo*
▸ *s* [*sing*] derrota
▸ *vt* derrotar, desbaratar

🔑 **route** /ruːt; *USA* raʊt/ *s* caminho, percurso: *bus route* carreira de autocarro

🔑 **routine** /ruːˈtiːn/ *substantivo, adjetivo*
▸ *s* rotina
▸ *adj* de rotina **routinely** *adv* regularmente, rotineiramente

🔑 **row¹** /rəʊ/ *verbo, substantivo*
▸ *vt, vi* remar, navegar a remo: *She rowed the boat to the bank.* Remou até à margem. ◇ *Will you row me across the river?* Levas-me até ao outro lado do rio de barco (a remos)? ◇ *to row across the lake* atravessar o lago a remo
▸ *s* **1** [*ger sing*]: *to go for a row* ir remar **2** fila, fileira: *front row* primeira fila/fila da frente **LOC in a row** em fila: *the third week in a row* a terceira semana seguida ◇ *four days in a row* quatro dias seguidos

row² /raʊ/ *substantivo, verbo*
▸ *s* (*esp GB, coloq*) **1** ~ **(about/over sth)** briga, discussão (por alguma coisa): *to have a row* ter uma discussão/zaragata ➲ *Comparar com* ARGUMENT, DISCUSSION **2** barulheira, algazarra
▸ *vi* (*GB, coloq*) brigar, discutir

rowdy /ˈraʊdi/ *adj* (**rowdier**, **-iest**) **1** (*pessoa*) barulhento, desordeiro **2** (*reunião*) amotinado

row house *s* (*USA*) casa geminada (*dos dois lados*)

rowing /ˈrəʊɪŋ/ *s* (*Desp*) remo

🔑 **royal** /ˈrɔɪəl/ *adj* real

royalty /ˈrɔɪəlti/ *s* **1** [*não-contável*] realeza **2** (*pl* **royalties**) [*ger pl*] direitos de autor

🔑 **rub** /rʌb/ *verbo, substantivo*
▸ (**-bb-**) **1** *vt* esfregar, friccionar: *to rub your hands together* esfregar as mãos **2** *vt* friccionar **3** *vi* ~ **(on/against sth)** roçar (em/contra alguma coisa) **PHR V rub off (on/onto sb)** pegar-se (a alguém) ◆ **rub sth out** apagar alguma coisa (*com borracha*)
▸ *s* [*ger sing*] fricção: *to give sth a rub* esfregar/friccionar alguma coisa

🔑 **rubber** /ˈrʌbə(r)/ *s* borracha: *rubber stamp* carimbo (de borracha) ◇ *rubber band* elástico

🔑 **rubbish** /ˈrʌbɪʃ/ *s* [*não-contável*] **1** lixo: *rubbish dump/tip* lixeira ➲ *Ver nota em* GARBAGE *e ilustração em* BIN **2** (*GB, coloq*) porcaria: *The film was rubbish.* O filme foi uma porcaria. **3** (*GB, coloq*) disparates

rubble /ˈrʌbl/ *s* [*não-contável*] entulho

ruby /ˈruːbi/ *s* (*pl* **rubies**) rubi

rucksack /ˈrʌksæk/ *s* mochila ➲ *Ver ilustração em* LUGGAGE

rudder /ˈrʌdə(r)/ *s* leme

🔑 **rude** /ruːd/ *adj* (**ruder**, **-est**) **1** mal-educado, malcriado: *It's rude to interrupt.* Interromper é falta de educação. **2** indecente **3** (*anedota*) picante

rudimentary /ˌruːdɪˈmentri/ *adj* (*formal*) rudimentar

ruffle /ˈrʌfl/ *vt* **1** (*superfície*) agitar **2** (*cabelo*) despentear, emaranhar **3** (*plumagem*) eriçar **4** (*tecido*) amarrotar **5** perturbar, irritar

rug /rʌg/ *s* **1** tapete **2** manta (de viagem)

rugby /ˈrʌgbi/ *s* râguebi

rugged /ˈrʌgɪd/ *adj* **1** (*terreno*) acidentado **2** (*montanha*) escarpado **3** (*feições*) marcado

R

🛈 **Rugged** utiliza-se para descrever o rosto de homens com feições atraentes e bem delineadas. **4** resistente

🔑 **ruin** /ˈruːɪn/ *substantivo, verbo*
▸ *s* (*lit e fig*) ruína
▸ *vt* **1** arruinar **2** estragar

🔑 **rule** /ruːl/ *substantivo, verbo*
▸ *s* **1** regra, norma **2** costume **3** domínio, governo **4** mandato (*de um governo*) **5** (*de monarca*) reinado LOC **as a (general) rule** em regra (geral)
▸ **1** *vi* ~ **(over sb/sth)** (*Pol*) governar (alguém/alguma coisa) **2** *vt* dominar, governar **3** *vt, vi* ~ **(sth/on sth)** (*Jur*) decretar, decidir (alguma coisa/sobre alguma coisa) **4** *vt* (*linha*) traçar PHR V **rule sb/sth out** excluir alguém/alguma coisa

🔑 **ruler** /ˈruːlə(r)/ *s* **1** governante **2** (*instrumento*) régua

ruling /ˈruːlɪŋ/ *adjetivo, substantivo*
▸ *adj* **1** dominante **2** (*Pol*) no poder
▸ *s* ~ **(on sth)** (*Jur*) parecer, decisão (sobre alguma coisa)

rum /rʌm/ *s* rum

rumble /ˈrʌmbl/ *verbo, substantivo*
▸ *vi* **1** ribombar **2** (*estômago*) dar horas, roncar
▸ *s* ribombo, ruído surdo

rummage /ˈrʌmɪdʒ/ *vi* **1** ~ **about/around** vasculhar, remexer **2** ~ **among/in/through sth (for sth)** remexer, vasculhar alguma coisa (à procura de alguma coisa)

🔑 **rumour** (*USA* **rumor**) /ˈruːmə(r)/ *s* boato: *Rumour has it that...* Correm rumores de que...

rump /rʌmp/ *s* **1** garupa **2** (*tb* **rump steak**) (bife de) alcatra

🔑 **run** /rʌn/ *verbo, substantivo*
▸ (*pt* **ran** /ræn/, *pp* **run** *part pres* **running**) **1** *vt, vi* correr: *I had to run to catch the bus.* Tive de correr para apanhar o autocarro. ◇ *I ran ten kilometres.* Corri dez quilómetros. **2** *vt, vi* percorrer: *to run your fingers through sb's hair* passar os dedos pelo cabelo de alguém ◇ *to run your eyes over sth* dar uma vista de olhos a alguma coisa ◇ *She ran her eye around the room.* Deu uma olhadela ao quarto. ◇ *A shiver ran down her spine.* Sentiu um calafrio pela espinha abaixo. ◇ *The tears ran down her cheeks.* As lágrimas corriam-lhe pela cara abaixo. **3** *vt, vi* (*máquina, sistema, organização*) (fazer) funcionar: *Everything is running smoothly.* Está tudo a correr sobre rodas. ◇ *Run the engine for a few minutes before you start.* Põe o motor a funcionar uns minutos antes de arrancares. **4** *vi* estender-se: *The cable runs the length of the wall.* O fio estende--se ao longo da parede. ◇ *A fence runs round the field.* Há uma cerca a toda a volta do campo. **5** *vi* (*autocarro, comboio, etc.*): *The buses run every hour.* Há autocarros de hora a hora. ◇ *The train is running an hour late.* O comboio vem com uma hora de atraso. **6** *vt* (*coloq*) levar (*de carro*): *Can I run you to the station?* Posso levar-te à estação? **7** *vt* (*veículo*) manter **8** *vt* (*negócio, etc.*) gerir **9** *vi* ~ **(for...)** (*Teat*) estar em cena (durante...) **10** *vt* (*serviço, curso, etc.*) oferecer **11** *vt*: *to run a bath* encher a banheira **12** *vi*: *to leave the tap running* deixar a torneira aberta **13** *vi* (*nariz*) pingar **14** *vi* (*tinta*) desbotar **15** *vt* (*Informát*) executar **16** *vi* ~ **(for sth)** (*Pol*) candidatar-se (a alguma coisa) **17** *vt* (*Jornal*) publicar LOC **run for it** desatar a correr, fugir 🛈 Para outras expressões com **run**, ver as entradas para o substantivo, adjetivo, etc., p. ex. **run out of steam** em STEAM.
PHR V **run about/around** correr de um lado para o outro
run across sb/sth encontrar alguém/alguma coisa por acaso
run after sb correr atrás de alguém, perseguir alguém
run at sth: *Inflation is running at 5%.* A inflação atualmente é de 5%.
run away (from sb/sth) fugir (de alguém/alguma coisa)
run sb/sth down 1 atropelar alguém/alguma coisa **2** dizer mal de alguém/alguma coisa
run into sb/sth 1 encontrar alguém/alguma coisa **2** chocar contra alguém/alguma coisa ◆ **run sth into sth** bater com alguma coisa contra alguma coisa: *He ran the car into a tree.* Bateu com o carro contra uma árvore.
run off (with sth) fugir (com alguma coisa)
run out 1 acabar-se, esgotar-se **2** caducar ◆ **run out of sth** ficar sem alguma coisa
run sb/sth over atropelar alguém/alguma coisa
▸ *s* **1** corrida: *to go for a run* ir dar uma corrida ◇ *to break into a run* desatar a correr **2** passeio (*de carro, etc.*) **3** período: *a run of bad luck* um período de azar **4** (*Teat*) temporada LOC **be on the run** andar fugido (da justiça) ◆ **make a run for it** tentar escapar *Ver tb* LONG

runaway /ˈrʌnəweɪ/ *adjetivo, substantivo*
▸ *adj* **1** fugitivo **2** fora de controlo **3** *runaway inflation* inflação galopante ◇ *a runaway success* um sucesso vertiginoso
▸ *s* fugitivo, -a

run-down /ˌrʌn ˈdaʊn/ *adj* **1** (*edifício, bairro*) degradado **2** (*pessoa*) em baixo, cansado

rung /rʌŋ/ *s* degrau *Ver tb* RING²

🔑 **runner** /ˈrʌnə(r)/ *s* corredor, -ora

R

runner-up /ˌrʌnər 'ʌp/ *s* (*pl* **runners-up**) segundo classificado, segunda classificada

🔑 **running** /'rʌnɪŋ/ *substantivo, adjetivo*
▸ *s* **1** atletismo: *to go running* ir correr ◇ *running shoes* sapatos de corrida **2** gestão (*de empresa*) **3** funcionamento: *running costs* custos de manutenção LOC **be in/out of the running (for sth)** (*coloq*) ter/não ter hipóteses (de conseguir alguma coisa)
▸ *adj* **1** consecutivo: *four days running* quatro dias seguidos **2** (*água*) corrente **3** ininterrupto LOC *Ver* ORDER

runny /'rʌni/ *adj* (**runnier**, **-iest**) (*coloq*) **1** líquido **2** *to have a runny nose* ter o nariz a pingar

run-up /'rʌn ʌp/ *s* ~ **(to sth)** período anterior (a alguma coisa): *the run-up to the elections* o período pré-eleitoral

runway /'rʌnweɪ/ *s* pista (*de aeroporto*)

rupture /'rʌptʃə(r)/ *substantivo, verbo*
▸ *s* rutura
▸ *vt, vi* romper(-se), causar/sofrer uma rutura

🔑 **rural** /'rʊərəl/ *adj* rural

🔑 **rush** /rʌʃ/ *verbo, substantivo*
▸ **1** *vi* ir depressa, apressar-se: *They rushed to help her.* Apressaram-se a ajudá-la. ◇ *They rushed out of school.* Saíram da escola a correr. **2** *vt, vi* ~ **(sb) (into sth/doing sth)** apressar alguém, precipitar-se (a alguma coisa/a fazer alguma coisa): *We don't want to rush into having a baby.* Não queremos apressar-nos a ter um filho. ◇ *Don't rush me!* Não me obrigues a fazer as coisas à pressa! **3** *vt* levar a toda a pressa: *He was rushed to hospital.* Levaram-no com urgência para o hospital.
▸ *s* **1** [*sing*] precipitação: *There was a rush to the exit.* As pessoas precipitaram-se para a saída. **2** pressa: *I'm in a terrible rush.* Estou com muito pressa. ◇ *There's no rush.* Não há pressa. ◇ *the rush hour* a hora de ponta

rust /rʌst/ *substantivo, verbo*
▸ *s* ferrugem
▸ *vt, vi* enferrujar

rustic /'rʌstɪk/ *adj* rústico

rustle /'rʌsl/ *verbo, substantivo*
▸ *vt, vi* (fazer) restolhar PHR V **rustle sth up** (*coloq*) preparar alguma coisa: *I'll rustle up some coffee for you.* Preparo-te um café num instante.
▸ *s* frufru, restolho, farfalhada

rusty /'rʌsti/ *adj* **1** ferrugento **2** (*coloq*) enferrujado

rut /rʌt/ *s* sulco LOC **be (stuck) in a rut** ter uma vida monótona

ruthless /'ru:θləs/ *adj* implacável **ruthlessly** *adv* sem piedade **ruthlessness** *s* crueldade, impiedade

RV /ˌɑ: 'vi:/ *s* (*abrev de* **recreational vehicle**) (*USA*) motor-home, autocaravana

rye /raɪ/ *s* centeio

S s

S, s /es/ *s* (*pl* **Ss, S's, s's**) S, s ➲ *Ver nota em* A, A

the Sabbath /'sæbəθ/ *s* **1** (*dos cristãos*) o domingo **2** (*dos judeus*) o sábado

sabotage /'sæbətɑ:ʒ/ *substantivo, verbo*
▸ *s* sabotagem
▸ *vt* sabotar

saccharin /'sækərɪn/ *s* sacarina

sachet /'sæʃeɪ; *USA* sæ'ʃeɪ/ *s* pacote, saquinho

🔑 **sack** /sæk/ *substantivo, verbo*
▸ *s* **1** saco **2 the sack** [*sing*] (*GB, coloq*): *to give sb the sack* despedir alguém ◇ *to get the sack* ser despedido
▸ *vt* (*esp GB, coloq*) despedir

sacred /'seɪkrɪd/ *adj* sagrado

sacrifice /'sækrɪfaɪs/ *substantivo, verbo*
▸ *s* sacrifício: *to make sacrifices* fazer sacrifícios/sacrificar-se
▸ *vt* ~ **sth (for sb/sth)** sacrificar alguma coisa (por alguém/alguma coisa)

sacrilege /'sækrəlɪdʒ/ *s* sacrilégio

🔑 **sad** /sæd/ *adj* (**sadder**, **-est**) **1** ~ **(about sth)** triste (com/por alguma coisa) **2** (*situação*) lamentável **3** (*esp GB, coloq*) bota-de-elástico **sadden** *vt* (*formal*) entristecer

saddle /'sædl/ *substantivo, verbo*
▸ *s* **1** (*para cavalo*) sela **2** (*de bicicleta ou moto*) selim
▸ *vt* selar PHR V **saddle sb/yourself with sth** sobrecarregar alguém/sobrecarregar-se com/de alguma coisa

sadism /'seɪdɪzəm/ *s* sadismo **sadist** *s* sádico, -a

🔑 **sadly** /'sædli/ *adv* **1** tristemente, com tristeza **2** lamentavelmente, infelizmente

🔑 **sadness** /'sædnəs/ *s* tristeza

safari /sə'fɑ:ri/ *s* (*pl* **safaris**) safari: *safari park* parque de safaris

🔑 **safe** /seɪf/ *adjetivo, substantivo*
▸ *adj* (**safer**, **-est**) **1** ~ **(from sb/sth)** a salvo (de alguém/alguma coisa) **2** seguro: *Your secret is safe with me.* O teu segredo está a salvo comigo. **3** ileso **4** (*motorista*) prudente LOC **on the safe side** pelo sim pelo não: *It's best*

to be on the safe side. É melhor ir pelo seguro. ◆ **play (it) safe** jogar pelo seguro ◆ **safe and sound** são e salvo *Ver tb* BETTER
▸ *s* cofre, caixa-forte

safeguard /ˈseɪfɡɑːd/ *substantivo, verbo*
▸ *s* ~ **(against sth)** salvaguarda, proteção (contra alguma coisa)
▸ *vt* ~ **sb/sth (against sth/sb)** proteger alguém/alguma coisa (de alguma coisa/alguém)

safely /ˈseɪfli/ *adv* **1** em segurança **2** tranquilamente, sem perigo: *safely locked away* fechado à chave num lugar seguro

safety /ˈseɪfti/ *s* segurança

safety belt *s Ver* SEAT BELT

safety net *s* **1** rede de segurança **2** (*fig*) rede de proteção

safety pin *s* alfinete de segurança ➲ *Ver ilustração em* PIN

sag /sæɡ/ *vi* (**-gg-**) **1** (*cama, sofá*) afundar-se **2** (*madeira*) abaular

Sagittarius /ˌsædʒɪˈteəriəs/ *s* Sagitário ➲ *Ver exemplos em* AQUARIUS

said *pt, pp de* SAY

sail /seɪl/ *verbo, substantivo*
▸ **1** *vt, vi* navegar: *to sail around the world* dar a volta ao mundo de barco **2** *vi* ~ **(from...) (for/to...)** sair, zarpar (de...) (para...): *The ship sails at noon.* O barco parte ao meio-dia. **3** *vi* (*objeto*) mover-se com facilidade e rapidez PHR V **sail through (sth)** fazer alguma coisa sem dificuldades: *She sailed through her exams.* Passou nos exames sem problema algum.
▸ *s* vela LOC **set sail (from/for...)** (*formal*) zarpar/partir (de/rumo a...)

sailboard /ˈseɪlbɔːd/ *s* prancha de windsurf

sailing /ˈseɪlɪŋ/ *s* **1** navegação: *to go sailing* ir praticar vela ◇ *sailing club* clube náutico **2** *There are three sailings a day.* Há três saídas por dia.

sailing boat (*USA* **sailboat** /ˈseɪlbəʊt/) *s* barco à vela, veleiro

sailor /ˈseɪlə(r)/ *s* marinheiro

saint /seɪnt, snt/ *s* (*abrev* **St**) santo, -a, são: *Saint Bernard/Teresa* São Bernardo/Santa Teresa

sake /seɪk/ *s* LOC **for God's, goodness', Heaven's, etc. sake** por amor de Deus ◆ **for the sake of sb/sth; for sb's/sth's sake** por alguém/alguma coisa, pelo bem de alguém/alguma coisa

salad /ˈsæləd/ *s* salada

salary /ˈsæləri/ *s* (*pl* **salaries**) salário, ordenado (*mensal*) ➲ *Comparar com* WAGE

sale /seɪl/ *s* **1** venda: *sales department/assistant* serviço de vendas/assistente de vendas **2** saldo: *to hold/have a sale* realizar um saldo **3** leilão LOC **for sale** à venda: *For sale.* Vende-se. ◆ **on sale** à venda

sales clerk *s* (*USA*) empregado, -a de balcão, vendedor, -ora

salesman /ˈseɪlzmən/ *s* (*pl* **-men** /-mən/) vendedor, empregado de balcão ➲ *Ver nota em* POLÍCIA

salesperson /ˈseɪlzpɜːsn/ *s* (*pl* **-people**) vendedor, -ora, empregado, -a de balcão

saleswoman /ˈseɪlzwʊmən/ *s* (*pl* **-women**) /-wɪmɪn/ vendedora, empregada de balcão ➲ *Ver nota em* POLÍCIA

saliva /səˈlaɪvə/ *s* saliva

salmon /ˈsæmən/ *s* (*pl* **salmon**) salmão

salon /ˈsælɒn; *USA* səˈlɒn/ *s* salão (*de beleza*)

saloon /səˈluːn/ *s* **1** (*tb* **saloon car**) sedã **2** (*USA*) bar

salt /sɔːlt, sɒlt/ *s* sal **salted** *adj* salgado

salt cellar (*USA* **salt shaker**) *s* saleiro

saltwater /ˈsɔːltwɔːtə(r), ˈsɒlt-/ *adj* de água salgada

salty /ˈsɔːlti, ˈsɒlti/ *adj* (**saltier**, **-iest**) salgado

salutary /ˈsæljətri; *USA* -teri/ *adj* salutar, edificante

salute /səˈluːt/ *verbo, substantivo*
▸ *vt, vi* saudar, fazer continência (a) (*um militar*)
▸ *s* **1** (*Mil*) continência **2** saudação **3** salva

salvage /ˈsælvɪdʒ/ *substantivo, verbo*
▸ *s* salvamento
▸ *vt* recuperar

salvation /sælˈveɪʃn/ *s* salvação

same /seɪm/ *adjetivo, advérbio, pronome*
▸ *adj* mesmo, igual: *the same thing* a mesma coisa ◇ *I left that same day.* Fui-me embora nesse mesmo dia. ℹ Às vezes usa-se para dar ênfase: *the very same man* o mesmo homem. LOC **at the same time 1** ao mesmo tempo **2** contudo, porém ◆ **be in the same boat** estar na mesma situação
▸ *adv* **the same** da mesma maneira, igual: *to treat everyone the same* tratar todos da mesma maneira
▸ *pron* **the ~ (as sb/sth)** o mesmo, a mesma, etc. (que alguém/alguma coisa): *I think the same as you.* Penso o mesmo que tu. ◇ *They're both the same.* São os dois iguais. LOC **all/just the same** apesar disto, mesmo assim ◆ **be all the same to sb** não importar nada a alguém: *It's all the same to me.* Para mim, tanto faz. ◆ **same here** (*coloq*) eu também ◆ **(the) same to you** (*coloq*) igualmente

S

sample /ˈsɑːmpl; *USA* ˈsæmpl/ *substantivo, verbo*
▸ *s* amostra
▸ *vt* provar

sanatorium /ˌsænəˈtɔːriəm/ *s* (*pl* **sanatoriums** *ou* **sanatoria** /-riə/) (*USA tb* **sanitarium** /ˌsænəˈteəriəm/) sanatório

sanction /ˈsæŋkʃn/ *substantivo, verbo*
▸ *s* **1** ~ **(against sth)** sanção (a alguma coisa): *to lift sanctions* levantar sanções **2** (*formal*) aprovação
▸ *vt* (*formal*) autorizar

sanctuary /ˈsæŋktʃuəri; *USA* -ueri/ *s* (*pl* **sanctuaries**) **1** santuário **2** refúgio: *The rebels took sanctuary in the church.* Os rebeldes refugiaram-se na igreja.

sand /sænd/ *s* areia: *miles of golden sands* quilómetros de areia dourada

sandal /ˈsændl/ *s* sandália

sandcastle /ˈsændkɑːsl; *USA* -kæsl/ *s* castelo de areia

sandpaper /ˈsændpeɪpə(r)/ *s* lixa

sandwich /ˈsænwɪtʃ, -wɪdʒ/ *substantivo, verbo*
▸ *s* sanduíche, sandes
▸ *v* PHR V **sandwich sb/sth between sb/sth** apertar alguém/alguma coisa entre alguém/alguma coisa (*duas pessoas ou coisas*): *I was sandwiched between two large men on the bus.* Estava ensanduichado entre dois homens gordos no autocarro.

sandy /ˈsændi/ *adj* (**sandier, -iest**) arenoso

sane /seɪn/ *adj* (**saner, -est**) **1** são (*de espírito*) **2** sensato

sang *pt de* SING

sanitarium *s* (*USA*) = SANATORIUM

sanitary /ˈsænətri; *USA* -teri/ *adj* higiénico, sanitário

sanitary towel (*USA* **sanitary napkin**) *s* penso higiénico

sanitation /ˌsænɪˈteɪʃn/ *s* saneamento

sanity /ˈsænəti/ *s* **1** saúde mental, sanidade **2** sensatez

sank *pt de* SINK

Santa Claus /ˈsæntə klɔːz/ (*tb* **Santa**) *s* Pai Natal ➲ *Ver nota em* NATAL

sap /sæp/ *substantivo, verbo*
▸ *s* seiva
▸ *vt* (**-pp-**) (*energia, confiança, etc.*) esgotar, minar

sapphire /ˈsæfaɪə(r)/ *adj, s* safira

sappy /ˈsæpi/ *adj* (*USA*) = SOPPY

sarcasm /ˈsɑːkæzəm/ *s* sarcasmo **sarcastic** /sɑːˈkæstɪk/ *adj* sarcástico

sardine /ˌsɑːˈdiːn/ *s* sardinha

sash /sæʃ/ *s* faixa

sassy /ˈsæsi/ *adj* (**sassier, -iest**) (*esp USA, coloq*) **1** (*pej*) descarado **2** moderno, desinibido

sat *pt, pp de* SIT

satellite /ˈsætəlaɪt/ *s* satélite: *satellite dish* antena parabólica

satin /ˈsætɪn; *USA* ˈsætn/ *s* cetim

satire /ˈsætaɪə(r)/ *s* sátira **satirical** /səˈtɪrɪkl/ *adj* satírico

satisfaction /ˌsætɪsˈfækʃn/ *s* satisfação

satisfactory /ˌsætɪsˈfæktəri/ *adj* satisfatório

satisfied /ˈsætɪsfaɪd/ *adj* ~ **(with sb/sth)** satisfeito (com alguém/alguma coisa)

satisfy /ˈsætɪsfaɪ/ *vt* (*pt, pp* **-fied**) **1** satisfazer **2** (*condições*) preencher **3** ~ **sb (of sth/that...)** convencer alguém (de alguma coisa/de que...)

satisfying /ˈsætɪsfaɪɪŋ/ *adj* satisfatório: *a satisfying meal* uma refeição que satisfaz

satsuma /sætˈsuːmə/ *s* satsuma

saturate /ˈsætʃəreɪt/ *vt* **1** encharcar **2** ~ **sth (with sth)** saturar alguma coisa (com alguma coisa): *The market is saturated.* O mercado está saturado. **saturation** *s* saturação

Saturday /ˈsætədeɪ, -di/ *s* (*abrev* **Sat.**) sábado ➲ *Ver exemplos em* MONDAY

Saturn /ˈsætən/ *s* Saturno

sauce /sɔːs/ *s* molho

saucepan /ˈsɔːspən; *USA* -pæn/ *s* panela, caçarola ➲ *Ver ilustração em* POT

saucer /ˈsɔːsə(r)/ *s* pires *Ver tb* FLYING SAUCER ➲ *Ver ilustração em* CUP

sauna /ˈsɔːnə, ˈsaʊnə/ *s* sauna

saunter /ˈsɔːntə(r)/ *vi* andar devagar e calmamente: *He sauntered over to the bar.* Foi até ao bar nas calmas.

sausage /ˈsɒsɪdʒ; *USA* ˈsɔːs-/ *s* salsicha, enchido

sausage roll *s* folhado de salsicha

savage /ˈsævɪdʒ/ *adjetivo, verbo*
▸ *adj* **1** selvagem **2** (*cão, etc.*) enraivecido **3** (*ataque, regime, etc.*) brutal: *savage cuts in the budget* cortes drásticos no orçamento
▸ *vt* atacar com ferocidade **savagery** /ˈsævɪdʒri/ *s* selvajaria

save /seɪv/ *verbo, substantivo*
▸ **1** *vt* ~ **sb (from sth)** salvar alguém (de alguma coisa) **2** *vt, vi* ~ **(sth) (up) (for sth)** (*dinheiro*) poupar (alguma coisa) (para alguma coisa) **3** *vt, vi* (*Informát*) guardar **4** *vt* ~ **(sb) sth/doing sth** evitar alguma coisa (a alguém)/que alguém faça alguma coisa: *That will save us a lot of trouble.* Isso evitar-nos-á muitos pro-

blemas. **5** *vt* (*Futebol*) defender (*um remate*) LOC **save face** salvar a cara

▸ *s* (*Futebol*) defesa: *The keeper made a brilliant save.* O guarda-redes fez uma defesa espantosa.

saver /'seɪvə(r)/ *s* poupador, -ora

saving /'seɪvɪŋ/ *s* **1** poupança: *to make a saving of £5* economizar cinco libras **2 savings** [*pl*] poupanças

saviour (*USA* **savior**) /'seɪvjə(r)/ *s* salvador, -ora

savoury (*USA* **savory**) /'seɪvəri/ *adj* **1** salgado **2** saboroso

saw /sɔː/ *substantivo, verbo*

▸ *s* serra

▸ *vt* (*pt* **sawed** *pp* **sawn** /sɔːn/, *USA tb* **sawed**) serrar PHR V **saw sth down** cortar alguma coisa com uma serra ◆ **saw sth off (sth)** cortar alguma coisa (de alguma coisa) com uma serra: *a sawn-off shotgun* uma caçadeira de canos serrados ◆ **saw sth up (into sth)** serrar alguma coisa (em alguma coisa) (*em vários pedaços*) *Ver tb* SEE

sawdust /'sɔːdʌst/ *s* serradura

saxophone /'sæksəfəʊn/ (*coloq* **sax**) *s* saxofone

say /seɪ/ *verbo, substantivo*

▸ *vt* (*3ª pess sing pres* **says** /sez/, *pt, pp* **said** /sed/) **1** ~ **sth (to sb)** dizer alguma coisa (a alguém): *to say yes* dizer que sim

> Costuma-se utilizar **say** quando se citam as palavras exatas de alguém, ou para introduzir uma oração no discurso indireto precedida por **that**: *'I'll leave at nine,' he said.* —Parto às nove horas, disse ele. ◇ *He said that he would leave at nine.* Ele disse que partia às nove horas. **Tell** é utilizado para introduzir uma oração de estilo indireto (antecedida ou não por **that**), e deve ser seguido de um substantivo, pronome ou nome próprio: *He told me that he would leave at nine.* Ele disse-me que partia às nove horas. Com ordens ou conselhos, costuma-se usar **tell**: *I told them to hurry up.* Eu disse-lhes que se despachassem. ◇ *She's always telling me what I ought to do.* Está sempre a dizer-me o que devo fazer.

2 *Let's take any writer, say Dickens...* Tomemos como exemplo qualquer escritor, digamos Dickens... ◇ *Say there are 30 in a class...* Suponhamos que há 30 numa turma... **3** *What time does it say on that clock?* Que horas são nesse relógio? ◇ *The map says the hotel is on the right.* No mapa o hotel fica à direita. LOC **it goes without saying that...** escusado será dizer que... ◆ **that is to say** quer dizer, ou seja *Ver tb* DARE, FAREWELL, LET, NEEDLESS, SORRY

▸ *s* ~ **(in sth)**: *to have a say/no say in the matter* ter/não ter voto na matéria ◇ *to have the final say* ter a última palavra LOC **have your say** (*coloq*) dizer o que pensa

saying /'seɪɪŋ/ *s* ditado

scab /skæb/ *s* crosta

scaffolding /'skæfəldɪŋ/ *s* [*não-contável*] andaime(s)

scald /skɔːld/ *verbo, substantivo*

▸ *vt* escaldar

▸ *s* escaldadela **scalding** *adj* a ferver, escaldante

scale /skeɪl/ *substantivo, verbo*

▸ *s* **1** escala: *on a large scale* em grande escala ◇ *a large-scale/small-scale map* um mapa em grande/pequena escala ◇ *a scale model* uma maqueta (à escala) **2** extensão, alcance: *the scale of the problem* a magnitude do problema **3** escama LOC **to scale** à escala

▸ *vt* (*formal*) escalar

scales /skeɪlz/ *s* [*pl*] (*USA tb* **scale**) balança

scalp /skælp/ *s* couro cabeludo

scalpel /'skælpəl/ *s* bisturi

scam /skæm/ *s* (*coloq*) falcatrua

scamper /'skæmpə(r)/ *vi* correr precipitadamente (*esp crianças ou animais*)

scampi /'skæmpi/ *s* [*pl*] camarões panados

scan /skæn/ *verbo, substantivo*

▸ *vt* (**-nn-**) **1** esquadrinhar, examinar cuidadosamente **2** dar uma vista de olhos a **3** (*Med*) examinar (*com um scanner, etc.*) **4** (*Informát*) fazer um scanner (de)

▸ *s* exame de ultra-som/ressonância magnética, ecografia: *to do a brain scan* fazer uma TAC/um exame à cabeça

scandal /'skændl/ *s* **1** escândalo **2** coscuvilhice **scandalize, -ise** *vt* escandalizar **scandalous** *adj* escandaloso

scanner /'skænə(r)/ *s* **1** (*Informát*) scanner **2** (*Med*) máquina de TAC

scant /skænt/ *adj* [*só antes de substantivo*] escasso

scantily /'skæntɪli/ *adv* escassamente: *scantily dressed* com quase nada vestido

scanty /'skænti/ *adj* (**scantier, -iest**) escasso

scapegoat /'skeɪpgəʊt/ *s* bode expiatório: *She has been made a scapegoat for what happened.* Deitaram-lhe as culpas pelo que se passou.

scar /skɑː(r)/ *substantivo, verbo*

▸ *s* cicatriz

S

▸ *vt* (**-rr-**) deixar uma cicatriz em, marcar

scarce /skeəs/ *adj* (**scarcer**, **-est**) escasso

scarcely /'skeəsli/ *adv* **1** apenas: *There were scarcely a hundred people present.* Mal chegavam a cem as pessoas presentes. **2** *You can scarcely expect me to believe that.* Não esperas que eu acredite nisso, pois não?

scarcity /'skeəsəti/ *s* (*pl* **scarcities**) escassez

scare /skeə(r)/ *verbo, substantivo*

▸ *vt* assustar PHR V **scare sb away/off** assustar, afugentar alguém

▸ *s* susto: *bomb scare* ameaça de bomba

scarecrow /'skeəkrəʊ/ *s* espantalho

scared /skeəd/ *adj* assustado: *to be scared of sth* estar assustado com/ter medo de alguma coisa LOC **be scared stiff** (*coloq*) estar morto de medo *Ver tb* WIT

scarf /skɑːf/ *s* (*pl* **scarves** /skɑːvz/ *ou* **scarfs**) **1** cachecol **2** lenço de pescoço, écharpe

scarlet /'skɑːlət/ *adj, s* escarlate

scary /'skeəri/ *adj* (**scarier**, **-iest**) (*coloq*) assustador

scathing /'skeɪðɪŋ/ *adj* **1** feroz: *a scathing attack on the government* um ataque violento contra o governo **2** (*crítica*) mordaz

scatter /'skætə(r)/ **1** *vt, vi* dispersar(-se) **2** *vt* espalhar **scattered** *adj* espalhado, disperso: *scattered showers* aguaceiros esporádicos

scavenge /'skævɪndʒ/ *vi* **1** (*animal*) alimentar-se de carniça **2** (*pessoa*) remexer no lixo (*à procura de coisas úteis ou comestíveis*) **scavenger** *s* **1** animal/ave que se alimenta de carniça **2** pessoa que remexe no lixo (*à procura de coisas úteis ou comestíveis*)

scenario /sə'nɑːriəʊ; *USA* -'nær-/ *s* (*pl* **scenarios**) cenário

scene /siːn/ *s* **1** cenário: *the scene of the crime* o local do crime **2** cena: *a scene in the film* uma cena no filme ◇ *a change of scene* uma mudança de ares **3** escândalo: *to make a scene* armar um escândalo **4 the scene** [*sing*] (*coloq*) o meio, a cena: *the music scene* o meio musical LOC **behind the scenes** (*lit e fig*) nos bastidores ◆ **set the scene (for sth) 1** preparar o terreno (para alguma coisa) **2** dar uma visao geral (de alguma coisa)

scenery /'siːnəri/ *s* [*não-contável*] **1** paisagem

A palavra **scenery** tem conotações muito positivas; é usada frequentemente com adjetivos como *beautiful, spectacular, stunning,* etc. e utiliza-se fundamentalmente para descrever paisagens naturais. **Landscape**, por seu lado, costuma referir-se a paisagens construídas pelo homem: *an urban/industrial landscape* uma paisagem urbana/industrial ◇ *Trees and hedges are typical features of the British landscape.* As árvores e as sebes são características típicas da paisagem britânica.

2 (*Teat*) cenário

scenic /'siːnɪk/ *adj* pitoresco, panorâmico

scent /sent/ *s* **1** aroma, fragrância ➲ *Ver nota em* SMELL *n* **2** perfume **3** rasto, faro **scented** *adj* perfumado

sceptic (*USA* **skeptic**) /'skeptɪk/ *s* cético, -a **sceptical** (*USA* **skeptical**) *adj* ~ **(about/of sth)** cético (acerca de alguma coisa) **scepticism** (*USA* **skepticism**) *s* ceticismo

schedule /'ʃedjuːl; *USA* 'skedʒuːl/ *substantivo, verbo*

▸ *s* **1** programa: *to be two months ahead of/behind schedule* estar dois meses adiantado/atrasado relativamente à calendarização ◇ *to arrive on schedule* chegar à hora prevista **2** (*USA*) horário

▸ *vt* programar: *scheduled flights* voos regulares

scheme /skiːm/ *substantivo, verbo*

▸ *s* **1** plano, programa: *pension scheme* plano de poupança reforma ◇ *training scheme* programa de formação **2** conspiração **3** *colour scheme* combinação de cores

▸ *vi* conspirar

schizophrenia /ˌskɪtsə'friːniə/ *s* esquizofrenia **schizophrenic** /ˌskɪtsə'frenɪk/ *adj, s* esquizofrénico, -a

scholar /'skɒlə(r)/ *s* **1** erudito, -a **2** bolseiro, -a **scholarship** *s* **1** bolsa (de estudo) **2** erudição

school /skuːl/ *s* **1** escola, colégio: *school age/uniform* idade/uniforme escolar *Ver tb* BOARDING SCHOOL, COMPREHENSIVE SCHOOL, HIGH SCHOOL, PUBLIC SCHOOL

Utilizamos as palavras **school**, **church** e **hospital** sem o artigo quando alguém vai à escola como aluno ou professor, à igreja para rezar, ou ao hospital como doente: *She's gone into hospital.* Foi hospitalizada. ◇ *I enjoyed being at school.* Eu gostei de andar na escola. ◇ *We go to church every Sunday.* Vamos à igreja todos os domingos. Usamos o artigo quando nos referimos a estes sítios por algum outro motivo: *There's a concert at the church tonight.* Hoje à noite há um concerto na igreja. ◇ *She works at the hospital.* Trabalha no hospital.

2 aulas: *School begins at nine o'clock.* As aulas começam às nove horas. **3** (*USA, coloq*) universidade **4** faculdade: *law school* faculdade de direito **5** (*Arte, Liter*) escola LOC **school of thought** escola de pensamento

schoolboy /'sku:lbɔɪ/ *s* aluno

schoolchild /'sku:ltʃaɪld/ *s* (*pl* **schoolchildren** /-tʃɪldrən/) aluno, -a

schooldays /'sku:ldeɪz/ *s* [*pl*] tempos de escola: *They've been friends since their schooldays.* Eles são amigos desde os tempos de escola.

schoolgirl /'sku:lgɜ:l/ *s* aluna

schooling /'sku:lɪŋ/ *s* instrução, estudos

school leaver *s* jovem que terminou a escolaridade obrigatória recentemente

schoolteacher /'sku:lti:tʃə(r)/ *s* professor, -ora (*numa escola*)

science /'saɪəns/ *s* ciência

science fiction *s* ficção científica

scientific /ˌsaɪən'tɪfɪk/ *adj* científico

scientifically /ˌsaɪən'tɪfɪkli/ *adv* cientificamente

scientist /'saɪəntɪst/ *s* cientista

sci-fi /'saɪ faɪ/ *s* (*coloq*) (*abrev de* **science fiction**) ficção científica

scissors /'sɪzəz/ *s* [*pl*] tesoura: *a pair of scissors* uma tesoura ➲ *Ver nota em* TESOURA

scoff /skɒf; *USA* skɔ:f/ *vi* ~ **(at sb/sth)** troçar (de alguém/alguma coisa)

scold /skəʊld/ *vt* ~ **sb (for sth)** (*formal*) ralhar com alguém (por alguma coisa)

scoop /sku:p/ *substantivo, verbo*
▸ *s* **1** colher: *ice cream scoop* colher para servir gelado **2** colherada: *a scoop of ice-cream* uma bola de gelado **3** (*Jornal*) furo
▸ *vt* ~ **sth (up/out)** retirar alguma coisa (*com colher, etc.*)

scooter /'sku:tə(r)/ *s* **1** lambreta, scooter **2** trotinete

scope /skəʊp/ *s* **1** ~ **(for sth/to do sth)** oportunidade (para alguma coisa/fazer alguma coisa) **2** âmbito, alcance: *within/beyond the scope of this dictionary* dentro/para além do âmbito deste dicionário

scorch /skɔ:tʃ/ *vt, vi* chamuscar(-se), queimar(-se) **scorching** *adj* abrasador

score /skɔ:(r)/ *substantivo, verbo*
▸ *s* **1** resultado: *The final score was 4-3.* O resultado final foi de 4-3. ◇ *to keep the score* tomar nota do número de pontos **2** (*Educ*) pontuação **3 scores** [*pl*] montes **4** (*Mús*) partitura **5** (*pl* **score**) vintena LOC **on that/this score** quanto a isso
▸ **1** *vt, vi* (*Desp*) marcar **2** *vt* (*Educ*) ter (*nota*)

scoreboard /'skɔ:bɔ:d/ *s* marcador

scorer /'skɔ:rə(r)/ *s* jogador, -ora que marca pontos/golos: *the top scorer in the Premier League* o melhor goleador do campeonato inglês

scorn /skɔ:n/ *substantivo, verbo*
▸ *s* ~ **(for sb/sth)** desprezo (por alguém/alguma coisa)
▸ *vt* desprezar **scornful** *adj* desdenhoso

Scorpio /'skɔ:piəʊ/ *s* (*pl* **Scorpios**) Escorpião ➲ *Ver exemplos em* AQUARIUS

scorpion /'skɔ:piən/ *s* escorpião

Scotch /skɒtʃ/ *s* uísque escocês

Scotch tape® *s* (*USA*) fita-cola

Scottish /'skɒtɪʃ/ *adj* escocês

scour /'skaʊə(r)/ *vt* **1** esfregar, arcar **2** ~ **sth (for sb/sth)** revistar, percorrer alguma coisa (à procura de alguém/alguma coisa)

scourge /skɜ:dʒ/ *s* (*formal*) flagelo

scout /skaʊt/ *s* **1** (*Mil*) batedor **2** (*tb esp USA* **Boy Scout**) escuteiro **3** (*USA* **Girl Scout**) escuteira

scowl /skaʊl/ *verbo, substantivo*
▸ *vi* franzir o sobrolho
▸ *s* ar carrancudo

scrabble /'skræbl/ *vi* ~ **(around/about) (for sth)** andar às apalpadelas (à procura de alguma coisa)

scramble /'skræmbl/ *verbo, substantivo*
▸ *vi* **1** trepar (*esp com dificuldade*): *He scrambled to his feet and ran off.* Levantou-se a custo e fugiu. **2** ~ **(for sth)** lutar (por alguma coisa)
▸ *s* [*sing*] ~ **(for sth)** luta (por alguma coisa)

scrambled eggs *s* [*pl*] ovos mexidos

scrap /skræp/ *substantivo, verbo*
▸ *s* **1** pedaço: *a scrap of paper* um pedaço de papel **2** [*não-contável*] sucata: *scrap paper* papel de rascunho **3 scraps** [*pl*] sobras (*de comida*) **4** [*sing*] pequena quantidade: *It won't make a scrap of difference.* Não vai fazer a mais pequena diferença. **5** (*coloq*) briga
▸ **(-pp-) 1** *vt* deitar fora, descartar **2** *vi* (*coloq*) brigar

scrapbook /'skræpbʊk/ *s* álbum de recortes

scrape /skreɪp/ *verbo, substantivo*
▸ **1** *vt* arranhar, raspar **2** *vi* ~ **(against sth)** roçar (contra alguma coisa) PHR V **scrape sth away/off**; **scrape sth off sth** raspar alguma coisa (de alguma coisa) ◆ **scrape in**; **scrape into sth** ter êxito, conseguir alguma coisa à tangente: *She just scraped into university.* Entrou para a

S

faculdade mesmo à tangente. ◆ **scrape through (sth)** passar, aprovar (em alguma coisa) à tangente ◆ **scrape sth together/up** juntar alguma coisa a custo
▸ *s* **1** arranhão, esfoladela **2** raspagem, raspar

scratch /skrætʃ/ *verbo, substantivo*
▸ **1** *vt, vi* arranhar **2** *vt, vi* coçar(-se) **3** *vt* riscar PHR V **scratch sth away/off** tirar alguma coisa raspando
▸ *s* **1** arranhão **2** [*sing*]: *The dog gave itself a good scratch.* O cão coçou-se a valer. LOC **(be/come) up to scratch** (estar) à altura, ter um nível satisfatório ◆ **(start sth) from scratch** (começar alguma coisa) do nada

scratch card *s* raspadinha

scrawl /skrɔːl/ *verbo, substantivo*
▸ *vt, vi* rabiscar
▸ *s* rabisco

scream /skriːm/ *verbo, substantivo*
▸ *vt, vi* gritar: *to scream with excitement* gritar de excitaçao
▸ *s* **1** grito: *a scream of pain* um grito de dor **2** [*sing*] (*antiq, coloq*) pessoa/coisa de chorar a rir: *He's a scream.* Ele é uma anedota.

screech /skriːtʃ/ *verbo, substantivo*
▸ *vi* **1** guinchar **2** (*travão, pneu*) chiar
▸ *s* **1** guincho **2** chiadeira

screen /skriːn/ *s* **1** tela: *an eight-screen cinema* um cinema de oito salas **2** ecrã *Ver tb* TOUCH SCREEN **3** biombo

screen saver *s* (*Informát*) protetor de ecrã

screw /skruː/ *substantivo, verbo*
▸ *s* parafuso
▸ *vt* **1** aparafusar **2** enroscar **3** (*calão*) enganar PHR V **screw sth up 1** (*papel*) amarrotar alguma coisa **2** (*cara*) franzir alguma coisa **3** (*calão*) (*planos, situação, etc.*) estragar alguma coisa

screwdriver /ˈskruːdraɪvə(r)/ *s* chave de fendas

scribble /ˈskrɪbl/ *verbo, substantivo*
▸ *vt, vi* rabiscar
▸ *s* rabisco(s), garatujo(s)

script /skrɪpt/ *s* **1** guião **2** letra **3** escrita

scripture (*tb* **Scripture**) /ˈskrɪptʃə(r)/ *s* [*não-contável*] (*tb* **the Scriptures** [*pl*]) a Sagrada Escritura

scroll /skrəʊl/ *substantivo, verbo*
▸ *s* pergaminho, rolo de papel
▸ *vi* ~ **(down/up)** (*Informát*) fazer deslizamento (para baixo/cima)

Scrooge /skruːdʒ/ *s* (*coloq, pej*) sovina

scrounge /skraʊndʒ/ *vt, vi* ~ **(sth) (off/from sb)** (*coloq, pej*) cravar (alguma coisa) (a alguém), cravar alguém: *Can I scrounge some money off you?* Posso-te cravar algum dinheiro? **scrounger** *s* crava, parasita: *welfare scroungers* parasitas da segurança social

scrub /skrʌb/ *verbo, substantivo*
▸ *vt* (**-bb-**) esfregar
▸ *s* **1** [*sing*]: *Give your nails a good scrub.* Escova bem as unhas. **2** [*não-contável*] mato

scruff /skrʌf/ *s* LOC **by the scruff of the neck** pelo cachaço

scruffy /ˈskrʌfi/ *adj* (**scruffier**, **-iest**) (*coloq*) desmazelado

scrum /skrʌm/ *s* (*Râguebi*) formação ordenada

scruples /ˈskruːplz/ *s* escrúpulos

scrupulous /ˈskruːpjələs/ *adj* escrupuloso **scrupulously** *adv* escrupulosamente: *scrupulously clean* impecável

scrutinize, -ise /ˈskruːtənaɪz/ *vt* **1** examinar cuidadosamente **2** inspecionar

scrutiny /ˈskruːtəni/ *s* (*formal*) **1** exame minucioso **2** (*Pol, etc.*) escrutínio

scuba-diving /ˈskuːbə daɪvɪŋ/ *s* mergulho subaquático

scuff /skʌf/ *vt* riscar

scuffle /ˈskʌfl/ *s* briga

sculptor /ˈskʌlptə(r)/ *s* escultor, -ora

sculpture /ˈskʌlptʃə(r)/ *s* escultura

scum /skʌm/ *s* **1** espuma (*de impurezas*) **2** [*pl*] (*coloq*) escumalha, ralé

scurry /ˈskʌri/ *vi* (*pt, pp* **scurried**) correr precipitadamente: *She scurried around, putting things away.* Ela corria de um lado para o outro a guardar coisas.

scuttle /ˈskʌtl/ *vi*: *She scuttled back to her car.* Voltou para o carro apressadamente. ◇ *to scuttle away/off* escapulir-se

scythe /saɪð/ *s* gadanha

sea /siː/ *s* **1** mar: *sea creatures* animais marinhos ◇ *the sea air/breeze* a brisa marítima ◇ *sea port* porto marítimo **2 seas** [*pl*] mar: *heavy/rough seas* mar bravo **3** [*sing*] ~ **of sth** mar de alguma coisa: *a sea of people* um mar de gente LOC **at sea 1** no mar **2** baralhado

seabed /ˈsiːbed/ *s* fundo do mar

seafood /ˈsiːfuːd/ *s* [*não-contável*] marisco

seagull /ˈsiːɡʌl/ *s* gaivota

seal /siːl/ *substantivo, verbo*
▸ *s* **1** foca **2** selo
▸ *vt* **1** selar **2** (*envelope*) fechar PHR V **seal sth off** vedar alguma coisa

seam /siːm/ *s* **1** costura **2** (*Geol*) filão

S

🔑 **search** /sɜːtʃ/ *verbo, substantivo*
▸ **1** *vt, vi* ~ **(sth) (for sth/sb)** procurar alguma coisa (para alguma coisa/alguém): *She searched in vain for her passport.* Procurou o seu passaporte em vão. **2** *vt* ~ **sb/sth (for sth)** revistar alguém/alguma coisa (à procura de alguma coisa): *They searched the house for drugs.* Revistaram a casa à procura de drogas.
▸ *s* **1** ~ **(for sb/sth)** busca (de alguém/alguma coisa) **2** (*policial*) revista, rusga

search engine *s* (*Informát*) motor de busca

searching /ˈsɜːtʃɪŋ/ *adj* **1** (*investigação, análise*) minucioso **2** (*olhar*) perscrutador

searchlight /ˈsɜːtʃlaɪt/ *s* holofote

seashell /ˈsiːʃel/ *s* concha (marinha)

seashore /ˈsiːʃɔː(r)/ *s* beira-mar

seasick /ˈsiːsɪk/ *adj* enjoado

seaside /ˈsiːsaɪd/ *adjetivo, substantivo*
▸ *adj* na costa: *seaside resort* estância balnear
▸ *s* [*sing*] praia, costa

🔑 **season** /ˈsiːzn/ *substantivo, verbo*
▸ *s* **1** estação do ano **2** temporada: *season ticket* passe LOC **in season** (*fruto, vegetal*) da época
▸ *vt* temperar, condimentar **seasonal** *adj* **1** próprio da época **2** (*trabalho*) sazonal **seasoned** *adj* **1** (*pessoa*) muito experiente **2** temperado **seasoning** *s* tempero

🔑 **seat** /siːt/ *substantivo, verbo*
▸ *s* **1** (*carro, cadeira*) assento *Ver tb* BACK SEAT **2** (*teatro, avião, parlamento*) lugar **3** (*parque*) banco **4** (*bicicleta*) selim **5** (*GB*) (*Pol*) circunscrição eleitoral LOC **be in the driving seat** (*USA* **be in the driver's seat**) ter a faca e o queijo na mão
▸ *vt* ter lugar para: *The stadium can seat 5000 people.* O estádio tem capacidade para 5.000 pessoas sentadas.

seat belt (*tb* **safety belt**) *s* cinto de segurança

seating /ˈsiːtɪŋ/ *s* [*não-contável*] lugares (sentados)

seaweed /ˈsiːwiːd/ *s* [*não-contável*] alga marinha

secluded /sɪˈkluːdɪd/ *adj* **1** (*lugar*) isolado **2** (*vida*) solitário **seclusion** *s* **1** isolamento **2** solidão

🔑 **second** /ˈsekənd/ (*abrev* **2nd**) *adjetivo, advérbio, pronome, substantivo, verbo*
▸ *adj* segundo LOC **second thoughts**: *We had second thoughts.* Pensámos melhor no assunto. ◇ *On second thoughts...* Pensando melhor...
▸ *adv, pron* o(s) segundo(s), a(s) segunda(s): *She came/finished second.* Ela chegou/acabou em segundo lugar. ◇ *He's the second tallest in the class.* Ele é o segundo mais alto da turma. ◇ *the second to last* o penúltimo
▸ *s* **1** (*tempo*) segundo: *the second hand* o ponteiro dos segundos **2 the second** o dia dois **3** (*tb* **second gear**) (*mudança*) segunda ➲ *Ver exemplos em* FIFTH
▸ *vt* secundar

🔑 **secondary** /ˈsekəndri; *USA* -deri/ *adj* secundário

secondary school *s* escola secundária (*dos 12 aos 16/18 anos*): *She's at secondary school.* Está no ensino secundário. ➲ *Ver nota em* ESCOLA

second best *adj* segundo melhor: *He was tired of feeling second best.* Estava cansado de sentir que vinha sempre em segundo lugar. ➲ *Ver nota em* WELL BEHAVED

second class *substantivo, advérbio*
▸ *s* **1** segunda (classe) **2** correio normal
▸ *adv* em segunda (classe): *to travel second class* viajar em segunda (classe) ◇ *to send sth second class* enviar alguma coisa em correio normal

second-class /ˌsekənd ˈklɑːs; *USA* ˈklæs/ *adj* de segunda (classe): *a second-class ticket* um bilhete de segunda (classe) ◇ *a second-class stamp* um selo para correio normal ➲ *Ver nota em* STAMP

second-hand /ˌsekənd ˈhænd/ *adj, adv* em segunda mão

secondly /ˈsekəndli/ *adv* em segundo lugar

second-rate /ˌsekənd ˈreɪt/ *adj* de segunda (categoria)

secrecy /ˈsiːkrəsi/ *s* **1** secretismo **2** sigilo

🔑 **secret** /ˈsiːkrət/ *adjetivo, substantivo*
▸ *adj* secreto
▸ *s* segredo *Ver tb* TOP SECRET

secretarial /ˌsekrəˈteəriəl/ *adj* **1** (*pessoal*) administrativo **2** (*trabalho*) de secretária

🔑 **secretary** /ˈsekrətri; *USA* -teri/ *s* (*pl* **secretaries**) **1** secretário, -a **2 Secretary** ministro, -a ➲ *Ver nota em* MINISTRO; *Ver tb* HOME SECRETARY

Secretary of State *s* **1** (*GB*) ministro, -a ➲ *Ver nota em* MINISTRO **2** (*USA*) Ministro dos Negócios Estrangeiros

secrete /sɪˈkriːt/ *vt* **1** segregar **2** (*formal*) ocultar **secretion** *s* secreção

secretive /ˈsiːkrətɪv/ *adj* reservado

🔑 **secretly** /ˈsiːkrətli/ *adv* em segredo

sect /sekt/ *s* seita

sectarian /sekˈteəriən/ *adj* sectário

S

section /ˈsekʃn/ *s* **1** secção, parte *Ver tb* CROSS SECTION **2** (*estrada*) troço **3** (*sociedade*) sector **4** (*lei, código*) artigo

sector /ˈsektə(r)/ *s* sector

secular /ˈsekjələ(r)/ *adj* secular

secure /sɪˈkjʊə(r); *USA* səˈkjʊər/ *adjetivo, verbo*
▸ *adj* **1** seguro **2** (*prisão*) de alta segurança
▸ *vt* **1** (*formal*) (*acordo, contrato*) conseguir **2** fixar **3** proteger, assegurar **securely** *adv* solidamente

security /sɪˈkjʊərəti; *USA* səˈk-/ *s* (*pl* **securities**) **1** segurança: *a security guard* um segurança **2** (*empréstimo*) fiança *Ver tb* SOCIAL SECURITY

sedate /sɪˈdeɪt/ *adjetivo, verbo*
▸ *adj* tranquilo, sossegado
▸ *vt* sedar **sedation** *s* sedação LOC **be under sedation** estar sob o efeito de sedativos **sedative** /ˈsedətɪv/ *adj, s* sedativo

sedentary /ˈsedntri; *USA* -teri/ *adj* sedentário

sediment /ˈsedɪmənt/ *s* sedimento

seduce /sɪˈdjuːs; *USA* sɪˈduːs/ *vt* seduzir **seduction** /sɪˈdʌkʃn/ *s* sedução **seductive** *adj* sedutor

see /siː/ (*pt* **saw** /sɔː/, *pp* **seen** /siːn/) **1** *vt, vi* ver: *I saw a programme on TV about that.* Vi um programa na televisão sobre isso. ◇ *to go and see a film* ir ver um filme ◇ *She'll never see again.* Nunca mais voltará a ver. ◇ *See page 158.* Ver a página 158. ◇ *Go and see if the postman's been.* Vai ver se há correio. ◇ *Let's see.* Vamos ver. **2** *vt* encontrar-se com: *I'm seeing Sue tonight.* Fiquei de me encontrar com a Sue esta noite. **3** *vt* andar com: *Are you seeing anyone?* Andas com alguém? **4** *vt* acompanhar: *He saw her to the door.* Acompanhou-a até à porta. **5** *vt* encarregar-se: *I'll see that it's done.* Encarregar-me-ei de que seja feito. **6** *vt, vi* compreender LOC **seeing that...** visto que... ◆ **see you (around/later)** (*coloq*) até logo: *See you tomorrow!* Até amanhã! ◆ **you see** (*coloq*) sabe(s) ℹ Para outras expressões com **see**, ver as entradas para o substantivo, adjetivo, etc., p.ex. **see sense** em SENSE. PHR V **see about sth/doing sth** encarregar-se de alguma coisa/fazer alguma coisa ◆ **see sb off** ir despedir-se de alguém ◆ **see through sb/sth** não se deixar enganar por alguém/alguma coisa ◆ **see to sth** tratar de alguma coisa

seed /siːd/ *s* **1** semente **2** (*USA*) caroço (*de laranja, maçã, etc.*)

seedy /ˈsiːdi/ *adj* (**seedier, -iest**) (*pej*) sórdido

seek /siːk/ (*pt, pp* **sought** /sɔːt/) (*formal*) **1** *vt, vi* procurar **2** *vi* ~ **to do sth** procurar fazer alguma coisa PHR V **seek sb/sth out** procurar e encontrar alguém/alguma coisa

seem /siːm/ *vi* parecer: *It seems that...* Parece que... ℹ Não é usado em tempos contínuos. **seemingly** *adv* aparentemente

seen *pp de* SEE

seep /siːp/ *vi* infiltrar-se

seething /ˈsiːðɪŋ/ *adj* ~ **with sth** (*formal*) a fervilhar, a ferver de alguma coisa

see-through /ˈsiː θruː/ *adj* transparente

segment /ˈsegmənt/ *s* **1** (*Geom*) segmento **2** (*de laranja, etc.*) gomo

segregate /ˈsegrɪgeɪt/ *vt* ~ **sb/sth (from sb/sth)** segregar alguém/alguma coisa (de alguém/alguma coisa)

seize /siːz/ *vt* **1** agarrar: *to seize hold of sth* agarrar alguma coisa ◇ *We were seized by panic.* Fomos tomados pelo pânico. **2** (*armas, drogas, etc.*) apreender **3** (*Mil, pessoas*) capturar **4** (*bens*) embargar **5** (*controlo*) tomar **6** (*oportunidade, etc.*) aproveitar: *to seize the initiative* tomar a iniciativa PHR V **seize on/upon sth** aproveitar-se de alguma coisa ◆ **seize up 1** (*máquina*) avariar **2** (*partes do corpo*) ter uma cãibra **seizure** /ˈsiːʒə(r)/ *s* **1** (*de contrabando, etc.*) apreensão **2** captura **3** (*Med*) ataque

seldom /ˈseldəm/ *adv* raramente: *We seldom go out.* Saimos muito pouco. ➲ *Ver nota em* ALWAYS

select /sɪˈlekt/ *verbo, adjetivo*
▸ *vt* ~ **sb/sth (as/for sth)** selecionar alguém/alguma coisa (como/para alguma coisa)
▸ *adj* [*só antes de substantivo*] seleto

selection /sɪˈlekʃn/ *s* **1** seleção **2** variedade

selective /sɪˈlektɪv/ *adj* ~ **(about sth)** seletivo (quanto a alguma coisa)

self /self/ *s* (*pl* **selves** /selvz/) eu, ego: *She's her old self again.* Voltou a ser a mesma.

self-catering /ˌself ˈkeɪtərɪŋ/ *adj*: *self-catering accommodation* alojamento com cozinha

self-centred (*USA* **self-centered**) /ˌself ˈsentəd/ *adj* egocêntrico

self-confident /ˌself ˈkɒnfɪdənt/ (*tb* **self-assured** /ˌself əˈʃʊəd, əˈʃɔːd/) *adj* seguro de si

self-conscious /ˌself ˈkɒnʃəs/ *adj* inibido, sem naturalidade

self-contained /ˌself kənˈteɪnd/ *adj* (*apartamento*) independente (*com cozinha e casa de banho*)

self-control /ˌself kənˈtrəʊl/ *s* autodomínio

self-defence (*USA* **self-defense**) /ˌself dɪˈfens/ *s* legítima defesa, autodefesa

self-determination /ˌself dɪˌtɜːmɪˈneɪʃn/ *s* autodeterminação

self-employed /ˌself ɪmˈplɔɪd/ *adj* (*trabalhador*) independente, que trabalha por conta própria

self-interest /ˌself ˈɪntrəst, -trest/ *s* (*pej*) interesse pessoal

selfish /ˈselfɪʃ/ *adj* egoísta

self-pity /ˌself ˈpɪti/ *s* pena de si mesmo

self-portrait /ˌself ˈpɔːtreɪt, -trət/ *s* autorretrato

self-respect /ˌself rɪˈspekt/ *s* dignidade, amor-próprio

self-satisfied /ˌself ˈsætɪsfaɪd/ *adj* (*pej*) cheio de si, convencido

self-service /ˌself ˈsɜːvɪs/ *adj* de autosserviço, self-service

sell /sel/ (*pt, pp* **sold** /səʊld/) **1** *vt* ~ **sb sth**; ~ **sth (to sb)** vender alguma coisa (a alguém) ➲ *Ver nota em* GIVE **2** *vi* ~ **(at/for sth)** vender(-se) (a/por alguma coisa) PHR V **sell sth off** liquidar alguma coisa ◆ **sell out**; **be sold out** (*bilhetes*) esgotar ◆ **sell out (of sth)**; **be sold out (of sth)** estar com o stock (de alguma coisa) esgotado

sell-by date /ˈsel baɪ deɪt/ *s* data limite de venda

seller /ˈselə(r)/ *s* vendedor, -ora

selling /ˈselɪŋ/ *s* [*não-contável*] venda

Sellotape® /ˈseləteɪp/ *substantivo, verbo*
▸ *s* fita-cola
▸ *vt* colar com fita-cola

selves *pl de* SELF

semester /sɪˈmestə(r)/ *s* semestre (*esp na universidade*)

semi /ˈsemi/ *s* (*pl* **semis** /ˈsemiz/) **1** (*GB, coloq*) casa geminada (*de um lado*) **2** *Ver* SEMI-FINAL

semicircle /ˈsemisɜːkl/ *s* **1** semicírculo **2** semicircunferência

semicolon /ˌsemiˈkəʊlən; *USA* ˈsemikəʊlən/ *s* ponto e vírgula ➲ *Ver pág. 315*

semi-detached /ˌsemi dɪˈtætʃt/ *adj* geminado (*de um lado*): *semi-detached house* casa geminada ➲ *Comparar com* DETACHED

semi-final /ˌsemi ˈfaɪnl/ (*tb* **semi**) *s* semifinal **semi-finalist** *s* semifinalista

seminar /ˈsemɪnɑː(r)/ *s* seminário (*aula*)

senate (*tb* **Senate**) /ˈsenət/ *s* [*v sing ou pl*] senado ➲ *Ver nota em* CONGRESS

senator (*tb* **Senator**) /ˈsenətə(r)/ *s* (*abrev* **Sen.**) senador, -ora

send /send/ *vt* (*pt, pp* **sent** /sent/) **1** ~ **sb sth**; ~ **sth (to sb)** enviar, mandar alguma coisa (a alguém): *She was sent to bed without any supper.* Mandaram-na para a cama sem jantar. ➲ *Ver nota em* GIVE **2** fazer: *The news sent prices soaring.* A notícia fez os preços dispararem. ◇ *The story sent shivers down my spine.* A história causou-me calafrios. ◇ *to send sb to sleep* pôr alguém a dormir ◇ *to send sb mad* deixar alguém louco LOC *Ver* LOVE
PHR V **send for sb** chamar, mandar vir alguém ◆ **send sb in** enviar alguém (*esp tropas, polícia*) ◆ **send sth in/off** enviar alguma coisa (*pelo correio*): *I sent my application in last week.* Enviei a minha candidatura na semana passada. ◆ **send sb off** (*Desp*) expulsar alguém ◆ **send off for sth** mandar vir/encomendar alguma coisa (pelo correio) ◆ **send sth out 1** (*raios, etc.*) emitir alguma coisa **2** (*convites, etc.*) enviar alguma coisa ◆ **send sb/sth up** (*esp GB, coloq*) parodiar alguém/alguma coisa **sender** *s* remetente

senile /ˈsiːnaɪl/ *adj* senil **senility** /səˈnɪləti/ *s* senilidade

senior /ˈsiːniə(r)/ *adjetivo, substantivo*
▸ *adj* **1** superior: *senior partner* sócio principal **2** (*abrev* **Snr.**, **Sr.**) pai: *John Brown, Senior* John Brown, pai
▸ *s*: *She is two years my senior.* É mais velha do que eu dois anos.

senior citizen *s* pessoa de idade

seniority /ˌsiːniˈɒrəti; *USA* -ˈɔːr-/ *s* antiguidade (*anos, emprego, etc.*)

sensation /senˈseɪʃn/ *s* sensação **sensational** *adj* **1** sensacional **2** (*pej*) sensacionalista

sense /sens/ *substantivo, verbo*
▸ *s* **1** sentido: *a sense of humour* sentido de humor ◇ *sense of smell/touch/taste* olfato/tacto/gosto **2** sensação: *It gives him a sense of security.* Fá-lo sentir-se seguro. **3** juízo, bom senso: *to come to your senses* ganhar juízo ◇ *to make sb see sense* chamar alguém à razão LOC **in a sense** de certo modo ◆ **make sense** fazer sentido ◆ **make sense of sth** compreender alguma coisa ◆ **see sense** cair em si, ser razoável
▸ *vt* **1** sentir, perceber **2** (*máquina*) detetar

senseless /ˈsensləs/ *adj* **1** (*pej*) sem sentido, insensato **2** inconsciente (*sem sentidos*)

sensibility /ˌsensəˈbɪləti/ *s* (*pl* **sensibilities**) sensibilidade

sensible /ˈsensəbl/ *adj* **1** sensato ❶ A palavra *sensível* traduz-se por **sensitive**. **2** (*decisão*) acertado **sensibly** *adv* **1** (*portar-se*) com sensatez **2** (*vestir-se*) adequadamente

sensitive /ˈsensətɪv/ *adj* **1** sensível: *She's very sensitive to criticism.* É muito susceptível a críticas. **2** (*assunto, pele*) delicado: *sensitive documents* documentos confidenciais

S

sensitivity /ˌsensəˈtɪvəti/ *s* (*pl* **sensitivities**) **1** sensibilidade **2** susceptibilidade **3** (*assunto, pele*) delicadeza

sensual /ˈsenʃuəl/ *adj* sensual **sensuality** /ˌsenʃuˈæləti/ *s* sensualidade

sensuous /ˈsenʃuəs/ *adj* sensual

sent *pt, pp de* SEND

sentence /ˈsentəns/ *substantivo, verbo*
▸ *s* **1** (*Gram*) frase, oração **2** sentença: *a life sentence* prisão perpétua
▸ *vt* ~ **sb (to sth)** condenar alguém (a alguma coisa)

sentiment /ˈsentɪmənt/ *s* **1** (*formal*) sentimento **2** [*não-contável*] sentimentalismo **sentimental** /ˌsentɪˈmentl/ *adj* **1** sentimental **2** melodramático **sentimentality** /ˌsentɪmenˈtæləti/ *s* (*pej*) sentimentalismo

sentry /ˈsentri/ *s* (*pl* **sentries**) sentinela

separate *adjetivo, verbo*
▸ *adj* /ˈseprət/ **1** separado **2** diferente: *It happened on three separate occasions.* Aconteceu em três ocasiões diferentes.
▸ *vt, vi* /ˈsepəreɪt/ **1** separar(-se) **2** dividir(-se): *We separated the children into two groups.* Dividimos as crianças em dois grupos.

separately /ˈseprətli/ *adv* separadamente

separation /ˌsepəˈreɪʃn/ *s* separação

September /sepˈtembə(r)/ *s* (*abrev* **Sept.**) setembro ➲ *Ver nota e exemplos em* JANUARY

sequel /ˈsiːkwəl/ *s* **1** (*filme, livro, etc.*) continuação **2** consequência

sequence /ˈsiːkwəns/ *s* sequência, série

serene /səˈriːn/ *adj* sereno

sergeant /ˈsɑːdʒənt/ *s* sargento

serial /ˈsɪəriəl/ *s* **1** série **2** (*na televisão, em jornais, etc.*) folhetim: *radio serial* folhetim radiofónico ➲ *Ver nota em* SERIES

series /ˈsɪəriːz/ *s* (*pl* **series**) série: *a television series* uma série televisiva

> Em inglês utilizamos a palavra **series** para nos referirmos às séries em que cada episódio trata uma história diferente, e **serial** para nos referirmos a uma história dividida em capítulos.

serious /ˈsɪəriəs/ *adj* **1** sério: *Is he serious (about it)?* Está a falar a sério? ◇ *to be serious about sth/sb* levar alguma coisa a sério/gostar muito de alguém **2** (*doença, erro, crime*) grave

seriously /ˈsɪəriəsli/ *adv* **1** a sério **2** gravemente

seriousness /ˈsɪəriəsnəs/ *s* **1** seriedade **2** gravidade

sermon /ˈsɜːmən/ *s* sermão

servant /ˈsɜːvənt/ *s* criado, -a *Ver tb* CIVIL SERVANT

serve /sɜːv/ *verbo, substantivo*
▸ **1** *vt* ~ **sb sth**; ~ **sth (to sb)** servir alguma coisa (a alguém) ➲ *Ver nota em* GIVE **2** *vi* ~ **(in/on/with sth)** servir (em alguma coisa): *He served with the eighth squadron.* Serviu no oitavo esquadrão. **3** *vt* (*cliente*) atender **4** *vi* ~ **(as sth)** servir (de alguma coisa): *The sofa will serve as a bed.* O sofá vai servir de cama. **5** *vt* (*sentença*) servir **6** *vt, vi* (*Ténis, etc.*) servir **LOC it serves sb right (for doing sth)**: *It serves them right!* Bem feito! É para aprenderem! *Ver tb* FIRST
PHR V serve sth out 1 servir alguma coisa **2** distribuir alguma coisa **3** (*pena*) cumprir alguma coisa ◆ **serve sth up** servir alguma coisa (*comida*)
▸ *s* (*Ténis, etc.*) serviço: *Whose serve is it?* Quem é a servir?

server /ˈsɜːvə(r)/ *s* **1** (*Informát*) servidor **2** (*Ténis, etc.*) servidor, -ora **3** [*ger pl*] (*Cozinha*) talher: *salad servers* talheres de salada

service /ˈsɜːvɪs/ *substantivo, verbo*
▸ *s* **1** serviço: *10% extra for service* mais 10% para o serviço ◇ *service charge* (taxa de) serviço ◇ *on active service* no serviço ativo *Ver tb* ROOM SERVICE, SOCIAL SERVICES **2** culto: *morning service* missa da manhã **3** (*de carro*) revisão **4** (*desporto de raquete*) serviço
▸ *vt* (*veículo, máquina*) fazer a revisão de

serviceman /ˈsɜːvɪsmən/ *s* (*pl* **-men** /-mən/) militar

service station *s* **1** posto de gasolina **2** (*tb* service area, services [*pl*]) estação de serviço

servicewoman /ˈsɜːvɪswʊmən/ *s* (*pl* **-women**) /-wɪmɪn/ militar

serviette /ˌsɜːviˈet/ *s* guardanapo

session /ˈseʃn/ *s* sessão

set /set/ *verbo, substantivo, adjetivo*
▸ (*pt, pp* **set** *part pres* **setting**) **1** *vt* pôr, colocar: *He set a bowl of soup in front of me.* Colocou um prato de sopa à minha frente. **2** *vt* (*mudança de estado*): *They set the prisoners free.* Puseram os prisioneiros em liberdade. ◇ *It set me thinking.* Fez-me pensar. **3** *vt* (*filme, livro, etc.*): *The film is set in Austria.* O filme passa-se na Áustria. **4** *vt* (*preparar*) pôr: *I've set the alarm clock for seven.* Pus o despertador para as sete. ◇ *Did you set the video to record that film?* Programaste o vídeo para gravar o filme? **5** *vt* (*fixar*) estabelecer: *She's set a new world record.* Estabeleceu um novo recorde mundial. ◇ *Can we set a limit to the cost of the trip?*

Será que podemos estabelecer um limite para os custos da viagem? ◇ *They haven't set a date for their wedding yet.* Ainda não marcaram a data do casamento. **6** *vt* (*mandar*) marcar: *We've been set a lot of homework today.* Marcaram-nos um monte de trabalhos para casa hoje. **7** *vt*: *to set an example* dar o exemplo **8** *vi* (*gelatina, pudim, etc.*) solidificar: *Put the jelly in the fridge to set.* Põe a gelatina no frigorífico para que solidifique. **9** *vi* (*iogurte*) coalhar **10** *vi* (*cola*) secar **11** *vt* (*osso partido*) engessar **12** *vt* (*cabelo*) pentear **13** *vi* (*sol*) pôr-se **14** *vt* (*pedra em joia*) engastar ❶ Para expressões com **set**, ver as entradas para o substantivo, adjetivo, etc., p. ex. **set the table** em TABLE.
PHR V **set about (doing) sth** começar (a fazer) alguma coisa ◆ **set sth aside 1** reservar alguma coisa **2** pôr alguma coisa de parte ◆ **set off** partir: *to set off from London/on a journey* partir de Londres/de viagem ◆ **set sth off 1** fazer alguma coisa explodir **2** (*alarme*) fazer disparar alguma coisa **3** desencadear alguma coisa ◆ **set out** partir, iniciar uma viagem: *They set out for Australia.* Partiram para a Austrália. ◆ **set out to do sth** propor-se a fazer alguma coisa ◆ **set sth up 1** (*equipamento, negócio, etc.*) montar alguma coisa **2** (*monumento, etc.*) erguer alguma coisa **3** (*reunião, encontro*) marcar alguma coisa **4** (*organização, fundo*) criar alguma coisa
▸ *s* **1** (*Xadrez, toalhas, chaves etc.*) jogo **2** (*pratos, talheres, etc.*) serviço: *a set of saucepans* um trem de cozinha **3** (*de pessoas*) círculo **4** (*Eletrón*) aparelho **5** (*Ténis, Voleibol, etc.*) set **6** (*Teat*) cenário **7** (*Cinema*) estúdio **8** *a shampoo and set* lavar e pentear
▸ *adj* **1** situado **2** fixo **3** firme, inflexível **4** ~ **for sth/to do sth** preparado para alguma coisa/fazer alguma coisa LOC *Ver* MARK

setback /'setbæk/ *s* revés, problema

settee /se'tiː/ *s* sofá

setting /'setɪŋ/ *s* **1** cenário, ambiente **2** posição **3** (*Informát*) configuração

🔑 **settle** /'setl/ **1** *vt* (*disputa*) resolver **2** *vt* decidir **3** *vi* estabelecer-se **4** *vi* ~ **(on sth)** pousar (em alguma coisa) **5** *vt, vi* instalar-se: *He settled back in his favourite chair.* Instalou-se confortavelmente na sua cadeira preferida. **6** *vt* (*estômago, nervos*) acalmar **7** *vi* (*sedimento*) depositar-se **8** *vt, vi* ~ **(sth) (up) (with sb)** (*conta, dívida*) saldar as contas (com alguém), pagar PHR V **settle down 1** instalar-se **2** assentar, acalmar: *to marry and settle down* casar e assentar ◆ **settle for sth** contentar-se com alguma coisa ◆ **settle in; settle into sth** adaptar-se (a/em alguma coisa) ◆ **settle on sth** decidir-se por alguma coisa **settled** *adj* estável

settlement /'setlmənt/ *s* **1** acordo **2** (*disputa*) resolução **3** (*Jur*) contrato **4** colónia, povoado

settler /'setlə(r)/ *s* colono, -a

🔑 **seven** /'sevn/ *adj, pron, s* sete ➲ *Ver exemplos em* FIVE

🔑 **seventeen** /ˌsevn'tiːn/ *adj, pron, s* dezassete ➲ *Ver exemplos em* FIVE **seventeenth 1** *adj, adv, pron* décimo sétimo **2** *s* décima sétima parte ➲ *Ver exemplos em* FIFTH

🔑 **seventh** /'sevnθ/ **1** *adj, adv, pron* sétimo **2** *s* sétima parte, sétimo ➲ *Ver exemplos em* FIFTH

🔑 **seventy** /'sevnti/ *adj, pron, s* setenta ➲ *Ver exemplos em* FIFTY, FIVE **seventieth 1** *adj, adv, pron* septuagésimo, -a **2** *s* septuagésima parte ➲ *Ver exemplos em* FIFTH

sever /'sevə(r)/ *vt* (*formal*) **1** ~ **sth (from sth)** cortar alguma coisa (a alguma coisa) **2** (*relações*) romper

🔑 **several** /'sevrəl/ *adj, pron* vários, -as

🔑 **severe** /sɪ'vɪə(r)/ *adj* (**severer, -est**) **1** (*expressão do rosto, castigo*) severo **2** (*tempestade, nevão*) forte **3** (*dor*) intenso **4** (*doença, problema, danos*) grave

🔑 **sew** /səʊ/ *vt, vi* (*pt* **sewed** *pp* **sewn** /səʊn/ *ou* **sewed**) coser, costurar PHR V **sew sth up 1** coser alguma coisa: *to sew up a hole* cerzir um buraco **2** (*coloq*) ter alguma coisa no papo

sewage /'suːɪdʒ, 'sjuː-/ *s* [*não-contável*] esgotos, águas residuais

sewer /'suːə(r), 'sjuː-/ *s* (cano de) esgoto

🔑 **sewing** /'səʊɪŋ/ *s* [*não-contável*] costura

sewn *pp de* SEW

🔑 **sex** /seks/ *s* **1** sexo **2** relações sexuais: *to have sex (with sb)* ter relações sexuais (com alguém) ◇ *sex life* vida sexual

sexism /'seksɪzəm/ *s* sexismo

sexist /'seksɪst/ *adj, s* sexista

🔑 **sexual** /'sekʃuəl/ *adj* sexual: *sexual intercourse* relações sexuais **sexuality** /ˌsekʃu'æləti/ *s* sexualidade

sexy /'seksi/ *adj* (**sexier, -iest**) **1** (*pessoa, roupa*) sexi, sedutor **2** (*livro, filme, etc.*) erótico **3** (*coloq*) fascinante, interessante

shabby /'ʃæbi/ *adj* (**shabbier, -iest**) **1** (*roupa*) esfarrapado **2** (*coisas*) em mau estado, gasto **3** (*pessoa*) andrajoso, malvestido **4** (*comportamento*) mesquinho

shack /ʃæk/ *s* barraco

S

🔑 **shade** /ʃeɪd/ *substantivo, verbo*
▸ *s* **1** sombra ➲ *Ver ilustração em* SOMBRA **2** abajur **3** (*USA*) persiana **4** (*cor*) tom **5** (*significado*) diferença, nuance **6 shades** (*coloq*) óculos de sol
▸ *vt* dar sombra a

🔑 **shadow** /ˈʃædəʊ/ *substantivo, verbo, adjetivo*
▸ *s* **1** sombra ➲ *Ver ilustração em* SOMBRA **2** (*tb* **shadows** [*pl*]) obscuridade
▸ *vt* seguir e vigiar em segredo
▸ *adj* (*Pol*) da oposição: *the shadow cabinet* o governo-sombra **shadowy** *adj* **1** (*lugar*) escuro **2** (*fig*) indefinido, obscuro

shady /ˈʃeɪdi/ *adj* (**shadier**, **-iest**) com sombra

shaft /ʃɑːft; *USA* ʃæft/ *s* **1** haste **2** cabo (longo) **3** eixo **4** poço: *lift shaft* poço do elevador **5** ~ **(of sth)** (*luz*) raio (de alguma coisa)

shaggy /ˈʃægi/ *adj* (**shaggier**, **-iest**) peludo: *shaggy eyebrows* sobrancelhas hirsutas ◇ *shaggy hair* cabelo desgrenhado

🔑 **shake** /ʃeɪk/ *verbo, substantivo*
▸ (*pt* **shook** /ʃʊk/, *pp* **shaken** /ˈʃeɪkən/) **1** *vt* ~ **sb/sth (about/around)** sacudir, agitar alguém/alguma coisa **2** *vi* tremer **3** *vt* ~ **sb (up)** abalar alguém LOC **shake sb's hand**; **shake hands (with sb)**; **shake sb by the hand** apertar a mão (a alguém) ◆ **shake your head** negar com a cabeça PHR V **shake sb off** livrar-se de alguém ◆ **shake sth up 1** agitar alguma coisa **2** (*empresa, etc.*) reorganizar alguma coisa
▸ *s* **1** [*ger sing*] abanadela: *a shake of the head* um não com a cabeça **2** *Ver* MILKSHAKE **shaky** *adj* (**shakier**, **-iest**) **1** trémulo **2** pouco sólido

🔑 **shall** /ʃəl, ʃæl/ *v modal* (*contracção* **'ll** *neg* **shall not** *ou* **shan't** /ʃɑːnt; *USA* ʃænt/)

Shall é um verbo modal seguido do infinitivo sem **to**, e as orações interrogativas e negativas constroem-se sem o auxiliar **do**.

1 [*para formar o futuro*]: *As we shall see...* Como veremos... ◇ *I shall tell her tomorrow.* Dir-lhe-ei amanhã.

Shall e **will** usam-se para formar o futuro em inglês. **Shall** utiliza-se com a primeira pessoa do singular e do plural, **I** e **we**, e **will** com as restantes pessoas. Contudo, em inglês falado **will** (ou **'ll**) tende a ser utilizado com todos os pronomes.

2 (*oferta, sugestão*): *Shall we pick you up?* Queres que te vamos buscar? ❶ Nos Estados Unidos usa-se **should** em vez de **shall** neste sentido. **3** (*formal*) (*vontade, determinação*): *I shan't go.* Não irei. ◇ *He shall be given a fair trial.* Terá um julgamento justo. ❶ Neste sentido, **shall** é mais formal do que **will**, especialmente quando se usa com outros pronomes que não *I* e *we*.

🔑 **shallow** /ˈʃæləʊ/ *adj* (**shallower**, **-est**) **1** (*água*) pouco profundo **2** (*pej*) (*pessoa*) superficial

shambles /ˈʃæmblz/ *s* [*sing*] (*coloq*) balbúrdia: *to be (in) a shambles* estar uma confusão

🔑 **shame** /ʃeɪm/ *substantivo, verbo*
▸ *s* **1** vergonha **2** desonra **3 a shame** [*sing*] uma pena: *What a shame!* Que pena! LOC **put sb/sth to shame** envergonhar alguém/alguma coisa *Ver tb* CRYING
▸ *vt* **1** envergonhar **2** (*formal*) desonrar

shameful /ˈʃeɪmfl/ *adj* vergonhoso

shameless /ˈʃeɪmləs/ *adj* (*pej*) descarado, sem-vergonha

shampoo /ʃæmˈpuː/ *substantivo, verbo*
▸ *s* (*pl* **shampoos**) champô
▸ *vt* (*pt, pp* **shampooed** *part pres* **shampooing**) lavar (com champô)

shamrock /ˈʃæmrɒk/ *s* trevo (*emblema nacional da Irlanda*)

shan't = SHALL NOT *Ver* SHALL

shanty town /ˈʃænti taʊn/ *s* bairro de lata

🔑 **shape** /ʃeɪp/ *substantivo, verbo*
▸ *s* **1** forma **2** figura LOC **give shape to sth** (*formal*) dar forma a alguma coisa ◆ **in any (way,) shape or form** (*coloq*) de qualquer tipo ◆ **in shape** em forma ◆ **out of shape 1** deformado **2** fora de forma ◆ **take shape** criar/tomar forma
▸ *vt* **1** ~ **sth (into sth)** dar forma (de alguma coisa) a alguma coisa **2** moldar **shapeless** *adj* sem forma

🔑 **share** /ʃeə(r)/ *verbo, substantivo*
▸ **1** *vt, vi* ~ **(sth) (with sb)** partilhar (alguma coisa) (com alguém) **2** *vt* ~ **sth (out) (among/between sb)** repartir alguma coisa (entre alguém)
▸ *s* **1** ~ **(of/in sth)** parte (de/em alguma coisa) **2** (*Fin*) ação LOC *Ver* FAIR

shareholder /ˈʃeəhəʊldə(r)/ *s* acionista

shark /ʃɑːk/ *s* tubarão

🔑 **sharp** /ʃɑːp/ *adjetivo, advérbio, substantivo*
▸ *adj* (**sharper**, **-est**) **1** (*faca, etc.*) afiado **2** (*mudança*) acentuado **3** nítido **4** (*som, dor*) agudo **5** (*mente, vista*) aguçado **6** (*sabor*) ácido **7** (*odor*) acre **8** (*vento*) cortante **9** (*curva*) apertado **10** (*Mús*) sustenido **11** (*roupa*) elegante
▸ *adv* em ponto: *at two o'clock sharp* às duas horas em ponto
▸ *s* (*Mús*) sustenido **sharpen** *vt, vi* **1** afiar **2** ~ **(sth) (up)** (*fig*) melhorar (alguma coisa) **sharpener**: *pencil/knife sharpener* apara-lápis/amolador de facas

S

shatter /ˈʃætə(r)/ *vt, vi* **1** estilhaçar **2** destruir **shattered** *adj* **1** arrasado **2** (*GB, coloq*) exausto **shattering** *adj* esmagador

shave /ʃeɪv/ **1** *vt, vi* barbear(-se) **2** *vt* (*corpo*) rapar LOC *Ver* CLOSE[1] **shaver** *s* máquina de barbear

she /ʃiː/ *pronome, substantivo*
- *pron* ela: *She didn't come.* Não veio.
  O pronome pessoal não se pode omitir em inglês. ➲ *Comparar com* HER
- *s* fêmea: *Is it a he or a she?* É macho ou fêmea?

shear /ʃɪə(r)/ *vt* (*pt* **sheared** *pp* **shorn** /ʃɔːn/ *ou* **sheared**) **1** (*ovelha*) tosquiar **2** cortar

shears /ʃɪəz/ *s* [*pl*] tesoura de podar ➲ *Ver nota em* TESOURA

sheath /ʃiːθ/ *s* (*pl* **sheaths** /ʃiːðz/) bainha (*de espada, punhal*)

shed /ʃed/ *substantivo, verbo*
- *s* barracão
- *vt* (*pt, pp* **shed** *part pres* **shedding**) **1** desfazer-se de **2** (*folhas*) perder **3** (*pele*) mudar de **4** (*formal*) (*sangue, lágrimas*) derramar **5** ~ **sth (on sb/sth)** (*luz*) lançar alguma coisa (sobre alguém/alguma coisa)

she'd /ʃiːd/ **1** = SHE HAD *Ver* HAVE **2** = SHE WOULD *Ver* WOULD

sheep /ʃiːp/ *s* (*pl* **sheep**) ovelha ➲ *Ver nota em* CARNE **sheepish** *adj* tímido, envergonhado

sheer /ʃɪə(r)/ *adj* **1** [*só antes de substantivo*] puro, absoluto: *The concert was sheer delight.* O concerto foi absolutamente delicioso. **2** (*meias*) de vidro **3** (*rochedo, etc.*) escarpado

sheet /ʃiːt/ *s* **1** (*para cama*) lençol **2** (*de papel*) folha **3** (*de vidro, metal*) placa

sheikh /ʃeɪk, ʃiːk/ *s* xeque

shelf /ʃelf/ *s* (*pl* **shelves** /ʃelvz/) prateleira

shell /ʃel/ *substantivo, verbo*
- *s* **1** (*de molusco*) concha **2** (*de ovo, noz*) casca ➲ *Ver nota em* PEEL **3** (*de tartaruga, crustáceo, inseto*) carapaça **4** projétil **5** (*de edifício*) armação **6** (*de barco*) casco
- *vt* bombardear

she'll /ʃiːl/ = SHE WILL *Ver* WILL

shellfish /ˈʃelfɪʃ/ *s* (*pl* **shellfish**) **1** (*Zool*) crustáceo **2** (*como alimento*) marisco

shelter /ˈʃeltə(r)/ *substantivo, verbo*
- *s* **1** ~ **(from sth)** (*proteção*) abrigo (contra alguma coisa): *to take shelter* abrigar-se **2** (*lugar*) refúgio
- **1** *vt* ~ **sb/sth (from sb/sth)** abrigar, proteger alguém/alguma coisa (de alguém/alguma coisa) **2** *vi* ~ **(from sth)** abrigar-se, proteger-se (de alguma coisa) **sheltered** *adj* **1** (*lugar*) abrigado **2** (*vida*) protegido

shelve /ʃelv/ *vt* arquivar

shelves *pl de* SHELF

shelving /ˈʃelvɪŋ/ *s* [*não-contável*] prateleiras

shepherd /ˈʃepəd/ *s* pastor *Ver tb* GERMAN SHEPHERD

sherry /ˈʃeri/ *s* (*pl* **sherries**) xerez

she's /ʃiːz/ **1** = SHE IS *Ver* BE **2** = SHE HAS *Ver* HAVE

shied *pt, pp de* SHY

shield /ʃiːld/ *substantivo, verbo*
- *s* escudo
- *vt* ~ **sb/sth (from sb/sth)** proteger alguém/alguma coisa (de alguém/alguma coisa)

shift /ʃɪft/ *verbo, substantivo*
- *vt, vi* mover(-se), mudar (de lugar): *Help me shift the sofa.* Ajuda-me a mudar o sofá. ◊ *She shifted uneasily in her seat.* Mexeu-se nervosamente na cadeira.
- *s* **1** mudança: *a shift in public opinion* uma mudança da opinião pública **2** (*trabalho*) turno

shifty /ˈʃɪfti/ *adj* (*coloq*) suspeito

shimmer /ˈʃɪmə(r)/ *vi* **1** (*água, seda*) brilhar **2** (*luz*) bruxulear **3** (*luz na água*) tremeluzir

shin /ʃɪn/ *s* **1** canela **2** (*tb* **shin bone**) tíbia

shine /ʃaɪn/ *verbo, substantivo*
- (*pt, pp* **shone** /ʃɒn; *USA* ʃəʊn/) **1** *vi* brilhar: *His face shone with excitement.* A sua cara irradiava excitação. **2** *vt* (*lanterna*) apontar **3** *vi* ~ **(at/in sth)** brilhar (em alguma coisa): *She's always shone at languages.* Sempre foi brilhante em línguas.
- *s* [*sing*] brilho

shingle /ˈʃɪŋgl/ *s* [*não-contável*] cascalho

shiny /ˈʃaɪni/ *adj* (**shinier, -iest**) brilhante, lustroso

ship /ʃɪp/ *substantivo, verbo*
- *s* barco, navio: *a merchant ship* um navio mercante ◊ *The captain went on board ship.* O capitão subiu a bordo do navio. ◊ *to launch a ship* lançar à água um barco ➲ *Ver nota em* BOAT
- *vt* (**-pp-**) enviar (*esp por via marítima*)

shipbuilding /ˈʃɪpbɪldɪŋ/ *s* construção naval

shipment /ˈʃɪpmənt/ *s* carregamento

shipping /ˈʃɪpɪŋ/ *s* embarcações, navios: *shipping lane/route* via/rota de navegação

shipwreck /ˈʃɪprek/ *substantivo, verbo*
- *s* naufrágio
- *vt* **be shipwrecked** naufragar

shirt /ʃɜːt/ *s* camisa

S

shiver /ˈʃɪvə(r)/ *verbo, substantivo*
▸ *vi* **1** ~ **(with sth)** tremer (de alguma coisa) **2** estremecer
▸ *s* calafrio

shoal /ʃəʊl/ *s* cardume

shock /ʃɒk/ *substantivo, verbo*
▸ *s* **1** choque **2** (*tb* **electric shock**) choque elétrico **3** [*não-contável*] (*Med*) choque
▸ **1** *vt* emocionar, transtornar **2** *vt, vi* chocar

shocking /ˈʃɒkɪŋ/ *adj* **1** (*notícia, crime, etc.*) chocante **2** (*comportamento*) escandaloso **3** (*esp GB, coloq*) terrível, péssimo

shoddy /ˈʃɒdi/ *adj* (**shoddier, -iest**) **1** (*produto*) de baixa qualidade **2** (*trabalho*) péssimo

shoe /ʃuː/ *substantivo, verbo*
▸ *s* sapato: *What shoe size do you take?* Que número calça? ◇ *shoe shop* sapataria ◇ *shoe polish* graxa ➲ *Ver nota em* PAIR
▸ *vt* (*pt, pp* **shod** /ʃɒd/) (*cavalo*) ferrar

shoelace /ˈʃuːleɪs/ *s* atacador (*de sapato*)

shoestring /ˈʃuːstrɪŋ/ *s* (*USA*) *Ver* SHOELACE
LOC **on a shoestring** (*coloq*) com muito pouco dinheiro

shone *pt, pp de* SHINE

shook *pt de* SHAKE

shoot /ʃuːt/ *verbo, substantivo*
▸ (*pt, pp* **shot** /ʃɒt/) **1** *vt, vi* ~ **(sth) at sb/sth** disparar (alguma coisa) sobre/contra alguém/alguma coisa: *She was shot in the leg.* Deram-lhe um tiro na perna. ◇ *to shoot sb dead* matar alguém a tiro ◇ *to shoot rabbits* caçar coelhos **2** *vt* fuzilar **3** *vt* (*olhar*) lançar **4** *vt* (*filme*) rodar, filmar **5** *vi* ~ **along, past, out, etc.** passar, sair, etc. disparado **6** *vi* (*Desp*) chutar PHR V **shoot sb/sth down** abater alguém/alguma coisa (a tiro) ◆ **shoot up 1** (*planta*) crescer rapidamente **2** (*criança*) medrar **3** (*preços*) disparar
▸ *s* rebento

shooting /ˈʃuːtɪŋ/ *s* tiroteio

shop /ʃɒp/ *substantivo, verbo*
▸ *s* **1** loja: *a clothes shop* um pronto-a-vestir ◇ *I'm going to the shops.* Vou às compras. ◇ *shop window* vitrina **2** *Ver* WORKSHOP LOC *Ver* TALK
▸ *vi* (**-pp-**) ir às compras, fazer compras: *She's gone shopping.* Foi às compras. ◇ *to shop for sth* procurar alguma coisa (nas lojas)
PHR V **shop around (for sth)** comparar os preços (de alguma coisa)

shop assistant (*tb* **assistant**) *s* empregado, -a de balcão, vendedor, -ora

shopkeeper /ˈʃɒpkiːpə(r)/ *s* comerciante, lojista

shoplifter /ˈʃɒplɪftə(r)/ *s* ladrão, ladra de lojas

shoplifting /ˈʃɒplɪftɪŋ/ *s* [*não-contável*] furto (*em loja*): *She was charged with shoplifting.* Foi acusada de furto numa loja. ➲ *Ver nota em* THIEF

shopper /ˈʃɒpə(r)/ *s* comprador, -ora

shopping /ˈʃɒpɪŋ/ *s* [*não-contável*] compras: *to do the shopping* fazer as compras ◇ *shopping bag/trolley* saco/carrinho das compras

shopping centre (*USA* **shopping center**) (*tb* **shopping mall**) *s* centro comercial

shore /ʃɔː(r)/ *s* **1** costa: *to go on shore* desembarcar **2** margem (*de rio, lago*): *on the shore(s) of Loch Ness* nas margens do Lago Ness ➲ *Comparar com* BANK

shorn *pp de* SHEAR

short /ʃɔːt/ *adjetivo, advérbio, substantivo*
▸ *adj* (**shorter, -est**) **1** (*tempo, distância, cabelo, vestido, etc.*) curto: *I was only there for a short while.* Só lá estive um bocado. ◇ *a short time ago* há pouco **2** (*pessoa*) baixo **3** ~ **(of sth)** com falta de alguma coisa: *Water is short.* A água é pouca. ◇ *I'm a bit short of time just now.* Não tenho muito tempo agora. ◇ *I'm £5 short.* Faltam-me cinco libras. **4** ~ **for sth**: *Ben is short for Benjamin.* Ben é o diminutivo de Benjamin. LOC *Ver* SUPPLY, TEMPER, TERM
▸ *adv* LOC *Ver* FALL, STOP
▸ *s* (*Cinema*) curta-metragem *Ver tb* SHORTS
LOC **for short** para abreviar: *He's called Ben for short.* Chamamos-lhe Ben para abreviar. ◆ **in short** em resumo

shortage /ˈʃɔːtɪdʒ/ *s* escassez

short circuit (*coloq* **short**) curto-circuito

short-circuit /ˌʃɔːt ˈsɜːkɪt/ (*coloq* **short**) **1** *vi* entrar em curto-circuito **2** *vt* provocar um curto-circuito em

shortcoming /ˈʃɔːtkʌmɪŋ/ *s* [*ger pl*] deficiência: *severe shortcomings in police tactics* graves problemas com as táticas policiais

short cut *s* atalho: *He took a short cut through the park.* Seguiu por um atalho ao longo do parque.

shorten /ˈʃɔːtn/ **1** *vt* encurtar **2** *vi* tornar-se mais curto

shorthand /ˈʃɔːthænd/ *s* estenografia

shortlist /ˈʃɔːtlɪst/ *s* lista de candidatos selecionados

short-lived /ˌʃɔːt ˈlɪvd/ *adj* de curta duração

shortly /ˈʃɔːtli/ *adv* **1** pouco: *shortly afterwards* pouco depois **2** brevemente

shorts /ʃɔːts/ *s* [*pl*] **1** calções **2** (*USA*) cuecas ➲ *Ver notas em* CALÇAS *e* PAIR

short-sighted /ˌʃɔːt ˈsaɪtɪd/ *adj* **1** míope **2** (*fig*) imprudente

short-term /ˌʃɔːt ˈtɜːm/ *adj* a curto prazo: *short-term plans* planos a curto prazo

shot /ʃɒt/ *s* **1** ~ **(at sb/sth)** tiro (em/contra alguém/alguma coisa) **2** (*coloq*) tentativa: *to have a shot at (doing) sth* tentar (fazer) alguma coisa **3** (*Desp*) jogada **4** (*Fot*) foto **5** (*coloq*) injeção **6 the shot** [*sing*] (*tb* **the shot-put**) (*Desp*) o peso: *to put the shot* lançar o peso LOC *Ver* BIG *Ver tb* SHOOT

shotgun /ˈʃɒtɡʌn/ *s* espingarda, caçadeira

should /ʃəd, ʃʊd/ *v modal* (*neg* **should not** *ou* **shouldn't** /ˈʃʊdnt/)

Should é um verbo modal seguido do infinitivo sem **to**, e as orações interrogativas e negativas constroem-se sem o auxiliar **do**.

1 (*sugestões, conselhos*) dever: *You shouldn't drink and drive.* Não devias beber e depois conduzir. ➲ *Comparar com* MUST **2** (*probabilidade*) dever: *They should be there by now.* Já lá devem estar. **3** *How should I know?* Como é que eu havia de saber? **4** (*USA*): *Should we pick you up?* Queres que te vamos buscar?

shoulder /ˈʃəʊldə(r)/ *substantivo, verbo*
▸ *s* ombro LOC *Ver* CHIP
▸ *vt* (*responsabilidade, culpa*) arcar com

shoulder blade *s* omoplata

shout /ʃaʊt/ *verbo, substantivo*
▸ *vt, vi* ~ **(sth) (at/to sb)** gritar (alguma coisa) (a alguém)

Quando utilizamos **shout** com **at sb** tem o sentido de "discutir com": *Don't shout at him, he's only little.* Não grites com ele, que é uma criança. Mas quando o utilizamos com **to sb** tem o sentido de "dizer aos gritos": *She shouted the number out to me from the car.* Gritou-me o número do carro.

PHR V **shout sb down** fazer calar alguém gritando
▸ *s* grito

shove /ʃʌv/ *verbo, substantivo*
▸ **1** *vt, vi* empurrar **2** *vt* (*coloq*) enfiar
▸ *s* [*ger sing*] empurrão

shovel /ˈʃʌvl/ *substantivo, verbo*
▸ *s* pá
▸ *vt* (**-ll-**, *USA* **-l-**) remover às pazadas

show /ʃəʊ/ *verbo, substantivo*
▸ (*pt* **showed** *pp* **shown** /ʃəʊn/) **1** *vt* mostrar **2** *vt* demonstrar **3** *vi* ver-se, notar-se **4** *vt* (*filme*) exibir, passar **5** *vt* (*Arte*) expor LOC *Ver* ROPE PHR V **show off (to sb)** (*coloq, pej*) exibir-se (para alguém) ◆ **show sb/sth off 1** exibir alguém/alguma coisa **2** (*roupa*) chamar a atenção para alguém, acentuar alguma coisa ◆ **show up** (*coloq*) aparecer ◆ **show sb up** (*GB, coloq*) envergonhar alguém
▸ *s* **1** espetáculo: *TV show* programa de entretenimento **2** exibição, feira de mostras **3** demonstração: *a show of force* uma demonstração de força ◇ *to make a show of sth* fazer alarde de alguma coisa LOC **for show 1** (*comportamento*) para impressionar **2** para exposição ◆ **on show** em exposição, exposto

show business (*coloq* **showbiz** /ˈʃəʊbɪz/) *s* mundo do espetáculo

showdown /ˈʃəʊdaʊn/ *s* confronto decisivo

shower /ˈʃaʊə(r)/ *substantivo, verbo*
▸ *s* **1** chuveiro: *to take/have a shower* tomar banho de chuveiro **2** aguaceiro, chuvada **3** ~ **(of sth)** (*fig*) chuva (de alguma coisa)
▸ **1** *vi* tomar (um) duche **2** *vi* ~ **(down) (on sb/sth)** chover (sobre alguém/alguma coisa) **3** *vt, vi* ~ **sb with sth** cobrir alguém de alguma coisa **4** *vt* ~ **sb with sth** (*fig*) inundar alguém de alguma coisa

showing /ˈʃəʊɪŋ/ *s* **1** (*Cinema*) exibição **2** atuação

showjumping /ˈʃəʊdʒʌmpɪŋ/ *s* (*Desp*) salto de obstáculos

shown *pp de* SHOW

show-off /ˈʃəʊ ɒf; *USA* ɔːf/ *s* (*coloq, pej*) exibicionista

showroom /ˈʃəʊruːm, -rʊm/ *s* espaço de esposição

shrank *pt de* SHRINK

shrapnel /ˈʃræpnəl/ *s* metralha, estilhaços

shred /ʃred/ *substantivo, verbo*
▸ *s* **1** (*de tecido, papel*) tira: *to cut sth into shreds* cortar alguma coisa em tiras **2** (*de verdura*) pedaço **3** ~ **of sth** (*fig*) ponta de alguma coisa: *a shred of evidence* a mínima prova
▸ *vt* (**-dd-**) cortar/fazer em tiras

shrewd /ʃruːd/ *adj* (**shrewder, -est**) **1** astuto, matreiro **2** (*decisão*) inteligente

shriek /ʃriːk/ *verbo, substantivo*
▸ *vt, vi* ~ **(with sth)** guinchar, gritar (de alguma coisa): *to shriek with laughter* rir às gargalhadas
▸ *s* guincho, grito

shrill /ʃrɪl/ *adj* (**shriller, -est**) **1** estridente, agudo **2** (*protesto, etc.*) veemente

shrimp /ʃrɪmp/ *s* (*pl* **shrimps** *ou* **shrimp**) camarão

shrine /ʃraɪn/ *s* santuário

S

shrink /ʃrɪŋk/ *vt, vi* (*pt* **shrank** /ʃræŋk/ *ou* **shrunk** /ʃrʌŋk/, *pp* **shrunk**) encolher PHR V **shrink from sth/doing sth** fugir a alguma coisa/fazer alguma coisa

shrivel /ˈʃrɪvl/ *vt, vi* (**-ll-**, *USA* **-l-**) ~ **(sth) (up)** **1** secar (alguma coisa) **2** engelhar (alguma coisa)

shroud /ʃraʊd/ *substantivo, verbo*
▸ *s* **1** mortalha **2** ~ **(of sth)** (*formal*) (*fig*) manto (de alguma coisa)
▸ *vt* ~ **sth in sth** envolver alguma coisa em alguma coisa: *shrouded in secrecy* envolto em secretismo

Shrove Tuesday /ˌʃrəʊv ˈtjuːzdeɪ, -di; *USA* ˈtuː-/ *s* Terça-feira de Carnaval ➲ *Ver nota em* TERÇA-FEIRA

shrub /ʃrʌb/ *s* arbusto (*ornamental*)

shrug /ʃrʌɡ/ *verbo, substantivo*
▸ *vt, vi* (**-gg-**) ~ **(your shoulders)** encolher os ombros PHR V **shrug sth off** não dar importância a alguma coisa
▸ *s* encolher de ombros

shrunk *pt, pp de* SHRINK

shudder /ˈʃʌdə(r)/ *verbo, substantivo*
▸ *vi* **1** ~ **(with/at sth)** tremer (de alguma coisa) **2** estremecer
▸ *s* **1** tremor, calafrio **2** estremecimento

shuffle /ˈʃʌfl/ **1** *vi* ~ **(along)** caminhar arrastando os pés **2** *vt* ~ **your feet** mexer os pés **3** *vt, vi* (*cartas*) baralhar ➲ *Ver nota em* BARALHO

shun /ʃʌn/ *vt* (**-nn-**) evitar

shut /ʃʌt/ *verbo, adjetivo*
▸ *vt, vi* (*pt, pp* **shut** *part pres* **shutting**) fechar
PHR V **shut sb/sth away** fechar alguém/alguma coisa
shut (sth) down encerrar (alguma coisa)
shut sth in sth entalar alguma coisa em alguma coisa
shut sth off fechar alguma coisa (*gás, água, etc.*) ◆ **shut sb/sth/yourself off from sth** manter alguém/alguma coisa/manter-se afastado de alguma coisa
shut sb/sth out (of sth) **1** excluir alguém/alguma coisa (de alguma coisa) **2** não deixar alguém/alguma coisa entrar (em alguma coisa)
shut up (*coloq*) calar-se ◆ **shut sb up** (*coloq*) (fazer) calar alguém ◆ **shut sth up** fechar alguma coisa ◆ **shut sb/sth up (in sth)** fechar alguém/alguma coisa (em alguma coisa)
▸ *adj* [*nunca antes de substantivo*] fechado: *The door was shut.* A porta estava fechada.

shutter /ˈʃʌtə(r)/ *s* **1** portada **2** (*Fot*) obturador

shuttle /ˈʃʌtl/ *s* **1** lançadeira **2** linha regular: *I'm catching the shuttle to Washington.* Vou apanhar a ponte aérea para Washington. **3** (*tb* **space shuttle**) vaivém espacial

shy /ʃaɪ/ *adjetivo, verbo*
▸ *adj* (**shyer**, **-est**) tímido: *to be shy about sth* ter vergonha de alguma coisa
▸ *v* (*pt, pp* **shied** /ʃaɪd/) PHR V **shy away from sth/doing sth** não se atrever a alguma coisa/fazer alguma coisa **shyness** *s* timidez, vergonha

sick /sɪk/ *adjetivo, substantivo*
▸ *adj* **1** doente: *to be off sick* estar doente ➲ *Ver nota em* DOENTE **2** enjoado **3** ~ **of sb/sth/doing sth** (*coloq*) farto de alguém/alguma coisa/fazer alguma coisa: *to be sick to death/sick and tired of sth* estar farto de alguma coisa **4** (*coloq*) (*piada, etc.*) de mau gosto LOC **be sick** vomitar ◆ **make sb sick** dar nojo a alguém
▸ *s* [*não-contável*] (*GB, coloq*) vomitado **sicken** *vt* dar nojo a **sickening** *adj* **1** nojento **2** (*coloq*) irritante

sickly /ˈsɪkli/ *adj* **1** adoentado **2** (*gosto, cheiro*) enjoativo

sickness /ˈsɪknəs/ *s* **1** [*não-contável*] indisposição, náuseas **2** doença

side /saɪd/ *substantivo, verbo*
▸ *s* **1** lado: *on the other side* no outro lado ◇ *to sit at/by sb's side* sentar-se ao lado de alguém ◇ *a side door* uma porta lateral ◇ *to change sides* mudar de lado ◇ *Whose side are you on?* De que lado estás? ◇ *I've got a pain in my side.* Tenho uma dor no tronco. **2** (*de um rio, uma estrada, etc.*) beira **3** (*de uma montanha*) encosta **4** (*de um lago*) margem **5** (*Anat*) flanco **6** (*de uma moeda*) cara **7** (*Desp*) equipa **8** aspeto: *the different sides of a question* os diferentes aspetos da questão LOC **get on the right/wrong side of sb** causar boa/má impressão a/em alguém ◆ **on/from all sides/every side** por/de todos os lados ◆ **put sth on/to one side** pôr alguma coisa de lado ◆ **side by side** lado a lado ◆ **take sides (with sb)** tomar o partido (de alguém) *Ver tb* LOOK, SAFE
▸ *v* PHR V **side with/against sb** pôr-se do lado de/contra alguém

sideboard /ˈsaɪdbɔːd/ *s* **1** aparador **2** (*tb* **sideburn** /ˈsaɪdbɜːn/) [*ger pl*] patilha

side effect *s* efeito secundário

side street (*tb* **side road**) *s* rua transversal

sidetrack /ˈsaɪdtræk/ *vt* desviar (*do objetivo principal*)

sidewalk /ˈsaɪdwɔːk/ *s* (*USA*) (*para peões*) passeio

sideways /ˈsaɪdweɪz/ *adv, adj* **1** de lado **2** (*olhar*) de soslaio

siege /siːdʒ/ *s* **1** (*Mil*) cerco **2** cerco (policial)

sieve /sɪv/ *substantivo, verbo*
▸ *s* **1** peneira **2** (*para líquidos*) coador, passador
▸ *vt* peneirar, coar

sift /sɪft/ **1** *vt* peneirar **2** *vt, vi* ~ **(through) sth** (*fig*) esquadrinhar alguma coisa

sigh /saɪ/ *verbo, substantivo*
▸ *vi* suspirar
▸ *s* suspiro

sight /saɪt/ *s* **1** vista: *to have poor sight* ter a vista fraca **2 the sights** [*pl*] os lugares de interesse LOC **at/on sight** no ato ◆ **in sight** à vista ◆ **lose sight of sb/sth** perder alguém/alguma coisa de vista: *We must not lose sight of the fact that...* Devemos ter sempre presente o facto de que... ◆ **out of sight, out of mind** longe da vista, longe do coração *Ver tb* CATCH, PRETTY

sightseeing /ˈsaɪtsiːɪŋ/ *s* turismo: *to go sightseeing* fazer um passeio (turístico)

sign /saɪn/ *substantivo, verbo*
▸ *s* **1** ~ **(of sth)** sinal (de alguma coisa): *a good/bad sign* um bom/mau sinal ◇ *There are signs that...* Há sinais de que... ◇ *to make a sign at sb* fazer sinal a alguém **2** (*trânsito*) sinal, tabuleta **3** (*tb* **star sign**) signo: *the signs of the Zodiac* os signos do Zodíaco **4** ~ **(of sth)** (*Med*) sintoma (de alguma coisa)
▸ **1** *vt, vi* assinar **2** *vt* ~ **sb (up)** contratar alguém PHR V **sign up (for sth) 1** matricular-se (em alguma coisa) **2** tornar-se sócio (de alguma coisa)

signal /ˈsɪɡnəl/ *substantivo, verbo*
▸ *s* sinal *Ver tb* TURN SIGNAL
▸ (**-ll-**, *USA* **-l-**) **1** *vt, vi* fazer sinal (a): *to signal (to) sb to do sth* fazer sinal a alguém para fazer alguma coisa **2** *vt* mostrar: *to signal your discontent* dar sinais de descontentamento **3** *vt* assinalar

signature /ˈsɪɡnətʃə(r)/ *s* assinatura

significance /sɪɡˈnɪfɪkəns/ *s* **1** significado **2** importância

significant /sɪɡˈnɪfɪkənt/ *adj* significativo

signify /ˈsɪɡnɪfaɪ/ *vt* (*pt, pp* **-fied**) (*formal*) **1** significar **2** indicar

signing /ˈsaɪnɪŋ/ *s* **1** assinatura **2** (*Desp*) contratado, -a

sign language *s* linguagem gestual

signpost /ˈsaɪnpəʊst/ *s* tabuleta

silence /ˈsaɪləns/ *substantivo, interjeição, verbo*
▸ *s, interj* silêncio
▸ *vt* silenciar

silent /ˈsaɪlənt/ *adj* **1** silencioso **2** calado **3** (*letra, filme*) mudo

silhouette /ˌsɪluˈet/ *substantivo, verbo*
▸ *s* silhueta
▸ *vt* **be silhouetted (against sth)** desenhar-se (contra alguma coisa)

silk /sɪlk/ *s* seda **silky** *adj* sedoso

sill /sɪl/ *s* peitoril da janela

silly /ˈsɪli/ *adj* (**sillier, -iest**) **1** tolo: *That was a very silly thing to say.* Que tolice que disseste. ➲ *Ver nota em* TOLO **2** ridículo: *to feel/look silly* sentir-se/estar ridículo

silver /ˈsɪlvə(r)/ *substantivo, adjetivo*
▸ *s* **1** prata: *silver-plated* com um banho de prata ◇ *silver paper* papel prateado **2** [*não-contável*] moedas brancas **3** [*não-contável*] prataria, pratas LOC *Ver* WEDDING
▸ *adj* **1** de prata **2** (*cor*) prateado

silverware /ˈsɪlvəweə(r)/ *s* [*não-contável*] (*USA*) talheres

silvery /ˈsɪlvəri/ *adj* prateado

SIM card /ˈsɪm kɑːd/ *s* cartão SIM (*que armazena dados pessoais em telemóveis*)

similar /ˈsɪmɪlə(r)/ *adj* ~ **(to sb/sth)** parecido (com alguém/alguma coisa) **similarity** /ˌsɪməˈlærəti/ *s* (*pl* **similarities**) semelhança

similarly /ˈsɪmələli/ *adv* **1** da mesma forma **2** do mesmo modo, igualmente

simile /ˈsɪməli/ *s* comparação

simmer /ˈsɪmə(r)/ *vt, vi* ferver em lume brando

simple /ˈsɪmpl/ *adj* (**simpler, -est**) **1** simples **2** fácil **3** (*pessoa*) tolo, lerdo

simplicity /sɪmˈplɪsəti/ *s* simplicidade

simplify /ˈsɪmplɪfaɪ/ *vt* (*pt, pp* **-fied**) simplificar

simplistic /sɪmˈplɪstɪk/ *adj* (*pej*) simplista

simply /ˈsɪmpli/ *adv* **1** simplesmente **2** de uma maneira simples, modestamente **3** facilmente

simulate /ˈsɪmjuleɪt/ *vt* simular

simultaneous /ˌsɪmlˈteɪniəs; *USA* ˌsaɪml-/ *adj* ~ **(with sth)** simultâneo (a alguma coisa) **simultaneously** *adv* simultaneamente

sin /sɪn/ *substantivo, verbo*
▸ *s* pecado
▸ *vi* (**-nn-**) pecar

since /sɪns/ *preposição, conjunção, advérbio*
▸ *prep* desde: *It was the first time they'd won since 1994.* Não ganhavam desde 1994.

> Tanto **since** como **from** se traduzem por *desde* e usam-se para especificar o ponto de partida da ação do verbo. **Since** usa-se quando a ação se estende no tempo até ao momento presente: *She has been here since three.* Está aqui desde as três. **From** usa-se quando a

S

ação já terminou ou ainda não começou: *I was there from three until four.* Estive lá desde as três até às quatro. ◇ *I'll be there from three.* Estarei lá a partir das três. ➲ *Ver tb nota em* FOR

▸ *conj* **1** desde que: *How long is it since we visited your mother?* Quando foi que visitámos a tua mãe? **2** visto que
▸ *adv* desde então: *We haven't heard from him since.* Não ouvimos mais nada dele desde então.

sincere /sɪn'sɪə(r)/ *adj* sincero

sincerely /sɪn'sɪəli/ *adv* sinceramente LOC *Ver* YOURS

sincerity /sɪn'serəti/ *s* sinceridade

sinful /'sɪnfl/ *adj* pecaminoso

sing /sɪŋ/ *vt, vi* (*pt* **sang** /sæŋ/, *pp* **sung** /sʌŋ/) ~ **(sth) (for/to sb)** cantar (alguma coisa) (a alguém)

singer /'sɪŋə(r)/ *s* cantor, -ora

singing /'sɪŋɪŋ/ *s* [*não-contável*] canto

single /'sɪŋgl/ *adjetivo, substantivo, verbo*
▸ *adj* **1** único: *every single day* todos os dias sem falta ◇ *single-sex school* escola para rapazes/raparigas **2** solteiro: *single parent* mãe solteira/pai solteiro **3** (*cama, quarto*) individual **4** (*bilhete*) de ida LOC **in single file** em fila indiana *Ver tb* EVERY
▸ *s* **1** bilhete (de ida) **2** (*disco vinil*) single **3 singles** [*pl*] (*Desp*) individuais
▸ *v* PHR V **single sb/sth out (for/as sth)** escolher alguém/alguma coisa (para/como alguma coisa)

single-handedly /ˌsɪŋgl 'hændɪdli/ (*tb* **single-handed**) *adv* sozinho, sem ajuda

single-minded /ˌsɪŋgl 'maɪndɪd/ *adj* decidido

single parent *s* mãe solteira, pai solteiro: *a single-parent family* uma família monoparental

singular /'sɪŋgjələ(r)/ *adjetivo, substantivo*
▸ *adj* **1** (*Gram*) singular **2** (*formal*) extraordinário, singular
▸ *s* (*Gram*) singular: *in the singular* no singular

sinister /'sɪnɪstə(r)/ *adj* sinistro

sink /sɪŋk/ *verbo, substantivo*
▸ (*pt* **sank** /sæŋk/, *pp* **sunk** /sʌŋk/) **1** *vt, vi* afundar (-se) **2** *vi* baixar, cair **3** *vi* (*sol*) desaparecer (no horizonte) **4** *vt* (*coloq*) (*planos*) estragar LOC **be sunk in sth** estar mergulhado em alguma coisa *Ver tb* HEART PHR V **sink in; sink into sth 1** (*líquido*) infiltrar-se (em alguma coisa) **2** (*fig*) assimilar alguma coisa (em alguma coisa): *It hasn't sunk in yet that...* Ainda não me entrou na cabeça a ideia de que... ◆ **sink into sth 1** (*líquido*) infiltrar-se em alguma coisa **2** (*fig*) mergulhar em alguma coisa (*depressão, sono, etc.*) ◆ **sink sth into sth** cravar alguma coisa em alguma coisa (*dentes, punhal, etc.*)
▸ *s* **1** lava-louça **2** (*USA*) lavatório

sinus /'saɪnəs/ *s* (*pl* **sinuses**) seio da face

sip /sɪp/ *verbo, substantivo*
▸ *vt, vi* (**-pp-**) bebericar
▸ *s* gole

sir /sɜː(r)/ *s* **1** *Yes, sir.* Sim, senhor. **2 Sir** (*em cartas*): *Dear Sir* Exmo. Senhor **3 Sir** /sə(r)/: *Sir Paul McCartney*

siren /'saɪrən/ *s* sirene (*da polícia, ambulância*)

sister /'sɪstə(r)/ *s* **1** irmã **2** (*Med*) enfermeira chefe **3 Sister** (*Relig*) irmã **4** *sister ship* navio gémeo ◇ *sister organization* organização congénere

sister-in-law /'sɪstər ɪn lɔː/ *s* (*pl* **sisters-in-law**) cunhada

sit /sɪt/ (*pt, pp* **sat** /sæt/, *part pres* **sitting**) **1** *vi* sentar-se, estar sentado **2** *vt* ~ **sb (down)** sentar alguém **3** *vi* (*objeto*) estar **4** *vi* ~ **in/on sth** exercer (oficialmente) a posição de alguma coisa, ser membro de alguma coisa **5** *vi* (*parlamento*) permanecer em sessão **6** *vi* (*comité, etc.*) reunir-se **7** *vt* (*exame*) fazer LOC **sit on the fence** ficar indeciso
PHR V **sit about/around** (*freq pej*) preguiçar, não fazer nenhum: *to sit around doing nothing* passar o tempo sentado sem fazer nada ◆ **sit back** recostar-se ◆ **sit (yourself) down** sentar-se ◆ **sit for sb/sth** (*Arte*) posar para alguém/alguma coisa ◆ **sit through sth** aguentar alguma coisa (*até ao fim*) ◆ **sit up 1** endireitar-se **2** ficar acordado

site /saɪt/ *s* **1** local *Ver tb* BUILDING SITE **2** (*Internet*) site

sitting /'sɪtɪŋ/ *s* **1** sessão **2** (*para comer*) turno

sitting room *s* sala de estar

situated /'sɪtʃueɪtɪd/ *adj* situado, localizado

situation /ˌsɪtʃu'eɪʃn/ *s* **1** situação **2** (*antiq ou formal*): *situations vacant* ofertas de emprego

six /sɪks/ *adj, pron, s* seis ➲ *Ver exemplos em* FIVE

sixteen /ˌsɪks'tiːn/ *adj, pron, s* dezasseis ➲ *Ver exemplos em* FIVE **sixteenth 1** *adj, adv, pron* décimo sexto **2** *s* décima sexta parte ➲ *Ver exemplos em* FIFTH

sixth /sɪksθ/ **1** *adj, adv, pron* sexto **2** *s* sexta parte, sexto ➲ *Ver exemplos em* FIFTH

sixth form *s* (*GB*) os dois últimos anos do ensino secundário

S

sixty /ˈsɪksti/ *adj, pron, s* sessenta ➲ *Ver exemplos em* FIFTY, FIVE **sixtieth 1** *adj, adv, pron* sexagésimo **2** *s* sexagésima parte ➲ *Ver exemplos em* FIFTH

size /saɪz/ *substantivo, verbo*
▸ *s* **1** tamanho **2** (*roupa, calçado*) número: *What size do you take?* Que número calça? ◇ *I take (a) size seven.* Calço o 41.
▸ *v* PHR V **size sb/sth up** (*coloq*) medir, avaliar alguém/alguma coisa: *She sized him up immediately.* Formou imediatamente uma opinião sobre ele. **sizeable** (*tb* **sizable**) /ˈsaɪzəbl/ *adj* considerável

skate /skeɪt/ *substantivo, verbo*
▸ *s* **1** *Ver* ICE SKATE **2** *Ver* ROLLER SKATE
▸ *vi* patinar

skateboard /ˈskeɪtbɔːd/ *s* skate **skateboarding** *s* skate (*Desporto*)

skatepark /ˈskeɪtpɑːk/ *s* pista de skate

skater /ˈskeɪtə(r)/ *s* patinador, -ora

skating /ˈskeɪtɪŋ/ *s* patinagem

skating rink (*tb* **rink**) *s* pista de gelo

skeleton /ˈskelɪtn/ *s* **1** esqueleto **2** *skeleton staff/service* o pessoal/serviço mínimo

skeptic, skeptical, skepticism (*USA*) *Ver* SCEPTIC

sketch /sketʃ/ *substantivo, verbo*
▸ *s* **1** esboço **2** (*Teat*) sketch
▸ *vt, vi* esboçar **sketchy** *adj* (**sketchier**, **-iest**) incompleto, vago

ski /skiː/ *verbo, substantivo*
▸ *vi* (*pt, pp* **skied** *part pres* **skiing**) esquiar
▸ *s* esqui (*patins*)

skid /skɪd/ *verbo, substantivo*
▸ *vi* (**-dd-**) **1** (*carro*) derrapar **2** (*pessoa*) escorregar
▸ *s* derrapagem

skies *pl de* SKY

skiing /ˈskiːɪŋ/ *s* esqui: *to go skiing* ir esquiar

skilful (*USA* **skillful**) /ˈskɪlfl/ *adj* **1** ~ **(at/in sth/doing sth)** hábil (para alguma coisa/fazer alguma coisa) **2** (*pintor, jogador*) destro

skill /skɪl/ *s* **1** ~ **(in/at sth/doing sth)** habilidade (para alguma coisa/fazer alguma coisa) **2** destreza

skilled /skɪld/ *adj* ~ **(in/at sth/doing sth)** hábil (em alguma coisa/a fazer alguma coisa), experiente (em alguma coisa/a fazer alguma coisa): *skilled work/worker* trabalho/trabalhador qualificado

skim /skɪm/ (**-mm-**) **1** *vt* tirar a nata/espuma de **2** *vt* roçar **3** *vt, vi* ~ **(through/over) sth** ler alguma coisa por alto **skimmed** *adj* desnatado, magro

skin /skɪn/ *substantivo, verbo*
▸ *s* **1** (*de animal, pessoa*) pele **2** (*de fruta*) pele, casca ➲ *Ver nota em* PEEL **3** (*de leite*) nata
LOC **by the skin of your teeth** (*coloq*) por um triz
▸ *vt* (**-nn-**) tirar a pele a, esfolar

skinhead /ˈskɪnhed/ *s* skinhead

skinny /ˈskɪni/ *adj* (**skinnier**, **-iest**) (*coloq, freq pej*) magricelas ➲ *Ver nota em* MAGRO

skint /skɪnt/ *adj* (*GB, coloq*) teso (*sem dinheiro*)

skip /skɪp/ *verbo, substantivo*
▸ (**-pp-**) **1** *vi* saltitar **2** *vi* saltar à corda: *skipping rope* corda de saltar **3** *vt* saltar: *to skip class* faltar às aulas
▸ *s* **1** salto **2** contentor (*para entulho*)

skipper /ˈskɪpə(r)/ *s* **1** capitão, -ã (*de navio*) **2** (*esp GB, coloq*) (*Desp*) capitão, -ã

skirmish /ˈskɜːmɪʃ/ *s* escaramuça

skirt /skɜːt/ *substantivo, verbo*
▸ *s* saia
▸ *vt, vi* ~ **(around) sth 1** rodear, contornar alguma coisa **2** (*tema*) evitar alguma coisa

skirting board *s* rodapé

skive /skaɪv/ *vi* ~ **(off)** (*GB, coloq*) baldar-se: *to skive off a class* baldar-se à aula

skull /skʌl/ *s* caveira, crânio

sky /skaɪ/ *s* (*pl* **skies**) céu

skydiving /ˈskaɪdaɪvɪŋ/ *s* (*Desp*) queda livre

sky-high /ˌskaɪ ˈhaɪ/ *adj* muito alto

skylight /ˈskaɪlaɪt/ *s* claraboia

skyline /ˈskaɪlaɪn/ *s* (linha do) horizonte

skyscraper /ˈskaɪskreɪpə(r)/ *s* arranha-céus

slab /slæb/ *s* **1** (*mármore, madeira*) placa **2** (*cimento*) laje **3** (*chocolate*) tablete

slack /slæk/ *adj* (**slacker**, **-est**) **1** frouxo **2** (*pessoa*) descuidado

slacken /ˈslækən/ *vt, vi* afrouxar

slain *pp de* SLAY

slam /slæm/ (**-mm-**) **1** *vt, vi* ~ **(sth) (to/shut)** bater (com alguma coisa) **2** *vt* atirar (*bruscamente*) **3** *vt*: *to slam your brakes on* carregar nos travões **4** *vt* (*coloq*) (*criticar*) deitar abaixo

slander /ˈslɑːndə(r); *USA* ˈslæn-/ *substantivo, verbo*
▸ *s* calúnia
▸ *vt* caluniar

slang /slæŋ/ *s* calão

slant /slɑːnt; *USA* slænt/ *verbo, substantivo*
▸ **1** *vt, vi* inclinar(-se), tombar **2** *vt* (*freq pej*) apresentar de forma tendenciosa, distorcer
▸ *s* **1** inclinação **2** ~ **(on sth)** perspetiva, ponto de vista (sobre alguma coisa)

S

slap /slæp/ *verbo, substantivo, advérbio*
▸ *vt* **(-pp-)** **1** (*cara*) esbofetear **2** (*costas*) dar uma palmada em **3** atirar/empurrar/deixar cair (*de forma descuidada e rápida*)
▸ *s* **1** (*cara*) bofetada **2** (*costas*) palmada **3** (*castigo*) sova
▸ *adv* (*coloq*) em cheio: *slap in the middle* mesmo no meio

slash /slæʃ/ *verbo, substantivo*
▸ *vt* **1** cortar **2** retalhar (*rodas, quadro, etc.*) **3** (*preços, etc.*) cortar em
▸ *s* **1** navalhada, facada **2** corte, golpe **3** (*tb* **forward slash**) barra (inclinada) ➲ *Comparar com* BACKSLASH *e ver pág. 315*

slate /sleɪt/ *s* **1** ardósia **2** telha (de ardósia)

slaughter /ˈslɔːtə(r)/ *substantivo, verbo*
▸ *s* **1** (*animais*) matança **2** (*pessoas*) massacre, chacina
▸ *vt* **1** abater (*em matadouro*) **2** massacrar, chacinar **3** (*coloq*) (*Desp*) dar uma abada em

slave /sleɪv/ *substantivo, verbo*
▸ *s* escravo, -a
▸ *vi* ~ **(away) (at sth)** matar-se (a fazer alguma coisa)

slavery /ˈsleɪvəri/ *s* escravatura

slay /sleɪ/ *vt* (*pt* **slew** /sluː/, *pp* **slain** /sleɪn/) (*formal ou USA*) matar (*violentamente*)

sleazy /ˈsliːzi/ *adj* **(sleazier, -iest)** (*coloq*) sórdido

sledge /sledʒ/ (*tb* **sled**) *s* trenó ➲ *Comparar com* SLEIGH

sleek /sliːk/ *adj* **(sleeker, -est)** liso e sedoso

🔑 **sleep** /sliːp/ *verbo, substantivo*
▸ (*pt, pp* **slept** /slept/) **1** *vi* dormir: *sleeping bag* saco-cama ◇ *sleeping pill* comprimido para dormir **2** *vt* albergar, ter cama para
PHR V **sleep in** ficar na cama ◆ **sleep sth off** curar alguma coisa na cama (*bebedeira*) ◆ **sleep on sth** (*coloq*) consultar o travesseiro sobre alguma coisa ◆ **sleep through sth** não acordar com alguma coisa ◆ **sleep with sb** dormir com alguém
▸ *s* sono LOC **go to sleep** adormecer

sleeper /ˈsliːpə(r)/ *s* **1** *s* pessoa que dorme: *to be a heavy/light sleeper* ter o sono pesado/leve **2** (*tb* **sleeping car**) (*de comboio*) carruagem-cama **3** (*em linha do comboio*) chulipa, travessa

sleepless /ˈsliːpləs/ *adj* em claro, sem dormir

sleepwalker /ˈsliːpwɔːkə(r)/ *s* sonâmbulo, -a

sleepy /ˈsliːpi/ *adj* **(sleepier, -iest)** **1** sonolento: *to be/feel sleepy* ter sono **2** (*lugar*) tranquilo

sleet /sliːt/ *s* chuva com neve

🔑 **sleeve** /sliːv/ *s* **1** manga **2** (*de disco, CD*) capa LOC **have/keep sth up your sleeve** ter alguma coisa na manga **sleeveless** *adj* sem mangas

sleigh /sleɪ/ *s* trenó (*puxado a cavalo, rena*) ➲ *Comparar com* SLEDGE

slender /ˈslendə(r)/ *adj* **(slenderer, -est)** **1** delgado **2** (*pessoa*) esbelto ➲ *Ver nota em* MAGRO **3** (*vantagem, etc.*) escasso

slept *pt, pp de* SLEEP

slew *pt de* SLAY

🔑 **slice** /slaɪs/ *substantivo, verbo*
▸ *s* **1** (*pão, presunto*) fatia ➲ *Ver ilustração em* PÃO **2** (*fruta*) rodela **3** (*carne*) pedaço **4** (*coloq*) naco
▸ **1** *vt* ~ **sth (up)** cortar alguma coisa (*às fatias, rodelas, etc.*) **2** *vi* ~ **through/into sth** cortar alguma coisa (*com facilidade*)

slick /slɪk/ *adjetivo, substantivo*
▸ *adj* **(slicker, -est)** **1** (*campanha, atuação, etc.*) sofisticado, astucioso **2** (*representação*) bem-conseguido **3** (*vendedor, etc.*) com muita lábia, astuto
▸ *s* (*tb* **oil slick**) maré negra, mancha de petróleo

🔑 **slide** /slaɪd/ *verbo, substantivo*
▸ (*pt, pp* **slid** /slɪd/) **1** *vi* escorregar, deslizar **2** *vt* deslizar, correr
▸ *s* **1** descida, deslize **2** escorrega **3** slide, diapositivo: *slide projector* projetor de slides **4** (*microscópio*) lâmina

sliding door *s* porta corrediça

🔑 **slight** /slaɪt/ *adj* **(slighter, -est)** **1** ligeiro, mínimo: *without the slightest difficulty* sem a menor dificuldade **2** (*pessoa*) magro, franzino LOC **not in the slightest** absolutamente nada

🔑 **slightly** /ˈslaɪtli/ *adv* ligeiramente: *He's slightly better.* Está ligeiramente melhor.

slim /slɪm/ *adjetivo, verbo*
▸ *adj* **(slimmer, -est)** **1** (*pessoa*) delgado ➲ *Ver nota em* MAGRO **2** (*oportunidade, esperança, vantagem*) mínimo **3** (*possibilidade*) remoto
▸ *vi* **(-mm-)** ~ **(down)** emagrecer

slime /slaɪm/ *s* **1** lodo **2** baba **slimy** *adj* **(slimier, -iest)** viscoso, lodoso

sling /slɪŋ/ *substantivo, verbo*
▸ *s* charpa (*tira ou lenço para trazer um braço ao peito*)
▸ *vt* (*pt, pp* **slung** /slʌŋ/) **1** (*coloq*) atirar (*com força*) **2** erguer

slingshot /ˈslɪŋʃɒt/ *s* fisga

slink /slɪŋk/ *vi* (*pt, pp* **slunk** /slʌŋk/) esgueirar-se (*sorrateiramente*): *to slink away* ir-se embora furtivamente

🔑 **slip** /slɪp/ *verbo, substantivo*
▸ **(-pp-)** **1** *vt, vi* escorregar, deslizar **2** *vi* ~ **from/out of/through sth** escapar de/por entre

alguma coisa **3** *vt* pôr, passar (*sorrateiramente*) **LOC** **slip your mind**: *It slipped my mind.* Varreu-se-me. *Ver tb* LET **PHR V** **slip away** esgueirar-se: *She knew that time was slipping away.* Ela sabia que o tempo se estava a esgotar. ◆ **slip sth off/on** despir/vestir alguma coisa (*rapidamente*) ◆ **slip out** **1** sair um instante **2** esgueirar-se **3** *It just slipped out.* Escapou-se-me. ◆ **slip up** (*coloq*) enganar-se
▸ *s* **1** escorregadela **2** erro, deslize: *a slip of the tongue* um lapso (verbal) **3** (*roupa*) combinação **4** (*de papel*) pedaço **LOC** **give sb the slip** (*coloq*) evitar alguém

slipper /ˈslɪpə(r)/ *s* chinelo (de quarto)

slippery /ˈslɪpəri/ *adj* escorregadio

slit /slɪt/ *substantivo, verbo*
▸ *s* **1** ranhura **2** (*em saia*) racha **3** corte **4** fenda, fresta
▸ *vt* (*pt, pp* **slit** *part pres* **slitting**) cortar: *to slit sth open* abrir alguma coisa com uma faca

slither /ˈslɪðə(r)/ *vi* **1** escorregar **2** resvalar, patinar

sliver /ˈslɪvə(r)/ *s* **1** lasca **2** esquírola **3** fatia fina

slob /slɒb/ *s* (*coloq, pej*) **1** desleixado, -a **2** porco, -a

slog /slɒg/ *vt, vi* (**-gg-**) (*coloq*) **1** ~ **(away) (at sth)**; ~ **(through sth)** matar-se (a fazer alguma coisa) **2** caminhar com dificuldade

slogan /ˈsləʊgən/ *s* slogan

slop /slɒp/ (**-pp-**) **1** *vt, vi* entornar(-se) **2** *vt* fazer transbordar

⚷ **slope** /sləʊp/ *substantivo, verbo*
▸ *s* **1** encosta, inclinação **2** (*de esqui*) pista
▸ *vi* ser inclinado, formar um declive

sloppy /ˈslɒpi/ *adj* (**sloppier**, **-iest**) **1** descuidado **2** desleixado **3** (*esp GB, coloq*) piegas

slot /slɒt/ *substantivo, verbo*
▸ *s* **1** ranhura **2** espaço: *a ten-minute slot on TV* um espaço de dez minutos na televisão
▸ (**-tt-**) **1** *vt* ~ **sth (in/together)**; ~ **sth into sth** introduzir alguma coisa (em alguma coisa) **2** ~ **(in/together)** encaixar

slot machine *s* **1** (*GB*) máquina de venda **2** (*esp USA*) slot-machine

⚷ **slow** /sləʊ/ *adjetivo, advérbio, verbo*
▸ *adj* (**slower**, **-est**) **1** lento: *We're making slow progress.* Estamos a progredir lentamente. **2** lerdo: *He's a bit slow.* É um pouco lerdo. **3** (*negócio*) fraco: *Business is rather slow today.* O negócio está bastante fraco hoje. **4** (*relógio*) atrasado: *That clock is five minutes slow.* Esse relógio está cinco minutos atrasado. **LOC** **be slow to do sth/(in) doing sth**

demorar a fazer alguma coisa ◆ **in slow motion** em câmara lenta
▸ *adv* (**slower**, **-est**) devagar, lentamente
▸ **1** *vt* ~ **sth (down/up)** abrandar alguma coisa: *to slow up the development of research* travar o desenvolvimento da investigação **2** *vi* ~ **(down/up)** abrandar, afrouxar: *Production has slowed (down/up).* O ritmo de produção baixou.

⚷ **slowly** /ˈsləʊli/ *adv* **1** lentamente **2** pouco a pouco

sludge /slʌdʒ/ *s* [*não-contável*] **1** lodo **2** detritos

slug /slʌg/ *s* lesma **sluggish** *adj* **1** lento **2** molengão **3** (*Econ*) fraco

slum /slʌm/ *s* bairro de lata

slump /slʌmp/ *verbo, substantivo*
▸ *vi* **1** ~ **(down)** cair, afundar-se **2** (*Econ*) cair, sofrer uma descida brusca
▸ *s* **1** ~ **(in sth)** (*de preços, etc.*) queda (de alguma coisa) **2** (*económica*) depressão

slung *pt, pp de* SLING

slunk *pt, pp de* SLINK

slur /slɜː(r)/ *verbo, substantivo*
▸ *vt* (**-rr-**) articular mal
▸ *s* calúnia, estigma

slush /slʌʃ/ *s* neve meio derretida e suja

sly /slaɪ/ *adj* **1** (*pej*) manhoso **2** (*olhar*) furtivo

smack /smæk/ *verbo, substantivo*
▸ *vt* dar uma palmada em, bater em **PHR V** **smack of sth** cheirar a alguma coisa (*hipocrisia, falsidade, etc.*)
▸ *s* palmada

⚷ **small** /smɔːl/ *adj* (**smaller**, **-est**) **1** pequeno: *a small number of people* um número reduzido de pessoas ◇ *small change* dinheiro miúdo/trocado ◇ *in the small hours* de madrugada ◇ *small ads* classificados ◇ *to make small talk* falar de coisas banais

> **Small** utiliza-se como o oposto de **big** ou **large** e pode ser modificado por advérbios: *Our house is smaller than yours.* A nossa casa é mais pequena que a vossa. ◇ *I have a fairly small income.* O meu vencimento é bastante baixo. **Little** não é modificado por advérbios e frequentemente surge depois de outro adjetivo: *He's a horrid little man.* É um homenzinho horroroso. ◇ *What a lovely little house!* Que linda casita!

2 (*letra*) minúscula **LOC** **it's a small world** (*ditado*) o mundo é pequeno *Ver tb* PRINT

smallpox /ˈsmɔːlpɒks/ *s* varíola

S

small-scale /ˈsmɔːl skeɪl/ *adj* de pequena escala

smart /smɑːt/ *adjetivo, verbo*
▸ *adj* (**smarter**, **-est**) **1** elegante **2** (*esp USA*) esperto, vivo
▸ *vi* arder (*dor*)

smart card *s* cartão inteligente

smarten /ˈsmɑːtn/ *v* PHR V **smarten (sb/yourself) up** arranjar alguém, arranjar-se ◆ **smarten sth up** melhorar a aparência de alguma coisa

smash /smæʃ/ *verbo, substantivo*
▸ **1** *vt* despedaçar, estilhaçar **2** *vi* fazer-se em pedaços **3** *vt, vi* ~ **(sth) against, into, etc. sth** bater (com alguma coisa) contra alguma coisa, espatifar alguma coisa, espatifar-se (contra/com alguma coisa) PHR V **smash sth up** destruir alguma coisa
▸ *s* **1** [*sing*] estrondo **2** acidente de viação **3** (*tb* **smash hit**) (*canção, filme, etc.*) êxito total

smashing /ˈsmæʃɪŋ/ *adj* (*GB, antiq, coloq*) bestial, estupendo

smear /smɪə(r)/ *vt* **1** ~ **sth on/over sth** aplicar alguma coisa em alguma coisa **2** ~ **sth with sth** besuntar alguma coisa com alguma coisa **3** ~ **sth with sth** manchar alguma coisa de alguma coisa

smell /smel/ *verbo, substantivo*
▸ (*pt, pp* **smelt** /smelt/ *ou* **smelled**) ➲ *Ver nota em* DREAM **1** *vi* ~ **(of sth)** cheirar (a alguma coisa): *It smells of fish.* Cheira a peixe. ◇ *What does it smell like?* Cheira a quê? **2** *vt* cheirar: *Smell this rose!* Cheira esta rosa!

> É muito comum o uso do verbo **smell** com **can** ou **could**: *I can smell something burning.* Cheira-me a queimado. ◇ *I could smell gas.* Cheirava-me a gás.

3 *vt, vi* farejar
▸ *s* **1** cheiro: *a smell of gas* um cheiro a gás

> **Smell** é uma palavra genérica. Para odores agradáveis, podem utilizar-se **fragrance**, **perfume** ou **scent**. Todas estas palavras costumam ser usadas em contextos mais formais, assim como **odor**, que implica frequentemente um cheiro desagradável. Para odores repulsivos, usa-se **stink** ou **stench**.

2 (*tb* **sense of smell**) olfato: *My sense of smell isn't very good.* O meu olfato não é muito apurado. **smelly** *adj* (**smellier**, **-iest**) (*coloq*) mal-cheiroso: *It's smelly in here.* Cheira mal aqui.

smile /smaɪl/ *verbo, substantivo*
▸ *vi* sorrir
▸ *s* sorriso: *to give sb a smile* sorrir para alguém LOC **bring a smile to sb's face** fazer alguém sorrir

smiley /ˈsmaɪli/ *s* (*pl* **smileys**) emoticon, smile

smirk /smɜːk/ *verbo, substantivo*
▸ *vi* sorrir com afetação
▸ *s* sorriso trocista ou de satisfação

smock /smɒk/ *s* **1** bata (*esp de mulher*) **2** guarda-pó (*de pintor*)

smog /smɒg/ *s* mistura de nevoeiro e poluição

smoke /sməʊk/ *verbo, substantivo*
▸ **1** *vt, vi* fumar: *to smoke a pipe* fumar cachimbo **2** *vi* deitar fumo **3** *vt* (*peixe, etc.*) defumar
▸ *s* **1** fumo **2** (*coloq*): *to have a smoke* fumar um cigarro **smoker** *s* fumador, -ora

smoking /ˈsməʊkɪŋ/ *s* fumar: *'No Smoking'* "Proibido fumar"

smoky /ˈsməʊki/ *adj* (**smokier**, **-iest**) **1** (*quarto*) cheio de fumo **2** (*fogo*) fumarento **3** (*sabor, etc.*) a fumo

smooth /smuːð/ *adjetivo, verbo*
▸ *adj* (**smoother**, **-est**) **1** liso **2** (*pele, bebida alcoólica, etc.*) suave **3** (*estrada*) plano **4** (*viagem, período, etc.*) sem incidentes **5** (*molho, etc.*) homogéneo, cremoso **6** (*freq pej*) (*pessoa*) meloso
▸ *vt* alisar PHR V **smooth sth over** suavizar alguma coisa (*dificuldades*)

smoothie /ˈsmuːði/ *s* **1** batido **2** (*coloq*) homem com muita lábia

smoothly /ˈsmuːðli/ *adv*: *to go smoothly* correr sobre rodas

smother /ˈsmʌðə(r)/ *vt* **1** (*pessoa*) asfixiar **2** ~ **sth/sb with/in sth** cobrir alguma coisa/alguém com alguma coisa **3** (*chamas*) sufocar, apagar

smoulder (*USA* **smolder**) /ˈsməʊldə(r)/ *vi* consumir-se, arder lentamente (*sem chama*)

smudge /smʌdʒ/ *substantivo, verbo*
▸ *s* borrão, mancha
▸ *vt, vi* borratar

smug /smʌg/ *adj* (*pej*) presunçoso, convencido

smuggle /ˈsmʌgl/ *vt* contrabandear PHR V **smuggle sth/sb in/out** introduzir em segredo alguma coisa/alguém **smuggler** *s* contrabandista **smuggling** *s* contrabando (*ato*)

snack /snæk/ *substantivo, verbo*
▸ *s* lanche, refeição ligeira: *snack bar* snack-bar ◇ *to have a snack* comer qualquer coisa
▸ *vi* ~ **on sth** petiscar alguma coisa

snag /snæg/ *s* problema

snail /sneɪl/ *s* caracol

🔑 **snake** /sneɪk/ *substantivo, verbo*
▸ *s* cobra
▸ *vi* serpentear (*estrada, etc.*)

snap /snæp/ *verbo, substantivo, adjetivo*
▸ (**-pp-**) **1** *vi* estalar: *to snap open/shut* abrir/fechar com um estalo **2** *vt, vi* partir(-se) com um estalo **3** *vi* ~ **(at sb)** falar/responder (a alguém) rispidamente
▸ *s* **1** (*ruído seco*) estalo **2** (*tb* **snapshot** /'snæpʃɒt/) fotografia
▸ *adj* [*só antes de substantivo*] repentino (*decisão*)

snare /sneə(r)/ *substantivo, verbo*
▸ *s* laço (*armadilha*)
▸ *vt* apanhar

snarl /snɑːl/ *verbo, substantivo*
▸ *vi* rosnar
▸ *s* rosnadela

snatch /snætʃ/ *verbo, substantivo*
▸ *vt* **1** arrancar à força, agarrar **2** roubar de esticão **3** raptar **4** (*oportunidade*) agarrar, aproveitar PHR V **snatch at sth 1** (*objeto*) lançar-se a alguma coisa, tentar agarrar alguma coisa **2** (*oportunidade*) agarrar, aproveitar alguma coisa
▸ *s* **1** (*conversa, canção*) fragmento **2** *to make a snatch at sth* tentar agarrar alguma coisa

sneak /sniːk/ *verbo, substantivo*
▸ **1** *vi* ~ **in, out, away, etc.** entrar, sair, ir-se embora, etc. às escondidas **2** *vi* ~ **into, out of, past, etc. sth** entrar em, sair de, passar por, etc. alguma coisa às escondidas **3** *vt*: *to sneak a look at sb/sth* dar uma espreitadela a alguém/alguma coisa às escondidas ◇ *I managed to sneak a note to him.* Consegui passar-lhe um bilhete às escondidas.
▸ *s* (*GB, antiq, coloq*) queixinhas

sneaker /'sniːkə(r)/ *s* [*ger pl*] (*USA*) ténis (*calçado*)

sneer /snɪə(r)/ *verbo, substantivo*
▸ *vi* ~ **(at sb/sth)** sorrir com desprezo (de alguém/alguma coisa)
▸ *s* **1** sorriso escarninho **2** comentário desdenhoso

sneeze /sniːz/ *verbo, substantivo*
▸ *vi* espirrar
▸ *s* espirro

sniff /snɪf/ *verbo, substantivo*
▸ **1** *vi* fungar **2** *vi* farejar **3** *vt, vi* ~ **(at) sth** cheirar alguma coisa **4** *vt* inalar **5** *vi* choramingar
▸ *s* fungo

snigger /'snɪgə(r)/ (*USA* **snicker** /'snɪkə(r)/) *verbo, substantivo*
▸ *vi* ~ **(at sb/sth)** rir à socapa (de alguém/alguma coisa)
▸ *s* risinho dissimulado

snip /snɪp/ *vt* (**-pp-**) cortar (com tesoura) PHR V **snip sth off** cortar alguma coisa

sniper /'snaɪpə(r)/ *s* franco-atirador, -ora

snob /snɒb/ *s* snobe **snobbery** *s* snobismo **snobbish** *adj* snobe

snog /snɒg/ *vt, vi* (**-gg-**) (*GB, coloq*) beijar apaixonadamente

snooker /'snuːkə(r)/ *s* snooker ➲ *Ver nota em* BILHAR

snoop /snuːp/ *verbo, substantivo*
▸ *vi* ~ **(around/round sth)** (*coloq, pej*) bisbilhotar (alguma coisa)
▸ *s* [*sing*] LOC **have a snoop about/around (sth)** bisbilhotar (alguma coisa)

snore /snɔː(r)/ *vi* ressonar

snorkel /'snɔːkl/ *s* tubo de respiração **snorkelling** (*USA* **snorkeling**) *s* mergulho de superfície

snort /snɔːt/ *verbo, substantivo*
▸ *vi* **1** (*animal*) bufar, resfolegar **2** (*pessoa*) bufar, fungar
▸ *s* resfôlego, bufo

snout /snaʊt/ *s* focinho

🔑 **snow** /snəʊ/ *substantivo, verbo*
▸ *s* neve
▸ *vi* nevar LOC **be snowed in/up** estar isolado pela neve ◆ **be snowed under (with sth)** estar sobrecarregado (com/de alguma coisa): *I was snowed under with work.* Estava sobrecarregado de trabalho.

snowball /'snəʊbɔːl/ *substantivo, verbo*
▸ *s* bola de neve
▸ *vi* (*problema, etc.*) aumentar rapidamente

snowboard /'snəʊbɔːrd/ *s* prancha de snowboard **snowboarder** *s* pessoa que pratica snowboard **snowboarding** *s* snowboard

snowdrop /'snəʊdrɒp/ *s* campainha branca (*flor*)

snowfall /'snəʊfɔːl/ *s* nevão

snowflake /'snəʊfleɪk/ *s* floco de neve

snowman /'snəʊmæn/ *s* (*pl* **-men** /-men/) boneco de neve

snowy /'snəʊi/ *adj* **1** coberto de neve **2** (*dia, etc.*) de neve

snub /snʌb/ *verbo, substantivo*
▸ *vt* (**-bb-**) desprezar
▸ *s* insulto

snug /snʌg/ *adj* aconchegado, confortável

snuggle /'snʌgl/ *vi* ~ **(up to sb/sth)** aconchegar-se (a alguém/alguma coisa)

S

so /səʊ/ *advérbio, conjunção*
▸ *adv* **1** tão: *Don't be so silly!* Não sejas tão tolo! ◇ *It's so cold!* Está tanto frio! ◇ *I'm so sorry!* Sinto muito! **2** assim: *Hold out your hand, (like) so.* Estende a mão assim. ◇ *The table is about so big.* A mesa é mais ou menos assim deste tamanho. ◇ *So it seems.* É o que parece. ◇ *If so,...* Nesse caso,... **3** *I believe/think so.* Creio que sim. ◇ *I expect/hope so.* Espero que sim. **4** (*para exprimir acordo*): *'I'm hungry.' 'So am I.'* —Tenho fome. —Eu também. ❶ Neste caso o pronome ou substantivo vem depois do verbo. **5** (*para exprimir surpresa*): *'Philip's gone home.' 'So he has.'* —O Philip foi-se embora para casa. —É verdade. **6** [*uso enfático*]: *He's as clever as his brother, maybe more so.* É tão esperto como o irmão, talvez mais ainda. ◇ *She has complained, and rightly so.* Queixou-se, e com razão. LOC **and so on (and so forth)** etc., etc. ◆ **is that so?** ai sim? ◆ **so as to do sth** para fazer alguma coisa ◆ **so many** tantos ◆ **so much** tanto
▸ *conj* **1** por isso: *The shops were closed, so I didn't get any milk.* As lojas estavam fechadas, por isso não comprei leite. **2 so (that)** para: *She whispered so (that) no one could hear.* Sussurrou para que ninguém a conseguisse ouvir. **3** então: *So why did you do it?* Então, por que é que o fizeste? LOC **so?**; **so what?** (*coloq*) e (depois)?

soak /səʊk/ **1** *vt* demolhar, ensopar **2** *vi* estar de molho LOC **be/get soaked (through)** estar encharcado/encharcar-se PHR V **soak into/through sth**; **soak in** repassar, ser absorvido (por alguma coisa) ◆ **soak sth up 1** (*líquido*) absorver alguma coisa **2** (*fig*) embeber-se de alguma coisa (*em contemplação*) **soaked** *adj* encharcado

so-and-so /ˈsəʊ ən səʊ/ *s* (*pl* **so-and-sos**) (*coloq*) fulano: *Mr So-and-so* o senhor fulano de tal

soap /səʊp/ *s* **1** sabão **2** sabonete

soap opera (*coloq* **soap**) *s* telenovela

soapy /ˈsəʊpi/ *adj* **1** ensaboado **2** que sabe a/parece sabão

soar /sɔː(r)/ *vi* **1** (*preços, etc.*) subir em flecha **2** (*ave*) pairar **3** (*avião, etc.*) ganhar altura

sob /sɒb/ *verbo, substantivo*
▸ *vi* (**-bb-**) soluçar
▸ *s* soluço **sobbing** *s* [*não-contável*] soluços

sober /ˈsəʊbə(r)/ *adjetivo, verbo*
▸ *adj* **1** sóbrio **2** sério
▸ *v* PHR V **sober (sb) up** (fazer alguém) ficar sóbrio

so-called /ˌsəʊ ˈkɔːld/ *adj* chamado, suposto

soccer /ˈsɒkə(r)/ *s* futebol ➲ *Ver nota em* FUTEBOL

sociable /ˈsəʊʃəbl/ *adj* sociável

social /ˈsəʊʃəl/ *adj* social

socialism /ˈsəʊʃəlɪzəm/ *s* socialismo

socialist /ˈsəʊʃəlɪst/ *adj, s* socialista

socialize, -ise /ˈsəʊʃəlaɪz/ *vi* ~ **(with sb)** socializar (com alguém): *He doesn't socialize much.* Não sai muito.

social security *s* segurança social

social services *s* [*pl*] serviços sociais

social work *s* assistência social

social worker *s* assistente social

society /səˈsaɪəti/ *s* **1** (*pl* **societies**) sociedade: *high society* alta sociedade **2** [*não-contável*] (*formal*) companhia: *polite society* companhia cortês

sociological /ˌsəʊsiəˈlɒdʒɪkl/ *adj* sociológico

sociologist /ˌsəʊsiˈɒlədʒɪst/ *s* sociólogo, -a

sociology /ˌsəʊsiˈɒlədʒi/ *s* sociologia

sock /sɒk/ *s* meia, peúga ➲ *Ver nota em* PAIR LOC *Ver* PULL

socket /ˈsɒkɪt/ *s* **1** (*olho*) órbita **2** tomada (*em parede*) ➲ *Ver ilustração em* FICHA **3** (*televisão, computadora, etc.*) entrada **4** (*tb* **light socket**) casquilho

soda /ˈsəʊdə/ *s* **1** (*tb* **soda water**) soda **2** (*USA, coloq*) gasosa

sodden /ˈsɒdn/ *adj* encharcado

sodium /ˈsəʊdiəm/ *s* sódio

sofa /ˈsəʊfə/ *s* sofá: *sofa bed* sofá-cama

soft /sɒft; *USA* sɔːft/ *adj* (**softer, -est**) **1** fofo, mole: *soft option* opção mais fácil **2** (*cor, luz*) suave **3** (*brisa, ruído*) ligeiro **4** (*voz*) doce **5** (*pele, tecido*) macio **6** ~ **(with sb)**; ~ **(on sb/sth)** (*freq pej*) brando com alguém, permissivo com alguma coisa LOC **have a soft spot for sb/sth** (*coloq*) ter um fraco por alguém/alguma coisa

soft drink *s* refrigerante

soften /ˈsɒfn; *USA* ˈsɔːfn/ **1** *vt, vi* amolecer, abrandar(-se) **2** *vt, vi* suavizar(-se) **3** *vt* amortecer

softly /ˈsɒftli; *USA* ˈsɔːftli/ *adv* suavemente

soft-spoken /ˌsɒft ˈspəʊkən; *USA* ˌsɔːft/ *adj* com uma voz doce

software /ˈsɒftweə(r); *USA* ˈsɔːft-/ *s* [*não-contável*] software

soggy /ˈsɒgi/ *adj* (**soggier, -iest**) **1** empapado **2** (*bolo, pão*) enqueijado

soil /sɔɪl/ *substantivo, verbo*
▸ *s* terra
▸ *vt* (*formal*) **1** sujar **2** (*reputação*) manchar

solace /ˈsɒləs/ *s (formal)* consolo, alívio

solar /ˈsəʊlə(r)/ *adj* solar: *solar energy* energia solar

sold *pt, pp de* SELL

🔑 **soldier** /ˈsəʊldʒə(r)/ *s* soldado

sole /səʊl/ *adjetivo, substantivo*
▸ *adj [só antes de substantivo]* **1** único: *her sole interest* o seu único interesse **2** exclusivo
▸ *s* **1** *(do pé)* planta **2** sola **3** *(pl* **sole***)* linguado

solemn /ˈsɒləm/ *adj* **1** *(aparência, modos)* sério **2** *(evento, promessa)* solene **solemnity** /səˈlemnəti/ *s* solenidade

solicitor /səˈlɪsɪtə(r)/ *s* **1** *(GB)* advogado, -a, solicitador, -ora ➲ *Ver nota em* ADVOGADO **2** *(USA)* vendedor, -ora *(por telefone, ambulante)*

🔑 **solid** /ˈsɒlɪd/ *adjetivo, substantivo*
▸ *adj* **1** sólido **2** compacto **3** *(coloq)* seguido: *I slept for ten hours solid.* Dormi dez horas seguidas.
▸ *s* **1** sólido **2 solids** *[pl]* alimentos sólidos

solidarity /ˌsɒlɪˈdærəti/ *s* solidariedade

solidify /səˈlɪdɪfaɪ/ *vt, vi (pt, pp* **-fied***)* solidificar

solidity /səˈlɪdəti/ *(tb* **solidness***) s* solidez

solidly /ˈsɒlɪdli/ *adv* **1** solidamente **2** sem interrupção

solitary /ˈsɒlətri; *USA* -teri/ *adj* **1** solitário: *to lead a solitary life* levar uma vida solitária **2** só **3** *(lugar)* afastado

solitary confinement *(coloq* **solitary***) s* solitária, prisão celular

solitude /ˈsɒlɪtjuːd; *USA* ˈsɒlətuːd/ *s* solidão

solo /ˈsəʊləʊ/ *adjetivo, advérbio, substantivo*
▸ *adj, adv* a solo
▸ *s (pl* **solos***) (Mús)* solo **soloist** *s* solista

soluble /ˈsɒljəbl/ *adj* solúvel

🔑 **solution** /səˈluːʃn/ *s* ~ **(to sth)** solução (para alguma coisa)

🔑 **solve** /sɒlv/ *vt* resolver

solvent /ˈsɒlvənt/ *substantivo, adjetivo*
▸ *s* dissolvente
▸ *adj* solvente

sombre *(USA* **somber***)* /ˈsɒmbə(r)/ *adj* **1** sombrio **2** *(cor)* escuro **3** *(humor)* melancólico

🔑 **some** /səm/ *adj, pron* **1** um pouco (de): *Would you like some?* Queres um pouco? ◇ *There's some ice in the fridge.* Há gelo no frigorífico. **2** alguns: *Do you want some crisps?* Queres batatas fritas?

> **Some** ou **any**? Ambos se utilizam com substantivos não-contáveis ou no plural e, apesar de muitas vezes não se traduzirem em português, em inglês não se podem omitir. Normalmente, **some** usa-se nas orações afirmativas e **any** nas interrogativas e negativas: *I've got some money.* Tenho (algum) dinheiro. ◇ *Have you got any children?* Tens filhos? ◇ *I don't want any sweets.* Não quero rebuçados.
> No entanto, **some** pode usar-se em orações interrogativas quando se espera uma resposta afirmativa, por exemplo, para oferecer ou pedir alguma coisa: *Would you like some coffee?* Queres café? ◇ *Can I have some bread, please?* Posso tirar um pouco de pão? Quando **any** é usado em orações afirmativas significa *qualquer*: *Any parent would have worried.* Qualquer pai/mãe se preocuparia. ➲ *Ver tb exemplos em* ANY

🔑 **somehow** /ˈsʌmhaʊ/ *adv* **1** de alguma maneira ou de outra: *Somehow we had got completely lost.* Não sei como, mas perdemo--nos. **2** por alguma razão: *I somehow get the feeling that I've been here before.* Não sei porquê, mas tenho a impressão de que já aqui estive.

🔑 **someone** /ˈsʌmwʌn/ *(tb* **somebody** /ˈsʌmbədi/*) pron* alguém: *someone else* outra pessoa ❶ A diferença entre **someone** e **anyone** (ou entre **somebody** e **anybody**) é a mesma que entre **some** e **any**. ➲ *Ver tb nota em* SOME LOC *Ver* OTHER

someplace /ˈsʌmpleɪs/ *adv, pron (USA) Ver* SOMEWHERE

somersault /ˈsʌməsɔːlt/ *substantivo, verbo*
▸ *s* **1** cambalhota: *to do a forward/backward somersault* dar uma cambalhota para a frente/para trás **2** *(de acrobata)* salto mortal **3** *(de carro)* reviravolta
▸ *vi* capotar

🔑 **something** /ˈsʌmθɪŋ/ *pron* alguma coisa: *something else* outra coisa ◇ *something to eat* alguma coisa para comer ❶ A diferença entre **something** e **anything** é a mesma que entre **some** e **any**. ➲ *Ver tb nota em* SOME LOC *Ver* OTHER

sometime /ˈsʌmtaɪm/ *adv* **1** algum dia: *sometime or other* um dia destes ◇ *sometime in September* em setembro **2** em algum momento: *Can I see you sometime today?* Será que nos podíamos reunir ainda hoje?

🔑 **sometimes** /ˈsʌmtaɪmz/ *adv* **1** às/por vezes **2** de vez em quando ➲ *Ver nota em* ALWAYS

someway /ˈsʌmweɪ/ *adv (USA, coloq)* de alguma maneira ou de outra

🔑 **somewhat** /ˈsʌmwɒt/ *adv* um pouco, um tanto, bastante: *We missed the bus, which was somewhat unfortunate.* Perdemos o autocarro, o que foi bastante azar. ◇ *I have a somewhat different question.* A minha pergunta é ligeiramente diferente.

somewhere /ˈsʌmweə(r)/ (*USA tb* **someplace**) *advérbio, pronome*
▸ *adv* algures, em algum lugar/sítio: *I've seen your glasses somewhere downstairs.* Vi os teus óculos lá em baixo em algum lugar. ◇ *somewhere else* em outro lugar
▸ *pron*: *to have somewhere to go* ter um lugar para onde ir ❶ A diferença entre **somewhere** e **anywhere** é a mesma que há entre **some** e **any**. ➲ *Ver tb nota em* SOME **LOC** *Ver* OTHER

son /sʌn/ *s* filho **LOC** *Ver* FATHER

song /sɒŋ; *USA* sɔːŋ/ *s* **1** canção **2** canto

son-in-law /ˈsʌn ɪn lɔː/ *s* (*pl* **sons-in-law**) genro

soon /suːn/ *adv* (**sooner**, **-est**) em breve, cedo **LOC** **as soon as** assim que: *as soon as possible* assim que for possível ◆ **(just) as soon do sth (as do sth)**: *I'd (just) as soon stay at home as go for a walk.* Tanto me faz ficar em casa como sair para dar um passeio. ◆ **no sooner... than...**: *No sooner had she said it than she burst into tears.* Mal tinha acabado de o dizer quando desatou a chorar. ◆ **sooner or later** mais cedo ou mais tarde ◆ **the sooner the better** quanto mais cedo melhor

soot /sʊt/ *s* fuligem

soothe /suːð/ *vt* **1** (*pessoa, etc.*) acalmar **2** (*dor, etc.*) aliviar

S

sophisticated /səˈfɪstɪkeɪtɪd/ *adj* sofisticado
sophistication *s* sofisticação

soppy /ˈsɒpi/ *adj* (**soppier**, **-iest**) (*GB, coloq*) sentimental

sordid /ˈsɔːdɪd/ *adj* **1** sórdido **2** (*comportamento*) ignóbil

sore /sɔː(r)/ *substantivo, adjetivo*
▸ *s* ferida
▸ *adj* dorido: *to have a sore throat* ter dor de garganta ◇ *I've got sore eyes.* Doem-me os olhos. **LOC** **a sore point** um ponto sensível
sorely *adv*: *She will be sorely missed.* A sua falta será muito sentida. ◇ *I was sorely tempted to do it.* Senti-me extremamente tentada a fazê-lo.

sorrow /ˈsɒrəʊ/ *s* pesar: *to my great sorrow* para grande tristeza minha

sorry /ˈsɒri/ *adjetivo, interjeição*
▸ *adj* (**sorrier**, **-iest**) **1** *I'm sorry I'm late.* Desculpa estar atrasado. ◇ *I'm so sorry!* Sinto muito! **2** ~ **(for/about sth)**: *You'll be sorry!* Vais-te arrepender!

Sorry for ou **sorry about**? Quando **sorry** é usado para pedir desculpas, pode-se utilizar **for** ou **about**: *He's very sorry for what he's done.* Está muito arrependido do que fez. ◇ *We're sorry about the mess.* Desculpe-nos pela confusão. Para expressar pesar pelo que aconteceu a outra pessoa, usa-se **about**: *I'm sorry about your car/sister.* Sinto muito pelo que aconteceu ao seu carro/à sua irmã. Para dizer que se sente pena de alguém, utiliza-se **for**: *I felt sorry for the children.* Fiquei com pena das crianças. ◇ *Stop feeling sorry for yourself!* Pare de sentir pena de si mesmo!

3 (*estado*) lastimável **LOC** **be/feel sorry for sb** sentir pena de alguém: *I felt sorry for the children.* Senti pena das crianças. ◆ **feel sorry for yourself** (*coloq, pej*) sentir pena de si mesmo ◆ **say you are sorry** pedir desculpa *Ver tb* BETTER
▸ *interj* **1** (*para desculpar-se*) desculpe! ➲ *Ver nota em* EXCUSE **2 sorry?** perdão?, que disse?

sort /sɔːt/ *substantivo, verbo*
▸ *s* **1** tipo: *They sell all sorts of gifts.* Vendem todo o tipo de presentes. **2** (*esp GB, coloq*): *He's not a bad sort really.* No fundo não é má pessoa. **LOC** **a sort of sth** (*coloq*): *It's a sort of autobiography.* É uma espécie de autobiografia. ◆ **sort of** (*coloq*): *I feel sort of uneasy.* Estou um pouco nervoso. *Ver tb* NOTHING
▸ *vt* ~ **sth (into sth)** ordenar alguma coisa (por alguma coisa), separar alguma coisa (de acordo com alguma coisa) **PHR V** **sort sth out** **1** (*coloq*) arrumar alguma coisa **2** tratar de alguma coisa ◆ **sort through sth** organizar, ordenar alguma coisa

so-so /ˈsəʊ səʊ/ *adj, adv* (*coloq*) assim assim, mais ou menos

sought *pt, pp de* SEEK

sought after *adj* cobiçado, procurado

soul /səʊl/ *s* alma: *There wasn't a soul to be seen.* Não se via viva alma. ◇ *Poor soul!* Pobre coitado! **LOC** *Ver* BODY

sound /saʊnd/ *substantivo, verbo, adjetivo, advérbio*
▸ *s* **1** som: *sound effects/waves* efeitos sonoros/ondas sonoras **2** ruído, barulho: *She opened the door without a sound.* Abriu a porta sem fazer barulho. ◇ *I could hear the sound of voices.* Ouvia vozes. **3 the sound** [*sing*] o volume: *to turn the sound up/down* levantar/baixar o som
▸ **1** *vi* soar: *Your voice sounds a bit odd.* A tua voz está um pouco estranha. **2** *vi* parecer: *She sounded very surprised.* Pareceu surpreendida. ◇ *He sounds a very nice person from his letter.* A julgar pela carta, parece ser simpá-

tico. **3** *vt* (*alarme*) soar, dar **4** *vt* (*trompete, etc.*) tocar **5** *vt* pronunciar: *You don't sound the 'h'.* O "h" não se pronuncia. PHR V **sound sb out (about/on sth)** sondar alguém (sobre alguma coisa)
▸ *adj* (**sounder, -est**) **1** são **2** (*estrutura*) sólido **3** (*argumento, julgamento*) válido **4** (*conselho, sova*) bom **5** (*investimento*) seguro LOC *Ver* SAFE
▸ *adv* LOC **be sound asleep** estar profundamente adormecido

soundproof /'saʊndpruːf/ *adjetivo, verbo*
▸ *adj* a prova de som
▸ *vt* insonorizar

soundtrack /'saʊndtræk/ *s* banda sonora

soup /suːp/ *s* sopa: *soup spoon* colher de sopa ◇ *chicken soup* canja de galinha

sour /'saʊə(r)/ *adj* **1** (*sabor*) ácido **2** (*leite, cara*) azedo LOC **go/turn sour** azedar

source /sɔːs/ *s* **1** (*informação*) fonte: *a source of income* uma fonte de rendimento ◇ *They didn't reveal their sources.* Não revelaram as suas fontes (de informação). **2** (*rio*) nascente

south /saʊθ/ *substantivo, adjetivo, advérbio*
▸ *s* (*tb* **South**) (*abrev* **S**) sul: *Brighton is in the South of England.* Brighton fica no sul de Inglaterra.
▸ *adj* (do) sul: *south winds* ventos do sul
▸ *adv* a/para sul: *The house faces south.* A casa está virada para o sul.

southbound /'saʊθbaʊnd/ *adj* em/com direção a sul

south-east /ˌsaʊθ 'iːst/ *substantivo, adjetivo, advérbio*
▸ *s* (*abrev* **SE**) sudeste
▸ *adj* (do) sudeste
▸ *adv* para (o) sudeste **south-eastern** *adj* (do) sudeste

southern (*tb* **Southern**) /'sʌðən/ *adj* do sul, meridional: *southern Italy* o sul da Itália ◇ *the southern hemisphere* o hemisfério sul **southerner** *s* pessoa do sul

southwards /'saʊθwədz/ (*tb* **southward**) *adv* para (o) sul

south-west /ˌsaʊθ 'west/ *substantivo, adjetivo, advérbio*
▸ *s* (*abrev* **SW**) sudoeste
▸ *adj* (do) sudoeste
▸ *adv* para (o) sudoeste **south-western** *adj* (do) sudoeste

souvenir /ˌsuːvə'nɪə(r); *USA* 'suːvənɪər/ *s* lembrança (*objeto*)

sovereign /'sɒvrɪn/ *adj, s* soberano, -a **sovereignty** *s* soberania

sow[1] /səʊ/ *vt* (*pt* **sowed** *pp* **sown** /səʊn/ *ou* **sowed**) semear

sow[2] /saʊ/ *s* porca ➲ *Ver nota em* PORCO

soya /'sɔɪə/ (*USA* **soy** /sɔɪ/) *s* soja: *soya bean* semente de soja

spa /spɑː/ *s* **1** termas, estância termal **2** (*tb* **health spa**) spa

space /speɪs/ *substantivo, verbo*
▸ *s* **1** [*não-contável*] espaço, lugar: *Leave some space for the dogs.* Deixa espaço suficiente para os cães. ◇ *There's no space for my suitcase.* Não há espaço para a minha mala. **2** (*período, Aeronáut*) espaço: *in a short space of time* num curto espaço de tempo ◇ *a space flight* um voo espacial LOC **look/stare/gaze into space** olhar para o vazio *Ver tb* WASTE
▸ *vt* ~ **sth (out)** espaçar alguma coisa

spacecraft /'speɪskrɑːft; *USA* -kræft/ *s* (*pl* **spacecraft**) (*tb* **spaceship** /'speɪsʃɪp/) nave espacial

spacious /'speɪʃəs/ *adj* espaçoso

spade /speɪd/ *s* **1** pá **2 spades** [*pl*] (*em baralho de cartas*) espadas ➲ *Ver nota em* BARALHO

spaghetti /spə'geti/ *s* [*não-contável*] esparguete

spam /spæm/ *s* (*coloq*) (*Internet*) spam, correio indesejado

span /spæn/ *substantivo, verbo*
▸ *s* **1** (*de tempo*) lapso, espaço: *time span* espaço de tempo ◇ *to have a short attention span* concentrar-se durante pouco tempo **2** (*de uma ponte*) vão
▸ *vt* (**-nn-**) **1** abarcar, abranger **2** (*ponte*) atravessar

spank /spæŋk/ *vt* dar uma sova a, dar uma palmada no rabo de

spanner /'spænə(r)/ *s* chave-inglesa (*não ajustável*)

spare /speə(r)/ *adjetivo, substantivo, verbo*
▸ *adj* **1** a mais, extra, disponível: *There are no spare seats.* Não há lugares livres. ◇ *the spare room* o quarto de hóspedes **2** sobresselente, de reserva: *spare tyre/part* roda/peça sobresselente **3** (*tempo*) livre
▸ *s* peça/roda sobresselente
▸ *vt* **1** ~ **sth (for sb/sth)** (*tempo, dinheiro, etc.*) ter alguma coisa (para alguém/alguma coisa): *She couldn't spare half an hour for lunch.* Não tinha nem meia hora para almoçar. **2** ~ **sb (from) sth** poupar alguma coisa a alguém: *Spare me the details.* Poupa-me os pormenores. ◇ *No expense was spared.* Não olharam a despesas. **3** (*formal*) poupar (*a vida de alguém*) LOC **to spare** de sobra: *with two minutes to spare* com dois minutos de antecedência **sparing** *adj* ~ **(with sth)** poupado (com alguma coisa), moderado (em alguma coisa)

S

spark /spɑːk/ *substantivo, verbo*
▸ *s* faísca
▸ *vt* ~ **sth (off)** provocar alguma coisa

sparkle /ˈspɑːkl/ *verbo, substantivo*
▸ *vi* cintilar
▸ *s* centelha

sparkling /ˈspɑːklɪŋ/ *adj* **1** (*coloq* **sparkly**) cintilante **2** (*bebida*) com gás, gaseificado **3** (*vinho*) espumante

sparrow /ˈspærəʊ/ *s* pardal

sparse /spɑːs/ *adj* **1** escasso, raro **2** (*população*) disperso **3** (*cabelo*) ralo

spartan /ˈspɑːtn/ *adj* espartano

spasm /ˈspæzəm/ *s* espasmo

spat *pt, pp de* SPIT

spate /speɪt/ *s* [*ger sing*] ~ **of sth** onda, série de alguma coisa: *a spate of activity* uma fase de intensa atividade

spatial /ˈspeɪʃl/ *adj* (*formal*) espacial

spatter /ˈspætə(r)/ *vt Ver* SPLATTER

speak /spiːk/ (*pt* **spoke** /spəʊk/, *pp* **spoken** /ˈspəʊkən/) **1** *vi* ~ **(to sb) (about sth/sb)** falar (com alguém) (sobre alguma coisa/alguém): *Can I speak to you, please?* Posso falar contigo, por favor? ➲ *Ver nota em* FALAR **2** *vt* dizer, falar: *to speak the truth* dizer a verdade ◇ *Do you speak French?* Falas francês? **3** *vi* fazer um discurso, pronunciar-se LOC **be on speaking terms (with sb)**; **be speaking (to sb)** falar com alguém, falar-se ◆ **generally, relatively, etc. speaking** falando em termos gerais, em termos relativos, etc. ◆ **so to speak** por assim dizer ◆ **speak for itself/themselves**: *The statistics speak for themselves.* As estatísticas falam por si. ◆ **speak your mind** dizer o que se pensa/falar sem rodeios *Ver tb* STRICTLY PHR V **speak for sb** falar a favor de alguém ◆ **speak out (against sth)** pronunciar-se publicamente (contra alguma coisa) ◆ **speak up** falar mais alto

speaker /ˈspiːkə(r)/ *s* **1** falante **2** (*em público*) orador, -ora, conferencista **3** altifalante **4** (*de aparelhagem*) coluna

spear /spɪə(r)/ *s* **1** lança **2** (*para pesca*) arpão

special /ˈspeʃl/ *adjetivo, substantivo*
▸ *adj* **1** especial: *nothing special* nada de especial **2** (*reunião, sessão, etc.*) extraordinário
▸ *s* **1** (*programa, etc.*) especial **2** (*esp USA, coloq*) oferta especial

specialist /ˈspeʃəlɪst/ *s* especialista

speciality /ˌspeʃiˈæləti/ (*USA* **specialty** /ˈspeʃəlti/) *s* (*pl* **specialities/specialties**) especialidade

specialization, -isation /ˌspeʃəlaɪˈzeɪʃn; *USA* -ləˈz-/ *s* especialização

specialize, -ise /ˈspeʃəlaɪz/ *vi* ~ **(in sth)** especializar-se (em alguma coisa) **specialized, -ised** *adj* especializado

specially /ˈspeʃəli/ *adv* **1** especialmente, expressamente **2** (*coloq*) principalmente, sobretudo

> Apesar de **specially** e **especially** terem significados idênticos, são usados de forma diferente. **Specially** usa-se para exprimir a ideia de que algo é feito com determinada fim, e é normalmente seguido de um particípio: *specially designed for schools* concebido especialmente para as escolas. **Especially** é usado como elemento de ligação de frases e significa "acima de tudo" ou "particularmente": *He likes dogs, especially poodles.* Adora cães, sobretudo caniches.

species /ˈspiːʃiːz/ *s* (*pl* **species**) espécie

specific /spəˈsɪfɪk/ *adj* específico, preciso, concreto

specifically /spəˈsɪfɪkli/ *adv* especificamente, precisamente

specification /ˌspesɪfɪˈkeɪʃn/ *s* **1** especificação **2** [*ger pl*] especificações, descrição detalhada

specify /ˈspesɪfaɪ/ *vt* (*pt, pp* **-fied**) especificar, precisar

specimen /ˈspesɪmən/ *s* espécime, exemplar, amostra

speck /spek/ *s* **1** (*de sujidade*) mancha pequena **2** (*de pó*) pontinha **3** *a speck on the horizon* um ponto no horizonte

spectacle /ˈspektəkl/ *s* espetáculo

spectacles /ˈspektəklz/ *s* [*pl*] (*formal*) (*esp GB coloq* **specs**) óculos ❶ A palavra mais comum é **glasses**. ➲ *Ver tb nota em* PAIR

spectacular /spekˈtækjələ(r)/ *adj* espetacular

spectator /spekˈteɪtə(r); *USA* ˈspekteɪtər/ *s* espetador, -ora

spectre (*USA* **specter**) /ˈspektə(r)/ *s* (*lit e fig*) espectro, fantasma: *the spectre of another war* o espectro de uma nova guerra

spectrum /ˈspektrəm/ *s* (*pl* **spectra** /-trə/) **1** espectro (*de cores, luz*) **2** [*ger sing*] leque, gama (*de ideias, etc.*)

speculate /ˈspekjuleɪt/ *vi* ~ **(about/on sth)** especular (sobre alguma coisa) **speculation** *s* ~ **(about/over sth)** especulação (sobre alguma coisa)

speculative /'spekjələtɪv; *USA* 'spekjəleɪtɪv/ *adj* especulativo

speculator /'spekjuleɪtə(r)/ *s* especulador, -ora

sped *pt, pp de* SPEED

⚷ **speech** /spi:tʃ/ *s* **1** fala: *to lose the power of speech* perder a fala ◇ *freedom of speech* liberdade de expressão ◇ *speech therapy* foniatria **2** discurso: *to make/deliver/give a speech* fazer um discurso **3** linguagem: *children's speech* a linguagem das crianças **4** (*Teat*) monólogo

speechless /'spi:tʃləs/ *adj* sem fala, mudo: *He was speechless with rage.* Ele ficou mudo de fúria.

⚷ **speed** /spi:d/ *substantivo, verbo*
▸ *s* velocidade, rapidez LOC **at speed** a toda a velocidade *Ver tb* FULL, PICK
▸ *vi* (*pt, pp* **speeded**) **1** (*formal*) ir a grande velocidade ❶ Neste sentido, utiliza-se também a forma passada **sped** /sped/. **2** exceder o limite de velocidade: *I was fined for speeding.* Fui multado por excesso de velocidade. PHR V **speed (sth) up** acelerar (alguma coisa)

speedboat /'spi:dbəʊt/ *s* lancha rápida

speed hump (*tb esp USA* **speed bump**) *s* lomba (de redução de velocidade)

speedily /'spi:dɪli/ *adv* rapidamente

speedometer /spi:'dɒmɪtə(r)/ *s* conta--quilómetros

speedy /'spi:di/ *adj* (**speedier**, **-iest**) rápido: *a speedy recovery* uma rápida recuperação

⚷ **spell** /spel/ *verbo, substantivo*
▸ (*pt, pp* **spelt** /spelt/ *ou* **spelled**) ➲ *Ver nota em* DREAM **1** *vt, vi* soletrar, escrever **2** *vt* ~ **sth (for sb/sth)** implicar, significar alguma coisa (para alguém/alguma coisa) PHR V **spell sth out** **1** explicar alguma coisa claramente **2** soletrar alguma coisa
▸ *s* **1** período, temporada **2** feitiço LOC *Ver* CAST

spellchecker /'speltʃekə(r)/ (*tb* **spellcheck**) *s* corretor ortográfico

⚷ **spelling** /'spelɪŋ/ *s* ortografia

⚷ **spend** /spend/ *vt* (*pt, pp* **spent** /spent/) **1** ~ **sth (on sth)** gastar alguma coisa (em alguma coisa) **2** (*tempo livre, etc.*) passar **3** ~ **sth on sth** dedicar alguma coisa a alguma coisa: *How long did you spend on your homework?* Quanto tempo gastaste com o trabalho de casa? **spending** *s* [*não-contável*] despesa: *public spending* a despesa pública

sperm /spɜ:m/ *s* **1** (*pl* **sperm** *ou* **sperms**) espermatozóide **2** (*sémen*) esperma

sphere /sfɪə(r)/ *s* esfera

sphinx /sfɪŋks/ (*tb* **the Sphinx**) *s* esfinge

⚷ **spice** /spaɪs/ *substantivo, verbo*
▸ *s* **1** especiaria **2** (*fig*) interesse: *to add spice to a situation* tornar a situação um pouco mais interessante
▸ *vt* ~ **sth (up)** **1** condimentar alguma coisa **2** (*fig*) apimentar alguma coisa

⚷ **spicy** /'spaɪsi/ *adj* (**spicier**, **-iest**) condimentado, picante

⚷ **spider** /'spaɪdə(r)/ *s* aranha: *spider's web* teia de aranha

spied *pt, pp de* SPY

spike /spaɪk/ *s* **1** espigão, ponta afiada **2** (*em sapatilha*) pitão **spiky** *adj* espinhoso, bicudo: *spiky hair* cabelo espetado

spill /spɪl/ *verbo, substantivo*
▸ *vt, vi* (*pt, pp* **spilt** /spɪlt/ *ou* **spilled**) ➲ *Ver nota em* DREAM entornar(-se), derramar(-se) LOC *Ver* CRY PHR V **spill over** transbordar, entornar
▸ *s* (*formal* **spillage** /'spɪlɪdʒ/) **1** derramamento **2** derrame

⚷ **spin** /spɪn/ *verbo, substantivo*
▸ (*pt, pp* **spun** /spʌn/, *part pres* **spinning**) **1** *vi* ~ **(around/round)** rodar, girar **2** *vt* ~ **sth (around/round)** rodar alguma coisa, (fazer) girar alguma coisa **3** *vt, vi* (*máquina de lavar*) centrifugar **4** *vt* tecer PHR V **spin sth out** alongar, esticar alguma coisa
▸ *s* **1** volta **2** (*coloq*) (*passeio de carro/mota*) volta: *to go for a spin* ir dar uma volta **3** (*bola*) efeito **4** (*coloq*) (*Pol, etc.*) interpretação de forma conveniente: *The government is trying to put a positive spin on budget cuts.* O governo está a tentar dar uma impressão positiva aos cortes de orçamento.

spinach /'spɪnɪtʃ/ *s* [*não-contável*] espinafre

spinal /'spaɪnl/ *adj* espinal: *spinal column* coluna vertebral

spine /spaɪn/ *s* **1** (*Anat*) espinha (dorsal) **2** (*Zool*) espinho **3** (*Bot*) espinho, pico **4** (*de um livro*) lombada

spinster /'spɪnstə(r)/ *s* solteira, solteirona ❶ Esta palavra tornou-se antiquada e pode ser depreciativa. ➲ *Comparar com* BACHELOR

spiral /'spaɪrəl/ *substantivo, adjetivo, verbo*
▸ *s* espiral
▸ *adj* (em) espiral: *a spiral staircase* uma escada de caracol
▸ *vi* (*preços, etc.*) disparar

spire /'spaɪə(r)/ *s* pináculo, agulha (*de catedral, etc.*)

⚷ **spirit** /'spɪrɪt/ *s* **1** espírito, alma **2** **spirits** [*pl*] estado de espírito, humor: *in high spirits* de

S

muito bom humor **3** ânimo, coragem **4** atitude **5** espírito, fantasma **6 spirits** [*pl*] bebida espirituosa **spirited** *adj* **1** (*conversa, debate, etc.*) animado **2** (*ataque*) vigoroso

spiritual /ˈspɪrɪtʃuəl/ *adj* espiritual

spit /spɪt/ *verbo, substantivo*
▸ (*pt, pp* **spat** /spæt/ *ou USA tb* **spit** *part pres* **spitting**) **1** *vt, vi* cuspir: *to spit at sb* cuspir em (cima de) alguém **2** *vt* (*insulto, etc.*) lançar **3** *vi* (*fogo, lenha*) crepitar **4** *vi* (*comida, gordura quente*) espirrar PHR V **spit sth out** cuspir alguma coisa
▸ *s* **1** saliva, cuspo **2** (*para churrasco*) espeto **3** (*Geog*) ponta (*de terra*)

spite /spaɪt/ *substantivo, verbo*
▸ *s* despeito, rancor: *out of/from spite* por despeito LOC **in spite of sth** apesar de alguma coisa
▸ *vt* irritar **spiteful** *adj* despeitado, rancoroso

splash /splæʃ/ *verbo, substantivo*
▸ **1** *vi* chapinhar **2** *vt* ~ **sb/sth (with sth)**; ~ **sth (on/over sb/sth)** salpicar alguém/alguma coisa (de alguma coisa), borrifar alguma coisa (em alguém/alguma coisa) PHR V **splash out (on sth)** (*GB, coloq*) esbanjar dinheiro (em alguma coisa), dar-se ao luxo de comprar alguma coisa
▸ *s* **1** chape **2** (*mancha*) salpico **3** (*de cor*) mancha LOC **make a splash** (*coloq*) causar sensação

splatter /ˈsplætə(r)/ (*tb* **spatter**) *vt* ~ **sb/sth with sth**; ~ **sth (on/over sb/sth)** salpicar alguém de alguma coisa, borrifar alguma coisa (em alguém/alguma coisa)

splendid /ˈsplendɪd/ *adj* esplêndido, magnífico

splendour (*USA* **splendor**) /ˈsplendə(r)/ *s* esplendor

splinter /ˈsplɪntə(r)/ *substantivo, verbo*
▸ *s* lasca, farpa
▸ *vt, vi* **1** lascar(-se) **2** dividir(-se)

split /splɪt/ *verbo, substantivo, adjetivo*
▸ (*pt, pp* **split** *part pres* **splitting**) **1** *vt, vi* partir(-se): *to split sth in two* partir alguma coisa em dois **2** *vt, vi* dividir(-se) **3** *vt* repartir **4** *vt, vi* ~ **(sth) (open)** fender alguma coisa, fender-se, rachar alguma coisa PHR V **split up (with sb)** separar-se (de alguém)
▸ *s* **1** divisão, separação **2** fenda, racha **3 the splits** [*pl*]: *to do the splits* fazer a espargata
▸ *adj* partido, dividido

splutter /ˈsplʌtə(r)/ *verbo, substantivo*
▸ **1** *vt, vi* balbuciar, gaguejar **2** *vi* (*fogo, etc.*) crepitar
▸ *s* crepitação

spoil /spɔɪl/ (*pt, pp* **spoilt** /spɔɪlt/ *ou* **spoiled**) ➲ *Ver nota em* DREAM **1** *vt, vi* estragar(-se) **2** *vt* (*criança*) mimar

spoils /spɔɪlz/ *s* [*pl*] espólio (*de roubo, guerra, etc.*)

spoilsport /ˈspɔɪlspɔːt/ *s* (*coloq*) desmancha-prazeres

spoilt /spɔɪlt/ (*tb esp USA* **spoiled**) *adj* mimado *Ver tb* SPOIL

spoke /spəʊk/ *s* raio (*de uma roda*) *Ver tb* SPEAK

spoken *pp de* SPEAK

spokesman /ˈspəʊksmən/ *s* (*pl* **-men** /-mən/) porta-voz ❶ É preferível utilizar a forma **spokesperson**, que se refere tanto a um homem como a uma mulher.

spokesperson /ˈspəʊkspɜːsn/ *s* porta-voz

spokeswoman /ˈspəʊkswʊmən/ *s* (*pl* **-women**) /-wɪmɪn/ porta-voz ➲ *Ver nota em* SPOKESMAN

sponge /spʌndʒ/ *substantivo, verbo*
▸ *s* **1** esponja **2** (*tb* **sponge cake**) pão-de-ló
▸ *vi* ~ **(off/on sb)** (*coloq, pej*) aproveitar-se (de alguém), viver à custa de alguém **sponger** *s* (*coloq*) parasita

sponge bag *s* necessaire

sponsor /ˈspɒnsə(r)/ *substantivo, verbo*
▸ *s* patrocinador, -ora
▸ *vt* patrocinar **sponsorship** *s* patrocínio

spontaneity /ˌspɒntəˈneɪəti/ *s* espontaneidade

spontaneous /spɒnˈteɪniəs/ *adj* espontâneo

spooky /ˈspuːki/ *adj* (**spookier**, **-iest**) (*coloq*) **1** fantasmagórico **2** misterioso

spoon /spuːn/ *substantivo, verbo*
▸ *s* **1** colher: *serving spoon* colher de servir **2** (*tb* **spoonful**) colherada
▸ *vt* tirar à colher: *She spooned the mixture out of the bowl.* Tirou a mistura da taça com uma colher.

sporadic /spəˈrædɪk/ *adj* esporádico

sport /spɔːt/ *s* **1** desporto: *sports centre* pavilhão de desportos ◇ *sports facilities* instalações desportivas ◇ *sports field* campo de jogos **2** (*coloq*) bom rapaz, boa rapariga: *to be a good/bad sport* ser bom/mau perdedor **sporting** *adj* desportivo

sports car *s* carro de desporto

sportsman /ˈspɔːtsmən/ *s* (*pl* **-men** /-mən/) desportista **sportsmanlike** *adj* que tem desportivismo **sportsmanship** *s* desportivismo

sportswoman /ˈspɔːtswʊmən/ *s* (*pl* **-women**) /-wɪmɪn/ desportista

sporty /ˈspɔːti/ *adj* (**sportier**, **-iest**) **1** (*esp GB, coloq*) desportista **2** (*roupa, carro*) desportivo

spot /spɒt/ *verbo, substantivo*
▸ *vt* (**-tt-**) encontrar, notar: *He finally spotted a shirt he liked.* Finalmente encontrou uma camisa da qual gostou. ◇ *Nobody spotted the mistake.* Ninguém viu o erro.
▸ *s* **1** (*padrão*) bola: *a blue skirt with red spots on it* uma saia azul com bolas vermelhas **2** (*em animais, etc.*) malha, mancha **3** (*Med*) borbulha **4** local **5** ~ **of sth** (*GB, coloq*): *Would you like a spot of lunch?* Queres alguma coisa para almoçar. ◇ *You seem to be having a spot of bother.* Parece que estás a passar um mau bocado. **6** (*TV, etc.*) espaço LOC *Ver* SOFT

spotless /'spɒtləs/ *adj* **1** (*casa*) imaculado **2** (*reputação*) sem mácula

spotlight /'spɒtlaɪt/ *s* **1** (*coloq* spot) holofote **2** **the spotlight** [*sing*]: *to be in the spotlight* ser o centro das atenções

spotted /'spɒtɪd/ *adj* **1** (*animal*) malhado **2** (*tecido*) às bolas

spotty /'spɒti/ *adj* **1** com muitas borbulhas **2** (*tecido*) às bolas

spouse /spaʊs/ *s* (*Jur*) cônjuge

spout /spaʊt/ *substantivo, verbo*
▸ *s* **1** (*de chaleira, jarro, etc.*) bico **2** (*de caleira*) cano
▸ **1** *vi* ~ **(out/up) (from sth)** jorrar (de alguma coisa) **2** *vt* ~ **sth (out/up)** jorrar alguma coisa **3** *vi* ~ **(off/on) (about sth)** (*coloq, pej*) dissertar (sobre alguma coisa) **4** *vt* (*coloq, pej*) declamar

sprain /spreɪn/ *verbo, substantivo*
▸ *vt* torcer: *to sprain your ankle* dar um mau jeito ao/torcer o tornozelo
▸ *s* entorse

sprang *pt de* SPRING

sprawl /sprɔːl/ *vi* **1** ~ **(out) (across/in/on sth)** esparramar-se, estatelar-se (em alguma coisa) **2** (*cidade, etc.*) estender-se (*desordenadamente*)

spray /spreɪ/ *substantivo, verbo*
▸ *s* **1** borrifo **2** (*lata*) spray, aerossol **3** (*para o cabelo*) laca **4** (*do mar*) espuma
▸ **1** *vt* ~ **sb/sth (with sth)**; ~ **sth (on/over sb/sth)** vaporizar, pulverizar alguém/alguma coisa (com alguma coisa), pulverizar alguma coisa (em alguém/alguma coisa) **2** *vi* ~ **(over, across, etc. sb/sth)** salpicar (alguém/alguma coisa)

spread /spred/ *verbo, substantivo*
▸ (*pt, pp* **spread**) **1** *vt* ~ **sth (out) (on/over sth)** estender, abrir alguma coisa (sobre alguma coisa) **2** *vt, vi* espalhar(-se), propagar(-se) **3** *vt* ~ **sth with sth** cobrir alguma coisa com/de alguma coisa **4** *vt, vi* barrar(-se) **5** *vt* ~ **sth (out) (over sth)** distribuir alguma coisa (por alguma coisa)
▸ *s* **1** (*doença, fogo*) propagação **2** (*notícia*) difusão **3** (*crime, armas*) proliferação, difusão **4** extensão **5** leque (*de opções, etc.*) **6** paté, queijo, creme, etc. para barrar **7** (*asas*) envergadura

spreadsheet /'spredʃiːt/ *s* folha de cálculo

spree /spriː/ *s* farra: *to go on a shopping/spending spree* fazer compras/gastar dinheiro à doida

spring /sprɪŋ/ *substantivo, verbo*
▸ *s* **1** primavera: *spring clean(ing)* limpeza geral **2** (*de colchão, etc.*) mola **3** elasticidade **4** nascente **5** salto
▸ (*pt* **sprang** /spræŋ/, *pp* **sprung** /sprʌŋ/) **1** *vi* saltar **2** *vt* ~ **sth (on sb)** apresentar alguma coisa de surpresa (a alguém) LOC **spring into action/life** entrar em ação *Ver tb* MIND PHR V **spring from sth** (*formal*) dever-se a alguma coisa

springboard /'sprɪŋbɔːd/ *s* (*lit e fig*) trampolim

spring onion *s* cebolinha-verde

springtime /'sprɪŋtaɪm/ *s* primavera

sprinkle /'sprɪŋkl/ *vt* **1** ~ **A with B**; ~ **B on/onto/over A** salpicar A com/de B, polvilhar A com B **2** ~ **sth with sth** (*fig*) pejar alguma coisa de alguma coisa **sprinkling** *s* ~ **(of sth/sb)** um borrifo (de alguma coisa), uns tantos, umas tantas

sprint /sprɪnt/ *verbo, substantivo*
▸ *vt, vi* correr (a toda a velocidade) (*distância curta*)
▸ *s* corrida de velocidade, sprint

sprinter /'sprɪntə(r)/ *s* velocista

sprout /spraʊt/ *verbo, substantivo*
▸ **1** *vi* brotar, rebentar **2** *vt* (*Bot*) produzir (*flores, etc.*) **3** *vt* fazer germinar
▸ *s* **1** botão, rebento **2** *Ver* BRUSSELS SPROUT

sprung *pp de* SPRING

spun *pt, pp de* SPIN

spur /spɜː(r)/ *substantivo, verbo*
▸ *s* **1** espora **2** ~ **(to sth)** (*fig*) estímulo (para alguma coisa) LOC **on the spur of the moment** sem pensar duas vezes
▸ *vt* (**-rr-**) ~ **sb/sth (on)** incitar alguém/alguma coisa

spurn /spɜːn/ *vt* rejeitar (desdenhosamente)

spurt /spɜːt/ *verbo, substantivo*
▸ *vi* ~ **(out) (from sth)** jorrar (de alguma coisa)
▸ *s* **1** jorro **2** arranque (*de atividade, crescimento, etc.*)

S

spy /spaɪ/ *substantivo, verbo*
▸ *s* (*pl* **spies**) espião, espia: *spy thrillers* romances de espionagem
▸ *vi* (*pt, pp* **spied**) ~ **(on sb/sth)** espiar (alguém/alguma coisa)

squabble /ˈskwɒbl/ *verbo, substantivo*
▸ *vi* ~ **(with sb) (about/over sth)** discutir, brigar (com alguém) (por alguma coisa)
▸ *s* discussão, briga

squad /skwɒd/ *s* [*v sing ou pl*] **1** (*Mil*) pelotão **2** (*polícia*) brigada: *the drugs squad* a brigada antidroga **3** (*Desp*) seleção

squadron /ˈskwɒdrən/ *s* [*v sing ou pl*] esquadrão

squalid /ˈskwɒlɪd/ *adj* (*pej*) sórdido

squalor /ˈskwɒlə(r)/ *s* sordidez

squander /ˈskwɒndə(r)/ *vt* ~ **sth (on sth)** **1** desperdiçar alguma coisa (em alguma coisa) **2** (*tempo*) perder alguma coisa (com alguma coisa)

🔑 **square** /skweə(r)/ *adjetivo, substantivo, verbo*
▸ *adj* quadrado: *one square metre* um metro quadrado LOC **a square meal** uma refeição completa ◆ **be (all) square (with sb)** **1** estar quites (com alguém) **2** (*Desp*) estar empatado (com alguém) *Ver tb* FAIR
▸ *s* **1** (*Geom, Mat*) quadrado **2** (*abrev* **Sq.**) praça **3** (*num tabuleiro*) casa LOC **back to square one** de volta à estaca zero
▸ *v* PHR V **square up (with sb)** fazer contas (com alguém) ◆ **square (sth) with sth** ajustar-se, ajustar alguma coisa com alguma coisa

squarely /ˈskweəli/ *adv* diretamente

square root *s* (*Mat*) raiz quadrada

squash /skwɒʃ/ *verbo, substantivo*
▸ **1** *vt* esborrachar: *It was squashed flat.* Estava todo esborrachado. **2** *vt, vi* ~ **(sb/sth) into, against, etc. sth** espremer-se, espremer alguém/alguma coisa em, contra, etc. alguma coisa
▸ *s* **1** (*Desp*) squash **2** sumo de fruta concentrado para diluir ou já diluído **3** abobrinha **4** [*sing*]: *What a squash!* Que apertão!

squat /skwɒt/ *verbo, adjetivo*
▸ *vi* (**-tt-**) ~ **(down)** **1** agachar-se, acocorar-se **2** (*animal*) alapardar-se
▸ *adj* atarracado

squawk /skwɔːk/ *verbo, substantivo*
▸ *vi* grasnar, guinchar
▸ *s* grasnido, guincho

squeak /skwiːk/ *verbo, substantivo*
▸ *vi* **1** (*animal*) guinchar **2** (*gonzo, etc.*) chiar
▸ *s* **1** (*animal*) guincho **2** (*gonzo, etc.*) chio

squeaky *adj* **1** (*voz*) esganiçado **2** (*gonzo, etc.*) que chia

squeal /skwiːl/ *verbo, substantivo*
▸ *vi* **1** guinchar **2** chiar
▸ *s* **1** guincho **2** chio

squeamish /ˈskwiːmɪʃ/ *adj* sensível, melindroso: *I'm squeamish about blood.* Sou muito impressionável com o sangue.

🔑 **squeeze** /skwiːz/ *verbo, substantivo*
▸ **1** *vt* apertar **2** *vt* espremer **3** *vt, vi* ~ **(sb/sth) into, past, through, etc. (sth)**: *Can you squeeze anything else into that case?* Podes enfiar mais alguma coisa nessa mala? ◇ *to squeeze through a gap in the hedge* passar com dificuldade por um espaço na sebe ◇ *Can you squeeze past/by?* Tens espaço para passar?
▸ *s* **1** aperto **2** *a squeeze of lemon* um pouco de sumo de limão **3** [*sing*]: *What a squeeze!* Que apertão! **4** [*ger sing*] (*Fin*) cortes, restrições (*salários, empregos, etc.*)

squid /skwɪd/ *s* (*pl* **squid** *ou* **squids**) lula

squint /skwɪnt/ *verbo, substantivo*
▸ *vi* **1** ~ **(at/through sth)** olhar (para/através de alguma coisa) com os olhos semicerrados **2** ser estrábico
▸ *s* estrabismo

squirm /skwɜːm/ *vi* **1** contorcer-se **2** ficar extremamente envergonhado

squirrel /ˈskwɪrəl; *USA* ˈskwɜːrəl/ *s* esquilo

squirt /skwɜːt/ *verbo, substantivo*
▸ **1** *vt* ~ **sb/sth (with sth)** esguichar alguém/alguma coisa (com alguma coisa): *to squirt soda water into a glass* deitar um esguicho de soda num copo **2** *vi* ~ **(out of/from sth)** esguichar (de alguma coisa)
▸ *s* esguicho

stab /stæb/ *verbo, substantivo*
▸ *vt* (**-bb-**) **1** apunhalar, esfaquear **2** picar
▸ *s* punhalada, facada LOC **have/take a stab at (doing) sth** (*coloq*) tentar (fazer) alguma coisa

stabbing /ˈstæbɪŋ/ *substantivo, adjetivo*
▸ *s* esfaqueamento
▸ *adj* (*dor*) agudo

stability /stəˈbɪləti/ *s* estabilidade

stabilize, -ise /ˈsteɪbəlaɪz/ *vt, vi* estabilizar(-se)

🔑 **stable** /ˈsteɪbl/ *adjetivo, substantivo*
▸ *adj* **1** estável **2** equilibrado
▸ *s* **1** estábulo **2** cavalariça

stack /stæk/ *substantivo, verbo*
▸ *s* **1** pilha (*de livros, lenha, etc.*) **2** ~ **of sth** (*esp GB, coloq*) pilha, monte de alguma coisa
▸ *vt* ~ **sth (up)** empilhar alguma coisa

stadium /ˈsteɪdiəm/ *s* (*pl* **stadiums** *ou* **stadia** /-diə/) estádio

staff /stɑːf; *USA* stæf/ *substantivo, verbo*
▸ *s* [*v sing ou pl*] (quadro de) pessoal: *The staff are all working long hours.* Todo o pessoal está a trabalhar longas horas. ◇ *teaching staff* corpo docente ➲ *Ver nota em* JÚRI
▸ *vt* prover de pessoal

stag /stæg/ *s* veado (macho) ➲ *Ver nota em* VEADO

stage /steɪdʒ/ *substantivo, verbo*
▸ *s* **1** etapa: *to do sth in stages* fazer alguma coisa por etapas ◇ *at this stage* neste momento/nesta altura **2** palco **3 the stage** [*sing*] o teatro (*profissão*): *to be/go on the stage* ser/tornar-se ator/atriz LOC **stage by stage** passo a passo
▸ *vt* **1** pôr em cena **2** (*evento*) organizar

stagger /ˈstægə(r)/ *verbo, substantivo*
▸ **1** *vi* cambalear: *He staggered back home.* Voltou para casa a cambalear. ◇ *to stagger to your feet* pôr-se de pé cambaleando **2** *vt* atordoar **3** *vt* (*viagem, férias*) escalonar
▸ *s* cambaleio

staggering /ˈstægərɪŋ/ *adj* assombroso

stagnant /ˈstægnənt/ *adj* estagnado

stagnate /stægˈneɪt; *USA* ˈstægneɪt/ *vi* estagnar **stagnation** *s* estagnação

stag night *s* despedida de solteiro

stain /steɪn/ *substantivo, verbo*
▸ *s* **1** nódoa, mancha **2** tinta (*para madeira*)
▸ **1** *vt, vi* manchar **2** *vt* tingir: *stained glass window* vitral **stainless** *adj*: *stainless steel* aço inoxidável

stair /steə(r)/ *s* **1 stairs** [*pl*] escadas: *to go up/down the stairs* subir/descer as escadas ➲ *Ver nota em* ESCADA **2** degrau

staircase /ˈsteəkeɪs/ (*tb* **stairway** /ˈsteəweɪ/) *s* escadaria ➲ *Ver nota em* ESCADA

stake /steɪk/ *substantivo, verbo*
▸ *s* **1** estaca **2** ~ **(in sth)** (*investimento*) parte, participação (em alguma coisa) **3 stakes** [*pl*] aposta **4 the stake** [*sing*] a fogueira LOC **at stake** em jogo: *His reputation is at stake.* Está em jogo a sua reputação.
▸ *vt* **1** ~ **sth (on sth)** apostar alguma coisa (em alguma coisa) **2** escorar LOC **stake (out) a/your claim (to/for/on sth)** reivindicar um/o seu direito (a alguma coisa)

stale /steɪl/ *adj* **1** (*pão*) duro **2** (*comida*) estragado **3** (*ar, cheiro*) bafiento **4** (*ideias, etc.*) gasto

stalemate /ˈsteɪlmeɪt/ *s* **1** impasse **2** (*Xadrez*) xeque-surdo, empate

stalk /stɔːk/ *substantivo, verbo*
▸ *s* **1** caule, talo **2** (*de fruta*) píncaro
▸ **1** *vt* (*pessoa, animal*) perseguir (furtivamente) **2** *vi* ~ **(away/off/out)** ir-se embora todo empertigado **stalker** *s* perseguidor, -ora

stall /stɔːl/ *substantivo, verbo*
▸ *s* **1** (*na feira, no mercado, etc.*) barraca **2** (*no estábulo*) manjedoura **3 stalls** [*pl*] (*no teatro*) plateia
▸ **1** *vt, vi* (*carro, motor*) (fazer) ir abaixo **2** *vi* responder com evasivas

stallion /ˈstæliən/ *s* garanhão

stalwart /ˈstɔːlwət/ *substantivo, adjetivo*
▸ *s* leal seguidor, -ora
▸ *adj* fiável, leal

stamina /ˈstæmɪnə/ *s* resistência

stammer /ˈstæmə(r)/ *verbo, substantivo*
▸ (*tb* **stutter**) *vt, vi* gaguejar
▸ *s* (*tb* **stutter**) gaguez

stamp /stæmp/ *substantivo, verbo*
▸ *s* **1** (*de correios, fiscal*) selo: *stamp collecting* filatelia

> No Reino Unido existem dois tipos de selos: **first class** e **second class**. Os selos de primeira classe custam um pouco mais, mas as cartas chegam mais rapido.

2 (*de borracha*) carimbo **3** (*para metal*) cunho **4** (*com o pé*) patada
▸ **1** *vt, vi* bater com o pé (no chão) **2** *vt* (*carta*) pôr um selo em, selar **3** *vt* imprimir, carimbar PHR V **stamp sth out** acabar com alguma coisa

stampede /stæmˈpiːd/ *substantivo, verbo*
▸ *s* fuga precipitada, debandada
▸ *vi* debandar

stance /stɑːns; *USA* stæns/ *s* **1** postura **2** ~ **(on sth)** postura, atitude (para com alguma coisa)

stand /stænd/ *verbo, substantivo*
▸ (*pt, pp* **stood** /stʊd/) **1** *vi* estar/ficar de pé: *Stand still.* Não te mexas. **2** *vi* ~ **(up)** pôr-se de pé, levantar-se **3** *vt* pôr, colocar **4** *vi* encontrar-se: *A house once stood here.* Antes havia uma casa aqui. **5** *vi* permanecer, estar: *as things stand* tal como estão as coisas **6** *vi* medir: *That building stands over 200 metres high.* Aquele edifício tem mais de 200 metros de altura. **7** *vi* (*oferta, etc.*) continuar de pé **8** *vt* aguentar, suportar ❶ Neste sentido, usa-se sobretudo em orações negativas e interrogativas: *I can't stand him.* Não o suporto. **9** *vi* ~ **(for/as sth)** (*Pol*) candidatar-se (a alguma coisa) LOC **it/that stands to reason** é lógico ◆ **stand a chance (of sth)** ter hipóteses (de alguma coisa) ◆ **stand fast/firm** manter-se firme *Ver tb* AWE, LEG, TRIAL PHR V **stand by sb** apoiar alguém ◆ **stand for sth 1** significar,

S

representar alguma coisa **2** apoiar alguma coisa **3** tolerar alguma coisa ❶ Neste sentido, utiliza-se somente em orações negativas.

◆ **stand in (for sb)** substituir (alguém) ◆ **stand out** destacar-se ◆ **stand sb up** (*coloq*) deixar alguém plantado ◆ **stand up for sb/sth** defender alguém/alguma coisa ◆ **stand up to sb** fazer frente a alguém

▸ *s* **1** ~ **(on sth)** posição, atitude (em relação a alguma coisa) **2** barraca, stand **3** banca de jornais, quiosque **4** [*geralmente em palavras compostas*] pé, suporte: *music stand* atril **5** (*Desp*) bancada **6** (*USA*) (*Jur*) bauco dos réus LOC **make a stand (against sb/sth)** resistir (a alguém/alguma coisa) ◆ **take a stand (on sth)** tomar uma posição (sobre alguma coisa)

standard /'stændəd/ *substantivo, adjetivo*

▸ *s* nível, padrão: *standard of living* nível de vida LOC **be up to/below standard** estar/não estar à altura

▸ *adj* **1** estandardizado **2** normal

standardize, -ise /'stændədaɪz/ *vt* estandardizar

standby /'stændbaɪ/ *s* (*pl* **standbys**) **1** (*coisa*) reserva **2** (*pessoa*) suplente, reserva LOC **on standby 1** a postos **2** na lista de espera

stand-in /'stænd ɪn/ *s* substituto, suplente

standing /'stændɪŋ/ *substantivo, adjetivo*

▸ *s* **1** prestígio **2** *of long standing* de há muito tempo **3 standings** [*pl*] classificação (*numa competição*)

▸ *adj* permanente

standing order *s* (*banco*) ordem permanente

standpoint /'stændpɔɪnt/ *s* ponto de vista

standstill /'stændstɪl/ *s* [*sing*]: *to be at a standstill* estar parado ◇ *to bring sth to a standstill* parar alguma coisa ◇ *to come to a standstill* parar

stank *pt de* STINK

staple /'steɪpl/ *adjetivo, substantivo, verbo*

▸ *adj* principal

▸ *s* agrafo

▸ *vt* agrafar **stapler** *s* agrafador

star /stɑː(r)/ *substantivo, verbo*

▸ *s* estrela: *Hollywood stars* estrelas de Hollywood ◇ *a four-star hotel* um hotel de quatro estrelas

▸ *vi* (**-rr-**) ~ **(in sth)** desempenhar o papel principal (em alguma coisa)

starboard /'stɑːbəd/ *s* estibordo

starch /stɑːtʃ/ *s* amido, fécula **starched** *adj* (*roupa*) engomado

stardom /'stɑːdəm/ *s* celebridade, estrelato: *The actress has now achieved stardom.* A atriz é agora uma estrela consagrada.

stare /steə(r)/ *vi* ~ **(at sb/sth)** olhar fixamente (para alguém/alguma coisa), fitar alguém/alguma coisa LOC *Ver* SPACE

stark /stɑːk/ *adj* (**starker, -est**) **1** desolador **2** austero **3** (*contraste*) forte

starry /'stɑːri/ *adj* estrelado

the Stars and Stripes *s* [*sing*] bandeira dos Estados Unidos

A bandeira dos Estados Unidos tem listas e estrelas. As 13 listas representam os 13 estados que originaram a nação, e as 50 estrelas representam os estados que existem atualmente.

star sign *s* signo (do Zodíaco): *What star sign are you?* De que signo és?

start /stɑːt/ *verbo, substantivo*

▸ **1** *vt, vi* começar

Ainda que **start** e **begin** possam ser seguidos por um infinitivo ou pela forma **-ing**, quando se referem a um tempo contínuo só podem ser acompanhados por verbos no infinitivo: *It started raining/to rain.* Começou a chover. ◇ *It is starting to rain.* Está a começar a chover.

2 *vi* (*carro, motor*) arrancar **3** *vt* (*boato*) iniciar LOC **to start (off) with** para começar *Ver tb* BALL, FALSE, SCRATCH PHR V **start off 1** partir **2** começar ◆ **start out (on sth/to do sth)** começar (alguma coisa/a fazer alguma coisa) ◆ **start sth up 1** (*motor*) ligar alguma coisa **2** (*negócio*) montar, abrir alguma coisa

▸ *s* **1** princípio, começo *Ver tb* FLYING START, HEAD START **2 the start** [*sing*] (*Desp*) a (linha de) partida LOC **for a start** (*coloq*) para começar ◆ **get off to a good, bad, etc. start** começar bem, mal, etc.

starter /'stɑːtə(r)/ *s* entrada (*prato*)

starting point *s* ponto de partida

startle /'stɑːtl/ *vt* assustar **startling** *adj* surpreendente

starvation /stɑː'veɪʃn/ *s* fome ➲ *Ver nota em* FOME

starve /stɑːv/ **1** *vi* passar fome: *to starve (to death)* morrer de fome **2** *vt* matar à/de fome, fazer passar fome LOC **be starving** (*coloq*) estar morto de fome PHR V **starve sb/sth of sth** privar alguém/alguma coisa de alguma coisa

state /steɪt/ *substantivo, adjetivo, verbo*

▸ *s* **1** estado: *to be in a fit state to drive* estar em condições de conduzir **2** (*tb* **the State**) (*Pol*)

S

estado: *the State* o Estado **3 the States** [*sing*] (*coloq*) os Estados Unidos LOC **state of affairs** situação ◆ **state of mind** estado de espírito *Ver tb* REPAIR
▸ *adj* (*tb* **State**) estatal: *a state visit* uma visita oficial
▸ *vt* **1** declarar, afirmar: *State your name.* Diga o seu nome. **2** estabelecer: *within the stated limits* dentro dos limites estabelecidos

stately /ˈsteɪtli/ *adj* majestoso

stately home /ˌsteɪtli ˈhəʊm/ *s* (*GB*) casa de campo grande com valor histórico

statement /ˈsteɪtmənt/ *s* **1** declaração: *to issue a statement* emitir um comunicado **2** (*banco*) extrato (de conta)

statesman /ˈsteɪtsmən/ *s* (*pl* **-men** /-mən/) estadista

static /ˈstætɪk/ *adjetivo, substantivo*
▸ *adj* estático
▸ *s* [*não-contável*] **1** (*Rádio, TV*) interferências **2** (*tb* **static electricity**) eletricidade estática

station /ˈsteɪʃn/ *substantivo, verbo*
▸ *s* **1** estação: *railway station* estação (de caminho-de-ferro) **2** *nuclear power station* central nuclear ◇ *police station* esquadra (da polícia) ◇ *petrol station* bomba(s) de gasolina *Ver tb* FIRE STATION, SERVICE STATION **3** (*TV, Rádio*) emissora
▸ *vt* colocar

stationary /ˈsteɪʃənri; *USA* -neri/ *adj* parado

stationer /ˈsteɪʃənə(r)/ *s* **1** dono, -a duma papelaria **2 stationer's** papelaria ➲ *Ver nota em* TALHO **stationery** /ˈsteɪʃənri; *USA* -neri/ *s* [*não-contável*] artigos de papelaria

statistic /stəˈtɪstɪk/ *s* estatística

statistics /stəˈtɪstɪks/ *s* [*não-contável*] estatística (*Ciência*)

statue /ˈstætʃuː/ *s* estátua

stature /ˈstætʃə(r)/ *s* (*formal*) **1** prestígio **2** estatura

status /ˈsteɪtəs/ *s* categoria: *social status* posição social ◇ *status symbol* símbolo de posição social ◇ *marital status* estado civil

statute /ˈstætʃuːt/ *s* estatuto, lei **statutory** /ˈstætʃətri; *USA* -tɔːri/ *adj* estatutário, legal

staunch /stɔːntʃ/ *adj* (*superl* **staunchest**) leal

stave /steɪv/ *v* PHR V **stave sth off 1** (*crise*) evitar alguma coisa **2** (*ataque*) repelir alguma coisa

stay /steɪ/ *verbo, substantivo*
▸ *vi* ficar: *to stay (at) home* ficar em casa ◇ *What hotel are you staying at?* Em que hotel estás (hospedado)? ◇ *I don't know how they stay together.* Não sei como eles continuam juntos. ◇ *to stay sober* permanecer sóbrio LOC *Ver* ALIVE, CLEAR, COOL PHR V **stay away (from sb/sth)** ficar longe (de alguém/alguma coisa) ◆ **stay in** ficar em casa ◆ **stay on (at...)** ficar (em...) ◆ **stay out** estar fora (*à noite*) ◆ **stay up** ficar acordado: *to stay up late* ficar acordado até tarde
▸ *s* estadia, estada

steady /ˈstedi/ *adjetivo, verbo*
▸ *adj* (**steadier, -iest**) **1** firme: *to hold sth steady* segurar alguma coisa com firmeza **2** constante, regular: *a steady boyfriend* um namorado (fixo) ◇ *a steady job/income* um emprego/ordenado fixo
▸ (*pt, pp* **steadied**) **1** *vi* estabilizar **2** *vt* ~ **yourself** recuperar o equilíbrio

steak /steɪk/ *s* bife ➲ *Ver nota em* MALPASSADO

steal /stiːl/ (*pt* **stole** /stəʊl/, *pp* **stolen** /ˈstəʊlən/) **1** *vt, vi* ~ **(sth) (from sb/sth)** roubar (alguma coisa) (a alguém/alguma coisa) ➲ *Ver nota em* ROB **2** *vi* ~ **in, out, away, etc.**: *He stole into the room.* Entrou furtivamente no quarto. ◇ *They stole away.* Esgueiraram-se sem ninguém notar. ◇ *to steal up on sb* aproximar-se de alguém sem fazer ruído

stealth /stelθ/ *s*: *by stealth* às escondidas **stealthy** *adj* subreptício, furtivo

steam /stiːm/ *substantivo, verbo*
▸ *s* vapor: *steam engine* máquina a vapor LOC **run out of steam** (*coloq*) perder a força *Ver tb* LET
▸ **1** *vi* deitar vapor: *steaming hot coffee* café quente a fumegar **2** *vt* cozinhar a vapor LOC **be/get steamed up (about/over sth)** (*coloq*) estar irritado/irritar-se (com alguma coisa) PHR V **steam (sth) up** embaciar(-se) (alguma coisa)

steamer /ˈstiːmə(r)/ *s* **1** barco a vapor **2** cesto ➲ *Ver ilustração em* POT

steamroller /ˈstiːmrəʊlə(r)/ *s* cilindro (de estrada)

steel /stiːl/ *substantivo, verbo*
▸ *s* aço
▸ *vt* ~ **yourself (for/against sth)** encher-se de força (perante alguma coisa)

steep /stiːp/ *adj* (**steeper, -est**) **1** íngreme: *a steep mountain* uma montanha íngreme **2** (*aumento, queda*) acentuado **3** (*coloq*) (*preço, etc.*) excessivo

steeply /ˈstiːpli/ *adv* ingrememente, a pique: *The plane was climbing steeply.* O avião subia a pique. ◇ *Share prices fell steeply.* Os preços das ações cairam a pique.

steer /stɪə(r)/ **1** *vt, vi* guiar, pilotar: *to steer by the stars* guiar-se pelas estrelas ◇ *to steer*

S

north seguir rumo ao Norte **2** *vt* conduzir: *He steered the discussion away from the subject.* Puxou a conversa para outro tema. LOC *Ver* CLEAR **steering** *s* direção

steering wheel *s* volante

stem /stem/ *substantivo, verbo*
▸ *s* talo, pé, caule
▸ *v* (**-mm-**) conter PHR V **stem from sth** provir de alguma coisa

stem cell *s* (*Biol*) célula estaminal

stench /stentʃ/ *s* [*sing*] fedor, mau cheiro ➲ *Ver nota em* SMELL *n*

step /step/ *substantivo, verbo*
▸ *s* **1** passo **2** degrau **3 steps** [*pl*] escadas ➲ *Ver nota em* ESCADA LOC **be in/out of step (with sb/sth) 1** acompanhar/não acompanhar o passo (de alguém/alguma coisa) **2** (*fig*) estar de acordo/não estar de acordo (com alguém/alguma coisa) ◆ **step by step** passo a passo ◆ **take steps to do sth** tomar medidas para fazer alguma coisa *Ver tb* WATCH
▸ *vi* (**-pp-**) dar um passo, andar: *I stepped up to him.* Aproximei-me dele. ◇ *to step over/on sth* passar por cima de/pisar alguma coisa
PHR V **step down** demitir-se ◆ **step in** intervir ◆ **step sth up** intensificar alguma coisa

stepbrother /ˈstepbrʌðə(r)/ *s* filho do padrasto/da madrasta

stepchild /ˈsteptʃaɪld/ *s* (*pl* **-children**) enteado, -a

stepdaughter /ˈstepdɔːtə(r)/ *s* enteada

stepfather /ˈstepfɑːðə(r)/ *s* padrasto

stepladder /ˈsteplædə(r)/ *s* escadote

stepmother /ˈstepmʌðə(r)/ *s* madrasta

step-parent /ˈstep peərənt/ *s* padrasto, madrasta

stepsister /ˈstepsɪstə(r)/ *s* filha do padrasto/da madrasta

stepson /ˈstepsʌn/ *s* enteado

stereo /ˈsteriəʊ/ *s* (*pl* **stereos**) aparelhagem (estereofónica)

stereotype /ˈsteriətaɪp/ *s* estereótipo

sterile /ˈsteraɪl; *USA* ˈsterəl/ *adj* estéril **sterility** /stəˈrɪləti/ *s* esterilidade **sterilize, -ise** /ˈsterəlaɪz/ *vt* esterilizar

sterling /ˈstɜːlɪŋ/ *adjetivo, substantivo*
▸ *adj* **1** (*prata*) de lei **2** (*formal*) excelente
▸ *s* libra esterlina

stern /stɜːn/ *adjetivo, substantivo*
▸ *adj* (**sterner, -est**) severo
▸ *s* (*Náut*) popa

steroid /ˈsterɔɪd/ *s* esteróide

stew /stjuː; *USA* stuː/ *substantivo, verbo*
▸ *s* guisado, estufado
▸ *vt, vi* guisar, estufar

steward /stjuːəd; *USA* ˈstuː-/ *s* (*num avião, barco*) comissário de bordo

stewardess /ˌstjuːəˈdes, ˈstjuːədes; *USA* ˈstuːərdəs/ *s* (*antiq*) (*num avião, barco*) assistente de bordo

stick /stɪk/ *verbo, substantivo*
▸ (*pt, pp* **stuck** /stʌk/) **1** *vt* espetar, cravar: *to stick a needle in your finger* espetar uma agulha no dedo ◇ *to stick your fork into a potato* picar uma batata com o garfo **2** *vt, vi* colar(-se), pegar(-se): *Jam sticks to your fingers.* A compota pega-se aos dedos. **3** *vt* (*coloq*) pôr: *He stuck the pen behind his ear.* Pôs a caneta atrás da orelha. **4** *vi* encravar, encalhar: *The bus got stuck in the mud.* O autocarro atolou-se na lama. ◇ *The lift got stuck between floors six and seven.* O elevador ficou preso entre o sexto e sétimo andares. **5** *vt* (*GB, coloq*) aguentar
ⓘ Usa-se sobretudo em orações negativas e interrogativas: *I can't stick it any longer.* Não aguento mais. LOC *Ver* TONGUE
PHR V **stick around** (*coloq*) deixar-se, ficar por perto
stick at sth persistir em alguma coisa, trabalhar com persistência
stick by sb continuar a apoiar alguém
stick out sobressair: *His ears stick out.* Tem as orelhas muito salientes. ◆ **stick it/sth out** (*coloq*) aguentar alguma coisa ◆ **stick sth out 1** (*língua, cabeça*) deitar/pôr alguma coisa de fora **2** (*mão*) estender alguma coisa
stick to sth perseverar em alguma coisa, continuar com alguma coisa
stick together (*coloq*) ficar juntos/unidos
stick up sobressair ◆ **stick sth up** afixar alguma coisa ◆ **stick up for sb/sth/yourself** defender alguém/alguma coisa/defender-se
▸ *s* **1** pau: *a stick of dynamite* um pau de dinamite **2** verga **3** troço: *a stick of celery* um talo de aipo *Ver tb* WALKING STICK

sticker /ˈstɪkə(r)/ *s* autocolante

sticky /ˈstɪki/ *adj* **1** pegajoso: *sticky tape* fita-cola **2** (*coloq*) (*situação*) difícil

stiff /stɪf/ *adjetivo, advérbio*
▸ *adj* (**stiffer, -est**) **1** rígido, teso: *to have a stiff neck* ter um torcicolo **2** difícil, duro **3** (*sólido*) espesso **4** (*pessoa, etc.*) formal **5** (*brisa, bebida alcoólica*) forte
▸ *adv* (*coloq*) extremamente: *bored/scared/frozen stiff* morto de aborrecimento/medo/frio

stiffen /ˈstɪfn/ *vi* **1** ficar rígido **2** endurecer

stifle /'staɪfl/ **1** *vt, vi* sufocar **2** *vt* abafar **3** *vt* (*bocejo*) conter **stifling** *adj* sufocante

stigma /'stɪgmə/ *s* estigma

still /stɪl/ *advérbio, adjetivo*
▸ *adv* **1** ainda

> **Still** ou **yet**? **Still** usa-se em orações afirmativas e interrogativas e coloca-se sempre depois dos verbos auxiliares ou modais e antes dos outros verbos: *He still talks about her.* Ainda fala dela. ◇ *Are you still here?* Ainda aqui estás? **Yet** usa-se em orações negativas e coloca-se sempre no fim da oração: *Aren't they here yet?* Ainda não chegaram? Pode-se também usar **still** em orações negativas quando queremos dar ênfase à oração. Contudo, nestes casos, coloca-se sempre antes do verbo, mesmo que este seja um verbo modal ou auxiliar: *He still hasn't done it.* Ainda não o fez. ◇ *He still can't do it.* Ainda não o sabe fazer.

2 mesmo assim, todavia, contudo: *Still, it didn't turn out badly.* Apesar de tudo, não acabou mal.
▸ *adj* **1** quieto: *Keep still!* Não te mexas! **2** (*água, vento*) calmo **3** (*bebida*) sem gás

still life *s* (*pl* **still lifes**) natureza-morta

stillness /'stɪlnəs/ *s* calma, sossego

stilt /stɪlt/ *s* **1** anda: *a pair of stilts* umas andas **2** palafita

stilted /'stɪltɪd/ *adj* (*pej*) forçado

stimulant /'stɪmjələnt/ *s* estimulante

stimulate /'stɪmjuleɪt/ *vt* estimular **stimulating** *adj* estimulante

stimulus /'stɪmjələs/ *s* (*pl* **stimuli** /-laɪ/) estímulo

sting /stɪŋ/ *verbo, substantivo*
▸ (*pt, pp* **stung** /stʌŋ/) **1** *vt, vi* picar **2** *vi* arder **3** *vt* ofender
▸ *s* **1** ferrão **2** (*dor, ferida*) picada

stingy /'stɪndʒi/ *adj* (**stingier, -iest**) (*coloq*) sovina

stink /stɪŋk/ *verbo, substantivo*
▸ *vi* (*pt* **stank** /stæŋk/ *ou* **stunk** /stʌŋk/, *pp* **stunk**) ~ **(of sth)** (*coloq*) **1** tresandar (a alguma coisa) **2** (*fig*) cheirar (a alguma coisa): *'What do you think of the idea?' 'I think it stinks.'* —O que é que achas da ideia? —Acho que é péssima. PHR V **stink sth out** empestar alguma coisa
▸ *s* (*coloq*) pivete, fedor ➲ *Ver nota em* SMELL *n*
stinking *adj* **1** fedorento **2** (*esp GB, coloq*) maldito, horroroso: *I've got a stinking cold.* Tenho uma constipação horrorosa.

stint /stɪnt/ *s* período: *a training stint in Lisbon* um (período de) estágio em Lisboa

stipulate /'stɪpjuleɪt/ *vt* (*formal*) estipular

stir /stɜː(r)/ *verbo, substantivo*
▸ (**-rr-**) **1** *vt, vi* mexer(-se) **2** *vt* (*imaginação, etc.*) despertar PHR V **stir sth up** instigar alguma coisa
▸ *s* **1** *to give sth a stir* mexer alguma coisa **2** [*sing*] alvoroço, agitação **stirring** *adj* emocionante

stir-fry /'stɜː fraɪ/ *verbo, substantivo*
▸ *vt* (*pt, pp* **stir-fried**) fritar (*rapidamente em óleo bem quente*)
▸ *s* prato de vegetais e/ou carne cortados em pequenos pedaços e fritos rapidamente

stirrup /'stɪrəp/ *s* estribo

stitch /stɪtʃ/ *substantivo, verbo*
▸ *s* **1** (*Costura, Med*) ponto **2** pontada: *I've got a stitch.* Sinto uma pontada do lado. LOC **in stitches** (*coloq*) às gargalhados
▸ *vt, vi* coser **stitching** *s* [*não-contável*] costura

stock /stɒk/ *substantivo, verbo, adjetivo*
▸ *s* **1** stock, estoque: *out of/in stock* esgotado/em armazém **2** ~ **(of sth)** provisão, sortimento (de alguma coisa) **3** [*ger pl*] (*Fin*) títulos, ações **4** [*não-contável*] (*de empresa*) capital social **5** gado **6** (*Cozinha*) caldo LOC **take stock (of sth)** fazer um inventário (de alguma coisa), recapitular (alguma coisa)
▸ *vt* ter (em stock) PHR V **stock up (on/with sth)** abastecer-se (de alguma coisa)
▸ *adj* (*pej*) gasto, batido (*frase, etc.*)

stockbroker /'stɒkbrəʊkə(r)/ (*tb* **broker**) *s* corretor, -ora da bolsa

stock exchange (*tb* **stock market**) *s* bolsa de valores

stocking /'stɒkɪŋ/ *s* meia (*de vidro, nylon, etc.*)

stocky /'stɒki/ *adj* (**stockier, -iest**) atarracado (*pessoa*)

stodgy /'stɒdʒi/ *adj* (*coloq, pej*) (*comida, literatura*) pesado

stoke /stəʊk/ *vt* ~ **sth (up) (with sth)** alimentar alguma coisa (com alguma coisa): *to stoke the fire (up) with coal* pôr mais carvão no fogo

stole, stolen *pt, pp de* STEAL

stolid /'stɒlɪd/ *adj* (*pej*) impassível

stomach /'stʌmək/ *substantivo, verbo*
▸ *s* **1** estômago: *stomach ache* dor de estômago **2** ventre **3** ~ **for sth** (*fig*) estômago para alguma coisa
▸ *vt* aguentar ❶ Usa-se sobretudo em orações negativas e interrogativas: *I can't stomach too much violence in films.* Não aguento demasiada violência nos filmes.

stone /stəʊn/ *substantivo, verbo*
▸ *s* **1** pedra: *the Stone Age* a Idade da Pedra **2** (*de fruta*) caroço **3** (*pl* **stone**) (*abrev* **st**) (*GB*) unidade de peso equivalente a 14 libras ou 6,348 kg ➲ *Ver pág. 712* LOC *Ver* KILL
▸ *vt* apedrejar

stoned /stəʊnd/ *adj* (*coloq*) pedrado

stony /ˈstəʊni/ *adj* (**stonier**, **-iest**) **1** pedregoso, coberto de pedras **2** (*olhar*) frio **3** (*silêncio*) sepulcral

stood *pt, pp de* STAND

stool /stuːl/ *s* banco, tamborete

stoop /stuːp/ *verbo, substantivo*
▸ *vi* ~ **(down)** baixar-se LOC **stoop so low (as to do sth)** (*formal*) rebaixar-se (a fazer alguma coisa)
▸ *s*: *to walk with/have a stoop* andar curvado

stop /stɒp/ *verbo, substantivo*
▸ (**-pp-**) **1** *vt, vi* parar, deter-se **2** *vt* ~ **sth/doing sth** parar, deixar alguma coisa/de fazer alguma coisa: *Stop it!* Já chega! **3** *vt* ~ **sb/sth (from) doing sth** impedir alguém/alguma coisa de fazer alguma coisa: *to stop yourself doing sth* fazer um esforço por não fazer alguma coisa **4** *vt* (*processo*) interromper **5** *vt* (*injustiça, etc.*) acabar com, pôr fim a **6** *vt* cancelar **7** *vt* (*pagamento*) suspender **8** *vt* (*cheque*) anular **9** *vi* (*GB, coloq*) ficar (*por pouco tempo*) LOC **stop short** estacar ◆ **stop short of (doing) sth** não chegar a (fazer) alguma coisa *Ver tb* BUCK
PHR V **stop off (at/in...)** parar (em...)
▸ *s* **1** paragem: *to come to a stop* deter-se/parar **2** (*autocarro, comboio, etc.*) paragem

stopgap /ˈstɒpgæp/ *s* recurso provisório, substituto

stopover /ˈstɒpəʊvə(r)/ *s* escala (*numa viagem*)

stoppage /ˈstɒpɪdʒ/ *s* **1** paralisação (*ação sindical*) **2** (*Desp*): *stoppage time* período de descontos

stopper /ˈstɒpə(r)/ *s* rolha, tampa

stopwatch /ˈstɒpwɒtʃ/ *s* cronómetro

storage /ˈstɔːrɪdʒ/ *s* [*não-contável*] **1** armazenamento, armazenagem: *storage space* sítio para guardar coisas **2** arrecadação, armazém

store /stɔː(r)/ *substantivo, verbo*
▸ *s* **1** grande armazém *Ver tb* DEPARTMENT STORE **2** loja ❶ Na Grã-Bretanha, usa-se a palavra **shop** para pequenas lojas. **3** provisão, reserva **4 stores** [*pl*] provisões, víveres LOC **in store (for sb)** reservado (para alguém) (*surpresa, etc.*): *There's a terrible shock in store for him.* Ele não sabe o que o espera.
▸ *vt* ~ **sth (away/up)** armazenar, guardar alguma coisa

storekeeper /ˈstɔːkiːpə(r)/ *s* (*USA*) comerciante, lojista

storeroom /ˈstɔːruːm, -rʊm/ *s* arrecadação, armazém

storey /ˈstɔːri/ *s* (*pl* **storeys**) (*USA* **story**) andar

stork /stɔːk/ *s* cegonha

storm /stɔːm/ *substantivo, verbo*
▸ *s* tempestade, temporal: *a storm of criticism* fortes críticas
▸ **1** *vt* (*edifício, etc.*) assaltar, tomar **2** *vi* ~ **in/off/out** entrar/sair de rompante **stormy** *adj* (**stormier**, **-iest**) **1** tempestuoso **2** (*debate*) acalorado **3** (*relação*) turbulento

story /ˈstɔːri/ *s* (*pl* **stories**) **1** história **2** conto: *short story* conto **3** (*Jornal*) artigo **4** (*USA*) = STOREY

stout /staʊt/ *adj* forte, corpulento

stove /stəʊv/ *s* **1** fogão **2** estufa

stow /stəʊ/ *vt* ~ **sth (away)** guardar, arrumar alguma coisa

straddle /ˈstrædl/ *vt* escarranchar-se em

straggle /ˈstrægl/ *vi* **1** (*planta*) espalhar-se desordenadamente **2** (*pessoa*) ficar para trás **straggler** *s* atrasado, -a **straggly** *adj* desordenado, desalinhado

straight /streɪt/ *advérbio, adjetivo*
▸ *adv* (**straighter**, **-est**) **1** a direito, em linha reta: *Look straight ahead.* Olha em frente. **2** (*ir*) diretamente, direito **3** (*sentar-se*) direito **4** (*pensar*) claramente, direito LOC **straight away** (*tb* **straightaway** /ˌstreɪtəˈweɪ/) imediatamente ◆ **straight out** sem hesitação
▸ *adj* (**straighter**, **-est**) **1** reto **2** (*cabelo*) liso **3** direito **4** em ordem **5** (*honesto*) franco **6** (*USA*) (*bebida alcoólica*) puro (*sem água*) LOC **get sth straight** esclarecer alguma coisa ◆ **keep a straight face** não se rir *Ver tb* RECORD

straighten /ˈstreɪtn/ **1** *vt, vi* ~ **(sth) (out/up)** endireitar alguma coisa, endireitar-se **2** *vt* (*gravata, saia*) arranjar, endireitar
PHR V **straighten sth out** resolver, esclarecer alguma coisa

straightforward /ˌstreɪtˈfɔːwəd/ *adj* **1** (*processo, solução, etc.*) simples **2** (*pessoa*) honesto, franco

strain /streɪn/ *substantivo, verbo*
▸ *s* **1** tensão, pressão: *Their relationship is showing signs of strain.* A sua relação dá mostras de tensão. **2** esforço: *eye strain* cansaço da vista
▸ **1** *vi* esforçar-se **2** *vt* (*músculo, costas*) distender **3** *vt* (*vista, voz, coração*) forçar **4** *vt* (*ouvido*) apurar **5** *vt* (*relações*) tornar tenso **6** *vt* (*infra-*

estrutura) exceder o limite de capacidade de **7** *vt* ~ **sth (off)** coar alguma coisa **strained** *adj* **1** tenso, fatigado **2** (*riso, tom de voz*) forçado

strainer /'stremə(r)/ *s* coador

straits /streɪts/ *s* [*pl*] **1** estreito: *the Straits of Gibraltar* o Estreito de Gibraltar **2** *in desperate/dire straits* numa situação desesperada

strand /strænd/ *s* **1** linha, fio **2** madeixa

stranded /'strændɪd/ *adj* abandonado: *to be left stranded* ficar abandonado

🔑 **strange** /streɪndʒ/ *adj* (**stranger**, **-est**) **1** estranho, esquisito: *I find it strange that...* Estranho que... **2** desconhecido

🔑 **stranger** /'streɪndʒə(r)/ *s* **1** desconhecido, -a **2** estranho, -a

strangle /'stræŋgl/ *vt* estrangular

strap /stræp/ *substantivo, verbo*

▸ *s* **1** correia, tira ➲ *Ver ilustrações em* LUGGAGE *e* RELÓGIO **2** pulseira, bracelete **3** (*dum vestido*) alça

▸ *vt* **1** amarrar, apertar (*com correia*): *Are you strapped in?* Tens o cinto de segurança apertado? **2** ~ **sth (up)** (*Med*) ligar alguma coisa (*com ligaduras*)

strategic /strə'ti:dʒɪk/ *adj* estratégico

🔑 **strategy** /'strætədʒi/ *s* (*pl* **strategies**) estratégia

straw /strɔ:/ *s* **1** palha: *a straw hat* um chapéu de palha **2** palhinha (*para sorver líquidos*) LOC **the last/final straw** a última gota (que faz transbordar o copo)

strawberry /'strɔ:bəri; *USA* -beri/ *s* (*pl* **strawberries**) morango: *strawberries and cream* morangos com nata

stray /streɪ/ *verbo, adjetivo*

▸ *vi* **1** desviar-se **2** afastar-se

▸ *adj* **1** extraviado **2** perdido: *a stray dog* um cão vadio ◇ *a stray bullet* uma bala perdida

streak /stri:k/ *substantivo, verbo*

▸ *s* **1** risca **2** (*de carácter*) veia **3** (*de sorte*) período: *to be on a winning/losing streak* estar com sorte/azar

▸ **1** *vt* ~ **sth (with sth)** listrar, betar alguma coisa (de alguma coisa) **2** *vi* correr/passar como um raio

🔑 **stream** /stri:m/ *substantivo, verbo*

▸ *s* **1** riacho, regato **2** (*de palavras*) torrente **3** (*de gente*) mar **4** (*de carros*) fila

▸ *vi* **1** (*água, lágrimas, sangue*) correr **2** (*pessoas, carros*) movimentar-se (*em grande número*) **3** (*luz*) jorrar

streamer /'stri:mə(r)/ *s* serpentina

streamline /'stri:mlaɪn/ *vt* **1** dar forma aerodinâmica a **2** (*processo, organização*) racionalizar

🔑 **street** /stri:t/ *s* (*abrev* **St**) rua: *the High Street* a rua principal *Ver tb* SIDE STREET ➲ *Ver notas em* ROAD *e* RUA LOC **be streets ahead (of sb/sth)** (*GB, coloq*) levar uma grande vantagem (em relação a alguém/alguma coisa) ◆ **(right) up your street** (*esp GB, coloq*): *This job seems right up your street.* Este trabalho parece ser perfeito para ti. *Ver tb* MAN

streetcar /'stri:tkɑ:(r)/ *s* (*USA*) elétrico

streetwise /'stri:twaɪz/ *adj* (*coloq*) desenrascado, astuto

🔑 **strength** /streŋθ/ *s* **1** força **2** [*não-contável*] (*material*) resistência **3** [*não-contável*] (*luz, emoção*) intensidade **4** ponto forte LOC **on the strength of sth** em virtude de alguma coisa **strengthen** *vt, vi* fortalecer(-se), reforçar(-se)

strenuous /'strenjuəs/ *adj* **1** extenuante **2** enérgico, vigoroso

🔑 **stress** /stres/ *substantivo, verbo*

▸ *s* **1** stress, tensão (nervosa) **2** (*força física*) pressão **3** ~ **(on sth)** ênfase (em alguma coisa) **4** (*Ling, Mús*) acento

▸ **1** *vt* sublinhar, realçar **2** *vt, vi* ~ **(sb) out** estressar alguém, estressar-se **stressed** (*coloq* **stressed out**) *adj* estressado **stressful** *adj* degastante

🔑 **stretch** /stretʃ/ *verbo, substantivo*

▸ **1** *vt, vi* esticar, alargar **2** *vi* espreguiçar-se **3** *vi* (*terreno, etc.*) estender-se **4** *vt* (*pessoa*) exigir o máximo esforço a LOC **stretch your legs** (*coloq*) esticar as pernas PHR V **stretch (yourself) out** estender-se ao comprido, deitar-se

▸ *s* **1** ~ **(of sth)** (*terreno*) extensão (de alguma coisa) **2** (*tempo*) intervalo, período **3** *to have a stretch* espreguiçar-se **4** elasticidade LOC **at a stretch** sem interrupção, seguidos

stretcher /'stretʃə(r)/ *s* maca

strewn /stru:n/ *adj* **1** ~ **on, over, across, etc. sth** espalhado em, sobre, por, etc. alguma coisa **2** ~ **with sth** coberto de alguma coisa

stricken /'strɪkən/ *adj* ~ **(with/by sth)** (*formal*) atacado, acometido (por alguma coisa): *drought-stricken area* zona afetada pela seca

🔑 **strict** /strɪkt/ *adj* (**stricter**, **-est**) **1** severo **2** estrito, rigoroso LOC **in (the) strictest confidence** na maior das confidências

🔑 **strictly** /'strɪktli/ *adv* **1** severamente **2** rigorosamente: *strictly prohibited* absolutamente proibido LOC **strictly speaking** a bem dizer

stride /straɪd/ *verbo, substantivo*

▸ *vi* (*pt* **strode** /strəʊd/) **1** andar a passos largos **2** ~ **up to sb/sth** aproximar-se resolutamente de alguém/alguma coisa

S

▸ *s* **1** passada **2** (*modo de andar*) passo LOC **take sth in your stride** aceitar alguma coisa com calma

strident /ˈstraɪdnt/ *adj* estridente

strife /straɪf/ *s* [*não-contável*] (*formal*) luta(s), conflito(s)

strike /straɪk/ *verbo, substantivo*

▸ (*pt, pp* **struck** /strʌk/) **1** *vt* (*formal*) atingir, acertar ❶ A palavra mais comum é **hit**. **2** *vt* (*formal*) (*carro, etc.*) bater contra **3** *vi* atacar **4** *vt*: *It strikes me that...* Parece-me que... **5** *vt* impressionar, chamar a atenção de: *I was struck by the similarity between them.* Surpreendeu-me a da semelhança entre os dois. **6** *vt, vi* (*relógio*) bater, dar (horas) **7** *vi* fazer/estar em greve **8** *vt* (*fósforo*) acender **9** *vt* (*ouro, etc.*) descobrir LOC *Ver* HOME PHR V **strike back (at/against sb/sth)** responder, retribuir o golpe (a alguém/alguma coisa) ◆ **strike up (sth)** começar a tocar (alguma coisa) ◆ **strike up sth (with sb)** começar algo (com alguém): *to strike up a conversation with sb* meter conversa com alguém ◇ *to strike up a friendship (with sb)* fazer amizade (com alguém)

▸ *s* **1** greve: *to go on strike* fazer greve **2** (*Mil*) ataque

striker /ˈstraɪkə(r)/ *s* **1** grevista **2** (*Desp*) ponta-de-lança

striking /ˈstraɪkɪŋ/ *adj* **1** impressionante **2** atraente

string /strɪŋ/ *substantivo, verbo*

▸ *s* **1** cordel: *I need some string to tie up this parcel.* Preciso dum cordel para atar este embrulho. **2** (*de pérolas, etc.*) colar **3** (*Mús*) corda **4** série: *He owns a string of hotels.* Ele é dono de uma cadeia de hotéis. LOC **(with) no strings attached; without strings** sem condições *Ver tb* PULL

▸ *vt* (*pt, pp* **strung** /strʌŋ/) ~ **sth (up)** pendurar alguma coisa (*com uma corda, etc.*) PHR V **string sth out** estender alguma coisa ◆ **string sth together** combinar alguma coisa (*palavras em frases*)

stringent /ˈstrɪndʒənt/ *adj* (*formal*) severo, rigoroso

strip /strɪp/ *verbo, substantivo*

▸ (**-pp-**) **1** *vt, vi* ~ **sb**; ~ **(off)** despir alguém, despir-se **2** *vt* ~ **sth (off)** (*papel, pintura, roupa, etc.*) arrancar alguma coisa **3** *vt* ~ **sth (down)** (*máquina*) desmantelar alguma coisa **4** *vt* ~ **sb of sth** despojar alguém de alguma coisa

▸ *s* **1** (*de papel, metal, etc.*) tira **2** (*de terra, água, etc.*) faixa **3** equipamento (*de uma equipa desportiva*)

stripe /straɪp/ *s* risca

striped /straɪpt/ *adj* às riscas

strive /straɪv/ *vi* (*pt* **strove** /strəʊv/, *pp* **striven** /ˈstrɪvn/) ~ **(for sth/to do sth)** (*formal*) lutar, esforçar-se (por conseguir alguma coisa)

strode *pt de* STRIDE

stroke /strəʊk/ *substantivo, verbo*

▸ *s* **1** golpe: *a stroke of luck* um golpe de sorte **2** (*Natação*) braçada **3** [*ger sing*] carícia **4** traço (*de lápis, etc.*) **5** badalada **6** (*Med*) derrame LOC **at a/one stroke** de um só golpe ◆ **not do a stroke (of work)** não fazer nenhum

▸ *vt* acariciar

stroll /strəʊl/ *verbo, substantivo*

▸ *vi* passear, andar tranquilamente

▸ *s* passeio: *to go for/take a stroll* dar um passeio

stroller /ˈstrəʊlə(r)/ *s* (*USA*) carrinho de bebé

strong /strɒŋ; *USA* strɔːŋ/ *adj* (**stronger** /ˈstrɒŋgə(r); *USA* ˈstrɔːŋ-/, **-est** /ˈstrɒŋgɪst; *USA* ˈstrɔːŋ-/) **1** forte **2** (*opinião, convicção*) firme **3** (*provas, argumento, relação*) sólido LOC **be going strong** (*coloq*) continuar com força ◆ **be your/sb's strong point/suit** ser o forte de alguém

strongly /ˈstrɒŋli; *USA* ˈstrɔːŋli/ *adv* **1** firmemente, vigorosamente **2** *to smell/taste strongly of sth* ter um cheiro/sabor forte a alguma coisa

strong-minded /ˌstrɒŋ ˈmaɪndɪd; *USA* ˌstrɔːŋ/ *adj* decidido

stroppy /ˈstrɒpi/ *adj* (*GB, coloq*) rabugento, de feitio difícil

strove *pt de* STRIVE

struck *pt, pp de* STRIKE

structure /ˈstrʌktʃə(r)/ *substantivo, verbo*

▸ *s* **1** estrutura **2** construção

▸ *vt* estruturar

struggle /ˈstrʌgl/ *verbo, substantivo*

▸ *vi* **1** ~ **(for sth/to do sth)** lutar, esforçar-se (por alguma coisa/para fazer alguma coisa): *The old man struggled up the hill.* O velho esforçava-se para subir a encosta. **2** ~ **(against/with sb/sth)** debater-se (com alguém/alguma coisa)

▸ *s* **1** luta **2** esforço

strung *pt, pp de* STRING *Ver tb* HIGHLY STRUNG

strut /strʌt/ *vi* (**-tt-**) ~ **(along/around)** pavonear-se

stub /stʌb/ *substantivo, verbo*

▸ *s* **1** cabo **2** (*de cigarro*) ponta, beata **3** (*de cheque*) talão

▸ *vt* (**-bb-**) ~ **your toe (against/on sth)** dar uma topada (em alguma coisa) PHR V **stub sth out** apagar alguma coisa (*cigarro, etc.*)

stubble /'stʌbl/ *s* [*não-contável*] **1** restolho **2** barba (por fazer)

stubborn /'stʌbən/ *adj* **1** (*freq pej*) teimoso, obstinado **2** (*mancha, tosse*) renitente

stuck /stʌk/ *adj* **1** preso: *to get stuck* encravar ◇ *I hate being stuck at home all day.* Detesto ficar enfiado em casa o dia todo. **2** ~ **(on sth)** bloqueado (em alguma coisa): *If you get stuck, ask the teacher for help.* Se ficares bloqueado, pede ajuda ao professor. **3** ~ **(for sth)**: *If you're stuck for something to do tonight, come out with us.* Se não souberes o que fazer logo à noite, sai connosco. **4** (*coloq*): *I got stuck with him for the whole journey.* Tive de aturá-lo durante a viagem toda. *Ver tb* STICK

stuck-up /ˌstʌk 'ʌp/ *adj* (*coloq, pej*) convencido

stud /stʌd/ *s* **1** tacha **2** piercing **3** (*no sapato*) piton **4** garanhão **5** (*tb* **stud farm**) coudelaria

student /'stju:dnt; *USA* 'stu:-/ *s* **1** estudante (*universitário*) **2** aluno, -a

studied /'stʌdid/ *adj* estudado *Ver tb* STUDY

studio /'stju:diəʊ; *USA* 'stu:-/ *s* (*pl* **studios**) **1** (*Cinema, TV, apartamento*) estúdio **2** estúdio, atelier

studious /'stju:diəs; *USA* 'stu:-/ *adj* estudioso

study /'stʌdi/ *verbo, substantivo*
▸ *vt, vi* (*pt, pp* **studied**) estudar
▸ *s* (*pl* **studies**) **1** estudo **2** gabinete, escritório

stuff /stʌf/ *substantivo, verbo*
▸ *s* [*não-contável*] (*coloq*) **1** material, substância **2** coisas
▸ *vt* **1** ~ **sth (with sth)** rechear alguma coisa (com alguma coisa) **2** ~ **sth in**; ~ **sth into, under, etc. sth** meter alguma coisa à força (em, debaixo de, etc. alguma coisa) **3** ~ **yourself (with sth)** empanturrar-se (de alguma coisa) **4** (*animal*) empalhar LOC **get stuffed!** (*GB, coloq*) vai-te lixar! **stuffing** *s* recheio

stuffy /'stʌfi/ *adj* (**stuffier, -iest**) **1** abafado **2** (*coloq, pej*) (*pessoa*) enfadonho, chato

stumble /'stʌmbl/ *vi* **1** ~ **(over/on sth)** tropeçar (em alguma coisa): *stumbling block* obstáculo **2** ~ **(over/through sth)** enganar-se (em/durante alguma coisa) PHR V **stumble across/on sth/sb** encontrar alguma coisa/alguém por acaso

stumbling block *s* obstáculo

stump /stʌmp/ *s* **1** (*de árvore*) cepo, toco **2** (*de membro*) coto

stun /stʌn/ *vt* (**-nn-**) **1** aturdir, estontear **2** chocar

stung *pt, pp de* STING

stunk *pt, pp de* STINK

stunning /'stʌnɪŋ/ *adj* **1** deslumbrante **2** alucinante, espantoso

stunt /stʌnt/ *substantivo, verbo*
▸ *s* **1** acrobacia, proeza **2** (*Cinema*) cena perigosa **3** ação extraordinária (*que se faz para chamar a atenção*): *a publicity stunt* um truque/golpe publicitário
▸ *vt* atrofiar

stupendous /stju:'pendəs; *USA* stu:-/ *adj* estupendo, formidável

stupid /'stju:pɪd; *USA* 'stu:-/ *adj* (**stupider, -est**) parvo, estúpido ➲ *Ver nota em* TOLO **stupidity** /stju:'pɪdəti; *USA* stu:-/ *s* (*pl* **stupidities**) estupidez

stupor /'stju:pə(r); *USA* 'stu:-/ *s* [*sing*] estupor: *in a drunken stupor* entorpecido pela bebida

sturdy /'stɜ:di/ *adj* (**sturdier, -iest**) **1** (*planta, sapatos, etc.*) resistente **2** (*mesa, etc.*) sólido **3** (*pessoa*) robusto **4** (*constituição*) forte, rijo

stutter /'stʌtə(r)/ *vi, s Ver* STAMMER

sty /staɪ/ *s* **1** (*pl* **sties**) pocilga **2** (*tb* **stye**) (*pl* **sties** *ou* **styes**) terçolho

style /staɪl/ *s* **1** estilo **2** moda: *the latest style* a última moda **stylish** *adj* com muito estilo, elegante

stylist /'staɪlɪst/ *s* cabeleireiro, -a, estilista

Styrofoam® /'staɪrəfəʊm/ *s* (*USA*) esferovite, polistereno

suave /swɑ:v/ *adj* melífluo

subconscious /ˌsʌb'kɒnʃəs/ *adj, s* subconsciente

subdivide /'sʌbdɪvaɪd, ˌsʌbdɪ'vaɪd/ *vt, vi* ~ **(sth) (into sth)** subdividir alguma coisa, subdividir-se (em alguma coisa)

subdue /səb'dju:; *USA* -'du:/ *vt* submeter **subdued** *adj* **1** (*pessoa*) abatido **2** (*luz, cores*) suave **3** (*som*) baixo

subheading /ˌsʌb'hedɪŋ/ *s* subtítulo

subject *substantivo, adjetivo, verbo*
▸ *s* /'sʌbdʒɪkt, -dʒekt/ **1** tema **2** disciplina **3** (*universidade*) cadeira **4** (*Gram, pessoa*) sujeito **5** súbdito, -a
▸ *adj* /'sʌbdʒekt, -dʒɪkt/ ~ **to sth** sujeito a alguma coisa
▸ *v* /səb'dʒekt/ PHR V **subject sb/sth to sth** sujeitar, submeter alguém/alguma coisa a alguma coisa

subjection /səb'dʒekʃn/ *s* sujeição, submissão

subjective /səb'dʒektɪv/ *adj* subjetivo

subject matter *s* [*não-contável*] assunto, tema

subjunctive /səb'dʒʌŋktɪv/ *s* conjuntivo

sublime /sə'blaɪm/ *adj* sublime

S

submarine /ˌsʌbməˈriːn; *USA* ˈsʌbməriːn/ *adj, s* submarino

submerge /səbˈmɜːdʒ/ **1** *vi* submergir **2** *vt* submergir, inundar

submission /səbˈmɪʃn/ *s* **1** submissão **2** (*documento, decisão*) apresentação

submissive /səbˈmɪsɪv/ *adj* submisso

submit /səbˈmɪt/ (**-tt-**) **1** *vt* ~ **sth (to sb/sth)** apresentar alguma coisa (a alguém/alguma coisa): *Applications must be submitted by 31 March.* O prazo de entrega das candidaturas termina no dia 31 de março. **2** *vt, vi* ~ **(yourself) (to sb/sth)** submeter-se, render-se (a alguém/alguma coisa)

subordinate *adjetivo, substantivo, verbo*
▸ *adj, s* /səˈbɔːdɪnət/ subordinado
▸ *vt* /səˈbɔːdɪneɪt/ ~ **sth (to sth)** subordinar alguma coisa (a alguma coisa)

subscribe /səbˈskraɪb/ *vi* ~ **(to sth)** **1** assinar (alguma coisa) **2** contribuir (para alguma coisa) PHR V **subscribe to sth** (*formal*) subscrever alguma coisa (*opinião*) **subscriber** *s* **1** assinante **2** contribuidor, -ora **subscription** /səbˈskrɪpʃn/ *s* **1** assinatura, subscrição **2** contribuição, quota

subsequent /ˈsʌbsɪkwənt/ *adj* (*formal*) posterior, subsequente **subsequently** *adv* (*formal*) posteriormente, mais tarde

subsequent to *prep* (*formal*) posterior a, depois de

subside /səbˈsaɪd/ *vi* **1** (*emoção, etc.*) diminuir **2** (*vento, chuva*) amainar **3** aluir **4** (*água*) baixar **subsidence** /səbˈsaɪdns, ˈsʌbsɪdns/ *s* aluimento

subsidiary /səbˈsɪdiəri; *USA* -dieri/ *adjetivo, substantivo*
▸ *adj* secundário, subsidiário
▸ *s* (*pl* **subsidiaries**) filial, sucursal

subsidize, -ise /ˈsʌbsɪdaɪz/ *vt* subsidiar, subvencionar

subsidy /ˈsʌbsədi/ *s* (*pl* **subsidies**) subsídio

subsist /səbˈsɪst/ *vi* ~ **(on sth)** subsistir (de alguma coisa) **subsistence** *s* subsistência

substance /ˈsʌbstəns/ *s* **1** substância **2** fundamento **3** essência

substantial /səbˈstænʃl/ *adj* **1** considerável, substancial **2** (*formal*) (*construção*) sólido

substantially /səbˈstænʃəli/ *adv* **1** consideravelmente, substancialmente **2** (*formal*) essencialmente

substitute /ˈsʌbstɪtjuːt; *USA* -tuːt/ *substantivo, verbo*
▸ *s* **1** ~ **(for sb/sth)** substituto (de alguém/alguma coisa) **2** (*Desp*) suplente
▸ **1** *vt* ~ **A (for B)/(B with A)** substituir B (por A): *Substitute honey for sugar/sugar with honey.* Substitua o açúcar por mel. **2** *vi* ~ **(for sb/sth)** oferecer um substituto (para alguém/alguma coisa)

subtitle /ˈsʌbtaɪtl/ *substantivo, verbo*
▸ *s* [*ger pl*] (*Cinema*) legenda
▸ *vt* legendar

subtle /ˈsʌtl/ *adj* (**subtler, -est**) **1** subtil **2** (*cor, cheiro, etc.*) suave **3** (*sabor*) delicado **4** (*pessoa*) perspicaz **subtlety** *s* (*pl* **subtleties**) subtileza

subtract /səbˈtrækt/ *vt, vi* ~ **(sth) (from sth)** subtrair (alguma coisa) (de alguma coisa) **subtraction** *s* subtração

suburb /ˈsʌbɜːb/ *s* subúrbio: *the suburbs* os arredores **suburban** /səˈbɜːbən/ *adj* suburbano: *suburban trains* comboios suburbanos

subversive /səbˈvɜːsɪv/ *adj* subversivo

subway /ˈsʌbweɪ/ *s* **1** (*USA*) metro(politano) **2** (*GB*) passagem subterrânea

succeed /səkˈsiːd/ **1** *vi* ter êxito, triunfar **2** *vi* ~ **in doing sth** conseguir fazer alguma coisa **3** *vt* (*cargo, período, etc.*) suceder **4** *vi* ~ **to sth** herdar alguma coisa: *to succeed to the throne* herdar o trono

success /səkˈses/ *s* êxito, sucesso: *to be a success* ser um êxito ◇ *Hard work is the key to success.* O trabalho é a chave do êxito.

successful /səkˈsesfl/ *adj* bem-sucedido: *a successful writer* um escritor bem-sucedido ◇ *the successful candidate* o candidato eleito ◇ *to be successful in doing sth* conseguir fazer alguma coisa com êxito

succession /səkˈseʃn/ *s* **1** sucessão **2** série LOC **in succession**: *three times in quick succession* três vezes uma logo a seguir à outra

successor /səkˈsesə(r)/ *s* ~ **(to sb/sth)** sucessor, -ora (a/de alguém/alguma coisa): *successor to the former world title holder* sucessor do último campeão mundial

succumb /səˈkʌm/ *vi* ~ **(to sth)** sucumbir (a alguma coisa)

such /sʌtʃ/ *adj, pron* **1** semelhante, tal: *Whatever gave you such an idea?* O que é que te deu essa ideia? ◇ *I did no such thing!* Não fiz nada disso! ◇ *There's no such thing as ghosts.* Os fantasmas não existem. **2** [*uso enfático*] tão, tanto: *I'm in such a hurry!* Estou com tanta pressa! ◇ *We had such a wonderful time.* Passámos um tempo maravilhoso!

Usa-se **such** com adjetivos que acompanham um substantivo e **so** com adjectivos sem substantivos. Compara os seguintes exemplos: *The food was so good.* ◇ *We had such good food.* ◇ *You are so intelligent.* ◇ *You are such an intelligent person.*

LOC **as such** como tal: *It's not a promotion as such.* Não é bem uma promoção. ◆ **in such a way that...** de tal maneira que... ◆ **such as** como por exemplo, tal como

suck /sʌk/ **1** *vt, vi* chupar **2** *vt, vi* (*bomba de água, etc.*) sugar, aspirar **3** *vi* (*calão*) não prestar: *His latest film sucks.* O último filme dele não presta para nada. **sucker** *s* (*coloq*) **1** trouxa **2 be a ~ for sth/sb** ser doido por alguma coisa/alguém **3** (*USA*) chupa-chupa

sudden /ˈsʌdn/ *adj* súbito, repentino LOC **all of a sudden** de repente

suddenly /ˈsʌdənli/ *adv* de repente

suds /sʌdz/ *s* [*pl*] espuma, bolinhas de sabão

sue /su:, sju:/ **1** *vt* **~ sb (for sth)** processar alguém (por alguma coisa) **2** *vi* **~ (for sth)** (*formal*) abrir um processo de alguma coisa

suede /sweɪd/ *s* camurça

suffer /ˈsʌfə(r)/ **1** *vi* **~ (from sth)** sofrer (de alguma coisa) **2** *vt* (*desgosto, derrota*) sofrer **3** *vi* ser prejudicado

suffering /ˈsʌfərɪŋ/ *s* sofrimento

sufficient /səˈfɪʃnt/ *adj* **~ (for sb/sth)** suficiente (para alguém/alguma coisa)

suffix /ˈsʌfɪks/ *s* sufixo

suffocate /ˈsʌfəkeɪt/ **1** *vt, vi* asfixiar(-se) **2** *vi* sufocar **suffocating** *adj* sufocante **suffocation** *s* asfixia

suffragette /ˌsʌfrəˈdʒet/ *s* sufragista

sugar /ˈʃʊgə(r)/ *s* açúcar: *sugar lump/cube* torrão de açúcar ◇ *sugar bowl* açucareiro ◇ *sugar cane* cana de açúcar

suggest /səˈdʒest; *USA* səgˈdʒ-/ *vt* sugerir: *I suggest you go to the doctor.* Aconselho-te a ir ao médico.

suggestion /səˈdʒestʃən/ *s* sugestão

suggestive /səˈdʒestɪv/ *adj* **1 ~ (of sth)** que sugere (alguma coisa) **2** sugestivo, insinuante

suicidal /ˌsu:ɪˈsaɪdl/ *adj* **1** suicida **2** a ponto de se suicidar

suicide /ˈsu:ɪsaɪd/ *s* **1** suicídio: *to commit suicide* suicidar-se ◇ *suicide bomber* bombista suicida **2** (*formal*) suicida

suit /su:t, sju:t/ *substantivo, verbo*
▸ *s* **1** fato: *a two/three-piece suit* um fato de duas peças/completo **2** equipamento: *diving suit* escafandro/fato de mergulho **3** (*cartas*) naipe ➲ *Ver nota em* BARALHO LOC *Ver* STRONG
▸ *vt* **1** ficar bem a: *That dress suits you very well.* Esse vestido fica-te mesmo bem. **2** ser conveniente a: *If it suits you, we will meet at 8 o'clock.* Se te convier, encontramo-nos às oito. **3** ser bom para: *The hot weather did not suit the polar bears.* O tempo quente não era o ideal para os ursos polares.

suitability /ˌsu:təˈbɪləti, ˌsju:t-/ *s* aptidão, adequação

suitable /ˈsu:təbl, ˈsju:t-/ *adj* **~ (for sb/sth)** **1** adequado (para alguém/alguma coisa) **2** conveniente (para alguém/alguma coisa) **suitably** *adv* adequadamente

suitcase /ˈsu:tkeɪs, ˈsju:t-/ *s* mala ➲ *Ver ilustração em* LUGGAGE

suite /swi:t/ *s* **1** (*Mús, hotel*) suite **2** jogo: *a three-piece suite* um conjunto de um sofá e dois cadeirões

suited /ˈsu:tɪd, ˈsju:-/ *adj* **~ (to/for sb/sth)** adequado (para alguém/alguma coisa): *He and his wife are well suited (to each other).* Ele e a mulher foram feitos um para o outro.

sulk /sʌlk/ *vi* (*pej*) amuar **sulky** *adj* (*pej*) amuado

sullen /ˈsʌlən/ *adj* (*pej*) carrancudo

sulphur (*USA* **sulfur**) /ˈsʌlfə(r)/ *s* enxofre

sultan /ˈsʌltən/ *s* sultão

sultana /sʌlˈtɑ:nə; *USA* -ˈtænə/ *s* sultana

sultry /ˈsʌltri/ *adj* **1** abafado **2** (*formal*) (*mulher*) sensual

sum /sʌm/ *substantivo, verbo*
▸ *s* **1** soma: *the sum of £200* a quantia de 200 libras **2** *to be good at sums* ser bom a fazer contas *Ver tb* LUMP SUM
▸ *v* **(-mm-)** PHR V **sum (sth) up** resumir (alguma coisa): *To sum up...* Em resumo... ◆ **sum sb/sth up** avaliar alguém/alguma coisa

summarize, -ise /ˈsʌməraɪz/ *vt, vi* resumir

summary /ˈsʌməri/ *s* (*pl* **summaries**) resumo

summer /ˈsʌmə(r)/ (*tb* **summertime** /ˈsʌmətaɪm/) *s* verão: *a summer's day* um dia de verão ◇ *summer weather* tempo de verão **summery** *adj* de verão

summit /ˈsʌmɪt/ *s* **1** cume **2** (*tb* **summit meeting**) cimeira

summon /ˈsʌmən/ *vt* **1** (*formal*) convocar, chamar: *to summon help* pedir ajuda **2** (*Jur*) intimar: *He was summoned to appear in court.* Foi intimado a comparecer perante o tribunal. **3 ~ sth (up)** (*coragem, etc.*) fazer apelo a alguma coisa, reunir alguma coisa: *I couldn't summon (up) the energy.* Não encontrei for-

S

ças. PHR V **summon sth up** invocar alguma coisa

summons /'sʌmənz/ *s* (*pl* **summonses**) (*Jur*) intimação, citação

sun /sʌn/ *substantivo, verbo*
▸ *s* sol: *The sun was shining.* Estava sol.
▸ *vt* (**-nn-**) ~ **yourself** apanhar sol

sunbathe /'sʌnbeɪð/ *vi* tomar banhos de sol

sunbeam /'sʌnbi:m/ *s* raio de sol

sunbed /'sʌnbed/ *s* espreguiçadeira

sunblock /'sʌnblɒk/ *s* ecrã total (*protetor solar*)

sunburn /'sʌnbɜ:n/ *s* [*não-contável*] queimadura do sol: *to get sunburn* queimar-se ➲ *Comparar com* SUNTAN **sunburned** (*tb* **sunburnt**) *adj* queimado do sol

suncream /'sʌnkri:m/ *s* protetor solar

sundae /'sʌndeɪ, -di/ *s* gelado com frutas, nozes, etc.

Sunday /'sʌndeɪ, -di/ *s* (*abrev* **Sun.**) domingo ➲ *Ver exemplos em* MONDAY

sunflower /'sʌnflaʊə(r)/ *s* girassol

sung *pp de* SING

sunglasses /'sʌnglɑ:sɪz; *USA* -glæs-/ *s* [*pl*] óculos de sol: *a pair of sunglasses* uns óculos de sol ➲ *Ver nota em* PAIR

sunk *pp de* SINK

sunken /'sʌŋkən/ *adj* **1** (*barco, tesouro*) afundado **2** (*rosto, olhos*) encovado

sunlight /'sʌnlaɪt/ *s* luz do sol

sunlit /'sʌnlɪt/ *adj* iluminado pelo sol

sunlounger /'sʌnlaʊndʒə(r)/ *s* espreguiçadeira

sunny /'sʌni/ *adj* (**sunnier**, **-iest**) **1** ensolarado: *It's sunny today.* Está sol hoje. **2** (*personalidade*) alegre

sunrise /'sʌnraɪz/ *s* nascer do sol

sunset /'sʌnset/ *s* pôr-do-sol

sunshade /'sʌnʃeɪd/ *s* guarda-sol

sunshine /'sʌnʃaɪn/ *s* luz do sol: *Let's sit in the sunshine.* Sentemo-nos ao sol.

sunstroke /'sʌnstrəʊk/ *s* [*não-contável*] insolação: *to get sunstroke* apanhar uma insolação

suntan /'sʌntæn/ *s* bronzeado: *to get a suntan* bronzear-se ◇ *suntan lotion* bronzeador ➲ *Comparar com* SUNBURN **suntanned** *adj* bronzeado

super /'su:pə(r)/ *adjetivo, advérbio*
▸ *adj* (*coloq*) estupendo
▸ *adv* (*coloq*) bué: *He's been super understanding.* Ele foi bué compreensivo.

superb /su:'pɜ:b/ *adj* soberbo, magnífico **superbly** *adv* magnificamente: *a superbly situated house* uma casa extremamente bem situada

superficial /ˌsu:pə'fɪʃl/ *adj* superficial **superficiality** /ˌsu:pəˌfɪʃɪ'æləti/ *s* superficialidade **superficially** *adv* superficialmente, aparentemente

superfluous /su:'pɜ:flʊəs/ *adj* supérfluo, desnecessário: *to be superfluous* estar a mais

superhuman /ˌsu:pə'hju:mən/ *adj* sobre-humano

superimpose /ˌsu:pərɪm'pəʊz/ *vt* ~ **sth (on/onto sth)** sobrepor alguma coisa (a alguma coisa)

superintendent /ˌsu:pərɪn'tendənt/ *s* **1** comissário, -a (*da polícia*) **2** encarregado, -a

superior /su:'pɪəriə(r)/ *adjetivo, substantivo*
▸ *adj* **1** ~ **(to sb/sth)** superior (a alguém/alguma coisa) **2** (*pej*) (*pessoa, atitude*) arrogante
▸ *s* superior: *Mother Superior* madre superiora **superiority** /su:ˌpɪəri'ɒrəti; *USA* -'ɔ:r-/ *s* ~ **(in sth)**; ~ **(to/over sb/sth)** superioridade (em alguma coisa), superioridade (sobre alguém/alguma coisa)

superlative /su:'pɜ:lətɪv/ *adj, s* superlativo

supermarket /'su:pəmɑ:kɪt/ *s* supermercado

supermodel /'su:pəmɒdl/ *s* top model

supernatural /ˌsu:pə'nætʃrəl/ *adj, s* sobrenatural

superpower /'su:pəpaʊə(r)/ *s* superpotência

supersede /ˌsu:pə'si:d/ *vt* suplantar, substituir

superstar /'su:pəstɑ:(r)/ *s* (*Cinema, Desporto, etc.*) estrela

superstition /ˌsu:pə'stɪʃn/ *s* superstição **superstitious** *adj* supersticioso

superstore /'su:pəstɔ:(r)/ *s* grande superfície, hipermercado

supervise /'su:pəvaɪz/ *vt* supervisionar **supervision** /ˌsu:pə'vɪʒn/ *s* supervisão **supervisor** /'su:pəvaɪzə(r)/ *s* supervisor, -ora

supper /'sʌpə(r)/ *s* jantar: *to have supper* jantar

supple /'sʌpl/ *adj* flexível

supplement *substantivo, verbo*
▸ *s* /'sʌplɪmənt/ ~ **(to sth)** **1** suplemento, complemento (de alguma coisa) **2** (*de livro*) apêndice (de/a alguma coisa)
▸ *vt* /'sʌplɪment/ ~ **sth (with sth)** complementar, completar alguma coisa (com alguma coisa)

supplementary /ˌsʌplɪ'mentri/ (*USA* **supplemental**) *adj* adicional, suplementar

supplier /sə'plaɪə(r)/ *s* fornecedor, -ora

supply /sə'plaɪ/ *verbo, substantivo*
▸ *vt* (*pt, pp* **supplied**) **1** ~ **sb (with sth)** fornecer, abastecer alguém (de alguma coisa) **2** ~ **sth (to sb)** fornecer alguma coisa (a alguém)
▸ *s* (*pl* **supplies**) **1** fornecimento, abastecimento **2 supplies** [*pl*] provisões, víveres **3 supplies** [*pl*] (*Mil*) mantimentos LOC **be in short/plentiful supply** escassear/abundar ◆ **supply and demand** a oferta e a procura

support /sə'pɔːt/ *verbo, substantivo*
▸ *vt* **1** (*causa*) apoiar, defender: *a supporting role* um papel secundário **2** (*pessoa*) sustentar **3** (*peso*) aguentar com, suportar **4** (*Desp*) ser adepto de: *Which team do you support?* De que equipa és?
▸ *s* **1** ~ **(for sb/sth)** apoio (a alguém/alguma coisa) **2** suporte

supporter /sə'pɔːtə(r)/ *s* **1** (*Pol*) apoiante **2** (*Desp*) adepto, -a **3** (*de teoria*) defensor, -ora

supportive /sə'pɔːtɪv/ *adj* que apoia: *to be supportive of sb* apoiar alguém

suppose /sə'pəʊz/ *vt* **1** supor, imaginar **2** (*sugestão*): *Suppose we change the subject?* Que tal se mudássemos de assunto? LOC **be supposed to be/do sth** ser suposto ser/fazer alguma coisa **supposed** /sə'pəʊzd/ *adj* suposto **supposedly** /sə'pəʊzɪdli/ *adv* supostamente **supposing** *conj* ~ **(that...)** supondo que...

suppress /sə'pres/ *vt* (*freq pej*) **1** reprimir, conter **2** (*informação*) ocultar, abafar

supremacy /suː'preməsi/ *s* ~ **(over sb/sth)** supremacia (sobre alguém/alguma coisa)

supreme /suː'priːm/ *adj* supremo, sumo

surcharge /'sɜːtʃɑːdʒ/ *s* ~ **(on sth)** sobretaxa (sobre alguma coisa)

sure /ʃʊə(r), ʃɔː(r)/ *adjetivo, advérbio*
▸ *adj* (**surer**, **-est**) **1** certo, seguro: *He's sure to be elected.* Ele vai ser eleito de certeza. **2** firme **3** ~ **of yourself** seguro de si LOC **be sure to do sth** não se esquecer de fazer alguma coisa ◆ **for sure** (*coloq*) de certeza ◆ **make sure (of sth/that...)** assegurar-se (de alguma coisa/de que...): *Make sure you are home by nine.* Não te esqueças de que tens de estar em casa às nove.
▸ *adv* (*esp USA, coloq*) claro! LOC **sure enough** de facto

surely /'ʃʊəli, 'ʃɔːli/ *adv* **1** certamente, com certeza: *Surely he won't mind?* Com certeza ele não se importará? ◇ *This will surely cause problems.* Isto de certeza que vai causar problemas. **2** (*para exprimir surpresa*): *Surely you can't agree?* Não estarás de acordo, certamente?

surf /sɜːf/ *substantivo, verbo*
▸ *s* [*não-contável*] espuma (*das ondas*)
▸ **1** *vt, vi* fazer surf (em): *I've never surfed the Pacific.* Nunca fiz surf no Pacífico. **2** *vt* ~ **the Net/Internet** navegar na Internet

surface /'sɜːfɪs/ *substantivo, verbo*
▸ *s* **1** superfície: *the earth's surface* a superfície terrestre ◇ *a surface wound* um ferimento superficial **2** aparência
▸ **1** *vi* vir à superfície **2** *vi* aparecer **3** *vt* ~ **sth (with sth)** cobrir, revestir alguma coisa (com alguma coisa)

surfboard /'sɜːfbɔːd/ *s* prancha de surf

surfer /'sɜːfə(r)/ *s* surfista

surfing /'sɜːfɪŋ/ *s* surf

surge /sɜːdʒ/ *verbo, substantivo*
▸ *vi* avançar em tropel: *They surged into the stadium.* Avançaram em massa para o estádio.
▸ *s* ~ **(of sth)** onda (de alguma coisa)

surgeon /'sɜːdʒən/ *s* cirurgião, -ã

surgery /'sɜːdʒəri/ *s* (*pl* **surgeries**) **1** cirurgia: *plastic surgery* cirurgia plástica ◇ *brain surgery* neurocirurgia ◇ *to undergo surgery* ser operado **2** consultório: *surgery hours* horas de consulta

surgical /'sɜːdʒɪkl/ *adj* cirúrgico

surly /'sɜːli/ *adj* (**surlier**, **-iest**) mal-humorado

surmount /sə'maʊnt/ *vt* (*formal*) superar, vencer

surname /'sɜːneɪm/ *s* apelido

surpass /sə'pɑːs; *USA* -'pæs/ *vt* (*formal*) superar

surplus /'sɜːpləs/ *adj, s* (*pl* **surpluses**) excedente (s): *the food surplus in Western Europe* os excedentes alimentares na Europa Ocidental

surprise /sə'praɪz/ *substantivo, verbo*
▸ *s* surpresa LOC **take sb/sth by surprise** apanhar alguém/alguma coisa de surpresa
▸ *vt* surpreender

surprised /sə'praɪzd/ *adj* ~ **(at/by sb/sth)** surpreendido (com alguém/alguma coisa): *I wouldn't be surprised if it rained.* Não me surpreenderia nada se chovesse. ◇ *I'm not surprised!* Não me surpreende nada!

surrender /sə'rendə(r)/ *verbo, substantivo*
▸ **1** *vi* ~ **(to sb)** render-se (a alguém) **2** *vt* ~ **sth/sb (to sb)** (*formal*) entregar alguma coisa/alguém (a alguém)
▸ *s* **1** rendição **2** entrega

surreptitious /ˌsʌrəp'tɪʃəs/ *adj* sub-reptício, furtivo

surrogate /'sʌrəgət/ *s* substituto, -a, delegado, -a: *surrogate mother* mãe de aluguer

S

surround /sə'raʊnd/ *vt* ~ **sb/sth (with sth)** cercar, rodear alguém/alguma coisa (com/de alguma coisa)

surrounding /sə'raʊndɪŋ/ *adj* circundante: *the surrounding countryside* o campo em volta

surroundings /sə'raʊndɪŋz/ *s [pl]* arredores

surveillance /sɜː'veɪləns/ *s* vigilância: *to keep sb under surveillance* manter alguém sob vigilância

survey *substantivo, verbo*
- *s* /'sɜːveɪ/ **1** sondagem **2** levantamento (*geográfico, aéreo, etc.*) **3** vistoria (*de uma casa, etc.*) **4** estudo
- *vt* /sə'veɪ/ **1** observar **2** (*Geog*) fazer um levantamento de **3** fazer uma vistoria de (*um edifício*) **4** sondar

surveyor /sə'veɪə(r)/ *s* **1** agrimensor, -ora, topógrafo, -a **2** avaliador, -ora

survival /sə'vaɪvl/ *s* sobrevivência

survive /sə'vaɪv/ **1** *vt, vi* sobreviver (a) **2** *vi* ~ **(on sth)** viver (de alguma coisa) **survivor** *s* sobrevivente

susceptible /sə'septəbl/ *adj* **1** ~ **(to sth)** suscetível (a alguma coisa): *He's very susceptible to flattery.* Deixa-se levar facilmente com elogios. **2** ~ **to sth** (*Med*) propenso a alguma coisa

suspect *verbo, adjetivo, substantivo*
- *vt* /sə'spekt/ **1** suspeitar **2** (*motivo, etc.*) suspeitar de **3** ~ **sb (of sth/of doing sth)** suspeitar de alguém, suspeitar que alguém fez alguma coisa
- *adj, s* /'sʌspekt/ suspeito, -a

suspend /sə'spend/ *vt* **1** ~ **sth (from sth)** pendurar alguma coisa (de alguma coisa): *to suspend sth from the ceiling* pendurar alguma coisa do teto ❶ A palavra mais comum é **hang**. **2** suspender: *suspended sentence* pena suspensa

suspender /sə'spendə(r)/ *s* **1** [*ger pl*] (*GB*) liga **2 suspenders** [*pl*] (*USA*) suspensórios

suspense /sə'spens/ *s* suspense, tensão

suspension /sə'spenʃn/ *s* suspensão: *suspension bridge* ponte pênsil

suspicion /sə'spɪʃn/ *s* suspeita: *He was arrested on suspicion of murder.* Foi preso por suspeita de homicídio.

suspicious /sə'spɪʃəs/ *adj* **1** ~ **(of/about sb/sth)** desconfiado (de alguém/alguma coisa): *They're suspicious of foreigners.* Desconfiam dos estrangeiros. **2** suspeito: *He died in suspicious circumstances.* Morreu em circunstâncias suspeitas.

sustain /sə'steɪn/ *vt* **1** (*vida, interesse, etc.*) manter: *sustained economic growth* crescimento económico contínuo **2** (*argumento, etc.*) sustentar: *It is difficult to sustain this argument.* É difícil defender este argumento. **3** (*formal*) (*dano, perda, etc.*) sofrer **sustainability** *s* sustentabilidade **sustainable** *adj* sustentável

SUV /ˌes juː 'viː/ *s* (*abrev de* **sport utility vehicle**) (*esp USA*) 4x4 (*veículo utilitário desportivo*)

swagger /'swægə(r)/ *vi* pavonear-se

swallow /'swɒləʊ/ *verbo, substantivo*
- **1** *vt, vi* engolir **2** *vt* (*tolerar, crer*) engolir: *He found her excuse a little difficult to swallow.* Ele achou a desculpa dela um pouco difícil de engolir. **3** *vt* ~ **sth (up)** engolir, tragar alguma coisa
- *s* **1** trago **2** andorinha

swam *pt de* SWIM

swamp /swɒmp/ *substantivo, verbo*
- *s* pântano
- *vt* ~ **sth/sb (with sth)** inundar alguma coisa/alguém (de alguma coisa)

swan /swɒn/ *s* cisne

swap (*tb* **swop**) /swɒp/ *vt, vi* (**-pp-**) ~ **(sth) (with sb)**; ~ **sth for sth** trocar (alguma coisa) (com alguém), trocar alguma coisa por alguma coisa: *to swap sth round* mudar alguma coisa de lugar LOC *Ver* PLACE

swarm /swɔːm/ *substantivo, verbo*
- *s* **1** (*abelhas, moscas, etc.*) enxame **2** (*gente*) multidão: *swarms of people* um mar de gente
- *vi* ~ **in/out**; ~ **in/out of sth** entrar/sair aos montes (de alguma coisa) PHR V **swarm with sb/sth** pulular de alguém/alguma coisa

swat /swɒt/ *vt* (**-tt-**) esmagar (*um inseto*)

sway /sweɪ/ *verbo, substantivo*
- **1** *vt, vi* balançar, oscilar **2** *vi* abanar **3** *vt* influenciar
- *s* **1** balanço, oscilação **2** (*formal*) domínio

swear /sweə(r)/ (*pt* **swore** /swɔː(r)/, *pp* **sworn** /swɔːn/) **1** *vi* dizer palavrões: *Your sister swears a lot.* A tua irmã diz muitos palavrões. ◇ *swear word* palavrão **2** *vi* ~ **at sb/sth** insultar alguém/alguma coisa **3** *vt, vi* jurar: *to swear to tell the truth* jurar dizer a verdade
PHR V **swear by sb/sth 1** jurar por alguém/alguma coisa **2** confiar plenamente em alguém/alguma coisa ♦ **swear sb in** ajuramentar alguém

sweat /swet/ *substantivo, verbo*
- *s* suor, transpiração
- *vi* suar, transpirar LOC **sweat it out** (*coloq*) aguentar

sweater /'swetə(r)/ *s* camisola ❶ As palavras **sweater, jumper** e **pullover**

significam todas *camisola*. ➲ *Comparar com* CARDIGAN

sweatpants /'swetpænts/ *s* [*pl*] (*esp USA*) calças de fato de treino

sweatshirt /'swetʃɜ:t/ *s* camisola de algodão

sweatsuit /'swetsu:t, -sju:t/ (*tb* **sweats** [*pl*]) *s* (*USA*) fato de treino

sweaty /'sweti/ *adj* suado, transpirado

swede /swi:d/ *s* rutabaga

⚷ **sweep** /swi:p/ *verbo, substantivo*
▸ (*pt, pp* **swept** /swept/) **1** *vt, vi* varrer **2** *vt* (*chaminé*) limpar **3** *vt* arrastar **4** *vi*: *She swept out of the room.* Abandonou a sala majestosamente. **5** *vt, vi* ~ **(through, over, across, etc.) sth** percorrer alguma coisa **6** *vt, vi* estender-se rapidamente (por) LOC **sweep sb off their feet** arrebatar alguém PHR V **sweep (sth) away/up** varrer/limpar alguma coisa
▸ *s* **1** varredela **2** movimento amplo e circular **3** extensão, âmbito

sweeping /'swi:pɪŋ/ *adj* **1** (*mudança*) radical **2** (*pej*) (*afirmação*) simplista, generalizado

⚷ **sweet** /swi:t/ *adjetivo, substantivo*
▸ *adj* (**sweeter, -est**) **1** doce **2** (*cheiro*) agradável **3** (*som*) melodioso **4** amoroso, bonito **5** (*carácter*) encantador LOC **have a sweet tooth** (*coloq*) ser guloso
▸ *s* **1** rebuçado **2** sobremesa

sweetcorn /'swi:tkɔ:n/ *s* milho ➲ *Ver nota em* MAIZE

sweeten /'swi:tn/ *vt* **1** adoçar, pôr açúcar em **2** ~ **sb (up)** (*coloq*) adoçar (a boca a) alguém **sweetener** *s* adoçante

sweetheart /'swi:thɑ:t/ *s* **1** (*forma de tratamento*) querido, -a **2** (*antiq*) namorado, -a

sweetness /'swi:tnəs/ *s* doçura

sweet pea *s* ervilha-de-cheiro

⚷ **swell** /swel/ *vt, vi* (*pt* **swelled** *pp* **swollen** /'swəʊlən/ *ou* **swelled**) inchar

⚷ **swelling** /'swelɪŋ/ *s* inchaço

swept *pt, pp de* SWEEP

swerve /swɜ:v/ *vi* guinar: *The car swerved to avoid the child.* O carro guinou para evitar a criança.

swift /swɪft/ *adj* (**swifter, -est**) rápido: *a swift reaction* uma rápida reação

swill /swɪl/ *vt* ~ **sth (out/down)** enxaguar alguma coisa

⚷ **swim** /swɪm/ *verbo, substantivo*
▸ (*pt* **swam** /swæm/, *pp* **swum** /swʌm/, *part pres* **swimming**) **1** *vt, vi* nadar: *to swim breaststroke* nadar de bruços ◇ *to swim the Channel* atravessar o Canal da Mancha a nado ◇ *to go swimming* ir nadar **2** *vi* (*cabeça*) andar à roda (*devido a tontura*)
▸ *s* banho: *to go for a swim* ir dar um mergulho **swimmer** *s* nadador, -ora

⚷ **swimming** /'swɪmɪŋ/ *s* natação

⚷ **swimming pool** *s* piscina

swimming trunks (*tb* **trunks**) *s* [*pl*] calções de banho: *a pair of swimming trunks* uns calções de banho ➲ *Ver notas em* CALÇAS *e* PAIR

swimsuit /'swɪmsu:t, -sju:t/ (*tb* **swimming costume**) *s* fato de banho (*esp de mulher*)

swindle /'swɪndl/ *verbo, substantivo*
▸ *vt* ~ **sb (out of sth)**; ~ **sth (out of sb)** vigarizar, defraudar alguém (em alguma coisa)
▸ *s* **1** vigarice **2** fraude **swindler** *s* vigarista

⚷ **swing** /swɪŋ/ *verbo, substantivo*
▸ (*pt, pp* **swung** /swʌŋ/) **1** *vt, vi* baloiçar-se **2** *vt, vi* girar, rodar **3** *vi* oscilar **4** *vi* ~ **open/shut** (*porta, janela*) abrir-se/fechar-se **5** *vt, vi* ~ **(sth) (at sb/sth)** (tentar) acertar (alguma coisa) (em alguém/alguma coisa), (tentar) dar um golpe (em alguém/alguma coisa) (com alguma coisa) PHR V **swing (a)round** dar meia volta
▸ *s* **1** baloiço **2** oscilação **3** mudança: *mood swings* mudanças de humor LOC *Ver* FULL

swipe /swaɪp/ **1** *vt, vi* ~ **(at) sb/sth** (tentar) bater com a mão em alguém/alguma coisa **2** *vt* (*coloq*) gamar **3** *vt* passar o cartão magnético em: *swipe card* cartão magnético de acesso

swirl /swɜ:l/ *vt, vi* rodopiar: *Flakes of snow swirled in the cold wind.* O vento frio fazia rodopiar os flocos de neve.

⚷ **switch** /swɪtʃ/ *substantivo, verbo*
▸ *s* **1** interruptor **2** (*tb* **switch-over** /'swɪtʃ əʊvə(r)/) mudança: *a switch in policy* uma mudança de política
▸ **1** *vt, vi* ~ **(sth) (from sth) to sth** mudar (alguma coisa) (de alguma coisa) para alguma coisa **2** *vt* ~ **sth (with sb/sth)**; ~ **sth (a)round** trocar alguma coisa (com alguém/por alguma coisa), trocar alguma coisa de lugar PHR V **switch off 1** (*tb* **switch sth off**) apagar (alguma coisa) **2** (*coloq*) (*pessoa*) desligar ◆ **switch (sth) on** ligar, acender (alguma coisa)

switchboard /'swɪtʃbɔ:d/ *s* PBX, central telefónica interna

swivel /'swɪvl/ *vt, vi* (**-ll-**, *USA* **-l-**) ~ **(sth) (a)round** girar (alguma coisa)

⚷ **swollen** /'swəʊlən/ *adj* inchado *Ver tb* SWELL

swoop /swu:p/ *verbo, substantivo*
▸ *vi* ~ **(down) (on sb/sth)** descer em voo picado (sobre alguém/alguma coisa)

S

▸ *s* rusga: *Police made a dawn swoop.* A polícia fez uma rusga de madrugada.

swop = SWAP

sword /sɔːd/ *s* espada

swore, sworn *pt, pp de* SWEAR

swot /swɒt/ *substantivo, verbo*
▸ *s* (*GB, coloq, pej*) marrão, -ona
▸ *vt, vi* ~ **(up) (for/on sth)**; ~ **sth up** (*GB, coloq*) marrar (para alguma coisa), marrar alguma coisa (*estudar*)

swum *pp de* SWIM

swung *pt, pp de* SWING

syllable /ˈsɪləbl/ *s* sílaba

syllabus /ˈsɪləbəs/ *s* (*pl* **syllabuses** *ou* **syllabi** /-baɪ/) programa (de estudos): *Does the syllabus cover modern literature?* O programa cobre a literatura moderna?

symbol /ˈsɪmbl/ *s* ~ **(of/for sth)** símbolo (de alguma coisa) **symbolic** /sɪmˈbɒlɪk/ *adj* simbólico **symbolism** /ˈsɪmbəlɪzəm/ *s* simbolismo **symbolize, -ise** /ˈsɪmbəlaɪz/ *vt* simbolizar

symmetrical /sɪˈmetrɪkl/ (*tb* **symmetric**) *adj* simétrico

symmetry /ˈsɪmətri/ *s* simetria

sympathetic /ˌsɪmpəˈθetɪk/ *adj* **1** ~ **(to/towards sb)** compreensivo, solidário (com alguém): *They were very sympathetic when I told them I could not sit the exam.* Mostraram-se muito compreensivos quando lhes disse que não podia fazer o exame. ❶ De notar que *simpático* corresponde a **nice** ou **friendly**.
2 ~ **(to/towards sb/sth)** a favor (de alguém/alguma coisa): *lawyers sympathetic to the peace movement* advogados a favor do movimento pacifista

sympathize, -ise /ˈsɪmpəθaɪz/ *vi* **1** ~ **(with sb/sth)** ser compreensivo (com alguém/alguma coisa) **2** ~ **with sb/sth** ser a favor de alguém/alguma coisa

sympathy /ˈsɪmpəθi/ *s* (*pl* **sympathies**) **1** ~ **(for/towards sb)** compreensão (para com alguém) **2** condolência

symphony /ˈsɪmfəni/ *s* (*pl* **symphonies**) sinfonia

symptom /ˈsɪmptəm/ *s* sintoma: *The riots are a symptom of a deeper problem.* Os distúrbios são um sintoma de problemas mais profundos.

synagogue /ˈsɪnəgɒg/ *s* sinagoga

synchronize, -ise /ˈsɪŋkrənaɪz/ *vt, vi* ~ **(sth) (with sth)** sincronizar (alguma coisa) (com alguma coisa)

syndicate /ˈsɪndɪkət/ *s* consórcio

syndrome /ˈsɪndrəʊm/ *s* síndrome

synonym /ˈsɪnənɪm/ *s* sinónimo **synonymous** /sɪˈnɒnɪməs/ *adj* ~ **(with sth)** sinónimo (de alguma coisa)

syntax /ˈsɪntæks/ *s* sintaxe

synthetic /sɪnˈθetɪk/ *adj* **1** sintético **2** (*coloq, pej*) artificial

syringe /sɪˈrɪndʒ/ *s* seringa

syrup /ˈsɪrəp/ *s* **1** calda (de açúcar) **2** xarope (*para a tosse*)

system /ˈsɪstəm/ *s* sistema: *the metric/solar system* o sistema métrico/solar ◇ *different systems of government* sistemas diferentes de governação LOC **get sth out of your system** (*coloq*) desabafar (alguma coisa) **systematic** /ˌsɪstəˈmætɪk/ *adj* **1** sistemático **2** metódico

T t

T, t /tiː/ *s* (*pl* **Ts, T's, t's**) T, t ➲ *Ver nota em* A, A

ta /tɑː/ *interj* (*GB, coloq*) obrigado!

tab /tæb/ *s* **1** etiqueta **2** conta **3** (*USA*) (*de lata de bebida*) argola

table /ˈteɪbl/ *s* **1** mesa: *to lay/set the table* pôr a mesa ◇ *bedside/coffee table* mesinha de cabeceira/mesa baixa *Ver tb* DRESSING TABLE
2 quadro: *table of contents* índice (de matérias) LOC *Ver* LAY

tablecloth /ˈteɪblklɒθ; *USA* -klɔːθ/ *s* toalha de mesa

tablespoon /ˈteɪblspuːn/ *s* **1** colher de sopa **2** (*tb* **tablespoonful**) colher de sopa (*medida*)

tablet /ˈtæblət/ *s* comprimido

table tennis *s* ténis de mesa

tabloid /ˈtæblɔɪd/ *s* tablóide: *the tabloid press* a imprensa sensacionalista

taboo /təˈbuː; *USA* tæˈbuː/ *adj, s* (*pl* **taboos**) tabu: *a taboo subject* um tema tabu

tacit /ˈtæsɪt/ *adj* tácito

tack /tæk/ *verbo, substantivo*
▸ *vt* pregar (com tachas) PHR V **tack sth on**; **tack sth onto sth** (*coloq*) adicionar alguma coisa (a alguma coisa)
▸ *s* **1** estratégia: *to change tack/take a different tack* mudar de estratégia/adotar uma estratégia diferente **2** tacha

tackle /ˈtækl/ *verbo, substantivo*
▸ *vt* **1** fazer frente a: *to tackle a problem* enfrentar um problema **2** ~ **sb (about sth)**

abordar alguém (sobre alguma coisa) **3** (*Futebol*) carregar, atacar **4** (*Râguebi*) placar
▸ *s* **1** (*Futebol*) ação de tirar a bola ao adversário **2** (*Râguebi*) placagem **3** [*não-contável*] equipamento, apetrechos: *fishing tackle* apetrechos de pesca

tacky /'tæki/ *adj* (**tackier**, **-iest**) **1** pegajoso **2** (*coloq*) piroso

tact /tækt/ *s* tato

tactful /'tæktfl/ *adj* diplomático, com muito tato

tactic /'tæktɪk/ *s* tática **tactical** *adj* tático, estratégico: *a tactical decision* uma decisão tática

tactless /'tæktləs/ *adj* pouco diplomático, indiscreto: *It was tactless of you to ask him his age.* Perguntar-lhe a idade foi uma grande indiscrição da tua parte.

tadpole /'tædpəʊl/ *s* girino

tae kwon do /ˌtaɪ ˌkwɒn 'dəʊ/ *s* tae kwon do

tag /tæg/ *substantivo, verbo*
▸ *s* etiqueta *Ver tb* QUESTION TAG ➲ *Ver ilustração em* ETIQUETA
▸ *vt* (**-gg-**) **1** etiquetar **2** rotular PHR V **tag along (behind/with sb)** acompanhar alguém, seguir alguém (de perto)

⚷ **tail** /teɪl/ *substantivo, verbo*
▸ *s* **1** rabo, cauda **2 tails** [*pl*] fraque LOC *Ver* HEAD
▸ *vt* seguir PHR V **tail away/off 1** diminuir, desaparecer **2** (*ruído*) extinguir-se

tailor /'teɪlə(r)/ *substantivo, verbo*
▸ *s* alfaiate
▸ *vt* ~ **sth to/for sb/sth** (*fig*) adaptar alguma coisa a alguém/alguma coisa

tailor-made /ˌteɪlə 'meɪd/ *adj* (*lit e fig*) (feito) à medida

taint /teɪnt/ *vt* (*formal*) **1** contaminar **2** (*reputação*) manchar

⚷ **take** /teɪk/ *vt* (*pt* **took** /tʊk/, *pp* **taken** /'teɪkən/) **1** ~ **sb/sth (with you)** levar alguém/alguma coisa (consigo): *Take the dog with you.* Leva o cão contigo. **2** ~ **sb sth**; ~ **sth (to sb)** levar alguma coisa (a alguém) ➲ *Ver nota em* GIVE **3** tomar: *She took it as a compliment.* Tomou-o como um elogio. **4** apanhar: *to take the bus* apanhar o autocarro ◇ *to take sb's hand/take sb by the hand* pegar na mão de alguém **5** ~ **sth out of/from sth** tirar alguma coisa de alguma coisa **6** ~ **sth (from sb)** tomar alguma coisa (a alguém) **7** (*sem autorização*) levar: *Who's taken my pen?* Quem é que levou a minha caneta? **8** (*notícia, elogio*) receber **9** aceitar: *Do you take cheques?* Aceitam cheques? **10** (*tolerar*) suportar **11** (*comprar*) levar **12** (*tempo*) levar: *It takes an hour to get there.* Leva uma hora a lá chegar. ◇ *It won't take long.* Não demora muito. **13** (*qualidade*) ser necessário, ser preciso ter: *It takes courage to speak out.* É preciso ter coragem para se dizer o que se pensa. **14** (*tamanho*) calçar, vestir: *What size shoes/clothes do you take?* Que número calça/veste? **15** (*fotografia*) tirar LOC **take it (that...)** deduzir (que...) ◆ **take some/a lot of doing** (*coloq*) não ser fácil ❶ Para outras expressões com **take**, ver as entradas para o substantivo, adjetivo, etc., p. ex. **take place** em PLACE.

PHR V **take after sb** sair a alguém, parecer-se com alguém

take sth apart desmontar alguma coisa

take sth away 1 tirar alguma coisa **2** levar alguma coisa de takeaway

take sth/sb away (from sb/sth) tirar alguma coisa/alguém (a alguém/alguma coisa)

take sth back 1 (*loja, biblioteca*) devolver alguma coisa **2** retirar alguma coisa (*comentário, afirmação, etc. que se fez*)

take sth down 1 remover alguma coisa (*cortinas, etc.*) **2** desmontar alguma coisa **3** anotar alguma coisa

take sb in 1 acolher alguém **2** enganar alguém ◆ **take sth in** entender, assimilar alguma coisa

take

Bring the newspaper.

Fetch the newspaper.

Take the newspaper.

take off 1 descolar **2** (*ideia, produto, etc.*) tornar-se subitamente popular ◆ **take sth off 1** (*roupa, óculos, etc.*) tirar alguma coisa **2** *to take the day off* tirar o dia de folga
take sb on contratar alguém ◆ **take sth on** aceitar alguma coisa (*trabalho*)
take sb out convidar alguém para sair: *I'm taking him out tonight.* Convidei-o para sair esta noite. ◆ **take it/sth out on sb** descarregar em cima de alguém ◆ **take sth out 1** tirar, extrair alguma coisa **2** (*USA*) *Ver* TAKE STH AWAY (2)
take sth over (*empresa, país*) assumir o controlo de alguma coisa ◆ **take over from sb** substituir alguém
take to sb/sth gostar de alguém/alguma coisa: *I took to his parents immediately.* Simpatizei imediatamente com os pais dele.
take sth up passar a dedicar-se a alguma coisa (*como passatempo*) ◆ **take up sth** ocupar alguma coisa (*espaço, tempo*) ◆ **take sb up on sth** (*coloq*) aceitar alguma coisa de alguém (*oferta, convite*) ◆ **take sth up with sb** esclarecer alguma coisa com alguém

takeaway /ˈteɪkəweɪ/ (*USA* **takeout** /ˈteɪkaʊt/) *s* **1** comida para levar: *We ordered a takeaway.* Mandámos vir comida. **2** restaurante que vende comida para levar

take-off /ˈteɪk ɒf; *USA* ɔːf/ *s* descolagem

takeover /ˈteɪkəʊvə(r)/ *s* **1** (*empresa*) aquisição: *takeover bid* oferta pública de aquisição **2** (*Mil*) tomada de poder

takings /ˈteɪkɪŋz/ *s* [*pl*] receita (*dinheiro*)

talcum powder /ˈtælkəm paʊdə(r)/ (*coloq* **talc** /tælk/) *s* (pó de) talco

tale /teɪl/ *s* **1** conto, história **2** mentira

talent /ˈtælənt/ *s* ~ **(for sth)** talento (para alguma coisa) **talented** *adj* talentoso, com talento

talk /tɔːk/ *verbo, substantivo*
▸ **1** *vi* ~ **(to/with sb) (about sb/sth)** falar (com alguém) (sobre alguém/alguma coisa) ➲ *Ver nota em* FALAR **2** *vt* falar de: *to talk business* falar de negócios ◇ *to talk sense* dizer coisas com sentido **3** *vi* bisbilhotar LOC **talk shop** (*freq pej*) falar de trabalho ◆ **talk your way out of (doing) sth** livrar-se de (fazer) alguma coisa (*usando dos seus dons retóricos*) PHR V **talk down to sb** falar com alguém como se este fosse ignorante ◆ **talk sb into/out of doing sth** convencer alguém a fazer/não fazer alguma coisa ◆ **talk sth over/through** discutir alguma coisa (*em pormenor*)
▸ *s* **1** conversa: *to have a talk with sb* ter uma conversa com alguém ◇ *talk show* programa de entrevistas **2 talks** [*pl*] negociações **3** ~ **(on sth)** palestra (sobre alguma coisa) **talkative** /ˈtɔːkətɪv/ *adj* falador

tall /tɔːl/ *adj* (**taller, -est**) alto: *a tall tree/tower* uma árvore/torre alta ◇ *How tall are you?* Quanto medes? ◇ *Tom is six feet tall.* O Tom mede 1.80m. ➲ *Ver nota em* ALTO

tambourine /ˌtæmbəˈriːn/ *s* pandeireta

tame /teɪm/ *adjetivo, verbo*
▸ *adj* (**tamer, -est**) **1** domesticado **2** manso **3** (*coloq*) (*festa, livro*) sem interesse
▸ *vt* domar

tamper /ˈtæmpə(r)/ *v* PHR V **tamper with sth 1** mexer (indevidamente) em alguma coisa **2** (*resultados, relatório, etc.*) falsificar alguma coisa

tampon /ˈtæmpɒn/ *s* tampão

tan /tæn/ *verbo, substantivo, adjetivo*
▸ *vt, vi* (**-nn-**) bronzear(-se)
▸ *s* bronzeado: *to get a tan* bronzear-se
▸ *adj* cor de mel

tangent /ˈtændʒənt/ *s* tangente LOC **fly/go off at a tangent** escapar pela tangente

tangerine /ˌtændʒəˈriːn; *USA* ˈtændʒəriːn/ *s* **1** tangerina **2** (*cor*) laranja escuro

tangle /ˈtæŋgl/ *substantivo, verbo*
▸ *s* **1** emaranhado **2** confusão: *to get into a tangle* meter-se numa confusão
▸ *vt, vi* ~ **(sth) up** emaranhar alguma coisa, emaranhar-se **tangled** *adj* emaranhado

tank /tæŋk/ *s* **1** depósito: *petrol tank* depósito de gasolina **2** aquário **3** (*Mil*) tanque *Ver tb* THINK TANK

tanker /ˈtæŋkə(r)/ *s* **1** petroleiro **2** camião-cisterna

tanned /tænd/ *adj* bronzeado

tantalize, -ise /ˈtæntəlaɪz/ *vt* atormentar **tantalizing, -ising** *adj* tentador

tantrum /ˈtæntrəm/ *s* birra: *Peter threw/had a tantrum.* O Peter fez (uma) birra.

tap /tæp/ *verbo, substantivo*
▸ (**-pp-**) **1** *vt* ~ **sb/sth (on/with sth)** bater levemente em alguma coisa de alguém/alguma coisa (com alguma coisa): *to tap sb on the shoulder* tocar no ombro de alguém **2** *vi* ~ **(at/on sth)** bater (levemente) (em alguma coisa) **3** *vt, vi* ~ **(into) sth** explorar alguma coisa **4** *vt* (*telefone*) pôr sob escuta
▸ *s* **1** torneira: *to turn the tap on/off* fechar/abrir a torneira **2** pancada (leve)

tape /teɪp/ *substantivo, verbo*
▸ *s* **1** fita: *sticky tape* fita adesiva **2** cassete

▸ *vt* **1** ~ **sth (up)** atar alguma coisa com uma fita **2** gravar

tape measure *s* fita métrica

tape recorder *s* gravador

tapestry /ˈtæpəstri/ *s* (*pl* **tapestries**) tapeçaria

tar /tɑː(r)/ *s* alcatrão

⚷ **target** /ˈtɑːɡɪt/ *substantivo, verbo*
▸ *s* **1** alvo: *military targets* alvos militares **2** objetivo: *I'm not going to meet my weekly target.* Não vou conseguir cumprir a minha meta semanal.
▸ *vt* **1** dirigir-se a: *We're targeting young drivers.* O nosso alvo são os jovens condutores. **2** ~ **sth at sb/sth** dirigir alguma coisa a alguém/alguma coisa

tariff /ˈtærɪf/ *s* **1** tarifa aduaneira/alfandegária **2** lista de preços

Tarmac® /ˈtɑːmæk/ *s* **1** asfalto **2 the tarmac** a pista (*de aeroporto*)

tarnish /ˈtɑːnɪʃ/ **1** *vi* embaciar-se, perder o brilho **2** *vt* embaçar **3** *vt* (*reputação, etc.*) manchar

tart /tɑːt/ *adj* tarte ➲ *Ver nota em* PIE

tartan /ˈtɑːtn/ *s* tartã

⚷ **task** /tɑːsk; *USA* tæsk/ *s* tarefa

⚷ **taste** /teɪst/ *substantivo, verbo*
▸ *s* **1** sabor **2** ~ **(for/in sth)** gosto (por alguma coisa): *to have (good) taste/bad taste* ter (bom) gosto/mau gosto **3** (*tb* sense of taste) gosto **4 a** ~ **(of sth)** (*comida, bebida*) um pouquinho (de alguma coisa) **5** [*sing*] ~ **(of sth)** amostra (de alguma coisa): *her first taste of life in the city* a sua primeira experiência da vida na cidade
▸ **1** *vi* ~ **(of sth)** saber (a alguma coisa) **2** *vt* notar o sabor de: *I can't taste anything.* Não me sabe a nada. **3** *vt* provar **4** *vt* (*fig*) experimentar

tasteful /ˈteɪstfl/ *adj* de bom gosto

tasteless /ˈteɪstləs/ *adj* **1** insípido **2** de mau gosto

tasty /ˈteɪsti/ *adj* (**tastier, -iest**) saboroso

tattered /ˈtætəd/ *adj* em farrapos

tatters /ˈtætəz/ *s* [*pl*] farrapos LOC **in tatters** em farrapos

tattoo /təˈtuː; *USA* tæˈtuː/ *substantivo, verbo*
▸ *s* (*pl* **tattoos**) tatuagem
▸ *vt* tatuar

tatty /ˈtæti/ *adj* (*esp GB, coloq*) em mau estado

taught *pt, pp de* TEACH

taunt /tɔːnt/ *verbo, substantivo*
▸ *vt* troçar de
▸ *s* troça

Taurus /ˈtɔːrəs/ *s* Touro ➲ *Ver exemplos em* AQUARIUS

taut /tɔːt/ *adj* tenso, esticado

tavern /ˈtævən/ *s* (*antiq*) taberna

⚷ **tax** /tæks/ *substantivo, verbo*
▸ *s* imposto: *tax return* declaração do IRS
▸ *vt* **1** (*artigos*) lançar imposto sobre **2** (*pessoas*) cobrar impostos a **3** (*recursos*) exigir demasiado de **4** (*paciência, etc.*) pôr à prova, abusar de **taxable** /ˈtæksəbl/ *adj* tributável **taxation** *s* impostos, tributação

tax-free /ˌtæks ˈfriː/ *adj* isento de impostos

⚷ **taxi** /ˈtæksi/ *substantivo, verbo*
▸ *s* (*tb* **taxicab** /ˈtæksikæb/) táxi: *taxi rank* paragem de táxis ◇ *taxi driver* taxista
▸ *vi* (*pt, pp* **taxied** *part pres* **taxiing**) andar (pela pista) (*avião*)

taxing /ˈtæksɪŋ/ *adj* cansativo, extenuante

taxpayer /ˈtækspeɪə(r)/ *s* contribuinte

⚷ **tea** /tiː/ *s* **1** chá **2** lanche **3** jantar LOC *Ver* CUP

⚷ **teach** /tiːtʃ/ (*pt, pp* **taught** /tɔːt/) **1** *vt* ensinar: *Jeremy is teaching us how to use the software.* O Jeremy está a ensinar-nos a usar o software. **2** *vt, vi* ensinar, dar aulas (de) LOC **teach sb a lesson** dar uma lição a alguém

⚷ **teacher** /ˈtiːtʃə(r)/ *s* professor, -ora: *English teacher* professora de Inglês

⚷ **teaching** /ˈtiːtʃɪŋ/ *s* ensino: *teaching materials* materiais didáticos ◇ *a teaching career* uma carreira docente

teakettle /ˈtiːketl/ *s* (*USA*) chaleira

⚷ **team** /tiːm/ *substantivo, verbo*
▸ *s* [*v sing ou pl*] equipa ➲ *Ver nota em* JÚRI
▸ *v* PHR V **team up (with sb)** formar (uma) equipa (com alguém)

teammate /ˈtiːmmeɪt/ *s* companheiro, -a de equipa

teamwork /ˈtiːmwɜːk/ *s* [*não-contável*] trabalho de equipa

teapot /ˈtiːpɒt/ *s* bule

tear

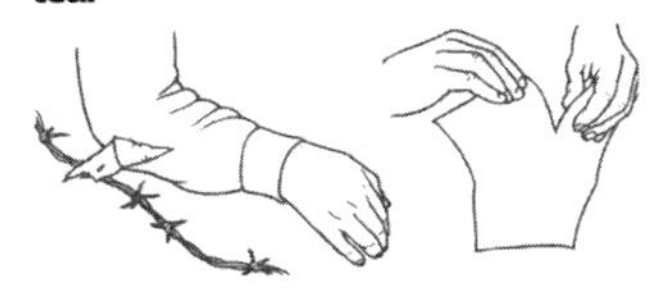

"Oh no! I just **tore** my shirt!" She **tore** the letter in half.

⚷ **tear**[1] /teə(r)/ *verbo, substantivo*
▸ (*pt* **tore** /tɔː(r)/, *pp* **torn** /tɔːn/) **1** *vt, vi* rasgar(-se) **2** *vi* ~ **along, past, etc.** ir, passar, etc. a toda a velocidade PHR V **be torn**

T

(between A and B) estar dividido (entre A e B) ◆ **tear yourself away (from sth)** desgrudar-se (de alguma coisa) ◆ **tear sth down** demolir alguma coisa ◆ **tear sth out** arrancar alguma coisa ◆ **tear sth up** rasgar alguma coisa
▸ *s* rasgão LOC *Ver* WEAR

⚷ **tear²** /tɪə(r)/ *s* lágrima: *He was in tears.* Estava a chorar. LOC **bring tears to sb's eyes** fazer alguém chorar **tearful** /'tɪəfl/ *adj* choroso

tearoom /'ti:ru:m, -rʊm/ (*tb* **tea shop**) *s* salão de chá

tease /ti:z/ *vt* gozar com, brincar com

teaspoon /'ti:spu:n/ *s* **1** colher de chá **2** (*tb* **teaspoonful**) colher de chá (*medida*)

teatime /'ti:taɪm/ *s* hora do chá

tea towel *s* pano de cozinha

⚷ **technical** /'teknɪkl/ *adj* técnico: *a technical point* uma questão de ordem técnica

technical college *s* (*GB*) escola superior técnica

technicality /ˌteknɪ'kæləti/ *s* (*pl* **technicalities**) **1 technicalities** [*pl*] pormenores técnicos **2** formalidade

technically /'teknɪkli/ *adv* **1** tecnicamente, em termos técnicos **2** estritamente: *Technically, I shouldn't be doing this.* Em teoria, não devia ser eu a fazer isto.

technician /tek'nɪʃn/ *s* técnico, -a

⚷ **technique** /tek'ni:k/ *s* técnica

technological /ˌteknə'lɒdʒɪkl/ *adj* tecnológico

⚷ **technology** /tek'nɒlədʒi/ *s* (*pl* **technologies**) tecnologia *Ver tb* INFORMATION TECHNOLOGY

teddy bear /'tedi beə(r)/ *s* ursinho de peluche

tedious /'ti:diəs/ *adj* aborrecido

tedium /'ti:diəm/ *s* tédio

teem /ti:m/ *v* PHR V **teem with sth/sb** estar repleto de alguma coisa/alguém: *The streets were teeming with people.* As ruas fervilhavam de gente.

teenage /'ti:neɪdʒ/ (*esp USA coloq* **teen**) *adj* de adolescente **teenager** (*esp USA coloq* **teen**) *s* adolescente

teens /ti:nz/ *s* [*pl*] adolescência: *She's in her teens.* Ela é uma adolescente.

tee shirt = T-SHIRT

teeth *pl de* TOOTH

teethe /ti:ð/ *vi* ter os dentes a nascer LOC **teething problems/troubles** problemas iniciais (*de empresa, sistema, etc.*)

telecommunications /ˌtelɪkəˌmju:nɪ'keɪʃnz/ *s* [*pl*] telecomunicações

telepathy /tə'lepəθi/ *s* telepatia

⚷ **telephone** /'telɪfəʊn/ *substantivo, verbo*
▸ *s* (*tb* **phone**) telefone: *telephone call* chamada telefónica ◇ *telephone book/directory* lista telefónica LOC **be on the telephone 1** estar (a falar) ao telefone: *She's on the telephone.* Está ao telefone. **2** ter telefone: *We're not on the telephone.* Não temos telefone.
▸ *vt, vi* (*esp GB, formal*) (*tb* **phone**) telefonar (a/para)

telephone box (*tb* **telephone booth, phone box, phone booth**) *s* cabine telefónica

telesales /'teliseɪlz/ (*tb* **telemarketing** /'telimɑ:kɪtɪŋ/) *s* televendas, telemarketing

telescope /'telɪskəʊp/ *s* telescópio

televise /'telɪvaɪz/ *vt* transmitir pela televisão

⚷ **television** /'telɪvɪʒn/ *s* (*abrev* **TV**) **1** televisão: *to watch television* ver televisão **2** (*tb* **television set**) televisor

⚷ **tell** /tel/ (*pt, pp* **told** /təʊld/) **1** *vt* ~ **sb (sth)**; ~ **sth to sb** dizer (alguma coisa) a alguém: *to tell the truth* dizer a verdade ◇ *Did you tell him?* Contaste-lhe?

> No discurso indireto **tell** é geralmente seguido de um objeto direto (pessoa): *Tell him to wait.* Diz-lhe que espere. ◇ *She told him to hurry up.* Disse-lhe que se apressasse. ➲ *Ver tb notas em* SAY *e* ORDER

2 *vt, vi* contar: *Tell me all about it.* Conta-me tudo. ◇ *Promise you won't tell.* Promete-me que não vais contar a ninguém. **3** *vt, vi* notar: *You can tell she's French.* Nota-se logo que é francesa. **4** *vt* ~ **A from B**; ~ **A and B apart** distinguir A de B LOC **I told you (so)** (*coloq*) eu bem que te disse ◆ **tell the time** (*USA* **tell time**) dizer as horas ◆ **there's no telling** impossível de saber ◆ **you never can tell** nunca se sabe ◆ **you're telling me!** (*coloq*) a quem o dizes! PHR V **tell sb off (for sth/doing sth)** (*coloq*) repreender alguém (por alguma coisa/fazer alguma coisa) ◆ **tell on sb** (*coloq*) denunciar alguém

telling /'telɪŋ/ *adj* elucidativo

telling-off /ˌtelɪŋ 'ɒf; *USA* 'ɔ:f/ *s* (*pl* **tellings-off**) reprimenda

telly /'teli/ *s* (*pl* **tellies**) (*GB, coloq*) televisão

temp /temp/ *substantivo, verbo*
▸ *s* empregado temporário, empregada temporária
▸ *vi* (*coloq*) trabalhar em emprego(s) temporário(s)

temper /'tempə(r)/ *substantivo, verbo*
▸ *s* mau humor, mau génio: *to get into a temper* irritar-se LOC **have a quick/short temper** irritar-se facilmente ◆ **in a (bad, foul, rotten, etc.) temper** de mau humor ◆ **keep/lose your temper** manter/perder a calma
▸ *vt* ~ **sth (with sth)** (*formal*) temperar alguma coisa (com alguma coisa)

temperament /'temprəmənt/ *s* temperamento

temperamental /ˌtemprə'mentl/ *adj* temperamental

temperate /'tempərət/ *adj* (*clima, região*) temperado

temperature /'temprətʃə(r)/ *s* temperatura *Ver tb* ROOM TEMPERATURE LOC **have/run a temperature** ter febre

template /'templeɪt/ *s* molde

temple /'templ/ *s* **1** (*Relig*) templo **2** (*Anat*) têmpora

tempo /'tempəʊ/ *s* (*pl* **tempos**) **1** (*Mús*) tempo ❶ Neste sentido, utiliza-se também o plural **tempi** /'tempi:/. **2** (*de vida, etc.*) ritmo

temporarily /'temprərəli; *USA* ˌtempə'rerəli/ *adv* temporariamente

temporary /'temprəri; *USA* -pəreri/ *adj* temporário, provisório

tempt /tempt/ *vt* tentar LOC **tempt fate** desafiar a sorte **temptation** *s* tentação **tempting** *adj* tentador

ten /ten/ *adj, pron, s* dez ➲ *Ver exemplos em* FIVE

tenacious /tə'neɪʃəs/ *adj* (*formal*) tenaz

tenacity /tə'næsəti/ *s* (*formal*) tenacidade

tenancy /'tenənsi/ *s* (*pl* **tenancies**) arrendamento

tenant /'tenənt/ *s* inquilino, -a, arrendatário, -a

tend /tend/ **1** *vi* ~ **to (do) sth** tender, ter tendência a (fazer) alguma coisa **2** *vt, vi* ~ **(to) sb/sth** cuidar de alguém/alguma coisa, atender alguém/alguma coisa

tendency /'tendənsi/ *s* (*pl* **tendencies**) tendência, propensão

tender /'tendə(r)/ *adj* **1** (*olhar, palavras, etc.*) meigo **2** (*planta, carne*) tenro **3** (*ferida*) dorido **tenderly** *adv* ternamente, com ternura **tenderness** *s* ternura

tendon /'tendən/ *s* tendão

tenement /'tenəmənt/ *s*: *a tenement block* um bloco de apartamentos (*esp em zonas pobres e degradadas de uma cidade*)

tenner /'tenə(r)/ *s* (*GB, coloq*) (nota de) dez libras

tennis /'tenɪs/ *s* (*Desp*) ténis

tenor /'tenə(r)/ *s* (*Mús*) tenor

tenpin bowling /ˌtenpɪn 'bəʊlɪŋ/ *s* (jogo de) bólingue de dez pinos

tense /tens/ *adjetivo, substantivo*
▸ *adj* tenso
▸ *s* (*Gram*) tempo (verbal): *in the past tense* no passado

tension /'tenʃn/ *s* tensão

tent /tent/ *s* tenda

tentacle /'tentəkl/ *s* tentáculo

tentative /'tentətɪv/ *adj* **1** provisório **2** hesitante

tenth /tenθ/ **1** *adj, adv, pron* décimo **2** *s* décima parte, décimo ➲ *Ver exemplos em* FIFTH

tenuous /'tenjuəs/ *adj* ténue

tenure /'tenjə(r)/ *s* **1** (*de cargo*) ocupação: *security of tenure* direito de ocupação **2** (*de terra, propriedade*) posse

tepid /'tepɪd/ *adj* tépido

term /tɜ:m/ *substantivo, verbo*
▸ *s* **1** período, prazo: *term of office* mandato (de um governo) **2** período (letivo): *the autumn/spring/summer term* o primeiro/segundo/terceiro período **3** termo *Ver tb* TERMS LOC **in the long/short term** a longo/curto prazo
▸ *vt* (*formal*) qualificar, denominar: *I would term that accusation as slander.* Eu qualificaria essa acusação como uma calúnia.

terminal /'tɜ:mɪnl/ *adjetivo, substantivo*
▸ *adj* (*doença*) incurável
▸ *s* terminal

terminate /'tɜ:mɪneɪt/ (*formal*) **1** *vt, vi* terminar: *This train terminates at Euston.* Este comboio termina a viagem em Euston. **2** *vt* (*contrato, etc.*) rescindir

terminology /ˌtɜ:mɪ'nɒlədʒi/ *s* (*pl* **terminologies**) terminologia

terminus /'tɜ:mɪnəs/ *s* (*pl* **termini** /-naɪ/) (estação) terminal

terms /tɜ:mz/ *s* [*pl*] **1** condições **2** termos LOC **be on good, bad, etc. terms (with sb)** ter boas, más, etc. relações com alguém ◆ **come to terms with sb/sth** aceitar alguém/alguma coisa *Ver tb* EQUAL, SPEAK

terrace /'terəs/ *s* **1** terraço **2** (*de restaurante, café*) esplanada **3** série de casas no mesmo estilo pegadas umas às outras: *terraced house* casa geminada (dos dois lados) **4 the terraces** [*pl*] (*Desp*) a geral, as bancadas **5** (*Agric*) socalco

terrain /tə'reɪn/ *s* terreno

T

terrible /ˈterəbl/ *adj* **1** (*acidente, ferimento, etc.*) terrível **2** (*coloq*) horroroso, terrível

terribly /ˈterəbli/ *adv* terrivelmente: *I'm terribly sorry.* Sinto muito.

terrific /təˈrɪfɪk/ *adj* (*coloq*) **1** incrível: *The food was terrific value.* A comida era incrivelmente barata. **2** tremendo

terrified /ˈterɪfaɪd/ *adj* aterrorizado: *She's terrified of flying.* Tem pavor de voar. LOC *Ver* WIT

terrify /ˈterɪfaɪ/ *vt* (*pt, pp* **-fied**) aterrorizar **terrifying** *adj* aterrorizador, aterrador

territorial /ˌterəˈtɔːriəl/ *adj* territorial

territory /ˈterətri; *USA* -tɔːri/ *s* (*pl* **territories**) território

terror /ˈterə(r)/ *s* terror, pavor: *to scream with terror* gritar de terror

terrorism /ˈterərɪzəm/ *s* terrorismo **terrorist** *s* terrorista

terrorize, -ise /ˈterəraɪz/ *vt* aterrorizar

terse /tɜːs/ *adj* lacónico: *a terse reply* uma resposta seca

test /test/ *substantivo, verbo*
▸ *s* **1** (*Educ*) teste, exame: *I'll give you a test on Thursday.* Têm teste quinta-feira. ◊ *driving test* exame de condução **2** (*Med*) exame: *blood test* análise ao sangue **3** (*de um produto, uma máquina, etc.*) teste
▸ *vt* **1** testar, pôr à prova: *Children are tested on core subjects at the age of 11.* As crianças fazem testes sobre as matérias nucleares aos onze anos. **2** (*Med*) examinar: *She was tested for hepatitis.* Ela fez um teste à hepatite. ◊ *to test positive/negative for steroids* dar positivo/negativo na análise aos esteróides **3** ~ **sth (on sb/sth)**; ~ **sth (for sth)** testar alguma coisa (em alguém/alguma coisa), submeter alguma coisa a um teste (de alguma coisa)

testament /ˈtestəmənt/ *s* **1 Testament** (*Relig*) testamento **2** ~ **(to sth)** (*formal*) testemunho (de alguma coisa)

testicle /ˈtestɪkl/ *s* testículo

testify /ˈtestɪfaɪ/ *vt, vi* (*pt, pp* **-fied**) testemunhar, depor

testimony /ˈtestɪməni; *USA* -məʊni/ *s* (*pl* **testimonies**) testemunho

test tube *s* tubo de ensaio: *test-tube baby* bebé-proveta

tether /ˈteðə(r)/ *verbo, substantivo*
▸ *vt* (*animal*) prender (*com corda*)
▸ *s* LOC *Ver* END

text /tekst/ *substantivo, verbo*
▸ *s* **1** texto: *set text* leitura obrigatória **2** *Ver* TEXT MESSAGE
▸ *vt* mandar uma mensagem de texto a

textbook /ˈtekstbʊk/ *s* manual (escolar)

textile /ˈtekstaɪl/ *s* [*ger pl*] têxtil

text message *s* mensagem de texto **text messaging** *s* envio de mensagens de texto

texture /ˈtekstʃə(r)/ *s* textura

than /ðən, ðæn/ *conj, prep* **1** [*depois de adjetivo comparativo*] (do) que: *faster than ever* mais rápido (do) que nunca ◊ *better than he thought* melhor do que o que ele pensava **2** (*com tempo e distância*) de: *more than an hour/a kilometre* mais de uma hora/um quilómetro

thank /θæŋk/ *vt* ~ **sb (for sth/doing sth)** agradecer a alguém (por alguma coisa/fazer alguma coisa), agradecer alguma coisa a alguém LOC **thank you** obrigado ➲ *Ver nota em* PLEASE

thankful /ˈθæŋkfl/ *adj* agradecido

thanks /θæŋks/ *interjeição, substantivo*
▸ *interj* obrigado!: *Thanks for coming!* Obrigado por terem vindo! ➲ *Ver nota em* PLEASE
▸ *s* [*pl*] agradecimento LOC *Ver* VOTE

Thanksgiving /ˌθæŋksˈgɪvɪŋ/ *s* Dia de Ação de Graças

> **Thanksgiving** celebra-se nos Estados Unidos na quinta-feira da quarta semana de novembro. A comida tradicional consiste em peru assado (**turkey**) e torta de abóbora (**pumpkin pie**).

that *adjetivo, pronome, conjunção, advérbio*
▸ *adj* /ðæt/ (*pl* **those** /ðəʊz/) esse, aquele ➲ *Comparar com* THIS
▸ *pron* /ðæt/ **1** (*pl* **those** /ðəʊz/) isso, esse, -a, esses, -as, aquilo, aquele, -a, aqueles, -as ➲ *Comparar com* THIS **2** [*sujeito*] que: *The letter that came is from him.* A carta que chegou é dele. **3** [*complemento*] que: *These are the books (that) I bought.* Estes são os livros que comprei. ◊ *the job (that) I applied for* o emprego para o qual concorri **4** [*com expressões temporais*] em que: *the year that he died* o ano em que ele morreu LOC **that is (to say)** isto é ◆ **that's it; that's right** isso mesmo
▸ *conj* /ðət, ðæt/ que: *I told him that he should wait.* Disse-lhe que esperasse.
▸ *adv* /ðæt/ assim, tão, tanto: *It's that long.* É assim de comprido. ◊ *that low* assim de baixo ◊ *that near* tão perto ◊ *It isn't that much.* Não é tanto assim.

thatch /θætʃ/ *substantivo, verbo*
▸ *s* colmo (*para telhado*)
▸ *vt* cobrir de colmo (*um telhado*) **thatched** *adj* com telhado de colmo

thaw /θɔː/ *verbo, substantivo*
▸ *vt, vi* **1** (*neve*) derreter **2** (*comida*) descongelar
▸ *s* degelo

the /ðə/ Antes de uma vogal pronuncia-se /ði/ ou, quando se quer dar mais ênfase, /ðiː/. *art def* o/a, os/as LOC **the more/less...the more/less...** quanto mais/menos... mais/menos...

O artigo definido em inglês:
1 Não se utiliza com substantivos contáveis no plural, quando falamos de algo em geral: *Books are expensive.* Os livros são caros. ◇ *Children learn very fast.* As crianças aprendem muito depressa.
2 Tal como em português, omite-se com substantivos não-contáveis quando estes se referem a uma substância ou a uma ideia geral: *I like cheese/pop music.* Gosto de queijo/de música pop.
3 Normalmente, omite-se com nomes próprios e com nomes que indicam relações familiares: *Mrs Smith* a Sra Smith ◇ *Ana's mother* a mãe da Ana ◇ *Granny came yesterday.* A avó veio ontem.
4 Com as partes do corpo e objetos pessoais, usa-se o possessivo em vez do artigo: *Give me* **your** *hand.* Dá-me a mão. ◇ *He put* **his** *tie on.* Pôs a gravata.
5 Hospital, **school** e **church** podem utilizar-se com artigo ou sem ele, contudo o significado é diferente. ➲ *Ver tb nota em* SCHOOL

theatre (*USA* **theater**) /ˈθɪətə(r); *USA* ˈθiːə-/ *s* teatro *Ver tb* LECTURE THEATRE, MOVIE THEATER, OPERATING THEATRE

theatrical /θiˈætrɪkl/ *adj* teatral, de teatro

theft /θeft/ *s* roubo

Theft é o termo utilizado para os roubos realizados sem ninguém ver e sem violência: *car/cattle thefts* furtos de carros/gado, **robbery** refere-se a roubos levados a cabo com violência ou ameaças: *armed/bank robbery* assalto à mão armada/de um banco e **burglary** usa-se para os assaltos a casas ou lojas, quando os donos estão ausentes. ➲ *Ver tb notas em* THIEF *e* ROB

their /ðeə(r)/ *adj* seu(s), sua(s), deles, delas: *What colour is their cat?* De que cor é o gato deles? ➲ *Ver nota em* MY

theirs /ðeəz/ *pron* seu(s), sua(s), deles, delas: *a friend of theirs* um amigo deles/seu ◇ *Our flat is not as big as theirs.* O nosso apartamento não é tão grande como o deles.

them /ðəm, ðem/ *pron* **1** [*como complemento direto*] os, as: *I saw them yesterday.* Vi-os ontem. **2** [*como complemento indireto*] lhes: *Tell them to wait.* Diz-lhes que esperem. **3** [*depois de preposição ou do verbo* **be**] eles, elas: *Go with them.* Vai com eles. ◇ *They took it with them.* Levaram-no consigo. ◇ *Was it them at the door?* Foram eles que bateram à porta? ➲ *Comparar com* THEY

theme /θiːm/ *s* tema

theme park *s* parque temático

themselves /ðəmˈselvz/ *pron* **1** [*uso reflexivo*] se: *They enjoyed themselves a lot.* Divertiram-se muito. **2** [*depois de preposição*] si mesmos: *They were talking about themselves.* Falavam de si mesmos. **3** [*uso enfático*] eles próprios, elas próprias: *Did they paint the house themselves?* Pintaram a casa eles próprios? LOC **(all) by themselves** (completamente) sozinhos

then /ðen/ *adv* **1** então: *until then* até então ◇ *from then on* desde então **2** naquela altura: *Life was hard then.* Naquela altura, a vida era muito difícil. **3** depois: *the soup and then the chicken* a sopa e depois o frango **4** (*por isso*) então, nesse caso: *You're not coming, then?* Então, quer dizer que não vens?

theological /ˌθiːəˈlɒdʒɪkl/ *adj* teológico

theology /θiˈɒlədʒi/ *s* (*pl* **theologies**) teologia

theoretical /ˌθɪəˈretɪkl/ *adj* teórico

theory /ˈθɪəri/ *s* (*pl* **theories**) teoria: *in theory* em teoria

therapeutic /ˌθerəˈpjuːtɪk/ *adj* terapêutico

therapist /ˈθerəpɪst/ *s* terapeuta

therapy /ˈθerəpi/ *s* (*pl* **therapies**) terapia

there /ðeə(r)/ *adv*
- **posição** ali, aí, lá: *My car is there, in front of the pub.* O meu carro está ali, à frente do bar.
- **there + be**: *There's someone at the door.* Está alguém à porta. ◇ *How many are there?* Quantos são? ◇ *There'll be twelve guests at the party.* Serão doze os convidados na festa. ◇ *There has been very little rain recently.* Tem chovido muito pouco ultimamente. ◇ *There was a terrible accident yesterday.* Houve um acidente terrível ontem. ➲ *Ver nota em* HAVER
- **there + v modal + be**: *There must be no mistakes.* Não pode haver erros. ◇ *There might be rain later.* Poderá chover mais tarde. ◇ *There shouldn't be any problems.* Não creio que haverá qualquer problema. ◇ *How can there be that many?* Como é possível serem tantos?

There tambem é usado com **seem** e **appear**: *There seem/appear to be two ways of looking at this problem.* Parece que há duas maneiras de olhar para este problema.

T

- **interjeição**: *There now! What did I tell you?* Pronto! O que é que eu te disse? ◇ *There you are! I've been waiting for hours.* Cá estás tu! Estou à espera há horas. ◇ *Hi there, how are you?* Ora viva, como estás? ◇ *Hey you there! Can you lend me a hand?* Olhe, se faz favor! Pode ajudar-me?

LOC **there and then** ali mesmo *Ver tb* HERE

thereafter /ˌðeər'ɑːftə(r); *USA* -'æf-/ *adv* (*formal*) daí em diante, consequentemente

thereby /ˌðeə'baɪ/ *adv* (*formal*) assim, consequentemente

therefore /'ðeəfɔː(r)/ *adv* por isso, portanto

thermal /'θɜːml/ *adj* **1** térmico **2** (*nascente*) termal

thermometer /θə'mɒmɪtə(r)/ *s* termómetro

Thermos® /'θɜːməs/ (*tb* **Thermos flask**) *s* termo (*recipiente térmico*)

thermostat /'θɜːməstæt/ *s* termóstato

these *pl de* THIS

thesis /'θiːsɪs/ *s* (*pl* **theses** /-siːz/) tese

they /ðeɪ/ *pron* eles, elas: *They didn't like it.* Não gostaram. ❶ O pronome pessoal não se pode omitir em inglês. ➲ *Comparar com* THEM

they'd /ðeɪd/ **1** = THEY HAD *Ver* HAVE **2** = THEY WOULD *Ver* WOULD

they'll /ðeɪl/ = THEY WILL *Ver* WILL

they're /ðeə(r)/ = THEY ARE *Ver* BE

they've /ðeɪv/ = THEY HAVE *Ver* HAVE

thick /θɪk/ *adjetivo, advérbio, substantivo*

▸ *adj* (**thicker, -est**) **1** grosso: *The ice was six inches thick.* O gelo tinha 15 centímetros de espessura. **2** espesso: *This sauce is too thick.* O molho está demasiado espesso. **3** (*barba*) cerrado **4** (*sotaque*) marcado **5** (*GB, coloq*) (*pessoa*) burro

▸ *adv* (**thicker, -est**) grosso: *Don't spread the butter too thick.* Não ponhas demasiada manteiga.

▸ *s* LOC **in the thick of sth** no meio de alguma coisa ◆ **through thick and thin** em todos os momentos **thicken** *vt, vi* engrossar

thickly /'θɪkli/ *adv* **1** espessamente **2** (*povoado*) densamente

thickness /'θɪknəs/ *s* espessura, grossura

thief /θiːf/ *s* (*pl* **thieves** /θiːvz/) ladrão, -a

Thief é o termo geral utilizado para designar um ladrão que rouba coisas, geralmente sem ser visto e sem recorrer à violência, e **robber** aplica-se à pessoa que rouba bancos, lojas, etc., frequentemente usando de violência ou ameaças. **Burglar** utiliza-se para os ladrões que roubam uma casa ou uma loja, quando não há ninguém, e **shoplifter** é a pessoa que leva coisas de uma loja, sem pagar. ➲ *Ver tb notas em* ROB *e* THEFT

thigh /θaɪ/ *s* coxa

thimble /'θɪmbl/ *s* dedal

thin /θɪn/ *adjetivo, advérbio, verbo*

▸ *adj* (**thinner, -est**) **1** fino, delgado **2** (*pessoa*) magro ➲ *Ver nota em* MAGRO **3** (*sopa*) aguado **4** (*cabelo*) ralo LOC **(be) thin on the ground** (ser) escasso ◆ **disappear, vanish, etc. into thin air** desaparecer sem deixar vestígios *Ver tb* THICK

▸ *adv* (**thinner, -est**) finamente

▸ (**-nn-**) **1** *vt* diluir **2** *vi* (*cabelo*) rarear **3** *vi* ~ **(out)** (*trânsito, afluência*) dispersar-se, tornar-se menos denso

thing /θɪŋ/ *s* **1** coisa: *What's that thing on the table?* Que é isso que está em cima da mesa? ◇ *to take things seriously* levar as coisas a sério ◇ *The way things are going...* Pelo andamento das coisas... ◇ *Forget the whole thing.* Esquece o assunto. ◇ *the main thing* o mais importante ◇ *the first thing* primeiro **2 things** [*pl*] coisas: *You can put your things in that drawer.* Podes pôr as tuas coisas nessa gaveta. **3 a thing** [*sing*]: *I can't see a thing.* Não vejo nada. **4 the thing** [*sing*]: *It's just the thing businessmen need.* É exatamente aquilo de que os homens de negócios precisam. **5** *Poor (little) thing!* Coitado! LOC **be a good thing (that)...** ainda bem (que)...: *It was a good thing that...* Ainda bem que... ◆ **first/last thing**: *first thing Friday morning* sexta logo de manhã ◇ *last thing before I go to bed* antes de me deitar ◆ **for one thing** para começar ◆ **the thing is...** (*coloq*) acontece que... *Ver tb* PROPORTION

thingummy /'θɪŋəmi/ (*tb* **thingy**) *s* (*pl* **thingummies/thingies**) (*coloq*) ❶ Estas palavras são usadas para nos referirmos a objetos ou pessoas de cujos nomes não nos lembramos: *one of those thingummies for keeping papers together* uma daquelas coisas para segurar papel ◇ *Is thingummy going?* A coisa vai estar lá?

think /θɪŋk/ *verbo, substantivo*

▸ (*pt, pp* **thought** /θɔːt/) **1** *vt, vi* pensar: *What are you thinking (about)?* No que é que estás a pensar? ◇ *Who'd have thought it?* Quem diria? ◇ *The job took longer than we thought.* O trabalho demorou mais do que o que nós pensávamos. ◇ *Just think!* Imagina! **2** *vt* achar: *I think so/I don't think so.* Acho que sim/não. ◇ *What do you think (of her)?* O que é que achas dela? ◇ *It would be nice, don't you think?* Seria bom, não achas? ◇ *I think this is the house.* Acho que é esta a casa. **3** *vi* refletir

LOC **I should think so!** não faltaria mais nada!

◆ **think the world, highly, a lot, etc. of sb** ter grande admiração por alguém *Ver tb* GREAT
PHR V **think about/of sb/sth/doing sth** pensar em alguém/alguma coisa/fazer alguma coisa: *I'll think about it.* Vou pensar nisso. ◆ **think of sth 1** imaginar alguma coisa **2** recordar alguma coisa ◆ **think sth out/over/through** refletir sobre alguma coisa: *a well thought out plan* um plano bem pensado ◆ **think sth up** (*coloq*) inventar alguma coisa
▸ *s* LOC **have a think (about sth)** (*coloq*) pensar um bocado (sobre alguma coisa)

thinker /ˈθɪŋkə(r)/ *s* pensador, -ora

thinking /ˈθɪŋkɪŋ/ *substantivo, adjetivo*
▸ *s* [*não-contável*] **1** *I had to do some quick thinking.* Tive de pensar depressa. ◇ *Quick thinking!* Bem pensado! **2** maneira de pensar: *What's your thinking on this?* O que é que achas disto? ◇ *the thinking behind the campaign* a intenção da campanha LOC *Ver* WISHFUL *em* WISH
▸ *adj* [*só antes de substantivo*] racional, inteligente: *thinking people* pessoas inteligentes

think tank *s* grupo de especialistas (*esp para aconselhar governos*)

thinly /ˈθɪnli/ *adv* finamente

third (*abrev* **3rd**) /θɜːd/ *adjetivo, advérbio, pronome, substantivo*
▸ *adj, adv* terceiro
▸ *pron* o terceiro, a terceira, os terceiros, as terceiras
▸ *s* **1** terça parte, terço **2 the third** o dia três **3** (*tb* **third gear**) (*mudança*) terceira ➲ *Ver exemplos em* FIFTH **thirdly** *adv* em terceiro lugar

third party *s* (*formal ou Jur*) terceira pessoa

the Third World *s* o Terceiro Mundo

thirst /θɜːst/ *s* ~ **(for sth)** sede (de alguma coisa)

thirsty /ˈθɜːsti/ *adj* (**thirstier, -iest**) sedento: *to be thirsty* ter sede

thirteen /ˌθɜːˈtiːn/ *adj, pron, s* treze ➲ *Ver exemplos em* FIVE **thirteenth 1** *adj, adv, pron* décimo terceiro **2** *s* décima terceira parte ➲ *Ver exemplos em* FIFTH

thirty /ˈθɜːti/ *adj, pron, s* trinta ➲ *Ver exemplos em* FIFTY, FIVE **thirtieth 1** *adj, adv, pron* trigésimo **2** *s* trigésima parte ➲ *Ver exemplos em* FIFTH

this /ðɪs/ *adjetivo, pronome, advérbio*
▸ *adj* (*pl* **these** /ðiːz/) este, esta: *I don't like this colour.* Não gosto desta cor. ◇ *This one suits me.* Este fica-me bem. ◇ *These shoes are more comfortable than those.* Estes sapatos são mais confortáveis do que aqueles. ➲ *Comparar com* THAT
▸ *pron* (*pl* **these** /ðiːz/) **1** este, esta: *This is John's father.* Este é o pai do John. ◇ *I prefer these.* Prefiro estes. ➲ *Comparar com* THAT **2** isto: *What's this?* O que é isto? ◇ *Listen to this...* Ouve isto...
▸ *adv*: *this high* desta altura ◇ *this far* até aqui

thistle /ˈθɪsl/ *s* cardo

thong /θɒŋ; *USA* θɔːŋ/ *s* **1** tanga **2** (*esp USA*) chinelo de dedo

thorn /θɔːn/ *s* espinho (*de roseira, etc.*) **thorny** *adj* (**thornier, -iest**) (*lit e fig*) espinhoso

thorough /ˈθʌrə; *USA* ˈθɜːrəʊ/ *adj* **1** (*investigação, conhecimento, etc.*) aprofundado **2** (*pessoa*) meticuloso

thoroughly /ˈθʌrəli; *USA* ˈθɜːr-/ *adv* **1** completamente **2** a fundo

those *pl de* THAT

though /ðəʊ/ *conjunção, advérbio*
▸ *conj* se bem que, apesar de que
▸ *adv* no entanto

thought /θɔːt/ *s* **1** ~ **(of sth/doing sth)** ideia (de alguma coisa/fazer alguma coisa), intenção de fazer alguma coisa: *He did not like the thought of getting up at 5 a.m.* A ideia de ter de se levantar às cinco da manhã não lhe agradava. **2** pensamento: *deep/lost in thought* absorto nos seus pensamentos LOC *Ver* FOOD, SCHOOL, SECOND, TRAIN *Ver tb* THINK **thoughtful** *adj* **1** pensativo **2** atencioso: *It was very thoughtful of you.* Foi muito delicado da sua parte. **thoughtless** *adj* (*pej*) indelicado, inconsequente

thousand /ˈθaʊznd/ *adj, pron, s* mil: *one thousand* mil ◇ *thousands of people* milhares de pessoas ➲ *Ver exemplos em* FIVE **thousandth 1** *adj, pron* milésimo **2** *s* milésima parte ➲ *Ver exemplos em* FIFTH

thrash /θræʃ/ *vt* **1** dar uma sova em **2** (*esp GB, coloq*) (*em competição*) arrasar **thrashing** *s* (*coloq*) sova

thread /θred/ *substantivo, verbo*
▸ *s* **1** linha: *a needle and thread* agulha e linha **2** fio (*de uma história, etc.*)
▸ *vt* **1** enfiar (uma linha em) **2** (*pérolas, missangas, etc.*) enfiar **3** (*corda, cabo, etc.*) passar

threat /θret/ *s* ~ **(to sb/sth)** ameaça (para alguém/alguma coisa): *a threat to national security* uma ameaça para a segurança nacional

threaten /ˈθretn/ *vt* **1** ~ **sb/sth (with sth)** ameaçar alguém/alguma coisa (com alguma coisa) **2** ~ **to do sth** ameaçar fazer alguma coisa

threatening /ˈθretnɪŋ/ *adj* ameaçador

three /θriː/ *adj, pron, s* três ➲ *Ver exemplos em* FIVE

T

three-dimensional /ˌθriː daɪˈmenʃənl, dɪ-/ (*tb* **3-D** /ˌθriː ˈdiː/) *adj* tridimensional

threshold /ˈθreʃhəʊld/ *s* **1** limiar, soleira **2** limite: *to have a low boredom threshold* aborrecer-se facilmente

threw *pt de* THROW

thrill /θrɪl/ *s* **1** emoção: *What a thrill!* Que experiência incrível! **2** arrepio **thrilled** *adj* entusiasmado, emocionado **thriller** *s* filme/livro de suspense **thrilling** *adj* emocionante

thrive /θraɪv/ *vi* ~ **(on sth)** prosperar, crescer (com alguma coisa): *a thriving industry* uma indústria florescente

🔑 **throat** /θrəʊt/ *s* garganta: *a sore throat* dor de garganta

throb /θrɒb/ *verbo, substantivo*
▸ *vi* (**-bb-**) ~ **(with sth)** latejar, vibrar (de alguma coisa)
▸ *s* (*tb* **throbbing**) [*sing*] latejo, vibração

throne /θrəʊn/ *s* trono

🔑 **through** /θruː/ *preposição, advérbio, adjetivo*
ℹ Para os usos de **through** em PHRASAL VERBS, ver as entradas para os verbos correspondentes, p. ex. **fall through** em FALL.
▸ *prep* **1** através de, por: *She made her way through the traffic.* Avançou por entre o tráfico. ◇ *to breathe through your nose* respirar pelo nariz **2** durante, ao longo de: *We worked right through the night.* Trabalhámos durante a noite inteira. ◇ *I'm halfway through the book.* Já vou a meio do livro. **3** devido a: *through carelessness* por descuido **4** através de: *I got the job through my uncle.* Consegui o emprego através do meu tio. **5** (*USA*) (*coloq* **thru**) até... inclusive: *Tuesday through Friday* de segunda a sexta
▸ *adv* **1** de um lado ao outro: *Can you get through?* Consegues passar? **2** do princípio ao fim: *I've read the poem through once.* Li o poema inteiro uma vez. ◇ *all night through* toda a noite **3** (*ligação telefónica*): *I tried to call you but I couldn't get through.* Tentei ligar-te mas não consegui. ◇ *Could you put me through to the manager?* Podia passar a chamada ao gerente?
▸ *adj* **1** direto: *a through train* um comboio direto ◇ *No through road* Estrada sem saída **2** ~ **(with sb/sth)** (*esp USA*): *I'm through with smoking.* Deixei de fumar. ◇ *Keith and I are through.* O Keith e eu acabámos.

🔑 **throughout** /θruːˈaʊt/ *preposição, advérbio*
▸ *prep* ao longo de, durante todo: *throughout his life* toda a sua vida
▸ *adv* **1** por todas as partes **2** o tempo todo

🔑 **throw** /θrəʊ/ *verbo, substantivo*
▸ *vt* (*pt* **threw** /θruː/, *pp* **thrown** /θrəʊn/) **1** ~ **sb sth**; ~ **sth (to sb)** atirar, lançar alguma coisa (a alguém/alguma coisa): *Throw Mary the ball/Throw the ball to Mary.* Atira a bola à Mary. ➲ *Ver nota em* GIVE **2** *vt* ~ **sth (at sb/sth)** atirar, jogar alguma coisa (a alguém/alguma coisa) ➲ *Ver nota em* ATIRAR **3** [*com advérbio*] atirar: *He threw back his head.* Atirou a cabeça para trás. ◇ *She threw up her hands in horror.* Ergueu as mãos horrorizada. **4** (*cavalo, etc.*) atirar ao chão, derrubar **5** deixar (*de determinada maneira*): *We were thrown into confusion by the news.* A notícia deixou-nos confusos. ◇ *to be thrown out of work* ficar sem trabalho **6** (*coloq*) desconcertar **7** (*luz, sombra*) projetar
LOC *Ver* BALANCE, CAUTION, DOUBT, QUESTION
PHR V **throw sth about/around** espalhar alguma coisa ◆ **throw sth away 1** (*tb* **throw sth out**) deitar/jogar alguma coisa (fora) (*para o lixo*) **2** (*oportunidade*) desperdiçar alguma coisa ◆ **throw sb out** expulsar alguém ◆ **throw sth out** (*proposta, etc.*) rejeitar alguma coisa ◆ **throw (sth) up** vomitar (alguma coisa)
▸ *s* lançamento: *It's your throw.* É a tua vez.

thru (*USA*) = THROUGH *prep* (5)

thrust /θrʌst/ *verbo, substantivo*
▸ (*pt, pp* **thrust**) **1** *vt* enfiar **2** *vt, vi* ~ **sth at sb**; ~ **at sb (with sth)** atirar alguma coisa a alguém, atirar-se a alguém (com alguma coisa) (*com maus modos*) **3** *vt, vi* empurrar, dar um encontrão: *She thrust past him angrily.* Ela passou furiosa por ele, dando-lhe um encontrão. ◇ *to thrust your way through the crowd* abrir caminho por entre a multidão PHR V **thrust sth/sb on/upon sb** forçar alguém a aceitar alguma coisa/alguém, impor alguma coisa a alguém
▸ *s* **1** [*sing*] **the ~ (of sth)** a ideia geral (de alguma coisa) **2** empurrão **3** (*de espada*) estocada

thud /θʌd/ *substantivo, verbo*
▸ *s* ruído (seco), baque
▸ *vi* (**-dd-**) **1** fazer um ruído seco, cair com um baque: *to thud against/into sth* bater contra/em alguma coisa com um baque **2** (*coração*) bater (acelaradamente)

thug /θʌg/ *s* pessoa violenta e brutal

🔑 **thumb** /θʌm/ *substantivo, verbo*
▸ *s* polegar LOC **be all (fingers and) thumbs** ser desajeitado ◆ **thumbs up/down** aprovação/rejeição: *The proposal was given the thumbs up/down.* A proposta foi aprovada/rejeitada. *Ver tb* TWIDDLE
▸ *vt, vi*: *to thumb a lift/ride* pedir boleia
PHR V **thumb through sth** folhear alguma coisa

thumbtack /ˈθʌmtæk/ *s* (*USA*) pionés ➲ *Ver ilustração em* PIN

T

thump /θʌmp/ *verbo, substantivo*
▸ **1** *vt* bater em, dar um soco em **2** *vi* (*coração*) bater (acelaradamente)
▸ *s* **1** ruído seco **2** (*GB, coloq*) soco, murro

thunder /ˈθʌndə(r)/ *substantivo, verbo*
▸ *s* [*não-contável*] trovões, trovoada: *a clap of thunder* um trovão
▸ *vi* **1** trovejar **2** ribombar

thunderstorm /ˈθʌndəstɔːm/ *s* temporal, tempestade acompanhada de trovoada

⚷ **Thursday** /ˈθɜːzdeɪ, -di/ *s* (*abrev* **Thur.**, **Thurs.**) quinta-feira ➲ *Ver exemplos em* MONDAY

⚷ **thus** /ðʌs/ *adv* (*formal*) **1** assim, deste modo **2** (*por esta razão*) portanto, assim

thwart /θwɔːt/ *vt* gorar, frustrar

tick

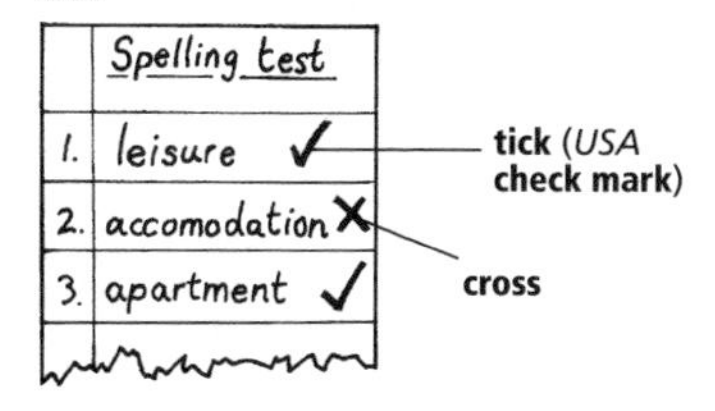

tick /tɪk/ *verbo, substantivo*
▸ **1** *vi* (*relógio, etc.*) fazer tiquetaque **2** *vt* assinalar (com sinal de visto) PHR V **tick away/by** passar (*tempo*) ◆ **tick sb/sth off** assinalar alguém/alguma coisa (*numa lista com um sinal de visto*) ◆ **tick over** funcionar ao ralenti
▸ *s* **1** (*de relógio*) tiquetaque **2** (*marca*) sinal (de visto)

⚷ **ticket** /ˈtɪkɪt/ *s* **1** (*Cinema, Teat, comboio, etc.*) bilhete **2** (*biblioteca*) senha, cartão **3** etiqueta **4** (*tb* parking ticket) aviso de multa

tickle /ˈtɪkl/ *verbo, substantivo*
▸ *vt, vi* fazer cócegas (a)
▸ *s* cócegas, comichão

ticklish /ˈtɪklɪʃ/ *adj* que tem cócegas: *to be ticklish* ter cócegas

tic-tac-toe /ˌtɪk tæk ˈtəʊ/ *s* (*USA*) jogo do galo

tidal /ˈtaɪdl/ *adj* com marés

tidal wave *s* maremoto

tide /taɪd/ *s* **1** maré: *The tide is coming in/going out.* A maré a está subir/baixar. ◇ *high/low tide* maré alta/baixa **2** corrente, maré (*de opinião*)

⚷ **tidy** /ˈtaɪdi/ *adjetivo, verbo*
▸ *adj* (**tidier**, **-iest**) **1** arrumado **2** (*aparência*) asseado, cuidado
▸ *vt, vi* (*pt, pp* **tidied**) ~ **(sth) (up)** arrumar, organizar alguma coisa, fazer arrumações: *Could you please tidy up after yourself?* Por favor deixa tudo arrumado quando acabares.
PHR V **tidy sth away** arrumar alguma coisa (em algum sítio)

⚷ **tie** /taɪ/ *verbo, substantivo*
▸ (*pt, pp* **tied** *part pres* **tying**) **1** *vt, vi* atar **2** *vt* (*gravata, etc.*) dar um nó em **3** *vt, vi* (*Desp*) empatar
PHR V **tie sb/yourself down** comprometer alguém/comprometer-se: *Having young children really ties you down.* Ter crianças pequenas limita muito a nossa liberdade.
◆ **tie sb/sth up** atar alguém/alguma coisa
▸ *s* **1** gravata **2** [*ger pl*] laço: *family ties* laços de família **3** (*Desp*) empate

tier /tɪə(r)/ *s* estrato, andar, fila

tiger /ˈtaɪgə(r)/ *s* tigre

⚷ **tight** /taɪt/ *adjetivo, advérbio*
▸ *adj* (**tighter**, **-est**) **1** apertado: *These shoes are too tight.* Estes sapatos estão-me muito apertados. ◇ *to keep a tight hold on sth* segurar alguma coisa de forma firme **2** esticado **3** (*controlo*) rigoroso
▸ *adv* (**tighter**, **-est**) bem, com força: *Hold tight!* Agarra-te bem!

tighten /ˈtaɪtn/ **1** *vt, vi* ~ **(sth) (up)** apertar (alguma coisa) **2** *vt* (*controlo*) tornar mais rigoroso

⚷ **tightly** /ˈtaɪtli/ *adv* bem, com força, rigorosamente

tightrope /ˈtaɪtrəʊp/ *s* corda bamba

tights /taɪts/ *s* [*pl*] collants ➲ *Ver notas em* CALÇAS *e* PAIR

tigress /ˈtaɪgrəs/ *s* tigre fêmea

tile /taɪl/ *substantivo, verbo*
▸ *s* **1** telha **2** azulejo **3** ladrilho
▸ *vt* **1** telhar **2** azulejar **3** ladrilhar

⚷ **till** /tɪl/ *conjunção, preposição, substantivo*
▸ *conj, prep Ver* UNTIL
▸ *s* caixa (registadora): *Please pay at the till.* Pague na caixa, por favor.

tilt /tɪlt/ *verbo, substantivo*
▸ *vt, vi* tombar, inclinar(-se)
▸ *s* inclinação

timber /ˈtɪmbə(r)/ *s* **1** [*não-contável*] madeira **2** [*não-contável*] árvores (madeireiras) **3** trave, barrote

⚷ **time** /taɪm/ *substantivo, verbo*
▸ *s* **1** tempo: *You've been a long time!* Demoraste muito tempo! **2** horas: *What time is it?/What's the time?* Que horas são? ◇ *It's time we were going/time for us to go.* Está na hora de irmos embora. ◇ *by the time we reach home* quando chegarmos a casa ◇ *(by) this time next year* para o próximo ano nesta altura ◇ *at the*

present time atualmente **3** vez: *last time* a última vez ◇ *every time* todas as vezes ◇ *for the first time* pela primeira vez **4** tempo, época: *at one time* em tempos LOC **ahead of/behind time** adiantado/atrasado ◆ **all the time** o tempo todo ◆ **(and) about time (too)** já não era sem tempo ◆ **at all times** o tempo todo ◆ **at a time** à vez: *one at a time* um de cada vez ◆ **at the time** na altura ◆ **at times** por vezes ◆ **for a time** durante algum tempo ◆ **for the time being** por enquanto ◆ **from time to time** de tempos a tempos, de vez em quando ◆ **have a good time** divertir-se ◆ **have the time of your life** divertir-se imenso ◆ **in a week's, month's, etc. time** daqui a uma semana, um mês, etc. ◆ **in good time** cedo, com tempo ◆ **in time** com o tempo ◆ **in time (for sth/to do sth)** a tempo (de alguma coisa/fazer alguma coisa) ◆ **on time** a horas ➲ *Ver nota em* PONTUAL ◆ **take your time (over sth/to do sth/doing sth)** demorar o tempo necessário (com alguma coisa/para fazer alguma coisa/a fazer alguma coisa) ◆ **time after time; time and (time) again** vezes sem conta *Ver tb* BIDE, HARD, KILL, MARK, NICK, ONCE, PRESS, SAME, TELL
▸ *vt* **1** programar, prever **2** *to time sth well/badly* escolher bem/mal o momento para (fazer) alguma coisa **3** cronometrar, contar o tempo

time-consuming /'taɪm kənsju:mɪŋ; *USA* -su:m-/ *adj* demorado, que leva tempo

timely /'taɪmli/ *adj* oportuno

timer /'taɪmə(r)/ *s* cronómetro

times /taɪmz/ *prep* (*coloq*) multiplicado por: *Three times four is twelve.* Quatro vezes três são doze.

⚷ **timetable** /'taɪmteɪbl/ *s* horário

timid /'tɪmɪd/ *adj* **1** tímido, envergonhado **2** medroso: *the first timid steps towards...* os primeiros passos vacilantes em direção a... ◇ *Don't be timid, and...* Não tenhas medo, e...

timing /'taɪmɪŋ/ *s* **1** timing: *the timing of the election* a data escolhida para as eleições **2** cronometragem **3** sintonização

⚷ **tin** /tɪn/ *s* **1** estanho: *tin foil* papel de alumínio **2** lata: *tin-opener* abre-latas ➲ *Ver ilustração em* CONTAINER *e nota em* LATA

tinge /tɪndʒ/ *verbo, substantivo*
▸ *vt* ~ **sth (with sth)** tingir alguma coisa (com alguma coisa)
▸ *s* [*ger sing*] toque, matiz

tingle /'tɪŋgl/ *vi* **1** picar: *My foot is tingling.* Sinto um formigueiro no pé. **2** ~ **with sth** (*fig*) vibrar de alguma coisa

tinker /'tɪŋkə(r)/ *vi* ~ **(with sth)** mexer (em alguma coisa)

tinned /tɪnd/ *adj* enlatado

tinsel /'tɪnsl/ *s* [*não-contável*] fios de ouropel

tint /tɪnt/ *s* **1** matiz **2** (*para cabelo*) tinta **tinted** *adj* **1** (*cabelo*) pintado **2** (*vidro*) colorido, fumé

⚷ **tiny** /'taɪni/ *adj* (**tinier, -iest**) minúsculo, pequenininho

⚷ **tip** /tɪp/ *substantivo, verbo*
▸ *s* **1** ponta **2** dica **3** gorjeta **4** lixeira
▸ (**-pp-**) **1** *vt, vi* ~ **(sth) (up)** inclinar alguma coisa, inclinar-se **2** *vt* despejar, verter **3** *vt, vi* dar (uma) gorjeta (a) PHR V **tip sb off (about sth)** (*coloq*) informar alguém (de alguma coisa) ◆ **tip (sth) up/over** entornar alguma coisa/entornar-se

tipsy /'tɪpsi/ *adj* (*coloq*) levemente embriagado

tiptoe /'tɪptəʊ/ *substantivo, verbo*
▸ *s* LOC **on tiptoe** em bicos de pé
▸ *vi*: *to tiptoe in/out* entrar/sair em bicos de pé

⚷ **tire** /'taɪə(r)/ *verbo, substantivo*
▸ *vt, vi* cansar(-se) PHR V **tire of sth/sb** cansar-se de alguma coisa/alguém ◆ **tire sb/yourself out** deixar alguém exausto/ficar exausto
▸ *s* (*USA*) = TYRE

⚷ **tired** /'taɪəd/ *adj* **1** cansado ➲ *Ver nota em* BORING **2** ~ **of sb/sth/doing sth** farto de alguém/alguma coisa/fazer alguma coisa LOC **tired out** exausto **tiredness** *s* cansaço

tireless /'taɪələs/ *adj* incansável

tiresome /'taɪsəm/ *adj* **1** (*tarefa*) cansativo **2** (*pessoa*) maçador

⚷ **tiring** /'taɪrɪŋ/ *adj* cansativo: *a long and tiring journey* uma viagem longa e cansativa ➲ *Ver nota em* BORING

tissue /'tɪʃu:, 'tɪsju:/ *s* **1** (*Biol, Bot*) tecido **2** lenço de papel **3** (*tb* **tissue paper**) papel de seda

tit /tɪt/ *s* **1** (*calão*) mama **2** (*pássaro*) chapim LOC **tit for tat** olho por olho, dente por dente

⚷ **title** /'taɪtl/ *s* **1** título: *title page* frontispício ◇ *title role* papel principal **2** título (honorífico) **3** forma de tratamento **4** ~ **(to sth)** (*Jur*) direito (a alguma coisa): *title deed* título de propriedade

titter /'tɪtə(r)/ *verbo, substantivo*
▸ *vi* rir-se baixinho
▸ *s* risinho

⚷ **to** /tə, tu:/ *prep* ❶ Para os usos de **to** em PHRASAL VERBS, ver as entradas para os verbos correspondentes, p. ex. **turn to sb** em TURN.
1 (*direção*) para: *to go to the beach* ir à praia ◇ *the road to Edinburgh* a estrada para Edimburgo ◇ *Move to the left.* Chega-te para a esquerda. **2** [*com complemento indireto*] a: *He*

gave it to Bob. Deu-o ao Bob. **3** até: *faithful to the end/last* fiel até ao fim **4** (*duração*): *It lasts two to three hours.* Dura entre duas e três horas. **5** (*com horas*): *ten to one* dez para a uma **6** de: *the key to the door* a chave da porta **7** (*comparação*) a: *I prefer walking to climbing.* Prefiro andar a escalar. **8** (*proporção*) por: *How many miles to the gallon?* Quantos litros gasta por quilómetro? **9** (*propósito*): *to go to sb's aid* ir em socorro de alguém **10** para: *to my surprise* para surpresa minha **11** (*opinião*) para, a: *It looks red to me.* A mim parece-me vermelho.

A partícula **to** utiliza-se para formar o infinitivo em inglês e tem vários usos: *to go* ir ◇ *to eat* comer ◇ *I came to see you.* Vim ver-te. ◇ *He didn't know what to do.* Não sabia o que fazer. ◇ *It's for you to decide.* Tu é que tens de decidir.

toad /təʊd/ *s* sapo

toadstool /'təʊdstu:l/ *s* cogumelo (*esp venenoso*)

toast /təʊst/ *substantivo, verbo*
▸ *s* **1** [*não-contável*] torradas: *a slice/piece of toast* uma torrada ◇ *toast and jam* torradas com doce ◇ *Would you like some toast?* Queres torradas? **2** brinde: *to drink a toast to sb* fazer um brinde a alguém
▸ *vt* **1** torrar **2** brindar a **toaster** *s* torradeira

tobacco /tə'bækəʊ/ *s* (*pl* **tobaccos**) tabaco **tobacconist** /tə'bækənɪst/ *s* **1** dono, -a de tabacaria **2** **tobacconist's** tabacaria ➲ *Ver nota em* TALHO

toboggan /tə'bɒgən/ *s* tobogã

⚷ **today** /tə'deɪ/ *adv, s* **1** hoje **2** hoje em dia: *Today's computers are very small.* Os computadores atuais são muito pequenos.

toddler /'tɒdlə(r)/ *s* criança que começa a dar os primeiros passos

⚷ **toe** /təʊ/ *substantivo, verbo*
▸ *s* **1** dedo (*do pé*): *big toe* dedo grande (do pé) ➲ *Comparar com* FINGER **2** ponta (*de meia*) **3** biqueira (*de sapato*) LOC **keep sb on their toes** manter alguém alerta
▸ *vt* (*pt, pp* **toed** *part pres* **toeing**) LOC **toe the line** conformar-se (*obedecer*)

toenail /'təʊneɪl/ *s* unha do pé

toffee /'tɒfi; *USA* 'tɔ:fi/ *s* caramelo

⚷ **together** /tə'geðə(r)/ *adv* ❶ Para os usos de **together** em PHRASAL VERBS, ver as entradas para os verbos correspondentes, p. ex. **pull yourself together** em PULL. **1** juntos: *Can we have lunch together?* Podemos almoçar juntos? ◇ *Get everything together before you start cooking.* Tenha tudo preparado antes de começar a cozinhar. **2** ao mesmo tempo: *Don't all talk together.* Não falem todos ao mesmo tempo. LOC **together with** junto com, para além de *Ver tb* ACT **togetherness** *s* unidade, companheirismo

toil /tɔɪl/ *verbo, substantivo*
▸ *vi* (*formal*) labutar
▸ *s* (*formal*) labuta

⚷ **toilet** /'tɔɪlət/ *s* **1** sanita, retrete: *toilet paper* papel higiénico **2** (*em casa*) casa de banho **3** (*público*) casa de banho, lavabos

Em inglês britânico diz-se **toilet** ou **loo** (*coloq*) para nos referirmos à casa de banho de casas particulares (**lavatory** e **WC** caíram em desuso). **The Gents, the Ladies, the toilets, the cloakroom** ou **public conveniences** usam-se se falamos de casas de banho em lugares públicos.
Em inglês americano diz-se **bathroom**, se é numa casa particular, e **men's room, women's/ladies' room** ou **restroom** em edifícios públicos.

toiletries *s* [*pl*] artigos de toilette

toilet bag *s* necessaire

token /'təʊkən/ *substantivo, adjetivo*
▸ *s* **1** ficha (*de máquina, etc.*) **2** vale **3** sinal
▸ *adj* simbólico (*pagamento, prova, etc.*)

told *pt, pp de* TELL

tolerance /'tɒlərəns/ *s* tolerância

tolerant /'tɒlərənt/ *adj* ~ **(of/towards sb/sth)** tolerante (com alguém/alguma coisa)

tolerate /'tɒləreɪt/ *vt* tolerar

toll /təʊl/ *s* **1** portagem **2** número de vítimas LOC **take a heavy toll (on sth/sb); take its toll (on sth/sb)** causar (um sério) dano (a alguma coisa/alguém)

⚷ **tomato** /tə'mɑ:təʊ; *USA* tə'meɪtəʊ/ *s* (*pl* **tomatoes**) tomate

tomb /tu:m/ *s* túmulo

tombstone /'tu:mstəʊn/ *s* lápide, pedra tumular

tomcat /'tɒmkæt/ (*tb* **tom** /tɒm/) *s* gato (macho) ➲ *Ver nota em* GATO

⚷ **tomorrow** /tə'mɒrəʊ/ *s, adv* amanhã: *tomorrow morning* amanhã de manhã ◇ *See you tomorrow.* Até amanhã. ◇ *a week tomorrow* daqui a oito dias LOC *Ver* DAY

⚷ **ton** /tʌn/ *s* **1** 2.240 libras ou 1.016 kg ➲ *Comparar com* TONNE **2** **tons** [*pl*] ~ **(of sth)** (*coloq*) toneladas (de alguma coisa)

T

tone /təʊn/ *substantivo, verbo*
▸ *s* **1** tom: *Don't speak to me in that tone of voice.* Não me fales nesse tom. **2** (*de telefone*) sinal
▸ *v* PHR V **tone sth down** moderar alguma coisa (*crítica, linguagem*)

tongs /tɒŋz/ *s* [*pl*] pinças (*para salada, açúcar, etc.*): *a pair of tongs* uma pinça ➲ *Ver nota em* PAIR

tongue /tʌŋ/ *s* língua *Ver tb* MOTHER TONGUE LOC **put/stick your tongue out** pôr a língua de fora ◆ **(with) tongue in cheek** ironicamente

tongue-twister /'tʌŋ twɪstə(r)/ *s* trava-língua

tonic /'tɒnɪk/ *s* **1** tónico **2** (*tb* **tonic water**) água tónica

tonight /tə'naɪt/ *adv, s* esta noite: *What's on TV tonight?* O que é que dá hoje à noite na televisão?

tonne /tʌn/ *s* (*pl* **tonnes** *ou* **tonne**) tonelada ➲ *Comparar com* TON

tonsil /'tɒnsl/ *s* amígdala **tonsillitis** /ˌtɒnsə'laɪtɪs/ *s* [*não-contável*] anginas

too /tuː/ *adv* **1** também: *I've been to Paris too.* Também já estive em Paris. ➲ *Ver nota em* TAMBÉM **2** demasiado: *It's too cold outside.* Está demasiado frio na rua. **3** ainda por cima: *Her purse was stolen. And on her birthday too.* Roubaram-lhe a carteira, ainda por cima no dia do seu aniversário. **4** muito: *I'm not too sure.* Não estou muito certa. LOC **too many** demasiados ◆ **too much** demasiado

took *pt de* TAKE

tool /tuːl/ *s* ferramenta: *tool box/kit* caixa/jogo de ferramentas

toolbar /'tuːlbɑː(r)/ *s* (*Informát*) barra de ferramentas

tooth /tuːθ/ *s* (*pl* **teeth** /tiːθ/) dente: *to have a tooth out* arrancar um dente ◇ *false teeth* dentadura postiça LOC *Ver* FIGHT, GRIT, SKIN, SWEET

toothache /'tuːθeɪk/ *s* dor de dentes

toothbrush /'tuːθbrʌʃ/ *s* escova de dentes ➲ *Ver ilustração em* BRUSH

toothpaste /'tuːθpeɪst/ *s* pasta de dentes

toothpick /'tuːθpɪk/ *s* palito (para os dentes)

top /tɒp/ *substantivo, adjetivo, verbo*
▸ *s* **1** topo: *the top of the page* o cabeçalho da página **2** (*de árvore*) cimo **3** (*de uma lista*) cabeça **4** tampa **5** top, parte de cima (*de biquíni, conjunto, etc.*) **6** pião LOC **at the top of your voice** aos gritos ◆ **off the top of your head** (*coloq*) sem pensar ◆ **on top** por cima ◆ **on top of sth/sb 1** em cima de alguma coisa/alguém **2** para além de alguma coisa/alguém: *And on top of all that...* E para cúmulo... **3** (*sob controlo*): *Do you think he's really on top of his job?* Achas que ele tem mesmo o emprego sob controlo?
▸ *adj* **1** de cima: *a top floor flat* um apartamento no último andar **2** em primeiro lugar: *Porto finished top of the league.* O Porto acabou em primeiro lugar no campeonato. **3** melhor: *top quality* melhor qualidade ◇ *the top jobs* os melhores empregos ◇ *a top British scientist* um dos melhores cientistas britânicos **4** máximo: *at top speed* à velocidade máxima
▸ *vt* (**-pp-**) **1** superar **2** liderar (*lista, tabela, etc.*) **3** cobrir: *ice cream topped with chocolate sauce* um gelado regado com molho de chocolate LOC **to top it all** (*coloq*) para cúmulo: *and to top it all...* e para finalizar... PHR V **top sth up 1** atestar alguma coisa: *We topped up our glasses.* Enchemos os copos outra vez. **2** complementar alguma coisa: *She relies on tips to top up her wages.* Ela conta com as gorjetas para complementar o salário. **3** (*telemóvel*) carregar alguma coisa (*com dinheiro*)

top hat (*coloq* **topper** /'tɒpə(r)/) *s* cartola

topic /'tɒpɪk/ *s* tópico **topical** *adj* atual

topping /'tɒpɪŋ/ *s* cobertura (*em comida*)

topple /'tɒpl/ **1** *vt* ~ **sth (over)** derrubar alguma coisa **2** *vi* ~ **(over)** cair

top secret *adj* altamente secreto

torch /tɔːtʃ/ *s* **1** lanterna **2** archote

tore *pt de* TEAR[1]

torment *substantivo, verbo*
▸ *s* /'tɔːment/ (*formal*) tormento
▸ *vt* /tɔː'ment/ **1** (*formal*) atormentar **2** arreliar

torn *pp de* TEAR[1]

tornado /tɔː'neɪdəʊ/ *s* (*pl* **tornadoes** *ou* **tornados**) tornado

tortoise /'tɔːtəs/ *s* tartaruga (*de terra*) ➲ *Comparar com* TURTLE *e ver nota em* TARTARUGA

torture /'tɔːtʃə(r)/ *substantivo, verbo*
▸ *s* **1** tortura **2** (*coloq*) tormento
▸ *vt* **1** torturar **2** (*fig*) atormentar **torturer** *s* torturador, -ora

Tory /'tɔːri/ *adj, s* (*pl* **Tories**) conservador, -ora: *the Tory Party* o Partido Conservador

toss /tɒs; *USA* tɔːs/ *verbo, substantivo*
▸ **1** *vt* atirar, jogar (*descuidadamente ou sem força*) **2** *vt* (*a cabeça*) abanar **3** *vi* mexer-se: *to toss and turn* dar voltas na cama **4** *vt, vi* (*uma moeda*) atirar ao ar: *to toss sb for sth* atirar uma moeda ao ar para decidir alguma coisa com alguém ◇ *to toss (up) for sth* atirar uma moeda ao ar para alguma coisa

T

▸ *s* **1** (*da cabeça*) abano **2** (*de uma moeda*) lançamento: *to win/lose the toss* ganhar/perder ao lançar a moeda ao ar

total /'təʊtl/ *adjetivo, substantivo, verbo*
▸ *adj, s* total
▸ *vt* (**-ll-**, *USA tb* **-l-**) **1** somar **2** totalizar

totally /'təʊtəli/ *adv* totalmente

totter /'tɒtə(r)/ *vi* **1** cambalear, abanar **2** (*fig*) vacilar

touch /tʌtʃ/ *verbo, substantivo*
▸ **1** *vt, vi* tocar **2** *vt* roçar, tocar **3** *vt* [*esp em frases negativas*] provar: *You've hardly touched your steak.* Mal tocaste no bife. **4** *vt* comover **5** *vt* [*esp em frases negativas*] igualar LOC **touch wood** lagarto! lagarto! lagarto! PHR V **touch down** aterrar ◆ **touch on/upon sth** mencionar alguma coisa ◆ **touch sth up** retocar alguma coisa
▸ *s* **1** toque: *to put the finishing touches to sth* dar os últimos retoques a alguma coisa **2** (*tb* **sense of touch**) tato: *soft to the touch* suave ao tato **3** [*sing*] **a ~ (of sth)** uma pitada, um pouco (de alguma coisa): *I've got a touch of flu.* Estou um pouco gripado. ◇ *a touch more garlic* um pouco mais de alho ◇ *It's a touch colder today.* Está um pouco mais frio hoje. **4** [*sing*] jeito: *He hasn't lost his touch.* Ainda não perdeu o jeito. LOC **be in/out of touch (with sb)** estar/não estar em contacto (com alguém) ◆ **be in/out of touch (with sth)** estar/não estar ao corrente (de alguma coisa) ◆ **get/keep in touch (with sb)** entrar/manter-se em contacto (com alguém) ◆ **lose your touch** perder o jeito

touched /tʌtʃt/ *adj* comovido

touching /'tʌtʃɪŋ/ *adj* comovente

touch screen *s* (*Informát*) ecrã táctil

touchy /'tʌtʃi/ *adj* (**touchier, -iest**) **1** ~ **(about sth)** (*pessoa*) suscetível (a alguma coisa) **2** (*situação, tema, etc.*) melindroso

tough /tʌf/ *adj* (**tougher, -est**) **1** duro **2** forte, sólido **3** tenaz **4** (*medida*) severo **5** (*carne*) rijo, duro **6** (*decisão, etc.*) difícil: *to have a tough time* passar um mau bocado **7** (*coloq*): *Tough luck!* Pouca sorte! LOC **(as) tough as nails/old boots** (*coloq*) duro como sola ◆ **be/get tough (with sb)** ser duro (com alguém) **toughen** *vt, vi* ~ **(sth/sb) (up)** endurecer (alguma coisa/alguém), fortalecer alguém **toughness** *s* **1** dureza, resistência **2** firmeza

tour /tʊə(r), tɔ:(r)/ *substantivo, verbo*
▸ *s* **1** ~ **(of/around sth)** excursão, viagem (por alguma coisa): *to go on a cycling/walking tour* fazer uma viagem de bicicleta/um circuito a pé **2** visita: *guided tour* visita guiada ◇ *tour guide* guia turístico **3** turné, digressão: *to be on tour/go on tour in Portugal* estar em digressão/fazer uma digressão por Portugal ➲ *Ver nota em* VIAGEM
▸ **1** *vt* percorrer **2** *vi* viajar **3** *vt, vi* (*cantores, etc.*) fazer uma digressão (por)

tourism /'tʊərɪzəm, 'tɔ:r-/ *s* turismo

tourist /'tʊərɪst, 'tɔ:r-/ *s* turista: *tourist attraction* atração turística **touristy** *adj* (*coloq, pej*) demasiado turístico

tournament /'tʊənəmənt, 'tɔ:n-/ *s* torneio

tow /təʊ/ *verbo, substantivo*
▸ *vt* rebocar PHR V **tow sth away** rebocar alguma coisa
▸ *s* [*sing*] reboque LOC **in tow** (*coloq*): *He had his family in tow.* Levava a família a reboque.

towards /tə'wɔ:dz; *USA* tɔ:rdz/ (*tb esp USA* **toward** /tə'wɔ:d; *USA* tɔ:rd/) *prep* **1** (*direção*) em direção a **2** (*tempo*) perto, cerca: *towards the end of the film* quase no fim do filme **3** com: *to be friendly towards sb* ser amável com alguém **4** (*propósito*) para: *to put money towards sth* contribuir com dinheiro para alguma coisa

towel /'taʊəl/ *s* toalha (*de banho, etc.*) *Ver tb* TEA TOWEL

tower /'taʊə(r)/ *substantivo, verbo*
▸ *s* torre: *tower block* torre de apartamentos
▸ *v* PHR V **tower above/over sb/sth** erguer-se sobre alguém/alguma coisa

town /taʊn/ *s* **1** cidade (*média ou pequena*) **2** centro (da cidade): *to go into town* ir ao centro LOC **go to town (on sth)** (*coloq*) perder a cabeça (com alguma coisa) e gastar um dinheirão ◆ **(out) on the town** (*coloq*) de/na farra

town hall *s* câmara municipal, paços do concelho (*edifício*)

toy /tɔɪ/ *substantivo, verbo*
▸ *s* brinquedo
▸ *v* PHR V **toy with sth** **1** pensar em alguma coisa (*de forma pouco séria*): *to toy with the idea of doing sth* considerar a possibilidade de fazer alguma coisa **2** brincar com alguma coisa

trace /treɪs/ *substantivo, verbo*
▸ *s* indício, vestígio: *to disappear without trace* desaparecer sem deixar rasto ◇ *She speaks without a trace of an Irish accent.* Fala sem o mínimo sotaque irlandês.
▸ *vt* **1** seguir o rasto de **2** ~ **sb/sth (to sth)** localizar alguém/alguma coisa (em alguma coisa) **3** ~ **sth (back) (to sth)** descobrir a origem de alguma coisa (em alguma coisa): *It can be traced back to the Middle Ages.* Remonta à Idade Média. **4** ~ **sth (out)** delinear, traçar alguma coisa **5** decalcar

T

🔑 **track** /træk/ *substantivo, verbo*

▸ *s* **1** caminho, carreiro **2** [*ger pl*] (*animal, pessoa*) rasto **3** [*ger pl*] marcas (*de pneus, etc.*) **4** (*Caminho-de-ferro*) via **5** (*Desp*) pista **6** música, faixa (*de CD, etc.*) LOC **keep/lose track of sb/sth** manter/perder a pista de/o contacto com alguém/alguma coisa: *to lose track of time* perder a noção do tempo ◆ **make tracks** (*coloq*) partir (*esp para casa*) ◆ **on/off track** no/fora do rumo ◆ **on the right/wrong track** no bom/mau caminho *Ver tb* BEAT

▸ *vt* ~ **sb (to sth)** seguir a pista/o rasto de alguém (até alguma coisa) PHR V **track sb/sth down** localizar alguém/alguma coisa

track and field *s* [*não-contável*] (*USA*) atletismo

track record *s* **1** currículo (*de um profissional*) **2** histórico (*de uma empresa*)

tracksuit /'træksu:t, -sju:t/ *s* fato de treino

tractor /'træktə(r)/ *s* trator

🔑 **trade** /treɪd/ *substantivo, verbo*

▸ *s* **1** comércio *Ver tb* FAIR TRADE **2** indústria: *the tourist trade* a indústria turística **3** ofício: *He's a carpenter by trade.* É carpinteiro de ofício. ➲ *Ver nota em* WORK LOC *Ver* ROARING *em* ROAR, TRICK

▸ **1** *vi* comerciar, negociar **2** *vt* ~ **(sb) sth (for sth)** trocar alguma coisa (por alguma coisa) (com alguém) PHR V **trade sth in (for sth)** dar alguma coisa (em troca) como parte do pagamento (de alguma coisa)

trademark /'treɪdmɑ:k/ *s* marca registada

trader /'treɪdə(r)/ *s* comerciante

tradesman /'treɪdzmən/ *s* (*pl* **-men** /-mən/) **1** homem das entregas: *tradesmen's entrance* entrada de serviço **2** comerciante

trade union (*tb* **union**) *s* sindicato

🔑 **trading** /'treɪdɪŋ/ *s* [*não-contável*] comércio

🔑 **tradition** /trə'dɪʃn/ *s* tradição

🔑 **traditional** /trə'dɪʃənl/ *adj* tradicional

🔑 **traffic** /'træfɪk/ *substantivo, verbo*

▸ *s* trânsito: *traffic jam* engarrafamento

▸ *vi* (*pt, pp* **trafficked** *part pres* **trafficking**) ~ **(in sth)** traficar (alguma coisa) **trafficker** *s* traficante

traffic circle *s* rotunda

traffic light *s* semáforo

traffic warden *s* polícia de trânsito

tragedy /'trædʒədi/ *s* (*pl* **tragedies**) tragédia

trail /treɪl/ *substantivo, verbo*

▸ *s* **1** rasto (*de um animal, de fumo, sangue, etc.*): *to be on sb's trail* estar na pista de alguém **2** trilho

▸ **1** *vt, vi* arrastar(-se): *I trailed my hand in the water.* Fiz deslizar a minha mão pela água. **2** *vi* ~ **(behind sb/sth)** seguir (devagar) atrás (de alguém/alguma coisa) **3** *vt, vi* estar a perder (para): *trailing by two goals to three* a perder por dois golos a três

trailer /'treɪlə(r)/ *s* **1** reboque **2** (*USA*) caravana **3** (*esp GB*) (*Cinema*) trailer

🔑 **train** /treɪn/ *substantivo, verbo*

▸ *s* **1** comboio: *by train* de comboio **2** sucessão, série LOC **a train of thought** uma linha de pensamento

▸ **1** *vi* estudar, formar-se: *She is training to be a lawyer.* Está a estudar para ser advogada. ◇ *to train as a nurse* estudar enfermagem **2** *vt, vi* (*Desp*) treinar, preparar(-se) **3** *vt* (*animais*) treinar PHR V **train sth at/on sb/sth** (*arma, câmara, etc.*) apontar alguma coisa para alguém/alguma coisa **trainee** /treɪ'ni:/ *s* **1** estagiário, -a **2** aprendiz, -iza **trainer** /'treɪnə(r)/ *s* **1** treinador, -ora **2** [*ger pl*] ténis (*calçado*)

🔑 **training** /'treɪnɪŋ/ *s* **1** formação, estágio **2** (*Desp*) treino *Ver tb* WEIGHT TRAINING

trait /treɪt/ *s* traço (*de personalidade*)

traitor /'treɪtə(r)/ *s* traidor, -ora

tram /træm/ *s* elétrico

tramp /træmp/ *substantivo, verbo*

▸ *s* vagabundo, -a

▸ **1** *vi* andar pesadamente **2** *vt* palmilhar

trample /'træmpl/ *vt, vi* ~ **sb/sth (down)**; ~ **on sb/sth** espezinhar alguém/alguma coisa

trampoline /'træmpəli:n/ *s* cama elástica

tranquillize, -ise /'træŋkwəlaɪz/ *vt* sedar (*esp com tranquilizantes*) **tranquillizer, -iser** *s* tranquilizante: *She's on tranquillizers.* Anda a tomar calmantes.

🔑 **transfer** *verbo, substantivo*

▸ /træns'fɜ:(r)/ (**-rr-**) **1** *vt, vi* transferir(-se) **2** *vi* ~ **(from...) (to...)** fazer transbordo (de ...) (para...) **3** *vt* transmitir

▸ *s* /'trænsfɜ:(r)/ **1** transferência, transmissão **2** (*Desp*) transferência **3** transbordo **4** decalcomania

🔑 **transform** /træns'fɔ:m/ *vt* ~ **sth/sb (from sth) (into sth)** transformar alguma coisa/alguém (de alguma coisa) (em alguma coisa) **transformation** /ˌtrænsfə'meɪʃn/ *s* transformação **transformer** /træns'fɔ:mə(r)/ *s* (*Eletrón*) transformador

🔑 **translate** /træns'leɪt, trænz-/ *vt, vi* ~ **(sth) (from sth) (into sth)** traduzir alguma coisa, traduzir-se (de alguma coisa) (para alguma coisa): *to translate sth from French (in)to Dutch* traduzir alguma coisa de francês para neerlandês ◇ *It*

T

translates as 'fatherland'. Traduz-se por "fatherland". ➲ *Comparar com* INTERPRET

🔑 **translation** /træns'leɪʃn, trænz-/ *s* tradução: *translation into/from Portuguese* tradução para/do português ◇ *to do a translation* fazer uma tradução LOC **in translation**: *Camões in translation* Camões traduzido

translator /træns'leɪtə(r), trænz-/ *s* tradutor, -ora ➲ *Comparar com* INTERPRETER

transmit /træns'mɪt/ *vt* (**-tt-**) transmitir **transmitter** *s* (*Eletrón*) transmissor, emissor

🔑 **transparent** /træns'pærənt/ *adj* **1** transparente **2** (*mentira, etc.*) evidente

transplant *verbo, substantivo*
▸ *vt* /træns'plɑːnt; *USA* -'plænt/ (*Bot, Med*) transplantar
▸ *s* /'trænsplɑːnt; *USA* -plænt/ transplante: *a heart transplant* um transplante de coração

🔑 **transport** *substantivo, verbo*
▸ *s* /'trænspɔːt/ (*USA* **transportation**) transporte
▸ *vt* /træn'spɔːt/ transportar, levar

transvestite /trænz'vestaɪt, træns-/ *s* travesti

🔑 **trap** /træp/ *substantivo, verbo*
▸ *s* armadilha: *to lay/set a trap* armar uma armadilha *Ver tb* BOOBY TRAP
▸ *vt* (**-pp-**) **1** capturar, aprisionar **2** aprisionar, prender **3** ~ **sb (into sth/doing sth)** enganar alguém (a fazer alguma coisa)

trapdoor /'træpdɔː(r)/ *s* alçapão

trapeze /trə'piːz; *USA* træ-/ *s* trapézio (*em circo*)

trash /træʃ/ *s* **1** (*lit e fig*) lixo: *trash can* caixote do lixo ◇ *It's trash.* Não presta para nada. ➲ *Ver nota em* GARBAGE *e ilustração em* BIN **2** (*USA, coloq, pej*) gentinha **trashy** *adj* (*coloq*) que não vale nada, inútil

trauma /'trɔːmə; *USA* 'traʊmə/ *s* trauma **traumatic** /trɔː'mætɪk; *USA* traʊ'm-/ *adj* traumático

🔑 **travel** /'trævl/ *verbo, substantivo*
▸ (**-ll-**, *USA* **-l-**) **1** *vi* viajar: *to travel by car, bus, etc.* viajar/andar de carro, autocarro, etc. **2** *vt* viajar, percorrer
▸ *s* **1** [*não-contável*] viagens, viajar: *travel bag* saco de viagem **2** **travels** [*pl*]: *to be on your travels* andar em viagem ◇ *during his travels in Latin America* durante as suas viagens pela América Latina ➲ *Ver nota em* VIAGEM

travel agency *s* (*pl* **travel agencies**) agência de viagens

travel agent *s* agente de viagens

🔑 **traveller** (*USA* **traveler**) /'trævələ(r)/ *s* **1** viajante **2** passageiro, -a

traveller's cheque (*USA* **traveler's check**) *s* cheque de viagem

tray /treɪ/ *s* bandeja, tabuleiro

treacherous /'tretʃərəs/ *adj* traiçoeiro

treachery /'tretʃəri/ *s* **1** traição ➲ *Comparar com* TREASON **2** falsidade

tread /tred/ (*pt* **trod** /trɒd/, *pp* **trodden** /'trɒdn/ *ou* **trod**) **1** *vi* ~ **(on/in sth)** pisar (alguma coisa) **2** *vt* ~ **sth (in/down)** esmagar alguma coisa LOC **tread carefully** proceder com cuidado

treason /'triːzn/ *s* traição ❶ **Treason** usa-se especificamente para designar um ato de traição contra o próprio país. ➲ *Comparar com* TREACHERY

treasure /'treʒə(r)/ *substantivo, verbo*
▸ *s* tesouro: *art treasures* tesouros artísticos
▸ *vt* ter grande apreço por, estimar: *her most treasured possession* o bem com mais valor para ela

treasurer /'treʒərə(r)/ *s* tesoureiro, -a

the Treasury /'treʒəri/ *s* [*v sing ou pl*] o Ministério das Finanças

🔑 **treat** /triːt/ *verbo, substantivo*
▸ *vt* **1** tratar: *to treat sth as a joke* levar alguma coisa na brincadeira **2** ~ **sb (to sth)** convidar alguém (para alguma coisa): *Let me treat you.* Deixa-me convidar-te. **3** ~ **yourself (to sth)** dar-se ao luxo (de alguma coisa) LOC **treat sb like dirt** (*coloq*) tratar alguém como um cão
▸ *s* **1** presente, prazer: *It's a real treat to be here.* É um grande prazer estar aqui. ◇ *as a special treat* como recompensa ◇ *to give yourself a treat* permitir-se um luxo **2** *This is my treat.* Convido eu. LOC **work a treat** (*GB, coloq*) funcionar às mil maravilhas *Ver tb* TRICK

🔑 **treatment** /'triːtmənt/ *s* tratamento

treaty /'triːti/ *s* (*pl* **treaties**) tratado

treble /'trebl/ *substantivo, adjetivo, verbo*
▸ *s* **1** (*Mús*) tiple, soprano **2** [*não-contável*] (*Mús*) agudos **3** triplo
▸ *adj* de soprano: *treble clef* clave de sol
▸ *vt, vi* triplicar

🔑 **tree** /triː/ *s* árvore

trek /trek/ *substantivo, verbo*
▸ *s* caminhada
▸ *vi* (**-kk-**) **1** caminhar (*penosamente*) **2** **go trekking** fazer caminhada

tremble /'trembl/ *vi* ~ **(with sth)** tremer (de/com alguma coisa)

trembling /'tremblɪŋ/ *adjetivo, substantivo*
▸ *adj* a tremer
▸ *s* (*tb* **tremble**) tremor

tremendous /trə'mendəs/ *adj* **1** enorme: *a tremendous number* uma enorme quantidade **2** tremendo **tremendously** *adv* tremendamente

T

tremor /'tremə(r)/ *s* tremor, estremecimento

trench /trentʃ/ *s* **1** vala **2** (*Mil*) trincheira

trend /trend/ *s* tendência, moda LOC **set a/the trend** estabelecer a tendência *Ver tb* BUCK

trendy /'trendi/ *adj* (*coloq*) muito na moda

trespass /'trespəs/ *vi* ~ **(on sth)** entrar ilegalmente (em alguma coisa): *No trespassing* Proibida a entrada **trespasser** *s* intruso, -a

trial /'traɪəl/ *s* **1** julgamento **2** prova: *a trial period* um período à experiência ◇ *to take sth on trial* levar alguma coisa à experiência **3** (*Desp*) prova de classificação LOC **be/go on trial/stand trial (for sth)** ser julgado (por alguma coisa) ◆ **trial and error** (por) tentativa e erro: *She learnt to type by trial and error.* Aprendeu a escrever à máquina errando e aprendendo.

triangle /'traɪæŋgl/ *s* triângulo **triangular** /traɪ'æŋgjələ(r)/ *adj* triangular

tribe /traɪb/ *s* tribo

tribute /'trɪbju:t/ *s* homenagem: *to pay tribute to sb* prestar homenagem a alguém ◇ *That is a tribute to his skill.* É uma homenagem à sua habilidade.

trick /trɪk/ *substantivo, verbo*

▸ *s* **1** brincadeira, partida: *to play a trick on sb* pregar uma partida a alguém ◇ *His memory played tricks on him.* A memória atraiçoava-o. ◇ *a dirty trick* um golpe sujo ◇ *a trick question* uma pergunta difícil **2** truque: *The trick is to wait.* O truque é esperar. ◇ *conjuring/card tricks* truques de magia/com cartas ◇ *a trick of the light* um truque da luz LOC **do the trick** (*coloq*) dar resultado ◆ **every trick in the book** os truques todos: *I tried every trick in the book.* Tentei tudo. ◆ **the tricks of the trade** os truques do ofício ◆ **trick or treat** ou nos dás alguma coisa ou pregamos-te uma partida ➲ *Ver nota em* HALLOWEEN *Ver tb* MISS

▸ *vt* enganar PHR V **trick sb into (doing) sth** levar alguém a fazer alguma coisa ◆ **trick sb out of sth** tirar alguma coisa a alguém enganando-o **trickery** *s* [*não-contável*] truques, trapaças

trickle /'trɪkl/ *verbo, substantivo*

▸ *vi* pingar

▸ *s* **1** fio: *a trickle of blood* um fio de sangue **2** ~ **(of sth)** (*fig*) gota (de alguma coisa)

tricky /'trɪki/ *adj* (**trickier, -iest**) complicado, difícil

tried *pt, pp de* TRY

trifle /'traɪfl/ *substantivo, verbo*

▸ *s* **1** ninharia **2** sobremesa à base de pão-de--ló, fruta, leite-creme e natas batidas LOC **a trifle** (*formal*) ligeiramente: *a trifle short* ligeiramente curto

▸ *v* PHR V **trifle with sb/sth** (*formal*) brincar com alguém/alguma coisa

trigger /'trɪgə(r)/ *substantivo, verbo*

▸ *s* gatilho

▸ *vt* **1** ~ **sth (off)** provocar, desencadear alguma coisa **2** (*alarme, etc.*) acionar, disparar

trillion /'trɪljən/ *adj, s* bilião ➲ *Ver nota em* BILLION

trim /trɪm/ *adjetivo, verbo, substantivo*

▸ *adj* **1** cuidado, asseado **2** esbelto, elegante

▸ *vt* (**-mm-**) **1** aparar **2** ~ **sth (off sth)** cortar alguma coisa (a alguma coisa) **3** ~ **sth (with sth)** (*vestido, etc.*) enfeitar alguma coisa (com alguma coisa)

▸ *s* **1** corte: *to have a trim* cortar as pontas (do cabelo) **2** enfeite **trimming** *s* **1 trimmings** [*pl*] (*comida*) guarnição **2** enfeite

trio /'tri:əʊ/ *s* (*pl* **trios**) trio

trip /trɪp/ *substantivo, verbo*

▸ *s* viagem, excursão: *to go on a trip* fazer uma viagem ◇ *a business trip* uma viagem de negócios ◇ *a coach trip* uma excursão de autocarro ➲ *Ver nota em* VIAGEM *Ver tb* DAY TRIP

▸ (**-pp-**) **1** *vi* ~ **(over/up)**; ~ **(over/on sth)** tropeçar (em alguma coisa): *She tripped (up) on a stone.* Tropeçou numa pedra. **2** *vt* ~ **sb (up)** passar uma rasteira a alguém PHR V **trip (sb) up** confundir alguém, confundir-se

triple /'trɪpl/ *adjetivo, substantivo, verbo*

▸ *adj, s* triplo: *at triple the speed* a uma velocidade três vezes superior

▸ *vt, vi* triplicar

triplet /'trɪplət/ *s* trigémeo, -a

triumph /'traɪʌmf/ *substantivo, verbo*

▸ *s* triunfo, êxito: *a shout of triumph* um grito de triunfo ◇ *to return home in triumph* regressar a casa triunfalmente

▸ *vi* ~ **(over sb/sth)** triunfar (sobre alguém/alguma coisa) **triumphal** /traɪ'ʌmfl/ *adj* triunfal (*desfile*) **triumphant** /traɪ'ʌmfənt/ *adj* triunfante **triumphantly** *adv* triunfantemente

trivial /'trɪviəl/ *adj* trivial, insignificante **triviality** /ˌtrɪvi'æləti/ *s* (*pl* **trivialities**) trivialidade

trod, trodden *pt, pp de* TREAD

trolley /'trɒli/ *s* (*pl* **trolleys**) **1** (*GB*) carrinho: *shopping trolley* carrinho das compras **2** (*USA*) elétrico

troop /tru:p/ *substantivo, verbo*

▸ *s* **1 troops** [*pl*] tropas **2** bando, manada

▸ *vi* ~ **in, out, etc.** entrar, sair, etc. em massa

trophy /'trəʊfi/ *s* (*pl* **trophies**) troféu

tropic /'trɒpɪk/ *s* **1** trópico **2 the tropics** [*pl*] os trópicos

tropical /'trɒpɪkl/ *adj* tropical

trot /trɒt/ *verbo, substantivo*
▸ *vi* (**-tt-**) trotar, ir a trote
▸ *s* [*sing*] trote LOC **on the trot** (*GB, coloq*) seguidos

trouble /ˈtrʌbl/ *substantivo, verbo*
▸ *s* **1** [*não-contável*] problema(s): *The trouble is (that)...* O problema é que... ◇ *What's the trouble?* Qual é o problema? **2** dificuldade: *money troubles* dificuldades económicas **3** [*não-contável*] incómodo, problema: *It's no trouble.* Não é problema nenhum. ◇ *It's not worth the trouble.* Não vale a pena. **4** [*não-contável*] distúrbios **5** [*não-contável*] (*Med*) problemas: *back trouble* problemas com as costas LOC **be in trouble** estar em apuros, estar metido em sarilhos: *If I don't get home by ten I'll be in trouble.* Se não estou em casa às dez, vou ter problemas. ◆ **get into trouble** meter-se em sarilhos: *He got into trouble with the police.* Teve problemas com a polícia. ◆ **go to a lot of trouble (to do sth)**; **take trouble (to do sth/doing sth)** esforçar-se muito (por fazer alguma coisa) *Ver tb* ASK, TEETHE
▸ *vt* **1** preocupar: *What's troubling you?* O que é que te preocupa? **2** incomodar: *Don't trouble yourself.* Não se incomode. **troubled** *adj* **1** (*ar, voz, etc.*) preocupado, aflito **2** (*período, relação, etc.*) agitado **3** (*vida*) difícil

trouble-free /ˌtrʌbl ˈfriː/ *adj* **1** sem problemas **2** (*viagem*) sem incidentes

troublemaker /ˈtrʌblmeɪkə(r)/ *s* agitador, -ora, desordeiro, -a

troublesome /ˈtrʌblsəm/ *adj* problemático

trough /trɒf; *USA* trɔːf/ *s* **1** bebedouro, manjedoura **2** (*Meteor*) depressão

trousers /ˈtraʊzəz/ *s* [*pl*] calças: *a pair of trousers* um par de calças ➲ *Ver notas em* CALÇAS *e* PAIR **trouser** *adj*: *trouser leg/pocket* perna/bolso das calças

trout /traʊt/ *s* (*pl* **trout**) truta

truancy /ˈtruːənsi/ *s* absentismo escolar

truant /ˈtruːənt/ *s* (*Educ*) gazeteiro, -a LOC **play truant** (*GB, antiq*) fazer gazeta

truce /truːs/ *s* trégua

truck /trʌk/ *s* **1** camião **2** (*Caminho-de-ferro*) vagão

true /truː/ *adj* (**truer**, **-est**) **1** correto, verdadeiro: *It's too good to be true.* É demasiado bom para ser verdade. **2** verdadeiro, real: *the true value of the house* o valor real da casa **3** (*história*) verídico **4** fiel: *to be true to your word/principles* cumprir com a sua palavra/os seus princípios LOC **come true** tornar-se realidade ◆ **true to life** realista

truly /ˈtruːli/ *adv* sinceramente, verdadeiramente, realmente LOC *Ver* WELL

trump /trʌmp/ *s* (*baralho de cartas*) trunfo

trumpet /ˈtrʌmpɪt/ *s* trompete

trundle /ˈtrʌndl/ **1** *vi* rolar pesadamente **2** *vt* arrastar **3** *vt* empurrar (*de forma lenta e ruidosa*)

trunk /trʌŋk/ *s* **1** (*Anat, Bot*) tronco **2** baú ➲ *Ver ilustração em* LUGGAGE **3** (*USA*) porta-bagagem, mala (*do carro*) **4** (*elefante*) tromba **5 trunks** *Ver* SWIMMING TRUNKS

trust /trʌst/ *substantivo, verbo*
▸ *s* **1** ~ **(in sb/sth)** confiança (em alguém/alguma coisa) **2** responsabilidade: *As a teacher you are in a position of trust.* Os professores estão numa posição de responsabilidade. **3** fundação (*com fins sociais ou culturais*) **4** fideicomisso LOC *Ver* BREACH
▸ *vt* fiar-se em PHR V **trust to sth** confiar em alguma coisa ◆ **trust sb with sth** confiar alguma coisa a alguém **trusted** *adj* de confiança

trustee /trʌˈstiː/ *s* **1** fideicomissário, -a **2** administrador, -ora

trusting /ˈtrʌstɪŋ/ *adj* confiante

trustworthy /ˈtrʌstwɜːði/ *adj* digno de confiança

truth /truːθ/ *s* (*pl* **truths** /truːðz/) verdade LOC *Ver* ECONOMICAL, MOMENT **truthful** *adj* sincero: *to be truthful* dizer a verdade

try /traɪ/ *verbo, substantivo*
▸ (*pt, pp* **tried**) **1** *vi* tentar: *to try hard to do sth* esforçar-se para fazer alguma coisa

> **Try to + infinitivo** significa esforçar-se para fazer alguma coisa: *You should try to eat more fruit.* Devias tentar comer mais fruta. Coloquialmente, **try to + infinitivo** pode ser substituído por **try and + infinitivo**: *I'll try to/and finish it.* Vou tentar acabá-lo.
> Por outro lado, **try doing sth** significa experimentar (fazer) alguma coisa para tentar favorecer algo (emagrecer, melhorar a saúde, etc.): *If you want to lose weight, you should try eating more fruit.* Se quiseres perder peso, devias experimentar comer mais fruta.

2 *vt* provar: *Can I try the soup?* Posso provar a sopa? **3** *vt* ~ **sb (for sth)** (*Jur*) julgar alguém (por alguma coisa), processar alguém **4** *vt* (*Jur, caso*) julgar LOC **try sb's patience** abusar da paciência de alguém *Ver tb* BEST PHR V **try sth on** experimentar, provar (*roupa, sapatos, etc.*) ◆ **try sb/sth out** experimentar alguém/alguma coisa
▸ *s* (*pl* **tries**) **1** *I'll give it a try.* Tentarei. **2** (*Râguebi*) ensaio

T

trying /'traɪɪŋ/ *adj* difícil

T-shirt (*tb* tee shirt) /'ti: ʃɜ:t/ *s* t-shirt

tub /tʌb/ *s* **1** tina **2** pacote, caixa ➲ *Ver ilustração em* CONTAINER **3** banheira

🔑 **tube** /tju:b; *USA* tu:b/ *s* **1** ~ **(of sth)** tubo (de alguma coisa) ➲ *Ver ilustração em* CONTAINER *Ver tb* TEST TUBE **2 the tube** [*sing*] (*GB*) o metro (politano): *by tube* de metro

tuberculosis /tju:ˌbɜ:kju'ləʊsɪs; *USA* tu:ˌb-/ *s* (*abrev* **TB**) [*não-contável*] tuberculose

tuck /tʌk/ *vt* **1** ~ **sth in**; ~ **sth into, under, etc. sth** meter alguma coisa (em, debaixo de, etc. alguma coisa) **2** ~ **sth (a)round sb/sth** envolver alguém/alguma coisa com alguma coisa: *to tuck sth (a)round you* aconchegar-se com alguma coisa PHR V **be tucked away** (*coloq*) **1** (*dinheiro, etc.*) estar guardado **2** (*povoação, prédio*) estar escondido ◆ **tuck sb in/up** aconchegar, cobrir alguém (*na cama*)

🔑 **Tuesday** /'tju:zdeɪ, -di; *USA* 'tu:-/ *s* (*abrev* **Tue., Tues.**) terça-feira ➲ *Ver exemplos em* MONDAY

tuft /tʌft/ *s* tufo

tug /tʌg/ *verbo, substantivo*
▸ *vt, vi* (**-gg-**) ~ **(at/on) sth** puxar alguma coisa com força: *He tugged at his mother's coat.* Ele deu um puxão no casaco da mãe.
▸ *s* **1** ~ **(at/on sth)** puxão (a alguma coisa) **2** (*tb* **tugboat** /'tʌgbəʊt/) rebocador

tuition /tju'ɪʃn; *USA* tu-/ *s* [*não-contável*] **1** ~ **(in sth)** (*formal*) instrução, aulas (de alguma coisa): *private tuition* aulas particulares **2** (*tb* **tuition fees**) propinas

tulip /'tju:lɪp; *USA* 'tu:-/ *s* tulipa

tumble /'tʌmbl/ *verbo, substantivo*
▸ *vi* ~ **(down)** cair, desabar
▸ *s* [*ger sing*] trambolhão

tumble dryer (*tb* **tumble drier**) *s* máquina de secar roupa

tumbler /'tʌmblə(r)/ *s* copo (de uísque)

tummy /'tʌmi/ *s* (*pl* **tummies**) (*coloq*) barriga: *tummy ache* dor de barriga

tumour (*USA* **tumor**) /'tju:mə(r); *USA* 'tu:-/ *s* tumor

tuna /'tju:nə; *USA* 'tu:nə/ *s* (*pl* **tuna** *ou* **tunas**) atum

🔑 **tune** /tju:n; *USA* tu:n/ *substantivo, verbo*
▸ *s* **1** melodia **2** cantiga LOC **in/out of tune** (*Mús*) afinado/desafinado ◆ **in/out of tune (with sb/sth)** de acordo/em desacordo (com alguém/alguma coisa) *Ver tb* CHANGE
▸ *vt* afinar PHR V **tune in (to sth)** sintonizar (alguma coisa): *Tune in to us again tomorrow.* Volte a estar connosco amanhã. ◆ **tune (sth) up** (*Mús*) afinar (alguma coisa) **tuneful** *adj* melodioso

tunic /'tju:nɪk; *USA* 'tu:-/ *s* túnica

🔑 **tunnel** /'tʌnl/ *substantivo, verbo*
▸ *s* **1** túnel **2** galeria
▸ (**-ll-**, *USA* **-l-**) **1** *vi* ~ **(into/through/under sth)** abrir um túnel (em/através de/debaixo de alguma coisa) **2** *vt, vi* escavar

turban /'tɜ:bən/ *s* turbante

turbulence /'tɜ:bjələns/ *s* turbulência **turbulent** *adj* **1** turbulento **2** agitado

turf /tɜ:f/ *substantivo, verbo*
▸ *s* [*não-contável*] relva, relvado
▸ *vt* relvar PHR V **turf sb/sth out (of sth)** (*GB, coloq*) expulsar alguém/alguma coisa (de alguma coisa)

turkey /'tɜ:ki/ *s* (*pl* **turkeys**) peru

turmoil /'tɜ:mɔɪl/ *s* turbilhão

🔑 **turn** /tɜ:n/ *verbo, substantivo*
▸ **1** *vt, vi* virar, girar **2** *vt, vi* virar(-se): *She turned her back on Simon and walked off.* Ela virou as costas ao Simon e foi-se embora. ◇ *to turn left* virar à esquerda **3** *vt* (*página*) virar, voltar **4** *vt* (*esquina*) dobrar, virar **5** *vi* ficar, tornar-se: *to turn white/red* ficar branco/vermelho **6** *vt, vi* ~ **(sb/sth) (from A) into B** transformar alguém/alguma coisa, transformar-se (de A) em B **7** *vt, vi* (*atenção, arma, etc.*) dirigir(-se): *His thoughts turned to his wife.* Os seus pensamentos dirigiram-se para a esposa. **8** *vt*: *to turn 40* fazer 40 anos ❶ Para expressões com **turn**, ver as entradas para o substantivo, adjetivo, etc., p. ex. **turn over a new leaf** em NEW.

PHR V **turn (a)round** virar, dar a volta ◆ **turn sb/sth (a)round** virar alguém/alguma coisa

turn away (from sb/sth) afastar-se (de alguém/alguma coisa) ◆ **turn sb away (from sth)** não deixar alguém entrar em alguma coisa, recusar-se a ajudar alguém

turn back voltar para trás ◆ **turn sb back** mandar alguém voltar para trás

turn sb/sth down rejeitar alguém/alguma coisa ◆ **turn sth down** baixar alguma coisa (*volume, etc.*)

turn off (sth) (*estrada*) sair (de alguma coisa) (*para outro caminho*) ◆ **turn sb off** (*coloq*) tirar o interesse/a vontade a alguém ◆ **turn sth off** **1** desligar, apagar alguma coisa **2** (*torneira*) fechar alguma coisa

turn sb on (*coloq*) excitar alguém ◆ **turn sth on** **1** ligar, acender alguma coisa **2** (*torneira*) abrir alguma coisa

turn out **1** aparecer, apresentar-se **2** resultar, suceder: *It all turned out well in the end.* No fim, acabou tudo bem. ◆ **turn sb out (of/from**

sth) expulsar alguém (de alguma coisa) ◆ **turn sth out** apagar alguma coisa (*luz*)
turn (sth/sb) over dar a volta (a alguma coisa/alguém)
turn round *Ver* TURN (A)ROUND
turn to sb recorrer a alguém
turn up aparecer, apresentar-se ◆ **turn sth up** aumentar alguma coisa (*volume, etc.*)
▸ *s* **1** volta **2** (*tb* **turning**) desvio: *Take the third turn on the right.* Siga pela terceira rua à direita. ◇ *to take a wrong turn* tomar um caminho errado **3** (*cabeça*) movimento **4** curva **5** (*circunstâncias*) mudança: *to take a turn for the better/worse* melhorar/piorar **6** vez: *It's your turn.* É a tua vez. LOC **a turn of phrase** uma forma de expressão ◆ **do sb a good/bad turn** fazer um favor/uma desfeita a alguém ◆ **in turn** sucessivamente, um após outro ◆ **take turns (in sth/to do sth)** revezar-se (em alguma coisa/para fazer alguma coisa), fazer alguma coisa por turnos

turning point *s* momento decisivo

turnip /ˈtɜːnɪp/ *s* nabo

turnout /ˈtɜːnaʊt/ *s* **1** assistência **2** comparência (de eleitores)

turnover /ˈtɜːnəʊvə(r)/ *s* **1** (*negócio*) volume de vendas, faturação **2** (*pessoal, mercadorias*) movimento

turn signal *s* (*USA*) pisca-pisca

turntable /ˈtɜːnteɪbl/ *s* (*de gira-discos*) prato

turpentine /ˈtɜːpəntaɪn/ (*coloq* **turps** /tɜːps/) *s* aguarrás, terebintina

turquoise /ˈtɜːkwɔɪz/ *adj, s* turquesa

turret /ˈtʌrət; *USA* ˈtɜːrət/ *s* torreão

turtle /ˈtɜːtl/ *s* tartaruga (*marítima*) ➲ *Comparar com* TORTOISE *e ver nota em* TARTARUGA

turtleneck /ˈtɜːtlnek/ *s* (*esp USA*) (camisola de) gola alta

tusk /tʌsk/ *s* dente, defesa (*de elefante, etc.*)

tutor /ˈtjuːtə(r); *USA* ˈtuː-/ *s* **1** professor, -ora particular **2** (*esp universidade*) (professor) orientador, (professora) orientadora

tutorial /tjuːˈtɔːriəl; *USA* tuː-/ *s* seminário (*aula*)

tuxedo /tʌkˈsiːdəʊ/ *s* (*pl* **tuxedos**) (*coloq* **tux** /tʌks/) (*USA*) smoking

⚷ **TV** /ˌtiː ˈviː/ *s* televisão: *What's on TV?* O que há na televisão?

twang /twæŋ/ *s* **1** (*voz*) tom nasal **2** (*Mús*) som vibrante

tweezers /ˈtwiːzəz/ *s* [*pl*] pinça (*de sobrancelhas*) ➲ *Ver nota em* PAIR

⚷ **twelve** /twelv/ *adj, pron, s* doze ➲ *Ver exemplos em* FIVE **twelfth** /twelfθ/ **1** *adj, adv, pron* décimo segundo **2** *s* décima segunda parte, duodécimo ➲ *Ver exemplos em* FIFTH

⚷ **twenty** /ˈtwenti/ *adj, pron, s* vinte ➲ *Ver exemplos em* FIFTY, FIVE **twentieth** **1** *adj, adv, pron* vigésimo **2** *s* vigésima parte, vigésimo ➲ *Ver exemplos em* FIFTH

⚷ **twice** /twaɪs/ *adv* duas vezes: *twice as much/many* o dobro LOC *Ver* ONCE

twiddle /ˈtwɪdl/ *vt, vi* ~ **(with) sth** torcer alguma coisa, brincar com alguma coisa LOC **twiddle your thumbs** não ter nada que fazer

twig /twɪg/ *s* galho

twilight /ˈtwaɪlaɪt/ *s* crepúsculo

⚷ **twin** /twɪn/ *s* **1** gémeo, -a **2** (*de um par*) gémeo, par: *twin(-bedded) room* quarto com duas camas

twinge /twɪndʒ/ *s* pontada

twinkle /ˈtwɪŋkl/ *vi* **1** cintilar **2** ~ **(with sth)** (*olhos*) brilhar (de alguma coisa)

twirl /twɜːl/ **1** *vt, vi* ~ **(sth/sb) (a)round** girar, rodar (alguma coisa/alguém) **2** *vt* (re)torcer

⚷ **twist** /twɪst/ *verbo, substantivo*
▸ **1** *vt, vi* torcer(-se) **2** *vt, vi* rodar(-se) **3** *vi* (*caminho, rio*) serpear **4** *vt* (*palavras, etc.*) deturpar
▸ *s* **1** volta: *She gave the lid a twist and it came off.* Deu uma volta à tampa e ela saiu. **2** (*mudança*) alteração, reviravolta **3** (*caminho, rio*) desvio, curva **4** (*limão*) rodela

twit /twɪt/ *s* (*esp GB, coloq*) parvo, -a, idiota

twitch /twɪtʃ/ *verbo, substantivo*
▸ **1** *vt, vi* crispar(-se), contrair(-se) **2** *vt* dar um puxão a
▸ *s* **1** movimento repentino **2** tique (nervoso) **3** puxão

twitter /ˈtwɪtə(r)/ *vi* chilrear

⚷ **two** /tuː/ *adj, pron, s* dois, duas ➲ *Ver exemplos em* FIVE LOC **put two and two together** ligar uma coisa com a outra/tirar conclusões

two-faced /ˌtuː ˈfeɪst/ *adj* hipócrita, falso

two-way /ˌtuː ˈweɪ/ *adj* **1** (*processo, trânsito*) com dois sentidos: *two-way traffic* trânsito nos dois sentidos **2** (*comunicação*) recíproco

tycoon /taɪˈkuːn/ *s* magnata

tying *Ver* TIE

⚷ **type** /taɪp/ *substantivo, verbo*
▸ *s* **1** tipo, género: *all types of jobs* todos os tipos de empregos **2** [*sing*] (*coloq*) tipo: *He's not my type (of person).* Não é o meu tipo. ◇ *She's not the artistic type.* Não tem muita inclinação para as artes.

T

▸ *vt, vi* ~ **(sth) (out/up)** escrever (alguma coisa) a computador/à máquina, dactilografar (alguma coisa)

typewriter /'taɪpraɪtə(r)/ *s* máquina de escrever

typhoid /'taɪfɔɪd/ (*tb* typhoid fever) *s* (febre) tifóide

⚷ **typical** /'tɪpɪkl/ *adj* típico, característico

⚷ **typically** /'tɪpɪkli/ *adv* **1** tipicamente **2** como de costume

typify /'tɪpɪfaɪ/ *vt* (*pt, pp* **-fied**) tipificar, ser um exemplo de

typing /'taɪpɪŋ/ *s* dactilografia, digitação

typist /'taɪpɪst/ *s* dactilógrafo, -a, digitador, -ora

tyranny /'tɪrəni/ *s* tirania

tyrant /'taɪrənt/ *s* tirano, -a

⚷ **tyre** (*USA* tire) /'taɪə(r)/ *s* pneu

U u

U, u /ju:/ *s* (*pl* **Us, U's, u's**) U, u ➲ *Ver nota em* A, A

ubiquitous /ju:'bɪkwɪtəs/ *adj* (*formal*) ubíquo, omnipresente

UFO (*tb* ufo) /ˌju: ef 'əʊ, 'ju:fəʊ/ *s* (*abrev de* **unidentified flying object**) (*pl* **UFOs**) OVNI

ugh /ɜ:, ʊx/ *interj* credo!, ui!

⚷ **ugly** /'ʌgli/ *adj* (**uglier, -iest**) **1** feio **2** ameaçador, perigoso

ulcer /'ʌlsə(r)/ *s* úlcera

⚷ **ultimate** /'ʌltɪmət/ *adj* **1** último, final **2** máximo **3** fundamental

⚷ **ultimately** /'ʌltɪmətli/ *adv* **1** ao fim e ao cabo, finalmente **2** fundamentalmente

ultimatum /ˌʌltɪ'meɪtəm/ *s* (*pl* **ultimatums** *ou* **ultimata** /-'meɪtə/) ultimato

ultra- /'ʌltrə/ *pref* ultra-: *ultra-modern* ultramoderno ◇ *ultra-fit* em excelente forma

⚷ **umbrella** /ʌm'brelə/ *s* (*lit e fig*) guarda-chuva

umpire /'ʌmpaɪə(r)/ *s* árbitro (*Ténis, Críquete, Basebol*)

UN /ˌju: 'en/ *abrev de* **United Nations** ONU

⚷ **unable** /ʌn'eɪbl/ *adj* ~ **to do sth** incapaz de alguma coisa: *I am unable to meet you tomorrow.* Não posso encontrar-me contigo amanhã.

⚷ **unacceptable** /ˌʌnək'septəbl/ *adj* inaceitável

unaccustomed /ˌʌnə'kʌstəmd/ *adj* (*formal*) **1 be ~ to (doing) sth** não estar acostumado a (fazer) alguma coisa **2** raro, fora do comum

unambiguous /ˌʌnæm'bɪgjuəs/ *adj* inequívoco

unanimous /ju'nænɪməs/ *adj* unânime

unarmed /ˌʌn'ɑ:md/ *adj* **1** desarmado **2** indefeso

unattractive /ˌʌnə'træktɪv/ *adj* pouco atraente

unavailable /ˌʌnə'veɪləbl/ *adj* indisponível

unavoidable /ˌʌnə'vɔɪdəbl/ *adj* inevitável

unaware /ˌʌnə'weə(r)/ *adj* **be ~ of sth/that...** não saber de alguma coisa/que...: *He was completely unaware of the whole affair.* Ele não fazia ideia nenhuma do assunto.

unbearable /ʌn'beərəbl/ *adj* insuportável

unbeatable /ʌn'bi:təbl/ *adj* invencível, imbatível

unbeaten /ʌn'bi:tn/ *adj* (*Desp*) nunca superado, nunca vencido

unbelievable /ˌʌnbɪ'li:vəbl/ *adj* inacreditável, incrível

unbroken /ʌn'brəʊkən/ *adj* **1** intacto **2** ininterrupto **3** (*recorde*) não superado

uncanny /ʌn'kæni/ *adj* **1** estranho **2** inquietante

⚷ **uncertain** /ʌn'sɜ:tn/ *adj* **1** ~ **(about/of sth)** indeciso, inseguro (sobre/em relação a alguma coisa) **2** incerto: *It is uncertain whether...* Não se sabe ao certo se... **3** instável **uncertainty** *s* (*pl* **uncertainties**) incerteza

unchanged /ʌn'tʃeɪnʒd/ *adj* na mesma, inalterado

⚷ **uncle** /'ʌŋkl/ *s* tio

unclear /ˌʌn'klɪə(r)/ *adj* pouco/nada claro: *to be unclear about sth* ter dúvidas em relação a alguma coisa

⚷ **uncomfortable** /ʌn'kʌmftəbl; *USA* -fərt-/ *adj* incómodo, desconfortável **uncomfortably** *adv* incomodamente: *The exams are getting uncomfortably close.* Os exames estão a aproximar-se de maneira preocupante.

uncommon /ʌn'kɒmən/ *adj* raro, invulgar

uncompromising /ʌn'kɒmprəmaɪzɪŋ/ *adj* inflexível

unconcerned /ˌʌnkən'sɜ:nd/ *adj* **1** ~ **(about/by/with sth)** indiferente (a alguma coisa) **2** despreocupado

unconditional /ˌʌnkən'dɪʃənl/ *adj* incondicional

🔑 **unconscious** /ʌnˈkɒnʃəs/ *adjetivo, substantivo*
▸ *adj* **1** inconsciente **2 be ~ of sth** não ter consciência de alguma coisa
▸ *s* **the unconscious** [*sing*] o inconsciente

unconventional /ˌʌnkənˈvenʃənl/ *adj* não-convencional, pouco convencional

unconvincing /ˌʌnkənˈvɪnsɪŋ/ *adj* pouco convincente

uncool /ˌʌnˈkuːl/ *adj* (*coloq*) quadrado, fora de moda: *He's so uncool.* Ele é mesmo quadrado.

uncountable /ʌnˈkaʊntəbl/ *adj* (*Gram*) não-contável

uncouth /ʌnˈkuːθ/ *adj* grosseiro, rude

uncover /ʌnˈkʌvə(r)/ *vt* **1** destapar, descobrir **2** (*fig*) descobrir, desvendar

undecided /ˌʌndɪˈsaɪdɪd/ *adj* **1** por resolver, pendente **2 ~ (about sb/sth)** indeciso (sobre alguém/alguma coisa)

undeniable /ˌʌndɪˈnaɪəbl/ *adj* inegável, incontestável **undeniably** *adv* inegavelmente

🔑 **under** /ˈʌndə(r)/ *prep* **1** debaixo de: *It was under the bed.* Estava debaixo da cama. **2** (*idade*) menor de **3** (*quantidade*) menos de **4** (*governo, comando, etc.*) sob **5** (*Jur*) segundo, nos termos de (*uma lei, etc.*) **6** *under construction* em construção

under- /ˈʌndə(r)/ *pref* **1** insuficientemente, sub-: *under-used* insuficientemente utilizado ◇ *Women are under-represented in the group.* As mulheres têm uma representação demasiado pequena no grupo. **2** (*idade*) menor de: *the under-fives* os menores de cinco anos ◇ *the under-21 team* a seleção de sub-21 ◇ *underage drinking* o consumo de bebidas alcoólicas por menores de idade

undercover /ˌʌndəˈkʌvə(r)/ *adj* **1** (*polícia*) à paisana **2** (*operação*) secreto, clandestino

underdog /ˈʌndədɒg; *USA* -dɔːg/ *s* **1** (*Desp*) pesssoa/equipa com menos perfil para vencer **2** (*Sociologia*) desprivilegiado, -a

underestimate /ˌʌndərˈestɪmeɪt/ *vt* subestimar

undergo /ˌʌndəˈgəʊ/ *vt* (*3ª pess sing pres* **undergoes** /-ˈgəʊz/, *pt* **underwent** /-ˈwent/, *pp* **undergone** /-ˈgɒn; *USA* -ˈgɔːn/) **1** sofrer, experimentar **2** (*prova*) passar por **3** (*tratamento, cirurgia*) submeter-se a

undergraduate /ˌʌndəˈgrædʒuət/ *s* estudante universitário, -a

🔑 **underground** *adjetivo, advérbio, substantivo*
▸ *adj* /ˌʌndəˈgraʊnd/ **1** subterrâneo **2** (*fig*) clandestino
▸ *adv* /ˌʌndəˈgraʊnd/ **1** debaixo da terra **2** (*fig*) na clandestinidade
▸ *s* /ˈʌndəgraʊnd/ **1** (*tb* **the Underground**) metro (politano) **2** organização clandestina

undergrowth /ˈʌndəgrəʊθ/ *s* mato

underlie /ˌʌndəˈlaɪ/ *vt* (*pt* **underlay** /ˌʌndəˈleɪ/, *pp* **underlain** /-ˈleɪn/) (*formal*) (*fig*) estar por detrás de

underline /ˌʌndəˈlaɪn/ *vt* sublinhar

undermine /ˌʌndəˈmaɪn/ *vt* enfraquecer, debilitar

🔑 **underneath** /ˌʌndəˈniːθ/ *preposição, advérbio, substantivo*
▸ *prep* debaixo de
▸ *adv* (por) debaixo
▸ *s* **the underneath** [*sing*] a parte inferior/de baixo

underpants /ˈʌndəpænts/ *s* [*pl*] cuecas: *a pair of underpants* umas cuecas

> Na Grã-Bretanha, **underpants** usa-se apenas para homens, mas nos Estados Unidos usa-se tanto para homens como para mulheres. ➲ *Ver tb notas em* CALÇAS *e* PAIR

underpass /ˈʌndəpɑːs; *USA* -pæs/ *s* passagem subterrânea

underprivileged /ˌʌndəˈprɪvəlɪdʒd/ *adj* desfavorecido

underscore *verbo, substantivo*
▸ *vt* /ˌʌndəˈskɔː(r)/ (*esp USA*) sublinhar
▸ *s* /ˈʌndəskɔː(r)/ (*Informát*) traço inferior/baixo

undershirt /ˈʌndəʃɜːt/ *s* (*USA*) camisola interior

underside /ˈʌndəsaɪd/ *s* parte de baixo

🔑 **understand** /ˌʌndəˈstænd/ (*pt, pp* **understood** /-ˈstʊd/) **1** *vt, vi* entender, perceber **2** *vt* (*saber manejar*) perceber de **3** *vt* (*formal*) concluir, ficar a saber **understandable** *adj* compreensível **understandably** *adv* naturalmente, como seria de esperar

🔑 **understanding** /ˌʌndəˈstændɪŋ/ *substantivo, adjetivo*
▸ *s* **1** compreensão **2** conhecimento **3** acordo, entendimento **4 ~ (of sth)** interpretação (de alguma coisa)
▸ *adj* compreensivo

understate /ˌʌndəˈsteɪt/ *vt* dizer que alguma coisa é mais pequena ou menos importante do que é

understatement /ˈʌndəsteɪtmənt/ *s*: *To say they are disappointed would be an understatement.* Dizer que estão desiludidos seria um eufemismo.

understood *pt, pp de* UNDERSTAND

U

undertake /ˌʌndəˈteɪk/ *vt* (*pt* **undertook** /-ˈtʊk/, *pp* **undertaken** /-ˈteɪkən/) (*formal*) **1** empreender **2** ~ **to do sth** comprometer-se a fazer alguma coisa

undertaker /ˈʌndəteɪkə(r)/ *s* **1** agente funerário **2** **undertaker's** agência funerária ➲ *Ver nota em* TALHO

undertaking /ˌʌndəˈteɪkɪŋ/ *s* **1** (*formal*) compromisso, obrigação **2** (*Econ*) empreendimento

⚷ **underwater** /ˌʌndəˈwɔːtə(r)/ *adjetivo, advérbio*
▸ *adj* subaquático
▸ *adv* debaixo de água

⚷ **underwear** /ˈʌndəweə(r)/ *s* roupa interior

underwent *pt de* UNDERGO

the underworld /ˈʌndəwɜːld/ *s* **1** o submundo (do crime) **2** o Inferno

undesirable /ˌʌndɪˈzaɪərəbl/ *adj, s* indesejável

undid *pt de* UNDO

undisputed /ˌʌndɪˈspjuːtɪd/ *adj* inquestionável, indiscutível

undisturbed /ˌʌndɪˈstɜːbd/ *adj* **1** (*pessoa*) sossegado, sem ser perturbado **2** (*coisa*) sem ser tocado

⚷ **undo** /ʌnˈduː/ *vt* (*3ª pess sing pres* **undoes** /ʌnˈdʌz/, *pt* **undid** /ʌnˈdɪd/, *pp* **undone** /ʌnˈdʌn/) **1** desfazer **2** desabotoar **3** desatar **4** (*invólucro*) tirar **5** anular: *to undo the damage* reparar o mal feito **undone** *adj* **1** desabotoado, desatado: *to come undone* desabotoar-se/desatar-se **2** inacabado, incompleto

undoubtedly /ʌnˈdaʊtɪdli/ *adv* indubitavelmente, sem dúvida

undress /ʌnˈdres/ *vt, vi* despir(-se) ❶ A expressão mais comum é **get undressed**. **undressed** *adj* despido, nu

undue /ˌʌnˈdjuː; *USA* -ˈduː/ *adj* [*só antes de substantivo*] (*formal*) excessivo **unduly** *adv* (*formal*) excessivamente, em demasia

unearth /ʌnˈɜːθ/ *vt* desenterrar

unease /ʌnˈiːz/ *s* mal-estar

uneasy /ʌnˈiːzi/ *adj* **1** ~ **(about sth)** inquieto (por alguma coisa) **2** incômodo: *to feel uneasy* sentir-se pouco à vontade **3** (*relação, acordo*) precário

uneducated /ʌnˈedʒukeɪtɪd/ *adj* inculto

⚷ **unemployed** /ˌʌnɪmˈplɔɪd/ *adjetivo, substantivo*
▸ *adj* desempregado
▸ *s* **the unemployed** [*pl*] os desempregados

⚷ **unemployment** /ˌʌnɪmˈplɔɪmənt/ *s* desemprego

unequal /ʌnˈiːkwəl/ *adj* **1** desigual **2** ~ **to sth** (*formal*): *to feel unequal to sth* não se sentir à altura de alguma coisa

uneven /ʌnˈiːvn/ *adj* **1** desigual **2** (*pulsação, superfície*) irregular

uneventful /ˌʌnɪˈventfl/ *adj* sem incidentes, tranquilo

⚷ **unexpected** /ˌʌnɪkˈspektɪd/ *adj* inesperado

⚷ **unfair** /ˌʌnˈfeə(r)/ *adj* **1** ~ **(on/to sb)** injusto (para (com) alguém) **2** (*concorrência*) desleal **3** (*despedimento*) injusto

unfaithful /ʌnˈfeɪθfl/ *adj* ~ **(to sb)** infiel (a alguém)

unfamiliar /ˌʌnfəˈmɪliə(r)/ *adj* **1** pouco familiar **2** (*pessoa, cara*) desconhecido **3** ~ **with sth** pouco familiarizado com alguma coisa

unfashionable /ʌnˈfæʃnəbl/ *adj* fora de moda

unfasten /ʌnˈfɑːsn; *USA* ʌnˈfæsn/ *vt* **1** desapertar, desatar **2** abrir **3** soltar, desprender

unfavourable /ʌnˈfeɪvərəbl/ *adj* **1** desfavorável **2** pouco propício

unfinished /ʌnˈfɪnɪʃt/ *adj* inacabado: *unfinished business* assuntos pendentes

unfit /ʌnˈfɪt/ *adj* **1** ~ **(for sth/to do sth)** inadequado (para alguma coisa/fazer alguma coisa), incapaz (de alguma coisa/fazer alguma coisa) **2** que não está em forma

unfold /ʌnˈfəʊld/ **1** *vt* desdobrar, estender **2** *vt, vi* (*acontecimentos, etc.*) revelar(-se)

unforeseen /ˌʌnfɔːˈsiːn/ *adj* imprevisto

unforgettable /ˌʌnfəˈgetəbl/ *adj* inesquecível

unforgivable /ˌʌnfəˈgɪvəbl/ *adj* imperdoável

⚷ **unfortunate** /ʌnˈfɔːtʃənət/ *adj* **1** infeliz: *It is unfortunate (that)...* É de lamentar que... **2** (*acontecimento, acidente*) lamentável **3** (*comentário, posição*) inoportuno

⚷ **unfortunately** /ʌnˈfɔːtʃənətli/ *adv* lamentavelmente, infelizmente

⚷ **unfriendly** /ʌnˈfrendli/ *adj* ~ **(to/towards sb)** antipático (com alguém)

ungrateful /ʌnˈgreɪtfl/ *adj* **1** mal-agradecido **2** ~ **(to sb)** ingrato (com/para alguém)

⚷ **unhappiness** /ʌnˈhæpinəs/ *s* infelicidade

⚷ **unhappy** /ʌnˈhæpi/ *adj* (**unhappier, -iest**) **1** infeliz, triste **2** ~ **(about/at/with sth)** descontente (com alguma coisa)

unharmed /ʌnˈhɑːmd/ *adj* ileso

unhealthy /ʌn'helθi/ *adj* **1** doentio, pouco saudável **2** insalubre **3** (*interesse*) doentio, mórbido

unheard-of /ʌn'hɜːd ɒv/ *adj* desconhecido

unhelpful /ʌn'helpfl/ *adj* pouco prestável

unhurt /ʌn'hɜːt/ *adj* ileso

⚷ **uniform** /'juːnɪfɔːm/ *adj, s* uniforme LOC **in uniform** de uniforme,

unify /'juːnɪfaɪ/ *vt* (*pt, pp* **-fied**) unificar

⚷ **unimportant** /ˌʌnɪm'pɔːtnt/ *adj* sem importância, insignificante

uninhabited /ˌʌnɪn'hæbɪtɪd/ *adj* desabitado

unintentionally /ˌʌnɪn'tenʃənəli/ *adv* sem querer

uninterested /ʌn'ɪntrəstɪd/ *adj* ~ **(in sb/sth)** indiferente (a alguém/alguma coisa), desinteressado (em alguém/alguma coisa)

⚷ **union** /'juːniən/ *s* **1** união **2** *Ver* TRADE UNION

Union Jack *s* bandeira do Reino Unido

A bandeira do Reino Unido é formada por elementos das bandeiras da Inglaterra, Escócia e Irlanda do Norte (p.ex. a cruz vermelha é um elemento da bandeira inglesa e o fundo azul da escocesa).

⚷ **unique** /ju'niːk/ *adj* **1** único, sem igual **2** (*invulgar*) excecional, extraordinário **3** ~ **to sb/sth** exclusivo de alguém/alguma coisa

unison /'juːnɪsn/ *s* LOC **in unison (with sb/sth)** em uníssono (com alguém/alguma coisa)

⚷ **unit** /'juːnɪt/ *s* **1** unidade **2** (*de mobiliário*) módulo: *kitchen unit* móvel de cozinha

⚷ **unite** /ju'naɪt/ **1** *vi* ~ **(in sth/in doing sth)** unir-se, juntar-se (em alguma coisa/para fazer alguma coisa) **2** *vt, vi* unir(-se)

unity /'juːnəti/ *s* **1** união **2** (*concórdia*) unidade, harmonia

universal /ˌjuːnɪ'vɜːsl/ *adj* universal **universally** *adv* universalmente, mundialmente

⚷ **universe** /'juːnɪvɜːs/ *s* universo

⚷ **university** /ˌjuːnɪ'vɜːsəti/ *s* (*pl* **universities**) universidade: *to go to university* andar na universidade ➲ *Ver nota em* SCHOOL

unjust /ˌʌn'dʒʌst/ *adj* injusto

unkempt /ˌʌn'kempt/ *adj* **1** desarranjado, descuidado **2** (*cabelo*) despenteado

⚷ **unkind** /ˌʌn'kaɪnd/ *adj* **1** (*pessoa*) pouco amável, cruel **2** (*comentário*) cruel

⚷ **unknown** /ˌʌn'nəʊn/ *adj* ~ **(to sb)** desconhecido (de/para alguém)

unlawful /ʌn'lɔːfl/ *adj* (*formal*) ilegal, ilícito

unleash /ʌn'liːʃ/ *vt* ~ **sth (on/upon sb/sth)** desencadear alguma coisa (contra alguém/alguma coisa)

⚷ **unless** /ən'les/ *conj* a menos que, a não ser que

⚷ **unlike** /ˌʌn'laɪk/ *preposição, adjetivo*

▸ *prep* **1** diferente de **2** ao contrário de **3** não típico de: *It's unlike him to be late.* É muito raro ele chegar tarde.

▸ *adj* [*nunca antes de substantivo*] diferente

⚷ **unlikely** /ʌn'laɪkli/ *adj* (**unlikelier, -iest**) **1** pouco provável, improvável: *He is very ill and unlikely to recover.* Ele está muito doente e é pouco provável que recupere. **2** (*história, desculpa, etc.*) inverosímil

unlimited /ʌn'lɪmɪtɪd/ *adj* ilimitado, sem limites

⚷ **unload** /ˌʌn'ləʊd/ *vt, vi* descarregar

unlock /ˌʌn'lɒk/ *vt, vi* abrir (*com chave*)

⚷ **unlucky** /ʌn'lʌki/ *adj* (**unluckier, -iest**) **1** infeliz, que dá azar: *to be unlucky* ter azar **2** azarento

unmarried /ˌʌn'mærid/ *adj* solteiro

unmistakable /ˌʌnmɪ'steɪkəbl/ *adj* inconfundível, inequívoco

unmoved /ˌʌn'muːvd/ *adj* impassível

unnatural /ʌn'nætʃrəl/ *adj* **1** que não é natural, anormal **2** contranatura **3** afetado, pouco natural

⚷ **unnecessary** /ʌn'nesəsəri; *USA* -seri/ *adj* **1** desnecessário **2** (*comentário*) gratuito

unnoticed /ˌʌn'nəʊtɪst/ *adj* despercebido, inadvertido

unobtrusive /ˌʌnəb'truːsɪv/ *adj* (*formal*) discreto

unofficial /ˌʌnə'fɪʃl/ *adj* não oficial

unorthodox /ʌn'ɔːθədɒks/ *adj* pouco ortodoxo

unpack /ˌʌn'pæk/ **1** *vt, vi* desfazer (as malas) **2** *vt* desempacotar, desembrulhar

unpaid /ˌʌn'peɪd/ *adj* **1** por pagar **2** (*pessoa, trabalho*) não remunerado

⚷ **unpleasant** /ʌn'pleznt/ *adj* **1** desagradável **2** (*pessoa*) antipático

unplug /ˌʌn'plʌg/ *vt* (**-gg-**) desligar da tomada

unpopular /ʌn'pɒpjələ(r)/ *adj* impopular: *She's very unpopular at work.* Ela é muito impopular no local de trabalho.

unprecedented /ʌn'presɪdentɪd/ *adj* sem precedente

unpredictable /ˌʌnprɪ'dɪktəbl/ *adj* imprevisível

U

fazer alguma coisa **unsuccessfully** *adv* sem êxito

unqualified /ˌʌn'kwɒlɪfaɪd/ *adj* **1** ~ **(for sth/to do sth)** não habilitado (para alguma coisa/fazer alguma coisa), sem habilitações **2** (*apoio, sucesso*) absoluto

unravel /ʌn'rævl/ *vt, vi* (**-ll-**, *USA* **-l-**) (*lit e fig*) desfiar(-se), desenredar(-se)

unreal /ˌʌn'rɪəl, ˌʌn'riːəl/ *adj* irreal, ilusório

unrealistic /ˌʌnrɪə'lɪstɪk, -riːə-/ *adj* irrealista

unreasonable /ʌn'riːznəbl/ *adj* **1** pouco razoável **2** excessivo

unreliable /ˌʌnrɪ'laɪəbl/ *adj* **1** pouco fiável **2** (*pessoa*) em quem não se pode confiar

unrest /ʌn'rest/ *s* [*não-contável*] **1** agitação **2** (*Pol*) distúrbios

unruly /ʌn'ruːli/ *adj* indisciplinado, rebelde

unsafe /ʌn'seɪf/ *adj* perigoso, inseguro

unsatisfactory /ˌʌnˌsætɪs'fæktəri/ *adj* insatisfatório

unsavoury (*USA* **unsavory**) /ʌn'seɪvəri/ *adj* desagradável

unscathed /ʌn'skeɪðd/ *adj* **1** ileso **2** (*fig*) incólume

unscrew /ˌʌn'skruː/ *vt, vi* **1** (*parafuso, etc.*) desaparafusar **2** (*tampa, etc.*) desenroscar

unscrupulous /ʌn'skruːpjələs/ *adj* sem escrúpulos, pouco escrupuloso

unseen /ˌʌn'siːn/ *adj* **1** sem ser visto, escondido **2** nunca visto

unsettle /ˌʌn'setl/ *vt* perturbar **unsettled** *adj* **1** variável, incerto **2** (*situação, tempo*) instável **3** (*pessoa*) inquieto **4** (*assunto*) por resolver, pendente **unsettling** *adj* perturbante, inquietante

unshaven /ˌʌn'ʃeɪvn/ *adj* com a barba por fazer

unsightly /ʌn'saɪtli/ *adj* antiestético, feio

unskilled /ˌʌn'skɪld/ *adj* **1** (*trabalhador*) não-qualificado **2** (*trabalho*) não-especializado

unspoiled /ˌʌn'spɔɪld/ (*tb* **unspoilt**) *adj* intacto, não destruído

unspoken /ˌʌn'spəʊkən/ *adj* (*formal*) tácito, não expresso

unstable /ʌn'steɪbl/ *adj* instável

unsteady /ʌn'stedi/ *adj* **1** inseguro **2** (*mão, voz*) trémulo

unstuck /ˌʌn'stʌk/ *adj* descolado LOC **come unstuck 1** descolar-se **2** (*GB, coloq*) fracassar

unsuccessful /ˌʌnsək'sesfl/ *adj* malsucedido: *to be unsuccessful in doing sth* não conseguir fazer alguma coisa **unsuccessfully** *adv* sem êxito

unsuitable /ʌn'suːtəbl, -'sjuːt-/ *adj* **1** impróprio, inadequado **2** (*momento*) inoportuno

unsure /ˌʌn'ʃʊə(r), -'ʃɔː(r)/ *adj* **1 be** ~ **(about/of sth)** não ter a certeza (de alguma coisa) **2** ~ **(of yourself)** inseguro (de si mesmo)

unsuspecting /ˌʌnsə'spektɪŋ/ *adj* desprevenido, que não desconfia de nada

unsympathetic /ˌʌnˌsɪmpə'θetɪk/ *adj* **1** pouco compreensivo **2** (*pouco amigável*) antipático

unthinkable /ʌn'θɪŋkəbl/ *adj* impensável, inconcebível

untidy /ʌn'taɪdi/ *adj* (**untidier**, **-iest**) **1** desarrumado **2** (*aparência*) desleixado, descuidado **3** (*cabelo*) despenteado

untie /ʌn'taɪ/ *vt* (*pt, pp* **untied** *part pres* **untying**) desatar

until /ən'tɪl/ (*tb* **till**) *conjunção, preposição*
▸ *conj* até (que)
▸ *prep* até: *until recently* até há muito pouco
➲ *Ver nota em* ATÉ

untouched /ʌn'tʌtʃt/ *adj* **1** ~ **(by sth)** intocado (por alguma coisa): *untouched by human hands* intocado por mãos humanas **2** (*comida*) não provado

untrue /ʌn'truː/ *adj* **1** falso **2** ~ **(to sb/sth)** (*formal*) desleal (para com alguém/alguma coisa)

unused *adj* **1** /ˌʌn'juːzd/ não usado **2** /ʌn'juːst/ ~ **to sth** não acostumado a alguma coisa

unusual /ʌn'juːʒuəl/ *adj* **1** invulgar, fora do comum, insólito **2** excecional, fora do comum

unusually /ʌn'juːʒuəli/ *adv* excecionalmente: *unusually talented* com um talento excecional

unveil /ˌʌn'veɪl/ *vt* **1** (*estátua, placa, etc.*) descobrir **2** (*plano, produto, etc.*) revelar

unwanted /ˌʌn'wɒntɪd/ *adj* indesejado: *an unwanted pregnancy* uma gravidez indesejada ◇ *to feel unwanted* sentir-se rejeitado

unwarranted /ʌn'wɒrəntɪd; *USA* -'wɔːr-/ *adj* (*formal*) injustificado

unwelcome /ʌn'welkəm/ *adj* inoportuno, desagradável: *to make sb feel unwelcome* fazer alguém sentir-se indesejado

unwell /ʌn'wel/ *adj* indisposto

unwilling /ʌn'wɪlɪŋ/ *adj* **1** ~ **to do sth** não disposto a fazer alguma coisa **2** [*só antes de substantivo*] relutante **unwillingness** *s* falta de vontade, relutância

unwind /ˌʌn'waɪnd/ (*pt, pp* **unwound** /-'waʊnd/) **1** *vt, vi* desenrolar(-se) **2** *vi* relaxar

unwise /ˌʌn'waɪz/ *adj* imprudente

unwittingly /ʌn'wɪtɪŋli/ *adv* inconscientemente, sem querer

up /ʌp/ *advérbio, preposição, substantivo* ❶ Para os usos de **up** em PHRASAL VERBS, ver as entradas para os verbos correspondentes, p.ex. **go up** em GO.

▸ *adv* **1** em/para cima: *Pull your socks up.* Puxa as peúgas para cima. **2** ~ **(to sb/sth)**: *He came up (to me).* Aproximou-se (de mim). **3** colocado: *Are the curtains up yet?* As cortinas já estão penduradas? **4** *to tear sth up* rasgar alguma coisa **5** (*firmemente*): *to lock sth up* fechar alguma coisa à chave **6** (*terminado*): *Your time is up.* Acabou-se o tempo. **7** levantado: *Is he up yet?* Já se levantou? LOC **be up to sb** ser decisão/responsabilidade de alguém: *It's up to you.* Tu é que sabes. ◆ **be up (with sb)**: *What's up with you?* O que é que se passa contigo? ◆ **not be up to much** não valer grande coisa ◆ **up and down** para baixo e para cima: *to jump up and down* dar pulos ◆ **up to sth 1** (*tb* **up until sth**) até alguma coisa: *up to now* até agora **2** capaz de alguma coisa, à altura de alguma coisa: *I don't feel up to it.* Não me sinto capaz de o fazer. **3** (*coloq*): *What are you up to?* O que é que estás a fazer? ◇ *He's up to no good.* Está a tramar alguma.

▸ *prep* acima: *further up the road* mais acima (da rua) LOC **up and down sth** de um lado para o outro em alguma coisa

▸ *s* LOC **ups and downs** altos e baixos

up-and-coming /ˌʌp ən 'kʌmɪŋ/ *adj* promissor

upbringing /'ʌpbrɪŋɪŋ/ *s* criação, educação (*em casa*)

update *verbo, substantivo*

▸ *vt* /ˌʌp'deɪt/ **1** atualizar **2** ~ **sb (on sth)** pôr alguém ao corrente (de alguma coisa)

▸ *s* /'ʌpdeɪt/ **1** atualização **2** ~ **(on sth)** informação atualizada (sobre alguma coisa)

upgrade *verbo, substantivo*

▸ *vt* /ˌʌp'greɪd/ **1** melhorar **2** (*pessoa*) promover

▸ *s* /'ʌpgreɪd/ atualização, melhoria

upheaval /ʌp'hi:vl/ *s* **1** mudança importante (*num sistema*) **2** trastorno (*emocional*) **3** [*não-contável*] (*Pol*) agitação

uphill /ˌʌp'hɪl/ *adj, adv* encosta acima: *an uphill struggle* uma luta difícil

uphold /ʌp'həʊld/ *vt* (*pt, pp* **upheld** /-'held/) **1** (*lei, direitos, etc.*) defender **2** (*decisão, tradição, etc.*) manter

upholstered /ˌʌp'həʊlstəd/ *adj* estofado
upholstery *s* [*não-contável*] estofo

upkeep /'ʌpki:p/ *s* manutenção

uplifting /ʌp'lɪftɪŋ/ *adj* inspirador

upload /ˌʌp'ləʊd/ *vt* (*Informát*) carregar, fazer o upload de

upmarket /ˌʌp'mɑ:kɪt/ (*USA* **upscale**) *adj* de/para o cliente com dinheiro, caro e de boa qualidade

upon /ə'pɒn/ *prep* (*formal*) *Ver* ON

upper /'ʌpə(r)/ *adj* **1** superior, de cima: *upper limit* limite máximo ◇ *upper case* maiúscula **2** alto: *the upper class* a classe alta/a aristocracia ➲ *Ver exemplos em* LOW LOC **gain, get, have, etc. the upper hand** ficar por cima

uppermost /'ʌpəməʊst/ *adj* (*formal*) mais alto (*posição*) LOC **be uppermost in sb's mind** dominar os pensamentos de alguém

upright /'ʌpraɪt/ *adjetivo, advérbio*

▸ *adj* **1** (*posição*) vertical **2** (*pessoa*) reto, honesto

▸ *adv* direito, na vertical

uprising /'ʌpraɪzɪŋ/ *s* revolta

uproar /'ʌprɔ:(r)/ *s* [*não-contável*] tumulto, alvoroço

uproot /ˌʌp'ru:t/ *vt* **1** desenraizar **2** ~ **yourself/sb** (*fig*) desenraizar-se, desenraizar alguém

upscale /ˌʌp'skeɪl/ *adj* (*USA*) *Ver* UPMARKET

upset *verbo, adjetivo, substantivo*

▸ *vt* /ˌʌp'set/ (*pt, pp* **upset**) **1** transtornar, aborrecer **2** (*plano, etc.*) estragar **3** (*recipiente*) virar, derrubar **4** *Shellfish often upset my stomach.* Em geral, o marisco faz-me mal ao estômago.

▸ *adj* /ˌʌp'set/ ❶ Pronuncia-se /'ʌpset/ antes de um substantivo. **1** aborrecido, transtornado: *to get upset about sth* ficar irritado/triste com alguma coisa **2** (*estômago*): *to have an upset stomach* estar maldisposto

▸ *s* /'ʌpset/ **1** transtorno **2** (*Med*) indisposição

the upshot /'ʌpʃɒt/ *s* [*sing*] ~ **(of sth)** o resultado final (de alguma coisa)

upside down /ˌʌpsaɪd 'daʊn/ *adj, adv* invertido, de pernas para o ar ➲ *Ver ilustração em* CONTRÁRIO LOC **turn sth upside down** pôr alguma coisa de pernas para o ar

upstairs /ˌʌp'steəz/ *advérbio, adjetivo, substantivo*

▸ *adv* no andar de cima: *Take this upstairs.* Leva isto lá para cima.

▸ *adj* (no/do andar) de cima

▸ *s* [*sing*] andar de cima

upstream /ˌʌp'stri:m/ *adv* contra a corrente, rio acima

upsurge /'ʌpsɜ:dʒ/ *s* ~ **(in/of sth)** (*formal*) aumento (de alguma coisa)

U

up to date *adj* **1** moderno: *the most up-to-date equipment* o equipamento mais avançado **2** atualizado ➲ *Ver nota em* WELL BEHAVED *e comparar com* OUT OF DATE **LOC be/keep up to date** estar/manter-se a par ◆ **bring/keep sb up to date** pôr/manter alguém ao corrente ◆ **bring sth up to date** atualizar alguma coisa

upturn /ˈʌptɜːn/ *s* ~ **(in sth)** melhoria (em alguma coisa)

upturned /ˌʌpˈtɜːnd/ *adj* **1** (*gaveta, etc.*) revirado **2** (*nariz*) arrebitado

upward /ˈʌpwəd/ *adj* ascendente: *an upward trend* uma tendência para alta

upwards /ˈʌpwədz/ (*tb esp USA* **upward**) *adv* **1** para cima **2 upwards of** mais de: *upwards of 100 people* para cima de 100 pessoas

uranium /juˈreɪniəm/ *s* urânio

Uranus /ˈjʊərənəs, jʊˈreɪnəs/ *s* Úrano

urban /ˈɜːbən/ *adj* urbano

urge /ɜːdʒ/ *verbo, substantivo*
▸ *vt* ~ **sb (to do sth)** aconselhar vivamente, incitar alguém (a fazer alguma coisa) **PHR V urge sb on** incitar alguém
▸ *s* ~ **(to do sth)** grande vontade, desejo (de fazer alguma coisa)

urgency /ˈɜːdʒənsi/ *s* urgência

urgent /ˈɜːdʒənt/ *adj* **1** urgente: *to be in urgent need of sth* precisar de alguma coisa urgentemente **2** premente

urine /ˈjʊərɪn, -raɪn/ *s* urina

URL /ˌjuː ɑːr ˈel/ *s* (*abrev de* **uniform/universal resource locator**) URL, endereço na Internet

U

us /əs, ʌs/ *pron* **1** [*como objeto*] nos: *He ignored us.* Ignorou-nos. ◇ *She gave us the job.* Deu--nos o trabalho. ➲ *Ver nota em* LET **2** [*depois de preposição ou do verbo* **be**] nós: *behind us* atrás de nós ◇ *both of us* nós dois/duas ◇ *It's us.* Somos nós. ➲ *Comparar com* WE

usage /ˈjuːsɪdʒ/ *s* uso

use *verbo, substantivo*
▸ *vt* /juːz/ (*pt, pp* **used** /juːzd/) **1** utilizar, usar **2** consumir, gastar **3** (*pej*) usar, aproveitar-se de (*uma pessoa*) **PHR V use sth up** esgotar, acabar alguma coisa
▸ *s* /juːs/ **1** uso: *for your own use* para uso próprio ◇ *a machine with many uses* uma máquina com muitas utilidades ◇ *to find a use for sth* encontrar alguma utilidade para alguma coisa **2** *What's the use of crying?* Para que serve chorar? ◇ *What's the use?* Para quê? **LOC be no use 1** não servir para nada **2** ser (um) inútil ◆ **be of use** (*formal*) ser útil ◆ **have the use of sth** poder usar alguma coisa ◆ **in use** em uso ◆ **make use of sth/sb** aproveitar alguma coisa/alguém *Ver tb* CRY

used[1] /juːst/ *adj* ~ **to sth/doing sth** acostumado a alguma coisa/fazer alguma coisa: *to get used to sth* acostumar-se a alguma coisa ◇ *I'm used to being alone.* Estou acostumado a estar sozinho.

used[2] /juːzd/ *adj* usado, em segunda mão

used to *v modal*

> Utiliza-se **used to + infinitivo** para descrever hábitos e situações que ocorriam no passado e que não ocorrem na atualidade: *I used to live in London.* Eu dantes vivia em Londres. As orações interrogativas ou negativas formam-se geralmente com **did**: *He didn't use to be fat.* Ele dantes não era gordo. ◇ *You used to smoke, didn't you?* Tu dantes fumavas, não fumavas?

useful /ˈjuːsfl/ *adj* útil **usefulness** *s* utilidade

useless /ˈjuːsləs/ *adj* **1** inútil, que não serve para nada **2** ~ **(at sth/doing sth)** (*coloq*) incompetente (em alguma coisa/a fazer alguma coisa), péssimo (a alguma coisa/fazer alguma coisa)

user /ˈjuːzə(r)/ *s* **1** utilizador, -ora **2** utente

user-friendly /ˌjuːzə ˈfrendli/ *s* fácil de utilizar

usual /ˈjuːʒuəl, -ʒəl/ *adj* usual, habitual, normal: *later/more than usual* mais tarde/mais do que de costume ◇ *the usual* o habitual/costume **LOC as usual** como sempre

usually /ˈjuːʒuəli, -ʒəli/ *adv* normalmente ➲ *Ver nota em* ALWAYS

utensil /juːˈtensl/ *s* [*ger pl*] utensílio

utility /juːˈtɪləti/ *s* **1** (*pl* **utilities**) (*esp USA*) empresa de serviços de utilidade pública (*água, luz, etc.*) **2** [*não-contável*] (*formal*) utilidade

utmost /ˈʌtməʊst/ *adjetivo, substantivo*
▸ *adj* máximo, extremo: *with the utmost care* com o máximo cuidado
▸ *s* **LOC do your utmost (to do sth)** fazer todo o possível (por fazer alguma coisa)

utter /ˈʌtə(r)/ *verbo, adjetivo*
▸ *vt* (*formal*) proferir
▸ *adj* [*só antes de substantivo*] completo, absoluto **utterly** *adv* totalmente, absolutamente

U-turn /ˈjuː tɜːn/ *s* **1** (*trânsito*) inversão de marcha **2** (*coloq*) (*Pol, etc.*) reviravolta: *to do a U-turn* dar uma volta de 180 graus/mudar radicalmente

V v

V, v /viː/ *s* (*pl* **Vs, V's, v's**) V, v ➲ *Ver nota em* A, A

vacancy /ˈveɪkənsi/ *s* (*pl* **vacancies**) **1** vaga **2** quarto vago

vacant /ˈveɪkənt/ *adj* **1** vago **2** (*olhar, expressão*) vago, distraído **vacantly** *adv* distraidamente

vacate /vəˈkeɪt, veɪˈk-; *USA* ˈveɪkeɪt/ *vt* (*formal*) **1** (*casa*) desocupar **2** (*assento, posto*) deixar vago

🔑 **vacation** /vəˈkeɪʃn; *USA* veɪˈk-/ *substantivo, verbo*
▸ *s* férias

> Na Grã-Bretanha, usa-se **vacation** sobretudo para as férias das universidades e dos tribunais de justiça. Nos outros casos, a palavra mais comum é **holiday**. Nos Estados Unidos, usa-se **vacation** de forma mais generalizada.

▸ *vi* (*USA*) passar férias **vacationer** *s* (*USA*) pessoa que está de férias, turista

vaccination /ˌvæksɪˈneɪʃn/ *s* **1** vacinação **2** vacina: *polio vaccinations* vacinas contra a paralisia infantil

vaccine /ˈvæksiːn; *USA* vækˈsiːn/ *s* vacina

vacuum /ˈvækjuəm/ *s* (*pl* **vacuums**) vazio: *vacuum-packed* embalado no vácuo LOC **in a vacuum** isolado (*de outras pessoas, acontecimentos*)

vacuum cleaner *s* aspirador

vagina /vəˈdʒaɪnə/ *s* (*pl* **vaginas**) vagina

vague /veɪɡ/ *adj* (**vaguer**, **-est**) **1** vago **2** (*pessoa*) indeciso **3** (*gesto, expressão*) distraído **vaguely** *adv* **1** vagamente: *It looks vaguely familiar.* Parece vagamente familiar. **2** ligeiramente **3** distraidamente

vain /veɪn/ *adj* **1** (*inútil*) vão **2** (*pej*) vaidoso LOC **in vain** em vão

Valentine's Day *s* Dia dos Namorados

> Na Grã-Bretanha e nos Estados Unidos, o Dia dos Namorados é comemorado em 14 de fevereiro. As pessoas enviam um cartão anónimo (**valentine** ou **valentine's card**) para a pessoa amada. As pessoas que mandam ou recebem estes cartões são chamados **valentines**.

valiant /ˈvæliənt/ *adj* (*formal*) corajoso, valente

🔑 **valid** /ˈvælɪd/ *adj* válido **validity** /vəˈlɪdəti/ *s* validade

🔑 **valley** /ˈvæli/ *s* (*pl* **valleys**) vale

🔑 **valuable** /ˈvæljuəbl/ *adj* valioso ➲ *Comparar com* INVALUABLE

valuables /ˈvæljuəblz/ *s* [*pl*] objetos de valor

valuation /ˌvæljuˈeɪʃn/ *s* (*Fin*) avaliação

🔑 **value** /ˈvæljuː/ *substantivo, verbo*
▸ *s* **1** valor *Ver tb* FACE VALUE **2 values** [*pl*] (*morais*) valores LOC **be good, etc. value** estar a bom, etc. preço
▸ *vt* **1** ~ **sth (at sth)** avaliar alguma coisa (em alguma coisa) **2** ~ **sb/sth (as/for sth)** dar valor a, apreciar alguém/alguma coisa (como/por alguma coisa)

valve /vælv/ *s* válvula: *safety valve* válvula de segurança

vampire /ˈvæmpaɪə(r)/ *s* vampiro

🔑 **van** /væn/ *s* carrinha

vandal /ˈvændl/ *s* vândalo, -a **vandalism** *s* vandalismo **vandalize, -ise** *vt* destruir (*propositadamente*)

the vanguard /ˈvænɡɑːd/ *s* [*sing*] a vanguarda

vanilla /vəˈnɪlə/ *s* baunilha

vanish /ˈvænɪʃ/ *vi* desaparecer

vanity /ˈvænəti/ *s* vaidade

vantage point /ˈvɑːntɪdʒ pɔɪnt; *USA* ˈvæn-/ *s* ponto de observação (estratégico)

vapour (*USA* **vapor**) /ˈveɪpə(r)/ *s* vapor

variable /ˈveəriəbl/ *adj, s* variável

variance /ˈveəriəns/ *s* (*formal*) discrepância LOC **at variance (with sb/sth)** (*formal*) em desacordo (com alguém/alguma coisa)

variant /ˈveəriənt/ *s* variante

🔑 **variation** /ˌveəriˈeɪʃn/ *s* ~ **(in/on/of sth)** variação (em/de alguma coisa)

🔑 **varied** /ˈveərid/ *adj* variado

🔑 **variety** /vəˈraɪəti/ *s* (*pl* **varieties**) variedade: *a variety of subjects* vários temas ◇ *variety show* espetáculo de variedades

🔑 **various** /ˈveəriəs/ *adj* vários, diversos

varnish /ˈvɑːnɪʃ/ *substantivo, verbo*
▸ *s* verniz
▸ *vt* envernizar

🔑 **vary** /ˈveəri/ *vt, vi* (*pt, pp* **varied**) variar **varying** *adj* variável: *in varying amounts* em diversas quantidades

vase /vɑːz; *USA* veɪs; veɪz/ *s* jarrão, jarra

🔑 **vast** /vɑːst; *USA* væst/ *adj* vasto, imenso: *the vast majority* a grande maioria **vastly** *adv* consideravelmente

VAT /ˌviː eɪ ˈtiː, væt/ *s* (*abrev de* **value added tax**) IVA

vat /væt/ *s* tonel, cuba

vault /vɔːlt/ *substantivo, verbo*
▸ *s* **1** abóbada **2** cripta **3** (*tb* bank vault) caixa-forte **4** salto *Ver tb* POLE VAULT
▸ *vt, vi* ~ **(over) sth** saltar alguma coisa (*apoiando-se com as mãos ou com uma vara*)

veal /viːl/ *s* vitela ➲ *Ver nota em* CARNE

veer /vɪə(r)/ *vi* **1** virar, desviar-se: *to veer off course* mudar de rumo **2** (*vento*) mudar de direção

veg /vedʒ/ *substantivo, verbo*
▸ *s* (*pl* **veg**) (*GB, coloq*) vegetal
▸ *v* (**-gg-**) PHR V **veg out** (*coloq*) preguiçar, vegetar

vegan /ˈviːgən/ *adj, s* vegan, -a (*vegetariano que não consome nenhum derivado animal*)

🔑 **vegetable** /ˈvedʒtəbl/ *s* **1** legume, hortaliça: *vegetable oil* óleo vegetal **2** (*pessoa*) vegetal

vegetarian /ˌvedʒəˈteəriən/ *adj, s* vegetariano, -a

vegetation /ˌvedʒəˈteɪʃn/ *s* vegetação

vehement /ˈviːəmənt/ *adj* veemente

🔑 **vehicle** /ˈviːəkl/ *s* **1** veículo **2** ~ **(for sth)** (*fig*) veículo (para alguma coisa), meio (de alguma coisa)

veil /veɪl/ *substantivo, verbo*
▸ *s* (*lit e fig*) véu
▸ *vt* **1** cobrir com um véu **2** (*formal*) velar, encobrir **veiled** *adj* **1** (*ameaça, etc.*) velado: *veiled in secrecy* rodeado de segredo **2** coberto com véu

vein /veɪn/ *s* **1** veia **2** (*Geol*) filão, veio **3** tom, estilo

velocity /vəˈlɒsəti/ *s* velocidade ❶ Emprega-se **velocity** especialmente em contextos científicos ou formais, ao passo que **speed** é de uso mais geral.

velvet /ˈvelvɪt/ *s* veludo

vending machine /ˈvendɪŋ məʃiːn/ *s* distribuidor automático, máquina de venda

vendor /ˈvendə(r)/ *s* vendedor, -ora

veneer /vəˈnɪə(r)/ *s* **1** (*madeira, plástico*) folheado **2** [*sing*] ~ **(of sth)** (*fig*) aparência, fachada (de alguma coisa)

vengeance /ˈvendʒəns/ *s* vingança: *to take vengeance on sb* vingar-se de alguém
LOC **with a vengeance** (*coloq*) para valer

venison /ˈvenɪsn/ *s* carne de veado

venom /ˈvenəm/ *s* **1** veneno **2** (*formal*) (*fig*) veneno, ódio **venomous** *adj* (*lit e fig*) venenoso

vent /vent/ *substantivo, verbo*
▸ *s* **1** respiradouro: *air vent* saída de ar **2** (*casaco*) abertura LOC **give (full) vent to sth** (*formal*) dar largas a alguma coisa
▸ *vt* ~ **sth (on sb)** (*formal*) descarregar alguma coisa (em cima de alguém)

ventilator /ˈventɪleɪtə(r)/ *s* ventilador

🔑 **venture** /ˈventʃə(r)/ *substantivo, verbo*
▸ *s* projeto, empresa
▸ **1** *vi* aventurar-se: *They rarely ventured into the city.* Raramente se aventuravam a ir à cidade. **2** *vt* (*formal*) (*opinião, etc.*) aventurar

venue /ˈvenjuː/ *s* local (*de determinado evento cultural ou desportivo*)

Venus /ˈviːnəs/ *s* Vénus

verb /vɜːb/ *s* verbo

verbal /ˈvɜːbl/ *adj* verbal

verdict /ˈvɜːdɪkt/ *s* veredicto

verge /vɜːdʒ/ *substantivo, verbo*
▸ *s* berma LOC **on the verge of (doing) sth** à beira de alguma coisa, prestes a fazer alguma coisa
▸ *v* PHR V **verge on sth** aproximar-se de alguma coisa

verification /ˌverɪfɪˈkeɪʃn/ *s* **1** verificação **2** confirmação

verify /ˈverɪfaɪ/ *vt* (*pt, pp* **-fied**) **1** verificar **2** (*suspeita, receio*) confirmar

veritable /ˈverɪtəbl/ *adj* (*formal*) verdadeiro

versatile /ˈvɜːsətaɪl; *USA* -tl/ *adj* versátil

verse /vɜːs/ *s* **1** verso, poesia **2** estrofe **3** versículo

versed /vɜːst/ *adj* ~ **in sth** versado em alguma coisa

🔑 **version** /ˈvɜːʃn, -ʒn/ *s* versão

versus /ˈvɜːsəs/ *prep* (*abrev* **v, vs**) (*Desp, Jur*) versus

vertebra /ˈvɜːtɪbrə/ *s* (*pl* **vertebrae** /-reɪ, -riː/) vértebra

🔑 **vertical** /ˈvɜːtɪkl/ *adj, s* vertical

verve /vɜːv/ *s* brio, entusiasmo

🔑 **very** /ˈveri/ *advérbio, adjetivo*
▸ *adv* **1** muito: *I'm very sorry.* Sinto muito. ◇ *not very much* não muito **2** *the very best* o melhor possível ◇ *at the very latest* o mais tardar **3** precisamente: *the very next day* precisamente no dia seguinte ◇ *your very own pony* um pónei só para ti
▸ *adj* **1** *at that very moment* naquele preciso momento ◇ *You're the very man I need.* És precisamente o homem de quem preciso. **2** *at the very end/beginning* mesmo no fim/princípio **3** *the very idea/thought of...* a sim-

V

ples ideia de.../só de pensar em... LOC Ver EYE, FIRST

vessel /'vesl/ *s* **1** (*formal*) embarcação **2** (*formal*) vasilha **3** (*Anat*) vaso (*sanguíneo, etc.*)

vest /vest/ *s* **1** camisola interior **2** (*anti-balas, salva-vidas*) colete **3** (*USA*) (*de fato*) colete

vested interest *s* LOC **have a vested interest in sth** ter interesses pessoais em alguma coisa

vestige /'vestɪdʒ/ *s* (*formal*) vestígio

vet /vet/ *substantivo, verbo*
▸ *s* (*formal* **veterinary surgeon**) (*USA* **veterinarian** /ˌvetəri'neəriən/) veterinário, -a
▸ *vt* (**-tt-**) examinar

veteran /'vetərən/ *s* **1** veterano, -a **2** (*USA coloq* **vet**) ex-combatente

veto /'viːtəʊ/ *substantivo, verbo*
▸ *s* (*pl* **vetoes**) veto
▸ *vt* (*pt, pp* **vetoed** *part pres* **vetoing**) vetar

via /'vaɪə, 'viːə/ *prep* por, via: *via Paris* via Paris

viable /'vaɪəbl/ *adj* viável

vibe /vaɪb/ *s* [*sing*] (*tb* **vibes** [*pl*]) (*coloq*) vibrações, onda

vibrate /vaɪ'breɪt; *USA* 'vaɪbreɪt/ *vt, vi* (fazer) vibrar **vibration** *s* vibração

vicar /'vɪkə(r)/ *s* pastor, pároco anglicano ➲ *Ver nota em* PRIEST **vicarage** /'vɪkərɪdʒ/ *s* casa paroquial

vice /vaɪs/ *s* **1** vício **2** crime: *vice squad* brigada anticrime **3** (*USA* **vise**) torno (*de carpinteiro*)

vice- /vaɪs/ *pref* vice-

vice versa /ˌvaɪs 'vɜːsə/ *adv* vice-versa

vicinity /və'sɪnəti/ *s* LOC **in the vicinity (of sth)** nas proximidades (de alguma coisa)

vicious /'vɪʃəs/ *adj* **1** cruel, maldoso **2** (*ataque, pancada*) violento **3** (*cão, etc.*) feroz LOC **a vicious circle** um círculo vicioso

victim /'vɪktɪm/ *s* vítima LOC *Ver* FALL **victimize, -ise** *vt* **1** escolher como vítima **2** tratar injustamente

victor /'vɪktə(r)/ *s* (*formal*) vencedor, -ora **victorious** /vɪk'tɔːriəs/ *adj* **1** ~ **(in sth)** vitorioso (em alguma coisa) **2** (*equipa*) vencedor **3 be ~ (over sb/sth)** triunfar (sobre alguém/alguma coisa)

victory /'vɪktəri/ *s* (*pl* **victories**) vitória, triunfo

video /'vɪdiəʊ/ *s* (*pl* **videos**) **1** (*tb* **videotape** /'vɪdiəʊteɪp/) vídeo **2** (*tb* **video (cassette) recorder**) vídeogravador

view /vjuː/ *substantivo, verbo*
▸ *s* **1** ~ **(about/on sth)** opinião, parecer (sobre alguma coisa): *in my view* na minha opinião **2** ~ **(of sth)** (*maneira de entender*) critério, conceito (de alguma coisa) **3** (*imagem*) vista, visão **4** vista **5** (*tb* **viewing**) exibição: *We had a private viewing of the film.* Assistimos ao filme numa sessão privada. LOC **in view of sth** (*formal*) tendo em consideração alguma coisa ◆ **with a view to doing sth** (*formal*) com a intenção de fazer alguma coisa *Ver tb* POINT
▸ *vt* **1** ~ **sb/sth (as sth)** ver, considerar alguém/alguma coisa (como alguma coisa) **2** ver, olhar **viewer** *s* **1** telespetador, -ora **2** espetador, -ora

viewpoint /'vjuːpɔɪnt/ *s* ponto de vista

vigil /'vɪdʒɪl/ *s* vigília

vigilant /'vɪdʒɪlənt/ *adj* (*formal*) vigilante, alerta

vigorous /'vɪgərəs/ *adj* vigoroso, energético

vile /vaɪl/ *adj* (**viler, -est**) repugnante, nojento

villa /'vɪlə/ *s* casa de campo/praia (*esp para férias*)

village /'vɪlɪdʒ/ *s* **1** povoação **2** (*pequeno*) aldeia **villager** *s* habitante (de uma aldeia)

villain /'vɪlən/ *s* **1** (*Cinema, Teat, etc.*) mau, má da fita **2** (*GB, coloq*) criminoso, -a

vindicate /'vɪndɪkeɪt/ *vt* (*formal*) **1** vindicar **2** justificar

vine /vaɪn/ *s* **1** videira **2** trepadeira

vinegar /'vɪnɪgə(r)/ *s* vinagre

vineyard /'vɪnjəd/ *s* vinha

vintage /'vɪntɪdʒ/ *substantivo, adjetivo*
▸ *s* **1** colheita **2** vindima
▸ *adj* **1** (*vinho*) vintage **2** (*carro*) antigo (*fabricado entre 1917 e 1930*) **3** (*fig*) clássico

vinyl /'vaɪnl/ *s* vinil

viola /ˌvi'əʊlə/ *s* viola (*tipo de violino*)

violate /'vaɪəleɪt/ *vt* (*formal*) **1** violar (*leis, normas*) ❶ **Violate** quase nunca é usado no sentido sexual. Neste sentido, utiliza-se **rape**. **2** (*confiança*) abusar de **3** (*intimidade*) invadir

violence /'vaɪələns/ *s* **1** violência **2** (*emoções*) intensidade, violência

violent /'vaɪələnt/ *adj* violento

violet /'vaɪələt/ *s, adj* (*Bot, flor*) violeta

violin /ˌvaɪə'lɪn/ *s* violino **violinist** *s* violinista

VIP /ˌviː aɪ 'piː/ *s* (*abrev de* **very important person**) VIP

virgin /'vɜːdʒɪn/ *adj, s* virgem **virginity** /və'dʒɪnəti/ *s* virgindade

Virgo /'vɜːgəʊ/ *s* (*pl* **Virgos**) Virgem (*signo*) ➲ *Ver exemplos em* AQUARIUS

virile /'vɪraɪl; *USA* 'vɪrəl/ *adj* viril, varonil

V

virtual /ˈvɜːtʃuəl/ *adj* virtual: *virtual reality* realidade virtual

🔑 **virtually** /ˈvɜːtʃuəli/ *adv* praticamente

virtue /ˈvɜːtʃuː/ *s* **1** virtude **2** vantagem LOC **by virtue of sth** (*formal*) em virtude de alguma coisa **virtuous** *adj* virtuoso

🔑 **virus** /ˈvaɪrəs/ *s* (*pl* **viruses**) (*Biol, Informát*) vírus

visa /ˈviːzə/ *s* visto

vis-à-vis /ˌviːz ɑː ˈviː/ *prep* **1** com relação a **2** em comparação com

vise (*USA*) = VICE

🔑 **visible** /ˈvɪzəbl/ *adj* **1** visível **2** (*fig*) patente **visibly** *adv* visivelmente, obviamente

🔑 **vision** /ˈvɪʒn/ *s* **1** vista **2** (*premonição, sonho*) visão

🔑 **visit** /ˈvɪzɪt/ *verbo, substantivo*
▸ *vt, vi* visitar
▸ *s* visita LOC *Ver* PAY **visiting** *adj* visitante (*equipa*): *visiting professor* professor convidado ◇ *visiting hours* horas de visita

🔑 **visitor** /ˈvɪzɪtə(r)/ *s* **1** visitante, visita **2** turista

visor /ˈvaɪzə(r)/ *s* **1** viseira **2** (*USA*) pala (*de boné*)

vista /ˈvɪstə/ *s* (*formal*) **1** vista, panorama **2** (*fig*) perspetiva

visual /ˈvɪʒuəl/ *adj* visual: *visual display unit* monitor **visualize, -ise** *vt* visualizar

🔑 **vital** /ˈvaɪtl/ *adj* **1** ~ **(for/to sb/sth)** vital, imprescindível (para alguém/alguma coisa): *vital statistics* medidas **2** (*órgão, aspeto*) vital **vitally** *adv*: *vitally important* de importância vital

vitamin /ˈvɪtəmɪn; *USA* ˈvaɪt-/ *s* vitamina

vivacious /vɪˈveɪʃəs/ *adj* vivaz, animado (*esp mulher*)

vivid /ˈvɪvɪd/ *adj* vivo (*cores, imaginação, etc.*) **vividly** *adv* vivamente

vixen /ˈvɪksn/ *s* raposa fêmea ➲ *Ver nota em* RAPOSA

V-neck /ˈviː nek/ *s* (camisola de) gola em V **V-necked** *adj* com gola em V

🔑 **vocabulary** /vəˈkæbjələri; *USA* -leri/ *s* (*pl* **vocabularies**) (*coloq* **vocab** /ˈvəʊkæb/) vocabulário

vocal /ˈvəʊkl/ *adjetivo, substantivo*
▸ *adj* **1** vocal: *vocal cords* cordas vocais **2** (*crítica, apoio, etc.*) que se faz ouvir: *a group of very vocal supporters* um grupo de admiradores muito barulhentos
▸ *s* [*ger pl*]: *backing vocals* vozes de apoio ◇ *to be on vocals* cantar

vocalist /ˈvəʊkəlɪst/ *s* vocalista

vocation /vəʊˈkeɪʃn/ *s* ~ **(for sth)** vocação (para alguma coisa) **vocational** *adj* técnico-profissional: *vocational training* formação profissional

vociferous /vəˈsɪfərəs; *USA* vəʊ-/ *adj* (*formal*) vociferante

vogue /vəʊg/ *s* ~ **(for sth)** moda (de alguma coisa) LOC **in vogue** em voga

🔑 **voice** /vɔɪs/ *substantivo, verbo*
▸ *s* voz: *to raise/lower your voice* levantar/baixar a voz ◇ *to have no voice in the matter* não ter voto na matéria LOC **make your voice heard** fazer-se ouvir *Ver tb* TOP
▸ *vt* exprimir

voicemail /ˈvɔɪsmeɪl/ *s* correio de voz

void /vɔɪd/ *substantivo, adjetivo*
▸ *s* (*formal*) vazio
▸ *adj* (*formal*) **1** ~ **(of sth)** desprovido (de alguma coisa) **2** (*Jur*) nulo: *to make sth void* anular alguma coisa LOC *Ver* NULL

volatile /ˈvɒlətaɪl; *USA* -tl/ *adj* **1** (*freq pej*) (*pessoa*) volúvel **2** (*situação*) instável

volcano /vɒlˈkeɪnəʊ/ *s* (*pl* **volcanoes** *ou* **volcanos**) vulcão

volition /vəˈlɪʃn; *USA* vəʊ-/ *s* (*formal*) LOC **of your own volition** (*formal*) por sua própria vontade

volley /ˈvɒli/ *s* (*pl* **volleys**) **1** (*Desp*) vólei **2** (*pedras, balas, insultos*) chuva

volleyball /ˈvɒlibɔːl/ *s* voleibol

volt /vəʊlt, vɒlt/ *s* volt **voltage** /ˈvəʊltɪdʒ/ *s* voltagem: *high voltage* alta tensão

🔑 **volume** /ˈvɒljuːm; *USA* -jəm/ *s* volume

voluminous /vəˈluːmɪnəs/ *adj* (*formal*) **1** (*peça de roupa*) amplo **2** (*texto escrito*) longo

voluntary /ˈvɒləntri; *USA* -teri/ *adj* voluntário

volunteer /ˌvɒlənˈtɪə(r)/ *substantivo, verbo*
▸ *s* voluntário, -a
▸ **1** *vi* ~ **(for sth/to do sth)** oferecer-se (como voluntário), voluntariar-se (para alguma coisa/fazer alguma coisa) **2** *vt* oferecer (*informação, sugestão*)

vomit /ˈvɒmɪt/ *verbo, substantivo*
▸ *vt, vi* vomitar ❶ A expressão mais comum é **be sick**.
▸ *s* [*não-contável*] vómito **vomiting** *s* [*não-contável*] vómitos

voracious /vəˈreɪʃəs/ *adj* (*formal*) voraz, insaciável

🔑 **vote** /vəʊt/ *substantivo, verbo*
▸ *s* **1** ~ **(for/against sth)** voto (a favor/contra alguma coisa) **2** votação: *to take a vote on sth/put sth to the vote* submeter alguma coisa a

votação **3 the vote** [*sing*] o direito de voto **LOC vote of confidence/no confidence** moção de confiança/censura ◆ **vote of thanks** palavras de agradecimento

▸ **1** *vt, vi* votar: *to vote for/against sb/sth* votar a favor/contra alguém/alguma coisa ◇ *She was voted best actor.* Foi eleita melhor atriz. **2** *vt* aprovar (*por votação*) **3** *vt* ~ **(that...)** propor (que...) **voter** *s* eleitor, -ora **voting** *s* [*não-contável*] votação

vouch /vaʊtʃ/ *v* **PHR V vouch for sb** responder por alguém ◆ **vouch for sth** garantir alguma coisa

voucher /ˈvaʊtʃə(r)/ *s* vale

vow /vaʊ/ *substantivo, verbo*

▸ *s* voto, juramento

▸ *vt* jurar

vowel /ˈvaʊəl/ *s* vogal

voyage /ˈvɔɪɪdʒ/ *s* viagem ➲ *Ver nota em* VIAGEM

V-shaped /ˈviː ʃeɪpt/ *adj* em forma de V

vulgar /ˈvʌlgə(r)/ *adj* **1** vulgar **2** (*piada, etc.*) grosseiro

vulnerable /ˈvʌlnərəbl/ *adj* vulnerável

vulture /ˈvʌltʃə(r)/ *s* abutre

W w

W, w /ˈdʌbljuː/ *s* (*pl* **Ws, W's, w's**) W, w ➲ *Ver nota em* A, A

wacky /ˈwæki/ *adj* (**wackier, -iest**) (*coloq*) excêntrico

wade /weɪd/ **1** *vi* caminhar com dificuldade por água, lama, etc. **2** *vt* (*corrente de água*) atravessar (a vau) **3** *vi* (*USA*) chapinhar, patinhar

wafer /ˈweɪfə(r)/ *s* bolacha de baunilha

waffle /ˈwɒfl/ *substantivo, verbo*

▸ *s* **1** waffle **2** [*não-contável*] (*GB, coloq*) palha (*ao falar ou em textos escritos*)

▸ *vi* (*coloq*) **1** ~ **(on) (about sth)** (*GB, pej*) encher chouriços, falar sem dizer nada (sobre alguma coisa) **2** ~ **(on/over sth)** (*USA*) não tomar decisões (sobre alguma coisa)

wag /wæg/ *vt, vi* (**-gg-**) (*cauda*) abanar

⚷ **wage** /weɪdʒ/ *substantivo, verbo*

▸ *s* [*ger pl*] ordenado (*semanal*) ➲ *Comparar com* SALARY

▸ *vt* **LOC wage (a) war/a battle (against/on sb/sth)** fazer guerra (contra alguém/alguma coisa)

wagon /ˈwægən/ *s* **1** (*Caminho-de-ferro*) vagão **2** (*tb* **waggon**) carroça

wail /weɪl/ *verbo, substantivo*

▸ *vi* **1** lamentar, gemer **2** (*sirene*) apitar

▸ *s* **1** lamento, gemido **2** (*sirene*) apito

⚷ **waist** /weɪst/ *s* cintura

waistband /ˈweɪstbænd/ *s* cós

waistcoat /ˈweɪskəʊt; *USA* ˈweskət/ *s* colete

waistline /ˈweɪstlaɪn/ *s* cintura (*dimensão*)

⚷ **wait** /weɪt/ *verbo, substantivo*

▸ **1** *vi* ~ **(for sb/sth)** esperar (por alguém/alguma coisa): *Wait a minute...* Espera um minuto... ◇ *I can't wait to...* Estou morto por... ➲ *Ver nota em* ESPERAR **2** *vt* (*vez*) esperar **LOC keep sb waiting** fazer alguém esperar/deixar alguém à espera **PHR V wait on sb** servir alguém (*esp em restaurante*) ◆ **wait up (for sb)** esperar (sem dormir) (por alguém)

▸ *s* espera: *We had a three-hour wait for the bus.* Esperámos três horas pelo autocarro.

⚷ **waiter** /ˈweɪtə(r)/ *s* empregado de mesa

waiting list *s* lista de espera

waiting room *s* sala de espera

⚷ **waitress** /ˈweɪtrəs/ *s* empregada de mesa

waive /weɪv/ *vt* **1** (*pagamento, direito*) desistir de **2** (*norma*) não aplicar

⚷ **wake** /weɪk/ *verbo, substantivo*

▸ *vt, vi* (*pt* **woke** /wəʊk/, *pp* **woken** /ˈwəʊkən/) ~ **(sb) (up)** acordar, despertar (alguém) **PHR V wake up to sth** dar-se conta de alguma coisa, despertar para alguma coisa

▸ *s* **1** velório **2** (*Náut*) esteira **LOC in the wake of sth** após alguma coisa

⚷ **walk** /wɔːk/ *verbo, substantivo*

▸ **1** *vi* andar **2** *vt* acompanhar: *I'll walk you home.* Acompanho-te a casa. **3** *vt* passear: *to walk the dog* passear o cão **4** *vt* andar, percorrer **PHR V walk away/off** ir-se embora ◆ **walk away/off with sth** (*coloq*) **1** limpar alguma coisa **2** fanar alguma coisa ◆ **walk into sth/sb** chocar com alguma coisa/alguém ◆ **walk out (of sth)** ir-se embora (de alguma coisa) ◆ **walk out (on sb)** (*coloq*) abandonar alguém, ir-se embora

▸ *s* **1** passeio, caminhada: *to go for a walk* (ir) dar um passeio ◇ *It's a ten-minute walk.* São dez minutos a andar. **2** [*sing*] andar **LOC a walk of life**: *people of/from all walks of life* pessoas de todos os meios e profissões

walker /ˈwɔːkə(r)/ *s* caminhante

⚷ **walking** /ˈwɔːkɪŋ/ *s* andar: *walking shoes* sapatos para andar

walking stick *s* bengala

walkout /ˈwɔːkaʊt/ *s* greve

wall /wɔːl/ *s* **1** parede, muro **2** (*de cidade, fig*) muralha **3** (*Futebol*) barreira LOC *Ver* BACK **walled** *adj* **1** amuralhado **2** murado

wallet /ˈwɒlɪt/ *s* carteira (*para dinheiro, cartões, etc.*)

wallpaper /ˈwɔːlpeɪpə(r)/ *s* papel de parede

walnut /ˈwɔːlnʌt/ *s* **1** noz **2** (*árvore, madeira*) nogueira

waltz /wɔːls, wɔːlts/ *substantivo, verbo*
▸ *s* valsa
▸ *vi* dançar a valsa

wand /wɒnd/ *s* varinha: *magic wand* varinha de condão

wander /ˈwɒndə(r)/ **1** *vi* vaguear

Frequentemente, o verbo **wander** é seguido de **around** e **about** ou de outras preposições ou advérbios. Nesses casos, traduz-se por diferentes verbos em português, e tem o sentido de "andar distraidamente, sem nenhum fim": *to wander in* entrar distraidamente ◇ *She wandered across the road.* Atravessou a rua distraidamente.

2 *vi* ~ **(away/off)** afastar-se **3** *vi* ~ **(away/off)** (*animais*) perder-se **4** *vt* (*ruas, etc.*) vagar por **5** *vi* (*pensamentos*) divagar **6** *vi* (*olhar*) passear

wane /weɪn/ *verbo, substantivo*
▸ *vi* diminuir (*poder, entusiasmo*)
▸ *s* [*sing*] LOC **be on the wane** diminuir

wanna /ˈwɒnə/ (*coloq*) **1** = WANT TO *Ver* WANT **2** = WANT A *Ver* WANT ❶ Esta forma não é considerada gramaticalmente correta.

want /wɒnt/ *verbo, substantivo*
▸ **1** *vt, vi* querer: *I want some cheese.* Quero queijo. ◇ *Do you want to go?* Queres ir?

De notar que a expressão **would like** também significa *querer*. É mais cortês e utiliza-se sobretudo para oferecer alguma coisa ou para convidar alguém: *Would you like to come to dinner?* Queres vir jantar lá em casa? ◇ *Would you like something to eat?* Queres comer alguma coisa?

2 *vt* (*coloq*) precisar de: *It wants fixing.* Precisa de ser arranjado. **3** *vt* procurar, precisar: *You're wanted upstairs/on the phone.* Precisam de ti lá em cima/Chamam-te ao telefone.
▸ *s* (*formal*) **1** [*ger pl*] desejo, necessidade **2** ~ **of sth** falta de alguma coisa: *for want of sth* por falta de alguma coisa ◇ *It was not for want of trying.* Não foi por não tentar. **3** miséria, pobreza

wanting /ˈwɒntɪŋ/ *adj* ~ **(in sth)** (*formal*) pobre (em alguma coisa), carente (de alguma coisa)

WAP /wæp/ *abrev de* **wireless application protocol** WAP (*para aplicações sem fio*)

war /wɔː(r)/ *s* **1** guerra: *at war* em guerra **2** conflito **3** ~ **(against/on sb/sth)** (*fig*) luta (contra alguém/alguma coisa) LOC *Ver* WAGE

ward /wɔːd/ *substantivo, verbo*
▸ *s* enfermaria
▸ *v* PHR V **ward sb/sth off** defender-se de alguém/alguma coisa, repelir alguém/alguma coisa

warden /ˈwɔːdn/ *s* guarda *Ver tb* TRAFFIC WARDEN

wardrobe /ˈwɔːdrəʊb/ *s* **1** guarda-fatos **2** guarda-roupa (*de inverno, etc.*)

warehouse /ˈweəhaʊs/ *s* armazém

warfare /ˈwɔːfeə(r)/ *s* [*não-contável*] guerra

warlike /ˈwɔːlaɪk/ *adj* belicoso

warm /wɔːm/ *adjetivo, verbo*
▸ *adj* **(warmer, -est)** **1** (*clima*) temperado: *It's warm today.* Hoje está calor. ➲ *Ver nota em* QUENTE **2** (*coisa*) quente **3** (*pessoa*): *to be/get warm* ter calor/aquecer-se **4** (*roupa*) de agasalho, quente **5** (*atitude*) caloroso, cordial
▸ *vt, vi* ~ **(sth/sb/yourself) (up)** aquecer alguma coisa/alguém, aquecer-se PHR V **warm up** **1** (*Desp*) fazer o aquecimento/os exercícios de aquecimento **2** (*motor*) aquecer ◆ **warm sth up** aquecer (*comida*) **warming** *s*: *global warming* aquecimento global **warmly** *adv* **1** calorosamente **2** *warmly dressed* bem agasalhado **3** (*agradecer*) efusivamente

warmth /wɔːmθ/ *s* **1** calor **2** simpatia, amabilidade, entusiasmo

warn /wɔːn/ **1** *vt* ~ **sb (about/of sth)** avisar alguém (sobre/de alguma coisa), prevenir alguém (contra/de alguma coisa): *They warned us about/of the strike.* Avisaram-nos sobre a greve. ◇ *They warned us about the neighbours.* Preveniram-nos acerca dos vizinhos. **2** *vt* ~ **sb that...** advertir alguém de que...: *I warned them that it would be expensive.* Adverti-os de que seria caro. **3** *vt, vi* ~ **(sb) against doing sth** avisar (alguém) que não faça alguma coisa: *They warned (us) against going into the forest.* Aconselharam-nos a não ir para a floresta. **4** ~ **sb (not) to do sth** ordenar a alguém que (não) faça alguma coisa (sob ameaça)

warning /ˈwɔːnɪŋ/ *s* aviso, advertência

warp /wɔːp/ *vt, vi* empenar **warped** *adj* (*pej*) pervertido (*mente*)

warrant /ˈwɒrənt; *USA* ˈwɔːr-/ *substantivo, verbo*
▸ *s* (*Jur*) mandato: *search warrant* mandato de busca

▸ *vt* (*formal*) justificar

warranty /'wɒrənti; *USA* 'wɔːr-/ *s* (*pl* **warranties**) garantia

warren /'wɒrən; *USA* 'wɔːr-/ *s* **1** lura **2** (*fig*) labirinto

warrior /'wɒrɪə(r); *USA* 'wɔːr-/ *s* guerreiro, -a

warship /'wɔːʃɪp/ *s* navio de guerra

wart /wɔːt/ *s* cravo (*na pele*)

wartime /'wɔːtaɪm/ *s* (tempo de) guerra

wary /'weəri/ *adj* (*comp* **warier**) receoso: *to be wary of sb* desconfiar de alguém

was /wəz, wɒz/ *pt de* BE

wash /wɒʃ; *USA* wɔːʃ/ *verbo, substantivo*

▸ **1** *vt, vi* lavar(-se): *to wash yourself* lavar-se **2** *vt* ~ **sb/sth (away)** arrastar, levar alguém/ alguma coisa: *to be washed overboard* ser atirado borda fora pelas ondas PHR V **wash off** sair (com a lavagem) ◆ **wash sth off** lavar alguma coisa ◆ **wash sth out** lavar alguma coisa (por dentro) ◆ **wash over sb** (*formal*) invadir alguém ◆ **wash over sth** cobrir alguma coisa ◆ **wash up 1** (*GB*) lavar a loiça **2** (*USA*) lavar-se (*esp as mãos e a cara*) ◆ **wash sth up 1** (*pratos*) lavar alguma coisa **2** (*mar*) lançar alguma coisa à praia

▸ *s* **1** lavagem: *to have a wash* lavar-se **2 the wash** [*sing*]: *All my shirts are in the wash.* As minhas camisas estão todas para/a lavar. **3** [*sing*] (*Náut*) esteira

washable /'wɒʃəbl; *USA* 'wɔːʃ-/ *adj* lavável

washbasin /'wɒʃbeɪsn; *USA* 'wɔːʃ-/ *s* lavatório

washcloth /'wɒʃklɒθ; *USA* 'wɔːʃklɔːθ/ *s* (*USA*) luva de banho

washing /'wɒʃɪŋ; *USA* 'wɔːʃ-/ *s* **1** lavagem: *washing powder* detergente para a roupa **2** roupa suja **3** roupa lavada

washing machine *s* máquina de lavar

washing-up /ˌwɒʃɪŋ 'ʌp; *USA* ˌwɔːʃ-/ *s* loiça para lavar: *to do the washing-up* lavar a loiça ◇ *washing-up liquid* detergente para a loiça

washroom /'wɒʃruːm, -rʊm; *USA* 'wɔːʃ-/ *s* (*USA, antiq*) casa de banho ➲ *Ver nota em* TOILET

wasn't /'wɒznt; *USA* 'wʌznt/ = WAS NOT *Ver* BE

wasp /wɒsp/ *s* vespa

waste /weɪst/ *verbo, substantivo, adjetivo*

▸ *vt* **1** gastar, desperdiçar: *He wastes his money on useless things.* Gasta o dinheiro em coisas inúteis. **2** (*tempo, oportunidade*) perder **3** (*não usar*) desperdiçar LOC **waste your breath** perder tempo PHR V **waste away** consumir-se

▸ *s* **1** desperdício **2** (*ação*) esbanjamento **3** [*não-contável*] desperdícios, sobras, lixo: *waste disposal* recolha do lixo ◇ *nuclear waste* resíduos nucleares LOC **a waste of space** (*coloq*) (*pessoa*) um inútil ◆ **go/run to waste** perder-se, desperdiçar-se

▸ *adj* **1** *waste material/products* desperdícios **2** (*terreno*) descampado **wasted** *adj* inútil (*viagem, esforço*) **wasteful** *adj* **1** esbanjador **2** (*método, processo*) pouco económico

wasteland /'weɪstlænd/ *s* baldio

waste-paper basket /ˌweɪst 'peɪpə bɑːskɪt; *USA* bæs-/ (*USA* **wastebasket** /'weɪstbɑːskɪt; *USA* -bæs-/) *s* cesto dos papéis ➲ *Ver ilustração em* BIN

watch /wɒtʃ/ *verbo, substantivo*

▸ **1** *vt, vi* observar, olhar **2** *vt* (*TV, Desp*) ver **3** *vt, vi* (*espiar*) vigiar **4** *vt* ter cuidado com: *Watch your language.* Tem cuidado com a língua. LOC **watch it** (*coloq*) (*tb* **watch your step**) (tem) cuidado PHR V **watch out** ter cuidado: *Watch out!* Cuidado! ◆ **watch out (for sb/sth)**; **watch for sb/sth** estar atento (a alguém/alguma coisa): *Watch out for that hole.* Tem cuidado com o buraco. ◆ **watch over sb/sth** tomar conta de alguém/alguma coisa

▸ *s* **1** relógio (*de pulso*) ➲ *Ver ilustração em* RELÓGIO **2** vigia **3** sentinela **4** (*esp em barcos*) quarto LOC **keep watch (on/over sb/sth)** vigiar (alguém/alguma coisa): *The government is keeping a close watch on the situation.* O governo está a acompanhar a situação de perto. *Ver tb* CLOSE[1]

watchdog /'wɒtʃdɒg; *USA* -dɔːg/ *s* organização para a defesa do consumidor

watchful /'wɒtʃfl/ *adj* atento, vigilante

water /'wɔːtə(r)/ *substantivo, verbo*

▸ *s* água: *water sports* desportos aquáticos/ náuticos LOC **under water 1** debaixo de água **2** inundado *Ver tb* FISH

▸ **1** *vt* (*planta*) regar **2** *vi* (*olhos*) chorar **3** *vi* (*boca*) salivar: *to make your mouth water* fazer crescer água na boca PHR V **water sth down 1** diluir alguma coisa com água **2** (*crítica, etc.*) atenuar alguma coisa

watercolour (*USA* **watercolor**) /'wɔːtəkʌlə(r)/ *s* aguarela

watercress /'wɔːtəkres/ *s* [*não-contável*] agrião

waterfall /'wɔːtəfɔːl/ *s* queda de água, cascada

watering can *s* regador

watermelon /'wɔːtəmelən/ *s* melancia

waterproof /'wɔːtəpruːf/ *adj, s* impermeável

watershed /'wɔːtəʃed/ *s* momento decisivo

waterski /'wɔːtəskiː/ *vi* fazer esqui aquático **waterskiing** *s* esqui aquático

W

watertight /ˈwɔːtətaɪt/ *adj* **1** hermético, à prova de água **2** (*argumento, etc.*) irrefutável

waterway /ˈwɔːtəweɪ/ *s* via/canal fluvial

watery /ˈwɔːtəri/ *adj* **1** (*pej*) aguado **2** (*cor*) pálido **3** (*olhos*) lacrimejante

watt /wɒt/ *s* watt

wave /weɪv/ *substantivo, verbo*
▸ *s* **1** onda *Ver tb* TIDAL WAVE **2** aceno
▸ **1** *vt, vi* ~ **(your hand) (at/to sb)** acenar (a alguém) **2** *vt* ~ **sth (at sb)**; ~ **sth (around)** agitar alguma coisa (a alguém), acenar com alguma coisa (a alguém) **3** *vi* (*bandeira, etc.*) ondular **4** *vt, vi* (*cabelo, etc.*) ondular, ser ondulado
PHR V **wave sth aside/away** ignorar alguma coisa (*objeções, críticas*)

wavelength /ˈweɪvleŋθ/ *s* comprimento de onda

waver /ˈweɪvə(r)/ *vi* **1** fraquejar **2** (*voz*) hesitar **3** vacilar

wavy /ˈweɪvi/ *adj* **1** ondulado **2** ondulante

wax /wæks/ *substantivo, verbo*
▸ *s* cera
▸ *vt*: *to wax your legs/have your legs waxed* depilar as pernas com cera

way /weɪ/ *substantivo, advérbio*
▸ *s* **1** forma, maneira: *Do it your own way!* Faz como quiseres! **2** ~ **(from… to…)** caminho (de… a…): *to ask/tell sb the way* perguntar/indicar o caminho a alguém ◇ *across/over the way* em frente/do outro lado da rua ◇ *a long way (away)* longe ➲ *Ver nota em* FAR **3** direção: *'Which way?' 'That way.'* —Por onde? —Por ali. ◇ *Is it the right/wrong way around/up?* Está do lado certo/errado? **4** caminho: *Get out of my way!* Sai-me da frente! **5** **ways** [*pl*] costumes **6** **Way** (*em nomes*) via LOC **by the way** a propósito ◆ **divide, split, etc. sth two, three, etc. ways** dividir alguma coisa em dois, três, etc. ◆ **get/have your own way** fazer o que nos apetece ◆ **give way (to sb/sth)** **1** ceder (a/perante alguém/alguma coisa) **2** (*trânsito*) ceder a prioridade (a alguém/alguma coisa) ◆ **give way to sth** entregar-se a alguma coisa, deixar-se dominar por alguma coisa ◆ **go out of your way (to do sth)** incomodar-se (para fazer alguma coisa) ◆ **in a/one way**; **in some ways** de certo modo ◆ **lose your way** perder-se ◆ **make way (for sb/sth)** abrir caminho (para alguém/alguma coisa) ◆ **make your way (to/towards sth)** dirigir-se (a/para alguma coisa) ◆ **no way!** (*coloq*) de maneira nenhuma! ◆ **one way or another** de uma maneira ou de outra ◆ **on the, your, its, etc. way** pelo caminho: *I'm on my way.* Estou a caminho. ◆ **the other way (a) round** ao contrário ◆ **under way** em movimento ◆ **way of life** estilo de vida ◆ **ways and means** meios *Ver tb* BAR, DOWNHILL, FEEL, FIGHT, FIND, HARD, HARM, LEAD[1], MEND, PAVE, TALK
▸ *adv* muito: *way ahead* muito à frente LOC **way back** há muito tempo: *way back in the fifties* lá pelos anos cinquenta

way out *s* saída

WC /ˌdʌbljuː ˈsiː/ *s* casa de banho (pública) ➲ *Ver nota em* TOILET

we /wiː/ *pron* nós: *Why don't we go?* Por que é que não vamos? ❶ O pronome pessoal não se pode omitir em inglês. ➲ *Comparar com* US

weak /wiːk/ *adj* (**weaker**, **-est**) **1** fraco **2** (*Med*) frágil **3** ~ **(at/in/on sth)** fraco (em alguma coisa) **weaken** *vt, vi* enfraquecer

weakness /ˈwiːknəs/ *s* **1** debilidade **2** fraqueza

wealth /welθ/ *s* **1** [*não-contável*] riqueza **2** [*sing*] ~ **of sth** abundância de alguma coisa **wealthy** *adj* (**wealthier**, **-iest**) rico

weapon /ˈwepən/ *s* arma

wear /weə(r)/ *verbo, substantivo*
▸ (*pt* **wore** /wɔː(r)/, *pp* **worn** /wɔːn/) **1** *vt* (*roupa*) vestir **2** *vt* (*calçado*) calçar **3** *vt* (*óculos, perfume, etc.*) usar

> **Wear** ou **carry**? **Wear** utiliza-se com roupa, calçado e acessórios, e também com perfumes e óculos: *Do you have to wear a suit at work?* Tens de usar fato no trabalho? ◇ *What perfume are you wearing?* Que perfume estás a usar? ◇ *He doesn't wear glasses.* Não usa óculos. Utilizamos **carry** quando nos referimos a objetos que levamos connosco, especialmente nas mãos ou nos braços: *She wasn't wearing her raincoat, she was carrying it over her arm.* Não levava a gabardina vestida, levava-a no braço.

4 *vt* (*ar, expressão*) ter **5** *vt* (*buraco, etc.*) fazer **6** *vt, vi* gastar(-se) **7** *vi* ~ **(well)** durar
PHR V **wear (sth) away/down/out** (des)gastar alguma coisa, (des)gastar-se por completo ◆ **wear sb down** deixar alguém exausto ◆ **wear off** desaparecer, passar (*novidade, efeito de uma droga, etc.*) ◆ **wear sb out** deixar alguém exausto
▸ *s* [*não-contável*] **1** roupa: *casual/ladies' wear* roupa informal/de senhora **2** desgaste **3** uso LOC **wear and tear** desgaste devido ao uso

weary /ˈwɪəri/ *adj* (**wearier**, **-iest**) **1** exausto **2** ~ **of sth** (*formal*) cansado de alguma coisa

weather /ˈweðə(r)/ *substantivo, verbo*
▸ *s* tempo: *What's the weather like?* Como é que está o tempo? ◇ *weather forecast* boletim meteorológico LOC **under the weather** (*coloq*) um pouco indisposto

▸ **1** *vt, vi* (fazer) mudar de cor/forma (*pela ação do sol, vento, etc.*) **2** *vt* superar (*crise*)

weave /wi:v/ (*pp* **wove** /wəʊv/, *pp* **woven** /'wəʊvn/) **1** *vt* tecer alguma coisa (com alguma coisa) **2** *vt* ~ **sth into sth**; ~ **sth (together)** (*narrativa*) (entre)tecer alguma coisa (em alguma coisa) **3** *vi* (*pt, pp* **weaved**) serpentear

⚷ **web** /web/ *s* **1** teia de aranha **2** (*fig*) rede **3** (*mentiras, etc.*) teia **4 the Web** [*sing*] a Web: *web page* página web

webcam /'webkæm/ *s* webcam

⚷ **website** /'websaɪt/ *s* site (web)

we'd /wi:d/ **1** = WE HAD *Ver* HAVE **2** = WE WOULD *Ver* WOULD

⚷ **wedding** /'wedɪŋ/ *s* casamento: *wedding ring/cake* aliança/bolo de casamento LOC **diamond/golden/silver wedding** bodas de diamante/ouro/prata ➲ *Ver nota em* CASAMENTO

wedge /wedʒ/ *substantivo, verbo*
▸ *s* **1** cunha **2** (*queijo, bolo*) pedaço (grande) **3** (*limão*) quarto
▸ *vt* **1** entalar: *to wedge itself/get wedged* entalar-se ◇ *He was wedged in between two fat men.* Estava entalado entre dois homens gordos. **2** ~ **sth open/shut** manter alguma coisa aberta/fechada com uma cunha

⚷ **Wednesday** /'wenzdeɪ, -di/ *s* (*abrev* **Wed.**, **Weds.**) quarta-feira ➲ *Ver exemplos em* MONDAY

wee /wi:/ *adj* (*coloq*) **1** (*Escócia*) pequenininho **2** pouquinho: *a wee bit* um bocadinho

weed /wi:d/ *substantivo, verbo*
▸ *s* **1** erva daninha **2** [*não-contável*] (*na água*) algas **3** [*não-contável*] (*coloq*) erva **4** (*GB, coloq, pej*) palito (*pessoa*) **5** (*GB, coloq, pej*) pessoa sem carácter
▸ *vt* arrancar as ervas de PHR V **weed sth/sb out** eliminar alguma coisa/alguém

weedkiller /'wi:dkɪlə(r)/ *s* herbicida

⚷ **week** /wi:k/ *s* semana: *35-hour week* semana de trabalho de 35 horas LOC **a week (from) today/tomorrow** de hoje/amanhã a oito dias ◆ **Monday, etc. week**; **a week (from/on) Monday, etc.** de segunda, etc. a oito

weekday /'wi:kdeɪ/ *s* dia útil/de semana

⚷ **weekend** /ˌwi:k'end; *USA* 'wi:kend/ *s* fim de semana

Na Grã-Bretanha diz-se **at the weekend**, mas Estados Unidos **on the weekend**. Em ambos os países, utiliza-se também a preposição **over**: *Let's meet up over the weekend.* Vamos encontrar-nos no fim de semana.

⚷ **weekly** /'wi:kli/ *adjetivo, advérbio, substantivo*
▸ *adj* semanal
▸ *adv* semanalmente
▸ *s* (*pl* **weeklies**) semanário

weep /wi:p/ *vi* (*pt, pp* **wept** /wept/) ~ **(for/over sb/sth)** (*formal*) chorar (por alguém/alguma coisa): *weeping willow* (salgueiro-)chorão

⚷ **weigh** /weɪ/ **1** *vt, vi* pesar **2** *vt* ~ **sth (up)** pesar, avaliar alguma coisa **3** *vi* ~ **(against sb/sth)** pesar (contra alguém/alguma coisa) PHR V **weigh sb down** sobrecarregar alguém (*com problemas, etc.*) ◆ **weigh sb/sth down**: *to be weighed down with luggage* estar carregado de bagagem

⚷ **weight** /weɪt/ *substantivo, verbo*
▸ *s* (*lit e fig*) peso: *by weight* ao peso ◇ *to lift weights* levantar pesos LOC **lose/put on weight** (*pessoa*) emagrecer/engordar *Ver tb* CARRY, PULL
▸ *vt* **1** pôr um peso em **2** ~ **sth (down) (with sth)** prender alguma coisa (com alguma coisa)

weighting /'weɪtɪŋ/ *s* **1** (*GB*): *London weighting* suplemento salarial por trabalhar em Londres **2** importância

weightless /'weɪtləs/ *adj* imponderável

weightlifting /'weɪtlɪftɪŋ/ *s* **1** musculação **2** (*Desp*) halterofilismo

weight training *s* musculação

weighty /'weɪti/ *adj* (**weightier**, **-iest**) (*formal*) **1** de peso, importante **2** pesado

weir /wɪə(r)/ *s* represa, açude (*em rio*)

weird /wɪəd/ *adj* (**weirder**, **-est**) estranho, misterioso

⚷ **welcome** /'welkəm/ *verbo, adjetivo, substantivo*
▸ *vt* **1** dar as boas-vindas a, receber **2** acolher, receber **3** agradecer
▸ *adj* **1** bem-vindo **2** agradável LOC **be welcome to (do) sth**: *You're welcome to use my car/to stay.* O meu carro está à tua disposição./Podes cá ficar se assim o desejares. ◆ **you're welcome** de nada
▸ *s* boas-vindas, acolhimento **welcoming** *adj* acolhedor

weld /weld/ *vt, vi* soldar

welfare /'welfeə(r)/ *s* **1** bem-estar **2** assistência: *the Welfare State* o Estado-Providência **3** (*esp USA*) segurança social

⚷ **well** /wel/ *advérbio, adjetivo, interjeição, substantivo, verbo*
▸ *adv* (*comp* **better** *superl* **best**) **1** bem: *a well-dressed woman* uma senhora bem vestida ➲ *Ver nota em* WELL BEHAVED **2** [*depois de* **can**, **could**, **may**, **might**]: *I can well believe it.* Acredito plenamente. ◇ *I can't very well leave.* Não posso ir-me embora assim sem mais nem menos. ◇ *You may well be right.* É bem possí-

W

vel que tenhas razão. **LOC as well** também ➲ *Ver nota em* TAMBÉM ◆ **as well as** assim como ◆ **be doing well** (*doente*) recuperar ◆ **may/might (just) as well do sth**: *We may/might as well go home.* O melhor é voltar para casa. ◆ **well and truly** (*esp GB, coloq*) completamente *Ver tb* JUST, MEAN, PRETTY
▸ *adj* (*comp* **better** *superl* **best**) bom: *to be well* estar bem ◇ *to get well* pôr-se bom
▸ *interj* **1** (*surpresa*) ora: *Well, look who's here!* Ora! Olha quem está aqui. **2** (*resignação*) bom: *Oh well, that's that then.* Bom, o que é que se há de fazer? **3** (*interrogação*) bem, e? **4** (*dúvida*) bem: *Well, I don't know...* Bem, não sei...
▸ *s* poço
▸ *vi* ~ **(up)** brotar

we'll /wi:l/ **1** = WE SHALL *Ver* SHALL **2** = WE WILL *Ver* WILL

well behaved *adj* bem-comportado

Os adjetivos compostos formados por **well** e outra palavra não possuem hífen quando ocorrem depois de verbos: *They are always well behaved.* Eles portam-se sempre bem. No entanto, são hifenizadas quando antecedem substantivos: *well-behaved children* crianças bem-comportadas. O mesmo ocorre com outros adjetivos compostos como **out of date** e **second best**.

well-being /'wel bi:ɪŋ/ *s* bem-estar

well built *adj* **1** (*pessoa*) encorpado **2** (*edifício, máquina*) sólido, resistente ➲ *Ver nota em* WELL BEHAVED

well-earned /'wel ɜ:nd/ *adj* merecido ➲ *Ver nota em* WELL BEHAVED

wellington /'welɪŋtən/ (*tb* **wellington boot**) *s* bota de borracha

well kept *adj* **1** bem cuidado **2** (*segredo*) bem guardado ➲ *Ver nota em* WELL BEHAVED

well known *adj* conhecido, famoso: *It's a well-known fact that...* Todos sabem que... ➲ *Ver nota em* WELL BEHAVED

well meaning *adj* bem-intencionado ➲ *Ver nota em* WELL BEHAVED

well off (*tb* **well-to-do** /ˌwel tə 'du:/) *adj* rico, abastado ➲ *Ver nota em* WELL BEHAVED

welly /'weli/ *s* (*pl* **wellies**) (*GB, coloq*) bota de borracha

Welsh /welʃ/ *adj, s* galês

went *pt de* GO

wept *pt, pp de* WEEP

were /wə(r), wɜ:(r)/ *pt de* BE

we're /wɪə(r)/ = WE ARE *Ver* BE

weren't /wɜ:nt/ = WERE NOT *Ver* BE

werewolf /'weəwʊlf/ *s* (*pl* **werewolves** /'weəwʊlvz/) lobisomem

west /west/ *substantivo, adjetivo, advérbio*
▸ *s* (*tb* **West**) (*abrev* **W**) **1** oeste: *I live in the west of Scotland.* Vivo no oeste da Escócia. **2 the West** o Ocidente, os países ocidentais
▸ *adj* (do) oeste, ocidental: *west winds* ventos do oeste
▸ *adv* a/para oeste: *to travel west* viajar em direção ao oeste

westbound /'westbaʊnd/ *adj* em/com direção a oeste

western /'westən/ *adjetivo, substantivo*
▸ *adj* (*tb* **Western**) (do) oeste, ocidental
▸ *s* western, filme de cowboys **westerner** *s* ocidental

the West Indies /ˌwest 'ɪndɪz, -di:z/ *s* [*pl*] as Caraíbas **West Indian** *adj, s* originário, -a das Caraíbas

westwards /'westwədz/ (*tb* **westward**) *adv* para (o) oeste

wet /wet/ *adjetivo, verbo, substantivo*
▸ *adj* (**wetter, -est**) **1** molhado: *to get wet* molhar-se **2** húmido: *in wet places* em lugares húmidos **3** (*tempo*) de chuva **4** (*tinta, etc.*) fresco **5** (*GB, coloq, pej*) (*pessoa*) pamonha
▸ *vt* (*pt, pp* **wet** *ou* **wetted**) **1** molhar, humedecer **2** ~ **yourself** urinar-se **LOC wet the/your bed** fazer chichi na cama
▸ *s* **1 the wet** [*sing*] a chuva: *Come in out of the wet.* Sai da chuva. **2** humidade

wetsuit /'wetsu:t, -sju:t/ *s* fato de mergulho

we've /wi:v/ = WE HAVE *Ver* HAVE

whack /wæk/ *verbo, substantivo*
▸ *vt* (*coloq*) dar uma pancada em
▸ *s* (*coloq*) pancada

whale /weɪl/ *s* baleia

wharf /wɔ:f/ *s* (*pl* **wharves** /wɔ:vz/ *ou* **wharfs**) cais

what /wɒt/ *pronome, adjetivo, interjeição*
▸ *pron* o que: *What did you say?* O que é que disseste? ◇ *I know what you're thinking.* Sei o que estás a pensar. ◇ *What's her phone number?* Qual é o número de telefone dela? ◇ *What's your name?* Como é que te chamas?

Which ou **what**? **Which** refere-se a um ou mais elementos de um grupo limitado: *Which is your car, this one or that one?* Qual é o teu carro, este ou aquele? **What** usa-se quando o grupo não é tão limitado: *What are your*

favourite books? Quais são os teus livros preferidos?

LOC **what about...?** *Ver* ABOUT ◆ **what if...?**: *What if it rains?* E se chove?
▸ *adj* **1** que: *What time is it?* Que horas são? ◇ *What colour is it?* De que cor é? ◇ *What a pity!* Que pena! **2** o/a que: *what money I have* (todo) o dinheiro que eu tenha
▸ *interj* (*coloq*) **1 what?** como?, o quê? **2 what!** o quê!

whatever /wɒt'evə(r)/ *pronome, adjetivo, advérbio*
▸ *pron* **1** (tudo) o que: *Give me whatever you can.* Dê-me o que possa. **2** *whatever happens* aconteça o que acontecer **3** que (raios): *Whatever can it be?* Que raios poderá ser? **4** (*coloq*) tanto faz: *'What would you like to do today?' 'Whatever'.* —O que é que gostavas de fazer hoje? —Tanto faz. LOC **or whatever** (*coloq*) ou o que seja: *...basketball, swimming or whatever* ...basquetebol, natação ou o que seja
▸ *adj* qualquer: *I'll be in whatever time you come.* Estarei em casa a qualquer hora que venhas.
▸ *adv* (*tb* whatsoever /ˌwɒtsəʊ'evə(r)/) absolutamente: *nothing whatever* absolutamente nada

wheat /wiːt/ *s* trigo

wheel /wiːl/ *substantivo, verbo*
▸ *s* **1** roda **2** volante
▸ **1** *vt* (*bicicleta, etc.*) empurrar **2** *vt* (*pessoa*) levar (*em cadeira de rodas*) **3** *vi* (*pássaro*) esvoaçar **4** *vi* ~ **(a)round** dar a volta

wheelbarrow /'wiːlbærəʊ/ *s* carrinho de mão

wheelchair /'wiːltʃeə(r)/ *s* cadeira de rodas

wheelie bin /'wiːli bɪn/ *s* (*GB, coloq*) contentor de lixo (*com rodas*) ➲ *Ver ilustração em* BIN

wheeze /wiːz/ *vi* respirar com dificuldade (*com pieira*)

when /wen/ *advérbio, conjunção*
▸ *adv* **1** quando: *When did he die?* Quando é que ele morreu? ◇ *I don't know when she arrived.* Não sei quando é que ela chegou. **2** em que: *There are times when...* Há momentos em que...
▸ *conj* quando: *It was raining when I arrived.* Estava a chover quando cheguei. ◇ *I'll call you when I'm ready.* Eu chamo-te quando estiver pronta.

whenever /wen'evə(r)/ *conjunção, advérbio*
▸ *conj* **1** quando: *Come whenever you like.* Vem quando quiseres. **2** (*todas as vezes que*) sempre que: *You can borrow my car whenever you want.* Podes usar o meu carro sempre que quiseres.
▸ *adv* quando (raios): *Whenever did you find time to do it?* Como raios é que arranjaste tempo para o fazer?

where /weə(r)/ *adv, conj* onde: *Where are you going?* Aonde vais? ◇ *I don't know where it is.* Não sei onde é. ◇ *the town where I was born* a vila onde nasci ◇ *Stay where you are.* Deixa-te estar onde estás.

whereabouts *advérbio, substantivo*
▸ *adv* /ˌweərə'baʊts/ onde
▸ *s* /'weərəbaʊts/ [*não-contável, v sing ou pl*] paradeiro

whereas /ˌweər'æz/ *conj* ao passo que

whereby /weə'baɪ/ *adv* (*formal*) segundo, pelo/pela qual

whereupon /ˌweərə'pɒn/ *conj* (*formal*) após o que

wherever /ˌweər'evə(r)/ *conjunção, advérbio*
▸ *conj* onde (quer que): *wherever you like* onde queiras
▸ *adv* onde (raios)

whet /wet/ *vt* (**-tt-**) LOC **whet sb's appetite** abrir o apetite a alguém

whether /'weðə(r)/ *conj* se: *I'm not sure whether to resign or stay on.* Não sei se devo demitir-me ou continuar. ◇ *It depends on whether the letter arrives on time.* Depende da carta chegar a tempo ou não. LOC **whether or not**: *whether or not it rains/whether it rains or not* quer chova quer não (chova)

which /wɪtʃ/ *pronome, adjetivo*
▸ *pron* **1** qual: *Which is your favourite?* Qual é o teu favorito? ➲ *Ver nota em* WHAT **2** [*sujeito, complemento*] que: *the book which is on the table* o livro que está em cima da mesa ◇ *the article (which) I read yesterday* o artigo que li ontem **3** [*depois de preposição*] o/a qual: *her work, about which I know nothing...* o seu trabalho, do qual nada sei... ◇ *in which case* em cujo caso ◇ *the bag in which I put it* o saco no qual eu o coloquei ❶ Este uso é muito formal. O mais comum é colocar a preposição no fim: *the bag which I put it in.*
▸ *adj* que: *Which book did you take?* Que livro levaste? ◇ *Do you know which one is yours?* Sabes qual é o teu? ➲ *Ver nota em* WHAT

whichever /wɪtʃ'evə(r)/ *pronome, adjetivo*
▸ *pron* o que (quer que): *whichever you like* o que quiseres
▸ *adj* qualquer: *It's the same, whichever route you take.* É o mesmo, qualquer que seja a estrada por onde sigas.

whiff /wɪf/ *s* ~ **(of sth)** cheirinho (a/de alguma coisa)

W

while /waɪl/ *conjunção, substantivo, verbo*
▸ *conj* (*esp GB formal* **whilst** /waɪlst/) **1** (*tempo*) enquanto **2** (*contraste*) ao passo que: *I drink coffee while she prefers tea.* Eu bebo café ao passo que ela prefere chá. **3** apesar de: *While I admit that…* Apesar de admitir que…
LOC **while you're, I'm, etc. at it** já que estás, estou, etc. nisso
▸ *s* [*sing*] momento, (período de) tempo: *for a while* durante um momento LOC *Ver* ONCE, WORTH
▸ *v* PHR V **while sth away** passar alguma coisa de forma descontraída: *to while the morning away* passar a manhã

whim /wɪm/ *s* capricho

whimper /ˈwɪmpə(r)/ *verbo, substantivo*
▸ *vi* **1** (*pessoa*) choramingar **2** (*cão*) ganir
▸ *s* choramingo, ganido

whip /wɪp/ *substantivo, verbo*
▸ *s* **1** chicote **2** (*Pol*) deputado ou deputada responsável pela disciplina no grupo parlamentar
▸ *vt* **1** chicotear **2** ~ **sth (up) (into sth)** (*Cozinha*) bater alguma coisa (até obter alguma coisa): *whipped cream* natas batidas **3** (*USA*) (*em competição*) arrasar PHR V **whip sth up 1** provocar, incitar alguma coisa **2** (*comida*) preparar alguma coisa rapidamente **whipping** *s* (*USA*) sova

whirl /wɜːl/ *verbo, substantivo*
▸ **1** *vt, vi* (fazer) girar **2** *vi* (*folhas*) rodopiar **3** *vi* (*cabeça*) andar à roda
▸ *s* [*sing*] **1** volta **2** rodopio: *a whirl of dust* uma lufada de pó **3** (*fig*) turbilhão: *My head is in a whirl.* Tenho a cabeça num turbilhão.

whirlpool /ˈwɜːlpuːl/ *s* redemoinho

whirlwind /ˈwɜːlwɪnd/ *substantivo, adjetivo*
▸ *s* redemoinho (de vento)
▸ *adj* relâmpago: *a whirlwind tour of Europe* uma visita-relâmpago à Europa

whirr (*tb esp USA* **whir**) /wɜː(r)/ *substantivo, verbo*
▸ *s* zumbido
▸ *vi* zumbir

whisk /wɪsk/ *substantivo, verbo*
▸ *s* **1** (*manual*) vara de arames **2** (*elétrico*) varinha mágica
▸ *vt* **1** (*Cozinha*) bater **2** ~ **sb/sth away, off, etc.** arrebatar alguém/alguma coisa, levar alguém/alguma coisa rapidamente

whiskers /ˈwɪskəz/ *s* [*pl*] **1** (*de animal*) bigodes **2** (*antiq*) (*de homem*) suíças

whisky (*USA ou Irl* **whiskey**) /ˈwɪski/ *s* (*pl* **whiskies** *ou* **whiskeys**) uísque

whisper /ˈwɪspə(r)/ *verbo, substantivo*
▸ **1** *vi* cochichar **2** *vt* dizer em voz baixa **3** *vi* (*vento, etc.*) sussurar
▸ *s* **1** cochicho **2** sussurro

whistle /ˈwɪsl/ *substantivo, verbo*
▸ *s* **1** assobio **2** apito
▸ *vt, vi* assobiar, apitar

white /waɪt/ *adjetivo, substantivo*
▸ *adj* (**whiter, -est**) **1** branco: *white coffee* café com leite **2** ~ **(with sth)** pálido (de alguma coisa)
▸ *s* **1** branco **2** (*pessoa*) branco, -a **3** clara (*de ovo*)

whiteboard /ˈwaɪtbɔːd/ *s* quadro (branco)

white-collar /ˌwaɪt ˈkɒlə(r)/ *adj* de escritório: *white-collar workers* empregados de escritório ➲ *Comparar com* BLUE-COLLAR

whiteness /ˈwaɪtnəs/ *s* brancura

White Paper *s* (*GB*) livro branco (*de governo*)

whitewash /ˈwaɪtwɒʃ; *USA* -wɔːʃ/ *substantivo, verbo*
▸ *s* cal
▸ *vt* **1** caiar **2** (*pej*) (*erros, reputação, etc.*) encobrir

Whitsun /ˈwɪtsn/ (*tb* **Whit** /wɪt/) *s* (domingo de) Pentecostes

whizz-kid (*tb esp USA* **whiz-kid**) /ˈwɪz kɪd/ *s* (*coloq*) menino-prodígio

who /huː/ *pron* **1** quem: *Who are they?* Quem são? ◇ *Who did you meet?* Com quem te encontraste? ◇ *Who is it?* Quem é? ◇ *They wanted to know who had rung.* Queriam saber quem tinha telefonado. **2** [*sujeito, complemento*] que: *people who eat garlic* as pessoas que comem alho ◇ *the man who wanted to meet you* o homem que te queria conhecer ◇ *all those who want to go* todos os que queiram ir ◇ *I bumped into a woman (who) I knew.* Encontrei por acaso uma senhora conhecida. ◇ *the man (who) I had spoken to* o homem com quem tinha falado ➲ *Ver notas em* QUE[1] *e* WHOM

whoever /huːˈevə(r)/ *pron* **1** quem: *Whoever gets the job…* Quem conseguir o emprego… **2** quem (quer que): *Whoever calls, I'm not in.* Seja quem for que telefone, eu não estou.

whole /həʊl/ *adjetivo, substantivo*
▸ *adj* **1** inteiro: *a whole bottle* uma garrafa inteira **2** todo: *to forget the whole thing* esquecer por completo o assunto
▸ *s* todo: *the whole of August* o mês de agosto inteiro LOC **as a whole** como um todo ◆ **on the whole** no geral

wholehearted /ˌhəʊlˈhɑːtɪd/ *adj* incondicional **wholeheartedly** *adv* sem reservas

wholemeal /ˈhəʊlmiːl/ (*tb* **wholewheat** /ˈhəʊlwiːt/) *adj* integral: *wholemeal bread* pão integral

wholesale /ˈhəʊlseɪl/ *adjetivo, advérbio*
▸ *adj* **1** (*Com*) a grosso/retalho **2** total: *wholesale destruction* destruição total
▸ *adv* a grosso/retalho

wholesome /ˈhəʊlsəm/ *adj* são, saudável

wholly /ˈhəʊlli/ *adv* (*formal*) completamente

whom /huːm/ *pron* (*formal*) quem: *Whom did you meet there?* Com quem te encontraste lá? ◇ *the investors, some of whom bought shares* os investidores, alguns dos quais adquiriram ações ◇ *To whom did you give the money?* A quem é que deste o dinheiro? ◇ *the person to whom this letter is addressed* a pessoa a quem se dirige esta carta

A palavra **whom** é muito formal. É mais frequente dizer-se: *Who did you meet there?* ◇ *Who did you give the money to?* ◇ *the person this letter is addressed to.*

whose /huːz/ *adjetivo, pronome*
▸ *adj* **1** de quem: *Whose house is that?* De quem é aquela casa? **2** cujo, -a, cujos, -as: *the people whose house we stayed in* as pessoas em cuja casa ficámos
▸ *pron* de quem: *I wonder whose it is.* De quem será?

why /waɪ/ *adv* porque, por que razão: *Why was she so late?* Por que razão chegou ela tão tarde? ◇ *Can you tell me the reason why you are so unhappy?* Podes-me dizer porque estás tão triste? LOC **why not** porque não: *Why not go to the cinema?* Porque não vamos ao cinema?

wicked /ˈwɪkɪd/ *adj* (**wickeder, -est**) **1** mau **2** (*coloq*) travesso **3** (*calão*) porreiro **wickedness** *s* maldade

wicker /ˈwɪkə(r)/ *s* vime, verga

wide /waɪd/ *adjetivo, advérbio*
▸ *adj* (**wider, -est**) **1** largo: *How wide is it?* Que largura tem? ◇ *It's two metres wide.* Tem dois metros de largura. ➲ *Ver nota em* BROAD **2** grande: *a wide range of possibilities* um vasto leque de possibilidades **3** extenso
▸ *adv* bem: *wide awake* bem acordado LOC **wide open 1** (*porta, janela*) escancarado **2** (*competição*) em aberto *Ver tb* FAR

widely /ˈwaɪdli/ *adv* muito: *widely used* muito utilizado

widen /ˈwaɪdn/ *vt, vi* alargar

wide-ranging /ˌwaɪd ˈreɪndʒɪŋ/ *adj* (*investigação, poderes, etc.*) abrangente, amplo

widescreen /ˈwaɪdskriːn/ *s* (*TV*) (de) ecrã largo

widespread /ˈwaɪdspred/ *adj* generalizado

widow /ˈwɪdəʊ/ *s* viúva **widowed** *adj* viúvo **widower** *s* viúvo

width /wɪdθ, wɪtθ/ *s* largura

wield /wiːld/ *vt* **1** (*poder*) exercer **2** (*arma, etc.*) brandir, empunhar

wife /waɪf/ *s* (*pl* **wives** /waɪvz/) mulher, esposa

Wi-Fi® /ˈwaɪ faɪ/ *s* (*abrev de* **wireless fidelity**) WiFi®

wig /wɪg/ *s* peruca

wiggle /ˈwɪgl/ *vt, vi* (*coloq*) mexer(-se)

wild /waɪld/ *adjetivo, substantivo*
▸ *adj* (**wilder, -est**) **1** selvagem **2** (*planta*) silvestre **3** (*paisagem*) agreste **4** desenfreado: *The crowd went wild.* A multidão enlouqueceu. ◇ *We had a wild time in New York.* Divertimo-nos à brava em Nova Iorque. **5** (*palpite, acusação*) à toa **6** ~ **(about sb/sth)** (*coloq*) louco (por alguém/alguma coisa) **7** (*zangado*) furioso **8** (*tempo*) tempestoso
▸ *s* **1 the wild** [*sing*] a selva: *in the wild* no seu estado selvagem **2 the wilds** [*pl*] (as) terras selvagens

wilderness /ˈwɪldənəs/ *s* **1** deserto **2** (*fig*) selva

wildlife /ˈwaɪldlaɪf/ *s* fauna (selvagem)

wildly /ˈwaɪldli/ *adv* **1** como um louco **2** violentamente, furiosamente

wilful (*USA* **willful**) /ˈwɪlfl/ *adj* (*pej*) **1** (*ato*) voluntário, intencional **2** (*pessoa*) teimoso **wilfully** *adv* (*pej*) deliberadamente

will /wɪl/ *verbo, substantivo*
▸ *v aux, v modal* (*contracção* **'ll** *neg* **will not** *ou* **won't** /wəʊnt/)

Will é um verbo modal seguido do infinitivo sem **to**, e as orações interrogativas e negativas constroem-se sem o auxiliar **do**.

1 [*para formar o futuro*]: *He'll come, won't he?* Ele virá, não é verdade? ◇ *I hope it won't rain.* Espero que não chova. ◇ *That'll be the postman.* Deve ser o carteiro. ➲ *Ver nota em* SHALL **2** (*vontade, determinação*): *She won't go.* Não quer ir. ◇ *You'll do as you're told.* Farás o que te mandarem. ◇ *Will the car start?* Então o carro arranca ou não arranca? **3** (*oferta, pedido*): *Will you help me?* Ajudas-me? ◇ *Will you stay for tea?* Ficas para o chá? ◇ *Won't you sit down?* Queira sentar-se. **4** (*regra geral*): *Oil will float on water.* O óleo flutua na água.
▸ *vt* ~ **sb to do sth** desejar que alguém faça alguma coisa
▸ *s* **1** vontade **2** [*sing*] desejo **3** testamento LOC **at will** à vontade *Ver tb* FREE

willing /ˈwɪlɪŋ/ *adj* **1** ~ **(to do sth)** disposto (a fazer alguma coisa) **2** prestável **3** (*apoio*) espontâneo

willingly /ˈwɪlɪŋli/ *adv* de boa vontade

willingness /ˈwɪlɪŋnəs/ *s* **1** boa vontade **2** ~ **to do sth** vontade de fazer alguma coisa

willow /ˈwɪləʊ/ (*tb* **willow tree**) *s* salgueiro

willpower /ˈwɪlpaʊə(r)/ *s* força de vontade

wilt /wɪlt/ *vi* **1** murchar **2** (*coloq*) (*pessoa*) definhar

wimp /wɪmp/ *s* (*coloq, pej*) **1** cobardolas **2** (*fisicamente*) palito

win /wɪn/ *verbo, substantivo*
▸ (*pt, pp* **won** /wʌn/, *part pres* **winning**) **1** *vt, vi* ganhar, vencer **2** *vt* (*vitória*) conseguir, alcançar **3** *vt* (*apoio, amigos*) conseguir, arranjar PHR V **win sth/sb back** recuperar alguma coisa/alguém ◆ **win sb (a)round/over (to sth)** convencer alguém (a fazer alguma coisa)
▸ *s* vitória

wince /wɪns/ *vi* **1** fazer uma careta de dor **2** contrair-se

wind[1] /wɪnd/ *s* **1** vento **2** [*não-contável*] gases (*intestinais*) **3** fôlego LOC **get wind of sth** (*coloq*) vir a saber alguma coisa *Ver tb* CAUTION

wind[2] /waɪnd/ (*pt, pp* **wound** /waʊnd/) **1** *vi* serpentear **2** *vt* ~ **sth (a)round/onto sth** enrolar alguma coisa à volta de alguma coisa **3** *vt* ~ **sth (up)** dar corda a alguma coisa PHR V **wind down 1** (*pessoa*) relaxar **2** (*atividade*) chegar ao fim ◆ **wind sb up** (*GB, coloq*) provocar alguém, gozar com alguém ◆ **wind (sth) up** finalizar, concluir (alguma coisa) ◆ **wind sth up** fechar alguma coisa (*negócio*)

windfall /ˈwɪndfɔːl/ *s* **1** fruta caída (da árvore) **2** (*fig*) presente caído do céu

wind farm *s* parque eólico

winding /ˈwaɪndɪŋ/ *adj* **1** tortuoso **2** (*escadas*) de caracol

windmill /ˈwɪndmɪl/ *s* moinho de vento

window /ˈwɪndəʊ/ *s* **1** janela: *window ledge* peitoril da janela **2** (*carro, guichet*) vidro **3** (*tb* **windowpane** /ˈwɪndəʊpeɪn/) vidraça **4** vitrine, montra: *to go window-shopping* ir ver montras

window box *s* floreira (*na janela*)

windowsill /ˈwɪndəʊsɪl/ *s* peitoril da janela

windscreen /ˈwɪndskriːn/ (*USA* **windshield** /ˈwɪndʃiːld/) *s* para-brisas: *windscreen wiper* limpa para-brisas

windsurfer /ˈwɪndsɜːfə(r)/ *s* **1** prancha de windsurf **2** windsurfista

windsurfing /ˈwɪndsɜːfɪŋ/ *s* windsurf

windy /ˈwɪndi/ *adj* (**windier, -iest**) **1** ventoso, com muito vento **2** (*lugar*) exposto ao vento

wine /waɪn/ *s* vinho: *wine glass* copo de vinho

winery /ˈwaɪnəri/ *s* (*pl* **wineries**) adega (*de fazer vinho*)

wing /wɪŋ/ *s* **1** asa **2** (*Pol, Desp, Arquit*) ala: *the right/left wing of the party* a ala direita/esquerda do partido **3** (*veículo*) guarda-lamas **4 the wings** [*pl*] (*Teat*) os bastidores

wink /wɪŋk/ *verbo, substantivo*
▸ **1** *vi* ~ **(at sb)** piscar o olho (a alguém) **2** *vi* (*luz*) piscar
▸ *s* piscadela

winner /ˈwɪnə(r)/ *s* vencedor, -ora

winning /ˈwɪnɪŋ/ *adj* **1** vencedor **2** premiado **3** cativante, encantador **winnings** *s* [*pl*] lucros

winter /ˈwɪntə(r)/ *substantivo, verbo*
▸ *s* (*tb* **wintertime** /ˈwɪntətaɪm/) inverno
▸ *vi* invernar, passar o inverno **wintry** /ˈwɪntri/ *adj* invernal, invernoso

wipe /waɪp/ *vt* **1** ~ **sth (from/off sth)**; ~ **sth away/off/up** limpar alguma coisa (de alguma coisa) **2** ~ **sth (from/off sth)** (*eliminar*) apagar alguma coisa (de alguma coisa) **3** ~ **sth across, onto, over, etc. sth** passar alguma coisa por alguma coisa PHR V **wipe sth out 1** destruir alguma coisa **2** (*doença, crime*) erradicar alguma coisa

wire /ˈwaɪə(r)/ *substantivo, verbo*
▸ *s* **1** arame *Ver tb* BARBED WIRE **2** (*Eletrón*) fio
▸ *vt* **1** ~ **sth (up)** montar a instalação elétrica em alguma coisa **2** ~ **sth (up) to sth** ligar alguma coisa a alguma coisa

wireless /ˈwaɪələs/ *adj* sem fios

wiring /ˈwaɪərɪŋ/ *s* [*não-contável*] **1** instalação elétrica **2** fios

wisdom /ˈwɪzdəm/ *s* **1** sabedoria: *wisdom tooth* dente do siso **2** sensatez, prudência LOC *Ver* CONVENTIONAL

wise /waɪz/ *adj* (**wiser, -est**) **1** sábio **2** sensato, acertado LOC **be none the wiser; not be any the wiser** continuar a não entender nada

wish /wɪʃ/ *verbo, substantivo*
▸ **1** *vt* (*alguma coisa pouco provável ou impossível*): *I wish he'd go away.* Quem me dera que ele fosse embora! ◇ *She wished she had gone.* Arrependeu-se de não ter ido embora.

O uso de **were**, e não de **was**, com **I, he** ou **she** depois de **wish** é considerado mais correto: *I wish I were rich!* Quem me dera ser rico!

2 *vt, vi* (*esp GB, formal*) querer **3** *vi* ~ **for sth** desejar alguma coisa **4** *vt* ~ **sb sth** desejar alguma coisa a alguém **5** *vi* pedir um desejo

▸ *s* **1** ~ **(for sth/to do sth)** desejo, vontade (de alguma coisa/fazer alguma coisa): *against my wishes* contra a minha vontade **2** desejo: *to make a wish* pedir um desejo LOC *Ver* BEST
wishful *adj* LOC **wishful thinking**: *It's wishful thinking on my part.* Não passa de ilusões da minha parte.

wistful /'wɪstfl/ *adj* triste, melancólico

wit /wɪt/ *s* **1** (presença de) espírito, humor **2** (*pessoa*) pessoa espirituosa **3 wits** [*pl*] inteligência, juízo LOC **be at your wits' end** estar à beira da loucura ◆ **frightened/scared/terrified out of your wits** morto de medo

witch /wɪtʃ/ *s* bruxa

witchcraft /'wɪtʃkrɑːft; *USA* -kræft/ *s* [*não-contável*] bruxaria

witch-hunt /'wɪtʃ hʌnt/ *s* (*lit e fig*) caça às bruxas

with /wɪð, wɪθ/ *prep* ❶ Para os usos de **with** em PHRASAL VERBS, ver as entradas para os verbos correspondentes, p. ex. **bear with sb** em BEAR. **1** com: *I'll be with you in a minute.* Um minuto e já te atendo. ◇ *He's with the BBC.* Está a trabalhar na BBC. **2** (*descrições*) com: *the man with the scar* o homem com a cicatriz ◇ *a house with a garden* uma casa com jardim **3** de: *Fill the glass with water.* Encha o copo de água. **4** (*apoio, conformidade*) (de acordo) com **5** (*por causa de*) de: *to tremble with fear* tremer de medo LOC **be with sb** (*coloq*) seguir o que alguém diz: *I'm not with you.* Não te estou a entender. ◆ **with it** (*coloq*) **1** em dia **2** na moda **3** *He's not with it today.* Não está muito concentrado hoje.

withdraw /wɪð'drɔː, wɪθ'd-/ (*pt* **withdrew** /-'druː/, *pp* **withdrawn** /-'drɔːn/) **1** *vt, vi* retirar(-se) **2** *vt* (*dinheiro*) levantar **3** *vt* (*formal*) (*palavras*) retirar **withdrawal** *s* **1** retirada, retratação **2** (*Med*): *withdrawal symptoms* síndrome de abstinência **withdrawn** *adj* introvertido

wither /'wɪðə(r)/ *vt, vi* ~ **(sth) (away)** murchar, secar (alguma coisa)

withhold /wɪð'həʊld, wɪθ'h-/ *vt* (*pt, pp* **withheld** /-'held/) (*formal*) **1** reter **2** (*informação*) ocultar **3** (*consentimento*) negar

within /wɪ'ðɪn/ *preposição, advérbio*
▸ *prep* **1** no prazo de: *within six months* no prazo de 6 meses **2** (*distância*) a menos de: *It's within ten kilometres of here.* Fica a menos de 10 quilómetros daqui. ◇ *They returned within a week.* Regressaram em menos de uma semana. ◇ *The runners were exhausted within a mile.* Os corredores estavam exaustos ao fim de uma milha. **3** ao alcance de: *It's within walking distance.* Dá para ir a pé. **4** (*formal*) dentro de
▸ *adv* (*formal*) dentro

without /wɪ'ðaʊt/ *prep* sem: *without saying goodbye* sem se despedir ◇ *without him/his knowing* sem ele saber ◇ *to do/go without sth* passar sem alguma coisa

withstand /wɪð'stænd, wɪθ's-/ *vt* (*pt, pp* **withstood** /-'stʊd/) (*formal*) aguentar

witness /'wɪtnəs/ *substantivo, verbo*
▸ *s* ~ **(to sth)** testemunha (de alguma coisa)
▸ *vt* **1** testemunhar **2** servir de testemunha em

witness box (*USA* **witness stand**) *s* banco das testemunhas

witty /'wɪti/ *adj* (**wittier, -iest**) espirituoso

wives *pl de* WIFE

wizard /'wɪzəd/ *s* mago, feiticeiro

wobble /'wɒbl/ **1** *vi* (*cadeira, etc.*) abanar **2** *vi* (*pessoa*) cambalear **3** *vi* (*gelatina*) tremer **4** *vt* abanar **wobbly** *adj* (*coloq*) **1** pouco firme **2** cambaleante **3** *a wobbly tooth* um dente a abanar

woe /wəʊ/ *s* (*antiq*) mágoa LOC **woe betide (sb)** pobre (de alguém): *Woe betide me if I forget!* Pobre de mim se me esquecer!

wok /wɒk/ *s* wok (*frigideira chinesa*) ➲ *Ver ilustração em* POT

woke, woken *pt, pp de* WAKE

wolf /wʊlf/ *s* (*pl* **wolves** /wʊlvz/) lobo

woman /'wʊmən/ *s* (*pl* **women** /'wɪmɪn/) mulher

womb /wuːm/ *s* útero

won *pt, pp de* WIN

wonder /'wʌndə(r)/ *verbo, substantivo*
▸ **1** *vt, vi* perguntar-se: *It makes you wonder.* Faz-te pensar. ◇ *I wonder if/whether he's coming.* Será que ele vem? **2** *vi* ~ **(at sth)** admirar-se (com alguma coisa)
▸ *s* **1** assombro **2** maravilha LOC **do/work wonders** (*coloq*) fazer milagres ◆ **it's a wonder (that…)** (*coloq*) parece milagre (que…) ◆ **no wonder (that…)** não admira nada (que…)

wonderful /'wʌndəfl/ *adj* maravilhoso, estupendo

won't /wəʊnt/ = WILL NOT *Ver* WILL

wood /wʊd/ *s* **1** madeira **2** lenha **3** (*tb* **woods** [*pl*]) bosque: *We went to the woods.* Fomos ao bosque. LOC *Ver* KNOCK, TOUCH **wooded** *adj* arborizado

wooden /'wʊdn/ *adj* **1** de madeira **2** (*perna*) de pau

woodland /'wʊdlənd/ (*tb* **woodlands** [*pl*]) *s* floresta

W

woodwind /'wʊdwɪnd/ *s* [*v sing ou pl*] instrumentos de sopro (*de madeira*)

woodwork /'wʊdwɜːk/ *s* **1** madeiramento **2** (*USA* **woodworking**) carpintaria

wool /wʊl/ *s* lã **woollen** (*USA* **woolen**) (*tb* **woolly**) *adj* de lã

word /wɜːd/ *substantivo, verbo*
▸ *s* **1** palavra **2 words** [*pl*] letra (*de música*) LOC **give sb your word (that...)** dar a sua palavra a alguém (de que...) ◆ **have a word (with sb) (about sth)** ter uma conversa (com alguém) (sobre alguma coisa) ◆ **in other words** por outras palavras, quer dizer ◆ **keep/break your word** cumprir a/faltar à sua palavra ◆ **put in a (good) word for sb** interceder a favor de alguém ◆ **take sb's word for it (that...)** acreditar em alguém (quando diz que...) ◆ **without a word** sem dizer nada ◆ **words to that effect**: *He told me to get out, or words to that effect.* Disse-me que me fosse embora, ou algo parecido. *Ver tb* BREATHE, EAT, LAST, MINCE, PLAY
▸ *vt* exprimir, redigir

wording /'wɜːdɪŋ/ *s* [*ger sing*] termos, fraseado

word processing *s* processamento de texto

word processor *s* processador de texto

wore *pt de* WEAR

work /wɜːk/ *verbo, substantivo*
▸ (*pt, pp* **worked**) **1** *vi* ~ **(at/on sth)** trabalhar (em alguma coisa): *to work as a lawyer* trabalhar como advogado ◇ *to work on the assumption that...* partir do princípio que... **2** *vi* ~ **(for sth/to do sth)** esforçar-se (por alguma coisa/fazer alguma coisa) **3** *vi* (*Mec*) funcionar **4** *vi* funcionar, resultar: *It will never work.* Não vai resultar. **5** *vt* (*máquina*) manejar **6** *vt* (*pessoa*) fazer trabalhar **7** *vt* (*mina*) explorar **8** *vt* (*terra*) trabalhar LOC **work free/loose** soltar(-se) ◆ **work like a charm** funcionar às mil maravilhas ◆ **work your fingers to the bone** matar-se a trabalhar *Ver tb* MIRACLE, WONDER
PHR V **work out 1** fazer exercício **2** resultar, resolver-se ◆ **work sth out 1** calcular alguma coisa **2** solucionar alguma coisa **3** planear, organizar alguma coisa ◆ **work sb/yourself up (into sth) 1** irritar alguém, irritar-se: *She had worked herself up into a rage.* Ela tinha-se irritado. ◇ *to get worked up (about/over sth)* exaltar-se (com alguma coisa) **2** excitar alguém, excitar-se: *I can't get worked up about cars.* Não consigo ficar entusiasmado com carros. ◆ **work sth up** gerar alguma coisa: *to work up an appetite* abrir o apetite ◆ **work up to sth**: *I began by jogging in the park and worked up to running five miles a day.* Comecei a fazer jogging no parque até correr oito quilómetros por dia.
▸ *s* **1** [*não-contável*] trabalho: *to leave work* sair do trabalho ◇ *work experience* experiência de trabalho/profissional

> As palavras **work** e **job** diferenciam-se pelo facto de **work** ser não-contável e **job** contável: *I've found work/a new job at the hospital.* Arranjei trabalho no hospital. **Employment** é mais formal que **work** e **job** e utiliza-se para nos referirmos à condição dos que têm emprego: *Many women are in part-time employment.* Muitas mulheres trabalham a tempo parcial. **Occupation** é um termo que se utiliza em impressos oficiais: *Occupation: student* Profissão: estudante, e **profession** utiliza-se para nos referirmos aos trabalhos que requerem um curso universitário: *the medical profession* a profissão de médico. **Trade** usa-se para designar os ofícios que requerem uma formação especial: *He's a carpenter by trade.* É carpinteiro de ofício.

2 obra: *the complete works of Shakespeare* as obras completas de Shakespeare ◇ *a piece of work* um trabalho/uma obra ◇ *Is this your own work?* Fizeste-o sozinha? **3 works** [*pl*] obras: *Danger! Works ahead.* Perigo! Obras na estrada. ❶ A palavra mais comum é **roadworks**. LOC **at work 1** a trabalhar **2** em jogo ◆ **get/go/set to work (on sth)** começar a trabalhar (em alguma coisa) *Ver tb* STROKE

workable /'wɜːkəbl/ *adj* viável

workaholic /ˌwɜːkə'hɒlɪk; *USA* -'hɔːlɪk/ *s* (*coloq*) pessoa viciada em trabalho

> **Workaholic** é um termo humorístico que resulta da combinação da palavra **work** e do sufixo **-holic**, que é a terminação da palavra **alcoholic**. Existem outras palavras novas que foram criadas com este sufixo, como **chocaholic** e **shopaholic** (pessoa viciada em chocolate/compras).

workbook /'wɜːkbʊk/ *s* livro de exercícios

worker /'wɜːkə(r)/ *s* **1** trabalhador, -ora: *farm/office workers* trabalhadores rurais/funcionários de escritório **2** operário, -a

workforce /'wɜːkfɔːs/ *s* [*v sing ou pl*] mão-de-obra

working /'wɜːkɪŋ/ *adjetivo, substantivo*
▸ *adj* **1** ativo **2** de trabalho **3** (*dia*) útil **4** a funcionar **5** (*conhecimento*) básico LOC *Ver* ORDER
▸ *s* [*ger pl*] ~ **(of sth)** funcionamento (de alguma coisa)

working class *s* [*v sing ou pl*] (*tb* **working classes** [*pl*]) classe trabalhadora

working-class /ˌwɜːkɪŋ 'klɑːs; *USA* 'klæs/ *adj* da classe trabalhadora

workload /'wɜːkləʊd/ *s* quantidade de trabalho

workman /'wɜːkmən/ *s* (*pl* **-men** /-mən/) operário **workmanship** *s* [*não-contável*] **1** (*de pessoa*) arte **2** (*de produto*) trabalho

workmate /'wɜːkmeɪt/ *s* companheiro, -a de trabalho

workout /'wɜːkaʊt/ *s* sessão de exercício físico

workplace /'wɜːkpleɪs/ *s* local de trabalho

worksheet /'wɜːkʃiːt/ *s* folha de exercícios

workshop /'wɜːkʃɒp/ *s* oficina

workstation /'wɜːksteɪʃn/ *s* estação de trabalho

worktop /'wɜːktɒp/ *s* bancada (*na cozinha*)

world /wɜːrld/ *s* mundo: *all over the world/the world over* no mundo inteiro ◇ *world-famous* internacionalmente famoso ◇ *the world population/record* a população/o recorde mundial LOC *Ver* SMALL **worldly** *adj* (*formal*) **1** mundano **2** (*bens*) terreno **3** conhecedor do mundo, experiente

worldwide *adjetivo, advérbio*
- ▸ *adj* /'wɜːldwaɪd/ mundial, internacional
- ▸ *adv* /ˌwɜːld'waɪd/ no mundo inteiro

worm /wɜːm/ *s* **1** verme **2** minhoca LOC *Ver* EARLY

worn *pp de* WEAR

worn out *adj* **1** gasto **2** (*pessoa*) exausto

worried /'wʌrid; *USA* 'wɜːrid/ *adj* **1** ~ **(about sb/sth)** preocupado (com alguém/alguma coisa) **2 be ~ that...** ter medo que...: *I'm worried that he might get lost.* Tenho medo que ele se perca.

worry /'wʌri; *USA* 'wɜːri/ *verbo, substantivo*
- ▸ (*pt, pp* **worried**) **1** *vi* ~ **(about/over sb/sth)** preocupar-se (com alguém/alguma coisa) **2** *vt* ~ **sb/yourself (about sb/sth)** preocupar, inquietar alguém, preocupar-se (com alguém/alguma coisa): *to be worried about sth* estar preocupado com alguma coisa
- ▸ *s* (*pl* **worries**) **1** [*não-contável*] preocupação **2** problema: *financial worries* problemas financeiros LOC **no worries!** (*esp Aus, NZ*) de nada!

worrying /'wʌriɪŋ; *USA* 'wɜːr-/ *adj* preocupante, inquietante

worse /wɜːs/ *adjetivo, advérbio, substantivo*
- ▸ *adj* (*comp de* **bad**) ~ **(than sth/doing sth)** pior (do que alguma coisa/fazer alguma coisa): *to make sth worse/get worse* tornar alguma coisa pior/piorar alguma coisa *Ver tb* BAD, WORST LOC **to make matters/things worse** para piorar as coisas
- ▸ *adv* (*comp de* **badly**) pior: *She speaks German even worse than I do.* Fala alemão ainda pior do que eu.
- ▸ *s* pior: *to take a turn for the worse* piorar **worsen** *vt, vi* piorar, agravar(-se)

worship /'wɜːʃɪp/ *substantivo, verbo*
- ▸ *s* **1** (*Relig*) culto **2** adoração
- ▸ (**-pp-**, *USA tb* **-p-**) *vt, vi* **1** adorar (a) **2** prestar culto (a) **worshipper** *s* fiel

worst /wɜːst/ *adjetivo, advérbio, substantivo*
- ▸ *adj* (*superl de* **bad**) pior: *My worst fears were confirmed.* Aconteceu o que eu mais temia. *Ver tb* BAD, WORSE
- ▸ *adv* (*superl de* **badly**) pior: *the worst hit areas* as áreas mais afetadas
- ▸ *s* **the worst** [*sing*] o pior LOC **at (the) worst; if (the) worst comes to (the) worst** no pior dos casos

worth /wɜːθ/ *adjetivo, substantivo*
- ▸ *adj* **1** no valor de, avaliado em: *It's not worth £5.* Não vale cinco libras. **2** ~ **sth/doing sth**: *It's worth reading.* Vale a pena ler. LOC **be worth it** merecer a pena ◆ **be worth sb's while (to do sth)** valer/merecer a pena (fazer alguma coisa)
- ▸ *s* **1** (*em dinheiro*): *£20 worth of petrol* vinte libras de gasolina **2** (*em tempo*): *two weeks' worth of supplies* mantimentos para duas semanas **3** valor LOC *Ver* MONEY **worthless** /'wɜːθləs/ *adj* **1** sem valor **2** (*pessoa*) inútil

worthwhile /ˌwɜːθ'waɪl/ *adj* que vale a pena: *to be worthwhile doing/to do sth* valer a pena fazer alguma coisa

worthy /'wɜːði/ *adj* (**worthier, -iest**) **1** ~ **(of sb/sth)** (*formal*) digno (de alguém/alguma coisa) **2** (*causa*) nobre **3** (*pessoa*) respeitável

would /wəd, wʊd/ *v aux, v modal* (*contracção* **'d** *neg* **would not** *ou* **wouldn't** /'wʊdnt/)

Would é um verbo modal seguido do infinitivo sem **to**, e as orações interrogativas e negativas constroem-se sem o auxiliar **do**.

1 [*condicional*]: *Would you do it if I paid you?* Fá-lo-ias se eu te pagasse? ◇ *He said he would come at five.* Disse que viria às cinco. **2** (*oferta, pedido*): *Would you like a drink?* Queres beber alguma coisa? ◇ *Would you come this way?* Faça favor de vir por aqui. **3** (*intenção*): *I left a note so (that) they'd call us.* Deixei um bilhete a dizer para nos telefonarem. **4** (*vontade*): *He wouldn't shake my hand.* Recusava-se a dar-me um aperto de mão.

wound[1] *pt, pp de* WIND[2]

W

wound[2] /wuːnd/ *substantivo, verbo*
▸ *s* ferida, ferimento
▸ *vt* ferir: *He was wounded in the back during the war.* Foi ferido nas costas durante a guerra. ➲ *Ver nota em* FERIMENTO

wounded /ˈwuːndɪd/ *adjetivo, substantivo*
▸ *adj* ferido
▸ *s* **the wounded** [*pl*] os feridos

wove, woven *pt, pp de* WEAVE

wow /waʊ/ *interj* (*coloq*) uau!

wrangle /ˈræŋgl/ *substantivo, verbo*
▸ *s* ~ **(over sth)** disputa (sobre alguma coisa)
▸ *vi* ~ **(about/over sth)** discutir (sobre alguma coisa)

wrap /ræp/ *verbo, substantivo*
▸ *vt* (**-pp-**) **1** ~ **sth (up)** embrulhar alguma coisa **2** ~ **sth (a)round sb/sth** enrolar alguma coisa à volta de alguém/alguma coisa LOC **be wrapped up in sb/sth** estar absorto em alguém/alguma coisa PHR V **wrap (sb/yourself) up** agasalhar alguém/agasalhar-se ◆ **wrap sth up** (*coloq*) terminar alguma coisa
▸ *s* **1** xaile **2** sanduíche feita de tortilha enrolada e recheio *Ver tb* GIFT WRAP

wrapper /ˈræpə(r)/ *s* papel (em volta)

wrapping /ˈræpɪŋ/ *s* embalagem: *wrapping paper* papel de embrulho

wrath /rɒθ; *USA* ræθ/ *s* (*antiq ou formal*) ira

wreath /riːθ/ *s* (*pl* **wreaths** /riːðz/) coroa (de flores), grinalda

wreck /rek/ *substantivo, verbo*
▸ *s* **1** navio naufragado **2** destroços (*veículo, avião, etc.*) **3** (*coloq*) (*pessoa*) farrapo: *to be a nervous wreck* estar um farrapo **4** (*coloq*) (*veículo, casa, etc.*) caco, ruína: *My car's a wreck.* O meu carro ficou feito num oito.
▸ *vt* destruir **wreckage** /ˈrekɪdʒ/ *s* [*não-contável*] destroços (*de acidente, etc.*)

wrench /rentʃ/ *verbo, substantivo*
▸ *vt* ~ **sth from/out of sth**; ~ **sth off (sth)** arrancar alguma coisa (de alguma coisa) (*com um puxão*)
▸ *s* **1** (*esp USA*) chave-inglesa (*não ajustável*) **2** puxão **3** [*sing*] separação dolorosa

wrestle /ˈresl/ *vi* (*Desp, fig*) lutar **wrestler** *s* lutador, -ora de luta livre **wrestling** *s* luta livre

wretch /retʃ/ *s* desgraçado, -a

wretched /ˈretʃɪd/ *adj* **1** desgraçado **2** (*formal*) péssimo **3** (*coloq*) maldito

wriggle /ˈrɪgl/ *vt, vi* **1** (con)torcer(-se), remexer(-se) **2** contorcer(-se): *to wriggle free* conseguir soltar-se

wring /rɪŋ/ *vt* (*pt, pp* **wrung** /rʌŋ/) **1** ~ **sth (out)** escorrer, espremer alguma coisa **2** ~ **sth (out)** (*trapo*) torcer alguma coisa LOC **wring sb's neck** (*coloq*) torcer o pescoço a alguém PHR V **wring sth from/out of sb** arrancar alguma coisa a alguém (*confissão, etc.*)

wrinkle /ˈrɪŋkl/ *substantivo, verbo*
▸ *s* ruga
▸ **1** *vt, vi* enrugar **2** *vt* (*sobrolho*) franzir **3** *vt* (*nariz*) torcer

wrist /rɪst/ *s* pulso

write /raɪt/ *vt, vi* (*pt* **wrote** /rəʊt/, *pp* **written** /ˈrɪtn/) escrever

> Em inglês britânico diz-se **write to sb** para "escrever a alguém": *Write to me while you're away.* Escreve-me quando estiveres em viagem. No inglês americano, normalmente usa-se **write sb**.

PHR V **write back (to sb)** responder (a alguém) (*por escrito*) ◆ **write sth down** anotar alguma coisa ◆ **write off/away (to sb/sth) for sth** escrever (a alguém/alguma coisa) a pedir alguma coisa ◆ **write sb/sth off (as sth)** descartar alguém/alguma coisa, considerar alguém/alguma coisa um caso perdido (por alguma coisa) ◆ **write sth off 1** dar por liquidado, cancelar alguma coisa (*dívida ou investimento irrecuperáveis*) **2** (*esp veículo*) destruir alguma coisa completamente ◆ **write sth out** passar alguma coisa a limpo, copiar alguma coisa ◆ **write sth up** redigir alguma coisa

write-off /ˈraɪt ɒf; *USA* ɔːf/ *s* perda total: *The car was a write-off.* O carro foi declarado inutilizado.

writer /ˈraɪtə(r)/ *s* escritor, -ora

writhe /raɪð/ *vi* torcer-se: *to writhe in agony* torcer-se de dor

writing /ˈraɪtɪŋ/ *s* **1** escrita **2** escrito **3** maneira de escrever **4** letra **5** **writings** [*pl*] obras LOC **in writing** por escrito

written /ˈrɪtn/ *adj* escrito *Ver tb* WRITE

wrong /rɒŋ; *USA* rɔːŋ/ *adjetivo, advérbio, substantivo*
▸ *adj* **1** errado, incorreto, falso: *to be wrong* estar enganado/errado **2** inoportuno, errado: *the wrong way up/round* ao contrário **3** errado, injusto: *It is wrong to…* Não é correto… ◇ *He was wrong to say that.* Não devia ter dito o que disse. **4** *What's wrong?* O que é que se passa? LOC *Ver* SIDE, TRACK
▸ *adv* mal, erradamente, incorretamente LOC **get sb wrong** (*coloq*) interpretar mal as palavras de alguém ◆ **get sth wrong** (*coloq*) enganar-se em alguma coisa ◆ **go wrong 1** enganar-se **2** (*máquina*) avariar **3** dar em mal

W

▸ *s* **1** [*não-contável*] mal **2** (*formal*) injustiça **LOC be in the wrong** estar errado

wrongful /ˈrɒŋfl; *USA* ˈrɔːŋfl/ *adj* injusto, ilegal

wrongly /ˈrɒŋli; *USA* ˈrɔːŋli/ *adv* injustamente, incorretamente

wrote *pt de* WRITE

wrought iron /ˌrɔːt ˈaɪən/ *s* ferro forjado

wrung *pt, pp de* WRING

X, x /eks/ *s* (*pl* **Xs, X's, x's**) X, x ➲ *Ver nota em* A, A

xenophobia /ˌzenəˈfəʊbiə/ *s* xenofobia **xenophobic** *adj* xenófobo

Xmas /ˈkrɪsməs, ˈeksməs/ *s* (*coloq*) Natal

X-ray /ˈeks reɪ/ *substantivo, verbo*
▸ *s* **1** [*ger pl*] raio X **2** radiografia
▸ *vt* tirar uma radiografia de

xylophone /ˈzaɪləfəʊn/ *s* xilofone

Y, y /waɪ/ *s* (*pl* **Ys, Y's, y's**) Y, y ➲ *Ver nota em* A, A

yacht /jɒt/ *s* iate **yachting** *s* navegação de iate

Yank /jæŋk/ (*tb* **Yankee** /ˈjæŋki/) *s* (*GB, coloq, freq pej*) ianque

yank /jæŋk/ *vt, vi* (*coloq*) dar um puxão (a), puxar bruscamente **PHR V yank sth off/out** arrancar alguma coisa com um puxão

yard /jɑːd/ *s* **1** (*GB*) pátio **2** (*USA*) jardim *Ver tb* BACKYARD **3** (*abrev* **yd**) jarda (*0, 9144m*) ➲ *Ver pág. 713*

yardstick /ˈjɑːdstɪk/ *s* critério

yarn /jɑːn/ *s* **1** [*não-contável*] (*de lã, algodão*) linha **2** (*coloq*) história comprida

yawn /jɔːn/ *verbo, substantivo*
▸ *vi* bocejar
▸ *s* bocejo **yawning** *adj* (*abismo*) tremendo

yeah /jeə/ *interj* (*coloq*) sim!

year /jɪə(r), jɜː(r)/ *s* **1** ano: *for years* durante/há anos *Ver tb* LEAP YEAR **2** (*Educ*) ano (de escolaridade): *Paul's in the second year.* O Paul está no segundo ano. **3** *a two-year-old (child)* uma criança de dois anos. ◇ *I am ten (years old).* Tenho dez anos. ❶ De notar que quando exprimimos a idade em anos, podemos omitir **years old**. ➲ *Ver tb nota em* OLD

yearly /ˈjɪəli, jɜːli/ *adjetivo, advérbio*
▸ *adj* anual
▸ *adv* anualmente, todos os anos

yearn /jɜːn/ *vi* (*formal*) **1** ~ **(for sth/sb)** suspirar (por alguma coisa/alguém) **2** ~ **to do sth** ansiar por fazer alguma coisa **yearning** *s* (*formal*) **1** ~ **(for sth/sb)** anseio (por alguma coisa), saudade (de alguém) **2** ~ **(to do sth)** ânsia de/por fazer alguma coisa, desejo ardente

yeast /jiːst/ *s* fermento

yell /jel/ *verbo, substantivo*
▸ *vt, vi* ~ **(out) (sth) (at sb/sth)** gritar (alguma coisa) (a alguém/alguma coisa), gritar com alguém/alguma coisa: *He yelled with rage.* Gritou de raiva.
▸ *s* grito

yellow /ˈjeləʊ/ *adj, s* amarelo

yelp /jelp/ *vi* **1** (*animal*) latir **2** (*pessoa*) gritar

yep /jep/ *interj* (*coloq*) sim

yes /jes/ *interj, s* (*pl* **yeses** /ˈjesɪz/) sim

yesterday /ˈjestədeɪ, -di/ *adv, s* ontem: *yesterday morning* ontem de manhã **LOC** *Ver* DAY

yet /jet/ *advérbio, conjunção*
▸ *adv* **1** [*em frases negativas*] ainda: *not yet* ainda não ◇ *They haven't phoned yet.* Ainda não telefonaram. ➲ *Ver nota em* STILL **2** [*em frases interrogativas*] já

> **Yet** ou **already**? **Yet** só se usa em frases interrogativas e vem sempre no fim da frase: *Have you finished it yet?* Já terminaste? **Already** usa-se em frases afirmativas e interrogativas e normalmente vem depois dos verbos auxiliares ou modais e antes dos restantes verbos: *Have you finished already?* Já terminaste? ◇ *He already knew her.* Já a conhecia. **Already** pode surgir no fim da frase quando indica surpresa pelo facto de uma ação se ter realizado antes do que era esperado: *He's found a job already!* Já tem trabalho! ◇ *Is it there already? That was quick!* Já lá está? Que rapidez! ➲ *Ver tb exemplos em* ALREADY

3 [*depois de superlativo*]: *her best novel yet* o seu melhor romance até ao momento **4** [*antes de adjetivo comparativo*] ainda: *yet more work* ainda mais trabalho **LOC as yet** até agora ◆ **yet again** uma vez mais, novamente
▸ *conj* mesmo assim: *It's incredible yet true.* É incrível mas é verdade.

yew /juː/ (*tb* **yew tree**) *s* teixo (*Bot*)

yield /jiːld/ *verbo, substantivo*
▸ **1** *vt* produzir, dar **2** *vt* (*Fin*) render **3** *vi* ~ **(to sb/sth)** (*formal*) ceder (perante alguém/ alguma coisa), render-se (a alguém/alguma coisa) ❶ A expressão mais comum é **give in**.
▸ *s* **1** produção **2** colheita **3** (*Fin*) rendimento
yielding *adj* (*formal*) **1** flexível **2** submisso

yogurt (*tb* **yoghurt**) /ˈjɒɡət; *USA* ˈjəʊɡərt/ *s* iogurte

yoke /jəʊk/ *s* jugo, canga

yolk /jəʊk/ *s* gema (*de ovo*)

you /juː/ *pron* **1** [*como sujeito ou depois do verbo* **be**] tu, você(s), vós, o(s) senhor(es), a(s) senhora(s): *Was it you knocking at the window?* Eras tu que estavas a bater à janela? ◇ *You said that...* Disseste que... ❶ O pronome pessoal não se pode omitir em inglês. **2** [*em frases impessoais*]: *You can't smoke in here.* Não se pode fumar aqui. ❶ Nas frases impessoais pode usar-se **one** com o mesmo significado que **you**, contudo é mais formal. **3** [*como complemento direto*] te, o(s), a(s), vos, o(s) senhor(es), a(s) senhora(s): *I saw you yesterday.* Vi-vos ontem. **4** [*como complemento indireto*] te, lhe(s), o, a, vos, o(s) senhor(es), a(s) senhora(s): *I told you to wait.* Disse-te para esperares. **5** [*depois de preposição*] ti, você(s), si, vós, o(s) senhor(es), a(s) senhora(s): *Can I go with you?* Posso ir contigo?

you'd /juːd/ **1** = YOU HAD *Ver* HAVE **2** = YOU WOULD *Ver* WOULD

you'll /juːl/ = YOU WILL *Ver* WILL

young /jʌŋ/ *adjetivo, substantivo*
▸ *adj* (**younger** /ˈjʌŋɡə(r)/, **-est** /-ɡɪst/) jovem: *young people* os jovens ◇ *He's two years younger than me.* É dois anos mais novo do que eu./Tem dois anos a menos do que eu.
▸ *s* [*pl*] **1 the young** os jovens **2** (*de animais*) crias

youngster /ˈjʌŋstə(r)/ *s* jovem

your /jɔː(r), jə(r); *USA* jʊər/ *adj* teu(s), tua(s), seu(s), sua(s), vosso(s), vossa(s), do(s) senhor(es), da(s) senhora(s): *Your room is ready.* O seu quarto está pronto. ◇ *to break your arm* partir o braço ➲ *Ver nota em* MY

you're /jʊə(r), jɔː(r)/ = YOU ARE *Ver* BE

yours /jɔːz; *USA* jərz, jʊərz/ *pron* teu(s), tua(s), seu(s), sua(s), vosso(s), vossa(s), do(s) senhor(es), da(s) senhora(s): *Is she a friend of yours?* É amiga tua? ◇ *Where is yours?* Onde está o seu? LOC **Yours faithfully/sincerely** Com os melhores cumprimentos

Na Grã-Bretanha considera-se mais correto usar **yours faithfully** no fim das cartas que não começam com o nome do destinatário, ou seja, que começam com uma saudação como **Dear Sir, Dear Madam**, etc. Caso se conheça o nome da pessoa a quem se escreve, a carta termina com **yours sincerely**. Nos Estados Unidos utiliza-se somente **Sincerely (yours)**.

yourself /jɔːˈself, jə-; *USA* jʊər-/ *pron* (*pl* **yourselves** /-ˈselvz/) **1** [*uso reflexivo*] te, se, vos: *Enjoy yourselves!* Divirtam-se! **2** [*depois de preposição*] ti (mesmo), você(s), vós, si, o(s) senhor(es)/a(s) senhora(s): *proud of yourself* orgulhoso de ti mesmo **3** [*uso enfático*] tu mesmo, -a, você(s) mesmo(s), você(s) mesma(s), vós mesmo(s), vós mesma(s), o(s) senhor(es) mesmo(s), a(s) senhora(s) mesma(s) LOC **(all) by yourself/yourselves** (completamente) sozinho(s) ◆ **be yourself/yourselves** ser natural: *Just be yourself.* Sê tu mesma.

youth /juːθ/ *s* **1** juventude: *In my youth...* Quando eu era jovem... ◇ *youth club/hostel* clube de jovens/pousada da juventude **2** (*pl* **youths** /juːðz/) (*freq pej*) jovem **youthful** *adj* juvenil

you've /juːv/ = YOU HAVE *Ver* HAVE

yuck (*tb* **yuk**) /jʌk/ *interj* (*coloq*) uhhhh! **yucky** (*tb* **yukky**) *adj* (*coloq*) asqueroso

yum /jʌm/ (*tb* **yum-yum** /ˌjʌm ˈjʌm/) *interj* (*coloq*) ummm! **yummy** *adj* (*coloq*) delicioso

Z z

Z, z /zed; *USA* ziː/ *s* (*pl* **Zs, Z's, z's**) Z, z ➲ *Ver nota em* A, A

zap /zæp/ **1** *vt* exterminar **2** *vi* fazer zapping

zeal /ziːl/ *s* (*formal*) entusiasmo, fervor **zealous** /ˈzeləs/ *adj* (*formal*) fervoroso

zebra /ˈzebrə, ˈziːbrə/ *s* zebra

zebra crossing *s* passadeira (para peões)

zenith /ˈzenɪθ/ *s* zénite, auge

zero /ˈzɪərəʊ/ *adj, pron, s* (*pl* **zeros**) zero

zest /zest/ *s* ~ **(for sth)** entusiasmo, paixão (por alguma coisa)

zigzag /ˈzɪɡzæɡ/ *adjetivo, substantivo, verbo*
▸ *adj* em ziguezague
▸ *s* ziguezague
▸ *vi* (**-gg-**) ziguezaguear

zinc /zɪŋk/ *s* zinco

zip /zɪp/ *substantivo, verbo*
▸ *s* (*USA* **zipper** /'zɪpə(r)/) fecho (ecler)
▸ *v* (**-pp-**) ~ **(sth) (up)** fechar o fecho (ecler) (de alguma coisa)

ZIP code *s* (*USA*) código postal

zodiac /'zəʊdiæk/ *s* Zodíaco

zombie /'zɒmbi/ *s* (*coloq*) zombie

zone /zəʊn/ *s* zona

zoo /zuː/ *s* (*pl* **zoos**) zoo, jardim zoológico

zoologist /zuː'ɒlədʒɪst; *USA* zəʊ'-/ *s* zoólogo, -a

zoology /zuː'ɒlədʒi; *USA* zəʊ'-/ *s* zoologia

zoom /zuːm/ *vi* sair a grande velocidade: *to zoom past* passar voando PHR V **zoom in (on sb/sth)** focar (alguém/alguma coisa) (*com o zoom*)

zoom lens *s* (*Fot*) zoom

zucchini /zu'kiːni/ *s* (*pl* **zucchini** *ou* **zucchinis**) (*USA*) courgette

Z

Expressões numéricas

Numerais

	Cardinais		Ordinais
1	one	**1st**	first
2	two	**2nd**	second
3	three	**3rd**	third
4	four	**4th**	fourth
5	five	**5th**	fifth
6	six	**6th**	sixth
7	seven	**7th**	seventh
8	eight	**8th**	eighth
9	nine	**9th**	ninth
10	ten	**10th**	tenth
11	eleven	**11th**	eleventh
12	twelve	**12th**	twelfth
13	thirteen	**13th**	thirteenth
14	fourteen	**14th**	fourteenth
15	fifteen	**15th**	fifteenth
16	sixteen	**16th**	sixteenth
17	seventeen	**17th**	seventeenth
18	eighteen	**18th**	eighteenth
19	nineteen	**19th**	nineteenth
20	twenty	**20th**	twentieth
21	twenty-one	**21st**	twenty-first
22	twenty-two	**22nd**	twenty-second
30	thirty	**30th**	thirtieth
40	forty	**40th**	fortieth
50	fifty	**50th**	fiftieth
60	sixty	**60th**	sixtieth
70	seventy	**70th**	seventieth
80	eighty	**80th**	eightieth
90	ninety	**90th**	ninetieth
100	a/one hundred	**100th**	hundredth
101	a/one hundred and one	**101st**	hundred and first
200	two hundred	**200th**	two hundredth
1,000	a/one thousand	**1,000th**	thousandth
10,000	ten thousand	**10,000th**	ten thousandth
100,000	a/one hundred thousand	**100,000th**	hundred thousandth
1,000,000	a/one million	**1,000,000th**	millionth

Exemplos

528 *five hundred and twenty-eight*
2,976 *two thousand, nine hundred and seventy-six*
50,439 *fifty thousand, four hundred and thirty-nine*
2,250,321 *two million, two hundred and fifty thousand, three hundred and twenty-one*

ℹ Em inglês, utiliza-se um espaço ou uma vírgula para marcar o milhar, por exemplo *25 000* ou *25,000*.

Números como *100*, *1 000*, *1 000 000*, etc., podem ser lidos de duas maneiras, **one hundred** ou **a hundred, one thousand** ou **a thousand**, etc.

0 (zero) lê-se **zero, nothing, nought,** ou **o** /əʊ/, dependendo da expressão em que é usado.

Expressões matemáticas

+	plus
–	minus
x	times *ou* multiplied by
÷	divided by
=	equals
%	per cent
3^2	three squared
5^3	five cubed
6^{10}	six to the power of ten (*USA* six to the tenth power)

Exemplos

6 + 9 = 15 *Six **plus** nine equals/is fifteen.*
5 x 6 = 30 *Five **times** six equals thirty./Five **multiplied by** six is thirty.*
10 – 5 = 5 *Ten **minus** five equals five./Ten **take away** five is five.*
40 ÷ 5 = 8 *Forty **divided by** five equals eight/is eight.*

Decimais

0.1	(nought) point one	(zero) point one (*USA*)
0.25	(nought) point two five	(zero) point two five (*USA*)
1.75	one point seven five	

🛈 Em inglês, utiliza-se um ponto (e não uma vírgula) para marcar os decimais.

Frações

1/2	a half
1/3	a/one third
1/4	a quarter
3/5	three fifths
1/8	an/one eighth
1/10	a/one tenth
1/16	a/one sixteenth
1 1/2	one and a half
2 3/8	two and three eighths

Exemplos

one eighth of the cake
two thirds of the population

Quando uma fração acompanha um número inteiro, usa-se a conjunção **and** para os unir:

2 1/4 *two **and** a quarter*
5 2/3 *five **and** two thirds*
1 1/2 pts. *one **and** a half pints*

Percentagens

35% thirty-five per cent
60% sixty per cent
73% seventy-three per cent

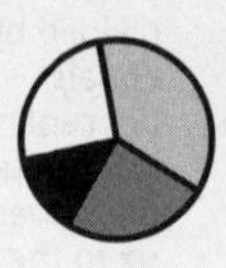

Quando as percentagens são usadas com um substantivo não-contável ou no singular, o verbo fica normalmente no singular:
25% of the information on this website ***comes*** *from government sources.*
60% of the area ***is*** *flooded.*
75% of the class ***has*** *passed.*
Se o substantivo for singular mas representar um grupo de pessoas, o verbo pode ficar no singular ou no plural:
75% of the class ***has/have*** *passed.*

Se o substantivo for contável e estiver no plural, o verbo irá ficar no plural:
80% of students ***agree.***

Peso

	Sistema imperial	Sistema métrico
	1 ounce (oz)	= 28.35 grams (g)
16 ounces	= **1 pound** (lb)	= 0.454 kilogram (kg)
14 pounds	= **1 stone** (st)	= 6.356 kilograms
2 000 pounds	= **1 ton**	= 1.016 kilograms

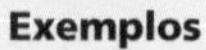

Exemplos
The baby weighed 7 lb 4oz (seven pounds four ounces).
For this recipe you need 500g (five hundred grams) of flour.
The price of copper fell by $50 a ton.

Capacidade

	Sistema imperial	Sistema métrico
	1 pint	= 0.568 litre (l)
	1 quart	= 0.9461 litre (l)
8 pints	= **1 gallon** (gal.)	= 3.7851 litre (l)

Exemplos
I bought two pints of milk at the shop.
The petrol tank holds 40 litres.

ℹ Nos Estados Unidos, a medida **pint** equivale a 0.4731 litros.

Comprimento

	Sistema imperial		Sistema métrico
	1 inch (in.)	=	25.4 millimetres (mm)
12 inches	= **1 foot** (ft)	=	30.48 centimetres (cm)
3 feet	= **1 yard** (yd)	=	0.914 metre (m)
1 760 yards	= **1 mile**	=	1.609 kilometres (km)

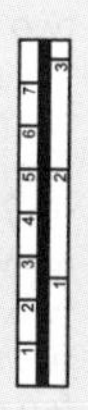

Exemplos

Height: 5 ft 9 in. (five foot nine/five feet nine).
The hotel is 30 yds (thirty yards) from the beach.
The car was doing 50 mph (fifty miles per hour).
The room is 11' x 9'6" (eleven foot by nine foot six/eleven feet by nine feet six).

🛈 Quando não houver a necessidade de sermos precisos, podemos utilizar expressões como **several inches** (um palmo), **an inch** (dois dedos), etc.

Superfície

	Sistema imperial		Sistema métrico
	1 square inch (sq in.)	=	6.452 square centimetres
144 square inches	= **1 square foot** (sq ft)	=	929.03 square centimetres
9 square feet	= **1 square yard** (sq yd)	=	0.836 square metre
4 840 square yards	= **1 acre**	=	0.405 hectare
640 acres	= **1 square mile**	=	2.59 square kilometres/ 259 hectares

Exemplos

5 000 square metres of floor space
They have a 200-acre farm.
The fire destroyed 40 square miles of woodland.

Datas

Como escrevê-las	Como dizê-las
15/4/08 (*USA* **4/15/08**)	*The fifteenth of April, two thousand and eight*
April 15(th), 2008	*April the fifteenth, two thousand and eight (USA April fifteenth)*

Exemplos

Her birthday is on April 9(th) (April the ninth/the ninth of April).
The new store opened in 2008 (two thousand and eight).
The baby was born on 18 April 1998 (April eighteenth/the eighteenth of April nineteen ninety-eight).
I'll be twenty-five in 2019 (twenty nineteen)!

Moeda

Na Grã-Bretanha

Valor da moeda/nota		Nome da moeda/nota
1p	a penny (one p)	a penny
2p	two pence (two p)	a two-pence piece
5p	five pence (five p)	a five-pence piece
10p	ten pence (ten p)	a ten-pence piece
20p	twenty pence (twenty p)	a twenty-pence piece
50p	fifty pence (fifty p)	a fifty pence piece
£1	a pound	a pound (coin)
£2	two pounds	a two-pound coin
£5	five pounds	a five-pound note
£10	ten pounds	a ten-pound note
£20	twenty pounds	a twenty-pound note
£50	fifty pounds	a fifty-pound note

Exemplos

£9.99: nine pounds ninety-nine/nine ninety-nine
25p: twenty-five pence.
Grapes are £1.50 (one pound fifty) a pound.

🛈 As expressões que aparecem entre parênteses são mais coloquiais. Note que a pronúncia de *one p, two p*, etc. é /wʌn piː/, /tuː piː/, etc.

Nos Estados Unidos

Valor da moeda/nota		Nome da moeda/nota
1¢	a cent	a penny
5¢	five cents	a nickel
10¢	ten cents	a dime
25¢	twenty-five cents	a quarter
$1	a dollar	a dollar bill/coin
$5	five dollars (five bucks)	a five-dollar bill
$10	ten dollars (ten bucks)	a ten-dollar bill
$20	twenty dollars (twenty bucks)	a twenty-dollar bill
$50	fifty dollars (fifty bucks)	a fifty-dollar bill
$100	a hundred dollars (a hundred bucks)	a hundred-dollar bill

Exemplos

$5.75: five seventy-five
The apples are $1.69 (a dollar seventy-nine/one seventy-nine) a pound.
We pay $700 a month for rent.

🛈 **Buck** é uma forma coloquial de nos referirmos a **dollar**: *It cost fifty bucks.*

A hora

- A forma de se dizer a hora varia de acordo com o grau de formalidade e se o inglês é britânico ou americano:

It's: *five fifteen*
(a) quarter past five
(a) quarter after five (*USA*)

It's: *six thirty*
half past six
half six (*GB coloq*)

It's: *three forty-five*
(a) quarter to four
(a) quarter to/of four (*USA*)

It's: *eleven ten*
ten (minutes) past eleven
ten (minutes) after eleven (*USA*)

It's: *eleven forty*
twenty (minutes) to twelve
twenty (minutes) to/of twelve (*USA*)

- A palavra ***minutes*** pode ser omitida após 5, 10, 20 e 25, mas é quase sempre utilizada após os outros números:

  It's five after two.
  mas *It's eleven minutes after five.*

- O "relógio de 24 horas" (**the 24-hour clock**) é utilizado principalmente para horários de comboios, autocarros, etc., ou em avisos.

- Para distinguirmos entre o período da manhã, da tarde e da noite, usamos ***in the morning***, ***in the afternoon*** ou ***in the evening***:

  6:00 *six o'clock in the morning*
  15:30 *half past three in the afternoon*
  22:00 *ten o'clock in the evening*

- Numa linguagem mais formal, utiliza-se ***a.m./p.m.***:

  Office hours are 9 a.m. to 4:30 p.m.
  ➲ *Ver tb nota em* P.M.

Números de telefone

- Para dizer o número de um telefone, deve-se ler cada número em separado:

  369240 *three six nine two four o*
  258446 *two five eight double four six*
  01865 556767 *o one eight six five double five six seven six seven*

- Quando se trata de uma empresa com central telefónica, os números das extensões aparecem entre parênteses:

  (x3545) *extension three five four five*

Nomes geográficos

Afghanistan /æf'gænɪstæn, -stɑːn/	Afghan /'æfgæn/
Africa /'æfrɪkə/	African /'æfrɪkən/
Albania /æl'beɪniə/	Albanian /æl'beɪniən/
Algeria /æl'dʒɪəriə/	Algerian /æl'dʒɪəriən/
America /ə'merɪkə/	American /ə'merɪkən/
Andorra /æn'dɔːrə/	Andorran /æn'dɔːrən/
Angola /æŋ'gəʊlə/	Angolan /æŋ'gəʊlən/
Antarctica /æn'tɑːktɪkə/	Antarctic /æn'tɑːktɪk/
Argentina /ˌɑːdʒən'tiːnə/	Argentinian /ˌɑːdʒən'tɪniən/, Argentine /'ɑːdʒəntaɪn/
Armenia /ɑː'miːniə/	Armenian /ɑː'miːniən/
Asia /'eɪʒə, 'eɪʃə/	Asian / 'eɪʒn, 'eɪʃn/
Australia /ɒ'streɪliə; *USA* ɔː's-/	Australian /ɒ'streɪliən; *USA* ɔː's-/
Austria /'ɒstriə; *USA* 'ɔːs-/	Austrian /'ɒstriən; *USA* 'ɔːs-/
Azerbaijan /ˌæzəbaɪ'dʒɑːn/	Azerbaijani /ˌæzəbaɪ'dʒɑːni/, Azeri /ə'zeəri/
Bangladesh /ˌbæŋglə'deʃ/	Bangladeshi /ˌbæŋglə'deʃi/
Belarus /ˌbelə'ruːs/	Belarusian /ˌbelə'ruːsiən, -'rʌʃn/
Belgium /'beldʒəm/	Belgian /'beldʒən/
Bosnia and Herzegovina /ˌbɒzniə ən ˌhɜːtsəgə'viːnə/	Bosnian /'bɒzniən/, Herzegovinian /ˌhɜːtsəgə'vɪniən/
Brazil /brə'zɪl/	Brazilian / brə'zɪliən/
Bulgaria /bʌl'geəriə/	Bulgarian /bʌl'geəriən/
Burma /'bɜːmə/ (*tb* **Myanmar** /mi,æn'mɑː(r)/)	Burmese /bɜː'miːz/
Canada /'kænədə/	Canadian /kə'neɪdiən/
Cape Verde /ˌkeɪp 'vɜːd/	Cape Verdean /ˌkeɪp 'vɜːdiən/
Chile /'tʃɪli; *USA* 'tʃɪleɪ/	Chilean /'tʃɪliən; *USA* tʃɪ'leɪən/
China /'tʃaɪnə/	Chinese /tʃaɪ'niːz/
Colombia /kə'lɒmbiə, -'lʌm-/	Colombian /kə'lɒmbiən, -'lʌm-/
Croatia /krəʊ'eɪʃə/	Croatian /krəʊ'eɪʃn/, Croat /'krəʊæt/
Cuba /'kjuːbə/	Cuban /'kjuːbən/
Cyprus /'saɪprəs/	Cypriot /'sɪpriət/
(the) Czech Republic /ˌtʃek rɪ'pʌblɪk/	Czech /tʃek/
Denmark /'denmɑːk/	Danish /'deɪnɪʃ/, a Dane /deɪn/
Ecuador /'ekwədɔː(r)/	Ecuadorian, Ecuadorean /ˌekwə'dɔːriən/
East Timor/ˌiːst 'tiːmɔː (r)/	East Timorese /ˌiːst tɪmə'riːz/
Egypt /'iːdʒɪpt/	Egyptian /i'dʒɪpʃn/
England /'ɪŋglənd/	English /'ɪŋglɪʃ/, an Englishman /'ɪŋglɪʃmən/, an Englishwoman /'ɪŋglɪʃwʊmən/, (the English)
Estonia /e'stəʊniə/	Estonian /e'stəʊniən/
Ethiopia /ˌiːθi'əʊpiə/	Ethiopian /ˌiːθi'əʊpiən/
Europe /'jʊərəp/	European /ˌjʊərə'piːən/
Finland /'fɪnlənd/	Finnish /'fɪnɪʃ/, a Finn /fɪn/

(the) Former Yugoslav Republic of Macedonia (FYROM) /ˌfɔ:mə ˌju:gəslɑ:v rɪˌpʌblɪk əv ˌmæsə'dəʊniə/	Macedonian /ˌmæsə'dəʊniən/
France /frɑ:ns; *USA* fræns/	French /frentʃ/, a Frenchman /'frentʃmən/, a Frenchwoman /'frentʃwʊmən/, (the French)
Georgia /'dʒɔ:dʒə/	Georgian /'dʒɔ:dʒən/
Germany /'dʒɜ:məni/	German /'dʒɜ:mən/
Great Britain /ˌgreɪt 'brɪtn/	British /'brɪtɪʃ/, a Briton /'brɪtn/, (the British)
Greece /gri:s/	Greek /gri:k/
Guinea /'gɪni/	Guinean /'gɪniən/
Guinea-Bissau /ˌgɪni bɪ'saʊ/	Guinean /'gɪniən/
Hungary /'hʌŋgəri/	Hungarian /hʌŋ'geəriən/
Holland /'hɒlənd/ – *ver* **(the) Netherlands**	
Iceland /'aɪslənd/	Icelandic /aɪs'lændɪk/, an Icelander /'aɪsləndə(r)/
India /'ɪndiə/	Indian /'ɪndiən/
Indonesia /ˌɪndə'ni:ʒə/	Indonesian /ˌɪndə'ni:ʒn/
Iran /ɪ'rɑ:n, ɪ'ræn/	Iranian /ɪ'reɪniən/
Iraq /ɪ'rɑ:k, ɪ'ræk/	Iraqi /ɪ'rɑ:ki, ɪ'ræki/
(the Republic of) Ireland /'aɪələnd/	Irish /'aɪrɪʃ/, an Irishman /'aɪərɪʃmən/, an Irishwoman /'aɪərɪʃwʊmən/, (the Irish)
Israel /'ɪzreɪl/	Israeli /ɪz'reɪli/
Italy /'ɪtəli/	Italian /ɪ'tæliən/
Jamaica /dʒə'meɪkə/	Jamaican /dʒə'meɪkən/
Japan /dʒə'pæn/	Japanese /ˌdʒæpə'ni:z/
Jordan /'dʒɔ:dn/	Jordanian /dʒɔ:'deɪniən/
Kazakhstan /ˌkæzæk'stæn, -'stɑ:n/	Kazakh /'kæzæk, kə'zæk/
Kenya /'kenjə, 'ki:njə/	Kenyan /'kenjən, 'ki:njən/
Korea /kə'riə/	North Korea /ˌnɔ:θ kə'riə/ North Korean /ˌnɔ:θ kə'riən/, South Korea /ˌsaʊθ kə'riə/ South Korean /ˌsaʊθ kə'riən/
Kuwait /kʊ'weɪt/	Kuwaiti /kʊ'weɪti/
Latvia /'lætviə/	Latvian /'lætviən/
Lebanon /'lebənən; *USA* -nɒn/	Lebanese /ˌlebə'ni:z/
Libya /'lɪbiə/	Libyan /'lɪbiən/
Liechtenstein /'lɪktənstaɪn, 'lɪxt-/	Liechtenstein, a Liechtensteiner /'lɪktənstaɪnə(r), 'lɪxt-/
Lithuania /ˌlɪθju'eɪniə/	Lithuanian /ˌlɪθju'eɪniən/
Luxembourg /'lʌksəmbɜ:g/	Luxembourg, a Luxembourger /'lʌksəmbɜ:gə(r)/
Malaysia /mə'leɪʒə/	Malaysian /mə'leɪʒn/
Malta /'mɔ:ltə/	Maltese /mɔ:l'ti:z/
Mexico /'meksɪkəʊ/	Mexican /'meksɪkən/
Moldova /mɒl'dəʊvə/	Moldovan /mɒl'dəʊvn/
Montenegro /ˌmɒntɪ'ni:grəʊ; *USA* -tə'ne-/	Montenegrin /ˌmɒntɪ'ni:grɪn; *USA* -tə'ne-/
Morocco /mə'rɒkəʊ/	Moroccan /mə'rɒkən/
Mozambique /ˌməʊzæm'bi:k/	Mozambican /ˌməʊzæm'bi:kən/
(the) Netherlands /'neðələndz/	Dutch /dʌtʃ/, a Dutchman /'dʌtʃmən/, a Dutchwoman /'dʌtʃwʊmən/, (the Dutch)

New Zealand /ˌnjuː ˈziːlənd; *USA* ˌnuː/	New Zealand, New Zealander /ˌnjuː ˈziːləndə(r); *USA* ˌnuː/
Nigeria /naɪˈdʒɪəriə/	Nigerian /naɪˈdʒɪəriən/
Northern Ireland /ˌnɔːðən ˈaɪələnd/	Northern Irish /ˌnɔːðən ˈaɪərɪʃ/ (*adj*)
Norway /ˈnɔːweɪ/	Norwegian /nɔːˈwiːdʒən/
Pakistan /ˌpækɪˈstæn, ˌpɑːkɪ-, -stɑːn/	Pakistani /ˌpækɪˈstæni, ˌpɑːkɪ-, -stɑːni/
Peru /pəˈruː/	Peruvian /pəˈruːviən/
(the) Philippines /ˈfɪlɪpiːnz/	Philippine /ˈfɪlɪpiːn/, a Filipino /ˌfɪlɪˈpiːnəʊ/, a Filipina /ˌfɪlɪˈpiːnə/
Poland /ˈpəʊlənd/	Polish /ˈpəʊlɪʃ/, a Pole /pəʊl/
Portugal /ˈpɔːtʃʊgl/	Portuguese /ˌpɔːtʃʊˈgiːz/
Romania /ruˈmeɪniə; *USA* rəʊ-/	Romanian /ruˈmeɪniən; *USA* rəʊ-/
Russia /ˈrʌʃə/	Russian /ˈrʌʃn/
São Tomé and Príncipe /ˌsaʊ təˌmeɪ ən ˈprɪnsɪpeɪ/	São Tomean /ˌsaʊ təˈmeɪən/
Saudi Arabia /ˌsaʊdi əˈreɪbiə/	Saudi /ˈsaʊdi /, Saudi Arabian /ˌsaʊdi əˈreɪbiən/
Scandinavia /ˌskændɪˈneɪviə/	Scandinavian /ˌskændɪˈneɪviən/
Scotland /ˈskɒtlənd/	Scottish /ˈskɒtɪʃ/, a Scot /skɒt/, a Scotsman /ˈskɒtsmən/, a Scotswoman /ˈskɒtswʊmən/, (the Scots)
Serbia /ˈsɜːbiə/	Serbian /ˈsɜːbiən/, Serb /sɜːb/
Singapore /ˌsɪŋəˈpɔː(r)/	Singaporean /ˌsɪŋəˈpɔːriən/
Slovakia /sləˈvækiə; *USA* sləʊ-/	Slovak /ˈsləʊvæk/, Slovakian /sləˈvækiən; *USA* sləʊ-/
Slovenia /sləˈviːniə; *USA* sləʊ-/	Slovene /ˈsləʊviːn/, Slovenian /sləˈviːniən; *USA* sləʊ-/
Somalia /səˈmɑːliə/	Somali /səˈmɑːli/
South Africa /ˌsaʊθ ˈæfrɪkə/	South African /ˌsaʊθ ˈæfrɪkən/
Spain /speɪn/	Spanish /ˈspænɪʃ/, a Spaniard /ˈspænɪəd/, (the Spanish)
Sudan /suˈdɑːn, suˈdæn/	Sudanese /suːdəˈniːz/
Sweden /ˈswiːdn/	Swedish /ˈswiːdɪʃ/, a Swede /swiːd/
Switzerland /ˈswɪtsələnd/	Swiss /swɪs/
Syria /ˈsɪriə/	Syrian /ˈsɪriən/
Thailand /ˈtaɪlænd/	Thai /taɪ/
Tunisia /tjuˈnɪziə; *USA* tuːˈniːʒə/	Tunisian /tjuˈnɪziən; *USA* tuːˈniːʒn/
Turkey /ˈtɜːki/	Turkish /ˈtɜːkɪʃ/, a Turk /tɜːk/
Ukraine /juːˈkreɪn/	Ukrainian /juːˈkreɪniən/
(the) United Arab Emirates /juˌnaɪtɪd ˌærəb ˈemɪrəts	Emirati /ˌemɪˈrɑːti; *USA* -ˈræti/
(the) United Kingdom /juˌnaɪtɪd ˈkɪŋdəm/	British /ˈbrɪtɪʃ/, a Briton /ˈbrɪtn/, (the British)
(the) United States of America /juˌnaɪtɪd ˌsteɪts əv əˈmerɪkə/	American /əˈmerɪkən/
Vietnam /ˌvjetˈnæm, ˌviːet, -ˈnɑːm/	Vietnamese /ˌvjetnəˈmiːz, viːˌet-/
Wales /weɪlz/	Welsh /welʃ/, a Welshman /ˈwelʃmən/, a Welshwoman /ˈwelʃwʊmən/, (the Welsh)
(the) West Indies /ˌwest ˈɪndɪz, -diːz/	West Indian /ˌwest ˈɪndiən/
Yemen /ˈjemən/	Yemeni /ˈjeməni/
Zimbabwe /zɪmˈbɑːbwi, -bweɪ/	Zimbabwean /zɪmˈbɑːbwiən/

A União Europeia The European Union

Austria	Vienna /vi'enə/
Belgium	Brussels /'brʌslz/
Bulgaria	Sofia /'səʊfɪə, sə'fi:ə/
Croatia	Zagreb /'zɑ:greb/
Cyprus	Nicosia /ˌnɪkə'si:ə/
Czech Republic	Prague /prɑ:g/
Denmark	Copenhagen /ˌkəʊpən'heɪgən/
Estonia	Tallinn /'tælɪn/
Finland	Helsinki /'helsɪŋki/
France	Paris /'pærɪs/
Germany	Berlin /bɜ:'lɪn/
Greece	Athens /'æθənz/
Hungary	Budapest /ˌbu:də'pest; *USA* 'bu:dəpest/
Ireland	Dublin /'dʌblɪn/
Italy	Rome /rəʊm/
Latvia	Riga /'ri:gə/
Lithuania	Vilnius /'vɪlniəs/
Luxembourg	Luxembourg /'lʌksəmbɜ:g/
Malta	Valletta /və'letə/
the Netherlands	Amsterdam /'æmstədæm/
Poland	Warsaw /'wɔ:sɔ:/
Portugal	Lisbon /'lɪzbən/
Romania	Bucharest /ˌbu:kə'rest; *USA* 'bu:kərest/
Slovakia	Bratislava /ˌbrætɪ'slɑ:və; *USA* -'slævə/
Slovenia	Ljubljana /ljʊb'ljɑ:nə; *USA* -'ljænə/
Spain	Madrid /mə'drɪd/
Sweden	Stockholm /'stɒkhəʊm/
United Kingdom	London /'lʌndən/

As Ilhas Britânicas The British Isles

Great Britain (GB) ou **Britain** é formada pela Inglaterra (**England** /'ɪŋglənd/), Escócia (**Scotland** /'skɒtlənd/) e País de Gales (**Wales** /weɪls/).

A designação correta para o estado político é **the United Kingdom of Great Britain and Northern Ireland (UK)**, que, além da Grã-Bretanha, inclui também a Irlanda do Norte. A designação **Great Britain** é, no entanto, muitas vezes usada como sinónimo de **the United Kingdom** (o Reino Unido).

Quando falamos de **the British Isles**, referimo-nos à ilha da Grã-Bretanha e à ilha da Irlanda (**Ireland** /'aɪələnd/).

Principais cidades das Ilhas Britânicas

Aberdeen /ˌæbə'di:n/

Bath /bɑ:θ; *USA* bæθ/

Belfast /'belfɑ:st; bel'fɑ:st; *USA* 'belfæst/

Berwick-upon-Tweed /ˌberɪk əpɒn 'twi:d/

Birmingham /'bɜ:mɪŋəm; *USA* -hæm/

Blackpool /'blækpu:l/

Bournemouth /'bɔ:nməθ/

Bradford /'brædfəd/

Brighton /'braɪtn/

Bristol /'brɪstl/

Caernarfon /kə'nɑ:vn; *USA* kær-/

Cambridge /'keɪmbrɪdʒ/

Canterbury /'kæntəbəri; *USA* -beri/

Cardiff /'kɑ:dɪf/

Carlisle /kɑ:'laɪl; *USA* 'kɑ:rlaɪl/

Chester /'tʃestə(r)/

Colchester /'kəʊltʃɪstə(r); *USA* -tʃes- /

Cork /kɔ:k/

Coventry /'kɒvəntri/

Derby /'dɑ:bi; *USA* 'dɜ:rbi/

Douglas /'dʌgləs/

Dover /'dəʊvə(r)/

Dublin /'dʌblɪn/

Dundee /dʌn'di:/

Durham /'dʌrəm; *USA* 'dɜ:rəm/

Eastbourne /'i:stbɔ:n/

Edinburgh /'edɪnbrə, -bərə/

Exeter /'eksɪtə(r)/

Galway /'gɔ:lweɪ/

Glasgow /'glɑ:zgəʊ; *USA* 'glæz-/

Gloucester /'glɒstə(r)/

Hastings /'heɪstɪŋz/

Hereford /'herɪfəd/

Holyhead /'hɒlihed/

Inverness /ˌɪnvə'nes/

Ipswich /'ɪpswɪtʃ/

Keswick /'kezɪk/

Kingston upon Hull /ˌkɪŋstən əpɒn 'hʌl/

Leeds /'li:dz/

Leicester /'lestə(r)/

Limerick /'lɪmərɪk/

Lincoln /'lɪŋkən/

Liverpool /'lɪvəpu:l/

London /'lʌndən/

Londonderry /'lʌndənderi/

Luton /'lu:tn/

Manchester /'mæntʃɪstə(r)/

Middlesbrough /'mɪdlzbrə/

Newcastle upon Tyne /ˌnju:kɑ:sl əpɒn 'taɪn; *USA* ˌnu:kæsl/

Norwich /'nɒrɪdʒ/

Nottingham /'nɒtɪŋəm; *USA* -hæm/

Oxford /'ɒksfəd/

Plymouth /'plɪməθ/

Poole /pu:l/

Portsmouth /'pɔ:tsməθ/

Ramsgate /'ræmzgeɪt/

Reading /'redɪŋ/

Salisbury /'sɔ:lzbəri; *USA* -beri/

Sheffield /'ʃefi:ld/

Shrewsbury /'ʃrəʊzbəri; *USA* -beri/

Southampton /saʊ'θæmptən/

St. Andrews /ˌsnt 'ændru:z; *USA* ˌseɪnt/

Stirling /'stɜ:lɪŋ/

Stoke-on-Trent /ˌstəʊk ɒn 'trent/

Stratford-upon-Avon /ˌstrætfəd əpɒn 'eɪvn/

Swansea /'swɒnzi/

Taunton /'tɔ:ntən/

Warwick /'wɒrɪk; *USA* 'wɔ:rwɪk/

Worcester /'wʊstə(r)/

York /jɔ:k/

The British Isles

Os Estados Unidos da América e Canadá
The United States of America and Canada

Estados que fazem parte dos EUA

Alabama /ˌæləˈbæmə/
Alaska /əˈlæskə/
Arizona /ˌærɪˈzəʊnə/
Arkansas /ˈɑːkənsɔː/
California /ˌkæləˈfɔːnjə/
Colorado /ˌkɒləˈrɑːdəʊ; *USA* -ˈræd-/
Connecticut /kəˈnetɪkət/
Delaware /ˈdeləweə(r)/
Florida /ˈflɒrɪdə; *USA* ˈflɔːr-/
Georgia /ˈdʒɔːdʒə/
Hawaii /həˈwaɪi/
Idaho /ˈaɪdəhəʊ/
Illinois /ˌɪləˈnɔɪ/
Indiana /ˌɪndiˈænə/
Iowa /ˈaɪəwə/
Kansas /ˈkænzəs/
Kentucky /kenˈtʌki/
Louisiana /luˌiːziˈænə/
Maine /meɪn/
Maryland /ˈmeərələnd; *USA* ˈmær-/
Massachusetts /ˌmæsəˈtʃuːsɪts/
Michigan /ˈmɪʃɪgən/
Minnesota /ˌmɪnəˈsəʊtə/
Mississippi /ˌmɪsɪˈsɪpi/
Missouri /mɪˈzʊəri; *USA* məˈz-/
Montana /mɒnˈtænə/
Nebraska /nəˈbræskə/
Nevada /nəˈvɑːdə; *USA* nəˈvædə/
New Hampshire /ˌnjuː ˈhæmpʃə(r); *USA* ˌnuː/
New Jersey /ˌnjuː ˈdʒɜːzi; *USA* ˌnuː/
New Mexico /ˌnjuː ˈmeksɪkəʊ; *USA* ˌnuː/
New York /ˌnjuː ˈjɔːk; *USA* ˌnuː/
North Carolina /ˌnɔːθ kærəˈlaɪnə/
North Dakota /ˌnɔːθ dəˈkəʊtə/
Ohio /əʊˈhaɪəʊ/
Oklahoma /ˌəʊkləˈhəʊmə/
Oregon /ˈɒrɪgən; *USA* ˈɔːrəgən/
Pennsylvania /ˌpenslˈveɪniə/
Rhode Island /ˌrəʊd ˈaɪlənd/
South Carolina /ˌsaʊθ kærəˈlaɪnə/
South Dakota /ˌsaʊθ dəˈkəʊtə/
Tennessee /ˌtenəˈsiː/
Texas /ˈteksəs/
Utah /ˈjuːtɑː/
Vermont /vəˈmɒnt/
Virginia /vəˈdʒɪnjə/
Washington /ˈwɒʃɪŋtən/
West Virginia /ˌwest vəˈdʒɪnjə/
Wisconsin /wɪsˈkɒnsɪn/
Wyoming /waɪˈəʊmɪŋ/

Províncias e territórios do Canadá

Alberta /ælˈbɜːtə/
British Columbia /ˌbrɪtɪʃ kəˈlʌmbiə/
Manitoba /ˌmænəˈtəʊbə/
New Brunswick /ˌnjuː ˈbrʌnzwɪk; *USA* ˌnuː/
Newfoundland and Labrador /ˌnjuːfəndlənd ən ˈlæbrədɔː(r); *USA* ˌnuː-/
Northwest Territories /ˌnɔːθwest ˈterətriz; *USA* -tɔːriz/
Nova Scotia /ˌnəʊvə ˈskəʊʃə/
Nunavut /ˈnʊnəvʊt/
Ontario /ɒnˈteəriəʊ/
Prince Edward Island /ˌprɪns ˈedwəd aɪlənd/
Quebec /kwɪˈbek/
Saskatchewan /səˈskætʃəwən/
Yukon Territory /ˈjuːkɒn terətri; *USA* -tɔːri/

Principais cidades dos EUA e Canadá

Atlanta /ətˈlæntə/
Baltimore /ˈbɔːltɪmɔː(r)/
Boston /ˈbɒstən; *USA* ˈbɔːs-/
Chicago /ʃɪˈkɑːgəʊ/
Cleveland /ˈkliːvlənd/
Dallas /ˈdæləs/
Denver /ˈdenvə(r)/
Detroit /dɪˈtrɔɪt/
Houston /ˈhjuːstən/
Kansas City /ˌkænzəs ˈsɪti/
Los Angeles /ˌlɒs ˈændʒəliːz; *USA* ˌlɔːs ˈændʒələs/
Miami /maɪˈæmi/
Minneapolis /ˌmɪniˈæpəlɪs/
Montreal /ˌmɒntriˈɔːl/
New Orleans /ˌnjuː ɔːˈlɪənz; *USA* ˌnuː ˈɔːrlɪənz/
New York /ˌnjuː ˈjɔːk; *USA* ˌnuː/
Ottawa /ˈɒtəwə/
Philadelphia /ˌfɪləˈdelfiə/
Pittsburgh /ˈpɪtsbɜːg/
San Diego /ˌsæn diˈeɪgəʊ/
San Francisco /ˌsæn frənˈsɪskəʊ/
Seattle /siˈætl/
St Louis /ˌsnt ˈluːɪs; *USA* ˌseɪnt/
Toronto /təˈrɒntəʊ/
Vancouver /vænˈkuːvə(r)/
Washington D.C. /ˌwɒʃɪŋtən diː ˈsiː/
Winnipeg /ˈwɪnɪpeg/

Arctic Ocean
ALASKA
0
1000 km
ALASKA
Anchorage
YUKON
NORTHWEST TERRITORIES
NUNAVUT
BRITISH COLUMBIA
ALBERTA
C A N A D A
MANITOBA
SASKATCHEWAN
QUEBEC
NEWFOUNDLAND
ONTARIO
Vancouver
Seattle
Winnipeg
PRINCE EDWARD I.
NEW BRUNSWICK
NOVA SCOTIA
Quebec City
Montreal
Ottawa
Toronto
WASHINGTON
OREGON
MONTANA
NORTH DAKOTA
MINNESOTA
MAINE
IDAHO
WYOMING
SOUTH DAKOTA
Minneapolis
WISCONSIN
MICHIGAN
VERMONT
NEW HAMPSHIRE
Boston
MASSACHUSETTS
NEW YORK
CONN.
R.I.
San Francisco
NEVADA
UTAH
Milwaukee
Detroit
Cleveland
PENN.
New York
NEBRASKA
IOWA
Chicago
N.J.
Pittsburgh
Baltimore
Philadelphia
UNITED STATES
Denver
CALIFORNIA
COLORADO
KANSAS
Kansas City
ILLINOIS
St Louis
INDIANA
Indianapolis
OHIO
Washington D.C.
DELAWARE
MARYLAND
W. VIRGINIA
Cincinnati
Los Angeles
MISSOURI
KENTUCKY
VIRGINIA
San Diego
ARIZONA
NEW MEXICO
OKLAHOMA
ARKANSAS
TENNESSEE
NORTH CAROLINA
SOUTH CAROLINA
Atlanta
Dallas
MISSISSIPPI
ALABAMA
GEORGIA
Atlantic Ocean
TEXAS
LOUISIANA
Houston
New Orleans
FLORIDA
Pacific Ocean
Miami
Gulf of Mexico
HAWAII
Honolulu
0
250 km
Caribbean Sea
international boundary
province/state boundary
capital city
city or town
0
500
1000 km

Austrália e Nova Zelândia

Australia and New Zealand

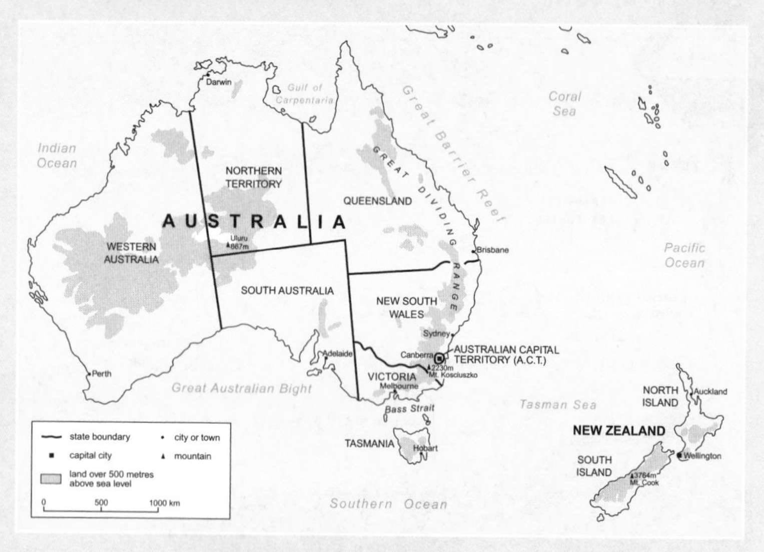

Principais cidades da Austrália e Nova Zelândia

Adelaide /ˈædəleɪd/

Alice Springs /ˌælɪs ˈsprɪŋz/

Auckland /ˈɔːklənd/

Brisbane /ˈbrɪzbən/

Canberra /ˈkænbərə; *USA* -berə/

Christchurch /ˈkraɪstʃɜːtʃ/

Darwin /ˈdɑːwɪn/

Dunedin /dʌˈniːdɪn/

Geelong /dʒɪˈlɒŋ; *USA* -ˈlɔːŋ/

Hamilton /ˈhæmɪltən/

Hobart /ˈhəʊbɑːt/

Melbourne /ˈmelbən/

Newcastle /ˈnjuːkɑːsl; *USA* ˈnuːkæsl/

Perth /pɜːθ/

Sydney /ˈsɪdni/

Townsville /ˈtaʊnzvɪl/

Wellington /ˈwelɪŋtən/

Estados que fazem parte da Austrália

Australian Capital Territory (ACT) /ɒˌstreɪliən kæpɪtl ˈterətri; *USA* ɔːˈstreɪliən, ˈterətɔːri/

New South Wales /ˌnjuː saʊθ ˈweɪlz; *USA* ˌnuː/

Northern Territory /ˌnɔːðən ˈterətri; *USA* ˈterətɔːri/

Queensland /ˈkwiːnzlənd/

South Australia /ˌsaʊθ ɒˈstreɪliə; *USA* ɔːˈs-/

Tasmania /tæzˈmeɪniə/

Victoria /vɪkˈtɔːriə/

Western Australia /ˌwestərn ɒˈstreɪliə; *USA* ɔːˈs-/

breviaturas e símbolos

rev	abreviatura
dj	adjetivo
dv	advérbio
eronáut	Aeronáutica
gric	Agricultura
nat	Anatomia
ntiq	termo antiquado
rquit	Arquitetura
t	artigo
strol	Astrologia
stron	Astronomia
us	inglês australiano
ol	Biologia
ot	Botânica
an	inglês canadiano
oloq	termo coloquial
om	termo comercial
omp	comparativo
onj	conjunção
esp	Desporto
con	Economia
duc	Educação
letrón	Eletrónica
sp	especialmente
em	feminino
g	sentido figurado
in	Finanças
ís	Física
ot	Fotografia
B	inglês britânico
eog	Geografia
eol	Geologia
eom	Geometria
er	geralmente
ram	Gramática
list	História
um	termo humorístico
nformát	Informática
+ -ing	seguido de verbo terminado em -ing
nterj	interjeição
rl	inglês irlandês
rón	termo irónico
ornal	Jornalismo
ur	termo jurídico
ing	Linguística
it	sentido literal
iter	Literatura
nasc	masculino
Mat	Matemática
Mec	Mecânica
Med	Medicina
Meteor	Meteorologia
Mil	termo militar
Mús	Música
Náut	Náutica
neg	negativo
num	numeral
NZ	inglês neozelandês
ofen	termo ofensivo
pág.	página
part pres	particípio presente
pej	termo pejorativo
pl	plural
Pol	Política
pp	particípio passado
pref	prefixo
prep	preposição
pres	presente
pron	pronome
pt	pretérito
Quím	Química
Relig	Religião
s	substantivo
sf	substantivo feminino
sm	substantivo masculino
smf	substantivo masculino e feminino
sm-sf	substantivo com desinências diferentes para o masculino e o feminino
sm ou sf	substantivo masculino ou feminino
Sb	somebody
sing	singular
Sociol	Sociologia
sth	something
superl	superlativo
tb	também
Teat	Teatro
TV	Televisão
USA	inglês americano
v	verbo
v aux	verbo auxiliar
vi	verbo intransitivo
v imp	verbo impessoal
v modal	verbo modal
vp	verbo pronominal
v sing ou pl	verbo no singular ou no plural
vt	verbo transitivo
Zool	Zoologia
LOC	locuções e expressões
PHRV	secção de *phrasal verbs*
🔑	informação sobre as palavras de uso mais frequente
▶	mudança de classe gramatical (adjetivo, verbo, etc.)
ℹ	introduz uma breve nota sobre a palavra consultada
➲	remete para outra página, onde há informação relacionada
+	seguido de
®	marca registada

Verbos irregulares

Infinitivo	Pretérito	Particípio
arise	arose	arisen
awake	awoke	awoken
babysit	babysat	babysat
be	was/were	been
bear	bore	borne
beat	beat	beaten
become	became	become
begin	began	begun
bend	bent	bent
bet	bet	bet
bid	bid	bid
bind	bound	bound
bite	bit	bitten
bleed	bled	bled
blow	blew	blown
break	broke	broken
breed	bred	bred
bring	brought	brought
broadcast	broadcast	broadcast
build	built	built
burn	burnt, burned*	burnt, burned*
burst	burst	burst
bust	bust, busted	bust, busted
buy	bought	bought
cast	cast	cast
catch	caught	caught
choose	chose	chosen
cling	clung	clung
come	came	come
cost	cost, costed	cost, costed
creep	crept	crept
cut	cut	cut
deal	dealt	dealt
dig	dug	dug
dive	dived, *USA tb* dove	dived
do	did	done
draw	drew	drawn
dream	dreamt, dreamed	dreamt, dreamed
drink	drank	drunk
drive	drove	driven
dwell	dwelt, dwelled*	dwelt, dwelled*
eat	ate	eaten
fall	fell	fallen
feed	fed	fed
feel	felt	felt
fight	fought	fought
find	found	found
flee	fled	fled
fling	flung	flung
fly	flew	flown
forbid	forbade	forbidden
forecast	forecast, forecasted	forecast, forecasted
forget	forgot	forgotten
forgive	forgave	forgiven
freeze	froze	frozen
get	got	got, *USA* gotten
give	gave	given
go	went	gone
grind	ground	ground
grow	grew	grown
hang	hung, hanged	hung, hanged
have	had	had
hear	heard	heard
hide	hid	hidden
hit	hit	hit
hold	held	held
hurt	hurt	hurt
keep	kept	kept
kneel	knelt, *USA tb* kneeled	knelt, *USA tb* kneeled
know	knew	known
lay	laid	laid
lead[1]	led	led
lean	leaned, leant*	leaned, leant*
leap	leapt, leaped*	leapt, leaped*
learn	learnt, learned*	learnt, learned*
leave	left	left
lend	lent	lent
let	let	let
lie[1]	lay	lain
light	lit, lighted	lit, lighted
lose	lost	lost
make	made	made
mean	meant	meant
meet	met	met
mislay	mislaid	mislaid
mislead	misled	misled
misread	misread	misread
mistake	mistook	mistaken
misunderstand	misunderstood	misunderstood
mow	mowed	mown, mowed
offset	offset	offset
outdo	outdid	outdone
overcome	overcame	overcome
overdo	overdid	overdone
override	overrode	overridden
overtake	overtook	overtaken